14年連続!!
1番売れてる
(全国大手書店調べ)(全国大学生協書籍部調べ)
業界地図!
(2024年版実績)
シェア75%!
193業界・4231社の情報掲載
「会社四季報」記者が最新解説!!
業界地図と言えばやっぱりこれ!
会社四季報
業界地図
2025年版
業界ガイドブック
ビジネスの情報収集に
新NISAの株式投資に
就活・転職の武器に
日本の地方版&海外版の地図!
「業界深読み」もさらに拡充!
累計250万部突破!
皆様に支持されて
累計250万部突破!
定価1870円(10%税込) 978-4-492-97334-9

スーパーゼネコンの一角を占める竹中工務店は東京ドームをはじめとする国内5大ドーム球場や著名なオフィスビル、美術館などを手がけている。自らの建築物を「作品」と呼び、見事な設計力と技術力を誇る。この財産を未来につなぐため、同社は独自のキャリア開発プログラムを実施している。

制作：東洋経済企画広告制作チーム

よい仕事がよい人を育て、よい人がよい仕事を生む 独自のキャリア開発プログラム

竹中工務店

この会社で自分はどう活躍できるのか

竹中工務店が導入しているキャリア開発プログラムは、30歳までに一人前になることを目指す中長期視点だ。しかし、狙いは若手が「納得して」早期に活躍できることである。その背景について同社人事室人事開発部主任で新卒採用担当の夛田皓秋氏はこう語る。

「30歳までは活躍できないという意味ではありません。会社が手厚くサポートしながら、1年目からさまざまなフィールドで活躍することが可能です。ただ、知識だけではなく経験則も少なからず必要な事業領域のため、社員が自分自身と向き合い、技能の習得とともにさまざまな経験を積んでいただくことで、組織に適応してもらう仕組みを、会社として用意しています。この仕組みを設けることで社員に迷いなく活躍してほしいという意図があります」

ではどのような仕組みを用意しているのか。その1つは活躍の場を探るための取り組みだ。まず、30歳前後になるまでの間にジョブローテーションを経て、自分の活躍の場を探る。

「竹中工務店は建築やものづくりが好きな理系学生が集まる一方、さまざまな業界を研究していく中で、現場チームが一丸となって建築物を完成させる姿に共感し、入社を希望する文系学生も少なくありません。

だからこそ、この会社で自分はどう活躍できるのか。1年に1回、現職務における自身の適性や、今後どのような部門にチャレンジしたいか等を自己申告する制度があります。なんとなく申告するのではなく、上長との面談を通して自身のキャリアを考え、さまざまな情報を会社としても社員に提供することで、自分の指針を持てるように工夫しています」（夛田氏）

キャリア開発の基盤となる1年目の過ごし方

もう1つの特徴的な取り組みとして、毎年

250名前後の全新社員が神戸にある教育寮・深江竹友寮で1年間生活し、新社員教育制度の中で2つまたは3つの部門をジョブローテーションして実務研修を行っていることだ。また、2019年に建て替えられた教育寮は、全室個室としながら寮生同士が交流しやすい開放的な施設である。

2023年に新卒入社後、現在は大阪本店人事部人材開発グループに所属する平川巧氏は今年24年4月から1年間寮長を務める。

「私はカタチに残る仕事がしたくて、規模の大きな建築物に興味を抱くようになり、最終的に竹中工務店に入社することになりました。寮生活も魅力的でした。実際、同じ事務職だけでなく、設計や設備、建築技術といった異なる職能の同期とも絆を深める1年間を過ごしました」

1年目の実務研修と並行してさまざまな研修が行われるが、目的別研修として、役員寮会（役員から担当分野の話を直接聞く場）や各部門長との定期的な交流会が開催され、タテ・ヨコ・ナナメと幅広い人的ネットワークを形成できる研修を実施している。そんな1年間を過ごした平川氏は、同期と一緒に自分たちのキャリア開発について語り合うキャリア研修が印象的だったという。

「5〜10年後、自分はこんなキャリアを歩んでみたいけれど、皆はどう思うのか。同期と意見交換をしながら自分のキャリアについて深められたことは、同期との距離が近いからこそ、できたことです。そこでさらに同期と互いの理解を深めたことも今の仕事にも役立っていますし、この先も自分が仕事で困ったことがあれば相談できることは心

竹中工務店で入社後の1年間を過ごす深江竹友寮

強いです」（平川氏）

平川氏の将来の目標はスタジアム建設のような大きなプロジェクトに携わること。

「ゼネコンだと建築学科出身でなければ活躍できないと思われがちですが、そうではありません。いろんなバックグラウンドを持った人たちが得意なことを生かしながら、よりよい作品をつくることがゴールです。文系・理系関係なく同期が研修や寮生活を通じてつながる文化があるからこそ幅広いキャリアの目標を持つことができます」（平川氏）

「よい仕事がよい人を育て、よい人がよい仕事を生む」という思想を人材育成においてまさに体現している。

「社員一人ひとりが、ビジョンを持って仕事に取り組めばおのずと活躍できます。そのための場を整えるために、同期や先輩、後輩との深い交流を通じてしっかりとした基盤づくりを行います。実際、キャリアのホップ、ステップの7年間を過ごしたあとは、ジャンプのときに大きく飛躍できる人が多いと感じています」（芎田氏）

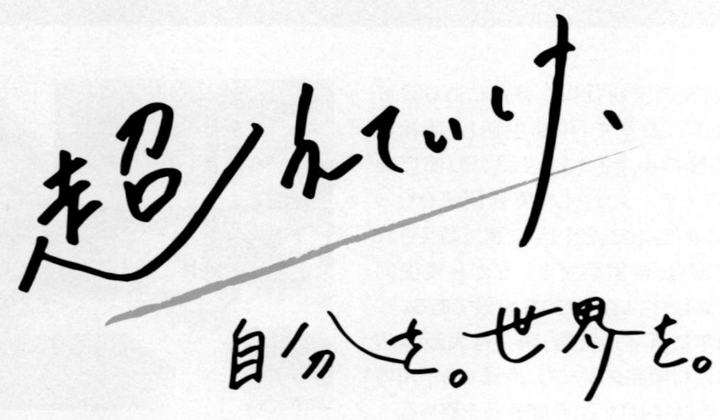
超えていけ、
自分を。世界を。

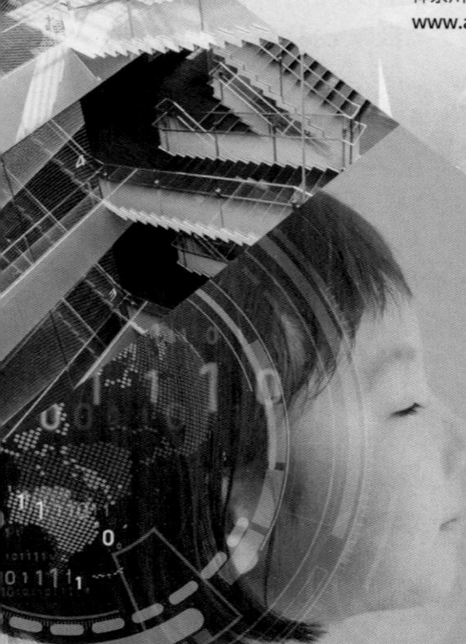

大日本印刷株式会社

https://www.dnp.co.jp/
〒162-8001　東京都新宿区市谷加賀町１－１－１
問い合わせ：採用ホームページの「お問い合わせフォーム」からご連絡ください。

webページを見る

未来のあたりまえをつくる。

DNP

持続可能なより良い社会、
より心豊かな暮らしを実現していく
新しい価値の創出に挑戦し続ける総合印刷会社

DNPは常に、社会に貢献し、人々の暮らしを豊かにしていく「志」を持ち続けています。その思いを「未来のあたりまえをつくる。」という言葉に込め、DNPの製品・サービスが「欠かせない価値」として、世界の人々の身近に「あたりまえ」に存在し続けるように努めています。魅力あるコンテンツ、高セキュリティサービス、スマートフォン等の部材、環境に優しいパッケージや生活空間用製品、写真や体験型のサービスなどを数多く展開しています。

また、環境・社会・経済の変化は事業拡大の大きなチャンスであり、DNP自身が変化を起こすことで、“より良い未来”をつくっていきたいと考えています。その実現には、【高い志を持ってビジョンを描き、「未来のあたりまえ」を自ら体現できる皆さん】の力が必要です。

DNPは、社会課題を解決するとともに、人々の期待に応える価値を生み出すため、独自の「P&I（印刷と情報）」の強みを掛け合わせ、多様なパートナーとの連携を深めています。そこに皆さんの力をさらに掛け合わせていきたい。ともに“より良い未来”をつくり出していく新しい仲間を私たちは待っています。

POINT

ライフスタイルの変化に応じて、自らの働き方を選ぶ

DNPは、社員自身のライフスタイルが変化した場合も、どのように自分を磨き続けたいかを考え、選択できる多様な仕組みを提供しています。出産・育児の場合、産前・産後休業や、子どもが２歳になるまでの期間で育児休業を取得できます。男性の育児休業取得率も2023年度は約99%となりました。また「人への投資」を加速し、働き方改革およびマネジメント改革と並行して、あらゆるジェンダーギャップの解消に向け、意思決定の多様性を高めています。「実践型リーダーシップ研修」や、意思決定の場への女性登用を促進し上位職位の多様性を高める「スポンサーシッププログラム」等、女性のキャリア形成にも注力。ライフスタイルの変化に対応した多様な社員の活躍機会を創出します。

環境・社会・経済と暮らしの価値を高める挑戦

DNPは、サステナブルな地球の上で初めて、健全な社会と経済、快適で心豊かな人々の暮らしが成り立つと捉えています。「常に挑戦し続ける企業文化」を活かし、多様な社会で生きる多様な人々に新しい価値を提供していきます。例えば、環境負荷の低減につながる各種製品、子ども一人ひとりに最適な教材を提供する教育ICT、次世代のモビリティ社会や情報通信を支える製品・サービスなどを国内外で展開していきます。

DNPの取り組みは社外からも高く評価されています

- 子育てサポートくるみん認定
- PRIDE指標ゴールドを受賞
- 「2023J-Winダイバーシティ・アワード」ダブル受賞、ほか

コーポレートDATA（実績）

業種…総合印刷業
設立…1894（明治27）年1月19日
資本金…1,144億64百万円（2024年3月31日現在）
売上高…1兆4,248億22百万円（連結）（2024年3月期）
従業員数…36,911名（連結）（2024年3月31日現在）
代表者…代表取締役社長　北島 義斉
事業所…東京都新宿区市谷加賀町一丁目1番1号
採用人数…200名（2025年卒予定）
募集職種…【事務系総合職】営業、企画、コーポレートスタッフ
【技術系総合職】研究開発、製品・プロセス開発、システム開発
【デザイン系総合職】クリエイター
初任給…【大都市圏】大卒・高専（専攻科）卒 252,000円／修士了 272,000円／高専（本科）卒 226,000円
【大都市圏以外】大卒・高専（専攻科）卒 247,000円／修士了 267,000円／高専（本科）卒 221,000円
（2024年度、キャリア自律支援金10,000円含む）
昇給・賞与…昇給年1回・賞与年2回
勤務時間…フレックス勤務制（コアタイムなし）
休日・休暇…完全週休2日制（土・日）、祝祭日、社休日（5月1日、6月16日）、夏期休暇、年末年始休暇、有給休暇ほか
福利厚生…企業年金、個人積立年金、提携住宅資金融資、従業員持株会、共済会、財形貯蓄（補助制度あり）、各種団体保険（生保・損保）制度、ジョブ・リターン制度、産休制度、育児制度、介護制度、寮制度など
教育制度…導入教育、職種別専門教育、階層別専門教育、自己啓発通信教育制度、資格取得奨励制度ほか

AD

大和証券グループ

https://www.daiwa-grp.jp/recruit/
〒100-6752　東京都千代田区丸の内1-9-1　グラントウキョウノースタワー
問い合わせ：recruit@daiwa.co.jp

webページを見る

日本の金融界を牽引する女性リーダーを輩出

大和証券グループは、ウェルスマネジメント部門（旧リテール部門）、グローバル・マーケッツ＆インベストメント・バンキング部門（旧ホールセール部門）、およびアセット・マネジメント部門を中核に据え、日本全国182の店舗網による強力な国内基盤と、世界24ヶ国・地域の拠点を中心としたグローバルネットワークを有する総合証券グループです。企業と投資家を資本市場へとつなぐ重要な役割を担っており、投資家の運用ニーズに対しては最適な商品・サービスを、企業の事業拡大ニーズに対してはファイナンスやM＆Aを提供するなど、お客様が抱える課題に対してベストなソリューションを提供しています。また、伝統的な証券ビジネスを核に、外部ネットワークや周辺ビジネスの拡大・強化によるハイブリッド戦略では、次世代金融サービスの開発や再生可能エネルギー分野に特化したフィナンシャル・アドバイザリー事業の拡大への投資等、「新たな価値」を提供しています。

そして男女を問わず、すべての社員が活躍できる環境を整え、さまざまな人事制度の改善や人材開発への投資に積極的に取り組んでおり、女性管理職比率は21.1%、グループ全体で17名の女性役員を登用しています。ロールモデルの増加や女性向けキャリア研修の実施により、女性がキャリアを描きやすくなり、近年、総合職・広域エリア総合職・エリア総合職への職制転向を通じてキャリアアップを目指す女性社員が大幅に増加しています。

POINT

SDGs達成に向けた大和証券グループの取組み

今後の世界を牽引する重要な目標であるSDGsについて、経営戦略の根底にSDGsの観点を取り入れ、企業として経済的価値の追求と社会課題解決の推進を両立させる、共通価値の創造を目指しています。「大和証券グループ未来応援ボンド」では、新型コロナウイルス感染症による影響を受けた子どもたちへの支援を行う団体への緊急支援のために、発行額の一部を寄付金に充当するなど、今後も持続可能な資金循環を生む仕組みづくりを進めていきます。

クオリティNo.1に向けた5年間の若手研修

新入社員の入社後2年間を基礎教育期間と位置づけ、「ダイワベーシックプログラム」において、金融のプロとして必要とされる知識を習得。さらに入社3～5年目の社員に対して、教育プログラム「Q-Road」を実施。クオリティNo.1に向けて、付加価値の高いソリューションをお客様に提供できるよう、学びながらそれを現場で実践し経験を積むことで、若手社員の成長をさらに加速させています。

ライフステージに応じた多様な働き方を実現

2in1端末の早期導入を機にデジタルと対面によるお客様との接点拡大が可能となるなど、デジタルトランスフォーメーションの進展により、業務効率化や生産性向上を実現しています。そして全社員対象の「テレワーク制度」を拡充し、オフィス出社時と同一環境での業務が可能となっています。育児・介護、治療との両立や移動・空き時間の有効活用など、社員がポテンシャルを最大限発揮できるよう、ライフステージに応じた多様な働き方を整備しています。

コーポレートDATA（実績）

業種…証券
設立…1943年12月27日（創立1902年）
資本金…2,473億円（2024年3月末現在）
売上高…12,775億円（2024年3月末現在）
従業員数…14,544名（2024年3月末現在）
代表者…執行役社長　CEO　中田 誠司
事業所…東京、大阪、名古屋をはじめ全国各地および海外
採用人数…465名（2024年4月入社実績）
募集職種…総合職、総合職エキスパート・コース、広域エリア総合職、エリア総合職、カスタマーサービス職
初任給…総合職、広域エリア総合職、エリア総合職：大学卒 月給280,000円/月
総合職エキスパート・コース：原則博士課程後期修了 月給450,000円～/月
（固定残業代30時間分を含む、超過時間分は追加支給※詳細は当社規程による）
カスタマーサービス職：大学卒　月給235,000円/月
昇給・賞与…昇給：年1回（6月）、賞与：年2回（6月、12月）
勤務時間…8：40～17：10（部署によりフレックス勤務制度あり）
休日・休暇…完全週休2日制、祝日、年末年始、夏季休暇（連続7日～10日間）およびリフレッシュ休暇（連続5日間）またはフレックス休暇（連続12日間）、有給休暇17～23日（初年度15日）、結婚準備休暇、ファミリー・デイ休暇、キッズセレモニー休暇、親の長寿祝い休暇、勤続感謝休暇、ボランティア休暇、エル休暇、健診休暇　他
福利厚生…通勤・超過勤務・家族手当、寮・住宅補助、介護帰省手当、保育施設費用補助、ベビーシッター制度、ベビーサロン、出産一時金、医療（定期検診、人間ドック等）、確定拠出年金、保養所、奨学金返済サポート制度　他
教育制度…ダイワベーシックプログラム（1・2年次対象基礎教育）、Q-Road（クオリティNo.1に向け部門毎に一層専門性を高める3～5年次対象研修）、チューター制度、集合研修、eラーニング、資格取得支援制度、英会話、海外留学制度（MBA）、デジタルITマスター認定制度、プレゼンテーション・ロジカルシンキングなどのスキル研修　他

就職四季報

働きやすさ
女性活躍版

2026
2027
年版

東洋経済新報社

CONTENTS 就職四季報 働きやすさ・女性活躍版

働きやすい会社がわかる

会社研究1292社

就職四季報 働きやすさ・女性活躍版の見方・使い方

この本は、内容の大半を2024年7～8月に実施した独自調査によって作成しています。掲載にあたっては、一定の編集方針のもと、回答企業の記述を内容に則して変更している（回答そのままでない）場合があります。掲載項目のうち、「特色」と「記者評価」は東洋経済の『会社四季報』『会社四季報・未上場会社版』記者が執筆しています。執筆以降の会社の状況の変化には対応できていない場合があることにご注意ください。また、会社データの一部は同誌調査等に基づく東洋経済の企業データベースを引用しています。

調査先は原則として、実際に採用活動を行う個別の会社としました。ただし、グループ採用などの場合はグループ単位もあります。各データは正社員のもので、この本の主要な読者である大学生・大学院生が就く職場環境を把握するため、メーカーなどでは主に工場ラインに就く現場技能職を除いた「非現業者」を対象に回答を依頼しました。

この『就職四季報　働きやすさ・女性活躍版』では働きやすい会社を選ぶ指標として、テレワーク制度、転勤の有無、産休・育休中の給与や男性育休取得率、管理職の男女比率、一般職の採用情報など、姉妹誌である『就職四季報　総合版』には掲載されていない項目を盛り込んでいます。 なお、「総合職」「技術職」「一般職」の区分は、待遇や職責でいずれかに当てはめたもので、その会社の呼称とは異なる場合があります。

凡例

「NA」… 非公開（No Answer）

「ND」… 該当データなし（No Data）

「−」…… 未定、算出・表示不能

① …… 注記があるデータ（本文のカッコ書きを参照）

◇ …… 『会社四季報』、有価証券報告書などからの引用データ（全従業員ベース）、またはメーカー等で現業者含むデータ

㊀総 …… 総合職（総合職全般、技術系がある場合技術系以外）

㊀技 …… 技術系職種

注目４データ

【平均勤続年数】 従業員の平均勤続年数。「①」は注記のついたデータで、本文の【従業員】欄に詳細を記載。

【男性育休取得率】 22、23年度に配偶者が出産した人数を分母として計算し、22年度→23年度の形で表示。取得者数には前年度以前に配偶者が出産していた場合も含めるため、取得率が100%を越えることがある。

【3年後離職率】 20年4月、21年4月の新卒入社者（単独ベース、非現業者）を対象に、入社3年以内に離職した人の割合を、20年入社者→21年入社者の形で表示。

【平均年収（平均年齢）】 総合職の平均年収を優先して表示（㊀で表示）。残業代や賞与を含む。総合職平均が非回答の場合は非現業部門の平均を掲載。現業者を含むデータしか得られない場合、または『会社四季報』や有価証券報告書から引用した場合は「◇」を付した。「①」は注記のついたデータで、本文「働きやすさ、諸制度」に詳細を記載。平均年収が総合職の数字で、平均年齢が非現業部門従業員の数字の場合は、年齢の前に「＊」をつけて掲載。

情報開示度

えるぼし・くるみん

762　**開示 ★★★☆☆**

すみともしょうじ

住友商事㈱

えるぼし ★★　プラチナくるみん

【特色】住友系総合商社。CATVなどメディア事業に強み

記者評価 1919年に大阪北港の土地造成などを手がける不動産経営会社として設立、45年に商事事業に進出。CATV最大手のJ：COM、テレビ通販のジュピターショップチャンネル、ITサービス大手のSCSKなどを抱える。鉄鋼、自動車、輸送機も強い。洋上風力発電事業にも参画。

平均勤続年数	男性育休取得率	3年後離職率	平均年収(平均41歳)
17.1年	67.3→63.6%	3.9→3.8%	㊀1,809万円

●採用・配属情報●

【男女・文理別採用実績】※25年:24年7月時点

	大卒男	大卒女	修士男	修士女
23年	44(文 35理 9)	31(文 27理 4)	17(文 2理 15)	6(文 1理 5)
24年	43(文 37理 6)	31(文 27理 4)	18(文 3理 15)	6(文 0理 6)
25年	35(文 31理 4)	34(文 31理 3)	26(文 4理 22)	10(文 3理 7)

【男女・職種別採用実績】

	プロフェッショナル職
23年	98(男 61 女 37)
24年	98(男 61 女 37)
25年	105(男 61 女 44)

【24年4月入社者の配属勤務地】㊀東京97 大阪1

【転勤】あり:全社員

【中途比率】[単年度]21年度16%、22年度43%、23年度47%[全体]10%

●働きやすさ、諸制度●

残業(月)　36.9時間

【勤務時間】9:15～17:30(フレックスタイム制 コアタイムなし フレキシブルタイム5:00～22:00)【有休取得年平均】14.3日【週休】完全2日(土日祝)【夏期休暇】有休で取得【年末年始休暇】12月29日～1月3日

【離職率】男:2.4%、81名 女:3.1%、41名(早期退職男39名、女8名含む)

【新卒3年後離職率】
[20→23年]3.9%(男4.9%・入社102名、女1.9%・入社53名)
[21→24年]3.8%(男2.7%・入社75名、女6.5%・入社31名)

【テレワーク】制度あり:[場所]自宅 サテライトオフィス 上司が認めた出張先・外出先[対象]勤続1年以上(ただしキャリア入社者は勤続1年未満でも可)他[日数]終日テレワークは週3日まで[利用率]19.6%【勤務制度】フレックス 勤務間インターバル 副業容認【住宅補助】独身寮(入社6年目まで 10,000円～15,000円)社宅(東京圏:市場家賃の30～50% 東京圏以外:市場家賃の15～25% 上限あり)

●ライフイベント、女性活躍●

【女性比率】■男 □女

新卒採用 41.9%（44名）　従業員 27.3%（1262名）　管理職 9.4%（273名）

【産休】[期間]産前6・産後8週間[給与]会社全額給付[取得者数]63名

【育休】[期間]2歳になるまで[給与]法定[取得者数]22年度 男113名(対象168名)女51名(対象51名)23年度 男105名(対象165名)女63名(対象63名)[平均取得日数]22年度 男43日 女352日、23年度 男52日 女405日

【従業員】[人数]4,616名(男3,354名、女1,262名)[平均年齢]41.5歳(男42.1歳、女39.8歳)[平均勤続年数]17.1年(男17.5年、女15.9年)【年齢構成】■男 □女

	男	女
60代～	0%	0%
50代	21%	7%
40代	19%	6%
30代	22%	8%
～20代	11%	7%

会社データ　(金額は百万円)

【本社】100-8601 東京都千代田区大手町2-3-2 大手町プレイス イーストタワー ☎03-6285-5000　https://www.sumitomocorp.com/ja/jp/

【業績(IFRS)】	営業収益	営業利益	税前利益	純利益
22.3	5,495,015	338,900	590,019	463,694
23.3	6,817,872	433,065	722,918	565,178
24.3	6,910,302	354,203	527,646	386,352

【業種】就職活動の観点から区分した本書独自の業種分類で、標準産業分類や証券取引所の定める業種分類などとは異なる。

【情報開示度】調査項目回答率。5段階（最高★5つ、最低★1つ）で評価。

【短大、専門学校の採用状況】23～25年のいずれかで採用（内定）実績があればアイコン表示。詳細は巻末に掲載。

【社名】株式会社は（株）、相互会社は（相）、独立行政法人は（独法）で表示。通称やグループ名などの場合もある。

【えるぼし】厚生労働省「女性活躍推進法」に基づき優良企業として認定済みの場合アイコン（プラチナえるぼし・えるぼし）を表示。認定段階は★で表示。

【くるみん】厚生労働省「次世代育成支援対策推進法」の「子育てサポート企業」として認定済みの場合にアイコン（プラチナくるみん・くるみん・トライくるみん）を表示。不妊治療と仕事との両立をサポートする企業に与えられる「プラス認定」を受けている場合、「+」を付して表示。

【特色】『会社四季報』『会社四季報・未上場会社版』の記者が簡潔にまとめたもの。【記者評価】と併せてみるとよい。

記者評価

『会社四季報』『会社四季報・未上場会社版』の記者が各社の状況を客観的に評価したもの。【特色】と併せてみるとよい。

採用・配属情報

【男女・文理別採用実績】それぞれ入社年の採用実績。25年について、調査時点で採用活動中のときは、計画、見込み、予定人数の場合がある。「—」は未定。

【男女・職種別採用実績】会社の呼称による職名での採用実績。待遇や職責に差はなく固有の職名を持たない会社は「総合職」で掲載。25年については文理別と同様。

【職種転換制度】入社後に、総合職と一般職のように職責や待遇が異なる職種（コース）の転換ができるかを記載。⇔：総合職から一般職、一般職から総合職など双方向で可能、⇒：総合職から一般職は可能だが逆は不可など一方向で可能の意。職種転換ができない、または、全員同一職種の場合は項目として表示していない。具体的な転換可能職種は巻末に記載。

【職種併願】総合職と一般職のように職責や待遇が異なる職種（コース）を併願できるかを記載。○：全職種でできるの意で、一部可能な場合は「総合職と一般職で可能」のように、可能な職種名を記した。併願ができない、または、全員同一職種の場合は項目として表示していない。

【24年4月入社者の配属勤務地】24年4月入社者についての配属勤務地とその人数。研修中などで未定の場合は、一年前の入社者としたケースもある。

【転勤】転居を伴う異動の有無と転勤制度の詳細。

【中途比率】単年度は21～23年度の採用

数に占める中途採用者の割合。全体は原則として直近本決算期末時点の従業員数に占める中途入社者の割合。

働きやすさ、諸制度

【残業（月）】 非現業部門従業員および総合職従業員（[総]で表示）の月平均残業時間。記載が枠に収まりきらない場合は、【勤務時間】の前に記載した。

【平均年収】 原則、非現業部門従業員の平均年収。残業代や賞与含む。注記のある場合のみ表示。

【勤務時間】 原則として本社のケース。

【有休取得年平均】 23年度の非現業部門従業員平均の取得日数。

【週休】 完全週休2日は「完全2日」。その他、「2日」や会社カレンダーで週2日休める「会社暦2日」などがある。土日休や祝日休の場合、カッコ内に記載。

【夏期休暇】【年末年始休暇】 それぞれ調査時点直近ベース。日数、期間は原則として有休とは別途に取得できる分を記載。

【離職率】 非現業部門全体の23年度離職者数の、同年度期首従業員数（前年度末従業員数+前年度男女計離職者数）に対する割合（%）と人数を男女別で表示。算出ベースは【従業員】と同様。会社全体で年間何人離職しているかを示す。原則、定年退職者は離職者に含まない。リストラ実施など特殊要因がある場合は注記。

【新卒3年後離職率】 20年4月、21年4月の新卒入社者のうち、入社3年以内に離職した人の割合（%）。男女別の3年前入社者数と離職率も掲載。

【テレワーク】 在宅勤務など、オフィス以外での勤務を認める制度の有無と内容。利用率は、制度を利用可能な従業員のテレワーク利用日数／総勤務日数で計算（%）。

【勤務制度】 フレックスタイム制、時間単位の有給、週休3日制、裁量労働制、時差通勤、勤務間インターバル、副業の容認のうち、導入済みの制度を表示。

【住宅補助】 住宅関係の補助制度を表示。

ライフイベント、女性活躍

【女性比率】 25年の新卒採用、直近本決算期末時点の従業員数・管理職の女性比率（%）を円グラフで表示。カッコ内は女性人数。管理職は部下を持つ階級以上の者。

【産休】 調査時点で利用可能な産休期間の上限、産休期間中の給与補償、23年度の取得者数。法定期間は産前6・産後8週間。給与は、会社支給の給与と、加入健保等の出産手当金を区別。後者の支給割合は特記ない限り標準報酬日額に対するもので、会社に制度がない場合でも3分の2が支給される（法定）。

【育休】 調査時点で利用可能な育休期間の上限（特別な事情がある場合は除く）と、育休期間中の給与補償、22年度・23年度の男女別取得者数（カッコ内は年度内に新たに取得可能になった者の数）、平均取得日数。法定では子が1歳（特別の事情がある場合は2歳）になるまで育休を取得できる。給与は、雇用保険から休業前賃金に対し、育児休業基本給付金（最初180日まで67%、以降50%）が支払われる（法定）。「法定」以外の記載は、原則これを上回る制度の内容。取得者数は育児目的休暇、出生時育児休業の取得者を含める。

【従業員】 原則として直近本決算期末時点の単独ベース、非現業者を対象とした、従業員人数・平均年齢・平均勤続年数。役員や臨時雇用者は除く。小数位は月数でなく、年率で換算した十進法の小数第1位まで表示。メーカーなどで現業部門を含む値しか得られない場合は、数字の頭に◇を付して掲載した。

【年齢構成】 従業員に占める各年代（20代以下、30代、40代、50代、60代以上）の割合を男女別に棒グラフで表示。

会社データ

【本社】 回答先による本社所在地、本社電話番号、URL。

【業績】 直近3期の本決算実績数字。単位100万円。単独、連結、SEC、IFRSの決算種別を「業績」の後にカッコ書きで記した。業績は売上高、営業利益、経常利益、純利益について調査。業種や会社によって、売上高に代わる営業収入や営業収益、経常収益、また、営業利益に代わる業務純益などの決算項目で表記。決算年月右の「変」は、変則決算を表す。上場会社は決算短信や『会社四季報』調査などに基づく東洋経済の企業データベースを引用。純粋持株会社の完全子会社を含む未上場会社は、本調査での回答をベースに、一部を『会社四季報・未上場会社版』および決算公告などの公表資料より転載。

【全体注記】 掲載会社の範囲など、データ全体にかかる注記があるときのみ、※を付けて太字注記した。

企業探しに役立つ東洋経済の本

東洋経済は本書以外にも就職・転職活動での企業探しに役立つ本を多数刊行しています。各書をフル活用することで、企業選びの視野が広がること間違いなし！

⇒ 就職四季報　総合版

採用実績校、採用プロセス、Webテストの種類、ES通過率、選考倍率など内定獲得のためにチェックしておきたいデータがつまった一冊。
本書とセットで読むことで、選考から待遇、働きやすさまで企業の理解が深まります。

⇒ 就職四季報　優良・中堅企業版

本書に収まりきらなかった優良企業、中堅企業のデータを4000社以上掲載。平均年収や３年後離職率などの必須データがコンパクトにまとまっています。
大手以外も視野に入れておきたい人は必見！

⇒ 会社四季報 業界地図

主要業界の勢力図がひと目でわかる業界研究の定番。業界のトレンドをアイコンで表す「業界天気予報」や、業界特有のビジネスモデルを解説した「もうけの仕組み」は要注目。

⇒ 会社四季報

国内の全上場企業の情報を網羅する「株式投資家のバイブル」。各企業の詳しい業績・財務情報や事業環境がわかります。記者の独自取材による業績予想も！３月発売の「春号」には採用数も掲載しています。

★ 社名索引(50音順) ★

社名前の●印は上場企業を示す

※地域別・採用データを含めた総合索引は990ページ以降に掲載しています。

〔オ〕

〔カ〕

〔キ〕

〔ク〕

〔ケ〕

〔コ〕

〔サ〕

〔シ〕

〔ネ〕

〔ノ〕

〔ハ〕

〔ヒ〕

★ 業種別会社索引 ★

社名前の●印は上場企業を示す

商社・卸

〔商社・卸売業〕

コンサル等

〔シンクタンク〕

〔コンサルティング〕

〔リサーチ〕

通信・ソフト

〔通信サービス〕

〔システム・ソフト〕

金融

〔銀行〕

〔政策金融・金庫〕

〔共済〕

〔証券〕

〔生保〕

〔損保〕

〔代理店〕

〔信販・カード・リース他〕

マスコミ

〔テレビ〕

〔ラジオ〕

〔広告〕

〔新聞〕

〔通信社〕

〔出版〕

〔メディア・映像・音楽〕

メーカーⅠ

〔電機・事務機器〕

〔電子部品・機器〕

〔住宅・医療機器他〕

〔自動車〕

〔自動車部品〕

〔輸送用機器〕

〔機械〕

メーカーⅡ

〔食品・水産〕

〔農林〕

〔印刷・紙パルプ〕

〔化粧品・トイレタリー〕

〔医薬品〕

〔化学〕

〔衣料・繊維〕

〔ガラス・土石〕

〔金属製品〕

建設

〔ホテル〕

〔レジャー〕

〔海運・空運〕

〔運輸・倉庫〕

〔鉄道〕

〔その他サービス〕

先輩就活生が選んだ

重要データランキングベスト ほぼ 100社

★ 女性採用人数ベスト１００ ★

順位	社名	業種名	採用人数	掲載ページ
1	㈱スギ薬局	家電量販・薬局・ＨＣ	545	636
2	ニトリグループ	その他小売業	517	653
3	全日本空輸㈱	海運・空運	509	683
4	第一生命保険㈱	生保	489	234
5	㈱エイチ・アイ・エス	レジャー	439	673
6	住友生命保険(相)	生保	340	236
7	㈱良品計画	その他小売業	333	653
8	㈱マツキヨココカラ＆カンパニー	家電量販・薬局・ＨＣ	313	636
9	東京海上日動火災保険㈱	損保	301	243
10	ＪＰホールディングスグループ	その他サービス	284	732
11	ＮＥＣ	電機・事務機器	270	295
12	㈱クリエイトエス・ディー	家電量販・薬局・ＨＣ	220	637
13	シミックグループ	その他サービス	201	728
14	富士ソフト㈱	システム・ソフト	200	152
15	青山商事㈱	その他小売業	182	646
16	㈱野村総合研究所	シンクタンク	177	130
17	山崎製パン㈱	食品・水産	169	448
18	ＮＥＣソリューションイノベータ㈱	システム・ソフト	162	152
19	㈱ライフコーポレーション	スーパー	150	629
20	コンパスグループ・ジャパン㈱	その他サービス	149	729
21	ダイキン工業㈱	機械	143	395
22	ＳＭＢＣ日興証券㈱	証券	142	229
23	三井不動産リアルティ㈱	不動産	140	596
24	ＴＯＰＰＡＮホールディングス㈱	印刷・紙パルプ	137	453
24	㈱テイクアンドギヴ・ニーズ	その他サービス	137	730
26	㈱村田製作所	電子部品・機器	127	317
27	㈱サイバーエージェント	メディア・映像・音楽	126	290
28	スターツグループ	住宅・マンション	124	587
29	㈱大塚商会	システム・ソフト	123	148
30	伊藤忠テクノソリューションズ㈱	システム・ソフト	121	148
30	㈱ノジマ	家電量販・薬局・ＨＣ	121	635
30	全国農業協同組合連合会	その他サービス	121	713
33	鹿島	建設	118	544
34	ＳＣＳＫ㈱	システム・ソフト	116	149
35	㈱ファンケル	化粧品・トイレタリー	115	459
36	㈱日本総合研究所	シンクタンク	113	130
36	学研グループ	出版	113	288
38	ＮＴＴコムウェア㈱	システム・ソフト	109	153
39	㈱ＬＩＸＩＬ	金属製品	108	512
39	大東建託㈱	住宅・マンション	108	579
41	東京エレクトロン㈱	電子部品・機器	103	340
41	㈱大林組	建設	103	544
43	大成建設㈱	建設	102	545
44	㈱カインズ	家電量販・薬局・ＨＣ	101	640
45	㈱共立メンテナンス	その他サービス	100	731
46	東京電力ホールディングス㈱	電力・ガス	99	599
47	㈱日立システムズ	システム・ソフト	97	150
48	㈱千葉銀行	銀行	94	201
48	㈱静岡銀行	銀行	94	209
50	㈱システナ	システム・ソフト	91	163

順位	社名	業種名	採用人数	掲載ページ
50	住友林業㈱	住宅・マンション	91	579
52	㈱関西みらい銀行	銀行	90	214
53	㈱ジェーシービー	信販・カード・リース他	89	255
53	日本マクドナルド㈱	外食・中食	89	631
53	藤田観光㈱	ホテル	89	671
53	㈱帝国ホテル	ホテル	89	672
57	KDDI㈱	通信サービス	88	141
58	㈱北陸銀行	銀行	86	206
58	㈱伊予銀行	銀行	86	218
60	㈱ソフトウェア・サービス	システム・ソフト	85	174
60	サントリーホールディングス㈱	食品・水産	85	424
62	東急リバブル㈱	不動産	84	596
63	双日㈱	商社・卸売業	83	75
64	フジパングループ本社㈱	食品・水産	80	450
65	太陽生命保険㈱	生保	79	240
65	㈱竹中工務店	建設	79	546
65	コナミグループ	ゲーム	79	658
68	BIPROGY㈱	システム・ソフト	78	150
68	㈱電通	広告	78	270
68	西日本鉄道㈱	鉄道	78	710
71	関西電力㈱	電力・ガス	75	601
72	JCOM㈱	通信サービス	72	143
73	キヤノンマーケティングジャパン㈱	商社・卸売業	71	87
73	花王㈱	化粧品・トイレタリー	71	460
73	㈱長谷エコーポレーション	建設	71	546

順位	社名	業種名	採用人数	掲載ページ
76	ID&Eグループ	コンサルティング	70	134
76	日鉄ソリューションズ㈱	システム・ソフト	70	151
76	㈱八十二銀行	銀行	70	208
76	YKK AP㈱	金属製品	70	514
80	NECネッツエスアイ㈱	システム・ソフト	67	151
80	日本ビジネスシステムズ㈱	システム・ソフト	67	160
80	富士フイルム㈱	化学	67	473
80	㈱カワチ薬品	家電量販・薬局・HC	67	638
84	㈱大和総研	シンクタンク	66	132
84	NTT西日本	通信サービス	66	143
84	㈱オカムラ	その他メーカー	66	541
84	㈱日本旅行	レジャー	66	674
88	㈱日本カストディ銀行	銀行	65	194
88	㈱十六フィナンシャルグループ	銀行	65	209
88	㈱広島銀行	銀行	65	216
88	サミット㈱	スーパー	65	625
92	京セラコミュニケーションシステム㈱	システム・ソフト	64	156
92	㈱中国銀行	銀行	64	216
92	㈱博報堂	広告	64	270
95	テルモ㈱	住宅・医療機器他	63	347
95	㈱クボタ	機械	63	391
95	㈱一条工務店	住宅・マンション	63	580
95	㈱ロック・フィールド	外食・中食	63	634
99	㈱日立ソリューションズ	システム・ソフト	62	155
99	㈱ADKホールディングス	広告	62	271
99	キリンホールディングス㈱	食品・水産	62	425
99	東レ㈱	化学	62	474
99	コクヨ㈱	その他メーカー	62	539

※本編項目「男女・職種別採用実績」より作成。単位：人。

★ 女性勤続年数ベスト100 ★

順位	社名	業種名	女性勤続年数	掲載ページ
1	㈱高島屋	デパート	26.7	612
2	京阪電気鉄道㈱	鉄道	◇26.1	708
3	ＪＦＥスチール㈱	鉄鋼	23.3	517
4	ユニチカ㈱	化学	23.1	489
5	㈱中電工	建設	22.9	577
6	富士通フロンテック㈱	電子部品・機器	◇22.6	334
6	㈱松屋	デパート	22.6	616
8	㈱日立パワーソリューションズ	電機・事務機器	22.5	313
9	㈱阪急阪神百貨店	デパート	22.4	614
10	ルネサスエレクトロニクス㈱	電子部品・機器	22.3	318
11	住友ベークライト㈱	化学	◇22.1	484
11	東京電力ホールディングス㈱	電力・ガス	22.1	599
13	ＳＭＫ㈱	電子部品・機器	22.0	337
13	㈱東急百貨店	デパート	22.0	615
15	日本曹達㈱	化学	◇21.9	495
16	㈱ダイヘン	電機・事務機器	21.7	311
16	首都高速道路㈱	その他サービス	21.7	711
18	コニカミノルタ㈱	電機・事務機器	◇21.6	302
18	新光電気工業㈱	電子部品・機器	◇21.6	327
20	日本信号㈱	電機・事務機器	◇21.5	315
21	ＮＥＣプラットフォームズ㈱	電子部品・機器	◇21.3	322
21	帝人㈱	化学	21.3	477
23	エフサステクノロジーズ㈱	システム・ソフト	21.1	154
23	㈱リコー	電機・事務機器	21.1	301
23	㈱日立国際電気	電子部品・機器	21.1	336
26	花王グループカスタマーマーケティング㈱	商社・卸売業	21.0	113
27	㈱丸井グループ	デパート	20.8	613
28	㈱クレハ	化学	20.7	494
29	メクテック㈱	電子部品・機器	◇20.6	338
29	ＮＯＫ㈱	自動車部品	◇20.6	368
31	セイコーエプソン㈱	電機・事務機器	◇20.5	302
31	富士精工㈱	機械	◇20.5	413
31	芝浦機械㈱	機械	◇20.5	417
31	キーコーヒー㈱	食品・水産	20.5	429
35	日本紙パルプ商事㈱	商社・卸売業	20.4	109
35	沖縄電力㈱	電力・ガス	20.4	603
37	太陽生命保険㈱	生保	20.3	240
37	㈱ＪＶＣケンウッド	電機・事務機器	◇20.3	299
37	古野電気㈱	電機・事務機器	20.3	314
37	日野自動車㈱	自動車	20.3	354
37	㈱近鉄百貨店	デパート	20.3	614
37	㈱そごう・西武	デパート	20.3	615
43	グローリー㈱	機械	◇20.2	406
43	㈱トーエネック	建設	20.2	576
45	㈱東芝	電機・事務機器	◇20.1	296
45	㈱エフ・シー・シー	自動車部品	◇20.1	380
47	セーレン㈱	衣料・繊維	◇20.0	501
48	サンケン電気㈱	電子部品・機器	19.9	324
48	ダイドードリンコ㈱	食品・水産	19.9	428
48	北海道電力㈱	電力・ガス	19.9	598

順位	社名	業種名	女性勤続年数	掲載ページ
51	アズビル㈱	電子部品・機器	◇19.8	323
52	オムロン㈱	電機・事務機器	19.7	308
52	イーグル工業㈱	自動車部品	◇19.7	368
54	東芝情報システム㈱	システム・ソフト	19.6	172
54	シャープ㈱	電機・事務機器	◇19.6	297
54	三協立山㈱	金属製品	◇19.6	515
54	㈱朝日工業社	建設	19.6	568
58	ヤマハ㈱	その他メーカー	19.5	533
59	パナソニックグループ	電機・事務機器	19.4	297
59	SMC㈱	機械	◇19.4	404
61	キヤノンマーケティングジャパン㈱	商社・卸売業	19.3	87
61	三菱ケミカル㈱	化学	◇19.3	473
61	北陸電力㈱	電力・ガス	19.3	600
64	田辺三菱製薬㈱	医薬品	19.2	462
64	DIC㈱	化学	◇19.2	498
66	スルガ銀行㈱	銀行	19.1	210
66	プレス工業㈱	自動車部品	19.1	374
66	NTN㈱	機械	19.1	400
66	JUKI㈱	機械	◇19.1	412
70	ウシオ電機㈱	電子部品・機器	◇19.0	344
70	㈱東海理化	自動車部品	19.0	361
70	東洋水産㈱	食品・水産	19.0	441
70	東京ガス㈱	電力・ガス	19.0	604
70	(学校法人)明治大学	人材・教育	19.0	662
75	丸紅エネルギー㈱	商社・卸売業	18.9	122

順位	社名	業種名	女性勤続年数	掲載ページ
75	富士電機㈱	電機・事務機器	18.9	307
75	㈱荏原製作所	機械	◇18.9	417
75	ノリタケ㈱	ガラス・土石	◇18.9	511
75	東芝プラントシステム㈱	建設	18.9	567
75	㈱ハンズ	家電量販・薬局・HC	18.9	642
81	㈱トーハン	商社・卸売業	18.8	109
82	㈱医学書院	出版	18.7	288
82	ホソカワミクロン㈱	機械	◇18.7	412
84	オリックス㈱	信販・カード・リース他	18.6	248
84	三菱UFJニコス㈱	信販・カード・リース他	18.6	256
84	理想科学工業㈱	電機・事務機器	18.6	306
84	扶桑薬品工業㈱	医薬品	◇18.6	471
84	YKK AP㈱	金属製品	◇18.6	514
84	㈱ユアテック	建設	18.6	576
84	㈱三越伊勢丹	デパート	18.6	613
84	㈱ヤナセ	その他小売業	18.6	648
84	澁澤倉庫㈱	運輸・倉庫	18.6	696
93	関西テレビ放送㈱	テレビ	18.5	267
93	中部電力㈱	電力・ガス	18.5	601
93	(学校法人)立教学院	人材・教育	18.5	664
96	㈱朝日新聞社	新聞	18.4	280
96	日本製紙㈱	印刷・紙パルプ	◇18.4	456
96	㈱ノーリツ	その他メーカー	18.4	538
96	㈱大丸松坂屋百貨店	デパート	18.4	612
100	㈱十六フィナンシャルグループ	銀行	18.3	209
100	味の素㈱	食品・水産	18.3	431
100	YKK㈱	金属製品	◇18.3	513

※本編項目「平均勤続年数」より作成。頭に◇のついているものはメーカー等で現業者含む数字。単位:年。

★ 女性管理職比率ベスト100 ★

順位	社名	業種名	女性管理職比率	掲載ページ
1	㈱ベネフィット・ワン	その他サービス	56.0	732
2	日本マスタートラスト信託銀行㈱	銀行	51.9	195
3	㈱ファンケル	化粧品・トイレタリー	48.5	459
4	ワタベウェディング㈱	その他サービス	46.3	730
5	㈱ヴァンドームヤマダ	その他小売業	44.8	650
6	㈱テイクアンドギヴ・ニーズ	その他サービス	40.5	730
7	(学校法人)立教学院	人材・教育	37.5	664
8	㈱ハニーズ	その他小売業	35.0	644
9	(独法)国際交流基金	その他サービス	34.7	719
10	㈱ノバレーゼ	その他サービス	34.4	731
11	朝日生命保険㈱	生保	33.9	242
12	㈱ベネッセコーポレーション	人材・教育	33.7	666
13	㈱ハンズ	家電量販・薬局・HC	33.6	642
14	㈱クレディセゾン	信販・カード・リース他	33.4	257
15	㈱リクルート	その他サービス	32.4	733
16	芙蓉総合リース㈱	信販・カード・リース他	32.2	250
17	(学校法人)神奈川大学	人材・教育	32.1	665
18	㈱沖縄銀行	銀行	32.0	222
19	ロート製薬㈱	医薬品	31.6	466
19	三井住友信託銀行㈱	銀行	31.6	193
19	JPホールディングスグループ	その他サービス	31.6	732
22	楽天グループ㈱	通信サービス	31.5	142
23	㈱アトレ	不動産	31.3	595
24	シミックグループ	その他サービス	30.6	728
25	㈱髙島屋	デパート	29.4	612
26	㈱ドトールコーヒー	外食・中食	28.9	632
27	㈱三越伊勢丹	デパート	28.5	613
28	㈱千葉銀行	銀行	28.4	201
28	クロスプラス㈱	衣料・繊維	28.4	504
30	㈱エフ・ディ・シィ・プロダクツ	その他小売業	28.0	649
31	東京海上日動火災保険㈱	損保	27.9	243
31	SOMPOひまわり生命保険㈱	生保	27.9	242
33	㈱良品計画	その他小売業	27.8	653
34	㈱エイチ・アイ・エス	レジャー	27.7	673
35	㈱関西みらい銀行	銀行	27.4	214
36	アフラック生命保険㈱	生保	27.2	237
37	㈱イトーヨーカ堂	スーパー	27.1	619
37	㈱日本貿易保険	政策金融・金庫	27.1	224
39	ヨネックス㈱	その他メーカー	27.0	531
40	㈱ぐるなび	通信サービス	26.9	147
40	(独法)国際協力機構	その他サービス	26.9	718
42	㈱ファーストリテイリング	その他小売業	26.8	643
42	㈱アドバンスクリエイト	代理店	26.8	247
42	ピジョン㈱	その他メーカー	26.8	532
45	ぴあ㈱	その他サービス	26.5	733
46	㈱大丸松坂屋百貨店	デパート	26.4	612
47	SBIホールディングス㈱	証券	26.1	228
47	㈱東急百貨店	デパート	26.1	615
49	花王グループカスタマーマーケティング㈱	商社・卸売業	26.0	113
50	㈱バンダイナムコエンターテインメント	ゲーム	25.8	659

順位	社名	業種名	女性管理職比率	掲載ページ
50	中央労働金庫	政策金融・金庫	25.8	225
50	メルセデス・ベンツ日本（合同）	商社・卸売業	25.8	123
50	㈱サイバーエージェント	メディア・映像・音楽	25.8	290
54	日本マクドナルド㈱	外食・中食	25.3	631
55	㈱山形銀行	銀行	25.2	198
56	㈱KADOKAWA	出版	25.1	286
57	セイコーグループ㈱	電子部品・機器	25.0	324
57	花王㈱	化粧品・トイレタリー	25.0	460
59	松竹㈱	レジャー	24.9	679
60	㈱三井住友銀行	銀行	24.8	190
60	㈱インテージ	リサーチ	24.8	136
62	㈱日本旅行	レジャー	24.2	674
62	㈱文溪堂	出版	24.2	289
62	㈱資生堂	化粧品・トイレタリー	24.2	458
65	㈱日本カストディ銀行	銀行	23.8	194
65	シークス㈱	商社・卸売業	23.8	88
67	つるや㈱	その他小売業	23.7	651
68	㈱琉球銀行	銀行	23.6	222
69	（学校法人）中央大学	人材・教育	23.5	663
70	イオンモール㈱	不動産	23.3	591
71	㈱北海道銀行	銀行	23.2	195
71	関西テレビ放送㈱	テレビ	23.2	267
73	㈱バンダイ	その他メーカー	23.1	532
74	㈱公文教育研究会	人材・教育	22.6	667
75	㈱ベルーナ	その他小売業	22.4	654

順位	社名	業種名	女性管理職比率	掲載ページ
75	㈱山陰合同銀行	銀行	22.4	215
77	リコーリース㈱	信販・カード・リース他	22.1	252
78	㈱マクロミル	リサーチ	21.8	137
78	㈱イズミ	スーパー	21.8	620
78	イオンフィナンシャルサービス㈱	信販・カード・リース他	21.8	256
78	大同生命保険㈱	生保	21.8	239
82	SBI新生銀行グループ	銀行	21.6	192
82	㈱東急ストア	スーパー	21.6	626
82	㈱東北新社	広告	21.6	272
85	太陽生命保険㈱	生保	21.3	240
86	㈱北國フィナンシャルホールディングス	銀行	21.2	206
87	㈱NTTデータ	システム・ソフト	21.0	147
87	㈱MIXI	通信サービス	21.0	145
89	㈱秋田銀行	銀行	20.7	197
90	カルビー㈱	食品・水産	20.6	444
91	㈱セブン-イレブン・ジャパン	コンビニ	20.4	617
91	㈱オリエンタルコンサルタンツグローバル	コンサルティング	20.4	136
93	㈱オリエントコーポレーション	信販・カード・リース他	20.3	258
94	㈱北陸銀行	銀行	20.2	206
95	㈱東和銀行	銀行	20.1	201
96	テレビ大阪㈱	テレビ	20.0	268
97	㈱モスフードサービス	外食・中食	19.9	631
98	藤田観光㈱	ホテル	19.8	671
98	㈱松屋	デパート	19.8	616
98	㈱ハローズ	スーパー	19.8	630

※本編項目「女性比率」より作成。単位：%。

★男性育休取得率ベスト100★

順位	社名	業種名	男性育休取得率	掲載ページ
1	㈱山形銀行	銀行	235.7(33/14)	198
2	ＳＣＳＫ㈱	システム・ソフト	179.1(231/129)	149
3	ＳＭＢＣ日興証券㈱	証券	136.5(269/197)	229
4	㈱青森銀行	銀行	135.3(23/17)	196
5	㈱トクヤマ	化学	135.0(108/80)	483
6	㈱スズケン	商社・卸売業	134.6(70/52)	111
7	九州旅客鉄道㈱	鉄道	132.4(249/188)	709
8	㈱中国銀行	銀行	131.9(95/72)	216
9	スミセイ情報システム㈱	システム・ソフト	130.4(30/23)	172
10	㈱ジャックス	信販・カード・リース他	129.4(22/17)	258
11	キユーピー㈱	食品・水産	127.1(61/48)	439
12	㈱栃木銀行	銀行	125.0(40/32)	200
13	三菱ＵＦＪモルガン・スタンレー証券㈱	証券	122.0(111/91)	230
14	富国生命保険(相)	生保	119.7(73/61)	240
15	㈱横浜銀行	銀行	119.2(93/78)	204
16	㈱ミスターマックス・ホールディングス	その他小売業	118.8(19/16)	643
17	㈱足利銀行	銀行	118.3(71/60)	199
18	㈱鹿児島銀行	銀行	118.2(65/55)	221
18	サンケン電気㈱	電子部品・機器	118.2(13/11)	324
20	Ｊ－ＰＯＷＥＲ	電力・ガス	117.4(81/69)	600
21	㈱北海道銀行	銀行	116.7(35/30)	195
21	三井住友トラスト・パナソニックファイナンス㈱	信販・カード・リース他	116.7(14/12)	253
21	三井不動産㈱	不動産	116.7(63/54)	587
24	㈱三井住友銀行	銀行	116.1(671/578)	190
25	京阪電気鉄道㈱	鉄道	115.8(22/19)	708
26	三井住友ファイナンス＆リース㈱	信販・カード・リース他	115.4(45/39)	248
27	京王電鉄㈱	鉄道	114.9(85/74)	702
28	積水ハウス㈱	住宅・マンション	114.8(396/345)	578
29	サッポロビール㈱	食品・水産	114.0(57/50)	425
29	アフラック生命保険㈱	生保	114.0(106/93)	237
31	㈱エフテック	自動車部品	113.3(17/15)	379
31	大東建託㈱	住宅・マンション	113.3(188/166)	579
33	三菱ＨＣキャピタル㈱	信販・カード・リース他	113.0(78/69)	249
34	㈱千葉銀行	銀行	112.8(123/109)	201
35	雪印メグミルク㈱	食品・水産	112.6(98/87)	430
36	三井住友信託銀行㈱	銀行	111.5(175/157)	193
37	㈱第四北越銀行	銀行	111.4(88/79)	205
38	㈱静岡銀行	銀行	110.8(92/83)	209
39	住友ファーマ㈱	医薬品	110.6(73/66)	465
40	㈱髙島屋	デパート	110.0(33/30)	612
40	㈱サッポロドラッグストアー	家電量販・薬局・ＨＣ	110.0(22/20)	639
42	戸田建設㈱	建設	109.8(123/112)	548
42	大阪ガス㈱	電力・ガス	109.8(45/41)	607
44	住友生命保険(相)	生保	109.5(138/126)	236
45	日清食品㈱	食品・水産	109.0(85/78)	441
46	㈱千葉興業銀行	銀行	108.7(25/23)	202
46	朝日航洋㈱	海運・空運	108.7(25/23)	684
48	㈱岩手銀行	銀行	108.3(26/24)	196
48	㈱秋田銀行	銀行	108.3(13/12)	197
50	㈱オリエントコーポレーション	信販・カード・リース他	108.1(40/37)	258
51	三菱ＵＦＪアセットマネジメント㈱	証券	107.1(15/14)	234
51	㈱ゆうちょ銀行	銀行	107.1(151/141)	191
53	レンゴー㈱	印刷・紙パルプ	106.3(118/111)	457
53	㈱北國フィナンシャルホールディングス	銀行	106.3(51/48)	206
53	いちよし証券㈱	証券	106.3(17/16)	232
56	㈱百五銀行	銀行	106.2(69/65)	212
57	㈱三越伊勢丹	デパート	105.4(39/37)	613
58	㈱群馬銀行	銀行	104.8(65/62)	200
59	カシオ計算機㈱	電機・事務機器	104.0(52/50)	299
60	㈱京葉銀行	銀行	103.9(53/51)	202

順位	社　名	業種名	男性育休取得率	掲載ページ
61	アコム㈱	信販・カード・リース他	103.8(27/26)	259
62	㈱みなと銀行	銀行	103.5(59/57)	214
63	㈱丸井グループ	デパート	103.3(31/30)	613
63	ＮＴＴ東日本	通信サービス	103.3(376/364)	142
65	花王㈱	化粧品・トイレタリー	103.2(191/185)	460
65	㈱伊予銀行	銀行	103.2(65/63)	218
67	古河電気工業㈱	非鉄	103.0(68/66)	523
68	㈱十六フィナンシャルグループ	銀行	102.6(40/39)	209
69	第一生命保険㈱	生保	102.5(121/118)	234
70	㈱きらぼし銀行	銀行	102.4(43/42)	203
71	㈱北陸銀行	銀行	102.3(45/44)	206
72	㈱十八親和銀行	銀行	102.0(50/49)	220
72	岡三証券㈱	証券	102.0(51/50)	231
72	ａｒｔｉｅｎｃｅ㈱	化学	102.0(52/51)	499
75	㈱八十二銀行	銀行	101.9(54/53)	208
76	三井住友建設㈱	建設	101.7(59/58)	548
77	りそなグループ	銀行	101.3(235/232)	191
78	双日㈱	商社・卸売業	100(47/47)	75
78	第一実業㈱	商社・卸売業	100(24/24)	84
78	㈱守谷商会	商社・卸売業	100(20/20)	85
78	ヤマエグループホールディングス㈱	商社・卸売業	100(24/24)	103
78	日本出版販売㈱	商社・卸売業	100(16/16)	108
78	㈱インテージ	リサーチ	100(14/14)	136
78	ＪＦＥシステムズ㈱	システム・ソフト	100(26/26)	164
78	ＳＢＩ新生銀行グループ	銀行	100(45/45)	192
78	日本マスタートラスト信託銀行㈱	銀行	100(15/15)	195
78	㈱大光銀行	銀行	100(22/22)	205
78	㈱福井銀行	銀行	100(30/30)	207
78	スルガ銀行㈱	銀行	100(12/12)	210
78	㈱名古屋銀行	銀行	100(36/36)	211
78	㈱京都銀行	銀行	100(86/86)	213
78	㈱広島銀行	銀行	100(81/81)	216
78	㈱阿波銀行	銀行	100(20/20)	217
78	㈱福岡銀行	銀行	100(98/98)	219
78	㈱沖縄銀行	銀行	100(29/29)	222
78	日本生命保険(相)	生保	100(274/274)	235
78	ソニー生命保険㈱	生保	100(59/59)	237
78	太陽生命保険㈱	生保	100(25/25)	240
78	日新火災海上保険㈱	損保	100(17/17)	246
78	芙蓉総合リース㈱	信販・カード・リース他	100(12/12)	250
78	リコーリース㈱	信販・カード・リース他	100(18/18)	252
78	ＳＭＢＣコンシューマーファイナンス㈱	信販・カード・リース他	100(16/16)	260
78	(一社)共同通信社	通信社	100(26/26)	285
78	㈱ＪＶＣケンウッド	電機・事務機器	100(15/15)	299
78	住友電装㈱	自動車部品	100(195/195)	367
78	㈱エイチワン	自動車部品	100(27/27)	373
78	住友重機械工業㈱	機械	100(124/124)	403
78	アサヒグループ食品㈱	食品・水産	100(24/24)	435
78	㈱ロッテ	食品・水産	100(24/24)	445
78	共同印刷㈱	印刷・紙パルプ	100(33/33)	455
78	㈱ファンケル	化粧品・トイレタリー	100(11/11)	459
78	アース製薬㈱	化粧品・トイレタリー	100(30/30)	462
78	㈱レゾナック	化学	100(165/165)	476
78	ＵＢＥ㈱	化学	100(74/74)	480
78	タキロンシーアイ㈱	化学	100(26/26)	488
78	住友金属鉱山㈱	非鉄	100(91/91)	525
78	三菱鉛筆㈱	その他メーカー	100(14/14)	540
78	ヒューリック㈱	不動産	100(11/11)	590
78	イオンモール㈱	不動産	100(32/32)	591
78	ジュピターショップチャンネル㈱	その他小売業	100(11/11)	655
78	首都高速道路㈱	その他サービス	100(34/34)	711
78	日本郵政㈱	その他サービス	100(11/11)	712

※本編項目「男性育休取得率」より作成。( )内の分母が23年度の取得可能者、分子は23年度の新規取得者。取得可能者が10名以下の場合は除外。新規取得者は22年度以前に取得可能になった者を含めるため、100%を超える場合がある。単位:%、人。

会社比較 341社

働きやすい会社を見つけよう

業種名	社名	25年4月入社予定(人)			
		修士卒		大卒	
		男性	女性	男性	女性
商社・卸売業	兼松㈱	7	1	16	27
	阪和興業㈱	4	0	27	36
	神鋼商事㈱	1	0	9	5
	ユアサ商事㈱	1	0	53	30
	㈱ミスミ	1	3	29	23
	トラスコ中山㈱	0	0	64	46
	第一実業㈱	4	2	22	10
	キヤノンマーケティングジャパン㈱	10	0	80	70
	因幡電機産業㈱	1	0	73	23
	サンワテクノス㈱	0	0	25	25
	エプソン販売㈱	4	2	13	11
	㈱カナデン	0	0	9	15
	加賀電子㈱	0	0	16	10
	東京エレクトロン デバイス㈱	5	1	18	7
	丸文㈱	—	—	—	—
	伯東㈱	1	1	10	5
	三信電気㈱	—	—	—	—
	長瀬産業㈱	6	4	8	16
	オー・ジー㈱	1	1	9	2
	明和産業㈱	0	0	4	2
	㈱デザインアーク	—	—	—	—
	日本酒類販売㈱	0	2	17	12
	スターゼン㈱	1	0	42	10

初任給(円)		女性の働き方			ライフイベント		
大卒総合職	大卒一般職	新人女性の入社3年後離職率(%)	女性の平均勤続年数(年)	管理職の女性比率(%)	産休取得者(人)	男性育休取得率(%)	掲載ページ
290,000	220,000	19.0	12.2	5.3	9	76.5	75
300,000	220,000	18.2	10.7	2.9	59	59.1	76
270,000	217,000	40.0	13.4	2.8	9	50.0	79
268,000	228,000	20.0	11.4	0.9	21	72.5	82
279,000	—	11.8	7.7	14.6	42	83.1	83
245,000	205,000	11.1	9.7	8.7	36	58.6	83
234,000	—	0	11.2	3.4	7	100	84
245,000	—	3.3	19.3	4.8	28	40.3	87
272,000	211,800	13.0	13.1	1.4	14	10.0	87
239,000	214,000	28.6	10.0	8.4	12	17.4	89
253,000	—	0	17.1	12.6	7	95.0	90
260,000	—	28.6	12.9	0	7	54.5	90
250,000	215,000	0	14.3	6.3	11	0	91
!227,000	!218,000	0	15.9	12.1	5	46.7	92
261,500	239,000	—	15.1	6.4	4	42.9	93
243,000	—	33.3	12.7	7.9	5	57.1	93
243,000	203,760	33.3	15.6	1.6	4	0	94
291,500	223,000	8.3	13.9	5.0	15	50.0	95
260,000	218,000	12.5	12.3	4.7	2	42.9	96
250,000	220,000	100	15.9	2.5	3	100	97
224,000	—	0	9.8	8.9	13	41.7	100
230,000	—	0	16.8	8.8	13	33.3	104
231,000	—	14.3	10.0	5.1	8	23.8	105

会社比較 341 社　～働きやすい会社を見つけよう～

業種名	社名	25年4月入社予定(人) 修士卒 男性	修士卒 女性	大卒 男性	大卒 女性
商社・卸売業	㈱マルイチ産商	1	0	12	16
	横浜冷凍㈱	0	0	29	17
	興和㈱	22	10	27	34
	蝶理㈱	2	1	9	8
	三愛オブリ㈱	0	0	14	6
	㈱巴商会	2	0	30	13
	丸紅エネルギー㈱	0	0	3	3
	㈱ドウシシャ	0	0	35	15
コンサルティング	㈱建設技術研究所	73	13	14	6
リサーチ	㈱マクロミル	0	2	19	26
通信サービス	㈱ＮＴＴドコモ	—	—	—	—
	ＮＴＴ東日本	—	—	—	—
	ＮＴＴ西日本	69	12	50	47
	㈱ティーガイア	0	0	9	17
	インフォコム㈱	10	1	9	13
システム・ソフト	㈱日立システムズ	52	7	180	89
	ＮＥＣネッツエスアイ㈱	17	5	72	55
	富士ソフト㈱	—	—	—	—
	㈱日立ソリューションズ	43	13	97	48
	京セラコミュニケーションシステム㈱	13	6	34	48
	都築電気㈱	5	0	15	10
	㈱ＤＴＳ	11	3	131	53
	㈱ＮＳＤ	7	5	52	38

初任給(円)		女性の働き方			ライフイベント		
大卒総合職	大卒一般職	新人女性の入社3年後離職率(%)	女性の平均勤続年数(年)	管理職の女性比率(%)	産休取得者(人)	男性育休取得率(%)	掲載ページ
214,000	❗184,000	40.0	12.7	2.1	4	22.2	105
❗245,000	❗205,000	36.4	◇7.9	1.6	12	16.7	107
260,000	223,000	❗11.1	14.3	3.0	35	26.7	113
265,000	210,000	0	13.6	1.4	7	58.3	114
260,000	—	42.9	12.6	4.8	2	45.5	118
❗245,500	208,500	25.0	10.6	1.9	2	17.6	121
240,000	—	100	18.9	5.7	0	100	122
302,670	238,940	25.0	8.8	2.6	14	17.6	126
246,000	—	9.1	11.7	2.0	11	63.8	135
237,212	—	35.5	5.3	21.8	31	62.5	137
303,790	—	4.2	12.8	10.5	136	66.4	140
301,390	—	10.0	11.8	13.6	275	103.3	142
298,990	—	2.2	14.1	8.5	104	56.9	143
230,000	—	44.3	11.2	11.4	85	70.6	144
250,000	—	0	13.1	5.8	9	37.5	146
232,000	—	9.6	17.9	6.7	39	82.8	150
254,200	—	11.1	14.3	6.9	23	58.8	151
234,000	—	26.3	8.4	8.7	70	78.5	152
250,000	—	11.4	14.9	7.4	28	97.8	155
260,000	—	5.0	10.3	14.6	27	76.2	156
250,500	—	0	11.5	2.7	9	65.7	158
238,000	—	22.0	9.9	3.5	12	56.7	159
306,000	—	17.4	10.7	9.5	26	49.0	161

会社比較 341 社 ～働きやすい会社を見つけよう～

業種名	社名	25年4月入社予定(人) 修士卒 男性	修士卒 女性	大卒 男性	大卒 女性
システム・ソフト	ＪＦＥシステムズ㈱	12	2	48	22
	㈱ＪＳＯＬ	24	5	23	19
	㈱オージス総研	12	3	30	11
	ｔｄｉグループ	8	9	37	26
	ＴＤＣソフト㈱	9	3	107	49
	東芝情報システム㈱	17	3	53	10
	スミセイ情報システム㈱	1	0	30	32
	トーテックアメニティ㈱	0	0	130	41
	㈱ビジネスブレイン太田昭和	3	2	24	21
	㈱ソフトウェア・サービス	5	5	80	70
	㈱ＩＤホールディングス	3	1	55	37
	㈱フォーカスシステムズ	1	1	48	46
	㈱エクサ	5	2	27	11
	㈱シーエーシー	1	5	37	17
	㈱さくらケーシーエス	4	0	22	15
	さくら情報システム㈱	0	0	24	28
	㈱エヌアイデイ	4	2	57	26
	ＡＧＳ㈱	0	1	18	13
	㈱ジャステック	13	1	71	32
	ビジネスエンジニアリング㈱	5	0	14	4
	ＮＣＳ＆Ａ㈱	0	1	46	21
	㈱構造計画研究所	10	5	1	4
	サイバーコム㈱	2	2	56	26

初任給(円)		女性の働き方			ライフイベント		
大卒総合職	大卒一般職	新人女性の入社3年後離職率(%)	女性の平均勤続年数(年)	管理職の女性比率(%)	産休取得者(人)	男性育休取得率(%)	掲載ページ
262,000	—	18.8	15.7	8.3	9	100	164
255,000	—	11.1	13.7	11.4	7	72.4	166
228,000	—	5.0	15.3	8.0	10	50.0	167
230,000	—	23.8	8.1	5.7	4	35.7	168
250,000	—	31.8	7.0	7.7	55	70.3	169
250,000	—	12.5	19.6	5.1	6	33.3	172
225,000	—	0	14.4	8.4	9	130.4	172
212,000	212,000	24.3	5.0	0.5	32	40.8	173
293,500	—	30.4	6.4	6.9	6	28.6	173
320,000	270,000	20.5	6.6	17.3	14	33.3	174
226,000	—	42.9	13.0	12.4	8	90.5	174
230,000	—	40.7	7.3	3.1	18	81.8	175
258,000	—	0	16.1	16.7	5	90.0	175
235,000	—	15.4	10.0	14.3	21	54.5	176
214,000	192,500	23.5	15.0	7.3	4	88.9	177
215,500	—	30.8	14.9	16.7	8	64.3	178
232,500	—	26.7	6.4	2.8	2	44.4	178
235,000	—	37.5	17.2	8.6	5	40.0	179
230,000	—	33.3	10.4	2.0	7	75.0	180
261,000	—	25.0	7.7	4.8	4	62.5	181
229,300	—	14.3	11.9	5.2	18	93.3	182
280,000	NA	12.5	13.0	11.0	6	81.8	182
(!)202,000	—	18.8	7.2	4.3	2	77.8	183

会社比較 341 社　～働きやすい会社を見つけよう～

業種名	社名	25年4月入社予定(人)			
		修士卒		大卒	
		男性	女性	男性	女性
システム・ソフト	㈱東邦システムサイエンス	1	0	24	11
	㈱クロスキャット	4	1	26	29
	㈱リンクレア	0	0	25	15
	㈱ＳＣＣ	0	0	54	7
	㈱アドービジネスコンサルタント	1	1	22	16
	㈱ＳＩ&Ｃ	3	1	35	8
	三和コンピュータ㈱	0	0	5	4
銀行	㈱千葉興業銀行	0	0	35	26
	㈱伊予銀行	4	2	73	83
	㈱肥後銀行	2	1	51	57
政策金融・金庫	㈱日本貿易保険	1	1	7	6
	中央労働金庫	0	0	57	52
証券	松井証券㈱	0	0	4	4
	東洋証券㈱	0	0	31	11
信販・カード・リース他	オリックス㈱	9	1	51	37
	リコーリース㈱	0	0	19	6
	アコム㈱	1	0	61	37
出版	㈱東洋経済新報社	2	1	0	3
電機・事務機器	富士フイルムビジネスイノベーション㈱	0	0	109	59
	㈱リコー	70	18	10	15
	セイコーエプソン㈱	151	13	45	33
	コニカミノルタ㈱	30	13	10	5
	沖電気工業㈱	34	3	61	17

初任給(円)		女性の働き方			ライフイベント		
大卒総合職	大卒一般職	新人女性の入社3年後離職率(%)	女性の平均勤続年数(年)	管理職の女性比率(%)	産休取得者(人)	男性育休取得率(%)	掲載ページ
225,000	—	28.6	9.5	7.8	4	0	184
239,000	—	10.0	8.5	14.3	2	20.0	184
265,000	—	6.7	8.4	7.0	2	30.0	185
240,050	—	0	9.4	4.0	1	50.0	185
226,200	—	23.8	9.8	14.1	1	25.0	186
240,000	—	50.0	5.3	7.0	6	71.4	186
213,000	—	66.7	14.3	7.9	1	28.6	187
230,000	—	3.6	13.6	10.3	15	108.7	202
❗255,000	209,000	22.2	13.4	4.1	76	103.2	218
❗230,000	—	1.8	13.5	14.1	44	88.4	221
240,800	—	40.0	7.4	27.1	6	—	224
230,000	—	20.3	16.0	25.8	55	38.6	225
300,000	—	0	12.0	14.0	1	100	232
256,000	NA	57.9	14.9	12.6	3	28.6	233
❗270,000	225,000	❗5.3	18.6	NA	46	96.2	248
260,000	—	10.0	12.1	22.1	24	100	252
260,000	237,200	31.4	10.7	8.2	28	103.8	259
280,030	—	0	10.7	16.2	3	60.0	287
280,000	—	15.8	16.7	7.9	37	83.5	301
250,000	—	6.9	21.1	7.2	37	93.4	301
253,000	—	11.5	◇20.5	4.3	46	87.7	302
248,550	—	33.3	◇21.6	10.9	23	65.3	302
253,000	—	9.4	◇15.0	4.2	23	80.0	304

業種名	社名	25年4月入社予定(人)			
		修士卒		大卒	
		男性	女性	男性	女性
電機・事務機器	㈱明電舎	22	5	33	10
	㈱ダイヘン	14	1	7	3
	日本電子㈱	16	7	15	7
	日東工業㈱	1	1	13	3
	㈱日立パワーソリューションズ	—	—	—	—
	古野電気㈱	16	3	7	9
電子部品・機器	ニデック㈱	—	—	—	—
	TDK㈱	90	6	55	14
	ルネサスエレクトロニクス㈱	108	27	13	11
	ミネベアミツミ㈱	101	11	96	38
	アルプスアルパイン㈱	53	5	47	8
	日亜化学工業㈱	66	4	55	13
	ローム㈱	115	6	13	9
	イビデン㈱	56	4	32	9
	シチズン時計㈱	6	4	4	4
	㈱ソシオネクスト	27	1	3	4
	㈱三井ハイテック	13	2	43	15
	マブチモーター㈱	7	0	11	9
	フォスター電機㈱	7	0	11	4
	アンリツ㈱	13	1	13	8
	オリエンタルモーター㈱	6	2	21	22
	東京計器㈱	9	1	17	2
	SMK㈱	1	1	5	5

初任給(円)		女性の働き方			ライフイベント		
大卒総合職	大卒一般職	新人女性の入社3年後離職率(%)	女性の平均勤続年数(年)	管理職の女性比率(%)	産休取得者(人)	男性育休取得率(%)	掲載ページ
250,000	—	6.7	18.2	5.4	10	88.2	310
250,000	—	0	21.7	0.8	1	57.1	311
247,000	—	16.7	◇15.6	5.3	9	61.9	311
230,000	—	0	17.2	2.1	11	19.7	312
250,000	—	0	22.5	3.1	3	22.7	313
250,500	—	0	20.3	5.9	8	62.7	314
256,000	—	20.0	11.0	9.3	20	50.9	316
265,000	NA	7.3	14.4	4.7	27	44.4	316
250,000	—	25.0	22.3	3.9	7	29.0	318
250,000	—	22.2	◇17.9	2.5	52	54.7	318
250,000	229,000	13.5	◇16.6	3.5	53	53.7	319
250,000	220,000	60.0	15.8	2.1	51	53.0	320
247,000	NA	5.3	12.2	1.6	34	55.6	321
262,000	—	40.0	◇17.3	2.2	16	52.6	321
250,000	—	—	16.5	9.0	7	62.5	323
255,000	—	0	8.1	2.5	2	57.1	326
247,000	—	11.1	9.8	2.5	8	43.8	327
250,000	—	—	17.1	4.4	2	69.2	329
250,300	—	0	12.3	15.4	3	40.0	331
250,000	—	0	16.3	3.4	7	90.3	332
255,200	235,200	6.7	◇12.9	8.3	18	58.8	335
228,000	—	0	◇13.4	1.2	10	66.7	336
232,000	232,000	20.0	22.0	8.6	9	44.4	337

業種名	社名	25年4月入社予定(人)			
		修士卒		大卒	
		男性	女性	男性	女性
電子部品・機器	㈱アドバンテスト	23	3	8	6
	㈱KOKUSAI ELECTRIC	23	1	8	8
住宅・医療機器他	ホーチキ㈱	6	0	50	31
	シスメックス㈱	57	26	23	23
	日本光電	21	1	19	5
自動車	日野自動車㈱	12	1	13	3
自動車部品	ダイハツ九州㈱	0	0	7	1
	日産車体㈱	8	0	24	11
	マザーサンヤチヨ・オートモーティブシステムズ㈱	1	0	5	0
	㈱アイシン	122	8	72	31
	豊田合成㈱	36	8	42	17
	㈱東海理化	10	2	22	7
	㈱ブリヂストン	31	13	9	14
	住友ゴム工業㈱	18	3	14	7
	横浜ゴム㈱	22	2	19	9
	TOYO TIRE㈱	13	3	11	3
	テイ・エス テック㈱	—	—	—	—
	㈱タチエス	0	2	13	5
	住友電装㈱	31	5	60	24
	スタンレー電気㈱	22	5	51	22
	㈱三五	1	0	12	7
	㈱ジーテクト	2	0	9	2
	ユニプレス㈱	3	1	12	5

初任給(円)		女性の働き方			ライフイベント		
大卒総合職	大卒一般職	新人女性の入社3年後離職率(%)	女性の平均勤続年数(年)	管理職の女性比率(%)	産休取得者(人)	男性育休取得率(%)	掲載ページ
267,000	—	10.0	◇17.3	3.7	10	34.3	341
268,500	—	0	16.4	3.9	2	65.5	343
231,000	205,000	50.0	◇13.0	1.5	8	56.8	345
250,000	—	4.8	11.1	10.4	26	61.2	348
248,000	240,000	14.3	15.2	8.0	25	51.4	349
254,000	—	28.6	20.3	2.5	41	65.5	354
225,560	—	20.0	9.0	1.8	5	55.9	357
224,000	—	0	13.2	6.0	2	76.9	357
217,460	NA	50.0	◇14.8	0	1	71.9	358
258,000	196,400	4.3	14.3	3.1	242	50.4	359
254,000	204,000	10.5	◇16.9	3.6	21	59.6	360
254,000	—	13.6	19.0	2.0	43	72.2	361
264,200	—	5.3	14.6	3.9	53	27.9	362
234,100	195,500	10.0	11.1	4.1	40	84.7	362
230,600	—	25.0	16.5	2.1	11	61.3	363
237,700	—	0	13.1	1.5	14	50.5	363
240,000	—	25.0	16.7	2.8	5	54.0	364
204,500	—	0	10.8	4.5	4	44.8	365
260,000	210,000	14.3	14.1	2.3	37	100	367
234,805	—	15.4	◇13.6	3.3	19	53.4	369
254,000	—	0	15.8	2.4	4	42.4	370
240,000	—	50.0	15.5	3.4	1	31.8	371
240,000	—	30.0	14.7	3.8	2	71.4	372

会社比較 341 社 ～働きやすい会社を見つけよう～

業種名	社名	25年4月入社予定(人)			
		修士卒		大卒	
		男性	女性	男性	女性
自動車部品	太平洋工業(株)	0	0	14	7
	日清紡ホールディングス(株)	10	2	3	2
	日本発条(株)	21	5	34	14
	(株)ヨロズ	1	0	16	3
	中央発條(株)	4	0	6	5
	武蔵精密工業(株)	5	1	8	4
	(株)エクセディ	0	1	2	0
	(株)エフテック	0	0	6	2
	三ツ星ベルト(株)	3	3	11	10
	ダイキョーニシカワ(株)	3	0	21	5
	リョービ(株)	3	1	27	2
	ＴＰＲ(株)	1	0	4	2
輸送用機器	ジャパン マリンユナイテッド(株)	15	2	13	2
	極東開発工業(株)	3	0	7	1
	(株)モリタホールディングス	4	1	8	2
機械	(株)クボタ	175	25	51	37
	コベルコ建機(株)	21	1	6	3
	古河機械金属(株)	8	1	13	2
	(株)やまびこ	0	1	6	0
	ダイキン工業(株)	168	49	67	83
	(株)富士通ゼネラル	8	4	22	4
	(株)キッツ	2	2	12	3
	アマノ(株)	4	0	35	11

初任給(円)		女性の働き方			ライフイベント		
大卒総合職	大卒一般職	新人女性の入社3年後離職率(%)	女性の平均勤続年数(年)	管理職の女性比率(%)	産休取得者(人)	男性育休取得率(%)	掲載ページ
238,000	—	66.7	15.6	3.6	5	89.4	373
240,450	—	16.7	◇14.2	6.0	6	55.2	375
230,120	—	33.3	15.7	2.8	19	47.2	376
225,500	—	—	10.7	12.2	4	40.0	376
254,000	—	0	15.7	1.8	6	21.1	377
250,000	—	0	◇9.3	4.3	5	42.9	378
238,000	—	50.0	14.1	3.4	9	57.8	379
210,370	—	0	◇14.6	1.2	5	113.3	379
254,600	—	0	◇12.9	2.2	1	59.3	382
213,600	—	25.0	NA	3.9	11	45.5	383
230,000	—	0	17.0	7.8	5	53.1	383
240,000	—	0	◇17.5	3.8	3	21.4	384
229,000	—	0	7.9	3.6	9	30.5	386
227,500	—	0	◇10.8	0.3	5	42.3	387
240,930	—	0	13.9	15.0	1	100	388
274,000	—	17.1	14.2	4.2	52	70.7	391
262,000	NA	20.0	12.0	2.8	8	50.0	393
251,000	220,000	9.1	◇12.3	1.6	36	83.9	394
240,570	—	50.0	◇16.3	5.7	3	70.4	395
280,000	—	2.7	◇12.1	8.2	83	88.0	395
250,000	—	8.7	14.0	2.5	8	55.9	397
230,000	—	20.0	13.0	5.3	11	62.5	397
240,000	—	16.7	15.5	5.9	15	40.0	398

会社比較 341 社　～働きやすい会社を見つけよう～

業種名	社名	25年4月入社予定(人) 修士卒 男性	修士卒 女性	大卒 男性	大卒 女性
機械	フクシマガリレイ㈱	1	1	19	15
	㈱東光高岳	10	1	20	5
	中外炉工業㈱	4	1	5	1
	住友重機械工業㈱	87	16	16	18
	ＳＭＣ㈱	48	1	43	3
	㈱マキタ	44	1	38	13
	㈱ダイフク	38	5	32	13
	村田機械㈱	21	2	19	23
	ナブテスコ㈱	12	1	12	6
	オーエスジー㈱	5	0	7	3
	㈱ＦＵＪＩ	15	1	12	3
	㈱小森コーポレーション	3	0	8	5
	ホソカワミクロン㈱	2	0	6	2
	三木プーリ㈱	0	0	5	0
	ＤＭＧ森精機㈱	15	4	12	4
	㈱アマダ	7	0	20	10
	三浦工業㈱	11	4	72	20
	オルガノ㈱	21	9	10	6
	㈱タクマ	6	2	10	3
食品・水産	サッポロビール㈱	7	3	7	6
	宝ホールディングス㈱	8	10	15	12
	㈱ヤクルト本社	22	9	31	28
	㈱伊藤園	—	—	—	—

初任給(円)		女性の働き方			ライフイベント		掲載ページ
大卒総合職	大卒一般職	新人女性の入社3年後離職率(%)	女性の平均勤続年数(年)	管理職の女性比率(%)	産休取得者(人)	男性育休取得率(%)	掲載ページ
246,800	223,400	37.5	7.4	4.2	25	62.1	398
242,000	—	25.0	◇16.6	1.1	5	13.6	399
251,500	—	0	18.1	0	15	58.3	399
260,190	—	13.8	◇12.4	2.2	13	100	403
255,500	226,500	14.3	◇19.4	2.9	64	43.1	404
240,000	203,000	0	14.0	1.1	16	49.5	404
256,000	—	50.0	14.5	4.3	18	64.8	405
242,000	214,000	18.2	13.9	3.5	28	78.6	405
250,200	—	0	15.3	3.1	6	81.3	407
220,710	—	11.1	15.8	4.6	4	50.0	408
248,000	233,000	0	◇16.8	3.4	9	64.3	410
240,000	—	0	◇16.0	1.7	4	45.0	411
230,350	—	50.0	◇18.7	6.1	1	75.0	412
212,600	—	0	◇14.4	3.6	1	42.9	414
300,000	—	16.7	◇10.9	8.5	19	90.5	415
242,200	—	0	10.2	2.3	8	78.8	415
242,100	208,300	11.1	11.6	3.5	51	76.1	419
269,000	240,500	8.3	14.6	4.8	6	76.5	420
242,180	—	0	18.1	2.2	2	48.1	420
245,000	NA	10.0	13.2	6.9	27	114.0	425
240,590	—	(!)14.3	15.8	6.9	3	84.2	426
241,500	215,500	5.0	◇16.0	9.2	28	95.5	427
(!)240,000	—	0	◇12.3	3.6	26	43.1	427

業種名	社名	25年4月入社予定(人) 修士卒 男性	修士卒 女性	大卒 男性	大卒 女性
食品・水産	味の素AGF㈱	1	7	8	4
	キーコーヒー㈱	2	0	9	12
	森永乳業㈱	35	18	56	31
	日清オイリオグループ㈱	10	5	13	16
	ハウス食品㈱	13	12	11	12
	カゴメ㈱	7	5	11	13
	日本食研ホールディングス㈱	8	4	41	50
	理研ビタミン㈱	7	5	14	6
	東洋水産㈱	4	0	8	6
	日本ハム㈱	7	3	22	22
	昭和産業㈱	10	4	8	10
	山崎製パン㈱	16	10	174	151
印刷・紙パルプ	大日本印刷㈱	—	—	—	—
	TOPPANエッジ㈱	2	1	21	23
	大王製紙㈱	3	2	12	19
化粧品・トイレタリー	㈱ミルボン	2	2	14	22
	ライオン㈱	21	16	13	15
医薬品	ロート製薬㈱	5	8	11	11
	㈱ツムラ	9	9	14	15
化学	旭化成グループ	75	25	18	12
	住友化学㈱	15	7	19	9
	三井化学㈱	57	36	11	7
	㈱カネカ	25	13	10	11

初任給（円）		女性の働き方			ライフイベント		
大卒総合職	大卒一般職	新人女性の入社3年後離職率（%）	女性の平均勤続年数（年）	管理職の女性比率（%）	産休取得者（人）	男性育休取得率（%）	掲載ページ
229,000	—	22.2	11.8	9.6	8	100	429
205,240	—	0	20.5	6.2	2	100	429
230,000	—	7.1	14.2	6.3	32	95.8	430
243,500	—	7.7	16.8	6.4	15	84.0	433
227,900	—	5.7	◇17.1	12.2	20	75.8	434
227,500	213,080	3.8	◇12.5	10.2	26	65.9	435
232,000	205,000	33.3	◇10.9	0.8	43	94.7	439
235,150	—	7.1	◇14.7	7.8	6	80.6	440
244,000	—	0	19.0	6.7	9	23.9	441
262,000	—	12.5	13.0	10.8	38	97.1	442
228,000	—	23.1	◇14.2	10.0	15	61.3	448
254,100	—	28.4	◇16.7	2.7	190	28.0	448
252,000	—	10.1	◇16.0	9.4	57	98.7	454
254,000	—	4.0	12.8	8.4	32	67.6	454
242,600	—	28.6	10.1	2.7	20	90.9	457
240,600	—	18.5	9.5	12.2	23	25.7	460
237,530	—	9.1	◇14.0	18.2	46	76.7	461
240,000	—	0	15.2	31.6	43	46.4	466
247,700	—	16.7	13.4	8.4	26	57.3	468
247,750	—	9.9	14.6	6.7	48	98.5	474
245,400	—	17.9	◇14.1	9.8	36	95.1	475
256,000	—	15.0	◇15.9	10.7	24	90.0	476
243,000	—	0	◇13.3	6.2	17	42.2	479

業種名	社名	25年4月入社予定(人) 修士卒 男性	修士卒 女性	大卒 男性	大卒 女性
化学	㈱ダイセル	24	4	4	3
	UBE㈱	19	4	7	6
	リンテック㈱	20	7	12	7
	㈱エフピコ	3	1	18	23
	東京応化工業㈱	18	6	4	5
	三洋化成工業㈱	5	1	2	2
	ニチバン㈱	4	4	3	4
	大陽日酸㈱	19	6	15	10
	エア・ウォーター㈱	28	23	15	22
	日産化学㈱	20	10	5	6
	高砂香料工業㈱	5	8	7	7
	㈱クレハ	8	8	4	2
	日本曹達㈱	8	7	2	2
	日本パーカライジング㈱	8	3	8	1
	日本農薬㈱	8	3	4	0
	荒川化学工業㈱	7	1	2	1
	DIC㈱	13	7	4	7
	サカタインクス㈱	7	4	2	6
衣料・繊維	クラボウ	9	2	5	3
	セーレン㈱	12	0	24	9
ガラス・土石	住友大阪セメント㈱	30	2	14	9
	日本特殊陶業㈱	13	4	10	3
	日本ガイシ㈱	78	16	19	14

初任給(円)		女性の働き方			ライフイベント		
大卒総合職	大卒一般職	新人女性の入社3年後離職率(%)	女性の平均勤続年数(年)	管理職の女性比率(%)	産休取得者(人)	男性育休取得率(%)	掲載ページ
250,000	—	11.1	◇14.6	6.7	8	89.8	480
258,000	—	11.1	◇13.2	4.8	7	100	480
236,400	217,400	27.3	◇16.8	4.3	19	86.8	484
238,100	208,200	5.9	12.0	12.0	18	21.7	485
230,600	—	12.5	◇10.8	4.5	26	55.6	487
255,500	—	0	◇14.7	4.9	10	92.4	488
221,950	—	0	◇14.4	9.6	13	90.5	491
240,000	—	7.1	13.3	2.6	8	49.1	491
260,000	—	16.7	9.8	6.6	5	100	492
266,600	—	20.0	◇13.7	11.8	13	52.8	493
221,000	—	16.7	◇16.2	17.7	10	84.4	494
251,500	212,000	0	20.7	8.5	6	76.2	494
253,700	218,500	0	◇21.9	6.1	7	80.0	495
239,210	—	25.0	◇16.1	2.0	2	37.0	496
251,200	—	0	15.0	10.1	1	90.0	496
235,000	214,800	0	◇12.1	2.4	0	66.7	497
251,720	—	11.8	◇19.2	7.5	24	33.6	498
247,100	217,100	0	◇16.3	3.2	4	68.4	499
253,100	NA	0	14.6	2.3	4	57.9	500
277,000	—	0	◇20.0	3.1	5	24.4	501
260,000	—	0	◇15.5	2.2	4	38.7	508
244,000	NA	14.3	16.5	4.9	26	62.2	508
263,000	—	0	14.6	3.7	30	98.4	509

会社比較 341 社　～働きやすい会社を見つけよう～

業種名	社名	25年4月入社予定(人) 修士卒 男性	修士卒 女性	大卒 男性	大卒 女性
ガラス・土石	ニチアス㈱	26	4	17	7
	ノリタケ㈱	9	3	5	7
金属製品	三和シヤッター工業㈱	2	0	50	20
	文化シヤッター㈱	1	0	31	6
	アルインコ㈱	0	0	12	5
鉄鋼	愛知製鋼㈱	10	1	5	1
	三菱製鋼㈱	1	1	11	4
	㈱栗本鐵工所	6	1	11	4
非鉄	古河電気工業㈱	67	12	30	14
	三井金属	28	5	7	3
	日本軽金属㈱	16	2	12	12
その他メーカー	ピジョン㈱	0	1	1	9
	ローランド㈱	11	2	2	1
	フランスベッド㈱	0	0	33	22
	大建工業㈱	3	3	17	21
	㈱ウッドワン	0	0	11	11
	リンナイ㈱	12	2	59	25
	タカラスタンダード㈱	5	2	55	39
	㈱イトーキ	3	7	13	32
建設	鹿島	132	38	124	58
	大成建設㈱	116	34	196	60
	㈱竹中工務店	79	45	94	32
	㈱長谷工コーポレーション	34	19	130	52

初任給(円)		女性の働き方			ライフイベント		掲載ページ
大卒総合職	大卒一般職	新人女性の入社3年後離職率(%)	女性の平均勤続年数(年)	管理職の女性比率(%)	産休取得者(人)	男性育休取得率(%)	
253,000	212,300	22.2	11.7	1.2	14	47.5	510
228,000	197,000	15.4	◇18.9	5.6	13	85.3	511
234,200	—	7.7	7.8	1.2	6	29.9	515
236,000	—	0	◇14.6	3.8	8	32.7	516
276,700	243,200	0	◇11.7	4.8	5	41.2	516
254,000	205,000	12.5	◇14.1	1.4	8	69.7	520
248,100	—	50.0	◇14.3	3.9	6	50.0	521
250,000	—	25.0	◇17.1	0.4	1	96.0	522
250,000	205,200	0	◇16.2	3.9	16	103.0	523
254,000	232,000	33.3	◇7.7	3.7	10	42.3	526
241,000	201,200	12.5	◇15.0	3.6	4	67.4	529
265,000	—	0	12.4	26.8	10	100	532
221,000	—	0	14.3	5.0	5	19.0	533
207,700	—	0	13.4	5.0	4	22.2	535
250,000	232,700	21.4	◇13.3	1.8	16	72.2	535
225,000	201,600	42.9	11.9	2.3	6	83.3	536
235,000	215,000	7.7	◇16.9	0.9	41	23.3	537
230,000	197,000	22.2	10.9	5.2	77	79.1	538
228,000	—	14.3	11.0	10.3	26	70.0	541
280,000	—	1.5	15.7	2.6	59	92.2	544
❗280,000	—	4.1	15.2	13.7	50	88.1	545
280,000	—	5.6	16.2	2.2	76	34.7	546
300,000	—	13.3	10.9	4.4	28	44.1	546

会社比較 341 社 ～働きやすい会社を見つけよう～

業種名	社名	25年4月入社予定(人) 修士卒 男性	修士卒 女性	大卒 男性	大卒 女性
建設	前田建設工業㈱	19	6	59	14
	三井住友建設㈱	11	6	51	15
	㈱熊谷組	15	6	55	17
	安藤ハザマ	10	7	61	14
	㈱奥村組	17	4	93	23
	東急建設㈱	20	5	54	12
	㈱鴻池組	11	3	69	9
	佐藤工業㈱	5	3	22	12
	ピーエス・コンストラクション㈱	0	0	36	9
	㈱錢高組	5	1	10	7
	矢作建設工業㈱	0	1	35	7
	松井建設㈱	1	1	18	6
	五洋建設㈱	30	4	117	37
	東亜建設工業㈱	9	1	56	8
	東洋建設㈱	8	3	55	18
	㈱横河ブリッジホールディングス	17	5	23	13
	㈱ＮＩＰＰＯ	4	0	42	13
	前田道路㈱	3	0	45	6
	日本道路㈱	0	0	24	5
	大成ロテック㈱	0	0	35	5
	大林道路㈱	2	0	31	10
	世紀東急工業㈱	1	1	21	9
	ＪＦＥエンジニアリング㈱	57	5	33	13

初任給(円)		女性の働き方			ライフイベント		掲載ページ
大卒総合職	大卒一般職	新人女性の入社3年後離職率(%)	女性の平均勤続年数(年)	管理職の女性比率(%)	産休取得者(人)	男性育休取得率(%)	
261,000	—	13.3	13.3	0.8	37	24.5	547
265,000	208,500	3.4	13.4	2.7	11	101.7	548
265,000	211,000	15.2	11.4	1.6	17	57.8	549
265,000	—	(!)0	13.3	2.9	22	46.0	550
260,000	—	12.5	12.1	4.0	4	96.9	550
265,000	NA	0	11.9	0.7	7	56.3	551
260,000	191,000	20.0	10.8	0.2	6	59.5	551
265,000	—	23.1	12.2	1.0	3	47.6	553
270,000	—	16.7	10.7	0.9	4	28.6	553
270,000	220,000	0	13.0	0.4	5	23.5	554
255,000	194,000	22.2	◇11.6	1.1	5	60.0	554
265,000	—	16.7	13.4	1.2	5	20.0	555
280,000	234,000	10.0	13.6	2.3	14	99.0	555
280,000	NA	14.3	13.4	1.1	5	90.2	556
270,000	220,000	28.6	11.8	0	7	50.0	556
257,500	—	0	6.9	1.7	2	84.4	557
270,000	—	7.7	13.2	0.2	11	30.9	558
260,000	—	25.0	11.5	1.4	13	36.5	559
260,000	233,600	50.0	◇12.0	0.7	6	41.0	559
250,000	210,000	0	14.8	1.2	1	95.0	560
255,200	—	33.3	◇13.3	1.9	7	37.5	561
245,000	(!)218,000	(!)0	◇7.1	1.7	2	55.6	561
265,000	—	7.7	15.4	6.9	8	57.7	562

会社比較341社 ～働きやすい会社を見つけよう～

業種名	社名	25年4月入社予定(人) 修士卒 男性	修士卒 女性	大卒 男性	大卒 女性
建設	東洋エンジニアリング㈱	41	5	5	8
	太平電業㈱	2	0	39	17
	新菱冷熱工業㈱	3	5	48	22
	三機工業㈱	9	2	57	13
	三建設備工業㈱	2	0	29	8
	㈱朝日工業社	1	0	36	4
	高砂熱学工業㈱	20	4	73	29
	㈱大気社	13	3	71	13
	東洋熱工業㈱	1	0	36	13
	エクシオグループ㈱	1	1	28	7
	㈱ミライト・ワン	2	0	84	30
	日本コムシス㈱	4	0	56	18
	東光電気工事㈱	0	0	34	5
	㈱HEXEL Works	0	0	15	1
	㈱トーエネック	—	—	—	—
住宅・マンション	大東建託㈱	5	1	167	96
	トヨタホーム㈱	1	1	3	3
不動産	三井不動産リアルティ㈱	0	0	100	140
電力・ガス	東京電力ホールディングス㈱	155	22	212	58
	㈱JERA	51	19	22	26
	中部電力㈱	—	—	—	—
	静岡ガス㈱	4	0	17	12
石油	出光興産㈱	31	19	7	16

初任給(円)		女性の働き方			ライフイベント		掲載ページ
大卒総合職	大卒一般職	新人女性の入社3年後離職率(%)	女性の平均勤続年数(年)	管理職の女性比率(%)	産休取得者(人)	男性育休取得率(%)	
237,900	200,600	12.5	15.2	6.1	9	38.2	564
238,800	222,600	28.6	◇10.8	2.4	3	31.7	565
280,000	—	12.5	7.0	1.0	5	38.3	566
280,000	204,400	15.8	◇15.5	1.3	12	90.0	566
270,000	—	14.3	11.3	1.7	5	33.3	567
280,000	—	0	19.6	1.0	0	40.0	568
270,000	—	9.1	11.5	2.3	16	98.1	568
243,000	—	12.5	15.0	3.2	5	58.3	569
256,000	225,000	33.3	14.9	1.0	3	23.5	570
232,200	—	0	14.5	2.7	16	32.9	571
232,200	—	9.5	12.6	4.3	13	87.5	571
232,200	NA	12.5	12.0	3.0	3	68.3	572
254,000	—	14.3	14.8	4.4	5	100	573
225,000	—	0	◇11.1	8.7	2	16.1	574
240,000	—	0	20.2	2.4	5	88.9	576
240,000	—	(!)25.8	9.0	6.0	42	113.3	579
231,000	—	0	8.6	1.1	14	66.7	582
250,000	205,000	27.2	6.3	2.4	78	65.0	596
237,100	—	1.3	22.1	6.1	466	86.6	599
280,000	—	—	◇10.8	5.5	11	79.4	599
237,000	—	6.1	18.5	5.0	84	79.5	601
235,000	—	0	17.7	7.2	5	71.4	606
254,000	—	0	16.6	4.4	26	93.1	608

会社比較 341 社 ～働きやすい会社を見つけよう～

業種名	社名	25年4月入社予定(人)			
		修士卒		大卒	
		男性	女性	男性	女性
石油	コスモ石油㈱	9	4	6	12
デパート	㈱髙島屋	0	4	26	33
	㈱三越伊勢丹	0	1	10	38
コンビニ	㈱ローソン	2	1	61	55
	㈱ファミリーマート	1	2	41	50
スーパー	㈱平和堂	—	—	—	—
	サミット㈱	0	0	60	60
	㈱いなげや	0	0	12	8
	㈱東急ストア	0	0	11	9
	㈱スーパーアルプス	0	0	8	7
	㈱ライフコーポレーション	0	0	145	145
	㈱関西スーパーマーケット	0	0	61	9
	㈱ハローズ	0	0	55	55
外食・中食	㈱モスフードサービス	0	0	10	10
	㈱松屋フーズ	—	—	—	—
	㈱ドトールコーヒー	0	0	10	32
	㈱Genki Global Dining Concepts	0	0	6	3
家電量販・薬局・HC	㈱ノジマ	5	5	160	110
	㈱エディオン	0	0	100	40
	総合メディカル㈱	—	—	—	—
	㈱サッポロドラッグストアー	0	0	15	15
	DCM㈱	0	0	50	50
その他小売業	青山商事㈱	0	0	83	174

初任給(円)		女性の働き方			ライフイベント		掲載ページ
大卒総合職	大卒一般職	新人女性の入社3年後離職率(%)	女性の平均勤続年数(年)	管理職の女性比率(%)	産休取得者(人)	男性育休取得率(%)	
306,050	—	0	15.1	7.0	17	56.1	609
240,000	—	23.1	26.7	29.4	31	110.0	612
250,000	194,000	12.0	18.6	28.5	89	105.4	613
233,000	—	36.2	10.4	13.5	39	98.0	617
245,000	—	29.8	8.2	4.2	40	71.4	618
230,000	—	42.3	16.2	9.5	30	95.0	621
250,000	—	49.0	9.8	14.3	19	64.3	625
❗242,500	—	54.1	10.5	2.7	9	81.3	626
228,100	—	30.0	15.5	21.6	4	11.8	626
238,900	—	20.0	◇13.9	5.3	3	50.0	627
❗235,000	—	27.5	10.2	5.6	47	46.6	629
222,000	—	66.7	17.1	0.9	3	200.0	630
250,000	—	13.3	7.8	19.8	43	48.3	630
240,140	—	16.7	11.6	19.9	3	33.3	631
250,000	—	48.4	6.1	2.3	13	36.4	632
220,000	—	63.6	6.9	28.9	12	22.2	632
❗238,000	—	12.5	5.4	10.2	4	33.3	633
265,000	—	51.6	6.3	16.5	90	57.0	635
240,000	—	31.1	10.9	2.4	84	95.4	635
230,000	165,000	23.1	7.5	6.8	168	59.7	638
223,000	—	31.6	9.3	18.1	36	110.0	639
217,000	—	38.0	13.3	2.7	55	73.0	640
222,680	—	34.2	8.0	11.2	101	73.0	646

会社比較 341 社 ～働きやすい会社を見つけよう～

業種名	社名	25年4月入社予定(人)			
		修士卒		大卒	
		男性	女性	男性	女性
その他小売業	㈱ヤナセ	—	—	—	—
	㈱あさひ	1	0	69	30
人材・教育	㈱ステップ	0	0	17	12
	㈱秀英予備校	3	0	16	30
レジャー	セントラルスポーツ㈱	2	0	15	10
	㈱ルネサンス	1	4	31	25
海運・空運	日本郵船㈱	10	4	34	26
	川崎汽船㈱	9	0	39	18
	日本航空㈱	37	5	46	31
運輸・倉庫	ロジスティード㈱	2	1	32	14
	山九㈱	9	2	88	18
	㈱キユーソー流通システム	0	0	2	16
	㈱日新	2	0	34	28
	㈱上組	0	0	40	40
その他サービス	日本生活協同組合連合会	2	0	10	9
	セコム㈱	—	—	—	—
	㈱カナモト	0	0	27	4
	㈱白洋舎	0	0	14	14
	㈱パスコ	15	6	27	16

掲載基準は本編開示度４（★４つ）以上の会社。

注）数値以外の表記や前付け記号などは原則として本文どおり。

（NA：非開示、ND：データなし、—：未定、算出・表示不能、

◇：『会社四季報』からの引用など現業者含むベース、❗：注記付きなど本文参照）

初任給(円)		女性の働き方			ライフイベント		掲載ページ
大卒総合職	大卒一般職	新人女性の入社3年後離職率(%)	女性の平均勤続年数(年)	管理職の女性比率(%)	産休取得者(人)	男性育休取得率(%)	
(!)230,000	—	50.0	18.6	3.3	34	20.9	648
220,000	—	23.8	6.1	2.2	19	60.0	655
(!)290,000	—	31.3	9.6	5.3	6	88.2	668
230,000	190,000	40.0	10.9	6.5	10	33.3	668
218,500	188,818	11.1	15.0	9.0	18	36.8	679
(!)211,000	—	52.9	8.6	15.2	63	85.7	680
323,300	—	0	17.4	13.6	5	73.5	680
296,400	—	12.5	13.5	6.8	6	57.1	681
251,000	—	9.1	10.6	4.6	46	73.5	683
244,299	—	18.8	15.0	7.3	12	59.0	686
253,890	233,090	45.8	13.3	1.8	24	28.0	687
225,000	197,000	24.1	10.2	15.1	14	57.1	689
242,000	—	18.2	10.4	10.0	24	83.9	690
235,000	—	31.0	10.1	2.0	26	23.5	693
205,000	—	5.9	11.3	14.3	19	76.2	713
275,530	—	22.5	14.2	6.2	117	45.8	722
220,000	190,000	44.4	10.9	10.2	12	18.8	723
231,000	213,000	38.5	◇9.9	8.4	11	45.5	727
242,000	—	9.1	8.1	3.8	10	52.9	735

書き込むだけで理解が深まる「会社研究シート」を作ってみよう

『就職四季報』だけではわからないところは、『会社四季報　業界地図』や『会社四季報』その他の情報源を使って調べて書き込んでみてください。

（70ページにサンプルがあります）

志望度　A　B　C

［　　　　］業界［　　］位 社名＿＿＿＿＿＿＿＿＿＿

＊関心を持った理由

＊どんな会社か　主な商品・サービス／B to BかB to Cか／従業員数

＊業績は？　直近の数字・推移

＊強み

＊課題・弱み

＊気になる勤務制度

＊業界内外のライバル企業

＊待遇面の MyTopics

働きやすい会社がわかる

会社研究 1292社

SHUSHOKU SHIKIHO

書き込むだけで理解が深まる「会社研究シート」を作ってみよう

『就職四季報』だけではわからないところは、『会社四季報　業界地図』や『会社四季報』その他の情報源を使って調べて書き込んでみてください。

（68ページにシートの原型があります。サンプル企業はダミーです）

志望度 Ⓐ B C

［出版卸　］業界［1］位 社名 西洋出版販売

＊関心を持った理由

書店でアルバイトをしていて、この業界の大切さを知った。本の流通を担うことで、出版社以上に時代を担う演出ができるのではないかと思った。

＊どんな会社か 主な商品・サービス／B to BかB to Cか／従業員数

出版社から仕入れて書店に販売する BtoB。 従業員 2500 人、専門商社のなかでも大企業。 平均年齢 42 歳、 成熟産業。

＊業績は？ 直近の数字・推移

連結売上は 3000 億円、 利益は横ばい

＊強み

大きな書店と提携して、 情報共有が進んでいる。

＊課題・弱み

電子書籍の流通システムが競合よりも遅れている。業界の利益率？

＊気になる勤務制度

フレックスあり。テレワーク利用率高い。

＊業界内外のライバル企業

東洋出版販売

＊待遇面の MyTopics

土曜出勤がある。 平均年収は XXX 円だが個人による待遇の差が大きい

商社・卸売業

商社・卸売業

総合商社

各社は事業の選別を強化し、資産効率を磨くことによって資源市況によらない高収益体質を確立しつつある

専門商社

食品や日用品は価格転嫁が寄与。製造業向けは中国経済や半導体市況の底打ちで数量が回復。緩やかな成長が続きそう

（天気図は24年度後半⇒25年度、続きは東洋経済『会社四季報業界地図 2025年版』で）

765　開示 ★★★☆☆

三菱商事㈱（みつびししょうじ）

えるぼし ★★　プラチナくるみん

【特色】財閥系総合商社。資源から小売まで事業基盤厚い

記者評価 三菱重工業、三菱UFJ銀行と並ぶ三菱グループの中核。事業基盤の厚み、収益力、財務体質は商社首位級。豪資源メジャーとの合弁で行う原料炭、石油・天然ガスなどの資源分野のほか、化学品、機械、自動車、食品など非資源分野も強い。ローソンはKDDIと共同経営。

平均勤続年数	男性育休取得率	3年後離職率	平均年収(平均43歳)
18.3年	44.3→35.5%	4.0→1.6%	2,090万円

●採用・配属情報●

【男女・文理別採用実績】

	大卒男	大卒女	修士男	修士女
23年	72(文 65 理 7)	22(文 22 理 0)	24(文 4 理 20)	9(文 1 理 8)
24年	65(文 56 理 9)	34(文 34 理 0)	32(文 1 理 31)	8(文 2 理 6)
25年	–(文 – 理 –)	–(文 – 理 –)	–(文 – 理 –)	–(文 – 理 –)

※25年:前年並みを採用予定

【男女・職種別採用実績】　転換制度:⇔

	総合職	一般職
23年	127(男 96 女 31)	0(男 0 女 0)
24年	139(男 97 女 42)	0(男 0 女 0)
25年	–(男 – 女 –)	0(男 0 女 0)

【24年4月入社者の配属勤務地】㊔東京139

【転勤】あり:[職種]総合職

【中途比率】[単年度]21年度12%、22年度26%、23年度44%[全体]9%

●働きやすさ、諸制度●

残業(月) 29.2時間 ㊔33.3時間

【勤務時間】9:15〜17:30【有休取得年平均】13.6日【週休】完全2日(土日祝)【夏期休暇】有休で取得【年末年始休暇】12月29日〜1月3日

【離職率】男:1.2%、50名 女:5.1%、74名

【新卒3年後離職率】
[20→23年]4.0%(男4.5%・入社89名、女2.8%・入社36名)
[21→24年]1.6%(男1.1%・入社88名、女2.9%・入社35名)

【テレワーク】制度あり:[場所]自宅 他[対象]全従業員[日数]制限なし[利用率]NA【勤務制度】フレックス 時差勤務【住宅補助】独身寮 借上社宅(転任者を対象)他

●ライフイベント、女性活躍●

【女性比率】■男 □女

従業員 25.5%(1383名)

管理職 11.8%(423名)

【産休】[期間]産前6・産後8週間[給与]会社全額給付[取得者数]90名

【育休】[期間]2歳到達月末まで[給与]開始10日間有給、以降法定[取得者数]22年度 男78名(対象176名)女68名(対象75名)23年度 男65名(対象183名)女82名(対象75名)[平均取得日数]22年度 男42日 女406日、23年度 男56日 女438日

【従業員】[人数]5,421名(男4,038名、女1,383名)[平均年齢]42.7歳(男42.9歳、女42.2歳)[平均勤続年数]18.3年(男18.3年、女18.1年)

【年齢構成】■男 □女

60代〜 1% 0%

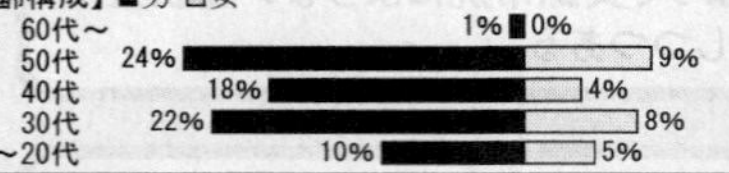

会社データ　(金額は百万円)

【本社】100-8086 東京都千代田区丸の内2-3-1 三菱商事ビルディング ☎03-3210-2121 https://www.mitsubishicorp.com/

【業績(IFRS)】	営業収益	営業利益	税前利益	純利益
22.3	17,264,828	759,463	1,293,116	937,529
23.3	21,571,973	1,092,186	1,680,631	1,180,694
24.3	19,567,601	803,976	1,362,594	964,034

745　開示 ★★★☆☆

伊藤忠商事㈱（いとうちゅうしょうじ）

えるぼし ★★　プラチナくるみん

【特色】非財閥系。コンビニなど非資源事業に強み

記者評価 伊藤忠兵衛が1858年創業。丸紅と同根で非財閥系総合商社の雄。他商社に比べて祖業の繊維に強み。ファミリーマートは実質完全子会社。伊藤忠テクノソリューションズ、大建工業なども相次いで完全子会社化。旧ビッグモーターの事業を引き継ぎ新会社を発足。

平均勤続年数	男性育休取得率	3年後離職率	平均年収(平均41歳)
18.2年	52.7→53.7%	6.7→6.9%	㊔1,823万円

●採用・配属情報●

【男女・文理別採用実績】

	大卒男	大卒女	修士男	修士女
23年	68(文 60 理 8)	49(文 47 理 2)	14(文 1 理 13)	4(文 2 理 2)
24年	74(文 65 理 9)	51(文 47 理 4)	21(文 1 理 20)	9(文 3 理 6)
25年	–(文 – 理 –)	–(文 – 理 –)	–(文 – 理 –)	–(文 – 理 –)

※25年:総合職130名程度、事務職20名程度採用予定

【男女・職種別採用実績】　転換制度:⇔

	総合職	事務職
23年	112(男 82 女 30)	23(男 0 女 23)
24年	134(男 95 女 39)	21(男 0 女 21)
25年	–(男 – 女 –)	–(男 – 女 –)

【24年4月入社者の配属勤務地】㊔東京本社125 大阪本社5 横浜分室4

【転勤】あり:[職種]総合職[勤務地]米国 欧州 アジア アフリカ オセアニア 他

【中途比率】[単年度]21年度2%、22年度12%、23年度15%[全体]NA

●働きやすさ、諸制度●

残業(月) (法定外)12.4時間 ㊔26.0時間

【勤務時間】朝型フレックスタイム制度(コアタイム9:00〜15:00)【有休取得年平均】12.2日【週休】完全2日(土日祝)【夏期休暇】有休で取得【年末年始休暇】12月29日〜1月3日

【離職率】男:1.4%、45名 女:1.5%、16名

【新卒3年後離職率】
[20→23年]6.7%(男8.3%・入社84名、女2.8%・入社36名)
[21→24年]6.9%(男8.8%・入社80名、女2.8%・入社36名)

【テレワーク】制度あり:[場所]自宅 サテライトオフィス[対象]全社員[日数]原則週に2回まで[利用率]23.3%【勤務制度】フレックス 時間単位有休 時差勤務 勤務間インターバル 副業容認【住宅補助】独身寮 社宅

●ライフイベント、女性活躍●

【女性比率】■男 □女

従業員 25%(1026名)

管理職 8.8%(223名)

【産休】[期間]産前6・産後8週間[給与]会社固定給給付[取得者数]NA

【育休】[期間]2歳になるまで(変更・中断は各1回のみ)[給与]法定[取得者数]22年度 男39名(対象74名)女48名(対象48名)23年度 男51名(対象95名)女45名(対象45名)[平均取得日数]22年度 男36日 女NA、23年度 男24日 女NA

【従業員】[人数]4,098名(男3,072名、女1,026名)[平均年齢]42.3歳(男42.6歳、女41.6歳)[平均勤続年数]18.2年(男18.2年、女18.0年)

【年齢構成】■男 □女

	男	女
60代〜	3%	2%
50代	23%	7%
40代	17%	4%
30代	19%	7%
〜20代	12%	6%

会社データ　(金額は百万円)

【本社】107-8077 東京都港区北青山2-5-1 伊藤忠商事東京本社ビル ☎03-3497-7521 https://www.itochu.co.jp/

【業績(IFRS)】	営業収益	営業利益	税前利益	純利益
22.3	12,293,348	786,417	1,150,029	820,269
23.3	13,945,633	734,023	1,106,861	800,519
24.3	14,029,910	744,827	1,095,707	801,770

三井物産(株)
みついぶっさん

えるぼし ★★　プラチナくるみん

【特色】財閥系総合商社。鉄鉱石など資源分野に強み

[記者評価] 総合商社の草分けで三井グループ中核。金属資源・エネルギーなど資源事業に強く、鉄鉱石、原油は断トツの生産権益規模を持つ。世界各地のLNGプロジェクトに参画。生活産業など非資源事業も強化。ヘルスケア領域は、アジア最大手の民間病院グループIHH社が中心。

平均勤続年数	男性育休取得率	3年後離職率	平均年収(平均42歳)
17.9年	65.1→69.6%	2.3→2.4%	1,900万円

●採用・配属情報●

【男女・文理別採用実績】※25年:約110～140名採用予定

	大卒男	大卒女	修士男	修士女
23年	36(文 30理 6)	47(文 42理 5)	32(文 1理 31)	5(文 0理 5)
24年	45(文 41理 4)	47(文 47理 0)	26(文 2理 24)	7(文 1理 6)
25年	-(文 -理 -)	-(文 -理 -)	-(文 -理 -)	-(文 -理 -)

【男女・職種別採用実績】　転換制度:⇒

	総合職
23年	121(男 69 女 52)
24年	126(男 72 女 54)
25年	-(男 - 女 -)

【24年4月入社者の配属勤務地】[総]東京・千代田126
【転勤】あり:総合職(勤務地を限定しない者に限る)
【中途比率】[単年度]21年度24%、22年度33%、23年度45%[全体]12%

●働きやすさ、諸制度●

残業(月)　28.0時間 [総]28.0時間

【勤務時間】9:15～17:30(フレックスタイム制の場合、コアタイム10:00～15:00)【有休取得年平均】13.6日【週休】完全2日(土日祝)【夏期休暇】有休で取得【年末年始休暇】12月29日～1月3日
【離職率】男:1.8%、70名 女:2.4%、39名(早期退職男42名、女6名含む)
【新卒3年後離職率】
[20→23年]2.3%(男1.2%・入社83名、女4.4%・入社45名)
[21→24年]2.4%(男2.8%・入社71名、女1.8%・入社55名)
【テレワーク】制度あり:[場所]100km圏内の会社が認めた場所(自宅含む)[対象]全社員[日数]制限なし[利用率]19.8%【勤務制度】フレックス 時間単位有休 副業容認【住宅補助】独身寮 社宅

●ライフイベント、女性活躍●

【女性比率】■男 □女

従業員 29.9% (1620名)

管理職 9.2% (307名)

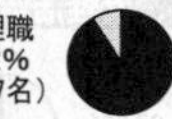

【産休】[期間]産前8・産後8週間[給与]会社全額給付[取得者数]68名
【育休】[期間]1歳6カ月になるまで[給与]最初8週間有給、以降給付金[取得者数]22年度 男114名(対象175名)女66名(対象66名)23年度 男126名(対象181名)女60名(対象61名)[平均取得日数]22年度 男38日 女388日、23年度 男43日 女449日
【従業員】[人数]5,419名(男3,799名、女1,620名)[平均年齢]42.3歳(男43.1歳、女40.2歳)[平均勤続年数]17.9年(男18.8年、女15.9年)
【年齢構成】■男 □女
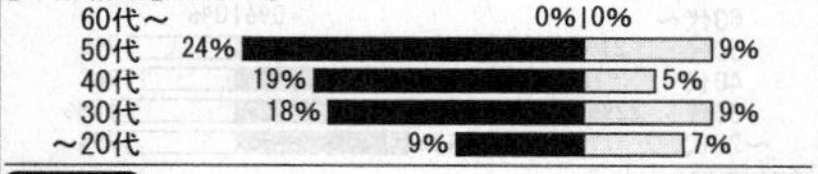

[会社データ]　(金額は百万円)
【本社】100-8631 東京都千代田区大手町1-2-1 ☎03-3285-1111
https://www.mitsui.com/jp/

【業績】(IFRS)	営業収益	営業利益	税前利益	純利益
22.3	11,757,559	564,037	1,164,480	914,722
23.3	14,306,402	751,652	1,395,295	1,130,630
24.3	13,324,942	703,920	1,302,393	1,063,684

豊田通商(株)
とよたつうしょう

えるぼし ★★　プラチナくるみん

【特色】トヨタ系商社。主力は自動車関連の調達や販売

[記者評価] トヨタグループの原料や設備の調達、物流、海外の自動車販売展開など支援。06年トーメンと合併し総合商社の一角に。自動車関連が利益柱。19年トヨタからアフリカ市場の営業業務を全面移管。風力など再エネ事業やリチウム生産などグローバルで成長領域を強化。

平均勤続年数	男性育休取得率	3年後離職率	平均年収(平均43歳)
17.1年	66.9→75.7%	4.9→8.1%	[総][!]1,416万円

●採用・配属情報●

【男女・文理別採用実績】

	大卒男	大卒女	修士男	修士女
23年	32(文 31理 1)	20(文 19理 1)	14(文 5理 9)	2(文 0理 2)
24年	30(文 25理 5)	16(文 16理 0)	19(文 0理 19)	5(文 1理 4)
25年	33(文 26理 7)	26(文 25理 1)	16(文 1理 15)	3(文 2理 1)

【男女・職種別採用実績】　転換制度:⇔

	グローバル職
23年	68(男 46 女 22)
24年	70(男 49 女 21)
25年	78(男 49 女 29)

【24年4月入社者の配属勤務地】[総]東京 愛知 大阪
【転勤】あり:[職種]基幹職掌(グローバル職)[勤務地]国内外
【中途比率】[単年度]21年度57%、22年度61%、23年度55%[全体]32%

●働きやすさ、諸制度●

残業(月)　22.1時間 [総]24.9時間

【平均年収(総合職)】〈グローバル職〉1,416万円【勤務時間】7時間45分(フレックスタイム制コアタイム11:00～14:00)【有休取得年平均】12.7日【週休】完全2日(土日祝)【夏期休暇】3日【年末年始休暇】12月29日～1月4日
【離職率】男:1.7%、39名 女:2.0%、21名(早期退職男5名、女1名含む 他に男1名転籍)
【新卒3年後離職率】
[20→23年]4.9%(男3.8%・入社52名、女6.7%・入社30名)
[21→24年]8.1%(男12.0%・入社25名、女0%・入社12名)
【テレワーク】制度あり:[場所]自宅 留守宅[対象]全社員(原則、試用期間中の社員は除く)[日数]月間所定労働日数の40%を上限[利用率]23.1%【勤務制度】フレックス 勤務間インターバル【住宅補助】独身寮 単身寮 帯同社宅あり

●ライフイベント、女性活躍●

【女性比率】■男 □女

新卒採用 37.2% (29名)

従業員 31% (1021名)

管理職 6.1% (21名)

【産休】[期間]産前6・産後8週間[給与]有給[取得者数]41名
【育休】[期間]2歳になるまで[給与]開始日から最大20日間有給[取得者数]22年度 男79名(対象118名)女46名(対象46名)23年度 男84名(対象111名)女40名(対象40名)[平均取得日数]22年度 NA、23年度 男28日 女472日
【従業員】[人数]3,292名(男2,271名、女1,021名)[平均年齢]43.2歳(男43.5歳、女42.4歳)[平均勤続年数]17.1年(男17.5年、女16.2年)
【年齢構成】■男 □女
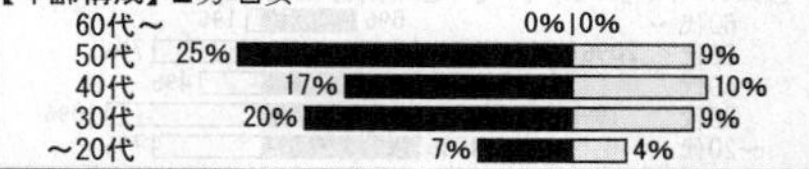

[会社データ]　(金額は百万円)
【本社】450-8575 愛知県名古屋市中村区名駅4-9-8 センチュリー豊田ビル ☎052-584-5000
https://www.toyota-tsusho.com/

【業績】(IFRS)	営業収益	営業利益	税前利益	純利益
22.3	8,028,000	294,141	330,132	222,235
23.3	9,848,560	388,753	427,126	284,155
24.3	10,188,980	441,589	469,639	331,444

商社・卸

746 開示 ★★★★★

まるべに
丸紅(株)

えるぼし ★★　プラチナくるみん

【特色】芙蓉グループの総合商社大手。電力や食料に強い

記者評価 伊藤忠商事と同根。穀物や紙パルプなどが強みだが、特に電力では世界20カ国以上で発電事業を展開。日系IPP事業者としては最大級。再生可能エネ、水素・アンモニアの新エネ以外でも全事業のグリーン化を積極推進。22年に懸案の穀物大手ガビロンを売却し成長加速。

平均勤続年数	男性育休取得率	3年後離職率	平均年収(平均42歳)
17.9年	65.5 → 78.4%	3.5 → 4.0%	1,655万円

●採用・配属情報●

【男女・文理別採用実績】※25年:100名採用予定

	大卒男	大卒女	修士男	修士女
23年	46(文 43 理 3)	53(文 51 理 2)	11(文 3 理 8)	4(文 0 理 4)
24年	25(文 20 理 5)	30(文 30 理 0)	19(文 2 理 17)	3(文 0 理 3)
25年	−(文 −理 −)	−(文 −理 −)	−(文 −理 −)	−(文 −理 −)

【男女・職種別採用実績】 転換制度:⇒

	総合職	一般職
23年	94(男 57 女 37)	20(男 0 女 20)
24年	77(男 44 女 33)	0(男 0 女 0)
25年	100(男 − 女 −)	ND(男 ND 女 ND)

※24年7月より職掌制度廃止。25年はグローバルコースのみ採用

【24年4月入社者の配属勤務地】㊗東京77

【転勤】あり:[職種]グローバルコース[勤務地]全世界

【中途比率】[単年度]21年度23%、22年度22%、23年度27%[全体]11%

●働きやすさ、諸制度●

残業(月) 17.3時間 ㊗20.5時間

【勤務時間】9:15〜17:30(フレックスタイム制あり)【有休取得年平均】14.1日【週休】完全2日(土日祝)【夏期休暇】特別休暇制度(有休)あり【年末年始休暇】12月29日〜1月3日

【離職率】NA

【新卒3年後離職率】
[20→23年]3.5%(男3.8%・入社78名、女2.7%・入社37名)
[21→24年]4.0%(男6.8%・入社74名、女0%・入社50名)

【テレワーク】制度あり:[場所]自宅 サテライトオフィス 他[対象]国内勤務者[日数]制限なし[利用率]NA【勤務制度】フレックス 時差勤務 副業容認【住宅補助】独身寮(首都圏にワンルーム型 就業開始から満5年入居可能)社宅(転勤者のみ 転勤から満2〜5年入居可能)※勤務地による

●ライフイベント、女性活躍●

【女性比率】■男 □女

従業員 29.1% (1260名)

管理職 9% (223名)

【産休】[期間]産前6・産後8週間[給与]会社全額給付[取得者数]71名

【育休】[期間]2歳になるまで[給与]女性は法定、男性は出産予定日を含み出生後8週間以内の20日有給[取得者数]22年度 男55名(対象84名)女68名(対象68名)23年度 男87名(対象111名)女64名(対象67名)[平均取得日数]22年度NA、23年度 NA

【従業員】[人数]4,337名(男3,077名、女1,260名)[平均年齢]42.4歳(男43.5歳、女39.7歳)[平均勤続年数]17.9年(男18.7年、女15.7年)【年齢構成】■男 □女

	男	女
60代〜	6%	1%
50代	20%	7%
40代	16%	4%
30代	19%	10%
〜20代	10%	7%

会社データ (金額は百万円)

【本社】100-8088 東京都千代田区大手町1-4-2 ☎03-3282-2075
https://www.marubeni.com/jp/

【業績】(IFRS)	営業収益	営業利益	税前利益	純利益
22.3	8,508,591	267,573	528,790	424,320
23.3	9,190,472	328,846	651,745	543,001
24.3	7,250,515	275,059	567,136	471,412

762 開示 ★★★★★

すみともしょうじ
住友商事(株)

えるぼし ★★　プラチナくるみん

【特色】住友系総合商社。CATVなどメディア事業に強み

記者評価 1919年に大阪北港の土地造成などを手がける不動産経営会社として設立、45年に商事事業に進出。CATV最大手のJ：COM、テレビ通販のジュピターショップチャンネル、ITサービス大手のSCSKなどを抱える。鉄鋼、自動車、輸送機も強い。洋上風力発電事業にも参画。

平均勤続年数	男性育休取得率	3年後離職率	平均年収(平均41歳)
17.1年	67.3 → 63.6%	3.9 → 3.8%	㊗1,809万円

●採用・配属情報●

【男女・文理別採用実績】※25年:24年7月時点

	大卒男	大卒女	修士男	修士女
23年	44(文 35 理 9)	31(文 27 理 4)	17(文 2 理 15)	6(文 1 理 5)
24年	43(文 37 理 6)	31(文 27 理 4)	18(文 3 理 15)	6(文 0 理 6)
25年	35(文 31 理 4)	34(文 31 理 3)	26(文 4 理 22)	10(文 3 理 7)

【男女・職種別採用実績】

	プロフェッショナル職
23年	98(男 61 女 37)
24年	98(男 61 女 37)
25年	105(男 61 女 44)

【24年4月入社者の配属勤務地】㊗東京97 大阪1

【転勤】あり:全社員

【中途比率】[単年度]21年度16%、22年度43%、23年度47%[全体]10%

●働きやすさ、諸制度●

残業(月) 36.9時間

【勤務時間】9:15〜17:30(フレックスタイム制 コアタイムなし フレキシブルタイム5:00〜22:00)【有休取得年平均】14.3日【週休】完全2日(土日祝)【夏期休暇】有休で取得【年末年始休暇】12月29日〜1月3日

【離職率】男:2.4%、81名 女:3.1%、41名(早期退職男39名、女8名含む)

【新卒3年後離職率】
[20→23年]3.9%(男4.9%・入社102名、女1.9%・入社53名)
[21→24年]3.8%(男2.7%・入社75名、女6.5%・入社31名)

【テレワーク】制度あり:[場所]自宅 サテライトオフィス 上司が認めた出張先・外出先[対象]勤続1年以上(ただしキャリア入社者は勤続1年未満でも可)他[日数]終日テレワークは週3日まで[利用率]19.6%【勤務制度】フレックス 勤務間インターバル 副業容認【住宅補助】独身寮(入社6年目まで 10,000円〜15,000円)社宅(東京圏:市場家賃の30〜50% 東京圏以外:市場家賃の15〜25% 上限あり)

●ライフイベント、女性活躍●

【女性比率】■男 □女

新卒採用 41.9% (44名)

従業員 27.3% (1262名)

管理職 9.4% (273名)

【産休】[期間]産前6・産後8週間[給与]会社全額給付[取得者数]63名

【育休】[期間]2歳になるまで[給与]法定[取得者数]22年度 男113名(対象168名)女51名(対象51名)23年度 男105名(対象165名)女63名(対象63名)[平均取得日数]22年度 男43日 女352日、23年度 男52日 女405日

【従業員】[人数]4,616名(男3,354名、女1,262名)[平均年齢]41.5歳(男42.1歳、女39.8歳)[平均勤続年数]17.1年(男17.5年、女15.9年)【年齢構成】■男 □女

	男	女
60代〜	0%	0%
50代	21%	7%
40代	19%	6%
30代	22%	8%
〜20代	11%	7%

会社データ (金額は百万円)

【本社】100-8601 東京都千代田区大手町2-3-2 大手町プレイス イーストタワー ☎03-6285-5000
https://www.sumitomocorp.com/ja/jp/

【業績】(IFRS)	営業収益	営業利益	税前利益	純利益
22.3	5,495,015	338,900	590,019	463,694
23.3	6,817,872	433,065	722,918	565,178
24.3	6,910,302	354,203	527,646	386,352

148 開示 ★★★

そうじつ 双日㈱

[プラチナくるみん＋]

【特色】7大総合商社の一角。日商岩井とニチメンが統合

[記者評価] ボーイング社の国内販売代理店で航空機に強い。海外で組立・販売を手がける自動車、東南アの肥料が収益柱。ウズベキスタンでは大規模ガス・蒸気発電に参画。ロイヤルHDと協業深化させ外食の海外展開を加速。西側諸国で初めて進出したベトナム、インドにも注力。

平均勤続年数	男性育休取得率	3年後離職率	平均年収(平均41歳)
! 15.2年	100 → 100%	7.3 → 20.2%	1,245万円

●採用・配属情報●

【男女・文理別採用実績】

	大卒男	大卒女	修士男	修士女
23年	34(文 32 理 2)	44(文 44 理 0)	23(文 3 理 20)	5(文 3 理 2)
24年	33(文 29 理 4)	52(文 52 理 0)	28(文 2 理 26)	10(文 3 理 7)
25年	41(文 36 理 5)	77(文 69 理 8)	30(文 2 理 28)	6(文 4 理 2)

【男女・職種別採用実績】 転換制度:⇔

	総合職	一般職
23年	87(男 58 女 29)	20(男 0 女 20)
24年	102(男 61 女 41)	21(男 0 女 21)
25年	118(男 71 女 47)	36(男 0 女 36)

【24年4月入社者の配属勤務地】[総]東京102

【転勤】あり:[勤務地]国内外の拠点 グループ会社へ出向

【中途比率】[単年度]21年度29%、22年度29%、23年度30%[全体]22%

●働きやすさ、諸制度●

残業(月) 23.8時間 [総]26.7時間

【勤務時間】9:15〜17:30(フレックスタイム制あり)【有休取得年平均】14.8日【週休】完全2日(土日祝)【夏期休暇】5日【年末年始休暇】12月29日〜1月3日

【離職率】男:6.4%、118名 女:5.2%、44名

【新卒3年後離職率】
[20→23年]7.3%(男12.7%・入社55名、女1.8%・入社55名)
[21→24年]20.2%(男21.7%・入社46名、女18.4%・入社38名)

【テレワーク】制度あり:[場所]自宅または自宅に準じる場所 サテライトオフィス[対象]全社員[日数]原則週3日まで[利用率]11.8%【勤務制度】フレックス 勤務間インターバル【住宅補助】独身寮:14,000円〜38,000円 単身赴任寮:7,000円 社宅:48,000円〜76,000円

●ライフイベント、女性活躍●

【女性比率】■男 □女

新卒採用 53.9% (83名)

従業員 31.7% (796名)

管理職 6.4% (58名)

【産休】[期間]産前6・産後8、産前は診断がある場合8週間まで延長可[給与]産前・産後休業の期間に特別休暇(給与支給100%)あり[取得者数]32名

【育休】[期間]2歳6カ月になるまで[給与]1歳になるまでの期間に40労働日までの特別休暇を付与(男女共通)、それ以外は法定[取得者数]22年度 男46名(対象46名)女21名(対象21名)23年度 男47名(対象47名)女32名(対象32名)[平均取得日数]22年度 NA、23年度 男34日 女381日

【従業員】[人数]2,513名(男1,717名、女796名)[平均年齢]41.4歳(男43.2歳、女37.4歳)[平均勤続年数]15.2年(男17.1年、女11.1年) ※契約社員含む

【年齢構成】■男 □女

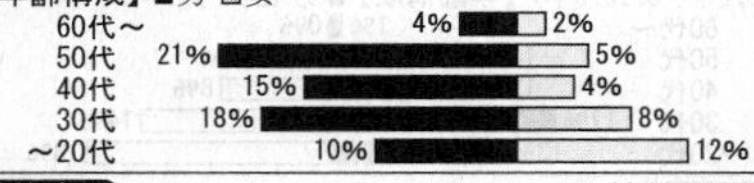

	男	女
60代〜	4%	2%
50代	21%	5%
40代	15%	4%
30代	18%	8%
〜20代	10%	12%

会社データ (金額は百万円)

【本社】100-8691 東京都千代田区内幸町2-1-1 ☎03-6871-5000
https://www.sojitz.com/jp/

【業績(IFRS)】	営業収益	営業利益	税前利益	純利益
22.3	2,100,752	77,221	117,295	82,332
23.3	2,479,840	127,566	155,036	111,247
24.3	2,414,649	87,731	125,498	100,765

752 開示 ★★★★

かねまつ 兼松㈱

[えるぼし★★] [プラチナくるみん]

【特色】老舗商社。ICT事業が収益の柱。食料も強い

[記者評価] 資源権益には手を出さず堅実経営。ICTを筆頭に電子・デバイス、食料、鉄鋼・プラントが4本柱。グループでDX推進。23年に兼松エレクトロニクス、兼松サステックを完全子会社化。24年4月にはICT部門を電子・デバイス部門から独立させ、全社から顧客掘り起こし。

平均勤続年数	男性育休取得率	3年後離職率	平均年収(平均38歳)
13.2年	27.8 → 76.5%	14.3 → 15.2%	1,010万円

●採用・配属情報●

【男女・文理別採用実績】

	大卒男	大卒女	修士男	修士女
23年	15(文 14 理 1)	14(文 13 理 1)	5(文 0 理 5)	3(文 1 理 2)
24年	27(文 24 理 3)	12(文 11 理 1)	3(文 0 理 3)	1(文 0 理 1)
25年	16(文 16 理 0)	27(文 26 理 1)	7(文 1 理 6)	1(文 0 理 1)

【男女・職種別採用実績】 転換制度:⇔

	プロフェッショナル採用	アドミスタッフ採用
23年	29(男 20 女 9)	8(男 0 女 8)
24年	43(男 30 女 13)	0(男 0 女 0)
25年	38(男 22 女 16)	13(男 1 女 12)

※25年卒採用から、広域採用・エリア特定採用からプロフェッショナル採用・アドミスタッフ採用に変更

【24年4月入社者の配属勤務地】[総]東京・丸の内 43

【転勤】あり:[職種]プロフェッショナル職社員[勤務地]全国 海外

【中途比率】[単年度]21年度18%、22年度34%、23年度39%[全体]18%

●働きやすさ、諸制度●

残業(月) 17.5時間 [総]21.2時間

【勤務時間】9:00〜17:15【有休取得年平均】13.4日【週休】完全2日(土日祝)【夏期休暇】有休で取得【年末年始休暇】12月29日〜1月3日

【離職率】男:3.2%、17名 女:5.6%、18名(他に男12名、女1名転籍)

【新卒3年後離職率】
[20→23年]14.3%(男20.8%・入社24名、女8.0%・入社25名)
[21→24年]15.2%(男8.3%・入社12名、女19.0%・入社21名)

【テレワーク】制度あり:[場所]自宅 サテライトオフィス[対象]全社員[日数]週2日[利用率]13.5%【勤務制度】フレックス 時間単位有休 時差勤務【住宅補助】独身用借上寮 家族用借上社宅

●ライフイベント、女性活躍●

【女性比率】■男 □女

新卒採用 54.9% (28名)

従業員 37.1% (301名)

管理職 5.3% (10名)

【産休】[期間]産前6・産後8週間[給与]会社全額給付[取得者数]9名

【育休】[期間]1歳になるまで[給与]法定[取得者数]22年度 男5名(対象18名)女10名(対象10名)23年度 男13名(対象17名)女14名(対象14名)[平均取得日数]22年度 男14日 女382日、23年度 男34日 女429日

【従業員】[人数]812名(男511名、女301名)[平均年齢]38.4歳(男39.5歳、女36.5歳)[平均勤続年数]13.2年(男13.7年、女12.2年)【年齢構成】■男 □女

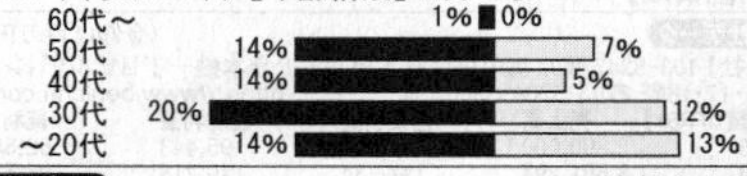

	男	女
60代〜	1%	0%
50代	14%	7%
40代	14%	5%
30代	20%	12%
〜20代	14%	13%

会社データ (金額は百万円)

【本社】100-7017 東京都千代田区丸の内2-7-2 JPタワー ☎03-6747-5000
https://www.kanematsu.co.jp/

【業績(IFRS)】	営業収益	営業利益	税前利益	純利益
22.3	767,963	29,347	28,765	15,986
23.3	911,408	38,896	35,696	18,575
24.3	985,993	43,870	37,241	23,218

2104 開示 ★★

伊藤忠丸紅鉄鋼(株)

いとうちゅうまるべにてっこう

えるぼし ★★　くるみん

【特色】伊藤忠商事と丸紅折半合弁の鉄鋼商社。海外先行

記者評価 伊藤忠と丸紅の鉄鋼部門統合で誕生。自動車・建材・エネルギー関連向けが主力。16年住友商事と国内建材事業統合。20年特殊鋼加工流通大手のヤマト特殊鋼、21年住商系コイルセンター、22年11月米国の自動車用鋼材加工工場を買収。25年5月八重洲に本社移転へ。

平均勤続年数	男性育休取得率	3年後離職率	平均年収(平均*40歳)
14.5年	32.3 → 90.9%	3.1 → 6.9%	㊀総 1,808万円

●採用・配属情報●

【男女・文理別採用実績】

	大卒男	大卒女	修士男	修士女
23年	13(文 13 理 0)	30(文 28 理 2)	1(文 1 理 0)	0(文 0 理 0)
24年	22(文 21 理 1)	30(文 29 理 1)	0(文 0 理 0)	0(文 0 理 0)
25年	36(文 35 理 1)	45(文 45 理 0)	4(文 0 理 4)	0(文 0 理 0)

【男女・職種別採用実績】　転換制度:⇔

	BPグループ(総合職)	APグループ(地域限定職)
23年	25(男 14 女 11)	19(男 0 女 19)
24年	29(男 22 女 7)	23(男 0 女 23)
25年	50(男 40 女 10)	35(男 0 女 35)

【職種併願】○

【24年4月入社者の配属勤務地】㊀総東京29

【転勤】あり:［職種］総合職［勤務地］国内支社 国内事業会社 海外現地法人 海外事業会社

【中途比率】［単年度］21年度12%、22年度42%、23年度24%［全体］NA

●働きやすさ、諸制度●

残業(月) 28.9時間

【勤務時間】9:15～17:30【有休取得年平均】13.2日【週休】完全2日(土日祝)【夏期休暇】6日(有休3日含む)【年末年始休暇】12月29日～1月3日

【離職率】NA

【新卒3年後離職率】

［20→23年］3.1%(男0%・入社13名、女5.3%・入社19名)

［21→24年］6.9%(男15.4%・入社13名、女0%・入社16名)

【テレワーク】制度あり:［場所］自宅 サテライトオフィス 他［対象］全社員［日数］制限なし(会社が認めた場合)［利用率］NA【勤務制度】フレックス 時間単位有休 副業容認【住宅補助】<総合職>借上社宅

●ライフイベント、女性活躍●

【女性比率】■男 □女

新卒採用 52.9%(45名)　従業員 38.5%(348名)

【産休】［期間］産前6・産後8週間［給与］会社全額給付［取得者数］15名

【育休】［期間］2歳になるまで［給与］法定［取得者数］22年度 男10名(対象31名)女10名(対象10名)23年度 男20名(対象22名)女20名(対象12名)［平均取得日数］22年度 NA、23年度 NA

【従業員】［人数］903名(男555名、女348名)［平均年齢］40.3歳(男41.5歳、女37.5歳)［平均勤続年数］14.5年(男16.0年、女13.3年)

【年齢構成】NA

会社データ　(金額は百万円)

【本社】103-8247 東京都中央区日本橋1-4-1 日本橋一丁目ビルディング16・17・18階 ☎03-5204-3300　https://www.benichu.com/

【業績(IFRS)】	売上高	営業利益	税前利益	純利益
22.3	2,890,000	94,023	95,443	62,555
23.3	3,691,294	147,734	140,218	95,522
24.3	3,742,360	137,421	120,708	80,276

771 開示 ★★★★★★

阪和興業(株)

はんわこうぎょう

【特色】独立系鉄鋼商社の雄。非鉄や食品などへ多角化

記者評価 独立系の鉄鋼商社。建材用の鉄鋼卸では大きな存在感。全ての鉄鋼メーカーと取引があり、調達から加工まで幅広く手がける。金属原料、非鉄金属、食品、石油・化成品など多角化、部署によって働き方は変わる。海外は東南アジアを中心に地産地消型ビジネスを拡大。

平均勤続年数	男性育休取得率	3年後離職率	平均年収(平均39歳)
12.0年	69.0 → 59.1%	18.1 → 11.1%	㊀総 1,034万円

●採用・配属情報●

【男女・文理別採用実績】※25年:24年7月31日時点

	大卒男	大卒女	修士男	修士女
23年	40(文 33 理 7)	72(文 71 理 1)	1(文 0 理 1)	2(文 2 理 0)
24年	53(文 52 理 1)	69(文 68 理 1)	2(文 0 理 2)	3(文 1 理 2)
25年	27(文 26 理 1)	36(文 34 理 2)	4(文 1 理 3)	0(文 0 理 0)

【男女・職種別採用実績】　転換制度:⇔

	総合職	エリア総合職	一般職	エリア一般職
23年	61(男 40 女 21)	1(男 1 女 0)	48(男 0 女 48)	5(男 0 女 5)
24年	76(男 55 女 21)	0(男 0 女 0)	49(男 0 女 49)	2(男 0 女 2)
25年	48(男 31 女 17)	0(男 0 女 0)	19(男 0 女 19)	0(男 0 女 0)

【職種併願】○

【24年4月入社者の配属勤務地】㊀総東京53 大阪14 名古屋9

【転勤】あり:［職種］総合職

【中途比率】［単年度］21年度59%、22年度52%、23年度52%［全体］24%

●働きやすさ、諸制度●

残業(月) 29.1時間 ㊀総36.1時間

【勤務時間】8:45～17:00【有休取得年平均】12.4日【週休】完全2日(土日祝)【夏期休暇】有休で取得【年末年始休暇】約5日

【離職率】男:3.2%、29名 女:4.4%、36名

【新卒3年後離職率】

［20→23年］18.1%(男13.3%・入社45名、女22.4%・入社49名)

［21→24年］11.1%(男4.3%・入社23名、女18.2%・入社22名)

【テレワーク】制度あり:［場所］自宅 その他自宅に準じる場所［対象］入社6カ月以上の正社員・契約社員・臨時社員［日数］週2日まで［利用率］5.0%【勤務制度】時間単位有休 時差勤務【住宅補助】東京地区(社宅76戸、独身寮132部屋(賃貸))大阪地区(社宅50戸、独身寮79部屋(賃貸))名古屋地区(社宅24戸 独身寮51部屋(社有43部屋・賃貸8部屋))住宅手当(25,000～40,000円)

●ライフイベント、女性活躍●

【女性比率】■男 □女

新卒採用 53.7%(36名)

従業員 46.9%(776名)

管理職 2.9%(7名)

【産休】［期間］産前6・産後8週間［給与］法定［取得者数］59名

【育休】［期間］3歳年度末まで［給与］法定［取得者数］22年度 男29名(対象42名)女36名(対象38名)23年度 男26名(対象44名)女55名(対象47名)［平均取得日数］22年度 男7日 女432日、23年度 男24日 女543日

【従業員】［人数］1,656名(男880名、女776名)［平均年齢］37.8歳(男39.7歳、女35.6歳)［平均勤続年数］12.0年(男13.1年、女10.7年)【年齢構成】■男 □女

	男	女
60代～	1%	0%
50代	11%	6%
40代	11%	8%
30代	17%	14%
～20代	13%	18%

会社データ　(金額は百万円)

【本社】104-8429 東京都中央区築地1-13-1 ☎03-3544-2170　https://www.hanwa.co.jp/

【業績(連結)】	売上高	営業利益	経常利益	純利益
22.3	2,164,049	62,367	62,718	43,617
23.3	2,668,228	64,105	64,272	51,505
24.3	2,431,980	49,722	48,276	38,417

㈱メタルワン

【特色】三菱商事・双日系の鉄鋼総合商社。国内最大手級

[記者評価] 三菱商事と旧日商岩井(現双日)の鉄鋼事業部門が統合して03年発足。14年三井物産スチールと国内建材事業を、19年4月には住友商事グループと国内鋼管事業を統合。さらに日鉄グループとの共同出資ステンレス2社を21年4月集約化。海外は北中米を軸に注力。

平均勤続年数	男性育休取得率	3年後離職率	平均年収(平均43歳)
NA	55.0 → 37.0%	4.5 → 38.5%	NA

●採用・配属情報●

【男女・文理別採用実績】

	大卒男	大卒女	修士男	修士女
23年	11(文 10理 1)	4(文 4理 0)	0(文 0理 0)	0(文 0理 0)
24年	7(文 6理 1)	4(文 4理 0)	2(文 0理 2)	0(文 0理 0)
25年	10(文 10理 0)	2(文 2理 0)	2(文 0理 2)	2(文 2理 0)

【男女・職種別採用実績】 転換制度:⇔

	総合職	一般職
23年	15(男 11 女 4)	0(男 0 女 0)
24年	13(男 9 女 4)	0(男 0 女 0)
25年	16(男 12 女 4)	0(男 0 女 0)

【24年4月入社者の配属勤務地】[総]東京13

【転勤】あり:[職種]総合職[勤務地]国内外の拠点 事業投資先

【中途比率】[単年度]21年度20%、22年度46%、23年度59%[全体]NA

●働きやすさ、諸制度●

残業(月) 25.0時間

【勤務時間】9:15〜17:30 全部署にフレックスタイム制度導入【有休取得年平均】12.6日【週休】完全2日(土日祝)【夏期休暇】有休で取得【年末年始休暇】12月29日〜1月3日

【離職率】NA

【新卒3年後離職率】

[20→23年]4.5%(男5.3%・入社19名、女0%・入社3名)

[21→24年]38.5%(男33.3%・入社12名、女100%・入社1名)

【テレワーク】制度あり:[場所]自宅[対象]制限なし[日数]月8日まで[利用率]NA【勤務制度】フレックス 時間単位有休 時差勤務【住宅補助】借上社宅(入居5年目まで)

●ライフイベント、女性活躍●

【女性比率】■男 □女

新卒採用 25% (4名)

【産休】[期間]産前6・産後8週間[給与]会社全額給付[取得者数]18名

【育休】[期間]2歳になるまで[給与]法定[取得者数]22年度 男11名(対象20名)女9名(対象9名)23年度 男10名(対象27名)女8名(対象9名)[平均取得日数]22年度 NA、23年度 NA

【従業員】[人数]966名(男NA、女NA)[平均年齢]43.0歳(男NA、女NA)[平均勤続年数]NA

【年齢構成】NA

[会社データ] (金額は百万円)

【本社】100-7032 東京都千代田区丸の内2-7-2 JPタワー ☎03-6777-2000 https://www.mtlo.co.jp/

【業績(IFRS)】	売上高	営業利益	税前利益	純利益
22.3	2,007,800	41,900	44,300	28,100
23.3	2,396,200	54,800	56,100	41,500
24.3	2,354,400	50,400	52,100	35,000

日鉄物産㈱

にってつぶっさん

えるぼし★★ プラチナくるみん

【特色】日本製鉄系の専門商社。鉄鋼軸に産機や食糧も

[記者評価] 日本製鉄グループ中核。13年に日鐵商事と住金物産が合併して発足。鉄鋼卸が主力で、建材や製造業向けに強み。旧住金物産が得意の繊維は22年に持分化。サプライチェーン強化や脱炭素にも挑む。24年8月電磁鋼板販社を子会社化。海外16カ国30都市に拠点展開。

平均勤続年数	男性育休取得率	3年後離職率	平均年収(平均44歳)
16.8年	48.6 → 40.0%	5.7 → 3.8%	[総]1,203万円

●採用・配属情報●

【男女・文理別採用実績】

	大卒男	大卒女	修士男	修士女
23年	22(文 21理 1)	10(文 10理 0)	0(文 0理 0)	2(文 2理 0)
24年	37(文 36理 1)	9(文 9理 0)	3(文 0理 3)	1(文 1理 0)
25年	37(文 36理 1)	24(文 24理 0)	5(文 0理 5)	0(文 0理 0)

【男女・職種別採用実績】 転換制度:⇔

	総合職	一般職
23年	32(男 22 女 10)	2(男 0 女 2)
24年	50(男 40 女 10)	0(男 0 女 0)
25年	60(男 42 女 18)	6(男 0 女 6)

【職種併願】総合職と一般職で可能

【24年4月入社者の配属勤務地】[総]東京37 大阪9 名古屋2 九州2

【転勤】あり:[職種]総合職

【中途比率】[単年度]21年度27%、22年度62%、23年度60%[全体]30%

●働きやすさ、諸制度●

残業(月) 26.3時間

【勤務時間】9:00〜17:20【有休取得年平均】12.7日【週休】完全2日(土日祝)【夏期休暇】なし【年末年始休暇】12月29日〜1月3日

【離職率】男:3.0%、30名 女:1.5%、9名(他に男3名転籍)

【新卒3年後離職率】

[20→23年]5.7%(男4.0%・入社25名、女7.1%・入社28名)

[21→24年]3.8%(男0%・入社14名、女8.3%・入社12名)

【テレワーク】制度あり:[場所]自宅[対象]新卒社員は入社4年目以降可能[日数]原則 週1回まで[利用率]NA【勤務制度】フレックス 時間単位有休【住宅補助】複身社宅(総合職で世帯主の場合)独身社宅(総合職)単身寮・社宅(転勤者でやむをえず家族と別居する者)

●ライフイベント、女性活躍●

【女性比率】■男 □女

新卒採用 36.4% (24名)

従業員 38.1% (593名)

管理職 3.2% (18名)

【産休】[期間]産前6・産後8週間[給与]給与・賞与全額支給[取得者数]18名

【育休】[期間]1歳になるまで[給与]男性社員・養子縁組をした社員等が子の出産後8週間以内に通算5日間上限で育休を取得の場合は有給、本人は法定[取得者数]22年度 男17名(対象35名)女15名(対象16名)23年度 男10名(対象25名)女21名(対象21名)[平均取得日数]22年度 男13日 女NA、23年度 男16日 女NA

【従業員】[人数]1,558名(男965名、女593名)[平均年齢]44.9歳(男45.9歳、女40.7歳)[平均勤続年数]16.8年(男17.8年、女15.1年)【年齢構成】■男 □女

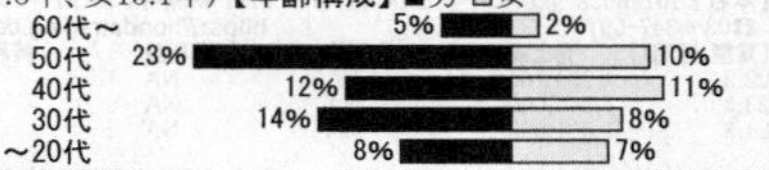

[会社データ] (金額は百万円)

【本社】103-6025 東京都中央区日本橋2-7-1 東京日本橋タワー ☎03-6772-5020 https://www.nst.nipponsteel.com/

【業績(連結)】	売上高	営業利益	経常利益	純利益
22.3	1,865,907	44,627	47,810	35,417
23.3	2,134,280	NA	51,328	33,512
24.3	2,099,500	NA	52,800	32,400

2463　開示 ★★

㈱ホンダトレーディング

【特色】ホンダG唯一の商社。鋼材・樹脂・部品など扱う

記者評価 ホンダ社内ベンチャーとして発足。コーヒー等の輸入販売から始動し、グループの商社機能担う存在に成長。4輪車・2輪車向け鋼材・樹脂、アルミや部品などをホンダに納入するほか、ホンダ車ノックダウン部品の輸出も手がける。世界19カ国・地域に58拠点を展開。

平均勤続年数	男性育休取得率	3年後離職率	平均年収(平均43歳)
14.1年	NA	NA	総 816万円

●採用・配属情報●

【男女・文理別採用実績】

	大卒男	大卒女	修士男	修士女
23年	4(文 4理 0)	2(文 2理 0)	0(文 0理 0)	0(文 0理 0)
24年	9(文 9理 0)	4(文 4理 0)	0(文 0理 0)	0(文 0理 0)
25年	8(文 8理 0)	5(文 5理 0)	0(文 0理 0)	1(文 1理 0)

【男女・職種別採用実績】

	総合職
23年	6(男 4 女 2)
24年	13(男 9 女 4)
25年	14(男 8 女 6)

【24年4月入社者の配属勤務地】総東京13
【転勤】あり:全社員
【中途比率】[単年度]21年度20%、22年度60%、23年度70%[全体]62%

●働きやすさ、諸制度●

残業(月) 15.6時間

【勤務時間】8時間(フレックスタイム制 コアタイム10:00～15:00)【有休取得年平均】13.5日【週休】2日【夏期休暇】フレックス夏季休暇(平日連続5日、7～9月の間)【年末年始休暇】9日程度の休暇
【離職率】男:5.3%、16名 女:4.0%、4名
【新卒3年後離職率】
[20→23年]NA
[21→24年]NA
【テレワーク】制度あり:[場所]自宅 サテライトオフィス[対象]制限なし[日数]月ベースで最大50%可能 最低週に一度出社が必要[利用率]30.8%【勤務制度】フレックス 勤務間インターバル【住宅補助】転勤社宅 家賃補助

●ライフイベント、女性活躍●

【女性比率】■男 □女

新卒採用 42.9%(6名)

従業員 25.3%(97名)

管理職 8.1%(13名)

【産休】[期間]産前6・産後8週間[給与]会社全額給付[取得者数]6名
【育休】[期間]3歳到達後の4月末まで[給与]法定[取得者数]22年度 NA 23年度 NA[平均取得日数]22年度 NA、23年度 NA
【従業員】[人数]383名(男286名、女97名)[平均年齢]43.0歳(男43.8歳、女41.6歳)[平均勤続年数]14.1年(男14.7年、女11.0年)
【年齢構成】NA

会社データ (金額は百万円)

【本社】101-8622 東京都千代田区外神田4-14-1 秋葉原UDX南ウイング ☎03-6847-5970 https://hondatrading.com/

【業績(連結)】	売上高	営業利益	経常利益	純利益
22.3	1,354,100	NA	NA	NA
23.3	1,544,000	NA	NA	NA
24.3	1,611,000	NA	NA	NA

183　開示 ★★

ＪＦＥ商事㈱

ジェイエフイーしょうじ

くるみん

【特色】JFE系鉄鋼専門商社。鉄鋼原材料や食品も扱う

記者評価 旧川崎製鉄と旧日本鋼管の商事部門統合で04年に誕生した鉄鋼商社。鉄鋼製品の販売に加え、鉄鉱石など原材料や生産設備も扱う。JFEグループ向けが大半。海外は米、中、ASEANを軸に35の営業拠点を置く。専門チームを設け再エネ関連鋼材を強化。

平均勤続年数	男性育休取得率	3年後離職率	平均年収(平均*38歳)
! 12.9年	113.3 → 93.8%	5.7 → 12.5%	総 1,202万円

●採用・配属情報●

【男女・文理別採用実績】

	大卒男	大卒女	修士男	修士女
23年	32(文 31理 1)	24(文 24理 0)	2(文 2理 0)	1(文 0理 1)
24年	22(文 21理 1)	19(文 19理 0)	1(文 0理 1)	1(文 0理 1)
25年	20(文 20理 0)	21(文 21理 0)	3(文 1理 2)	1(文 0理 1)

【男女・職種別採用実績】

	総合職	一般職
23年	59(男 34 女 25)	0(男 0 女 0)
24年	43(男 23 女 20)	0(男 0 女 0)
25年	45(男 23 女 22)	0(男 0 女 0)

【24年4月入社者の配属勤務地】総東京29 大阪6 愛知4 広島2 千葉1 岡山1
【転勤】あり:全社員
【中途比率】[単年度]21年度26%、22年度28%、23年度28%[全体]NA

●働きやすさ、諸制度●

残業(月) 30.2時間

【勤務時間】9:00～17:30【有休取得年平均】16.1日【週休】完全2日(土日祝)【夏期休暇】有休で取得【年末年始休暇】12月30日～1月3日
【離職率】男:3.4%、22名 女:3.6%、16名
【新卒3年後離職率】
[20→23年]5.7%(男4.9%・入社41名、女6.9%・入社29名)
[21→24年]12.5%(男13.6%・入社22名、女11.1%・入社18名)
【テレワーク】制度あり:[場所]自宅[対象]制限なし[日数]制限なし[利用率]NA【勤務制度】フレックス【住宅補助】借上寮(家賃上限75%を会社負担)借上社宅(契約賃借料上限30%を会社負担)独身者向け住宅手当(東京圏22,000円)

●ライフイベント、女性活躍●

【女性比率】■男 □女

新卒採用 48.9%(22名)

従業員 41.2%(433名)

【産休】[期間]産前6・産後8週間[給与]法定[取得者数]23名
【育休】[期間]2歳到達月末まで[給与]法定[取得者数]22年度 男34名(対象30名)女10名(対象10名)23年度 男30名(対象32名)女17名(対象17名)[平均取得日数]22年度 NA、23年度 NA
【従業員】[人数]1,051名(男618名、女433名)[平均年齢]38.4歳(男39.3歳、女37.1歳)[平均勤続年数]12.9年(男12.8年、女12.9年)※出向者除く
【年齢構成】NA

会社データ (金額は百万円)

【本社】100-0004 東京都千代田区大手町1-9-5 大手町フィナンシャルシティノースタワー ☎03-5203-5053 https://www.jfe-shoji.co.jp/

【業績(IFRS)】	売上収益	セグメント収益
22.3	1,231,763	55,973
23.3	1,514,137	65,115
24.3	1,476,452	48,966

659 開示 ★★

おかやこうき
岡谷鋼機(株)

くるみん

【特色】江戸初期に創業。中部財界名門の鉄鋼・機械商社

記者評価 1669年に金物商「笹屋」で創業。中部財界名門。岡谷家が歴代トップ務める。鉄鋼と産業資材が核。鉄鋼は建設、製造業向け鋼材、産業資材はロボットなど。伊メーカーから輸入の洋上風力タワー拡販。海外比率約3割。24年6月から大卒初任給を28万円に増額。

平均勤続年数	男性育休取得率	3年後離職率	平均年収(平均41歳)
! 14.2年	64.3 → 47.8%	NA	総 1,100万円

●採用・配属情報●

【男女・文理別採用実績】

	大卒男	大卒女	修士男	修士女
23年	24(文 22理 2)	3(文 3理 0)	5(文 0理 5)	0(文 0理 0)
24年	31(文 28理 3)	8(文 8理 0)	3(文 0理 3)	1(文 0理 1)
25年	35(文 35理 0)	11(文 11理 0)	0(文 0理 0)	0(文 0理 0)

【男女・職種別採用実績】 転換制度:NA

	総合職
23年	32(男 29 女 3)
24年	43(男 34 女 9)
25年	46(男 35 女 11)

【職種併願】○
【24年4月入社者の配属勤務地】総 東京18 愛知23 大阪2
【転勤】あり:[職種]総合職[勤務地]国内 海外
【中途比率】[単年度]21年度NA、22年度10%、23年度29%[全体]10%

●働きやすさ、諸制度●

残業(月) 22.8時間

【勤務時間】9:00~17:00【有休取得年平均】10.3日【週休】完全2日(土日祝)【夏期休暇】4日【年末年始休暇】5日
【離職率】男:―、26名 女:―、5名(総合職のみ 早期退職男3名含む)
【新卒3年後離職率】
[20→23年]NA
[21→24年]NA
【テレワーク】制度あり:[場所]自宅および自宅に準ずる場所[対象]育児中 介護中社員[日数]週2回まで[利用率]NA【勤務制度】フレックス 時間単位有休 時差勤務【住宅補助】独身寮 借上社宅 住宅補助

●ライフイベント、女性活躍●

【女性比率】■男 □女

新卒採用 23.9%(11名)

従業員 32.4%(220名)
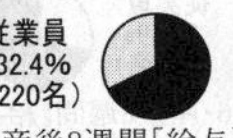
管理職 0.9%(1名)
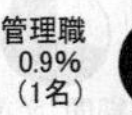

【産休】[期間]産前6・産後8週間[給与]会社全額給付[取得者数]9名
【育休】[期間]4歳になるまで、最長2年間[給与]法定[取得者数]22年度 男18名(対象28名)女14名(対象14名)23年度 男11名(対象23名)女5名(対象5名)[平均取得日数]22年度 NA、23年度 男8日 女98日
【従業員】[人数]678名(男458名、女220名)[平均年齢]39.2歳(男NA、女NA)[平均勤続年数]14.2年(男NA、女NA) ※嘱託・契約社員含む
【年齢構成】■男 □女

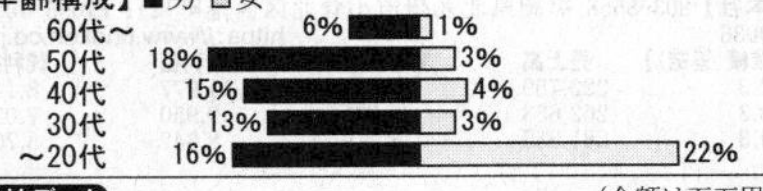

	男	女
60代~	6%	1%
50代	18%	3%
40代	15%	4%
30代	13%	3%
~20代	16%	22%

会社データ (金額は百万円)

【本社】460-8666 愛知県名古屋市中区栄2-4-18 ☎052-204-8149
https://www.okaya.co.jp/

【業績(連結)】	売上高	営業利益	経常利益	純利益
22.2	960,809	22,719	28,021	19,321
23.2	962,016	29,448	32,568	23,520
24.2	1,111,934	32,412	35,850	23,659

770 開示 ★★★★

しんこうしょうじ
神鋼商事(株)

【特色】神戸製鋼所系の商社。グループ製品取り扱い主力

記者評価 神戸製鋼所の関連会社でグループの中核商社。鋼材や非鉄金属のほか、神鋼への鉄鋼原料も取り扱う。自動車など製造業向けが強い。神鋼向けの売上は6%程度だが、同社からの仕入高は4割近い。海外は米国、タイ、中国が三大拠点。外国籍の学生を積極的に採用。

平均勤続年数	男性育休取得率	3年後離職率	平均年収(平均40歳)
15.0年	11.8 → 50.0%	21.4 → 18.2%	総 1,140万円

●採用・配属情報●

【男女・文理別採用実績】

	大卒男	大卒女	修士男	修士女
23年	7(文 7理 0)	9(文 8理 1)	1(文 0理 1)	0(文 0理 0)
24年	15(文 14理 1)	5(文 5理 0)	0(文 0理 0)	0(文 0理 0)
25年	9(文 9理 0)	5(文 5理 0)	1(文 0理 1)	0(文 0理 0)

【男女・職種別採用実績】

	総合職	一般職
23年	14(男 8 女 6)	3(男 0 女 3)
24年	20(男 15 女 5)	0(男 0 女 0)
25年	15(男 10 女 5)	0(男 0 女 0)

【24年4月入社者の配属勤務地】総 東京・京橋14 大阪・淀屋橋3 名古屋3
【転勤】あり:[職種]総合職[勤務地]各拠点(海外含む)
【中途比率】[単年度]21年度45%、22年度38%、23年度41%[全体]22%

●働きやすさ、諸制度●

残業(月) 23.1時間 総 27.1時間

【勤務時間】フレックスタイム制(コアタイム11:00~15:00)標準労働時間7.25時間【有休取得年平均】15.3日【週休】完全2日(土日祝)【夏期休暇】有休で取得【年末年始休暇】約5日
【離職率】男:2.5%、10名 女:3.2%、6名
【新卒3年後離職率】
[20→23年]21.4%(男23.5%・入社17名、女18.2%・入社11名)
[21→24年]18.2%(男0%・入社6名、女40.0%・入社5名)
【テレワーク】制度あり:[場所]自宅もしくは自宅に準じる場所(実家 単身赴任者の留守宅等)[対象]勤続1年以上の者[日数]月8回まで[利用率]12.3%【勤務制度】フレックス 時間単位有休【住宅補助】社宅 独身寮 住宅手当

●ライフイベント、女性活躍●

【女性比率】■男 □女

新卒採用 33.3%(5名)
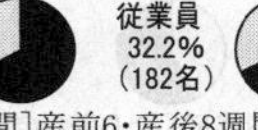
従業員 32.2%(182名)

管理職 2.8%(6名)

【産休】[期間]産前6・産後8週間[給与]法定[取得者数]9名
【育休】[期間]1歳になるまで[給与]法定[取得者数]22年度 男2名(対象17名)女5名(対象5名)23年度 男7名(対象14名)女9名(対象9名)[平均取得日数]22年度 男14日 女365日、23年度 男13日 女365日
【従業員】[人数]565名(男383名、女182名)[平均年齢]39.6歳(男41.2歳、女36.4歳)[平均勤続年数]15.0年(男15.8年、女13.4年)
【年齢構成】■男 □女

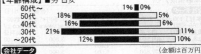

	男	女
60代~	1%	0%
50代	18%	5%
40代	16%	6%
30代	21%	11%
~20代	12%	10%

会社データ (金額は百万円)

【本社】104-0031 東京都中央区京橋1-7-2 ミュージアムタワー京橋 ☎03-5579-5201
https://www.shinsho.co.jp/

【業績(連結)】	売上高	営業利益	経常利益	純利益
22.3	494,351	10,054	9,726	7,136
23.3	584,856	13,459	12,668	9,196
24.3	591,431	13,296	12,814	9,111

2504 開示 ★★★

いとうちゅうまるべにすみしょう
伊藤忠丸紅住商テクノスチール㈱

【特色】建設用鋼材の専門商社。伊藤忠丸紅鉄鋼傘下

記者評価 鋼板や鋼管など鉄鋼建材を扱う専門商社で国内大手。伊藤忠丸紅鉄鋼の子会社で住友商事グループも出資。鉄鋼メーカーから鋼材を仕入れ、ゼネコンや特約店、建材メーカーに販売する。ファブデッキなど独自製品や鋼管杭埋設のSEG工法など独自工法も開発。

平均勤続年数	男性育休取得率	3年後離職率	平均年収(平均*42歳)
15.9年	25.0→50.0%	23.1→20.0%	㊀954万円

●採用・配属情報●

【男女・文理別採用実績】

	大卒男	大卒女	修士男	修士女
23年	9(文 9理 0)	6(文 6理 0)	0(文 0理 0)	0(文 0理 0)
24年	13(文 9理 4)	4(文 4理 0)	0(文 0理 0)	0(文 0理 0)
25年	15(文 12理 3)	11(文 11理 0)	2(文 1理 1)	0(文 0理 0)

※25年:予定数

【男女・職種別採用実績】 転換制度:⇔

	総合職	一般職
23年	11(男 9 女 2)	4(男 0 女 4)
24年	17(男 13 女 4)	0(男 0 女 0)
25年	19(男 17 女 2)	9(男 0 女 9)

【職種併願】○

【24年4月入社者の配属勤務地】㊀東京・大手町14 大阪市3

【転勤】あり:[職種]総合職 管理職[勤務地]札幌 仙台 新潟 富山 東京 名古屋 大阪 広島 高松 福岡 鹿児島 那覇

【中途比率】[単年度]21年度NA、22年度NA、23年度NA[全体]NA

●働きやすさ、諸制度●

残業(月) 23.6時間 ㊀30.5時間

【勤務時間】9:00～17:15【有休取得年平均】12.7日【週休】完全2日(土日祝)【夏期休暇】3日【年末年始休暇】12月29日～1月3日

【離職率】男:1.9%、4名 女:4.6%、7名

【新卒3年後離職率】
[20→23年]23.1%(男30.0%・入社10名、女0%・入社3名)
[21→24年]20.0%(男12.5%・入社8名、女28.6%・入社7名)

【テレワーク】制度あり:[場所]自宅[対象]原則、勤続1年以上の社員[日数]週1日まで[利用率]NA【勤務制度】時間単位有休 時差勤務【住宅補助】借上社宅

●ライフイベント、女性活躍●

【女性比率】■男 □女

新卒採用 39.3%(11名)

従業員 41.8%(145名)

【産休】[期間]産前6・産後8週間[給与]法定[取得者数]2名

【育休】[期間]2歳になるまで[給与]法定[取得者数]22年度 男1名(対象4名)女4名(対象4名)23年度 男1名(対象2名)女2名(対象2名)[平均取得日数]22年度 NA、23年度 男-女524日

【従業員】[人数]347名(男202名、女145名)[平均年齢]42.0歳(男42.4歳、女41.5歳)[平均勤続年数]15.9年(男15.7年、女16.2年)

【年齢構成】NA

会社データ (金額は百万円)

【本社】100-0004 東京都千代田区大手町1-6-1 大手町ビル8階 ☎03-6266-8221 https://www.imsts.co.jp/

【業績(連結)】	売上高	営業利益	経常利益	純利益
22.3	409,800	3,300	3,800	2,700
23.3	474,800	4,500	5,000	3,500
24.3	477,600	4,600	5,900	4,200

2545 開示 ★★ 専門 採用あり

おのけん
小野建㈱

【特色】鋼材・建設機材専門商社。北九州足場に全国展開

記者評価 鋼材、建設機材の専門商社。トタン板など扱う金物商として大正末期に創業。1983年開始と輸入鋼材の取り扱い先駆で、中国中心に約2500社にのぼる仕入れ先を持つ。建材販売や鉄骨工事など請負も。24年6月に静岡物流センターなど3施設竣工、福山に倉庫を新設中。

平均勤続年数	男性育休取得率	3年後離職率	平均年収(平均38歳)
8.0年	NA→14.3%	NA	533万円

●採用・配属情報●

【男女・文理別採用実績】

	大卒男	大卒女	修士男	修士女
23年	20(文 20理 0)	10(文 10理 0)	0(文 0理 0)	0(文 0理 0)
24年	13(文 13理 0)	4(文 3理 1)	0(文 0理 0)	0(文 0理 0)
25年	13(文 10理 3)	4(文 4理 0)	0(文 0理 0)	0(文 0理 0)

【男女・職種別採用実績】 転換制度:⇔

	総合職	一般職
23年	21(男 20 女 1)	9(男 0 女 9)
24年	14(男 13 女 1)	3(男 0 女 3)
25年	16(男 13 女 3)	4(男 1 女 3)

【職種併願】総合職と一般職で可能

【24年4月入社者の配属勤務地】㊀小倉2 山口2 熊本1 長崎1 大阪4 愛媛1 三重1 石川1 東京1

【転勤】あり:[職種]総合職[勤務地]エリアごと

【中途比率】[単年度]21年度NA、22年度NA、23年度83%[全体]NA

●働きやすさ、諸制度●

残業(月) 16.9時間 ㊀20.0時間

【勤務時間】8:00～17:00【有休取得年平均】11.0日【週休】2日【夏期休暇】8月13～15日【年末年始休暇】12月28日～1月3日

【離職率】NA

【新卒3年後離職率】
[20→23年]NA
[21→24年]NA

【テレワーク】制度なし【勤務制度】時間単位有休 時差勤務 副業容認【住宅補助】借上社宅(独身用7,000円(規定あり)賃貸は提携先の不動産センターから選択)

●ライフイベント、女性活躍●

【女性比率】■男 □女

新卒採用 30%(6名)

従業員 29.4%(237名)

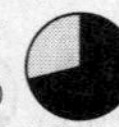

【産休】[期間]産前6・産後8週間[給与]法定[取得者数]10名

【育休】[期間]1歳になるまで[給与]法定[取得者数]22年度NA 23年度 男3名(対象21名)女22名(対象22名)[平均取得日数]22年度 NA、23年度 NA

【従業員】[人数]806名(男569名、女237名)[平均年齢]38.0歳(男NA、女NA)[平均勤続年数]8.0年(男NA、女NA)

【年齢構成】NA

会社データ (金額は百万円)

【本社】803-8558 福岡県北九州市小倉北区西港町12-1 ☎093-561-0036 https://www.onoken.co.jp/

【業績(連結)】	売上高	営業利益	経常利益	純利益
22.3	222,759	11,756	11,977	8,145
23.3	262,653	9,735	9,950	7,022
24.3	281,933	8,219	8,342	5,761

佐藤商事(株)

さとうしょうじ

【特色】金属専門商社。トラックや建機向けが中心

記者評価 1930年に東京・茅場町にて佐藤ハガネ商店として個人創業。鉄鋼、非鉄、電子材料、機械工具など6つの事業部門を持つ。主力の鉄鋼部門は自動車、建機、橋梁などが顧客。海外は中国、香港、タイ、ベトナムなどに20拠点。海外売上比率20%が当面の目標。

平均勤続年数	男性育休取得率	3年後離職率	平均年収(平均44歳)
13.9年	NA	0→30.8%	総 1,144万円

●採用・配属情報●

【男女・文理別採用実績】

	大卒男	大卒女	修士男	修士女
23年	8(文 8理 0)	2(文 2理 0)	0(文 0理 0)	0(文 0理 0)
24年	14(文 14理 0)	3(文 3理 0)	0(文 0理 0)	0(文 0理 0)
25年	15(文 14理 1)	1(文 1理 0)	0(文 0理 0)	0(文 0理 0)

【男女・職種別採用実績】 転換制度:⇔

	総合職	一般職
23年	10(男 8 女 2)	0(男 0 女 0)
24年	16(男 14 女 2)	1(男 0 女 1)
25年	16(男 15 女 1)	0(男 0 女 0)

【職種併願】総合職と一般職で可能

【24年4月入社者の配属勤務地】総東京8 神奈川3 名古屋1 滋賀1 大阪2 広島1

【転勤】あり:[職種]総合職

【中途比率】[単年度]21年度39%、22年度54%、23年度48%[全体]53%

●働きやすさ、諸制度●

残業(月) 10.7時間 総 10.7時間

【勤務時間】9:00～17:30【有休取得年平均】12.9日【週休】完全2日(土日祝)【夏期休暇】5日(有休で取得)【年末年始休暇】12月30日～1月3日

【離職率】男:5.6%、26名 女:5.8%、13名

【新卒3年後離職率】

[20→23年]0%(男0%・入社9名、女0%・入社5名)

[21→24年]30.8%(男44.4%・入社9名、女0%・入社4名)

【テレワーク】制度あり:[場所]自宅[対象]NA[日数]NA[利用率]NA【勤務制度】時差勤務【住宅補助】借上社宅 住宅補助 他

●ライフイベント、女性活躍●

【女性比率】■男 □女

新卒採用 6.3% (1名)

従業員 32.5% (213名)

管理職 1.4% (1名)

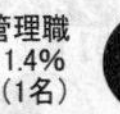

【産休】[期間]産前6・産後8週間[給与]法定[取得者数]5名

【育休】[期間]1歳になるまで[給与]法定[取得者数]22年度 男2名(対象NA)女7名(対象NA)23年度 男2名(対象NA)女8名(対象NA)[平均取得日数]22年度 NA、23年度 NA

【従業員】[人数]655名(男442名、女213名)[平均年齢]43.5歳(男45.2歳、女39.9歳)[平均勤続年数]13.9年(男14.9年、女11.7年)

【年齢構成】■男 □女

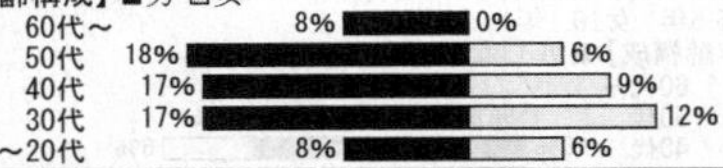

会社データ (金額は百万円)

【本社】100-8285 東京都千代田区丸の内1-8-1 丸の内トラストタワーN館 ☎03-5218-5311 https://www.satoshoji.co.jp/

【業績(連結)】	売上高	営業利益	経常利益	純利益
22.3	236,162	5,734	6,263	4,016
23.3	275,006	6,136	6,719	6,194
24.3	273,975	6,479	7,293	6,478

大同興業(株)

だいどうこうぎょう

【特色】大同特殊鋼傘下の鉄鋼商社。海外はアジア中心

記者評価 大同特殊鋼傘下。特殊鋼鋼材、製鋼原材料と金属工作機械など関連機械が主力。特殊鋼派生の2次・3次製品や、EVなどのモーター用ネオジウム磁石も扱う。16年大同特殊鋼が完全子会社化。アジア中心に海外展開。教育や研修、自己啓発支援制度が充実。

平均勤続年数	男性育休取得率	3年後離職率	平均年収(平均39歳)
13.2年	NA	28.6→28.6%	総 930万円

●採用・配属情報●

【男女・文理別採用実績】

	大卒男	大卒女	修士男	修士女
23年	7(文 7理 0)	4(文 4理 0)	2(文 0理 2)	0(文 0理 0)
24年	12(文 12理 0)	1(文 1理 0)	0(文 0理 0)	0(文 0理 0)
25年	9(文 9理 0)	4(文 4理 0)	0(文 0理 0)	2(文 2理 0)

【男女・職種別採用実績】 転換制度:⇔

	総合職	一般職
23年	13(男 9 女 4)	0(男 0 女 0)
24年	13(男 12 女 1)	0(男 0 女 0)
25年	15(男 9 女 6)	0(男 0 女 0)

【24年4月入社者の配属勤務地】総東京6 浜松1 名古屋4 大阪2

【転勤】あり:[対象]総合職[勤務地]東京 名古屋 大阪 浜松 福岡 海外

【中途比率】[単年度]21年度63%、22年度69%、23年度62%[全体]35%

●働きやすさ、諸制度●

残業(月) 12.8時間 総 18.5時間

【勤務時間】9:00～17:30【有休取得年平均】15.0日【週休】完全2日(土日祝)【夏期休暇】有休利用【年末年始休暇】12月30日～1月3日

【離職率】NA

【新卒3年後離職率】

[20→23年]28.6%(男33.3%・入社9名、女20.0%・入社5名)

[21→24年]28.6%(男28.6%・入社7名、女—・入社0名)

【テレワーク】制度なし【勤務制度】フレックス【住宅補助】独身寮(6,000円・水道光熱費込)社宅(会社が家賃7割負担)住宅補助(15,000～60,000円)

●ライフイベント、女性活躍●

【女性比率】■男 □女

新卒採用 40% (6名)

従業員 35.1% (134名)

管理職 3.2% (2名)

【産休】[期間]産前6・産後8週間[給与]法定[取得者数]NA

【育休】[期間]1歳になるまで[給与]法定[取得者数]22年度 NA 23年度 NA[平均取得日数]22年度 NA、23年度 NA

【従業員】[人数]382名(男248名、女134名)[平均年齢]40.3歳(男41.9歳、女37.7歳)[平均勤続年数]13.2年(男15.2年、女9.4年)

【年齢構成】■男 □女

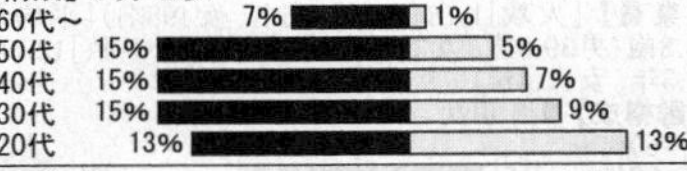

会社データ (金額は百万円)

【本社】108-8487 東京都港区港南1-6-35 大同品川ビル ☎03-5495-7260 https://www.daidokogyo.co.jp/

【業績(単独)】	売上高	営業利益	経常利益	純利益
22.3	206,975	4,334	3,642	2,508
23.3	244,388	6,793	5,877	4,196
24.3	239,790	6,215	5,257	3,803

1817 開示 ★★★★★

ユアサ商事(株)

(しょうじ)

[くるみん]

【特色】工作機械、産業機器、空調・管材等の専門商社

[記者評価] 工作機械等を扱う老舗専門商社。1666年に京都で創業した木炭商が会社の起源。産機、空調・管材、建材など事業分野は幅広い。販売先の「やまずみ会」、仕入先の「炭協会」が成長の原動力。複数部門がタイに進出、東南アで野心的展開狙う。インドも拡充。

平均勤続年数	男性育休取得率	3年後離職率	平均年収(平均39歳)
12.5年	25.0→72.5%	24.0→16.9%	[総]973万円

●採用・配属情報●

【男女・文理別採用実績】

	大卒男	大卒女	修士男	修士女
23年	43(文 38 理 5)	33(文 33 理 0)	0(文 0 理 0)	0(文 0 理 0)
24年	32(文 32 理 0)	36(文 34 理 2)	2(文 0 理 2)	0(文 0 理 0)
25年	53(文 45 理 8)	30(文 30 理 0)	1(文 0 理 1)	0(文 0 理 0)

【男女・職種別採用実績】 転換制度:⇔

	総合職	一般職
23年	46(男 43 女 3)	30(男 0 女 30)
24年	42(男 34 女 8)	28(男 0 女 28)
25年	63(男 54 女 9)	21(男 0 女 21)

【職種併願】○

【24年4月入社者の配属勤務地】[総]東京・千代田15 大阪市11 名古屋8 福岡市4 さいたま2 仙台2

【転勤】あり:[職種]総合職[勤務地]東京 大阪 愛知 九州 他

【中途比率】[単年度]21年度24%、22年度41%、23年度29%[全体]32%

●働きやすさ、諸制度●

残業(月) 10.9時間 [総]14.7時間

【勤務時間】9:00～17:00【有休取得年平均】12.1日【週休】完全2日(土日祝)【夏期休暇】8月10～15日(有休3日含む)【年末年始休暇】12月28日～1月5日

【離職率】男:5.5%、40名 女:4.0%、21名(早期退職男2名含む)

【新卒3年後離職率】

[20→23年]24.0%(男20.9%・入社43名、女28.1%・入社32名)

[21→24年]16.9%(男15.9%・入社44名、女20.0%・入社15名)

【テレワーク】制度なし【勤務制度】時間単位有休 時差勤務

【住宅補助】〈総合職〉借上社宅(自己負担月10,000円～。独身者:最大月80,000円。家族帯同者:最大月110,000円(地区により規定有り))

●ライフイベント、女性活躍●

【女性比率】■男 □女

新卒採用 35.7% (30名)

従業員 42.1% (498名)

管理職 0.9% (2名)

【産休】[期間]産前6・産後8週間[給与]会社全額給付[取得者数]21名

【育休】[期間]1歳になるまで[給与]法定[取得者数]22年度 男8名(対象32名)女13名(対象13名)23年度 男29名(対象40名)女21名(対象21名)[平均取得日数]22年度 男6日 女381日、23年度 男4日 女377日

【従業員】[人数]1,184名(男686名、女498名)[平均年齢]38.8歳(男39.6歳、女37.7歳)[平均勤続年数]12.5年(男13.3年、女11.4年)

【年齢構成】■男 □女

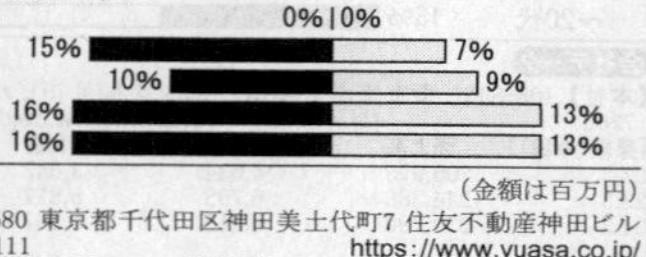
60代～ 0% | 0%
50代 15% 7%
40代 10% 9%
30代 16% 13%
～20代 16% 13%

[会社データ] (金額は百万円)

【本社】101-8580 東京都千代田区神田美土代町7 住友不動産神田ビル ☎03-6369-1111 https://www.yuasa.co.jp/

【業績(連結)】	売上高	営業利益	経常利益	純利益
22.3	462,725	11,880	11,744	8,058
23.3	504,806	14,599	15,382	10,079
24.3	526,569	14,723	15,737	11,812

761 開示 ★★★

(株)山善

(やまぜん)

【特色】機械・工具商社の大手。住設建材や家電も展開

[記者評価] 工作機械や機械工具など生産財の取り扱いで国内大手。小型冷房や扇風機や調理家電などPB家電が人気。ユニットバス、システムキッチンなど住設建材も手がける。海外はIoTやAIなど活用した自動化投資需要の取り込みに注力。新経営システム導入で業務効率化。

平均勤続年数	男性育休取得率	3年後離職率	平均年収(平均39歳)
13.8年	18.5→21.6%	14.3→16.9%	[総]1,006万円

●採用・配属情報●

【男女・文理別採用実績】

	大卒男	大卒女	修士男	修士女
23年	45(文 37 理 8)	23(文 22 理 1)	0(文 0 理 0)	0(文 0 理 0)
24年	53(文 50 理 3)	23(文 23 理 0)	0(文 0 理 0)	1(文 0 理 1)
25年	51(文 49 理 2)	20(文 20 理 0)	1(文 0 理 1)	0(文 0 理 0)

【男女・職種別採用実績】

	正社員
23年	68(男 45 女 23)
24年	77(男 53 女 24)
25年	72(男 52 女 20)

【24年4月入社者の配属勤務地】[総]大阪21 東京23 さいたま12 名古屋9 広島2 福岡8 横浜2

【転勤】あり:全社員

【中途比率】[単年度]21年度50%、22年度54%、23年度64%[全体]24%

●働きやすさ、諸制度●

残業(月) 21.5時間

【勤務時間】9:00～17:30【有休取得年平均】10.5日【週休】完全2日(土日祝)【夏期休暇】連続9日(有休2日含む)【年末年始休暇】連続9日(有休3日含む)

【離職率】男:4.5%、53名 女:5.3%、31名

【新卒3年後離職率】

[20→23年]14.3%(男19.6%・入社51名、女7.5%・入社40名)

[21→24年]16.9%(男23.1%・入社39名、女5.0%・入社20名)

【テレワーク】制度あり:[場所]NA[対象]NA[日数]NA[利用率]NA【勤務制度】フレックス 時間単位有休 時差勤務

【住宅補助】独身寮(集合・借上)(自己負担10,000円 30歳未満 他条件有)賃貸住宅手当(独身20,000～40,000円 配偶者有25,000～70,000円 家賃70%を上限)持家住宅手当(一律16,000円)

●ライフイベント、女性活躍●

【女性比率】■男 □女

新卒採用 27.8% (20名)

従業員 33.1% (558名)

管理職 2.6% (8名)

【産休】[期間]産前6・産後8週間[給与]法定[取得者数]41名

【育休】[期間]1歳になるまで[給与]法定[取得者数]22年度 男12名(対象65名)女43名(対象43名)23年度 男11名(対象51名)女38名(対象38名)[平均取得日数]22年度 NA、23年度 NA

【従業員】[人数]1,688名(男1,130名、女558名)[平均年齢]39.4歳(男41.7歳、女34.5歳)[平均勤続年数]13.8年(男15.5年、女10.1年)

【年齢構成】■男 □女

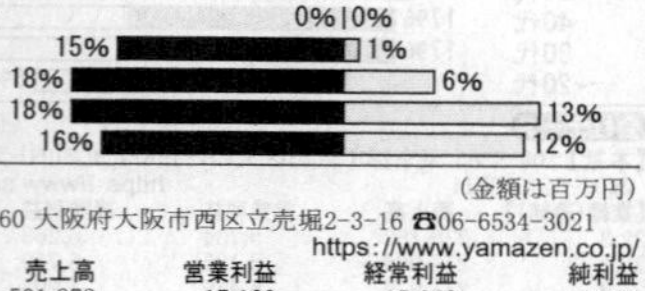
60代～ 0% | 0%
50代 15% 1%
40代 18% 6%
30代 18% 13%
～20代 16% 12%

[会社データ] (金額は百万円)

【本社】550-8660 大阪府大阪市西区立売堀2-3-16 ☎06-6534-3021 https://www.yamazen.co.jp/

【業績(連結)】	売上高	営業利益	経常利益	純利益
22.3	501,872	17,133	17,093	12,023
23.3	527,263	16,563	17,280	12,527
24.3	506,866	9,887	10,435	6,488

1904 開示 ★★★★

㈱ミスミ

【特色】FA・金型部品の製造と流通を担う。IT投資に注力

[記者評価] アジアと欧米を中心に生産・配送拠点を有し、世界で約33万社の顧客を抱える。生産現場で使用される資材や消耗品を含め3000万点超の商品を取り扱い、顧客にワンストップ供給。AIを用いた部品調達サービス「meviy（メビー）」に注力、海外展開を進める。

平均勤続年数	男性育休取得率	3年後離職率	平均年収(平均40歳)
7.6年	70.8 → 83.1%	19.0 → 15.0%	[総] 732万円

●採用・配属情報●

【男女・文理別採用実績】

	大卒男	大卒女	修士男	修士女
23年	7(文 4理 3)	5(文 5理 0)	1(文 1理 0)	1(文 1理 0)
24年	23(文 21理 2)	20(文 19理 1)	0(文 0理 0)	1(文 1理 0)
25年	29(文 26理 3)	23(文 21理 2)	1(文 0理 1)	3(文 2理 1)

【男女・職種別採用実績】 転換制度：⇔

	総合職
23年	14(男 8 女 6)
24年	44(男 23 女 21)
25年	56(男 30 女 26)

【24年4月入社者の配属勤務地】[総]東京・九段下43 [技]静岡市1

【転勤】あり：本人希望で社内の異動制度を利用の場合、職種問わず国内・海外事業所へ転勤の可能性あり

【中途比率】［単年度］21年度78%、22年度81%、23年度81%［全体］84%

●働きやすさ、諸制度●

残業(月) 26.9時間 [総]26.9時間

【勤務時間】9:00〜17:30【有休取得年平均】11.7日【週休】完全2日【夏期休暇】有休利用で5日以上の取得を推奨【年末年始休暇】12月29日〜1月4日

【離職率】男：8.6%、110名 女：7.5%、56名

【新卒3年後離職率】
［20→23年］19.0%（男17.6%・入社34名、女20.8%・入社24名）
［21→24年］15.0%（男19.2%・入社26名、女11.8%・入社34名）

【テレワーク】制度あり：［場所］原則自宅［対象］製造・物流の現場勤務社員を除く全員［日数］制限なし 業務内容に応じ組織ごとに出社率を設定［利用率］57.7%【勤務制度】フレックス 時間単位有休 裁量労働 時差勤務 勤務間インターバル【住宅補助】会社都合の転勤等で、元の住居と赴任先住所で居住費用を2重で負担する場合6〜14万円／月

●ライフイベント、女性活躍●

【女性比率】■男 □女

新卒採用 46.4% (26名)

従業員 37.4% (694名)

管理職 14.6% (78名)

【産休】［期間］産前6・産後8週間［給与］法定［取得者数］42名

【育休】［期間］1歳になるまで［給与］法定［取得者数］22年度 男34名（対象48名）女34名（対象34名）23年度 男54名（対象65名）女31名（対象31名）［平均取得日数］22年度 男91日 女372日、23年度 男66日 女370日

【従業員】［人数］1,858名（男1,164名、女694名）［平均年齢］39.6歳（男39.9歳、女39.1歳）［平均勤続年数］7.6年（男7.4年、女7.7年）【年齢構成】■男 □女

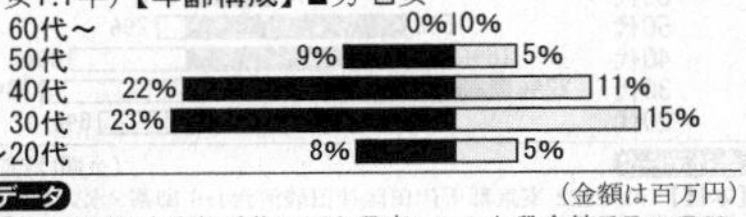
60代〜 0% 0%
50代 9% 5%
40代 22% 11%
30代 23% 15%
〜20代 8% 5%

会社データ （金額は百万円）

【本社】102-8583 東京都千代田区九段南1-6-5 九段会館テラス ☎03-6777-7800 https://www.misumi.co.jp/

【業績(連結)】	売上高	営業利益	経常利益	純利益
22.3	366,160	52,210	52,500	37,557
23.3	373,151	46,615	47,838	34,282
24.3	367,649	38,365	41,265	28,152

※資本金・業績・会社データは㈱ミスミグループ本社のもの
※注記のないデータは㈱ミスミグループ本社、㈱ミスミの合算

1130 開示 ★★★★★

トラスコ中山(なかやま)㈱

くるみん

【特色】工場や作業現場向けの工具、消耗品を扱う卸大手

[記者評価] 東・阪2本社制。工場や屋外作業現場向け工具、消耗品、機器類の専門商社。ホームセンター向けも数多扱う。タイ、台湾にPB調達拠点を置き品ぞろえ拡充。高温作業用の身体冷却着拡販。入社後は物流センターに配属され商材流通の基盤を学ぶ。名大と産学連携。

平均勤続年数	男性育休取得率	3年後離職率	平均年収(平均35歳)
15.4年	33.3 → 58.6%	14.3 → 11.4%	[総] 823万円

●採用・配属情報●

【男女・文理別採用実績】

	大卒男	大卒女	修士男	修士女
23年	27(文 25理 2)	36(文 35理 1)	0(文 0理 0)	0(文 0理 0)
24年	24(文 23理 1)	28(文 28理 0)	0(文 0理 0)	0(文 0理 0)
25年	64(文 57理 7)	46(文 44理 2)	0(文 0理 0)	0(文 0理 0)

【男女・職種別採用実績】 転換制度：⇔

	キャリアコース	エリアコース	ロジスコース	デジタルキャリアコース	ロジスキャリアコース
23年	62(男26女36)	0(男 0女 0)	0(男 0女 0)	0(男 0女 0)	1(男 1女 0)
24年	50(男22女28)	2(男 2女 0)	0(男 0女 0)	0(男 0女 0)	0(男 0女 0)
25年	105(男61女44)	2(男 1女 1)	0(男 0女 0)	2(男 1女 1)	1(男 1女 0)

【24年4月入社者の配属勤務地】[総]埼玉・幸手16 堺8 神戸6 愛知・岡崎6 神奈川・厚木5 千葉・松戸5 仙台4

【転勤】あり：［勤務地：全国］キャリア（海外・国内）、デジタルキャリア、ロジスキャリア、スペシャリスト［勤務地：転居せず勤務可能な範囲］キャリア（地域）、エキスパート、エリア、ロジスエリア、ロジス

【中途比率】［単年度］21年度10%、22年度10%、23年度20%（（21年度）48人中5人（22年度）92人中9人（23年度）119人中24人）［全体］23%

●働きやすさ、諸制度●

残業(月) 17.9時間 [総]20.2時間

【勤務時間】9:00〜17:30【有休取得年平均】12.2日【週休】完全2日（12月の最終土曜は出勤）【夏期休暇】有休で取得【年末年始休暇】12月31日〜1月3日

【離職率】男：3.9%、43名 女：7.4%、46名（早期退職男4名含む）

【新卒3年後離職率】
［20→23年］14.3%（男20.0%・入社25名、女9.7%・入社31名）
［21→24年］11.4%（男11.8%・入社17名、女11.1%・入社18名）

【テレワーク】制度あり：［場所］自宅［対象］全社員［日数］週2日まで［利用率］0.8%【勤務制度】時間単位有休 時差勤務【住宅補助】自社独身寮（東京・大阪4箇所）借上独身寮（全国）30歳まで 社宅（全国）住宅補助手当（居住地と世帯状況により24,500〜80,000円）

●ライフイベント、女性活躍●

【女性比率】■男 □女

新卒採用 41.8% (46名)

従業員 35.2% (572名)

管理職 8.7% (11名)

【産休】［期間］産前6・産後8週間［給与］法定［取得者数］36名

【育休】［期間］3歳到達月末まで［給与］法定［取得者数］22年度 男9名（対象27名）女36名（対象36名）23年度 男17名（対象29名）女40名（対象40名）［平均取得日数］22年度 男19日 女487日、23年度 男38日 女543日

【従業員】［人数］1,625名（男1,053名、女572名）［平均年齢］39.9歳（男43.4歳、女33.2歳）［平均勤続年数］15.4年（男18.5年、女9.7年）【年齢構成】■男 □女

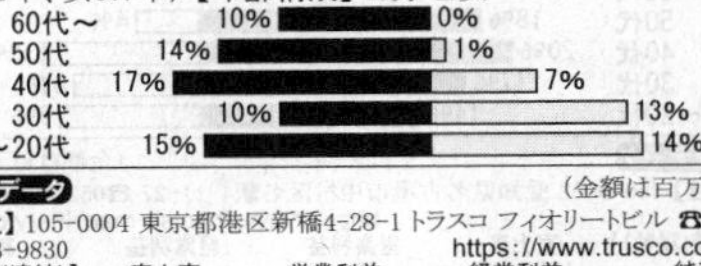

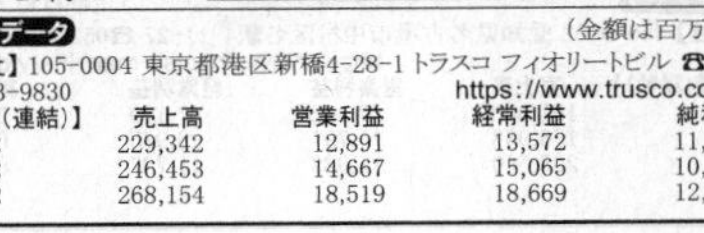
60代〜 10% 0%
50代 14% 1%
40代 17% 7%
30代 10% 13%
〜20代 15% 14%

会社データ （金額は百万円）

【本社】105-0004 東京都港区新橋4-28-1 トラスコ フィオリートビル ☎03-3433-9830 https://www.trusco.co.jp/

【業績(連結)】	売上高	営業利益	経常利益	純利益
21.12	229,342	12,891	13,572	11,603
22.12	246,453	14,667	15,065	10,626
23.12	268,154	18,519	18,669	12,268

2655 開示 ★★★

とよつう
㈱豊通マシナリー

【特色】豊田通商の完全子会社。機械設備・部品販売が柱

[記者評価] 07年に豊通エンジニアリングとトーメンテクノソリューションズの合併で発足したTEMCOが母体。10年TEMCOの設計部門を切り出し、グループの豊通エスケーなど4社合併で現体制に。トヨタG向けが収益の柱。仕入れ先約4500社。海外取引40カ国以上、海外売上が過半。

平均勤続年数	男性育休取得率	3年後離職率	平均年収(平均41歳)
11.8年	93.3 → 50.0%	13.6 → 15.0%	[総]982万円

●採用・配属情報●

【男女・文理別採用実績】

	大卒男	大卒女	修士男	修士女
23年	11(文 2理 9)	9(文 9理 0)	0(文 0理 0)	0(文 0理 0)
24年	9(文 7理 2)	8(文 8理 0)	1(文 0理 1)	0(文 0理 0)
25年	8(文 4理 4)	10(文 10理 0)	0(文 0理 0)	0(文 0理 0)

【男女・職種別採用実績】 転換制度:⇒

	総合職	一般職
23年	11(男 11 女 0)	9(男 0 女 9)
24年	10(男 10 女 0)	8(男 0 女 8)
25年	11(男 8 女 3)	7(男 0 女 7)

【職種併願】○
【24年4月入社者の配属勤務地】[総]東京1 愛知(名古屋4 豊田3 堤2)
【転勤】あり:[職種]総合職
【中途比率】[単年度]21年度NA、22年度NA、23年度NA[全体]NA

●働きやすさ、諸制度●

残業(月) 25.6時間

【勤務時間】9:00～17:45【有休取得年平均】13.0日【週休】完全2日(土日祝)【夏期休暇】3日【年末年始休暇】12月28日～1月5日
【離職率】男:4.9%、17名 女:4.5%、7名
【新卒3年後離職率】
[20→23年]13.6%(男7.7%・入社13名、女22.2%・入社9名)
[21→24年]15.0%(男20.0%・入社10名、女10.0%・入社10名)
【テレワーク】制度なし【勤務制度】フレックス 時差勤務【住宅補助】住宅手当 借上社宅(担当職(総合職))独身社宅(自己負担7,500円、地域によって上限額変動)

●ライフイベント、女性活躍●

【女性比率】■男 □女

新卒採用 55.6% (10名)

従業員 30.8% (147名)

管理職 0% (0名)

【産休】[期間]産前6・産後8週間[給与]会社全額給付[取得者数]7名
【育休】[期間]2歳になるまで[給与]法定[取得者数]22年度 男14名(対象15名)女6名(対象6名)23年度 男6名(対象12名)女7名(対象7名)[平均取得日数]22年度 男7日 女544日、23年度 男10日 女561日
【従業員】[人数]477名(男330名、女147名)[平均年齢]39.8歳(男40.9歳、女37.2歳)[平均勤続年数]11.8年(男12.6年、女10.1年)
【年齢構成】■男 □女

会社データ (金額は百万円)

【本社】450-0002 愛知県名古屋市中村区名駅4-11-27 ☎052-558-2613
https://www.toyotsu-machinery.co.jp/

【業績(単独)】	売上高	営業利益	経常利益	純利益
22.3	161,388	7,442	7,159	5,027
23.3	176,933	10,797	8,975	6,166
24.3	203,640	11,983	11,737	8,274

766 開示 ★★★★

だいいちじつぎょう
第一実業㈱

【特色】電力・プラント関連に強い機械商社。独立系

[記者評価] 機械専門商社からエンジニアリング商社へ脱皮途上。プラント・エネルギー、物流資材、住宅設備向け射出成形機、エレクトロニクス、自動車関連、ヘルスケア、航空(荷物搬送機・タラップ)など領域幅広い。出資先米国企業と連携し、顧客製造現場のDX案件深耕。

平均勤続年数	男性育休取得率	3年後離職率	平均年収(平均40歳)
12.0年	8.3 → 100%	25.0 → 46.2%	[総]1,035万円

●採用・配属情報●

【男女・文理別採用実績】

	大卒男	大卒女	修士男	修士女
23年	16(文 15理 1)	5(文 5理 0)	1(文 0理 1)	0(文 0理 0)
24年	16(文 16理 0)	7(文 7理 0)	4(文 0理 4)	0(文 0理 0)
25年	22(文 18理 4)	10(文 8理 2)	4(文 1理 3)	2(文 1理 1)

【男女・職種別採用実績】 転換制度:⇔

	総合職	一般職
23年	22(男 17 女 5)	0(男 0 女 0)
24年	27(男 20 女 7)	0(男 0 女 0)
25年	38(男 26 女 12)	0(男 0 女 0)

【24年4月入社者の配属勤務地】[総]東京13 大阪9 名古屋5
【転勤】あり:[職種]総合職
【中途比率】[単年度]21年度76%、22年度77%、23年度70%[全体]51%

●働きやすさ、諸制度●

残業(月) 23.6時間 [総]25.1時間

【勤務時間】9:00～17:30【有休取得年平均】12.1日【週休】完全2日(土日祝)【夏期休暇】有休で取得【年末年始休暇】連続7日
【離職率】男:3.6%、17名 女:5.1%、9名
【新卒3年後離職率】
[20→23年]25.0%(男27.8%・入社18名、女0%・入社2名)
[21→24年]46.2%(男54.5%・入社11名、女0%・入社2名)
【テレワーク】制度あり:[場所]自宅 他[対象]全社員[日数]週2回 月8回まで[利用率]9.0%【勤務制度】フレックス 時差勤務【住宅補助】借上社宅 住宅手当

●ライフイベント、女性活躍●

【女性比率】■男 □女

新卒採用 31.6% (12名)

従業員 26.8% (167名)

管理職 3.4% (5名)

【産休】[期間]産前6・産後8週間[給与]法定[取得者数]7名
【育休】[期間]1歳になるまで[給与]法定[取得者数]22年度 男2名(対象24名)女4名(対象4名)23年度 男24名(対象24名)女6名(対象6名)[平均取得日数]22年度 男99日 女340日、23年度 男6日 女354日
【従業員】[人数]623名(男456名、女167名)[平均年齢]41.0歳(男42.3歳、女37.6歳)[平均勤続年数]12.0年(男12.3年、女11.2年)
【年齢構成】■男 □女

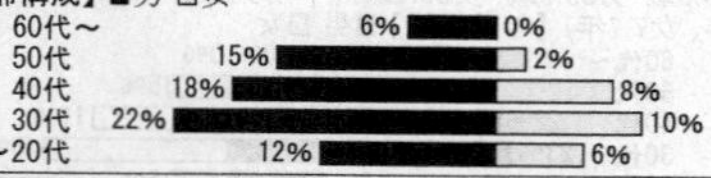

会社データ (金額は百万円)

【本社】101-8222 東京都千代田区神田駿河台4-6 御茶ノ水ソラシティ ☎03-6370-8600
https://www.djk.co.jp/

【業績(連結)】	売上高	営業利益	経常利益	純利益
22.3	148,075	6,866	7,792	5,363
23.3	153,674	6,717	7,108	6,316
24.3	187,790	9,090	9,004	7,461

1260 開示 ★★★

㈱守谷商会

もりたにしょうかい

【特色】総合機械商社の大手。1901年創業の老舗

[記者評価] 1901年創業の機械専門商社。持株会社GM INVESTMENTSの中核事業会社。産業機械、電気・電子機器、エネルギー関連機器など扱う。電力、鉄鋼関連が主な取引先で、官公庁にも強い。台・中・米・独・シンガポールに海外拠点網を構築。働き方改革加速。

平均勤続年数	男性育休取得率	3年後離職率	平均年収(平均44歳)
19.3年	0→100%	14.3→4.5%	NA

●採用・配属情報●

【男女・文理別採用実績】

	大卒男	大卒女	修士男	修士女
23年	16(文 14理 2)	4(文 4理 0)	2(文 0理 2)	0(文 0理 0)
24年	17(文 16理 1)	4(文 4理 0)	1(文 0理 1)	0(文 0理 0)
25年	18(文 16理 2)	4(文 4理 0)	2(文 0理 2)	0(文 0理 0)

【男女・職種別採用実績】 転換制度:⇒

	総合職	一般職
23年	18(男 18 女 0)	4(男 0 女 4)
24年	18(男 18 女 0)	4(男 0 女 4)
25年	20(男 20 女 0)	4(男 0 女 4)

【24年4月入社者の配属勤務地】[総]東京・八重洲10 名古屋4 大阪4

【転勤】あり:[職種]総合職

【中途比率】[単年度]21年度0%、22年度12%、23年度22% [全体]6%

●働きやすさ、諸制度●

残業(月) 17.0時間 [総]20.0時間

【勤務時間】9:00～17:30【有休取得年平均】15.0日【週休】完全2日(土日祝)【夏期休暇】有休で取得(3日以上を奨励)【年末年始休暇】連続5日以上

【離職率】男:2.6%、13名 女:2.6%、4名

【新卒3年後離職率】

[20→23年]14.3%(男16.7%・入社18名、女0%・入社3名)

[21→24年]4.5%(男5.3%・入社19名、女0%・入社3名)

【テレワーク】制度なし【勤務制度】なし【住宅補助】独身寮(東京 大阪 名古屋 30歳まで 自己負担16,000円)住宅手当(40,000円)家賃補助(結婚住宅 転勤社宅 80%補助 会社都合で住居変更者が対象)

●ライフイベント、女性活躍●

【女性比率】■男 □女

新卒採用 16.7% (4名)

従業員 23.7% (151名)

管理職 5.7% (6名)

【産休】[期間]産前6・産後8週間[給与]法定[取得者数]8名

【育休】[期間]1歳になるまで[給与]法定[取得者数]22年度 男0名(対象16名)女9名(対象9名)23年度 男20名(対象20名)女8名(対象8名)[平均取得日数]22年度 男NA 女480日、23年度 男NA 女498日

【従業員】[人数]637名(男486名、女151名)[平均年齢]43.6歳(男44.7歳、女40.0歳)[平均勤続年数]19.3年(男20.1年、女16.6年)

【年齢構成】■男 □女

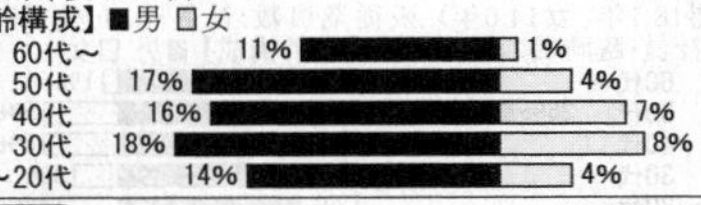
60代～ 11% 1%
50代 17% 4%
40代 16% 7%
30代 18% 8%
～20代 14% 4%

[会社データ] (金額は百万円)

【本社】103-8680 東京都中央区八重洲1-4-22 ☎03-3278-6111 https://sales.moritani.co.jp/

【業績(連結)】	売上高	営業利益	経常利益	純利益
22.3	100,582	4,484	5,375	3,802
23.3	110,091	5,644	6,744	4,780
24.3	120,615	7,163	8,400	6,159

2423 開示 ★★

西華産業㈱

せいかさんぎょう

【特色】機械専門商社。三菱重工業と親密で発電設備主体

[記者評価] 旧三菱商事のGHQによる解体命令に伴い西日本地区機械部門関係者を中心に北九州・門司に設立。西日本の電力会社向けに発電設備を納入。2005年に旧三共から日本ダイヤバルブを買収。海外はドイツの水中ポンプ販社が高シェア。23年三菱重工の原発関連設備代理店に。

平均勤続年数	男性育休取得率	3年後離職率	平均年収(平均42歳)
16.1年	25.0→66.7%	8.3→0%	922万円

●採用・配属情報●

【男女・文理別採用実績】

	大卒男	大卒女	修士男	修士女
23年	3(文 3理 0)	1(文 1理 0)	1(文 1理 0)	0(文 0理 0)
24年	6(文 6理 0)	2(文 2理 0)	2(文 2理 0)	0(文 0理 0)
25年	8(文 7理 1)	2(文 2理 0)	0(文 0理 0)	0(文 0理 0)

【男女・職種別採用実績】

	総合職	一般職
23年	5(男 4 女 1)	0(男 0 女 0)
24年	10(男 8 女 2)	0(男 0 女 0)
25年	10(男 8 女 2)	0(男 0 女 0)

【24年4月入社者の配属勤務地】[総]東京・千代田4 香川・高松1 広島1 徳山1 福岡1 北九州1 長崎1

【転勤】あり:勤務地非限定者

【中途比率】[単年度]21年度38%、22年度63%、23年度88%[全体]NA

●働きやすさ、諸制度●

残業(月) 16.3時間

【勤務時間】9:00～17:15(フレックス制度 コアタイムなし)【有休取得年平均】12.1日【週休】完全2日(土日祝)【夏期休暇】5日(6～9月で取得)【年末年始休暇】12月29日～1月4日(有休2日含む)

【離職率】男:NA、14名 女:NA、1名(早期退職男3名含む)

【新卒3年後離職率】

[20→23年]8.3%(男10.0%・入社10名、女0%・入社2名)

[21→24年]0%(男0%・入社6名、女0%・入社4名)

【テレワーク】NA【勤務制度】フレックス 時差勤務【住宅補助】借上社宅(自己負担11,000～16,000円 標準年齢29歳まで)

●ライフイベント、女性活躍●

【女性比率】■男 □女

新卒採用 20% (2名)

【産休】[期間]産前8・産後8週間[給与]法定[取得者数]0名

【育休】[期間]1歳の4月末まで、父母両方取得は延長[給与]法定[取得者数]22年度 男2名(対象8名)女2名(対象2名)23年度 男4名(対象6名)女4名(対象4名)[平均取得日数]22年度 NA、23年度 男25日 女185日

【従業員】[人数]346名(男NA、女NA)[平均年齢]42.1歳(男NA、女NA)[平均勤続年数]16.1年(男NA、女NA)

【年齢構成】NA

[会社データ] (金額は百万円)

【本社】100-0005 東京都千代田区丸の内3-3-1 新東京ビル ☎03-5221-7101 https://seika.com/

【業績(連結)】	売上高	営業利益	経常利益	純利益
22.3	85,307	3,824	3,879	2,246
23.3	93,311	4,636	6,286	5,001
24.3	86,785	5,580	6,255	4,489

1153 開示 ★★★☆☆ [短大]採用あり

ダイワボウ情報(じょうほう)システム㈱

【特色】ダイワボウHDの中核企業。国内最大級のIT専門商社

[記者評価] 1982年に大和紡績の非繊維事業強化の一環として設立。現在はダイワボウグループの売上の大部分を占める中核企業に成長。OA機器と情報処理・通信システムの開発が柱。国内外約1400社・約260万アイテム扱う。国内96の営業拠点。教育現場でのICT活用を促進。

平均勤続年数	男性育休取得率	3年後離職率	平均年収(平均38歳)
13.5年	20.0→30.3%	23.0→25.4%	[総]654万円

●採用・配属情報●

【男女・文理別採用実績】※25年:179名採用予定

	大卒男	大卒女	修士男	修士女
23年	82(文 73 理 9)	90(文 89 理 1)	2(文 1 理 1)	0(文 0 理 0)
24年	89(文 82 理 7)	65(文 63 理 2)	2(文 0 理 2)	0(文 0 理 0)
25年	-(文 - 理 -)	-(文 - 理 -)	-(文 - 理 -)	-(文 - 理 -)

【男女・職種別採用実績】 転換制度:⇔

	総合職	一般職
23年	124(男 84 女 40)	52(男 0 女 52)
24年	129(男 91 女 38)	27(男 0 女 27)
25年	158(男 - 女 -)	21(男 - 女 -)

【24年4月入社者の配属勤務地】[総]東京48 大阪19 愛知6 広島3 福岡3 北海道2 宮城2 群馬2 神奈川2 福井2 長野2 静岡2 兵庫2 青森1 岩手1 山形1 福島1 茨城1 栃木1 埼玉1 千葉1 新潟1 富山1 山梨1 三重1 京都1 和歌山1 岡山1 宮崎1 鹿児島1 沖縄1 [技]首都圏13 大阪3

【転勤】あり:[職種]総合職[勤務地]奈良を除く全国

【中途比率】[単年度]21年度0%、22年度0%、23年度2% [全体]NA

●働きやすさ、諸制度●

残業(月) 8.4時間 [総]12.5時間

【勤務時間】9:00〜17:45【有休取得年平均】12.9日【週休】完全2日(土日祝)【夏期休暇】年間休日を夏季に割り当てることがある【年末年始休暇】12月30日〜1月3日

【離職率】男:4.7%、48名 女:7.2%、58名

【新卒3年後離職率】

[20→23年]23.0%(男22.6%・入社53名、女23.3%・入社86名)

[21→24年]25.4%(男21.7%・入社69名、女30.2%・入社53名)

【テレワーク】制度なし【勤務制度】なし【住宅補助】<総合職>独身寮(45歳未満独身 自己負担15,000円)家賃補助(家賃の40%支給、上限あり)家賃補助(配偶者・子を有する世帯主 家賃の65%会社負担、上限あり)他

●ライフイベント、女性活躍●

【女性比率】■男 □女

従業員 43.4% (752名)

管理職 0% (0名)

【産休】[期間]産前6・産後8週間[給与]法定[取得者数]39名

【育休】[期間]1歳になるまで[給与]法定[取得者数]22年度 男4名(対象20名)女25名(対象25名)23年度 男10名(対象33名)女37名(対象37名)[平均取得日数]22年度 男14日 女431日、23年度 男14日 女457日

【従業員】[人数]1,734名(男982名、女752名)[平均年齢]35.9歳(男38.9歳、女32.1歳)[平均勤続年数]13.5年(男16.3年、女9.7年)【年齢構成】■男 □女

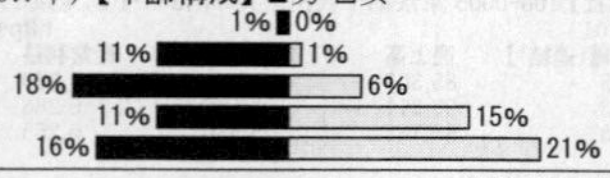

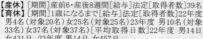

60代〜 1% 0%
50代 11% 1%
40代 18% 6%
30代 11% 15%
〜20代 16% 21%

会社データ (金額は百万円)

【本社】530-0005 大阪府大阪市北区中之島3-2-4 中之島フェスティバルタワーW ☎06-4707-8015 https://www.pc-daiwabo.co.jp/

【業績(単独)】	売上高	営業利益	経常利益	純利益
22.3	682,117	19,112	21,247	15,317
23.3	819,935	23,374	24,911	17,340
24.3	873,984	25,780	27,174	19,160

758 開示 ★★★☆☆

㈱日立(ひたち)ハイテク

[えるぼし★★★] [プラチナくるみん]

【特色】半導体製造装置や計測・検査装置などを製造販売

[記者評価] 日立製作所の完全子会社。日立系ハイテク商社と日立の計測器および半導体製造装置の各事業が統合し現体制。半導体回路測定の測長SEM(走査型電子顕微鏡)で世界首位。医用分析装置にも強い。ヒトゲノム解析など分子診断事業も強化。海外24カ国・地域に展開。

平均勤続年数	男性育休取得率	3年後離職率	平均年収(平均45歳)
[!]17.4年	75.2→80.7%	12.5→3.0%	[総]990万円

●採用・配属情報●

【男女・文理別採用実績】※25年:継続中

	大卒男	大卒女	修士男	修士女
23年	32(文 25 理 7)	21(文 15 理 6)	55(文 1 理 54)	10(文 0 理 10)
24年	34(文 10 理 24)	18(文 8 理 10)	97(文 4 理 93)	16(文 3 理 13)
25年	40(文 17 理 23)	12(文 8 理 4)	87(文 2 理 85)	35(文 8 理 27)

【男女・職種別採用実績】 転換制度:⇔

	総合職
23年	129(男 96 女 33)
24年	178(男 144 女 34)
25年	196(男 143 女 53)

【24年4月入社者の配属勤務地】[総]東京・港34 茨城・ひたちなか8 山口・下松2 [技]東京(中央6 港4 青梅6)埼玉・児玉1 千葉・柏3 茨城(日立1 ひたちなか94)静岡・富士小山1 山口・下松18

【転勤】あり:[職種]総合職

【中途比率】[単年度]21年度35%、22年度52%、23年度60%[全体]17%

●働きやすさ、諸制度●

残業(月) 26.1時間 [総]26.9時間

【勤務時間】8:50〜17:30【有休取得年平均】18.2日【週休】完全2日(土日祝)【夏期休暇】有休で取得【年末年始休暇】12月31日〜1月3日

【離職率】NA

【新卒3年後離職率】

[20→23年]12.5%(男13.0%・入社92名、女10.7%・入社28名)

[21→24年]3.0%(男2.0%・入社100名、女5.7%・入社35名)

【テレワーク】制度あり:[場所]自宅 サテライトオフィス 親族の居住地 他[対象]業務遂行上有効と認められる従業員[日数]制限なし[利用率]NA【勤務制度】フレックス 時間単位有休 週休3日 勤務間インターバル【住宅補助】独身寮 社宅(各地)住宅手当

●ライフイベント、女性活躍●

【女性比率】■男 □女

新卒採用 27% (53名)

従業員 18% (1024名)

管理職 4.9% (36名)

【産休】[期間]産前8・産後8週間[給与]法定[取得者数]21名

【育休】[期間]小学1年修了年度までの通算3年[給与]1歳になるまでのうち5日までは会社全額支給、それ以外法定[取得者数]22年度 男91名(対象121名)女15名(対象15名)23年度 男88名(対象109名)女21名(対象21名)[平均取得日数]22年度 NA、23年度 NA

【従業員】[人数]5,695名(男4,671名、女1,024名)[平均年齢]42.4歳(男42.7歳、女40.9歳)[平均勤続年数]17.4年(男18.1年、女14.6年) ※従業員数:社員・出向受入・シニア社員・臨時員の就業人員【年齢構成】■男 □女

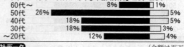

60代〜 8% 1%
50代 26% 5%
40代 18% 5%
30代 18% 3%
〜20代 12% 4%

会社データ (金額は百万円)

【本社】105-6409 東京都港区虎ノ門1-17-1 虎ノ門ヒルズ ビジネスタワー ☎03-3504-7044 https://www.hitachi-hightech.com/jp/

【業績(IFRS)】	売上高	営業利益	税前利益	純利益
22.3	576,792	58,665	57,884	45,645
23.3	674,247	89,885	83,239	63,503
24.3	670,449	74,015	69,134	55,467

767 開示 ★★★★

キヤノンマーケティングジャパン㈱

えるぼし★★ プラチナくるみん

【特色】キヤノンの事務機器など販売。ITサービスに注力

[記者評価] キヤノンの上場子会社。カメラや事務機の国内販売を手がける。現在は親会社グループの枠を超えた独自のITソリューションを中核事業として育成しており売上高の半分弱をIT関連で稼ぐ。企業向けに需要予測システムなどを提供。SIerとしても存在感。

平均勤続年数	男性育休取得率	3年後離職率	平均年収(平均49歳)
25.2年	27.3→40.3%	15.2→4.7%	[総]835万円

●採用・配属情報●

【男女・文理別採用実績】

	大卒男	大卒女	修士男	修士女
23年	58(文 42 理 16)	42(文 33 理 9)	7(文 1 理 6)	1(文 0 理 1)
24年	91(文 67 理 24)	59(文 53 理 6)	8(文 0 理 8)	1(文 0 理 1)
25年	80(文 60 理 20)	70(文 57 理 13)	10(文 0 理 10)	0(文 0 理 0)

【男女・職種別採用実績】

	事務・営業	技術
23年	94(男 55 女 39)	23(男 19 女 4)
24年	142(男 84 女 58)	28(男 25 女 3)
25年	142(男 76 女 66)	31(男 26 女 5)

【24年4月入社者の配属勤務地】[総](23年)東京 さいたま 仙台 大阪 広島 福岡 [技](23年)東京 千葉 三重

【転勤】あり:全社員

【中途比率】[単年度]21年度25%、22年度25%、23年度29%[全体]11%

●働きやすさ、諸制度●

残業(月) 8.1時間 [総]8.1時間

【勤務時間】9:00〜17:30【有休取得年平均】13.3日【週休】完全2日(土日祝)【夏期休暇】連続9日(週休含む)【年末年始休暇】連続平均7日

【離職率】男:4.1%、155名 女:2.6%、25名(早期退職男57名、女9名含む)

【新卒3年後離職率】
[20→23年]15.2%(男17.7%・入社79名、女9.1%・入社33名)
[21→24年]4.7%(男5.4%・入社56名、女3.3%・入社30名)

【テレワーク】制度あり:[場所]自宅 サテライトオフィス[対象]全社員[日数]週4日まで(最低1日出社)[利用率]33.8%【勤務制度】時間単位有休 時差勤務 副業容認【住宅補助】入社時支度金(50万円)転勤時支度金(単身90万円・家族帯同180万円)住宅補助金(上限85,050円 単身赴任者のみ)

●ライフイベント、女性活躍●

【女性比率】■男 □女

新卒採用 41% (71名)

従業員 20.7% (936名)

管理職 4.8% (42名)

【産休】[期間]産前6・産後8週間[給与]法定+健保約13.3%給付[取得者数]28名

【育休】[期間]3年間[給与]法定[取得者数]22年度 男21名(対象77名)女20名(対象20名)23年度 男25名(対象62名)女21名(対象21名)[平均取得日数]22年度 男27日 女584日、23年度 男51日 女475日

【従業員】[人数]4,528名(男3,592名、女936名)[平均年齢]48.8歳(男50.1歳、女42.6歳)[平均勤続年数]25.2年(男26.5年、女19.3年)

【年齢構成】NA

[会社データ] (金額は百万円)

【本社】108-8011 東京都港区港南2-16-6 ☎03-6719-9111
https://corporate.canon.jp/

【業績(連結)】	売上高	営業利益	経常利益	純利益
21.12	552,085	39,699	41,096	29,420
22.12	588,132	49,947	50,991	35,552
23.12	609,473	52,495	53,585	36,493

1157 開示 ★★★★

因幡電機産業㈱

(いなばでんきさんぎょう)

【特色】電線・配線器具などの専門商社。電設資材で首位

[記者評価] 電線ケーブル、配線器具などを扱う独立系専門商社。大型ビルや非住宅建築物向けの電設資材が主力。開発・メーカー機能を持ち、自社製品が利益の柱。特にエアコン向け空調配管化粧カバー「スリムダクトシリーズ」が稼ぎ頭。大阪地盤だが首都圏を強化。

平均勤続年数	男性育休取得率	3年後離職率	平均年収(平均39歳)
13.7年	15.5→10.0%	13.5→10.6%	[総]977万円

●採用・配属情報●

【男女・文理別採用実績】

	大卒男	大卒女	修士男	修士女
23年	77(文 71 理 6)	13(文 12 理 1)	0(文 0 理 0)	0(文 0 理 0)
24年	75(文 73 理 2)	25(文 25 理 0)	0(文 0 理 0)	0(文 0 理 0)
25年	73(文 67 理 6)	23(文 23 理 0)	1(文 0 理 1)	0(文 0 理 0)

【男女・職種別採用実績】

	総合職	一般職
23年	80(男 77 女 3)	10(男 0 女 10)
24年	78(男 75 女 3)	22(男 0 女 22)
25年	81(男 74 女 7)	16(男 0 女 16)

【職種併願】総合職と一般職で可能

【24年4月入社者の配属勤務地】[総]大阪(阿波座17 谷町12 東大阪1)東京(大崎14 江東1 府中1)愛知8 埼玉4 福岡4 宮城2 神奈川2 北海道1 新潟1 千葉1 静岡1 京都1 広島1 山口1 熊本1 [技]大阪・阿波座1 東京・大崎2 名古屋1

【転勤】あり:[職種]総合職

【中途比率】[単年度]21年度NA、22年度NA、23年度NA[全体]20%

●働きやすさ、諸制度●

残業(月) 13.9時間 [総]19.2時間

【勤務時間】8:45〜17:15【有休取得年平均】10.7日【週休】完全2日(土日祝)【夏期休暇】連続3日【年末年始休暇】12月29日〜1月4日

【離職率】男:3.4%、43名 女:3.5%、15名(早期退職男3名、女3名含む)

【新卒3年後離職率】
[20→23年]13.5%(男17.2%・入社64名、女4.0%・入社25名)
[21→24年]10.6%(男9.7%・入社62名、女13.0%・入社23名)

【テレワーク】制度なし【勤務制度】なし【住宅補助】借上社宅(総合職)住宅手当(一般職)

●ライフイベント、女性活躍●

【女性比率】■男 □女

新卒採用 23.7% (23名)

従業員 25.7% (418名)

管理職 1.4% (4名)

【産休】[期間]産前6・産後8週間[給与]法定[取得者数]14名

【育休】[期間]1歳になるまで[給与]法定[取得者数]22年度 男9名(対象58名)女20名(対象20名)23年度 男6名(対象60名)女16名(対象16名)[平均取得日数]22年度 男9日 女361日、23年度 男11日 女365日

【従業員】[人数]1,626名(男1,208名、女418名)[平均年齢]38.0歳(男38.4歳、女36.8歳)[平均勤続年数]13.7年(男13.8年、女13.1年)

【年齢構成】■男 □女

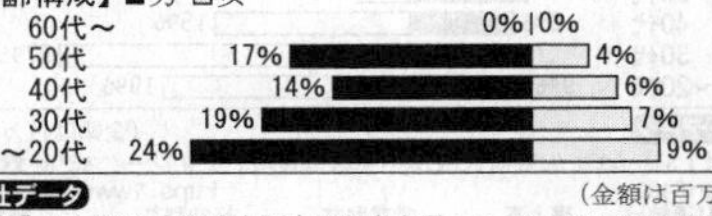

[会社データ] (金額は百万円)

【本社】550-0012 大阪府大阪市西区立売堀4-11-14 ☎06-4391-1781
https://www.inaba.co.jp/

【業績(連結)】	売上高	営業利益	経常利益	純利益
22.3	289,071	16,261	17,558	12,266
23.3	316,947	18,641	20,272	15,427
24.3	345,369	21,322	22,589	15,623

2548 開示 ★★★☆☆ [短大] [専門] 採用あり

シークス(株)

【特色】電子機器の製造受託国内トップ。商社機能も

[記者評価] 1992年にサカタインクスから分社独立。電子機器・部品商社から出発し、現在は受託製造(EMS)が主力事業。家電向けから車載、産業機器分野にシフト。両分野で売上の約8割を占める。非日系企業との取引拡大に注力。15カ国に展開し、海外売上比率は約8割。

平均勤続年数	男性育休取得率	3年後離職率	平均年収(平均37歳)
7.8年	40.0→50.0%	44.4→38.5%	[総]720万円

●採用・配属情報●

【男女・文理別採用実績】

	大卒男	大卒女	修士男	修士女
23年	4(文 4理 0)	8(文 8理 0)	0(文 0理 0)	1(文 1理 0)
24年	6(文 6理 0)	12(文 12理 0)	0(文 0理 0)	0(文 0理 0)
25年	8(文 8理 0)	5(文 5理 0)	0(文 0理 0)	0(文 0理 0)

【男女・職種別採用実績】

	セールス&マーケティングコース	オペレーションコース	コーポレートコース	エンジニアコース
23年	ND(男 ND 女 ND)	ND(男 ND 女 ND)	ND(男 ND 女 ND)	ND(男 ND 女 ND)
24年	ND(男 ND 女 ND)	ND(男 ND 女 ND)	ND(男 ND 女 ND)	ND(男 ND 女 ND)
25年	9(男 8 女 1)	4(男 0 女 4)	0(男 0 女 0)	0(男 0 女 0)

【24年4月入社者の配属勤務地】[総]大阪市11 東京・千代田8 [技]なし
【転勤】あり:全社員
【中途比率】[単年度]21年度73%、22年度61%、23年度69%[全体]58%

●働きやすさ、諸制度●

残業(月) 23.5時間 [総]23.5時間

【勤務時間】9:00～17:30【有休取得年平均】12.8日【週休】完全2日(土日祝)【夏期休暇】3日【年末年始休暇】4日
【離職率】男:12.2%、10名 女:8.4%、13名
【新卒3年後離職率】
[20→23年]44.4%(男45.5%・入社11名、女42.9%・入社7名)
[21→24年]38.5%(男37.5%・入社8名、女40.0%・入社5名)
【テレワーク】制度あり:[場所]自宅[対象]制限なし[日数]週2日まで[利用率]22.2%【勤務制度】時差勤務【住宅補助】住宅手当(14,700～31,500円)

●ライフイベント、女性活躍●

【女性比率】■男 □女

新卒採用 38.5% (5名)

従業員 66.4% (142名)

管理職 23.8% (10名)

【産休】[期間]産前6・産後8週間[給与]法定[取得者数]8名
【育休】[期間]1歳になるまで[給与]法定[取得者数]22年度 男2名(対象5名)女5名(対象5名)23年度 男1名(対象2名)女8名(対象8名)[平均取得日数]22年度 NA、23年度 男147日 女341日
【従業員】[人数]214名(男72名、女142名)[平均年齢]36.8歳(男40.2歳、女35.1歳)[平均勤続年数]7.8年(男11.3年、女6.0年)
【年齢構成】■男 □女

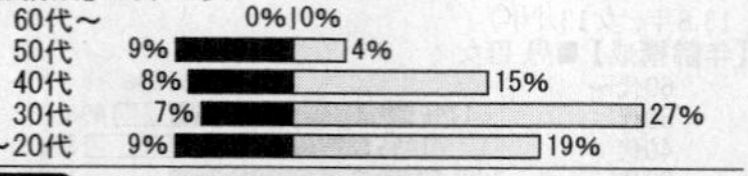
60代～ 0% 0%
50代 9% 4%
40代 8% 15%
30代 7% 27%
～20代 9% 19%

[会社データ] (金額は百万円)

【本社】541-0051 大阪府大阪市中央区備後町1-4-9 シークスビル ☎06-6266-6400
https://www.siix.co.jp/

【業績(連結)】	売上高	営業利益	経常利益	純利益
21.12	226,833	4,954	5,934	4,561
22.12	277,031	8,929	8,337	4,733
23.12	309,768	12,254	11,849	8,185

772 開示 ★★★☆☆☆☆ [短大] 採用あり

(株)RYODEN(リョーデン)

【特色】三菱電機系商社で最大。FAから半導体まで扱う

[記者評価] 三菱電機の商社機能を継承して発足。半導体から昇降機、空調からFAまで取り扱い多彩。車載向けに強み。三菱電機依存大だが、パナソニックとも取引拡大。アグリ事業、ヘルスケア関連など新事業育成中で、22年に次世代植物工場竣工。23年菱電商事から現社名に。

平均勤続年数	男性育休取得率	3年後離職率	平均年収(平均44歳)
17.7年	26.1→45.5%	14.6→21.7%	[総]759万円

●採用・配属情報●

【男女・文理別採用実績】

	大卒男	大卒女	修士男	修士女
23年	27(文 17理 10)	11(文 10理 1)	0(文 0理 0)	0(文 0理 0)
24年	29(文 14理 15)	10(文 8理 2)	2(文 0理 2)	1(文 1理 0)
25年	10(文 8理 2)	10(文 8理 2)	0(文 0理 0)	1(文 1理 0)

※総合職のみ 25年:24年7月時点

【男女・職種別採用実績】 転換制度:⇒

	総合職	事務職
23年	31(男 27 女 4)	7(男 0 女 7)
24年	39(男 31 女 8)	5(男 0 女 5)
25年	21(男 10 女 11)	0(男 0 女 0)

【職種併願】○
【24年4月入社者の配属勤務地】[総]東京(池袋12 西東京1) 名古屋5 大阪4 静岡(静岡3 浜松2) 広島2 福岡2 宇都宮1 京都1 高松1 [技]東京(池袋5)
【転勤】あり:[職種]総合職
【中途比率】[単年度]21年度23%、22年度34%、23年度40%[全体]22%

●働きやすさ、諸制度●

残業(月) 13.3時間

【勤務時間】9:00～17:30【有休取得年平均】14.8日【週休】完全2日(土日祝)【夏期休暇】3日(7～9月で取得)+有休一斉取得2日【年末年始休暇】12月29日(有休一斉取得)+12月30日～1月4日
【離職率】男:5.6%、37名 女:4.3%、14名
【新卒3年後離職率】
[20→23年]14.6%(男21.1%・入社19名、女9.1%・入社22名)
[21→24年]21.7%(男16.7%・入社12名、女27.3%・入社11名)
【テレワーク】制度なし【勤務制度】フレックス 時間単位有休 裁量労働 時差勤務【住宅補助】独身寮 社宅 住宅手当

●ライフイベント、女性活躍●

【女性比率】■男 □女

新卒採用 52.4% (11名)

従業員 33.1% (311名)

管理職 0% (0名)

【産休】[期間]産前6・産後8週間[給与]会社全額給付[取得者数]13名
【育休】[期間]1歳になるまで[給与]法定[取得者数]22年度 男6名(対象23名)女10名(対象10名)23年度 男10名(対象22名)女13名(対象13名)[平均取得日数]22年度 男83日 女307日、23年度 男38日 女312日
【従業員】[人数]939名(男628名、女311名)[平均年齢]42.0歳(男44.2歳、女37.6歳)[平均勤続年数]17.7年(男18.9年、女15.1年)【年齢構成】■男 □女

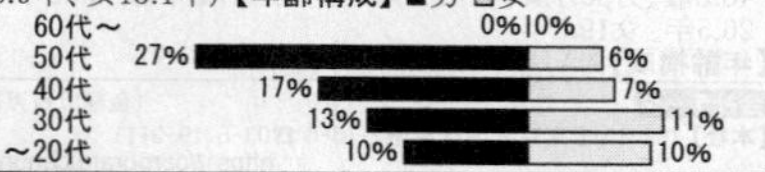
60代～ 0% 0%
50代 27% 6%
40代 17% 7%
30代 13% 11%
～20代 10% 10%

[会社データ] (金額は百万円)

【本社】170-8448 東京都豊島区東池袋3-15-15 ☎03-5396-6133
https://www.ryoden.co.jp/

【業績(連結)】	売上高	営業利益	経常利益	純利益
22.3	229,126	7,062	7,285	5,004
23.3	260,303	9,380	9,077	5,366
24.3	259,008	8,326	8,236	5,736

2558 開示 ★★★ [短大]採用あり

㈱立花(たちばな)エレテック

【特色】FAシステムと電子デバイスが主力の専門商社

[記者評価] 1921年電気製品卸で創業。戦後、三菱電機の特約店として成長。製造業の顧客の要望を聞き、三菱電機製FAシステムやルネサスエレクトロニクス製の半導体デバイスを納める。「技術商社」を標榜、従業員の約4分の1がエンジニア。香港に海外統括会社を設置。

平均勤続年数	男性育休取得率	3年後離職率	平均年収(平均45歳)
17.2年	0→0%	17.1→23.1%	[総]926万円

●採用・配属情報●

【男女・文理別採用実績】

	大卒男	大卒女	修士男	修士女
23年	16(文 10理 6)	14(文 14理 0)	0(文 0理 0)	0(文 0理 0)
24年	20(文 12理 8)	10(文 10理 0)	0(文 0理 0)	0(文 0理 0)
25年	17(文 9理 8)	10(文 5理 5)	0(文 0理 0)	0(文 0理 0)

【男女・職種別採用実績】 転換制度:⇔

	総合職	一般職
23年	16(男 16 女 0)	15(男 0 女 15)
24年	30(男 20 女 10)	0(男 0 女 0)
25年	27(男 17 女 10)	0(男 0 女 0)

【24年4月入社者の配属勤務地】[総]大阪市13 東京・港9 名古屋2 横浜1 さいたま1 兵庫・姫路1 [技]大阪市2 東京・港1

【転勤】あり:[職種]営業職 技術職 事務職

【中途比率】[単年度]21年度65%、22年度80%、23年度64%[全体]35%

●働きやすさ、諸制度●

残業(月) 12.9時間 [総]15.6時間

【勤務時間】8:45〜17:30【有休取得年平均】10.9日【週休】完全2日(土日祝)【夏期休暇】8月11〜16日【年末年始休暇】12月29日〜1月4日

【離職率】男:7.1%、48名 女:6.3%、15名

【新卒3年後離職率】
[20→23年]17.1%(男26.3%・入社19名、女6.3%・入社16名)
[21→24年]23.1%(男12.5%・入社8名、女40.0%・入社5名)

【テレワーク】制度なし【勤務制度】フレックス 時間単位有休

【住宅補助】独身寮 転勤者住宅 住宅手当

●ライフイベント、女性活躍●

【女性比率】■男 □女

新卒採用 37% (10名)

従業員 26.1% (223名)

管理職 5% (12名)

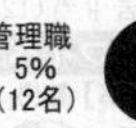

【産休】[期間]産前6・産後8週間[給与]法定[取得者数]16名

【育休】[期間]1歳になるまで[給与]法定[取得者数]22年度 男0名(対象21名)女9名(対象9名)23年度 男0名(対象18名)女14名(対象14名)[平均取得日数]22年度 NA、23年度 NA

【従業員】[人数]855名(男632名、女223名)[平均年齢]43.2歳(男45.3歳、女37.3歳)[平均勤続年数]17.2年(男18.7年、女13.1年)

【年齢構成】■男 □女

	男	女
60代〜	11%	0%
50代	23%	4%
40代	15%	6%
30代	11%	7%
〜20代	14%	8%

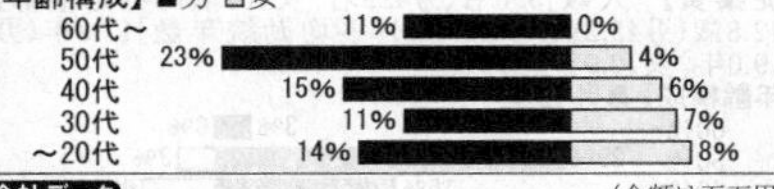

[会社データ] (金額は百万円)

【本社】550-8555 大阪府大阪市西区西本町1-13-25 ☎06-6539-2711
https://www.tachibana.co.jp/

【業績(連結)】	売上高	営業利益	経常利益	純利益
22.3	193,431	6,710	7,412	5,144
23.3	227,266	10,316	11,001	7,841
24.3	231,042	10,764	11,886	8,471

786 開示 ★★★★

サンワテクノス㈱

【特色】半導体関連、メカトロ等扱う電子・機械専門商社

[記者評価] 半導体関連からメカトロまで幅広く取扱う。安川電機と密接で、同社製産業用ロボットに強み。新エネ、医療など新分野拡大にも意欲。国内外の営業ネットワーク拡充を一段加速、23年9月インドに新現法。同10月ロボット開発のエムテック(北九州市)と業務提携。

平均勤続年数	男性育休取得率	3年後離職率	平均年収(平均40歳)
12.9年	0→17.4%	30.6→14.3%	[総]852万円

●採用・配属情報●

【男女・文理別採用実績】

	大卒男	大卒女	修士男	修士女
23年	18(文 13理 5)	22(文 21理 1)	0(文 0理 0)	0(文 0理 0)
24年	23(文 22理 1)	7(文 7理 0)	0(文 0理 0)	0(文 0理 0)
25年	25(文 -理 -)	25(文 -理 -)	0(文 0理 0)	0(文 0理 0)

【男女・職種別採用実績】 転換制度:⇔

	グローバルコース	エリアコース
23年	20(男 19 女 1)	21(男 0 女 21)
24年	24(男 23 女 1)	6(男 0 女 6)
25年	25(男 - 女 -)	25(男 - 女 -)

【24年4月入社者の配属勤務地】[総]東京(京橋5 八王子1)横浜2 埼玉1 愛知(名古屋2 三河3 瀬戸2)三重1 大阪2 京都2 福岡2 [技]大阪1

【転勤】あり:[職種]グローバルコース

【中途比率】[単年度]21年度22%、22年度26%、23年度32%[全体]14%

●働きやすさ、諸制度●

残業(月) 17.2時間 [総]21.7時間

【勤務時間】9:00〜17:30【有休取得年平均】12.9日【週休】完全2日(土日祝)【夏期休暇】連続2日(8月13日、14日)【年末年始休暇】12月30日〜1月3日

【離職率】男:4.9%、19名 女:6.4%、16名

【新卒3年後離職率】
[20→23年]30.6%(男38.9%・入社18名、女22.2%・入社18名)
[21→24年]14.3%(男7.1%・入社14名、女28.6%・入社7名)

【テレワーク】制度なし【勤務制度】なし【住宅補助】社有社宅(親族帯同、単身)借上社宅 住宅手当

●ライフイベント、女性活躍●

【女性比率】■男 □女

従業員 38.9% (233名)

管理職 8.4% (16名)

【産休】[期間]産前6・産後8週間[給与]会社全額給付[取得者数]12名

【育休】[期間]1歳になるまで[給与]法定[取得者数]22年度 男0名(対象9名)女14名(対象14名)23年度 男4名(対象23名)女7名(対象7名)[平均取得日数]22年度 男- 女399日、23年度 男81日 女380日

【従業員】[人数]599名(男366名、女233名)[平均年齢]37.2歳(男39.5歳、女33.7歳)[平均勤続年数]12.9年(男14.7年、女10.0年)

【年齢構成】■男 □女

	男	女
60代〜	0%	0%
50代	12%	3%
40代	19%	6%
30代	16%	13%
〜20代	15%	17%

[会社データ] (金額は百万円)

【本社】104-0031 東京都中央区京橋3-1-1 東京スクエアガーデン ☎03-5202-4011
https://www.sunwa.co.jp/

【業績(連結)】	売上高	営業利益	経常利益	純利益
22.3	154,414	4,804	5,195	3,577
23.3	181,013	7,630	7,675	5,493
24.3	166,138	6,215	6,631	5,007

エプソン販売(株)（はんばい）

プラチナくるみん

【特色】セイコーエプソングループの国内販売会社

記者評価 セイコーエプソンの完全子会社。グループ製品の国内向け販売を担う。家電量販店、OA機器商社、システムインテグレーターなどにカラーインクジェットプリンター、液晶プロジェクターなどを卸売。技術支援やアフターサポートも提供する。産業ロボットも扱う。

平均勤続年数	男性育休取得率	3年後離職率	平均年収(平均48歳)
18.2年	55.6→95.0%	14.9→0%	㊗858万円

●採用・配属情報●

【男女・文理別採用実績】

	大卒男	大卒女	修士男	修士女
23年	12(文 8理 4)	13(文 9理 4)	2(文 0理 2)	1(文 0理 1)
24年	16(文 14理 2)	15(文 13理 2)	1(文 0理 1)	0(文 0理 0)
25年	13(文 11理 2)	11(文 9理 2)	4(文 0理 4)	2(文 0理 2)

【男女・職種別採用実績】

	総合職
23年	28(男 14 女 14)
24年	32(男 17 女 15)
25年	30(男 17 女 13)

【24年4月入社者の配属勤務地】㊗東京・新宿12 大阪6 名古屋1 千葉1 埼玉3 札幌1 ㊕東京(日野2 新宿2) 大阪2 名古屋1 塩尻1

【転勤】あり:全社員

【中途比率】[単年度]21年度43%、22年度23%、23年度30%[全体]24%

●働きやすさ、諸制度●

残業(月) 14.5時間 ㊗14.5時間

【勤務時間】9:00～17:45(コアタイムなしスーパーフレックスタイム制)【有休取得年平均】14.5日【週休】完全2日(年128日)【夏期休暇】連続7日(週休含む)【年末年始休暇】連続7日(週休含む)

【離職率】男:1.4%、19名 女:2.5%、11名(早期退職男7名、女3名含む)

【新卒3年後離職率】
[20→23年]14.9%(男17.6%・入社17名、女13.3%・入社30名)
[21→24年]0%(男0%・入社11名、女0%・入社5名)

【テレワーク】制度あり:[場所]自宅 サテライトオフィス等[対象]全社員[日数]制限なし(週2回の出社推奨)[利用率]59.9%【勤務制度】フレックス 時間単位有休 時差勤務【住宅補助】借上社宅

●ライフイベント、女性活躍●

【女性比率】■男 □女

新卒採用 43.3%(13名)　従業員 23.9%(421名)　管理職 12.6%(37名)

【産休】[期間]産前6・産後8週間[給与]健保77%相当額[取得者数]7名

【育休】[期間]1歳になるまで[給与]法定[取得者数]22年度 男15名(対象27名)女8名(対象8名)23年度 男19名(対象20名)女7名(対象7名)[平均取得日数]22年度 男26日 女453日、23年度 男40日 女335日

【従業員】[人数]1,758名(男1,337名、女421名)[平均年齢]48.0歳(男49.3歳、女44.1歳)[平均勤続年数]18.2年(男18.5年、女17.1年)【年齢構成】■男 □女

	男	女
60代～	11%	1%
50代	28%	8%
40代	22%	7%
30代	9%	3%
～20代	6%	5%

会社データ (金額は百万円)

【本社】160-8801 東京都新宿区新宿4-1-6 JR新宿ミライナタワー ☎03-5919-5211
https://www.epson.jp/corporate/about/profile.htm/

【業績(単独)】	売上高	営業利益	経常利益	純利益
22.3	168,300	NA	NA	NA
23.3	164,400	NA	NA	NA
24.3	161,100	NA	NA	NA

(株)カナデン

【特色】三菱電機系エレクトロニクス商社。FA関連に強い

記者評価 神奈川電気合資会社として発足。社名は同母体に由来。三菱電機系の電子機器専門商社。FAシステム、インフラ関連、デバイス、ビル設備など取扱商品は多岐。FAは機械や自動車関連に強み。設備投資を検討中の顧客を対象にした補助金サポートサービスを24年3月開始。

平均勤続年数	男性育休取得率	3年後離職率	平均年収(平均43歳)
17.3年	27.8→54.5%	31.0→28.6%	㊗844万円

●採用・配属情報●

【男女・文理別採用実績】

	大卒男	大卒女	修士男	修士女
23年	12(文 10理 2)	10(文 10理 0)	0(文 0理 0)	1(文 1理 0)
24年	13(文 13理 0)	5(文 4理 1)	0(文 0理 0)	0(文 0理 0)
25年	9(文 9理 0)	15(文 14理 1)	0(文 0理 0)	0(文 0理 0)

【男女・職種別採用実績】　転換制度:⇔

	総合職	一般職
23年	16(男 12 女 4)	7(男 0 女 7)
24年	18(男 13 女 5)	0(男 0 女 0)
25年	24(男 9 女 15)	0(男 0 女 0)

【24年4月入社者の配属勤務地】㊗東京12 大阪3 名古屋2 福岡1

【転勤】あり:[職種]総合職(エリア限定社員以外)

【中途比率】[単年度]21年度61%、22年度71%、23年度60%[全体]25%

●働きやすさ、諸制度●

残業(月) 15.4時間 ㊗19.3時間

【勤務時間】8:45～17:35【有休取得年平均】12.5日【週休】完全2日(土日祝)【夏期休暇】7～9月の間で3日【年末年始休暇】12月28日～1月5日(土日、祝日含む)

【離職率】男:6.3%、29名 女:7.7%、14名

【新卒3年後離職率】
[20→23年]31.0%(男26.7%・入社15名、女35.7%・入社14名)
[21→24年]28.6%(男28.6%・入社7名、女28.6%・入社7名)

【テレワーク】制度あり:[場所]自宅 自宅に準ずる場所[対象]全従業員[日数]週1日(育児・介護制度利用者週2日)[利用率]NA【勤務制度】フレックス 時間単位有休 時差勤務【住宅補助】転居採用手当(15,000円)転勤手当(30,000円)別居手当(120,000円)

●ライフイベント、女性活躍●

【女性比率】■男 □女

新卒採用 62.5%(15名)　従業員 28%(167名)　管理職 0%(0名)

【産休】[期間]産前6・産後8週間[給与]法定[取得者数]7名

【育休】[期間]1歳になるまで[給与]法定[取得者数]22年度 男5名(対象18名)女6名(対象6名)23年度 男6名(対象11名)女7名(対象7名)[平均取得日数]22年度 男10日 女316日、23年度 男40日 女300日

【従業員】[人数]596名(男429名、女167名)[平均年齢]42.8歳(男45.2歳、女36.5歳)[平均勤続年数]17.3年(男19.0年、女12.9年)

【年齢構成】■男 □女

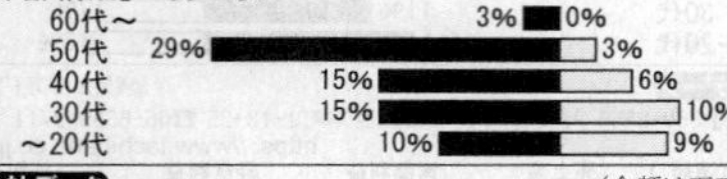

	男	女
60代～	3%	0%
50代	29%	3%
40代	15%	6%
30代	15%	10%
～20代	10%	9%

会社データ (金額は百万円)

【本社】104-6215 東京都中央区晴海1-8-12 晴海トリトンオフィスタワーZ ☎03-6747-8800
https://www.kanaden.co.jp/

【業績(連結)】	売上高	営業利益	経常利益	純利益
22.3	100,834	2,846	3,055	1,922
23.3	106,419	3,967	4,244	2,896
24.3	116,271	4,544	4,994	3,474

686 開示 ★★★

㈱マクニカ

【特色】半導体商社大手。セキュリティやAIでも積極的

記者評価 半導体商社で国内首位・世界5位級のマクニカホールディングスのグループ中核企業。海外製半導体の取り扱いが豊富で、産業機械向けに強い。セキュリティソフトやIoT分野を拡充。AI導入サポートなど新事業も育成。若手へ権限委譲を進める社風。

平均勤続年数	男性育休取得率	3年後離職率	平均年収(平均39歳)
10.7年	26.6→57.1%	20.0→13.6%	㊕845万円

●採用・配属情報●

【男女・文理別採用実績】

	大卒男	大卒女	修士男	修士女
23年	54(文 36理 18)	15(文 14理 1)	16(文 0理 16)	1(文 0理 1)
24年	52(文 35理 17)	18(文 17理 1)	6(文 0理 6)	0(文 0理 0)
25年	62(文 46理 16)	18(文 14理 4)	17(文 0理 17)	2(文 0理 2)

【男女・職種別採用実績】

	総合職	一般職
23年	77(男 70 女 7)	9(男 0 女 9)
24年	76(男 58 女 18)	0(男 0 女 0)
25年	99(男 79 女 20)	ND(男 ND 女 ND)

【職種併願】○

【24年4月入社者の配属勤務地】㊕神奈川・新横浜47 品川3 大阪4 ㊙神奈川・新横浜22

【転勤】あり:[職種]総合職

【中途比率】[単年度]21年度66%、22年度70%、23年度69%[全体]63%

●働きやすさ、諸制度●

残業(月) 26.7時間 ㊕26.7時間

【勤務時間】8:45〜17:15【有休取得年平均】12.5日【週休】完全2日(土日祝)【夏期休暇】年間カレンダーにより1〜3日程度【年末年始休暇】連続7日(週休含む)

【離職率】男:2.7%、49名 女:3.2%、20名

【新卒3年後離職率】

[20→23年]20.0%(男23.8%・入社42名、女7.7%・入社13名)

[21→24年]13.6%(男8.9%・入社45名、女23.8%・入社21名)

【テレワーク】制度あり:[場所]自宅 会社指定のサテライトオフィス[対象]全社員[日数]制限なし[利用率]65.9%【勤務制度】時間単位有休 裁量労働 時差勤務【住宅補助】借上社宅(転勤者)

●ライフイベント、女性活躍●

【女性比率】■男 □女

新卒採用 20.2% (20名)

従業員 25.3% (607名)

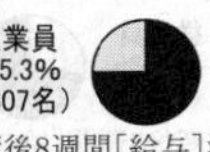

管理職 5.3% (43名)

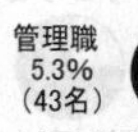

【産休】[期間]産前6・産後8週間[給与]法定[取得者数]31名

【育休】[期間]1歳になるまで[給与]法定[取得者数]22年度 男17名(対象64名)女33名(対象33名)23年度 男36名(対象63名)女33名(対象26名)[平均取得日数]22年度 NA、23年度 男48日 女410日

【従業員】[人数]2,397名(男1,790名、女607名)[平均年齢]38.7歳(男39.6歳、女35.9歳)[平均勤続年数]10.7年(男11.2年、女9.5年)

【年齢構成】■男 □女

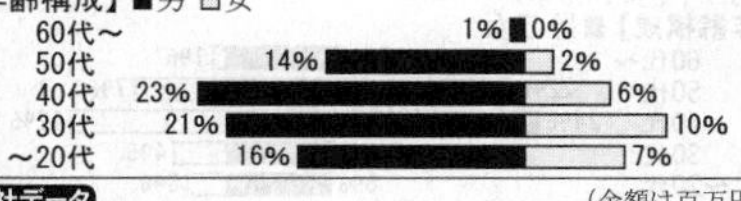

会社データ (金額は百万円)

【本社】222-8561 神奈川県横浜市港北区新横浜1-6-3 マクニカ第1ビル ☎045-470-9861 https://www.macnica.co.jp/

【業績(連結)】	売上高	営業利益	経常利益	純利益
22.3	761,823	36,707	35,487	25,798
23.3	1,029,263	61,646	56,832	41,030
24.3	1,028,718	63,733	61,966	48,069

※業績はマクニカホールディングス㈱のもの

791 開示 ★★★★ 短大 採用あり

加賀電子㈱ (かがでんし)

【特色】独立系の電子部品商社大手。EMSでも有力

記者評価 電子部品や半導体が中心の独立系専門商社。「在庫レス」など効率化経営を徹底。部品調達力を生かし、国内外でEMS(電子機器受託製造)も展開。富士通エレクトロニクス(現加賀FEI)やエクセル、パイオニアの製造子会社を買収するなどM&Aに積極的。

平均勤続年数	男性育休取得率	3年後離職率	平均年収(平均42歳)
14.5年	0→0%	23.8→20.0%	㊕1,035万円

●採用・配属情報●

【男女・文理別採用実績】

	大卒男	大卒女	修士男	修士女
23年	18(文 13理 5)	8(文 8理 0)	0(文 0理 0)	0(文 0理 0)
24年	18(文 15理 3)	13(文 12理 1)	0(文 0理 0)	0(文 0理 0)
25年	16(文 14理 2)	10(文 9理 1)	0(文 0理 0)	0(文 0理 0)

【男女・職種別採用実績】 転換制度:⇔

	総合職	一般職
23年	22(男 18 女 4)	5(男 0 女 5)
24年	23(男 18 女 5)	9(男 0 女 9)
25年	21(男 16 女 5)	5(男 0 女 5)

【24年4月入社者の配属勤務地】㊕東京(秋葉原6 八丁堀5) 愛知3 大阪2 石川1 新潟1 埼玉1 静岡1 ㊙東京(秋葉原1 八丁堀1)青森1

【転勤】あり:[職種]総合職[勤務地]海外含む全拠点

【中途比率】[単年度]21年度13%、22年度31%、23年度18%[全体]34%

●働きやすさ、諸制度●

残業(月) 13.3時間 ㊕17.3時間

【勤務時間】9:00〜17:30【有休取得年平均】12.8日【週休】完全2日(土日祝)【夏期休暇】リフレッシュ休暇6日を充当【年末年始休暇】連続9日

【離職率】男:3.7%、14名 女:1.6%、3名

【新卒3年後離職率】

[20→23年]23.8%(男35.7%・入社14名、女0%・入社7名)

[21→24年]20.0%(男25.0%・入社16名、女0%・入社4名)

【テレワーク】制度あり:[場所]自宅[対象]全社員[日数]週3日[利用率]NA【勤務制度】時間単位有休【住宅補助】借上社宅(世帯構成・居住地域により補助金を設定 例:東京地区独立生計者30,000円)

●ライフイベント、女性活躍●

【女性比率】■男 □女

新卒採用 38.5% (10名)

従業員 34.4% (189名)

管理職 6.3% (6名)

【産休】[期間]産前6・産後8週間[給与]法定[取得者数]11名

【育休】[期間]1歳になるまで[給与]法定[取得者数]22年度 男0名(対象11名)女10名(対象10名)23年度 男0名(対象22名)女8名(対象8名)[平均取得日数]22年度 NA、23年度 NA

【従業員】[人数]549名(男360名、女189名)[平均年齢]43.3歳(男45.3歳、女39.3歳)[平均勤続年数]14.5年(男14.6年、女14.3年)

【年齢構成】■男 □女

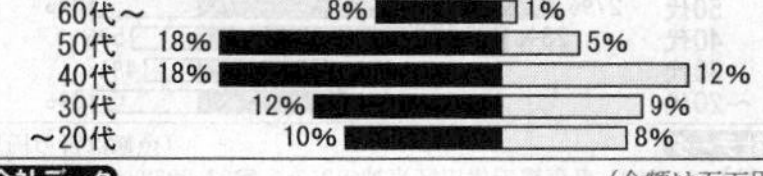

会社データ (金額は百万円)

【本社】101-8629 東京都千代田区神田松永町20 ☎03-5657-0111 https://www.taxan.co.jp/

【業績(連結)】	売上高	営業利益	経常利益	純利益
22.3	495,827	20,915	21,456	15,401
23.3	608,064	32,249	32,739	23,070
24.3	542,697	25,845	25,976	20,345

リョーサン菱洋ホールディングス(株)

（りょうよう）

【特色】半導体商社大手。24年に大手2社の合併で誕生

[記者評価] 24年、三菱電機系の菱洋エレクトロとNEC系のリョーサンが統合して持株会社化。半導体商社業界で大手の一角に。半導体ではルネサス製の車載・産業機器向けに強み。電子部品も多数。両社品の相互販売で相乗効果を追求。ソリューション事業にも注力。

平均勤続年数	男性育休取得率	3年後離職率	平均年収(平均44歳)
16.0年	33.3→71.4%	0→16.0%	786万円

●採用・配属情報●

【男女・文理別採用実績】

	大卒男	大卒女	修士男	修士女
23年	8(文 4理 4)	12(文 12理 0)	0(文 0理 0)	0(文 0理 0)
24年	10(文 9理 1)	12(文 12理 0)	0(文 0理 0)	0(文 0理 0)
25年	14(文 13理 1)	11(文 11理 0)	0(文 0理 0)	0(文 0理 0)

【男女・職種別採用実績】 転換制度:⇔

	総合職	一般職
23年	21(男 9 女 12)	0(男 0 女 0)
24年	20(男 11 女 9)	3(男 0 女 3)
25年	21(男 14 女 7)	5(男 0 女 5)

【職種併願】○

【24年4月入社者の配属勤務地】[総]東京・千代田12 名古屋1 兵庫(神戸2 姫路1)大阪2 福島・いわき1 [技]神奈川1

【転勤】あり:[職種]総合職

【中途比率】[単年度]21年度NA、22年度NA、23年度NA[全体]38%

●働きやすさ、諸制度●

残業(月) 15.7時間

【勤務時間】9:00〜17:30【有休取得年平均】17.0日【週休】完全2日(土日祝)【夏期休暇】7〜9月の間に有休で5日間取得【年末年始休暇】6日

【離職率】男:6.2%、29名 女:4.5%、7名

【新卒3年後離職率】
[20→23年]0%(男0%・入社9名、女0%・入社6名)
[21→24年]16.0%(男17.6%・入社17名、女12.5%・入社8名)

【テレワーク】制度あり:[場所]自宅[対象]NA[日数]週2日まで[利用率]NA【勤務制度】時差勤務 副業容認【住宅補助】借上寮・社宅(地方)

●ライフイベント、女性活躍●

【女性比率】■男 □女

新卒採用 46.2% (12名)

従業員 25.5% (150名)

管理職 2.2% (3名)

【産休】[期間]産前6・産後8週間[給与]法定[取得者数]10名

【育休】[期間]1歳になるまで[給与]法定[取得者数]22年度 男4名(対象12名)女4名(対象4名)23年度 男5名(対象7名)女5名(対象5名)[平均取得日数]22年度 NA、23年度 NA

【従業員】[人数]589名(男439名、女150名)[平均年齢]43.7歳(男44.7歳、女40.7歳)[平均勤続年数]16.0年(男17.1年、女13.0年)

【年齢構成】■男 □女

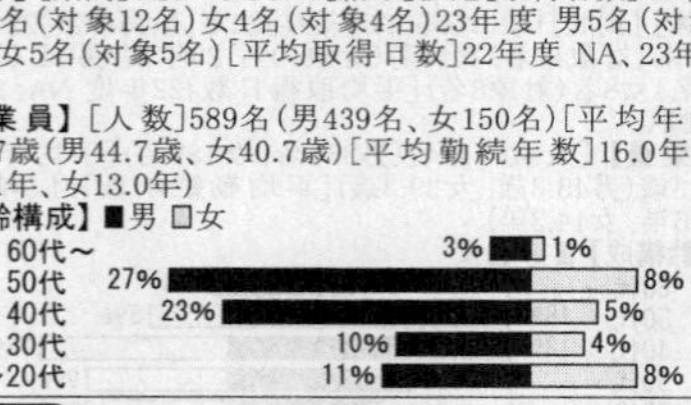

[会社データ] (金額は百万円)

【本社】101-0031 東京都千代田区東神田2-3-5 ☎03-3862-4335 https://www.ryosan.co.jp/

【業績(連結)】	売上高	営業利益	経常利益	純利益
22.3	272,647	8,857	8,085	5,359
23.3	325,657	15,423	13,361	9,224
24.3	277,003	9,099	6,767	4,766

※会社データ以外は(株)リョーサンのもの

東京エレクトロン デバイス(株)

（とうきょう） [くるみん]

【特色】東京エレクトロン系の半導体商社。産業用に強み

[記者評価] 半導体製造装置大手・東京エレクトロンの電子部品販売部門が源流。半導体の卸売とコンピュータ関連サービスの2本柱。半導体は産業機器、車載、クラウド、セキュリティなど成長分野に注力。画像処理システムなど自社開発製品を「インレビアム」ブランドで展開。

平均勤続年数	男性育休取得率	3年後離職率	平均年収(平均44歳)
14.6年	38.5→46.7%	14.3→0%	[総]1,105万円

●採用・配属情報●

【男女・文理別採用実績】

	大卒男	大卒女	修士男	修士女
23年	10(文 6理 4)	10(文 10理 0)	2(文 0理 2)	0(文 0理 0)
24年	10(文 5理 5)	5(文 4理 1)	4(文 0理 4)	2(文 0理 2)
25年	18(文 7理 11)	7(文 6理 1)	5(文 0理 5)	1(文 0理 1)

※25年:24年8月7日時点

【男女・職種別採用実績】 転換制度:⇔

	総合職	一般職
23年	16(男 12 女 4)	6(男 0 女 6)
24年	18(男 14 女 4)	3(男 0 女 3)
25年	27(男 24 女 3)	5(男 0 女 5)

【24年4月入社者の配属勤務地】[総]横浜5 東京・新宿3 [技]横浜5 東京・新宿5

【転勤】あり:全社員(総合職のみ)

【中途比率】[単年度]21年度56%、22年度54%、23年度52%[全体]50%

●働きやすさ、諸制度●

残業(月) 21.5時間 [総]23.7時間

【勤務時間】9:00〜17:30【有休取得年平均】13.3日【週休】完全2日(土日祝)【夏期休暇】有休で取得【年末年始休暇】12月29日〜1月3日

【離職率】男:1.3%、10名 女:0.4%、1名

【新卒3年後離職率】
[20→23年]14.3%(男7.7%・入社13名、女100%・入社1名)
[21→24年]0%(男0%・入社14名、女0%・入社4名)

【テレワーク】制度あり:[場所]出社指示があった場合、24時間以内に出社できる場所 他[対象]全社員[日数]制限なし[利用率]63.9%【勤務制度】フレックス 時間単位有休 副業容認【住宅補助】独身者用借上社宅(上限月65,000円)

●ライフイベント、女性活躍●

【女性比率】■男 □女

新卒採用 25% (8名)

従業員 27.1% (281名)

管理職 12.1% (25名)

【産休】[期間]産前6・産後8週間[給与]法定[取得者数]5名

【育休】[期間]1歳6カ月を迎える日以後、最初に到来する4月末日まで(3歳まで延長可)[給与]法定[取得者数]22年度 男5名(対象13名)女8名(対象8名)23年度 男7名(対象15名)女8名(対象8名)[平均取得日数]22年度 男18日 女413日、23年度 男53日 女479日

【従業員】[人数]1,038名(男757名、女281名)[平均年齢]45.7歳(男46.4歳、女43.8歳)[平均勤続年数]14.6年(男14.1年、女15.9年)

【年齢構成】■男 □女

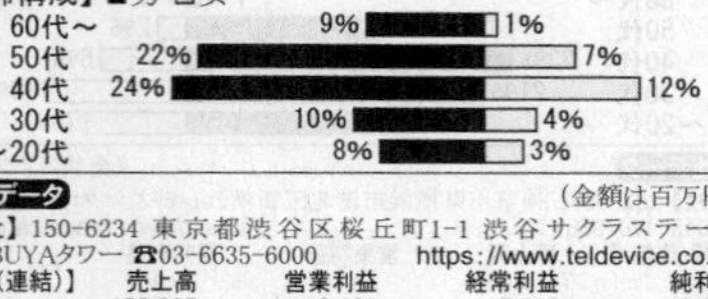

[会社データ] (金額は百万円)

【本社】150-6234 東京都渋谷区桜丘町1-1 渋谷サクラステージ SHIBUYAタワー ☎03-6635-6000 https://www.teldevice.co.jp/

【業績(連結)】	売上高	営業利益	経常利益	純利益
22.3	179,907	8,131	7,318	5,085
23.3	240,350	14,227	12,478	8,778
24.3	242,888	15,428	13,922	9,986

671 開示 ★★★★

まるぶん
丸文(株)

【特色】独立系半導体商社で国内最大級。外国製が主体

記者評価 1844年に呉服問屋として創業、業態転換を経て半導体商社に。独立系半導体商社では国内首位級。米ブロードコムなどが主要仕入れ先。医用・計測機器なども取り扱う。米アローエレクトロニクスと合弁で海外展開。通信・AI・ロボティクス軸にソリューション提案も。

平均勤続年数	男性育休取得率	3年後離職率	平均年収(平均44歳)
16.5年	27.3→42.9%	25.0→0%	総852万円

●採用・配属情報●

【男女・文理別採用実績】※25年:25名採用予定

	大卒男	大卒女	修士男	修士女
23年	10(文 8理 2)	9(文 8理 1)	1(文 0理 1)	0(文 0理 0)
24年	17(文 15理 2)	8(文 8理 0)	1(文 0理 1)	0(文 0理 0)
25年	−(文 −理 −)	−(文 −理 −)	−(文 −理 −)	−(文 −理 −)

【男女・職種別採用実績】 転換制度:⇔

	総合職	一般職
23年	11(男 11 女 0)	9(男 0 女 9)
24年	20(男 19 女 1)	7(男 0 女 7)
25年	21(男 − 女 −)	4(男 − 女 −)

【24年4月入社者の配属勤務地】総東京・日本橋17 技東京(日本橋2 東陽町1)

【転勤】あり:[職種]基幹職(総合職)

【中途比率】[単年度]21年度92%、22年度56%、23年度57%[全体]34%

●働きやすさ、諸制度●

残業(月) 16.5時間 総18.2時間

【勤務時間】9:00〜17:30【有休取得年平均】14.1日【週休】完全2日(土日祝)【夏期休暇】連続4日【年末年始休暇】連続6日

【離職率】男:3.2%、14名 女:2.5%、5名

【新卒3年後離職率】

[20→23年]25.0%(男25.0%・入社4名、女−・入社0名)

[21→24年]0%(男0%・入社1名、女−・入社0名)

【テレワーク】制度あり:[場所]自宅 自宅に準ずる場所[対象]国内事業所勤務者(新卒1年目以外)[日数]月8回 他[利用率]33.2%【勤務制度】時間単位有休 週休3日 時差勤務【住宅補助】<基幹職(総合職)>独身寮 社宅<一般職>独身住居補助手当

●ライフイベント、女性活躍●

【女性比率】■男 □女

従業員 32%(197名)

管理職 6.4%(9名)

【産休】[期間]産前6・産後8週間[給与]法定[取得者数]4名

【育休】[期間]原則2歳になるまで 保育所に入所できなかった場合、最大2歳年度末まで[給与]開始5日間有給、以降給付金[取得者数]22年度 男3名(対象11名)女10名(対象10名)23年度 男3名(対象7名)女3名(対象3名)[平均取得日数]22年度 男17日 女485日、23年度 男21日 女489日

【従業員】[人数]615名(男418名、女197名)[平均年齢]44.3歳(男46.3歳、女40.1歳)[平均勤続年数]16.5年(男17.1年、女15.1年)

【年齢構成】■男 □女

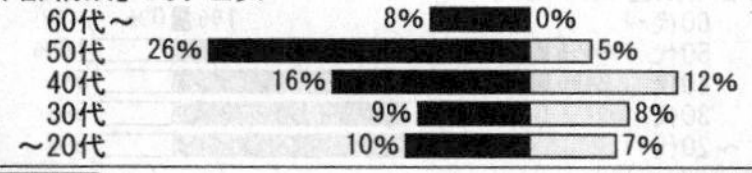

会社データ (金額は百万円)

【本社】103-8577 東京都中央区日本橋大伝馬町8-1 ☎0120-100-639 https://www.marubun.co.jp/

【業績(連結)】	売上高	営業利益	経常利益	純利益
22.3	167,794	5,994	4,106	2,437
23.3	226,171	10,997	7,909	5,201
24.3	236,490	12,984	5,627	3,401

1684 開示 ★★★★★

はくとう
伯東(株)

【特色】半導体や機器の専門商社。開発営業に特色

記者評価 家電、スマホ、自動車向け電子デバイスやコンポーネントのほか半導体・プリント基板製造装置なども扱う専門商社。他方で石油・石油化学や水処理向けなどの工業薬品メーカーとしての顔も。化粧品ブランド「TAEKO」も。海外売上約4割。医療やIoT分野に戦略投資。

平均勤続年数	男性育休取得率	3年後離職率	平均年収(平均44歳)
14.0年	27.3→57.1%	8.7→18.2%	総1,070万円

●採用・配属情報●

【男女・文理別採用実績】

	大卒男	大卒女	修士男	修士女
23年	5(文 1理 4)	2(文 1理 1)	2(文 0理 2)	1(文 0理 1)
24年	12(文 9理 3)	1(文 1理 0)	2(文 0理 2)	0(文 0理 0)
25年	10(文 7理 3)	5(文 3理 2)	1(文 0理 1)	1(文 0理 1)

【男女・職種別採用実績】 転換制度:⇔

	総合職
23年	10(男 7 女 3)
24年	15(男 14 女 1)
25年	17(男 11 女 6)

【24年4月入社者の配属勤務地】総東京・新宿8 大阪市3 名古屋1 技東京・新宿1 神奈川・伊勢原2

【転勤】あり:[職種]事務型職種以外[勤務地]北海道 宮城 千葉 東京 埼玉 神奈川 静岡 愛知 三重 大阪 岡山 山口 愛媛 福岡 熊本 大分

【中途比率】[単年度]21年度58%、22年度71%、23年度68%[全体]65%

●働きやすさ、諸制度●

残業(月) 7.4時間 総7.4時間

【勤務時間】9:00〜17:30(時差出勤制度あり)【有休取得年平均】14.6日【週休】完全2日(土日祝)【夏期休暇】5日(有休で取得)【年末年始休暇】12月29日〜1月4日

【離職率】男:4.6%、25名 女:1.9%、3名

【新卒3年後離職率】

[20→23年]8.7%(男12.5%・入社16名、女0%・入社7名)

[21→24年]18.2%(男12.5%・入社8名、女33.3%・入社3名)

【テレワーク】制度あり:[場所]自宅 サテライトオフィス[対象]全社員※試用期間除く[日数]週3日まで[利用率]21.5%【勤務制度】裁量労働 時差勤務【住宅補助】借上社宅(自己負担15,000円)住宅手当(本社15,000〜30,000円、本社以外7,500〜30,000円)

●ライフイベント、女性活躍●

【女性比率】■男 □女

新卒採用 35.3%(6名)

従業員 23.4%(159名)

管理職 7.9%(18名)

【産休】[期間]産前6・産後8週間[給与]給与全額給付[取得者数]5名

【育休】[期間]1歳になるまで[給与]法定[取得者数]22年度 男3名(対象11名)女7名(対象7名)23年度 男8名(対象14名)女5名(対象5名)[平均取得日数]22年度 男10日 女358日、23年度 男93日 女418日

【従業員】[人数]680名(男521名、女159名)[平均年齢]44.3歳(男45.3歳、女41.1歳)[平均勤続年数]14.0年(男14.4年、女12.7年)【年齢構成】■男 □女

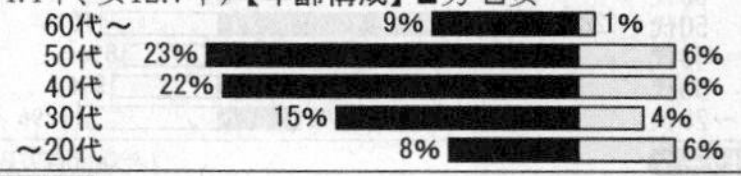

会社データ (金額は百万円)

【本社】160-8910 東京都新宿区新宿1-1-13 ☎03-3225-8910 https://www.hakuto.co.jp/

【業績(連結)】	売上高	営業利益	経常利益	純利益
22.3	191,495	7,304	7,411	4,970
23.3	233,624	12,711	12,048	8,929
24.3	182,046	7,636	6,912	5,175

しんこうしょうじ

新光商事(株)

【特色】NEC特約店から出発。ルネサスとは契約解消

記者評価 半導体商社中堅。車載・産機向けなどルネサス製半導体が主力の商材だったが、24年に代理店契約解消で売上高は急落。構造改革進めて立て直しを図る。海外半導体メーカー製品や、AI搭載した自社システム扱うソリューションビジネスの開拓を推進。

平均勤続年数	男性育休取得率	3年後離職率	平均年収(平均45歳)
15.3年	80.0→33.3%	16.7→25.0%	㊔918万円

●採用・配属情報●

【男女・文理別採用実績】

	大卒男	大卒女	修士男	修士女
23年	4(文 3理 1)	11(文 11理 0)	0(文 0理 0)	0(文 0理 0)
24年	7(文 5理 2)	2(文 2理 0)	0(文 0理 0)	0(文 0理 0)
25年	0(文 0理 0)	1(文 1理 0)	0(文 0理 0)	0(文 0理 0)

【男女・職種別採用実績】 転換制度:⇒

	総合職	一般職
23年	5(男 4女 1)	10(男 0女 10)
24年	7(男 7女 0)	2(男 0女 2)
25年	1(男 0女 1)	0(男 0女 0)

【24年4月入社者の配属勤務地】㊔東京・大崎1 栃木・宇都宮1 山梨・甲府1 浜松1 大阪市1 ㊕東京・大崎2

【転勤】あり:[職種]総合職[勤務地]国内拠点・国内外関係会社

【中途比率】[単年度]21年度44%、22年度69%、23年度44%[全体]NA

●働きやすさ、諸制度●

残業(月) 19.8時間 ㊔25.8時間

【勤務時間】9:00〜17:20【有休取得年平均】14.9日【週休】完全2日(土日祝)【夏期休暇】連続2〜3日【年末年始休暇】連続7日

【離職率】男:9.4%、23名 女:7.4%、11名(他に男7名転籍)

【新卒3年後離職率】
[20→23年]16.7%(男25.0%・入社8名、女0%・入社4名)
[21→24年]25.0%(男50.0%・入社2名、女16.7%・入社6名)

【テレワーク】制度あり:[場所]自宅[対象]全社員[日数]月5回まで[利用率]NA【勤務制度】時差勤務【住宅補助】借上社宅(全国約100名利用 都内近隣は条件付きのみ)若手支援制度(家賃補助)

●ライフイベント、女性活躍●

【女性比率】■男 □女

新卒採用 100% (1名)　従業員 38.2% (137名)　管理職 2.7% (2名)

【産休】[期間]産前6・産後8週間[給与]法定[取得者数]7名

【育休】[期間]1歳になるまで[給与]法定[取得者数]22年度 男4名(対象5名)女5名(対象9名)23年度 男1名(対象3名)女5名(対象4名)[平均取得日数]22年度 NA、23年度 NA

【従業員】[人数]359名(男222名、女137名)[平均年齢]43.1歳(男45.9歳、女38.7歳)[平均勤続年数]15.3年(男16.9年、女12.6年)

【年齢構成】■男 □女

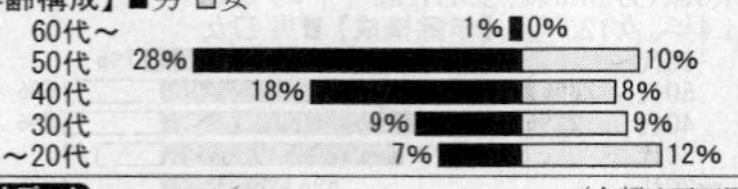

会社データ (金額は百万円)

【本社】141-8540 東京都品川区大崎1-2-2 アートヴィレッジ大崎Cタワー ☎03-6361-8067 https://www.shinko-sj.co.jp/

【業績(連結)】	売上高	営業利益	経常利益	純利益
22.3	135,205	4,163	4,103	2,821
23.3	179,076	7,128	6,841	4,706
24.3	175,847	4,878	4,768	3,194

さんしんでんき

三信電気(株)

【特色】半導体商社大手。ゲームやスマホ向け中心

記者評価 半導体商社大手。任天堂、ソニーなどゲーム機向けに強いほか、モバイル機器向けの電子部品などを扱う。ルネサスと特約店契約を解消、車載や産業用ロボットなど新規事業に注力。企業や自治体向けにITインフラの構築・保守を手がけるソリューション事業に強み。

平均勤続年数	男性育休取得率	3年後離職率	平均年収(平均42歳)
16.6年	25.0→0%	20.0→22.2%	㊔748万円

●採用・配属情報●

【男女・文理別採用実績】

	大卒男	大卒女	修士男	修士女
23年	9(文 7理 2)	4(文 2理 2)	1(文 0理 1)	0(文 0理 0)
24年	7(文 5理 2)	3(文 3理 0)	1(文 0理 1)	0(文 0理 0)
25年	-(文 -理 -)	-(文 -理 -)	-(文 -理 -)	-(文 -理 -)

※25年:20名採用予定

【男女・職種別採用実績】 転換制度:⇔

	総合職
23年	14(男 10女 4)
24年	11(男 8女 3)
25年	20(男 -女 -)

【職種併願】○

【24年4月入社者の配属勤務地】㊔東京7 大阪1 ㊕東京3

【転勤】あり:[職種]総合職

【中途比率】[単年度]21年度46%、22年度52%、23年度68%[全体]35%

●働きやすさ、諸制度●

残業(月) 14.4時間 ㊔18.1時間

【勤務時間】8:50〜17:10【有休取得年平均】12.7日【週休】完全2日(土日祝)【夏期休暇】連続2日【年末年始休暇】12月28日〜1月4日

【離職率】男:4.2%、15名 女:5.3%、5名(他に男1名転籍)

【新卒3年後離職率】
[20→23年]20.0%(男20.0%・入社10名、女−・入社0名)
[21→24年]22.2%(男20.0%・入社15名、女33.3%・入社3名)

【テレワーク】制度あり:[場所]サテライトオフィス 他[対象]営業職 技術職[日数]制限なし[利用率]NA【勤務制度】フレックス【住宅補助】独身寮(通勤2時間以上の場合、入社5年間の住宅一部補助)

●ライフイベント、女性活躍●

【女性比率】■男 □女

従業員 20.7% (89名)

管理職 1.6% (2名)

【産休】[期間]産前6・産後8週間[給与]法定[取得者数]4名

【育休】[期間]1歳になるまで[給与]法定[取得者数]22年度 男2名(対象8名)女5名(対象5名)23年度 男0名(対象7名)女4名(対象4名)[平均取得日数]22年度 男53日 女437日、23年度 男− 女362日

【従業員】[人数]430名(男341名、女89名)[平均年齢]42.1歳(男42.4歳、女41.0歳)[平均勤続年数]16.6年(男16.8年、女15.6年)

【年齢構成】■男 □女

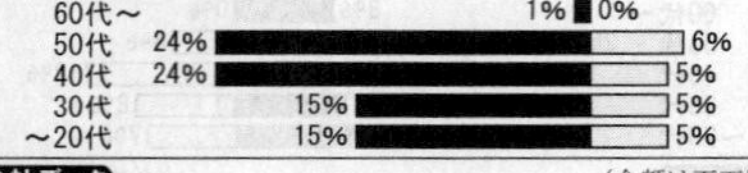

会社データ (金額は百万円)

【本社】108-8404 東京都港区芝4-4-12 ☎03-3453-5111 https://www.sanshin.co.jp/

【業績(連結)】	売上高	営業利益	経常利益	純利益
22.3	123,583	4,209	3,560	2,524
23.3	161,107	6,847	5,511	3,832
24.3	140,197	5,748	3,908	2,740

749 開示 ★★★★

長瀬産業(株)
ながせさんぎょう

[くるみん]

【特色】化学品専門商社で最大手。メーカー機能も

[記者評価] 京都の染料商が発祥の老舗化学商社。化成品、自動車向け合成樹脂、電子材料、医薬中間体など幅広い。傘下にバイオ企業のナガセヴィータ。19年に米国の食品素材卸・加工会社を買収し、メーカー機能充実。先端技術開発にも熱心。海外比率7割。24年10月から大卒総合職初任給を311,500円に増額。

平均勤続年数	男性育休取得率	3年後離職率	平均年収(平均41歳)
15.8年	59.5 → 50.0%	11.1 → 15.4%	[総]1,296万円

●採用・配属情報●

【男女・文理別採用実績】

	大卒男	大卒女	修士男	修士女
23年	14(文 11 理 3)	18(文 16 理 2)	13(文 1 理 12)	2(文 0 理 2)
24年	7(文 5 理 2)	22(文 20 理 2)	8(文 0 理 8)	3(文 2 理 1)
25年	8(文 8 理 0)	16(文 15 理 1)	6(文 0 理 6)	4(文 0 理 4)

【男女・職種別採用実績】　転換制度:⇔

	総合職	研究職	事務職
23年	35(男 28 女 7)	0(男 0 女 0)	13(男 0 女 13)
24年	26(男 15 女 11)	0(男 0 女 0)	14(男 0 女 14)
25年	25(男 14 女 11)	0(男 0 女 0)	9(男 0 女 9)

【職種併願】総合職と事務職で可能
【24年4月入社者の配属勤務地】[総]東京21 大阪5
【転勤】あり:[職種]総合職
【中途比率】[単年度]21年度54%、22年度35%、23年度34%[全体]21%

●働きやすさ、諸制度●

残業(月) 17.8時間 [総]22.0時間

【勤務時間】9:00〜17:15【有休取得年平均】14.6日【週休】完全2日(土日祝)【夏期休暇】有休で取得【年末年始休暇】12月30日〜1月3日
【離職率】男:4.1%、23名 女:3.5%、12名
【新卒3年後離職率】
[20→23年]11.1%(男16.0%・入社25名、女6.9%・入社29名)
[21→24年]15.4%(男21.4%・入社14名、女8.3%・入社12名)
【テレワーク】制度あり:[場所]自宅[対象]全社員[日数]週3日まで[利用率]45.9%【勤務制度】フレックス 時間単位有休 時差勤務 副業容認【住宅補助】〈総合職〉独身寮 借上社宅〈事務職〉住宅手当

●ライフイベント、女性活躍●

【女性比率】■男 □女

新卒採用 58.8% (20名)

従業員 38.1% (333名)

管理職 5% (28名)

【産休】[期間]産前6・産後8週間[給与]会社全額給付[取得者数]15名
【育休】[期間]2歳になるまで[給与]法定[取得者数]22年度 男22名(対象37名)女14名(対象14名)23年度 男14名(対象28名)女15名(対象15名)[平均取得日数]22年度 男25日 女421日、23年度 男52日 女413日
【従業員】[人数]874名(男541名、女333名)[平均年齢]40.2歳(男42.0歳、女37.1歳)[平均勤続年数]15.8年(男16.7年、女13.9年)
【年齢構成】■男 □女

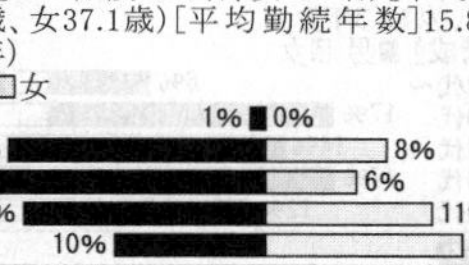
60代〜 1% 0%
50代 17% 8%
40代 18% 6%
30代 16% 11%
〜20代 10% 13%

会社データ (金額は百万円)

【本社】100-8142 東京都千代田区大手町2-6-4 常盤橋タワー ☎03-3665-3082 https://www.nagase.co.jp/

【業績(連結)】	売上高	営業利益	経常利益	純利益
22.3	780,557	35,263	36,497	25,939
23.3	912,896	33,371	32,528	23,625
24.3	900,149	30,618	30,591	22,402

2006 開示 ★★★

稲畑産業(株)
いなばたさんぎょう

[くるみん]

【特色】化学品専門商社で国内2位。住友化学系列色

[記者評価] 1890年創業の京都の染料店を発祥とする化学品専門商社。住友化学系だが稲畑オーナー色も。液晶用部材、トナー原料などの情報電子と、自動車、電機向けの合成樹脂が2本柱。中・台や東南アジア、欧米などに販売網。24年2月住化が保有株一部売却、出資約10%に。

平均勤続年数	男性育休取得率	3年後離職率	平均年収(平均42歳)
14.4年	21.1 → 57.1%	3.7 → 0%	[総]1,077万円

●採用・配属情報●

【男女・文理別採用実績】

	大卒男	大卒女	修士男	修士女
23年	8(文 6 理 2)	18(文 18 理 0)	3(文 0 理 3)	1(文 0 理 1)
24年	11(文 9 理 2)	20(文 18 理 2)	1(文 0 理 1)	2(文 1 理 1)
25年	8(文 6 理 2)	13(文 12 理 1)	1(文 0 理 1)	3(文 2 理 1)

【男女・職種別採用実績】　転換制度:⇔

	スタッフ職(総合職)	アシスタント職(一般職)
23年	15(男 10 女 5)	15(男 1 女 14)
24年	15(男 11 女 4)	19(男 1 女 18)
25年	16(男 9 女 7)	9(男 0 女 9)

【24年4月入社者の配属勤務地】[総]東京13 大阪2
【転勤】あり:[職種]スタッフ職[部署]全部署[勤務地]東京 大阪 名古屋 塩尻 静岡 浜松 九州 海外
【中途比率】[単年度]21年度49%、22年度54%、23年度49%[全体]34%

●働きやすさ、諸制度●

残業(月) 14.1時間 [総]18.1時間

【勤務時間】9:00〜17:10【有休取得年平均】12.3日【週休】完全2日(土日祝)【夏期休暇】1日(8月15日)【年末年始休暇】12月30日〜1月4日
【離職率】男:2.8%、14名 女:2.6%、7名
【新卒3年後離職率】
[20→23年]3.7%(男9.1%・入社11名、女0%・入社16名)
[21→24年]0%(男0%・入社13名、女0%・入社11名)
【テレワーク】制度あり:[場所]自宅 他[対象]社員 嘱託[日数]月の稼働日数の40%目安[利用率]20.2%【勤務制度】時間単位有休 時差勤務【住宅補助】独身寮・社宅(スタッフ職のみ)住宅手当

●ライフイベント、女性活躍●

【女性比率】■男 □女

新卒採用 64% (16名)

従業員 35.7% (267名)

管理職 4.5% (9名)

【産休】[期間]産前6・産後8週間[給与]有給[取得者数]10名
【育休】[期間]3歳になるまで[給与]最初5日間有給、以降法定[取得者数]22年度 男4名(対象19名)女5名(対象5名)23年度 男8名(対象14名)女8名(対象10名)[平均取得日数]22年度 男3日 女562日、23年度 男18日 女527日
【従業員】[人数]748名(男481名、女267名)[平均年齢]42.3歳(男44.7歳、女38.0歳)[平均勤続年数]14.4年(男16.2年、女11.2年)
【年齢構成】■男 □女

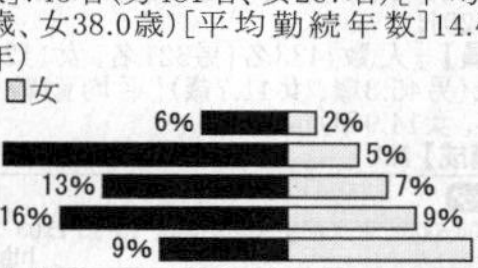
60代〜 6% 2%
50代 20% 5%
40代 13% 7%
30代 16% 9%
〜20代 9% 13%

会社データ (金額は百万円)

【本社】103-8448 東京都中央区日本橋室町2-3-1 室町古河三井ビルディング(COREDO室町2) ☎03-3639-6415 https://www.inabata.co.jp/

【業績(連結)】	売上高	営業利益	経常利益	純利益
22.3	680,962	20,052	21,648	22,351
23.3	735,620	20,314	19,110	19,478
24.3	766,022	21,190	21,393	20,000

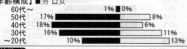

1248 開示 ★★★

シービーシー
ＣＢＣ㈱

【特色】化学品卸から光学情報機器等の製造に展開

記者評価 商社とメーカー機能を併せ持つ「創造商社」を標榜。無機化学品の輸入で創業後、医・農薬原料、自動車部品関連、電子材料等の製造業へ展開。光学電子機器に定評。海外は北米、欧州、アジア、中国に30超の拠点網。24年に台湾のバイオ企業に出資。

平均勤続年数	男性育休取得率	3年後離職率	平均年収(平均43歳)
17.0年	33.3→25.0%	0→0%	㊗1,124万円

●採用・配属情報●

【男女・文理別採用実績】

	大卒男	大卒女	修士男	修士女
23年	5(文 5理 0)	4(文 3理 1)	1(文 0理 1)	0(文 0理 0)
24年	5(文 4理 1)	1(文 0理 1)	2(文 0理 2)	2(文 1理 1)
25年	1(文 0理 1)	6(文 6理 0)	3(文 1理 2)	0(文 0理 0)

【男女・職種別採用実績】 転換制度:⇔

	総合職	一般職
23年	10(男 6女 4)	0(男 0女 0)
24年	10(男 7女 3)	0(男 0女 0)
25年	5(男 4女 1)	5(男 0女 5)

【24年4月入社者の配属勤務地】㊗東京6 神奈川1 大阪3
【転勤】あり:全社員
【中途比率】[単年度]21年度60%、22年度47%、23年度47%[全体]NA

●働きやすさ、諸制度●

残業(月) 本文参照

【残業(月)】(海外駐在員を除く)8.4時間 ㊗(海外駐在員を除く)9.4時間
【勤務時間】9:00～17:25【有休取得年平均】(海外駐在員を除く)12.3日【週休】完全2日(土日祝)【夏期休暇】有休で取得【年末年始休暇】12月29日～1月3日
【離職率】男:2.4%、8名 女:1.8%、2名
【新卒3年後離職率】
[20→23年]0%(男0%・入社4名、女0%・入社3名)
[21→24年]0%(男0%・入社3名、女0%・入社1名)
【テレワーク】制度あり:[場所]原則自宅[対象]全社員[日数]原則週1日(週2日を上限)[利用率]NA【勤務制度】時差勤務【住宅補助】独身寮(千葉・浦安 東京・初台 大阪・東三国 自己負担9,000～15,000円)住宅手当(扶養あり月15,000円、扶養なし月5,000円)

●ライフイベント、女性活躍●

【女性比率】■男 □女

新卒採用 60% (6名)

従業員 25.9% (112名)
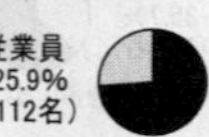

【産休】[期間]産前6・産後8週間[給与]法定[取得者数]1名
【育休】[期間]1歳になるまで[給与]法定[取得者数]22年度 男2名(対象6名)女1名(対象1名)23年度 男2名(対象8名)女1名(対象1名)[平均取得日数]22年度 NA、23年度 男61日 女420日
【従業員】[人数]433名(男321名、女112名)[平均年齢]44.4歳(男45.3歳、女41.7歳)[平均勤続年数]17.0年(男17.6年、女14.9年)
【年齢構成】NA

会社データ (金額は百万円)

【本社】104-0052 東京都中央区月島2-15-13 ☎03-3536-4500
https://www.cbc.co.jp/

【業績(連結)】	売上高	営業利益	経常利益	純利益
22.3	200,337	13,115	15,194	9,325
23.3	219,417	12,176	14,269	8,717
24.3	225,287	13,643	15,310	11,759

2454 開示 ★★★★ 短大 採用あり

オー・ジー㈱

【特色】化学品商社の老舗。企画開発やメーカー機能を持つ

記者評価 染料商が立ち上げた大阪合同が母体の化学品商社。基礎化学、機能化学、合成樹脂を基盤として、医薬品、化粧品、電子材料、住宅建材など取扱品目は幅広い。環境配慮商品、高機能コンパウンドに注力。国内のほかインド、アセアン、アジア、北米に販売子会社を持つ。

平均勤続年数	男性育休取得率	3年後離職率	平均年収(平均42歳)
15.1年	40.0→42.9%	7.1→12.5%	㊗921万円

●採用・配属情報●

【男女・文理別採用実績】

	大卒男	大卒女	修士男	修士女
23年	7(文 5理 2)	5(文 5理 0)	0(文 0理 0)	1(文 0理 1)
24年	10(文 9理 1)	4(文 3理 1)	0(文 0理 0)	1(文 0理 1)
25年	9(文 7理 2)	2(文 2理 0)	1(文 0理 1)	1(文 0理 1)

【男女・職種別採用実績】 転換制度:⇔

	総合職	地域限定総合職	一般職
23年	10(男 7女 3)	0(男 0女 0)	3(男 0女 3)
24年	15(男 10女 5)	0(男 0女 0)	1(男 0女 1)
25年	13(男 10女 3)	0(男 0女 0)	0(男 0女 0)

【24年4月入社者の配属勤務地】㊗大阪市9 東京・中央6
【転勤】あり:[職種]総合職[勤務地]海外含め全国各地
【中途比率】[単年度]21年度36%、22年度50%、23年度35%[全体]27%

●働きやすさ、諸制度●

残業(月) 7.6時間 ㊗9.2時間

【勤務時間】9:00～17:15【有休取得年平均】13.6日【週休】完全2日(土日祝)【夏期休暇】一斉休業日1日(別途有休奨励日2日)+3日(7～9月で取得)【年末年始休暇】12月30日～1月4日
【離職率】男:4.8%、15名 女:1.9%、3名
【新卒3年後離職率】
[20→23年]7.1%(男10.0%・入社10名、女0%・入社4名)
[21→24年]12.5%(男12.5%・入社8名、女12.5%・入社8名)
【テレワーク】制度なし【勤務制度】フレックス 時間単位有休 時差勤務【住宅補助】独身寮(自己負担3,500円 6年目まで入居可)住宅手当(条件によって金額異なる)

●ライフイベント、女性活躍●

【女性比率】■男 □女

新卒採用 23.1% (3名)

従業員 34.3% (154名)

管理職 4.7% (4名)

【産休】[期間]産前6・産後10週間[給与]会社全額給付[取得者数]2名
【育休】[期間]1歳になるまで[給与]法定[取得者数]22年度 男4名(対象10名)女4名(対象4名)23年度 男3名(対象7名)女4名(対象4名)[平均取得日数]22年度 男37日 女341日、23年度 男25日 女345日
【従業員】[人数]449名(男295名、女154名)[平均年齢]41.9歳(男43.3歳、女39.4歳)[平均勤続年数]15.1年(男16.6年、女12.3年)
【年齢構成】■男 □女

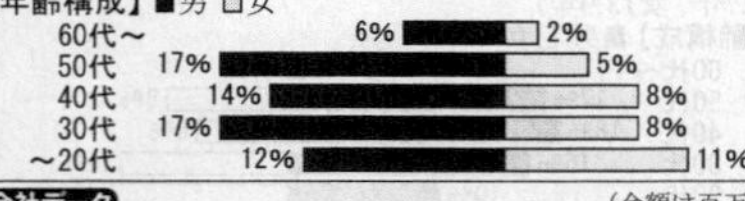

会社データ (金額は百万円)

【本社】532-8555 大阪府大阪市淀川区宮原4-1-43 ☎06-6395-5000
https://www.ogcorp.co.jp/

【業績(連結)】	売上高	営業利益	経常利益	純利益
22.3	206,575	4,035	4,521	3,255
23.3	237,564	3,846	4,206	2,799
24.3	224,539	3,782	3,562	2,497

2647 開示 ★★★★

めいわさんぎょう

明和産業(株)

【特色】三菱系の化学品専門商社。中国ビジネスに強い

記者評価 1947年GHQによる三菱商事の解散命令を受け発足。化学品、合成樹脂、機能材料が主力。62年中国から「友好商社」に指定され、中国ビジネスに強い。中国では潤滑油、冷凍機油増販のほか、EV化に向けリチウム電池材料の増販続く。インドでも冷凍機油の市場深耕。

平均勤続年数	男性育休取得率	3年後離職率	平均年収(平均44歳)
17.0年	75.0 → 100%	25.0 → 33.3%	㊕874万円

●採用・配属情報●

【男女・文理別採用実績】

	大卒男	大卒女	修士男	修士女
23年	4(文 3理 1)	5(文 5理 0)	0(文 0理 0)	0(文 0理 0)
24年	3(文 3理 0)	5(文 5理 0)	0(文 0理 0)	0(文 0理 0)
25年	4(文 4理 0)	2(文 2理 0)	0(文 0理 0)	0(文 0理 0)

【男女・職種別採用実績】 転換制度:⇒

	総合職	一般職
23年	5(男 4女 1)	4(男 0女 4)
24年	4(男 3女 1)	4(男 0女 4)
25年	5(男 4女 1)	1(男 0女 1)

【職種併願】○

【24年4月入社者の配属勤務地】㊕東京・丸の内4

【転勤】あり:[職種]総合職

【中途比率】[単年度]21年度57%、22年度25%、23年度10%[全体]23%

●働きやすさ、諸制度●

残業(月) 10.4時間 ㊕13.4時間

【勤務時間】9:15〜17:30【有休取得年平均】11.3日【週休】完全2日(土日祝)【夏期休暇】4日【年末年始休暇】12月29日〜1月3日

【離職率】男:2.0%、3名 女:5.6%、4名

【新卒3年後離職率】

[20→23年]25.0%(男16.7%・入社6名、女50.0%・入社2名)

[21→24年]33.3%(男0%・入社2名、女100%・入社1名)

【テレワーク】制度あり:[場所]自宅[対象]全職員[日数]月5日まで[利用率]NA【勤務制度】時差勤務 副業容認【住宅補助】借上社宅 自立支援手当

●ライフイベント、女性活躍●

【女性比率】■男 □女

新卒採用 33.3%(2名) 従業員 31.3%(67名) 管理職 2.5%(2名)

【産休】[期間]産前8・産後8週間[給与]会社全額給付[取得者数]3名

【育休】[期間]1歳になるまで[給与]法定[取得者数]22年度 男3名(対象4名)女2名(対象2名)23年度 男6名(対象6名)女3名(対象3名)[平均取得日数]22年度 男20日 女291日、23年度 男24日 女307日

【従業員】[人数]214名(男147名、女67名)[平均年齢]43.0歳(男43.6歳、女41.8歳)[平均勤続年数]17.0年(男17.5年、女15.9年)

【年齢構成】■男 □女

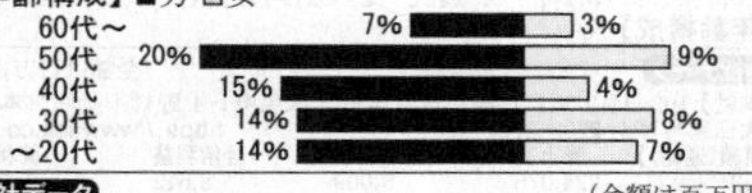

会社データ (金額は百万円)

【本社】100-8311 東京都千代田区丸の内3-3-1 新東京ビル ☎03-3240-9011 https://www.meiwa.co.jp/

【業績(連結)】	売上高	営業利益	経常利益	純利益
22.3	143,025	3,402	3,410	2,407
23.3	156,662	3,655	3,169	1,720
24.3	158,279	2,970	4,032	2,754

1151 開示 ★★★

ジェイケー

JKホールディングス(株)

【特色】合板、建材の専門商社で国内最大手。M&A活発

記者評価 建材専門商社で国内最大手のジャパン建材が中核事業会社。M&Aに積極的で、傘下に総合建材卸、合板製造・木材加工、総合建材小売など約60社を擁する。海外は東南アジア・中国・北米などに現地駐在員を派遣。住宅から非住宅への軸足シフトを推進。

平均勤続年数	男性育休取得率	3年後離職率	平均年収(平均41歳)
13.3年	12.5 → 15.9%	22.4 → 33.3%	㊕681万円

●採用・配属情報●

【男女・文理別採用実績】※25年:24年7月31日時点

	大卒男	大卒女	修士男	修士女
23年	33(文 33理 0)	13(文 13理 0)	0(文 0理 0)	1(文 1理 0)
24年	14(文 13理 1)	18(文 18理 0)	0(文 0理 0)	0(文 0理 0)
25年	48(文 39理 9)	16(文 14理 2)	0(文 0理 0)	0(文 0理 0)

【男女・職種別採用実績】 転換制度:⇔

	総合職	総合職(地域限定)	一般職
23年	40(男 31女 9)	4(男 2女 2)	3(男 0女 3)
24年	23(男 13女 10)	1(男 1女 0)	8(男 0女 8)
25年	62(男 47女 15)	1(男 1女 0)	1(男 0女 1)

【24年4月入社者の配属勤務地】㊕東京4 埼玉3 大阪3 兵庫2 福岡1 北海道1 岩手1 茨城1 神奈川1 栃木1 静岡1 愛知1 岐阜1 広島1 愛媛1 佐賀1 他

【転勤】あり:[職種]総合職 一般職

【中途比率】[単年度]21年度20%、22年度25%、23年度42%[全体]NA

●働きやすさ、諸制度●

残業(月) 14.0時間 ㊕14.0時間

【勤務時間】8:30〜17:20【有休取得年平均】9.6日【週休】完全2日(土日祝)【夏期休暇】連続3日(有休奨励日1日含む、8月10〜18日)【年末年始休暇】連続5日(12月28日〜1月5日)

【離職率】男:3.9%、36名 女:3.5%、10名

【新卒3年後離職率】

[20→23年]22.4%(男31.7%・入社41名、女0%・入社17名)

[21→24年]33.3%(男37.9%・入社29名、女20.0%・入社10名)

【テレワーク】制度あり:[場所]自宅[対象]全社員[日数]週2日[利用率]NA【勤務制度】副業容認【住宅補助】社員寮(単身者用・家族用)借上社宅(全国)住宅手当※総合職のみ

●ライフイベント、女性活躍●

【女性比率】■男 □女

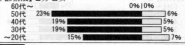

新卒採用 25%(16名) 従業員 23.7%(272名) 管理職 1.3%(4名)

【産休】[期間]産前6・産後8週間[給与]法定[取得者数]12名

【育休】[期間]1歳になるまで[給与]法定[取得者数]22年度 男5名(対象40名)女16名(対象16名)23年度 男7名(対象44名)女9名(対象9名)[平均取得日数]22年度 NA、23年度 男22日 女NA

【従業員】[人数]1,149名(男877名、女272名)[平均年齢]40.6歳(男41.1歳、女38.8歳)[平均勤続年数]13.3年(男14.5年、女10.0年)

【年齢構成】■男 □女

	男	女
60代〜	0%	0%
50代	23%	6%
40代	19%	5%
30代	19%	5%
〜20代	15%	7%

会社データ (金額は百万円)

【本社】136-8405 東京都江東区新木場1-7-22 新木場タワー ☎03-5534-3574 https://www.jkhd.co.jp/

【業績(連結)】	売上高	営業利益	経常利益	純利益
22.3	376,120	12,475	13,111	8,907
23.3	407,022	9,723	10,300	6,686
24.3	388,910	7,871	8,670	5,049

2388 開示 ★★★

渡辺パイプ(株)

わたなべ

【特色】管工機材や電材等の専門商社。農業分野にも展開

[記者評価] パイプとその付属品の販売で創業。上下水道・給排水設備用管工機材、住設機器、内外装建材や電材などを幅広く取り扱う専門商社に発展。施設園芸用のグリーンハウスやガラスハウス、栽培システムなど農業分野にも注力。ベトナム、台湾に販売子会社。

平均勤続年数	男性育休取得率	3年後離職率	平均年収(平均39歳)
9.9年	8.5→9.9%	26.8→28.0%	509万円

●採用・配属情報●

【男女・文理別採用実績】

	大卒男	大卒女	修士男	修士女
23年	181(文168 理 13)	31(文 30 理 1)	2(文 0 理 2)	0(文 0 理 0)
24年	219(文206 理 13)	35(文 34 理 1)	0(文 0 理 0)	0(文 0 理 0)
25年	175(文164 理 11)	47(文 42 理 5)	0(文 0 理 0)	0(文 0 理 0)

※25年:継続中

【男女・職種別採用実績】 転換制度:⇒

	総合職	事務職	業務職
23年	212(男 181 女 31)	2(男 2 女 0)	0(男 0 女 0)
24年	250(男 218 女 32)	0(男 0 女 0)	4(男 1 女 3)
25年	222(男 178 女 44)	0(男 0 女 0)	0(男 0 女 0)

【24年4月入社者の配属勤務地】[総]北海道10 東北11 関東125 中部26 関西53 中四国12 九州17

【転勤】あり:[職種]営業職(マネジメントコース登録の場合)

【中途比率】[単年度]21年度NA、22年度NA、23年度NA[全体]69%

●働きやすさ、諸制度●

残業(月) 23.2時間 [総]33.4時間

【勤務時間】8:30〜17:30【有休取得年平均】11.0日【週休】2日【夏期休暇】連続5日程度(土日含む)【年末年始休暇】連続5日程度(土日含む)

【離職率】男:0.3%、11名 女:0.2%、2名

【新卒3年後離職率】

[20→23年]26.8%(男26.9%・入社186名、女25.9%・入社27名)

[21→24年]28.0%(男23.5%・入社132名、女52.0%・入社25名)

【テレワーク】制度なし【勤務制度】フレックス 裁量労働【住宅補助】借上社宅(規定上限金額の85%会社負担)

●ライフイベント、女性活躍●

【女性比率】■男 □女

新卒採用 19.8% (44名)

従業員 16.7% (859名)

管理職 1.1% (10名)

【産休】[期間]産前6・産後8週間[給与]法定[取得者数]42名

【育休】[期間]1歳になるまで[給与]法定[取得者数]22年度 男14名(対象164名)女18名(対象18名)23年度 男16名(対象161名)女26名(対象26名)[平均取得日数]22年度 NA、23年度 NA

【従業員】[人数]5,130名(男4,271名、女859名)[平均年齢]38.6歳(男38.8歳、女38.1歳)[平均勤続年数]9.9年(男11.0年、女8.5年)

【年齢構成】■男 □女

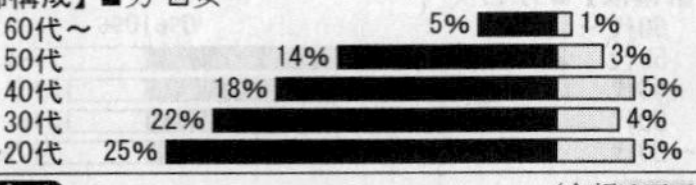

会社データ (金額は百万円)

【本社】100-0004 東京都千代田区大手町1-3-2 経団連会館 ☎03-6478-1330 https://www.sedia-system.co.jp/

【業績(単独)】	売上高	営業利益	経常利益	純利益
22.3	304,238	12,065	12,965	7,938
23.3	341,644	13,859	14,857	9,951
24.3	370,000	14,597	15,878	10,848

2466 開示 ★★★

伊藤忠建材(株)

いとうちゅうけんざい

【特色】伊藤忠系の建材専門商社。住設関連で国内首位

[記者評価] 伊藤忠の完全子会社。住宅資材など建材全般を扱うほか、住設の工事機能も併せ持つ。リフォームや非住宅分野へも展開。環境配慮型商品「地球樹」ブランドや省エネ商材などに注力。国内16カ所とマレーシアに営業拠点。子会社に岡山地盤のマルティックス山陽。

平均勤続年数	男性育休取得率	3年後離職率	平均年収(平均*44歳)
[!]15.3年	66.7→100%	18.2→20.0%	[総]983万円

●採用・配属情報●

【男女・文理別採用実績】

	大卒男	大卒女	修士男	修士女
23年	8(文 7 理 1)	5(文 4 理 1)	0(文 0 理 0)	0(文 0 理 0)
24年	9(文 6 理 3)	9(文 9 理 0)	0(文 0 理 0)	0(文 0 理 0)
25年	9(文 7 理 2)	8(文 8 理 0)	0(文 0 理 0)	0(文 0 理 0)

【男女・職種別採用実績】 転換制度:⇔

	総合職	一般職
23年	11(男 8 女 3)	2(男 0 女 2)
24年	12(男 9 女 3)	6(男 0 女 6)
25年	13(男 9 女 4)	4(男 0 女 4)

【24年4月入社者の配属勤務地】[総]東京8 大阪2 福岡1 香川・高松1

【転勤】あり:[職種]総合職 ※地域限定総合職を除く

【中途比率】[単年度]21年度58%、22年度40%、23年度38%[全体]39%

●働きやすさ、諸制度●

残業(月) 25.2時間

【勤務時間】9:00〜17:15【有休取得年平均】13.3日【週休】完全2日(土日祝)【夏期休暇】有休で取得【年末年始休暇】12月29日〜1月3日

【離職率】男:0.9%、2名 女:2.4%、4名

【新卒3年後離職率】

[20→23年]18.2%(男20.0%・入社5名、女16.7%・入社6名)

[21→24年]20.0%(男33.3%・入社3名、女0%・入社2名)

【テレワーク】制度あり:[場所]自宅 サテライトオフィス(総合職のみ)[対象]全社員[日数]原則月8回まで(サテライトオフィス利用は日数制限無し)ただし新入社員は原則出社[利用率]NA【勤務制度】時差勤務【住宅補助】〈総合職のみ〉借上住居(独身・単身・家族)の貸与 住宅手当支給

●ライフイベント、女性活躍●

【女性比率】■男 □女

新卒採用 47.1% (8名)

従業員 42% (166名)

管理職 6.9% (6名)

【産休】[期間]産前6・産後8週間[給与]法定[取得者数]3名

【育休】[期間]1歳になるまで[給与]法定[取得者数]22年度 男4名(対象6名)女1名(対象1名)23年度 男4名(対象4名)女3名(対象1名)[平均取得日数]22年度 NA、23年度 NA

【従業員】[人数]395名(男229名、女166名)[平均年齢]44.0歳(男45.7歳、女41.5歳)[平均勤続年数]15.3年(男16.8年、女13.1年) ※嘱託・受入出向を含む

【年齢構成】NA

会社データ (金額は百万円)

【本社】103-8419 東京都中央区日本橋大伝馬町1-4 野村不動産日本橋大伝馬町ビル ☎03-3661-3281 https://www.ick.co.jp/

【業績(連結)】	売上高	営業利益	経常利益	純利益
22.3	224,076	8,009	8,612	5,963
23.3	270,601	7,213	7,761	5,342
24.3	242,868	5,188	5,853	4,008

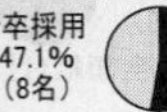

2332 開示 ★★★ 専門 採用あり

ナイス(株)

【特色】木材市場で国内最大手。戸建て・マンションも

記者評価 木材販売で最大手。全国の地場工務店にネットワークを持ち、木材や建築資材、キッチン、浴槽などの住宅設備、太陽光発電システムなどを販売。地元の横浜や仙台を中心に住宅事業として戸建てや免震マンションの販売も手がける。木質化リノベーションにも注力。

平均勤続年数	男性育休取得率	3年後離職率	平均年収(平均44歳)
18.8年	13.3→23.3%	50.0→26.1%	㊓803万円

●採用・配属情報●

【男女・文理別採用実績】※25年:24年8月23日時点

	大卒男	大卒女	修士男	修士女
23年	20(文 18 理 2)	19(文 17 理 2)	0(文 0 理 0)	0(文 0 理 0)
24年	39(文 35 理 4)	25(文 18 理 7)	0(文 0 理 0)	0(文 0 理 0)
25年	33(文 28 理 5)	18(文 15 理 3)	2(文 0 理 2)	0(文 0 理 0)

【男女・職種別採用実績】 転換制度:⇔

	総合職	一般職
23年	30(男 20 女 10)	10(男 0 女 10)
24年	55(男 41 女 14)	13(男 0 女 13)
25年	40(男 35 女 5)	13(男 0 女 13)

【24年4月入社者の配属勤務地】㊓岩手・盛岡1 山形1 宮城(仙台4 大衡村1)栃木・宇都宮3 長野1 新潟1 茨城・石岡1 さいたま1 千葉1 東京(足立1 新宿2 大田1 多摩1)神奈川(横浜10 相模原2)静岡(静岡1 磐田2 浜松2)愛知(小牧4 豊田2)大阪1 滋賀・野洲1 岡山・瀬戸内1 福岡・糟屋郡3 ㊕仙台2 横浜2 浜松1 愛知・豊田1
【転勤】あり:[職種]総合職
【中途比率】[単年度]21年度57%、22年度15%、23年度27%[全体]11%

●働きやすさ、諸制度●

残業(月) 12.7時間 ㊓15.8時間

【勤務時間】9:00～17:30(8:30、9:30より始業の部署あり)【有休取得年平均】10.7日【週休】2日(部署により曜日が異なる)【夏期休暇】連続9日(有休1日含む)【年末年始休暇】連続8日(有休1日含む)
【離職率】男:4.4%、32名 女:4.9%、14名
【新卒3年後離職率】
[20→23年]50.0%(男50.0%・入社4名、女—・入社0名)
[21→24年]26.1%(男33.3%・入社15名、女12.5%・入社8名)
【テレワーク】制度あり:[場所]自宅[対象]病気療養等で通勤配慮が必要な場合[日数]制限なし[利用率]NA【勤務制度】時間単位有休 時差勤務【住宅補助】独身寮(総合職のみ)単身社宅(単身赴任者)

●ライフイベント、女性活躍●

【女性比率】■男 □女

新卒採用 34% (18名)

従業員 27.9% (269名)

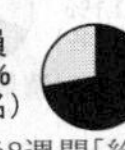

管理職 3% (10名)

【産休】[期間]産前6・産後8週間[給与]法定+共済会20%給付[取得者数]17名
【育休】[期間]1歳になるまで[給与]法定[取得者数]22年度 男2名(対象15名)女7名(対象7名)23年度 男7名(対象30名)女19名(対象19名)[平均取得日数]22年度 男27日 女492日、23年度 男25日 女481日
【従業員】[人数]964名(男695名、女269名)[平均年齢]44.6歳(男45.8歳、女41.3歳)[平均勤続年数]18.8年(男20.8年、女13.6年)【年齢構成】■男 □女

	男	女
60代～	8%	1%
50代	26%	8%
40代	15%	7%
30代	13%	6%
～20代	10%	6%

会社データ (金額は百万円)

【本社】230-8571 神奈川県横浜市鶴見区鶴見中央4-33-1 ☎045-521-6111 https://www.nice.co.jp/

【業績(連結)】	売上高	営業利益	経常利益	純利益
22.3	229,514	10,224	9,589	4,482
23.3	236,329	5,292	4,949	3,780
24.3	225,869	4,403	4,332	4,204

783 開示 ★★★

(株)サンゲツ

【特色】インテリア商社最大手。壁紙・カーテンで上位

記者評価 嘉永年間の表具師・山月堂が起源。壁紙販売から出発、独自のカタログと即日出荷を武器に成長。壁紙は国内首位。カーテンや床材にも強い。米国、中国に拠点。シンガポール企業を買収し東南アジア展開加速。エクステリアを含めた空間デザインなど新領域に挑戦。

平均勤続年数	男性育休取得率	3年後離職率	平均年収(平均38歳)
15.7年	32.5→82.8%	20.5→24.2%	㊓772万円

●採用・配属情報●

【男女・文理別採用実績】

	大卒男	大卒女	修士男	修士女
23年	15(文 15 理 0)	14(文 13 理 1)	0(文 0 理 0)	2(文 1 理 1)
24年	21(文 18 理 3)	25(文 25 理 0)	1(文 1 理 0)	0(文 0 理 0)
25年	15(文 14 理 1)	25(文 24 理 1)	1(文 0 理 1)	0(文 0 理 0)

【男女・職種別採用実績】 転換制度:⇔

	総合職
23年	31(男 15 女 16)
24年	47(男 22 女 25)
25年	41(男 16 女 25)

【24年4月入社者の配属勤務地】㊓さいたま4 東京・千代田13 横浜4 名古屋10 大阪8 広島2 福岡6
【転勤】あり:[職種]総合職[勤務地]全国
【中途比率】[単年度]21年度18%、22年度21%、23年度51%[全体]9%

●働きやすさ、諸制度●

残業(月) 24.8時間 ㊓24.8時間

【勤務時間】8:30～17:30【有休取得年平均】12.7日【週休】完全2日(土日祝)【夏期休暇】8月10～18日(有休計画的付与1日含む)【年末年始休暇】12月28日～1月5日
【離職率】男:1.8%、15名 女:4.3%、21名
【新卒3年後離職率】
[20→23年]20.5%(男10.5%・入社19名、女28.0%・入社25名)
[21→24年]24.2%(男26.7%・入社15名、女22.2%・入社18名)
【テレワーク】制度あり:[場所]自宅 自宅に準じる場所[対象]正社員[日数]原則週2回(上長が認めた場合週2回以上可)[利用率]NA【勤務制度】フレックス 時間単位有休 時差勤務【住宅補助】独身・単身赴任寮 借上社宅

●ライフイベント、女性活躍●

【女性比率】■男 □女

新卒採用 61% (25名)

従業員 36.5% (472名)

管理職 17.9% (30名)

【産休】[期間]産前6・産後8週間[給与]法定[取得者数]36名
【育休】[期間]1歳になるまで[給与]法定+最終5日間有給、ただし男性の1日のみの取得は除く[取得者数]22年度 男13名(対象40名)女37名(対象37名)23年度 男24名(対象29名)女36名(対象36名)[平均取得日数]22年度 NA、23年度 男23日 女NA
【従業員】[人数]1,292名(男820名、女472名)[平均年齢]37.7歳(男39.4歳、女34.8歳)[平均勤続年数]15.7年(男17.3年、女12.8年)
【年齢構成】■男 □女

	男	女
60代～	0%	0%
50代	14%	2%
40代	17%	8%
30代	19%	16%
～20代	14%	11%

会社データ (金額は百万円)

【本社】451-8575 愛知県名古屋市西区幅下1-4-1 ☎052-564-3321 https://www.sangetsu.co.jp/

【業績(連結)】	売上高	営業利益	経常利益	純利益
22.3	149,481	7,959	8,203	276
23.3	176,022	20,280	20,690	14,005
24.3	189,859	19,103	19,695	14,291

1154 開示 ★★★★★ 専門 採用あり

㈱デザインアーク

【特色】インテリアや建材を製造販売。大和ハウス傘下

記者評価 大和ハウスの完全子会社。大阪・東京2本社制。戸建て住宅・マンションのインテリア、内外装建材が主力。オフィス・ホテル・店舗の内装品も扱う。仮設現場やイベント会場で使用する資材のレンタル・リースも。全国に23の支店・営業所。三重とつくばに工場。

平均勤続年数	男性育休取得率	3年後離職率	平均年収(平均41歳)
14.5年	60.0→41.7%	29.6→8.7%	㊟638万円

●採用・配属情報●

【男女・文理別採用実績】※25年:30名程度採用予定

	大卒男	大卒女	修士男	修士女
23年	12(文 10 理 2)	6(文 5 理 1)	0(文 0 理 0)	0(文 0 理 0)
24年	18(文 15 理 3)	9(文 4 理 5)	0(文 0 理 0)	0(文 0 理 0)
25年	-(文 - 理 -)	-(文 - 理 -)	-(文 - 理 -)	-(文 - 理 -)

【男女・職種別採用実績】

	総合職
23年	20(男 12 女 8)
24年	27(男 18 女 9)
25年	30(男 - 女 -)

【24年4月入社者の配属勤務地】㊟大阪7 東京6 東北1 茨城1 埼玉1 横浜1 名古屋1 福岡1 ㊕大阪5 東京3

【転勤】あり:[職種]全国総合職[勤務地]全国各地

【中途比率】[単年度]21年度28%、22年度48%、23年度62%[全体]43%

●働きやすさ、諸制度●

残業(月) 17.5時間 ㊟19.0時間

【勤務時間】フレックスタイム制(コアタイムなし)【有休取得年平均】13.4日【週休】完全2日(土日祝)【夏期休暇】8月13～15日(うち計画年休2日)【年末年始休暇】12月30日～1月3日(うち計画年休1日)

【離職率】男:5.2%、35名 女:6.5%、25名

【新卒3年後離職率】

[20→23年]29.6%(男35.3%・入社17名、女20.0%・入社10名)

[21→24年]8.7%(男12.5%・入社16名、女0%・入社7名)

【テレワーク】制度あり:[場所]自宅 サテライトオフィス[対象]全従業員[日数]制限なし[利用率]14.1%【勤務制度】フレックス 時間単位有休 時差勤務 勤務間インターバル

【住宅補助】借上寮・借上社宅 住宅手当 家賃補助

●ライフイベント、女性活躍●

【女性比率】■男 □女

従業員 36.3% (360名)

管理職 8.9% (19名)

【産休】[期間]産前6・産後8週間[給与]法定[取得者数]13名

【育休】[期間]3歳になるまで(父母両方取得は延長可)[給与]法定[取得者数]22年度 男9名(対象15名)女12名(対象12名)23年度 男10名(対象24名)女11名(対象12名)[平均取得日数]22年度 男4日 女532日、23年度 男13日 女763日

【従業員】[人数]993名(男633名、女360名)[平均年齢]41.4歳(男43.6歳、女37.7歳)[平均勤続年数]14.5年(男17.1年、女9.8年)

【年齢構成】■男 □女

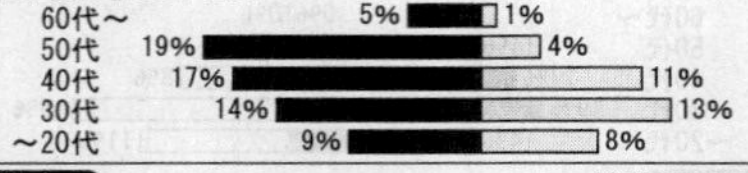

会社データ (金額は百万円)

【本社】550-0011 大阪府大阪市西区阿波座1-5-16 大和ビル ☎06-6536-6111 https://www.designarc.co.jp/

【業績(単独)】	売上高	営業利益	経常利益	純利益
22.3	50,749	3,773	3,793	2,484
23.3	50,337	4,535	4,560	2,986
24.3	56,563	3,947	3,967	2,747

1861 開示 ★★★

㈱日本(にっぽん)アクセス

【特色】食品卸で業界首位。伊藤忠商事の完全子会社

記者評価 業界首位の食品卸。06年伊藤忠商事グループ入り、11年伊藤忠傘下の食品卸と統合。ライフスタイルの時短・簡便化需要をとらえた総菜事業が堅調。「Delcy」「みわび」などの自社PB商品の開発を推進。チルド・冷凍分野で業界首位級。乾物・乾麺にも強い。

平均勤続年数	男性育休取得率	3年後離職率	平均年収(平均40歳)
15.5年	32.9→38.3%	17.9→14.0%	㊟759万円

●採用・配属情報●

【男女・文理別採用実績】

	大卒男	大卒女	修士男	修士女
23年	58(文 45 理 13)	42(文 38 理 4)	3(文 0 理 3)	1(文 0 理 1)
24年	66(文 61 理 5)	50(文 43 理 7)	1(文 0 理 1)	0(文 0 理 0)
25年	64(文 59 理 5)	52(文 48 理 4)	3(文 1 理 2)	2(文 0 理 2)

【男女・職種別採用実績】 転換制度:⇔

	総合職	事務職
23年	104(男 61 女 43)	0(男 0 女 0)
24年	117(男 67 女 50)	0(男 0 女 0)
25年	121(男 67 女 54)	0(男 0 女 0)

【24年4月入社者の配属勤務地】㊟岩手4 宮城6 福島2 東京5 神奈川11 埼玉22 千葉7 群馬3 茨城3 富山2 新潟3 長野2 静岡6 愛知7 大阪10 兵庫3 広島8 福岡7 長崎3 鹿児島3

【転勤】あり:[職種]総合職

【中途比率】[単年度]21年度39%、22年度48%、23年度50%[全体]30%

●働きやすさ、諸制度●

残業(月) 24.5時間

【勤務時間】7時間30分(フレックスタイム制 コアタイム10:00～15:00)【有休取得年平均】14.6日【週休】完全2日(土日祝)※一部シフト制あり【夏期休暇】有休で取得【年末年始休暇】12月30日～1月3日

【離職率】男:2.6%、58名 女:2.6%、26名

【新卒3年後離職率】

[20→23年]17.9%(男21.8%・入社55名、女10.3%・入社29名)

[21→24年]14.0%(男11.5%・入社52名、女17.1%・入社41名)

【テレワーク】制度あり:[場所]自宅[対象]育児や介護等の特別な事由のある従業員[日数]原則週2回[利用率]5.5%【勤務制度】フレックス 時間単位有休 時差勤務【住宅補助】借上社宅制度(自己負担10,000円 年齢や世帯状況により変動あり)住宅手当(補助12,600～42,000円)

●ライフイベント、女性活躍●

【女性比率】■男 □女

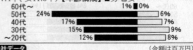

新卒採用 44.6% (54名)

従業員 31.1% (991名)

管理職 3.5% (36名)

【産休】[期間]産前6・産後8週間[給与]会社全額給付[取得者数]47名

【育休】[期間]産後8週後の1年間(事情により延長可)[給与]法定[取得者数]22年度 男28名(対象85名)女45名(対象45名)23年度 男31名(対象81名)女50名(対象50名)[平均取得日数]22年度 男14日 女420日、23年度 男37日 女417日

【従業員】[人数]3,184名(男2,193名、女991名)[平均年齢]41.6歳(男43.0歳、女38.5歳)[平均勤続年数]15.5年(男17.4年、女11.5年)【年齢構成】■男 □女

	男	女
60代～	1%	0%
50代	24%	6%
40代	17%	7%
30代	15%	9%
～20代	12%	8%

会社データ (金額は百万円)

【本社】141-8582 東京都品川区西品川1-1-1 ☎03-5435-5800 https://www.nippon-access.co.jp/

【業績(連結)】	売上高	営業利益	経常利益	純利益
22.3	2,120,295	23,407	23,876	16,342
23.3	2,197,570	25,218	26,088	17,409
24.3	2,336,607	30,287	31,922	21,340

649 開示 ★★★☆☆

みつびししょくひん
三菱食品(株)

【特色】三菱商事傘下。国内2位。総合食品卸を全国展開

記者評価 三菱系の食品卸が統合し発足。加工食品から低温食品、酒、菓子まで総合展開。グミ「ハリボー」やチョコ「リンツ」など海外ブランド商品の輸入・販売も。小売り・メーカーの課題解決業へ脱皮図り、デジタルマーケ分野や商品開発を強化。海外事業を育成中。

平均勤続年数	男性育休取得率	3年後離職率	平均年収(平均44歳)
㊀21.9年	37.3 → 49.2%	8.4 → 9.9%	㊑828万円

●採用・配属情報●

【男女・文理別採用実績】※25年:約100名採用予定

	大卒男	大卒女	修士男	修士女
23年	39(文 －理 －)	40(文 －理 －)	0(文 －理 －)	0(文 －理 －)
24年	58(文 －理 －)	54(文 －理 －)	1(文 －理 －)	0(文 －理 －)
25年	－(文 －理 －)	－(文 －理 －)	－(文 －理 －)	－(文 －理 －)

【男女・職種別採用実績】 転換制度:⇔

	総合職	一般職
23年	79(男 39 女 40)	0(男 0 女 0)
24年	113(男 59 女 54)	0(男 0 女 0)
25年	100(男 － 女 －)	0(男 0 女 0)

【24年4月入社者の配属勤務地】㊕北海道9 東北6 関東69 中部8 関西10 中四国3 九州8

【転勤】あり:[職種]総合職

【中途比率】[単年度]21年度10%、22年度22%、23年度42%[全体]16%

●働きやすさ、諸制度●

残業(月) 22.4時間 ㊑31.4時間

【勤務時間】9:00～17:30【有休取得年平均】9.6日【週休】完全2日(土日祝)※一部土日祝のシフト制勤務あり【夏期休暇】有休で取得【年末年始休暇】連続5日

【離職率】男:2.5%、73名 女:3.1%、38名(早期退職31名含む)

【新卒3年後離職率】
[20→23年]8.4%(男7.7%・入社52名、女9.1%・入社55名)
[21→24年]9.9%(男11.6%・入社43名、女7.1%・入社28名)

【テレワーク】制度あり:[場所]自宅 サテライトオフィス[対象]原則全社員(業務上支障がない場合に限る)[日数]制限なし[利用率]NA【勤務制度】フレックス【住宅補助】借上社宅

●ライフイベント、女性活躍●

【女性比率】■男 □女

従業員
29.9%
(1201名)

【産休】[期間]産前6・産後8週間[給与]法定[取得者数]62名

【育休】[期間]1歳到達月末、または1歳到達後に最初に迎える3月31日まで[給与]法定[取得者数]22年度 男22名(対象59名)女53名(対象53名)23年度 男30名(対象61名)女58名(対象58名)[平均取得日数]22年度 NA、23年度 男NA 女93日

【従業員】[人数]4,012名(男2,811名、女1,201名)[平均年齢]44.8歳(男47.4歳、女38.6歳)[平均勤続年数]21.9年(男21.9年、女14.1年)※嘱託含む

【年齢構成】■男 □女

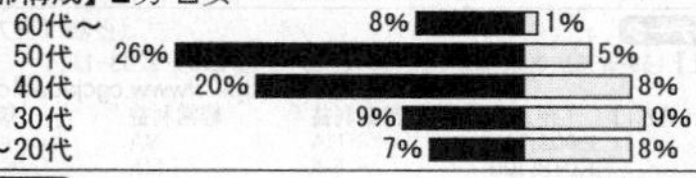

	男	女
60代～	8%	1%
50代	26%	5%
40代	20%	8%
30代	9%	9%
～20代	7%	8%

会社データ (金額は百万円)

【本社】112-8778 東京都文京区小石川1-1-1 ☎03-4553-5005
https://www.mitsubishi-shokuhin.com/

【業績(連結)】	売上高	営業利益	経常利益	純利益
22.3	1,955,601	19,036	20,371	13,949
23.3	1,996,780	23,433	25,199	17,126
24.3	2,076,381	29,528	31,407	22,582

1251 開示 ★★★☆☆

こくぶ
国分グループ

【特色】食品・酒類の専門商社大手。K&Kブランドで有名

記者評価 江戸中期に東京・日本橋で創業。酒類から生鮮食品まで約60万品目を扱う専門商社。300超の物流拠点で国内全域をカバーする。スーパー、コンビニ、百貨店、ドラッグストアなど販売先は幅広い。「缶つま」など独自商品多数。海外は約60ヵ国に食品・酒類を輸出。

平均勤続年数	男性育休取得率	3年後離職率	平均年収(平均*41歳)
㊀15.1年	24.4 → 31.0%	7.3 → 20.2%	㊑855万円

●採用・配属情報●

【男女・文理別採用実績】

	大卒男	大卒女	修士男	修士女
23年	57(文 49理 8)	41(文 32理 9)	1(文 0理 1)	1(文 0理 1)
24年	62(文 55理 7)	42(文 35理 7)	1(文 1理 0)	1(文 0理 1)
25年	76(文 68理 8)	56(文 45理 11)	3(文 1理 2)	1(文 0理 1)

【男女・職種別採用実績】 転換制度:⇔

	グループキャリア	エリアキャリア	一般職
23年	42(男 30 女 12)	58(男 28 女 30)	0(男 0 女 0)
24年	35(男 27 女 8)	71(男 36 女 35)	0(男 0 女 0)
25年	46(男 32 女 14)	90(男 47 女 43)	0(男 0 女 0)

【職種併願】グループキャリアとエリアキャリアで可能

【24年4月入社者の配属勤務地】㊕札幌12 岩手・紫波1 仙台7 福島・郡山1 栃木・小山2 茨城・石岡1 埼玉・大宮8 東京(中央23 江東10)名古屋11 大阪13 広島・安芸郡6 福岡11

【転勤】あり:[職種]グループキャリア エリアキャリア[勤務地]グループキャリア:札幌 仙台 大宮 東京 名古屋 大阪 広島 福岡ほか国内 一部海外 エリアキャリア:各エリア内

【中途比率】[単年度]21年度25%、22年度37%、23年度47%[全体]NA

●働きやすさ、諸制度●

残業(月) 27.3時間 ㊑31.4時間

【勤務時間】9:00～17:30【有休取得年平均】9.8日【週休】完全2日(土日祝)【夏期休暇】有休で取得【年末年始休暇】連続5日

【離職率】男:3.9%、75名 女:4.7%、47名

【新卒3年後離職率】
[20→23年]7.3%(男9.4%・入社64名、女4.4%・入社45名)
[21→24年]20.2%(男23.2%・入社56名、女16.3%・入社43名)

【テレワーク】制度あり:[場所]自宅 他[対象]全従業員[日数]週に2回もしくは4週間に8回を上限[利用率]NA【勤務制度】フレックス 時間単位有休 時差勤務【住宅補助】借上社宅・借上独身寮(全国に750戸強)

●ライフイベント、女性活躍●

【女性比率】■男 □女

新卒採用
41.9%
(57名)

従業員
34.2%
(952名)

管理職
4.5%
(22名)

【産休】[期間]産前6・産後8週間[給与]法定[取得者数]34名

【育休】[期間]1歳になるまで[給与]法定[取得者数]22年度 男10名(対象41名)女30名(対象30名)23年度 男13名(対象42名)女33名(対象33名)[平均取得日数]22年度 NA、23年度 NA

【従業員】[人数]2,787名(男1,835名、女952名)[平均年齢]41.1歳(男43.6歳、女36.1歳)[平均勤続年数]15.1年(男17.0年、女11.3年)※卸事業会社のデータ

【年齢構成】■男 □女

	男	女
60代～	0%	0%
50代	25%	6%
40代	20%	7%
30代	10%	8%
～20代	12%	13%

会社データ (金額は百万円)

【本社】103-8241 東京都中央区日本橋1-1-1 ☎03-3276-4074
https://www.kokubu.co.jp/

【業績(連結)】	売上高	営業利益	経常利益	純利益
21.12	1,881,471	11,460	13,909	6,564
22.12	1,933,073	15,186	18,119	10,606
23.12	2,068,417	20,217	24,203	15,874

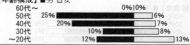

※会社データは国分グループ連結のもの

1143 開示 ★★★☆☆ [専門] 採用あり

加藤産業㈱（かとうさんぎょう）

【特色】食品卸4位。関西に強い地盤を持ち全国に展開

[記者評価] 関西地盤に全国展開する酒類・食品卸大手。酒類や缶詰、インスタント食品など扱う。オーナー系で独立色強い。営業力に定評があり、業界の中でも収益性が高い。自社工場持ち、無添加ジャムなど展開。2010年代からマレーシア、ベトナムに進出、海外事業を強化中。

平均勤続年数	男性育休取得率	3年後離職率	平均年収(平均40歳)
15.7年	13.3→22.2%	16.7→21.7%	[総]712万円

●採用・配属情報●

【男女・文理別採用実績】

	大卒男	大卒女	修士男	修士女
23年	27(文 26 理 1)	22(文 18 理 4)	0(文 0 理 0)	0(文 0 理 0)
24年	37(文 34 理 3)	25(文 24 理 1)	0(文 0 理 0)	0(文 0 理 0)
25年	−(文 − 理 −)	−(文 − 理 −)	−(文 − 理 −)	−(文 − 理 −)

※25年：56名採用予定

【男女・職種別採用実績】 転換制度：⇔

	総合職	専門職
23年	45(男 26 女 19)	4(男 1 女 3)
24年	58(男 34 女 24)	5(男 3 女 2)
25年	−(男 − 女 −)	−(男 − 女 −)

【24年4月入社者の配属勤務地】[総]北海道・北広島2 仙台4 東京(足立4 青梅4 太田6)愛知・一宮4 大阪(摂津6 住之江4)兵庫・西宮21 広島市5 福岡市3

【転勤】あり：[職種]全国総合職 地域限定総合職

【中途比率】[単年度]21年度29%、22年度35%、23年度44%[全体]29%

●働きやすさ、諸制度●

残業(月) 17.2時間

【勤務時間】8:45〜17:30【有休取得年平均】9.9日【週休】完全2日(土日祝、1カ月変形労働時間)【夏期休暇】有休及び法定外有休で取得【年末年始休暇】連続4日

【離職率】男：3.4%、29名 女：4.9%、16名

【新卒3年後離職率】
[20→23年]16.7%(男18.5%・入社27名、女14.3%・入社21名)
[21→24年]21.7%(男18.5%・入社27名、女26.3%・入社19名)

【テレワーク】制度あり：[場所]自宅 サテライトオフィス[対象]NA[日数]NA[利用率]NA【勤務制度】時間単位有休 時差勤務【住宅補助】社宅

●ライフイベント、女性活躍●

【女性比率】■男 □女

従業員 27.4% (311名)

管理職 2% (5名)

【産休】[期間]産前6・産後8週間[給与]法定[取得者数]7名

【育休】[期間]1歳になるまで[給与]法定[取得者数]22年度 男4名(対象30名)女19名(対象19名)23年度 男6名(対象27名)女6名(対象6名)[平均取得日数]22年度 NA、23年度 NA

【従業員】[人数]1,134名(男823名、女311名)[平均年齢]41.0歳(男42.4歳、女37.2歳)[平均勤続年数]15.7年(男17.6年、女10.3年)

【年齢構成】■男 □女

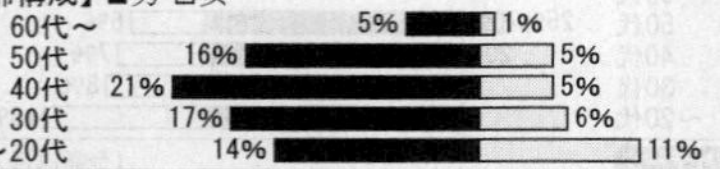

会社データ (金額は百万円)

【本社】662-8543 兵庫県西宮市松原町9-20 ☎0798-33-7650
https://www.katosangyo.co.jp/

【業績(連結)】	売上高	営業利益	経常利益	純利益
21.9	1,137,101	11,612	13,281	8,385
22.9	1,035,664	13,413	15,387	11,276
23.9	1,099,391	16,731	18,501	12,002

2143 開示 ★★☆☆☆ [短大] [専門] 採用あり

㈱シジシージャパン

【特色】中堅・中小スーパー主宰の協業組織の運営本部

[記者評価] 中堅・中小食品スーパーのコーペラティブチェーン(小売主宰協同組織)本部で、国内最大。米・伊・中・タイに事務所。約1800品目のPB商品を軸に協業し、大手スーパーに対抗。24年10月時点の加盟企業は203社、4436店舗。グループ総年商は5兆円超。

平均勤続年数	男性育休取得率	3年後離職率	平均年収(平均41歳)
16.2年	50.0→20.0%	10.5→15.8%	NA

●採用・配属情報●

【男女・文理別採用実績】

	大卒男	大卒女	修士男	修士女
23年	13(文 11 理 2)	5(文 3 理 2)	1(文 0 理 1)	0(文 0 理 0)
24年	11(文 6 理 5)	7(文 4 理 3)	0(文 0 理 0)	0(文 0 理 0)
25年	4(文 2 理 2)	3(文 2 理 1)	0(文 0 理 0)	0(文 0 理 0)

【男女・職種別採用実績】 転換制度：⇒

	総合職	一般職
23年	19(男 14 女 5)	3(男 0 女 3)
24年	18(男 11 女 7)	2(男 0 女 2)
25年	7(男 4 女 3)	1(男 0 女 1)

【24年4月入社者の配属勤務地】[総]東京18

【転勤】あり：[職種]総合職[勤務地]千葉 神奈川 栃木 新潟

【中途比率】[単年度]21年度20%、22年度8%、23年度9%[全体]NA

●働きやすさ、諸制度●

残業(月) 15.6時間

【勤務時間】8:50 〜 17:50【有休取得年平均】10.2日【週休】2日(土日)【夏期休暇】5日【年末年始休暇】12月30日〜1月3日

【離職率】男：1.0%、3名 女：2.3%、3名

【新卒3年後離職率】
[20→23年]10.5%(男0%・入社9名、女20.0%・入社10名)
[21→24年]15.8%(男21.4%・入社14名、女0%・入社5名)

【テレワーク】制度なし【勤務制度】なし【住宅補助】借上住宅 住宅手当 住宅補助費

●ライフイベント、女性活躍●

【女性比率】■男 □女

新卒採用 50% (4名)

従業員 30.8% (130名)

【産休】[期間]産前6・産後8週間[給与]法定[取得者数]5名

【育休】[期間]2歳になるまで[給与]法定[取得者数]22年度 男2名(対象4名)女4名(対象4名)23年度 男1名(対象5名)女4名(対象4名)[平均取得日数]22年度 NA、23年度 NA

【従業員】[人数]422名(男292名、女130名)[平均年齢]41.0歳(男43.0歳、女36.4歳)[平均勤続年数]16.2年(男17.8年、女12.5年)

【年齢構成】■男 □女

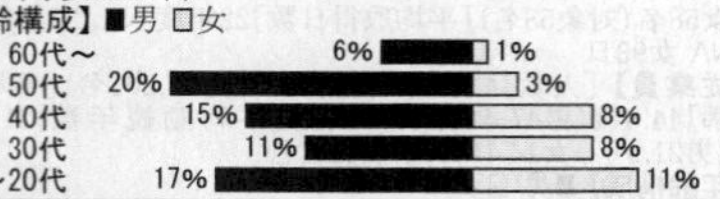

会社データ (金額は百万円)

【本社】169-8531 東京都新宿区大久保2-1-14 ☎03-3203-1111
https://www.cgcjapan.co.jp/

【業績(単独)】	売上高	営業利益	経常利益	純利益
22.2	1,003,700	NA	NA	NA
23.2	1,018,400	NA	NA	NA
24.2	1,098,400	NA	NA	NA

2833 開示 ★★★

ヤマエグループホールディングス(株)

【特色】九州有数の食品卸。住宅・建材などへ多角化

記者評価 九州が地盤の食品卸大手。1947年に澱粉・搾油製造業として出発。加工食品のほか小麦粉、配合飼料、豚・牛の集荷などにも範囲拡大、さらに住宅・不動産や石油販売、レンタカー事業へも多角化。M&Aによる事業拡大に積極的。2021年10月から持株会社制に移行。

平均勤続年数	男性育休取得率	3年後離職率	平均年収(平均43歳)
10.5年	12.5→100%	16.3→5.0%	総 655万円

●採用・配属情報●

【男女・文理別採用実績】

	大卒男	大卒女	修士男	修士女
23年	21(文 19理 2)	9(文 8理 1)	1(文 1理 0)	0(文 0理 0)
24年	26(文 23理 3)	22(文 17理 5)	0(文 0理 0)	0(文 0理 0)
25年	33(文 22理 11)	26(文 20理 6)	1(文 0理 1)	1(文 0理 1)

※23・24年:ヤマエ久野(株)の採用実績

【男女・職種別採用実績】 転換制度:⇔

	全国キャリア職	地域キャリア職	サポートスタッフ職
23年	31(男 22 女 9)	0(男 0 女 0)	0(男 0 女 0)
24年	45(男 26 女 19)	3(男 0 女 3)	0(男 0 女 0)
25年	51(男 34 女 17)	10(男 0 女 10)	0(男 0 女 0)

【職種併願】全国キャリア職と地域キャリア職で可能

【24年4月入社者の配属勤務地】総 福岡35 大阪4 鹿児島2 宮崎2 東京2 大分1 山口1 長崎1

【転勤】あり:[職種]全国キャリア職[勤務地]全国全拠点

【中途比率】[単年度]21年度50%、22年度42%、23年度62%[全体]28%

●働きやすさ、諸制度●

残業(月) 17.5時間

【勤務時間】8:30～17:30【有休取得年平均】11.6日【週休】2日(土日祝)※一部シフト制【夏期休暇】8月14～15日【年末年始休暇】12月30日～1月3日

【離職率】男:3.5%、27名 女:5.5%、23名

【新卒3年後離職率】
[20→23年]16.3%(男15.4%・入社26名、女17.6%・入社17名)
[21→24年]5.0%(男6.7%・入社15名、女0%・入社5名)

【テレワーク】制度あり:[場所]自宅[対象]感染症の濃厚接触者などやむを得ない事情のある社員[日数]NA[利用率]NA【勤務制度】時差勤務【住宅補助】独身寮(自己負担12,000円 水光熱費込、30歳まで)借上社宅(自己負担限度30,000円)自家住宅手当(25,000円～)

●ライフイベント、女性活躍●

【女性比率】■男 □女

新卒採用 44.3% (27名)　従業員 34.9% (394名)　管理職 3.3% (3名)

【産休】[期間]産前6・産後8週間[給与]法定[取得者数]18名

【育休】[期間]1歳になるまで[給与]法定[取得者数]22年度 男3名(対象24名)女27名(対象27名)23年度 男24名(対象24名)女19名(対象19名)[平均取得日数]22年度 NA、23年度 NA

【従業員】[人数]1,129名(男735名、女394名)[平均年齢]39.5歳(男41.2歳、女37.8歳)[平均勤続年数]10.5年(男10.7年、女10.1年)

【年齢構成】■男 □女

	男	女
60代～	5%	1%
50代	18%	4%
40代	16%	12%
30代	14%	11%
～20代	12%	8%

会社データ (金額は百万円)

【本社】812-8548 福岡県福岡市博多区博多駅東2-13-34 ☎092-412-0711 https://www.yamaegroup-hd.co.jp/

【業績(連結)】	売上高	営業利益	経常利益	純利益
22.3	503,635	6,878	7,894	6,721
23.3	587,982	11,575	12,156	7,868
24.3	712,717	13,919	14,757	8,456

※会社データを除き、ヤマエ久野との連結数値

136 開示 ★★★

伊藤忠食品(株)

(いとうちゅうしょくひん)

【特色】伊藤忠グループ。業界7位。大都市圏中心に展開

記者評価 伊藤忠商事系の食品卸。酒類や飲料に強い。包装加工センターを持ち、ギフトの詰め合わせにも強み。東名阪と福岡が中心。取引社数は1000社程度に絞り、コンビニはセブン-イレブン向けが中心。デジタルサイネージ活用の売り場提案を強化中。

平均勤続年数	男性育休取得率	3年後離職率	平均年収(平均41歳)
! 16.3年	42.9→36.4%	5.6→0%	総 741万円

●採用・配属情報●

【男女・文理別採用実績】

	大卒男	大卒女	修士男	修士女
23年	15(文 10理 5)	21(文 20理 1)	0(文 0理 0)	0(文 0理 0)
24年	20(文 17理 3)	19(文 16理 3)	0(文 0理 0)	1(文 1理 0)
25年	15(文 11理 4)	20(文 15理 5)	0(文 0理 0)	0(文 0理 0)

【男女・職種別採用実績】 転換制度:⇔

	総合職
23年	36(男 15 女 21)
24年	40(男 20 女 20)
25年	35(男 15 女 20)

【24年4月入社者の配属勤務地】総 東京28 大阪8 名古屋4

【転勤】あり:[職種]総合職[勤務地]営業拠点:東京 北海道 宮城 福島 愛知 大阪 広島 香川 福岡 物流センター:全国各地

【中途比率】[単年度]21年度15%、22年度13%、23年度11%[全体]NA

●働きやすさ、諸制度●

残業(月) 19.0時間

【勤務時間】9:00～17:30【有休取得年平均】10.8日【週休】完全2日(土日祝)【夏期休暇】最低5日以上の有休取得を推進【年末年始休暇】12月31日～1月4日

【離職率】男:4.0%、24名 女:3.7%、12名

【新卒3年後離職率】
[20→23年]5.6%(男0%・入社22名、女14.3%・入社14名)
[21→24年]0%(男0%・入社19名、女0%・入社11名)

【テレワーク】制度あり:[場所]NA[対象]新入社員は対象外[日数]原則週2日まで[利用率]NA【勤務制度】時間単位有休 時差勤務【住宅補助】借上社宅(総合職かつ一定の規制・地域補正あり)

●ライフイベント、女性活躍●

【女性比率】■男 □女

新卒採用 57.1% (20名)

従業員 35.5% (315名)

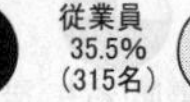

管理職 9.7% (17名)

【産休】[期間]産前6・産後8週間[給与]法定[取得者数]3名

【育休】[期間]保育所入所の状況により2歳6カ月になるまで[給与]法定[取得者数]22年度 男6名(対象14名)女10名(対象10名)23年度 男4名(対象11名)女8名(対象8名)[平均取得日数]22年度 NA、23年度 NA

【従業員】[人数]888名(男573名、女315名)[平均年齢]41.0歳(男44.4歳、女34.8歳)[平均勤続年数]16.3年(男19.7年、女10.3年)※契約社員含む

【年齢構成】■男 □女

	男	女
60代～	7%	0%
50代	20%	5%
40代	15%	6%
30代	9%	8%
～20代	13%	16%

会社データ (金額は百万円)

【本社】540-8522 大阪府大阪市中央区城見2-2-22 ☎06-6947-9811 https://www.itochu-shokuhin.com/

【業績(連結)】	売上高	営業利益	経常利益	純利益
22.3	612,658	5,887	7,274	4,315
23.3	642,953	7,507	8,943	4,843
24.3	672,451	7,660	9,220	6,598

1252　開示 ★★★★

日本酒類販売(株)
（にほんしゅるいはんばい）

【特色】清酒、洋酒、ビール等酒類の卸売で国内大手

記者評価 清酒、焼酎、ビール、洋酒、食品の専業卸。酒類が売上の8割強を占める。和酒は1000社以上のメーカーと取引があり、品揃えの豊富さが強み。特に本格焼酎は全国販売量の3割を占める。酒類専業卸20社超からなる酒卸ユニオン「創SOU」の中核的存在。

平均勤続年数	男性育休取得率	3年後離職率	平均年収(平均43歳)
20.6年	0 → 33.3%	20.0 → 14.3%	㊚669万円

●採用・配属情報●

【男女・文理別採用実績】

	大卒男	大卒女	修士男	修士女
23年	11(文 10 理 1)	6(文 6 理 0)	0(文 0 理 0)	0(文 0 理 0)
24年	4(文 2 理 2)	7(文 5 理 2)	1(文 0 理 1)	2(文 0 理 2)
25年	17(文 14 理 3)	12(文 4 理 8)	0(文 0 理 0)	2(文 0 理 2)

【男女・職種別採用実績】　転換制度:⇔

	総合職
23年	17(男 11 女 6)
24年	12(男 5 女 7)
25年	31(男 17 女 14)

【24年4月入社者の配属勤務地】㊚(23年)東京7 西東京1 仙台2 宇都宮1 金沢1 名古屋1 大阪3 広島1
【転勤】あり:[職種]総合職[勤務地]全国
【中途比率】[単年度]21年度30%、22年度19%、23年度45%[全体]8%

●働きやすさ、諸制度●

残業(月)　11.1時間　㊚12.4時間

【勤務時間】9:00～17:30【有休取得年平均】11.0日【週休】2日(原則土日祝)【夏期休暇】有休取得推奨期間【年末年始休暇】連続4～5日
【離職率】男:3.1%、17名 女:2.6%、5名
【新卒3年後離職率】
[20→23年]20.0%(男30.8%・入社13名、女0%・入社7名)
[21→24年]14.3%(男25.0%・入社8名、女0%・入社6名)
【テレワーク】制度あり:[場所]自宅 緊急時に出社可能な場所[対象]制限なし[日数]制限なし[利用率]4.9%【勤務制度】時間単位有休 時差勤務【住宅補助】借上社宅(入居基準あり)

●ライフイベント、女性活躍●

【女性比率】■男 □女

新卒採用 45.2%(14名)　従業員 26.4%(188名)　管理職 8.8%(24名)

【産休】[期間]産前6・産後8週間[給与]法定[取得者数]13名
【育休】[期間]1歳になるまで[給与]法定[取得者数]22年度 男0名(対象16名)女8名(対象8名)23年度 男3名(対象9名)女12名(対象12名)[平均取得日数]22年度 男－ 女355日、23年度 男7日 女503日
【従業員】[人数]712名(男524名、女188名)[平均年齢]44.7歳(男46.2歳、女40.4歳)[平均勤続年数]20.6年(男21.9年、女16.8年)
【年齢構成】■男 □女

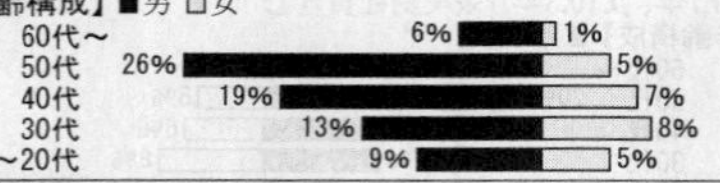

会社データ　(金額は百万円)

【本社】104-8254 東京都中央区新川1-25-4 日本酒類販売新川ビル ☎03-4330-1700
https://www.nishuhan.co.jp/

【業績(連結)】	売上高	営業利益	経常利益	純利益
22.3	512,981	1,587	2,272	1,383
23.3	551,079	3,008	3,793	2,481
24.3	584,004	4,709	5,566	3,738

2574　開示 ★★★　専門 採用あり

旭食品(株)
（あさひしょくひん）

【特色】西日本最大級の食品専門商社。広域展開を加速

記者評価 高知県本社の食品専門商社。同業のカナカン(石川)、丸大堀内(青森)と設立のトモシアHD傘下。加工・冷凍食品に強い。アサヒビールから酒類販売事業を譲受し、関西営業拡大。すしネタ卸も傘下。POSデータを活用した小売業の売り場づくり支援も活発。

平均勤続年数	男性育休取得率	3年後離職率	平均年収(平均42歳)
◇20.0年	20.0 → 15.4%	37.1 → 50.0%	㊚590万円

●採用・配属情報●

【男女・文理別採用実績】

	大卒男	大卒女	修士男	修士女
23年	4(文 4 理 0)	7(文 7 理 0)	0(文 0 理 0)	0(文 0 理 0)
24年	5(文 5 理 0)	7(文 7 理 0)	0(文 0 理 0)	0(文 0 理 0)
25年	11(文 10 理 1)	12(文 10 理 2)	0(文 0 理 0)	1(文 1 理 0)

【男女・職種別採用実績】　転換制度:⇔

	総合職	準総合職	一般職
23年	10(男 4 女 6)	2(男 0 女 2)	1(男 1 女 0)
24年	12(男 5 女 7)	0(男 0 女 0)	2(男 1 女 1)
25年	14(男 10 女 4)	10(男 1 女 9)	0(男 0 女 0)

【24年4月入社者の配属勤務地】㊚神奈川1 大阪2 和歌山2 京都1 兵庫2 高知4
【転勤】あり:[職種]総合職 準総合職[勤務地]総合職:全国 準総合職:エリア内
【中途比率】[単年度]21年度48%、22年度75%、23年度25%[全体]NA

●働きやすさ、諸制度●

残業(月)　11.1時間　㊚14.5時間

【勤務時間】8:30～17:30【有休取得年平均】11.7日【週休】2日(土日)【夏期休暇】有休で取得【年末年始休暇】1月1～3日
【離職率】◇男:5.3%、57名 女:8.9%、34名(早期退職14名含む)
【新卒3年後離職率】
[20→23年]37.1%(男30.8%・入社13名、女40.9%・入社22名)
[21→24年]50.0%(男66.7%・入社6名、女37.5%・入社8名)
【テレワーク】NA【勤務制度】時間単位有休【住宅補助】<総合職>借上社宅(遠方者 家賃補助あり)

●ライフイベント、女性活躍●

【女性比率】■男 □女

新卒採用 54.2%(13名)

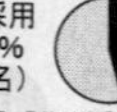

従業員 25.4%(349名)

【産休】[期間]産前6・産後8週間[給与]法定[取得者数]11名
【育休】[期間]1歳になるまで[給与]法定[取得者数]22年度 男3名(対象15名)女9名(対象12名)23年度 男2名(対象13名)女11名(対象11名)[平均取得日数]22年度 NA、23年度 NA
【従業員】◇[人数]1,374名(男1,025名、女349名)[平均年齢]43.4歳(男44.8歳、女39.2歳)[平均勤続年数]20.0年(男21.3年、女16.2年)
【年齢構成】NA

会社データ　(金額は百万円)

【本社】783-8555 高知県南国市領石246 ☎088-880-8111
https://www2.asask.co.jp/

【業績(単独)】	売上高	営業利益	経常利益	純利益
22.3	NA	NA	NA	NA
23.3	451,083	2,931	3,556	4,041
24.3	489,814	5,220	6,320	4,028

759 開示 ★★★★ [専門] 採用あり

スターゼン㈱

【特色】食肉卸大手で全国展開。外食向け加工肉も

[記者評価] 全国に営業拠点や食肉処理・加工工場を持つ食肉卸大手。国内外の広範な調達力に定評。日本マクドナルド向けパティの製造受託など大手外食や量販店と多数取引。子会社にハム・ソーセージのローマイヤ。和牛の輸出など海外事業や加工食品を強化中。

平均勤続年数	男性育休取得率	3年後離職率	平均年収(平均40歳)
14.0年	20.0→23.8%	32.1→23.1%	[総]654万円

●採用・配属情報●

【男女・文理別採用実績】

	大卒男	大卒女	修士男	修士女
23年	40(文 28 理 12)	5(文 4 理 1)	1(文 0 理 1)	1(文 1 理 0)
24年	35(文 25 理 10)	6(文 3 理 3)	2(文 0 理 2)	0(文 0 理 0)
25年	42(文 33 理 9)	10(文 9 理 1)	1(文 1 理 0)	0(文 0 理 0)

【男女・職種別採用実績】 転換制度:⇔

	総合職
23年	48(男 42 女 6)
24年	43(男 37 女 6)
25年	55(男 45 女 10)

【24年4月入社者の配属勤務地】[総]神奈川(川崎4 横浜3 綾瀬2)兵庫(伊丹3 神戸3)千葉(山武4 千葉1)東京・港4 京都・久世郡3 埼玉・川口2 福岡・須恵町2 宮城・多賀城2 北海道(岩見沢1 足寄1)茨城・かすみがうら2 長野・松本1 福島・郡山1 群馬・伊勢崎1 広島市1 熊本市1 大分市1

【転勤】あり:全社員

【中途比率】[単年度]21年度56%、22年度46%、23年度44%[全体]43%

●働きやすさ、諸制度●

残業(月) 29.1時間 [総]32.2時間

【勤務時間】8:00〜17:00【有休取得年平均】9.8日【週休】<本社>完全2日(土日祝)【夏期休暇】有休で取得(5日間の取得を勧奨)【年末年始休暇】12月31日〜1月4日

【離職率】男:6.1%、70名 女:9.4%、22名

【新卒3年後離職率】

[20→23年]32.1%(男31.0%・入社42名、女35.7%・入社14名)

[21→24年]23.1%(男24.4%・入社45名、女14.3%・入社7名)

【テレワーク】制度あり:[場所]自宅[対象]上長が許可した者[日数]週2日[利用率]NA【勤務制度】時差勤務【住宅補助】借上社宅(自己負担額2万円、新規採用者 転勤者 他)

●ライフイベント、女性活躍●

【女性比率】■男 □女

新卒採用 18.2% (10名)

従業員 16.4% (213名)

管理職 5.1% (13名)

【産休】[期間]産前6・産後8週間[給与]会社全額給与支給[取得者数]8名

【育休】[期間]1歳になるまで[給与]出生時育児休業(産後パパ育休)は会社全額給与支給。それ以外は法定[取得者数]22年度 男9名(対象45名)女6名(対象6名)23年度 男10名(対象42名)女10名(対象10名)[平均取得日数]22年度 男16日 女331日、23年度 男65日 女326日

【従業員】[人数]1,298名(男1,085名、女213名)[平均年齢]40.2歳(男40.7歳、女37.7歳)[平均勤続年数]14.0年(男14.8年、女10.0年)【年齢構成】■男 □女

	男	女
60代〜	0%	0%
50代	23%	3%
40代	21%	3%
30代	21%	6%
〜20代	18%	4%

[会社データ] (金額は百万円)

【本社】108-0075 東京都港区港南2-4-13 スターゼン品川ビル ☎03-3471-5521 https://www.starzen.co.jp/

【業績(連結)】	売上高	営業利益	経常利益	純利益
22.3	381,432	6,905	9,165	5,984
23.3	425,173	8,162	10,284	7,483
24.3	410,534	8,978	10,782	7,512

815 開示 ★★★★★ [短大] [専門] 採用あり

㈱マルイチ産商(さんしょう)

[くるみん]

【特色】長野県地盤の水産物卸大手。三菱商事が大株主

[記者評価] 魚屋として長野で創業。51年水産物卸会社に。三菱商事と密接。食肉や菓子、加工・冷凍食品など商品のフルライン化を進め「総合食品卸」を掲げる。関東などへ商圏拡大。高付加価値商品の開発や販売等メーカー型卸事業を推進。養殖魚生産者との連携も強める。

平均勤続年数	男性育休取得率	3年後離職率	平均年収(平均41歳)
16.1年	33.3→22.2%	27.8→32.0%	[総]713万円

●採用・配属情報●

【男女・文理別採用実績】

	大卒男	大卒女	修士男	修士女
23年	17(文 13 理 4)	11(文 11 理 0)	0(文 0 理 0)	1(文 0 理 1)
24年	13(文 5 理 8)	9(文 6 理 3)	1(文 1 理 0)	0(文 0 理 0)
25年	12(文 6 理 6)	16(文 6 理 10)	1(文 0 理 1)	0(文 0 理 0)

【男女・職種別採用実績】 転換制度:⇔

	総合職	アシスタント職
23年	25(男 20 女 5)	7(男 0 女 7)
24年	20(男 14 女 6)	4(男 0 女 4)
25年	26(男 13 女 13)	5(男 0 女 5)

【24年4月入社者の配属勤務地】[総]長野(長野5 松本1)群馬・伊勢崎4 山梨・甲府3 東京・豊洲5 埼玉・久喜2

【転勤】あり:[職種]総合職[勤務地]長野県 群馬県 埼玉県 東京都 山梨県 愛知県

【中途比率】[単年度]21年度12%、22年度26%、23年度26%[全体]11%

●働きやすさ、諸制度●

残業(月) 30.9時間 [総]32.9時間

【勤務時間】8:30〜17:30【有休取得年平均】9.7日【週休】2日(部署により異なる)【夏期休暇】なし【年末年始休暇】連続5日

【離職率】男:5.9%、24名 女:10.7%、17名

【新卒3年後離職率】

[20→23年]27.8%(男29.4%・入社17名、女26.3%・入社19名)

[21→24年]32.0%(男30.0%・入社20名、女40.0%・入社5名)

【テレワーク】制度なし【勤務制度】フレックス 時間単位有休 時差勤務【住宅補助】寮(長野県内1カ所 群馬 他借上アパート)社宅(長野市に2棟 他地区は借上アパート)

●ライフイベント、女性活躍●

【女性比率】■男 □女

新卒採用 58.1% (18名)

従業員 27.2% (142名)

管理職 2.1% (4名)

【産休】[期間]産前6・産後8週間[給与]法定[取得者数]4名

【育休】[期間]1歳になるまで[給与]法定[取得者数]22年度 男3名(対象9名)女7名(対象7名)23年度 男2名(対象9名)女4名(対象4名)[平均取得日数]22年度 男7日 女238日、23年度 男15日 女581日

【従業員】[人数]523名(男381名、女142名)[平均年齢]40.5歳(男41.8歳、女37.0歳)[平均勤続年数]16.1年(男17.4年、女12.7年)

【年齢構成】■男 □女

	男	女
60代〜	1%	0%
50代	24%	6%
40代	18%	7%
30代	15%	4%
〜20代	14%	11%

[会社データ] (金額は百万円)

【本社】381-2281 長野県長野市市場3-48 ☎026-285-4101 https://www.maruichi.com/

【業績(連結)】	売上高	営業利益	経常利益	純利益
22.3	238,302	1,777	2,318	688
23.3	246,723	1,685	2,266	1,260
24.3	254,805	1,827	2,370	1,551

789 開示★★ 専門 採用あり

㈱トーホー

くるみん

【特色】外食向け食品卸大手。業務用食材スーパーも運営

記者評価 業務用食品卸で国内最大手。顧客は外食チェーン、ホテルが主体。業務用スーパー「A-プライス」や業務用厨房機器販売、外食向け業務用システムの開発・提供も。西日本地盤だが関東圏への展開を強化中。M&Aに積極姿勢。食品スーパーは24年11月に完全撤退。

平均勤続年数	男性育休取得率	3年後離職率	平均年収(平均44歳)
17.4年	21.4→60.0%	NA	総 654万円

●採用・配属情報●

【男女・文理別採用実績】※25年:予定数

	大卒男	大卒女	修士男	修士女
23年	27(文 26 理 1)	7(文 5 理 2)	2(文 0 理 2)	0(文 0 理 0)
24年	53(文 50 理 3)	10(文 7 理 3)	0(文 0 理 0)	0(文 0 理 0)
25年	60(文 – 理 –)	10(文 – 理 –)	0(文 0 理 0)	0(文 0 理 0)

【男女・職種別採用実績】

	総合職	一般職(リージョナル職)
23年	37(男 30 女 7)	0(男 0 女 0)
24年	63(男 53 女 10)	0(男 0 女 0)
25年	70(男 60 女 10)	0(男 0 女 0)

【職種併願】○

【24年4月入社者の配属勤務地】総北海道・石狩1 東京(江東5 港2 東村山1 杉並1)横浜4 さいたま2 千葉市2 名古屋4 大阪市11 神戸9 京都市2 和歌山市1 広島(広島3 福山1)福岡(福岡8 北九州2)熊本市3 技神戸1

【転勤】あり:[職種]リージョナル社員(地域限定社員)以外の全社員

【中途比率】[単年度]21年度22%、22年度46%、23年度48%[全体]33%

●働きやすさ、諸制度●

残業(月) 10.4時間 総 18.6時間

【勤務時間】9:00〜18:00 8:30〜17:30【有休取得年平均】8.6日【週休】原則2日(月8〜10日)【夏期休暇】1日【年末年始休暇】連続4日

【離職率】NA

【新卒3年後離職率】[20→23年]NA [21→24年]NA

【テレワーク】制度あり:[場所]自宅[対象]制限なし[日数]月8日[利用率]NA【勤務制度】時差勤務 勤務間インターバル 副業容認【住宅補助】独身社宅(自己負担10,000円〜20,000円 32歳未満)社宅(家賃の最大7割を会社負担)

●ライフイベント、女性活躍●

【女性比率】■男 □女

新卒採用 14.3%(10名)　従業員 21.4%(262名)　管理職 3.1%(5名)

【産休】[期間]産前6・産後8週間[給与]法定[取得者数]16名

【育休】[期間]1歳になるまで[給与]法定[取得者数]22年度 男6名(対象28名)女9名(対象9名)23年度 男12名(対象20名)女15名(対象15名)[平均取得日数]22年度 男3日 女314日、23年度 男12日 女292日

【従業員】[人数]1,223名(男961名、女262名)[平均年齢]43.4歳(男44.2歳、女40.3歳)[平均勤続年数]17.4年(男18.4年、女13.6年)【年齢構成】■男 □女

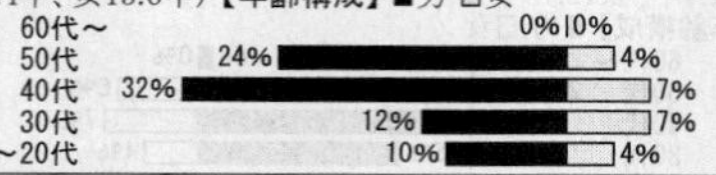

会社データ　(金額は百万円)

【本社】658-0033 兵庫県神戸市東灘区向洋町西5-9 ☎078-845-2430
https://www.to-ho.co.jp/

【業績(連結)】	売上高	営業利益	経常利益	純利益
22.1	188,567	▲446	178	335
23.1	215,572	3,649	3,877	1,006
24.1	244,930	7,819	7,971	3,605

※会社データを除き、データはすべて5社(トーホー、トーホーフードサービス、トーホーキャッシュアンドキャリー、トーホービジネスサービス、トーホー沖縄)のもの

2192 開示★★

東海澱粉㈱

とうかいでんぷん

【特色】食品専門商社。農産物、水産物など全般を扱う

記者評価 澱粉販売でスタート。現在は農水産物も扱う総合食材商社に。静岡市の本社を核に、全国に営業拠点網。取扱商品は農産物、水産物、畜産物に加えて、包装資材や飼肥料など約1万点に及ぶ。海外9カ国・地域に原料調達や販売拠点を展開。働き方改革を推進。

平均勤続年数	男性育休取得率	3年後離職率	平均年収(平均*37歳)
12.7年	5.0→13.6%	35.0→41.7%	総 768万円

●採用・配属情報●

【男女・文理別採用実績】

	大卒男	大卒女	修士男	修士女
23年	23(文 20 理 3)	11(文 9 理 2)	0(文 0 理 0)	0(文 0 理 0)
24年	14(文 9 理 5)	8(文 5 理 3)	0(文 0 理 0)	0(文 0 理 0)
25年	10(文 7 理 3)	7(文 5 理 2)	0(文 0 理 0)	0(文 0 理 0)

【男女・職種別採用実績】　転換制度:⇔

	総合職
23年	34(男 23 女 11)
24年	22(男 14 女 8)
25年	17(男 10 女 7)

【24年4月入社者の配属勤務地】総札幌2 山形1 宮城・石巻1 東京3 栃木・宇都宮1 長野1 静岡・焼津1 名古屋1 大阪2 京都1 和歌山1 兵庫・姫路1 岡山1 徳島1 香川・観音寺1 愛媛・松山1 福岡1 熊本1

【転勤】あり:[職種]総合職[勤務地]全国65カ所の部署

【中途比率】[単年度]21年度NA、22年度NA、23年度NA[全体]NA

●働きやすさ、諸制度●

残業(月) 総 12.3時間

【勤務時間】8:30〜17:00【有休取得年平均】11.1日【週休】完全2日【夏期休暇】ヘルシー休暇(5日)で取得【年末年始休暇】12月30日〜1月4日

【離職率】男:4.1%、17名 女:5.0%、15名

【新卒3年後離職率】
[20→23年]35.0%(男31.3%・入社16名、女50.0%・入社4名)
[21→24年]41.7%(男38.9%・入社18名、女50.0%・入社6名)

【テレワーク】制度あり:[場所]自宅 他[対象]自然災害発生時 医師の指示で自宅療養を命じられた場合 他[日数]NA[利用率]NA【勤務制度】時間単位有休 裁量労働 時差勤務【住宅補助】会社契約賃貸(個人負担40%)寮(個人負担上限15,000円)

●ライフイベント、女性活躍●

【女性比率】■男 □女

新卒採用 41.2%(7名)

従業員 41.9%(283名)

【産休】[期間]産前6・産後8週間[給与]法定[取得者数]5名

【育休】[期間]1歳になるまで[給与]法定[取得者数]22年度 男1名(対象20名)女3名(対象3名)23年度 男3名(対象22名)女5名(対象5名)[平均取得日数]22年度 NA、23年度 NA

【従業員】[人数]676名(男393名、女283名)[平均年齢]37.2歳(男38.8歳、女36.1歳)[平均勤続年数]12.7年(男14.7年、女9.8年)

【年齢構成】NA

会社データ　(金額は百万円)

【本社】420-0858 静岡県静岡市葵区伝馬町24-15 ☎054-253-0934
http://www.tdc-net.co.jp/

【業績(連結)】	売上高	営業利益	経常利益	純利益
22.6	174,625	4,082	4,649	3,143
23.6	197,450	3,064	3,346	2,174
24.6	205,703	5,102	5,514	3,552

2450 開示 ★★★ 短大 採用あり

カナカン(株)

【特色】北陸トップの総合食品商社。トモシアHD傘下

記者評価 1946年設立の食品卸。北陸3県と新潟・長野両県を地盤に5支店・39営業所体制(24年8月)。旭食品(高知)、丸大堀内(青森)とトモシアGを形成。オリジナルPB「グリーンチョイス」の商品開発に定評。小売業、外食向けに和洋酒、米穀など10万アイテムを供給。

平均勤続年数	男性育休取得率	3年後離職率	平均年収(平均45歳)
20.9年	14.3→0%	26.3→41.7%	㊫550万円

●採用・配属情報●

【男女・文理別採用実績】

	大卒男	大卒女	修士男	修士女
23年	11(文 10理 1)	3(文 3理 0)	0(文 0理 0)	0(文 0理 0)
24年	6(文 6理 0)	6(文 6理 0)	0(文 0理 0)	0(文 0理 0)
25年	4(文 2理 2)	6(文 5理 1)	0(文 0理 0)	0(文 0理 0)

【男女・職種別採用実績】 転換制度:⇔

	総合職	エリア総合職	一般職
23年	11(男 11 女 0)	1(男 0 女 1)	2(男 0 女 2)
24年	7(男 5 女 2)	4(男 1 女 3)	1(男 0 女 1)
25年	3(男 3 女 0)	7(男 1 女 6)	1(男 0 女 1)

【24年4月入社者の配属勤務地】㊫石川6 福井2 富山3 新潟2

【転勤】あり:[職種]総合職[勤務地]石川 富山 福井 新潟 長野

【中途比率】[単年度]21年度11%、22年度28%、23年度39%[全体]NA

●働きやすさ、諸制度●

残業(月) 6.7時間 ㊫10.0時間

【勤務時間】8:30〜17:30【有休取得年平均】9.4日【週休】2日【夏期休暇】連続2〜3日【年末年始休暇】連続3〜4日

【離職率】NA

【新卒3年後離職率】
[20→23年]26.3%(男36.4%・入社11名、女12.5%・入社8名)
[21→24年]41.7%(男58.3%・入社12名、女25.0%・入社12名)

【テレワーク】制度なし【勤務制度】時差勤務【住宅補助】独身寮(石川・富山・福井)社宅(自己負担3,000〜13,000円既婚者は法人契約でアパートを借り6万円までは会社負担)

●ライフイベント、女性活躍●

【女性比率】■男 □女

新卒採用 63.6% (7名)

従業員 23.6% (138名)
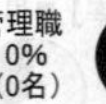
管理職 0% (0名)

【産休】[期間]産前6・産後8週間[給与]法定[取得者数]3名

【育休】[期間]1歳になるまで[給与]法定[取得者数]22年度 男1名(対象7名)女4名(対象4名)23年度 男0名(対象5名)女3名(対象3名)[平均取得日数]22年度 NA、23年度 男−女365日

【従業員】[人数]585名(男447名、女138名)[平均年齢]43.4歳(男45.4歳、女37.2歳)[平均勤続年数]20.9年(男23.0年、女14.3年)

【年齢構成】■男 □女

	男	女
60代〜	1%	0%
50代	33%	5%
40代	23%	4%
30代	12%	6%
〜20代	10%	7%

会社データ (金額は百万円)

【本社】920-0909 石川県金沢市袋町3-8 ☎076-231-1151
https://www.kanakan.co.jp/

【業績(単独)】	売上高	営業利益	経常利益	純利益
22.3	160,302	NA	NA	NA
23.3	166,100	NA	NA	NA
24.3	171,962	NA	NA	NA

165 開示 ★★★★ 短大 専門 採用あり

横浜冷凍(株)

よこはまれいとう

【特色】冷蔵倉庫国内2位。農畜産物・水産物販売を育成

記者評価 通称ヨコレイ。全国展開の冷蔵倉庫群が利益柱。輸入食肉や水産品等の販売も。食品メーカーや外食企業が主要顧客。需要増続く大都市圏中心に冷蔵倉庫拠点・能力増強。16年買収のノルウェー・サケ養殖会社は保有株一部売却。製氷事業進出。23年ベトナムに子会社。

平均勤続年数	男性育休取得率	3年後離職率	平均年収(平均36歳)
◇12.1年	3.7→16.7%	14.5→32.3%	㊫653万円

●採用・配属情報●

【男女・文理別採用実績】※25年:継続中

	大卒男	大卒女	修士男	修士女
23年	21(文 13理 8)	7(文 7理 0)	0(文 0理 0)	0(文 0理 0)
24年	34(文 22理 12)	14(文 9理 5)	1(文 0理 1)	0(文 0理 0)
25年	29(文 22理 7)	17(文 11理 6)	0(文 0理 0)	0(文 0理 0)

【男女・職種別採用実績】 転換制度:⇔

	総合職	一般職
23年	24(男 21 女 3)	11(男 0 女 11)
24年	47(男 35 女 12)	9(男 0 女 9)
25年	46(男 29 女 17)	0(男 0 女 0)

【24年4月入社者の配属勤務地】㊫北海道4 宮城1 埼玉3 茨城1 千葉1 東京3 神奈川17 愛知4 大阪7 兵庫2 福岡1 宮崎1 鹿児島2

【転勤】あり:[職種]総合職 特定総合職[勤務地]総合職:全国 特定総合職:北海道 首都圏 中京 阪神 九州(各ブロックより選択)

【中途比率】[単年度]21年度20%、22年度35%、23年度46%[全体]◇33%

●働きやすさ、諸制度●

残業(月) 17.7時間 ㊫19.4時間

【勤務時間】8:30〜17:30(事業所により異なる)【有休取得年平均】9.0日【週休】完全2日(事業所により異なる)【夏期休暇】3日【年末年始休暇】12月31日〜1月4日

【離職率】◇男:6.5%、68名 女:8.1%、30名

【新卒3年後離職率】
[20→23年]14.5%(男15.6%・入社32名、女13.0%・入社23名)
[21→24年]32.3%(男30.2%・入社43名、女36.4%・入社22名)

【テレワーク】制度なし【勤務制度】なし【住宅補助】<総合職 特定総合職>社宅(家賃の6割を会社負担、上限あり)独身寮(自己負担6,000〜15,000円 光熱費10,000円まで会社負担)

●ライフイベント、女性活躍●

【女性比率】■男 □女

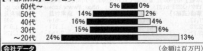

新卒採用 37% (17名)

従業員 25.9% (340名)

管理職 1.6% (2名)

【産休】[期間]産前6・産後8週間[給与]法定[取得者数]12名

【育休】[期間]1歳になるまで[給与]法定[取得者数]22年度 男1名(対象27名)女13名(対象13名)23年度 男6名(対象36名)女12名(対象12名)[平均取得日数]22年度 男21日 女77日、23年度 男16日 女96日

【従業員】◇[人数]1,312名(男972名、女340名)[平均年齢]37.6歳(男39.3歳、女32.8歳)[平均勤続年数]12.1年(男13.6年、女7.9年)

【年齢構成】■男 □女

	男	女
60代〜	5%	0%
50代	14%	2%
40代	16%	4%
30代	15%	6%
〜20代	24%	13%

会社データ (金額は百万円)

【本社】220-0012 神奈川県横浜市西区みなとみらい3-3-3 横浜コネクトスクエア ☎045-210-0011
https://www.yokorei.co.jp/

【業績(連結)】	売上高	営業利益	経常利益	純利益
21.9	110,782	2,562	2,762	3,605
22.9	115,257	4,252	4,999	3,317
23.9	133,862	3,785	4,203	2,831

2524 開示 ★★★

木徳神糧(株)
（きとくしんりょう）

【特色】米穀卸で国内トップ級、アジアなど海外販路拡大

[記者評価] 創業1882年。米穀卸で国内首位級。2000年に木徳と神糧物産が合併。国内に精米・販売子会社を持つ。コンビニなど業務用米に強い。国産米の輸出に注力し、ベトナムを中心に販路を拡大。全農と業務資本提携。オンラインショップも展開し、家庭向け市場を深耕。

平均勤続年数	男性育休取得率	3年後離職率	平均年収(平均41歳)
◇15.0年	40.0→25.0%	0→0%	◇637万円

●採用・配属情報●

【男女・文理別採用実績】

	大卒男	大卒女	修士男	修士女
23年	3(文 1理 2)	2(文 2理 0)	0(文 0理 0)	0(文 0理 0)
24年	3(文 3理 0)	4(文 4理 0)	0(文 0理 0)	0(文 0理 0)
25年	3(文 2理 1)	4(文 3理 1)	1(文 0理 1)	0(文 0理 0)

【男女・職種別採用実績】 転換制度：⇔

	総合職	一般職
23年	5(男 3 女 2)	0(男 0 女 0)
24年	7(男 3 女 4)	0(男 0 女 0)
25年	8(男 4 女 4)	0(男 0 女 0)

【24年4月入社者の配属勤務地】[総]東京7

【転勤】あり：[職種]総合職 [勤務地]営業所：本社(東京) 仙台 静岡 大阪 岡山 福岡 工場：埼玉 滋賀 岡山 福岡 新潟(製粉工場)

【中途比率】[単年度]21年度NA、22年度NA、23年度NA[全体]NA

●働きやすさ、諸制度●

残業(月) 11.3時間

【勤務時間】8:30～17:30【有休取得年平均】9.9日【週休】完全2日(土日祝)【夏期休暇】なし【年末年始休暇】12月29日～1月3日

【離職率】◇男：4.3%、10名 女：7.4%、4名

【新卒3年後離職率】
[20→23年]0%(男0%・入社3名、女0%・入社2名)
[21→24年]0%(男0%・入社3名、女0%・入社2名)

【テレワーク】制度なし【勤務制度】時間単位有休【住宅補助】新人社員借上社宅(家賃の7割を会社負担、30歳まで)転勤者借上社宅

●ライフイベント、女性活躍●

【女性比率】■男 □女

新卒採用 50% (4名)

従業員 18.5% (50名)

管理職 11.5% (3名)

【産休】[期間]産前6・産後8週間[給与]法定[取得者数]3名

【育休】[期間]1歳になるまで[給与]法定[取得者数]22年度 男2名(対象5名)女0名(対象0名)23年度 男1名(対象4名)女3名(対象3名)[平均取得日数]22年度 NA、23年度 NA

【従業員】◇[人数]270名(男220名、女50名)[平均年齢]41.1歳(男41.4歳、女39.5歳)[平均勤続年数]15.0年(男15.5年、女12.7年)

【年齢構成】NA

会社データ (金額は百万円)

【本社】101-0052 東京都千代田区神田小川町2-8 木徳神糧小川町ビル ☎03-3233-5121 https://www.kitoku-shinryo.co.jp/

【業績(連結)】	売上高	営業利益	経常利益	純利益
21.12	107,812	526	614	505
22.12	104,704	1,316	1,371	1,038
23.12	114,835	2,061	2,153	1,478

2771 開示 ★★★

日本出版販売(株)
（にほんしゅっぱんはんばい）

えるぼし★★ くるみん

【特色】トーハンと並ぶ、出版取次会社2強の一角

[記者評価] 19年持株会社体制に移行。出版社、書店、コンビニなどと広域ネットワークを結び、雑誌や書籍の流通を担う。書店の運営・経営サポートも行う。書店との取引構造見直しやサプライチェーン再編含む「出版流通改革」に注力。入社後20代で2～3部署を経験。

平均勤続年数	男性育休取得率	3年後離職率	平均年収(平均43歳)
19.7年	47.1→100%	22.4→27.8%	[総]628万円

●採用・配属情報●

【男女・文理別採用実績】

	大卒男	大卒女	修士男	修士女
23年	15(文 14理 1)	22(文 21理 1)	1(文 0理 1)	3(文 2理 1)
24年	1(文 1理 0)	8(文 8理 0)	1(文 0理 1)	0(文 0理 0)
25年	4(文 4理 0)	8(文 8理 0)	1(文 0理 1)	0(文 0理 0)

【男女・職種別採用実績】

	総合職
23年	41(男 16 女 25)
24年	10(男 2 女 8)
25年	13(男 5 女 8)

【24年4月入社者の配属勤務地】[総]東京(御茶ノ水8 麹町1) 大阪1

【転勤】あり：[職種]営業[部署]営業部[勤務地]札幌 仙台 名古屋 金沢 静岡 京都 大阪 岡山 松山 広島 福岡 那覇

【中途比率】[単年度]21年度0%、22年度19%、23年度11%[全体]7%

●働きやすさ、諸制度●

残業(月) 9.0時間 [総]9.0時間

【勤務時間】9:00～17:30【有休取得年平均】12.3日【週休】<本社>完全2日(原則土日祝)【夏期休暇】4日【年末年始休暇】連続6日

【離職率】NA

【新卒3年後離職率】
[20→23年]22.4%(男5.6%・入社18名、女32.3%・入社31名)
[21→24年]27.8%(男31.6%・入社19名、女25.7%・入社35名)

【テレワーク】制度あり：[場所]自宅[対象]全社員[日数]週3日以上実施の場合はテレワーク主体勤務を選択[利用率]NA【勤務制度】時差勤務 副業容認【住宅補助】なし

●ライフイベント、女性活躍●

【女性比率】■男 □女

新卒採用 61.5% (8名)

従業員 33.7% (380名)

管理職 12.8% (59名)

【産休】[期間]女性妊娠休暇20日・産前7・産後8週間[給与]法定[取得者数]9名

【育休】[期間]2歳または1歳6カ月到達後の4月30日までの長い方[給与]法定+有給3日[取得者数]22年度 男8名(対象17名)女16名(対象16名)23年度 男16名(対象16名)女9名(対象9名)[平均取得日数]22年度 男96日 女NA、23年度 男33日 女NA

【従業員】[人数]1,129名(男749名、女380名)[平均年齢]42.4歳(男45.5歳、女36.5歳)[平均勤続年数]19.7年(男22.5年、女14.1年)

【年齢構成】■男 □女

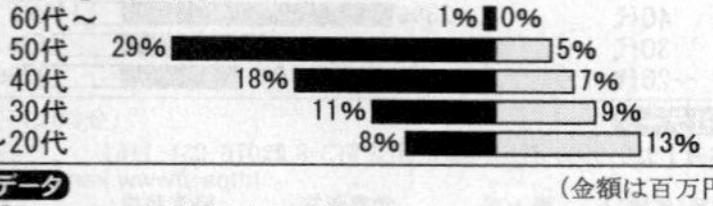
60代～ 1% 0%
50代 29% 5%
40代 18% 7%
30代 11% 9%
～20代 8% 13%

会社データ (金額は百万円)

【本社】101-8710 東京都千代田区神田駿河台4-3 ☎03-3233-4837 https://www.nippan.co.jp/

【業績(連結)】	売上高	営業利益	経常利益	純利益
22.3	504,993	2,840	3,648	1,391
23.3	444,001	▲417	▲158	▲218
24.3	402,171	▲1,661	▲1,180	▲4,934

㈱トーハン

【特色】出版社と書店・小売店を結ぶ、出版取次2強の一角

記者評価 日本出版販売と並ぶ2大出版取次の一つ。出版社と書店等の間に立ち、仕入・配本、配送、代金回収・支払など行う。日販と物流協業化推進。23年8月トップカルチャーの筆頭株主に。三菱地所などと旧本社跡地を共同再開発。24年9月TOBなどで日本出版貿易を買収。

平均勤続年数	男性育休取得率	3年後離職率	平均年収(平均43歳)
20.5年	21.4→NA	10.5→14.8%	㊕581万円

●採用・配属情報●

【男女・文理別採用実績】

	大卒男	大卒女	修士男	修士女
23年	13(文 12理 1)	12(文 12理 0)	0(文 0理 0)	0(文 0理 0)
24年	12(文 11理 1)	15(文 15理 0)	0(文 0理 0)	0(文 0理 0)
25年	9(文 9理 0)	13(文 13理 0)	0(文 0理 0)	0(文 0理 0)

【男女・職種別採用実績】

	総合職
23年	25(男 13 女 12)
24年	27(男 12 女 15)
25年	22(男 9 女 13)

【24年4月入社者の配属勤務地】㊕東京・新宿14 埼玉1 宮城1 静岡1 石川2 愛知1 大阪2 広島1 香川2 福岡2
【転勤】あり:全社員
【中途比率】[単年度]21年度0%、22年度0%、23年度10%[全体]3%

●働きやすさ、諸制度●

残業(月) 9.7時間 ㊕9.7時間

【勤務時間】9:00～17:15【有休取得年平均】10.1日【週休】完全2日(土日祝)【夏期休暇】有休またはリフレッシュ休暇(年間6日)を充当【年末年始休暇】12月30日～1月4日
【離職率】男:5.0%、32名 女:5.4%、19名(早期退職男2名、女5名含む)
【新卒3年後離職率】
[20→23年]10.5%(男17.6%・入社17名、女4.8%・入社21名)
[21→24年]14.8%(男26.7%・入社15名、女0%・入社12名)
【テレワーク】制度あり:[場所]自宅 他[対象]原則全職員[日数]原則週1日[利用率]4.4%【勤務制度】時間単位有休 時差勤務【住宅補助】社宅制度 住宅手当

●ライフイベント、女性活躍●

【女性比率】■男 □女

新卒採用 59.1% (13名)

従業員 35.4% (330名)

管理職 12.5% (60名)

【産休】[期間]産前6・産後8週間[給与]法定[取得者数]13名
【育休】[期間]1歳になるまで[給与]法定[取得者数]22年度 男3名(対象14名)女13名(対象13名)23年度 男3名(対象NA)女15名(対象15名)[平均取得日数]22年度 NA、23年度 NA
【従業員】[人数]932名(男602名、女330名)[平均年齢]43.1歳(男44.7歳、女40.1歳)[平均勤続年数]20.5年(男21.5年、女18.8年)
【年齢構成】■男 □女

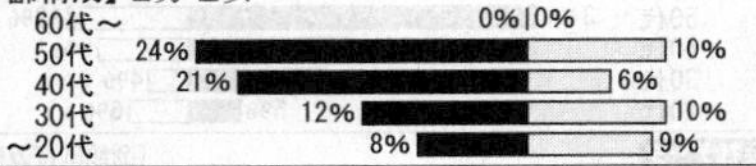

会社データ (金額は百万円)

【本社】162-8710 東京都新宿区東五軒町6-24 ☎NA
https://www.tohan.jp/

【業績(単独)】	売上高	営業利益	経常利益	純利益
22.3	401,309	68	836	▲1,729
23.3	375,811	▲485	607	823
24.3	367,733	52	867	1,415

日本紙パルプ商事㈱

(にほんかみ パルプ しょうじ)

くるみん

【特色】紙専門商社で国内首位級。板紙や家庭紙の製販も

記者評価 1845年に京都で和紙商として創業。パルプ・紙・板紙の専門商社で国内首位級。王子HDが筆頭株主。再生紙による板紙、家庭紙事業を併営。M&A加速、海外紙卸や地方紙卸買収など攻勢。古紙回収やバイオマス発電の資源事業、オフィスビルの不動産賃貸も収益源。

平均勤続年数	男性育休取得率	3年後離職率	平均年収(平均*46歳)
21.7年	29.4→28.6%	6.7→16.7%	㊕1,066万円

●採用・配属情報●

【男女・文理別採用実績】

	大卒男	大卒女	修士男	修士女
23年	10(文 10理 0)	6(文 6理 0)	0(文 0理 0)	0(文 0理 0)
24年	11(文 8理 3)	4(文 4理 0)	1(文 1理 0)	0(文 0理 0)
25年	21(文 20理 1)	4(文 4理 0)	0(文 0理 0)	0(文 0理 0)

【男女・職種別採用実績】 転換制度:⇔

	総合職
23年	16(男 10 女 6)
24年	16(男 12 女 4)
25年	25(男 21 女 4)

【24年4月入社者の配属勤務地】㊕東京13 大阪2 名古屋1
【転勤】あり:[職種]総合職[勤務地]東京本社 大阪 名古屋 福岡 仙台 札幌
【中途比率】[単年度]21年度25%、22年度52%、23年度38%[全体]NA

●働きやすさ、諸制度●

残業(月) 12.4時間

【勤務時間】9:00～17:15【有休取得年平均】15.8日【週休】完全2日(土日祝)【夏期休暇】有休で2日取得【年末年始休暇】約5日
【離職率】男:2.0%、12名 女:1.3%、4名
【新卒3年後離職率】
[20→23年]6.7%(男10.0%・入社10名、女0%・入社5名)
[21→24年]16.7%(男22.2%・入社9名、女0%・入社3名)
【テレワーク】制度あり:[場所]自宅[対象]制限なし[日数]週2日まで[利用率]NA【勤務制度】時間単位有休 時差勤務【住宅補助】借上社宅(総合職のみ)

●ライフイベント、女性活躍●

【女性比率】■男 □女

新卒採用 16% (4名)

従業員 33.9% (298名)

【産休】[期間]産前6・産後8週間[給与]法定[取得者数]10名
【育休】[期間]1歳になるまで[給与]法定[取得者数]22年度 男5名(対象17名)女6名(対象6名)23年度 男4名(対象14名)女9名(対象9名)[平均取得日数]22年度 NA、23年度 男55日 女178日
【従業員】[人数]878名(男580名、女298名)[平均年齢]45.6歳(男46.4歳、女44.2歳)[平均勤続年数]21.7年(男22.4年、女20.4年)
【年齢構成】NA

会社データ (金額は百万円)

【本社】104-8656 東京都中央区勝どき3-12-1 フォアフロントタワー ☎03-3534-8522
https://www.kamipa.co.jp/

【業績(連結)】	売上高	営業利益	経常利益	純利益
22.3	444,757	14,064	15,051	11,499
23.3	545,279	20,264	21,233	25,392
24.3	534,230	17,403	16,753	10,357

653 開示 ★★★☆☆

㈱メディセオ

えるぼし ★★★

【特色】医療用医薬品卸2位。メディパルHD傘下

[記者評価] メディパルHD傘下で医薬品卸の中核子会社。アルフレッサに次ぐ売上高。化粧品など日用雑貨も手がける。医薬品開発投資など、新規事業に積極投資中。MR資格取得者を2500人以上擁し、医薬品の市販後調査など拡充。21年に親会社が日医工と資本業務提携。

平均勤続年数	男性育休取得率	3年後離職率	平均年収(平均49歳)
20.3年	18.0→51.0%	13.1→30.8%	665万円

●採用・配属情報●

【男女・文理別採用実績】※25年:24年7月31日時点

	大卒男	大卒女	修士男	修士女
23年	6(文 6理 0)	16(文 12理 4)	1(文 1理 0)	0(文 0理 0)
24年	10(文 6理 4)	20(文 15理 5)	0(文 0理 0)	0(文 0理 0)
25年	17(文 12理 5)	29(文 23理 6)	0(文 0理 0)	0(文 0理 0)

【男女・職種別採用実績】

	営業職	薬事関連職	事務職
23年	17(男 7女 10)	3(男 0女 3)	3(男 0女 3)
24年	22(男 9女 13)	4(男 1女 3)	4(男 0女 4)
25年	35(男 13女 22)	6(男 4女 2)	5(男 0女 5)

【24年4月入社者の配属勤務地】[総]東京10 神奈川6 大阪5 兵庫5 埼玉2 茨城1 和歌山1

【転勤】あり:[職種]社員 レジェンド社員 嘱託社員(原則、転居を伴う赴任なし。但し、会社が必要とし本人の同意が得られた場合に限り、転居を伴う赴任あり)

【中途比率】[単年度]21年度9%、22年度9%、23年度28%[全体]NA

●働きやすさ、諸制度●

残業(月) 10.4時間 [総]10.6時間

【勤務時間】<営業 管理薬剤師>9:00〜18:00<企画 事務 物流>9:00〜17:30【有休取得年平均】11.3日【週休】完全2日(土日祝)【夏期休暇】3日(分割可)【年末年始休暇】12月30日〜1月3日

【離職率】男:8.5%、274名 女:11.9%、238名

【新卒3年後離職率】
[20→23年]13.1%(男16.7%・入社30名、女9.7%・入社31名)
[21→24年]30.8%(男30.6%・入社36名、女30.9%・入社55名)

【テレワーク】制度あり:[場所]自宅 その他赴任元住居や親の家等自宅に準じる場所[対象]社員 レジェンド社員および嘱託社員 他[日数]原則1週間に2回 他[利用率]3.2%【勤務制度】フレックス 時差勤務【住宅補助】借上社宅(自宅から通勤できない場合)

●ライフイベント、女性活躍●

【女性比率】■男 □女

新卒採用
63%
(29名)
従業員
37.5%
(1766名)
管理職
9.9%
(63名)

【産休】[期間]産前6・産後8週間[給与]法定[取得者数]37名

【育休】[期間]1歳になるまで[給与]法定[取得者数]22年度 男9名(対象50名)女34名(対象43名)23年度 男26名(対象51名)女36名(対象36名)[平均取得日数]22年度 NA、23年度 男31日 女405日

【従業員】[人数]4,706名(男2,940名、女1,766名)[平均年齢]49.3歳(男51.1歳、女46.3歳)[平均勤続年数]20.3年(男24.0年、女14.1年)【年齢構成】■男 □女

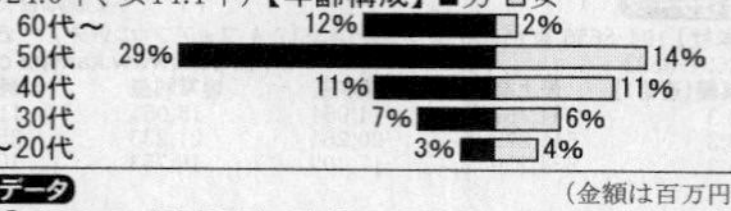

60代〜 12% 2%
50代 29% 14%
40代 11% 11%
30代 7% 6%
〜20代 3% 4%

会社データ (金額は百万円)

【本社】104-8464 東京都中央区京橋3-1-1 東京スクエアガーデン ☎03-3517-5051
https://www.mediceo.co.jp/

【業績(連結)】	売上高	営業利益	経常利益	純利益
22.3	3,290,921	45,624	62,046	29,423
23.3	3,360,008	48,972	65,122	38,806
24.3	3,558,732	47,330	64,570	41,474

※資本金・業績は㈱メディパルホールディングスのもの

1862 開示 ★★★☆☆

アルフレッサ㈱

えるぼし ★★

【特色】医療用医薬品卸で国内首位。効率経営に定評

[記者評価] アルフレッサHD傘下の中核子会社。医薬品卸で売上高首位。04年に福神とアズウェルの経営統合で誕生。関東、中部、近畿、九州などカバー。ベンチャー企業との提携にも積極的。診断薬、医療用機器も扱う。治験薬や再生医薬など特殊薬物流を積極受注。

平均勤続年数	男性育休取得率	3年後離職率	平均年収(平均45歳)
19.9年	32.3→43.7%	26.0→14.3%	[総]688万円

●採用・配属情報●

【男女・文理別採用実績】

	大卒男	大卒女	修士男	修士女
23年	24(文 17理 7)	29(文 22理 7)	0(文 0理 0)	0(文 0理 0)
24年	39(文 31理 8)	31(文 22理 9)	0(文 0理 0)	0(文 0理 0)
25年	31(文 25理 6)	35(文 22理 13)	0(文 0理 0)	0(文 0理 0)

【男女・職種別採用実績】 転換制度:⇔

	総合職(営業職)	総合職(薬剤師職)	総合職(事務職)
23年	44(男 20女 24)	9(男 4女 5)	0(男 0女 0)
24年	62(男 36女 26)	8(男 3女 5)	0(男 0女 0)
25年	52(男 27女 25)	13(男 4女 9)	1(男 0女 1)

【職種併願】(薬剤師免許取得予定者のみ)薬剤師職と営業職で可能

【24年4月入社者の配属勤務地】[総]東京14 愛知9 神奈川6 福岡5 埼玉4 千葉4 兵庫4 大阪3 栃木2 三重2 奈良2 新潟1 長野1 茨城1 群馬1 岐阜1 滋賀1 鹿児島1 [技]東京2 埼玉2 千葉1 奈良1 兵庫1 長崎1

【転勤】あり:全社員

【中途比率】[単年度]21年度36%、22年度41%、23年度47%[全体]40%

●働きやすさ、諸制度●

残業(月) 15.0時間 [総]15.0時間

【勤務時間】本社・支店8:30〜17:00(営業職フレックスタイム制)【有休取得年平均】10.5日【週休】完全2日(土日祝)【夏期休暇】連続3日【年末年始休暇】連続5日

【離職率】男:2.2%、56名 女:3.8%、45名

【新卒3年後離職率】
[20→23年]26.0%(男30.8%・入社26名、女20.8%・入社24名)
[21→24年]14.3%(男12.1%・入社33名、女17.4%・入社23名)

【テレワーク】制度あり:[場所]自宅[対象]正社員 嘱託社員 エリア正社員 契約社員 エルダー社員 パートタイマー[日数]制限なし[利用率]NA【勤務制度】フレックス 時間単位有休 時差勤務【住宅補助】借上社宅(会社都合で転居を伴う転勤の場合)

●ライフイベント、女性活躍●

【女性比率】■男 □女

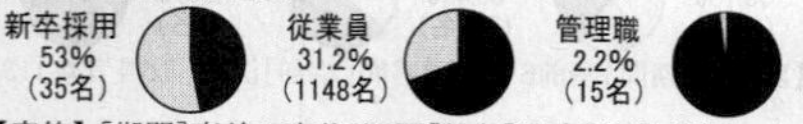

新卒採用
53%
(35名)
従業員
31.2%
(1148名)
管理職
2.2%
(15名)

【産休】[期間]産前6・産後8週間[給与]法定[取得者数]93名

【育休】[期間]1歳になるまで[給与]法定[取得者数]22年度 男20名(対象62名)女26名(対象28名)23年度 男31名(対象71名)女22名(対象22名)[平均取得日数]22年度 男28日 女301日、23年度 男25日 女378日

【従業員】[人数]3,683名(男2,535名、女1,148名)[平均年齢]45.5歳(男46.6歳、女43.2歳)[平均勤続年数]19.9年(男22.1年、女15.1年)【年齢構成】■男 □女

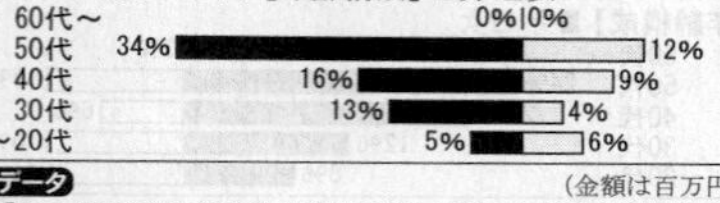

60代〜 0%|0%
50代 34% 12%
40代 16% 9%
30代 13% 4%
〜20代 5% 6%

会社データ (金額は百万円)

【本社】101-8512 東京都千代田区神田美土代町7 住友不動産神田ビル ☎03-3292-3831
https://www.alfresa.co.jp/

【業績(連結)】	売上高	営業利益	経常利益	純利益
22.3	2,585,643	29,091	32,576	32,182
23.3	2,696,069	30,148	32,831	25,786
24.3	2,858,500	38,460	39,997	29,558

※業績はアルフレッサ ホールディングス㈱のもの

1175 開示 ★★

㈱スズケン

えるぼし ★★　くるみん

【特色】医療用医薬品卸3位。独立系。医薬品製造も

[記者評価] 名古屋地盤だが全国に支店網。医薬品卸では再生医薬など特殊薬の物流・卸で業界最先行。18年に業界4位の東邦HDと業務提携。デジタル医療領域でベンチャーとの提携に積極的、独自の携帯端末用情報提供サービスを育成中。介護施設の運営も。

平均勤続年数	男性育休取得率	3年後離職率	平均年収(平均47歳)
21.8年	27.1→134.6%	20.9→33.3%	◇705万円

●採用・配属情報●

【男女・文理別採用実績】

	大卒男	大卒女	修士男	修士女
23年	54(文 43 理 11)	34(文 28 理 6)	1(文 0 理 1)	0(文 0 理 0)
24年	43(文 38 理 5)	14(文 11 理 3)	2(文 0 理 2)	0(文 0 理 0)
25年	-(文 - 理 -)	-(文 - 理 -)	-(文 - 理 -)	-(文 - 理 -)

※25年:継続中

【男女・職種別採用実績】　転換制度:⇒

	総合職
23年	89(男 55 女 34)
24年	59(男 45 女 14)
25年	-(男 - 女 -)

【職種併願】○

【24年4月入社者の配属勤務地】[総]愛知9 東京9 大阪9 神奈川6 北海道5 埼玉5 千葉5 岐阜2 静岡3 宮城3 兵庫2 青森1

【転勤】あり:[職種]総合職[勤務地]全国

【中途比率】[単年度]21年度13%、22年度8%、23年度11%[全体]NA

●働きやすさ、諸制度●

残業(月)　NA

【勤務時間】8:30〜17:15【有休取得年平均】11.4日【週休】完全2日(土日祝)【夏期休暇】2日(7、8月)【年末年始休暇】12月30日〜1月3日

【離職率】NA

【新卒3年後離職率】

[20→23年]20.9%(男18.2%・入社44名、女26.1%・入社23名)

[21→24年]33.3%(男20.0%・入社10名、女45.5%・入社11名)

【テレワーク】制度なし【勤務制度】時間単位有休 裁量労働 副業容認【住宅補助】社宅(総合職・転勤者のみ)

●ライフイベント、女性活躍●

【女性比率】■男 □女

従業員 30.6% (971名)

【産休】[期間]産前6・産後8週間[給与]法定[取得者数]59名

【育休】[期間]2歳の誕生日の月末まで[給与]法定[取得者数]22年度 男13名(対象48名)女46名(対象46名)23年度 男70名(対象52名)女48名(対象48名)[平均取得日数]22年度 NA、23年度 NA

【従業員】[人数]3,176名(男2,205名、女971名)[平均年齢]47.1歳(男49.5歳、女41.8歳)[平均勤続年数]21.8年(男24.8年、女15.1年)

【年齢構成】■男 □女

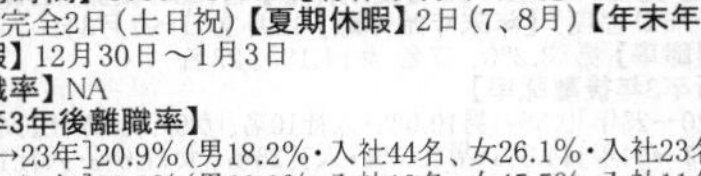
60代〜
50代
40代
30代
〜20代
10%
1%
32%
7%
12%
9%
10%
9%
5%
4%

[会社データ]　(金額は百万円)

【本社】461-8701 愛知県名古屋市東区東片端町8 ☎052-961-2331

https://www.suzuken.co.jp/

【業績(連結)】	売上高	営業利益	経常利益	純利益
22.3	2,232,774	13,777	23,418	14,393
23.3	2,314,828	32,605	36,376	20,345
24.3	2,386,493	34,875	38,351	29,016

1923 開示 ★★★　[専門] 採用あり

東邦薬品㈱

とうほうやくひん

【特色】医療用医薬品卸4位。持株会社のHD傘下

[記者評価] 医療用医薬品4大卸の一角。09年に純粋持ち株会社制に移行。グループ全体の売上の9割を医薬品卸事業が占める。地場卸買収を重ね、全国展開。物流効率化に注力。調剤薬局や医薬製造も手がける。遺伝子治療開発などベンチャー企業に出資し多角化を推進。

平均勤続年数	男性育休取得率	3年後離職率	平均年収(平均46歳)
20.0年	10.5→21.6%	19.0→30.8%	NA

●採用・配属情報●

【男女・文理別採用実績】

	大卒男	大卒女	修士男	修士女
23年	8(文 6 理 2)	10(文 7 理 3)	0(文 0 理 0)	0(文 0 理 0)
24年	6(文 5 理 1)	10(文 8 理 2)	0(文 0 理 0)	0(文 0 理 0)
25年	-(文 - 理 -)	-(文 - 理 -)	-(文 - 理 -)	-(文 - 理 -)

※25年:50名採用予定

【男女・職種別採用実績】

	総合職
23年	18(男 8 女 10)
24年	17(男 6 女 11)
25年	50(男 - 女 -)

【24年4月入社者の配属勤務地】[総]東京9 神奈川1 埼玉1 群馬1 北海道1 愛知2 大阪2

【転勤】あり:全社員

【中途比率】[単年度]21年度69%、22年度85%、23年度84%[全体]NA

●働きやすさ、諸制度●

残業(月)　11.4時間 [総]13.9時間

【勤務時間】8:30〜17:00【有休取得年平均】10.6日【週休】完全2日(土日祝)【夏期休暇】7〜9月の任意の3日【年末年始休暇】12月30日〜1月3日

【離職率】男:2.8%、56名 女:4.1%、30名

【新卒3年後離職率】

[20→23年]19.0%(男9.1%・入社11名、女30.0%・入社10名)

[21→24年]30.8%(男20.0%・入社10名、女37.5%・入社16名)

【テレワーク】制度あり:[場所]NA[対象]NA[日数]NA[利用率]NA【勤務制度】フレックス 裁量労働 時差勤務【住宅補助】住宅手当 社宅(7棟)

●ライフイベント、女性活躍●

【女性比率】■男 □女

従業員 26.5% (693名)

管理職 4.6% (28名)

【産休】[期間]産前6・産後8週間[給与]法定[取得者数]21名

【育休】[期間]1歳になるまで[給与]法定[取得者数]22年度 男4名(対象38名)女30名(対象30名)23年度 男8名(対象37名)女20名(対象20名)[平均取得日数]22年度 NA、23年度 男24日 女471日

【従業員】[人数]2,618名(男1,925名、女693名)[平均年齢]46.0歳(男47.3歳、女42.3歳)[平均勤続年数]20.0年(男21.4年、女16.1年)

【年齢構成】NA

[会社データ]　(金額は百万円)

【本社】104-0028 東京都中央区八重洲2-2-1 東京ミッドタウン八重洲 八重洲セントラルタワー9階 ☎03-6838-2800

https://www.tohoyk.co.jp/ja/ani/

【業績(連結)】	売上高	営業利益	経常利益	純利益
22.3	1,266,171	12,527	18,182	13,379
23.3	1,388,565	12,813	19,176	13,630
24.3	1,476,712	19,331	21,787	20,657

※資本金・業績は東邦ホールディングス㈱のもの

2659 開示 ★★★

(株)PALTAC（パルタック）

【特色】メディパルHD傘下。化粧品・日用品等の卸最大手

記者評価 化粧品・日用品、一般用医薬品卸で業界最大手。卸先の6割強はドラッグストア。営業網を全国展開。省人化技術を採用した効率的な物流システムを独自構築するなど、経費管理を徹底する。卸先に対し、売り場提案型営業、店舗運営効率化支援等も実施する。

平均勤続年数	男性育休取得率	3年後離職率	平均年収(平均45歳)
① 18.7年	7.3 → 30.0%	11.5 → 15.4%	㊕ 667万円

●採用・配属情報●

【男女・文理別採用実績】

	大卒男	大卒女	修士男	修士女
23年	26(文 23 理 3)	21(文 20 理 1)	0(文 0 理 0)	0(文 0 理 0)
24年	20(文 19 理 1)	47(文 46 理 1)	2(文 0 理 2)	0(文 0 理 0)
25年	30(文 28 理 2)	41(文 41 理 0)	1(文 0 理 1)	0(文 0 理 0)

※25年:24年7月時点

【男女・職種別採用実績】

	総合職	システム職	研究開発職	薬剤師職
23年	46(男 25 女 21)	1(男 1 女 0)	0(男 0 女 0)	0(男 0 女 0)
24年	66(男 20 女 46)	1(男 1 女 0)	1(男 1 女 0)	1(男 0 女 1)
25年	69(男 28 女 41)	1(男 - 女 -)	2(男 2 女 0)	0(男 0 女 0)

【24年4月入社者の配属勤務地】㊕北海道・北広島3 宮城・白石3 東京(赤羽11 大崎3)埼玉・白岡3 栃木・下都賀郡1 神奈川・座間5 愛知・春日井6 石川・能見4 大阪(大阪16 泉大津1 高槻1)広島(広島4 福山1)福岡・小郡5 ㊕大阪2

【転勤】あり:全社員(期間限定免除有り)

【中途比率】[単年度]21年度38%、22年度59%、23年度55%[全体]63%

●働きやすさ、諸制度●

残業(月) 9.7時間 ㊕9.7時間

【勤務時間】8:45〜17:30【有休取得年平均】12.4日【週休】完全2日(土日祝)【夏期休暇】3日(計画年休)【年末年始休暇】12月30日〜1月4日

【離職率】男:3.3%、61名 女:5.6%、27名(早期退職22名含む)

【新卒3年後離職率】
[20→23年]11.5%(男16.7%・入社12名、女7.1%・入社14名)
[21→24年]15.4%(男6.3%・入社16名、女21.7%・入社23名)

【テレワーク】制度あり:[場所]自宅 自宅に準じる場所 他[対象]勤続1年以上の者(キャリア入社者を除く)[日数]週3回まで[利用率]NA【勤務制度】フレックス 時間単位有休 時差勤務【住宅補助】社宅(通勤不可能の場合マンション借り上げ 家賃の1割を自己負担)住宅手当(6,500〜30,000円 条件あり)

●ライフイベント、女性活躍●

【女性比率】■男 □女

従業員 20.4%(456名)

管理職 6.7%(20名)

【産休】[期間]産前6・産後8週間[給与]法定[取得者数]16名

【育休】[期間]1歳になるまで[給与]法定[取得者数]22年度 男3名(対象41名)女15名(対象15名)23年度 男9名(対象30名)女17名(対象17名)[平均取得日数]22年度 男8日 女429日、23年度 男29日 女434日

【従業員】[人数]2,237名(男1,781名、女456名)[平均年齢]45.4歳(男46.7歳、女40.2歳)[平均勤続年数]18.7年(男19.4年、女16.0年) ※契約社員含む

【年齢構成】NA

会社データ (金額は百万円)

【本社】540-0029 大阪府大阪市中央区本町橋2-46 ☎06-4793-1050
https://www.paltac.co.jp/

【業績(単独)】	売上高	営業利益	経常利益	純利益
22.3	1,045,735	25,921	28,637	19,639
23.3	1,104,152	24,472	27,440	19,251
24.3	1,151,966	27,172	30,545	20,638

143 開示 ★★★

(株)あらた

えるぼし ★★

【特色】日用雑貨品卸で最大手級。首位PALTAC追う

記者評価 日用雑貨品卸大手。卸先はドラッグストアが約5割。ホームセンターやスーパーマーケットにも販売。地域卸と統合を繰り返し拡大。メイクやヘアケア等ビューティー領域や、トイレットペーパー等の紙製品などを取り扱う。ペット商材や、韓国コスメ等にも注力。

平均勤続年数	男性育休取得率	3年後離職率	平均年収(平均44歳)
18.9年	23.3 → 71.8%	9.5 → 14.3%	㊕ 644万円

●採用・配属情報●

【男女・文理別採用実績】

	大卒男	大卒女	修士男	修士女
23年	16(文 13 理 3)	16(文 15 理 1)	1(文 0 理 1)	0(文 0 理 0)
24年	23(文 19 理 4)	29(文 28 理 1)	0(文 0 理 0)	1(文 0 理 1)
25年	29(文 27 理 2)	35(文 34 理 1)	1(文 1 理 0)	0(文 0 理 0)

【男女・職種別採用実績】 転換制度:⇔

	総合職
23年	33(男 17 女 16)
24年	53(男 23 女 30)
25年	65(男 30 女 35)

【24年4月入社者の配属勤務地】㊕東京(江東12 墨田4)名古屋7 堺5 福岡5 埼玉・朝霞4 札幌3 宮城(仙台2 大衡1)横浜3 岡山2 広島・安芸2 ㊕札幌3

【転勤】あり:[職種]総合職

【中途比率】[単年度]21年度31%、22年度40%、23年度56%[全体]NA

●働きやすさ、諸制度●

残業(月) 8.4時間 ㊕8.6時間

【勤務時間】8:30〜17:30【有休取得年平均】12.2日【週休】完全2日(土日祝)【夏期休暇】暦により変動(土日含む4〜6日程度)【年末年始休暇】12月30日〜1月3日

【離職率】男:3.2%、47名 女:4.1%、23名

【新卒3年後離職率】
[20→23年]9.5%(男10.0%・入社10名、女9.1%・入社11名)
[21→24年]14.3%(男12.0%・入社25名、女17.6%・入社17名)

【テレワーク】制度あり:[場所]自宅[対象]入社後6カ月を経過した在宅勤務に適した社員[日数]週2日まで(妊娠 育児 介護の対象者は週3日まで)[利用率]NA【勤務制度】時間単位有休 時差勤務【住宅補助】借上社宅(入居後8年間家賃の8割を会社負担)

●ライフイベント、女性活躍●

【女性比率】■男 □女

新卒採用 53.8%(35名) 従業員 27.4%(538名) 管理職 5.9%(37名)

【産休】[期間]産前6・産後8週間[給与]法定[取得者数]18名

【育休】[期間]慣らし保育期間も延長可能[給与]法定[取得者数]22年度 男10名(対象43名)女35名(対象35名)23年度 男28名(対象39名)女10名(対象10名)[平均取得日数]22年度 NA、23年度 NA

【従業員】[人数]1,965名(男1,427名、女538名)[平均年齢]42.9歳(男44.6歳、女38.2歳)[平均勤続年数]18.9年(男20.4年、女14.9年)

【年齢構成】■男 □女

	男	女
60代〜	0%	0%
50代	29%	5%
40代	19%	7%
30代	16%	9%
〜20代	8%	7%

会社データ (金額は百万円)

【本社】135-0016 東京都江東区東陽6-3-2 ☎03-5635-2800
https://www.arata-gr.jp/

【業績(連結)】	売上高	営業利益	経常利益	純利益
22.3	857,087	12,743	13,745	9,009
23.3	891,600	12,812	13,680	8,223
24.3	944,149	14,508	15,341	10,322

2742 開示 ★★★☆☆

かおう
花王グループカスタマーマーケティング㈱

くるみん

【特色】花王グループの販売会社。提案型営業に強み

記者評価 略称KCMK。花王グループのコンシューマー商品販売力の源泉。販売と卸売の両機能担い、スーパーやドラッグストア向け提案型営業に強み。18年花王カスタマーマーケティング、カネボウ化粧品販売を吸収合併、美容カウンセリング部門を専門2社に移管し現体制に。

平均勤続年数	男性育休取得率	3年後離職率	平均年収(平均45歳)
21.9年	63.2→98.0%	15.3→4.3%	㊝722万円

●採用・配属情報●

【男女・文理別採用実績】

	大卒男	大卒女	修士男	修士女
23年	10(文 10理 0)	14(文 14理 0)	0(文 0理 0)	0(文 0理 0)
24年	7(文 7理 0)	8(文 6理 2)	0(文 0理 0)	0(文 0理 0)
25年	6(文 6理 0)	8(文 8理 0)	0(文 0理 0)	0(文 0理 0)

【男女・職種別採用実績】

	総合職
23年	24(男 10 女 14)
24年	15(男 7 女 8)
25年	14(男 6 女 8)

【24年4月入社者の配属勤務地】㊝札幌3 仙台2 埼玉・大宮3 名古屋2 大阪4 福岡1
【転勤】あり:全社員
【中途比率】[単年度]21年度8%、22年度17%、23年度17%[全体]42%

●働きやすさ、諸制度●

残業(月) 5.3時間 ㊝5.3時間

【勤務時間】フレックスタイム制(労働時間7時間30分 コアタイムなし)【有休取得年平均】18.2日【週休】完全2日(土日祝)【夏期休暇】2日(7～9月で取得)【年末年始休暇】12月30日～1月4日
【離職率】男:1.5%、35名 女:1.9%、54名(早期退職男10名、女13名含む)
【新卒3年後離職率】
[20→23年]15.3%(男10.0%・入社20名、女17.9%・入社39名)
[21→24年]4.3%(男5.0%・入社20名、女3.8%・入社26名)
【テレワーク】制度あり:[場所]原則、現在の勤務地に通勤可能な自宅又は家族宅[対象]全社員[日数]月60時間[利用率]NA【勤務制度】フレックス 時間単位有休 時差勤務 副業容認
【住宅補助】社宅支援(外部借上げ)引越支援 住宅手当

●ライフイベント、女性活躍●

【女性比率】■男 □女

新卒採用 57.1% (8名)　従業員 55.1% (2793名) 　管理職 26% (215名)

【産休】[期間]産前8・産後8週間[給与]健保より月給の約85%程度支給[取得者数]54名
【育休】[期間]1歳の4月末まで[給与]10日間有給、それ以外法定[取得者数]22年度 男36名(対象57名)女33名(対象33名)23年度 男49名(対象50名)女52名(対象46名)[平均取得日数]22年度 NA、23年度 男18日 女541日
【従業員】[人数]5,069名(男2,276名、女2,793名)[平均年齢]46.8歳(男47.3歳、女46.3歳)[平均勤続年数]21.9年(男23.0年、女21.0年)
【年齢構成】■男 □女

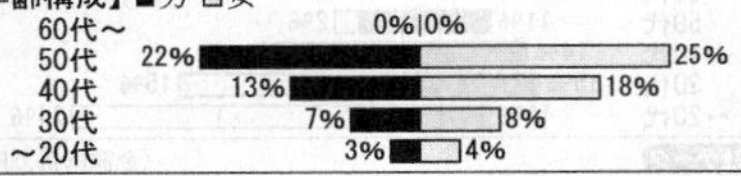

会社データ (金額は百万円)

【本社】103-0016 東京都中央区日本橋小網町8-3 ☎03-6746-2500
https://www.kao.co.jp/employment/kcmk/

【業績(IFRS)】	売上高
22.12	773,170
23.12	779,660

1246 開示 ★★★★☆ 短大 採用あり

こうわ
興和㈱

えるぼし ★★　くるみん

【特色】興和グループ中核の商社。名古屋の名門企業

記者評価 1894年に綿布問屋で創業。繊維、機械、建材等の商社部門と、医薬品・ビジョンユニット等のメーカー部門が両輪。「キャベジンコーワ」などOTC医薬品が有名。生活習慣病、免疫・炎症、感覚器が重点領域。傘下に名古屋観光ホテル、ワタベウェディングなど。

平均勤続年数	男性育休取得率	3年後離職率	平均年収(平均42歳)
16.5年	15.5→26.7%	❗10.3→❗10.7%	㊝865万円

●採用・配属情報●

【男女・文理別採用実績】※2社(興和 興和紡)合計

	大卒男	大卒女	修士男	修士女
23年	27(文 17理 10)	39(文 25理 14)	17(文 0理 17)	8(文 0理 8)
24年	24(文 15理 9)	38(文 23理 15)	19(文 0理 19)	14(文 0理 14)
25年	27(文 16理 11)	34(文 19理 15)	22(文 0理 22)	10(文 0理 10)

【男女・職種別採用実績】 転換制度:⇔

	総合職	エリア職
23年	81(男 44 女 37)	12(男 2 女 10)
24年	84(男 44 女 40)	16(男 0 女 16)
25年	85(男 52 女 33)	15(男 3 女 12)

【24年4月入社者の配属勤務地】㊝東京21 愛知16 大阪3 宮城1 京都1 広島1 埼玉1 福岡1 北海道1 ㊕東京30 愛知4 静岡4
【転勤】あり:[職種]総合職
【中途比率】[単年度]21年度26%、22年度14%、23年度32%[全体]15%

●働きやすさ、諸制度●

残業(月) 3.4時間 ㊝3.2時間

【勤務時間】7時間45分(フレックスタイム制)【有休取得年平均】12.1日【週休】完全2日(土日祝)【夏期休暇】8月10～18日(有休2日、週休2日含む)交代制休日2日(7～9月中に取得)【年末年始休暇】12月28日～1月5日(有休1日、週休2日含む)
【離職率】男:2.8%、72名 女:4.6%、52名
【新卒3年後離職率】
[20→23年]10.3%(男8.8%・入社57名、女11.9%・入社59名)※2社計
[21→24年]10.7%(男10.3%・入社68名、女11.1%・入社54名)※2社計
【テレワーク】制度なし【勤務制度】フレックス 時間単位有休 裁量労働【住宅補助】寮・社宅 住宅手当 ※社有寮のない地域は借上寮・借上社宅

●ライフイベント、女性活躍●

【女性比率】■男 □女

新卒採用 45% (45名)　従業員 30.1% (1085名) 　管理職 3% (21名)

【産休】[期間]産前8・産後8週間[給与]法定[取得者数]35名
【育休】[期間]1歳になるまで[給与]法定[取得者数]22年度 男16名(対象103名)女40名(対象40名)23年度 男24名(対象90名)女46名(対象48名)[平均取得日数]22年度 男37日 女139日、23年度 男61日 女146日
【従業員】[人数]3,601名(男2,516名、女1,085名)[平均年齢]41.2歳(男42.6歳、女37.8歳)[平均勤続年数]16.5年(男17.4年、女14.3年)【年齢構成】■男 □女

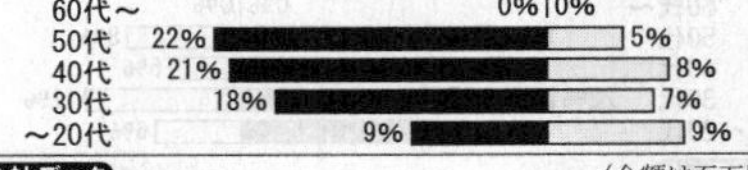

会社データ (金額は百万円)

【本社】460-8625 愛知県名古屋市中区錦3-6-29 ☎052-963-3159
https://www.kowa.co.jp/

【業績(連結)】	売上高	営業利益	経常利益	純利益
22.3	459,552	2,016	6,596	6,546
23.3	743,197	9,415	17,956	23,156
24.3	573,930	20,097	22,030	14,220

蝶理(株)

ちょうり

【特色】繊維商社の老舗で東レの傘下。中国に強み

記者評価 京都西陣の生糸問屋として1861年創業。現在は繊維と化学品が2本柱。自動車や農機・建機も扱う。化学品と機械を軸に中国事業を強化。環境配慮型繊維商材は24年度3割増販へ。繊維商社のスミテック・インターナショナル(現STX)を子会社化するなどM&Aにも積極的。

平均勤続年数	男性育休取得率	3年後離職率	平均年収(平均40歳)
13.6年	42.9→58.3%	27.8→8.3%	㊙1,033万円

●採用・配属情報●

【男女・文理別採用実績】

	大卒男	大卒女	修士男	修士女
23年	11(文 9 理 2)	4(文 3 理 1)	3(文 1 理 2)	0(文 0 理 0)
24年	14(文 12 理 2)	5(文 5 理 0)	2(文 0 理 2)	1(文 0 理 1)
25年	9(文 9 理 0)	8(文 7 理 1)	2(文 0 理 2)	1(文 1 理 0)

【男女・職種別採用実績】 転換制度:⇒

	総合職	事務職
23年	18(男 14 女 4)	0(男 0 女 0)
24年	22(男 16 女 6)	0(男 0 女 0)
25年	18(男 11 女 7)	2(男 0 女 2)

【職種併願】○

【24年4月入社者の配属勤務地】㊙東京16 大阪6

【転勤】あり:[職種]全国転勤型コース

【中途比率】[単年度]21年度64%、22年度40%、23年度56%[全体]27%

●働きやすさ、諸制度●

残業(月) 14.2時間 ㊙15.8時間

【勤務時間】9:15〜17:30【有休取得年平均】14.1日【週休】完全2日(土日祝)【夏期休暇】季節休暇として年5日【年末年始休暇】あり

【離職率】男:4.0%、10名 女:8.0%、9名

【新卒3年後離職率】
[20→23年]27.8%(男35.7%・入社14名、女0%・入社4名)
[21→24年]8.3%(男12.5%・入社8名、女0%・入社4名)

【テレワーク】制度あり:[場所]自宅 他[対象]所属上長によって認められた勤続1年以上の全社員[日数]週1回[利用率]NA【勤務制度】フレックス 時差勤務【住宅補助】独身寮 社宅(6,000円)

●ライフイベント、女性活躍●

【女性比率】■男 □女

新卒採用 45% (9名)　従業員 30.3% (104名)　管理職 1.4% (1名)

【産休】[期間]産前6・産後8週間[給与]会社全額給付[取得者数]7名

【育休】[期間]1歳になるまで[給与]出生時育児休業は給与全額支給、通常の育休は法定[取得者数]22年度 男6名(対象14名)女7名(対象7名)23年度 男14名(対象24名)女5名(対象5名)[平均取得日数]22年度 男2日 女−、23年度 男14日 女378日

【従業員】[人数]343名(男239名、女104名)[平均年齢]40.2歳(男40.4歳、女39.9歳)[平均勤続年数]13.6年(男13.6年、女13.6年)

【年齢構成】■男 □女

	男	女
60代〜	0%	0%
50代	18%	8%
40代	15%	5%
30代	22%	11%
〜20代	14%	6%

会社データ (金額は百万円)

【本社】540-8603 大阪府大阪市中央区淡路町4-2-13 アーバンネット御堂筋ビル ☎06-6228-5000
https://www.chori.co.jp/

【業績(連結)】	売上高	営業利益	経常利益	純利益
22.3	284,096	9,328	10,274	6,811
23.3	329,389	12,656	12,437	8,124
24.3	307,699	15,039	14,476	9,624

豊島(株)

とよしま

【特色】老舗の繊維専門商社。独立系ではトップ

記者評価 天保年間の1841年創業の繊維問屋「綿屋半七」が母体。名古屋の名門企業。独立系繊維商社で国内首位、系列商社加えても4番手級。綿花・羊毛などの原料から原糸、繊維製品まで扱う総合力に強み。異業種との協業に積極姿勢。共同配送推進。欧・米・亜に13拠点。

平均勤続年数	男性育休取得率	3年後離職率	平均年収(平均36歳)
12.2年	16.7→28.6%	9.4→27.6%	NA

●採用・配属情報●

【男女・文理別採用実績】※25年:24年8月28日時点

	大卒男	大卒女	修士男	修士女
23年	11(文 11 理 0)	22(文 22 理 0)	0(文 0 理 0)	0(文 0 理 0)
24年	7(文 7 理 0)	31(文 31 理 0)	0(文 0 理 0)	0(文 0 理 0)
25年	14(文 14 理 0)	35(文 34 理 1)	0(文 0 理 0)	0(文 0 理 0)

【男女・職種別採用実績】 転換制度:⇔

	総合職	エリア職
23年	17(男 11 女 6)	16(男 0 女 16)
24年	19(男 7 女 12)	19(男 0 女 19)
25年	26(男 14 女 12)	23(男 0 女 23)

【24年4月入社者の配属勤務地】㊙東京13 名古屋5 浜松1

【転勤】あり:[職種]総合職[勤務地]東京 名古屋 浜松 一宮(愛知)

【中途比率】[単年度]21年度37%、22年度19%、23年度6%[全体]10%

●働きやすさ、諸制度●

残業(月) 9.6時間 ㊙26.8時間

【勤務時間】(名古屋本社)9:00〜17:30(東京本社)9:30〜18:00【有休取得年平均】11.8日【週休】完全2日(土日祝)【夏期休暇】連続3日【年末年始休暇】12月30日〜1月4日

【離職率】男:5.1%、16名 女:6.8%、20名

【新卒3年後離職率】
[20→23年]9.4%(男9.1%・入社11名、女9.5%・入社21名)
[21→24年]27.6%(男36.4%・入社11名、女22.2%・入社18名)

【テレワーク】制度あり:[場所]自宅[対象]小6までの子供がいる人 在宅介護で出勤が困難な人 妊娠中の人 他[日数]週2日まで[利用率]12.8%【勤務制度】時間単位有休 裁量労働 時差勤務【住宅補助】住宅手当 住宅補助(入社10年目までの独身総合職 独身寮手当として原則家賃の8割を会社負担、上限有り)社宅(総合職・専門職)

●ライフイベント、女性活躍●

【女性比率】■男 □女

新卒採用 71.4% (35名)　従業員 48.2% (276名)　管理職 0% (0名)

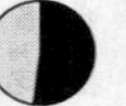

【産休】[期間]産前6・産後8週間[給与]法定[取得者数]24名

【育休】[期間]1歳になるまで[給与]法定[取得者数]22年度 男3名(対象18名)女17名(対象17名)23年度 男2名(対象7名)女24名(対象24名)[平均取得日数]22年度 男14日 女386日、23年度 男15日 女461日

【従業員】[人数]573名(男297名、女276名)[平均年齢]35.6歳(男39.4歳、女31.5歳)[平均勤続年数]12.2年(男15.6年、女8.6年)

【年齢構成】■男 □女

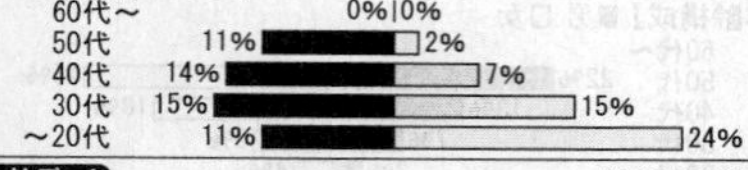

会社データ (金額は百万円)

【本社】460-8671 愛知県名古屋市中区錦2-15-15 ☎052-204-7711
https://www.toyoshima.co.jp/

【業績(単独)】	売上高	営業利益	経常利益	純利益
22.6	192,086	4,121	5,713	5,389
23.6	224,892	7,188	9,044	5,639
24.6	220,210	8,845	11,621	8,098

1254 開示 ★★★

帝人フロンティア(株)（ていじん）

えるぼし ★★　くるみん

【特色】帝人の繊維事業中核。商社とメーカーの機能持つ

[記者評価] 帝人商事と日商岩井アパレルの合併で誕生。衣料繊維事業、産業資材事業を展開。高機能繊維素材「ソロテックス」など独自開発品も。産業資材は水処理フィルター向け短繊維、自動車関連部材などを展開。台湾、フィリピン、バングラディシュに駐在員事務所。

平均勤続年数	男性育休取得率	3年後離職率	平均年収(平均44歳)
17.3年	27.3→58.8%	10.7→7.1%	[総]929万円

●採用・配属情報●

【男女・文理別採用実績】※25年:継続中

	大卒男	大卒女	修士男	修士女
23年	3(文 2理 1)	2(文 2理 0)	3(文 0理 3)	2(文 0理 2)
24年	8(文 6理 2)	5(文 4理 1)	1(文 0理 1)	4(文 1理 3)
25年	10(文 10理 0)	14(文 14理 0)	2(文 0理 2)	1(文 0理 1)

【男女・職種別採用実績】 転換制度:⇔

	総合職	一般職
23年	10(男 6 女 4)	0(男 0 女 0)
24年	18(男 9 女 9)	0(男 0 女 0)
25年	19(男 12 女 7)	-(男 - 女 -)

【24年4月入社者の配属勤務地】[総]大阪市11 東京・新橋3 名古屋1 [技]大阪市3

【転勤】あり:[職種]総合職[勤務地]大阪 東京 名古屋 海外 松山(技術のみ)

【中途比率】[単年度]21年度20%、22年度23%、23年度28%[全体]NA

●働きやすさ、諸制度●

残業(月) 9.0時間 [総]9.9時間

【勤務時間】9:15〜17:30【有休取得年平均】13.7日【週休】完全2日(土日祝)【夏期休暇】有休取得奨励・促進(原則5日間)【年末年始休暇】12月30日〜1月3日

【離職率】男:2.3%、12名 女:3.3%、12名

【新卒3年後離職率】
[20→23年]10.7%(男5.9%・入社17名、女18.2%・入社11名)
[21→24年]7.1%(男0%・入社8名、女16.7%・入社6名)

【テレワーク】制度あり:[場所]自宅および自宅に準ずる場所[対象]生産部署および生産に準ずる部署 交替勤務部署以外の部署[日数]週3回まで[利用率]NA【勤務制度】フレックス 時間単位有休 時差勤務【住宅補助】独身寮 結婚社宅(大阪 東京 名古屋)

●ライフイベント、女性活躍●

【女性比率】■男 □女

従業員 41% (355名)

管理職 3% (4名)

【産休】[期間]産前8・産後8週間[給与]法定[取得者数]15名

【育休】[期間]1歳の4月30日まで[給与]法定[取得者数]22年度 男6名(対象22名)女32名(対象32名)23年度 男10名(対象17名)女13名(対象13名)[平均取得日数]22年度 男3日 女190日、23年度 男20日 女191日

【従業員】[人数]865名(男510名、女355名)[平均年齢]44.5歳(男46.6歳、女41.5歳)[平均勤続年数]17.3年(男17.9年、女16.4年)

【年齢構成】■男 □女

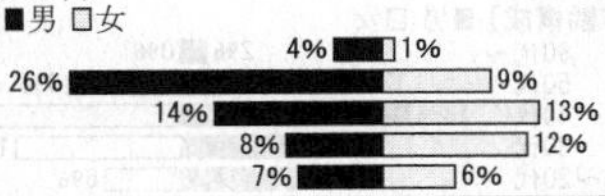

会社データ (金額は百万円)

【本社】530-8605 大阪府大阪市北区中之島3-2-4 中之島フェスティバルタワー・ウエスト ☎06-6233-2600 https://www2.teijin-frontier.com/

【業績(単独)】	売上高	営業利益	経常利益	純利益
22.3	181,593	2,633	1,960	2,045
23.3	201,836	3,365	3,242	3,115
24.3	200,450	4,458	5,004	3,824

2555 開示 ★★

(株)ＧＳＩクレオス（ジーエスアイ）

【特色】繊維と工業製品中心の専門商社。原糸などが柱

[記者評価] 1931年横浜で創業。生糸などの対米輸出で出発、繊維や工業製品の専門商社へ。原糸や生地、化学品の取り扱いが主力。半導体製造装置や関連部材も成長。ブラジルの透析クリニック事業では周辺国での透析装置拡販も。インド・ベトナムに現法設立などアジア強化。

平均勤続年数	男性育休取得率	3年後離職率	平均年収(平均44歳)
15.7年	NA	0→0%	[総]738万円

●採用・配属情報●

【男女・文理別採用実績】

	大卒男	大卒女	修士男	修士女
23年	4(文 3理 1)	6(文 6理 0)	0(文 0理 0)	0(文 0理 0)
24年	9(文 9理 0)	3(文 3理 0)	1(文 0理 1)	0(文 0理 0)
25年	5(文 4理 1)	10(文 9理 1)	1(文 0理 1)	0(文 0理 0)

【男女・職種別採用実績】 転換制度:⇔

	総合職
23年	10(男 3 女 7)
24年	13(男 10 女 3)
25年	16(男 6 女 10)

【24年4月入社者の配属勤務地】[総]東京4 神奈川1 大阪8

【転勤】あり:[職種]総合職[勤務地]東京 大阪 神奈川 宮城 福井 福岡 熊本 海外

【中途比率】[単年度]21年度17%、22年度42%、23年度29%[全体]NA

●働きやすさ、諸制度●

残業(月) 10.0時間

【勤務時間】7時間30分(フレックスタイム制 コアタイム10:00〜15:00)【有休取得年平均】12.4日【週休】完全2日(土日祝)【夏期休暇】有休で取得【年末年始休暇】12月30日〜1月3日

【離職率】男:3.6%、6名 女:1.5%、2名

【新卒3年後離職率】
[20→23年]0%(男0%・入社5名、女0%・入社7名)
[21→24年]0%(男0%・入社4名、女0%・入社1名)

【テレワーク】制度あり:[場所]寮 実家[対象]全社員[日数]週2日まで[利用率]NA【勤務制度】フレックス【住宅補助】独身寮 社宅(諸条件あり)

●ライフイベント、女性活躍●

【女性比率】■男 □女

新卒採用 62.5% (10名)

従業員 44.7% (132名)

管理職 10.9% (5名)

【産休】[期間]産前6・産後8週間[給与]法定[取得者数]0名

【育休】[期間]1歳になるまで[給与]法定[取得者数]22年度NA 23年度NA[平均取得日数]22年度NA、23年度NA

【従業員】[人数]295名(男163名、女132名)[平均年齢]41.9歳(男43.4歳、女39.7歳)[平均勤続年数]15.7年(男17.0年、女14.1年)

【年齢構成】NA

会社データ (金額は百万円)

【本社】105-0014 東京都港区芝3-8-2 芝公園ファーストビル ☎03-5418-2120 https://www.gsi.co.jp/

【業績(連結)】	売上高	営業利益	経常利益	純利益
22.3	111,829	2,008	1,882	1,638
23.3	131,054	1,829	1,787	1,769
24.3	146,194	2,881	2,999	2,019

654 開示 ★★★

㈱ヤギ

【特色】老舗の繊維専門商社。東京への営業シフト加速

[記者評価] 1893年(明治26年)創業の老舗繊維専門商社。大阪地盤だが東京への営業シフト加速させ、東西2本社制。綿・合繊糸などの繊維原料から生地、アパレル、寝装品・インテリア商品や産業繊維資材まで取り扱う。3Dデザインなどの米スタートアップと提携関係構築。

平均勤続年数	男性育休取得率	3年後離職率	平均年収(平均41歳)
15.1年	NA → 12.5%	47.4 → 28.6%	[総] 906万円

●採用・配属情報●

【男女・文理別採用実績】

	大卒男	大卒女	修士男	修士女
23年	2(文 1理 1)	4(文 4理 0)	0(文 0理 0)	0(文 0理 0)
24年	11(文 11理 0)	1(文 1理 0)	0(文 0理 0)	1(文 1理 0)
25年	12(文 12理 0)	1(文 1理 0)	0(文 0理 0)	0(文 0理 0)

【男女・職種別採用実績】 転換制度:⇔

	総合職	一般職
23年	6(男 2 女 4)	0(男 0 女 0)
24年	13(男 11 女 2)	0(男 0 女 0)
25年	13(男 12 女 1)	0(男 0 女 0)

【職種併願】NA
【24年4月入社者の配属勤務地】[総]東京6 大阪7
【転勤】あり:[職種]総合職
【中途比率】[単年度]21年度22%、22年度21%、23年度33%[全体]13%

●働きやすさ、諸制度●

残業(月) 19.2時間 [総]23.2時間

【勤務時間】大阪本社9:20～17:30 東京本社9:30～17:40【有休取得年平均】11.1日【週休】完全2日(土日祝)【夏期休暇】特別休暇2日(連続、非連続の選択可)【年末年始休暇】12月28日～1月3日(有休計画的付与2日含む)
【離職率】男:7.1%、13名 女:9.8%、12名
【新卒3年後離職率】
[20→23年]47.4%(男40.0%・入社5名、女50.0%・入社14名)
[21→24年]28.6%(男36.4%・入社11名、女0%・入社3名)
【テレワーク】制度あり:[場所]自宅[対象]制限なし[日数]週3日まで[利用率]NA【勤務制度】フレックス 時間単位有休 裁量労働 副業容認【住宅補助】独身寮 社宅 借上げ制度

●ライフイベント、女性活躍●

【女性比率】■男 □女

新卒採用 7.7% (1名) 従業員 39.1% (110名) 管理職 2.4% (1名)

【産休】[期間]産前8・産後8週間[給与]会社全額給付[取得者数]4名
【育休】[期間]1歳になるまで[給与]法定[取得者数]22年度NA 23年度 男1名(対象8名)女4名(対象4名)[平均取得日数]22年度 NA、23年度 男4日 女394日
【従業員】[人数]281名(男171名、女110名)[平均年齢]39.8歳(男41.9歳、女36.6歳)[平均勤続年数]15.1年(男16.3年、女13.3年)
【年齢構成】NA

[会社データ] (金額は百万円)
【本社】540-8660 大阪府大阪市中央区久太郎町2-2-8 ☎06-6266-7300
https://www.yaginet.co.jp/

【業績(連結)】	売上高	営業利益	経常利益	純利益
22.3	77,524	1,126	1,357	366
23.3	86,422	1,943	1,952	1,013
24.3	82,846	3,181	3,205	2,075

1517 開示 ★★★ [専門]採用あり

スタイレム瀧定大阪㈱

たきさだおおさか

【特色】老舗の大手繊維商社。服地とアパレルが2本柱

[記者評価] 1864年創業の名門繊維問屋「瀧定」が母体。21年スタイレムと合併して現体制。テキスタイル、アパレル製品、ライフスタイル、原料の4事業を推進。服地は国内首位。新商品、新サービス開発強化。伊テキスタイルメーカーと提携。海外は中国、米欧などに拠点。

平均勤続年数	男性育休取得率	3年後離職率	平均年収(平均41歳)
14.7年	20.0 → 50.0%	16.7 → 30.0%	[総] 921万円

●採用・配属情報●

【男女・文理別採用実績】

	大卒男	大卒女	修士男	修士女
23年	9(文 9理 0)	5(文 5理 0)	1(文 0理 1)	0(文 0理 0)
24年	11(文 10理 1)	5(文 5理 0)	1(文 0理 1)	0(文 0理 0)
25年	12(文 12理 0)	6(文 6理 0)	0(文 0理 0)	1(文 1理 0)

【男女・職種別採用実績】 転換制度:⇔

	総合職	専門職	一般職
23年	14(男 10 女 4)	1(男 0 女 1)	0(男 0 女 0)
24年	16(男 12 女 4)	1(男 0 女 1)	0(男 0 女 0)
25年	19(男 12 女 7)	1(男 0 女 1)	0(男 0 女 0)

【24年4月入社者の配属勤務地】[総]NA
【転勤】あり:[職種]総合職 企画職[勤務地]東京 大阪 海外拠点
【中途比率】[単年度]21年度30%、22年度31%、23年度32%[全体]32%

●働きやすさ、諸制度●

残業(月) 13.3時間 [総]16.6時間

【勤務時間】9:00～18:00 早出・遅出勤務制度あり【有休取得年平均】8.4日【週休】完全2日(土日祝)【夏期休暇】連続3日+2日の有休利用推進【年末年始休暇】連続5日
【離職率】男:7.7%、23名 女:8.3%、22名
【新卒3年後離職率】
[20→23年]16.7%(男27.3%・入社11名、女0%・入社7名)
[21→24年]30.0%(男28.6%・入社7名、女33.3%・入社3名)
【テレワーク】制度あり:[場所]自宅 他[対象]全社員[日数]制限なし[利用率]9.3%【勤務制度】時間単位有休 時差勤務 副業容認【住宅補助】独身社員寮(会社借上マンション 男女別 自己負担額 月々12,000円)世帯主住宅手当(月額15,000円 マネジメント職を除く)

●ライフイベント、女性活躍●

【女性比率】■男 □女

新卒採用 40% (8名) 従業員 46.8% (242名) 管理職 2.8% (2名)

【産休】[期間]産前6・産後8週間[給与]法定[取得者数]19名
【育休】[期間]1歳になるまで[給与]法定[取得者数]22年度 男1名(対象5名)女13名(対象14名)23年度 男1名(対象2名)女18名(対象18名)[平均取得日数]22年度 NA、23年度 NA
【従業員】[人数]517名(男275名、女242名)[平均年齢]41.9歳(男42.5歳、女41.2歳)[平均勤続年数]14.7年(男15.7年、女13.7年)
【年齢構成】■男 □女

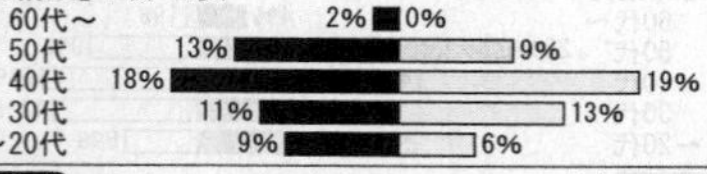

[会社データ] (金額は百万円)
【本社】556-0017 大阪府大阪市浪速区湊町1-2-3 マルイト難波ビル11階 ☎06-4396-6515
https://www.stylem.co.jp/

【業績(連結)】	売上高	営業利益	経常利益	純利益
22.1	69,136	2,503	NA	NA
23.1	76,919	3,544	NA	NA
24.1	79,292	4,542	NA	NA

1688 開示 ★★★

いとうちゅう 伊藤忠エネクス(株)

くるみん

【特色】伊藤忠系の燃料商社。電力、SSや中古車販売も

記者評価 石油製品卸や直営給油所の運営、産業用燃料販売、家庭へのLPガス供給が主力。独自ブランドのスタンド販売網を形成。発電および電力小売りや車の販売まで手がける。環境対応事業に注力。旧ビッグモーター承継会社に出資し、再生支援に人員派遣。

平均勤続年数	男性育休取得率	3年後離職率	平均年収(平均41歳)
17.2年	58.8 → 81.0%	16.7 → 15.4%	㊕1,034万円

●採用・配属情報●

【男女・文理別採用実績】

	大卒男	大卒女	修士男	修士女
23年	9(文 5理 4)	10(文 10理 0)	5(文 0理 5)	2(文 2理 0)
24年	9(文 8理 1)	4(文 4理 0)	1(文 0理 1)	3(文 0理 3)
25年	5(文 5理 0)	4(文 4理 0)	4(文 0理 4)	0(文 0理 0)

【男女・職種別採用実績】 転換制度:⇔

	ゼネラル職
23年	26(男 14 女 12)
24年	17(男 10 女 7)
25年	13(男 9 女 4)

【24年4月入社者の配属勤務地】㊕東京・千代田17
【転勤】あり:[職種]ゼネラル職
【中途比率】[単年度]21年度0%、22年度0%、23年度4%[全体]21%

●働きやすさ、諸制度●

残業(月) 7.6時間 ㊕8.0時間

【勤務時間】9:00〜17:30【有休取得年平均】17.7日【週休】完全2日(土日祝)【夏期休暇】有休で取得【年末年始休暇】12月29日〜1月3日
【離職率】男:5.2%、27名 女:3.4%、5名
【新卒3年後離職率】
[20→23年]16.7%(男15.8%・入社19名、女18.2%・入社11名)
[21→24年]15.4%(男20.0%・入社15名、女9.1%・入社11名)
【テレワーク】制度あり:[場所]NA[対象]制限なし[日数]週2日[利用率]NA【勤務制度】フレックス 時間単位有休 時差勤務【住宅補助】<ゼネラル職>社宅または住宅手当

●ライフイベント、女性活躍●

【女性比率】■男 □女

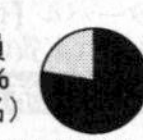

【産休】[期間]産前6・産後8週間[給与]法定[取得者数]9名
【育休】[期間]2歳になるまで延長可[給与]法定[取得者数]22年度 男10名(対象17名)女3名(対象3名)23年度 男17名(対象21名)女9名(対象9名)[平均取得日数]22年度 男46日 女369日、23年度 男43日 女442日
【従業員】[人数]640名(男497名、女143名)[平均年齢]42.3歳(男43.6歳、女37.7歳)[平均勤続年数]17.2年(男18.8年、女12.1年)
【年齢構成】■男 □女

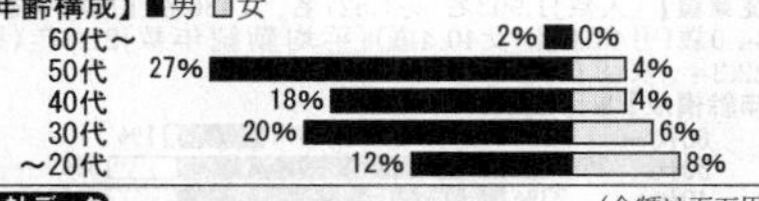

会社データ (金額は百万円)

【本社】100-6028 東京都千代田区霞が関3-2-5 霞が関ビルディング ☎03-4233-8000 https://www.itcenex.com/

【業績(IFRS)】	営業収益	営業利益	税前利益	純利益
22.3	936,306	20,929	22,241	13,194
23.3	1,012,018	21,368	23,036	13,832
24.3	963,302	23,587	24,687	13,887

774 開示 ★★

いわたにさんぎょう 岩谷産業(株)

えるぼし ★★　プラチナくるみん

【特色】産業・家庭用ガスの商社。LPガス販売で国内首位

記者評価 LPガス販売の国内最大手。卸販売のほか家庭向けガスコンロ製造も。酸素、窒素、水素、ヘリウムなど各種産業ガスに強い。特に水素事業には力を入れ、液化水素を用いた水素ステーションの拡大を継続。コスモエネルギーホールディングスは持分法適用会社。

平均勤続年数	男性育休取得率	3年後離職率	平均年収(平均40歳)
15.3年	30.6 → 55.9%	14.3 → 9.5%	970万円

●採用・配属情報●

【男女・文理別採用実績】※25年:24年8月末時点

	大卒男	大卒女	修士男	修士女
23年	25(文 21理 4)	38(文 37理 1)	12(文 0理 12)	5(文 2理 3)
24年	32(文 26理 6)	36(文 33理 3)	9(文 0理 9)	2(文 0理 2)
25年	32(文 30理 2)	26(文 24理 2)	13(文 1理 12)	2(文 0理 2)

【男女・職種別採用実績】 転換制度:⇒

	総合職	一般職
23年	57(男 37 女 20)	24(男 0 女 24)
24年	49(男 41 女 8)	31(男 1 女 30)
25年	57(男 43 女 14)	16(男 2 女 14)

【24年4月入社者の配属勤務地】㊕札幌1 群馬・前橋1 さいたま3 東京(港13 中央1)神奈川・厚木1 名古屋1 石川・金沢2 大阪市14 広島3 福岡3 ㊙大阪市2 兵庫・尼崎4
【転勤】あり:[職種]総合職(一部社員を除く)
【中途比率】[単年度]21年度4%、22年度12%、23年度16%[全体]NA

●働きやすさ、諸制度●

残業(月) 14.1時間

【勤務時間】9:00〜17:15【有休取得年平均】9.9日【週休】完全2日(土日祝)【夏期休暇】5日【年末年始休暇】12月30日〜1月4日
【離職率】NA
【新卒3年後離職率】
[20→23年]14.3%(男21.4%・入社42名、女7.1%・入社42名)
[21→24年]9.5%(男11.4%・入社35名、女7.1%・入社28名)
【テレワーク】制度あり:[場所]自宅 サテライトオフィス[対象]入社2年目以降の全社員[日数]月5日まで[利用率]NA
【勤務制度】フレックス 時間単位有休【住宅補助】独身寮 借上社宅(独身 単身 転勤 新婚)住宅手当

●ライフイベント、女性活躍●

【女性比率】■男 □女

【産休】[期間]産前6・産後8週間[給与]基準内給与+固定超過勤務手当+家族手当の90%給付[取得者数]15名
【育休】[期間]1歳2カ月になるまで(2歳2カ月まで延長可)[給与]法定[取得者数]22年度 男15名(対象49名)女10名(対象10名)23年度 男19名(対象34名)女18名(対象15名)[平均取得日数]22年度 NA、23年度 NA
【従業員】[人数]1,321名(男921名、女400名)[平均年齢]39.6歳(男41.9歳、女34.3歳)[平均勤続年数]15.3年(男17.1年、女11.2年)
【年齢構成】■男 □女

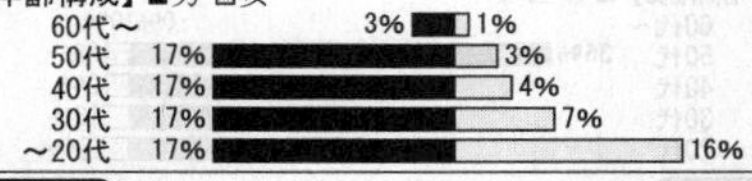

会社データ (金額は百万円)

【本社】105-8458 東京都港区西新橋3-21-8 ☎03-5405-5717 https://www.iwatani.co.jp/

【業績(連結)】	売上高	営業利益	経常利益	純利益
22.3	690,392	40,076	46,413	29,964
23.3	906,261	40,035	47,011	32,022
24.3	847,888	50,635	66,202	47,363

2017 開示 ★★★★☆ 専門 採用あり

三愛オブリ(株)

さんあい

【特色】石油製品販売大手。羽田空港で給油事業

記者評価 ガソリン、LPガス、航空機燃料など石油製品販売大手。給油所等でObbli(オブリ)ブランドを展開。ガソリンスタンドは全国1000カ所を超すネットワーク。羽田空港では給油施設運営を一手に手がける。化学品製造販売も。22年4月から現社名。傘下にキグナス石油。

平均勤続年数	男性育休取得率	3年後離職率	平均年収(平均45歳)
①17.8年	53.8→45.5%	28.0→23.3%	総1,096万円

●採用・配属情報●

【男女・文理別採用実績】

	大卒男	大卒女	修士男	修士女
23年	7(文 3 理 4)	8(文 7 理 1)	0(文 0 理 0)	0(文 0 理 0)
24年	19(文 13 理 6)	6(文 2 理 4)	0(文 0 理 0)	0(文 0 理 0)
25年	14(文 12 理 2)	6(文 5 理 1)	0(文 0 理 0)	0(文 0 理 0)

※25年:24年8月1日時点

【男女・職種別採用実績】 転換制度:⇔

	総合職	航空関連職	地域限定総合職
23年	12(男 5 女 7)	10(男 9 女 1)	0(男 0 女 0)
24年	17(男 13 女 4)	13(男 12 女 1)	2(男 1 女 1)
25年	18(男 13 女 5)	10(男 8 女 2)	1(男 0 女 1)

【24年4月入社者の配属勤務地】総東京(大手町5 大井町2) 北海道3 大阪3 福岡3 神奈川1 埼玉1 名古屋1 技東京・大田13

【転勤】あり:[職種]総合職[勤務地]全国

【中途比率】[単年度]21年度14%、22年度55%、23年度49%[全体]11%

●働きやすさ、諸制度●

残業(月) 8.2時間 総4.0時間

【勤務時間】9:00~17:40【有休取得年平均】11.9日【週休】完全2日(土日祝)【夏期休暇】有休で取得【年末年始休暇】12月31日~1月3日

【離職率】男:4.4%、18名 女:8.6%、5名

【新卒3年後離職率】

[20→23年]28.0%(男31.6%・入社19名、女16.7%・入社6名)

[21→24年]23.3%(男17.4%・入社23名、女42.9%・入社7名)

【テレワーク】制度あり:[場所]自宅[対象]現業職以外[日数]特別な理由がない限り原則出社[利用率]NA【勤務制度】時間単位有休 時差勤務【住宅補助】借上社宅(年齢により7~9割の家賃補助)住宅手当

●ライフイベント、女性活躍●

【女性比率】■男 □女

新卒採用 27.6% (8名)

従業員 11.8% (53名)

管理職 4.8% (7名)

【産休】[期間]産前6・産後8週間[給与]法定[取得者数]2名

【育休】[期間]3歳になるまで[給与]法定[取得者数]22年度 男7名(対象13名)女3名(対象3名)23年度 男5名(対象11名)女2名(対象2名)[平均取得日数]22年度 NA、23年度 男21日 女248日

【従業員】[人数]448名(男395名、女53名)[平均年齢]41.7歳(男42.4歳、女36.9歳)[平均勤続年数]17.8年(男18.5年、女12.6年)※出向者含む

【年齢構成】■男 □女

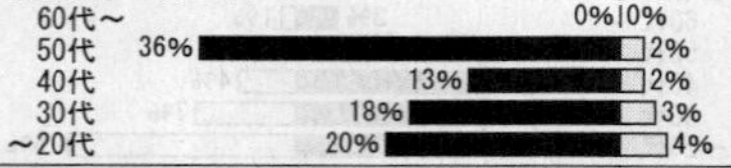

	男	女
60代~	0%	0%
50代	36%	2%
40代	13%	2%
30代	18%	3%
~20代	20%	4%

会社データ (金額は百万円)

【本社】100-8154 東京都千代田区大手町2-3-2 大手町プレイス イーストタワー ☎03-6880-3100 https://www.san-ai-obbli.com/

【業績(連結)】	売上高	営業利益	経常利益	純利益
22.3	598,731	12,067	13,120	8,308
23.3	647,833	15,211	16,038	10,901
24.3	659,588	16,873	17,741	11,217

1247 開示 ★★★☆☆ 専門 採用あり

NX商事(株)

エヌエックスしょうじ

【特色】日通系商社。エネルギーを軸に複合物流展開

記者評価 NXホールディングス傘下。旧日通商事。石油・LPGや物流機材の販売、企業物流一括受託、輸出梱包サービスなど多角展開。エネルギー分野に強い。23年、グループ会社の不動産事業を統合。海外11現法。グループ連携で国際事業を拡大。ダイバーシティ経営を推進。

平均勤続年数	男性育休取得率	3年後離職率	平均年収(平均43歳)
21.3年	9.3→14.5%	24.1→15.4%	総793万円

●採用・配属情報●

【男女・文理別採用実績】

	大卒男	大卒女	修士男	修士女
23年	28(文 28 理 0)	17(文 17 理 0)	1(文 0 理 1)	0(文 0 理 0)
24年	58(文 52 理 6)	22(文 22 理 0)	0(文 0 理 0)	0(文 0 理 0)
25年	50(文 - 理 -)	30(文 - 理 -)	-(文 - 理 -)	-(文 - 理 -)

【男女・職種別採用実績】

	総合職	一般職	技術職
23年	46(男 29 女 17)	0(男 0 女 0)	11(男 11 女 0)
24年	80(男 58 女 22)	1(男 1 女 0)	4(男 4 女 0)
25年	80(男 - 女 -)	1(男 - 女 -)	-(男 - 女 -)

【職種併願】○

【24年4月入社者の配属勤務地】総札幌4 仙台5 東京47 名古屋5 新潟1 大阪8 広島6 福岡4

【転勤】あり:[職種]総合職[部署]全部門[勤務地]全国(海外含む)

【中途比率】[単年度]21年度12%、22年度19%、23年度13%[全体]11%

●働きやすさ、諸制度●

残業(月) 21.5時間 総22.0時間

【勤務時間】8:45~17:45【有休取得年平均】14.7日【週休】2日(勤務場所によって異なる)【夏期休暇】有休から5日取得【年末年始休暇】12月31日~1月3日

【離職率】男:2.0%、31名 女:5.2%、24名

【新卒3年後離職率】

[20→23年]24.1%(男17.9%・入社39名、女36.8%・入社19名)

[21→24年]15.4%(男14.7%・入社34名、女16.7%・入社18名)

【テレワーク】制度あり:[場所]自宅[対象]制限なし[日数]原則月10日まで[利用率]NA【勤務制度】フレックス 時間単位有休 時差勤務 勤務間インターバル【住宅補助】借上社宅(新入社員は家賃の10%、異動者は家賃の15~20%本人負担)

●ライフイベント、女性活躍●

【女性比率】■男 □女

従業員 22.2% (436名)

管理職 5.3% (48名)

【産休】[期間]産前6・産後8週間[給与]会社全額給付[取得者数]17名

【育休】[期間]1歳になるまで[給与]法定[取得者数]22年度 男4名(対象43名)女17名(対象17名)23年度 男8名(対象55名)女19名(対象17名)[平均取得日数]22年度 NA、23年度 NA

【従業員】[人数]1,963名(男1,527名、女436名)[平均年齢]44.0歳(男45.1歳、女40.4歳)[平均勤続年数]21.3年(男22.3年、女18.0年)

【年齢構成】■男 □女

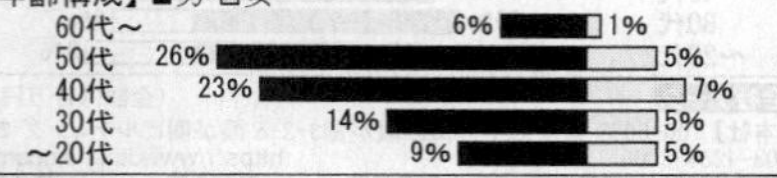

	男	女
60代~	6%	1%
50代	26%	5%
40代	23%	7%
30代	14%	5%
~20代	9%	5%

会社データ (金額は百万円)

【本社】105-8338 東京都港区海岸1-14-22 ☎0120-37-2242 https://www.nx-shoji.com/

【業績(単独)】	売上高	営業利益	経常利益	純利益
21.12変	217,578	4,813	4,950	2,687
22.12	335,003	8,819	9,211	6,625
23.12	349,270	10,451	10,763	9,677

みたにしょうじ
三谷商事(株)

【特色】生コン販売量首位の複合商社。福井が地盤

記者評価 建設資材、エネルギー、情報システムが主要事業。生コン、セメント販売が主力。建設用ゴンドラも強い。北陸や神奈川でガソリンスタンドを展開。海外はニッチトップ企業のM&Aを通じて拡大、スパイスや動物性飼料などユニークな事業を展開する。三谷家色が濃い。

平均勤続年数	男性育休取得率	3年後離職率	平均年収(平均43歳)
①18.6年	NA	①44.4→①27.0%	841万円

●採用・配属情報●

【男女・文理別採用実績】※25年:24年8月時点

	大卒男	大卒女	修士男	修士女
23年	16(文 14理 2)	5(文 5理 0)	1(文 0理 1)	0(文 0理 0)
24年	20(文 16理 4)	10(文 8理 2)	1(文 0理 1)	0(文 0理 0)
25年	16(文 13理 3)	6(文 5理 1)	2(文 0理 2)	0(文 0理 0)

【男女・職種別採用実績】 転換制度:⇔

	総合職	一般職
23年	22(男 17 女 5)	0(男 0 女 0)
24年	31(男 21 女 10)	0(男 0 女 0)
25年	24(男 18 女 6)	0(男 0 女 0)

【24年4月入社者の配属勤務地】㊗福井5 東京4 大阪2 愛知2 宮城1 茨城1 千葉1 神奈川1 新潟1 石川1 岐阜1 静岡1 福岡1 ㊕福井4 東京2 大阪2 愛知1

【転勤】あり:正社員(総合職・一般職)準社員(無期契約社員)

【中途比率】[単年度]21年度5%、22年度10%、23年度19%[全体]10%

●働きやすさ、諸制度●

残業(月) 17.8時間 ㊗20.5時間

【勤務時間】9:00~18:00(地域により8:30~17:30)【有休取得年平均】9.9日【週休】完全2日(土日祝)【夏期休暇】有休で取得【年末年始休暇】12月30日~1月4日

【離職率】男:—、18名 女:—、10名(総合職のみ)

【新卒3年後離職率】
[20→23年]44.4%(男46.2%・入社13名、女40.0%・入社5名)※総合職のみ
[21→24年]27.0%(男21.4%・入社28名、女44.4%・入社9名)※総合職のみ

【テレワーク】制度あり:[場所]自宅 他[対象]全社員[日数]部署ごとに設定[利用率]NA【勤務制度】時間単位有休 時差勤務【住宅補助】<総合職>借上社宅(全国)社有社宅

●ライフイベント、女性活躍●

【女性比率】■男 □女

新卒採用 25% (6名)

従業員 19.8% (111名)

管理職 1.5% (1名)
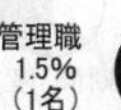

【産休】[期間]産前6・産後8週間[給与]法定[取得者数]8名

【育休】[期間]1歳になるまで[給与]法定[取得者数]22年度 男0名(対象NA)女9名(対象NA)23年度 男3名(対象NA)女6名(対象NA)[平均取得日数]22年度 NA、23年度 NA

【従業員】[人数]560名(男449名、女111名)[平均年齢]42.7歳(男43.7歳、女38.6歳)[平均勤続年数]18.6年(男19.4年、女15.3年)※出向者含む

【年齢構成】■男 □女

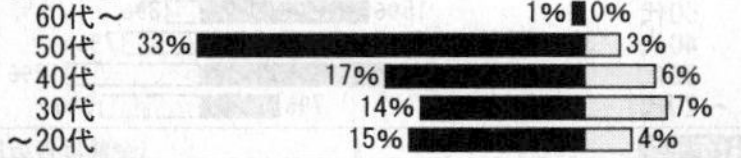

会社データ (金額は百万円)

【本社】100-0005 東京都千代田区丸の内1-6-5 丸の内北口ビル ☎0120-080-266 https://www.mitani-corp.co.jp/

【業績(連結)】	売上高	営業利益	経常利益	純利益
22.3	299,350	20,733	22,688	13,076
23.3	320,281	21,674	24,347	14,864
24.3	324,771	25,938	29,719	18,167

エネオス
(株)ENEOSフロンティア

【特色】ENEOS子会社。SSの運営、石油製品販売を手がける

記者評価 ENEOSの100%出資販売子会社。ENEOSブランドのSSを直営で約540店舗運営し、ガソリン・軽油・灯油など自動車燃料や、タイヤ・バッテリーなどカーメンテ用品を販売。車検、洗車といったサービスも提供。特約店向けの石油製品販売や経営支援も。

平均勤続年数	男性育休取得率	3年後離職率	平均年収(平均42歳)
◇15.6年	13.5→19.7%	25.0→15.0%	NA

●採用・配属情報●

【男女・文理別採用実績】※25年:20名採用予定

	大卒男	大卒女	修士男	修士女
23年	18(文 17理 1)	7(文 6理 1)	0(文 0理 0)	0(文 0理 0)
24年	10(文 10理 0)	5(文 5理 0)	0(文 0理 0)	1(文 1理 0)
25年	-(文 -理 -)	-(文 -理 -)	-(文 -理 -)	-(文 -理 -)

【男女・職種別採用実績】 転換制度:⇒

	総合職	サービスステーション(SS)職
23年	12(男 6 女 6)	13(男 12 女 1)
24年	7(男 3 女 4)	10(男 7 女 3)
25年	5(男 - 女 -)	15(男 - 女 -)

【24年4月入社者の配属勤務地】㊗NA

【転勤】あり:[職種]総合職を含む全国職

【中途比率】[単年度]21年度61%、22年度55%、23年度56%[全体]◇53%

●働きやすさ、諸制度●

残業(月) 25.5時間

【勤務時間】フレックスタイム制 コアタイムなし9:00~17:45【有休取得年平均】12.3日【週休】完全2日【夏期休暇】なし【年末年始休暇】12月30日~1月3日

【離職率】◇男:5.3%、128名 女:7.9%、24名

【新卒3年後離職率】
[20→23年]25.0%(男30.0%・入社10名、女0%・入社2名)
[21→24年]15.0%(男12.5%・入社16名、女25.0%・入社4名)

【テレワーク】制度あり:[場所]自宅 カフェ 他[対象]事務所勤務者[日数]制限なし[利用率]NA【勤務制度】フレックス 時差勤務 副業容認【住宅補助】借上社宅(月額5,000円~ 全国職:期限なし エリア職:転勤後7年間 満30歳の年度末まで)住宅手当(15,000~60,000円)

●ライフイベント、女性活躍●

【女性比率】■男 □女

従業員 10.8% (278名)

管理職 1.8% (3名)
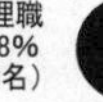
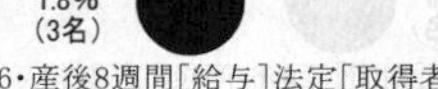

【産休】[期間]産前6・産後8週間[給与]法定[取得者数]59名

【育休】[期間]1歳になるまで[給与]通算7日間有給、他法定[取得者数]22年度 男20名(対象148名)女39名(対象39名)23年度 男27名(対象137名)女32名(対象34名)[平均取得日数]22年度 男11日 女239日、23年度 男23日 女254日

【従業員】◇[人数]2,579名(男2,301名、女278名)[平均年齢]42.1歳(男42.3歳、女40.6歳)[平均勤続年数]15.6年(男16.1年、女11.7年)

【年齢構成】■男 □女

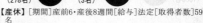

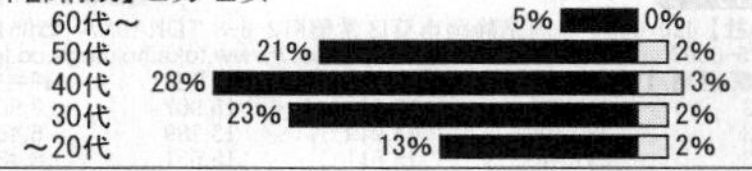

会社データ (金額は百万円)

【本社】105-001 東京都港区芝公園2-4-1 芝パークビルB館3階 ☎03-6435-8911 https://www.eneos-frontier.co.jp/

【業績(単独)】	売上高	営業利益	経常利益	純利益
22.3	263,805	6,846	7,951	5,151
23.3	276,189	6,152	7,115	4,216
24.3	282,839	5,840	6,515	4,016

2411 開示 ★★★☆☆ [短大] [専門] 採用あり

トーカイ TOKAIグループ

[えるぼし ★★★] [プラチナくるみん]

【特色】東海地盤のLPガス、情報通信会社。宅配水も

[記者評価] LPガスのザ・トーカイとCATV等のビック東海が11年に統合。LPガス販売を安定収益源とし、情報通信やCATVが成長分野。建築設備不動産関連事業も厚い。LPガスは関東や中京を中心に西日本、九州にも展開。地域密着型で会員制による顧客基盤を拡充。

平均勤続年数	男性育休取得率	3年後離職率	平均年収(平均42歳)
15.9年	51.7→58.6%	12.9→16.3%	[総]679万円

●採用・配属情報●

【男女・文理別採用実績】

	大卒男	大卒女	修士男	修士女
23年	57(文 39 理 18)	18(文 13 理 5)	3(文 0 理 3)	0(文 0 理 0)
24年	82(文 59 理 23)	18(文 18 理 0)	1(文 0 理 1)	1(文 0 理 1)
25年	-(文 - 理 -)	-(文 - 理 -)	-(文 - 理 -)	-(文 - 理 -)

※25年:143名採用予定

【男女・職種別採用実績】 転換制度:⇔

	総合職	一般職
23年	84(男 66 女 18)	0(男 0 女 0)
24年	108(男 89 女 19)	1(男 0 女 1)
25年	143(男 - 女 -)	0(男 0 女 0)

【24年4月入社者の配属勤務地】[総]静岡43 東京7 千葉4 神奈川3 岐阜3 愛知2 栃木2 埼玉2 群馬1 大阪1 福島1 [技]静岡24 東京10 福島2 神奈川1 埼玉1 栃木1

【転勤】あり:全社員

【中途比率】[単年度]21年度42%、22年度52%、23年度61%[全体]NA

●働きやすさ、諸制度●

残業(月) 23.5時間 [総]26.8時間

【勤務時間】9:00～17:45【有休取得年平均】11.4日【週休】完全2日【夏期休暇】あり【年末年始休暇】あり

【離職率】男:2.9%、110名 女:2.8%、29名

【新卒3年後離職率】
[20→23年]12.9%(男12.3%・入社73名、女15.0%・入社20名)
[21→24年]16.3%(男18.1%・入社83名、女12.5%・入社40名)

【テレワーク】制度あり:[場所]NA[対象]NA[日数]制限なし[利用率]NA【勤務制度】フレックス 時間単位有休 時差勤務【住宅補助】独身寮 借上社宅

●ライフイベント、女性活躍●

【女性比率】■男 □女

従業員 21.3% (1008名)

【産休】[期間]産前6・産後8週間[給与]法定[取得者数]31名

【育休】[期間]1歳になるまで[給与]法定[取得者数]22年度 男30名(対象58名)女35名(対象35名)23年度 男34名(対象58名)女34名(対象34名)[平均取得日数]22年度 男10日 女381日、23年度 男77日 女363日

【従業員】[人数]4,732名(男3,724名、女1,008名)[平均年齢]42.1歳(男43.3歳、女37.4歳)[平均勤続年数]15.9年(男16.7年、女12.8年)

【年齢構成】NA

会社データ (金額は百万円)

【本社】420-0034 静岡県静岡市葵区常磐町2-6-8 TOKAIビル ☎054-275-0007 https://www.tokaiholdings.co.jp/

【業績(連結)】	売上高	営業利益	経常利益	純利益
22.3	210,691	15,794	15,907	8,969
23.3	230,190	14,919	13,289	6,465
24.3	231,513	15,511	15,531	8,481

※会社データは㈱TOKAIホールディングスのもの

2460 開示 ★★★☆☆

ゆうせんしょうじ 郵船商事㈱

【特色】日本郵船系の商社。エネルギーとメカトロが両輪

[記者評価] 日本郵船系の商社2社が合併して誕生。エネルギー事業とメカトロ(機械計装)事業が両軸。エネルギー事業は船舶向けの燃料や潤滑油に加え、工場や運送会社向けの重油・灯油などを販売。メカトロ事業は船舶の部品や計測・制御機器などを扱う。LAとロンドンに拠点。

平均勤続年数	男性育休取得率	3年後離職率	平均年収(平均41歳)
14.7年	16.7→50.0%	50.0→0%	[総]743万円

●採用・配属情報●

【男女・文理別採用実績】

	大卒男	大卒女	修士男	修士女
23年	1(文 1 理 0)	3(文 3 理 0)	0(文 0 理 0)	0(文 0 理 0)
24年	2(文 2 理 0)	2(文 2 理 0)	0(文 0 理 0)	0(文 0 理 0)
25年	2(文 2 理 0)	2(文 2 理 0)	0(文 0 理 0)	0(文 0 理 0)

【男女・職種別採用実績】

	総合職
23年	4(男 1 女 3)
24年	4(男 2 女 2)
25年	4(男 2 女 2)

【24年4月入社者の配属勤務地】[総]東京・品川4

【転勤】あり:[勤務地]東京 大阪 神戸 広島 今治 北九州 ロンドン シンガポール

【中途比率】[単年度]21年度67%、22年度57%、23年度43%(21年度:中途2人 22年度:中途4人 23年度:中途3人)[全体]37%

●働きやすさ、諸制度●

残業(月) 16.8時間 [総]16.8時間

【勤務時間】9:00～17:30【有休取得年平均】17.2日【週休】完全2日(土日祝)【夏期休暇】5日(有休5日消化後に利用可)【年末年始休暇】12月30日～1月3日

【離職率】男:3.6%、3名 女:0%、0名

【新卒3年後離職率】
[20→23年]50.0%(男0%・入社3名、女100%・入社3名)
[21→24年]0%(男0%・入社1名、女一・入社0名)

【テレワーク】制度あり:[場所]自宅[対象]入社1年が経過した者[日数]週2日の出社を条件に週2日まで[利用率]NA【勤務制度】フレックス【住宅補助】家賃補助(25,000～40,000円 地域によって異なる 32歳まで)

●ライフイベント、女性活躍●

【女性比率】■男 □女

新卒採用 50% (2名)

従業員 31.4% (37名)

管理職 15.4% (4名)

【産休】[期間]産前6・産後8週間[給与]法定[取得者数]1名

【育休】[期間]1歳になるまで[給与]法定[取得者数]22年度 男1名(対象6名)女4名(対象4名)23年度 男1名(対象2名)女4名(対象4名)[平均取得日数]22年度 NA、23年度 NA

【従業員】[人数]118名(男81名、女37名)[平均年齢]41.2歳(男43.0歳、女37.2歳)[平均勤続年数]14.7年(男16.7年、女10.5年)

【年齢構成】■男 □女

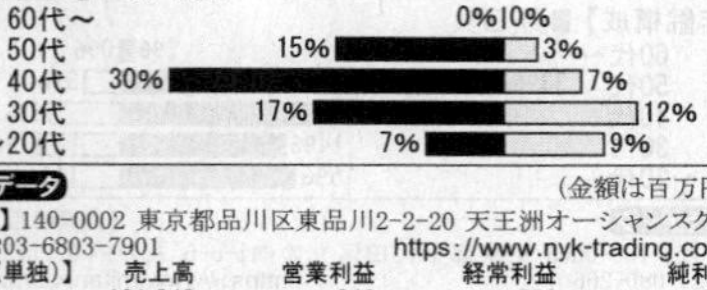
60代～
0%|0%
50代
15%
3%
40代
30%
7%
30代
17%
12%
～20代
7%
9%

会社データ (金額は百万円)

【本社】140-0002 東京都品川区東品川2-2-20 天王洲オーシャンスクエア ☎03-6803-7901 https://www.nyk-trading.com/

【業績(単独)】	売上高	営業利益	経常利益	純利益
22.3	131,942	242	776	646
23.3	191,522	1,039	1,252	814
24.3	167,898	903	1,200	788

1259 開示 ★★★☆☆

<ruby>鈴与商事<rt>すずよしょうじ</rt></ruby>㈱ プラチナくるみん

【特色】鈴与グループ。石油製品、LPガスなどの専門商社

記者評価 静岡・清水本拠の鈴与グループの商事部門。石油製品・LPガスなど燃料販売が核。建材・マテリアル事業も展開。静岡県内を中心に再生エネルギー事業も手がけ、18年にJパワーと合弁で電力小売に参入。レノバなどと組み御前崎港でバイオマス発電所を運営。

平均勤続年数	男性育休取得率	3年後離職率	平均年収(平均31歳)
14.7年	53.8 → 14.3%	14.8 → 17.2%	㊕720万円

●採用・配属情報●

【男女・文理別採用実績】

	大卒男	大卒女	修士男	修士女
23年	9(文 8理 1)	4(文 4理 0)	0(文 0理 0)	0(文 0理 0)
24年	15(文 13理 2)	3(文 3理 0)	0(文 0理 0)	0(文 0理 0)
25年	12(文 8理 4)	6(文 5理 1)	0(文 0理 0)	0(文 0理 0)

【男女・職種別採用実績】 転換制度:⇒

	総合職	地域総合職	一般職
23年	11(男 8 女 3)	1(男 1 女 0)	1(男 0 女 1)
24年	16(男 15 女 1)	0(男 0 女 0)	2(男 0 女 2)
25年	17(男 12 女 5)	0(男 0 女 0)	1(男 0 女 1)

【職種併願】総合職と地域総合職で可能

【24年4月入社者の配属勤務地】㊕静岡(静岡4 沼津1 藤枝2 掛川1 浜松2)山梨・甲府4 長野・松本1 豊橋1

【転勤】あり:[職種]総合職

【中途比率】[単年度]21年度28%、22年度38%、23年度62%[全体]NA

●働きやすさ、諸制度●

残業(月) 13.1時間 ㊕19.8時間

【勤務時間】9:00〜17:50【有休取得年平均】11.5日【週休】完全2日(土日祝)【夏期休暇】有休で取得【年末年始休暇】連続5日

【離職率】男:6.3%、28名 女:2.2%、3名

【新卒3年後離職率】
[20→23年]14.8%(男11.1%・入社18名、女22.2%・入社9名)
[21→24年]17.2%(男22.2%・入社18名、女9.1%・入社11名)

【テレワーク】制度あり:[場所]自宅 他[対象]NA[日数]NA[利用率]NA【勤務制度】フレックス【住宅補助】社有・借上社宅(転勤者)独身者用社宅

●ライフイベント、女性活躍●

【女性比率】■男 □女

新卒採用 33.3% (6名) 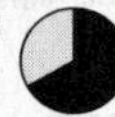
従業員 24.4% (135名) 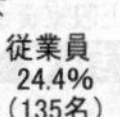 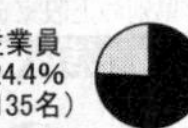

【産休】[期間]産前6・産後8週間[給与]法定+1割給付[取得者数]7名

【育休】[期間]1歳になるまで[給与]法定[取得者数]22年度 男7名(対象13名)女4名(対象4名)23年度 男1名(対象7名)女6名(対象7名)[平均取得日数]22年度 NA、23年度 NA

【従業員】[人数]553名(男418名、女135名)[平均年齢]40.6歳(男42.0歳、女36.1歳)[平均勤続年数]14.7年(男15.6年、女11.5年)

【年齢構成】NA

会社データ (金額は百万円)

【本社】420-0859 静岡県静岡市葵区栄町1-3 鈴与静岡ビル ☎054-273-7751 https://www.suzuyoshoji.co.jp/

【業績(単独)】	売上高	営業利益	経常利益	純利益
21.8	115,243	▲554	71	▲397
22.8	123,763	▲419	511	▲185
23.8	129,300	▲599	445	522

1473 開示 ★★★★★

㈱<ruby>巴商会<rt>ともえしょうかい</rt></ruby>

【特色】工業用高圧ガスの専門商社。需要先広範

記者評価 業界トップ級の産業ガス専門商社。半導体材料ガス、高純度ガスなど工業用高圧ガスが柱。電子、化学など顧客層広い。医療機関向けに超低温試料保存容器を拡販。横浜研究所で顧客ニーズに対応。シンガポール等に海外拠点。水素にも注力。技術有資格者多い。

平均勤続年数	男性育休取得率	3年後離職率	平均年収(平均40歳)
16.2年	9.1 → 17.6%	17.1 → 34.8%	㊕733万円

●採用・配属情報●

【男女・文理別採用実績】

	大卒男	大卒女	修士男	修士女
23年	21(文 13理 8)	9(文 8理 1)	1(文 0理 1)	1(文 0理 1)
24年	13(文 8理 5)	11(文 11理 0)	1(文 1理 0)	0(文 0理 0)
25年	30(文 20理 10)	13(文 10理 3)	2(文 0理 2)	0(文 0理 0)

【男女・職種別採用実績】 転換制度:⇔

	総合職	一般職
23年	32(男 22 女 10)	0(男 0 女 0)
24年	20(男 14 女 6)	5(男 0 女 5)
25年	37(男 32 女 5)	8(男 0 女 8)

【24年4月入社者の配属勤務地】㊕東京(大田8 八王子1)神奈川(横浜1 伊勢原1 藤沢1)茨城(つくば1 那珂1)山梨・中巨摩郡1 愛知・東海1 ㊙東京・大田1 横浜1 千葉・茂原1 山梨・中巨摩郡1

【転勤】あり:[職種]総合職[勤務地]全国の拠点及びグループ会社

【中途比率】[単年度]21年度40%、22年度39%、23年度59%[全体]29%

●働きやすさ、諸制度●

残業(月) 8.3時間 ㊕9.6時間

【勤務時間】8:55〜17:55【有休取得年平均】9.4日【週休】2日(年2回土曜出勤)【夏期休暇】なし【年末年始休暇】連続6日

【離職率】男:5.5%、50名 女:3.8%、6名

【新卒3年後離職率】
[20→23年]17.1%(男18.5%・入社27名、女12.5%・入社8名)
[21→24年]34.8%(男36.8%・入社38名、女25.0%・入社8名)

【テレワーク】制度あり:[場所]自宅 Webブース 他[対象]全社員[日数]制限なし[利用率]NA【勤務制度】時差勤務【住宅補助】住宅手当(地域ごとに家賃上限設定 家賃上限内で基本給10%の金額のみ自己負担 上限を超えた差額は自己負担)

●ライフイベント、女性活躍●

【女性比率】■男 □女

新卒採用 28.9% (13名) 
従業員 14.9% (150名) 
管理職 1.9% (2名) 

【産休】[期間]産前6・産後8週間[給与]法定[取得者数]2名

【育休】[期間]1歳になるまで[給与]法定[取得者数]22年度 男1名(対象11名)女5名(対象9名)23年度 男3名(対象17名)女5名(対象5名)[平均取得日数]22年度 男- 女340日、23年度 男92日 女306日

【従業員】[人数]1,005名(男855名、女150名)[平均年齢]41.1歳(男42.7歳、女38.7歳)[平均勤続年数]16.2年(男17.2年、女10.6年)【年齢構成】■男 □女

	男	女
60代〜	4%	0%
50代	25%	3%
40代	22%	4%
30代	17%	4%
〜20代	18%	4%

会社データ (金額は百万円)

【本社】144-8505 東京都大田区蒲田本町1-2-5 ネクストサイト蒲田ビル ☎03-3734-1116 http://www.tomoeshokai.co.jp/

【業績(単独)】	売上高	営業利益	経常利益	純利益
21.8	70,187	3,404	3,776	2,629
22.8	78,750	4,549	5,281	3,380
23.8	89,397	6,945	7,474	5,154

2461 開示 ★★★★

まるべに
丸紅エネルギー㈱

【特色】丸紅系の燃料専門商社。石油製品全般を供給

記者評価 丸紅グループの燃料専門商社。石油元売り大手の出光興産も3分の1を出資する。系列特約店を含む約650カ所のSSを通じてガソリン、軽油、灯油など石油製品を販売。重油など船舶用燃料、LNGなど産業用燃料も扱う。石川県七尾市で太陽光発電に取り組む。

平均勤続年数	男性育休取得率	3年後離職率	平均年収(平均43歳)
21.9年	71.4→100%	16.7→28.6%	㊀940万円

●採用・配属情報●

【男女・文理別採用実績】

	大卒男	大卒女	修士男	修士女
23年	5(文 5理 0)	3(文 3理 0)	0(文 0理 0)	0(文 0理 0)
24年	6(文 6理 0)	1(文 1理 0)	0(文 0理 0)	0(文 0理 0)
25年	3(文 3理 0)	3(文 3理 0)	0(文 0理 0)	0(文 0理 0)

【男女・職種別採用実績】

	総合職	事務職
23年	8(男 5 女 3)	0(男 0 女 0)
24年	7(男 6 女 1)	0(男 0 女 0)
25年	6(男 3 女 3)	0(男 0 女 0)

【24年4月入社者の配属勤務地】㊀東京・富士見7
【転勤】あり:[職種]全総合職掌
【中途比率】[単年度]21年度0%、22年度0%、23年度11%[全体]13%

●働きやすさ、諸制度●

残業(月) 13.0時間 ㊀18.6時間

【勤務時間】9:00〜17:30【有休取得年平均】13.0日【週休】完全2日(土日祝)【夏期休暇】リフレッシュ休暇3日(通年で取得可)【年末年始休暇】12月29日〜1月3日
【離職率】男:4.3%、6名 女:0%、0名
【新卒3年後離職率】
[20→23年]16.7%(男0%・入社4名、女50.0%・入社2名)
[21→24年]28.6%(男0%・入社5名、女100%・入社2名)
【テレワーク】制度あり:[場所]自宅[対象]全社員[日数]月の稼働日の0〜20%の範囲[利用率]9.4%【勤務制度】時間単位有休 時差勤務【住宅補助】独身寮(自己負担5,000〜35,000円 入社年次による)社宅(家賃会社負担44,000〜88,000円(元の家賃との差額を自己負担)資格・帯同・単身・勤務地による)

●ライフイベント、女性活躍●

【女性比率】■男 □女

新卒採用 50%(3名)　従業員 26.5%(48名)　管理職 5.7%(5名)

【産休】[期間]産前6・産後8週間[給与]給与全額給付[取得者数]0名
【育休】[期間]1歳になるまで[給与]法定[取得者数]22年度 男5名(対象7名)女1名(対象1名)23年度 男1名(対象1名)女0名(対象0名)[平均取得日数]22年度 男52日 女307日、23年度 男3日 女–
【従業員】[人数]181名(男133名、女48名)[平均年齢]45.5歳(男45.7歳、女44.8歳)[平均勤続年数]21.9年(男22.8年、女18.9年)
【年齢構成】■男 □女

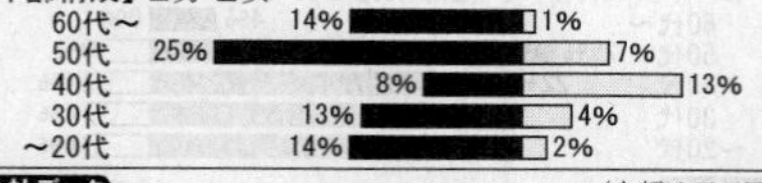

	男	女
60代〜	14%	1%
50代	25%	7%
40代	8%	13%
30代	13%	4%
〜20代	14%	2%

会社データ (金額は百万円)

【本社】102-8441 東京都千代田区富士見1-8-19 住友不動産千代田富士見ビル ☎03-6261-8800 https://www.marubeni-energy.co.jp/

【業績(単独)】	売上収益	営業利益	経常利益	純利益
22.3	34,452	1,384	2,457	1,977
23.3	33,570	1,872	2,665	2,091
24.3	36,609	1,918	2,716	2,085

2783 開示 ★★★

ほんぶ
トヨタモビリティパーツ㈱本部

【特色】自動車用品の専門商社。トヨタグループ

記者評価 トヨタ自動車の連結子会社。カー用品卸売やカー用品店を展開するタクティーに、トヨタ車の補修部品扱う全国33店の部品共販店が合流、20年4月事業開始。トヨタ販売店が49%を出資。商品企画から調達・卸売・小売りまで一貫。カー用品店「ジェームス」をFC展開。

平均勤続年数	男性育休取得率	3年後離職率	平均年収(平均42歳)
15.8年	28.6→20.0%	20.0→0%	㊀741万円

●採用・配属情報●

【男女・文理別採用実績】

	大卒男	大卒女	修士男	修士女
23年	7(文 7理 0)	4(文 4理 0)	0(文 0理 0)	0(文 0理 0)
24年	6(文 6理 0)	5(文 5理 0)	0(文 0理 0)	0(文 0理 0)
25年	5(文 5理 0)	3(文 3理 0)	0(文 0理 0)	0(文 0理 0)

【男女・職種別採用実績】 転換制度:⇔

	総合職
23年	11(男 7 女 4)
24年	11(男 6 女 5)
25年	8(男 5 女 3)

【職種併願】一部職種間で可能
【24年4月入社者の配属勤務地】㊀(23年)名古屋11
【転勤】あり:[職種]総合職[勤務地]33支社、センターなど全国事業所※ただし名古屋のオフィスが中心
【中途比率】[単年度]21年度7%、22年度40%、23年度8%[全体]NA

●働きやすさ、諸制度●

残業(月) 20.2時間 ㊀21.4時間

【勤務時間】フレックスタイム制(9:00〜17:30の内2時間をコアタイムとする)【有休取得年平均】21.4日【週休】2日(土日祝)【夏期休暇】有休で取得【年末年始休暇】12月30日〜1月3日
【離職率】男:1.2%、4名 女:0.9%、1名(早期退職男1名、女1名含む)
【新卒3年後離職率】
[20→23年]20.0%(男33.3%・入社3名、女0%・入社2名)
[21→24年]0%(男0%・入社6名、女0%・入社9名)
【テレワーク】制度あり:[場所]従業員の自宅 他自宅に準じる場所[対象]事業場への出社が必須ではない業務内容の社員[日数]部署・業務状況による[利用率]14.9%【勤務制度】フレックス 副業容認【住宅補助】若手借上社宅(独身かつ実家から通勤不可の27歳以下対象 会社が契約し、県別の上限家賃金額の6〜8割を控除)

●ライフイベント、女性活躍●

【女性比率】■男 □女

新卒採用 37.5%(3名)　従業員 25.2%(110名)　管理職 1.6%(2名)

【産休】[期間]産前6・産後8週間[給与]法定[取得者数]4名
【育休】[期間]法定+1年[給与]法定[取得者数]22年度 男2名(対象7名)女6名(対象6名)23年度 男1名(対象5名)女4名(対象4名)[平均取得日数]22年度 男49日 女186日、23年度 男150日 女186日
【従業員】[人数]436名(男326名、女110名)[平均年齢]42.6歳(男44.1歳、女38.2歳)[平均勤続年数]15.8年(男16.9年、女12.5年)【年齢構成】■男 □女

	男	女
60代〜	0%	0%
50代	32%	4%
40代	19%	9%
30代	11%	4%
〜20代	13%	8%

会社データ (金額は百万円)

【本社】456-0023 愛知県名古屋市熱田区六野1-2-9 ☎052-871-1844 https://toyota-mp.co.jp/

【業績(単独)】	売上高	営業利益	経常利益	純利益
22.3	598,000	NA	NA	NA
23.3	588,000	NA	NA	NA
24.3	624,800	NA	NA	NA

※会社データはトヨタモビリティパーツ全社の情報

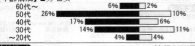

2490 開示 ★★

メルセデス・ベンツ日本(合同)

(にほん)

【特色】独メルセデス・ベンツグループの日本法人

[記者評価] メルセデス・ベンツの日本における輸入元。全国のメルセデス・ベンツ正規販売店を通じ製品とサービスを提供。23年は新車販売台数約5.1万台で9年連続の純輸入車トップ。傘下にオートリース・オートローンのメルセデス・ベンツ・ファイナンス。

平均勤続年数	男性育休取得率	3年後離職率	平均年収(平均45歳)
14.2年	80.0→60.0%	18.2→NA	NA

●採用・配属情報●

【男女・文理別採用実績】

	大卒男	大卒女	修士男	修士女
23年	1(文 1理 0)	1(文 1理 0)	0(文 0理 0)	0(文 0理 0)
24年	2(文 2理 0)	1(文 1理 0)	1(文 1理 0)	0(文 0理 0)
25年	3(文 3理 0)	1(文 1理 0)	0(文 0理 0)	0(文 0理 0)

【男女・職種別採用実績】

	営業	技術部	カスタマーサポート
23年	2(男 1 女 1)	0(男 0 女 0)	0(男 0 女 0)
24年	2(男 2 女 0)	1(男 1 女 0)	1(男 0 女 1)
25年	3(男 3 女 0)	0(男 0 女 0)	1(男 0 女 1)

【24年4月入社者の配属勤務地】[総]千葉市4

【転勤】あり:担当業務により転勤可能性あり(基本的には同意の場合のみ)

【中途比率】[単年度]21年度100%、22年度100%、23年度86%[全体]NA

●働きやすさ、諸制度●

残業(月) 20.7時間 [総]20.7時間

【勤務時間】9:30～18:30【有休取得年平均】15.6日【週休】完全2日(土日祝)【夏期休暇】連続1週間(特別休日8月13日、有休取得奨励日8月14～16日と週休・祝日を含む)【年末年始休暇】12月27日～1月3日(特別休日12月31日、有休取得奨励日12月27・30日を含む)

【離職率】男:5.4%、12名 女:9.6%、11名

【新卒3年後離職率】

[20→23年]18.2%(男0%・入社4名、女28.6%・入社7名)

[21→24年]NA

【テレワーク】制度あり:[場所]自宅 他[対象]全従業員[日数]制限なし※ハイブリッドワーク制度有[利用率]NA【勤務制度】フレックス 時差勤務 勤務間インターバル 副業容認【住宅補助】なし

●ライフイベント、女性活躍●

【女性比率】■男 □女

新卒採用 25% (1名)

従業員 32.8% (103名)

管理職 25.8% (17名)

【産休】[期間]産前6・産後8週間[給与]法定[取得者数]3名

【育休】[期間]2歳になるまで[給与]法定[取得者数]22年度男4名(対象5名)女5名(対象5名)23年度 男3名(対象5名)女3名(対象3名)[平均取得日数]22年度 NA、23年度 NA

【従業員】[人数]314名(男211名、女103名)[平均年齢]45.0歳(男47.1歳、女42.9歳)[平均勤続年数]14.2年(男14.9年、女12.9年)

【年齢構成】■男 □女

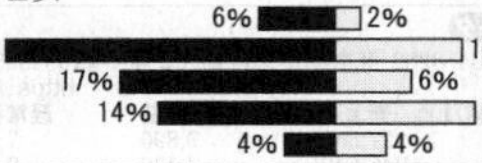

会社データ (金額は百万円)

【本社】261-7108 千葉県千葉市美浜区中瀬2-6-1 ワールドビジネスガーデン マリブウエスト ☎NA https://www.mercedes-benz.co.jp/

【業績(単独)】	売上高	営業利益	経常利益	純利益
21.12	419,074	14,488	13,261	8,449
22.12	488,810	12,760	13,186	8,892
23.12	547,316	NA	NA	NA

652 開示 ★★★

松田産業(株)

(まつださんぎょう)

【特色】貴金属リサイクルが主力。食品販売も併営

[記者評価] 電子部品スクラップから金や銀などの貴金属を回収・製錬し、地金や半導体・電子材料を販売。農水畜産品の輸入・販売など食材商社も。貴金属、食品ともにアジアを軸に海外ネットワークを構築。貴金属事業の強化に向け、福岡県北九州市で工場拡張。

平均勤続年数	男性育休取得率	3年後離職率	平均年収(平均38歳)
12.6年	18.8→36.6%	17.2→NA	[総]802万円

●採用・配属情報●

【男女・文理別採用実績】

	大卒男	大卒女	修士男	修士女
23年	16(文 11理 5)	11(文 10理 1)	4(文 0理 4)	0(文 0理 0)
24年	21(文 16理 5)	10(文 10理 0)	5(文 0理 5)	2(文 0理 2)
25年	25(文 22理 3)	16(文 15理 1)	9(文 0理 9)	1(文 0理 1)

※25年:計画数

【男女・職種別採用実績】 転換制度:NA

	総合職	技術系総合職
23年	31(男 20 女 11)	ND(男 ND 女 ND)
24年	34(男 22 女 12)	6(男 5 女 1)
25年	41(男 25 女 16)	10(男 9 女 1)

【24年4月入社者の配属勤務地】[総]東京25 大阪2 埼玉1 神奈川1 仙台1 長野1 茨城1 広島1 福岡1 [技]埼玉6

【転勤】あり:[職種]globalコース[勤務地]国内 海外

【中途比率】[単年度]21年度48%、22年度68%、23年度55%[全体]42%

●働きやすさ、諸制度●

残業(月) 23.4時間 [総]23.2時間

【勤務時間】8:30～17:30【有休取得年平均】12.7日【週休】2日(土日祝、指定休)【夏期休暇】連続10日(有休3日含む)【年末年始休暇】12月28日～1月5日

【離職率】男:5.1%、35名 女:9.6%、19名

【新卒3年後離職率】

[20→23年]17.2%(男20.8%・入社24名、女0%・入社5名)

[21→24年]NA(男NA・入社24名、女NA・入社5名)

【テレワーク】制度あり:[場所]自宅 サテライトオフィス[対象]NA[日数]NA[利用率]NA【勤務制度】時間単位有休 時差勤務【住宅補助】住宅費補助(独身:標準家賃70%会社負担、単身赴任:90%会社負担)

●ライフイベント、女性活躍●

【女性比率】■男 □女

新卒採用 33.3% (17名)

従業員 21.4% (178名)

【産休】[期間]産前6・産後8週間[給与]法定[取得者数]9名

【育休】[期間]2歳になるまで[給与]法定[取得者数]22年度男3名(対象16名)女4名(対象4名)23年度 男15名(対象41名)女8名(対象8名)[平均取得日数]22年度 男32日 女307日、23年度 男17日 女490日

【従業員】[人数]832名(男654名、女178名)[平均年齢]38.6歳(男39.2歳、女36.3歳)[平均勤続年数]12.6年(男13.6年、女8.6年)

【年齢構成】■男 □女

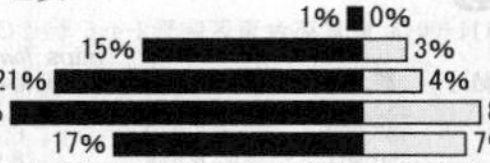

会社データ (金額は百万円)

【本社】163-0558 東京都新宿区西新宿1-26-2 新宿野村ビル ☎03-5381-0001 https://www.matsuda-sangyo.co.jp/

【業績(連結)】	売上高	営業利益	経常利益	純利益
22.3	272,292	12,681	13,734	9,558
23.3	351,028	13,818	13,843	9,696
24.3	360,527	9,356	10,551	7,286

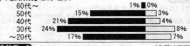

2547 開示 ★★★☆☆ 専門 採用あり

㈱ハピネット

【特色】玩具卸の最大手。バンダイナムコグループ

記者評価 バンダイナムコグループの一角。玩具・模型玩具、家庭用ゲームの販売や映像・音楽ソフトの企画・製作・販売を手がける。メーカー業を強化中で、映画作品への出資や玩具の自社開発も行う。カプセルトイショップの出店を推進。TOBでブロッコリー社を子会社化。

平均勤続年数	男性育休取得率	3年後離職率	平均年収(平均*41歳)
①14.7年	33.3→46.7%	①25.0→①7.1%	㊎792万円

●採用・配属情報●

【男女・文理別採用実績】

	大卒男	大卒女	修士男	修士女
23年	9(文 9 理 0)	12(文 12 理 0)	0(文 0 理 0)	0(文 0 理 0)
24年	19(文 18 理 1)	24(文 23 理 1)	3(文 1 理 2)	0(文 0 理 0)
25年	15(文 14 理 1)	24(文 23 理 1)	0(文 0 理 0)	0(文 0 理 0)

【男女・職種別採用実績】

	総合職	経理	物流
23年	21(男 9 女 12)	0(男 0 女 0)	0(男 0 女 0)
24年	46(男 22 女 24)	2(男 0 女 2)	0(男 0 女 0)
25年	38(男 15 女 23)	0(男 0 女 0)	1(男 0 女 1)

【職種併願】○

【24年4月入社者の配属勤務地】㊎東京45 大阪3

【転勤】あり:全社員

【中途比率】[単年度]21年度NA、22年度NA、23年度NA[全体]NA

●働きやすさ、諸制度●

残業(月) 22.5時間 ㊎22.5時間

【勤務時間】9:00～17:30【有休取得年平均】13.5日【週休】完全2日(土日祝)【夏期休暇】2日【年末年始休暇】3日

【離職率】男:5.1%、39名 女:4.6%、17名

【新卒3年後離職率】
[20→23年]25.0%(男38.5%・入社13名、女15.8%・入社19名)※グループ計
[21→24年]7.1%(男25.0%・入社4名、女0%・入社10名)※グループ計

【テレワーク】制度なし【勤務制度】時間単位有休【住宅補助】なし

●ライフイベント、女性活躍●

【女性比率】■男 □女

新卒採用 61.5% (24名)

従業員 32.4% (350名)

【産休】[期間]産前6・産後8週間[給与]法定[取得者数]13名

【育休】[期間]1歳になるまで[給与]法定[取得者数]22年度 男6名(対象18名)女9名(対象9名)23年度 男7名(対象15名)女12名(対象12名)[平均取得日数]22年度 男38日 女347日、23年度 男45日 女461日

【従業員】[人数]1,081名(男731名、女350名)[平均年齢]40.8歳(男42.6歳、女36.1歳)[平均勤続年数]14.7年(男16.7年、女10.8年)※グループ計

【年齢構成】NA

会社データ (金額は百万円)

【本社】111-0043 東京都台東区駒形2-4-5 駒形CAビル ☎03-3847-0409 https://www.happinet.co.jp/

【業績(連結)】	売上高	営業利益	経常利益	純利益
22.3	282,441	5,575	5,853	3,554
23.3	307,253	5,842	6,194	3,561
24.3	350,461	8,679	8,974	6,581

※会社データ、エントリー情報、待遇・処遇以外はハピネットグループのもの

764 開示 ★★★☆☆

㈱内田洋行(うちだようこう)

えるぼし★★ くるみん

【特色】教育ICTやシステムに強み。オフィス家具大手

記者評価 オフィス家具、学校備品・システム、情報システムが3本柱。オフィス向けは家具に加えICTツールを提供し、働き方改革を支援。学校向けは国の「GIGAスクール構想」を追い風に、環境整備など周辺需要を獲得。ICT支援員派遣や自治体ネットワーク構築にも注力。

平均勤続年数	男性育休取得率	3年後離職率	平均年収(平均*42歳)
17.7年	66.7→76.9%	6.8→4.2%	㊎740万円

●採用・配属情報●

【男女・文理別採用実績】

	大卒男	大卒女	修士男	修士女
23年	28(文 24 理 4)	27(文 24 理 3)	9(文 2 理 7)	2(文 1 理 1)
24年	33(文 28 理 5)	23(文 17 理 6)	4(文 0 理 4)	3(文 1 理 2)
25年	28(文 23 理 5)	26(文 22 理 4)	6(文 0 理 6)	3(文 0 理 3)

【男女・職種別採用実績】 転換制度:⇔

	総合職
23年	66(男 37 女 29)
24年	63(男 37 女 26)
25年	63(男 34 女 29)

【24年4月入社者の配属勤務地】㊎東京32 大阪8 名古屋2 福岡1 北海道1 ㊍東京18 大阪1

【転勤】あり:[職種]総合職

【中途比率】[単年度]21年度3%、22年度4%、23年度7%[全体]6%

●働きやすさ、諸制度●

残業(月) 19.0時間 ㊎19.0時間

【勤務時間】9:00～17:15【有休取得年平均】11.4日【週休】完全2日(土日祝)【夏期休暇】8月10～18日(うち4日は計画年休)【年末年始休暇】12月28日～1月5日(うち1日は計画年休)

【離職率】男:1.3%、12名 女:1.4%、5名

【新卒3年後離職率】
[20→23年]6.8%(男8.6%・入社35名、女4.2%・入社24名)
[21→24年]4.2%(男7.5%・入社40名、女0%・入社32名)

【テレワーク】NA【勤務制度】フレックス 時間単位有休 時差勤務【住宅補助】独身寮(東京)住居費補助・転勤者補助(住宅手当に加え入社5年次まで、条件あり)

●ライフイベント、女性活躍●

【女性比率】■男 □女

新卒採用 46% (29名)

従業員 27.4% (356名)

管理職 5.8% (14名)

【産休】[期間]産前6・産後8週間[給与]法定[取得者数]12名

【育休】[期間]保育園に入園できない等の場合、最長で2歳到達直後の4月まで取得可[給与]法定[取得者数]22年度 男10名(対象15名)女5名(対象5名)23年度 男10名(対象13名)女12名(対象12名)[平均取得日数]22年度 NA、23年度 NA

【従業員】[人数]1,301名(男945名、女356名)[平均年齢]41.9歳(男44.3歳、女35.4歳)[平均勤続年数]17.7年(男20.0年、女11.8年)

【年齢構成】NA

会社データ (金額は百万円)

【本社】104-8282 東京都中央区新川2-4-7 ☎03-3555-4072 https://www.uchida.co.jp/

【業績(連結)】	売上高	営業利益	経常利益	純利益
22.7	221,856	7,890	7,843	4,477
23.7	246,549	8,436	9,161	6,366
24.7	277,940	9,345	10,135	6,996

2467 開示 ★★☆☆☆

新生紙パルプ商事(株)
（しんせいかみパルプしょうじ）

【特色】紙パルプ商社大手の一角。フィルムなど化成品も

[記者評価] 紙・板紙・フィルムなどを販売する商社。日本製紙、北越コーポレーションが大株主。出版社、印刷会社向けに強み。フィルムは食品用、工業用など取り扱いの幅が広い。海外は中国、台湾、オーストラリアなどに拠点。東名阪などに不動産を保有し賃貸業も展開。

平均勤続年数	男性育休取得率	3年後離職率	平均年収(平均44歳)
19.9年	0→75.0%	0→16.7%	694万円

●採用・配属情報●

【男女・文理別採用実績】

	大卒男	大卒女	修士男	修士女
23年	3(文 3 理 0)	1(文 1 理 0)	0(文 0 理 0)	0(文 0 理 0)
24年	6(文 6 理 0)	3(文 3 理 0)	0(文 0 理 0)	0(文 0 理 0)
25年	11(文 11 理 0)	2(文 2 理 0)	0(文 0 理 0)	0(文 0 理 0)

【男女・職種別採用実績】 転換制度:⇒

	総合職
23年	4(男 3 女 1)
24年	9(男 6 女 3)
25年	13(男 11 女 2)

【24年4月入社者の配属勤務地】[総]東京・千代田7 大阪市1 名古屋1

【転勤】あり:[職種]総合職[勤務地]東京 大阪 名古屋 福岡 札幌 仙台 富山 将来的に海外現地法人勤務の可能性あり

【中途比率】[単年度]21年度8%、22年度61%、23年度79%[全体]NA

●働きやすさ、諸制度●

残業(月) NA

【勤務時間】9:00〜17:15【有休取得年平均】11.0日【週休】完全2日(土日祝)【夏期休暇】8月10〜15日の間で、土日と連続する平日2日付与【年末年始休暇】12月30日〜1月4日

【離職率】男:2.2%、8名 女:3.2%、6名

【新卒3年後離職率】
[20→23年]0%(男0%・入社8名、女0%・入社5名)
[21→24年]16.7%(男14.3%・入社7名、女20.0%・入社5名)

【テレワーク】制度あり:[場所]自宅のみ[対象]制限なし[日数]月間10日まで[利用率]4.4%【勤務制度】なし【住宅補助】借上社宅(総合職単身者のみ、新卒入社から10年適用、家賃の8割会社負担、その他条件あり)

●ライフイベント、女性活躍●

【女性比率】■男 □女

新卒採用 15.4% (2名)  従業員 34.5% (184名)  管理職 1% (2名) 

【産休】[期間]産前6・産後8週間[給与]法定[取得者数]7名

【育休】[期間]1歳になるまで[給与]法定[取得者数]22年度 男0名(対象4名)女7名(対象7名)23年度 男3名(対象4名)女7名(対象7名)[平均取得日数]22年度 NA、23年度 NA

【従業員】[人数]533名(男349名、女184名)[平均年齢]44.0歳(男45.9歳、女40.3歳)[平均勤続年数]19.9年(男21.3年、女17.1年)

【年齢構成】NA

会社データ (金額は百万円)

【本社】101-8451 東京都千代田区神田錦町1-8 ☎03-3259-5080
https://www.sppcl.co.jp/

【業績(単独)】	売上高	営業利益	経常利益	純利益
22.3	NA	NA	NA	NA
23.3	238,241	5,114	6,093	4,343
24.3	240,568	4,876	6,177	4,325

2563 開示 ★★★☆☆

(株)オートバックスセブン

【特色】自動車用品店の国内最大手。車検・整備を強化

[記者評価] 自動車用品専門店「オートバックス」をチェーン展開。中古車の買い取り・販売や車検・整備事業も手がける。FC中心に併設店含め約1000店舗体制。海外は台湾、シンガポール、タイなどで小売店100店超を運営するのに加え、現地小売店への卸売りも展開。

平均勤続年数	男性育休取得率	3年後離職率	平均年収(平均46歳)
17.2年	40.0→42.1%	3.7→10.0%	743万円

●採用・配属情報●

【男女・文理別採用実績】※25年:継続中

	大卒男	大卒女	修士男	修士女
23年	18(文 17 理 1)	5(文 5 理 0)	0(文 0 理 0)	0(文 0 理 0)
24年	13(文 13 理 0)	5(文 5 理 0)	1(文 1 理 0)	1(文 0 理 1)
25年	8(文 8 理 0)	2(文 2 理 0)	0(文 0 理 0)	1(文 1 理 0)

【男女・職種別採用実績】 転換制度:⇔

	総合職
23年	23(男 18 女 5)
24年	20(男 14 女 6)
25年	11(男 8 女 3)

【24年4月入社者の配属勤務地】[総]東京9 千葉3 埼玉2 秋田1 岩手2 愛知2 大阪1

【転勤】あり:正社員※エリア限定を除く(入社後5年超で申請可)

【中途比率】[単年度]21年度57%、22年度75%、23年度53%[全体]NA

●働きやすさ、諸制度●

残業(月) 6.8時間 [総]7.7時間

【勤務時間】9:00〜18:00(フレックスタイム制)【有休取得年平均】9.6日【週休】年122日【夏期休暇】オレンジ休暇で取得(年12日)【年末年始休暇】12月29日〜1月3日

【離職率】男:6.4%、55名 女:8.3%、18名

【新卒3年後離職率】
[20→23年]3.7%(男0%・入社19名、女12.5%・入社8名)
[21→24年]10.0%(男0%・入社14名、女33.3%・入社6名)

【テレワーク】制度あり:[場所]自宅 シェアオフィス 所属以外の勤務拠点 オートバックス店舗[対象]全社員[日数]制限なし[利用率]NA【勤務制度】フレックス 時差勤務 副業容認【住宅補助】社宅(通勤困難者)他は、住宅地域手当13,800〜34,500円(条件あり)

●ライフイベント、女性活躍●

【女性比率】■男 □女

新卒採用 27.3% (3名)  従業員 20% (199名) 

【産休】[期間]産前6・産後8週間[給与]法定[取得者数]6名

【育休】[期間]1歳半年度末まで、または2歳になるまで[給与]法定[取得者数]22年度 男8名(対象20名)女6名(対象6名)23年度 男8名(対象19名)女6名(対象6名)[平均取得日数]22年度 NA、23年度 NA

【従業員】[人数]997名(男798名、女199名)[平均年齢]45.6歳(男46.9歳、女40.5歳)[平均勤続年数]17.2年(男18.8年、女11.1年)

【年齢構成】■男 □女 ※正社員のみ

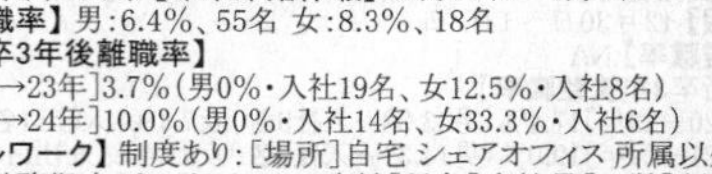

60代〜 0% 0%
50代 39% 3%
40代 20% 5%
30代 15% 5%
〜20代 8% 5%

会社データ (金額は百万円)

【本社】135-8717 東京都江東区豊洲5-6-52 ☎03-6219-8700
https://www.autobacs.co.jp/

【業績(連結)】	売上高	営業利益	経常利益	純利益
22.3	228,586	11,552	11,246	7,010
23.3	236,235	11,722	11,574	7,239
24.3	229,856	8,010	8,093	6,355

㈱JALUX（ジャルックス）

えるぼし ★★★

【特色】空港で売店や免税店など運営。日本航空グループ

記者評価 日本航空グループの商社。双日も大株主。直営の空港売店「JAL PLAZA」や免税店の運営、航空機エンジン部品の販売、ラオスでの国際空港運営、通販、農産物の卸売りなど事業は多岐にわたる。22年JALと双日が共同出資会社を設立してTOB実施。

平均勤続年数	男性育休取得率	3年後離職率	平均年収(平均40歳)
13.5年	62.5→69.2%	17.4→19.0%	NA

●採用・配属情報●

【男女・文理別採用実績】

	大卒男	大卒女	修士男	修士女
23年	9(文 9理 0)	15(文 15理 0)	0(文 0理 0)	0(文 0理 0)
24年	14(文 14理 0)	14(文 14理 0)	0(文 0理 0)	0(文 0理 0)
25年	10(文 10理 0)	11(文 11理 0)	0(文 0理 0)	1(文 0理 1)

【男女・職種別採用実績】 転換制度:⇔

	総合職	一般職
23年	18(男 9 女 9)	6(男 0 女 6)
24年	20(男 14 女 6)	8(男 0 女 8)
25年	18(男 10 女 8)	4(男 0 女 4)

【24年4月入社者の配属勤務地】㊙東京(品川18 天王洲1) 名古屋1

【転勤】あり:[職種]総合職[勤務地]東京 大阪 名古屋 海外拠点

【中途比率】[単年度]21年度16%、22年度74%、23年度59%[全体]NA

●働きやすさ、諸制度●

残業(月) NA

【勤務時間】フレックスタイム制(標準9:00〜17:30 コアタイムあり)【有休取得年平均】13.7日【週休】完全2日(土日祝)【夏期休暇】リフレッシュ休暇(年4日)で取得【年末年始休暇】12月30日〜1月3日

【離職率】NA

【新卒3年後離職率】
[20→23年]17.4%(男33.3%・入社9名、女7.1%・入社14名)
[21→24年]19.0%(男14.3%・入社7名、女21.4%・入社14名)

【テレワーク】制度あり:[場所]NA[対象]NA[日数]NA[利用率]NA【勤務制度】フレックス 時差勤務【住宅補助】寮 社宅(赴帰任者対象)

●ライフイベント、女性活躍●

【女性比率】■男 □女

新卒採用 54.5% (12名)

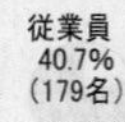

従業員 40.7% (179名)

【産休】[期間]産前8・産後8週間[給与]法定[取得者数]4名

【育休】[期間]2歳到達後最初の3月31日まで[給与]法定[取得者数]22年度 男5名(対象8名)女5名(対象5名)23年度 男9名(対象13名)女6名(対象5名)[平均取得日数]22年度 男16日 女328日、23年度 男20日 女247日

【従業員】[人数]440名(男261名、女179名)[平均年齢]40.4歳(男NA、女NA)[平均勤続年数]13.5年(男NA、女NA)

【年齢構成】■男 □女

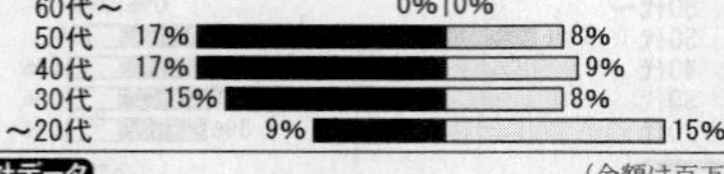

会社データ (金額は百万円)

【本社】108-8209 東京都港区港南1-2-70 品川シーズンテラス ☎03-6367-8800 https://www.jalux.com/

【業績(連結)】	売上高	営業利益	経常利益	純利益
22.3	96,345	▲698	▲314	▲370
23.3	145,271	2,282	2,347	1,395
24.3	191,492	5,818	6,176	3,934

㈱ドウシシャ

【特色】ブランド品の卸売りと自社企画商品の開発が柱

記者評価 1974年大阪市で創業。バッグや腕時計などのブランド品やギフト品の卸売りと、デザイン家電や調理用品などオリジナル商品の企画開発の2本柱。ホームセンターやディスカウント店などへの納入のほか、ECの拡大も狙う。自社開発ブランドスイーツの展開を強化中。

平均勤続年数	男性育休取得率	3年後離職率	平均年収(平均42歳)
12.9年	8.3→17.6%	17.1→33.3%	㊙738万円

●採用・配属情報●

【男女・文理別採用実績】

	大卒男	大卒女	修士男	修士女
23年	20(文 20理 0)	15(文 14理 1)	0(文 0理 0)	0(文 0理 0)
24年	16(文 15理 1)	8(文 8理 0)	0(文 0理 0)	0(文 0理 0)
25年	35(文 -理 -)	15(文 -理 -)	0(文 0理 0)	0(文 0理 0)

※25年:予定数

【男女・職種別採用実績】 転換制度:⇔

	総合職(企画・営業職)	一般職(事務職)
23年	26(男 20 女 6)	9(男 0 女 9)
24年	19(男 16 女 3)	5(男 0 女 5)
25年	35(男 - 女 -)	15(男 - 女 -)

【24年4月入社者の配属勤務地】㊙東京・港14 大阪・中央5

【転勤】あり:[職種]企画営業職[勤務地]大阪本社 東京本社

【中途比率】[単年度]21年度62%、22年度50%、23年度47%[全体]43%

●働きやすさ、諸制度●

残業(月) 12.3時間 ㊙16.5時間

【勤務時間】9:00〜17:30【有休取得年平均】10.4日【週休】会社暦2日【夏期休暇】なし【年末年始休暇】なし

【離職率】男:5.5%、31名 女:8.5%、27名(他に男11名転籍)

【新卒3年後離職率】
[20→23年]17.1%(男12.5%・入社16名、女21.1%・入社19名)
[21→24年]33.3%(男40.0%・入社10名、女25.0%・入社8名)

【テレワーク】制度なし【勤務制度】なし【住宅補助】社宅有 家賃補助(入社3年独身者)

●ライフイベント、女性活躍●

【女性比率】■男 □女

従業員 35.2% (289名)

管理職 2.6% (6名)

【産休】[期間]産前6・産後8週間[給与]法定[取得者数]14名

【育休】[期間]1歳になるまで[給与]法定[取得者数]22年度 男2名(対象24名)女15名(対象15名)23年度 男3名(対象17名)女14名(対象14名)[平均取得日数]22年度 男97日 女553日、23年度 男29日 女457日

【従業員】[人数]820名(男531名、女289名)[平均年齢]41.8歳(男44.1歳、女37.8歳)[平均勤続年数]12.9年(男15.1年、女8.8年)

【年齢構成】■男 □女

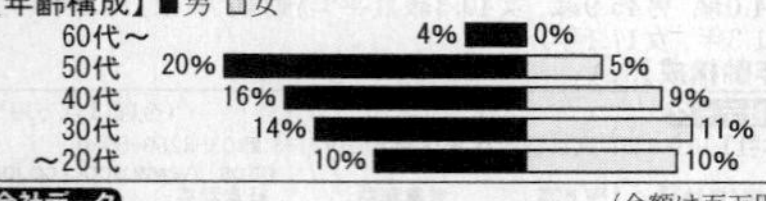

会社データ (金額は百万円)

【本社】542-8525 大阪府大阪市中央区東心斎橋1-5-5 ☎06-6121-5888 https://www.doshisha.co.jp/

【業績(連結)】	売上高	営業利益	経常利益	純利益
22.3	101,027	7,109	7,598	5,132
23.3	105,709	8,052	8,342	5,621
24.3	105,824	7,926	8,412	5,784

㈱サンリオ

えるぼし ★★

【特色】自社キャラクターのライセンスビジネスを展開

[記者評価]「ハローキティ」軸に450以上のキャラクターを保有する。顧客商品にキャラ使用権を与えロイヤリティを得るライセンスビジネスを国内外で展開。子会社で「ピューロランド」運営。赤字だった物販事業のテコ入れや外部人材の登用など改革を進め業績が急回復。

平均勤続年数	男性育休取得率	3年後離職率	平均年収(平均*43歳)
17.9年	66.7 → 66.7%	0 → 14.3%	[総]837万円

●採用・配属情報●

【男女・文理別採用実績】

	大卒男	大卒女	修士男	修士女
23年	7(文 7 理 0)	11(文 11 理 0)	0(文 0 理 0)	2(文 1 理 1)
24年	5(文 4 理 1)	24(文 23 理 1)	1(文 0 理 1)	1(文 1 理 0)
25年	9(文 9 理 0)	23(文 23 理 0)	4(文 2 理 2)	4(文 4 理 0)

【男女・職種別採用実績】 転換制度:⇔

	総合職	クリエイター職
23年	19(男 7 女 12)	2(男 0 女 2)
24年	28(男 6 女 22)	3(男 0 女 3)
25年	36(男 13 女 23)	5(男 0 女 5)

【24年4月入社者の配属勤務地】[総]東京・大崎 28 [技]東京・大崎 3

【転勤】あり:詳細NA

【中途比率】[単年度]21年度NA、22年度NA、23年度NA[全体]NA

●働きやすさ、諸制度●

残業(月) 14.8時間 [総]17.4時間

【勤務時間】9:30〜18:00【有休取得年平均】12.0日【週休】完全2日(土日祝)【夏期休暇】有休で取得【年末年始休暇】連続6日

【離職率】男:2.4%、6名 女:1.3%、6名(早期退職3名含む)

【新卒3年後離職率】

[20→23年]0%(男0%・入社4名、女0%・入社8名)

[21→24年]14.3%(男100%・入社1名、女0%・入社6名)

【テレワーク】制度あり:[場所]NA[対象]NA[日数]NA[利用率]NA【勤務制度】時間単位有休 時差勤務【住宅補助】転勤者用借上社宅

●ライフイベント、女性活躍●

【女性比率】■男 □女

新卒採用 68.3% (28名)

従業員 65.9% (466名)

【産休】[期間]産前6・産後8週間[給与]法定[取得者数]20名

【育休】[期間]1歳になるまで[給与]法定[取得者数]22年度 男6名(対象9名)女16名(対象16名)23年度 男2名(対象3名)女18名(対象19名)[平均取得日数]22年度 NA、23年度 NA

【従業員】[人数]707名(男241名、女466名)[平均年齢]43.4歳(男45.4歳、女42.4歳)[平均勤続年数]17.9年(男19.4年、女17.0年)

【年齢構成】■男 □女

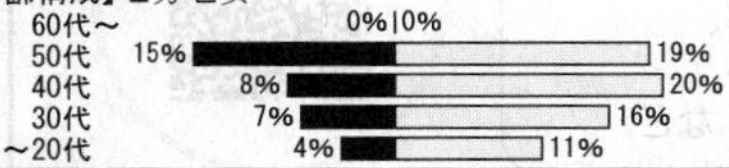

[会社データ] (金額は百万円)

【本社】141-8603 東京都品川区大崎1-11-1 ゲートシティ大崎ウエストタワー ☎03-3779-8075 https://www.sanrio.co.jp/

【業績(連結)】	売上高	営業利益	経常利益	純利益
22.3	52,763	2,537	3,318	3,423
23.3	72,624	13,247	13,724	8,158
24.3	99,981	26,952	28,265	17,584

コンサルティング・シンクタンク・リサーチ

シンクタンク　コンサルティング　リサーチ

コンサルティング

大手企業のDX・脱炭素化から中堅・中小企業の事業再建・承継、M＆A関連まで、あらゆるニーズが目白押し

（天気図は24年度後半⇒25年度、続きは東洋経済『会社四季報業界地図 2025年版』で）

245 開示 ★★☆☆☆

㈱野村総合研究所（のむらそうごうけんきゅうしょ）

えるぼし★★★ プラチナくるみん

【特色】野村證券系のSIベンダー。コンサルも強い

[記者評価] 野村證券系シンクタンク、システム開発会社が発祥。コンサル事業は全体の1割弱。野村證券のシステム開発で培った技術を生かし、金融や流通向けに優良顧客多数。野村HDとセブン＆アイHDが2大顧客。収益性の高さに定評があり、業界トップクラスの平均年収を誇る。

平均勤続年数	男性育休取得率	3年後離職率	平均年収(平均40歳)
14.3年	NA	8.8→7.7%	1,271万円

●採用・配属情報●

【男女・文理別採用実績】

	大卒男	大卒女	修士男	修士女
23年	108(文 78 理 30)	94(文 68 理 26)	207(文 8 理199)	56(文 4 理 52)
24年	80(文 58 理 22)	82(文 68 理 14)	252(文 12 理240)	71(文 6 理 65)
25年	86(文 61 理 25)	88(文 67 理 21)	250(文 15 理235)	88(文 10 理 78)

【男女・職種別採用実績】

	総合職
23年	466(男 315 女151)
24年	486(男 333 女153)
25年	513(男 336 女177)

【職種併願】エリア職システムエンジニア以外全てで可能

【24年4月入社者の配属勤務地】[総]東京(大手町 木場) 横浜 名古屋 大阪 札幌 福岡

【転勤】あり:[職種]総合職(エリア職を除く)

【中途比率】[単年度]21年度39%、22年度47%、23年度37%[全体]NA

●働きやすさ、諸制度●

残業(月) 裁量労働制 [総]裁量労働制

【勤務時間】裁量労働制(アソシエイト職昇格後)【有休取得年平均】14.8日【週休】完全2日(土日祝)【夏期休暇】連続5日(有休利用)【年末年始休暇】12月31日～1月3日

【離職率】NA

【新卒3年後離職率】

[20→23年]8.8%(男NA、女NA)

[21→24年]7.7%(男NA、女NA)

【テレワーク】制度あり:[場所]NA[対象]NA[日数]NA[利用率]NA【勤務制度】フレックス 裁量労働【住宅補助】独身寮(戸塚 川崎 鵜の木 葛西) 住宅手当

●ライフイベント、女性活躍●

【女性比率】■男 □女

新卒採用 34.5% (177名)

従業員 23% (1654名)

管理職 9.5% (69名)

【産休】[期間]産前6・産後8週間[給与]法定以上(詳細NA)[取得者数]86名

【育休】[期間]1歳になるまで[給与]法定[取得者数]22年度NA 23年度 NA[平均取得日数]22年度 NA、23年度 NA

【従業員】[人数]7,206名(男5,552名、女1,654名)[平均年齢]40.2歳(男NA、女NA)[平均勤続年数]14.3年(男NA、女NA)

【年齢構成】■男 □女

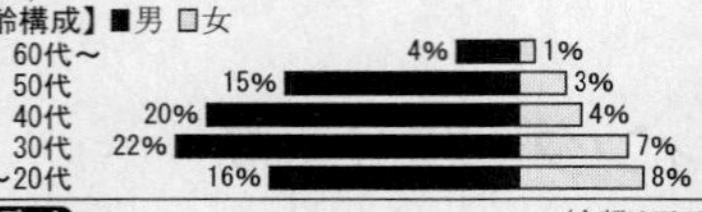

会社データ (金額は百万円)

【本社】100-0004 東京都千代田区大手町1-9-2 ☎03-5533-2111 https://www.nri.com/jp/

【業績(IFRS)】	売上高	営業利益	税前利益	純利益
22.3	611,634	106,218	104,671	71,445
23.3	692,165	111,832	108,499	76,307
24.3	736,556	120,411	117,224	79,643

1431 開示 ★★☆☆☆ [専門]採用あり

㈱日本総合研究所（にほんそうごうけんきゅうしょ）

えるぼし★★★ くるみん

【特色】総合シンクタンクの代表格。三井住友FG傘下

[記者評価] 住友系の日本総研と三井系のさくら総研が統合して誕生した国内有数のシンクタンク。SI、コンサル、シンクタンクの3機能を有し、SMFGのIT戦略も担う。政策提言に定評。産学連携にも積極的。24年4月、日興システムソリューションズと中間持株会社を設立。

平均勤続年数	男性育休取得率	3年後離職率	平均年収(平均40歳)
12.7年	42.6→84.7%	13.2→11.7%	NA

●採用・配属情報●

【男女・文理別採用実績】

	大卒男	大卒女	修士男	修士女
23年	77(文 41 理 36)	39(文 27 理 12)	38(文 3 理 35)	13(文 2 理 11)
24年	82(文 51 理 31)	59(文 50 理 9)	89(文 4 理 85)	14(文 7 理 7)
25年	113(文 76 理 37)	93(文 73 理 20)	113(文 9 理104)	19(文 6 理 13)

【男女・職種別採用実績】 転換制度:⇔

	総合職
23年	168(男 116 女 52)
24年	245(男 171 女 74)
25年	340(男 227 女113)

【24年4月入社者の配属勤務地】[総]東京245

【転勤】あり:詳細NA

【中途比率】[単年度]21年度29%、22年度48%、23年度48%[全体]NA

●働きやすさ、諸制度●

残業(月) 14.0時間 [総]14.0時間

【勤務時間】9:00～17:30(フレックスタイム制 コアタイム10:00～15:00)一定階層以上は裁量労働制(みなし労働時間は8時間45分)【有休取得年平均】16.1日【週休】完全2日(土日祝)【夏期休暇】有休で取得【年末年始休暇】12月30日～1月3日

【離職率】NA

【新卒3年後離職率】

[20→23年]13.2%(男14.0%・入社86名、女11.4%・入社35名)

[21→24年]11.7%(男11.4%・入社88名、女12.5%・入社40名)

【テレワーク】制度あり:[場所]自宅 サテライトオフィス[対象]制限なし[日数]制限なし[利用率]64.0%【勤務制度】フレックス 裁量労働 副業容認【住宅補助】独身寮 契約社宅制度 他

●ライフイベント、女性活躍●

【女性比率】■男 □女

新卒採用 33.2% (113名)

従業員 28.5% (861名)

管理職 17% (87名)

【産休】[期間]産前6・産後8週間[給与]会社全額給付[取得者数]37名

【育休】[期間]2歳到達月末まで[給与]開始15日間給与賞与給付、以降給付金[取得者数]22年度 男26名(対象61名)女18名(対象18名)23年度 男72名(対象85名)女35名(対象37名)[平均取得日数]22年度 NA、23年度 男41日 女330日

【従業員】[人数]3,023名(男2,162名、女861名)[平均年齢]40.0歳(男40.5歳、女38.8歳)[平均勤続年数]12.7年(男13.0年、女12.0年)

【年齢構成】NA

会社データ (金額は百万円)

【本社】141-0022 東京都品川区東五反田2-18-1 大崎フォレストビルディング ☎03-6833-0900 https://www.jri.co.jp/

【業績(単独)】	売上高	営業利益	経常利益	純利益
22.3	214,372	4,553	5,084	3,655
23.3	219,707	4,008	5,013	3,546
24.3	249,678	2,742	3,946	3,943

みずほリサーチ&テクノロジーズ(株)

えるぼし★★★　プラチナくるみん

【特色】みずほFGのシンクタンク。IT戦略コンサルで定評

記者評価 21年にみずほ情報総研とみずほ総合研究所が合併して現体制に。調査・研究、コンサル、システムが3本柱。金融、環境・エネ、医療、社会保障、情報通信・科学技術、DXなどでソリューション提供。愛知県からの受託で中部国際空港周辺のイノベーション創出に取り組む。

平均勤続年数	男性育休取得率	3年後離職率	平均年収(平均44歳)
18.4年	90.1→94.6%	18.2→18.1%	(総)919万円

●採用・配属情報●

【男女・文理別採用実績】

	大卒男	大卒女	修士男	修士女
23年	51(文 40理 11)	15(文 12理 3)	24(文 9理 15)	5(文 2理 3)
24年	81(文 50理 31)	36(文 32理 4)	39(文 3理 36)	3(文 1理 2)
25年	77(文 58理 19)	43(文 40理 3)	37(文 1理 36)	18(文 6理 12)

【男女・職種別採用実績】

	事務職員
23年	96(男 76 女 20)
24年	160(男 121 女 39)
25年	175(男 114 女 61)

【24年4月入社者の配属勤務地】(技)東京160

【転勤】あり:全社員

【中途比率】[単年度]21年度6%、22年度33%、23年度45%[全体]NA

●働きやすさ、諸制度●

残業(月) 29.9時間 (総)29.9時間

【勤務時間】8:40～17:10 9:00～17:30(部署により異なる)【有休取得年平均】15.9日【週休】完全2日(土日祝)【夏期休暇】有休で取得【年末年始休暇】12月31日～1月3日

【離職率】男:2.9%、87名 女:2.3%、28名

【新卒3年後離職率】

[20→23年]18.2%(男14.0%・入社50名、女25.9%・入社27名)

[21→24年]18.1%(男21.1%・入社57名、女11.5%・入社26名)

【テレワーク】制度あり:[場所]自宅[対象]全社員[日数]制限なし[利用率]NA【勤務制度】週休3日 裁量労働 時差勤務 勤務間インターバル 副業容認【住宅補助】独身寮(通勤圏内に実家がない場合 20,000円)

●ライフイベント、女性活躍●

【女性比率】■男 □女

新卒採用 34.9% (61名)

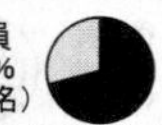

従業員 28.9% (1174名)

【産休】[期間]産前6・産後8週間[給与]会社全額給付[取得者数]32名

【育休】[期間]2歳になるまで[給与]法定[取得者数]22年度 男64名(対象71名)女49名(対象49名)23年度 男70名(対象74名)女32名(対象32名)[平均取得日数]22年度 男12日 女351日、23年度 男17日 女355日

【従業員】[人数]4,067名(男2,893名、女1,174名)[平均年齢]44.0歳(男44.7歳、女44.0歳)[平均勤続年数]18.4年(男20.1年、女16.7年)

【年齢構成】■男 □女

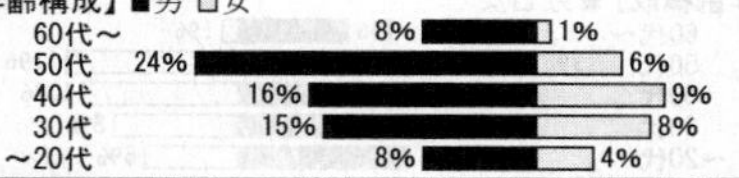

会社データ (金額は百万円)

【本社】101-8443 東京都千代田区神田錦町2-3 ☎03-5281-5610 https://www.mizuho-rt.co.jp/

【業績(単独)】	売上高	営業利益	経常利益	純利益
22.3	124,571	5,660	5,959	6,283
23.3	140,499	5,852	6,057	3,596
24.3	178,413	9,125	9,352	4,158

(株)三菱総合研究所

みつびしそうごうけんきゅうしょ

えるぼし★★★　くるみん

【特色】三菱系。総合シンクタンクの代表的存在

記者評価 三菱グループの出資で1970年に設立。コンサルとITシステムの2本柱。コンサルは環境、エネルギーなどの大型案件に特徴。官需にも強い。三菱DCS軸に展開のITシステムは金融、カード案件多い。官民共創案件やストック型ビジネスを開発。理系研究者多い。

平均勤続年数	男性育休取得率	3年後離職率	平均年収(平均42歳)
13.2年	30.3→54.8%	11.4→7.0%	(総)1,120万円

●採用・配属情報●

【男女・文理別採用実績】

	大卒男	大卒女	修士男	修士女
23年	7(文 6理 1)	2(文 2理 0)	35(文 4理 31)	14(文 6理 8)
24年	2(文 2理 0)	6(文 6理 0)	47(文 6理 41)	12(文 6理 6)
25年	10(文 8理 2)	6(文 6理 0)	41(文 7理 34)	15(文 3理 12)

【男女・職種別採用実績】 転換制度:⇒

	総合職
23年	59(男 43 女 16)
24年	69(男 51 女 18)
25年	73(男 52 女 21)

【24年4月入社者の配属勤務地】(総)東京・永田町69

【転勤】なし

【中途比率】[単年度]21年度45%、22年度64%、23年度57%[全体]36%

●働きやすさ、諸制度●

残業(月) 24.7時間 (総)26.3時間

【勤務時間】標準9:00～17:15【有休取得年平均】10.2日【週休】完全2日(土日祝)【夏期休暇】連続5営業日(年次有休とは別)【年末年始休暇】12月29日～1月3日

【離職率】男:3.2%、26名 女:3.4%、10名

【新卒3年後離職率】

[20→23年]11.4%(男14.3%・入社28名、女0%・入社7名)

[21→24年]7.0%(男7.4%・入社27名、女6.3%・入社16名)

【テレワーク】制度あり:[場所]NA[対象]NA[日数]NA[利用率]52.9%【勤務制度】フレックス 裁量労働 勤務間インターバル 副業容認【住宅補助】独身寮 選択制社宅制度 転勤社宅 カフェテリアプラン(賃料 住宅ローン等への補助)

●ライフイベント、女性活躍●

【女性比率】■男 □女

新卒採用 28.8% (21名)　従業員 26.5% (280名)　管理職 9% (21名)

【産休】[期間]産前6・産後8週間[給与]基本給・諸手当全額支給[取得者数]6名

【育休】[期間]3歳到達後の4月末日まで、通算5年を限度[給与]出生時育児休業(産後パパ育休)期間は全額、その他は法定[取得者数]22年度 男10名(対象33名)女6名(対象6名)23年度 男17名(対象31名)女6名(対象6名)[平均取得日数]22年度 男49日 女225日、23年度 男98日 女233日

【従業員】[人数]1,056名(男776名、女280名)[平均年齢]41.8歳(男42.2歳、女40.7歳)[平均勤続年数]13.2年(男13.8年、女11.3年)

【年齢構成】■男 □女

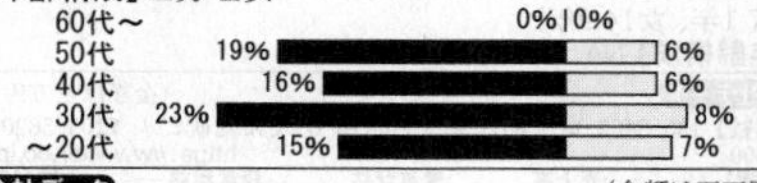

会社データ (金額は百万円)

【本社】100-8141 東京都千代田区永田町2-10-3 ☎03-5157-2111 https://www.mri.co.jp/

【業績(連結)】	売上高	営業利益	経常利益	純利益
21.9	103,030	6,853	7,568	5,009
22.9	116,620	9,165	10,493	7,707
23.9	122,126	8,688	10,002	6,287

㈱大和総研（だいわそうけん）

プラチナくるみん

【特色】大和証券系。システム・リサーチ・コンサル展開

記者評価 大和証券グループのシンクタンク。システム・リサーチ・コンサルが核。データ分析、AI、DXを融合したソリューションに定評。グループを含む証券向け、銀行向け、健保組合向けなど専門性の高い分野に強み。東大大学院などと共同でテーマ銘柄検索システムを開発。

平均勤続年数	男性育休取得率	3年後離職率	平均年収(平均41歳)
16.4年	109.5 → 97.3%	14.3 → 13.6%	NA

●採用・配属情報●

【男女・文理別採用実績】

	大卒男	大卒女	修士男	修士女
23年	35(文 19理 16)	24(文 15理 9)	29(文 2理 27)	6(文 0理 6)
24年	38(文 19理 19)	22(文 18理 4)	36(文 1理 35)	11(文 5理 6)
25年	27(文 16理 11)	53(文 33理 20)	48(文 3理 45)	13(文 3理 10)

※25年:24年8月上旬時点

【男女・職種別採用実績】 転換制度:⇒

	総合職
23年	95(男 65 女 30)
24年	110(男 77 女 33)
25年	141(男 75 女 66)

【24年4月入社者の配属勤務地】㊅東京110

【転勤】あり:[職種]総合職 キャリア職 [勤務地]全拠点対象

【中途比率】[単年度]21年度12%、22年度9%、23年度24% [全体]NA

●働きやすさ、諸制度●

残業(月) 27.1時間 ㊅29.3時間

【勤務時間】8:40～17:10(実働7.5時間 フレックスタイム制 コアタイム10:00～15:00)【有休取得年平均】18.7日【週休】完全2日(土日祝)【夏期休暇】連続最大10日(土日祝含む)【年末年始休暇】12月31日～1月3日

【離職率】男:7.1%、87名 女:4.8%、25名(早期退職28名含む)

【新卒3年後離職率】
[20→23年]14.3%(男13.7%・入社51名、女15.4%・入社26名)
[21→24年]13.6%(男14.7%・入社34名、女12.0%・入社25名)

【テレワーク】制度あり:[場所]自宅 サテライトオフィス[対象]全社員[日数]制限なし[利用率]NA【勤務制度】フレックス 時間単位有休 時差勤務 勤務間インターバル【住宅補助】独身寮 社宅 家賃補助 住宅手当

●ライフイベント、女性活躍●

【女性比率】■男 □女

新卒採用 46.8%(66名)　従業員 30.1%(494名)　管理職 12.5%(96名)

【産休】[期間]産前6・産後8週間[給与]会社全額給付[取得者数]16名

【育休】[期間]3歳になるまで[給与]2週間以内会社全額給付、以降給付金[取得者数]22年度 男46名(対象42名)女13名(対象12名)23年度 男36名(対象37名)女17名(対象17名)[平均取得日数]22年度 男26日 女509日、23年度 男34日 女526日

【従業員】[人数]1,641名(男1,147名、女494名)[平均年齢]40.9歳(男41.7歳、女38.8歳)[平均勤続年数]16.4年(男17.1年、女14.9年)

【年齢構成】NA

会社データ (金額は百万円)

【本社】135-8460 東京都江東区冬木15-6 大和総研ビル ☎03-5620-5600 https://www.dir.co.jp/

【業績】	売上高	営業利益	経常利益	純利益
22.3	77,212	4,498	5,260	13,119
23.3	85,262	4,513	4,932	3,324
24.3	92,758	3,757	4,456	1,967

三菱ＵＦＪリサーチ&コンサルティング㈱（みつびしユーエフジェイ）

えるぼし★★★　くるみん

【特色】MUFGの総合シンクタンク。多彩な受託調査に速応

記者評価 金融系で国内最大級のシンクタンク。受託調査、コンサル、グローバル経営支援、政策研究・提言、マクロ経済調査が主柱。会員制経営支援サービス強化。タイのチュラロンコン大医学部と眼科ソリューション開発。政府から受託の子ども・子育て支援調査に取り組む。

平均勤続年数	男性育休取得率	3年後離職率	平均年収(平均43歳)
NA	53.8 → 62.5%	7.7 → 24.1%	NA

●採用・配属情報●

【男女・文理別採用実績】

	大卒男	大卒女	修士男	修士女
23年	18(文 18理 0)	9(文 8理 1)	18(文 5理 13)	9(文 5理 4)
24年	17(文 15理 2)	9(文 9理 0)	14(文 5理 9)	12(文 7理 5)
25年	15(文 13理 2)	8(文 7理 1)	22(文 4理 18)	15(文 5理 10)

【男女・職種別採用実績】

	総合職
23年	54(男 36 女 18)
24年	52(男 31 女 21)
25年	62(男 38 女 24)

【24年4月入社者の配属勤務地】㊅東京49 名古屋1 大阪2

【転勤】あり:正社員

【中途比率】[単年度]21年度66%、22年度73%、23年度54%[全体]55%

●働きやすさ、諸制度●

残業(月) 17.9時間

【勤務時間】9:00～17:30【有休取得年平均】11.7日【週休】完全2日(土日祝)【夏期休暇】有休で取得【年末年始休暇】12月29日～1月3日

【離職率】男:6.0%、46名 女:3.7%、16名

【新卒3年後離職率】
[20→23年]7.7%(男9.5%・入社21名、女0%・入社5名)
[21→24年]24.1%(男28.6%・入社21名、女12.5%・入社8名)

【テレワーク】制度あり:[場所]自宅 サテライトオフィス 実家休暇中の滞在先等[対象]NA[日数]NA[利用率]71.7%【勤務制度】裁量労働 時差勤務 副業容認【住宅補助】家賃補助または住居手当(対象者のみ)

●ライフイベント、女性活躍●

【女性比率】■男 □女

新卒採用 38.7%(24名)　従業員 36.9%(419名)　管理職 13.9%(47名)

【産休】[期間]産前6・産後8週間[給与]法定[取得者数]10名

【育休】[期間]2歳になるまで[給与]10日有給、以降給付金[取得者数]22年度 男14名(対象26名)女5名(対象5名)23年度 男15名(対象24名)女9名(対象10名)[平均取得日数]22年度 NA、23年度 NA

【従業員】[人数]1,136名(男717名、女419名)[平均年齢]43.3歳(男43.6歳、女42.9歳)[平均勤続年数]NA ※契約社員・嘱託社員含む

【年齢構成】■男 □女

	男	女
60代～	7%	1%
50代	19%	11%
40代	12%	10%
30代	15%	8%
～20代	11%	6%

会社データ (金額は百万円)

【本社】105-8501 東京都港区虎ノ門5-11-2 オランダヒルズ森タワー ☎03-6733-1000 https://www.murc.jp/

【業績(単独)】	売上高	営業利益	経常利益	純利益
22.3	21,077	1,582	1,640	1,112
23.3	21,955	1,883	1,985	902
24.3	23,726	2,945	3,020	2,212

2865 開示 ★☆☆☆☆

にほんエムアンドエー
㈱日本M＆Aセンター

【特色】中小M＆A仲介の老舗。成約件数は圧倒的

[記者評価] 中堅中小企業のM＆A仲介で最大手。全国の地銀、信金、会計事務所などと連携、情報網構築し業種や地域を絞らない譲渡と買収のマッチングを行う。事業承継案件に強み。ベトナムなど東南アジア5カ国に拠点開設、クロスボーダー案件も強化。

平均勤続年数	男性育休取得率	3年後離職率	平均年収(平均35歳)
NA	NA	NA	NA

●採用・配属情報●

【男女・文理別採用実績】

	大卒男	大卒女	修士男	修士女
23年	NA(文NA理NA)	NA(文NA理NA)	NA(文NA理NA)	NA(文NA理NA)
24年	NA(文NA理NA)	NA(文NA理NA)	NA(文NA理NA)	NA(文NA理NA)
25年	NA(文NA理NA)	NA(文NA理NA)	NA(文NA理NA)	NA(文NA理NA)

【男女・職種別採用実績】 転換制度：⇔

	総合職
23年	NA(男 NA 女 NA)
24年	NA(男 NA 女 NA)
25年	NA(男 NA 女 NA)

【24年4月入社者の配属勤務地】[総]東京43

【転勤】あり：[勤務地]東京 大阪 愛知 福岡 広島 北海道 沖縄 海外

【中途比率】[単年度]21年度NA、22年度NA、23年度NA[全体]NA

●働きやすさ、諸制度●

残業(月) NA

【勤務時間】9:00〜17:30【有休取得年平均】NA【週休】2日【夏期休暇】有休とは別に2日間【年末年始休暇】あり

【離職率】NA

【新卒3年後離職率】
[20→23年]NA
[21→24年]NA

【テレワーク】制度なし【勤務制度】なし【住宅補助】該当者には社宅制度あり

●ライフイベント、女性活躍●

【女性比率】■男 □女

従業員
26%
(260名)

【産休】[期間]産前6・産後8週間[給与]法定[取得者数]NA

【育休】[期間]1歳になるまで[給与]法定[取得者数]22年度NA 23年度 NA[平均取得日数]22年度 NA、23年度 NA

【従業員】[人数]1,000名(男740名、女260名)[平均年齢]34.5歳(男NA、女NA)[平均勤続年数]NA

【年齢構成】NA

会社データ (金額は百万円)

【本社】100-0005 東京都千代田区丸の内1-8-2 鉄鋼ビルディング24階
☎03-5220-5454 https://www.nihon-ma.co.jp/

【業績】	売上高	営業利益	経常利益	純利益
22.3	40,401	16,430	16,864	11,488
23.3	41,315	23,511	15,472	9,851
24.3	44,136	24,636	16,518	10,743

2607 開示 ★☆☆☆☆

ふないそうごうけんきゅうしょ
㈱船井総合研究所

えるぼし ★★

【特色】大手経営コンサル。小規模企業向けが強い

[記者評価] 著名な経営コンサルタントだった故船井幸雄氏が1970年、関西で創業。住宅や医療、不動産、外食など業界ごとの経営研究会で中小企業経営者を中心に集客を図り、個別のコンサル受注に結びつけるビジネスモデル。システム開発領域縮小、経営コンサルに再注力。

平均勤続年数	男性育休取得率	3年後離職率	平均年収(平均32歳)
NA	14.3 → 58.3%	NA	NA

●採用・配属情報●

【男女・文理別採用実績】

	大卒男	大卒女	修士男	修士女
23年	88(文 83理 5)	31(文 31理 0)	8(文 3理 5)	3(文 3理 0)
24年	102(文 84理 18)	37(文 35理 2)	7(文 5理 2)	1(文 1理 0)
25年	89(文 83理 6)	35(文 33理 2)	7(文 5理 2)	2(文 1理 1)

※25年：24年8月時点

【男女・職種別採用実績】 転換制度：⇔

	総合職(コンサルタント職)	一般職(カスタマーサクセス職)
23年	130(男 96 女 34)	ND(男 ND 女 ND)
24年	143(男 108 女 35)	4(男 1 女 3)
25年	133(男 96 女 37)	0(男 0 女 0)

【24年4月入社者の配属勤務地】[総]東京111 大阪36

【転勤】あり：詳細NA

【中途比率】[単年度]21年度NA、22年度NA、23年度NA[全体]NA

●働きやすさ、諸制度●

残業(月) NA

【勤務時間】9:30〜18:00【有休取得年平均】NA【週休】完全2日(土日祝)【夏期休暇】なし【年末年始休暇】7日

【離職率】NA

【新卒3年後離職率】
[20→23年]NA
[21→24年]NA

【テレワーク】制度あり：[場所]自宅[対象]NA[日数]NA[利用率]NA【勤務制度】フレックス 時間単位有休 時差勤務

【住宅補助】社宅(自己負担2万円)

●ライフイベント、女性活躍●

【女性比率】■男 □女

新卒採用
27.8%
(37名)

従業員
21.7%
(191名)

【産休】[期間]産前6・産後8週間[給与]法定[取得者数]NA

【育休】[期間]1歳になるまで[給与]法定[取得者数]22年度男4名(対象28名)女7名(対象7名)23年度 男14名(対象24名)女5名(対象5名)[平均取得日数]22年度 NA、23年度NA

【従業員】[人数]881名(男690名、女191名)[平均年齢]31.6歳(男32.1歳、女29.8歳)[平均勤続年数]NA

【年齢構成】NA

会社データ (金額は百万円)

【本社】541-0041 大阪府大阪市中央区北浜4-4-10 ☎06-6232-0271
https://www.funaisoken.co.jp/

【業績(単独)】	売上高	営業利益	経常利益	純利益
21.12	17,084	NA	5,656	3,933
22.12	18,725	NA	6,199	4,375
23.12	20,419	NA	6,547	4,720

1436 開示 ★★★☆☆

㈱ビジネスコンサルタント

【特色】ビーコングループ中核の経営コンサル会社

[記者評価] 通称BCon。人材育成・組織改革のための教育訓練、調査診断、コンサルなどが柱。ダイバーシティ、グローバル人材育成など注力。国内21都市に拠点。海外は上海・ハノイ・ホーチミン・バンコク・シンガポール・ジャカルタに拠点。24年7月LPS関連事業を子会社に移管。

平均勤続年数	男性育休取得率	3年後離職率	平均年収(平均37歳)
12.3年	20.0 → 62.5%	54.5 → 50.0%	NA

●採用・配属情報●

【男女・文理別採用実績】

	大卒男	大卒女	修士男	修士女
23年	13(文 12理 1)	5(文 5理 0)	2(文 1理 1)	0(文 0理 0)
24年	15(文 13理 2)	9(文 8理 1)	0(文 0理 0)	2(文 1理 1)
25年	8(文 8理 0)	5(文 5理 0)	0(文 0理 0)	1(文 0理 1)

※25年:24年7月時点

【男女・職種別採用実績】

	総合職
23年	20(男 15 女 5)
24年	26(男 15 女 11)
25年	14(男 8 女 6)

【24年4月入社者の配属勤務地】[総]札幌2 青森1 仙台1 東京2 埼玉2 横浜3 新潟1 名古屋3 静岡1 金沢1 長野1 大阪2 京都1 神戸1 岡山1 広島1 福岡1 熊本1

【転勤】あり:[職種]営業職(フィールドセールス)かつ希望者

【中途比率】[単年度]21年度29%、22年度59%、23年度45%[全体]28%

●働きやすさ、諸制度●

残業(月) 8.8時間 [総]8.7時間

【勤務時間】9:00~17:30【有休取得年平均】10.1日【週休】完全2日(土日祝)【夏期休暇】連続3日+有休奨励日あり【年末年始休暇】連続5日+有休奨励日あり

【離職率】男:6.4%、17名 女:2.6%、4名

【新卒3年後離職率】

[20→23年]54.5%(男50.0%・入社16名、女66.7%・入社6名)

[21→24年]50.0%(男55.6%・入社9名、女33.3%・入社3名)

【テレワーク】制度あり:[場所]自宅 シェアオフィス 他[対象]NA[日数]制限なし[利用率]NA【勤務制度】フレックス 時間単位有休【住宅補助】住宅手当(30,000~75,000円、エリア・扶養家族の有無などで変動)

●ライフイベント、女性活躍●

【女性比率】■男 □女

新卒採用 42.9% (6名)

従業員 37.6% (149名)

管理職 17.5% (25名)

【産休】[期間]産前6・産後8週間[給与]法定[取得者数]10名

【育休】[期間]1歳になるまで[給与]法定[取得者数]22年度 男1名(対象5名)女8名(対象8名)23年度 男5名(対象8名)女7名(対象7名)[平均取得日数]22年度 NA、23年度 NA

【従業員】[人数]396名(男247名、女149名)[平均年齢]36.9歳(男NA、女NA)[平均勤続年数]12.3年(男NA、女NA)

【年齢構成】■男 □女

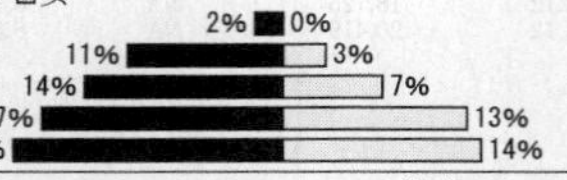

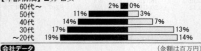

[会社データ] (金額は百万円)

【本社】101-0029 東京都千代田区神田相生町1 秋葉原センタープレイスビル ☎03-6260-7571 https://www.bcon.jp/

【業績(単独)】	売上高	営業利益	経常利益	純利益
22.3	7,320	1,010	1,120	781
23.3	7,628	731	860	585
24.3	8,111	782	916	677

59 開示 ★★★☆☆ [専門] 採用あり

ＩＤ＆Ｅグループ (アイディーアンドイー)

[プラチナくるみん]

【特色】総合建設コンサル首位の日本工営が中核

[記者評価] 戦前の朝鮮半島での大規模水力発電開発が源流。23年7月に持ち株会社ID＆E・HDを設立して現体制に。総合建設コンサル最大手の日本工営が中核。国内はインフラ維持管理や防災関連が中心。都市計画・再生などの都市空間、エネルギー関連の事業会社なども傘下。

平均勤続年数	男性育休取得率	3年後離職率	平均年収(平均42歳)
11.5年	47.8 → 62.9%	10.3 → 10.6%	[総]940万円

●採用・配属情報●

【男女・文理別採用実績】※25年:24年7月31日時点

	大卒男	大卒女	修士男	修士女
23年	36(文 8理 28)	27(文 11理 16)	71(文 3理 68)	27(文 3理 24)
24年	41(文 6理 35)	27(文 10理 17)	69(文 4理 65)	40(文 2理 38)
25年	38(文 4理 34)	36(文 15理 21)	76(文 1理 75)	30(文 1理 29)

【男女・職種別採用実績】 転換制度:⇒

	総合職
23年	166(男 110 女 56)
24年	190(男 120 女 70)
25年	190(男 120 女 70)

【24年4月入社者の配属勤務地】[総]東京・麹町12 名古屋3 [技]東京・麹町83 埼玉2 札幌1 仙台4 新潟1 福島16 茨城4 名古屋33 静岡1 大阪19 石川1 九州2 福岡5 沖縄3

【転勤】あり:全社員

【中途比率】[単年度]21年度22%、22年度32%、23年度22%(日本工営㈱の数字)[全体]22%

●働きやすさ、諸制度●

残業(月) 29.6時間 [総]33.0時間

【勤務時間】9:00~17:30(フレックスタイム制)【有休取得年平均】11.2日【週休】完全2日(土日祝)【夏期休暇】有休で取得【年末年始休暇】連続7日

【離職率】男:2.9%、41名 女:2.8%、10名

【新卒3年後離職率】

[20→23年]10.3%(男11.3%・入社124名、女6.5%・入社31名)

[21→24年]10.6%(男11.5%・入社87名、女8.3%・入社36名)

【テレワーク】制度あり:[場所]自宅 サテライトオフィス[対象]全社員[日数]月12回まで[利用率]NA【勤務制度】フレックス【住宅補助】独身寮(男性のみ)社宅(横浜)借上寮・社宅(各支店)住宅補助金

●ライフイベント、女性活躍●

【女性比率】■男 □女

新卒採用 36.8% (70名)

従業員 20.3% (348名)

管理職 6.5% (27名)

【産休】[期間]産前6・産後8週間[給与]法定[取得者数]9名

【育休】[期間]3歳になるまでの間で18カ月[給与]法定[取得者数]22年度 男33名(対象69名)女7名(対象7名)23年度 男22名(対象35名)女4名(対象4名)[平均取得日数]22年度 NA、23年度 NA

【従業員】[人数]1,717名(男1,369名、女348名)[平均年齢]38.5歳(男39.8歳、女33.6歳)[平均勤続年数]11.5年(男12.6年、女7.3年)【年齢構成】■男 □女

[会社データ] (金額は百万円)

【本社】102-8539 東京都千代田区麹町5-4 日本工営ビル ☎03-3238-8030 https://www.id-and-e-hd.co.jp/

【業績(IFRS)】	売上高	営業利益	税前利益	純利益
24.6	158,983	14,124	15,264	9,677

※会社データはID&Eホールディングス㈱のもの

※採用は主要4社(日本工営㈱、日本工営都市空間㈱、日本工営エナジーソリューションズ㈱、日本工営ビジネスパートナーズ㈱)の合計、その他注記のないデータは日本工営㈱のもの

1068 **開示 ★★★★★**

(株)建設技術研究所

けんせつぎじゅつけんきゅうしょ

【特色】建設コンサル大手。河川、道路に強い。海外注力

記者評価 河川軸に道路などへ総合展開。業界の中でも技術士比率が高い。再生可能エネルギー関連など新分野にも力を入れる。海外拡大で2030年売上高1000億円、営業益90億円目指す。国の国土強靭化計画受け公共事業拡大が追い風。24年7月に全社員一律2000円のベースアップ実施。

平均勤続年数	男性育休取得率	3年後離職率	平均年収(平均39歳)
12.7年	48.8→63.8%	3.6→9.2%	(総)1,073万円

●採用・配属情報●

【男女・文理別採用実績】

	大卒男	大卒女	修士男	修士女
23年	21(文 4 理 17)	7(文 0 理 7)	64(文 0 理 64)	15(文 1 理 14)
24年	19(文 5 理 14)	9(文 1 理 8)	66(文 0 理 66)	18(文 1 理 17)
25年	14(文 4 理 10)	6(文 1 理 5)	73(文 0 理 73)	13(文 1 理 12)

【男女・職種別採用実績】 転換制度:⇔

	総合職
23年	107(男 85 女 22)
24年	112(男 85 女 27)
25年	106(男 87 女 19)

【24年4月入社者の配属勤務地】(総)東京・日本橋4 仙台1 大阪1 (技)東京・日本橋40 さいたま8 仙台8 名古屋9 大阪28 福岡13

【転勤】あり:[職種]総合職

【中途比率】[単年度]21年度27%、22年度37%、23年度35%[全体]32%

●働きやすさ、諸制度●

残業(月) 42.8時間 (総)45.1時間

【勤務時間】7:00〜18:00の間で30分刻みのシフト勤務【有休取得年平均】16.3日【週休】完全2日(土日祝)【夏期休暇】有休利用(6〜9月に5日の取得を推奨)【年末年始休暇】12月29日〜1月4日

【離職率】男:2.1%、29名 女:2.2%、8名

【新卒3年後離職率】

[20→23年]3.6%(男4.3%・入社47名、女0%・入社8名)

[21→24年]9.2%(男9.2%・入社76名、女9.1%・入社11名)

【テレワーク】制度あり:[場所]自宅 サテライトオフィス[対象]全社員[日数]制限なし[利用率]21.1%【勤務制度】時間単位有休 時差勤務【住宅補助】独身寮 社宅(持家・単身赴任時のみ)住宅手当(13,000〜33,000円)

●ライフイベント、女性活躍●

【女性比率】■男 □女

新卒採用 17.9%(19名) 従業員 20.7%(353名) 管理職 2%(7名)

【産休】[期間]産前6・産後8週間[給与]全額給付[取得者数]11名

【育休】[期間]1歳になるまで[給与]男性は出生後10日間の特別有休、その他は給付金[取得者数]22年度 男21名(対象43名)女18名(対象18名)23年度 男30名(対象47名)女13名(対象13名)[平均取得日数]22年度 男49日 女436日、23年度 男46日 女389日

【従業員】[人数]1,706名(男1,353名、女353名)[平均年齢]40.2歳(男40.3歳、女39.5歳)[平均勤続年数]12.7年(男12.9年、女11.7年)【年齢構成】■男 □女

	男	女
60代〜	1%	0%
50代	23%	4%
40代	17%	6%
30代	20%	6%
〜20代	19%	5%

会社データ (金額は百万円)

【本社】103-8430 東京都中央区日本橋浜町3-21-1 日本橋浜町Fタワー ☎03-3668-0451 https://www.ctie.co.jp/

【業績(連結)】	売上高	営業利益	経常利益	純利益
21.12	74,409	6,991	7,118	4,471
22.12	83,485	8,017	8,235	5,874
23.12	93,057	10,011	10,153	7,534

1466 **開示 ★★★**

パシフィックコンサルタンツ(株)

えるぼし★★ プラチナくるみん

【特色】総合建設コンサル大手。公共セクターに強い

記者評価 建設コンサル大手の一角。社会基盤領域で技術サービス提供。1200人超の技術士擁す。PFI、PPP等公共セクターのプロマネで先行。道路・河川など社会資本整備に注力。小田急電鉄などと箱根の地域価値創造に取り組む。海外は130カ国以上で10万件超の案件に関与。

平均勤続年数	男性育休取得率	3年後離職率	平均年収(平均41歳)
13.7年	104.0→62.2%	12.9→6.3%	NA

●採用・配属情報●

【男女・文理別採用実績】

	大卒男	大卒女	修士男	修士女
23年	7(文 2 理 5)	8(文 3 理 5)	22(文 0 理 22)	15(文 0 理 15)
24年	15(文 1 理 14)	10(文 6 理 4)	48(文 4 理 44)	22(文 1 理 21)
25年	14(文 4 理 10)	15(文 4 理 11)	52(文 2 理 50)	12(文 1 理 11)

【男女・職種別採用実績】

	総合職(技術)	総合職(事務)
23年	50(男 28 女 22)	3(男 1 女 2)
24年	91(男 63 女 28)	8(男 2 女 6)
25年	89(男 65 女 24)	5(男 2 女 3)

【24年4月入社者の配属勤務地】(総)東京6 大阪1 名古屋1 (技)東京60 札幌4 仙台6 名古屋6 大阪9 広島2 福岡4

【転勤】あり:全社員

【中途比率】[単年度]21年度75%、22年度73%、23年度64%[全体]28%

●働きやすさ、諸制度●

残業(月) 38.5時間 (総)38.5時間

【勤務時間】9:00〜17:00(時差出勤あり、始業5:00〜11:00で選択)【有休取得年平均】13.9日【週休】完全2日(土日祝)【夏期休暇】5日【年末年始休暇】12月29日〜1月4日

【離職率】男:2.7%、32名 女:4.0%、12名

【新卒3年後離職率】

[20→23年]12.9%(男11.6%・入社43名、女15.8%・入社19名)

[21→24年]6.3%(男6.8%・入社44名、女5.3%・入社19名)

【テレワーク】制度あり:[場所]自宅 自宅に準じる場所 サテライトオフィス シェアオフィス ホテル カフェ 他[対象]全従業員[日数]制限なし[利用率]NA【勤務制度】時間単位有休 時差勤務【住宅補助】借上寮(自己負担は入社2年間は20,000円、3年目以降増額)借上社宅(転勤時、家賃の一部を会社負担 単身赴任は90%、家族帯同者は50%、独身者は40% それぞれ上限額あり)

●ライフイベント、女性活躍●

【女性比率】■男 □女

新卒採用 28.7%(27名) 従業員 19.9%(289名) 管理職 5.2%(20名)

【産休】[期間]産前6・産後8週間[給与]法定[取得者数]18名

【育休】[期間]子が3歳に達するまでの間で、育児休業期間および産後パパ育休期間との合計が 24 カ月を限度[給与]法定[取得者数]22年度 男26名(対象25名)女16名(対象17名)23年度 男23名(対象37名)女18名(対象18名)[平均取得日数]22年度 男45日 女329日、23年度 男60日 女283日

【従業員】[人数]1,451名(男1,162名、女289名)[平均年齢]40.6歳(男42.1歳、女34.5歳)[平均勤続年数]13.7年(男15.2年、女7.9年)【年齢構成】■男 □女

	男	女
60代〜	0%	0%
50代	27%	2%
40代	19%	3%
30代	19%	7%
〜20代	14%	7%

会社データ (金額は百万円)

【本社】101-8462 東京都千代田区神田錦町3-22 ☎03-6777-3001 https://www.pacific.co.jp/

【業績(連結)】	売上高	営業利益	経常利益	純利益
21.9	58,118	4,673	4,608	3,044
22.9	60,444	2,991	3,439	2,483
23.9	61,556	4,093	4,119	2,756

2854 開示 ★★★☆☆

㈱オリエンタルコンサルタンツグローバル

えるぼし ★★　くるみん

【特色】海外インフラ向け建設コンサル事業を展開

記者評価 総合建設コンサル大手のオリエンタルコンサルタンツの海外部門が分社化して設立。海外インフラの開発計画、設計、施工管理、運営管理など幅広く手がける。アジア、アフリカ、欧州など150カ国以上で実績。25年4月から大卒初任給を253,800円に引き上げ。

平均勤続年数	男性育休取得率	3年後離職率	平均年収(平均43歳)
10.3年	60.0→50.0%	20.0→11.1%	㊗895万円

●採用・配属情報●

【男女・文理別採用実績】

	大卒男	大卒女	修士男	修士女
23年	2(文 0理 2)	3(文 1理 2)	9(文 1理 8)	3(文 0理 3)
24年	2(文 1理 1)	1(文 1理 0)	4(文 1理 3)	1(文 0理 1)
25年	1(文 1理 0)	4(文 3理 1)	9(文 1理 8)	4(文 0理 4)

【男女・職種別採用実績】　転換制度:⇒

	総合職
23年	18(男 12 女 6)
24年	8(男 6 女 2)
25年	19(男 11 女 8)

【職種併願】○

【24年4月入社者の配属勤務地】㊗東京2 ㊍東京6

【転勤】あり:[対象]総合職 [勤務地]本社(東京)海外拠点(現地法人、事務所等)

【中途比率】[単年度]21年度NA、22年度NA、23年度NA[全体]60%

●働きやすさ、諸制度●

残業(月) 18.5時間 ㊗18.5時間

【勤務時間】7時間(フレックスタイム制 コアタイム10:00～15:00)【有休取得年平均】14.9日【週休】完全2日(土日祝)【夏期休暇】年次有休日数を加算する形で付与【年末年始休暇】12月29日～1月3日

【離職率】男:5.4%、14名 女:7.0%、7名

【新卒3年後離職率】

[20→23年]20.0%(男12.5%・入社8名、女50.0%・入社2名)

[21→24年]11.1%(男0%・入社5名、女25.0%・入社4名)

【テレワーク】制度あり:[場所]自宅[対象]制限なし[日数]月9日まで[利用率]26.7%【勤務制度】フレックス 副業容認【住宅補助】なし

●ライフイベント、女性活躍●

【女性比率】■男 □女

新卒採用 42.1%(8名)　従業員 27.4%(93名)

管理職 20.4%(43名)

【産休】[期間]産前6・産後8週間[給与]法定[取得者数]8名

【育休】[期間]1歳になるまで[給与]法定[取得者数]22年度 男6名(対象10名)女4名(対象4名)23年度 男4名(対象8名)女5名(対象4名)[平均取得日数]22年度 男39日 女253日、23年度 男379日 女341日

【従業員】[人数]340名(男247名、女93名)[平均年齢]42.6歳(男44.1歳、女38.8歳)[平均勤続年数]10.3年(男11.0年、女8.6年)

【年齢構成】■男 □女

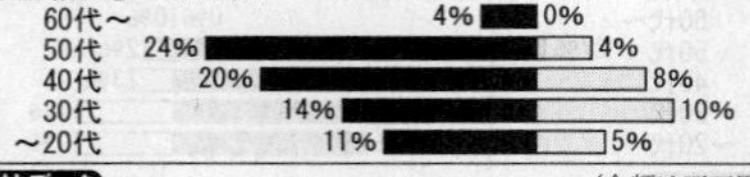

会社データ　(金額は百万円)

【本社】163-1409 東京都新宿区西新宿3-20-2 東京オペラシティタワー ☎03-6311-7570　https://ocglobal.jp/ja/

【業績(単独)】	売上高	営業利益	経常利益	純利益
21.9	22,867	NA	NA	NA
22.9	28,884	NA	NA	NA
23.9	27,358	940	1,515	1,209

2575 開示 ★★☆☆☆

㈱インテージ

くるみん

【特色】市場調査分野で国内首位、アジアでもトップ

記者評価 インテージHDの中核事業子会社で、市場調査では国内唯一、消費・販売のパネル調査(同一人物・同一企業への継続的な調査)網を持ち、調査市場をリードする。オンライン調査へのシフトが進む。海外でもオンライン中心に事業展開に意欲的。

平均勤続年数	男性育休取得率	3年後離職率	平均年収(平均37歳)
8.3年	100→100%	NA	NA

●採用・配属情報●

【男女・文理別採用実績】

	大卒男	大卒女	修士男	修士女
23年	30(文 27理 3)	51(文 48理 3)	8(文 5理 3)	4(文 1理 3)
24年	39(文 35理 4)	43(文 38理 5)	7(文 3理 4)	8(文 6理 2)
25年	30(文 27理 3)	40(文 38理 2)	9(文 5理 4)	6(文 3理 3)

【男女・職種別採用実績】

	総合職
23年	93(男 38 女 55)
24年	97(男 46 女 51)
25年	85(男 39 女 46)

【24年4月入社者の配属勤務地】㊗東京84 大阪3 ㊍東京10

【転勤】あり:[職種]総合職[勤務地]東京 大阪 札幌※本人の希望も確認のうえ決定

【中途比率】[単年度]21年度59%、22年度42%、23年度38%[全体]50%

●働きやすさ、諸制度●

残業(月) 18.2時間 ㊗18.2時間

【勤務時間】9:00～17:30(標準労働時間 コアタイムなし)【有休取得年平均】14.6日【週休】完全2日(土日祝)【夏期休暇】夏季休暇を有休として付与【年末年始休暇】12月29日～1月3日

【離職率】NA

【新卒3年後離職率】

[20→23年]NA

[21→24年]NA

【テレワーク】制度あり:[場所]自宅[対象]全社員[日数]制限なし[利用率]NA【勤務制度】フレックス 時間単位有休 副業容認【住宅補助】住宅手当(最大月額40,000円)

●ライフイベント、女性活躍●

【女性比率】■男 □女

新卒採用 54.1%(46名)　従業員 52.6%(698名)　管理職 24.8%(31名)

【産休】[期間]産前6・産後8週間[給与]法定[取得者数]11名

【育休】[期間]1歳になるまで[給与]法定[取得者数]22年度 男8名(対象8名)女26名(対象26名)23年度 男14名(対象14名)女11名(対象11名)[平均取得日数]22年度 NA、23年度 NA

【従業員】[人数]1,326名(男628名、女698名)[平均年齢]37.1歳(男37.6歳、女36.7歳)[平均勤続年数]8.3年(男9.1年、女7.5年)

【年齢構成】■男 □女

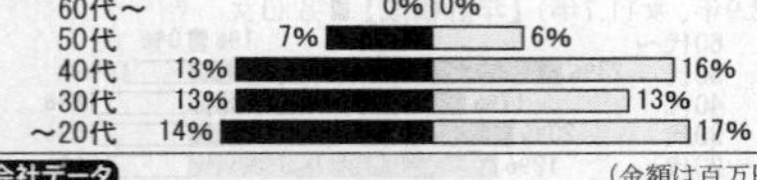

会社データ　(金額は百万円)

【本社】101-8201 東京都千代田区神田練塀町3 インテージ秋葉原ビル ☎03-5294-0111　https://www.intage.co.jp/

【業績(連結)】	売上高	営業利益	経常利益	純利益
22.6	60,232	4,649	4,952	3,418
23.6	61,387	3,785	4,073	3,505
24.6	63,279	3,289	3,543	2,456

※業績は㈱インテージホールディングスのもの

㈱帝国(ていこく)データバンク

くるみん

【特色】民間企業信用調査会社の老舗で最大手。略称TDB

記者評価 1900年創業の国内最大の企業信用調査会社。全国に83拠点を構え、1,700人の調査員が直接調査に当たる。企業倒産情報や景気・業界動向調査も発信。他社との提携により、全世界約5億件の企業情報も扱う。AIを活用した未上場企業の成長予測サービスを提供。

平均勤続年数	男性育休取得率	3年後離職率	平均年収(平均41歳)
(!) 12.9年	2.9 → NA	NA	(総) 924万円

●採用・配属情報●

【男女・文理別採用実績】

	大卒男	大卒女	修士男	修士女
23年	32(文 32 理 0)	10(文 9 理 1)	0(文 0 理 0)	1(文 1 理 0)
24年	29(文 26 理 3)	22(文 22 理 0)	0(文 0 理 0)	0(文 0 理 0)
25年	30(文 30 理 0)	21(文 21 理 0)	1(文 0 理 1)	0(文 0 理 0)

【男女・職種別採用実績】 転換制度:⇔

	総合職
23年	43(男 32 女 11)
24年	51(男 29 女 22)
25年	52(男 31 女 21)

【24年4月入社者の配属勤務地】(総)東京(港21 新宿10 東京西1)大阪7 札幌1 仙台1 横浜2 千葉1 大宮2 名古屋2 広島2 福岡1

【転勤】あり:[職種]全国総合職 エリア総合職(限定エリア内にて転勤あり)

【中途比率】[単年度]21年度NA、22年度NA、23年度NA[全体]NA

●働きやすさ、諸制度●

残業(月) 9.4時間 (総)13.4時間

【勤務時間】9:00〜18:00【有休取得年平均】13.7日【週休】完全2日(土日祝)【夏期休暇】なし【年末年始休暇】12月30日〜1月4日

【離職率】NA

【新卒3年後離職率】
[20→23年]NA
[21→24年]NA

【テレワーク】制度あり:[場所]NA[対象]会社基準を満たす者(妊娠・育児・介護・従業員本人の疾病や障害により在宅勤務が必要と認められる者)[日数]月8回まで[利用率]NA【勤務制度】時差勤務【住宅補助】社員寮(東京・世田谷区代沢)社宅(全国)※条件あり

●ライフイベント、女性活躍●

【女性比率】■男 □女

新卒採用 40.4% (21名)

従業員 28.8% (952名)
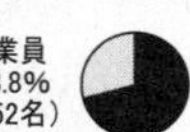

【産休】[期間]産前6・産後8週間[給与]産前産後各6週まで会社全額給付、産後7〜8週は有休として振替可[取得者数]NA

【育休】[期間]2年間[給与]法定[取得者数]22年度 男2名(対象70名)女14名(対象27名)23年度 NA[平均取得日数]22年度 NA、23年度 NA

【従業員】[人数]3,300名(男2,348名、女952名)[平均年齢]44.1歳(男42.8歳、女46.2歳)[平均勤続年数]12.9年(男13.7年、女11.5年)※契約社員等含む

【年齢構成】NA

会社データ (金額は百万円)

【本社】107-8680 東京都港区南青山2-5-20 ☎03-5775-3192 https://www.tdb.co.jp/

【業績(単独)】	売上高	営業利益	経常利益	純利益
21.9	54,391	10,586	10,817	7,015
22.9	54,892	9,551	9,637	6,235
23.9	54,891	10,320	10,541	6,812

㈱マクロミル

【特色】市場調査で国内では首位級。海外でも存在感

記者評価 マーケティング調査では首位級で、特にオンラインを活用したリサーチに強い。DXの推進を支援するデータ利活用支援事業も展開。広告効果測定などマーケ支援も。臨床試験の実施支援などライフサイエンス事業に進出。海外事業を再編し、日本・韓国市場に集中。

平均勤続年数	男性育休取得率	3年後離職率	平均年収(平均34歳)
5.7年	37.5 → 62.5%	31.3 → 35.2%	(総) 596万円

●採用・配属情報●

【男女・文理別採用実績】

	大卒男	大卒女	修士男	修士女
23年	28(文 22 理 6)	31(文 30 理 1)	7(文 4 理 3)	2(文 2 理 0)
24年	16(文 12 理 4)	25(文 25 理 0)	3(文 2 理 1)	1(文 1 理 0)
25年	19(文 18 理 1)	26(文 26 理 0)	0(文 0 理 0)	2(文 2 理 0)

【男女・職種別採用実績】 転換制度:⇒

	総合職	エリア総合職(仙台勤務)	営業職	リサーチャー職	アナリスト・エンジニア職
23年	22(男 12 女 10)	15(男 4 女 11)	8(男 5 女 3)	15(男 7 女 8)	8(男 7 女 1)
24年	23(男 11 女 12)	12(男 1 女 11)	1(男 0 女 1)	6(男 5 女 1)	3(男 2 女 1)
25年	6(男 0 女 6)	8(男 2 女 6)	14(男 8 女 6)	19(男 9 女 10)	0(男 0 女 0)

※総合職にコーポレート職1名含む

【24年4月入社者の配属勤務地】(総)東京33 仙台12

【転勤】あり:エリア総合職は原則転勤なし

【中途比率】[単年度]21年度70%、22年度60%、23年度53%[全体]54%

●働きやすさ、諸制度●

残業(月) 23.1時間 (総)23.6時間

【勤務時間】10:00〜19:00【有休取得年平均】8.5日【週休】完全2日(土日)【夏期休暇】特別休暇2日【年末年始休暇】12月29日〜1月3日

【離職率】男:9.2%、59名 女:8.2%、54名

【新卒3年後離職率】
[20→23年]31.3%(男33.3%・入社27名、女29.7%・入社37名)
[21→24年]35.2%(男35.0%・入社40名、女35.5%・入社31名)

【テレワーク】制度あり:[場所]自宅 カフェ[対象]正社員 総合職[日数]制限なし[利用率]35.4%【勤務制度】フレックス 裁量労働 副業容認【住宅補助】なし

●ライフイベント、女性活躍●

【女性比率】■男 □女

新卒採用 59.6% (28名)
従業員 51% (604名)
管理職 21.8% (36名)

【産休】[期間]産前6・産後8週間[給与]法定[取得者数]31名

【育休】[期間]1歳になるまで[給与]法定[取得者数]22年度 男12名(対象32名)女39名(対象39名)23年度 男10名(対象16名)女29名(対象29名)[平均取得日数]22年度 男72日 女340日、23年度 男92日 女383日

【従業員】[人数]1,185名(男581名、女604名)[平均年齢]33.9歳(男35.3歳、女32.6歳)[平均勤続年数]5.7年(男6.0年、女5.3年)

【年齢構成】■男 □女

	男	女
60代〜	0%	0%
50代	3%	1%
40代	13%	9%
30代	16%	18%
〜20代	17%	23%

会社データ (金額は百万円)

【本社】108-0075 東京都港区港南2-16-1 品川イーストワンタワー ☎03-6716-0700 https://www.macromill.com/

【業績(IFRS)】	売上高	営業利益	税前利益	純利益
22.6	49,810	5,814	5,605	3,147
23.6	40,616	4,498	3,728	7,574
24.6	43,861	4,470	4,746	2,293

とうきょうしょうこう
㈱東京商工リサーチ

【特色】企業信用調査の老舗。国内2強の一角。米D＆Bと提携

[記者評価] 略称TSR。1892年創業で帝国データバンクと双璧。900万件超の企業情報を保有し、与信管理向けに提供。米国ダン＆ブラッドストリートと提携、世界で5億件以上の企業情報を扱う。調査営業職は年間420社以上を訪問、経営情報をヒアリングして調査レポートを作成する。

平均勤続年数	男性育休取得率	3年後離職率	平均年収(平均43歳)
15.6年	17.6→26.7%	NA	[総]837万円

●採用・配属情報●

【男女・文理別採用実績】

	大卒男	大卒女	修士男	修士女
23年	7(文 7理 0)	7(文 7理 0)	0(文 0理 0)	0(文 0理 0)
24年	15(文 15理 0)	1(文 1理 0)	0(文 0理 0)	0(文 0理 0)
25年	14(文 14理 0)	4(文 4理 0)	0(文 0理 0)	0(文 0理 0)

※25年：24年8月上旬時点

【男女・職種別採用実績】 転換制度：⇔

	調査営業職
23年	14(男 7女 7)
24年	16(男 15女 1)
25年	18(男 14女 4)

【24年4月入社者の配属勤務地】[総]仙台1 東京・千代田10 名古屋1 大阪市3 広島市1

【転勤】あり：[職種]総合職(原則として管理職)

【中途比率】[単年度]21年度49%、22年度81%、23年度70%[全体]74%

●働きやすさ、諸制度●

残業(月) 9.3時間 [総]9.3時間

【勤務時間】7:00〜21:00のうち7時間(フレックスタイム制)【有休取得年平均】11.4日【週休】完全2日(土日祝)【夏期休暇】8月に1日 10、11月に2日【年末年始休暇】12月30日〜1月4日

【離職率】男：4.5%、26名 女：5.0%、9名

【新卒3年後離職率】
[20→23年]NA
[21→24年]NA

【テレワーク】制度あり：[場所]自宅 外出先[対象]調査営業職[日数]制限なし[利用率]NA【勤務制度】フレックス 時間単位有休【住宅補助】住宅手当

●ライフイベント、女性活躍●

【女性比率】■男 □女

新卒採用 22.2% (4名)

従業員 23.5% (171名)

管理職 15.8% (61名)

【産休】[期間]産前6・産後8週間[給与]会社全額給付[取得者数]6名

【育休】[期間]1歳になるまで[給与]法定[取得者数]22年度 男3名(対象17名)女8名(対象8名)23年度 男8名(対象30名)女7名(対象7名)[平均取得日数]22年度 NA、23年度 NA

【従業員】[人数]729名(男558名、女171名)[平均年齢]43.1歳(男43.5歳、女41.7歳)[平均勤続年数]15.6年(男15.6年、女15.5年)

【年齢構成】NA

[会社データ] (金額は百万円)

【本社】100-6810 東京都千代田区大手町1-3-1 JAビル ☎03-6910-3111
https://www.tsr-net.co.jp/

【業績(単独)】	売上高	営業利益	経常利益	純利益
22.3	22,239	4,335	4,386	2,801
23.3	23,161	4,726	4,775	3,060
24.3	24,216	5,105	5,181	3,325

情報・通信・同関連ソフト

通信サービス　システム・ソフト

インターネット回線

光回線はＮＴＴが他社に卸す「光コラボ」堅調だが、成長は鈍化。工事不要で手軽なワイヤレスは着実に利用増える

携帯電話事業者

官製値下げで下落のキャリアの通信単価は上向く。が、個人向け通信の競争環境なお厳しく、非通信分野の成長がカギ

システム開発

世界的にＤＸ需要が旺盛。大企業が中心だったＤＸ化・クラウド利用は中小企業や自治体へと裾野が広がる

ソフトウェア(SaaS)

ＳａａＳは成長投資段階を終えて利益を積み上げる企業が目立つ。大幅な増益となる企業も多い。再編も進みそう

(天気図は24年度後半⇒25年度、続きは東洋経済『会社四季報業界地図 2025年版』で)

日本電信電話(株)

にっぽんでんしんでんわ

えるぼし★★★ プラチナくるみん

【特色】通信業界ガリバー。ITやエネルギーなど多角化も

記者評価 1985年に電電公社民営化で誕生。NTTドコモ、NTT東日本・西日本、NTTデータグループが主要子会社。海外IT事業は22年にデータと統合。20年にドコモを完全子会社化。近年はグループ会社間の人事異動も盛ん。脱年功序列や原則テレワークなど人事労務改革を推進。

平均勤続年数	男性育休取得率	3年後離職率	平均年収(平均42歳)
16.5年	33.7→39.3%	6.3→4.8%	㊔1,024万円

●採用・配属情報●

【男女・文理別採用実績】

	大卒男	大卒女	修士男	修士女
23年	0(文 0理 0)	0(文 0理 0)	32(文 0理 32)	29(文 2理 27)
24年	0(文 0理 0)	1(文 1理 0)	30(文 1理 29)	22(文 1理 21)
25年	0(文 0理 0)	0(文 0理 0)	22(文 0理 22)	31(文 0理 31)

【男女・職種別採用実績】

	研究開発職
23年	78(男 46 女 32)
24年	77(男 47 女 30)
25年	92(男 45 女 47)

【24年4月入社者の配属勤務地】㊕東京(品川4 武蔵野36) 神奈川(横須賀16 厚木15)茨城・つくば4 京都・精華2

【転勤】あり:全社員

【中途比率】[単年度]21年度21%、22年度17%、23年度46%[全体]7%

●働きやすさ、諸制度●

残業(月) 25.7時間 ㊔25.7時間

【勤務時間】9:00～17:30【有休取得年平均】15.3日【週休】完全2日(土日祝)【夏期休暇】5日【年末年始休暇】12月29日～1月3日

【離職率】男:4.3%、94名 女:2.2%、9名

【新卒3年後離職率】

[20→23年]6.3%(男9.1%・入社44名、女0%・入社20名)

[21→24年]4.8%(男7.5%・入社40名、女0%・入社23名)

【テレワーク】制度あり:[場所]NA[対象]NA[日数]NA[利用率]NA【勤務制度】フレックス 時間単位有休 裁量労働 時差勤務 勤務間インターバル 副業容認【住宅補助】独身寮 社宅 持家取得各種支援 住宅補助(23年から10年間かけて段階的に引き上げ)

●ライフイベント、女性活躍●

【女性比率】■男 □女

新卒採用 51.1%(47名) 従業員 16.3%(406名) 管理職 10.4%(120名)

【産休】[期間]産前6・産後8週間[給与]会社全額給付[取得者数]23名

【育休】[期間]3歳になるまで 事由によらず再取得可[給与]法定[取得者数]22年度 男29名(対象86名)女34名(対象34名)23年度 男35名(対象89名)女41名(対象41名)[平均取得日数]22年度 NA、23年度 NA

【従業員】[人数]2,492名(男2,086名、女406名)[平均年齢]41.9歳(男42.7歳、女37.7歳)[平均勤続年数]16.5年(男17.3年、女12.5年)

【年齢構成】■男 □女

	男	女
60代～	0%	0%
50代	21%	2%
40代	30%	4%
30代	25%	6%
～20代	8%	4%

会社データ (金額は百万円)

【本社】100-8116 東京都千代田区大手町1-5-1 大手町ファーストスクエア ☎03-6838-5111 https://group.ntt/jp/

【業績(IFRS)】	売上高	営業利益	税前利益	純利益
22.3	12,156,447	1,768,593	1,795,525	1,181,083
23.3	13,136,194	1,828,986	1,817,679	1,213,116
24.3	13,374,569	1,922,910	1,980,457	1,279,521

(株)ＮＴＴドコモ

エヌティティ

えるぼし★★★ プラチナくるみん

【特色】携帯電話で国内首位。非通信分野の拡大を急ぐ

記者評価 NTT傘下の携帯キャリアで国内最大手。NTTグループの中核で営業利益の大半を稼ぐ。2020年にNTTが完全子会社化、NTTコミュニケーションズ、NTTコムウェアとの統合も実施。モバイル収入は減少続くが、非通信、法人事業が成長中。特に金融サービスの強化進める。

平均勤続年数	男性育休取得率	3年後離職率	平均年収(平均43歳)
14.5年	39.1→66.4%	6.4→7.1%	㊔904万円

●採用・配属情報●

【男女・文理別採用実績】

	大卒男	大卒女	修士男	修士女
23年	177(文139理 38)	179(文146理 33)	217(文 7理210)	33(文 4理 29)
24年	184(文110理 74)	133(文 93理 40)	282(文 12理270)	42(文 5理 37)
25年	-(文 -理 -)	-(文 -理 -)	-(文 -理 -)	-(文 -理 -)

※25年:597名採用予定

【男女・職種別採用実績】

	総合職
23年	607(男395 女212)
24年	642(男467 女175)
25年	597(男 - 女 -)

【24年4月入社者の配属勤務地】㊔東京23区 全国各支社支店 ㊕東京23区 神奈川・横須賀 全国各支社支店

【転勤】あり:全社員

【中途比率】[単年度]21年度39%、22年度44%、23年度33%[全体]15%

●働きやすさ、諸制度●

残業(月) 26.5時間 ㊔26.5時間

【勤務時間】標準9:30～18:00(他にフレックスタイム制あり)【有休取得年平均】16.4日【週休】2日(4週につき8日)【夏期休暇】5日【年末年始休暇】12月29日～1月3日

【離職率】男:5.1%、339名 女:3.8%、100名

【新卒3年後離職率】

[20→23年]6.4%(男6.5%・入社275名、女6.0%・入社134名)

[21→24年]7.1%(男8.8%・入社260名、女4.2%・入社165名)

【テレワーク】制度あり:[場所]自宅 サテライトオフィス 他[対象]全社員[日数]制限なし[利用率]71.0%【勤務制度】フレックス 時間単位有休 時差勤務 副業容認【住宅補助】社宅(独身・世帯)マイホーム取得支援 住宅補助費 他

●ライフイベント、女性活躍●

【女性比率】■男 □女

従業員 28.6%(2552名) 管理職 10.5%(171名)

【産休】[期間]産前6・産後8週間[給与]会社全額給付[取得者数]136名

【育休】[期間]3歳になるまで[給与]法定[取得者数]22年度 男132名(対象338名)女83名(対象87名)23年度 男164名(対象247名)女103名(対象107名)[平均取得日数]22年度 男48日 女454日、23年度 男96日 女439日

【従業員】[人数]8,919名(男6,367名、女2,552名)[平均年齢]39.6歳(男40.4歳、女37.5歳)[平均勤続年数]14.5年(男15.2年、女12.8年)

【年齢構成】■男 □女

	男	女
60代～	0%	0%
50代	14%	3%
40代	25%	9%
30代	21%	9%
～20代	11%	8%

会社データ (金額は百万円)

【本社】100-6150 東京都千代田区永田町2-11-1 山王パークタワー ☎03-5156-1111 https://www.docomo.ne.jp/

【業績(IFRS)】	売上高	営業利益	税前利益	純利益
22.3	5,870,200	1,072,500	1,082,400	752,100
23.3	6,059,000	1,093,900	1,093,500	771,800
24.3	6,140,000	1,144,400	1,153,800	795,100

2346 開示 ★★★

えるぼし ★★★ / プラチナくるみん

ソフトバンク(株)

【特色】ソフトバンクグループ傘下。携帯は国内3位

[記者評価] ソフトバンクグループの中核子会社。携帯回線契約で国内3位。大容量プランが売りの「ソフトバンク」とやや安価な「ワイモバイル」を軸に、オンライン専用の「LINEMO」も展開。生成AI向けの大規模言語モデルやデータセンター構築にも注力。

平均勤続年数	男性育休取得率	3年後離職率	平均年収(平均42歳)
14.1年	68.1→71.8%	19.0→18.0%	[総]848万円

●採用・配属情報●

【男女・文理別採用実績】

	大卒男	大卒女	修士男	修士女
23年	129(文NA 理NA)	112(文NA 理NA)	145(文NA 理NA)	39(文NA 理NA)
24年	102(文NA 理NA)	108(文NA 理NA)	130(文NA 理NA)	35(文NA 理NA)
25年	-(文 - 理 -)	-(文 - 理 -)	-(文 - 理 -)	-(文 - 理 -)

※24年:障がい者採用含む 25年:継続中

【男女・職種別採用実績】 転換制度:⇒

	総合職	アソシエイト職	販売職
23年	443(男295 女148)	11(男 4 女 7)	0(男 0 女 0)
24年	398(男251 女147)	2(男 0 女 2)	0(男 0 女 0)
25年	-(男 - 女 -)	-(男 - 女 -)	-(男 - 女 -)

【24年4月入社者の配属勤務地】[総]NA [技]NA

【転勤】あり:[職種]総合職正社員

【中途比率】[単年度]21年度57%、22年度30%、23年度28%[全体]NA

●働きやすさ、諸制度●

残業(月) 24.9時間 [総]26.5時間

【勤務時間】9:00～17:45【有休取得年平均】15.4日【週休】完全2日(土日祝)【夏期休暇】5日以上の年次有休の取得奨励(7～9月)【年末年始休暇】12月30日～1月3日

【離職率】男:3.9%、552名 女:3.0%、159名

【新卒3年後離職率】
[20→23年]19.0%(男19.8%・入社481名、女15.8%・入社114名)
[21→24年]18.0%(男20.1%・入社358名、女10.2%・入社98名)

【テレワーク】制度あり:[場所]社内のセキュリティルールを満たせば場所は問わない[対象]出社必須業務従事者を除く全社員[日数]制限なし[利用率]71.1%【勤務制度】フレックス 時差勤務 勤務間インターバル 副業容認【住宅補助】社宅(転勤者一部補助)新卒住宅補助(3年間)

●ライフイベント、女性活躍●

【女性比率】■男 □女

従業員 27.1% (5123名)

管理職 8.7% (364名)

【産休】[期間]妊娠判明時より産休取得可(販売職のみ)、他法定[給与]法定[取得者数]251名

【育休】[期間]3歳になるまで[給与]初回育休の最後5営業日は有給[取得者数]22年度 男400名(対象587名)女293名(対象294名)23年度 男437名(対象609名)女241名(対象245名)[平均取得日数]22年度 男50日 女524日、23年度 男75日 女524日

【従業員】[人数]18,889名(男13,766名、女5,123名)[平均年齢]41.3歳(男41.9歳、女39.8歳)[平均勤続年数]14.1年(男14.1年、女14.0年)【年齢構成】■男 □女

	男	女
60代～	0%	0%
50代	16%	4%
40代	26%	9%
30代	21%	11%
～20代	10%	4%

[会社データ] (金額は百万円)

【本社】105-7529 東京都港区海岸1-7-1 東京ポートシティ竹芝 ☎03-6889-2000 https://www.softbank.jp/corp/

【業績(IFRS)】	売上高	営業利益	税前利益	純利益
22.3	5,690,606	985,746	880,363	517,517
23.3	5,911,999	1,060,168	862,868	531,366
24.3	6,084,002	876,068	805,912	489,074

1039 開示 ★★★

えるぼし ★★ / くるみん

ケイディーディーアイ KDDI(株)

【特色】携帯大手。「通信とライフデザインの融合」注力

[記者評価] 携帯回線契約で国内2位。主力の「au」、格安の「UQ」、ネット専用「povo」の3ブランドを展開。通信の顧客基盤を軸にしながらも、金融、コマース、エネルギー、エンタメ、教育などライフデザイン事業を拡大。ローソンを三菱商事と共同経営。

平均勤続年数	男性育休取得率	3年後離職率	平均年収(平均42歳)
16.7年	39.9→58.1%	5.8→6.0%	[総]986万円

●採用・配属情報●

【男女・文理別採用実績】※司法研修所は修士(文系)に含む

	大卒男	大卒女	修士男	修士女
23年	66(文 58 理 8)	63(文 48 理 15)	141(文 5 理136)	22(文 0 理 22)
24年	63(文 45 理 18)	75(文 61 理 14)	138(文 3 理135)	26(文 2 理 24)
25年	48(文 45 理 3)	64(文 44 理 20)	127(文 4 理123)	24(文 2 理 22)

【男女・職種別採用実績】

	総合職
23年	299(男214 女 85)
24年	308(男207 女101)
25年	268(男180 女 88)

【職種併願】WILLコースとOPENコースで可能

【24年4月入社者の配属勤務地】[総]NA [技]NA

【転勤】NA

【中途比率】[単年度]21年度38%、22年度49%、23年度56%[全体]28%

●働きやすさ、諸制度●

残業(月) 25.6時間 [総]25.6時間

【勤務時間】9:00～17:30【有休取得年平均】14.4日【週休】完全2日(土日祝)【夏期休暇】有休で取得【年末年始休暇】連続6日

【離職率】男:3.2%、237名 女:2.2%、53名(他に男78名、女10名転籍)

【新卒3年後離職率】
[20→23年]5.8%(男8.0%・入社188名、女1.1%・入社90名)
[21→24年]6.0%(男6.1%・入社179名、女5.6%・入社89名)

【テレワーク】制度あり:[場所]家族が居住する住居 サテライトオフィス シェアオフィス[対象]制限なし[日数]1カ月16日以内[利用率]28.3%【勤務制度】フレックス 時間単位有休 裁量労働 時差勤務 勤務間インターバル 副業容認【住宅補助】世帯・独身・単身社宅

●ライフイベント、女性活躍●

【女性比率】■男 □女

新卒採用 32.8% (88名)

従業員 24.5% (2308名)

管理職 10.5% (202名)

【産休】[期間]産前6・産後8週間[給与]出産手当金(条件を満たした場合は産前産後休暇補償(共済会)もあり[取得者数]97名

【育休】[期間]2歳になるまで[給与]法定[取得者数]22年度 男120名(対象301名)女107名(対象107名)23年度 男179名(対象308名)女89名(対象89名)[平均取得日数]22年度 NA、23年度 男53日 女348日

【従業員】[人数]9,409名(男7,101名、女2,308名)[平均年齢]42.2歳(男43.0歳、女39.6歳)[平均勤続年数]16.7年(男17.2年、女15.3年)【年齢構成】■男 □女

	男	女
60代～	0%	0%
50代	25%	5%
40代	21%	7%
30代	19%	6%
～20代	10%	6%

[会社データ] (金額は百万円)

【本社】102-8460 東京都千代田区飯田橋3-10-10 ガーデンエアタワー ☎03-6678-0980 https://www.kddi.com/

【業績(IFRS)】	売上高	営業利益	税前利益	純利益
22.3	5,446,708	1,060,592	1,064,497	672,486
23.3	5,671,762	1,075,749	1,077,878	677,469
24.3	5,754,047	961,584	992,725	637,874

通信・ソフト

らくてん
楽天グループ(株)

【特色】ネット通販の大手。金融や旅行、携帯事業も

記者評価 通販モール「楽天市場」は国内でアマゾンと並び2強。銀行、証券、カードなど金融分野も強い。赤字が続く携帯電話事業が課題だが、コスト削減徹底で黒字化を目指す。23年4月に楽天銀行が上場。シナジー発揮に向けた金融事業の再編を検討。英語が社内公用語。

平均勤続年数	男性育休取得率	3年後離職率	平均年収(平均*34歳)
5.1年	42.1 → 58.5%	NA	㊗795万円

●採用・配属情報●

【男女・文理別採用実績】

	大卒男	大卒女	修士男	修士女
23年	NA(文NA 理NA)	NA(文NA 理NA)	NA(文NA 理NA)	NA(文NA 理NA)
24年	NA(文NA 理NA)	NA(文NA 理NA)	NA(文NA 理NA)	NA(文NA 理NA)
25年	NA(文NA 理NA)	NA(文NA 理NA)	NA(文NA 理NA)	NA(文NA 理NA)

【男女・職種別採用実績】 転換制度:NA

	ビジネス職	エンジニア職
23年	800(男 NA 女 NA)	157(男 NA 女 NA)
24年	208(男 NA 女 NA)	159(男 NA 女 NA)
25年	NA(男 NA 女 NA)	NA(男 NA 女 NA)

【職種併願】ビジネス職とエンジニア職で可能
【24年4月入社者の配属勤務地】㊗NA ㊕NA
【転勤】あり:全社員
【中途比率】[単年度]21年度NA、22年度NA、23年度NA[全体]NA

●働きやすさ、諸制度●

残業(月) NA

【勤務時間】フレックスタイム制(コアタイム11:00～15:00フレキシブルタイム7:00～11:00、15:00～20:00)【有休取得年平均】13.4日【週休】完全2日(土日祝)【夏期休暇】あり【年末年始休暇】あり
【離職率】NA
【新卒3年後離職率】
[20→23年]NA
[21→24年]NA
【テレワーク】制度あり:[場所]自宅等[対象]NA[日数]原則週1回[利用率]NA【勤務制度】フレックス 裁量労働 時差勤務【住宅補助】社員寮(入寮には一定の条件有)

●ライフイベント、女性活躍●

【女性比率】■男 □女

従業員 40.4% (4557名)

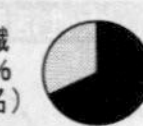

管理職 31.5% (935名)

【産休】[期間]産前6・産後8週間[給与]法定[取得者数]NA
【育休】[期間]1歳になるまで[給与]法定[取得者数]22年度 男120名(対象285名)女200名(対象192名)23年度 男166名(対象284名)女195名(対象207名)[平均取得日数]22年度 NA、23年度 NA
【従業員】[人数]11,284名(男6,727名、女4,557名)[平均年齢]34.4歳(男NA、女NA)[平均勤続年数]5.1年(男NA、女NA)
【年齢構成】NA

会社データ (金額は百万円)

【本社】158-0094 東京都世田谷区玉川1-14-1 楽天クリムゾンハウス ☎050-55816910 https://corp.rakuten.co.jp/

【業績(IFRS)】	売上高	営業利益	税前利益	純利益
21.12	1,681,757	▲194,726	▲212,630	▲133,828
22.12	1,927,878	▲363,892	▲407,894	▲372,884
23.12	2,071,315	▲212,857	▲217,741	▲339,473

エヌティティひがしにほん
ＮＴＴ東日本

えるぼし ★★★ プラチナくるみん

【特色】電気通信最大手。柱の回線のほか地域DXも注力

記者評価 正式社名は東日本電信電話。日本電信電話(NTT)傘下の電気通信事業者。関東・甲信越以北の1都1道15県が事業対象地域。FTTH契約数はNTT西日本と合わせて市場の約6割と独占的。光回線の卸サービス「光コラボ」に注力し、固定電話の落ちこみを補う。

平均勤続年数	男性育休取得率	3年後離職率	平均年収(平均40歳)
❗14.5年	78.9 → 103.3%	6.8 → 5.4%	㊗938万円

●採用・配属情報●

【男女・文理別採用実績】※医療系除く。25年:約280名採用予定

	大卒男	大卒女	修士男	修士女
23年	75(文 62 理 13)	67(文 46 理 21)	67(文 0 理 67)	20(文 0 理 20)
24年	58(文 47 理 11)	61(文 53 理 8)	55(文 0 理 55)	22(文 0 理 22)
25年	-(文 - 理 -)	-(文 - 理 -)	-(文 - 理 -)	-(文 - 理 -)

【男女・職種別採用実績】

	総合職
23年	241(男 148 女 93)
24年	208(男 120 女 88)
25年	280(男 - 女 -)

【24年4月入社者の配属勤務地】㊗北海道 宮城 東京 埼玉 神奈川 千葉 ㊕北海道 青森 岩手 宮城 秋田 山形 福島 茨城 栃木 群馬 埼玉 千葉 東京 神奈川 新潟 山梨 長野
【転勤】あり:全社員
【中途比率】[単年度]21年度12%、22年度25%、23年度32%(NTT東日本グループ会社／医療系採用等を含まない 内部登用による正社員化および有期契約社員の無期転換を含まない)[全体]5%

●働きやすさ、諸制度●

残業(月) 21.6時間 ㊗21.6時間

【勤務時間】9:00～17:30【有休取得年平均】18.0日【週休】完全2日(土日祝)【夏期休暇】5日【年末年始休暇】12月29日～1月3日
【離職率】男:12.2%、368名 女:7.5%、168名
【新卒3年後離職率】
[20→23年]6.8%(男7.9%・入社228名、女4.2%・入社95名)
[21→24年]5.4%(男4.0%・入社226名、女10.0%・入社70名)
【テレワーク】制度あり:[場所]自宅 サテライトオフィス 他[対象]制限なし[日数]制限なし[利用率]72.1%【勤務制度】フレックス 時間単位有休 時差勤務 勤務間インターバル 副業容認【住宅補助】独身寮・社宅(業務上必要な社員に対して措置)住宅補助(42歳まで 30,000～48,250円)

●ライフイベント、女性活躍●

【女性比率】■男 □女

従業員 44% (2071名)

管理職 13.6% (134名)

【産休】[期間]産前6・産後8週間[給与]通常勤務時と同等の給与給付[取得者数]275名
【育休】[期間]3歳になるまで[給与]育休給付金、社会保険料相当額を会社給付[取得者数]22年度 男321名(対象407名)女261名(対象456名)23年度 男376名(対象364名)女262名(対象526名)[平均取得日数]22年度 男134日 女371日、23年度 男102日 女436日
【従業員】[人数]4,708名(男2,637名、女2,071名)[平均年齢]40.1歳(男41.6歳、女38.2歳)[平均勤続年数]14.5年(男16.6年、女11.8年)※受入出向者含み、外部出向者除く
【年齢構成】■男 □女

会社データ (金額は百万円)

【本社】163-8019 東京都新宿区西新宿3-19-2 ☎03-5359-5111 https://www.ntt-east.co.jp/

【業績(IFRS)】	営業収益	営業利益	税前利益	純利益
22.3	1,717,978	278,967	NA	196,411
23.3	1,702,167	285,419	NA	202,443
24.3	1,710,505	298,607	NA	206,902

エヌティティにしにほん
ＮＴＴ西日本

えるぼし★★★ くるみん

【特色】NTT傘下の通信大手。東海以西30府県で展開

[記者評価] 正式社名は西日本電信電話。日本電信電話（NTT）傘下の電気通信事業者。北陸・東海以西の30府県で事業を展開。FTTH契約数はNTT東日本と合わせて市場の約6割と独占的。担当エリアに離島が多く、東日本より採算上の条件は厳しい。光回線御「光コラボ」に注力。

平均勤続年数	男性育休取得率	3年後離職率	平均年収(平均44歳)
20.9年	37.7→56.9%	3.3→5.1%	[総]887万円

●採用・配属情報●

【男女・文理別採用実績】※25年:24年7月12日時点予定数

	大卒男	大卒女	修士男	修士女
23年	103(文 51理 52)	64(文 31理 33)	69(文 0理 69)	10(文 0理 10)
24年	79(文 54理 25)	56(文 41理 15)	101(文 1理100)	19(文 1理 18)
25年	50(文 34理 16)	47(文 42理 5)	69(文 1理 68)	12(文 0理 12)

【男女・職種別採用実績】

	総合職
23年	267(男186 女 81)
24年	282(男203 女 79)
25年	209(男143 女 66)

【24年4月入社者の配属勤務地】[総]大阪 名古屋 福岡 兵庫 静岡 広島 京都 愛媛 岐阜 金沢 熊本 鹿児島 岡山 富山 福井 三重 滋賀 奈良 山口 香川 高知 徳島 沖縄 宮崎 佐賀 長崎 [技]大阪 名古屋 福岡 広島 愛媛 金沢 静岡 兵庫 富山 岐阜 三重 京都 奈良 和歌山 滋賀 岡山 山口 鳥取 島根 大分 熊本 長崎 沖縄

【転勤】あり:全社員※全国どこでもリモートワーク可能な制度あり。転勤や単身赴任を伴わない働き方を拡大

【中途比率】[単年度]21年度29%、22年度25%、23年度23%(外部からの正社員採用のみ対象)[全体]2%

●働きやすさ、諸制度●

残業(月) 20.6時間 [総]20.6時間

【勤務時間】標準9:00～17:30【有休取得年平均】18.7日【週休】4週8休【夏期休暇】5日(連続取得2日、分割可3日)【年末年始休暇】12月29日～1月3日

【離職率】男:16.5%、219名 女:12.0%、40名

【新卒3年後離職率】
[20→23年]3.3%(男4.3%・入社209名、女1.7%・入社120名)
[21→24年]5.1%(男6.3%・入社221名、女2.2%・入社90名)

【テレワーク】制度あり:[場所]自宅 サテライトオフィス カフェ 公共交通機関 宿泊施設 他[対象]全社員[日数]制限なし[利用率]50.5%【勤務制度】フレックス 時間単位有休 勤務間インターバル 副業容認【住宅補助】単・独身寮 世帯用社宅 住宅補助費(30,000～52,000円※エリアにより異なる)住宅ローン利子補給 住宅ローン返済補助 他

●ライフイベント、女性活躍●

【女性比率】■男 □女

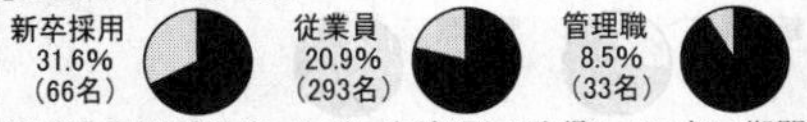
新卒採用
31.6%
(66名)
従業員
20.9%
(293名)
管理職
8.5%
(33名)

【産休】[期間]法定、ただし産前6週で取得していない期間を産後8週に付加[給与]会社全額給付[取得者数]104名

【育休】[期間]3歳になるまで[給与]法定+社会保険料等相当額給付[取得者数]22年度 男87名(対象231名)女92名(対象92名)23年度 男132名(対象232名)女98名(対象101名)[平均取得日数]22年度 男47日 女361日、23年度 男56日 女422日

【従業員】[人数]1,403名(男1,110名、女293名)[平均年齢]43.8歳(男44.9歳、女39.6歳)[平均勤続年数]20.9年(男22.7年、女14.1年)【年齢構成】■男 □女

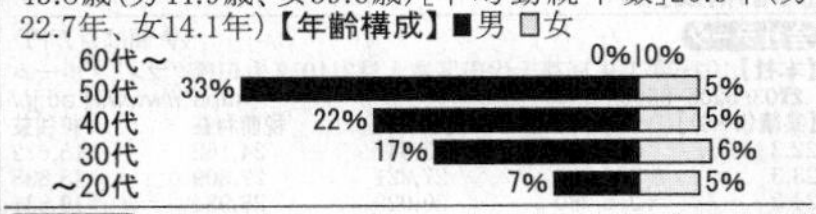
60代～ 0% 0%
50代 33% 5%
40代 22% 5%
30代 17% 6%
～20代 7% 5%

[会社データ] (金額は百万円)

【本社】534-0024 大阪府大阪市都島区東野田町4-15-82 ☎06-6490-9111 https://www.ntt-west.co.jp/

【業績(単独)】	営業収益	営業利益	経常利益	純利益
22.3	1,324,920	128,150	145,138	108,175
23.3	1,305,396	111,282	124,386	95,273
24.3	1,283,640	105,162	124,853	113,696

ジェイコム
JCOM㈱

えるぼし★★★ プラチナくるみん

【特色】国内最大のケーブルテレビ局の統括運営会社

[記者評価] 住友商事とKDDIの折半出資。「J：COM」ブランド。CATV、ネット、電話の3面サービスを展開。CATV首位。14年に業界2位のJCNと合併。TV通販最大手「ショップチャンネル」にも資本参加。加入世帯数は568万(24年3月末)。21年7月にジュピターテレコムから社名変更。

平均勤続年数	男性育休取得率	3年後離職率	平均年収(平均44歳)
13.2年	48.1→63.9%	29.1→23.4%	[総]704万円

●採用・配属情報●

【男女・文理別採用実績】

	大卒男	大卒女	修士男	修士女
23年	75(文 58理 17)	44(文 42理 2)	7(文 1理 6)	1(文 1理 0)
24年	98(文 71理 27)	37(文 34理 3)	4(文 1理 3)	3(文 3理 0)
25年	93(文 68理 25)	69(文 57理 12)	5(文 1理 4)	4(文 3理 1)

【男女・職種別採用実績】 転換制度:⇔

	総合職	総合職(技術職)
23年	101(男 59 女 42)	29(男 25 女 4)
24年	113(男 74 女 39)	33(男 31 女 2)
25年	136(男 79 女 57)	40(男 25 女 15)

【24年4月入社者の配属勤務地】[総]東京39 神奈川15 千葉10 埼玉12 大阪15 京都2 兵庫5 福岡4 和歌山2 北海道3 宮城1 熊本5 [技]東京22 神奈川2 埼玉2 千葉2 大阪5

【転勤】あり:[職種]全社員[勤務地]希望制度あり※一部条件あり

【中途比率】[単年度]21年度20%、22年度20%、23年度30%[全体]80%

●働きやすさ、諸制度●

残業(月) 20.3時間 [総]22.4時間

【勤務時間】(原則)9:30～17:45【有休取得年平均】16.9日【週休】会社暦2日【夏期休暇】有休で取得(平日5日間＋前後の土日を合わせ計9連休の取得を推奨)【年末年始休暇】12月29日～1月3日

【離職率】男:3.1%、241名 女:3.8%、139名

【新卒3年後離職率】
[20→23年]29.1%(男25.0%・入社104名、女35.2%・入社71名)
[21→24年]23.4%(男22.4%・入社85名、女25.0%・入社60名)

【テレワーク】制度あり:[場所]自宅または二親等以内の親族宅など[対象]全社員 ※職種によって、可否や頻度は異なる[日数]制限なし[利用率]NA【勤務制度】フレックス 時間単位有休 裁量労働 時差勤務 勤務間インターバル 副業容認【住宅補助】借上社宅制度(家賃の7割を会社負担、地域により上限金額は異なる)

●ライフイベント、女性活躍●

【女性比率】■男 □女

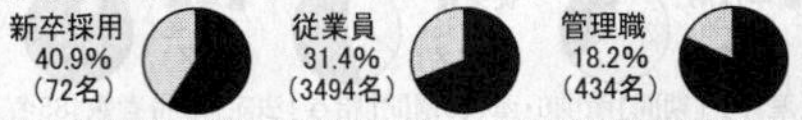
新卒採用
40.9%
(72名)
従業員
31.4%
(3494名)
管理職
18.2%
(434名)

【産休】[期間]産前6・産後8週間[給与]法定[取得者数]109名

【育休】[期間]1歳になるまで[給与]法定[取得者数]22年度 男103名(対象214名)女97名(対象111名)23年度 男124名(対象194名)女100名(対象108名)[平均取得日数]22年度 NA、23年度 男94日 女476日

【従業員】[人数]11,111名(男7,617名、女3,494名)[平均年齢]43.5歳(男44.3歳、女41.7歳)[平均勤続年数]13.2年(男14.0年、女11.7年)【年齢構成】■男 □女

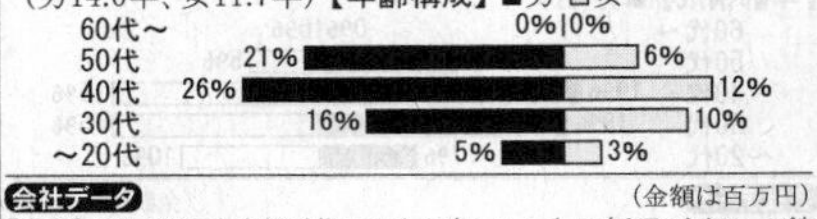
60代～ 0% 0%
50代 21% 6%
40代 26% 12%
30代 16% 10%
～20代 5% 3%

[会社データ] (金額は百万円)

【本社】100-0005 東京都千代田区丸の内1-8-1 丸の内トラストタワーN館 ☎03-6365-8000 https://www.jcom.co.jp/

【業績(IFRS)】	売上高	営業利益	税前利益	純利益
22.3	798,100	109,500	NA	70,000
23.3	828,800	111,600	NA	67,200
24.3	892,341	117,466	NA	73,642

2620 開示 ★★★★

㈱ティーガイア

えるぼし ★★★　くるみん＋

【特色】携帯販売代理店最大手。全キャリアの店舗を経営

[記者評価] 携帯販売代理店で国内最大手。業界の牽引役。ドコモショップが中心。法人向けや決済の拡大による多様化を図り、17年クオカード社を買収し、デジタル版QUOサービスも展開。オンライン接客を拡大するなどの経費削減策を徹底中。住友商事が筆頭株主。

平均勤続年数	男性育休取得率	3年後離職率	平均年収(平均45歳)
11.8年	80.9→70.6%	34.6→37.5%	[総]725万円

●採用・配属情報●

【男女・文理別採用実績】

	大卒男	大卒女	修士男	修士女
23年	4(文 3理 1)	5(文 5理 0)	0(文 0理 0)	0(文 0理 0)
24年	7(文 6理 1)	11(文 11理 0)	0(文 0理 0)	0(文 0理 0)
25年	9(文 8理 1)	17(文 17理 0)	0(文 0理 0)	0(文 0理 0)

【男女・職種別採用実績】 転換制度:⇒

	総合職
23年	9(男 4 女 5)
24年	18(男 7 女 11)
25年	26(男 9 女 17)

【24年4月入社者の配属勤務地】[総]東京17 大阪1
【転勤】あり:[職種]総合職[勤務地]全国(海外拠点含む)[職種]販売職(プロスタッフ職)[勤務地]当社の定めるエリア内にて勤務(転勤もそのエリア内に限る)
【中途比率】[単年度]21年度53%、22年度87%、23年度93%[全体]8%

●働きやすさ、諸制度●

残業(月) 10.0時間 [総]13.0時間

【勤務時間】9:15〜17:45(フレキシブルタイム7:00〜22:00)【有休取得年平均】14.2日【週休】完全2日(土日祝)(勤務場所によりシフト制)【夏期休暇】連続5日(年次有休利用)を推奨【年末年始休暇】12月29日〜1月3日
【離職率】男:7.3%、173名 女:11.6%、245名
【新卒3年後離職率】
[20→23年]34.6%(男21.4%・入社42名、女39.5%・入社114名)
[21→24年]37.5%(男11.1%・入社18名、女44.3%・入社70名)
【テレワーク】制度あり:[場所]自宅[対象]販売職除く[日数]制限なし[利用率]32.7%【勤務制度】フレックス 時間単位有休 時差勤務 副業容認【住宅補助】借上社宅(業務上の必要により転勤になった場合)

●ライフイベント、女性活躍●

【女性比率】■男 □女

新卒採用 65.4% (17名)

従業員 45.9% (1864名)

管理職 11.4% (28名)

【産休】[期間]産前6・産後8週間[給与]法定[取得者数]85名
【育休】[期間]2歳の年度末まで[給与]法定[取得者数]22年度 男76名(対象94名)女121名(対象121名)23年度 男48名(対象68名)女83名(対象83名)[平均取得日数]22年度男49日 女394日、23年度 男97日 女430日
【従業員】[人数]4,064名(男2,200名、女1,864名)[平均年齢]39.4歳(男40.6歳、女37.9歳)[平均勤続年数]11.8年(男12.4年、女11.2年)
【年齢構成】■男 □女

	男	女
60代〜	0%	0%
50代	10%	5%
40代	19%	15%
30代	18%	15%
〜20代	7%	10%

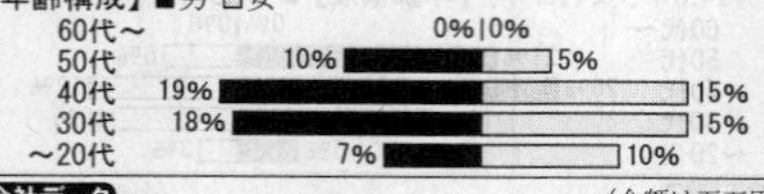

会社データ (金額は百万円)

【本社】150-8575 東京都渋谷区恵比寿4-1-18 ☎03-6409-1111 https://www.t-gaia.co.jp/

【業績(連結)】	売上高	営業利益	経常利益	純利益
22.3	476,464	10,567	15,381	10,579
23.3	453,604	6,994	11,637	7,938
24.3	448,954	8,051	12,390	7,013

1954 開示 ★★ [専門] 採用あり

㈱インターネットイニシアティブ

くるみん

【特色】国内商用インターネットの先駆け。業界の雄

[記者評価] インターネット接続が主軸。SIやMVNO(仮想移動体通信事業者)、MVNO支援も手がける。MVNOは業界首位のIIJmioを展開し、ビックカメラとも提携。DX需要を取り込み高成長が続く。新規事業、セキュリティやデータセンター領域などに注力。海外展開にも意欲。

平均勤続年数	男性育休取得率	3年後離職率	平均年収(平均38歳)
9.2年	NA	NA	738万円

●採用・配属情報●

【男女・文理別採用実績】

	大卒男	大卒女	修士男	修士女
23年	NA(文NA理NA)	NA(文NA理NA)	NA(文NA理NA)	NA(文NA理NA)
24年	109(文NA理NA)	55(文NA理NA)	47(文NA理NA)	3(文NA理NA)
25年	93(文 49理 44)	46(文 42理 4)	38(文 7理 31)	2(文 2理 0)

【男女・職種別採用実績】 転換制度:⇔

	技術職	営業職	スタッフ職	BS職(一般職)
23年	97(男NA 女NA)	46(男NA 女NA)	1(男NA 女NA)	10(男 0 女 10)
24年	119(男106 女 13)	76(男 52 女 24)	0(男 0 女 0)	21(男 0 女 21)
25年	104(男 95 女 9)	60(男 40 女 20)	2(男 0 女 2)	18(男 0 女 18)

【24年4月入社者の配属勤務地】[総]東京・千代田62 大阪4 名古屋3 福岡3 札幌1 富山1 広島2 [技]東京・千代田105 大阪5 名古屋4 福岡3 札幌1 仙台1
【転勤】あり:[職種]総合職[勤務地]東京 大阪 愛知 福岡 北海道 宮城 富山 広島 沖縄 新潟
【中途比率】[単年度]21年度51%、22年度60%、23年度52%[全体]NA

●働きやすさ、諸制度●

残業(月) 26.2時間

【勤務時間】9:00〜17:30もしくはフレックスタイム制【有休取得年平均】13.1日【週休】完全2日(土日祝)【夏期休暇】有休で取得【年末年始休暇】12月29日〜1月3日
【離職率】NA
【新卒3年後離職率】
[20→23年]NA
[21→24年]NA
【テレワーク】制度あり:[場所]NA[対象]制限なし[日数]月3割まで[利用率]NA【勤務制度】フレックス 裁量労働 時差勤務 副業容認【住宅補助】社宅(新入社員のみ4年間 自己負担4万円 引っ越し代・敷金礼金・更新料は会社負担)

●ライフイベント、女性活躍●

【女性比率】■男 □女

新卒採用 26.6% (49名)

管理職 7.5% (64名)

【産休】[期間]<一般職>産前12・産後8週間<総合職>法定通り[給与]NA[取得者数]NA
【育休】[期間]<総合職>1歳半まで<一般職>3歳児保育の4月まで[給与]NA[取得者数]22年度 NA 23年度 NA[平均取得日数]22年度 NA、23年度 NA
【従業員】[人数]2,860名(男NA、女NA)[平均年齢]37.6歳(男NA、女NA)[平均勤続年数]9.2年(男NA、女NA)
【年齢構成】NA

会社データ (金額は百万円)

【本社】102-0071 東京都千代田区富士見2-10-2 飯田橋グラン・ブルーム ☎03-5205-6500 https://www.iij.ad.jp/

【業績(IFRS)】	売上高	営業利益	税前利益	純利益
22.3	226,335	23,547	24,162	15,672
23.3	252,708	27,221	27,309	18,838
24.3	276,080	29,029	28,934	19,831

㈱MIXI

ミクシィ

【特色】SNS「mixi」やスマホゲーム「モンスト」を展開

記者評価 04年にSNS「mixi(ミクシィ)」開始。利用者離れで苦戦したが、13年投入の対戦型スマホゲーム「モンスターストライク」が大ヒット。「TIPSTAR」など若年層に競輪や競馬関連事業も訴求。21年にFC東京を子会社化。アルバムアプリ「みてね」も展開。

平均勤続年数	男性育休取得率	3年後離職率	平均年収(平均36歳)
5.2年	39.5 → 37.5%	13.3 → 9.1%	746万円

●採用・配属情報●

【男女・文理別採用実績】

	大卒男	大卒女	修士男	修士女
23年	9(文 5理 4)	5(文 5理 0)	4(文 2理 2)	0(文 0理 0)
24年	10(文 9理 1)	3(文 3理 0)	3(文 0理 3)	0(文 0理 0)
25年	11(文 8理 3)	6(文 6理 0)	6(文 1理 5)	0(文 0理 0)

※25年:予定数

【男女・職種別採用実績】 転換制度:⇔

	ビジネスプランナー職	エンジニア職	デザイナー職
23年	6(男 4 女 2)	7(男 7 女 0)	6(男 3 女 3)
24年	9(男 7 女 2)	5(男 5 女 0)	4(男 2 女 2)
25年	9(男 7 女 2)	8(男 8 女 0)	6(男 2 女 4)

【24年4月入社者の配属勤務地】㊔東京・渋谷9 ㊕東京・渋谷9

【転勤】あり:詳細NA

【中途比率】[単年度]21年度91%、22年度86%、23年度87%[全体]NA

●働きやすさ、諸制度●

残業(月) 17.2時間

【勤務時間】10:00〜19:00(コアタイム 12:00〜15:00)【有休取得年平均】12.4日【週休】完全2日(土日祝)【夏期休暇】有休で取得【年末年始休暇】あり

【離職率】NA

【新卒3年後離職率】
[20→23年]13.3%(男7.1%・入社14名、女100%・入社1名)
[21→24年]9.1%(男11.1%・入社9名、女0%・入社2名)

【テレワーク】制度あり:[場所]自宅 所属事業所[対象]全従業員[日数]所属部署による[利用率]58.8%【勤務制度】フレックス 時間単位有休 裁量労働 時差勤務 副業容認【住宅補助】住宅手当

●ライフイベント、女性活躍●

【女性比率】■男 □女

新卒採用 26.1%(6名)

従業員 29.7%(489名)

管理職 21%(104名)
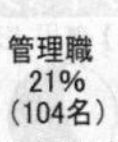

【産休】[期間]産前6・産後8週間[給与]法定[取得者数]15名

【育休】[期間]1歳になるまで[給与]法定[取得者数]22年度 男17名(対象43名)女13名(対象13名)23年度 男15名(対象40名)女18名(対象18名)[平均取得日数]22年度 NA、23年度 NA

【従業員】[人数]1,645名(男1,156名、女489名)[平均年齢]36.1歳(男37.2歳、女35.1歳)[平均勤続年数]5.2年(男5.1年、女5.5年)

【年齢構成】NA

会社データ (金額は百万円)

【本社】150-6136 東京都渋谷区渋谷2-24-12 渋谷スクランブルスクエア ☎03-6897-9500 https://mixi.co.jp/

【業績(連結)】	売上高	営業利益	経常利益	純利益
22.3	118,099	16,069	17,026	10,262
23.3	146,867	24,820	18,250	5,161
24.3	146,868	19,177	15,669	7,082

㈱ディー・エヌ・エー

【特色】モバイルゲームやライブ配信など幅広く展開

記者評価 モバイルゲームは「ポケモンマスターズEX」など運営。ライブ配信アプリ「Pococha」やVチューバーアプリ「IRIAM」などライブストリーミング事業のほか、ヘルスケア領域のビッグデータ活用サービス、医療DX関連を育成中。野球、バスケなどスポーツ事業も展開。

平均勤続年数	男性育休取得率	3年後離職率	平均年収(平均38歳)
5.6年	54.4 → NA	23.6 → 23.5%	◇854万円

●採用・配属情報●

【男女・文理別採用実績】

	大卒男	大卒女	修士男	修士女
23年	NA(文NA 理NA)	NA(文NA 理NA)	NA(文NA 理NA)	NA(文NA 理NA)
24年	NA(文NA 理NA)	NA(文NA 理NA)	NA(文NA 理NA)	NA(文NA 理NA)
25年	NA(文NA 理NA)	NA(文NA 理NA)	NA(文NA 理NA)	NA(文NA 理NA)

※23年:88名 24年:95名 25年:56名採用予定

【男女・職種別採用実績】 転換制度:⇔

	総合職
23年	88(男 NA 女 NA)
24年	95(男 NA 女 NA)
25年	56(男 NA 女 NA)

【職種併願】○

【24年4月入社者の配属勤務地】㊔NA ㊕NA

【転勤】あり:全社員

【中途比率】[単年度]21年度NA、22年度NA、23年度NA[全体]NA

●働きやすさ、諸制度●

残業(月) NA

【勤務時間】7時間45分【有休取得年平均】NA【週休】完全2日(土日祝)【夏期休暇】なし【年末年始休暇】12月30日〜1月3日

【離職率】NA

【新卒3年後離職率】
[20→23年]23.6%(男NA、女NA)
[21→24年]23.5%(男NA、女NA)

【テレワーク】制度あり:[場所]自宅 登録しているシェアオフィス[対象]全従業員[日数]制限なし[利用率]NA【勤務制度】フレックス 副業容認【住宅補助】NA

●ライフイベント、女性活躍●

【女性比率】NA

【産休】[期間]産前6・産後8週間[給与]法定[取得者数]NA

【育休】[期間]2歳6カ月になるまで[給与]法定[取得者数]22年度 男37名(対象68名)女20名(対象20名)23年度 NA[平均取得日数]22年度 NA、23年度 NA

【従業員】[人数]1,397名(男NA、女NA)[平均年齢]37.6歳(男NA、女NA)[平均勤続年数]5.6年(男NA、女NA)

【年齢構成】NA

会社データ (金額は百万円)

【本社】150-6140 東京都渋谷区渋谷2-24-12 渋谷スクランブルスクエア ☎03-6758-7200 https://dena.com/jp/

【業績(IFRS)】	売上高	営業利益	税前利益	純利益
22.3	130,868	11,462	29,419	30,532
23.3	134,914	4,202	13,595	8,857
24.3	136,733	▲28,270	▲28,130	▲28,682

258 開示 ★★★★★

インフォコム(株)

くるみん

【特色】漫画配信「めちゃコミック」とSIが両輪

記者評価 国内最大級の電子コミック配信「めちゃコミック」が収益柱。大手出版社の有力作品のほかオリジナル作品も強化。コミック海外配信は韓国、米国に続き欧州、東南アも視野。SIは病院・介護事業者向けの就業管理システムなどに注力。筆頭株主帝人が全株売却方針。

平均勤続年数	男性育休取得率	3年後離職率	平均年収(平均45歳)
15.0年	28.6→37.5%	8.7→0%	㊕791万円

●採用・配属情報●

【男女・文理別採用実績】

	大卒男	大卒女	修士男	修士女
23年	3(文 1理 2)	3(文 1理 2)	7(文 0理 7)	5(文 0理 5)
24年	9(文 1理 8)	7(文 4理 3)	6(文 0理 6)	3(文 0理 3)
25年	9(文 4理 5)	13(文 7理 6)	10(文 0理 10)	1(文 0理 1)

【男女・職種別採用実績】 転換制度:⇔

	総合職
23年	18(男 10 女 8)
24年	25(男 15 女 10)
25年	33(男 19 女 14)

【24年4月入社者の配属勤務地】㊕東京・六本木2 ㊋東京(六本木14 霞が関3) 大阪市6

【転勤】あり:全社員

【中途比率】[単年度]21年度41%、22年度34%、23年度61%[全体]51%

●働きやすさ、諸制度●

残業(月) 15.3時間 ㊕16.2時間

【勤務時間】9:15～17:30(フレックスタイム制 コアタイム10:30～15:00)【有休取得年平均】11.8日【週休】完全2日(土日祝)【夏期休暇】有休で取得【年末年始休暇】12月29日～1月3日

【離職率】男:3.6%、18名 女:1.8%、3名

【新卒3年後離職率】
[20→23年]8.7%(男7.1%・入社14名、女11.1%・入社9名)
[21→24年]0%(男0%・入社11名、女0%・入社9名)

【テレワーク】制度あり:[場所]自宅 サテライトオフィス[対象]全社員[日数]制限なし[利用率]62.8%【勤務制度】フレックス 裁量労働 時差勤務【住宅補助】借上社宅 独身寮

●ライフイベント、女性活躍●

【女性比率】■男 □女

新卒採用 42.4%(14名)　従業員 25.3%(162名)　管理職 5.8%(9名)

【産休】[期間]産前8・産後8週間[給与]会社全額給付[取得者数]9名

【育休】[期間]2歳または誕生日が2～3月の場合、2歳到達後最初の4月末まで[給与]法定[取得者数]22年度 男2名(対象7名)女4名(対象4名)23年度 男3名(対象8名)女8名(対象9名)[平均取得日数]22年度 男52日 女408日、23年度 男55日 女364日

【従業員】[人数]640名(男478名、女162名)[平均年齢]45.8歳(男47.2歳、女41.7歳)[平均勤続年数]15.0年(男15.6年、女13.1年)

【年齢構成】■男 □女

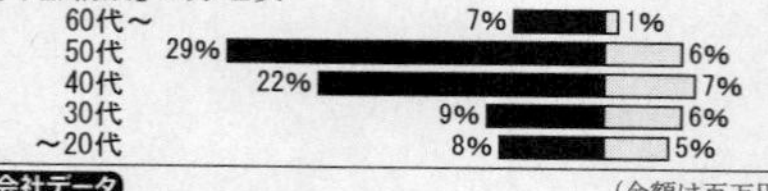

会社データ (金額は百万円)

【本社】107-0052 東京都港区赤坂9-7-2 ミッドタウン・イースト10階 ☎03-6866-3000 https://www.infocom.co.jp/

【業績(連結)】	売上高	営業利益	経常利益	純利益
22.3	64,586	10,098	10,196	6,912
23.3	70,342	8,526	8,595	3,572
24.3	84,453	9,784	9,893	6,609

1043 開示 ★★★★★

(株)ゼンリン

えるぼし ★★

【特色】地図情報の大手。住宅地図を全国展開

記者評価 主力のカーナビ用の地図データは国内首位。住宅地図は月額制モデルで、不動産や建設などの業種別に商品開発も。また物流業界など企業向けに地図データを用いたシステムサービスを提供するIoT事業にも注力。自動運転に必要な三次元データも提供。

平均勤続年数	男性育休取得率	3年後離職率	平均年収(平均47歳)
16.9年	NA	4.8→9.3%	㊕527万円

●採用・配属情報●

【男女・文理別採用実績】

	大卒男	大卒女	修士男	修士女
23年	20(文 16理 4)	10(文 10理 0)	3(文 0理 3)	0(文 0理 0)
24年	26(文 14理 12)	10(文 9理 1)	7(文 2理 5)	1(文 0理 1)
25年	14(文 13理 1)	13(文 11理 2)	6(文 0理 6)	1(文 1理 0)

【男女・職種別採用実績】 転換制度:⇔

	総合職	技術系総合職
23年	27(男 17 女 10)	6(男 6 女 0)
24年	30(男 20 女 10)	14(男 13 女 1)
25年	25(男 13 女 12)	9(男 7 女 2)

【24年4月入社者の配属勤務地】㊕東京15 大宮2 横浜2 千葉2 名古屋2 大阪2 広島2 北九州4 ㊋北九州12 博多1 長崎1 東京1

【転勤】あり:[職種]総合職[勤務地]全国

【中途比率】[単年度]21年度53%、22年度50%、23年度61%[全体]44%

●働きやすさ、諸制度●

残業(月) 10.6時間

【勤務時間】9:00～17:30【有休取得年平均】14.6日【週休】完全2日(土日祝)【夏期休暇】あり【年末年始休暇】あり

【離職率】男:3.9%、70名 女:3.4%、24名

【新卒3年後離職率】
[20→23年]4.8%(男3.6%・入社28名、女7.1%・入社14名)
[21→24年]9.3%(男14.3%・入社21名、女4.5%・入社22名)

【テレワーク】制度あり:[場所]自宅[対象]全職種[日数]制限なし[利用率]3.1%【勤務制度】フレックス 時間単位有休 週休3日 時差勤務 副業容認【住宅補助】独身寮(東京、新卒入社5年以内、東京勤務者限定、月額使用料10,000円)社宅(全国、50歳になる年度の年度末まで、総合職のみ)

●ライフイベント、女性活躍●

【女性比率】■男 □女

新卒採用 41.2%(14名)　従業員 28%(679名)　管理職 13.7%(18名)

【産休】[期間]産前6・産後8週間[給与]法定[取得者数]14名

【育休】[期間]1歳6カ月になるまで取得可[給与]法定[取得者数]22年度 男11名(対象NA)女30名(対象NA)23年度 男16名(対象NA)女12名(対象NA)[平均取得日数]22年度 男69日 女370日、23年度 男48日 女376日

【従業員】[人数]2,426名(男1,747名、女679名)[平均年齢]46.5歳(男47.9歳、女43.0歳)[平均勤続年数]16.9年(男18.3年、女13.1年)

【年齢構成】■男 □女

60代～ 11% 1%
50代 27% 8%
40代 18% 8%
30代 9% 5%
～20代 7% 5%

会社データ (金額は百万円)

【本社】804-0003 福岡県北九州市戸畑区中原新町3-1 ☎093-882-9051 https://www.zenrin.co.jp/

【業績(連結)】	売上高	営業利益	経常利益	純利益
22.3	59,053	2,670	3,044	3,658
23.3	58,933	1,799	2,104	2,770
24.3	61,335	1,981	2,060	2,078

㈱ぐるなび

[えるぼし ★★★] [くるみん]

【特色】グルメサイト運営。飲食店からの販促支援料が柱

[記者評価] グルメサイト「ぐるなび」運営。一般利用者は基本的に利用無料で、販促支援サービス提供による飲食店からの手数料やネット予約手数料などを得る収益構造。19年に楽天グループが筆頭株主になり、ポイント施策などで協業。モバイルオーダーにも注力。

平均勤続年数	男性育休取得率	3年後離職率	平均年収(平均40歳)
9.4年	NA	NA	566万円

●採用・配属情報●

【男女・文理別採用実績】

	大卒男	大卒女	修士男	修士女
23年	4(文 4 理 0)	1(文 1 理 0)	1(文 0 理 1)	0(文 0 理 0)
24年	0(文 0 理 0)	0(文 0 理 0)	0(文 0 理 0)	0(文 0 理 0)
25年	6(文 3 理 3)	6(文 6 理 0)	0(文 0 理 0)	0(文 0 理 0)

【男女・職種別採用実績】

	総合職	技術職
23年	5(男 4 女 1)	1(男 1 女 0)
24年	0(男 0 女 0)	0(男 0 女 0)
25年	9(男 4 女 5)	4(男 2 女 2)

【24年4月入社者の配属勤務地】[総]なし [技]なし

【転勤】あり:[職種]営業[勤務地]全国各事業所

【中途比率】[単年度]21年度44%、22年度38%、23年度89%[全体]NA

●働きやすさ、諸制度●

残業(月) 11.0時間

【勤務時間】9:00〜18:00【有休取得年平均】NA【週休】完全2日(土日祝)【夏期休暇】3日【年末年始休暇】5日

【離職率】NA

【新卒3年後離職率】
[20→23年]NA
[21→24年]NA

【テレワーク】制度あり:[場所]自宅 シェアオフィス[対象]全社員[日数]制限なし[利用率]NA【勤務制度】フレックス 時間単位有休 時差勤務【住宅補助】住宅手当(新卒入社6年目まで)

●ライフイベント、女性活躍●

【女性比率】■男 □女

新卒採用 53.8% (7名)

従業員 45% (397名)

管理職 26.9% (74名)

【産休】[期間]産前6・産後8週間[給与]法定[取得者数]32名

【育休】[期間]1歳になるまで[給与]法定[取得者数]22年度 男13名(対象NA)女17名(対象NA)23年度 男8名(対象NA)女24名(対象NA)[平均取得日数]22年度 NA、23年度 男65日 女520日

【従業員】[人数]883名(男486名、女397名)[平均年齢]40.0歳(男40.8歳、女39.0歳)[平均勤続年数]9.4年(男9.8年、女9.2年)

【年齢構成】■男 □女

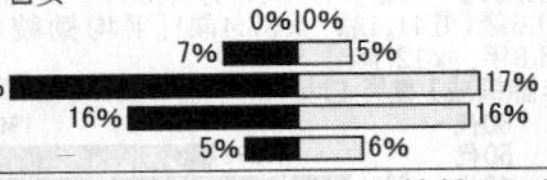

会社データ

(金額は百万円)

【本社】100-0006 東京都千代田区有楽町1-1-2 日比谷三井タワー ☎03-6744-6463 https://corporate.gnavi.co.jp/

【業績(連結)】	売上高	営業利益	経常利益	純利益
22.3	12,852	▲4,786	▲4,692	▲5,768
23.3	12,296	▲1,724	▲1,664	▲2,286
24.3	12,982	▲339	▲277	▲363

ＮＴＴ DATA (㈱NTTデータグループ、㈱NTTデータ、㈱NTT DATA,Inc.)

エヌティティ データ

[えるぼし ★★★] [プラチナくるみん]

【特色】SIの雄で官公庁や金融向け強い。海外拡大注力

[記者評価] システムインテグレーター専業で国内最大手。NTTグループ。官公庁や金融機関の大型システム開発に強い。国内はDX需要の取り込みが進み好調。欧米中心にM&Aを通じて海外事業を拡大。23年7月に持株会社制に移行し、傘下に国内、海外の各事業会社を持つ。

平均勤続年数	男性育休取得率	3年後離職率	平均年収(平均NA)
NA	NA	NA	!905万円

●採用・配属情報●

【男女・文理別採用実績】

	大卒男	大卒女	修士男	修士女
23年	162(文 94 理 68)	222(文184 理 38)	234(文 0 理234)	49(文 3 理 46)
24年	166(文105 理 61)	210(文173 理 37)	254(文 6 理248)	63(文 5 理 58)
25年	-(文 - 理 -)	-(文 - 理 -)	-(文 - 理 -)	-(文 - 理 -)

【男女・職種別採用実績】

	総合職
23年	674(男403 女271)
24年	697(男424 女273)
25年	-(男 - 女 -)

【24年4月入社者の配属勤務地】[総]東京・豊洲 [技]東京(豊洲・大手町・品川 他)神奈川(横浜・川崎 他)

【転勤】NA

【中途比率】[単年度]21年度NA、22年度NA、23年度NA[全体]NA

●働きやすさ、諸制度●

残業(月) NA

【平均年収】(NTTデータグループ単体)905万円【勤務時間】標準8:30〜17:00 フレキシブルタイム7:00〜10:00及び15:00〜22:00 コアタイムありその他裁量労働制【有休取得年平均】NA【週休】2日(原則土日)【夏期休暇】5日【年末年始休暇】12月29日〜1月3日

【離職率】NA

【新卒3年後離職率】[20→23年]NA [21→24年]NA

【テレワーク】制度あり:[場所]自宅 サテライトオフィス等[対象]全社員[日数]制限なし[利用率]NA【勤務制度】フレックス 時間単位有休 裁量労働 時差勤務 副業容認【住宅補助】自立支援一時金(20万円 入社後3カ月までに契約を開始した場合)住宅補助(独身者以外70,900円、独身者41,000円、首都圏の場合)自立支援金(2万円 独身者のみ)

●ライフイベント、女性活躍●

【女性比率】■男 □女

従業員 31.4% (61225名)

管理職 21% (7685名)

【産休】[期間]産前6・産後8週間[給与]会社全額給付[取得者数]NA

【育休】[期間]3歳になるまで[給与]法定[取得者数]22年度 男304名(対象NA)女180名(対象NA)23年度 NA[平均取得日数]22年度 男87日 女381日、23年度 NA

【従業員】[人数]195,106名(男133,881名、女61,225名)[平均年齢]NA[平均勤続年数]NA ※グループ全体

【年齢構成】■男 □女 ※NTTデータ単体

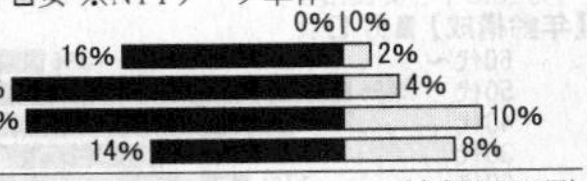

会社データ

(金額は百万円)

【本社】135-6033 東京都江東区豊洲3-3-3 豊洲センタービル ☎03-5546-8202 https://www.nttdata.com/global/ja/

【業績(IFRS)】	売上高	営業利益	税前利益	純利益
22.3	2,551,906	212,590	215,849	142,979
23.3	3,490,182	259,110	242,800	149,962
24.3	4,367,387	309,551	248,602	133,869

※資本金・業績・会社データは㈱NTTデータグループのもの

通信・ソフト

㈱大塚商会（おおつかしょうかい）

えるぼし ★★★ / くるみん

【特色】独立系のITサービス大手。SIや保守など一貫提供

[記者評価] 創業期からの複写機販売で得た幅広い顧客層が強み。顧客は中小から大企業まで幅広い。複写機を軸に、システム導入、保守と関連サポート、周辺サービスなどを丸ごと提供するIT系の一貫サービスが武器。オフィス通販「たのめーる」も手がける。

平均勤続年数	男性育休取得率	3年後離職率	平均年収(平均42歳)
17.4年	25.8→46.3%	NA	[総]937万円

●採用・配属情報●

【男女・文理別採用実績】

	大卒男	大卒女	修士男	修士女
23年	263(文203 理 60)	124(文109 理 15)	12(文 0 理 12)	0(文 0 理 0)
24年	282(文217 理 65)	125(文110 理 15)	13(文 0 理 13)	2(文 0 理 2)
25年	216(文164 理 52)	115(文108 理 7)	9(文 0 理 9)	0(文 0 理 0)

【男女・職種別採用実績】

	総合職
23年	399(男 275 女124)
24年	428(男 295 女133)
25年	350(男 227 女123)

【24年4月入社者の配属勤務地】[総]首都圏202 大阪63 札幌2 仙台5 中部14 京都5 神戸6 広島4 九州7 [技]首都圏95 大阪19 札幌1 仙台2 中部3

【転勤】あり:全社員

【中途比率】[単年度]21年度19%、22年度36%、23年度27%[全体]25%

●働きやすさ、諸制度●

残業(月) 15.3時間 [総]15.3時間

【勤務時間】9:00～17:30(職種により裁量労働制、フレックスタイム制を適用)【有休取得年平均】11.5日【週休】完全2日(土日祝)【夏期休暇】8月13～16日(土日含む、会社指定計画有休で取得)【年末年始休暇】12月29日～1月4日(土日祝含む、会社指定計画有休で取得)

【離職率】男:3.9%、231名 女:3.3%、68名

【新卒3年後離職率】[20→23年]NA [21→24年]NA

【テレワーク】制度あり:[場所]自宅[対象]全社員[日数]週2日まで[利用率]NA【勤務制度】フレックス 裁量労働 副業容認【住宅補助】住宅手当(25,000～58,000円)社宅(地域や世帯、持家の状況による 転勤者を対象 自己負担20,000円)独身寮

●ライフイベント、女性活躍●

【女性比率】■男 □女

新卒採用 35.1% (123名)

従業員 25.4% (1962名)

管理職 9.2% (77名)

【産休】[期間]産前6・産後8週間[給与]法定[取得者数]57名

【育休】[期間]1歳になるまで[給与]法定[取得者数]22年度 男46名(対象178名)女70名(対象71名)23年度 男74名(対象160名)女56名(対象56名)[平均取得日数]22年度 男18日 女381日、23年度 男42日 女405日

【従業員】[人数]7,713名(男5,751名、女1,962名)[平均年齢]41.7歳(男42.9歳、女38.1歳)[平均勤続年数]17.4年(男18.8年、女13.2年)

【年齢構成】■男 □女

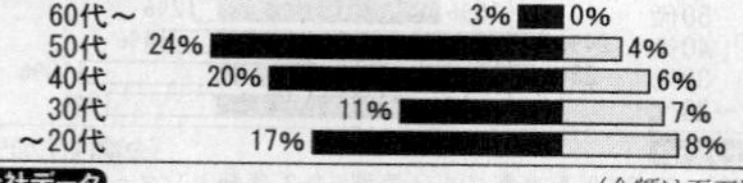

	男	女
60代～	3%	0%
50代	24%	4%
40代	20%	6%
30代	11%	7%
～20代	17%	8%

[会社データ] (金額は百万円)

【本社】102-8573 東京都千代田区飯田橋2-18-4 ☎03-3264-7111 https://www.otsuka-shokai.co.jp/

【業績(連結)】	売上高	営業利益	経常利益	純利益
21.12	851,894	55,827	57,567	39,927
22.12	861,022	54,768	56,639	40,022
23.12	977,370	62,959	64,517	47,448

伊藤忠テクノソリューションズ㈱（いとうちゅう）

えるぼし ★★★ / くるみん

【特色】伊藤忠商事グループの大手SIer。通称CTC

[記者評価] 海外IT機器の輸入が源流。シスコやオラクル等の有力販売代理店。近年はサービス型事業を強化。通信事業者向けに強いが、流通、製造業や官庁など顧客幅広い。伊藤忠商事関連のプロジェクトに強み。24年8月慶大とデータ流通の信頼性向上に向けた共同研究開始。

平均勤続年数	男性育休取得率	3年後離職率	平均年収(平均41歳)
13.4年	50.3→51.5%	4.3→10.3%	[総]1,076万円

●採用・配属情報●

【男女・文理別採用実績】

	大卒男	大卒女	修士男	修士女
23年	105(文 62 理 43)	73(文 58 理 15)	36(文 0 理 36)	4(文 1 理 3)
24年	132(文 69 理 63)	99(文 73 理 26)	48(文 2 理 46)	10(文 2 理 8)
25年	130(文 80 理 50)	108(文 96 理 12)	58(文 1 理 57)	9(文 1 理 8)

【男女・職種別採用実績】 転換制度:NA

	総合職
23年	218(男 141 女 77)
24年	294(男 182 女112)
25年	316(男 195 女121)

【24年4月入社者の配属勤務地】[総]愛知(名古屋3 豊田3)大阪7 神谷町64 広島1 福岡1 [技]愛知(名古屋8 豊田6)大阪(大阪8 梅田1)東京(神谷町117 赤坂23 後楽22 麹町6 大崎3 五反田2 墨田2 天王洲2 青山1 田町1)横浜1 広島1 福岡1 他10

【転勤】あり:詳細NA

【中途比率】[単年度]21年度50%、22年度56%、23年度55%[全体]NA

●働きやすさ、諸制度●

残業(月) 12.5時間 [総]12.5時間

【勤務時間】9:00～17:30【有休取得年平均】13.0日【週休】完全2日(土日祝)【夏期休暇】土日含む9日以上連続の場合、2日の特別休暇を付与【年末年始休暇】12月29日～1月3日

【離職率】男:2.4%、102名 女:2.4%、24名

【新卒3年後離職率】
[20→23年]4.3%(男4.0%・入社101名、女4.9%・入社61名)
[21→24年]10.3%(男8.2%・入社97名、女13.6%・入社59名)

【テレワーク】制度あり:[場所]NA[対象]NA[日数]NA[利用率]NA【勤務制度】時間単位有休 裁量労働 時差勤務 副業容認【住宅補助】独身寮 住宅取得利息補助

●ライフイベント、女性活躍●

【女性比率】■男 □女

新卒採用 38.3% (121名)

従業員 19.3% (981名)

【産休】[期間]産前6・産後8週間[給与]法定[取得者数]30名

【育休】[期間]2歳になる月の末日まで(一定の条件あり)[給与]法定[取得者数]22年度 男73名(対象145名)女22名(対象22名)23年度 男68名(対象132名)女31名(対象31名)[平均取得日数]22年度 NA、23年度 NA

【従業員】[人数]5,086名(男4,105名、女981名)[平均年齢]40.6歳(男41.4歳、女37.4歳)[平均勤続年数]13.4年(男13.8年、女12.1年)

【年齢構成】■男 □女

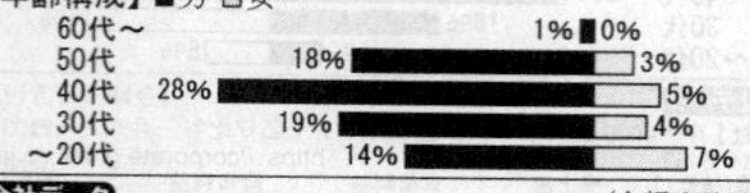

	男	女
60代～	1%	0%
50代	18%	3%
40代	28%	5%
30代	19%	4%
～20代	14%	7%

[会社データ] (金額は百万円)

【本社】105-6950 東京都港区虎ノ門4-1-1 神谷町トラストタワー ☎03-6403-6000 https://www.ctc-g.co.jp/

【業績(IFRS)】	売上高	営業利益	税前利益	純利益
22.3	522,356	50,482	51,875	35,373
23.3	570,934	46,473	46,924	34,208
24.3	647,500	57,300	NA	41,300

2684 開示 ★★

ティーアイエス
ＴＩＳ㈱

【特色】独立系SI大手。クレジットカードなど金融に強み

記者評価 独立系SI大手。08年にインテックと統合、16年から事業持株会社体制。顧客は金融や製造、流通の大企業で、特にJCBなどカード会社に強固な顧客基盤。クラウド案件も実績豊富。カード事業者向けSaaSなど新分野も積極的。コンサル機能を強化しDX需要を深耕。

平均勤続年数	男性育休取得率	3年後離職率	平均年収(平均41歳)
14.5年	75.7→89.2%	NA	803万円

●採用・配属情報●

【男女・文理別採用実績】

	大卒男	大卒女	修士男	修士女
23年	149(文 97理 52)	78(文 67理 11)	42(文 5理 37)	9(文 6理 3)
24年	137(文 92理 45)	70(文 60理 10)	51(文 10理 41)	7(文 5理 2)
25年	-(文 -理 -)	-(文 -理 -)	-(文 -理 -)	-(文 -理 -)

【男女・職種別採用実績】 転換制度:NA

	専門職
23年	278(男191 女 87)
24年	265(男188 女 77)
25年	-(男 - 女 -)

【24年4月入社者の配属勤務地】㊔東京17 大阪2 ㊜東京222 大阪19 名古屋4 九州1
【転勤】あり:全社員
【中途比率】[単年度]21年度33%、22年度35%、23年度36%[全体]23%

●働きやすさ、諸制度●

残業(月) 22.6時間

【勤務時間】9:00～17:30【有休取得年平均】12.2日【週休】完全2日(土日祝)【夏期休暇】リフレッシュ休暇と有休で取得【年末年始休暇】12月30日～1月3日
【離職率】NA
【新卒3年後離職率】
[20→23年]NA
[21→24年]NA
【テレワーク】制度あり:[場所]自宅 サテライトオフィス[対象]全社員[日数]制限なし[利用率]NA【勤務制度】フレックス 時間単位有休 裁量労働 時差勤務 勤務間インターバル 副業容認【住宅補助】借上独身寮(新入社員)住宅手当 社宅

●ライフイベント、女性活躍●

【女性比率】■男 □女

従業員 27.9% (1625名)
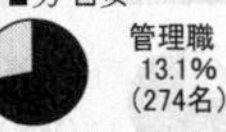
管理職 13.1% (274名)

【産休】[期間]産前6・産後8週間[給与]法定[取得者数]65名
【育休】[期間]小学1年修了月末までのうち、通算2年間を限度[給与]法定[取得者数]22年度 男87名(対象115名)女57名(対象57名)23年度 男116名(対象130名)女62名(対象59名)[平均取得日数]22年度 男38日 女399日、23年度 男45日 女362日
【従業員】[人数]5,834名(男4,209名、女1,625名)[平均年齢]40.5歳(男41.6歳、女37.7歳)[平均勤続年数]14.5年(男15.1年、女13.0年)
【年齢構成】■男 □女

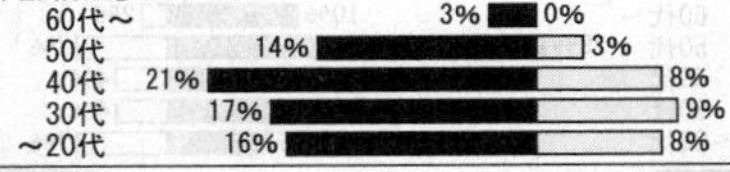

会社データ (金額は百万円)
【本社】160-0023 東京都新宿区西新宿8-17-1 住友不動産新宿グランドタワー ☎03-5337-7070 https://www.tis.co.jp/

【業績(連結)】	売上高	営業利益	経常利益	純利益
22.3	482,547	54,739	55,710	39,462
23.3	508,400	62,328	63,204	55,461
24.3	549,004	64,568	68,553	48,873

1094 開示 ★★★

エスシーエスケイ
ＳＣＳＫ㈱

えるぼし★★★ プラチナくるみん

【特色】住友商事系SI大手。DXや車載分野に注力

記者評価 住友商事系の住商情報システム(SCS)が、11年にCSKを合併し現社名に。自動車向け検証サービスや車載向けに強み。製造や流通、金融などで大企業の顧客基盤厚い。DX関連の事業化に注力。23年、ホンダと車載ソフト開発の戦略的パートナーシップ締結で基本合意。

平均勤続年数	男性育休取得率	3年後離職率	平均年収(平均44歳)
18.0年	43.6→179.1%	8.0→10.9%	㊕764万円

●採用・配属情報●

【男女・文理別採用実績】

	大卒男	大卒女	修士男	修士女
23年	122(文 45理 77)	69(文 34理 35)	85(文 0理 85)	6(文 0理 6)
24年	114(文 47理 67)	73(文 51理 22)	107(文 0理107)	15(文 0理 15)
25年	161(文 82理 79)	100(文 75理 25)	105(文 0理105)	16(文 0理 16)

【男女・職種別採用実績】

	総合職
23年	282(男207 女 75)
24年	309(男221 女 88)
25年	382(男266 女116)

【24年4月入社者の配属勤務地】㊔東京25 大阪1 福岡1 ㊜東京243 大阪28 愛知3 他8
【転勤】あり:全社員
【中途比率】[単年度]21年度28%、22年度44%、23年度55%[全体]30%

●働きやすさ、諸制度●

残業(月) 22.0時間 ㊕22.0時間

【勤務時間】9:00～17:30【有休取得年平均】17.3日【週休】完全2日(土日祝)【夏期休暇】有休で取得【年末年始休暇】12月29日～1月3日
【離職率】男:2.7%、184名 女:4.0%、79名
【新卒3年後離職率】
[20→23年]8.0%(男8.7%・入社195名、女6.9%・入社116名)
[21→24年]10.9%(男9.4%・入社170名、女13.5%・入社104名)
【テレワーク】制度あり:[場所]自宅 実家 サテライトオフィス[対象]全社員[日数]制限なし※コミュニケーション活性化を目的に週2回を目途に出社を奨励[利用率]47.3%【勤務制度】フレックス 時間単位有休 裁量労働 副業容認【住宅補助】独身寮(関東 関西 愛知)借上社宅

●ライフイベント、女性活躍●

【女性比率】■男 □女

新卒採用 30.4% (116名)

従業員 22.1% (1907名)

管理職 8.8% (90名)

【産休】[期間]産前8・産後8週間[給与]法定[取得者数]61名
【育休】[期間]3年間(分割取得可)[給与]法定[取得者数]22年度 男68名(対象156名)女63名(対象63名)23年度 男231名(対象129名)女251名(対象63名)[平均取得日数]22年度 男64日 女420日、23年度 男99日 女410日
【従業員】[人数]8,611名(男6,704名、女1,907名)[平均年齢]43.5歳(男45.0歳、女37.7歳)[平均勤続年数]18.0年(男19.4年、女12.6年)
【年齢構成】■男 □女

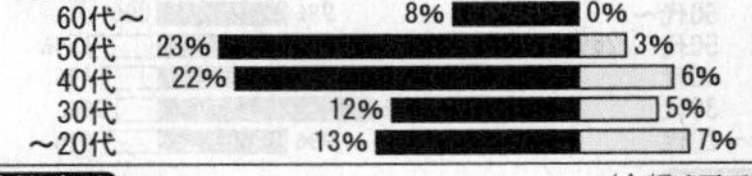

会社データ (金額は百万円)
【本社】135-8110 東京都江東区豊洲3-2-20 豊洲フロント ☎03-5166-2500 https://www.scsk.jp/

【業績(IFRS)】	売上高	営業利益	税前利益	純利益
22.3	414,150	47,555	48,315	33,470
23.3	445,912	51,361	53,336	37,301
24.3	480,307	57,004	57,459	40,461

㈱日立システムズ（ひたち）

えるぼし★★★　くるみん

【特色】日立グループの中核IT会社。海外展開にも積極的

記者評価 日立電子サービスと日立情報システムズが合併して発足。グループの情報・通信システム事業の中核を担う。ITライフサイクルの全領域をカバー。デジタライゼーションサービスはIoT基盤「ルマーダ」事業に注力。25年4月から大卒総合職の初任給を25万円に増額。

平均勤続年数	男性育休取得率	3年後離職率	平均年収(平均43歳)
22.3年	83.0→82.8%	9.4→12.4%	㊕847万円

●採用・配属情報●

【男女・文理別採用実績】※25年：24年8月中旬時点

	大卒男	大卒女	修士男	修士女
23年	181(文 96理 85)	74(文 60理 14)	43(文 5理 38)	7(文 3理 4)
24年	147(文 68理 79)	75(文 57理 18)	59(文 5理 54)	19(文 8理 11)
25年	180(文 92理 88)	89(文 65理 24)	52(文 1理 51)	7(文 5理 2)

【男女・職種別採用実績】　転換制度：⇔

	技術職	営業	コーポレートスタッフ職
23年	270(男207 女 63)	28(男 16 女 12)	9(男 3 女 6)
24年	263(男189 女 74)	33(男 19 女 14)	9(男 2 女 7)
25年	283(男203 女 80)	37(男 25 女 12)	10(男 5 女 5)

【24年4月入社者の配属勤務地】㊕首都圏・関東35 関西4 中部3 ㊔首都圏・関東250 関西9 中部3 四国1

【転勤】あり：[職種]総合職

【中途比率】[単年度]21年度30%、22年度40%、23年度35%[全体]11%

●働きやすさ、諸制度●

残業(月) 22.6時間 ㊕23.8時間

【勤務時間】9:00〜17:30【有休取得年平均】18.1日【週休】完全2日(土日祝)【夏期休暇】有休で取得【年末年始休暇】12月31日〜1月3日

【離職率】男：2.3%、190名 女：1.9%、32名

【新卒3年後離職率】
[20→23年]9.4%(男9.7%・入社144名、女8.7%・入社69名)
[21→24年]12.4%(男14.0%・入社136名、女9.6%・入社73名)

【テレワーク】制度あり：[場所]自宅 サテライトオフィス 親族の居住地 他[対象]管理監督者 裁量労働勤務者 業務遂行上有効と認められる者 他[日数]制限なし[利用率]45.7%

【勤務制度】フレックス 時間単位有休 裁量労働【住宅補助】独身寮 住宅手当

●ライフイベント、女性活躍●

【女性比率】■男 □女

新卒採用 29.4%(97名)　従業員 16.7%(1637名)　管理職 6.7%(186名)

【産休】[期間]産前8・産後8週間[給与]法定+産前2週間会社67%給付[取得者数]39名

【育休】[期間]小学1年修了までの通算3年間、また1日単位の取得可[給与]法定[取得者数]22年度 男122名(対象147名)女37名(対象37名)23年度 男140名(対象169名)女42名(対象39名)[平均取得日数]22年度 男72日 女398日、23年度 男62日 女357日

【従業員】[人数]9,823名(男8,186名、女1,637名)[平均年齢]45.3歳(男46.1歳、女41.3歳)[平均勤続年数]22.3年(男23.2年、女17.9年)【年齢構成】■男 □女

	男	女
60代〜	9%	0%
50代	28%	5%
40代	23%	4%
30代	15%	3%
〜20代	9%	4%

会社データ　(金額は百万円)

【本社】141-8672 東京都品川区大崎1-2-1 大崎フロントタワー ☎03-5435-7777 https://www.hitachi-systems.com/

【業績(単独)】	売上高	営業利益	経常利益	純利益
22.3	422,100	44,029	49,208	29,353
23.3	424,597	43,556	48,000	34,682
24.3	456,915	49,320	54,304	37,882

BIPROGY㈱（ビプロジー）

えるぼし★★★　プラチナくるみん

【特色】決済など金融向け強いITサービス大手。DNP系列

記者評価 大日本印刷が筆頭株主。ICTコンサルなどのシステムサービスが主力。顧客は金融を軸に、空運、電力、流通など幅広い。AIによるデータ利活用サービスや社会DX事業、ASEANや北米が軸の海外展開にも注力。働き方改革に積極的。22年4月日本ユニシスから社名変更。

平均勤続年数	男性育休取得率	3年後離職率	平均年収(平均46歳)
21.0年	50.7→47.9%	6.9→10.6%	◇850万円

●採用・配属情報●

【男女・文理別採用実績】

	大卒男	大卒女	修士男	修士女
23年	26(文 19理 7)	49(文 38理 11)	29(文 2理 27)	5(文 0理 5)
24年	46(文 32理 14)	56(文 45理 11)	34(文 5理 29)	9(文 0理 9)
25年	57(文 39理 18)	70(文 59理 11)	24(文 1理 23)	7(文 1理 6)

【男女・職種別採用実績】　転換制度：⇒

	総合職
23年	110(男 56 女 54)
24年	145(男 80 女 65)
25年	159(男 81 女 78)

【24年4月入社者の配属勤務地】㊕東京39 愛知5 大阪3 北海道1 福岡1 ㊔東京73 神奈川4 千葉1 埼玉2 愛知4 大阪9 北海道1 広島1 福岡1

【転勤】あり：全社員(勤務地限定社員を除く)[勤務地]東京 大阪 名古屋 福岡 札幌 仙台 新潟 金沢 静岡 広島 他

【中途比率】[単年度]21年度25%、22年度53%、23年度48%[全体]2%

●働きやすさ、諸制度●

残業(月) 17.7時間 ㊕18.9時間

【勤務時間】9:00〜17:30【有休取得年平均】14.7日【週休】完全2日(土日祝)【夏期休暇】有休で取得【年末年始休暇】12月29日〜1月3日

【離職率】男：3.0%、105名 女：3.5%、37名

【新卒3年後離職率】
[20→23年]6.9%(男7.1%・入社85名、女6.8%・入社59名)
[21→24年]10.6%(男11.8%・入社76名、女9.2%・入社65名)

【テレワーク】制度あり：[場所]自宅 サテライトオフィス カフェ 他[対象]全社員[日数]制限なし[利用率]55.3%【勤務制度】フレックス 時間単位有休 副業容認【住宅補助】住宅手当 独身寮 借上社宅

●ライフイベント、女性活躍●

【女性比率】■男 □女

新卒採用 49.1%(78名)　従業員 23%(1019名)　管理職 11.2%(75名)

【産休】[期間]産前28・産後8週間[給与]法定[取得者数]24名

【育休】[期間]2歳になる前々日まで[給与]法定[取得者数]22年度 男35名(対象69名)女24名(対象24名)23年度 男34名(対象71名)女25名(対象25名)[平均取得日数]22年度 男100日 女437日、23年度 男105日 女354日

【従業員】[人数]4,424名(男3,405名、女1,019名)[平均年齢]46.4歳(男47.9歳、女41.6歳)[平均勤続年数]21.0年(男22.2年、女17.0年)【年齢構成】■男 □女

	男	女
60代〜	10%	2%
50代	29%	7%
40代	20%	4%
30代	9%	4%
〜20代	8%	7%

会社データ　(金額は百万円)

【本社】135-8560 東京都江東区豊洲1-1-1 ☎03-5546-4111 https://www.biprogy.com/

【業績(IFRS)】	売上高	営業利益	税前利益	純利益
22.3	317,600	27,425	29,575	20,490
23.3	339,898	29,673	30,001	20,203
24.3	370,142	33,287	34,164	25,246

NECネッツエスアイ(株)（エヌイーシー）

えるぼし★★★ プラチナくるみん

【特色】NECの工事部門が分離独立し発足。ICTに強い

記者評価 企業や公共向けにシステム構築、セキュリティ、クラウドなど提供。基地局工事も手がける。自社本社での実践を通じ、自社の取り組みをオフィスや働き方DX支援として提供する営業手法に定評。Zoomの国内販売店第1号。宇宙関連事業やローカル5Gにも注力。

平均勤続年数	男性育休取得率	3年後離職率	平均年収(平均43歳)
17.9年	51.8→58.8%	12.2→8.4%	総775万円

●採用・配属情報●

【男女・文理別採用実績】

	大卒男	大卒女	修士男	修士女
23年	102(文 31 理 71)	37(文 23 理 14)	22(文 1 理 21)	2(文 1 理 1)
24年	71(文 24 理 47)	55(文 42 理 13)	17(文 0 理 17)	7(文 1 理 6)
25年	72(文 29 理 43)	55(文 35 理 20)	17(文 0 理 17)	5(文 2 理 3)

【男女・職種別採用実績】　転換制度:⇔

	総合職
23年	191(男 143 女 48)
24年	174(男 106 女 68)
25年	171(男 104 女 67)

【24年4月入社者の配属勤務地】総東京(港14 中央16)横浜1 大宮1 札幌1 仙台1 名古屋3 金沢1 大阪5 広島2 福岡2 技東京(港95 中央10 府中5 新宿2)川崎10 安孫子1 大阪3 福岡1
【転勤】あり:全社員(地域限定制度適用者を除く)
【中途比率】[単年度]21年度40%、22年度36%、23年度23%[全体]20%

●働きやすさ、諸制度●

残業(月) 24.6時間 総23.3時間

【勤務時間】8:30～17:15【有休取得年平均】14.0日【週休】完全2日(土日祝)【夏期休暇】最大11日(週休および有休を組み合わせて)【年末年始休暇】12月28日～1月5日
【離職率】男:2.2%、107名 女:2.1%、20名(早期退職14名含む)
【新卒3年後離職率】
[20→23年]12.2%(男12.1%・入社99名、女12.5%・入社32名)
[21→24年]8.4%(男7.5%・入社107名、女11.1%・入社36名)
【テレワーク】制度あり:[場所]自宅 実家 サテライトオフィス[対象]全社員[日数]制限なし[利用率]30.4%【勤務制度】フレックス 時間単位有休 裁量労働 時差勤務 副業容認
【住宅補助】独身寮(川口・柿の木台・宿河原 28歳まで 自己負担12,900～19,800円)住宅環境整備補助(40歳までの10年間 月8,000～25,000円)、一都三県の特定地域のみ

●ライフイベント、女性活躍●

【女性比率】■男 □女

新卒採用 39.2% (67名)

従業員 17% (955名)　管理職 6.9% (124名)

【産休】[期間]産前8・産後8週間[給与]法定[取得者数]23名
【育休】[期間]1歳半または1歳年度末まで[給与]法定[取得者数]22年度 男58名(対象112名)女27名(対象28名)23年度 男47名(対象80名)女23名(対象23名)[平均取得日数]22年度 男53日 女396日、23年度 男67日 女367日
【従業員】[人数]5,617名(男4,662名、女955名)[平均年齢]44.8歳(男45.7歳、女40.4歳)[平均勤続年数]17.9年(男18.6年、女14.3年)【年齢構成】■男 □女

	男	女
60代～	10%	1%
50代	28%	4%
40代	19%	5%
30代	15%	4%
～20代	11%	4%

会社データ　(金額は百万円)

【本社】108-8515 東京都港区芝浦3-9-14 NECネッツエスアイ本社ビル ☎03-4212-1000 https://www.nesic.co.jp/

【業績(連結)】	売上高	営業利益	経常利益	純利益
22.3	310,334	23,181	23,550	15,021
23.3	320,802	22,751	22,970	13,813
24.3	359,505	25,120	24,684	15,329

日鉄ソリューションズ(株)（にってつ）

えるぼし★★ プラチナくるみん

【特色】日本製鉄系SI。製造業や金融向けに強み

記者評価 日本製鉄の上場子会社。親会社への依存度は約2割。製鉄所運営で培ったITシステム構築・運営力に強みを持つ。製造業や金融業などの優良顧客が豊富。大規模な仮想デスクトップの構築ではトップクラスのシェア。AIやIoT分野のほか、製造業のDXに注力する。

平均勤続年数	男性育休取得率	3年後離職率	平均年収(平均*41歳)
14.0年	91.3→97.2%	10.4→8.2%	総896万円

●採用・配属情報●

【男女・文理別採用実績】

	大卒男	大卒女	修士男	修士女
23年	33(文 18 理 15)	32(文 19 理 13)	91(文 0 理 91)	34(文 0 理 34)
24年	25(文 16 理 9)	44(文 28 理 16)	112(文 1 理 111)	28(文 3 理 25)
25年	38(文 30 理 8)	35(文 23 理 12)	94(文 0 理 94)	35(文 1 理 34)

※25年:24年7月末時点

【男女・職種別採用実績】

	総合職	一般職
23年	185(男 125 女 60)	6(男 0 女 6)
24年	202(男 137 女 65)	7(男 0 女 7)
25年	204(男 134 女 70)	0(男 0 女 0)

【24年4月入社者の配属勤務地】総東京23 愛知1 技東京142 神奈川10 愛知5 千葉4 大阪4 兵庫3 福岡3 山口3 大分2 茨城1 和歌山1
【転勤】あり:全社員
【中途比率】[単年度]21年度40%、22年度50%、23年度45%[全体]23%

●働きやすさ、諸制度●

残業(月) 8.3時間 総9.7時間

【勤務時間】9:00～17:20【有休取得年平均】15.3日【週休】完全2日(土日祝)【夏期休暇】有休で取得【年末年始休暇】12月29日～1月3日
【離職率】男:3.1%、105名 女:3.1%、27名
【新卒3年後離職率】
[20→23年]10.4%(男11.4%・入社114名、女8.0%・入社50名)
[21→24年]8.2%(男6.2%・入社97名、女12.0%・入社50名)
【テレワーク】制度あり:[場所]実家 サテライトオフィス[対象]全社員[日数]制限なし[利用率]59.9%【勤務制度】フレックス 時間単位有休 週休3日 裁量労働 副業容認【住宅補助】独身寮 住宅手当(要件に基づき支給額決定)持ち家支援手当

●ライフイベント、女性活躍●

【女性比率】■男 □女

新卒採用 34.3% (70名)　従業員 20.4% (849名)　管理職 6.5% (83名)

【産休】[期間]産前6・産後8週間[給与]法定[取得者数]31名
【育休】[期間]1歳になるまで[給与]法定[取得者数]22年度 男116名(対象127名)女26名(対象26名)23年度 男103名(対象106名)女25名(対象23名)[平均取得日数]22年度 男63日 女295日、23年度 男64日 女332日
【従業員】[人数]4,161名(男3,312名、女849名)[平均年齢]40.6歳(男41.6歳、女36.7歳)[平均勤続年数]14.0年(男14.9年、女10.5年)
【年齢構成】■男 □女

	男	女
60代～	2%	0%
50代	20%	4%
40代	23%	4%
30代	20%	5%
～20代	14%	8%

会社データ　(金額は百万円)

【本社】105-6417 東京都港区虎ノ門1-17-1 虎ノ門ヒルズビジネスタワー ☎03-6899-6000 https://www.nssol.nipponsteel.com/

【業績(IFRS)】	売上高	営業利益	税前利益	純利益
23.3	291,688	31,738	32,101	22,000
24.3	310,632	35,001	35,437	24,241

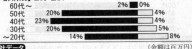

エヌイーシー NECソリューションイノベータ(株)

えるぼし★★★ くるみん

【特色】NECグループの中核SI企業。旧NECソフト

記者評価 NECソフトに関連会社が合流し現体制。IT戦略策定からシステム開発・運用まで一貫。「ヘルスケア」「ワークスタイル」「スマートシティ」が2030年に向けた挑戦領域。従業員教育や防災関連のVR・AR強化。バイオとICTの融合や量子コンピューティングにも挑む。

平均勤続年数	男性育休取得率	3年後離職率	平均年収(平均44歳)
17.3年	32.6→76.7%	9.4→9.7%	㊗759万円

●採用・配属情報●

【男女・文理別採用実績】

	大卒男	大卒女	修士男	修士女
23年	257(文136 理121)	128(文 84 理 44)	128(文 3 理125)	26(文 2 理 24)
24年	208(文 96 理112)	109(文 63 理 46)	124(文 3 理121)	24(文 1 理 23)
25年	273(文153 理120)	132(文102 理 30)	145(文 2 理143)	27(文 2 理 25)

【男女・職種別採用実績】 転換制度:⇔

	総合職
23年	542(男387 女155)
24年	469(男334 女135)
25年	586(男424 女162)

【24年4月入社者の配属勤務地】㊗東京・新木場8 東海1 関西1 ㊕東京(新木場286 田町17 府中6)神奈川(横浜6 川崎62)札幌6 仙台7 大宮2 新潟1 松本1 静岡1 金沢4 名古屋11 大阪20 神戸8 京都1 広島4 福岡15 那覇1
【転勤】あり:全社員 ※2025年度新卒採用から「初任配属エリア」を確約した採用を開始
【中途比率】[単年度]21年度20%、22年度25%、23年度34%[全体]10%

●働きやすさ、諸制度●

残業(月) 25.2時間 ㊗25.2時間

【勤務時間】7時間45分(フレックス制 コアタイムなし)【有休取得年平均】14.0日【週休】完全2日(土日祝)【夏期休暇】連続9日(土日+有休5日)【年末年始休暇】労働協約に基づく
【離職率】男:2.9%、307名 女:3.0%、84名(早期退職男102名、女12名含む)
【新卒3年後離職率】
[20→23年]9.4%(男9.0%・入社244名、女10.1%・入社129名)
[21→24年]9.7%(男9.3%・入社300名、女10.5%・入社162名)
【テレワーク】制度あり:[場所]自宅 実家 サテライトオフィス 他 日本国内に限る[対象]全社員[日数]制限なし[利用率]58.0%【勤務制度】フレックス 時間単位有休 裁量労働 時差勤務 勤務間インターバル 副業容認【住宅補助】転勤者借上社宅 首都圏厚生用家賃補助

●ライフイベント、女性活躍●

【女性比率】■男 □女

新卒採用 27.6% (162名)

従業員 20.9% (2705名)

管理職 8.4% (293名)

【産休】[期間]産前8・産後8週間[給与]健保85%給付[取得者数]57名
【育休】[期間]1歳到達後最初に到来する3月31日または1歳6カ月になる日のいずれか遅い方[給与]法定[取得者数]22年度 男74名(対象227名)女64名(対象64名)23年度 男132名(対象172名)女61名(対象61名)[平均取得日数]22年度 NA、23年度 男94日 女496日
【従業員】[人数]12,960名(男10,255名、女2,705名)[平均年齢]43.5歳(男44.6歳、女39.4歳)[平均勤続年数]17.3年(男18.1年、女14.0年)【年齢構成】■男 □女

	男	女
60代〜	0%	0%
50代	33%	5%
40代	20%	5%
30代	14%	5%
〜20代	12%	6%

会社データ (金額は百万円)

【本社】136-8627 東京都江東区新木場1-18-7 ☎03-5534-2222
https://www.nec-solutioninnovators.co.jp/

【業績(単独)】	売上高	営業利益	経常利益	純利益
22.3	325,043	NA	NA	NA
23.3	318,002	NA	NA	NA
24.3	308,037	NA	NA	NA

ふじ 富士ソフト(株)

えるぼし★★★ プラチナくるみん

【特色】独立系ソフト開発大手。組み込み系ソフトに強み

記者評価 業務系ソフトや自動車・家電向けなど組込・制御ソフトが軸。会話ロボット「PALRO」や社内コミュニケーションツール「FAMoffice」など製品事業も成長。AI、IoTなど7つの重点領域「AIS-CRM」に加え、DX、SD、G2に注力。米ファンドによるTOBに賛同、上場廃止へ。

平均勤続年数	男性育休取得率	3年後離職率	平均年収(平均36歳)
9.8年	80.6→78.5%	17.9→20.6%	㊗602万円

●採用・配属情報●

【男女・文理別採用実績】

	大卒男	大卒女	修士男	修士女
23年	448(文238 理210)	169(文139 理 30)	36(文 3 理 33)	10(文 4 理 6)
24年	474(文263 理211)	143(文120 理 23)	30(文 4 理 26)	9(文 4 理 5)
25年	-(文 - 理 -)	-(文 - 理 -)	-(文 - 理 -)	-(文 - 理 -)

※25年:修士・大卒700名、高専・短・専100名採用予定

【男女・職種別採用実績】

	総合職
23年	779(男582 女197)
24年	783(男618 女165)
25年	800(男600 女200)

【24年4月入社者の配属勤務地】㊗東京(汐留15 秋葉原4)横浜22 名古屋5 大阪3 ㊕東京(汐留159 両国42 八王子28 上野12 秋葉原11 錦糸町8 立川4 門前仲町1)茨城・日立4 埼玉・大宮17 神奈川(横浜248 厚木18)浜松1 愛知(名古屋69 刈谷10)大阪42 神戸8 広島9 福岡(福岡27 北九州2)熊本3 札幌11
【転勤】あり:全社員
【中途比率】[単年度]21年度24%、22年度30%、23年度29%[全体]35%

●働きやすさ、諸制度●

残業(月) 24.5時間 ㊗24.5時間

【勤務時間】9:00〜17:30【有休取得年平均】11.2日【週休】完全2日(土日祝)【夏期休暇】4日(6〜10月で取得可能)【年末年始休暇】12月28日〜1月8日(有休奨励日1日含む)
【離職率】男:6.3%、494名 女:7.8%、173名(他に男9名、女2名転籍)
【新卒3年後離職率】
[20→23年]17.9%(男16.7%・入社466名、女21.6%・入社153名)
[21→24年]20.6%(男18.2%・入社466名、女26.3%・入社198名)
【テレワーク】制度あり:[場所]自宅など会社が認めた場所[対象]全社員[日数]制限なし[利用率]55.0%【勤務制度】フレックス 時間単位有休 裁量労働 副業容認【住宅補助】独身寮(自己負担25,000〜43,000円、30歳迄)家族社宅(会社負担35,000円〜家賃の5割、補助期間1年)

●ライフイベント、女性活躍●

【女性比率】■男 □女

新卒採用 25% (200名)

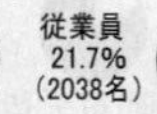

従業員 21.7% (2038名)

管理職 8.7% (59名)

【産休】[期間]産前6・産後8週間[給与]法定[取得者数]70名
【育休】[期間]2歳になるまで[給与]法定[取得者数]22年度 男108名(対象134名)女56名(対象55名)23年度 男128名(対象163名)女68名(対象69名)[平均取得日数]22年度 男45日 女442日、23年度 男49日 女473日
【従業員】[人数]9,372名(男7,334名、女2,038名)[平均年齢]35.3歳(男35.8歳、女33.4歳)[平均勤続年数]9.8年(男10.1年、女8.4年)【年齢構成】■男 □女

	男	女
60代〜	0%	0%
50代	10%	1%
40代	18%	4%
30代	17%	5%
〜20代	33%	11%

会社データ (金額は百万円)

【本社】231-8008 神奈川県横浜市中区桜木町1-1 ☎045-650-8811
https://www.fsi.co.jp/

【業績(連結)】	売上高	営業利益	経常利益	純利益
21.12	257,891	16,838	17,976	9,130
22.12	278,783	18,272	19,205	11,379
23.12	298,855	20,684	19,675	11,849

ジーエムオー

GMOインターネットグループ㈱ [くるみん]

【特色】総合インターネットグループ。事業領域広範

[記者評価] 国内ネット企業の老舗。決済やドメイン登録などのネットインフラ、ネット証券が主軸。ネット広告、EC、メディアなど多岐にわたる事業を上場子会社で展開。FX会社や飲食店予約サービス会社を買収し事業領域を拡大。AI・ロボットの総合商社を標榜。

平均勤続年数	男性育休取得率	3年後離職率	平均年収(平均36歳)
6.6年	18.2→61.1%	12.2→38.5%	[総]677万円

●採用・配属情報●

【男女・文理別採用実績】

	大卒男	大卒女	修士男	修士女
23年	6(文 3理 3)	2(文 1理 1)	3(文 0理 3)	0(文 0理 0)
24年	7(文 4理 3)	0(文 0理 0)	6(文 0理 6)	0(文 0理 0)
25年	6(文 3理 3)	2(文 2理 0)	4(文 1理 3)	0(文 0理 0)

【男女・職種別採用実績】 転換制度:⇔

	ビジネス(総合)職	エンジニア職	クリエイター職	研究開発職
23年	4(男 2女 2)	7(男 6女 1)	2(男 2女 0)	1(男 1女 0)
24年	3(男 3女 0)	7(男 7女 0)	1(男 0女 1)	4(男 4女 0)
25年	6(男 5女 1)	5(男 4女 1)	2(男 1女 1)	1(男 1女 0)

【職種併願】○

【24年4月入社者の配属勤務地】[総]東京・渋谷2 その他(陸上部)2 [技]東京・渋谷4 福岡・小倉6 宮崎1

【転勤】あり:全社員

【中途比率】[単年度]21年度30%、22年度32%、23年度28%[全体]NA

●働きやすさ、諸制度●

残業(月) 9.1時間

【勤務時間】9:00～18:00 10:00～19:00 11:00～20:00【有休取得年平均】12.5日【週休】完全2日(土日祝)【夏期休暇】5営業日【年末年始休暇】12月29日～1月3日

【離職率】男:9.9%、58名 女:11.1%、26名

【新卒3年後離職率】

[20→23年]12.2%(男16.0%・入社25名、女6.3%・入社16名)

[21→24年]38.5%(男33.3%・入社21名、女60.0%・入社5名)

【テレワーク】制度あり:[場所]自宅[対象]在宅勤務制度に該当する全社員[日数]週1～週5日(各部門により異なる)[利用率]20.1%【勤務制度】時間単位有休 時差勤務【住宅補助】なし

●ライフイベント、女性活躍●

【女性比率】■男 □女

新卒採用 21.4% (3名)

従業員 28.4% (209名)

管理職 14.3% (30名)

【産休】[期間]産前6・産後8週間[給与]法定[取得者数]7名

【育休】[期間]2歳になるまで[給与]法定[取得者数]22年度 男2名(対象11名)女6名(対象7名)23年度 男11名(対象18名)女11名(対象11名)[平均取得日数]22年度 男34日 女376日、23年度 男53日 女416日

【従業員】[人数]737名(男528名、女209名)[平均年齢]36.1歳(男37.3歳、女33.9歳)[平均勤続年数]6.6年(男7.1年、女5.6年)

【年齢構成】■男 □女

	男	女
60代～	1%	0%
50代	6%	1%
40代	23%	7%
30代	24%	13%
～20代	17%	8%

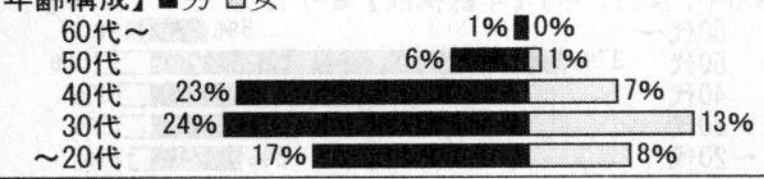

[会社データ] (金額は百万円)

【本社】150-8512 東京都渋谷区桜丘町26-1 セルリアンタワー ☎03-5456-2555 https://www.gmo.jp/

【業績(連結)】	売上高	営業利益	経常利益	純利益
21.12	241,446	41,097	43,393	17,527
22.12	245,696	43,746	46,025	13,209
23.12	258,643	42,471	45,947	14,191

エヌティティ

NTTコムウェア㈱ [えるぼし★★★] [プラチナくるみん]

【特色】NTTドコモグループ。ソフトウェア開発担う

[記者評価] NTTの通信ソフトウェア本部と情報システム本部を統合して発足。22年にグループ再編でNTTドコモ子会社に。ドコモ・システムズを統合し、ソフトウェア開発に特化。ドコモ向け、NTTグループ向けに加え、外販も展開。金融、公共、インフラなど顧客の幅は広い。

平均勤続年数	男性育休取得率	3年後離職率	平均年収(平均44歳)
20.7年	60.0→64.6%	5.9→[!]13.2%	[総][!]802万円

●採用・配属情報●

【男女・文理別採用実績】※25年:予定数

	大卒男	大卒女	修士男	修士女
23年	91(文 32理 59)	62(文 30理 32)	69(文 0理 69)	7(文 0理 7)
24年	73(文 38理 35)	78(文 42理 36)	58(文 0理 58)	10(文 0理 10)
25年	133(文 76理 57)	98(文 78理 20)	56(文 0理 56)	11(文 0理 11)

【男女・職種別採用実績】

	総合職
23年	234(男164 女 70)
24年	222(男132 女 90)
25年	302(男193 女109)

【24年4月入社者の配属勤務地】[総]東京(品川 品川シーサイド 五反田)千葉・海浜幕張 他 [技]東京(品川 品川シーサイド 五反田)千葉・海浜幕張 他

【転勤】あり:[職種]本社社員

【中途比率】[単年度]21年度30%、22年度28%、23年度28%[全体]4%

●働きやすさ、諸制度●

残業(月) 20.1時間 [総]20.1時間

【平均年収(総合職)】(地域限定勤務型を除く)802万円【勤務時間】標準7時間30分【有休取得年平均】18.4日【週休】完全2日(土日祝)【夏期休暇】5日(6～9月)【年末年始休暇】12月29日～1月3日

【離職率】男:1.4%、64名 女:2.3%、25名

【新卒3年後離職率】

[20→23年]5.9%(男6.2%・入社97名、女5.3%・入社38名)

[21→24年]13.2%(男15.9%・入社82名、女10.1%・入社69名)

※離職者にグループ会社への転籍男7名、女6名含む

【テレワーク】制度あり:[場所]自宅 サテライトオフィス 他[対象]全社員[日数]制限なし[利用率]67.6%【勤務制度】フレックス 時間単位有休 時差勤務 勤務間インターバル 副業容認【住宅補助】社宅 住宅補助費 住宅取得時の利子補給 他

●ライフイベント、女性活躍●

【女性比率】■男 □女

新卒採用 36.1% (109名)

従業員 19.3% (1050名)

管理職 7.5% (43名)

【産休】[期間]産前6・産後8週間[給与]会社全額給付[取得者数]40名

【育休】[期間]3年間[給与]法定[取得者数]22年度 男54名(対象90名)女43名(対象44名)23年度 男64名(対象99名)女30名(対象30名)[平均取得日数]22年度 男92日 女439日、23年度 男69日 女369日

【従業員】[人数]5,449名(男4,399名、女1,050名)[平均年齢]43.9歳(男45.5歳、女37.2歳)[平均勤続年数]20.7年(男22.3年、女13.7年)【年齢構成】■男 □女

	男	女
60代～	0%	0%
50代	39%	3%
40代	13%	4%
30代	16%	6%
～20代	12%	6%

[会社データ] (金額は百万円)

【本社】108-8019 東京都港区港南1-9-1 NTT品川TWINSアネックスビル ☎03-5463-5776 https://www.nttcom.co.jp/

【業績(単独)】	売上高	営業利益	経常利益	純利益
22.3	197,844	9,469	10,065	6,139
23.3	247,109	16,468	17,232	7,010
24.3	244,693	11,823	13,870	8,179

325 開示 ★☆☆☆☆

日本オラクル(株)（にほん）

【特色】米オラクルの日本法人。データベースソフト大手

記者評価 データベース管理ソフトで高シェア。近年はクラウドインフラに加えて、ERP等クラウドのアプリ分野にも注力、東京と大阪の国内データセンターの稼働で拡販を加速。ガバメントクラウドの提供事業者に選定。利益率が高く、年収は同業の中で高水準。

平均勤続年数	男性育休取得率	3年後離職率	平均年収(平均44歳)
9.9年	NA	NA	◇1,160万円

●採用・配属情報●

【男女・文理別採用実績】

	大卒男	大卒女	修士男	修士女
23年	19(文 14 理 5)	20(文 16 理 4)	17(文 2 理 15)	6(文 1 理 5)
24年	4(文 2 理 2)	6(文 5 理 1)	0(文 0 理 0)	0(文 0 理 0)
25年	1(文 1 理 0)	5(文 5 理 0)	3(文 0 理 3)	1(文 0 理 1)

【男女・職種別採用実績】

	セールス職	コンサルタント職	ソリューションエンジニア職
23年	10(男 6 女 4)	34(男 19 女 15)	18(男 11 女 7)
24年	0(男 0 女 0)	10(男 4 女 6)	0(男 0 女 0)
25年	0(男 0 女 0)	10(男 4 女 6)	0(男 0 女 0)

【24年4月入社者の配属勤務地】㊓東京10
【転勤】あり:詳細NA
【中途比率】[単年度]21年度NA、22年度NA、23年度NA[全体]NA

●働きやすさ、諸制度●

残業(月) NA

【勤務時間】9:00〜17:00【有休取得年平均】NA【週休】2日【夏期休暇】NA【年末年始休暇】NA
【離職率】NA
【新卒3年後離職率】
[20→23年]NA
[21→24年]NA
【テレワーク】制度あり:[場所]NA[対象]NA[日数]NA[利用率]NA【勤務制度】フレックス 時間単位有休 裁量労働 時差勤務 副業容認【住宅補助】なし

●ライフイベント、女性活躍●

【女性比率】■男 □女

新卒採用 60% (6名)

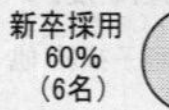

【産休】[期間]産前8・産後8週間[給与]法定[取得者数]NA
【育休】[期間]1歳になるまで[給与]法定[取得者数]22年度NA 23年度 NA[平均取得日数]22年度 NA、23年度 NA
【従業員】[人数]2,498名(男NA、女NA)[平均年齢]44.2歳(男NA、女NA)[平均勤続年数]9.9年(男NA、女NA)
【年齢構成】NA

会社データ (金額は百万円)

【本社】107-0061 東京都港区北青山2-5-8 オラクル青山センター ☎03-6834-6666
https://www.oracle.com/jp/

【業績(単独)】	売上高	営業利益	経常利益	純利益
22.5	214,691	73,213	73,543	51,182
23.5	226,914	74,396	74,681	52,009
24.5	244,542	79,820	80,277	55,603

2568 開示 ★★★☆☆ 専門 採用あり

エフサステクノロジーズ(株)

くるみん

【特色】富士通の完全子会社。SIと運用サービスが主力

記者評価 富士通の通信・情報処理機器の保守・修理部門が母体。顧客のシステム最適化に向け企画、コンサルから設計・構築、運用・保守のインフラサービスを提供。24年4月親会社のサーバーなどのハードウェア事業を統合し、富士通エフサスから現社名に。

平均勤続年数	男性育休取得率	3年後離職率	平均年収(平均47歳)
24.1年	25.0 → 30.4%	23.0 → 34.5%	㊓893万円

●採用・配属情報●

【男女・文理別採用実績】

	大卒男	大卒女	修士男	修士女
23年	58(文 25 理 33)	13(文 10 理 3)	13(文 0 理 13)	1(文 0 理 1)
24年	15(文 8 理 7)	4(文 4 理 0)	1(文 0 理 1)	0(文 0 理 0)
25年	55(文 25 理 30)	20(文 10 理 10)	10(文 0 理 10)	0(文 0 理 0)

【男女・職種別採用実績】

	総合職
23年	90(男 76 女 14)
24年	23(男 19 女 4)
25年	90(男 70 女 20)

【24年4月入社者の配属勤務地】㊌名古屋1 神奈川(川崎8 厚木1 横浜2)茨城・つくば1 大阪市2 群馬・館林1 広島市1 札幌1 埼玉・大宮2 東京(荒川1 立川1)千葉市1
【転勤】あり:全社員
【中途比率】[単年度]21年度2%、22年度18%、23年度33%[全体]5%

●働きやすさ、諸制度●

残業(月) 26.4時間 ㊓26.4時間

【勤務時間】8:45〜17:30【有休取得年平均】14.6日【週休】完全2日(土日祝)【夏期休暇】5日(有休で取得)【年末年始休暇】6日
【離職率】男:3.4%、190名 女:3.3%、31名
【新卒3年後離職率】
[20→23年]23.0%(男20.3%・入社64名、女27.8%・入社36名)
[21→24年]34.5%(男35.5%・入社93名、女30.8%・入社26名)
【テレワーク】制度あり:[場所]自宅 サテライトオフィス ハブオフィス[対象]NA[日数]NA[利用率]NA【勤務制度】フレックス 裁量労働 勤務間インターバル 副業容認【住宅補助】寮(月9,000〜20,000円)賃貸住宅家賃補助(5,000〜40,000円会社負担)

●ライフイベント、女性活躍●

【女性比率】■男 □女

新卒採用 22.2% (20名)　従業員 14.2% (896名)　管理職 4.9% (52名)

【産休】[期間]産前8・産後8週間[給与]健保85%給付[取得者数]13名
【育休】[期間]2歳到達後最初の4月20日まで[給与]法定[取得者数]22年度 男19名(対象76名)女13名(対象13名)23年度 男17名(対象56名)女15名(対象15名)[平均取得日数]22年度 男144日 女399日、23年度 男81日 女323日
【従業員】[人数]6,290名(男5,394名、女896名)[平均年齢]46.2歳(男46.6歳、女43.5歳)[平均勤続年数]24.1年(男24.6年、女21.1年)【年齢構成】■男 □女

	男	女
60代〜	5%	1%
50代	37%	5%
40代	22%	3%
30代	13%	3%
〜20代	8%	2%

会社データ (金額は百万円)

【本社】212-0014 神奈川県川崎市幸区大宮町1-5 JR川崎タワー ☎044-7542-043
https://www.fujitsu.com/jp/group/fsas/

【業績(連結)】	売上高	営業利益	経常利益	純利益
22.3	224,400	NA	NA	NA
23.3	226,000	NA	NA	NA
24.3	244,260	NA	NA	NA

ネットワンシステムズ(株)

えるぼし ★★　くるみん

【特色】ネットワーク系システム構築・機器販売で大手

記者評価 通信事業者などの顧客企業にネットワーク機器を導入してシステムを構築。クラウドやIoT分野も強化。米シスコ関連の取り扱い比率が高い。工場・サプライチェーンのDX等に注力。事業全体の機器比率を低減し、サービス比率向上を急ぐ。ガバナンスの改革推進。

平均勤続年数	男性育休取得率	3年後離職率	平均年収(平均40歳)
10.0年	NA	10.5→6.6%	総 830万円

●採用・配属情報●

【男女・文理別採用実績】

	大卒男	大卒女	修士男	修士女
23年	36(文 22 理 14)	22(文 17 理 5)	7(文 2 理 5)	0(文 0 理 0)
24年	32(文 16 理 16)	29(文 25 理 4)	4(文 1 理 3)	3(文 0 理 3)
25年	43(文 21 理 22)	20(文 17 理 3)	6(文 0 理 6)	1(文 1 理 0)

【男女・職種別採用実績】

	総合職
23年	77(男 55 女 22)
24年	75(男 43 女 32)
25年	75(男 54 女 21)

【24年4月入社者の配属勤務地】総東京・丸の内11 大阪2 名古屋2 茨城1 北海道1 技東京(丸の内36 品川9)大阪6 名古屋4 茨城1 広島1 福岡1

【転勤】あり:全社員

【中途比率】[単年度]21年度58%、22年度60%、23年度56%[全体]68%

●働きやすさ、諸制度●

残業(月) 33.2時間

【勤務時間】7時間30分(フレックスタイム制)【有休取得年平均】13.0日【週休】2日【夏期休暇】2日【年末年始休暇】12月29日〜1月3日

【離職率】男:4.9%、109名 女:5.4%、30名

【新卒3年後離職率】
[20→23年]10.5%(男11.5%・入社61名、女8.8%・入社34名)
[21→24年]6.6%(男7.4%・入社68名、女5.3%・入社38名)

【テレワーク】制度あり:[場所]自宅 各拠点(支社)他[対象]制限なし[日数]制限なし[利用率]71.0%【勤務制度】フレックス 副業容認【住宅補助】NA

●ライフイベント、女性活躍●

【女性比率】■男 □女

新卒採用 28% (21名)

従業員 19.8% (522名)

管理職 7.4% (28名)
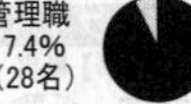

【産休】[期間]産前6・産後8週間[給与]法定[取得者数]85名

【育休】[期間]小学校就学前まで2年(4回まで分割取得可)[給与]法定[取得者数]22年度 男13名(対象NA)女NA(対象42名)23年度 男30名(対象NA)女NA(対象55名)[平均取得日数]22年度 NA、23年度 男70日 女NA

【従業員】[人数]2,630名(男2,108名、女522名)[平均年齢]40.4歳(男41.4歳、女36.4歳)[平均勤続年数]10.0年(男10.4年、女8.6年)

【年齢構成】■男 □女

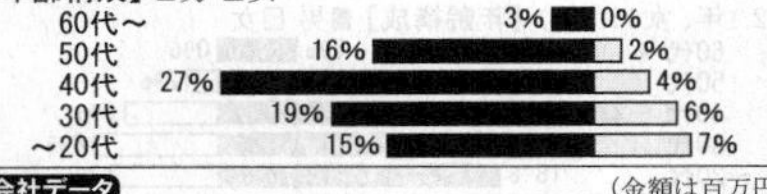

	男	女
60代〜	3%	0%
50代	16%	2%
40代	27%	4%
30代	19%	6%
〜20代	15%	7%

会社データ (金額は百万円)

【本社】100-7025 東京都千代田区丸の内2-7-2 JPタワー ☎03-6256-0600 https://www.netone.co.jp/

【業績(連結)】	売上高	営業利益	経常利益	純利益
22.3	188,520	16,790	16,832	11,225
23.3	209,680	20,635	20,660	14,458
24.3	205,127	19,533	19,151	13,720

(株)日立ソリューションズ

えるぼし ★★★　くるみん

【特色】日立の完全子会社。システム開発が主力

記者評価 日立システムと日立ソフトが10年に合併。大規模基幹システム開発が得意だが、金融・公共向け開発は15年親会社へ移管。18年ERP導入コンサルなどの独企業を、19年クラウド関連の米企業を買収。顧客のDX化支援積極推進。ビルのIoT化支援で23年大林組と新合弁。

平均勤続年数	男性育休取得率	3年後離職率	平均年収(平均44歳)
19.9年	97.8→97.8%	4.8→9.9%	総 905万円

●採用・配属情報●

【男女・文理別採用実績】※25年:継続中

	大卒男	大卒女	修士男	修士女
23年	79(文 37 理 42)	41(文 27 理 14)	32(文 1 理 31)	5(文 2 理 3)
24年	83(文 39 理 44)	45(文 37 理 8)	40(文 3 理 37)	13(文 3 理 10)
25年	97(文 46 理 51)	48(文 37 理 11)	43(文 4 理 39)	13(文 8 理 5)

【男女・職種別採用実績】 転換制度:⇒

	総合職
23年	157(男 111 女 46)
24年	181(男 123 女 58)
25年	203(男 141 女 62)

【24年4月入社者の配属勤務地】総東京・品川22 技東京(品川116 中央1)神奈川(川崎1 横浜22)名古屋11 浜松1 大阪市7

【転勤】あり:全社員

【中途比率】[単年度]21年度15%、22年度22%、23年度23%[全体]8%

●働きやすさ、諸制度●

残業(月) 22.8時間 総23.6時間

【勤務時間】9:00〜17:30 ※2年目以降はフレックスタイム制(コアタイムなし)【有休取得年平均】17.3日【週休】完全2日(土日祝)【夏期休暇】5日(有休で取得)【年末年始休暇】12月31日〜1月3日

【離職率】男:1.4%、57名 女:1.9%、17名

【新卒3年後離職率】
[20→23年]4.8%(男5.7%・入社87名、女2.7%・入社37名)
[21→24年]9.9%(男9.2%・入社87名、女11.4%・入社44名)

【テレワーク】制度あり:[場所]サテライトオフィス 自宅 他(日本国内に限る)[対象]全社員[日数]制限なし[利用率]76.8%【勤務制度】フレックス 時間単位有休 裁量労働 時差勤務 副業容認【住宅補助】社宅(会社借上)家族用住宅手当(賃借料×50% 上限あり 40歳まで)単身寮(自己負担15,000円 入社3年まで)単身用住宅手当(賃借料×50%、上限あり 31歳まで)

●ライフイベント、女性活躍●

【女性比率】■男 □女

新卒採用 30.5% (62名)

従業員 18.2% (900名)

管理職 7.4% (86名)

【産休】[期間]産前8・産後8週間[給与]法定超期間(産前43〜56日)分会社給付[取得者数]28名

【育休】[期間]小学1年修了時の3月31日までの通算3年[給与]1カ月未満の休職は会社分60%+育休給付金20%、他法定[取得者数]22年度 男89名(対象91名)女38名(対象38名)23年度 男91名(対象93名)女30名(対象31名)[平均取得日数]22年度 男18日 女475日、23年度 男23日 女350日

【従業員】[人数]4,955名(男4,055名、女900名)[平均年齢]44.0歳(男45.1歳、女39.2歳)[平均勤続年数]19.9年(男21.0年、女14.9年)【年齢構成】■男 □女

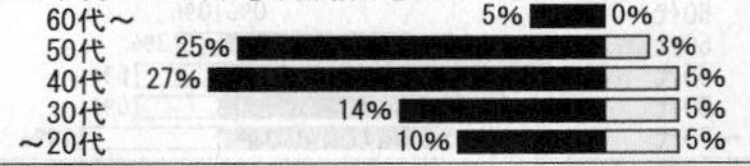

	男	女
60代〜	5%	0%
50代	25%	3%
40代	27%	5%
30代	14%	5%
〜20代	10%	5%

会社データ (金額は百万円)

【本社】140-0002 東京都品川区東品川4-12-7 ☎03-5780-2111 https://www.hitachi-solutions.co.jp/

【業績(単独)】	売上高	営業利益	経常利益	純利益
22.3	173,483	25,322	30,258	18,811
23.3	184,721	22,177	25,993	20,243
24.3	197,385	24,013	30,568	24,796

1506 開示 ★★★ 専門 採用あり

㈱トヨタシステムズ

くるみん

【特色】トヨタ自動車グループのITサービス中核

記者評価 トヨタの完全子会社。グループIT3社の合併で発足。グループのグローバル戦略をIT面でサポート。開発・設計から生産・物流・販売まで一貫。自動車の生産・販売、自動車ローン、クレジットカードなど領域は幅広い。デジタル化加速。豊田通商システムズと協業。

平均勤続年数	男性育休取得率	3年後離職率	平均年収(平均37歳)
12.3年	49.2→66.2%	10.7→9.8%	㊍715万円

●採用・配属情報●

【男女・文理別採用実績】

	大卒男	大卒女	修士男	修士女
23年	52(文 21 理 31)	31(文 21 理 10)	44(文 3 理 41)	7(文 1 理 6)
24年	52(文 14 理 38)	32(文 21 理 11)	44(文 1 理 43)	6(文 0 理 6)
25年	64(文 31 理 33)	41(文 34 理 7)	32(文 0 理 32)	9(文 0 理 9)

※25年:24年7月17日現在、他に性別回答無し大卒文系1名

【男女・職種別採用実績】 転換制度:⇔

	総合職	一般職
23年	149(男 109 女 40)	0(男 0 女 0)
24年	153(男 112 女 41)	0(男 0 女 0)
25年	157(男 105 女 52)	2(男 1 女 1)

【24年4月入社者の配属勤務地】㊍名古屋7 ㊗名古屋108 豊田38

【転勤】あり:全社員※他県への転勤は少数

【中途比率】[単年度]21年度25%、22年度24%、23年度23%[全体]33%

●働きやすさ、諸制度●

残業(月) 24.7時間 ㊍25.1時間

【勤務時間】標準8:45〜17:45【有休取得年平均】16.1日【週休】完全2日(土日)【夏期休暇】年間会社カレンダーにて年間休日を設定(本社・工場により異なる)【年末年始休暇】年間会社カレンダーにて年間休日を設定

【離職率】男:3.9%、76名 女:2.0%、12名

【新卒3年後離職率】
[20→23年]10.7%(男6.5%・入社62名、女17.1%・入社41名)
[21→24年]9.8%(男14.1%・入社78名、女2.3%・入社44名)

【テレワーク】制度あり:[場所]自宅 自宅に準ずる場所[対象]全従業員※新卒1年目は制限あり[日数]週1回2時間/日は出社[利用率]31.4%【勤務制度】フレックス 裁量労働 勤務間インターバル【住宅補助】住宅支援(家賃の50〜75%を会社負担 家賃上限あり 対象者30歳未満)

●ライフイベント、女性活躍●

【女性比率】■男 □女

新卒採用 33.3% (53名)

従業員 24% (593名)

管理職 4% (10名)

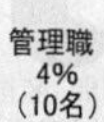

【産休】[期間]産前6・産後8週間[給与]法定[取得者数]25名

【育休】[期間]2歳になるまで[給与]法定[取得者数]22年度 男31名(対象63名)女25名(対象25名)23年度 男45名(対象68名)女28名(対象28名)[平均取得日数]22年度 男96日 女475日、23年度 男104日 女495日

【従業員】[人数]2,469名(男1,876名、女593名)[平均年齢]38.4歳(男39.4歳、女35.3歳)[平均勤続年数]12.3年(男13.1年、女9.7年)【年齢構成】■男 □女

	男	女
60代〜	0%	0%
50代	14%	3%
40代	24%	6%
30代	21%	6%
〜20代	17%	10%

会社データ (金額は百万円)

【本社】450-6332 愛知県名古屋市中村区名駅1-1-1 JPタワー名古屋32F ☎052-747-7111 https://www.toyotasystems.com/

【業績(単独)】	売上高	営業利益	経常利益	純利益
22.3	154,700	NA	NA	NA
23.3	175,300	NA	NA	NA
24.3	193,200	NA	NA	NA

1491 開示 ★★★★★ 短大 専門 採用あり

京(きょう)セラコミュニケーションシステム㈱

えるぼし ★★★ くるみん

【特色】京セラ系システムインテグレーター。KDDIも株主

記者評価 京セラの社内ベンチャーとしてスタートしたシステム部門が分離・独立して発足。ICT、通信エンジニアリング、環境エネルギーエンジニアリング、経営コンサルの4事業を展開。創業から連続黒字。京都本社だが社員の約半数は東京勤務。計画的な有給休暇の取得を推進。

平均勤続年数	男性育休取得率	3年後離職率	平均年収(平均40歳)
11.7年	55.4→76.2%	17.4→13.6%	㊍751万円

●採用・配属情報●

【男女・文理別採用実績】※25年:予定数

	大卒男	大卒女	修士男	修士女
23年	53(文 21 理 32)	24(文 16 理 8)	21(文 1 理 20)	5(文 3 理 2)
24年	40(文 16 理 24)	36(文 24 理 12)	17(文 0 理 17)	3(文 1 理 2)
25年	34(文 9 理 25)	48(文 41 理 7)	13(文 2 理 11)	6(文 3 理 3)

【男女・職種別採用実績】 転換制度:⇔

	総合職
23年	130(男 97 女 33)
24年	126(男 77 女 49)
25年	126(男 62 女 64)

【24年4月入社者の配属勤務地】㊍東京・港13 京都(竹田6 烏丸3) 大阪1 鹿児島・国分1 ㊗札幌2 仙台1 東京・港43 滋賀・野洲2 京都(竹田28 烏丸6) 大阪6 広島1 長崎7 鹿児島(鹿児島2 隼人3 川内1)

【転勤】あり:全社員(本人希望時、または本人と合意時のみ)

【中途比率】[単年度]21年度42%、22年度46%、23年度22%[全体]44%

●働きやすさ、諸制度●

残業(月) 16.1時間 ㊍16.1時間

【勤務時間】8:45〜17:30(事業所により異なる)【有休取得年平均】16.4日【週休】完全2日(土日祝)【夏期休暇】土日含む連続6日(うち一斉有休1日)【年末年始休暇】土日含む連続7日(うち一斉有休1日)

【離職率】男:5.6%、123名 女:3.2%、20名

【新卒3年後離職率】
[20→23年]17.4%(男15.7%・入社83名、女21.9%・入社32名)
[21→24年]13.6%(男16.4%・入社61名、女5.0%・入社20名)

【テレワーク】制度あり:[場所]自宅[対象]全社員[日数]最大週4日※部署によって異なる[利用率]23.4%【勤務制度】フレックス 時間単位有休 時差勤務 勤務間インターバル 副業容認【住宅補助】住宅手当(0〜50,000円)借上社宅(転勤時)社員寮(定期入社時)

●ライフイベント、女性活躍●

【女性比率】■男 □女

新卒採用 50.8% (64名)

従業員 22.5% (604名)

管理職 14.6% (122名)

【産休】[期間]産前6・産後8週間[給与]法定[取得者数]27名

【育休】[期間]1歳になるまで[給与]法定[取得者数]22年度 男31名(対象56名)女33名(対象33名)23年度 男48名(対象63名)女24名(対象24名)[平均取得日数]22年度 男47日 女343日、23年度 男50日 女346日

【従業員】[人数]2,688名(男2,084名、女604名)[平均年齢]40.0歳(男41.1歳、女36.3歳)[平均勤続年数]11.7年(男12.1年、女10.3年)【年齢構成】■男 □女

	男	女
60代〜	5%	0%
50代	15%	2%
40代	22%	6%
30代	18%	8%
〜20代	18%	7%

会社データ (金額は百万円)

【本社】612-8450 京都府京都市伏見区竹田鳥羽殿町6 京セラ本社ビル ☎0800-0808123 https://www.kccs.co.jp/

【業績(連結)】	売上高	営業利益	経常利益	純利益
22.3	140,526	NA	10,658	7,348
23.3	137,963	NA	10,714	7,479
24.3	151,575	NA	12,795	9,230

ユニアデックス㈱

えるぼし ★★ / プラチナくるみん

【特色】BIPROGYの完全子会社。総合ICTサポート展開

[記者評価] ICT基盤の設計、構築から運用、保守まで一貫。特定メーカーの製品にとらわれないマルチベンダー対応に特徴。エンジニア1600人超、累計認定資格9000超。国内約180カ所、海外約100カ国に拠点。クラウドサービスやDX支援に注力。独自の教育・研修システム充実。

平均勤続年数	男性育休取得率	3年後離職率	平均年収(平均43歳)
17.5年	37.8→51.3%	18.6→9.7%	[総]866万円

●採用・配属情報●

【男女・文理別採用実績】

	大卒男	大卒女	修士男	修士女
23年	35(文 25 理 10)	38(文 37 理 1)	2(文 1 理 1)	2(文 2 理 0)
24年	39(文 29 理 10)	25(文 23 理 2)	3(文 0 理 3)	3(文 3 理 0)
25年	43(文 32 理 11)	23(文 20 理 3)	4(文 1 理 3)	3(文 3 理 0)

【男女・職種別採用実績】

	総合職
23年	79(男 39 女 40)
24年	74(男 45 女 29)
25年	76(男 50 女 26)

【24年4月入社者の配属勤務地】[総]東京13 大阪3 愛知3 福岡2 宮城1 [技]東京35 栃木1 大阪9 愛知4 福岡2 宮城1

【転勤】あり:全社員(一部を除く)

【中途比率】[単年度]21年度29%、22年度34%、23年度30%[全体]15%

●働きやすさ、諸制度●

残業(月) 17.0時間 [総]17.0時間

【勤務時間】9:00～17:30【有休取得年平均】14.9日【週休】完全2日(土日祝)【夏期休暇】連続7～14日(有休で取得)【年末年始休暇】12月29日～1月3日

【離職率】男:3.5%、68名 女:4.1%、20名(早期退職20名含む)

【新卒3年後離職率】

[20→23年]18.6%(男18.2%・入社33名、女19.2%・入社26名)

[21→24年]9.7%(男15.2%・入社33名、女5.1%・入社39名)

【テレワーク】制度あり:[場所]自宅 サテライトオフィス 他[対象]全社員※所属長の判断・業務内容による[日数]制限なし[利用率]55.9%【勤務制度】フレックス 時間単位有休【住宅補助】独身寮 社宅 住宅手当(20,000～47,000円)

●ライフイベント、女性活躍●

【女性比率】■男 □女

新卒採用 34.2% (26名)

従業員 19.9% (473名)

管理職 8.3% (31名)

【産休】[期間]産前産後計9カ月[給与]法定[取得者数]10名

【育休】[期間]2歳になるまで[給与]法定[取得者数]22年度 男14名(対象37名)女19名(対象19名)23年度 男20名(対象39名)女9名(対象9名)[平均取得日数]22年度 NA、23年度 男122日 女398日

【従業員】[人数]2,373名(男1,900名、女473名)[平均年齢]42.8歳(男44.3歳、女37.0歳)[平均勤続年数]17.5年(男18.6年、女12.9年)

【年齢構成】■男 □女

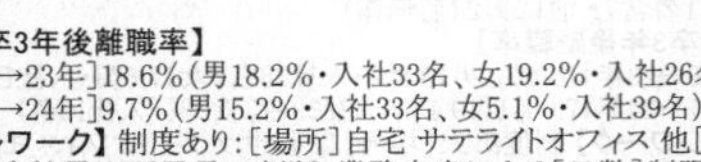

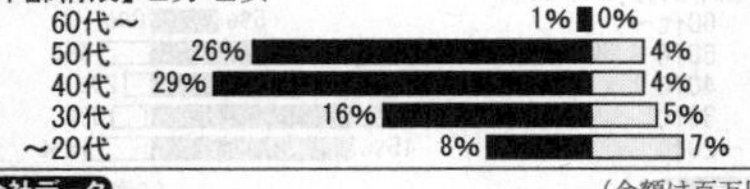

[会社データ] (金額は百万円)

【本社】135-8560 東京都江東区豊洲1-1-1 ☎03-5546-4900 https://www.uniadex.co.jp/

【業績(単独)】	売上高	営業利益	経常利益	純利益
22.3	129,802	8,175	8,230	5,655
23.3	138,287	8,983	8,976	6,139
24.3	150,449	13,781	13,859	9,844

㈱電通総研(でんつうそうけん)

えるぼし ★★★ / プラチナくるみん

【特色】電通向けや製造業向け強い。自社開発品が成長

[記者評価] 中堅システムインテグレーター。CAD／CAMなど製造業向け設計支援に強み。人事管理や連結会計など自社開発ソフトが収益柱に成長。経費精算システム育成。24年1月に電通グループ内のシンクタンク機能を統合、電通国際情報サービスから現社名に変更。

平均勤続年数	男性育休取得率	3年後離職率	平均年収(平均41歳)
11.6年	53.1→51.6%	5.0→10.7%	[総]1,134万円

●採用・配属情報●

【男女・文理別採用実績】

	大卒男	大卒女	修士男	修士女
23年	38(文 16 理 22)	17(文 11 理 6)	33(文 1 理 32)	4(文 0 理 4)
24年	58(文 35 理 23)	21(文 16 理 5)	64(文 1 理 63)	6(文 0 理 6)
25年	41(文 27 理 14)	40(文 34 理 6)	31(文 1 理 30)	2(文 0 理 2)

【男女・職種別採用実績】 転換制度:⇔

	総合職
23年	92(男 71 女 21)
24年	149(男 122 女 27)
25年	114(男 72 女 42)

【24年4月入社者の配属勤務地】[総]東京・品川4 大阪4 愛知(名古屋1 豊田1) [技]東京・品川127 大阪4 愛知(名古屋・豊田3)広島3

【転勤】あり:全社員

【中途比率】[単年度]21年度49%、22年度58%、23年度60%[全体]47%

●働きやすさ、諸制度●

残業(月) 28.9時間

【勤務時間】9:30～17:30【有休取得年平均】11.8日【週休】完全2日(土日祝)【夏期休暇】有休で取得【年末年始休暇】12月29日～1月3日

【離職率】男:2.5%、42名 女:4.7%、19名

【新卒3年後離職率】

[20→23年]5.0%(男6.5%・入社31名、女3.4%・入社29名)

[21→24年]10.7%(男10.0%・入社40名、女12.5%・入社16名)

【テレワーク】制度あり:[場所]自宅 サテライトオフィス[対象]NA[日数]NA[利用率]NA【勤務制度】フレックス 裁量労働【住宅補助】転勤者用借上社宅 新卒向け住宅費補助手当

●ライフイベント、女性活躍●

【女性比率】■男 □女

新卒採用 36.8% (42名)

従業員 18.8% (383名)

管理職 5.8% (31名)

【産休】[期間]産前6・産後8週間[給与]会社全額給付[取得者数]13名

【育休】[期間]2歳になるまで[給与]法定[取得者数]22年度 男34名(対象64名)女29名(対象29名)23年度 男32名(対象62名)女12名(対象12名)[平均取得日数]22年度 NA、23年度 NA

【従業員】[人数]2,038名(男1,655名、女383名)[平均年齢]40.6歳(男41.6歳、女36.5歳)[平均勤続年数]11.6年(男12.2年、女9.1年)

【年齢構成】NA

[会社データ] (金額は百万円)

【本社】108-0075 東京都港区港南2-17-1 ☎03-6713-6111 https://www.dentsusoken.com/

【業績(連結)】	売上高	営業利益	経常利益	純利益
21.12	112,085	13,736	13,224	8,944
22.12	129,054	18,590	18,354	12,598
23.12	142,608	21,028	21,244	14,663

239 開示 ★★★

パナソニック インフォメーションシステムズ(株)

えるぼし ★★

【特色】パナソニックの完全子会社。グループIT中核

[記者評価] 15年10月にパナソニック電工系のシステム会社とパナソニック本体の情報システム部門が統合し現体制に。グループIT部門の中核。ERPパッケージに強み。システムの企画・構築・運用まで一貫して手がける。RPA分野に注力。グループ外への展開も活発。

平均勤続年数	男性育休取得率	3年後離職率	平均年収(平均44歳)
16.7年	14.3→25.0%	13.8→6.5%	NA

●採用・配属情報●

【男女・文理別採用実績】

	大卒男	大卒女	修士男	修士女
23年	8(文 0理 8)	2(文 0理 2)	13(文 0理 13)	7(文 0理 7)
24年	14(文 2理 12)	9(文 4理 5)	26(文 0理 26)	7(文 1理 6)
25年	22(文 7理 15)	19(文 8理 11)	46(文 0理 46)	5(文 0理 5)

【男女・職種別採用実績】

	総合職
23年	30(男 21 女 9)
24年	56(男 40 女 16)
25年	92(男 68 女 24)

【24年4月入社者の配属勤務地】[総]なし [技]大阪47 滋賀1 東京8
【転勤】あり:全社員
【中途比率】[単年度]21年度33%、22年度50%、23年度67%[全体]29%

●働きやすさ、諸制度●

残業(月) 24.9時間 [総]24.9時間

【勤務時間】7時間45分(ノンコア・フレックスタイム制)【有休取得年平均】21.5日【週休】完全2日(土日祝)【夏期休暇】約10日(有休3日程度含む)【年末年始休暇】約10日
【離職率】男:2.1%、21名 女:2.3%、7名
【新卒3年後離職率】
[20→23年]13.8%(男21.1%・入社19名、女0%・入社10名)
[21→24年]6.5%(男8.0%・入社25名、女0%・入社6名)
【テレワーク】制度あり:[場所]原則は自宅 育児・介護事由による通勤圏内・外の本人・パートナーの実家等[対象]全従業員 育児・介護事由による場合は、事前申請承認が必要[日数]制限なし[利用率]NA【勤務制度】フレックス 時間単位有休 勤務間インターバル【住宅補助】独身寮 転勤用社宅 住居費補助

●ライフイベント、女性活躍●

【女性比率】■男 □女

新卒採用 26.1% (24名)

従業員 22.6% (291名)

【産休】[期間]産前8・産後8週間[給与]産前42日・産後56日は健保+会社計85%給付、他は法定[取得者数]1名
【育休】[期間]小学校就学直後の4月末まで(通算730日)[給与]法定[取得者数]22年度 男4名(対象28名)女4名(対象5名)23年度 男6名(対象24名)女4名(対象4名)[平均取得日数]22年度 NA、23年度 NA
【従業員】[人数]1,286名(男995名、女291名)[平均年齢]44.3歳(男44.8歳、女42.3歳)[平均勤続年数]16.7年(男17.1年、女15.3年)
【年齢構成】■男 □女

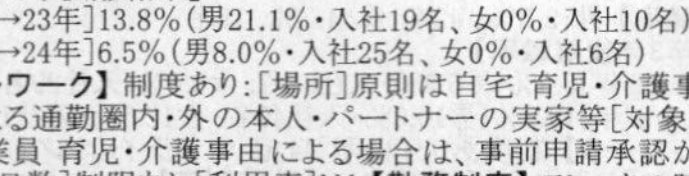
60代〜 5% 0%
50代 27% 7%
40代 19% 7%
30代 17% 4%
〜20代 9% 4%

[会社データ] (金額は百万円)
【本社】530-0013 大阪府大阪市北区茶屋町19-19 ☎06-6906-2801
https://is-c.panasonic.co.jp/jp/recruit/

【業績(単独)】	売上高	営業利益	経常利益	純利益
22.3	116,750	5,153	5,345	3,684
23.3	126,378	5,470	5,478	3,801
24.3	136,206	5,579	5,777	4,005

792 開示 ★★★★★

都築電気(株)

(つづきでんき)

えるぼし ★★ くるみん

【特色】情報・通信機器販売やシステム構築の独立系

[記者評価] 通信ネットワークと情報システムが両輪。法人向けパソコンやネットワーク機器の販売、ネットワーク構築、システム開発などを展開。富士通系だったが、麻生が発行株2割超握る筆頭株主に。24年1月電子デバイス事業をレスターHDに譲渡し、ICT領域に専念。

平均勤続年数	男性育休取得率	3年後離職率	平均年収(平均43歳)
[!]18.9年	48.5→65.7%	16.4→7.0%	[総]946万円

●採用・配属情報●

【男女・文理別採用実績】

	大卒男	大卒女	修士男	修士女
23年	12(文 5理 7)	6(文 4理 2)	6(文 0理 6)	0(文 0理 0)
24年	18(文 8理 10)	9(文 9理 0)	3(文 0理 3)	0(文 0理 0)
25年	15(文 9理 6)	10(文 10理 0)	5(文 0理 5)	0(文 0理 0)

【男女・職種別採用実績】 転換制度:⇔

	総合職
23年	24(男 18 女 6)
24年	30(男 21 女 9)
25年	30(男 20 女 10)

【24年4月入社者の配属勤務地】[総]なし [技]東京・新橋30
【転勤】あり:全社員
【中途比率】[単年度]21年度7%、22年度30%、23年度23%[全体]13%

●働きやすさ、諸制度●

残業(月) 35.2時間 [総]37.8時間

【勤務時間】フレックスタイム制(コアタイム10:00〜15:00)【有休取得年平均】17.0日【週休】完全2日(土日祝)【夏期休暇】5日(7月1日〜9月20日)【年末年始休暇】12月29日〜1月4日
【離職率】男:2.9%、31名 女:5.6%、11名(選択定年男9名女1名含む 他に男24名転籍)
【新卒3年後離職率】
[20→23年]16.4%(男15.8%・入社38名、女17.6%・入社17名)
[21→24年]7.0%(男9.1%・入社33名、女0%・入社10名)
【テレワーク】制度あり:[場所]自宅 サテライトオフィス モバイルワークオフィス[対象]全社員[日数]制限なし[利用率]57.1%【勤務制度】フレックス 副業容認【住宅補助】独身寮 借上社宅(転勤者のみ)住宅手当

●ライフイベント、女性活躍●

【女性比率】■男 □女

新卒採用 33.3% (10名)

従業員 15.1% (187名)

管理職 2.7% (7名)

【産休】[期間]産前6・産後8週間[給与]法定[取得者数]9名
【育休】[期間]1歳になるまで[給与]法定[取得者数]22年度 男16名(対象33名)女7名(対象6名)23年度 男23名(対象35名)女9名(対象9名)[平均取得日数]22年度 男102日 女221日、23年度 男62日 女411日
【従業員】[人数]1,239名(男1,052名、女187名)[平均年齢]43.5歳(男44.4歳、女38.6歳)[平均勤続年数]18.9年(男20.3年、女11.5年)※嘱託含む
【年齢構成】■男 □女

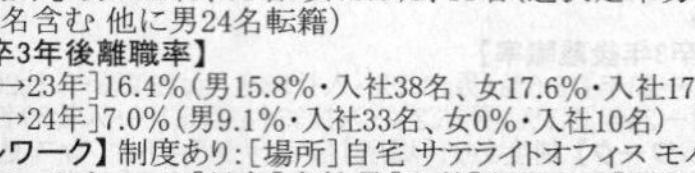
60代〜 5% 0%
50代 30% 4%
40代 18% 2%
30代 17% 3%
〜20代 15% 5%

[会社データ] (金額は百万円)
【本社】105-8665 東京都港区新橋6-19-15 東京美術倶楽部ビル ☎03-6833-7777
https://www.tsuzuki.co.jp/

【業績(連結)】	売上高	営業利益	経常利益	純利益
22.3	119,316	4,012	4,227	2,798
23.3	123,899	5,118	5,355	3,521
24.3	124,856	6,439	6,486	5,477

㈱インテック

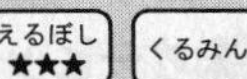

【特色】富山発祥のSI。TISインテックグループを形成

記者評価 富山の情報処理会社から全国規模のSIへ発展。事業持株会社であるTISの傘下。富山と東京の2本社体制。金融、製造、流通向けシステムに実績があり、金融では特に保険向けに強み。地方自治体等の行政や医療機関、メディア向けも。統合データ活用サービスも展開。

平均勤続年数	男性育休取得率	3年後離職率	平均年収(平均41歳)
17.6年	34.4→54.2%	14.5→17.9%	(総)701万円

●採用・配属情報●

【男女・文理別採用実績】

	大卒男	大卒女	修士男	修士女
23年	71(文 35 理 36)	50(文 40 理 10)	16(文 4 理 12)	6(文 5 理 1)
24年	99(文 53 理 46)	57(文 41 理 16)	14(文 4 理 10)	6(文 3 理 3)
25年	86(文 46 理 40)	54(文 40 理 14)	17(文 0 理 17)	3(文 2 理 1)

【男女・職種別採用実績】

	総合職
23年	143(男 87 女 56)
24年	178(男 115 女 63)
25年	162(男 104 女 58)

【24年4月入社者の配属勤務地】(総)東京・横浜15 富山5 大阪6 仙台1 (技)東京・横浜94 富山20 大阪19 名古屋10 札幌2 仙台1 新潟1 岡山1 山口1 福岡2

【転勤】あり:全社員

【中途比率】[単年度]21年度11%、22年度8%、23年度11% [全体]4%

●働きやすさ、諸制度●

残業(月) 19.5時間 (総)19.5時間

【勤務時間】9:00〜17:30 **【有休取得年平均】**13.4日 **【週休】**完全2日(土日祝) **【夏期休暇】**年次特別休暇として年間3日付与 **【年末年始休暇】**12月29日〜1月3日

【離職率】男:3.5%、90名 女:3.2%、35名

【新卒3年後離職率】
[20→23年]14.5%(男12.6%・入社119名、女18.3%・入社60名)
[21→24年]17.9%(男18.7%・入社91名、女16.3%・入社49名)

【テレワーク】制度あり:[場所]自宅 実家(帰省先)サテライトオフィス[対象]全社員[日数]制限なし[利用率]41.2% **【勤務制度】**フレックス 時間単位有休 時差勤務 勤務間インターバル 副業容認 **【住宅補助】**独身寮(東京・神奈川・千葉に計4棟)住宅手当(地域、独家区分によって手当額は異なる)持家手当(地域、独家区分によって手当額は異なる)

●ライフイベント、女性活躍●

【女性比率】■男 □女

新卒採用 35.8% (58名)

従業員 30.4% (1072名)

管理職 3.8% (5名)

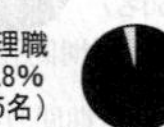

【産休】[期間]産前6・産後8週間[給与]法定[取得者数]39名

【育休】[期間]3歳になるまで[給与]法定[取得者数]22年度 男21名(対象61名)女27名(対象27名)23年度 男32名(対象59名)女41名(対象41名)[平均取得日数]22年度 男95日 女464日、23年度 男112日 女475日

【従業員】[人数]3,524名(男2,452名、女1,072名)[平均年齢]41.4歳(男42.5歳、女38.9歳)[平均勤続年数]17.6年(男18.5年、女15.7年) **【年齢構成】**■男 □女

	男	女
60代〜	2%	0%
50代	20%	5%
40代	18%	8%
30代	13%	8%
〜20代	16%	9%

会社データ (金額は百万円)

【本社】930-8577 富山県富山市牛島新町5-5 ☎076-444-1111 https://www.intec.co.jp/

【業績(単独)】	売上高	営業利益	経常利益	純利益
22.3	106,593	10,579	11,594	8,029
23.3	113,208	13,665	14,822	11,113
24.3	122,234	12,087	12,978	9,714

㈱DTS(ディティエス)

えるぼし ★★ くるみん

【特色】独立系システム開発大手。金融、通信向けに強い

記者評価 金融や通信向けシステム開発に強い。システム構築から運用、保守まで手がける。医療や車載の組み込み案件やBPO(業務外部委託)も手がける。クラウドを中心に強化中のDX関連が急拡大。先端技術に強いデジタル人材育成を推進。インドや米国でITサービス買収。

平均勤続年数	男性育休取得率	3年後離職率	平均年収(平均40歳)
15.2年	18.8→56.7%	24.1→16.5%	(総)612万円

●採用・配属情報●

【男女・文理別採用実績】※25年:24年7月31日時点

	大卒男	大卒女	修士男	修士女
23年	118(文 67 理 51)	56(文 49 理 7)	7(文 0 理 7)	4(文 3 理 1)
24年	138(文 78 理 60)	60(文 52 理 8)	7(文 2 理 5)	4(文 2 理 2)
25年	131(文 71 理 60)	53(文 44 理 9)	11(文 2 理 9)	3(文 2 理 1)

【男女・職種別採用実績】

	総合職
23年	194(男 132 女 62)
24年	220(男 156 女 64)
25年	203(男 145 女 58)

【24年4月入社者の配属勤務地】(総)東京2 (技)東京218

【転勤】あり:[職種]全社員[勤務地]埼玉 千葉 東京 神奈川

【中途比率】[単年度]21年度3%、22年度11%、23年度15% [全体]26%

●働きやすさ、諸制度●

残業(月) 22.7時間 (総)22.7時間

【勤務時間】8:50〜17:35 **【有休取得年平均】**14.7日 **【週休】**完全2日(土日祝) **【夏期休暇】**夏期に限らず取得できる年3日間の休暇を有休とは別に付与 **【年末年始休暇】**12月29日〜1月3日

【離職率】男:6.1%、161名 女:6.6%、43名

【新卒3年後離職率】
[20→23年]24.1%(男21.8%・入社119名、女30.2%・入社43名)
[21→24年]16.5%(男14.2%・入社120名、女22.0%・入社50名)

【テレワーク】制度あり:[場所]自宅 サテライトオフィス 自宅に準じる場所(会社指定)他[対象]全社員[日数]原則最大週4日(例外あり)[利用率]33.4% **【勤務制度】**フレックス 裁量労働 時差勤務 副業容認 **【住宅補助】**独身寮

●ライフイベント、女性活躍●

【女性比率】■男 □女

新卒採用 28.6% (58名)　従業員 19.7% (613名)　管理職 3.5% (13名)

【産休】[期間]産前10・産後8週間[給与]法定[取得者数]12名

【育休】[期間]2歳に到達した日の直後に到来する4月末日[給与]法定[取得者数]22年度 男9名(対象48名)女13名(対象36名)23年度 男17名(対象30名)女14名(対象13名)[平均取得日数]22年度 男74日 女421日、23年度 男106日 女474日

【従業員】[人数]3,111名(男2,498名、女613名)[平均年齢]39.9歳(男41.1歳、女34.9歳)[平均勤続年数]15.2年(男16.4年、女9.9年)

【年齢構成】■男 □女

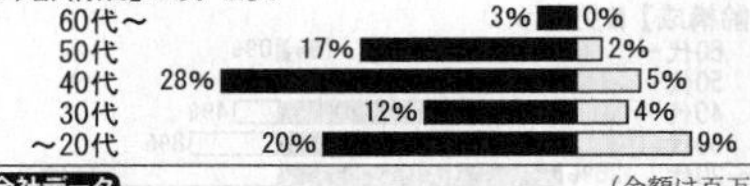

会社データ (金額は百万円)

【本社】104-0032 東京都中央区八丁堀2-23-1 エンパイヤビル ☎03-3948-5488 https://www.dts.co.jp/

【業績(連結)】	売上高	営業利益	経常利益	純利益
22.3	94,452	11,196	11,403	7,853
23.3	106,132	11,694	11,932	8,001
24.3	115,727	12,508	12,831	7,293

2846 開示 ★★★

日本ビジネスシステムズ(株)

えるぼし★★★ くるみん

【特色】マイクロソフトに強いクラウドインテグレーター

[記者評価] マイクロソフトに特化したクラウドインテグレーター。豊富なクラウド人材を抱え、新卒エンジニアの育成に強み。「MS365」が強かったが、急成長する「Azure」向けを強化中。生成AIサービスも投入。本社近くの都心に複数の社宅。22年にネクストスケープ買収。

平均勤続年数	男性育休取得率	3年後離職率	平均年収(平均35歳)
6.8年	39.0→52.9%	26.7→9.2%	[総]618万円

●採用・配属情報●

【男女・文理別採用実績】

	大卒男	大卒女	修士男	修士女
23年	110(文 71 理 39)	74(文 65 理 9)	3(文 0 理 3)	1(文 0 理 1)
24年	102(文 61 理 41)	71(文 58 理 13)	6(文 0 理 6)	5(文 1 理 4)
25年	104(文 62 理 42)	62(文 53 理 9)	3(文 0 理 3)	3(文 1 理 2)

【男女・職種別採用実績】

	エンジニア／営業職	コーポレートスタッフ職
23年	184(男 113 女 71)	4(男 0 女 4)
24年	182(男 110 女 72)	4(男 0 女 4)
25年	173(男 108 女 65)	3(男 1 女 2)

【24年4月入社者の配属勤務地】[総]東京・虎ノ門26 名古屋1 大阪市3 福岡市2 [技]東京・虎ノ門123 名古屋10 大阪市10 福岡市4 沖縄・浦添7
【転勤】あり：全社員(地域限定正社員を除く)
【中途比率】[単年度]21年度31%、22年度31%、23年度38%[全体]46%

●働きやすさ、諸制度●

残業(月) 16.3時間 [総]16.3時間

【勤務時間】9:00〜17:30【有休取得年平均】14.3日【週休】完全2日(土日祝)【夏期休暇】なし【年末年始休暇】12月30日〜1月3日
【離職率】男:5.2%、94名 女:5.4%、42名
【新卒3年後離職率】
[20→23年]26.7%(男29.9%・入社107名、女21.7%・入社69名)
[21→24年]9.2%(男11.1%・入社72名、女6.9%・入社58名)
【テレワーク】制度あり：[場所]自宅 会社提供のシェアオフィス[対象]全社員[日数]制限なし[利用率]54.1%【勤務制度】フレックス 裁量労働 時差勤務 副業容認【住宅補助】住宅手当(世帯主:20,000円 世帯主以外10,000円 社宅入居者は除く)社宅(首都圏のみ)

●ライフイベント、女性活躍●

【女性比率】■男 □女

新卒採用 38.1% (67名)　従業員 30.2% (742名)　管理職 11.2% (36名)

【産休】[期間]産前6・産後8週間[給与]法定[取得者数]20名
【育休】[期間]1歳になるまで[給与]法定[取得者数]22年度 男23名(対象59名)女21名(対象21名)23年度 男27名(対象51名)女22名(対象25名)[平均取得日数]22年度 男64日 女404日、23年度 男108日 女363日
【従業員】[人数]2,454名(男1,712名、女742名)[平均年齢]34.8歳(男36.2歳、女31.8歳)[平均勤続年数]6.8年(男7.2年、女6.1年)
【年齢構成】■男 □女

	男	女
60代〜	1%	0%
50代	6%	1%
40代	18%	4%
30代	20%	8%
〜20代	26%	17%

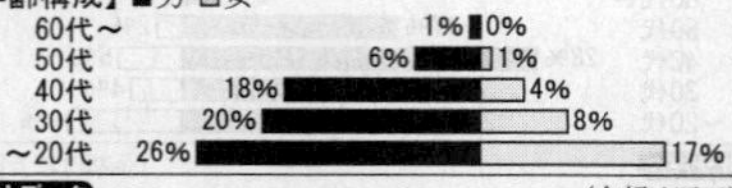

[会社データ] (金額は百万円)
【本社】105-5520 東京都港区虎ノ門2-6-1 虎ノ門ヒルズステーションタワー ☎03-6772-4000 https://www.jbs.co.jp/

【業績(連結)】	売上高	営業利益	経常利益	純利益
23.9	112,800	4,192	4,349	3,350

312 開示 ★★

(株)オービック

プラチナくるみん

【特色】経営情報管理(ERP)大手。中堅向けで首位

[記者評価] 会計、人事、給与など間接部門の経営情報を一括で管理するERPソフト「OBIC7」が柱。中堅企業向けで断トツのシェア。経営効率に優れており、収益性は日本屈指。関連会社に「奉行」シリーズのOBC。家族主義(新卒主義)を掲げ、中途採用は実施しない方針。

平均勤続年数	男性育休取得率	3年後離職率	平均年収(平均36歳)
13.2年	71.2→86.2%	NA	[総]1,078万円

●採用・配属情報●

【男女・文理別採用実績】

	大卒男	大卒女	修士男	修士女
23年	106(文 72 理 34)	35(文 31 理 4)	5(文 0 理 5)	0(文 0 理 0)
24年	113(文 90 理 23)	47(文 39 理 8)	5(文 0 理 5)	0(文 0 理 0)
25年	115(文 90 理 25)	50(文 40 理 10)	0(文 0 理 0)	0(文 0 理 0)

【男女・職種別採用実績】

	総合職
23年	146(男 111 女 35)
24年	165(男 118 女 47)
25年	165(男 115 女 50)

【24年4月入社者の配属勤務地】[総]東京 大阪 名古屋 [技]東京 大阪 名古屋
【転勤】NA
【中途比率】[単年度]21年度NA、22年度NA、23年度NA[全体]NA

●働きやすさ、諸制度●

残業(月) NA

【勤務時間】9:00〜17:30【有休取得年平均】14.5日【週休】完全2日(土日祝)【夏期休暇】連続6日【年末年始休暇】連続9日
【離職率】NA
【新卒3年後離職率】
[20→23年]NA
[21→24年]NA
【テレワーク】制度あり：[場所]NA[対象]NA[日数]NA[利用率]NA【勤務制度】時間単位有休 時差勤務【住宅補助】独身寮 借上社宅 住宅手当(若手社員向け住宅加算手当あり)

●ライフイベント、女性活躍●

【女性比率】■男 □女

新卒採用 30.3% (50名)　従業員 20.3% (386名)

【産休】[期間]産前6・産後8週間[給与]法定[取得者数]18名
【育休】[期間]1歳になるまで[給与]法定[取得者数]22年度 男52名(対象73名)女19名(対象19名)23年度 男56名(対象65名)女18名(対象18名)[平均取得日数]22年度 NA、23年度 NA
【従業員】[人数]1,898名(男1,512名、女386名)[平均年齢]36.1歳(男36.9歳、女33.0歳)[平均勤続年数]13.2年(男13.9年、女10.4年)
【年齢構成】NA

[会社データ] (金額は百万円)
【本社】104-8328 東京都中央区京橋2-4-15 オービックビル ☎03-3245-6505 https://www.obic.co.jp/

【業績(連結)】	売上高	営業利益	経常利益	純利益
22.3	89,476	54,135	60,174	43,500
23.3	100,167	62,490	70,223	50,116
24.3	111,590	70,910	81,151	58,007

2806 開示 ★★★

みつびしユーエフジェイ
三菱ＵＦＪインフォメーションテクノロジー㈱

えるぼし★★　プラチナくるみん

【特色】MUFGのシステム会社。グループのIT戦略を支える

記者評価 略称MUIT。09年にグループのシステム3社が合併し設立。三菱UFJ銀行をはじめとして、証券、カードなどグループ各社のシステム開発を担う。システムの企画立案から設計・構築・運用まで一貫。地銀向けに基幹システムパッケージの提供や業務コンサルも。

平均勤続年数	男性育休取得率	3年後離職率	平均年収(平均40歳)
13.9年	93.1→83.7%	11.3→9.7%	総850万円

●採用・配属情報●

【男女・文理別採用実績】

	大卒男	大卒女	修士男	修士女
23年	33(文 18理 15)	11(文 9理 2)	8(文 2理 6)	0(文 0理 0)
24年	42(文 23理 19)	21(文 17理 4)	8(文 0理 8)	2(文 0理 2)
25年	58(文 35理 23)	36(文 31理 5)	13(文 2理 11)	3(文 2理 1)

【男女・職種別採用実績】　転換制度：⇔

	総合職
23年	52(男 41 女 11)
24年	73(男 50 女 23)
25年	110(男 71 女 39)

【24年4月入社者の配属勤務地】㊚東京(中野66 多摩3 目白台4)

【転勤】あり:[勤務地]東京(中野 多摩 他)京都 MUFGグループ会社拠点 三菱UFJ銀行の海外拠点(ニューヨーク ロンドン 上海 シンガポール 他)

【中途比率】[単年度]21年度11%、22年度24%、23年度50%[全体]10%

●働きやすさ、諸制度●

残業(月)　27.5時間 総27.5時間

【勤務時間】8:40～17:10(時差勤務制度あり)【有休取得年平均】16.4日【週休】完全2日(土日)【夏期休暇】年次有休と土日祝を含めて10連休・5連休をそれぞれ年度に1回ずつ取得【年末年始休暇】12月31日～1月3日

【離職率】NA

【新卒3年後離職率】
[20→23年]11.3%(男14.6%・入社41名、女4.8%・入社21名)
[21→24年]9.7%(男12.8%・入社39名、女4.3%・入社23名)

【テレワーク】制度あり:[場所]自宅 他[対象]全社員[日数]制限なし[利用率]60.4%【勤務制度】時間単位有休 裁量労働 時差勤務 勤務間インターバル 副業容認【住宅補助】住宅手当

●ライフイベント、女性活躍●

【女性比率】■男 □女

新卒採用 35.5% (39名)

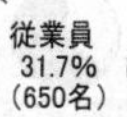

従業員 31.7% (650名)

【産休】[期間]産前6・産後8週間[給与]会社全額給付[取得者数]37名

【育休】[期間]1歳になるまで[給与]10営業日まで有給、以後法定[取得者数]22年度 男54名(対象58名)女24名(対象24名)23年度 男36名(対象43名)女41名(対象41名)[平均取得日数]22年度 NA、23年度 男58日 女308日

【従業員】[人数]2,050名(男1,400名、女650名)[平均年齢]40.1歳(男41.3歳、女37.5歳)[平均勤続年数]13.9年(男14.7年、女13.0年)

【年齢構成】■男 □女

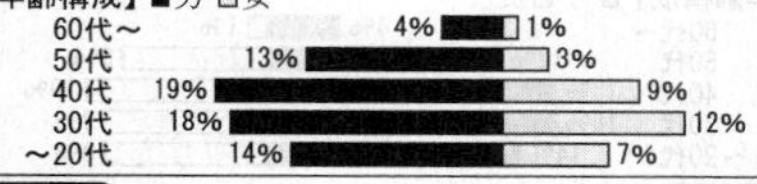

会社データ　(金額は百万円)

【本社】164-0001 東京都中野区中野4-10-2 中野セントラルパークサウス ☎03-3319-1111　https://www.it.mufg.jp/

【業績(単独)】	売上高	営業利益	経常利益	純利益
22.3	88,119	105	145	78
23.3	99,280	1,484	1,503	1,031
24.3	105,352	1,279	1,311	895

1117 開示 ★★★★　短大 専門 採用あり

エヌエスディ
㈱ＮＳＤ

くるみん

【特色】独立系。ソフト開発が中心の情報サービス大手

記者評価 メガバンク、生損保、証券など金融機関向けシステム開発に定評。ほかに、メーカーや社会インフラ企業など幅広い顧客を有する。近年は同業の買収によりコンサルやメディカル分野を強化。生成AIをオンプレミスで活用可能なプラットフォームの提供も開始。

平均勤続年数	男性育休取得率	3年後離職率	平均年収(平均39歳)
15.3年	30.9→49.0%	17.5→11.6%	総696万円

●採用・配属情報●

【男女・文理別採用実績】

	大卒男	大卒女	修士男	修士女
23年	60(文 16理 44)	63(文 43理 20)	5(文 0理 5)	1(文 0理 1)
24年	58(文 17理 41)	61(文 51理 10)	9(文 1理 8)	6(文 4理 2)
25年	52(文 18理 34)	38(文 27理 11)	7(文 1理 6)	5(文 3理 2)

【男女・職種別採用実績】

	総合職
23年	150(男 80 女 70)
24年	155(男 83 女 72)
25年	125(男 77 女 48)

【24年4月入社者の配属勤務地】㊚東京117 大阪26 名古屋2 福岡4 仙台3 広島3

【転勤】あり:全社員

【中途比率】[単年度]21年度7%、22年度7%、23年度6%[全体]6%

●働きやすさ、諸制度●

残業(月)　21.4時間 総21.4時間

【勤務時間】9:00～17:30【有休取得年平均】14.4日【週休】完全2日(土日祝)【夏期休暇】有休で6日間の取得を奨励【年末年始休暇】連続6日

【離職率】男:2.7%、70名 女:3.0%、20名

【新卒3年後離職率】
[20→23年]17.5%(男16.3%・入社86名、女19.6%・入社51名)
[21→24年]11.6%(男8.4%・入社83名、女17.4%・入社46名)

【テレワーク】制度あり:[場所]自宅 サテライトオフィス[対象]業務等によりテレワークが適切であれば実施可能(育児・介護・傷病による特別な事情を含む)[日数]出社日は原則週1回以上[利用率]41.9%【勤務制度】時間単位有休 時差勤務 勤務間インターバル 副業容認【住宅補助】なし

●ライフイベント、女性活躍●

【女性比率】■男 □女

新卒採用 38.4% (48名)

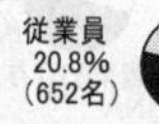

従業員 20.8% (652名)

管理職 9.5% (30名)

【産休】[期間]産前6・産後8週間[給与]法定[取得者数]26名

【育休】[期間]条件により2歳到達の日の翌年度の4月末日まで延長可能[給与]法定[取得者数]22年度 男17名(対象55名)女19名(対象19名)23年度 男25名(対象51名)女23名(対象23名)[平均取得日数]22年度 男66日 女446日、23年度 男107日 女397日

【従業員】[人数]3,133名(男2,481名、女652名)[平均年齢]39.4歳(男40.8歳、女34.5歳)[平均勤続年数]15.3年(男16.5年、女10.7年)

【年齢構成】■男 □女

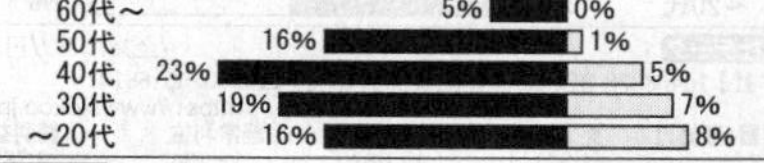

会社データ　(金額は百万円)

【本社】101-0063 東京都千代田区神田淡路町2-101 ワテラスタワー ☎03-3257-1130　https://www.nsd.co.jp/

【業績(連結)】	売上高	営業利益	経常利益	純利益
22.3	71,188	11,414	11,654	7,823
23.3	77,982	12,524	12,662	10,219
24.3	101,263	15,180	15,340	10,262

かねまつ
兼松エレクトロニクス(株)

【特色】兼松系ITベンダー。製造業とサービス業が主顧客

記者評価 兼松の完全子会社。仮想化技術を軸にシステム設計・構築と保守・運用サービスまで一貫。基幹系とオープン系の接続に強み。ITセキュリティに注力。若手社員の働きやすさを重視し、完全個室のリモートワークスペース設置。24年8月出産・育児の新休暇制度導入。

平均勤続年数	男性育休取得率	3年後離職率	平均年収(平均38歳)
13.0年	NA	22.2→42.9%	総847万円

●採用・配属情報●

【男女・文理別採用実績】

	大卒男	大卒女	修士男	修士女
23年	22(文 20理 2)	24(文 23理 1)	0(文 0理 0)	0(文 0理 0)
24年	32(文 26理 6)	14(文 14理 0)	0(文 0理 0)	0(文 0理 0)
25年	23(文 16理 7)	10(文 10理 0)	0(文 0理 0)	0(文 0理 0)

【男女・職種別採用実績】 転換制度:⇔

	総合職	エリア一般職
23年	35(男 22 女 13)	11(男 0 女 11)
24年	43(男 32 女 11)	3(男 0 女 3)
25年	33(男 23 女 10)	0(男 0 女 0)

【24年4月入社者の配属勤務地】総東京(中央16 有明2)大阪4 名古屋2 技東京・中央19
【転勤】あり:[職種]総合職
【中途比率】[単年度]21年度13%、22年度24%、23年度22%[全体]NA

●働きやすさ、諸制度●

残業(月) 16.4時間 総18.4時間

【勤務時間】9:00〜17:20【有休取得年平均】12.7日【週休】完全2日(土日祝)【夏期休暇】有休で取得【年末年始休暇】12月29日〜1月3日
【離職率】男:5.2%、18名 女:7.2%、11名(他に男1名転籍)
【新卒3年後離職率】
[20→23年]22.2%(男44.4%・入社18名、女0%・入社18名)
[21→24年]42.9%(男26.7%・入社15名、女55.0%・入社20名)
【テレワーク】制度あり:[場所]NA[対象]NA[日数]NA[利用率]NA【勤務制度】時間単位有休 時差勤務【住宅補助】独身寮(入居期間は新卒入社後7年間)社宅(転勤者)

●ライフイベント、女性活躍●

【女性比率】■男 □女

新卒採用 30.3%(10名) 従業員 30.1%(141名)

【産休】[期間]産前6・産後8週間[給与]産前6・産後8週間は特別有給休暇[取得者数]NA
【育休】[期間]1歳になるまで[給与]法定[取得者数]22年度NA 23年度 NA[平均取得日数]22年度 NA、23年度 NA
【従業員】[人数]469名(男328名、女141名)[平均年齢]39.7歳(男41.2歳、女36.1歳)[平均勤続年数]13.0年(男14.0年、女10.7年)
【年齢構成】■男 □女

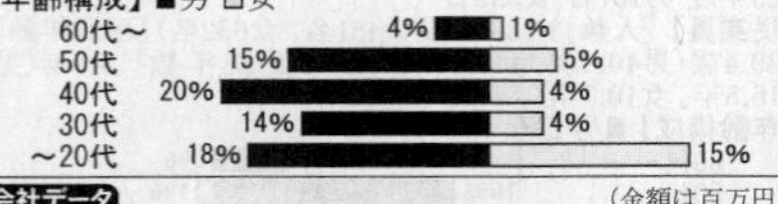

会社データ (金額は百万円)
【本社】104-8338 東京都中央区京橋2-13-10 ☎03-5250-6818 https://www.kel.co.jp/

【業績(連結)】	売上高	営業利益	経常利益	純利益
22.3	71,331	12,687	12,784	8,785
23.3	85,430	13,958	13,994	9,149
24.3	90,605	13,679	13,817	9,239

じょうほう
ニッセイ情報テクノロジー(株)

えるぼし★★★ プラチナくるみん

【特色】日生グループのSI企業。保険・医療分野などが軸

記者評価 日本生命の情報システム、ニッセイコンピュータのシステム開発両部門の統合で発足。保険・共済、年金、ヘルスケアを核にグループのIT戦略を担う。販売管理、契約管理、資産運用等の知見に強み。DX推進のリーダー育成に注力。職務公募、社内FAなどの制度充実。

平均勤続年数	男性育休取得率	3年後離職率	平均年収(平均39歳)
14.2年	67.6→52.6%	13.6→18.0%	総770万円

●採用・配属情報●

【男女・文理別採用実績】

	大卒男	大卒女	修士男	修士女
23年	44(文 32理 12)	33(文 26理 7)	10(文 1理 9)	6(文 2理 4)
24年	66(文 47理 19)	30(文 24理 6)	7(文 1理 6)	2(文 1理 1)
25年	72(文 51理 21)	33(文 30理 3)	5(文 0理 5)	3(文 2理 1)

【男女・職種別採用実績】 転換制度:⇒

	総合職
23年	93(男 54 女 39)
24年	105(男 73 女 32)
25年	113(男 77 女 36)

【24年4月入社者の配属勤務地】技東京59 大阪46
【転勤】あり:[職種]総合職
【中途比率】[単年度]21年度17%、22年度22%、23年度44%[全体]21%

●働きやすさ、諸制度●

残業(月) 29.6時間 総30.4時間

【勤務時間】9:00〜17:30【有休取得年平均】18.0日【週休】完全2日(土日祝)【夏期休暇】1日(有休含む連続5日)【年末年始休暇】12月31日〜1月3日
【離職率】男:3.9%、63名 女:2.9%、27名
【新卒3年後離職率】
[20→23年]13.6%(男10.5%・入社57名、女17.4%・入社46名)
[21→24年]18.0%(男17.5%・入社57名、女18.8%・入社32名)
【テレワーク】制度あり:[場所]自宅 サテライトオフィス 顧客訪問先 他[対象]NA[日数]NA[利用率]NA【勤務制度】フレックス 裁量労働 副業容認【住宅補助】代用社宅(入社5年以内の社員)住宅手当(代用社宅適用者を除く入社10年目以内の社員)

●ライフイベント、女性活躍●

【女性比率】■男 □女

新卒採用 31.9%(36名) 従業員 37.4%(919名) 管理職 9.3%(32名)

【産休】[期間]産前6・産後8週間[給与]法定[取得者数]33名
【育休】[期間]2歳到達の前日を含む月末または1歳半到達後の直近の年度末のいずれか遅い方[給与]法定[取得者数]22年度 男25名(対象37名)女21名(対象21名)23年度 男20名(対象38名)女30名(対象30名)[平均取得日数]22年度 男37日 女367日、23年度 男35日 女457日
【従業員】[人数]2,455名(男1,536名、女919名)[平均年齢]40.7歳(男41.0歳、女40.1歳)[平均勤続年数]14.2年(男14.5年、女13.6年)
【年齢構成】■男 □女

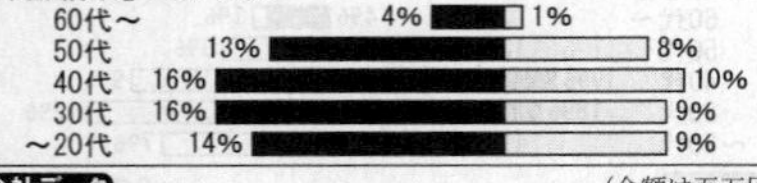

会社データ (金額は百万円)
【本社】144-0052 東京都大田区蒲田5-37-1 ニッセイアロマスクエア ☎03-5714-5633 https://www.nissay-it.co.jp/

【業績(単独)】	売上高	営業利益	経常利益	純利益
22.3	79,067	2,249	2,423	1,628
23.3	78,441	2,170	2,323	1,540
24.3	79,026	2,161	2,362	1,674

95 開示 ★★★ 短大 専門 採用あり

㈱システナ

えるぼし ★★★

【特色】ITシステム開発やDX支援を展開。車載向け急成長

記者評価 車載や電子決済、金融向けなどシステム開発が主力。ロボットやAI、5Gなど高付加価値の案件にも注力。サーバーやパソコンなどIT関連商品も企業向けに販売。22年にMJE社(大阪)とクラウド分野で新合弁。急成長する次世代自動車関連の事業体制強化を推進。

平均勤続年数	男性育休取得率	3年後離職率	平均年収(平均30歳)
5.7年	35.9→34.2%	44.9→51.3%	㊗476万円

●採用・配属情報●

【男女・文理別採用実績】

	大卒男	大卒女	修士男	修士女
23年	414(文282 理132)	281(文149 理132)	4(文 2 理 2)	4(文 4 理 0)
24年	220(文145 理 75)	127(文115 理 12)	0(文 0 理 0)	0(文 0 理 0)
25年	92(文 65 理 27)	60(文 45 理 15)	0(文 0 理 0)	0(文 0 理 0)

【男女・職種別採用実績】

	技術職	営業職	営業アシスタント職	ITサービス職	テクニカルセールス職
23年	716(男471 女245)	14(男12 女 2)	7(男 0 女 7)	41(男 5 女36)	22(男10 女12)
24年	382(男278 女104)	23(男11 女12)	6(男 0 女 6)	22(男 6 女16)	17(男 7 女10)
25年	154(男98 女56)	20(男18 女 2)	5(男 0 女 5)	20(男 5 女15)	23(男10 女13)

【24年4月入社者の配属勤務地】㊗関東67 大阪25 ㊕関東226 大阪50 名古屋31 福岡22 札幌14 広島15

【転勤】あり:全社員

【中途比率】[単年度]21年度33%、22年度27%、23年度26%[全体]42%

●働きやすさ、諸制度●

残業(月) 9.3時間 ㊗9.3時間

【勤務時間】9:00～18:00【有休取得年平均】12.8日【週休】完全2日(土日祝)【夏期休暇】5日(特別休暇として)【年末年始休暇】4日(所定休日として)

【離職率】男:15.1%、399名 女:14.5%、306名

【新卒3年後離職率】

[20→23年]44.9%(男46.5%・入社256名、女41.1%・入社107名)

[21→24年]51.3%(男44.2%・入社303名、女59.1%・入社274名)

【テレワーク】制度あり:[場所]自宅 他[対象]全社員[日数]プロジェクトによる[利用率]NA【勤務制度】フレックス 時間単位有休 裁量労働 時差勤務 勤務間インターバル【住宅補助】住宅手当

●ライフイベント、女性活躍●

【女性比率】■男 □女

新卒採用 41% (91名)　従業員 44.5% (1798名)　管理職 10.8% (15名)

【産休】[期間]産前6・産後8週間[給与]法定[取得者数]65名

【育休】[期間]1歳になるまで[給与]法定[取得者数]22年度 男14名(対象39名)女56名(対象56名)23年度 男13名(対象38名)女51名(対象51名)[平均取得日数]22年度 NA、23年度 男90日 女126日

【従業員】[人数]4,042名(男2,244名、女1,798名)[平均年齢]29.9歳(男31.3歳、女28.3歳)[平均勤続年数]5.7年(男6.8年、女4.3年)

【年齢構成】■男 □女

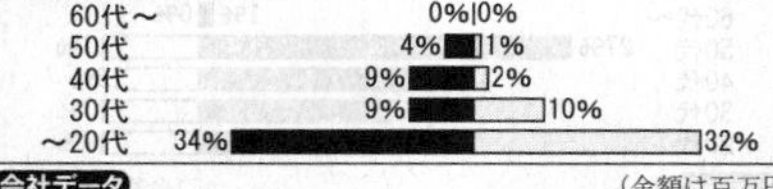

会社データ (金額は百万円)

【本社】105-0022 東京都港区海岸1-2-20 汐留ビルディング ☎03-6367-3840 https://www.systena.co.jp/

【業績(連結)】	売上高	営業利益	経常利益	純利益
22.3	65,272	9,106	8,578	5,992
23.3	74,526	9,844	9,955	7,317
24.3	76,940	9,713	9,942	7,232

1107 開示 ★★★

㈱ＴＫＣ(テイケイシイ)

【特色】税理士や地方公共団体に会計や情報サービス提供

記者評価 税理士団体「TKC全国会」を営業基盤に、会員の税理士やその顧客である中小企業向けに会計や情報システムサービスを提供。地方自治体向け基幹系システムでも大手。創業者の故飯塚毅氏は小説「不撓不屈」(高杉良著)のモデルとなった人物。堅実な社風。

平均勤続年数	男性育休取得率	3年後離職率	平均年収(平均39歳)
17.0年	29.4→54.3%	17.5→15.8%	㊗824万円

●採用・配属情報●

【男女・文理別採用実績】

	大卒男	大卒女	修士男	修士女
23年	48(文 39 理 9)	22(文 21 理 1)	5(文 0 理 5)	0(文 0 理 0)
24年	54(文 46 理 8)	33(文 31 理 2)	9(文 3 理 6)	0(文 0 理 0)
25年	50(文 - 理 -)	50(文 - 理 -)	0(文 0 理 0)	0(文 0 理 0)

※25年:予定数

【男女・職種別採用実績】

	総合職
23年	75(男 53 女 22)
24年	96(男 63 女 33)
25年	100(男 50 女 50)

【24年4月入社者の配属勤務地】㊗東京15 大阪7 埼玉4 神奈川4 愛知4 京都3 静岡3 栃木3 神戸2 福岡2 北海道2 広島2 千葉1 群馬1 宮城1 山形1 福島1 茨城1 ㊕栃木39

【転勤】あり:全社員

【中途比率】[単年度]21年度NA、22年度NA、23年度NA[全体]NA

●働きやすさ、諸制度●

残業(月) 21.8時間 ㊗21.8時間

【勤務時間】9:00～18:00【有休取得年平均】12.4日【週休】完全2日(土日祝)【夏期休暇】連続3日【年末年始休暇】連続5日

【離職率】男:2.7%、48名 女:3.1%、20名

【新卒3年後離職率】

[20→23年]17.5%(男16.1%・入社62名、女22.2%・入社18名)

[21→24年]15.8%(男9.9%・入社91名、女23.9%・入社67名)

【テレワーク】制度あり:[場所]自宅 サテライトオフィス[対象]全社員[日数]週2回まで[利用率]NA【勤務制度】時間単位有休 時差勤務 勤務間インターバル 副業容認【住宅補助】独身寮 借上寮(条件あり)

●ライフイベント、女性活躍●

【女性比率】■男 □女

新卒採用 50% (50名)　従業員 26.8% (629名)　管理職 8.9% (45名)

【産休】[期間]産前6・産後8週間[給与]法定[取得者数]19名

【育休】[期間]1歳になるまで[給与]法定[取得者数]22年度 男15名(対象51名)女21名(対象21名)23年度 男25名(対象46名)女16名(対象16名)[平均取得日数]22年度 NA、23年度 男90日 女375日

【従業員】[人数]2,349名(男1,720名、女629名)[平均年齢]39.7歳(男40.7歳、女37.1歳)[平均勤続年数]17.0年(男17.8年、女15.0年)

【年齢構成】■男 □女

	男	女
60代～	0%	0%
50代	19%	3%
40代	20%	9%
30代	18%	7%
～20代	17%	8%

会社データ (金額は百万円)

【本社】162-8585 東京都新宿区揚場町2-1 軽子坂MNビル ☎03-3235-5511 https://www.tkc.jp/

【業績(連結)】	売上高	営業利益	経常利益	純利益
21.9	66,221	12,314	12,673	8,686
22.9	67,838	13,351	13,677	9,317
23.9	71,915	14,338	14,772	10,826

1630 開示 ★★★

みつびしそうけんディーシーエス
三菱総研ＤＣＳ(株)

えるぼし ★★★　プラチナくるみん

【特色】三菱総研系SI企業。経理財務（F＆A）に強い

[記者評価] 三菱総研と三菱UFJFGの合弁。創業以来手がける人事給与システム「PROSRV（プロサーブ）」の導入実績は約2000社。DXとサービス事業を成長の両輪に掲げる。脆弱性診断ツール導入支援でも実績。ソフト開発の能力成熟度を評価する国際指標「CMMI」でレベル5を達成。

平均勤続年数	男性育休取得率	3年後離職率	平均年収（平均42歳）
14.0年	41.4→51.4％	17.4→19.4％	[総]780万円

●採用・配属情報●

【男女・文理別採用実績】

	大卒男	大卒女	修士男	修士女
23年	53(文 40理 13)	26(文 23理 3)	7(文 2理 5)	3(文 2理 1)
24年	60(文 36理 24)	27(文 23理 4)	7(文 1理 6)	0(文 0理 0)
25年	80(文 49理 31)	40(文 33理 7)	10(文 2理 8)	1(文 1理 0)

【男女・職種別採用実績】

	総合職
23年	89(男 60 女 29)
24年	94(男 67 女 27)
25年	131(男 90 女 41)

【24年4月入社者の配属勤務地】[総]東京・品川3 [技]東京（品川59 中野他29）大阪2 仙台1

【転勤】あり：［職種］全社員［勤務地］大阪 仙台 福岡 ※ただし主に東京での勤務

【中途比率】［単年度］21年度37％、22年度43％、23年度54％［全体］33％

●働きやすさ、諸制度●

残業（月） 30.4時間 [総]30.4時間

【勤務時間】フレックスタイム制（コアタイム11:00〜15:00 標準勤務時間7時間30分）【有休取得年平均】13.7日【週休】完全2日（土日祝）【夏期休暇】有休で取得【年末年始休暇】12月29日〜1月3日

【離職率】男：4.1％、73名 女：3.4％、21名

【新卒3年後離職率】

［20→23年］17.4％（男14.6％・入社48名、女23.8％・入社21名）

［21→24年］19.4％（男18.4％・入社38名、女20.8％・入社24名）

【テレワーク】制度あり：［場所］自宅 サテライトオフィス［対象］制限なし［日数］制限なし［利用率］NA【勤務制度】フレックス【住宅補助】住宅費補助（東京・神奈川・埼玉・千葉在住35,000〜40,000円、左記以外地域在住30,000〜35,000円 条件あり）

●ライフイベント、女性活躍●

【女性比率】■男 □女

新卒採用 31.3％（41名）

従業員 25.8％（598名）

管理職 10.8％（30名）

【産休】［期間］産前6・産後8週間［給与］会社全額給付［取得者数］17名

【育休】［期間］1歳になるまで［給与］法定［取得者数］22年度 男12名（対象29名）女15名（対象15名）23年度 男19名（対象37名）女15名（対象15名）［平均取得日数］22年度 NA、23年度 男85日 女410日

【従業員】［人数］2,320名（男1,722名、女598名）［平均年齢］42.4歳（男43.8歳、女38.4歳）［平均勤続年数］14.0年（男15.0年、女11.2年）【年齢構成】■男 □女

	男	女
60代〜	7％	1％
50代	19％	4％
40代	20％	6％
30代	15％	8％
〜20代	13％	7％

会社データ　（金額は百万円）

【本社】140-8506 東京都品川区東品川4-12-2 品川シーサイドウエストタワー ☎03-3458-9880 https://www.dcs.co.jp/

【業績（連結）】	売上高	営業利益	経常利益	純利益
21.9	56,431	2,749	3,310	2,921
22.9	62,972	4,804	5,079	4,844
23.9	66,138	4,893	5,268	3,937

362 開示 ★★★★

ジェイエフイー
ＪＦＥシステムズ(株)

えるぼし ★★　プラチナくるみん

【特色】JFE系のITシステム会社。メーカー向けが強い

[記者評価] 旧川崎製鉄（現JFEスチール）の製鉄所生産管理が源流。11年に旧NKK関連事業を承継。売上はJFEスチール向けが約5割。第2の柱は製造業主体の顧客先常駐案件。食品向けシステムなどに独自色、帳票ソフトで高シェア。サービスのクラウド化や顧客のDX支援など強化。

平均勤続年数	男性育休取得率	3年後離職率	平均年収（平均43歳）
18.0年	77.4→100％	7.3→12.5％	[総]777万円

●採用・配属情報●

【男女・文理別採用実績】

	大卒男	大卒女	修士男	修士女
23年	32(文 17理 15)	17(文 13理 4)	10(文 0理 10)	4(文 0理 4)
24年	32(文 15理 17)	11(文 6理 5)	12(文 0理 12)	1(文 0理 1)
25年	48(文 24理 24)	22(文 14理 8)	12(文 0理 12)	2(文 0理 2)

【男女・職種別採用実績】

	総合職
23年	63(男 42 女 21)
24年	56(男 44 女 12)
25年	84(男 60 女 24)

【24年4月入社者の配属勤務地】[総]東京・浜松町5 [技]東京（浜松町27 日比谷5 蔵前3 銀座1）千葉1 神奈川1 愛知2 神戸4 岡山・倉敷4 広島・福山3

【転勤】あり：全社員

【中途比率】［単年度］21年度7％、22年度18％、23年度27％［全体］12％

●働きやすさ、諸制度●

残業（月） 21.9時間 [総]21.9時間

【勤務時間】9:00〜17:30【有休取得年平均】16.4日【週休】完全2日（土日祝）【夏期休暇】1日【年末年始休暇】12月29日〜1月3日

【離職率】男：2.5％、26名 女：1.8％、7名

【新卒3年後離職率】

［20→23年］7.3％（男10.5％・入社38名、女0％・入社17名）

［21→24年］12.5％（男9.4％・入社32名、女18.8％・入社16名）

【テレワーク】制度あり：［場所］自宅もしくは自宅に準じる場所 他［対象］全社員［日数］原則勤務日数の半分程度まで［利用率］29.4％【勤務制度】フレックス 勤務間インターバル【住宅補助】借上社宅（補助上限額60,000円）寮（年齢・物件により金額は異なる）

●ライフイベント、女性活躍●

【女性比率】■男 □女

新卒採用 28.6％（24名）

従業員 28％（386名）

管理職 8.3％（23名）

【産休】［期間］産前6・産後8週間［給与］法定［取得者数］9名

【育休】［期間］1歳半になるまで（1歳半を超えた直後の3月末、もしくは2歳のいずれか長い期間を限度に延長可、さらに慣らし保育で14日まで延長可）［給与］法定［取得者数］22年度 男24名（対象31名）女13名（対象13名）23年度 男26名（対象26名）女11名（対象11名）［平均取得日数］22年度 男51日 女361日、23年度 男74日 女375日

【従業員】［人数］1,380名（男994名、女386名）［平均年齢］42.7歳（男43.6歳、女40.2歳）［平均勤続年数］18.0年（男18.9年、女15.7年）【年齢構成】■男 □女

	男	女
60代〜	1％	0％
50代	27％	7％
40代	17％	6％
30代	14％	7％
〜20代	14％	7％

会社データ　（金額は百万円）

【本社】105-0023 東京都港区芝浦1-2-3 シーバンスS館 ☎0120-03-5020 https://www.jfe-systems.com/

【業績（連結）】	売上高	営業利益	経常利益	純利益
22.3	50,394	5,608	5,644	3,724
23.3	56,472	6,247	6,281	4,323
24.3	62,033	7,401	7,452	4,968

㈱中電(ちゅうでん)シーティーアイ

【特色】中部電力系のIT企業。9割超が中電グループ向け

[記者評価] 中電コンピューターサービスとシーティーアイが合併して設立。中部電力の完全子会社で、グループ唯一のIT企業。グループの情報システム開発・保守・運用を一手に引き受け、売上の9割超が中電とその関連会社向け。名古屋市内に加え、東京、静岡にも拠点。

平均勤続年数	男性育休取得率	3年後離職率	平均年収(平均41歳)
17.1年	92.3→100%	7.1→0%	[総]839万円

●採用・配属情報●

【男女・文理別採用実績】

	大卒男	大卒女	修士男	修士女
23年	17(文 5理 12)	15(文 11理 4)	12(文 1理 11)	4(文 0理 4)
24年	24(文 9理 15)	12(文 7理 5)	9(文 0理 9)	1(文 0理 1)
25年	23(文 5理 18)	17(文 11理 6)	9(文 0理 9)	2(文 0理 2)

【男女・職種別採用実績】

	技術職	事務職
23年	49(男 31 女 18)	2(男 1 女 1)
24年	48(男 34 女 14)	1(男 0 女 1)
25年	51(男 33 女 18)	2(男 0 女 2)

【職種併願】システムエンジニアと数理解析エンジニアで可能

【24年4月入社者の配属勤務地】[総]名古屋1 [技]名古屋46 静岡・御前崎2

【転勤】あり:全社員

【中途比率】[単年度]21年度9%、22年度11%、23年度14%[全体]15%

●働きやすさ、諸制度●

残業(月) 24.0時間 [総]24.0時間

【勤務時間】7時間50分(フレックスタイム制 コアタイムなし)【有休取得年平均】14.9日【週休】完全2日(土日祝)【夏期休暇】なし【年末年始休暇】12月29日～1月3日

【離職率】男:1.7%、17名 女:1.9%、6名

【新卒3年後離職率】
[20→23年]7.1%(男6.3%・入社32名、女10.0%・入社10名)
[21→24年]0%(男0%・入社20名、女0%・入社12名)

【テレワーク】制度あり:[場所]自宅 モバイル勤務 サテライトオフィス[対象]NA[日数]制限なし[利用率]NA【勤務制度】フレックス 副業容認【住宅補助】住宅補助手当(賃貸住宅で独身者40,000円、扶養者あり55,000円)

●ライフイベント、女性活躍●

【女性比率】■男 □女

新卒採用 37.7% (20名)

従業員 24% (310名)

管理職 5.3% (23名)

【産休】[期間]産前6・産後8週間[給与]会社全額給付[取得者数]4名

【育休】[期間]3歳になるまで[給与]法定[取得者数]22年度 男12名(対象13名)女5名(対象5名)23年度 男7名(対象7名)女4名(対象4名)[平均取得日数]22年度 NA、23年度 NA

【従業員】[人数]1,294名(男984名、女310名)[平均年齢]40.9歳(男42.6歳、女35.7歳)[平均勤続年数]17.1年(男18.5年、女13.3年)

【年齢構成】■男 □女

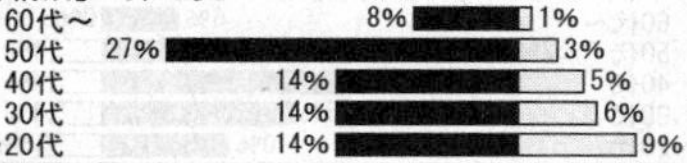

[会社データ] (金額は百万円)

【本社】461-0005 愛知県名古屋市東区東桜1-1-1 アーバンネット名古屋ネクスタビル ☎052-740-6200 https://www.cti.co.jp/

【業績(単独)】	売上高	営業利益	経常利益	純利益
22.3	44,269	953	907	632
23.3	55,289	2,502	2,421	1,615
24.3	56,967	3,443	3,323	2,086

㈱シーイーシー

【特色】独立系のシステム開発会社。富士通との関係密接

[記者評価] 組み込み系を軸としたソフト開発とITサービスが2本柱。トヨタグループなど優良顧客が多い。情報セキュリティやビジネス支援、自動車関連、生産性向上を狙う工場IoT化などに注力。24年2月に子会社のイーセクターを吸収合併するなどグループ会社再編を進める。

平均勤続年数	男性育休取得率	3年後離職率	平均年収(平均41歳)
15.0年	50.0→84.0%	24.6→12.3%	[総]632万円

●採用・配属情報●

【男女・文理別採用実績】

	大卒男	大卒女	修士男	修士女
23年	45(文 29理 16)	32(文 27理 5)	1(文 0理 1)	0(文 0理 0)
24年	57(文 35理 22)	40(文 25理 15)	1(文 0理 1)	0(文 0理 0)
25年	59(文 36理 23)	37(文 31理 6)	0(文 0理 0)	1(文 0理 1)

【男女・職種別採用実績】

	総合職
23年	78(男 46 女 32)
24年	99(男 59 女 40)
25年	97(男 59 女 38)

【24年4月入社者の配属勤務地】[総]東京・恵比寿1 神奈川・座間1 大阪市1 [技]東京(恵比寿13 品川10)神奈川(川崎21 座間10)名古屋27 大阪11 福岡4

【転勤】あり:全社員

【中途比率】[単年度]21年度45%、22年度42%、23年度44%[全体]NA

●働きやすさ、諸制度●

残業(月) 19.1時間 [総]19.1時間

【勤務時間】9:00～17:45【有休取得年平均】16.4日【週休】完全2日(土日祝)【夏期休暇】有休利用【年末年始休暇】12月29日～1月3日

【離職率】男:5.1%、61名 女:7.6%、31名

【新卒3年後離職率】
[20→23年]24.6%(男21.2%・入社33名、女28.6%・入社28名)
[21→24年]12.3%(男12.9%・入社31名、女11.5%・入社26名)

【テレワーク】制度あり:[場所]自宅のみ[対象]制限なし[日数]週2日目安[利用率]NA【勤務制度】フレックス 時差勤務【住宅補助】借上社宅・独身寮(関東圏2棟、他は借上自己負担最大28,000円)

●ライフイベント、女性活躍●

【女性比率】■男 □女

新卒採用 39.2% (38名)

従業員 25.1% (378名)

管理職 3.7% (5名)

【産休】[期間]産前6・産後8週間[給与]会社全額給付[取得者数]11名

【育休】[期間]1歳になるまで[給与]法定[取得者数]22年度 男15名(対象30名)女6名(対象7名)23年度 男21名(対象25名)女9名(対象9名)[平均取得日数]22年度 NA、23年度 男80日 女312日

【従業員】[人数]1,505名(男1,127名、女378名)[平均年齢]40.5歳(男42.1歳、女35.7歳)[平均勤続年数]15.0年(男16.3年、女11.0年)

【年齢構成】■男 □女

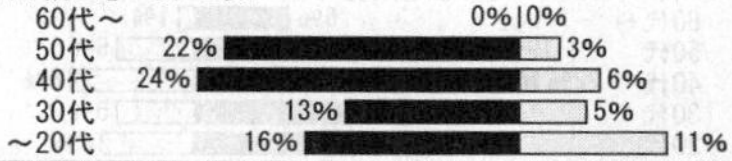

[会社データ] (金額は百万円)

【本社】150-0022 東京都渋谷区恵比寿南1-5-5 JR恵比寿ビル8階 ☎03-5789-2441 https://www.cec-ltd.co.jp/

【業績(連結)】	売上高	営業利益	経常利益	純利益
22.1	45,220	4,206	4,282	3,039
23.1	48,206	4,374	4,413	5,179
24.1	53,124	6,361	6,409	4,541

1612 開示 ★★★★★

㈱JSOL（ジェイソル）

えるぼし★★★ プラチナくるみん＋

【特色】NTTデータと日本総研の合弁。システム開発が柱

記者評価 日本総研のITサービス外販事業が母体。現在はNTTデータと日本総研が50%ずつ出資する。製造、流通、金融、公共等の基幹業務系に強い。ITコンサルからシステム構築・運用まで一貫。独自の「プロフェッショナル職」認定制度でITスキルを評価。東京・大阪の2本社制。

平均勤続年数	男性育休取得率	3年後離職率	平均年収(平均44歳)
15.4年	80.6 → 72.4%	17.1 → 15.8%	㊓916万円

●採用・配属情報●

【男女・文理別採用実績】

	大卒男	大卒女	修士男	修士女
23年	23(文 13 理 10)	17(文 15 理 2)	16(文 0 理 16)	2(文 1 理 1)
24年	22(文 14 理 8)	9(文 7 理 2)	16(文 0 理 16)	2(文 0 理 2)
25年	23(文 17 理 6)	19(文 16 理 3)	24(文 0 理 24)	5(文 0 理 5)

【男女・職種別採用実績】 転換制度:⇔

	総合職
23年	59(男 39 女 20)
24年	49(男 38 女 11)
25年	71(男 47 女 24)

【24年4月入社者の配属勤務地】㊕(23年)東京・九段下42 大阪・土佐堀16 名古屋1

【転勤】あり:[職種]総合職[勤務地]東京 大阪 名古屋

【中途比率】[単年度]21年度16%、22年度51%、23年度50%[全体]31%

●働きやすさ、諸制度●

残業(月) 22.7時間 ㊓24.5時間

【勤務時間】フレックスタイム制(コアタイムなし 標準7時間30分、9:00～17:30)裁量労働制(一定職能以上のみ。みなし労働9時間)【有休取得年平均】17.3日【週休】完全2日(土日祝)【夏期休暇】有休で取得【年末年始休暇】12月30日～1月3日

【離職率】男:3.0%、31名 女:2.7%、9名

【新卒3年後離職率】
[20→23年]17.1%(男12.0%・入社25名、女25.0%・入社16名)
[21→24年]15.8%(男17.2%・入社29名、女11.1%・入社9名)

【テレワーク】制度あり:[場所]自宅 自宅外 シェアオフィス[対象]全社員[日数]月の営業日数の半数 他[利用率]37.2%【勤務制度】フレックス 時間単位有休 裁量労働 副業容認【住宅補助】独身寮(千葉・大阪・名古屋)家賃補給(～40,000円 年齢制限有)

●ライフイベント、女性活躍●

【女性比率】■男 □女

新卒採用 33.8% (24名)

従業員 24.4% (327名)

管理職 11.4% (20名)

【産休】[期間]産前6・産後8週間[給与]会社全額給付[取得者数]7名

【育休】[期間]2歳到達月末まで[給与]最初10営業日有給、以降法定[取得者数]22年度 男25名(対象31名)女8名(対象8名)23年度 男21名(対象29名)女5名(対象5名)[平均取得日数]22年度 男58日 女339日、23年度 男40日 女300日

【従業員】[人数]1,340名(男1,013名、女327名)[平均年齢]42.8歳(男43.5歳、女40.8歳)[平均勤続年数]15.4年(男15.9年、女13.7年)【年齢構成】■男 □女

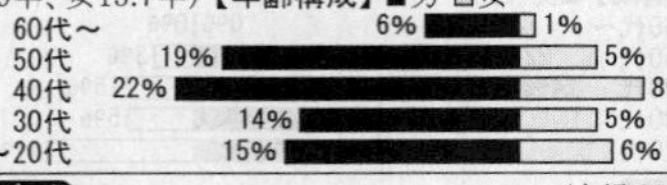

	男	女
60代～	6%	1%
50代	19%	5%
40代	22%	8%
30代	14%	5%
～20代	15%	6%

会社データ (金額は百万円)

【本社】102-0074 東京都千代田区九段南1-6-5 九段会館テラス ☎03-6261-7610 https://www.jsol.co.jp/

【業績(単独)】	売上高	営業利益	経常利益	純利益
22.3	41,132	4,730	4,831	3,250
23.3	44,660	5,385	5,533	4,019
24.3	52,948	6,914	7,143	5,156

1446 開示 ★★★★★

NTTテクノクロス㈱（エヌティティ）

えるぼし★★★ プラチナくるみん

【特色】NTT系のソフトウェア会社。先端技術活用に定評

記者評価 17年にNTTソフトウェアとNTTアイティが合併、さらにNTTアドバンステクノロジの音響・映像事業を統合して現体制。NTT研究所の最先端技術をベースに事業を展開する。AI活用に注力。次世代情報通信の「IOWN」構想を進める。働き方改革ソリューション提供。

平均勤続年数	男性育休取得率	3年後離職率	平均年収(平均45歳)
17.9年	50.0 → 56.5%	0 → 5.9%	NA

●採用・配属情報●

【男女・文理別採用実績】

	大卒男	大卒女	修士男	修士女
23年	22(文 5 理 17)	15(文 8 理 7)	11(文 0 理 11)	1(文 0 理 1)
24年	25(文 4 理 21)	13(文 6 理 7)	15(文 0 理 15)	2(文 0 理 2)
25年	25(文 7 理 18)	18(文 7 理 11)	6(文 0 理 6)	3(文 0 理 3)

【男女・職種別採用実績】

	－
23年	49(男 33 女 16)
24年	55(男 40 女 15)
25年	52(男 31 女 21)

【24年4月入社者の配属勤務地】㊓横浜10 ㊕神奈川(横浜32 他1)東京(田町3 荻窪4 他2)大阪3

【転勤】あり:全社員

【中途比率】[単年度]21年度33%、22年度49%、23年度45%[全体]23%

●働きやすさ、諸制度●

残業(月) 21.5時間 ㊓21.5時間

【勤務時間】37.5時間／週(フレックスタイム制)【有休取得年平均】17.9日【週休】完全2日(土日祝)【夏期休暇】5日【年末年始休暇】12月29日～1月3日

【離職率】男:2.4%、38名 女:2.1%、7名(管理職転進支援制度男1名含む)

【新卒3年後離職率】
[20→23年]0%(男0%・入社30名、女0%・入社17名)
[21→24年]5.9%(男6.5%・入社31名、女5.0%・入社20名)

【テレワーク】制度あり:[場所]自宅 サテライトオフィス[対象]全社員[日数]制限なし[利用率]65.8%【勤務制度】フレックス 時間単位有休 副業容認【住宅補助】独身寮(35歳まで入居可)住宅補助費(35歳まで<首都圏>独身463,200円 独身以外658,800円<大阪府>独身410,400円 独身以外606,000円<上記以外の勤務地>独身357,600円 独身以外553,200円)※金額は年あたり

●ライフイベント、女性活躍●

【女性比率】■男 □女

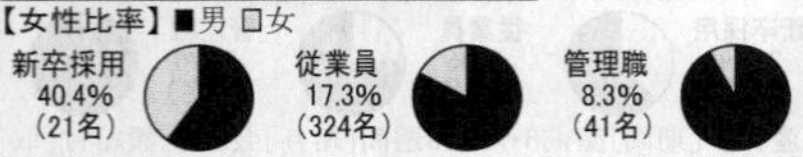

新卒採用 40.4% (21名)　従業員 17.3% (324名)　管理職 8.3% (41名)

【産休】[期間]産前6・産後8週間[給与]会社全額給付(通勤手当を除く)[取得者数]3名

【育休】[期間]3歳になるまで[給与]法定[取得者数]22年度 男14名(対象28名)女4名(対象4名)23年度 男13名(対象23名)女5名(対象5名)[平均取得日数]22年度 男119日 女433日、23年度 男131日 女405日

【従業員】[人数]1,877名(男1,553名、女324名)[平均年齢]45.0歳(男46.2歳、女39.3歳)[平均勤続年数]17.9年(男18.7年、女14.2年)【年齢構成】■男 □女

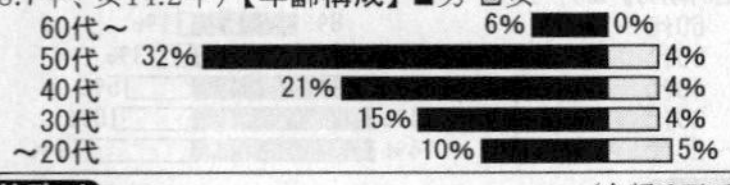

	男	女
60代～	6%	0%
50代	32%	4%
40代	21%	4%
30代	15%	4%
～20代	10%	5%

会社データ (金額は百万円)

【本社】108-8202 東京都港区芝浦3-4-1 グランパークタワー15階 ☎03-5782-7000 https://www.ntt-tx.co.jp/

【業績(単独)】	売上高	営業利益	経常利益	純利益
22.3	45,761	2,044	2,327	1,688
23.3	47,522	2,240	2,476	1,774
24.3	52,172	2,461	2,636	1,862

コベルコシステム㈱

プラチナくるみん

【特色】日本IBMと神戸製鋼が出資するシステム開発会社

記者評価 日本IBMが51%、神戸製鋼が49%を出資。鉄鋼向けシステム開発のノウハウを生かし、基幹システムを構築。外販の拡大に注力、製造業向けの比率が高い。神戸・東京2本社制。コンサルから運用サービスまで一貫。独自のアプリケーションマスター認定制度がある。

平均勤続年数	男性育休取得率	3年後離職率	平均年収(平均42歳)
13.2年	NA	10.1 → 9.8%	㊝808万円

●採用・配属情報●

【男女・文理別採用実績】

	大卒男	大卒女	修士男	修士女
23年	27(文 24理 3)	30(文 28理 2)	4(文 1理 3)	2(文 1理 1)
24年	22(文 17理 5)	18(文 18理 0)	4(文 1理 3)	3(文 2理 1)
25年	21(文 15理 6)	21(文 20理 1)	1(文 0理 1)	0(文 0理 0)

※25年:24年8月20日時点

【男女・職種別採用実績】 転換制度:⇔

	総合職
23年	63(男 31 女 32)
24年	47(男 26 女 21)
25年	43(男 22 女 21)

【24年4月入社者の配属勤務地】㊝東京1 ㊜神戸25 東京13 他8

【転勤】あり:全社員

【中途比率】[単年度]21年度29%、22年度24%、23年度36%[全体]18%

●働きやすさ、諸制度●

残業(月) 16.5時間 ㊝16.5時間

【勤務時間】9:00～17:45(フレックスタイム制 コアタイム11:00～15:00)【有休取得年平均】15.9日【週休】完全2日(土日祝、祝日週は土曜出勤の場合あり)【夏期休暇】2日

【年末年始休暇】12月29日～1月5日

【離職率】男:3.8%、39名 女:2.5%、7名

【新卒3年後離職率】

[20→23年]10.1%(男11.4%・入社44名、女8.0%・入社25名)

[21→24年]9.8%(男4.3%・入社23名、女16.7%・入社18名)

【テレワーク】制度あり:[場所]日本国内(セキュリティが確保できる場所)[対象]全社員[日数]制限なし[利用率]44.2%

【勤務制度】フレックス 副業容認【住宅補助】独身寮 社宅 住宅手当 持家補助金

●ライフイベント、女性活躍●

【女性比率】■男 □女

新卒採用 48.8% (21名)

従業員 21.5% (268名)

管理職 8.2% (43名)

【産休】[期間]法定＋出生時特別休暇20日間[給与]法定[取得者数]18名

【育休】[期間]1歳になるまで[給与]法定[取得者数]22年度 男5名(対象NA)女6名(対象NA)23年度 男5名(対象NA)女15名(対象NA)[平均取得日数]22年度 男84日 女438日、23年度 男95日 女307日

【従業員】[人数]1,248名(男980名、女268名)[平均年齢]41.7歳(男43.7歳、女34.3歳)[平均勤続年数]13.2年(男14.2年、女9.4年)

【年齢構成】■男 □女

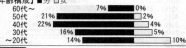

	男	女
60代～	7%	0%
50代	21%	2%
40代	22%	4%
30代	16%	5%
～20代	14%	10%

会社データ (金額は百万円)

【本社】657-0845 兵庫県神戸市灘区岩屋中町4-2-7 シマブンビル11階 ☎078-261-7500 https://www.kobelcosys.co.jp/

【業績(単独)】	売上高	営業利益	経常利益	純利益
21.12	48,368	NA	NA	3,782
22.12	49,278	NA	NA	3,818
23.12	51,609	6,498	6,457	4,469

㈱オージス総研(そうけん)

えるぼし★★★ プラチナくるみん

【特色】大阪ガスの完全子会社。情報関連サービスを展開

記者評価 大阪・東京の2本社体制。IT戦略立案からシステム設計・開発、運用・管理まで一貫。エネルギー、金融、製造に幅広い顧客。グループ以外の売上比率は約4割。米シリコンバレーにも拠点を置く。AI、サイバーセキュリティ教育など他分野の企業との業務提携相次ぐ。

平均勤続年数	男性育休取得率	3年後離職率	平均年収(平均44歳)
17.1年	50.0 → 50.0%	5.7 → 9.8%	㊝785万円

●採用・配属情報●

【男女・文理別採用実績】

	大卒男	大卒女	修士男	修士女
23年	18(文 9理 9)	14(文 12理 2)	3(文 0理 3)	2(文 0理 2)
24年	21(文 13理 8)	9(文 6理 3)	5(文 0理 5)	0(文 0理 0)
25年	30(文 15理 15)	11(文 10理 1)	12(文 0理 12)	3(文 0理 3)

【男女・職種別採用実績】

	総合職
23年	37(男 21 女 16)
24年	35(男 26 女 9)
25年	56(男 42 女 14)

【24年4月入社者の配属勤務地】㊜大阪22 東京9 名古屋4

【転勤】あり:全社員 ※遠隔地居住制度を導入(新幹線・飛行機等全ての公共交通機関利用可)

【中途比率】[単年度]21年度51%、22年度46%、23年度61%[全体]35%

●働きやすさ、諸制度●

残業(月) 22.4時間 ㊝22.4時間

【勤務時間】9:00～17:45【有休取得年平均】13.9日【週休】完全2日(土日祝)【夏期休暇】1日+有休で取得【年末年始休暇】12月30日～1月4日

【離職率】男:3.2%、38名 女:3.4%、15名

【新卒3年後離職率】

[20→23年]5.7%(男4.2%・入社24名、女9.1%・入社11名)

[21→24年]9.8%(男14.3%・入社21名、女5.0%・入社20名)

【テレワーク】制度あり:[場所]自宅 カフェ サテライトオフィス他[対象]全社員[日数]制限なし[利用率]52.4%【勤務制度】フレックス 週休3日 副業容認【住宅補助】借上社宅(25,000～75,000円会社負担)住宅手当(8,000～24,000円)単身赴任寮(自己負担10,000円)※適用要件あり

●ライフイベント、女性活躍●

【女性比率】■男 □女

新卒採用 25% (14名)

従業員 26.9% (425名)

管理職 8% (14名)

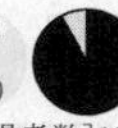

【産休】[期間]産前6・産後8週間[給与]法定[取得者数]10名

【育休】[期間]1歳半になるまで、最長2歳に達する日の属する事業年度の3月末日まで延長可[給与]法定[取得者数]22年度 男12名(対象24名)女9名(対象9名)23年度 男16名(対象32名)女13名(対象13名)[平均取得日数]22年度 男104日 女309日、23年度 男91日 女376日

【従業員】[人数]1,581名(男1,156名、女425名)[平均年齢]43.7歳(男44.7歳、女41.0歳)[平均勤続年数]17.1年(男17.8年、女15.3年)

【年齢構成】■男 □女

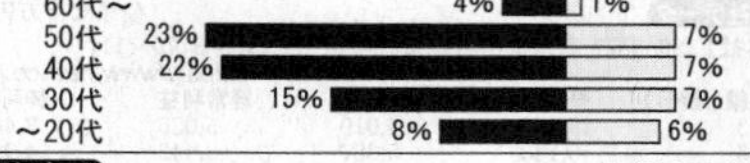

会社データ (金額は百万円)

【本社】550-0023 大阪府大阪市西区千代崎3-南2-37 ICCビル ☎06-6584-0011 https://www.ogis-ri.co.jp/

【業績(単独)】	売上高	営業利益	経常利益	純利益
22.3	45,468	6,077	6,322	3,819
23.3	47,782	5,749	6,062	4,244
24.3	50,669	6,028	6,482	4,482

エヌエスダブリュ
ＮＳＷ㈱

くるみん

【特色】独立系のソフト開発中堅。NECグループと親密

記者評価 システム開発、組み込み・制御ソフトやLSI・FPGA開発、自社データセンターを核としたクラウドサービスなど展開。NECグループが売上の約1割を占める主要顧客。生産・メンテ現場の遠隔支援用でスマートグラスの活用提案を推進。IoTやAI分野に注力。

平均勤続年数	男性育休取得率	3年後離職率	平均年収(平均42歳)
14.4年	65.2→13.6%	12.1→20.7%	総621万円

●採用・配属情報●

【男女・文理別採用実績】

	大卒男	大卒女	修士男	修士女
23年	78(文 18 理 60)	18(文 12 理 6)	11(文 0 理 11)	1(文 1 理 0)
24年	99(文 24 理 75)	20(文 10 理 10)	10(文 0 理 10)	1(文 0 理 1)
25年	65(文 20 理 45)	12(文 9 理 3)	7(文 2 理 5)	0(文 0 理 0)

※25年:24年7月1日時点

【男女・職種別採用実績】 転換制度:⇔

	技術職	営業職
23年	119(男 97 女 22)	6(男 6 女 0)
24年	139(男 114 女 25)	7(男 7 女 0)
25年	97(男 83 女 14)	4(男 4 女 0)

【職種併願】○

【24年4月入社者の配属勤務地】総東京8 技東京105 山梨6 名古屋3 大阪8 福岡9

【転勤】あり:全社員

【中途比率】[単年度]21年度41%、22年度49%、23年度41%[全体]NA

●働きやすさ、諸制度●

残業(月) 20.5時間 総20.5時間

【勤務時間】9:00〜18:00【有休取得年平均】13.9日【週休】完全2日(土日祝)【夏期休暇】年間で連続平日5日【年末年始休暇】12月29日〜1月3日

【離職率】男:4.5%、80名 女:5.0%、13名

【新卒3年後離職率】
[20→23年]12.1%(男10.8%・入社74名、女17.6%・入社17名)
[21→24年]20.7%(男20.0%・入社70名、女23.5%・入社17名)

【テレワーク】制度あり:[場所]自宅[対象]全社員[日数]月10日まで[利用率]NA【勤務制度】フレックス【住宅補助】住宅手当(東京地区世帯主20,000〜28,000円)

●ライフイベント、女性活躍●

【女性比率】■男 □女

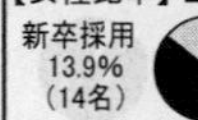
新卒採用 13.9% (14名)

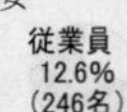
従業員 12.6% (246名)

【産休】[期間]産前6・産後8週間[給与]法定[取得者数]2名

【育休】[期間]3歳になるまで[給与]法定[取得者数]22年度 男15名(対象23名)女2名(対象2名)23年度 男3名(対象22名)女2名(対象2名)[平均取得日数]22年度 NA、23年度NA

【従業員】[人数]1,958名(男1,712名、女246名)[平均年齢]41.6歳(男42.1歳、女38.0歳)[平均勤続年数]14.4年(男14.8年、女11.1年)

【年齢構成】NA

会社データ (金額は百万円)

【本社】150-8577 東京都渋谷区桜丘町31-11 ☎03-3770-1111 https://www.nsw.co.jp/

【業績(連結)】	売上高	営業利益	経常利益	純利益
22.3	43,452	4,919	5,025	3,469
23.3	46,188	5,387	5,442	4,090
24.3	50,299	5,862	5,940	4,287

ティーディーアイ
ｔｄｉグループ

【特色】独立系のIT企業。ソフト開発主力に運用管理等も

記者評価 正式名・情報技術開発。MBOで16年株式非公開化。システム開発・運用、組み込みソフト、セキュリティなど各種ソリューション、半導体評価・解析などをグループで手がけ、幅広い業種の顧客にサービス提供。RPAやAI分野などに注力。資格取得の支援制度が充実。

平均勤続年数	男性育休取得率	3年後離職率	平均年収(平均41歳)
15.4年	28.0→35.7%	17.4→27.3%	総704万円

●採用・配属情報●

【男女・文理別採用実績】

	大卒男	大卒女	修士男	修士女
23年	36(文 26 理 10)	25(文 23 理 2)	6(文 1 理 5)	7(文 3 理 4)
24年	39(文 27 理 12)	44(文 37 理 7)	7(文 0 理 7)	1(文 0 理 1)
25年	37(文 22 理 15)	26(文 20 理 6)	8(文 4 理 4)	9(文 6 理 3)

【男女・職種別採用実績】

	総合職
23年	74(男 42 女 32)
24年	91(男 46 女 45)
25年	80(男 45 女 35)

【24年4月入社者の配属勤務地】総東京・新宿10 大阪市2 技東京・新宿23 神奈川・新横浜5 名古屋14 大阪市35 福岡市2

【転勤】あり:全社員

【中途比率】[単年度]21年度34%、22年度43%、23年度51%[全体]27%

●働きやすさ、諸制度●

残業(月) 14.9時間 総14.9時間

【勤務時間】9:00〜17:30【有休取得年平均】15.7日【週休】完全2日(土日祝)【夏期休暇】夏期に限らず有休を利用し連続5日以上取得【年末年始休暇】連続6日

【離職率】男:4.6%、52名 女:4.2%、13名(早期退職6名含む)

【新卒3年後離職率】
[20→23年]17.4%(男22.5%・入社40名、女10.3%・入社29名)
[21→24年]27.3%(男29.4%・入社34名、女23.8%・入社21名)

【テレワーク】制度あり:[場所]自宅[対象]全社員[日数]制限なし[利用率]NA【勤務制度】フレックス 裁量労働 時差勤務 副業容認【住宅補助】独身寮(東京・関西に各2棟13,000円)借上げ社宅(自己負担14,000円)住宅手当(6,000〜19,000円 自身が世帯主の場合)

●ライフイベント、女性活躍●

【女性比率】■男 □女

新卒採用 43.8% (35名)

従業員 21.6% (295名)

管理職 5.7% (14名)

【産休】[期間]産前6・産後8週間[給与]法定[取得者数]4名

【育休】[期間]3歳になるまで[給与]法定[取得者数]22年度 男7名(対象25名)女8名(対象8名)23年度 男5名(対象14名)女4名(対象4名)[平均取得日数]22年度 男49日 女518日、23年度 男50日 女413日

【従業員】[人数]1,365名(男1,070名、女295名)[平均年齢]40.9歳(男43.3歳、女32.4歳)[平均勤続年数]15.4年(男17.5年、女8.1年)【年齢構成】■男 □女

	男	女
60代〜	5%	0%
50代	24%	1%
40代	21%	4%
30代	12%	5%
〜20代	16%	12%

会社データ (金額は百万円)

【本社】163-1332 東京都新宿区西新宿6-5-1 新宿アイランドタワー ☎03-5325-4811 https://www.tdi.co.jp/

【業績(連結)】	売上高	営業利益	経常利益	純利益
22.3	36,244	2,618	2,745	1,575
23.3	38,461	2,529	2,688	1,529
24.3	42,414	2,769	2,945	1,072

※会社データは情報技術開発㈱、その他データはグループ3社の合算

㈱オービックビジネスコンサルタント（くるみん）

【特色】通称OBC。業務ソフト「奉行シリーズ」で著名

記者評価 中小企業の間接業務部門向けソフトに強み。会計ソフト「勘定奉行」を筆頭に、人事や給与など多数の業務用ソフトを展開する。近年はソフトのクラウド提供を推進中。販売はパートナー企業経由が大半。オービックが筆頭株主、無借金で好財務。

平均勤続年数	男性育休取得率	3年後離職率	平均年収(平均*35歳)
11.8年	94.3→92.6%	23.3→25.4%	総694万円

●採用・配属情報●

【男女・文理別採用実績】

	大卒男	大卒女	修士男	修士女
23年	42(文 36理 6)	41(文 39理 2)	4(文 1理 3)	1(文 1理 0)
24年	42(文 39理 3)	40(文 38理 2)	1(文 0理 1)	1(文 0理 1)
25年	55(文 43理 12)	53(文 45理 8)	2(文 0理 2)	0(文 0理 0)

【男女・職種別採用実績】 転換制度:⇔

	総合職
23年	88(男 46 女 42)
24年	84(男 43 女 41)
25年	110(男 57 女 53)

【職種併願】○

【24年4月入社者の配属勤務地】総東京・新宿18 大阪5 名古屋4 広島3 仙台3 福岡2 横浜1 金沢1 静岡1 札幌1 さいたま1 技東京・新宿44

【転勤】あり:[職種]システムコンサルタント インストラクター[勤務地]東京 大阪 名古屋 札幌 仙台 関東 横浜 静岡 金沢 広島 福岡

【中途比率】[単年度]21年度0%、22年度0%、23年度0%[全体]NA

●働きやすさ、諸制度●

残業(月) 20.0時間 総20.0時間

【勤務時間】9:00～17:45【有休取得年平均】12.6日【週休】完全2日(土日祝)【夏期休暇】連続3日+有休で取得【年末年始休暇】12月29日～1月3日

【離職率】男:7.3%、46名 女:5.1%、19名

【新卒3年後離職率】
[20→23年]23.3%(男19.5%・入社41名、女28.1%・入社32名)
[21→24年]25.4%(男32.4%・入社37名、女15.4%・入社26名)

【テレワーク】制度なし【勤務制度】時間単位有休 時差勤務【住宅補助】独身寮(通勤困難者対象、全国100名利用)転勤者借上社宅 住宅手当

●ライフイベント、女性活躍●

【女性比率】■男 □女

新卒採用 48.2% (53名)

従業員 37.5% (353名)
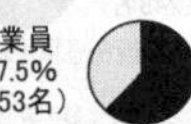

【産休】[期間]産前6・産後8週間[給与]法定[取得者数]15名

【育休】[期間]原則1歳まで、要件を満たせば2歳まで延長可[給与]法定[取得者数]22年度 男33名(対象35名)女22名(対象22名)23年度 男25名(対象27名)女14名(対象16名)[平均取得日数]22年度 男23日 女295日、23年度 男26日 女294日

【従業員】[人数]941名(男588名、女353名)[平均年齢]35.1歳(男36.7歳、女32.4歳)[平均勤続年数]11.8年(男13.5年、女9.1年)【年齢構成】■男 □女

	男	女
60代～	0%	0%
50代	8%	1%
40代	17%	7%
30代	16%	12%
～20代	21%	18%

会社データ (金額は百万円)

【本社】163-6029 東京都新宿区西新宿6-8-1 ☎03-3342-1880 https://www.obc.co.jp/

【業績(単独)】	売上高	営業利益	経常利益	純利益
22.3	34,757	16,357	17,157	11,811
23.3	33,704	14,709	15,834	11,033
24.3	41,954	18,748	19,869	13,841

ＴＤＣソフト㈱（ティーディーシー）

【特色】ソフト開発中堅。大規模金融システムに強い

記者評価 独立系SI中堅。ソフトウェアの受託開発が中心で、保険・クレジットカードなど金融向けの比率が高い。NTTやIBM、富士通系列が主要顧客。クラウドや情報セキュリティ分野を強化。20年に八木ビジネスコンサルタントを買収。アジャイル開発関連に資源重点配備。

平均勤続年数	男性育休取得率	3年後離職率	平均年収(平均36歳)
11.1年	69.0→70.3%	16.3→16.1%	総622万円

●採用・配属情報●

【男女・文理別採用実績】

	大卒男	大卒女	修士男	修士女
23年	74(文 28理 46)	44(文 27理 17)	8(文 2理 6)	1(文 0理 1)
24年	91(文 38理 53)	43(文 32理 11)	11(文 2理 9)	4(文 2理 2)
25年	107(文 42理 65)	49(文 38理 11)	9(文 0理 9)	3(文 0理 3)

【男女・職種別採用実績】

	総合職	一般職
23年	159(男110 女 49)	1(男 1 女 0)
24年	167(男115 女 52)	0(男 0 女 0)
25年	188(男131 女 57)	0(男 0 女 0)

【24年4月入社者の配属勤務地】技東京・千代田154 大阪市13

【転勤】なし

【中途比率】[単年度]21年度44%、22年度38%、23年度33%[全体]32%

●働きやすさ、諸制度●

残業(月) 24.6時間 総24.6時間

【勤務時間】9:00～17:30【有休取得年平均】12.1日【週休】完全2日(土日祝)【夏期休暇】2日【年末年始休暇】連続6日

【離職率】男:4.3%、69名 女:5.5%、22名

【新卒3年後離職率】
[20→23年]16.3%(男14.4%・入社97名、女20.0%・入社50名)
[21→24年]16.1%(男7.5%・入社40名、女31.8%・入社22名)

【テレワーク】制度あり:[場所]自宅および本社[対象]全社員[日数]制限なし※顧客ルールに準ずる[利用率]41.4%

【勤務制度】裁量労働【住宅補助】住宅確保支援(遠方者入社前一時金200,000円 下見費用・引越費用会社負担)

●ライフイベント、女性活躍●

【女性比率】■男 □女

新卒採用 30.3% (57名)

従業員 19.5% (375名)

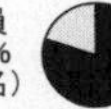
管理職 7.7% (18名)

【産休】[期間]産前6・産後8週間[給与]法定[取得者数]55名

【育休】[期間]1歳になるまで[給与]法定[取得者数]22年度 男29名(対象42名)女13名(対象13名)23年度 男26名(対象37名)女18名(対象18名)[平均取得日数]22年度 男83日 女342日、23年度 男96日 女319日

【従業員】[人数]1,920名(男1,545名、女375名)[平均年齢]36.2歳(男37.4歳、女31.4歳)[平均勤続年数]11.1年(男12.2年、女7.0年)

【年齢構成】■男 □女

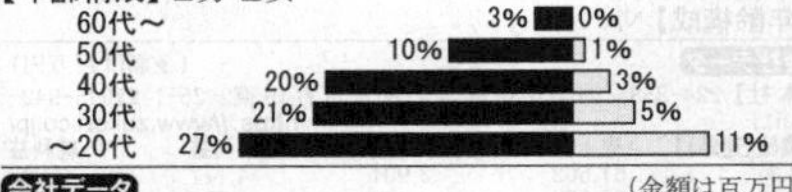

	男	女
60代～	3%	0%
50代	10%	1%
40代	20%	3%
30代	21%	5%
～20代	27%	11%

会社データ (金額は百万円)

【本社】102-0074 東京都千代田区九段南1-6-5 九段会館テラス ☎03-6730-8111 https://www.tdc.co.jp/

【業績(連結)】	売上高	営業利益	経常利益	純利益
22.3	30,925	2,967	3,082	2,069
23.3	35,242	3,458	3,714	2,490
24.3	39,698	3,807	4,253	3,089

㈱図研

（ずけん）

【特色】プリント基板用CAD／CAM国内最大手。世界首位級

記者評価 プリント基板設計用CAD／CAMで国内首位、世界でも首位級。自動車、通信、航空、ハイテク産業などに顧客基盤を持つ。電装化進む自動車関連、産業機械向けを深耕。海外はアジア、欧米に拠点。自社開発に加え、提携やM&Aなどを駆使して機動的に技術獲得を狙う。

平均勤続年数	男性育休取得率	3年後離職率	平均年収(平均43歳)
17.8年	57.1→90.9%	NA	㊕824万円

●採用・配属情報●

【男女・文理別採用実績】

	大卒男	大卒女	修士男	修士女
23年	6(文 4 理 2)	0(文 0 理 0)	7(文 0 理 7)	1(文 0 理 1)
24年	9(文 3 理 6)	0(文 0 理 0)	5(文 1 理 4)	0(文 0 理 0)
25年	-(文 - 理 -)	-(文 - 理 -)	-(文 - 理 -)	-(文 - 理 -)

※25年:20名採用予定

【男女・職種別採用実績】 転換制度:⇒

	総合職
23年	14(男 13 女 1)
24年	14(男 14 女 0)
25年	20(男 - 女 -)

【24年4月入社者の配属勤務地】㊕横浜6 ㊙横浜8

【転勤】あり:[職種]営業 SE[勤務地]横浜 大阪 名古屋

【中途比率】[単年度]21年度50%、22年度46%、23年度42%[全体]32%

●働きやすさ、諸制度●

残業(月) 18.7時間 ㊕20.3時間

【勤務時間】9:00～17:45【有休取得年平均】13.7日【週休】完全2日(土日祝)【夏期休暇】連続9日【年末年始休暇】連続7～9日

【離職率】男:3.8%、15名 女:3.3%、2名

【新卒3年後離職率】

[20→23年]NA

[21→24年]NA

【テレワーク】制度あり:[場所]自宅[対象]入社後1年未満の新入社員および試用期間中の中途入社社員を除く[日数]月10日まで[利用率]NA【勤務制度】なし【住宅補助】社宅(横浜1棟18室)住宅手当(20,000円)

●ライフイベント、女性活躍●

【女性比率】■男 □女

従業員 13.6% (59名)

【産休】[期間]産前6・産後8週間[給与]法定[取得者数]1名

【育休】[期間]1歳になるまで[給与]最初の5日間は給与全額支給、以降育休給付金[取得者数]22年度 男4名(対象7名)女0名(対象0名)23年度 男10名(対象11名)女2名(対象2名)[平均取得日数]22年度 男22日 女NA、23年度 男33日 女308日

【従業員】[人数]434名(男375名、女59名)[平均年齢]44.5歳(男44.9歳、女41.9歳)[平均勤続年数]17.8年(男18.5年、女13.9年)

【年齢構成】NA

会社データ (金額は百万円)

【本社】224-8585 神奈川県横浜市都筑区荏田東2-25-1 ☎045-942-1511 https://www.zuken.co.jp/

【業績(連結)】	売上高	営業利益	経常利益	純利益
22.3	31,502	3,904	4,177	3,002
23.3	35,073	4,428	4,735	3,196
24.3	38,466	4,796	5,439	3,868

㈱アイネット

【特色】独立系のシステム開発、情報処理サービス会社

記者評価 データセンター(DC)とクラウド関連が柱のITサービスプロバイダー。DC規模は独立系で首位級。再エネ電力の導入に意欲的。SSやクレジット等金融、流通系に強い。JAXA各種プロジェクトで実績多い。宇宙デブリ除去事業強化。DX人材を育成中。第3DC新設も視野。

平均勤続年数	男性育休取得率	3年後離職率	平均年収(平均40歳)
16.7年	55.6→70.6%	21.9→25.8%	㊕637万円

●採用・配属情報●

【男女・文理別採用実績】

	大卒男	大卒女	修士男	修士女
23年	25(文 12 理 13)	14(文 10 理 4)	1(文 0 理 1)	0(文 0 理 0)
24年	31(文 16 理 15)	17(文 15 理 2)	1(文 0 理 1)	3(文 1 理 2)
25年	40(文 20 理 20)	20(文 14 理 6)	0(文 0 理 0)	0(文 0 理 0)

【男女・職種別採用実績】 転換制度:⇔

	総合職
23年	45(男 30 女 15)
24年	55(男 33 女 22)
25年	64(男 42 女 22)

【24年4月入社者の配属勤務地】㊕横浜6 東京3 ㊙横浜12 東京34

【転勤】あり:[職種]総合職(営業のみ若干名)[勤務地]北海道 宮城 愛知 大阪 広島 福岡

【中途比率】[単年度]21年度11%、22年度16%、23年度26%[全体]15%

●働きやすさ、諸制度●

残業(月) 16.6時間 ㊕16.6時間

【勤務時間】9:00～17:30【有休取得年平均】13.8日【週休】完全2日(土日祝)【夏期休暇】3日【年末年始休暇】連続6日

【離職率】NA

【新卒3年後離職率】

[20→23年]21.9%(男17.1%・入社35名、女27.6%・入社29名)

[21→24年]25.8%(男21.2%・入社33名、女30.3%・入社33名)

【テレワーク】制度あり:[場所]自宅 他事業所[対象]全員[日数]制限なし(業務による)[利用率]NA【勤務制度】時間単位有休 時差勤務 副業容認【住宅補助】独身寮 社宅

●ライフイベント、女性活躍●

【女性比率】■男 □女

新卒採用 34.4% (22名)

従業員 26% (248名)

管理職 8.7% (18名)

【産休】[期間]産前6・産後8週間[給与]法定[取得者数]7名

【育休】[期間]1歳になるまで[給与]法定[取得者数]22年度 男5名(対象9名)女8名(対象8名)23年度 男12名(対象17名)女9名(対象9名)[平均取得日数]22年度 男35日 女510日、23年度 男51日 女366日

【従業員】[人数]954名(男706名、女248名)[平均年齢]40.3歳(男42.5歳、女34.1歳)[平均勤続年数]16.7年(男18.7年、女11.1年)

【年齢構成】■男 □女

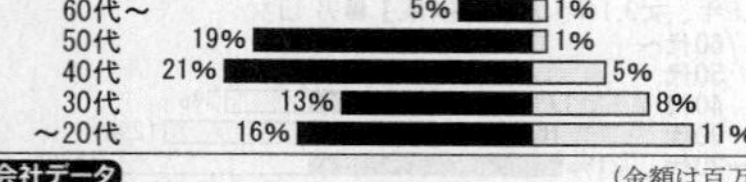

会社データ (金額は百万円)

【本社】220-0012 神奈川県横浜市西区みなとみらい5-1-2 横浜シンフォステージ ウエストタワー13階 ☎045-682-0800 https://www.inet.co.jp/

【業績(連結)】	売上高	営業利益	経常利益	純利益
22.3	31,169	2,367	2,542	1,694
23.3	34,988	2,129	2,175	1,343
24.3	37,763	2,887	2,935	2,197

354 開示 ★★

㈱アグレックス

えるぼし★★★ プラチナくるみん

【特色】TISの完全子会社。BPOが主力。生損保の顧客が多い

[記者評価] TISインテックグループのBPO事業中核。顧客企業の業務を一括受託するBPO事業のほかソリューション、システム構築から運用まで一貫支援も。ベトナム、タイに海外拠点。金融に幅広い顧客基盤。22年に三菱UFJ銀行法人顧客のDX化支援で5社提携。子育て支援充実。

平均勤続年数	男性育休取得率	3年後離職率	平均年収(平均39歳)
11.3年	NA	NA	[総]606万円

●採用・配属情報●

【男女・文理別採用実績】

	大卒男	大卒女	修士男	修士女
23年	37(文 26理 11)	20(文 18理 2)	1(文 0理 1)	1(文 0理 1)
24年	32(文 20理 12)	16(文 15理 1)	0(文 0理 0)	2(文 0理 2)
25年	13(文 7理 6)	13(文 9理 4)	0(文 0理 0)	0(文 0理 0)

【男女・職種別採用実績】

	総合職
23年	59(男 38 女 21)
24年	50(男 32 女 18)
25年	26(男 13 女 13)

【24年4月入社者の配属勤務地】[技]東京41 大阪7 札幌2

【転勤】あり:[職種]部長・事業部長以上

【中途比率】[単年度]21年度NA、22年度NA、23年度NA[全体]NA

●働きやすさ、諸制度●

残業(月) 14.6時間 [総]14.6時間

【勤務時間】9:00～17:30【有休取得年平均】14.4日【週休】完全2日【夏期休暇】3日(リフレッシュ休暇)【年末年始休暇】12月31日～1月3日

【離職率】NA

【新卒3年後離職率】
[20→23年]NA(男NA・入社14名、女NA・入社27名)
[21→24年]NA(男NA・入社21名、女NA・入社29名)

【テレワーク】制度あり:[場所]自宅 サテライトオフィス[対象]全社員[日数]NA[利用率]NA【勤務制度】時間単位有休 時差勤務 勤務間インターバル 副業容認【住宅補助】独身寮(都区内が中心、約100名利用)住宅手当

●ライフイベント、女性活躍●

【女性比率】■男 □女

新卒採用 50% (13名)
従業員 44.9% (938名)
【産休】[期間]産前6・産後8週間[給与]法定[取得者数]54名

【育休】[期間]1歳になるまで[給与]法定[取得者数]22年度 男23名(対象NA)女49名(対象NA)23年度 男15名(対象NA)女62名(対象NA)[平均取得日数]22年度 NA、23年度NA

【従業員】[人数]2,087名(男1,149名、女938名)[平均年齢]39.4歳(男41.4歳、女38.0歳)[平均勤続年数]11.3年(男13.2年、女10.6年)

【年齢構成】NA

[会社データ] (金額は百万円)

【本社】163-1438 東京都新宿区西新宿3-20-2 東京オペラシティビル ☎03-5371-1500 https://www.agrex.co.jp/

【業績(単独)】	売上高	営業利益	経常利益	純利益
22.3	38,215	4,193	4,530	3,181
23.3	38,077	4,215	4,617	3,241
24.3	37,185	3,792	4,157	2,925

313 開示 ★★★ [専門] 採用あり

㈱菱友(りょうゆう)システムズ

【特色】三菱重工系のIT企業。IBMの有力特約店

[記者評価] ITインフラやシステム構築から運用まで一貫。情報処理、ソフト開発、設計解析、システム機器販売の4本柱。IBMの有力特約店。三菱重工が筆頭株主で、売上の約5割が同社向け。流体・制御等の解析技術を生かし航空宇宙、自動車関連に注力。AI導入支援サービス強化。

平均勤続年数	男性育休取得率	3年後離職率	平均年収(平均43歳)
18.9年	46.7→35.0%	17.1→29.8%	[総]701万円

●採用・配属情報●

【男女・文理別採用実績】

	大卒男	大卒女	修士男	修士女
23年	21(文 9理 12)	11(文 9理 2)	6(文 0理 6)	0(文 0理 0)
24年	19(文 9理 10)	12(文 10理 2)	4(文 0理 4)	0(文 0理 0)
25年	-(文 -理 -)	-(文 -理 -)	-(文 -理 -)	-(文 -理 -)

【男女・職種別採用実績】

	技術職	事務職
23年	43(男 32 女 11)	0(男 0 女 0)
24年	38(男 24 女 14)	1(男 1 女 0)
25年	-(男 - 女 -)	-(男 - 女 -)

【24年4月入社者の配属勤務地】[総]東京1 [技]東京20 神奈川4 愛知8 兵庫4 岡山1 滋賀1

【転勤】あり:全社員

【中途比率】[単年度]21年度18%、22年度13%、23年度27%[全体]16%

●働きやすさ、諸制度●

残業(月) 15.0時間 [総]15.0時間

【勤務時間】9:00～17:45【有休取得年平均】14.0日【週休】完全2日(土日祝)【夏期休暇】3日【年末年始休暇】連続7日

【離職率】男:3.3%、37名 女:7.9%、14名

【新卒3年後離職率】
[20→23年]17.1%(男12.1%・入社33名、女37.5%・入社8名)
[21→24年]29.8%(男32.3%・入社31名、女25.0%・入社16名)

【テレワーク】制度あり:[場所]サテライトオフィス[対象]制限なし[日数]制限なし[利用率]30.9%【勤務制度】フレックス 時差勤務【住宅補助】独身寮(都内1棟 他)

●ライフイベント、女性活躍●

【女性比率】■男 □女

従業員 13.2% (164名)
管理職 3.3% (7名)
【産休】[期間]産前6・産後8週間[給与]法定[取得者数]1名

【育休】[期間]1歳になるまで[給与]法定[取得者数]22年度 男7名(対象15名)女2名(対象2名)23年度 男7名(対象20名)女1名(対象1名)[平均取得日数]22年度 NA、23年度NA

【従業員】[人数]1,244名(男1,080名、女164名)[平均年齢]43.3歳(男44.4歳、女36.6歳)[平均勤続年数]18.9年(男20.0年、女11.5年)

【年齢構成】■男 □女

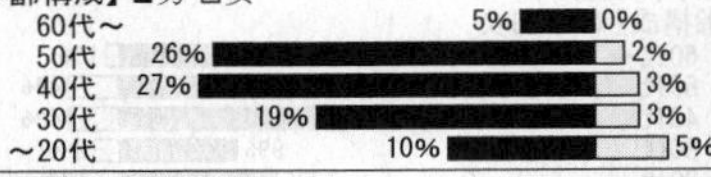

[会社データ] (金額は百万円)

【本社】105-0023 東京都港区芝浦1-2-3 シーバンスS館 ☎03-6809-3750 https://www.ryoyu.co.jp/

【業績(連結)】	売上高	営業利益	経常利益	純利益
22.3	30,260	2,333	2,467	1,580
23.3	33,138	2,673	2,711	1,834
24.3	37,062	3,581	3,596	2,416

1434 開示 ★★★★

とうしばじょうほう
東芝情報システム(株)

[くるみん]

【特色】東芝系システム会社。組み込みとLSIの両輪

[記者評価] 東芝デジタルソリューションズの子会社。デンソーも20%の株式を保有。21年のグループ再編でSI事業をグループ他社に移管。エンベデッド(組み込み)、LSI(ロジック設計など)の2本柱で、前者の比重が大きい。車載機器や社会インフラに強い。

平均勤続年数	男性育休取得率	3年後離職率	平均年収(平均46歳)
20.7年	13.3 → 33.3%	9.1 → 15.6%	[総]800万円

●採用・配属情報●

【男女・文理別採用実績】

	大卒男	大卒女	修士男	修士女
23年	23(文 1 理 22)	5(文 1 理 4)	8(文 0 理 8)	2(文 0 理 2)
24年	28(文 1 理 27)	6(文 1 理 5)	10(文 0 理 10)	2(文 0 理 2)
25年	53(文 6 理 47)	10(文 4 理 6)	17(文 0 理 17)	3(文 0 理 3)

【男女・職種別採用実績】

	総合職
23年	38(男 31 女 7)
24年	46(男 38 女 8)
25年	83(男 70 女 13)

【24年4月入社者の配属勤務地】[総]愛知・刈谷1 [技]川崎36 愛知・刈谷8 大阪市1

【転勤】あり:全社員

【中途比率】[単年度]21年度45%、22年度46%、23年度42%[全体]32%

●働きやすさ、諸制度●

残業(月) 24.2時間 [総]24.2時間

【勤務時間】9:00〜17:45【有休取得年平均】17.9日【週休】完全2日(土日祝)【夏期休暇】なし【年末年始休暇】12月31日〜1月3日

【離職率】男:1.5%、20名 女:1.0%、2名

【新卒3年後離職率】
[20→23年]9.1%(男7.4%・入社27名、女16.7%・入社6名)
[21→24年]15.6%(男16.7%・入社24名、女12.5%・入社8名)

【テレワーク】制度あり:[場所]自宅[対象]制限なし[日数]制限なし[利用率]NA【勤務制度】フレックス 時間単位有休

【住宅補助】福祉独身寮 転勤寮

●ライフイベント、女性活躍●

【女性比率】■男 □女

新卒採用 15.7% (13名)

従業員 13% (195名)

管理職 5.1% (16名)

【産休】[期間]産前8・産後8週間[給与]健保から出産手当金を受けない期間につき、手当金相当額を会社から支給[取得者数]6名

【育休】[期間]3歳到達月末まで[給与]法定[取得者数]22年度 男2名(対象15名)女6名(対象6名)23年度 男4名(対象12名)女2名(対象4名)[平均取得日数]22年度 男273日 女207日、23年度 男80日 女444日

【従業員】[人数]1,495名(男1,300名、女195名)[平均年齢]46.3歳(男46.7歳、女43.7歳)[平均勤続年数]20.7年(男20.9年、女19.6年)

【年齢構成】■男 □女

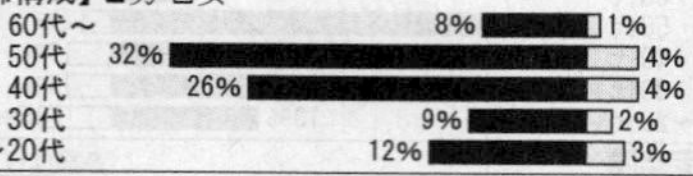
60代〜 8% 1%
50代 32% 4%
40代 26% 4%
30代 9% 2%
〜20代 12% 3%

[会社データ] (金額は百万円)

【本社】210-8540 神奈川県川崎市川崎区日進町1-53 興和川崎東口ビル ☎044-210-6215 https://www.tjsys.co.jp/

【業績(単独)】	売上高	営業利益	経常利益	純利益
22.3	38,663	4,384	4,399	5,191
23.3	36,821	4,348	4,340	3,019
24.3	36,745	3,938	3,986	2,707

1444 開示 ★★★★

じょうほう
スミセイ情報システム(株)

[えるぼし ★★★] [プラチナくるみん]

【特色】住友生命系システム開発会社。金融関連に強い

[記者評価] 住友生命の情報システム部門が分離独立して発足。住生やグループ各社のシステム開発が柱。保険向けパッケージシステム「ゆうゆう生保」シリーズなど展開。製造、公共、サービスなどグループ外向けも。コンサルから運用・保守まで一貫。アジャイル開発強化。

平均勤続年数	男性育休取得率	3年後離職率	平均年収(平均42歳)
18.5年	150.0 → 130.4%	25.5 → 5.2%	[総]707万円

●採用・配属情報●

【男女・文理別採用実績】

	大卒男	大卒女	修士男	修士女
23年	22(文 18 理 4)	32(文 25 理 7)	1(文 1 理 0)	4(文 2 理 2)
24年	33(文 22 理 11)	32(文 30 理 2)	3(文 0 理 3)	2(文 1 理 1)
25年	30(文 21 理 9)	32(文 26 理 6)	1(文 0 理 1)	0(文 0 理 0)

【男女・職種別採用実績】

	総合職
23年	59(男 23 女 36)
24年	70(男 36 女 34)
25年	63(男 31 女 32)

【24年4月入社者の配属勤務地】[技]大阪33 東京37

【転勤】あり:[職種]総合職(60歳以上を除く)

【中途比率】[単年度]21年度3%、22年度10%、23年度22%[全体]8%

●働きやすさ、諸制度●

残業(月) 29.8時間 [総]29.8時間

【勤務時間】8:50〜17:00(時差出勤制度あり)【有休取得年平均】16.0日【週休】完全2日(土日祝)【夏期休暇】なし【年末年始休暇】12月31日〜1月3日

【離職率】男:3.3%、29名 女:2.9%、15名

【新卒3年後離職率】
[20→23年]25.5%(男40.0%・入社25名、女13.3%・入社30名)
[21→24年]5.2%(男12.0%・入社25名、女0%・入社33名)

【テレワーク】制度あり:[場所]自宅と同等のセキュリティ(覗き込み防止、音声漏洩防止など)が確保できる場所[対象]制限なし[日数]制限なし[利用率]51.3%【勤務制度】時差勤務 勤務間インターバル【住宅補助】住宅手当:独身者は入社5年目まで月額75,000円〜85,000円 入社6〜7年目月額40,000円〜50,000円 既婚者かつ配偶者を扶養している者は支給期間および支給額を増加

●ライフイベント、女性活躍●

【女性比率】■男 □女

新卒採用 50.8% (32名)

従業員 37.2% (498名)

管理職 8.4% (9名)

【産休】[期間]産前6・産後8週間[給与]会社85%給付[取得者数]9名

【育休】[期間]2年間、特別な事情の場合は3年間[給与]開始1カ月有給、以降給付金[取得者数]22年度 男27名(対象18名)女12名(対象12名)23年度 男30名(対象23名)女10名(対象10名)[平均取得日数]22年度 NA、23年度 男24日 女465日

【従業員】[人数]1,337名(男839名、女498名)[平均年齢]42.1歳(男44.7歳、女37.6歳)[平均勤続年数]18.5年(男21.0年、女14.4年)【年齢構成】■男 □女

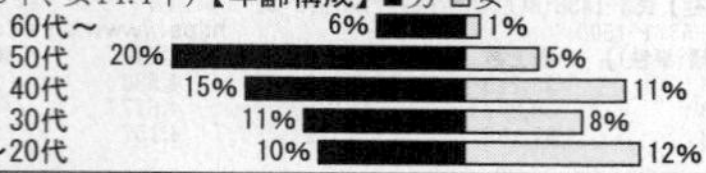
60代〜 6% 1%
50代 20% 5%
40代 15% 11%
30代 11% 8%
〜20代 10% 12%

[会社データ] (金額は百万円)

【本社】532-0003 大阪府大阪市淀川区宮原4-1-14 住友生命新大阪北ビル ☎06-6396-3939 https://www.slcs.co.jp/

【業績(単独)】	売上高	営業利益	経常利益	純利益
22.3	34,661	2,530	2,558	1,768
23.3	34,027	1,052	1,082	734
24.3	36,131	1,215	1,287	872

トーテックアメニティ㈱

【特色】独立系システム会社。受託開発を柱に組込も展開

[記者評価] 東海圏のIT企業では先駆的存在。情報システム構築のITソリューション事業は自治体や医療機関向けにも実績。エンジニアリングサービス事業は自動車、航空機、産業機械などの組込ソフト開発が柱。事業横断のシステム検証サービスを育成。名古屋・東京の2本社制。

平均勤続年数	男性育休取得率	3年後離職率	平均年収(平均35歳)
9.0年	21.8→40.8%	12.3→30.2%	[総]527万円

●採用・配属情報●

【男女・文理別採用実績】

	大卒男	大卒女	修士男	修士女
23年	116(文 22 理 94)	43(文 31 理 12)	3(文 0 理 3)	0(文 0 理 0)
24年	123(文 30 理 93)	37(文 27 理 10)	1(文 0 理 1)	0(文 0 理 0)
25年	130(文 31 理 99)	41(文 30 理 11)	0(文 0 理 0)	0(文 0 理 0)

※25年:24年8月15日時点

【男女・職種別採用実績】 転換制度:⇒

	総合職
23年	198(男 153 女 45)
24年	220(男 176 女 44)
25年	202(男 160 女 42)

【24年4月入社者の配属勤務地】[総]東海5 関東3 関西4 九州1 [技]東海92 関東65 関西38 九州10 北陸2

【転勤】あり:[職種]全社員 ※希望した場合や新事業所開設時など[勤務地]東京 名古屋 大阪 九州 他

【中途比率】[単年度]21年度15%、22年度6%、23年度8%[全体]43%

●働きやすさ、諸制度●

残業(月) 17.4時間 [総]17.4時間

【勤務時間】9:00～17:30【有休取得年平均】13.8日【週休】完全2日(土日祝)【夏期休暇】2日【年末年始休暇】4日

【離職率】男:7.1%、176名 女:8.6%、41名

【新卒3年後離職率】

[20→23年]12.3%(男13.6%・入社110名、女7.1%・入社28名)

[21→24年]30.2%(男32.4%・入社102名、女24.3%・入社37名)

【テレワーク】制度なし【勤務制度】時間単位有休【住宅補助】社員寮(愛知3 神奈川1 東京1)住宅手当 住宅補助

●ライフイベント、女性活躍●

【女性比率】■男 □女

新卒採用 20.8% (42名)　従業員 15.8% (434名)　管理職 0.5% (1名)

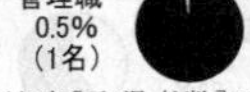

【産休】[期間]産前6・産後8週間[給与]法定[取得者数]32名

【育休】[期間]1歳になるまで[給与]法定[取得者数]22年度 男12名(対象55名)女7名(対象7名)23年度 男20名(対象49名)女12名(対象12名)[平均取得日数]22年度 NA、23年度 男45日 女401日

【従業員】[人数]2,743名(男2,309名、女434名)[平均年齢]35.0歳(男36.0歳、女32.0歳)[平均勤続年数]9.0年(男10.0年、女5.0年)

【年齢構成】■男 □女

	男	女
60代～	2%	0%
50代	11%	1%
40代	18%	2%
30代	24%	4%
～20代	30%	8%

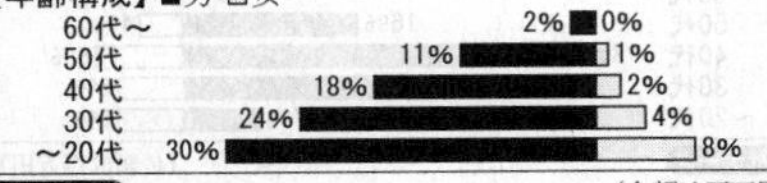

[会社データ] (金額は百万円)

【本社】451-0045 愛知県名古屋市西区名駅2-27-8 名古屋プライムセントラルタワー7階 ☎052-533-6900 https://www.totec.jp/

【業績(連結)】	売上高	営業利益	経常利益	純利益
22.3	30,987	2,415	2,900	1,803
23.3	33,352	2,940	3,151	2,214
24.3	35,866	3,201	3,452	2,295

㈱ビジネスブレイン太田昭和（おおたしょうわ）

[えるぼし ★★] [くるみん]

【特色】コンサルとシステム開発の2本柱。海外へも展開

[記者評価] 経営会計分野のコンサルティングとITソリューションが柱。中国やASEANへの進出企業支援にも注力。グループで証券・金融系システム開発、BPOサービス、情報セキュリティ事業も展開。24年4月アウトソーシングなどの2子会社吸収。24年7月札幌BPOセンターを新設。

平均勤続年数	男性育休取得率	3年後離職率	平均年収(平均40歳)
9.0年	40.0→28.6%	25.6→27.3%	[総]697万円

●採用・配属情報●

【男女・文理別採用実績】

	大卒男	大卒女	修士男	修士女
23年	28(文 19 理 9)	17(文 13 理 4)	4(文 1 理 3)	0(文 0 理 0)
24年	19(文 14 理 5)	17(文 14 理 3)	5(文 1 理 4)	2(文 1 理 1)
25年	24(文 16 理 8)	21(文 17 理 4)	3(文 0 理 3)	2(文 1 理 1)

【男女・職種別採用実績】

	総合職
23年	56(男 37 女 19)
24年	45(男 25 女 20)
25年	50(男 27 女 23)

【24年4月入社者の配属勤務地】[総]東京・日比谷31 大阪・梅田7 名古屋4 浜松3

【転勤】あり:全社員(希望勤務地別採用を実施)

【中途比率】[単年度]21年度55%、22年度63%、23年度59%[全体]60%

●働きやすさ、諸制度●

残業(月) 15.9時間

【勤務時間】9:00～17:30【有休取得年平均】9.1日【週休】完全2日(土日祝)【夏期休暇】6～11月に5日取得。8月3週目金曜日固定休【年末年始休暇】12月30日～1月4日(6日)

【離職率】男:5.1%、27名 女:9.4%、22名

【新卒3年後離職率】

[20→23年]25.6%(男29.2%・入社24名、女20.0%・入社15名)

[21→24年]27.3%(男23.8%・入社21名、女30.4%・入社23名)

【テレワーク】制度あり:[場所]自宅 サテライトオフィス[対象]全社員[日数]制限なし[利用率]38.4%【勤務制度】フレックス 裁量労働 時差勤務 副業容認【住宅補助】住宅手当(5,000～20,000円 対象条件あり)

●ライフイベント、女性活躍●

【女性比率】■男 □女

新卒採用 46% (23名)　従業員 29.9% (213名)　管理職 6.9% (5名)

【産休】[期間]産前6・産後8週間[給与]法定[取得者数]6名

【育休】[期間]1歳になるまで[給与]法定[取得者数]22年度 男4名(対象10名)女4名(対象4名)23年度 男2名(対象7名)女6名(対象3名)[平均取得日数]22年度 男48日 女303日、23年度 男127日 女327日

【従業員】[人数]713名(男500名、女213名)[平均年齢]39.8歳(男41.3歳、女36.3歳)[平均勤続年数]9.0年(男10.1年、女6.4年)

【年齢構成】■男 □女

	男	女
60代～	0%	0%
50代	18%	4%
40代	22%	7%
30代	16%	8%
～20代	14%	10%

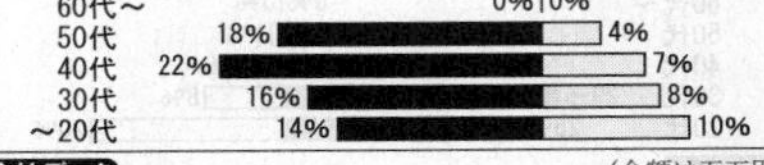

[会社データ] (金額は百万円)

【本社】105-0003 東京都港区西新橋1-1-1 日比谷フォートタワー ☎03-3507-1300 https://www.bbs.co.jp/

【業績(IFRS)】	売上高	営業利益	税前利益	純利益
22.3	32,345	2,744	2,792	1,763
23.3	37,062	3,207	3,241	1,838
24.3	34,217	20,697	20,581	14,145

201 開示 ★★★★☆ 専門 採用あり

㈱ソフトウェア・サービス

【特色】病院向けの電子カルテ・情報システムの専門企業

記者評価 医療機関の電子カルテや情報伝達システムの開発から販売、メンテまで一貫で手がける専門企業。電子カルテのシェアは2割ほどで国内2位級、大型案件多い。医療DX案件も受注拡大が続く。シェア拡大に向け関東圏の営業体制を強化するため、人材採用・育成に注力。

平均勤続年数	男性育休取得率	3年後離職率	平均年収(平均33歳)
8.3年	30.2→33.3%	17.7→22.4%	㊗541万円

●採用・配属情報●

【男女・文理別採用実績】

	大卒男	大卒女	修士男	修士女
23年	52(文 23 理 29)	39(文 30 理 9)	4(文 0 理 4)	2(文 1 理 1)
24年	90(文 51 理 39)	50(文 34 理 16)	6(文 0 理 6)	0(文 0 理 0)
25年	80(文 40 理 40)	70(文 35 理 35)	5(文 0 理 5)	5(文 0 理 5)

【男女・職種別採用実績】

	総合職	一般職(事務職)
23年	94(男 58 女 36)	6(男 0 女 6)
24年	137(男 96 女 41)	13(男 3 女 10)
25年	160(男 80 女 80)	10(男 5 女 5)

【職種併願】総合職と一般職で可能
【24年4月入社者の配属勤務地】㊗大阪市53 東京・大森22 ㊕大阪市40 東京・大森22
【転勤】なし
【中途比率】[単年度]21年度3%、22年度3%、23年度12%[全体]13%

●働きやすさ、諸制度●

残業(月) 16.5時間 ㊗16.5時間

【勤務時間】8時間(フレックス制 コアタイム10:00〜15:00)【有休取得年平均】13.5日【週休】完全2日(土日祝)【夏期休暇】有休で取得【年末年始休暇】連続6日
【離職率】男:4.9%、56名 女:6.7%、36名
【新卒3年後離職率】
[20→23年]17.7%(男12.5%・入社72名、女23.2%・入社69名)
[21→24年]22.4%(男24.1%・入社83名、女20.5%・入社73名)
【テレワーク】制度あり:[場所]自宅[対象]全社員[日数]月8日まで[利用率]14.8%【勤務制度】フレックス 裁量労働 時差勤務【住宅補助】独身寮(東京 入社1年目まで 光熱費込みで45,000円)

●ライフイベント、女性活躍●

【女性比率】■男 □女

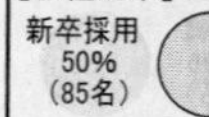

新卒採用 50% (85名)　従業員 31.7% (503名)　管理職 17.3% (114名)

【産休】[期間]産前6・産後8週間[給与]法定[取得者数]14名
【育休】[期間]1歳になるまで[給与]法定[取得者数]22年度 男13名(対象43名)女17名(対象17名)23年度 男14名(対象42名)女14名(対象14名)[平均取得日数]22年度 NA、23年度 NA
【従業員】[人数]1,589名(男1,086名、女503名)[平均年齢]32.7歳(男33.7歳、女30.4歳)[平均勤続年数]8.3年(男9.1年、女6.6年)
【年齢構成】■男 □女

	男	女
60代〜	0%	0%
50代	2%	1%
40代	12%	3%
30代	29%	8%
〜20代	25%	20%

会社データ (金額は百万円)

【本社】532-0004 大阪府大阪市淀川区西宮原2-6-1 ☎06-6350-7222 https://www.softs.co.jp/

【業績(連結)】	売上高	営業利益	経常利益	純利益
21.10	25,276	4,281	4,338	2,998
22.10	27,569	4,853	4,909	3,399
23.10	33,720	6,516	6,591	4,864

322 開示 ★★★★☆ 専門 採用あり

IDホールディングス(アイディー)

(㈱インフォメーション・ディベロプメント、㈱IDデータセンターマネジメント、㈱DXコンサルティング)

【特色】独立系のSIer。金融向けに強み。DX関連を強化

記者評価 顧客システムの運営・管理とソフト開発が柱。金融、公共、運輸関連に強い。19年に持株会社化。IBM、日立など大口顧客との取引が売上の8割強占める。AI、クラウド、セキュリティ関連の技術者を育成し、収益性が高いDX関連事業の拡大狙う。米・欧にも拠点。

平均勤続年数	男性育休取得率	3年後離職率	平均年収(平均42歳)
16.7年	42.9→90.5%	30.0→40.0%	㊗525万円

●採用・配属情報●

【男女・文理別採用実績】

	大卒男	大卒女	修士男	修士女
23年	25(文 20 理 5)	14(文 10 理 4)	5(文 2 理 3)	6(文 5 理 1)
24年	41(文 26 理 15)	23(文 19 理 4)	2(文 0 理 2)	0(文 0 理 0)
25年	55(文 30 理 25)	37(文 32 理 5)	3(文 0 理 3)	1(文 1 理 0)

【男女・職種別採用実績】　転換制度:⇔

	総合職
23年	53(男 31 女 22)
24年	68(男 43 女 25)
25年	96(男 58 女 38)

【職種併願】○
【24年4月入社者の配属勤務地】㊗山陰2 ㊕東京63 大阪2 茨城1
【転勤】あり:[職種]総合職[勤務地]東京都内及び近郊 福岡 中部 大阪 四国 山陰 海外の拠点:米国 欧州 中国 シンガポール
【中途比率】[単年度]21年度50%、22年度33%、23年度34%[全体]42%

●働きやすさ、諸制度●

残業(月) 15.3時間 ㊗15.3時間

【勤務時間】7時間30分【有休取得年平均】15.9日【週休】完全2日(土日祝)【夏期休暇】特別休暇連続3日(通年で取得可)【年末年始休暇】12月31日〜1月3日
【離職率】男:5.7%、88名 女:7.3%、35名(早期退職1名含む)
【新卒3年後離職率】
[20→23年]30.0%(男33.3%・入社18名、女25.0%・入社12名)
[21→24年]40.0%(男37.5%・入社8名、女42.9%・入社7名)
【テレワーク】制度あり:[場所]サテライトオフィス[対象]一部社員のみ[日数]制限なし[利用率]20.5%【勤務制度】フレックス 裁量労働 時差勤務 副業容認【住宅補助】独身寮(自己負担20,000〜45,000円 30歳まで)

●ライフイベント、女性活躍●

【女性比率】■男 □女

新卒採用 39.6% (38名)　従業員 23.2% (443名)　管理職 12.4% (18名)

【産休】[期間]産前6・産後8週間[給与]法定[取得者数]8名
【育休】[期間]1歳6カ月になるまで[給与]法定[取得者数]22年度 男6名(対象14名)女8名(対象8名)23年度 男19名(対象21名)女8名(対象8名)[平均取得日数]22年度 男73日 女286日、23年度 男42日 女309日
【従業員】[人数]1,910名(男1,467名、女443名)[平均年齢]41.8歳(男42.7歳、女38.9歳)[平均勤続年数]16.7年(男17.8年、女13.0年)【年齢構成】■男 □女

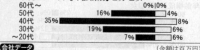

	男	女
60代〜	0%	0%
50代	16%	4%
40代	35%	8%
30代	19%	6%
〜20代	7%	6%

会社データ (金額は百万円)

【本社】102-0076 東京都千代田区五番町12-1 番町会館 ☎03-3264-3571 https://www.idnet-hd.co.jp/

【業績(連結)】	売上高	営業利益	経常利益	純利益
22.3	27,805	1,869	1,922	1,046
23.3	31,101	2,424	2,504	1,402
24.3	32,680	2,769	2,860	1,777

※会社データは㈱IDホールディングス、その他データはグループ4社の合算

304 開示★★★★ 短大 専門 採用あり

㈱フォーカスシステムズ

えるぼし★★★ プラチナくるみん

【特色】独立系SI。公共向けのシステム開発に強み

記者評価 SI、ITサービス、情報セキュリティが3本柱。デジタル鑑識技術のフォレンジックに特色。社会保障関連など公共系システム開発に強い。金融分野を開拓。ドローン研究やIoT、クラウド、AIにも傾注。筑波大と共同で3次電池の開発・実用化に挑戦。子育て支援充実。

平均勤続年数	男性育休取得率	3年後離職率	平均年収(平均36歳)
11.4年	59.1→81.8%	7.0→23.0%	㊓570万円

●採用・配属情報●

【男女・文理別採用実績】

	大卒男	大卒女	修士男	修士女
23年	34(文 26 理 8)	33(文 27 理 6)	1(文 0 理 1)	0(文 0 理 0)
24年	53(文 38 理 15)	48(文 45 理 3)	1(文 1 理 0)	1(文 1 理 0)
25年	48(文 32 理 16)	46(文 41 理 5)	1(文 0 理 1)	1(文 0 理 1)

【男女・職種別採用実績】

	総合職
23年	73(男 39 女 34)
24年	108(男 59 女 49)
25年	102(男 55 女 47)

【24年4月入社者の配属勤務地】㊝東京103 大阪3 名古屋2
【転勤】なし
【中途比率】[単年度]21年度33%、22年度31%、23年度37%[全体]33%

●働きやすさ、諸制度●

残業(月) 22.9時間 ㊓22.9時間

【勤務時間】9:00～17:45【有休取得年平均】11.0日【週休】2日【夏期休暇】連続5日【年末年始休暇】連続5日
【離職率】男:5.6%、60名 女:6.6%、24名
【新卒3年後離職率】
[20→23年]7.0%(男8.7%・入社46名、女4.0%・入社25名)
[21→24年]23.0%(男12.8%・入社47名、女40.7%・入社27名)
【テレワーク】制度あり:[場所]自宅[対象]NA[日数]NA[利用率]39.9%【勤務制度】フレックス【住宅補助】独身寮(東京・篠崎 神奈川・鶴見 千葉・西船橋)※部屋の数には限りがあるため、希望者多数の場合は遠方者を優先

●ライフイベント、女性活躍●

【女性比率】■男 □女

新卒採用 46.1%(47名)　従業員 25.4%(342名) 　管理職 3.1%(7名)

【産休】[期間]産前6・産後8週間[給与]法定[取得者数]18名
【育休】[期間]1歳になるまで[給与]法定[取得者数]22年度 男13名(対象22名)女7名(対象7名)23年度 男27名(対象33名)女18名(対象18名)[平均取得日数]22年度 男24日 女514日、23年度 男76日 女378日
【従業員】[人数]1,344名(男1,002名、女342名)[平均年齢]36.4歳(男38.2歳、女31.3歳)[平均勤続年数]11.4年(男12.8年、女7.3年)
【年齢構成】■男 □女

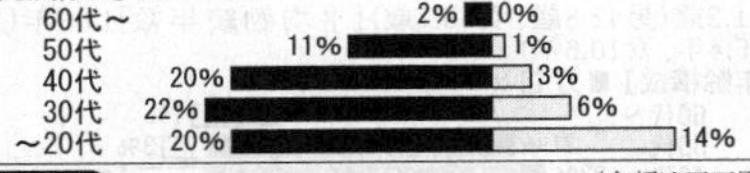

会社データ (金額は百万円)

【本社】141-0022 東京都品川区東五反田2-7-8 フォーカス五反田ビル ☎03-5421-7777 https://www.focus-s.com/

【業績(単独)】	売上高	営業利益	経常利益	純利益
22.3	26,278	1,640	1,600	1,066
23.3	29,124	1,894	1,911	1,390
24.3	31,509	1,974	1,971	1,406

1423 開示★★★★ 専門 採用あり

㈱エクサ

えるぼし★★★ くるみん

【特色】システム開発会社中堅。JFEスチール系

記者評価 旧日本鋼管(現JFEスチール)のシステム部門が独立して発足。JFE向け以外にも、製造、金融、公共など取引先は幅広い。システムのコンサルから構築、運用まで一貫。技術力と現場力の融合図る。24年6月製造業向け生成・変換ナレッジソリューションの提供開始。

平均勤続年数	男性育休取得率	3年後離職率	平均年収(平均45歳)
17.8年	50.0→90.0%	6.5→4.5%	㊓760万円

●採用・配属情報●

【男女・文理別採用実績】

	大卒男	大卒女	修士男	修士女
23年	18(文 7 理 11)	12(文 11 理 1)	6(文 0 理 6)	0(文 0 理 0)
24年	16(文 7 理 9)	16(文 11 理 5)	0(文 0 理 0)	0(文 0 理 0)
25年	27(文 14 理 13)	11(文 11 理 0)	5(文 0 理 5)	2(文 1 理 1)

【男女・職種別採用実績】

	総合職
23年	36(男 24 女 12)
24年	32(男 16 女 16)
25年	46(男 33 女 13)

【24年4月入社者の配属勤務地】㊓横浜2 ㊝横浜28 広島・福山2
【転勤】あり:[職種]全社員
【中途比率】[単年度]21年度23%、22年度22%、23年度22%[全体]17%

●働きやすさ、諸制度●

残業(月) 17.5時間 ㊓17.5時間

【勤務時間】9:00～17:30(フレックスタイム制 コアタイムなし)【有休取得年平均】15.2日【週休】完全2日(土日祝)【夏期休暇】有休で取得【年末年始休暇】12月30日～1月3日
【離職率】男:1.9%、19名 女:3.5%、10名(早期退職男1名含む)
【新卒3年後離職率】
[20→23年]6.5%(男5.3%・入社19名、女8.3%・入社12名)
[21→24年]4.5%(男6.1%・入社33名、女0%・入社11名)
【テレワーク】制度あり:[場所]自宅および自宅に準ずる場所[対象]全社員[日数]制限なし[利用率]NA【勤務制度】フレックス【住宅補助】独身宿舎 借家手当

●ライフイベント、女性活躍●

【女性比率】■男 □女

新卒採用 28.3%(13名)　従業員 22.1%(273名) 　管理職 16.7%(21名)

【産休】[期間]産前6・産後8週間[給与]法定[取得者数]5名
【育休】[期間]2歳になるまで[給与]法定[取得者数]22年度 男10名(対象20名)女6名(対象6名)23年度 男18名(対象20名)女5名(対象5名)[平均取得日数]22年度 男69日 女442日、23年度 男74日 女408日
【従業員】[人数]1,234名(男961名、女273名)[平均年齢]45.2歳(男46.5歳、女40.8歳)[平均勤続年数]17.8年(男18.3年、女16.1年)
【年齢構成】■男 □女

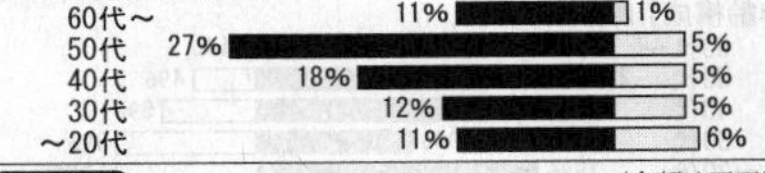

会社データ (金額は百万円)

【本社】220-8560 神奈川県横浜市西区みなとみらい4-4-5 横浜アイマークプレイス2F ☎045-212-5180 https://www.exa-corp.co.jp/

【業績(単独)】	売上高	営業利益	経常利益	純利益
21.12	31,626	NA	3,231	2,271
23.3変	36,771	NA	4,073	2,838
24.3	30,108	NA	4,243	2,951

2579 開示 ★★★★ 専門 採用あり

㈱シーエーシー

えるぼし ★★★

【特色】金融機関に強い独立系SI。製薬会社の顧客も多い

記者評価 CAC・HDの中核。システム開発中堅。コンサルから設計・開発・運用まで一貫。元請け比率9割超。信託銀行向け軸に金融関連強い。製薬業向けも高実績。DX関連サービスに注力。感情認識AIを用いた分析サービスやAWS導入支援など自社ソリューションも多数。

平均勤続年数	男性育休取得率	3年後離職率	平均年収(平均41歳)
14.2年	46.7→54.5%	24.5→23.6%	総627万円

●採用・配属情報●

【男女・文理別採用実績】

	大卒男	大卒女	修士男	修士女
23年	45(文 16 理 29)	22(文 18 理 4)	22(文 1 理 21)	3(文 1 理 2)
24年	65(文 32 理 33)	30(文 25 理 5)	9(文 3 理 6)	6(文 3 理 3)
25年	37(文 19 理 18)	17(文 10 理 7)	1(文 0 理 1)	5(文 4 理 1)

※25年:110名採用予定

【男女・職種別採用実績】 転換制度:⇔

	技術職
23年	105(男 77 女 28)
24年	121(男 85 女 36)
25年	67(男 45 女 22)

【24年4月入社者の配属勤務地】総東京1 技東京116 滋賀4

【転勤】あり:全社員

【中途比率】[単年度]21年度49%、22年度43%、23年度37%[全体]NA

●働きやすさ、諸制度●

残業(月) 13.9時間 総13.9時間

【勤務時間】フレックスタイム制(フレキシブルタイム7:00～21:00)【有休取得年平均】12.0日【週休】完全2日(土日祝)【夏期休暇】3日【年末年始休暇】12月30日～1月4日

【離職率】男:3.2%、28名 女:5.0%、20名

【新卒3年後離職率】

[20→23年]24.5%(男25.0%・入社40名、女23.1%・入社13名)

[21→24年]23.6%(男26.2%・入社42名、女15.4%・入社13名)

【テレワーク】制度あり:[場所]自宅[対象]全社員[日数]制限なし[利用率]55.3%【勤務制度】フレックス 時間単位有休 時差勤務 勤務間インターバル 副業容認【住宅補助】独身寮(行徳 浦安 西葛西 東中山 1Kマンション)

●ライフイベント、女性活躍●

【女性比率】■男 □女

新卒採用 32.8% (22名)　従業員 31% (382名)　管理職 14.3% (6名)

【産休】[期間]産前6・産後8週間[給与]法定[取得者数]21名

【育休】[期間]3歳になるまで[給与]法定[取得者数]22年度 男7名(対象15名)女9名(対象9名)23年度 男6名(対象11名)女19名(対象19名)[平均取得日数]22年度 男68日 女482日、23年度 男96日 女352日

【従業員】[人数]1,231名(男849名、女382名)[平均年齢]41.1歳(男42.8歳、女37.3歳)[平均勤続年数]14.2年(男16.0年、女10.0年)

【年齢構成】■男 □女

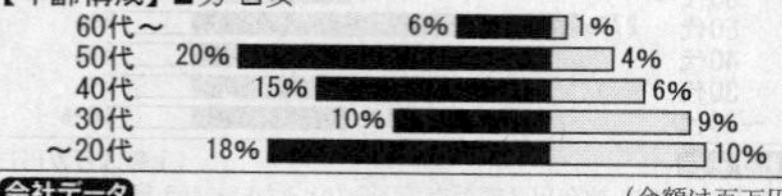

会社データ (金額は百万円)

【本社】103-0015 東京都中央区日本橋箱崎町24-1 ☎03-6667-8000 https://www.cac.co.jp/

【業績(単独)】	売上高	営業利益	経常利益	純利益
21.12	26,817	2,668	2,911	2,089
22.12	29,231	2,825	3,063	2,251
23.12	29,905	2,510	4,354	3,700

1442 開示 ★★★ 専門 採用あり

クオリカ㈱

えるぼし ★★

【特色】企業向けITサービスプロバイダー。TIS傘下

記者評価 TISグループ傘下のSI。製造業や流通・サービス業を軸とする企業向けシステムの開発から運用まで一貫。コマツの情報システム部門が前身。勤務地に縛られない働き方を可能にする「居住地選択制度」に独自色。24年4月給与水準引き上げを含む人事制度改革を実施。

平均勤続年数	男性育休取得率	3年後離職率	平均年収(平均41歳)
14.3年	20.0→50.0%	17.0→15.6%	総696万円

●採用・配属情報●

【男女・文理別採用実績】

	大卒男	大卒女	修士男	修士女
23年	24(文 13 理 11)	17(文 15 理 2)	1(文 0 理 1)	0(文 0 理 0)
24年	20(文 11 理 9)	15(文 11 理 4)	2(文 0 理 2)	0(文 0 理 0)
25年	17(文 8 理 9)	17(文 12 理 5)	1(文 0 理 1)	1(文 0 理 1)

【男女・職種別採用実績】

	総合職(技術職)	総合職(営業職)
23年	39(男 23 女 16)	4(男 3 女 1)
24年	36(男 21 女 15)	2(男 1 女 1)
25年	35(男 19 女 16)	3(男 1 女 2)

【24年4月入社者の配属勤務地】総東京2 技東京26 神奈川2 大阪3 栃木2 石川3

【転勤】あり:全社員

【中途比率】[単年度]21年度5%、22年度14%、23年度26%[全体]23%

●働きやすさ、諸制度●

残業(月) 16.7時間 総16.7時間

【勤務時間】9:00～17:30【有休取得年平均】14.4日【週休】完全2日(土日祝)【夏期休暇】連続5日【年末年始休暇】12月31日～1月3日

【離職率】男:3.7%、28名 女:2.7%、6名

【新卒3年後離職率】

[20→23年]17.0%(男19.5%・入社41名、女8.3%・入社12名)

[21→24年]15.6%(男22.2%・入社27名、女5.6%・入社18名)

【テレワーク】制度あり:[場所]自宅 サテライトオフィス[対象]全社員[日数]制限なし[利用率]45.2%【勤務制度】フレックス 時間単位有休 裁量労働 時差勤務 副業容認【住宅補助】住宅手当(世帯主または独立生計者、物件所在地区分等により月15,000～45,000円)

●ライフイベント、女性活躍●

【女性比率】■男 □女

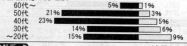

新卒採用 47.4% (18名)　従業員 23.1% (219名)　管理職 5.7% (6名)

【産休】[期間]産前6・産後8週間[給与]健保8割給付[取得者数]4名

【育休】[期間]1歳になるまで[給与]法定[取得者数]22年度 男5名(対象25名)女8名(対象8名)23年度 男8名(対象16名)女3名(対象3名)[平均取得日数]22年度 NA、23年度 NA

【従業員】[人数]949名(男730名、女219名)[平均年齢]41.2歳(男42.8歳、女35.7歳)[平均勤続年数]14.3年(男15.4年、女10.6年)

【年齢構成】■男 □女

	男	女
60代～	5%	1%
50代	21%	3%
40代	23%	5%
30代	14%	6%
～20代	15%	9%

会社データ (金額は百万円)

【本社】160-0023 東京都新宿区西新宿8-17-1 住友不動産新宿グランドタワー23階 ☎03-5937-0700 https://www.qualica.co.jp/

【業績(単独)】	売上高	営業利益	経常利益	純利益
22.3	19,973	2,074	2,130	1,470
23.3	22,623	2,542	2,636	1,706
24.3	26,534	3,210	3,308	2,169

㈱ＣＩＪ（シーアイジェイ）

えるぼし★★★　くるみん

【特色】独立系ソフト会社。日立、NTTデータと親密

記者評価 日立製作所とNTTデータ向けが売上の4割弱。基盤系やJava、セキュリティ関連に強み。金融系得意なITコンサル会社を19年に、制御系得意なソフト開発会社を23年に買収。社員の独立資金を融資する起業支援制度あり。18年から光通信が大株主に。

平均勤続年数	男性育休取得率	3年後離職率	平均年収(平均39歳)
13.6年	46.2→66.7%	NA	㊍555万円

●採用・配属情報●

【男女・文理別採用実績】

	大卒男	大卒女	修士男	修士女
23年	22(文 9理 13)	4(文 3理 1)	2(文 0理 2)	0(文 0理 0)
24年	20(文 10理 10)	7(文 5理 2)	4(文 1理 3)	0(文 0理 0)
25年	-(文 -理 -)	-(文 -理 -)	-(文 -理 -)	-(文 -理 -)

※25年:最大60名程度採用予定

【男女・職種別採用実績】

	総合職
23年	32(男 28 女 4)
24年	34(男 26 女 8)
25年	60(男 - 女 -)

【24年4月入社者の配属勤務地】㊋横浜15 東京・中央9 北海道2 名古屋2 大阪4 福岡2

【転勤】あり:全国勤務社員

【中途比率】[単年度]21年度3%、22年度6%、23年度11% [全体]24%

●働きやすさ、諸制度●

残業(月) 15.3時間 ㊍15.3時間

【勤務時間】8:40〜17:40(フレックスタイム制 コアタイム10:30〜14:30)【有休取得年平均】14.9日【週休】完全2日(土日祝)【夏期休暇】2日(7〜9月に分散取得可)【年末年始休暇】12月30日〜1月3日

【離職率】男:6.9%、46名 女:10.0%、21名(他に男2名転籍)

【新卒3年後離職率】[20→23年]NA [21→24年]NA

【テレワーク】制度あり:[場所]自宅[対象]全社員(ただし、プロジェクトによる)[日数]プロジェクトによる[利用率]40.6%

【勤務制度】フレックス 時間単位有休 裁量労働【住宅補助】借上単身寮(条件により2年間入寮可 一部自己負担あり 退寮後は一定期間住宅手当(1〜3万円程度)を支給)

●ライフイベント、女性活躍●

【女性比率】■男 □女

従業員 23.5% (190名)

管理職 14.4% (38名)

【産休】[期間]産前8・産後12週間[給与]法定[取得者数]5名

【育休】[期間]1歳になるまで[給与]法定[取得者数]22年度 男6名(対象13名)女4名(対象4名)23年度 男6名(対象9名)女4名(対象4名)[平均取得日数]22年度 男45日 女299日、23年度 男66日 女NA

【従業員】[人数]810名(男620名、女190名)[平均年齢]38.7歳(男39.3歳、女36.7歳)[平均勤続年数]13.6年(男14.2年、女11.5年)

【年齢構成】■男 □女

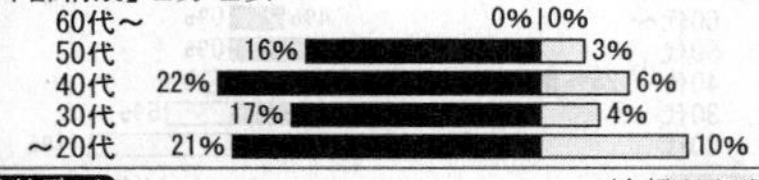

会社データ (金額は百万円)

【本社】220-0011 神奈川県横浜市西区高島1-2-5 横濱ゲートタワー ☎045-222-0555 https://www.cij.co.jp/

【業績(連結)】	売上高	営業利益	経常利益	純利益
22.6	21,467	1,570	1,598	971
23.6	22,859	1,829	1,839	1,142
24.6	25,733	1,964	1,993	948

㈱さくらケーシーエス

えるぼし★★　プラチナくるみん

【特色】ソフト開発、データセンター主体。富士通色

記者評価 SMBCグループのSI。旧神戸銀行の流れをくみ、兵庫県内に強固な事業基盤。金融向けに強く、公共・産業向けにも展開。クラウドやグループ連携によるBPO事業も。SMBCグループ、富士通グループが主要顧客。24年7月にベースアップを実施、大卒初任給を1.3万円増額。

平均勤続年数	男性育休取得率	3年後離職率	平均年収(平均44歳)
20.1年	75.0→88.9%	21.6→15.2%	679万円

●採用・配属情報●

【男女・文理別採用実績】

	大卒男	大卒女	修士男	修士女
23年	17(文 8理 9)	12(文 7理 5)	0(文 0理 0)	0(文 0理 0)
24年	17(文 7理 10)	11(文 7理 4)	1(文 0理 1)	0(文 0理 0)
25年	22(文 9理 13)	15(文 12理 3)	4(文 0理 4)	0(文 0理 0)

【男女・職種別採用実績】 転換制度:⇔

	総合職	一般職(事務)
23年	32(男 22 女 10)	2(男 0 女 2)
24年	33(男 22 女 11)	2(男 0 女 2)
25年	44(男 31 女 13)	2(男 0 女 2)

【職種併願】○

【24年4月入社者の配属勤務地】㊋神戸19 東京・中央13 大阪市1

【転勤】あり:全社員

【中途比率】[単年度]21年度6%、22年度16%、23年度3% [全体]6%

●働きやすさ、諸制度●

残業(月) 18.3時間 ㊍19.9時間

【勤務時間】9:00〜17:30【有休取得年平均】18.7日【週休】完全2日(土日祝)【夏期休暇】なし【年末年始休暇】12月30日〜1月3日

【離職率】男:4.2%、29名 女:3.7%、9名(転進支援型早期退職男7名含む)

【新卒3年後離職率】
[20→23年]21.6%(男17.4%・入社23名、女28.6%・入社14名)
[21→24年]15.2%(男6.3%・入社16名、女23.5%・入社17名)

【テレワーク】制度なし【勤務制度】時差勤務 勤務間インターバル【住宅補助】借上社宅 住宅手当(持家・自己賃貸者)

●ライフイベント、女性活躍●

【女性比率】■男 □女

新卒採用 32.6% (15名)

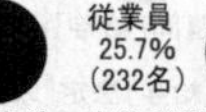

従業員 25.7% (232名)

管理職 7.3% (8名)

【産休】[期間]産前6・産後8週間[給与]法定[取得者数]4名

【育休】[期間]1歳到達月終了後の最初の4月末日まで[給与]最初5日間有給、以降給付金[取得者数]22年度 男12名(対象16名)女9名(対象9名)23年度 男8名(対象9名)女4名(対象5名)[平均取得日数]22年度 男13日 女431日、23年度 男8日 女372日

【従業員】[人数]901名(男669名、女232名)[平均年齢]43.5歳(男45.4歳、女38.1歳)[平均勤続年数]20.1年(男21.9年、女15.0年)

【年齢構成】■男 □女

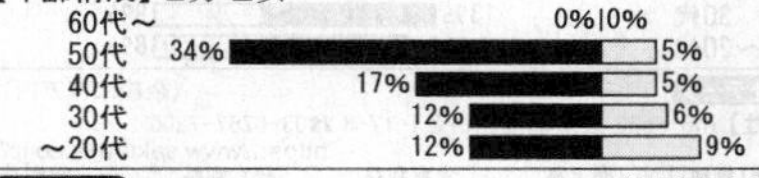

会社データ (金額は百万円)

【本社】650-0036 兵庫県神戸市中央区播磨町21-1 ☎078-391-6571 https://www.kcs.co.jp/

【業績(連結)】	売上高	営業利益	経常利益	純利益
22.3	24,794	819	878	602
23.3	23,588	993	1,038	748
24.3	22,769	1,127	1,206	895

さくら情報(じょうほう)システム(株)

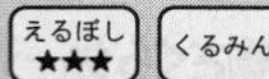

【特色】大阪ガス、三井住友銀行系のシステム会社

記者評価 大阪ガス系のオージス総研と三井住友銀行の合弁。会計、人事・給与、業務系のソリューション事業と、SMBCグループ各社などの勘定系システムやエネルギー事業関連システムのSI事業が2本柱。24年7月に正社員全体で一律1万円のベースアップを実施。

平均勤続年数	男性育休取得率	3年後離職率	平均年収(平均43歳)
16.6年	33.3→64.3%	4.3→26.1%	総 612万円

●採用・配属情報●

【男女・文理別採用実績】

	大卒男	大卒女	修士男	修士女
23年	25(文 11 理 14)	15(文 13 理 2)	0(文 0 理 0)	1(文 0 理 1)
24年	23(文 13 理 10)	19(文 17 理 2)	2(文 0 理 2)	1(文 0 理 1)
25年	24(文 14 理 10)	28(文 24 理 4)	0(文 0 理 0)	0(文 0 理 0)

【男女・職種別採用実績】 転換制度:⇔

	総合職
23年	41(男 25 女 16)
24年	45(男 25 女 20)
25年	52(男 24 女 28)

【24年4月入社者の配属勤務地】㊙東京42 大阪3

【転勤】あり:[対象]全正社員[勤務地]東京 大阪

【中途比率】[単年度]21年度47%、22年度59%、23年度42%[全体]26%

●働きやすさ、諸制度●

残業(月) 24.3時間 総 24.5時間

【勤務時間】7時間30分(コアタイムなし フレックスタイム制)【有休取得年平均】15.0日【週休】完全2日(土日祝)【夏期休暇】なし【年末年始休暇】12月31日 1月2日 1月3日

【離職率】男:4.1%、27名 女:4.9%、18名

【新卒3年後離職率】
[20→23年]4.3%(男0%・入社16名、女14.3%・入社7名)
[21→24年]26.1%(男20.0%・入社10名、女30.8%・入社13名)

【テレワーク】制度あり:[場所]自宅[対象]全社員[日数]制限なし[利用率]43.3%【勤務制度】フレックス 勤務間インターバル【住宅補助】借上社宅(自己負担30,000円)

●ライフイベント、女性活躍●

【女性比率】■男 □女

新卒採用 53.8% (28名)　従業員 35.6% (347名)

管理職 16.7% (25名)

【産休】[期間]産前6・産後8週間[給与]法定[取得者数]8名

【育休】[期間]1歳になるまで[給与]法定[取得者数]22年度 男4名(対象12名)女11名(対象11名)23年度 男9名(対象14名)女12名(対象12名)[平均取得日数]22年度 男115日 女402日、23年度 男44日 女316日

【従業員】[人数]975名(男628名、女347名)[平均年齢]42.2歳(男43.3歳、女40.3歳)[平均勤続年数]16.6年(男17.6年、女14.9年)

【年齢構成】■男 □女

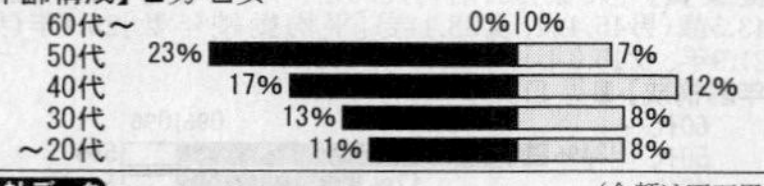

会社データ (金額は百万円)

【本社】108-8650 東京都港区白金1-17-3 ☎03-6757-7200
https://www.sakura-is.co.jp/

【業績(単独)】	売上高	営業利益	経常利益	純利益
22.3	20,209	NA	NA	NA
23.3	21,181	NA	NA	NA
24.3	22,695	NA	NA	NA

(株)エヌアイデイ

【特色】独立系SI。通信・情報、組み込み系に強み

記者評価 組み込みソフト、システム開発、ネット運用が3本柱。組み込みは車載機器、ネットワークはクラウドに重点。生損保や航空会社向けシステムで実績。コーポレートメッセージは「できるわけある」。新事業創出注力。22年NTTドコモ傘下のECサイト構築会社を子会社化。

平均勤続年数	男性育休取得率	3年後離職率	平均年収(平均39歳)
14.1年	12.5→44.4%	34.7→36.6%	総 569万円

●採用・配属情報●

【男女・文理別採用実績】

	大卒男	大卒女	修士男	修士女
23年	54(文 19 理 35)	27(文 20 理 7)	4(文 0 理 4)	1(文 0 理 1)
24年	60(文 33 理 27)	23(文 16 理 7)	4(文 0 理 4)	1(文 0 理 1)
25年	57(文 27 理 30)	26(文 18 理 8)	4(文 0 理 4)	2(文 0 理 2)

※25年:継続中

【男女・職種別採用実績】

	総合職
23年	92(男 62 女 30)
24年	94(男 68 女 26)
25年	95(男 65 女 30)

【24年4月入社者の配属勤務地】㊙東京86 愛知8

【転勤】あり:[職種]システムエンジニア職[勤務地]東京 愛知

【中途比率】[単年度]21年度18%、22年度13%、23年度11%[全体]12%

●働きやすさ、諸制度●

残業(月) 16.3時間 総 16.3時間

【勤務時間】9:00〜18:00【有休取得年平均】12.2日【週休】完全2日(土日祝)【夏期休暇】1日【年末年始休暇】連続5日

【離職率】男:4.8%、43名 女:8.1%、16名

【新卒3年後離職率】
[20→23年]34.7%(男29.5%・入社44名、女42.9%・入社28名)
[21→24年]36.6%(男42.3%・入社26名、女26.7%・入社15名)

【テレワーク】制度あり:[場所]自宅[対象]全社員[日数]現場による[利用率]NA【勤務制度】フレックス 時間単位有休 時差勤務【住宅補助】住宅手当(独身単身者20,000円 自宅通勤者8,000円 世帯主27,000円)

●ライフイベント、女性活躍●

【女性比率】■男 □女

新卒採用 31.6% (30名)　従業員 17.7% (182名)　管理職 2.8% (2名)

【産休】[期間]産前6・産後8週間[給与]法定[取得者数]2名

【育休】[期間]1歳になるまで[給与]法定[取得者数]22年度 男1名(対象8名)女5名(対象5名)23年度 男4名(対象9名)女2名(対象2名)[平均取得日数]22年度 男31日 女315日、23年度 男38日 女374日

【従業員】[人数]1,026名(男844名、女182名)[平均年齢]38.9歳(男40.9歳、女30.0歳)[平均勤続年数]14.1年(男15.7年、女6.4年)

【年齢構成】■男 □女

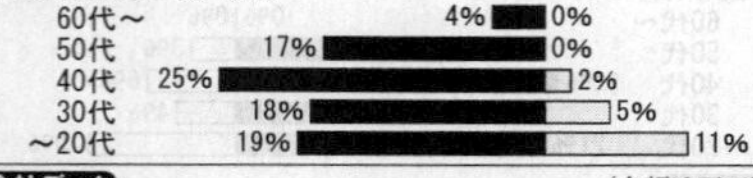

会社データ (金額は百万円)

【本社】104-6029 東京都中央区晴海1-8-10 晴海アイランドトリトンスクエアX棟29階 ☎03-6221-6811
https://www.nid.co.jp/

【業績(連結)】	売上高	営業利益	経常利益	純利益
22.3	18,251	2,226	2,466	1,631
23.3	20,449	2,544	2,742	2,210
24.3	22,571	2,809	3,126	2,108

通信・ソフト

1475 **開示 ★★★★☆** **専門** **採用あり**

エージーエス
ＡＧＳ㈱

くるみん

【特色】りそなGが母体の情報システムサービス企業

記者評価 コンサルからシステム開発、運用まで一貫提供。金融・公共・法人の各領域向けに展開。埼玉県内のデータセンターを基盤に受託計算やBPO・クラウドサービスなどを展開。クラウド・インフラ資格取得者増を推進。社内副業制度や昼食時間帯のWeb講座開催も。

平均勤続年数	男性育休取得率	3年後離職率	平均年収(平均44歳)
21.1年	80.0 → 40.0%	5.3 → 24.2%	㊍605万円

●採用・配属情報●

【男女・文理別採用実績】

	大卒男	大卒女	修士男	修士女
23年	17(文 9理 8)	10(文 4理 6)	1(文 0理 1)	0(文 0理 0)
24年	14(文 6理 8)	11(文 9理 2)	3(文 0理 3)	0(文 0理 0)
25年	18(文 12理 6)	13(文 10理 3)	0(文 0理 0)	1(文 1理 0)

【男女・職種別採用実績】 転換制度:⇔

	総合職
23年	30(男 20 女 10)
24年	39(男 27 女 12)
25年	43(男 28 女 15)

【24年4月入社者の配属勤務地】㊍さいたま5 ㊋さいたま28 東京(新川2 目黒3)栃木・宇都宮1

【転勤】なし

【中途比率】[単年度]21年度18%、22年度32%、23年度30%[全体]25%

●働きやすさ、諸制度●

残業(月) 18.5時間 ㊍18.5時間

【勤務時間】9:00〜17:40【有休取得年平均】17.7日【週休】完全2日(土日祝)【夏期休暇】有休で取得【年末年始休暇】12月30日〜1月3日

【離職率】男:3.5%、29名 女:4.0%、12名

【新卒3年後離職率】
[20→23年]5.3%(男4.2%・入社24名、女7.1%・入社14名)
[21→24年]24.2%(男11.8%・入社17名、女37.5%・入社16名)

【テレワーク】制度あり:[場所]カフェ レンタルオフィス[対象]全社員[日数]制限なし[利用率]25.9%【勤務制度】フレックス 時間単位有休 勤務間インターバル 副業容認【住宅補助】独身寮(自己負担20,000円)

●ライフイベント、女性活躍●

【女性比率】■男 □女

新卒採用 34.9% (15名)

従業員 26.5% (285名)

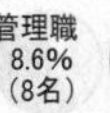

管理職 8.6% (8名)

【産休】[期間]産前6・産後8週間[給与]法定[取得者数]5名

【育休】[期間]1歳になるまで[給与]法定[取得者数]22年度 男4名(対象5名)女7名(対象7名)23年度 男4名(対象10名)女5名(対象5名)[平均取得日数]22年度 NA、23年度 男64日 女316日

【従業員】[人数]1,076名(男791名、女285名)[平均年齢]45.0歳(男46.4歳、女40.7歳)[平均勤続年数]21.1年(男22.4年、女17.2年)

【年齢構成】■男 □女

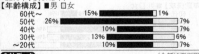

	男	女
60代〜	15%	1%
50代	26%	7%
40代	10%	7%
30代	13%	6%
〜20代	10%	7%

会社データ (金額は百万円)

【本社】330-0075 埼玉県さいたま市浦和区針ヶ谷4-3-25 ☎048-825-6000 https://www.ags.co.jp/

【業績(連結)】	売上高	営業利益	経常利益	純利益
22.3	21,187	948	981	638
23.3	21,066	873	910	682
24.3	22,092	1,272	1,286	936

1113 **開示 ★★★☆☆** **短大** **専門** **採用あり**

アイエックス・ナレッジ㈱

【特色】独立系の中堅システム開発会社。一貫受注に強み

記者評価 金融、通信など多岐にわたる業種の顧客に対し、コンサルティングからシステム開発、運用・保守まで一貫したサービスを提供。情報・通信分野向けなどの第三者検証サービスも展開。23年2月土木建設分野の同業を子会社化。クラウドネイティブ人材の育成に注力。

平均勤続年数	男性育休取得率	3年後離職率	平均年収(平均39歳)
15.3年	33.3 → 80.0%	26.0 → 17.6%	㊍588万円

●採用・配属情報●

【男女・文理別採用実績】

	大卒男	大卒女	修士男	修士女
23年	44(文 32理 12)	19(文 18理 1)	0(文 0理 0)	0(文 0理 0)
24年	40(文 23理 17)	29(文 24理 5)	2(文 0理 2)	1(文 1理 0)
25年	43(文 30理 13)	20(文 18理 2)	1(文 0理 1)	1(文 0理 1)

【男女・職種別採用実績】 転換制度:⇔

	SE	営業	管理部門スタッフ
23年	67(男 49 女 18)	2(男 1 女 1)	0(男 0 女 0)
24年	79(男 49 女 30)	2(男 2 女 0)	0(男 0 女 0)
25年	-(男 - 女 -)	-(男 - 女 -)	-(男 - 女 -)

【職種併願】○

【24年4月入社者の配属勤務地】㊍東京2 ㊋東京68 大阪8 新潟3

【転勤】あり:[職種]全社員[勤務地]本社、事業所または主に勤務となる顧客先

【中途比率】[単年度]21年度2%、22年度5%、23年度8%[全体]NA

●働きやすさ、諸制度●

残業(月) 13.5時間 ㊍13.5時間

【勤務時間】9:00〜17:45【有休取得年平均】14.7日【週休】完全2日(土日祝)【夏期休暇】有休取得可【年末年始休暇】12月30日〜1月4日

【離職率】男:3.6%、39名 女:5.2%、16名(早期退職5名含む)

【新卒3年後離職率】
[20→23年]26.0%(男27.8%・入社54名、女21.7%・入社23名)
[21→24年]17.6%(男17.6%・入社51名、女17.6%・入社34名)

【テレワーク】制度あり:[場所]自宅(申請により実家での勤務可)[対象]全社員[日数]制限なし[利用率]33.3%【勤務制度】時間単位有休 時差勤務【住宅補助】住宅手当 月20,000円まで 卒業後5年間 住宅補助 入社時の赴任費用の負担 赴任引越費用の一部負担

●ライフイベント、女性活躍●

【女性比率】■男 □女

従業員 21.6% (289名)

管理職 8.7% (16名)

【産休】[期間]産前6・産後8週間[給与]法定[取得者数]14名

【育休】[期間]3歳になるまで[給与]法定[取得者数]22年度 男5名(対象15名)女8名(対象8名)23年度 男8名(対象10名)女4名(対象4名)[平均取得日数]22年度 男220日 女308日、23年度 男90日 女356日

【従業員】[人数]1,336名(男1,047名、女289名)[平均年齢]39.4歳(男40.5歳、女35.6歳)[平均勤続年数]15.3年(男16.5年、女10.9年)

【年齢構成】■男 □女

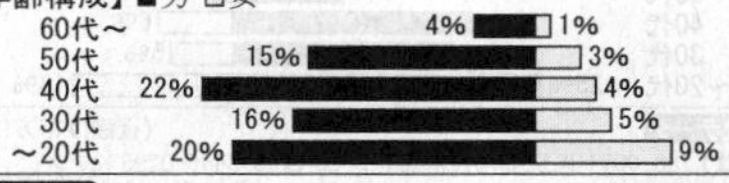

会社データ (金額は百万円)

【本社】108-0022 東京都港区海岸3-22-23 MSCセンタービル ☎03-6400-7000 https://www.ikic.co.jp/

【業績(連結)】	売上高	営業利益	経常利益	純利益
23.3	20,206	1,459	1,533	1,027
24.3	21,748	1,655	1,739	1,275

通信・ソフト

1093 **開示 ★★★★☆ 短大 専門 採用あり**

㈱ジャステック

くるみん

【特色】優良顧客多いシステム開発専業。NTTデータ傘下

記者評価 ソフトウェア開発専業。一分野一社主義を掲げ各業界上位の優良企業を顧客に持つ。売上の約4割を占める金融・保険のほか、製造、電力・運輸など顧客は幅広い。国際品質マネジメント規格CMMIの成熟度レベル5を達成。24年5月NTTデータによるTOBが成立し上場廃止。

平均勤続年数	男性育休取得率	3年後離職率	平均年収(平均36歳)
12.9年	53.3→75.0%	38.2→35.1%	㊐524万円

●採用・配属情報●

【男女・文理別採用実績】

	大卒男	大卒女	修士男	修士女
23年	65(文 13 理 52)	29(文 25 理 4)	9(文 0 理 9)	1(文 0 理 1)
24年	52(文 20 理 32)	22(文 16 理 6)	15(文 0 理 15)	3(文 0 理 3)
25年	71(文 23 理 48)	32(文 24 理 8)	13(文 3 理 10)	1(文 1 理 0)

※25年:24年7月23日時点

【男女・職種別採用実績】

	技術職(SE)
23年	114(男 82 女 32)
24年	98(男 73 女 25)
25年	126(男 93 女 33)

【24年4月入社者の配属勤務地】㊕東京・高輪79 仙台3 沼津1 名古屋4 大阪市5 広島市2 福岡市4

【転勤】あり:全社員

【中途比率】[単年度]21年度3%、22年度10%、23年度8%[全体]6%

●働きやすさ、諸制度●

残業(月) 26.4時間 ㊐26.4時間

【勤務時間】9:00～18:00**【有休取得年平均】**13.0日**【週休】**完全2日(土日祝)**【夏期休暇】**3日**【年末年始休暇】**12月29日～1月4日

【離職率】男:8.4%、94名 女:9.9%、39名

【新卒3年後離職率】

[20→23年]38.2%(男39.1%・入社87名、女36.7%・入社49名)

[21→24年]35.1%(男36.1%・入社97名、女33.3%・入社54名)

【テレワーク】制度あり:[場所]自宅[対象]全社員[日数]制限なし[利用率]NA**【勤務制度】**時差勤務 副業容認**【住宅補助】**借上独身寮(2年間 家賃半額負担)

●ライフイベント、女性活躍●

【女性比率】■男 □女

新卒採用 26.2% (33名)

従業員 25.8% (356名)

管理職 2% (3名)

【産休】[期間]産前6・産後8週間[給与]法定[取得者数]7名

【育休】[期間]3歳誕生日前日まで[給与]法定[取得者数]22年度 男8名(対象15名)女5名(対象5名)23年度 男9名(対象12名)女8名(対象8名)[平均取得日数]22年度 男92日 女476日、23年度 男90日 女384日

【従業員】[人数]1,379名(男1,023名、女356名)[平均年齢]36.7歳(男37.7歳、女33.9歳)[平均勤続年数]12.9年(男13.9年、女10.4年)

【年齢構成】■男 □女

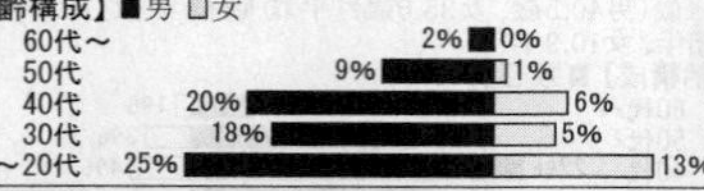

会社データ (金額は百万円)

【本社】108-0074 東京都港区高輪3-5-23 ☎03-3446-0295

https://www.jastec.co.jp/

【業績(単独)】	売上高	営業利益	経常利益	純利益
21.11	18,174	2,075	2,194	1,515
22.11	19,053	2,889	2,964	2,044
23.11	20,762	3,063	3,150	2,213

1433 **開示 ★★★☆☆ 専門 採用あり**

キーウェアソリューションズ㈱

くるみん

【特色】総合システムサービス企業。NEC、JR、NTTと密接

記者評価 システム開発と、パッケージソフトや運用・保守など総合ITサービスの2本柱。NEC、NTT、JR東の各グループ会社などが主要顧客。社会インフラ関連に強い。セキュリティやデジタル金融など新領域に意欲。24年4月、医療関連子会社を本社に統合し、同分野を強化。

平均勤続年数	男性育休取得率	3年後離職率	平均年収(平均42歳)
17.0年	0→166.7%	15.6→21.8%	㊐621万円

●採用・配属情報●

【男女・文理別採用実績】

	大卒男	大卒女	修士男	修士女
23年	28(文 11 理 17)	9(文 6 理 3)	1(文 0 理 1)	0(文 0 理 0)
24年	21(文 14 理 7)	18(文 14 理 4)	1(文 0 理 1)	0(文 0 理 0)
25年	27(文 15 理 12)	15(文 8 理 7)	0(文 0 理 0)	2(文 1 理 1)

【男女・職種別採用実績】

	総合職	コーポレートスタッフ	営業
23年	38(男 30 女 8)	1(男 0 女 1)	2(男 2 女 0)
24年	36(男 20 女 16)	3(男 0 女 3)	2(男 2 女 0)
25年	47(男 28 女 19)	0(男 0 女 0)	0(男 0 女 0)

【24年4月入社者の配属勤務地】㊐東京・世田谷5 ㊕東京・世田谷36

【転勤】なし

【中途比率】[単年度]21年度11%、22年度11%、23年度10%[全体]16%

●働きやすさ、諸制度●

残業(月) 21.1時間

【勤務時間】9:00～17:30**【有休取得年平均】**14.3日**【週休】**完全2日(土日祝)**【夏期休暇】**連続5日(一斉有休2日含む)**【年末年始休暇】**12月30日～1月3日

【離職率】男:3.3%、20名 女:7.6%、12名

【新卒3年後離職率】

[20→23年]15.6%(男16.7%・入社24名、女14.3%・入社21名)

[21→24年]21.8%(男21.1%・入社38名、女23.5%・入社17名)

【テレワーク】制度あり:[場所]自宅 介護のための帰省 他[対象]全社員[日数]制限なし[利用率]57.7%**【勤務制度】**フレックス 時間単位有休 副業容認**【住宅補助】**家賃補助(新卒1～5年目対象 7万円を上限に最大30% 条件あり)

●ライフイベント、女性活躍●

【女性比率】■男 □女

新卒採用 40.4% (19名)

従業員 19.8% (146名)

管理職 6.6% (12名)

【産休】[期間]産前6・産後8週間[給与]法定[取得者数]1名

【育休】[期間]1歳半または1歳年度末まで[給与]法定[取得者数]22年度 男0名(対象9名)女4名(対象4名)23年度 男5名(対象3名)女4名(対象4名)[平均取得日数]22年度 男- 女486日、23年度 男35日 女422日

【従業員】[人数]739名(男593名、女146名)[平均年齢]41.8歳(男43.5歳、女34.7歳)[平均勤続年数]17.0年(男18.7年、女10.3年)

【年齢構成】■男 □女

	男	女
60代～	5%	0%
50代	26%	2%
40代	20%	4%
30代	9%	4%
～20代	20%	10%

会社データ (金額は百万円)

【本社】156-8588 東京都世田谷区上北沢5-37-18 ☎03-3290-1111

https://www.keyware.co.jp/

【業績(連結)】	売上高	営業利益	経常利益	純利益
22.3	18,427	551	755	556
23.3	19,173	738	921	482
24.3	20,511	873	1,090	729

339 開示 ★★★★★ 短大 専門 採用あり

(株)東計電算（とうけいでんさん）

【特色】独立系SI。システム開発を軸にデータ処理なども

記者評価 計算受託業務で出発。オーナー系。オフコン販売からソフト開発、SIへと発展。物流、製造、不動産・住宅管理などのパッケージに実績。クラウドなど自社データセンター活用のサービス開発を推進。受託開発は縮小し、ライセンス販売へシフト。財務の健全性高い。

平均勤続年数	男性育休取得率	3年後離職率	平均年収(平均40歳)
14.1年	23.1→12.5%	NA	総534万円

●採用・配属情報●

【男女・文理別採用実績】

	大卒男	大卒女	修士男	修士女
23年	28(文 17理 11)	11(文 11理 0)	1(文 0理 1)	1(文 1理 0)
24年	38(文 29理 9)	8(文 8理 0)	1(文 0理 1)	1(文 0理 1)
25年	-(文 -理 -)	-(文 -理 -)	-(文 -理 -)	-(文 -理 -)

※25年:55名採用予定

【男女・職種別採用実績】

	営業	SE	NE	CE	OP
23年	7(男 6女 1)	37(男25女12)	2(男 2女 0)	0(男 0女 0)	2(男 2女 0)
24年	13(男11女 2)	37(男28女 9)	2(男 1女 1)	1(男 1女 0)	1(男 1女 0)
25年	13(男 -女 -)	35(男 -女 -)	2(男 -女 -)	1(男 -女 -)	4(男 -女 -)

【24年4月入社者の配属勤務地】総川崎12 東京・千代田1 技川崎33 東京・千代田2 名古屋5 沖縄1
【転勤】なし
【中途比率】[単年度]21年度NA、22年度NA、23年度NA[全体]NA

●働きやすさ、諸制度●

残業(月) 24.2時間

【勤務時間】9:00～18:00【有休取得年平均】14.3日【週休】完全2日(土日祝)【夏期休暇】有休で取得【年末年始休暇】連続6～9日
【離職率】NA
【新卒3年後離職率】
[20→23年]NA
[21→24年]NA
【テレワーク】制度なし【勤務制度】時間単位有休 裁量労働
【住宅補助】住宅手当(首都圏20,000円 他10,000円、ただし、扶養家族あり・役職者は一律36,000円)独身寮(川崎・武蔵中原1棟、約35名が利用)

●ライフイベント、女性活躍●

【女性比率】■男 □女

従業員 25.6% (210名)

【産休】[期間]産前6・産後8週間[給与]法定[取得者数]10名
【育休】[期間]3歳になるまで[給与]法定[取得者数]22年度 男3名(対象13名)女7名(対象7名)23年度 男1名(対象8名)女9名(対象9名)[平均取得日数]22年度 NA、23年度NA
【従業員】[人数]821名(男611名、女210名)[平均年齢]39.6歳(男40.6歳、女36.4歳)[平均勤続年数]14.1年(男15.2年、女11.0年)
【年齢構成】NA

会社データ (金額は百万円)

【本社】211-8550 神奈川県川崎市中原区市ノ坪150 ☎044-430-1311
https://www.toukei.co.jp/

【業績(連結)】	売上高	営業利益	経常利益	純利益
21.12	16,782	3,742	4,205	3,008
22.12	17,605	4,541	5,154	3,409
23.12	19,562	5,060	5,727	3,968

361 開示 ★★★★★

ビジネスエンジニアリング(株)

えるぼし★★★ くるみん

【特色】SAPのERP導入支援。自社品「MCフレーム」が成長

記者評価 製造業向け中心にコンサル、システム構築、運用・保守など一貫して提供。独SAP製ERPの導入サービスが大きいが、製造業向け自社開発ERP「MCフレーム」も収益柱で急成長。SaaSも用意し中堅企業向け開拓。図研が筆頭株主。日系企業多いアジア開拓に注力。

平均勤続年数	男性育休取得率	3年後離職率	平均年収(平均41歳)
11.2年	25.0→62.5%	4.3→14.3%	総785万円

●採用・配属情報●

【男女・文理別採用実績】

	大卒男	大卒女	修士男	修士女
23年	15(文 5理 10)	4(文 2理 2)	3(文 0理 3)	1(文 1理 0)
24年	8(文 6理 2)	3(文 3理 0)	8(文 0理 8)	1(文 0理 1)
25年	14(文 5理 9)	4(文 3理 1)	5(文 0理 5)	0(文 0理 0)

【男女・職種別採用実績】

	総合職
23年	23(男 18女 5)
24年	20(男 16女 4)
25年	23(男 19女 4)

【24年4月入社者の配属勤務地】技東京・大手町20
【転勤】あり:全社員
【中途比率】[単年度]21年度38%、22年度52%、23年度53%[全体]46%

●働きやすさ、諸制度●

残業(月) 16.5時間 総16.5時間

【勤務時間】9:00～17:30(フレックスタイム制あり)【有休取得年平均】15.4日【週休】完全2日(土日祝)【夏期休暇】連続5日(うち1日有休、週休2日祝日1日含む)別途連続7日の取得奨励(うち5日有休、週休2日含む)【年末年始休暇】連続9日
【離職率】男:4.6%、21名 女:5.8%、6名
【新卒3年後離職率】
[20→23年]4.3%(男6.7%・入社15名、女0%・入社8名)
[21→24年]14.3%(男11.8%・入社17名、女25.0%・入社4名)
【テレワーク】制度あり:[場所]NA[対象]全社員[日数]月の50%まで[利用率]37.3%【勤務制度】フレックス 裁量労働
【住宅補助】独身寮(新卒社員入社後4年まで、自己負担35,000円)

●ライフイベント、女性活躍●

【女性比率】■男 □女

新卒採用 17.4% (4名)

従業員 18.2% (98名)

管理職 4.8% (4名)

【産休】[期間]産前6・産後8週間[給与]会社全額給付[取得者数]4名
【育休】[期間]1歳半になるまで[給与]法定[取得者数]22年度 男3名(対象12名)女0名(対象0名)23年度 男10名(対象16名)女4名(対象4名)[平均取得日数]22年度 男170日 女263日、23年度 男94日 女488日
【従業員】[人数]537名(男439名、女98名)[平均年齢]40.7歳(男41.8歳、女35.6歳)[平均勤続年数]11.2年(男12.0年、女7.7年)
【年齢構成】■男 □女

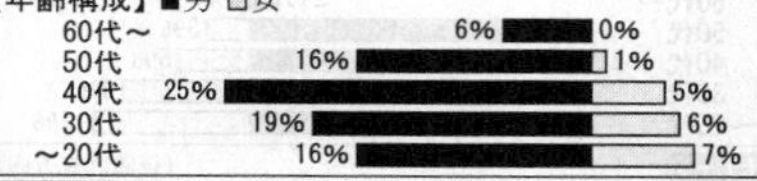

会社データ (金額は百万円)

【本社】100-0004 東京都千代田区大手町1-8-1 KDDI大手町ビル ☎03-3510-1600
https://www.b-en-g.co.jp/

【業績(連結)】	売上高	営業利益	経常利益	純利益
22.3	17,760	2,412	2,443	1,643
23.3	18,506	3,246	3,250	2,328
24.3	19,493	3,885	3,877	2,625

1089 開示 ★★★★ [専門] 採用あり

エヌシーエスアンドエー
ＮＣＳ＆Ａ㈱
くるみん

【特色】ソフト開発の老舗でITサービスに注力。NECと親密

[記者評価] 旧日本コンピューター・システム。システム受託開発や、パッケージソフトの開発・販売、IT機器の販売・保守など手がける。NECとの関係が深く、同社向けが売上の約15%を占める。IBMの分析システム活用した業務イノベーション支援も。東京・大阪2本社制。

平均勤続年数	男性育休取得率	3年後離職率	平均年収(平均41歳)
17.2年	62.5 → 93.3%	13.5 → 10.0%	[総] 723万円

●採用・配属情報●

【男女・文理別採用実績】

	大卒男	大卒女	修士男	修士女
23年	22(文 16 理 6)	10(文 9 理 1)	1(文 0 理 1)	1(文 0 理 1)
24年	41(文 29 理 12)	20(文 18 理 2)	2(文 1 理 1)	0(文 0 理 0)
25年	46(文 30 理 16)	21(文 20 理 1)	0(文 0 理 0)	1(文 1 理 0)

【男女・職種別採用実績】

	総合職
23年	34(男 23 女 11)
24年	67(男 47 女 20)
25年	70(男 48 女 22)

【24年4月入社者の配属勤務地】[総]大阪市1 兵庫・尼崎1 東京・千代田1 [技]大阪市28 兵庫・尼崎2 東京・千代田30 名古屋4

【転勤】あり:全社員

【中途比率】[単年度]21年度17%、22年度16%、23年度11%[全体]7%

●働きやすさ、諸制度●

残業(月) 12.1時間 [総] 12.1時間

【勤務時間】9:00〜17:30【有休取得年平均】17.9日【週休】完全2日(土日祝)【夏期休暇】3日【年末年始休暇】12月30日〜1月3日

【離職率】男:4.1%、28名 女:3.8%、10名

【新卒3年後離職率】
[20→23年]13.5%(男13.3%・入社15名、女13.6%・入社22名)
[21→24年]10.0%(男0%・入社6名、女14.3%・入社14名)

【テレワーク】制度あり:[場所]自宅[対象]全社員[日数]制限なし[利用率]18.9%【勤務制度】時間単位有休 時差勤務 副業容認【住宅補助】借上社宅(転勤者)住宅手当

●ライフイベント、女性活躍●

【女性比率】■男 □女

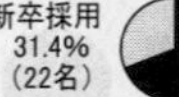

新卒採用 31.4% (22名)

従業員 27.9% (254名)

管理職 5.2% (9名)

【産休】[期間]産前6・産後8週間[給与]法定[取得者数]18名

【育休】[期間]2歳になるまで[給与]法定[取得者数]22年度 男10名(対象16名)女8名(対象8名)23年度 男14名(対象15名)女4名(対象4名)[平均取得日数]22年度 男50日 女308日、23年度 男30日 女279日

【従業員】[人数]909名(男655名、女254名)[平均年齢]41.1歳(男43.3歳、女35.7歳)[平均勤続年数]17.2年(男19.2年、女11.9年)

【年齢構成】■男 □女

	男	女
60代〜	2%	0%
50代	21%	3%
40代	22%	5%
30代	17%	9%
〜20代	11%	11%

[会社データ] (金額は百万円)

【本社】530-6112 大阪府大阪市北区中之島3-3-23 中之島ダイビル ☎06-6443-1991 https://ncsa.jp/

【業績(連結)】	売上高	営業利益	経常利益	純利益
22.3	20,458	1,297	1,408	978
23.3	19,385	1,540	1,617	1,273
24.3	18,907	1,638	1,759	1,536

2867 開示 ★★★★

こうぞうけいかくけんきゅうしょ
㈱構造計画研究所

【特色】独立系システム会社。大学発ベンチャーが起源

[記者評価] 建築物の構造設計でスタートした独立系システム開発会社。構造設計、防災コンサル、住宅・建設大手向けシステム開発の3本柱。耐震・津波・洪水シミュレーションの独自技術を持ち、自治体や電力、鉄道などのインフラ企業の防災コンサルに定評。

平均勤続年数	男性育休取得率	3年後離職率	平均年収(平均42歳)
14.6年	76.9 → 81.8%	7.7 → 14.3%	[総] 1,031万円

●採用・配属情報●

【男女・文理別採用実績】

	大卒男	大卒女	修士男	修士女
23年	2(文 1 理 1)	2(文 1 理 1)	27(文 3 理 24)	8(文 1 理 7)
24年	3(文 0 理 3)	3(文 3 理 0)	15(文 1 理 14)	10(文 1 理 9)
25年	1(文 1 理 0)	4(文 3 理 1)	10(文 0 理 10)	5(文 0 理 5)

【男女・職種別採用実績】

	総合職
23年	43(男 31 女 12)
24年	33(男 19 女 14)
25年	22(男 13 女 9)

【職種併願】○

【24年4月入社者の配属勤務地】[総]東京3 [技]東京30

【転勤】あり:[職種]総合職[勤務地]東京 熊本 大阪

【中途比率】[単年度]21年度27%、22年度17%、23年度21%[全体]20%

●働きやすさ、諸制度●

残業(月) 26.7時間 [総] 26.7時間

【勤務時間】8時間(フレックスタイム制 コアタイム9:00〜16:00)【有休取得年平均】15.8日【週休】2日(土日祝、当社カレンダーによる)【夏期休暇】有休で5日取得【年末年始休暇】12月30日〜1月3日(24年度)

【離職率】男:3.3%、16名 女:6.1%、11名

【新卒3年後離職率】
[20→23年]7.7%(男7.7%・入社26名、女7.7%・入社13名)
[21→24年]14.3%(男15.4%・入社13名、女12.5%・入社8名)

【テレワーク】制度なし【勤務制度】フレックス 時間単位有休 裁量労働 副業容認【住宅補助】借上げ社宅制度(家賃月額最大55,000円まで 礼金最大110,000円まで補助)

●ライフイベント、女性活躍●

【女性比率】■男 □女

新卒採用 40.9% (9名)

従業員 26.2% (169名)

管理職 11% (11名)

【産休】[期間]産前6・産後8週間[給与]法定[取得者数]6名

【育休】[期間]1歳に達する日の属する月末まで[給与]法定[取得者数]22年度 男10名(対象13名)女7名(対象7名)23年度 男9名(対象11名)女3名(対象3名)[平均取得日数]22年度 男81日 女236日、23年度 男120日 女265日

【従業員】[人数]644名(男475名、女169名)[平均年齢]41.7歳(男42.3歳、女39.8歳)[平均勤続年数]14.6年(男15.1年、女13.0年)

【年齢構成】■男 □女

	男	女
60代〜	7%	1%
50代	18%	6%
40代	16%	6%
30代	16%	6%
〜20代	17%	8%

[会社データ] (金額は百万円)

【本社】164-0012 東京都中野区本町4-38-13 日本ホルスタイン会館内 ☎03-5342-1100 https://www.kke.co.jp/

【業績(単独)】	売上高	営業利益	経常利益	純利益
22.6	14,748	1,976	1,947	1,359
23.6	16,580	2,189	2,101	1,613
24.6	17,942	2,372	2,534	1,949

1674 開示 ★★★★☆ 短大 専門 採用あり

サイバーコム(株)

くるみん

【特色】富士ソフトの子会社。通信系ソフト開発が主力

記者評価 通信系ソフト受託が柱。複合機等の制御系や業務用ソフト開発も行う。ネットワーク構築などSIや自社開発ソフト販売に注力。人的資本、サステナビリティが当面の経営の眼目。人材育成進め開発対応力に磨きかける。富士ソフトが完全子会社化、24年2月上場廃止。

平均勤続年数	男性育休取得率	3年後離職率	平均年収(平均35歳)
10.0年	41.7→77.8%	28.4→24.6%	㊍505万円

●採用・配属情報●

【男女・文理別採用実績】

	大卒男	大卒女	修士男	修士女
23年	65(文 32理 33)	18(文 15理 3)	4(文 3理 1)	0(文 0理 0)
24年	61(文 25理 36)	21(文 18理 3)	4(文 2理 2)	2(文 0理 2)
25年	56(文 12理 44)	26(文 8理 18)	2(文 1理 1)	2(文 1理 1)

【男女・職種別採用実績】

	総合職(技術系)	総合職(管理系)
23年	122(男 99 女 23)	0(男 0 女 0)
24年	121(男 97 女 24)	4(男 3 女 1)
25年	120(男 84 女 36)	6(男 3 女 3)

【職種併願】○

【24年4月入社者の配属勤務地】㊍横浜4 ㊕横浜57 仙台26 東京15 新潟9 愛知・刈谷6 福岡8

【転勤】あり:全社員

【中途比率】[単年度]21年度16%、22年度14%、23年度20%[全体]27%

●働きやすさ、諸制度●

残業(月) 17.5時間 ㊍17.5時間

【勤務時間】9:00〜17:30【有休取得年平均】13.1日【週休】完全2日(土日祝)【夏期休暇】連続5日(有休2日含む)【年末年始休暇】連続5日(有休1日含む)

【離職率】男:7.7%、85名 女:4.6%、12名

【新卒3年後離職率】

[20→23年]28.4%(男26.1%・入社88名、女35.7%・入社28名)

[21→24年]24.6%(男26.7%・入社90名、女18.8%・入社32名)

【テレワーク】制度あり:[場所]自宅[対象]全社員[日数]原則週1日出社[利用率]27.4%【勤務制度】フレックス【住宅補助】借上社宅

●ライフイベント、女性活躍●

【女性比率】■男 □女

新卒採用 31% (39名)

従業員 19.6% (250名)

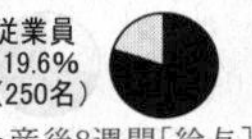

管理職 4.3% (4名)

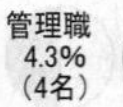

【産休】[期間]産前6・産後8週間[給与]法定[取得者数]2名

【育休】[期間]2年間[給与]法定[取得者数]22年度 男5名(対象12名)女7名(対象3名)23年度 男7名(対象9名)女5名(対象4名)[平均取得日数]22年度 男138日 女353日、23年度 男138日 女452日

【従業員】[人数]1,274名(男1,024名、女250名)[平均年齢]34.9歳(男35.5歳、女32.2歳)[平均勤続年数]10.0年(男10.7年、女7.2年)

【年齢構成】■男 □女

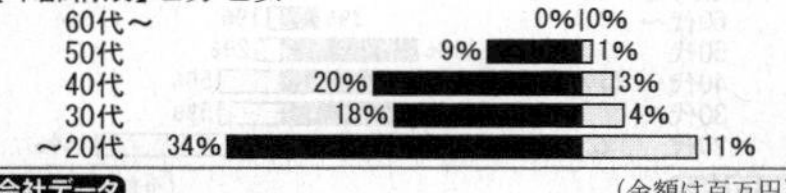

会社データ (金額は百万円)

【本社】231-0005 神奈川県横浜市中区本町4-34 ☎045-681-6001 https://www.cy-com.co.jp/

【業績(単独)】	売上高	営業利益	経常利益	純利益
21.12	15,528	953	1,031	704
22.12	16,628	1,054	1,084	804
23.12	17,625	1,200	993	730

243 開示 ★★★☆☆ 専門 採用あり

(株)ハイマックス

くるみん

【特色】独立系SI。金融、保険、流通、クレジット主体

記者評価 独立系SI。野村総研が大口顧客で、同社向け売上比率4割弱。IBM、富士通向けも多く、クレジットカードや保険会社が主要ユーザー。官公庁、流通など非金融深耕。IoT関連やブロックチェーン、RPA、AIなどDX事業強化。23年10月東証プライムからスタンダードに。

平均勤続年数	男性育休取得率	3年後離職率	平均年収(平均38歳)
12.7年	55.6→84.6%	22.2→23.3%	㊍612万円

●採用・配属情報●

【男女・文理別採用実績】

	大卒男	大卒女	修士男	修士女
23年	37(文 12理 25)	35(文 28理 7)	7(文 0理 7)	0(文 0理 0)
24年	34(文 21理 13)	25(文 24理 1)	6(文 0理 6)	0(文 0理 0)
25年	33(文 16理 17)	10(文 6理 4)	1(文 0理 1)	0(文 0理 0)

【男女・職種別採用実績】

	SE職	財務・経理職	人事労務職
23年	91(男 54 女 37)	0(男 0 女 0)	0(男 0 女 0)
24年	75(男 49 女 26)	1(男 1 女 0)	1(男 1 女 0)
25年	56(男 42 女 14)	0(男 0 女 0)	0(男 0 女 0)

【24年4月入社者の配属勤務地】㊍神奈川・みなとみらい2 ㊕神奈川(みなとみらい27 天王町7 殿町2 都筑ふれあいの丘1)東京(大崎4 神谷町3 勝どき2 立川2 神保町2 高田馬場2 豊洲2 虎ノ門2 丸の内2 六本木一丁目2 青山1 赤坂見附1 大手町1 大森1 霞が関1 蒲田1 五反田1 田町1 品川1 多摩センター1 溜池山王1 調布1 中野1 平河町1 八重洲1)

【転勤】なし

【中途比率】[単年度]21年度13%、22年度5%、23年度4%[全体]23%

●働きやすさ、諸制度●

残業(月) 23.8時間

【勤務時間】8時間(フレックスタイム制 コアタイム10:00〜15:00)【有休取得年平均】11.3日【週休】完全2日(土日祝)【夏期休暇】有休で取得【年末年始休暇】12月31日〜1月3日

【離職率】男:6.4%、44名 女:6.7%、14名

【新卒3年後離職率】

[20→23年]22.2%(男19.4%・入社36名、女27.8%・入社18名)

[21→24年]23.3%(男16.7%・入社36名、女33.3%・入社24名)

【テレワーク】制度あり:[場所]自宅[対象]制限なし[日数]制限なし[利用率]50.1%【勤務制度】フレックス 時間単位有休【住宅補助】住宅手当

●ライフイベント、女性活躍●

【女性比率】■男 □女

新卒採用 25% (14名)

従業員 23.1% (194名)

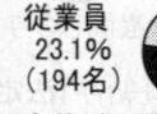

管理職 6.5% (12名)

【産休】[期間]産前7・産後8週間[給与]法定[取得者数]2名

【育休】[期間]1歳になるまで[給与]法定[取得者数]22年度 男5名(対象9名)女3名(対象3名)23年度 男11名(対象13名)女3名(対象3名)[平均取得日数]22年度 男102日 女456日、23年度 男57日 女460日

【従業員】[人数]841名(男647名、女194名)[平均年齢]37.5歳(男38.8歳、女33.1歳)[平均勤続年数]12.7年(男13.7年、女9.2年)【年齢構成】■男 □女

60代〜 3% 0%
50代 14% 2%
40代 21% 4%
30代 14% 4%
〜20代 25% 12%

会社データ (金額は百万円)

【本社】220-6216 神奈川県横浜市西区みなとみらい2-3-5 クイーンズタワーC棟16F ☎045-201-6655 https://www.himacs.jp/

【業績(連結)】	売上高	営業利益	経常利益	純利益
22.3	16,681	1,716	1,719	1,213
23.3	17,331	1,833	1,844	1,294
24.3	17,357	1,719	1,730	1,184

254 開示 ★★★★

㈱東邦（とうほう）システムサイエンス

えるぼし ★★

【特色】金融分野を得意とする独立系ソフト開発中堅

[記者評価] 旧東邦生命系から独立したシステム開発中堅。保険、銀行、証券など金融系に強み。野村総研、SCSKなど主要SIerと連携。通信・基盤系も手がける。非金融分野比率の向上やDX開発進出などに注力。その一環で、23年12月に日鉄ソリューションズと資本業務提携。

平均勤続年数	男性育休取得率	3年後離職率	平均年収(平均37歳)
12.4年	71.4→0%	21.1→36.1%	[総]582万円

●採用・配属情報●

【男女・文理別採用実績】

	大卒男	大卒女	修士男	修士女
23年	40(文 20 理 20)	24(文 18 理 6)	1(文 0 理 1)	0(文 0 理 0)
24年	46(文 26 理 20)	19(文 16 理 3)	0(文 0 理 0)	0(文 0 理 0)
25年	24(文 16 理 8)	11(文 9 理 2)	1(文 0 理 1)	0(文 0 理 0)

※25年:継続中

【男女・職種別採用実績】

	システムエンジニア
23年	65(男 41 女 24)
24年	65(男 46 女 19)
25年	36(男 25 女 11)

【24年4月入社者の配属勤務地】[技]東京65

【転勤】なし

【中途比率】[単年度]21年度12%、22年度14%、23年度12%[全体]20%

●働きやすさ、諸制度●

残業(月) 18.8時間 [総]18.8時間

【勤務時間】9:00〜17:30【有休取得年平均】8.8日【週休】完全2日(土日祝)【夏期休暇】4日(5〜10月:クールビズ休暇)【年末年始休暇】12月31日〜1月4日

【離職率】男:5.3%、26名 女:4.2%、7名

【新卒3年後離職率】

[20→23年]21.1%(男21.7%・入社23名、女20.0%・入社15名)

[21→24年]36.1%(男37.9%・入社29名、女28.6%・入社7名)

【テレワーク】制度あり:[場所]自宅[対象]制限なし[日数]制限なし[利用率]31.8%【勤務制度】裁量労働【住宅補助】住宅補助(20,000円 新卒入社で地方出身者かつ世帯主の場合で入社後3カ年を限度)

●ライフイベント、女性活躍●

【女性比率】■男 □女

新卒採用
30.6%
(11名)
従業員
25.4%
(159名)
管理職
7.8%
(4名)

【産休】[期間]産前6・産後8週間[給与]法定[取得者数]4名

【育休】[期間]1歳になるまで[給与]法定[取得者数]22年度 男5名(対象7名)女4名(対象4名)23年度 男0名(対象6名)女4名(対象4名)[平均取得日数]22年度 男407日 女397日、23年度 男366日 女407日

【従業員】[人数]625名(男466名、女159名)[平均年齢]37.5歳(男38.7歳、女33.9歳)[平均勤続年数]12.4年(男13.5年、女9.5年)

【年齢構成】■男 □女

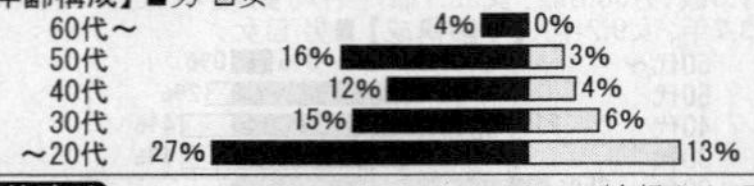

60代〜 4% 0%
50代 16% 3%
40代 12% 4%
30代 15% 6%
〜20代 27% 13%

会社データ (金額は百万円)

【本社】112-0002 東京都文京区小石川1-12-14 日本生命小石川ビル ☎03-3868-6060 https://www.tss.co.jp/

【業績(単独)】	売上高	営業利益	経常利益	純利益
22.3	14,211	1,327	1,337	942
23.3	15,446	1,514	1,522	1,116
24.3	16,280	1,574	1,583	1,082

93 開示 ★★★★ [専門] 採用あり

㈱クロスキャット

【特色】ソフトウェア開発で中堅。クレジット業界に強い

[記者評価] 独立系SI中堅。クレジット業界など金融向けや国税庁など官公庁向けシステムに実績。製造系やBI(情報解析)ビジネスも得意。アイデミーとDX支援サービスなどで提携。AIなど先端技術を学んだ学生を対象に、初任給が通常の2倍となるITスペシャリスト採用を実施。

平均勤続年数	男性育休取得率	3年後離職率	平均年収(平均37歳)
11.4年	100→20.0%	17.6→26.1%	[総]546万円

●採用・配属情報●

【男女・文理別採用実績】

	大卒男	大卒女	修士男	修士女
23年	27(文 11 理 16)	23(文 17 理 6)	2(文 0 理 2)	0(文 0 理 0)
24年	33(文 8 理 25)	19(文 15 理 4)	3(文 2 理 1)	2(文 0 理 2)
25年	26(文 13 理 13)	29(文 24 理 5)	4(文 1 理 3)	1(文 1 理 0)

【男女・職種別採用実績】

	エンジニア	コーポレート	営業
23年	51(男 28 女 23)	1(男 1 女 0)	0(男 0 女 0)
24年	58(男 36 女 22)	0(男 0 女 0)	1(男 1 女 0)
25年	61(男 31 女 30)	0(男 0 女 0)	1(男 0 女 1)

【職種併願】○

【24年4月入社者の配属勤務地】[総]東京1 [技]東京58

【転勤】なし

【中途比率】[単年度]21年度13%、22年度13%、23年度9%[全体]24%

●働きやすさ、諸制度●

残業(月) 18.7時間 [総]18.7時間

【勤務時間】9:00〜17:30【有休取得年平均】11.9日【週休】完全2日(土日祝)【夏期休暇】5日(通年休暇制度より取得)【年末年始休暇】12月29日〜1月4日

【離職率】男:6.3%、26名 女:5.6%、9名

【新卒3年後離職率】

[20→23年]17.6%(男19.0%・入社21名、女15.4%・入社13名)

[21→24年]26.1%(男38.5%・入社26名、女10.0%・入社20名)

【テレワーク】制度あり:[場所]自宅[対象]全社員[日数]週2日まで[利用率]15.0%【勤務制度】フレックス 時間単位有休 裁量労働 勤務間インターバル 副業容認【住宅補助】住宅手当(地方出身者対象)

●ライフイベント、女性活躍●

【女性比率】■男 □女

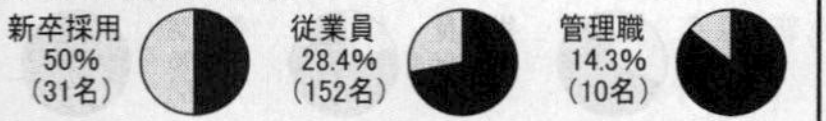

新卒採用
50%
(31名)
従業員
28.4%
(152名)
管理職
14.3%
(10名)

【産休】[期間]産前6・産後8週間[給与]法定[取得者数]2名

【育休】[期間]1歳になるまで[給与]法定[取得者数]22年度 男1名(対象1名)女1名(対象1名)23年度 男1名(対象5名)女1名(対象1名)[平均取得日数]22年度 男9日 女376日、23年度 男183日 女−

【従業員】[人数]536名(男384名、女152名)[平均年齢]38.0歳(男39.5歳、女33.9歳)[平均勤続年数]11.4年(男12.6年、女8.5年)

【年齢構成】■男 □女

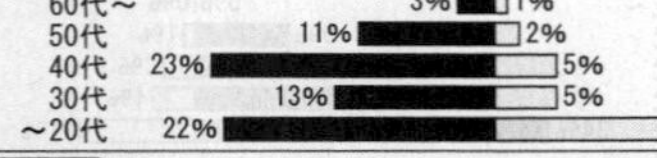

60代〜 3% 1%
50代 11% 2%
40代 23% 5%
30代 13% 5%
〜20代 22% 15%

会社データ (金額は百万円)

【本社】108-0075 東京都港区港南1-2-70 品川シーズンテラス ☎03-3474-5251 https://www.xcat.co.jp/

【業績(連結)】	売上高	営業利益	経常利益	純利益
22.3	12,119	1,109	1,171	765
23.3	13,835	1,461	1,510	1,019
24.3	14,931	1,521	1,570	1,311

1451 開示 ★★★★ 専門 採用あり

㈱リンクレア

くるみん

【特色】独立系のソフト開発会社。無借金経営貫く

記者評価 ITコンサルから企画・設計・開発・保守まで一貫して手がける。能力開発セミナーも展開。社名の由来は凛(Lin)、情報(Information)、創造(Create)から。上流工程の方法論に独自性。顧客との直接取引が8割を占める。小チーム編成のフラットな組織に特徴。

平均勤続年数	男性育休取得率	3年後離職率	平均年収(平均36歳)
12.6年	25.0 → 30.0%	23.5 → 20.5%	総811万円

●採用・配属情報●

【男女・文理別採用実績】

	大卒男	大卒女	修士男	修士女
23年	33(文 14理 19)	17(文 12理 5)	0(文 0理 0)	0(文 0理 0)
24年	21(文 14理 7)	16(文 14理 2)	2(文 0理 2)	0(文 0理 0)
25年	25(文 15理 10)	15(文 10理 5)	0(文 0理 0)	0(文 0理 0)

※25年:予定数

【男女・職種別採用実績】

	総合職
23年	54(男 36 女 18)
24年	42(男 26 女 16)
25年	45(男 − 女 −)

【24年4月入社者の配属勤務地】総東京・品川3 大阪市2 技東京・品川25 大阪市5 愛知・栄4 福岡・博多3

【転勤】あり:全社員

【中途比率】[単年度]21年度2%、22年度11%、23年度4%[全体]9%

●働きやすさ、諸制度●

残業(月) 8.4時間 総8.4時間

【勤務時間】9:00〜17:30【有休取得年平均】15.3日【週休】完全2日(土日祝)【夏期休暇】有休で取得【年末年始休暇】連続7日

【離職率】男:4.7%、19名 女:11.2%、15名

【新卒3年後離職率】
[20→23年]23.5%(男24.1%・入社29名、女22.7%・入社22名)
[21→24年]20.5%(男27.6%・入社29名、女6.7%・入社15名)

【テレワーク】制度あり:[場所]自宅 サテライトオフィス[対象]全社員[日数]制限なし[利用率]40.4%【勤務制度】時間単位有休 時差勤務 副業容認【住宅補助】なし

●ライフイベント、女性活躍●

【女性比率】■男 □女

従業員 23.8% (119名)

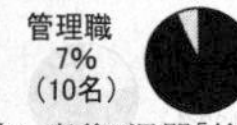

管理職 7% (10名)

【産休】[期間]産前6・産後8週間[給与]法定[取得者数]2名

【育休】[期間]1歳になるまで[給与]法定[取得者数]22年度 男3名(対象12名)女4名(対象4名)23年度 男3名(対象10名)女2名(対象2名)[平均取得日数]22年度 男14日 女300日、23年度 男6日 女455日

【従業員】[人数]501名(男382名、女119名)[平均年齢]36.2歳(男38.2歳、女31.8歳)[平均勤続年数]12.6年(男14.3年、女8.4年)

【年齢構成】■男 □女

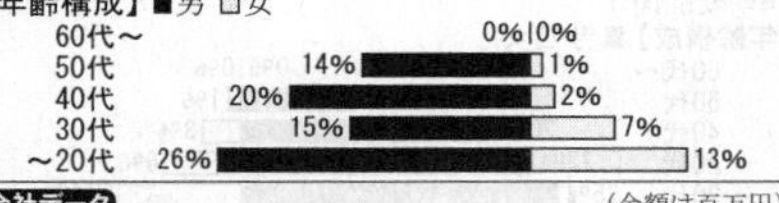

会社データ (金額は百万円)

【本社】108-0075 東京都港区港南2-16-3 品川グランドセントラルタワー ☎03-6821-5111 https://www.lincrea.co.jp/

【業績(単独)】	売上高	営業利益	経常利益	純利益
22.3	11,727	887	1,014	692
23.3	12,106	727	863	610
24.3	12,991	1,049	1,206	871

1435 開示 ★★★★★ 短大 専門 採用あり

㈱SCC(エスシーシー)

【特色】産学研協同を掲げる独立系SI。eDCグループ中核

記者評価 ビジネス、教育・セキュリティ、医療・ヘルスケア、SIの各ソリューションが柱。大学、専門学校、北海道情報技研との産学研協同の成果をコンテンツ開発などに活用。レジャー施設・商業施設における迷子業務支援サービス開始。24年3月経産省のDX認定事業者に。

平均勤続年数	男性育休取得率	3年後離職率	平均年収(平均35歳)
15.8年	50.0 → 50.0%	18.2 → 20.6%	総627万円

●採用・配属情報●

【男女・文理別採用実績】

	大卒男	大卒女	修士男	修士女
23年	21(文 2理 19)	5(文 1理 4)	0(文 0理 0)	0(文 0理 0)
24年	39(文 3理 36)	9(文 4理 5)	0(文 0理 0)	0(文 0理 0)
25年	54(文 1理 53)	7(文 1理 6)	0(文 0理 0)	0(文 0理 0)

【男女・職種別採用実績】 転換制度:⇔

	総合職	一般職
23年	54(男 41 女 13)	2(男 0 女 2)
24年	101(男 80 女 21)	0(男 0 女 0)
25年	94(男 83 女 11)	1(男 0 女 1)

【24年4月入社者の配属勤務地】総東京・中野6 技東京・中野69 名古屋9 大阪12 福岡5

【転勤】なし

【中途比率】[単年度]21年度0%、22年度0%、23年度0%[全体]0%

●働きやすさ、諸制度●

残業(月) 21.2時間 総20.7時間

【勤務時間】標準9:00〜17:30【有休取得年平均】13.5日【週休】完全2日(土日祝)【夏期休暇】連続9日【年末年始休暇】12月28日〜1月5日

【離職率】男:3.9%、25名 女:5.4%、5名

【新卒3年後離職率】
[20→23年]18.2%(男18.9%・入社37名、女14.3%・入社7名)
[21→24年]20.6%(男25.0%・入社28名、女0%・入社6名)

【テレワーク】制度あり:[場所]自宅 サテライトオフィス[対象]全社員[日数]制限なし[利用率]34.4%【勤務制度】フレックス【住宅補助】独身社宅・独身寮(東京3棟)借上社宅 住宅手当(月3,000〜15,000円)

●ライフイベント、女性活躍●

【女性比率】■男 □女

新卒採用 12.6% (12名)

従業員 12.6% (88名)

管理職 4% (5名)

【産休】[期間]産前6・産後8週間[給与]法定[取得者数]1名

【育休】[期間]1歳になるまで[給与]法定[取得者数]22年度 男4名(対象8名)女3名(対象3名)23年度 男4名(対象8名)女1名(対象1名)[平均取得日数]22年度 男43日 女206日、23年度 男86日 女249日

【従業員】[人数]697名(男609名、女88名)[平均年齢]38.5歳(男39.5歳、女31.7歳)[平均勤続年数]15.8年(男16.7年、女9.4年)

【年齢構成】■男 □女

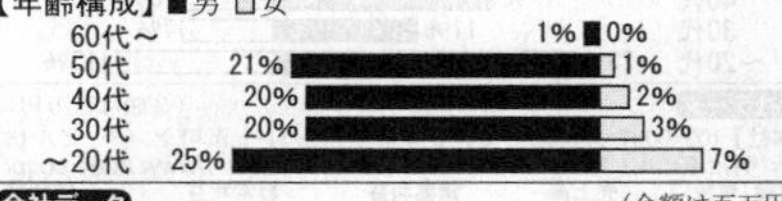

会社データ (金額は百万円)

【本社】164-8505 東京都中野区中野5-62-1 ☎03-3319-6611 https://www.scc-kk.co.jp/

【業績(単独)】	売上高	営業利益	経常利益	純利益
22.3	10,833	434	556	366
23.3	11,879	981	1,105	680
24.3	12,370	591	716	485

(株)アドービジネスコンサルタント

【特色】システム設計・運用、ネットワーク構築が事業柱

[記者評価] 独立系SI。システム開発・運用やネット構築が核。取引先は商社、不動産、通信、メーカーなど大手企業多数。人材派遣や業務アウトソーシングのバックオフィス、モバイル関連サービスも手がける。IT企業で際立つ「人本位制」の社風。隅田川花火鑑賞は恒例行事。

平均勤続年数	男性育休取得率	3年後離職率	平均年収(平均37歳)
[単] 11.0年	50.0 → 25.0%	31.1 → 25.5%	[総] 513万円

●採用・配属情報●

【男女・文理別採用実績】

	大卒男	大卒女	修士男	修士女
23年	17(文 11 理 6)	11(文 10 理 1)	0(文 0 理 0)	0(文 0 理 0)
24年	13(文 8 理 5)	13(文 13 理 0)	0(文 0 理 0)	0(文 0 理 0)
25年	22(文 13 理 9)	16(文 15 理 1)	1(文 0 理 1)	1(文 1 理 0)

【男女・職種別採用実績】 転換制度:⇔

	総合職
23年	41(男 28 女 13)
24年	41(男 26 女 15)
25年	60(男 38 女 22)

【24年4月入社者の配属勤務地】[総]東京3 [技]東京37

【転勤】なし

【中途比率】[単年度]21年度17%、22年度24%、23年度13%(契約社員含む)[全体]36%

●働きやすさ、諸制度●

残業(月) 15.0時間 [総]16.0時間

【勤務時間】9:15〜18:00【有休取得年平均】14.0日【週休】完全2日(土日祝)【夏期休暇】有休で取得【年末年始休暇】12月30日〜1月3日

【離職率】男:5.3%、25名 女:5.5%、14名

【新卒3年後離職率】

[20→23年]31.1%(男32.1%・入社28名、女29.4%・入社17名)

[21→24年]25.5%(男26.7%・入社30名、女23.8%・入社21名)

【テレワーク】制度なし【勤務制度】なし【住宅補助】家賃補助(上限月50,000円、地方採用者 新卒3年間)

●ライフイベント、女性活躍●

【女性比率】■男 □女

新卒採用 36.7% (22名) 従業員 35.1% (242名) 管理職 14.1% (12名)

【産休】[期間]産前6・産後8週間[給与]法定[取得者数]1名

【育休】[期間]2年10カ月[給与]法定[取得者数]22年度 男3名(対象6名)女3名(対象3名)23年度 男1名(対象4名)女5名(対象5名)[平均取得日数]22年度 男117日 女558日、23年度 男NA 女359日

【従業員】[人数]690名(男448名、女242名)[平均年齢]37.8歳(男37.9歳、女37.6歳)[平均勤続年数]11.0年(男11.7年、女9.8年) ※契約社員含む

【年齢構成】■男 □女

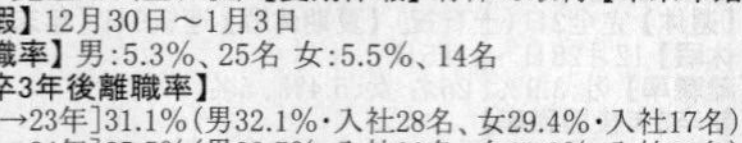

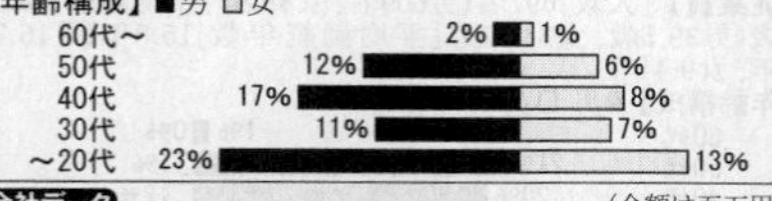

会社データ (金額は百万円)

【本社】103-0007 東京都中央区日本橋浜町2-31-1 浜町センタービル18階(明治座ビル) ☎03-5652-6565 https://www.addo.co.jp/

【業績(単独)】	売上高	営業利益	経常利益	純利益
22.5	9,209	418	464	309
23.5	10,071	636	708	485
24.5	10,698	798	844	595

(株)S I & C

エスアイアンドシー

[くるみん]

【特色】独立系ソフト開発会社。プロジェクト管理に強み

[記者評価] 受託開発が中心の独立系ソフトウェア会社。企画・設計から保守まで一貫。大手SI向けが軸。生損保、銀行向けに強く、AI関連など新規分野も展開。開発組織成熟度を表すCMMIは最高位レベル5を達成、国際資格PMPの取得率も高い。24年7月にシステム情報から社名変更。

平均勤続年数	男性育休取得率	3年後離職率	平均年収(平均35歳)
7.1年	45.5 → 71.4%	7.1 → 39.1%	[総] 557万円

●採用・配属情報●

【男女・文理別採用実績】

	大卒男	大卒女	修士男	修士女
23年	33(文 11 理 22)	33(文 27 理 6)	8(文 0 理 8)	1(文 0 理 1)
24年	24(文 8 理 16)	17(文 13 理 4)	5(文 0 理 5)	1(文 1 理 0)
25年	35(文 11 理 24)	8(文 5 理 3)	3(文 0 理 3)	1(文 0 理 1)

【男女・職種別採用実績】 転換制度:NA

	総合職
23年	76(男 42 女 34)
24年	47(男 29 女 18)
25年	47(男 38 女 9)

【24年4月入社者の配属勤務地】[技]東京40 神奈川5 千葉1 埼玉1

【転勤】なし

【中途比率】[単年度]21年度68%、22年度79%、23年度43%[全体]65%

●働きやすさ、諸制度●

残業(月) 11.2時間 [総]11.2時間

【勤務時間】9:30〜18:00【有休取得年平均】13.9日【週休】完全2日(土日祝)【夏期休暇】リフレッシュ休暇5日(通年で取得可)【年末年始休暇】12月29日〜1月3日

【離職率】男:8.0%、41名 女:8.3%、12名

【新卒3年後離職率】

[20→23年]7.1%(男11.1%・入社9名、女0%・入社5名)

[21→24年]39.1%(男30.8%・入社13名、女50.0%・入社10名)

【テレワーク】制度あり:[場所]プロジェクトの方針に準ずる[対象]プロジェクトの方針に準ずる[日数]プロジェクトの方針に準ずる[利用率]53.6%【勤務制度】時差勤務 副業容認【住宅補助】独身寮(遠方出身者のみ、自己負担 月30,000円〜年次によって異なる、新卒入社3年目まで)

●ライフイベント、女性活躍●

【女性比率】■男 □女

新卒採用 19.1% (9名) 従業員 22% (133名) 管理職 7% (5名)

【産休】[期間]産前6・産後8週間[給与]法定[取得者数]6名

【育休】[期間]1歳になるまで[給与]法定[取得者数]22年度 男5名(対象11名)女2名(対象2名)23年度 男10名(対象14名)女7名(対象7名)[平均取得日数]22年度 男147日 女-、23年度 男96日 女183日

【従業員】[人数]605名(男472名、女133名)[平均年齢]35.2歳(男36.3歳、女31.1歳)[平均勤続年数]7.1年(男7.6年、女5.3年)

【年齢構成】■男 □女

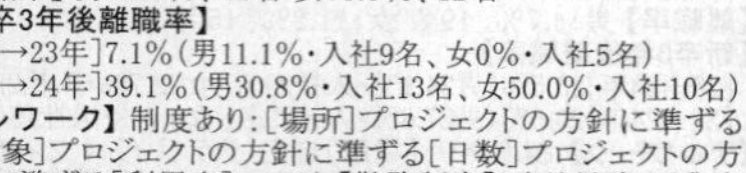

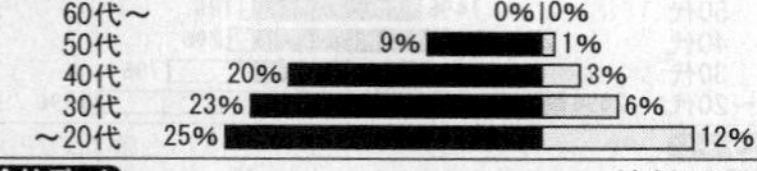

会社データ (金額は百万円)

【本社】104-0054 東京都中央区勝どき1-7-3 勝どきサンスクエア ☎03-5547-5700 https://www.siac.co.jp/

【業績(連結)】	売上高	営業利益	経常利益	純利益
22.9	14,655	1,815	1,829	1,242
23.9	15,327	1,692	1,716	1,163
24.3変	6,425	707	1,277	1,493

さんわ
三和コンピュータ(株)

【特色】NEC系のSI企業。ICTトータルソリューションが柱

[記者評価] 情報システムのコンサルから開発・運用・保守まで一貫。NEC販売特約店。ゴルフ場・ホテルの業務パッケージ、統合基幹業務システムに実績。生体認証による入退室管理システムなど各種カメラ活用の映像セキュリティに注力。奨励金支給など資格取得支援が充実。

平均勤続年数	男性育休取得率	3年後離職率	平均年収(平均43歳)
20.4年	― → 28.6%	21.4 → 47.1%	[総] 525万円

●採用・配属情報●

【男女・文理別採用実績】

	大卒男	大卒女	修士男	修士女
23年	5(文 1理 4)	2(文 1理 1)	0(文 0理 0)	0(文 0理 0)
24年	10(文 4理 6)	2(文 2理 0)	0(文 0理 0)	0(文 0理 0)
25年	5(文 3理 2)	4(文 1理 3)	0(文 0理 0)	0(文 0理 0)

※25年:継続中

【男女・職種別採用実績】

	総合職
23年	10(男 8 女 2)
24年	16(男 13 女 3)
25年	18(男 14 女 4)

【24年4月入社者の配属勤務地】[総]東京4 [技]東京(本社4 府中2 芝浦1)神奈川2 茨城1 大阪2

【転勤】あり:[職種]全社員[勤務地]東京 大阪 宮城 福岡

【中途比率】[単年度]21年度23%、22年度11%、23年度9% [全体]15%

●働きやすさ、諸制度●

残業(月) 15.6時間 [総]15.6時間

【勤務時間】8:30～17:20【有休取得年平均】11.0日【週休】完全2日(土日)【夏期休暇】連続5日(有休3日含む)【年末年始休暇】12月29日～1月4日

【離職率】男:2.8%、11名 女:2.0%、1名

【新卒3年後離職率】
[20→23年]21.4%(男14.3%・入社7名、女28.6%・入社7名)
[21→24年]47.1%(男36.4%・入社11名、女66.7%・入社6名)

【テレワーク】制度あり:[場所]自宅 カフェ サテライトオフィス [対象]全社員[日数]制限なし[利用率]22.8%【勤務制度】時間単位有休 時差勤務【住宅補助】独身寮 住宅補助金(転勤者)

●ライフイベント、女性活躍●

【女性比率】■男 □女

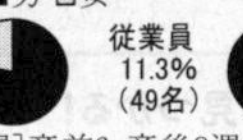

新卒採用 22.2% (4名)　従業員 11.3% (49名)　管理職 7.9% (11名)

【産休】[期間]産前6・産後8週間[給与]法定[取得者数]1名

【育休】[期間]1歳になるまで[給与]法定[取得者数]22年度 男0名(対象0名)女0名(対象0名)23年度 男2名(対象7名)女1名(対象1名)[平均取得日数]22年度 男− 女−、23年度 男282日 女159日

【従業員】[人数]434名(男385名、女49名)[平均年齢]43.8歳(男44.5歳、女38.2歳)[平均勤続年数]20.4年(男21.1年、女14.3年)

【年齢構成】■男 □女

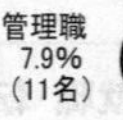

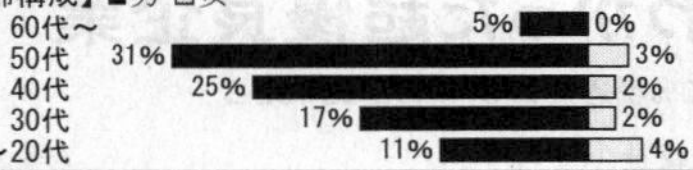

60代～ 5% 0%
50代 31% 3%
40代 25% 2%
30代 17% 2%
～20代 11% 4%

[会社データ] (金額は百万円)

【本社】106-0047 東京都港区南麻布3-20-1 Daiwa麻布テラス ☎03-5421-6001 https://www.sanwa-comp.co.jp/

【業績(単独)】	売上高	営業利益	経常利益	純利益
22.3	5,821	▲9	8	3
23.3	6,011	11	23	▲96
24.3	6,417	70	70	45

金融

銀行　金庫　共済　証券　生保　損保
信販・カード・リース他

メガバンク

2024年後半には日本銀行による追加利上げの観測も。0.1%の上昇でも、銀行の収益は100億円単位で増える

地方銀行

利上げは追い風だが、貸出金利の引き上げが預金金利上昇に追いつかない状況が続く。倒産増加の懸念も広がる

証券

新NISAスタートや、バブル期超えの株高で市場が活性化。ただ、手数料収入減で市況ほどの活況は享受せず

生命保険

外貨建て保険など貯蓄性商品の新契約は好調なものの、医療保険など保障性商品は伸び悩む状況が続く

損害保険

大手各社が「保険料カルテル」問題で行政処分を受ける可能性がある。保有株売却で業績は好調

クレジットカード・信販

堅調な消費と物価高、キャッシュレス決済の普及で取扱高が急伸。不正利用被害への対応が業界を挙げての課題に

（天気図は24年度後半⇒25年度、続きは東洋経済『会社四季報業界地図 2025年版』で）

㈱みずほ銀行

（ぎんこう）

プラチナくるみん

【特色】3メガバンクの一角。みずほフィナンシャルG中核

記者評価 第一勧業銀行、富士銀行、日本興業銀行の3行が前身。銀行、信託、証券などのグループ連携を加速。リースや資産運用も。国内は大企業のほか、中堅企業や脱炭素支援に力点。投資銀行業務の実績では国内金融機関屈指。欧米など海外にも拠点多数。

平均勤続年数	男性育休取得率	3年後離職率	平均年収(平均41歳)
16.4年	NA	NA	! 1,072万円

●採用・配属情報●

【男女・文理別採用実績】

	大卒男	大卒女	修士男	修士女
23年	NA(文NA 理NA)	NA(文NA 理NA)	NA(文NA 理NA)	NA(文NA 理NA)
24年	NA(文NA 理NA)	NA(文NA 理NA)	NA(文NA 理NA)	NA(文NA 理NA)
25年	-(文 - 理 -)	-(文 - 理 -)	-(文 - 理 -)	-(文 - 理 -)

※25年：500名採用予定

【男女・職種別採用実績】

	総合職
23年	437(男 NA 女 NA)
24年	686(男 NA 女 NA)
25年	500(男 NA 女 NA)

【24年4月入社者の配属勤務地】㊗国内461拠点686

【転勤】NA

【中途比率】［単年度］21年度NA、22年度NA、23年度NA［全体］NA

●働きやすさ、諸制度●

残業(月) NA

【平均年収】（みずほFG単体）1,072万円【勤務時間】8:40～17:10【有休取得年平均】NA【週休】完全2日（土日祝）【夏期休暇】NA【年末年始休暇】12月31日～1月3日

【離職率】NA

【新卒3年後離職率】
［20→23年］NA
［21→24年］NA

【テレワーク】制度あり：［場所］NA［対象］NA［日数］NA［利用率］NA【勤務制度】フレックス 裁量労働 時差勤務 勤務間インターバル 副業容認【住宅補助】社員毎のニーズに応じた住宅関連制度

●ライフイベント、女性活躍●

【女性比率】NA

【産休】［期間］産前6・産後8週間［給与］会社全額給付［取得者数］NA

【育休】［期間］2歳になるまで［給与］法定［取得者数］22年度NA 23年度 NA［平均取得日数］22年度 NA、23年度 NA

【従業員】［人数］24,652名（男NA、女NA）［平均年齢］41.4歳（男NA、女NA）［平均勤続年数］16.4年（男NA、女NA）

【年齢構成】NA

会社データ （金額は百万円）

【本店】100-8176 東京都千代田区大手町1-5-5 大手町タワー ☎03-3214-1111 https://www.mizuhobank.co.jp/

【業績(連結)】	経常収益	業務純益	経常利益	純利益
22.3	3,963,091	851,259	559,847	530,479
23.3	5,778,772	805,296	789,606	555,527
24.3	8,744,458	1,036,888	914,047	678,993

※資本金・業積は、㈱みずほフィナンシャルグループのもの
※採用関連はみずほ銀行、みずほ信託銀行の合算

㈱三井住友銀行

（みついすみともぎんこう）

えるぼし★★ プラチナくるみん

【特色】3メガバンクの一角。個人や中小企業に強み

記者評価 三井銀行と太陽神戸銀行が合併したさくら銀行を、住友銀行が01年に合併。三井住友FGの中核。個人から中小企業、大企業まで取引先は幅広い。経費率低く効率経営に定評。銀行取引やカード決済などを統合したスーパーアプリ「オリーブ」の利用拡大を推進。

平均勤続年数	男性育休取得率	3年後離職率	平均年収(平均40歳)
16.3年	89.0→116.1%	NA	860万円

●採用・配属情報●

【男女・文理別採用実績】

	大卒男	大卒女	修士男	修士女
23年	197(文NA 理NA)	130(文NA 理NA)	29(文NA 理NA)	7(文NA 理NA)
24年	237(文NA 理NA)	192(文NA 理NA)	42(文NA 理NA)	10(文NA 理NA)
25年	-(文 - 理 -)	-(文 - 理 -)	-(文 - 理 -)	-(文 - 理 -)

※25年：550名採用予定

【男女・職種別採用実績】 転換制度：⇔

	総合職	総合職(リテールコース)
23年	316(男203 女113)	47(男 23 女 24)
24年	388(男241 女147)	93(男 38 女 55)
25年	450(男 - 女 -)	100(男 - 女 -)

【24年4月入社者の配属勤務地】㊗国内各地481

【転勤】あり：全社員

【中途比率】［単年度］21年度10%、22年度21%、23年度30%［全体］NA

●働きやすさ、諸制度●

残業(月) NA

【勤務時間】8:40～17:10【有休取得年平均】NA【週休】完全2日（土日祝）【夏期休暇】連続5営業日【年末年始休暇】12月31日～1月3日

【離職率】NA

【新卒3年後離職率】
［20→23年］NA
［21→24年］NA

【テレワーク】制度あり：［場所］NA［対象］NA［日数］NA［利用率］NA【勤務制度】時間単位有休 裁量労働 時差勤務 勤務間インターバル 副業容認【住宅補助】独身寮・社宅（各営業店・本部近郊、条件あり）

●ライフイベント、女性活躍●

【女性比率】■男 □女

従業員 55.7%（13716名）

管理職 24.8%（950名）

【産休】［期間］産前9・産後8週間［給与］基本給与給付［取得者数］952名

【育休】［期間］1歳半になるまで（2歳まで延長可）［給与］法定［取得者数］22年度 男516名（対象580名）女993名（対象1,007名）23年度 男671名（対象578名）女935名（対象948名）［平均取得日数］22年度 男8日 女NA、23年度 男10日 女NA

【従業員】［人数］24,615名（男10,899名、女13,716名）［平均年齢］40.3歳（男NA、女NA）［平均勤続年数］16.3年（男NA、女NA）

【年齢構成】■男 □女

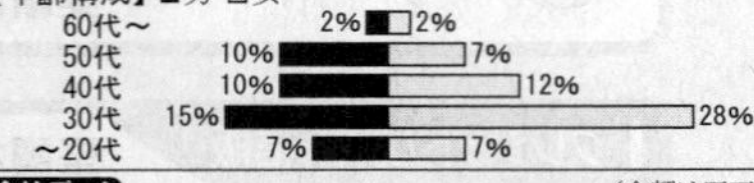

会社データ （金額は百万円）

【本店】100-0005 東京都千代田区丸の内1-1-2 三井住友銀行本店ビルディング ☎03-3282-1111 https://www.smbc.co.jp/

【業績(連結)】	経常収益	業務純益	経常利益	純利益
22.3	2,990,450	ND	867,849	568,244
23.3	4,991,948	ND	1,125,928	807,042
24.3	7,754,385	ND	1,356,572	901,935

1702 開示 ★★★★★

㈱ゆうちょ銀行(ぎんこう)

えるぼし ★★★ / プラチナくるみん

【特色】日本郵政傘下の銀行。預貯金額で国内最大級

記者評価 旧郵政公社の郵便貯金事業が独立。預貯金残高は約190兆円と国内最大級。貸し出しはほぼ行わず、国債や外国債券、投資信託などで運用。全国2.3万もの本支店や出張所を構え、金融商品販売などを行う。プライベートエクイティーや不動産ファンド投資にも積極的。

平均勤続年数	男性育休取得率	3年後離職率	平均年収(平均45歳)
20.7年	107.9 → 107.1%	14.3 → 14.3%	◇711万円

●採用・配属情報●

【男女・文理別採用実績】

	大卒男	大卒女	修士男	修士女
23年	68(文 66理 2)	71(文 67理 4)	2(文 1理 1)	0(文 0理 0)
24年	46(文 46理 0)	61(文 58理 3)	2(文 1理 1)	1(文 1理 0)
25年	-(文 -理 -)	-(文 -理 -)	-(文 -理 -)	-(文 -理 -)

※25年:総合職80名、一般職(エリア基幹職)80名採用予定

【男女・職種別採用実績】 転換制度:⇔

	総合職	一般職(エリア基幹職)
23年	97(男 55 女 42)	44(男 15 女 29)
24年	74(男 36 女 38)	36(男 12 女 24)
25年	80(男 - 女 -)	80(男 - 女 -)

【職種併願】○

【24年4月入社者の配属勤務地】㊓全国

【転勤】あり:[職種]総合職 エリア基幹職[勤務地]総合職:全国 エリア基幹職:採用された地域内

【中途比率】[単年度]21年度23%、22年度11%、23年度7%[全体]6%

●働きやすさ、諸制度●

残業(月) 6.8時間

【勤務時間】8時間(フレックスタイム制、変形労働時間制あり)【有休取得年平均】19.3日【週休】完全2日(土日祝)【夏期休暇】暦日1日【年末年始休暇】12月31日～1月3日(別途冬期休暇1日)

【離職率】男:5.6%、375名 女:3.9%、205名(早期退職男66名、女49名含む 他に男8名、女1名転籍)

【新卒3年後離職率】

[20→23年]14.3%(男10.3%・入社87名、女16.8%・入社143名)

[21→24年]14.3%(男15.1%・入社53名、女13.8%・入社94名)

【テレワーク】制度あり:[場所]ゆうちょ銀または日本郵政グループ3社の占有事務室 個室の宿泊先自室[対象]本社 エリア本部 パートナーセンター 貯金事務計算センター 営業店※営業店においては一部社員に限る[日数]制限なし[利用率]9.5%【勤務制度】フレックス 時間単位有休 時差勤務 勤務間インターバル 副業容認【住宅補助】社宅(世帯用 独身用)住宅手当(家賃等に応じて算定支給)

●ライフイベント、女性活躍●

【女性比率】■男 □女

従業員 44.3% (5022名)

管理職 18.4% (445名)

【産休】[期間]産前6・産後8週間[給与]会社全額給付[取得者数]184名

【育休】[期間]3歳になるまで[給与]出生日から8週間以内の育休のうち最初3日間有給[取得者数]22年度 男137名(対象127名)女218名(対象218名)23年度 男151名(対象141名)女203名(対象203名)[平均取得日数]22年度 男62日 女464日、23年度 男65日 女467日

【従業員】[人数]11,345名(男6,323名、女5,022名)[平均年齢]45.2歳(男47.3歳、女42.5歳)[平均勤続年数]20.7年(男23.6年、女17.0年)【年齢構成】■男 □女

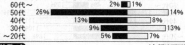

	男	女
60代～	2%	1%
50代	26%	14%
40代	13%	8%
30代	9%	13%
～20代	5%	7%

会社データ (金額は百万円)

【本店】100-8793 東京都千代田区大手町2-3-1 大手町プレイスウエストタワー ☎03-3477-0111 https://www.jp-bank.japanpost.jp/

【業績(連結)】	経常収益	業務純益	経常利益	純利益
22.3	1,977,640	ND	490,891	355,070
23.3	2,064,251	ND	455,566	325,070
24.3	2,651,706	ND	496,059	356,133

847 開示 ★★★★★

りそなグループ
(りそな銀行、埼玉りそな銀行)

えるぼし ★★★ / プラチナくるみん

【特色】邦銀大手。個人や中小企業向け取引に強み

記者評価 邦銀大手の一角。大和銀行、埼玉銀行、協和銀行、奈良銀行などの流れをくむ。グループに関西みらい銀行、みなと銀行。リテールナンバーワンを掲げ、個人や中小企業向けの貸出比率が高い。地方銀行とも連携強化。事業承継や相続、不動産仲介、資産運用なども。

平均勤続年数	男性育休取得率	3年後離職率	平均年収(平均42歳)
17.3年	105.4 → 101.3%	NA	㊓!887万円

●採用・配属情報●

【男女・文理別採用実績】

	大卒男	大卒女	修士男	修士女
23年	203(文NA理NA)	155(文NA理NA)	16(文NA理NA)	5(文NA理NA)
24年	364(文NA理NA)	291(文NA理NA)	17(文NA理NA)	5(文NA理NA)
25年	-(文 -理 -)	-(文 -理 -)	-(文 -理 -)	-(文 -理 -)

※25年:595名採用予定

【男女・職種別採用実績】

	総合職
23年	379(男219 女160)
24年	677(男381 女296)
25年	595(男 - 女 -)

【職種併願】NA

【24年4月入社者の配属勤務地】㊓NA

【転勤】あり:全社員

【中途比率】[単年度]21年度NA、22年度NA、23年度NA[全体]NA

●働きやすさ、諸制度●

残業(月) NA

【平均年収(総合職)】(りそなHD単体)887万円【勤務時間】本店・支店8:40～17:25【有休取得年平均】15.1日【週休】完全2日(土日祝)【夏期休暇】NA【年末年始休暇】12月31日～1月3日

【離職率】NA

【新卒3年後離職率】

[20→23年]NA

[21→24年]NA

【テレワーク】制度あり:[場所]自宅 サテライトオフィス[対象]NA[日数]NA[利用率]NA【勤務制度】フレックス 時間単位有休 裁量労働 時差勤務 勤務間インターバル 副業容認【住宅補助】独身寮 社宅 住宅手当

●ライフイベント、女性活躍●

【女性比率】■男 □女

従業員 49.9% (6056名)

【産休】[期間]産前6・産後8週間[給与]会社全額給付[取得者数]285名

【育休】[期間]1歳2カ月になるまで(事情により2歳1カ月になるまで)[給与]産後パパ育休のうち14日間有給、以降法定[取得者数]22年度 男236名(対象224名)女300名(対象300名)23年度 男235名(対象232名)女302名(対象299名)[平均取得日数]22年度 男11日 女444日、23年度 男18日 女464日

【従業員】[人数]12,133名(男6,077名、女6,056名)[平均年齢]41.4歳(男42.8歳、女39.9歳)[平均勤続年数]17.3年(男18.8年、女15.8年)

【年齢構成】NA

会社データ (金額は百万円)

【本店】135-8582 東京都江東区木場1-5-65 深川ギャザリア W2棟 ☎03-6704-1610 https://www.resona-gr.co.jp/

【業績(連結)】	経常収益	業務純益	経常利益	純利益
22.3	844,700	ND	158,775	109,974
23.3	867,974	ND	227,690	160,400
24.3	941,663	ND	222,962	158,930

※資本金・業績・会社データは㈱りそなホールディングスのもの

金融

金融

エスビーアイしんせいぎんこう
ＳＢＩ新生銀行グループ

えるぼし ★★★ / くるみん

【特色】旧長銀。消費者金融が主力。SBIグループ

[記者評価] 日本長期信用銀行が前身。SBI傘下の総合金融グループ。SBI新生銀行（銀行）、アプラス（カード・信販）、昭和リース（リース）、新生フィナンシャル（消費者金融）の4社が主力。銀行は公的資金の完済が最重要課題。消費者金融は「レイク」ブランドで展開。

平均勤続年数	男性育休取得率	3年後離職率	平均年収（平均43歳）
13.8年	33.3→100%	10.5→11.5%	[総]796万円

●採用・配属情報●

【男女・文理別採用実績】※25年：継続中

	大卒男	大卒女	修士男	修士女
23年	89（文 83 理 6）	20（文 18 理 2）	6（文 0 理 6）	1（文 1 理 0）
24年	105（文 94 理 11）	38（文 36 理 2）	10（文 1 理 9）	0（文 0 理 0）
25年	100（文 96 理 4）	56（文 53 理 3）	12（文 5 理 7）	0（文 0 理 0）

【男女・職種別採用実績】 転換制度：⇔

	GP職	GPR職（B職）
23年	115（男 97 女 18）	3（男 0 女 3）
24年	132（男 114 女 18）	21（男 1 女 20）
25年	154（男 110 女 44）	14（男 2 女 12）

【24年4月入社者の配属勤務地】[総]東京63 大阪30 他 [技]東京（SBI新生銀行）20 大阪（新生フィナンシャル）7
【転勤】あり：[職種]営業職（全国型）
【中途比率】[単年度]21年度39%、22年度57%、23年度63%[全体]53%

●働きやすさ、諸制度●

残業（月） 19.8時間 [総]24.2時間

【勤務時間】9:00～17:20【有休取得年平均】14.9日【週休】完全2日（土日祝）【夏期休暇】連続14日（有休で取得）【年末年始休暇】12月31日～1月3日
【離職率】男：5.4%、74名 女：3.2%、31名
【新卒3年後離職率】
[20→23年]10.5%（男8.8%・入社68名、女12.5%・入社56名）
[21→24年]11.5%（男13.9%・入社79名、女9.3%・入社86名）
【テレワーク】制度あり：[場所]自宅 サテライトオフィス[対象]NA[日数]制限なし[利用率]NA【勤務制度】フレックス 時間単位有休 週休3日 時差勤務 副業容認【住宅補助】借上社宅 住宅手当

●ライフイベント、女性活躍●

【女性比率】■男 □女

新卒採用 33.3%（56名）

従業員 42.5%（948名）

管理職 21.6%（168名）

【産休】[期間]産前6・産後8週間[給与]会社全額給付[取得者数]27名
【育休】[期間]1年6カ月[給与]法定[取得者数]22年度 男18名（対象54名）女28名（対象28名）23年度 男45名（対象45名）女29名（対象29名）[平均取得日数]22年度 NA、23年度 NA
【従業員】[人数]2,233名（男1,285名、女948名）[平均年齢]43.0歳（男42.0歳、女44.0歳）[平均勤続年数]13.8年（男12.4年、女15.8年）
【年齢構成】■男 □女

	男	女
60代～	0%	0%
50代	17%	15%
40代	15%	14%
30代	15%	7%
～20代	10%	6%

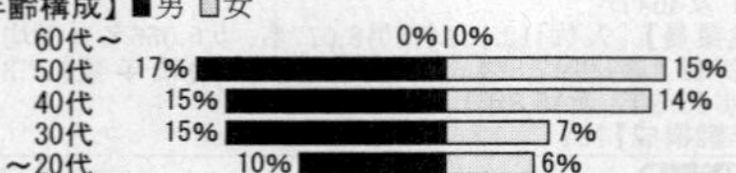

[会社データ] （金額は百万円）
【本店】103-8303 東京都中央区日本橋室町2-4-3 ☎03-6880-7000
https://www.sbishinseibank.co.jp/

【業績（連結）】	経常収益	業務純益	経常利益	純利益
22.3	373,328	ND	28,299	20,385
23.3	421,853	ND	52,136	42,771
24.3	530,771	ND	61,072	57,924

※新卒採用関連はグループの情報、その他は㈱SBI新生銀行の情報

ぎんこう
㈱あおぞら銀行

えるぼし ★★ / くるみん

【特色】旧日債銀。不動産、金融機関向け取引に強み

[記者評価] 日本債券信用銀行が前身。本社は上智大学の四谷キャンパス内。スタートアップ投資や不動産、M&A、成熟企業の経営再建など特殊な案件に強み。北米向けの企業・不動産融資も。個人はネット支店を通じて現役世代を開拓。GMOとネット銀行で協業。

平均勤続年数	男性育休取得率	3年後離職率	平均年収（平均44歳）
16.1年	88.9→83.0%	3.1→12.9%	887万円

●採用・配属情報●

【男女・文理別採用実績】※25年：24年8月5日時点

	大卒男	大卒女	修士男	修士女
23年	30（文 30 理 0）	20（文 19 理 1）	2（文 0 理 2）	1（文 0 理 1）
24年	22（文 20 理 2）	18（文 17 理 1）	1（文 0 理 1）	0（文 0 理 0）
25年	48（文 43 理 5）	20（文 19 理 1）	2（文 1 理 1）	1（文 0 理 1）

【男女・職種別採用実績】 転換制度：⇔

	全国総合職	地域総合職	IT職
23年	45（男 32 女 13）	6（男 0 女 6）	2（男 0 女 2）
24年	29（男 20 女 9）	8（男 0 女 8）	4（男 3 女 1）
25年	55（男 43 女 12）	9（男 3 女 6）	7（男 4 女 3）

【24年4月入社者の配属勤務地】[総]東京（四ツ谷25 府中4 新宿1）札幌1 金沢1 名古屋1 関西2 広島1 福岡1 [技]府中4
【転勤】あり：[職種]全国総合職[勤務地]全国本支店、海外拠点 [職種]IT職[勤務地]将来的に新たなIT拠点新設等の際は転居を伴う異動の可能性あり
【中途比率】[単年度]21年度32%、22年度39%、23年度36%[全体]約41%

●働きやすさ、諸制度●

残業（月） 10.6時間

【勤務時間】8:50～17:15【有休取得年平均】16.1日【週休】完全2日（土日祝）【夏期休暇】連続5日【年末年始休暇】12月31日～1月3日
【離職率】男：5.3%、59名 女：2.7%、25名
【新卒3年後離職率】
[20→23年]3.1%（男4.4%・入社45名、女0%・入社19名）
[21→24年]12.9%（男12.2%・入社41名、女13.8%・入社29名）
【テレワーク】制度あり：[場所]NA[対象]NA[日数]NA[利用率]NA【勤務制度】フレックス 時差勤務 副業容認【住宅補助】<全国総合職・IT職>家賃補助

●ライフイベント、女性活躍●

【女性比率】■男 □女

新卒採用 29.6%（21名）

従業員 46.6%（915名）

管理職 14.3%（84名）

【産休】[期間]産前6・産後8週間[給与]会社全額給付[取得者数]35名
【育休】[期間]1歳6カ月到達日と1歳到達日の翌年度4月末日のいずれか遅い方[給与]出生時育児休業（産後パパ育休）は会社全額給付、他は法定通り[取得者数]22年度 男32名（対象36名）女27名（対象27名）23年度 男39名（対象47名）女33名（対象33名）[平均取得日数]22年度 男10日 女410日、23年度 男11日 女441日
【従業員】[人数]1,964名（男1,049名、女915名）[平均年齢]44.1歳（男44.5歳、女43.5歳）[平均勤続年数]16.1年（男15.5年、女16.8年）【年齢構成】■男 □女

	男	女
60代～	4%	3%
50代	17%	15%
40代	13%	11%
30代	9%	10%
～20代	10%	8%

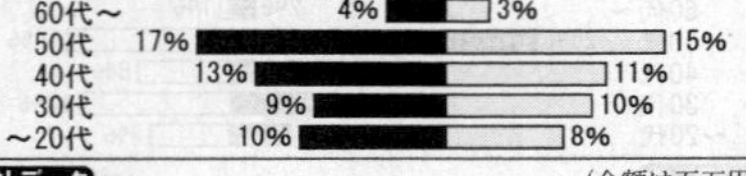

[会社データ] （金額は百万円）
【本店】102-8660 東京都千代田区麹町6-1-1 ☎03-6752-1111
https://www.aozorabank.co.jp/

【業績（連結）】	経常収益	業務純益	経常利益	純利益
22.3	134,737	ND	46,294	35,004
23.3	183,292	ND	7,356	8,719
24.3	246,299	ND	▲54,816	▲49,904

㈱セブン銀行

【特色】セブンイレブン等にATM網。米国などにも展開

記者評価 ATM運営で国内トップ。セブンイレブンや商業施設を中心にATMを設置。地方銀行のATM運営受託も。海外は米国やインドネシア、フィリピン、マレーシアでATM事業を展開。行政・医療サービスとの連携や電子マネーの現金チャージなどATM端末の価値拡大に注力。

平均勤続年数	男性育休取得率	3年後離職率	平均年収(平均41歳)
① 7.2年	46.2 → 46.2%	0 → 8.3%	㊝ 724万円

●採用・配属情報●

【男女・文理別採用実績】

	大卒男	大卒女	修士男	修士女
23年	6(文 6理 0)	9(文 8理 1)	0(文 0理 0)	0(文 0理 0)
24年	9(文 8理 1)	6(文 4理 2)	0(文 0理 0)	0(文 0理 0)
25年	10(文 8理 2)	11(文 9理 2)	0(文 0理 0)	0(文 0理 0)

【男女・職種別採用実績】

	総合職
23年	15(男 6女 9)
24年	15(男 9女 6)
25年	22(男 11女 11)

【24年4月入社者の配属勤務地】㊝東京(丸の内13 錦糸町2)

【転勤】あり:全社員

【中途比率】[単年度]21年度76%、22年度79%、23年度83%[全体]83%

●働きやすさ、諸制度●

残業(月) ㊝24.1時間

【勤務時間】8:45〜17:30【有休取得年平均】15.8日【週休】完全2日(土日祝)【夏期休暇】なし【年末年始休暇】12月31日〜1月3日

【離職率】男:5.0%、19名 女:4.6%、12名

【新卒3年後離職率】
[20→23年]0%(男0%・入社6名、女0%・入社6名)
[21→24年]8.3%(男12.5%・入社8名、女0%・入社4名)

【テレワーク】制度あり:[場所]自宅[対象]全社員[日数]制限なし[利用率]24.7%【勤務制度】時差勤務 副業容認【住宅補助】家賃補助制度(金額、年齢に制限あり)

●ライフイベント、女性活躍●

【女性比率】■男 □女

新卒採用 50%(11名)　従業員 40.8%(247名) 　管理職 17.7%(31名)

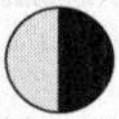

【産休】[期間]産前6・産後8週間[給与]法定[取得者数]24名

【育休】[期間]2歳到達直後の4月末まで[給与]法定[取得者数]22年度 男6名(対象13名)女11名(対象11名)23年度 男6名(対象13名)女18名(対象18名)[平均取得日数]22年度 NA、23年度 NA

【従業員】[人数]605名(男358名、女247名)[平均年齢]41.0歳(男42.4歳、女38.8歳)[平均勤続年数]7.2年(男7.4年、女6.9年)※従業員数は執行役員・外部出向者を除き、受入出向者を含む

【年齢構成】■男 □女

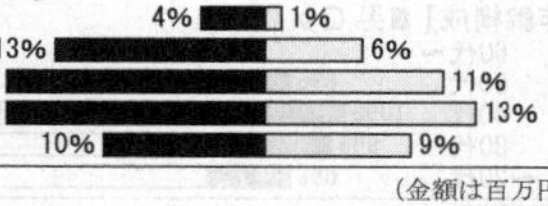

	男	女
60代〜	4%	1%
50代	13%	6%
40代	16%	11%
30代	16%	13%
〜20代	10%	9%

会社データ (金額は百万円)

【本店】100-0005 東京都千代田区丸の内1-6-1 丸の内センタービルディング ☎03-3211-3031 https://www.sevenbank.co.jp/

【業績(連結)】	経常収益	業務純益	経常利益	純利益
22.3	136,667	ND	28,255	20,827
23.3	154,984	ND	28,924	18,854
24.3	197,877	ND	30,526	31,970

三井住友信託銀行㈱

プラチナ くるみん

【特色】信託銀行首位。資産運用や不動産など独自路線

記者評価 国内最大の信託銀行。法人融資や住宅ローンのほか、年金運用や資産管理に強い。不動産仲介や証券代行、ファンド投資など業務範囲は幅広い。インフラ施設や脱炭素などオルタナティブ投資を推進。欧米や中国、東南アジアなど各国に支店や駐在員事務所を展開。

平均勤続年数	男性育休取得率	3年後離職率	平均年収(平均41歳)
① 16.0年	117.4 → 111.5%	NA	㊝ 832万円

●採用・配属情報●

【男女・文理別採用実績】※25年:合計400名採用予定

	大卒男	大卒女	修士男	修士女
23年	196(文NA 理NA)	237(文NA 理NA)	14(文NA 理NA)	3(文NA 理NA)
24年	181(文NA 理NA)	197(文NA 理NA)	23(文NA 理NA)	7(文NA 理NA)
25年	−(文 − 理 −)	−(文 − 理 −)	−(文 − 理 −)	−(文 − 理 −)

【男女・職種別採用実績】 転換制度:⇔

	総合職
23年	450(男210 女240)
24年	409(男204 女205)
25年	400(男 − 女 −)

【24年4月入社者の配属勤務地】㊝国内各拠点

【転勤】あり:[職種]Gコース(全国転勤型総合職)[勤務地]全国主要都市および海外

【中途比率】[単年度]21年度45%、22年度51%、23年度NA[全体]23%

●働きやすさ、諸制度●

残業(月) 18.9時間

【勤務時間】8:50〜17:10【有休取得年平均】19.8日【週休】完全2日(土日祝)【夏期休暇】連続5日(年1回有休で取得)【年末年始休暇】12月31日〜1月3日

【離職率】NA

【新卒3年後離職率】
[20→23年]NA
[21→24年]NA

【テレワーク】制度あり:[場所]自宅 サテライトオフィス 他[対象]全社員[日数]部署による[利用率]NA【勤務制度】裁量労働 時差勤務 勤務間インターバル 副業容認【住宅補助】独身寮 社宅

●ライフイベント、女性活躍●

【女性比率】■男 □女

従業員 50.3%(4710名)　管理職 31.6%(2105名)

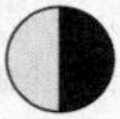

【産休】[期間]産前8・産後8週間[給与]会社全額給付[取得者数]234名

【育休】[期間]2歳になるまで[給与]5日有給、以降給付金[取得者数]22年度 男196名(対象167名)女224名(対象225名)23年度 男175名(対象157名)女256名(対象256名)[平均取得日数]22年度 男13日 女491日、23年度 男18日 女470日

【従業員】[人数]9,355名(男4,645名、女4,710名)[平均年齢]40.7歳(男43.1歳、女38.2歳)[平均勤続年数]16.0年(男17.5年、女14.5年)※コース社員のみ

【年齢構成】■男 □女

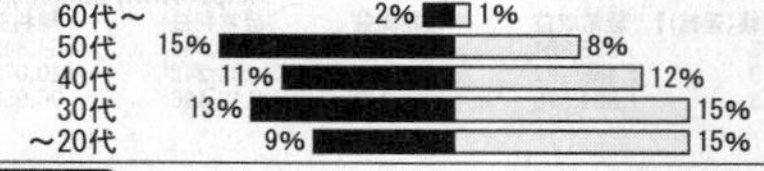

	男	女
60代〜	2%	1%
50代	15%	8%
40代	11%	12%
30代	13%	15%
〜20代	9%	15%

会社データ (金額は百万円)

【本店】100-0005 東京都千代田区丸の内1-4-1 ☎03-3286-1111 https://www.smtb.jp/

【業績(連結)】	経常収益	業務純益	経常利益	純利益
22.3	1,249,695	ND	203,664	149,223
23.3	1,695,357	ND	265,045	177,649
24.3	2,349,790	ND	247,533	65,821

金融

みつびしユーエフジェイしんたくぎんこう
三菱ＵＦＪ信託銀行㈱

[くるみん]

【特色】信託銀行国内2位。三菱UFJグループの一員

[記者評価] 三菱UFJフィナンシャルグループの一員。個人向けは相続や資産運用、法人向けは年金運用や不動産仲介、証券代行などを展開。融資部門は18年に三菱UFJ銀行に移管。新規事業としてデジタル証券の開発・流通を推進。NYやロンドン、シンガポール、香港にも支店。

平均勤続年数	男性育休取得率	3年後離職率	平均年収(平均44歳)
[!] 16.6年	100 → 94.3%	NA	[総] 915万円

●採用・配属情報●

【男女・文理別採用実績】

	大卒男	大卒女	修士男	修士女
23年	91(文NA理NA)	64(文NA理NA)	7(文NA理NA)	1(文NA理NA)
24年	125(文NA理NA)	62(文NA理NA)	12(文NA理NA)	1(文NA理NA)
25年	−(文 −理 −)	−(文 −理 −)	−(文 −理 −)	−(文 −理 −)

※25年：290名程度採用予定

【男女・職種別採用実績】 転換制度：⇔

	総合職(全国・地域)
23年	163(男 98 女 65)
24年	200(男 137 女 63)
25年	290(男 − 女 −)

【24年4月入社者の配属勤務地】[総]国内各地区

【転勤】あり：全社員(ただし、転居を伴う転勤は全国コースのみ)

【中途比率】[単年度]21年度28%、22年度56%、23年度63%[全体]NA

●働きやすさ、諸制度●

残業(月) 26.4時間 [総]26.4時間

【勤務時間】8:50 ～ 17:10【有休取得年平均】14.0日【週休】完全2日(土日祝)【夏期休暇】連続5日(半期に1回)【年末年始休暇】12月31日～1月3日

【離職率】NA

【新卒3年後離職率】
[20→23年]NA
[21→24年]NA

【テレワーク】制度あり：[場所]自宅 サテライトオフィス[対象]全社員[日数]制限なし[利用率]NA【勤務制度】時間単位有休 時差勤務 勤務間インターバル 副業容認【住宅補助】独身寮(所有寮／借上寮・男女別)社宅 法人契約型賃貸住宅

●ライフイベント、女性活躍●

【女性比率】NA

【産休】[期間]産前6・産後8週間[給与]会社全額給付[取得者数]131名

【育休】[期間]3年間[給与]最初2週間有給、以降給付金[取得者数]22年度 男150名(対象150名)女129名(対象129名)23年度 男165名(対象175名)女124名(対象124名)[平均取得日数]22年度 NA、23年度 男21日 女512日

【従業員】[人数]6,283名(男NA、女NA)[平均年齢]43.8歳(男NA、女NA)[平均勤続年数]16.6年(男NA、女NA) ※従業員数は執行役員を除く

【年齢構成】NA

会社データ (金額は百万円)

【本店】100-8212 東京都千代田区丸の内1-4-5 ☎03-3212-1211
https://www.tr.mufg.jp/

【業績(連結)】	経常収益	業務純益	経常利益	純利益
22.3	875,804	ND	238,541	164,345
23.3	1,466,227	ND	205,242	140,072
24.3	1,824,578	ND	140,496	96,956

に ほん ぎんこう
㈱日本カストディ銀行

[えるぼし★★] [プラチナくるみん]

【特色】資産管理(カストディ)特化の信託で国内最大

[記者評価] 年金基金や銀行、生保などの機関投資家の資産管理業務を担う資産管理専門の信託銀行。24年3月期の預り資産残高は683兆円で国内最大。三井住友トラストHDを筆頭にみずほFG、りそな銀行などが株主。日本マスタートラスト信託銀と内国為替業務を相互補完運用。

平均勤続年数	男性育休取得率	3年後離職率	平均年収(平均NA)
NA	72.2 → 85.7%	NA	NA

●採用・配属情報●

【男女・文理別採用実績】

	大卒男	大卒女	修士男	修士女
23年	18(文 16理 2)	43(文 42理 1)	1(文 0理 1)	1(文 1理 0)
24年	33(文 31理 2)	41(文 38理 3)	1(文 1理 0)	0(文 0理 0)
25年	50(文 47理 3)	65(文 64理 1)	9(文 6理 3)	0(文 0理 0)

※25年：24年8月1日時点

【男女・職種別採用実績】 転換制度：⇔

	総合職	IT職
23年	50(男 14 女 36)	13(男 5 女 8)
24年	63(男 27 女 36)	12(男 7 女 5)
25年	108(男 47 女 61)	16(男 12 女 4)

【24年4月入社者の配属勤務地】[総]東京・晴海67 神奈川・武蔵小杉8

【転勤】あり：隔地間(関東地方⇔中国地方)転勤に同意した社員のみ

【中途比率】[単年度]21年度43%、22年度37%、23年度58%[全体]NA

●働きやすさ、諸制度●

残業(月) NA

【勤務時間】8:50～17:20【有休取得年平均】NA【週休】完全2日(土日祝)【夏期休暇】連続2営業日を2回(有休含まず)、連続5営業日(有休含む)取得可【年末年始休暇】12月31日～1月3日

【離職率】NA

【新卒3年後離職率】
[20→23年]NA
[21→24年]NA

【テレワーク】制度あり：[場所]実家[対象]制限なし[日数]制限なし[利用率]NA【勤務制度】時差勤務 勤務間インターバル【住宅補助】家賃補給金 社宅(通勤圏外の勤務地へ異動となる社員に限る)

●ライフイベント、女性活躍●

【女性比率】■男 □女

新卒採用 52.4% (65名)

従業員 68.9% (860名)

管理職 23.8% (41名)

【産休】[期間]産前6・産後8週間[給与]法定[取得者数]46名

【育休】[期間]2歳になるまで[給与]当初5営業日有給、以降給付金[取得者数]22年度 男13名(対象18名)女45名(対象45名)23年度 男12名(対象14名)女39名(対象39名)[平均取得日数]22年度 NA、23年度 男36日 女371日

【従業員】[人数]1,249名(男389名、女860名)[平均年齢]NA[平均勤続年数]NA ※出向者等を除く

【年齢構成】■男 □女

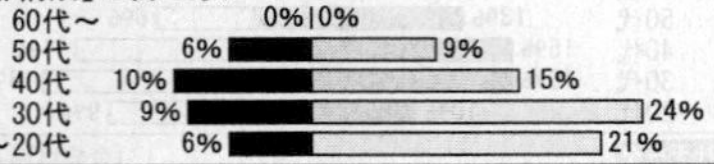
60代～ 0%|0%
50代 6% 9%
40代 10% 15%
30代 9% 24%
～20代 6% 21%

会社データ (金額は百万円)

【本店】104-6228 東京都中央区晴海1-8-12 晴海トリトンオフィスタワーZ ☎03-6220-4000
https://www.custody.jp/

【業績(単独)】	経常収益	業務純益	経常利益	純利益
22.3	57,665	ND	1,931	576
23.3	58,000	ND	1,510	430
24.3	58,335	ND	2,460	300

金融

1602 開示 ★★☆☆☆

日本マスタートラスト信託銀行(株)

（にほんますたーとらすとしんたくぎんこう）

プラチナえるぼし　プラチナくるみん

【特色】年金資産の管理業務に特化した国内初の信託銀

記者評価 三菱UFJ信託銀を中核に発足。日本生命や明治安田生命、農中信託銀も出資。年金資産の集中管理業務手がける国内初の信託銀。デリバティブ取引の管理体制強化やWebサービス拡充推進。日本カストディ銀と内国為替業務を相互補完運用。24年3月末資産管理残高703兆円。

平均勤続年数	男性育休取得率	3年後離職率	平均年収(平均35歳)
NA	100 → 100%	NA	NA

●採用・配属情報●

【男女・文理別採用実績】

	大卒男	大卒女	修士男	修士女
23年	17(文 15理 2)	43(文 41理 2)	1(文 1理 0)	0(文 0理 0)
24年	37(文 37理 0)	53(文 52理 1)	3(文 3理 0)	3(文 3理 0)
25年	24(文 24理 0)	42(文 41理 1)	2(文 2理 0)	1(文 1理 0)

【男女・職種別採用実績】

	総合職
23年	61(男 18 女 43)
24年	96(男 40 女 56)
25年	69(男 26 女 43)

【24年4月入社者の配属勤務地】㊀東京96(本拠地大阪20含む)

【転勤】あり:大阪採用の場合、原則大阪勤務。業務習得やキャリア形成等を目的に一定期間東京での勤務もあり

【中途比率】[単年度]21年度25%、22年度61%、23年度51%[全体]19%

●働きやすさ、諸制度●

残業(月) NA

【勤務時間】8:50～17:10【有休取得年平均】NA【週休】完全2日(土日祝)【夏期休暇】連続5日(上期・下期1回ずつ、有休2日含む)【年末年始休暇】12月31日～1月3日

【離職率】NA

【新卒3年後離職率】

[20→23年]NA

[21→24年]NA

【テレワーク】制度あり:[場所]自宅[対象]全社員[日数]制限なし[利用率]NA【勤務制度】時間単位有休 時差勤務 勤務間インターバル【住宅補助】賃借家賃補給金(給付条件あり)

●ライフイベント、女性活躍●

【女性比率】■男 □女

新卒採用 62.3% (43名)

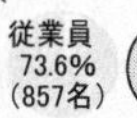

従業員 73.6% (857名)

管理職 51.9% (54名)

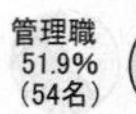

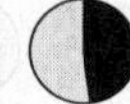

【産休】[期間]産前6・産後8週間[給与]会社全額給付[取得者数]35名

【育休】[期間]3歳になるまで最長3年(産前6週間を超える日数希望した場合含む)[給与]開始2週間以内は会社全額給付、以降法定[取得者数]22年度 男4名(対象4名)女89名(対象89名)23年度 男15名(対象15名)女88名(対象88名)[平均取得日数]22年度 NA、23年度NA

【従業員】[人数]1,165名(男308名、女857名)[平均年齢]34.7歳(男37.3歳、女33.8歳)[平均勤続年数]NA

【年齢構成】NA

会社データ (金額は百万円)

【本店】107-8472 東京都港区赤坂1-8-1 赤坂インターシティAIR ☎03-6833-3600 https://www.mastertrust.co.jp/

【業績(単独)】	経常収益	業務純益	経常利益	純利益
22.3	29,664	1,438	1,384	1,034
23.3	31,882	1,271	1,262	958
24.3	35,986	1,700	1,701	1,251

1774 開示 ★★☆☆☆ 短大 専門 採用あり

(株)北海道銀行

（ほっかいどうぎんこう）

(ほくほくフィナンシャルグループ)

えるぼし★★★　プラチナくるみん

【特色】北海道の地方銀行。北陸銀行と経営統合

記者評価 北海道が地盤の地方銀行。道内のメインバンクシェアは北洋銀行に次ぐ2番手。道内全域に加え、仙台と東京・日本橋にも支店。海外はロシアと中国に駐在員事務所。03年に北陸銀行と経営統合。24年7月から大卒総合職(転勤あり)の初任給を25万円に引き上げ。

平均勤続年数	男性育休取得率	3年後離職率	平均年収(平均35歳)
16.0年	76.5 → 116.7%	NA	㊀792万円

●採用・配属情報●

【男女・文理別採用実績】

	大卒男	大卒女	修士男	修士女
23年	42(文 40理 2)	26(文 26理 0)	2(文 2理 0)	0(文 0理 0)
24年	33(文 32理 1)	56(文 56理 0)	1(文 0理 1)	0(文 0理 0)
25年	51(文 50理 1)	31(文 30理 1)	2(文 0理 2)	0(文 0理 0)

※25年:継続中

【男女・職種別採用実績】 転換制度:⇔

	総合職G	総合職A	特定職A
23年	51(男 44 女 7)	16(男 0 女 16)	6(男 0 女 6)
24年	46(男 34 女 12)	34(男 0 女 34)	14(男 0 女 14)
25年	69(男 53 女 16)	10(男 0 女 10)	7(男 0 女 7)

【24年4月入社者の配属勤務地】㊀北海道80

【転勤】あり:[職種]総合職G 特定職G

【中途比率】[単年度]21年度NA、22年度NA、23年度NA[全体]7%

●働きやすさ、諸制度●

残業(月) 13.0時間 ㊀18.9時間

【勤務時間】本部・各営業店8:30～17:00【有休取得年平均】15.9日【週休】完全2日(土日祝)【夏期休暇】連続7日(週休、有休5日含む)【年末年始休暇】12月31日～1月3日

【離職率】NA

【新卒3年後離職率】

[20→23年]NA

[21→24年]NA

【テレワーク】制度なし【勤務制度】時差勤務 副業容認【住宅補助】<総合職G・特定職G>社宅 男性独身寮(道内主要都市)家賃手当

●ライフイベント、女性活躍●

【女性比率】■男 □女

新卒採用 38.4% (33名)

従業員 52.1% (1045名)

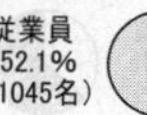

管理職 23.2% (228名)

【産休】[期間]産前6・産後8週間[給与]会社全額給付[取得者数]47名

【育休】[期間]3歳になるまで[給与]法定[取得者数]22年度 男39名(対象51名)女52名(対象52名)23年度 男35名(対象30名)女49名(対象49名)[平均取得日数]22年度 男2日 女393日、23年度 男6日 女404日

【従業員】[人数]2,006名(男961名、女1,045名)[平均年齢]39.7歳(男42.9歳、女36.7歳)[平均勤続年数]16.0年(男19.1年、女13.2年)

【年齢構成】■男 □女

	男	女
60代～	0%	0%
50代	18%	8%
40代	9%	10%
30代	13%	17%
～20代	9%	17%

会社データ (金額は百万円)

【本店】060-8676 北海道札幌市中央区大通西4-1 ☎011-233-1203 https://www.hokkaidobank.co.jp/

【業績(単独)】	経常収益	業務純益	経常利益	純利益
22.3	72,983	15,164	9,574	8,770
23.3	76,950	10,886	12,456	8,711
24.3	75,289	4,431	7,714	8,514

金融

864　開示 ★★☆☆☆　[短大] 採用あり

㈱プロクレアホールディングス
(㈱青森銀行、㈱みちのく銀行)

[えるぼし ★★]　[くるみん]

【特色】青森県地盤。傘下に青森銀行とみちのく銀行

[記者評価] 青森県地盤の青森銀行とみちのく銀行が統合して設立した共同持株会社。地銀中位。青森県での貸出金シェアは両行合わせて約8割と圧倒的。県内に加え、道南地域にも出店。25年1月に両行の合併を予定。25年4月入社者から大卒初任給を22万円に引き上げ。

平均勤続年数	男性育休取得率	3年後離職率	平均年収(平均41歳)
16.5年	61.9→135.3%	NA	[総]607万円

●採用・配属情報●

【男女・文理別採用実績】

	大卒男	大卒女	修士男	修士女
23年	24(文 21 理 3)	16(文 14 理 2)	0(文 0 理 0)	0(文 0 理 0)
24年	24(文 22 理 2)	20(文 18 理 2)	0(文 0 理 0)	0(文 0 理 0)
25年	23(文 20 理 3)	24(文 23 理 1)	0(文 0 理 0)	0(文 0 理 0)

※25年:共同採用、新卒採用者は青森銀行への入行

【男女・職種別採用実績】　転換制度:⇔

	総合職
23年	41(男 25 女 16)
24年	44(男 24 女 20)
25年	47(男 23 女 24)

【24年4月入社者の配属勤務地】[総]青森44

【転勤】あり:全社員(勤務地を限定できるエリア限定制度あり)

【中途比率】[単年度]21年度NA、22年度NA、23年度NA[全体]NA

●働きやすさ、諸制度●

残業(月)　12.2時間　[総]12.2時間

【勤務時間】8:45～17:45【有休取得年平均】14.4日【週休】完全2日(土日祝)【夏期休暇】連続7日(年1回、有休5日と土日)【年末年始休暇】12月31日～1月3日

【離職率】NA

【新卒3年後離職率】
[20→23年]NA(男NA・入社23名、女NA・入社23名)
[21→24年]NA(男NA・入社20名、女NA・入社22名)

【テレワーク】制度あり:[場所]自宅 ホテル 他[対象]全社員[日数]制限なし[利用率]NA【勤務制度】フレックス 時間単位有休 副業容認【住宅補助】独身寮 住宅手当

●ライフイベント、女性活躍●

【女性比率】■男 □女

新卒採用
51.1%
(24名)

従業員
36.2%
(418名)

【産休】[期間]産前6・産後8週間[給与]会社全額給付[取得者数]17名

【育休】[期間]1歳になるまで[給与]開始営業日から5日間有給、以降法定[取得者数]22年度 男13名(対象21名)女19名(対象19名)23年度 男23名(対象17名)女20名(対象20名)[平均取得日数]22年度 NA、23年度 NA

【従業員】[人数]1,155名(男737名、女418名)[平均年齢]41.0歳(男43.3歳、女36.9歳)[平均勤続年数]16.5年(男19.0年、女11.9年)

【年齢構成】NA

会社データ　(金額は百万円)

【本店】030-8668 青森県青森市橋本1-9-30 ☎017-777-1111
https://www.a-bank.jp/

【業績(連結)】	経常収益	業務純益	経常利益	純利益
23.3	85,437	ND	5,106	48,957
24.3	76,847	ND	4,094	2,817

※資本金・業績は㈱プロクレアホールディングスのもの
※注記のないデータは青森銀行単体のもの

867　開示 ★★★☆☆　[短大] [専門] 採用あり

㈱岩手銀行(いわてぎんこう)

[えるぼし ★★★]　[プラチナくるみん]

【特色】地銀中位。県内メインバンク4割で断トツ

[記者評価] 岩手県地盤の地方銀行。岩手県が出資母体で、現在も大株主として残る「県是銀行」。県内3地銀で首位。宮城県内や八戸市内にも出店。中堅中小企業や住宅ローンに強み。スタートアップ企業支援や再エネ開発にも本腰。24年7月から大卒初任給を23.5万円に引き上げ。

平均勤続年数	男性育休取得率	3年後離職率	平均年収(平均39歳)
16.9年	100→108.3%	29.3→43.5%	[総]660万円

●採用・配属情報●

【男女・文理別採用実績】

	大卒男	大卒女	修士男	修士女
23年	27(文 26 理 1)	25(文 21 理 4)	0(文 0 理 0)	0(文 0 理 0)
24年	28(文 24 理 4)	19(文 17 理 2)	1(文 1 理 0)	0(文 0 理 0)
25年	-(文 - 理 -)	-(文 - 理 -)	-(文 - 理 -)	-(文 - 理 -)

※25年:継続中

【男女・職種別採用実績】

	総合職
23年	54(男 27 女 27)
24年	52(男 29 女 23)
25年	-(男 - 女 -)

【24年4月入社者の配属勤務地】[総]岩手47 宮城(仙台1 大崎1 気仙沼1)青森・八戸2

【転勤】あり:全社員(別途エリア選択制度あり)

【中途比率】[単年度]21年度7%、22年度5%、23年度6%[全体]5%

●働きやすさ、諸制度●

残業(月)　6.6時間　[総]6.6時間

【勤務時間】8:30～17:15【有休取得年平均】11.6日【週休】完全2日(土日祝)【夏期休暇】有休で取得【年末年始休暇】12月31日～1月3日

【離職率】男:4.0%、33名 女:5.1%、25名

【新卒3年後離職率】
[20→23年]29.3%(男25.8%・入社31名、女33.3%・入社27名)
[21→24年]43.5%(男38.7%・入社31名、女48.4%・入社31名)

【テレワーク】制度あり:[場所]自宅等[対象]NA[日数]NA[利用率]NA【勤務制度】フレックス 時間単位有休 副業容認【住宅補助】社宅完備(本支店所在地)住宅手当(アパート入居時)

●ライフイベント、女性活躍●

【女性比率】■男 □女

従業員
37.3%
(467名)

管理職
8.6%
(38名)

【産休】[期間]産前6・産後8週間[給与]会社全額給付[取得者数]21名

【育休】[期間]2歳になるまで[給与]法定[取得者数]22年度 男32名(対象32名)女28名(対象26名)23年度 男26名(対象24名)女23名(対象21名)[平均取得日数]22年度 NA、23年度 男9日 女386日

【従業員】[人数]1,252名(男785名、女467名)[平均年齢]40.0歳(男42.0歳、女36.7歳)[平均勤続年数]16.9年(男18.6年、女14.2年)

【年齢構成】■男 □女

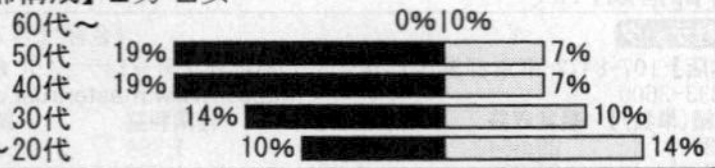

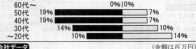

会社データ　(金額は百万円)

【本店】020-8688 岩手県盛岡市中央通1-2-3 ☎019-623-1111
https://www.iwatebank.co.jp/

【業績(連結)】	経常収益	業務純益	経常利益	純利益
22.3	44,279	7,320	7,768	4,126
23.3	47,591	2,148	6,457	5,381
24.3	43,886	7,977	6,955	4,225

㈱秋田銀行（あきたぎんこう）

[えるぼし ★★] [くるみん]

【特色】地銀中位。秋田県で断トツ。福島、北海道に展開

[記者評価] 第四十八国立銀行が前身。秋田県内の貸出金シェアは5割超と圧倒的。県内80店、県外17店で県内外に法人営業部を設置。預貸率6割と低い。対顧客利益の増強を目指し手数料業務を拡大。店舗最適化と業務改革進める。投資専門子会社を持ち、ベンチャー等へ積極融資。

平均勤続年数	男性育休取得率	3年後離職率	平均年収(平均40歳)
17.9年	118.2→108.3%	44.8→23.2%	622万円

●採用・配属情報●

【男女・文理別採用実績】

	大卒男	大卒女	修士男	修士女
23年	17(文 13 理 4)	22(文 21 理 1)	0(文 0 理 0)	0(文 0 理 0)
24年	15(文 10 理 5)	33(文 32 理 1)	1(文 0 理 1)	1(文 0 理 1)
25年	16(文 13 理 3)	21(文 21 理 0)	1(文 0 理 1)	1(文 0 理 0)

【男女・職種別採用実績】 転換制度:⇔

	オープンコース	DX/IT人材コース	コース区分なし
23年	ND(男 ND 女 ND)	ND(男 ND 女 ND)	40(男 17 女 23)
24年	49(男 14 女 35)	3(男 2 女 1)	ND(男 ND 女 ND)
25年	37(男 14 女 23)	3(男 3 女 0)	ND(男 ND 女 ND)

【職種併願】○

【24年4月入社者の配属勤務地】[総]秋田46 青森1 宮城・仙台1 福島1 [技]本部3

【転勤】あり:[職種]総合職コース

【中途比率】[単年度]21年度2%、22年度8%、23年度7% [全体]3%

●働きやすさ、諸制度●

残業(月) 7.5時間 [総]11.2時間

【勤務時間】8:30～17:00【有休取得年平均】10.8日【週休】完全2日(土日祝)【夏期休暇】有休で取得【年末年始休暇】12月31日～1月3日

【離職率】男:3.8%、27名 女:5.6%、31名

【新卒3年後離職率】
[20→23年]44.8%(男70.0%・入社10名、女31.6%・入社19名)
[21→24年]23.2%(男16.0%・入社25名、女27.3%・入社44名)

【テレワーク】制度なし【勤務制度】時間単位有休 週休3日 時差勤務【住宅補助】社宅(各地区)住宅手当

●ライフイベント、女性活躍●

【女性比率】■男 □女

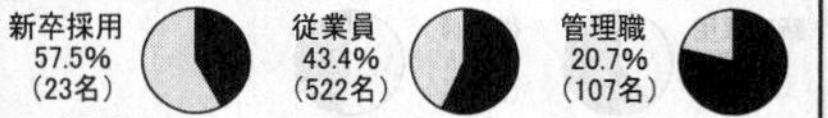

新卒採用 57.5% (23名)　従業員 43.4% (522名)　管理職 20.7% (107名)

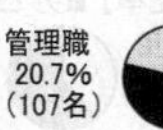

【産休】[期間]産前6・産後8週間[給与]会社全額給付[取得者数]18名

【育休】[期間]1歳になるまで[給与]法定[取得者数]22年度 男26名(対象22名)女23名(対象27名)23年度 男13名(対象12名)女17名(対象23名)[平均取得日数]22年度 男14日 女195日、23年度 男8日 女203日

【従業員】[人数]1,204名(男682名、女522名)[平均年齢]40.1歳(男42.9歳、女36.4歳)[平均勤続年数]17.9年(男20.2年、女14.8年)

【年齢構成】■男 □女

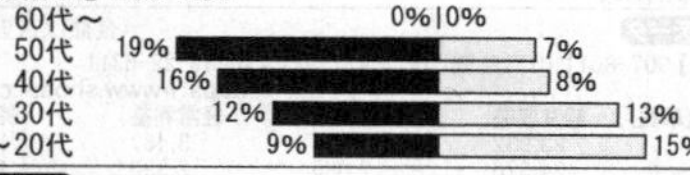

	男	女
60代～	0%	0%
50代	19%	7%
40代	16%	8%
30代	12%	13%
～20代	9%	15%

会社データ

(金額は百万円)

【本店】010-8655 秋田県秋田市山王3-2-1 ☎018-863-1212
https://www.akita-bank.co.jp/

【業績(連結)】	経常収益	業務純益	経常利益	純利益
22.3	39,730	4,172	4,716	3,184
23.3	46,861	▲534	4,935	3,295
24.3	42,734	5,011	6,597	4,541

㈱北都銀行（ほくとぎんこう）

[くるみん]

【特色】地銀下位。秋田2行中2位。フィデアHD傘下

[記者評価] 羽後銀行と秋田あけぼの銀行との1993年合併で誕生。2009年に山形県の荘内銀行と共同持株会社フィデアHD設立。10年に公的資金100億円を受け入れ。再エネや農業への融資を積極化。フィデアHDと東北銀の経営統合合意は解除。26年度中に荘内銀と合併を目指す。

平均勤続年数	男性育休取得率	3年後離職率	平均年収(平均41歳)
17.3年	200.0→100%	NA	[総]537万円

●採用・配属情報●

【男女・文理別採用実績】

	大卒男	大卒女	修士男	修士女
23年	19(文 17 理 2)	7(文 6 理 1)	0(文 0 理 0)	0(文 0 理 0)
24年	13(文 10 理 3)	3(文 3 理 0)	0(文 0 理 0)	0(文 0 理 0)
25年	10(文 - 理 -)	5(文 - 理 -)	0(文 0 理 0)	0(文 0 理 0)

※25年:計画数

【男女・職種別採用実績】 転換制度:⇔

	総合職
23年	26(男 19 女 7)
24年	16(男 13 女 3)
25年	15(男 10 女 5)

【24年4月入社者の配属勤務地】[総]秋田16

【転勤】あり:[職種]総合職[勤務地]営業店または本部(秋田 宮城 東京)

【中途比率】[単年度]21年度7%、22年度20%、23年度4% [全体]NA

●働きやすさ、諸制度●

残業(月) 9.6時間 [総]11.3時間

【勤務時間】8:30～17:00【有休取得年平均】11.8日【週休】完全2日(土日祝)※店舗によりシフト制あり【夏期休暇】なし【年末年始休暇】12月31日～1月3日(一部店舗を除く)

【離職率】男:6.6%、20名 女:2.5%、6名

【新卒3年後離職率】
[20→23年]NA
[21→24年]NA

【テレワーク】制度あり:[場所]原則自宅[対象]全従業員[日数]原則週1回[利用率]NA【勤務制度】フレックス 時間単位有休 副業容認【住宅補助】独身寮 社宅 借上社宅

●ライフイベント、女性活躍●

【女性比率】■男 □女

新卒採用 33.3% (5名)　従業員 45.8% (238名)

【産休】[期間]産前6・産後8週間[給与]法定[取得者数]18名

【育休】[期間]1歳になるまで[給与]法定[取得者数]22年度 男20名(対象10名)女20名(対象20名)23年度 男10名(対象10名)女13名(対象13名)[平均取得日数]22年度 男6日 女315日、23年度 男8日 女323日

【従業員】[人数]520名(男282名、女238名)[平均年齢]41.0歳(男40.0歳、女42.0歳)[平均勤続年数]17.3年(男16.9年、女17.6年)

【年齢構成】■男 □女

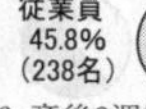

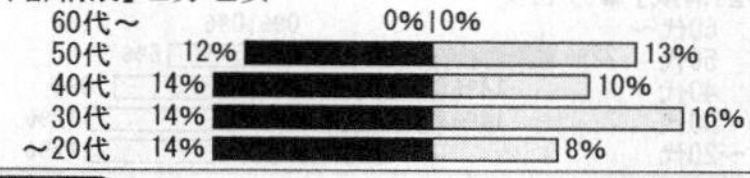

	男	女
60代～	0%	0%
50代	12%	13%
40代	14%	10%
30代	14%	16%
～20代	14%	8%

会社データ

(金額は百万円)

【本店】010-0001 秋田県秋田市中通3-1-41 ☎018-833-4211
https://www.hokutobank.co.jp/

【業績(単独)】	経常収益	業務純益	経常利益	純利益
22.3	22,160	5,605	2,577	1,413
23.3	22,436	6,035	2,615	1,563
24.3	23,468	4,465	1,312	139

金融

(株)山形銀行（やまがたぎんこう）

[プラチナくるみん+]

【特色】地銀中位。山形県内トップシェア。財務良好

[記者評価] 山形県地盤の地銀。県内の貸出金シェアは約4割で首位。県内73店舗を核に仙台市など隣県中心地にも計84店舗を展開。営業店を機能別に再編し融資業務はブロック店に集約化へ。事業承継コンサルを強化。全額出資の地域商社を持つ。26年2月に新本店ビル竣工予定。

平均勤続年数	男性育休取得率	3年後離職率	平均年収(平均41歳)
17.9年	78.8→235.7%	25.0→18.0%	[総]656万円

●採用・配属情報●

【男女・文理別採用実績】

	大卒男	大卒女	修士男	修士女
23年	20(文 20 理 0)	21(文 21 理 0)	0(文 0 理 0)	1(文 0 理 1)
24年	29(文 24 理 5)	15(文 13 理 2)	1(文 0 理 1)	0(文 0 理 0)
25年	31(文 27 理 4)	17(文 17 理 0)	1(文 0 理 1)	0(文 0 理 0)

【男女・職種別採用実績】 転換制度:⇔

	基幹職	サポート職
23年	42(男 20 女 22)	2(男 0 女 2)
24年	45(男 30 女 15)	2(男 0 女 2)
25年	49(男 32 女 17)	3(男 0 女 3)

【24年4月入社者の配属勤務地】[総]山形地区16 置賜地区8 西部地区4 北部地区8 庄内地区6 仙台地区3

【転勤】あり:全職員(転居を伴う転勤の有無は選択制)

【中途比率】[単年度]21年度8%、22年度10%、23年度11% [全体]3%

●働きやすさ、諸制度●

残業(月) 10.5時間 [総]10.5時間

【勤務時間】8:30〜17:00【有休取得年平均】12.3日【週休】完全2日(土日祝)【夏期休暇】有休で取得【年末年始休暇】12月31日〜1月3日

【離職率】男:4.2%、30名 女:4.8%、22名

【新卒3年後離職率】
[20→23年]25.0%(男17.9%・入社28名、女32.1%・入社28名)
[21→24年]18.0%(男31.0%・入社29名、女6.3%・入社32名)

【テレワーク】制度あり:[場所]自宅 他[対象]全職員[日数]制限なし[利用率]0.4%【勤務制度】時差勤務 勤務間インターバル 副業容認【住宅補助】転居を伴う転勤となる場合に、借上社宅や寮を貸与(利用料あり)社宅・寮(山形 仙台 酒田 鶴岡)

●ライフイベント、女性活躍●

【女性比率】■男 □女

新卒採用 38.5% (20名)

従業員 39.2% (439名)

管理職 25.2% (134名)

【産休】[期間]産前6・産後8週間[給与]会社全額給付[取得者数]30名

【育休】[期間]1歳になるまで[給与]法定[取得者数]22年度 男26名(対象33名)女30名(対象30名)23年度 男33名(対象14名)女27名(対象27名)[平均取得日数]22年度 男7日 女317日、23年度 男7日 女316日

【従業員】[人数]1,119名(男680名、女439名)[平均年齢]41.0歳(男NA、女NA)[平均勤続年数]17.9年(男NA、女NA)

【年齢構成】■男 □女

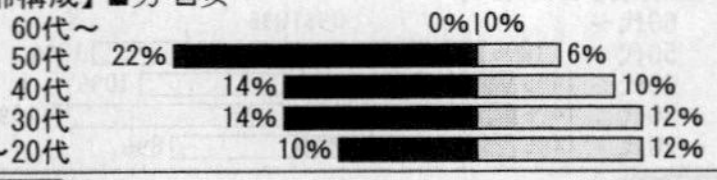
60代〜
0%|0%
50代
22%
6%
40代
14%
10%
30代
14%
12%
〜20代
10%
12%

会社データ (金額は百万円)

【本店】990-8642 山形県山形市旅篭町2-2-31 ☎023-623-1221
https://www.yamagatabank.co.jp/

【業績(連結)】	経常収益	業務純益	経常利益	純利益
22.3	44,026	6,890	5,489	3,398
23.3	51,184	5,223	5,537	3,435
24.3	55,097	▲659	3,762	2,080

(株)荘内銀行（しょうないぎんこう）

[えるぼし★★★] [プラチナくるみん]

【特色】山形県地盤の地銀下位行。フィデアHD傘下

[記者評価] 山形県庄内地方が地盤。1878年創業の第六十七国立銀行が前身。89店舗体制。2009年に秋田県の北都銀行と共同持株会社フィデアホールディングスを設立。グループ本拠は仙台市。フィデアHDと東北銀行の経営統合合意は解除。26年度中に北都銀行との合併目指す。

平均勤続年数	男性育休取得率	3年後離職率	平均年収(平均42歳)
18.1年	123.8→78.6%	30.0→7.1%	[総]567万円

●採用・配属情報●

【男女・文理別採用実績】

	大卒男	大卒女	修士男	修士女
23年	5(文 5 理 0)	4(文 4 理 0)	0(文 0 理 0)	0(文 0 理 0)
24年	7(文 6 理 1)	4(文 4 理 0)	0(文 0 理 0)	0(文 0 理 0)
25年	8(文 8 理 0)	5(文 5 理 0)	0(文 0 理 0)	0(文 0 理 0)

【男女・職種別採用実績】 転換制度:⇔

	総合職
23年	9(男 5 女 4)
24年	11(男 7 女 4)
25年	13(男 8 女 5)

【24年4月入社者の配属勤務地】[総]山形11

【転勤】あり:[職種]総合職[勤務地]当行本支店

【中途比率】[単年度]21年度7%、22年度37%、23年度31% [全体]NA

●働きやすさ、諸制度●

残業(月) 11.2時間 [総]11.2時間

【勤務時間】8:30〜17:00【有休取得年平均】11.9日【週休】完全2日(土日祝)※店舗によりシフト制あり【夏期休暇】有休で取得【年末年始休暇】12月31日〜1月3日

【離職率】NA

【新卒3年後離職率】
[20→23年]30.0%(男20.0%・入社5名、女40.0%・入社5名)
[21→24年]7.1%(男10.0%・入社10名、女0%・入社4名)

【テレワーク】制度あり:[場所]原則自宅[対象]NA[日数]制限なし[利用率]NA【勤務制度】フレックス 時間単位有休 勤務間インターバル 副業容認【住宅補助】社宅有・借上社宅

●ライフイベント、女性活躍●

【女性比率】■男 □女

新卒採用 38.5% (5名)

従業員 52% (272名)

【産休】[期間]産前6・産後8週間[給与]会社全額給付[取得者数]22名

【育休】[期間]1歳になるまで[給与]法定[取得者数]22年度 男26名(対象21名)女17名(対象17名)23年度 男11名(対象14名)女11名(対象11名)[平均取得日数]22年度 男13日 女312日、23年度 男5日 女342日

【従業員】[人数]523名(男251名、女272名)[平均年齢]42.1歳(男42.5歳、女41.6歳)[平均勤続年数]18.1年(男18.6年、女17.4年)

【年齢構成】NA

会社データ (金額は百万円)

【本店】997-8611 山形県鶴岡市本町1-9-7 ☎0235-22-5211
https://www.shonai.co.jp/

【業績(単独)】	経常収益	業務純益	経常利益	純利益
22.3	23,932	3,713	3,467	1,557
23.3	24,376	2,385	2,390	1,630
24.3	21,460	554	1,651	656

金融

856 開示 ★★☆☆☆ [短大] 採用あり

㈱常陽銀行
じょうようぎんこう

[えるぼし ★★★] [プラチナ くるみん]

【特色】地銀大手。茨城県が地盤。めぶきFG傘下

[記者評価] 茨城県の地方銀行。県内では貸出金シェア50%超と圧倒的。首都圏や東北にも出店。海外は上海、ニューヨーク、シンガポール、ハノイに駐在員事務所。栃木県に本店を置く足利銀行とめぶきフィナンシャルグループを形成。グループに証券やカード、リースなど。

平均勤続年数	男性育休取得率	3年後離職率	平均年収(平均41歳)
17.7年	130.2 → 89.8%	NA	[総] 752万円

●採用・配属情報●

【男女・文理別採用実績】

	大卒男	大卒女	修士男	修士女
23年	57(文 53 理 4)	46(文 42 理 4)	3(文 1 理 2)	1(文 0 理 1)
24年	63(文 60 理 3)	34(文 31 理 3)	0(文 0 理 0)	0(文 0 理 0)
25年	-(文 - 理 -)	-(文 - 理 -)	-(文 - 理 -)	-(文 - 理 -)

※25年：110名採用予定

【男女・職種別採用実績】 転換制度：⇔

	Fコース	Aコース
23年	73(男 57 女 16)	48(男 5 女 43)
24年	64(男 54 女 10)	48(男 13 女 35)
25年	-(男 - 女 -)	-(男 - 女 -)

【24年4月入社者の配属勤務地】[総]茨城90 福島11 宮城3 千葉4 埼玉4

【転勤】あり：全社員

【中途比率】[単年度]21年度NA、22年度NA、23年度NA[全体]NA

●働きやすさ、諸制度●

残業(月) 13.9時間 [総] 13.9時間

【勤務時間】フレックスタイム制 【有休取得年平均】13.2日 【週休】完全2日(土日祝) 【夏期休暇】有休で取得 【年末年始休暇】12月31日～1月3日

【離職率】NA

【新卒3年後離職率】
[20→23年]NA
[21→24年]NA

【テレワーク】制度あり：[場所]自宅 宿泊先 他[対象]全社員[日数]制限なし[利用率]NA 【勤務制度】フレックス 時間単位有休 勤務間インターバル 副業容認 【住宅補助】(各地)寮 社宅

●ライフイベント、女性活躍●

【女性比率】■男 □女

従業員 48.5% (1466名)

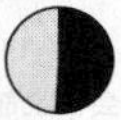

【産休】[期間]産前6・産後8週間[給与]会社全額給付[取得者数]88名

【育休】[期間]2歳到達後最初の5月末日まで[給与]法定[取得者数]22年度 男69名(対象53名)女88名(対象86名) 23年度 男44名(対象49名)女94名(対象88名)[平均取得日数]22年度 NA、23年度 NA

【従業員】[人数]3,023名(男1,557名、女1,466名)[平均年齢]40.9歳(男43.8歳、女37.8歳)[平均勤続年数]17.7年(男20.6年、女14.6年)

【年齢構成】NA

[会社データ] (金額は百万円)

【本店】310-0021 茨城県水戸市南町2-5-5 ☎029-231-2151
https://www.joyobank.co.jp/

【業績(連結)】	経常収益	業務純益	経常利益	純利益
22.3	137,158	46,402	40,480	26,332
23.3	193,983	▲9,194	32,299	22,597
24.3	163,485	20,634	38,012	26,395

1767 開示 ★★☆☆☆ [専門] 採用あり

㈱足利銀行
あしかがぎんこう

[えるぼし ★★★] [くるみん＋]

【特色】栃木県地盤の地方銀行。個人向け取引に強み

[記者評価] 地銀上位。栃木県内のメインバンクシェアは5割弱。首都圏や福島など近県にも展開。香港とバンコクにも拠点。住宅ローンや資産運用など個人向け取引に強い。法人向けは事業承継やコンサルなど展開。16年に茨城県地盤の常陽銀行と経営統合、めぶきFGが発足。

平均勤続年数	男性育休取得率	3年後離職率	平均年収(平均40歳)
16.2年	130.5 → 118.3%	26.8 → 20.5%	[総] 671万円

●採用・配属情報●

【男女・文理別採用実績】※25年：100名採用予定

	大卒男	大卒女	修士男	修士女
23年	40(文 38 理 2)	32(文 28 理 4)	0(文 0 理 0)	0(文 0 理 0)
24年	57(文 51 理 6)	51(文 45 理 6)	0(文 0 理 0)	0(文 0 理 0)
25年	60(文 56 理 4)	32(文 29 理 3)	0(文 0 理 0)	0(文 0 理 0)

【男女・職種別採用実績】 転換制度：⇔

	Fコース(総合職)	Aコース(エリア総合職)
23年	54(男 37 女 17)	21(男 4 女 17)
24年	89(男 54 女 35)	19(男 3 女 16)
25年	59(男 47 女 12)	33(男 13 女 20)

【職種併願】Fコース行員(総合行員)とAコース行員(エリア総合行員)で可能

【24年4月入社者の配属勤務地】[総]栃木68 群馬15 埼玉15 茨城9 福島1

【転勤】あり：[職種]Fコース行員

【中途比率】[単年度]21年度11%、22年度17%、23年度42%[全体]NA

●働きやすさ、諸制度●

残業(月) 17.1時間 [総] 17.1時間

【勤務時間】7.5時間(フレックスタイム制 コアタイム9:00～15:00または11:30～16:30) 【有休取得年平均】13.1日 【週休】完全2日(土日祝) 【夏期休暇】夏期に限らず有休で連続5営業日 別途制度休暇7日 【年末年始休暇】12月31日～1月3日

【離職率】NA

【新卒3年後離職率】
[20→23年]26.8%(男22.9%・入社48名、女32.4%・入社34名)
[21→24年]20.5%(男15.8%・入社38名、女25.7%・入社35名)

【テレワーク】制度あり：[場所]自宅[対象]NA[日数]NA[利用率]NA 【勤務制度】フレックス 時間単位有休 勤務間インターバル 副業容認 【住宅補助】独身寮 家族寮 借上社宅 勤務地手当

●ライフイベント、女性活躍●

【女性比率】■男 □女

新卒採用 34.8% (32名)

従業員 46.8% (1182名)

【産休】[期間]産前6・産後8週間[給与]法定[取得者数]57名

【育休】[期間]2歳到達月末まで[給与]有給休暇5日間、以降給付金[取得者数]22年度 男77名(対象59名)女54名(対象54名)23年度 男71名(対象60名)女52名(対象54名)[平均取得日数]22年度 男8日 女437日、23年度 男10日 女474日

【従業員】[人数]2,527名(男1,345名、女1,182名)[平均年齢]40.0歳(男41.4歳、女38.9歳)[平均勤続年数]16.2年(男17.7年、女14.5年)【年齢構成】■男 □女

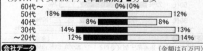

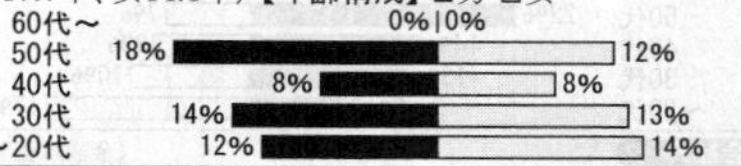
60代～
0%|0%
50代
18%
12%
40代
8%
8%
30代
14%
13%
～20代
12%
14%

[会社データ] (金額は百万円)

【本店】320-8610 栃木県宇都宮市桜4-1-25 ☎028-622-0111
https://www.ashikagabank.co.jp/

【業績(単独)】	経常収益	業務純益	経常利益	純利益
22.3	94,128	31,361	22,576	15,435
23.3	100,850	18,717	15,600	10,749
24.3	106,509	23,711	20,530	14,204

㈱栃木銀行（とちぎぎんこう）

えるぼし ★★ ／ プラチナくるみん

【特色】栃木の地銀2行中2位。埼玉や東京にも基盤

[記者評価] 足銀に次ぐ栃木県2位地銀。財務体質良好。埼玉、東京、茨城、群馬にも店舗展開。中小企業向け融資が柱。住宅ローンも伸ばす。M&Aコンサルとの連携強化で事業承継融資に注力。筑波銀行・東和銀行と連携強化。25年入社者から大卒初任給を25万円に引き上げ予定。

平均勤続年数	男性育休取得率	3年後離職率	平均年収(平均42歳)
18.0年	78.8 → 125.0%	NA	[総]689万円

●採用・配属情報●

【男女・文理別採用実績】

	大卒男	大卒女	修士男	修士女
23年	23(文 22 理 1)	18(文 18 理 0)	1(文 1 理 0)	0(文 0 理 0)
24年	33(文 32 理 1)	18(文 17 理 1)	0(文 0 理 0)	0(文 0 理 0)
25年	-(文 - 理 -)	-(文 - 理 -)	-(文 - 理 -)	-(文 - 理 -)

※25年:55名採用計画

【男女・職種別採用実績】 転換制度:⇔

	入行時職種なし
23年	42(男 24 女 18)
24年	51(男 33 女 18)
25年	55(男 - 女 -)

※入行後、総合職・地域総合職を各自選択

【24年4月入社者の配属勤務地】[総]栃木40 埼玉8 群馬2 茨城1

【転勤】あり:全社員

【中途比率】[単年度]21年度8%、22年度11%、23年度8% [全体]NA

●働きやすさ、諸制度●

残業(月) 12.0時間 [総]12.0時間

【勤務時間】平日8:45〜17:00 特定日8:45〜17:45【有休取得年平均】9.2日【週休】完全2日(土日祝)【夏期休暇】リフレッシュ休暇(連続5日)や有休を利用【年末年始休暇】12月31日〜1月3日

【離職率】NA

【新卒3年後離職率】[20→23年]NA [21→24年]NA

【テレワーク】制度なし【勤務制度】副業容認【住宅補助】住宅手当 独身寮・社宅(宇都宮市 さいたま市 越谷市 那須塩原市 前橋市 春日部市)借上社宅

●ライフイベント、女性活躍●

【女性比率】■男 □女

従業員 41.2% (568名)

管理職 14.1% (78名)

【産休】[期間]産前6・産後8週間[給与]会社全額給付[取得者数]17名

【育休】[期間]1歳になるまで[給与]法定[取得者数]22年度 男26名(対象33名)女33名(対象33名)23年度 男40名(対象32名)女18名(対象18名)[平均取得日数]22年度 男2日 女354日、23年度 男9日 女330日

【従業員】[人数]1,379名(男811名、女568名)[平均年齢]40.5歳(男43.4歳、女36.3歳)[平均勤続年数]18.0年(男20.0年、女13.0年)

【年齢構成】■男 □女

	男	女
60代〜	0%	0%
50代	22%	7%
40代	14%	8%
30代	13%	10%
〜20代	9%	17%

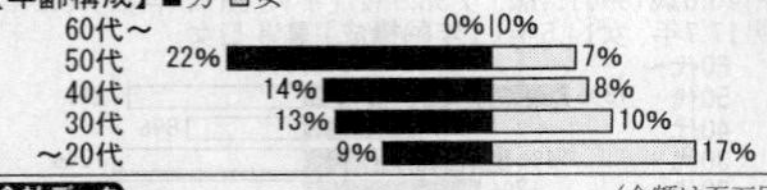

会社データ (金額は百万円)

【本店】320-8680 栃木県宇都宮市西2-1-18 ☎028-633-1250 https://www.tochigibank.co.jp/

【業績(連結)】	経常収益	業務純益	経常利益	純利益
22.3	41,646	ND	5,576	3,628
23.3	45,222	ND	5,062	2,652
24.3	45,276	ND	4,234	2,101

㈱群馬銀行（ぐんまぎんこう）

えるぼし ★★★ ／ プラチナくるみん

【特色】地銀上位。群馬県で断トツ。NYなどに海外拠点

[記者評価] 群馬県地盤の地方銀行。県内貸出金シェアは34%。関東に加え大阪、長野、NYに支店。上海、バンコク、ホーチミンに駐在員事務所。中小企業向け融資や住宅ローン、アパマンローンに強み。新潟地盤の第四北越銀行と連携。24年7月から大卒初任給を25万円に引き上げ。

平均勤続年数	男性育休取得率	3年後離職率	平均年収(平均41歳)
18.6年	126.7 → 104.8%	NA	◇723万円

●採用・配属情報●

【男女・文理別採用実績】

	大卒男	大卒女	修士男	修士女
23年	36(文 32 理 4)	39(文 37 理 2)	0(文 0 理 0)	0(文 0 理 0)
24年	57(文 54 理 3)	53(文 49 理 4)	0(文 0 理 0)	0(文 0 理 0)
25年	54(文 50 理 4)	40(文 35 理 5)	0(文 0 理 0)	1(文 1 理 0)

【男女・職種別採用実績】 転換制度:NA

	総合職	エリア総合職
23年	58(男 36 女 22)	17(男 0 女 17)
24年	110(男 57 女 53)	0(男 0 女 0)
25年	95(男 54 女 41)	0(男 0 女 0)

【24年4月入社者の配属勤務地】[総]群馬88 埼玉13 栃木9

【転勤】あり:[職種]総合職[勤務地]群馬銀行グループの定める全ての営業店及び本部

【中途比率】[単年度]21年度8%、22年度5%、23年度4% [全体]NA

●働きやすさ、諸制度●

残業(月) NA

【勤務時間】8:30〜17:00【有休取得年平均】NA【週休】完全2日(土日祝)【夏期休暇】有休で取得【年末年始休暇】12月31日〜1月3日

【離職率】NA

【新卒3年後離職率】
[20→23年]NA
[21→24年]NA

【テレワーク】制度あり:[場所]NA[対象]NA[日数]NA[利用率]NA【勤務制度】時間単位有休 時差勤務 勤務間インターバル 副業容認【住宅補助】社宅計25カ所(群馬8 埼玉6 栃木4 東京7)

●ライフイベント、女性活躍●

【女性比率】■男 □女

新卒採用 43.2% (41名)

従業員 41.7% (1181名)

【産休】[期間]産前6・産後8週間[給与]会社全額給付[取得者数]68名

【育休】[期間]2歳到達月末まで[給与]5日有給、以降給付金[取得者数]22年度 男76名(対象60名)女72名(対象72名)23年度 男65名(対象62名)女70名(対象68名)[平均取得日数]22年度 NA、23年度 NA

【従業員】[人数]2,830名(男1,649名、女1,181名)[平均年齢]41.4歳(男43.2歳、女38.8歳)[平均勤続年数]18.6年(男20.2年、女16.4年)

【年齢構成】NA

会社データ (金額は百万円)

【本店】371-8611 群馬県前橋市元総社町194 ☎027-252-1111 https://www.gunmabank.co.jp/

【業績(連結)】	経常収益	業務純益	経常利益	純利益
22.3	150,197	ND	39,111	26,436
23.3	176,589	ND	38,316	27,933
24.3	200,356	ND	43,788	31,125

金融

㈱東和銀行（とうわぎんこう）

えるぼし★★★ プラチナくるみん

【特色】群馬の地銀2行中2位。第二地銀。埼玉にも店舗

記者評価 群馬県2番手の地銀。1917年に群馬貯蓄無尽として創立され、その後に関東無尽、上毛無尽などと合併。群馬、埼玉を中心に約90店舗を展開。筑波銀、栃木銀と連携、地元企業の事業承継支援を強化。SBIグループと資本提携。09年に公的資金の注入を受けたが24年5月に完済。

平均勤続年数	男性育休取得率	3年後離職率	平均年収(平均41歳)
17.5年	111.1→78.6%	NA	㊗596万円

●採用・配属情報●

【男女・文理別採用実績】

	大卒男	大卒女	修士男	修士女
23年	26(文 26理 0)	17(文 16理 1)	0(文 0理 0)	0(文 0理 0)
24年	23(文 22理 1)	19(文 19理 0)	0(文 0理 0)	0(文 0理 0)
25年	-(文 -理 -)	-(文 -理 -)	-(文 -理 -)	-(文 -理 -)

※25年:70名採用予定

【男女・職種別採用実績】 転換制度:⇔

	総合職	総合職(エリアオプション)
23年	26(男 23 女 3)	20(男 3 女 17)
24年	18(男 12 女 6)	25(男 11 女 14)
25年	-(男 - 女 -)	-(男 - 女 -)

【24年4月入社者の配属勤務地】㊗群馬24 埼玉15 東京3 栃木1

【転勤】あり:[職種]総合職[勤務地]本支店 [職種]総合職(エリアオプション)[勤務地]本支店(転居なし)

【中途比率】[単年度]21年度3%、22年度14%、23年度2% [全体]NA

●働きやすさ、諸制度●

残業(月) NA

【勤務時間】8:30～17:00(指定日は17:30まで)【有休取得年平均】14.5日【週休】完全2日(土日祝)【夏期休暇】連続5日(有休で取得)【年末年始休暇】12月31日～1月3日

【離職率】NA

【新卒3年後離職率】

[20→23年]NA

[21→24年]NA

【テレワーク】制度なし【勤務制度】なし【住宅補助】独身寮3棟(群馬 埼玉 東京)借上社宅

●ライフイベント、女性活躍●

【女性比率】■男 □女

従業員 40.8%(502名)　管理職 20.1%(100名)

【産休】[期間]産前6・産後8週間[給与]会社全額給付[取得者数]21名

【育休】[期間]1歳になるまで[給与]開始7日間有給、以降給付金[取得者数]22年度 男30名(対象27名)女30名(対象27名)23年度 男22名(対象28名)女22名(対象23名)[平均取得日数]22年度 NA、23年度 NA

【従業員】[人数]1,229名(男727名、女502名)[平均年齢]41.0歳(男43.9歳、女36.8歳)[平均勤続年数]17.5年(男20.4年、女13.3年)

【年齢構成】NA

会社データ (金額は百万円)

【本店】371-8560 群馬県前橋市本町2-12-6 ☎027-234-1111 https://www.towabank.co.jp/

【業績(連結)】	経常収益	業務純益	経常利益	純利益
22.3	36,907	ND	3,712	1,745
23.3	33,513	ND	3,987	4,094
24.3	34,138	ND	4,335	3,530

㈱千葉銀行（ちばぎんこう）

プラチナえるぼし プラチナくるみん＋

【特色】地銀首位級。千葉県で断トツ。東京展開も加速

記者評価 預金や貸出金残高で地銀首位級。千葉地盤で県内の貸出金シェアは約40%。東京や埼玉、茨城などにも進出。海外はNY、香港、ロンドンに支店。横浜銀行や武蔵野銀行など首都圏の地銀と連携。証券、カード、リース、ファンド運用、地域商社など子会社も多彩。

平均勤続年数	男性育休取得率	3年後離職率	平均年収(平均39歳)
15.0年	112.4→112.8%	17.3→21.0%	㊗766万円

●採用・配属情報●

【男女・文理別採用実績】

	大卒男	大卒女	修士男	修士女
23年	106(文 95理 11)	81(文 78理 3)	0(文 0理 0)	2(文 0理 2)
24年	139(文122理 17)	96(文 92理 4)	5(文 2理 3)	1(文 1理 0)
25年	165(文146理 19)	92(文 90理 2)	3(文 1理 2)	2(文 1理 1)

【男女・職種別採用実績】 転換制度:⇔

	総合職	エリア総合職
23年	153(男106 女 47)	36(男 0 女 36)
24年	202(男142 女 60)	39(男 2 女 37)
25年	228(男167 女 61)	35(男 2 女 33)

【24年4月入社者の配属勤務地】㊗千葉・東京241

【転勤】あり:全社員(エリア総合職を除く)

【中途比率】[単年度]21年度10%、22年度17%、23年度35%[全体]8%

●働きやすさ、諸制度●

残業(月) NA

【勤務時間】8:30～17:10【有休取得年平均】NA【週休】完全2日(土日祝)【夏期休暇】有休で取得【年末年始休暇】12月31日～1月3日

【離職率】男:4.6%、99名 女:4.2%、71名

【新卒3年後離職率】

[20→23年]17.3%(男15.8%・入社114名、女19.0%・入社100名)

[21→24年]21.0%(男19.3%・入社109名、女23.1%・入社91名)

【テレワーク】制度あり:[場所]サテライトオフィス等[対象]制限なし[日数]制限なし[利用率]NA【勤務制度】フレックス 時間単位有休 裁量労働 時差勤務 勤務間インターバル

【住宅補助】社宅 独身寮

●ライフイベント、女性活躍●

【女性比率】■男 □女

新卒採用 35.7%(94名)

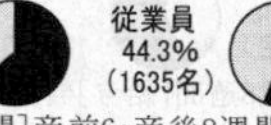

従業員 44.3%(1635名)

管理職 28.4%(551名)

【産休】[期間]産前6・産後8週間[給与]法定[取得者数]104名

【育休】[期間]2歳になるまで[給与]法定[取得者数]22年度 男127名(対象113名)女96名(対象97名)23年度 男123名(対象109名)女101名(対象101名)[平均取得日数]22年度 男8日 女489日、23年度 男22日 女457日

【従業員】[人数]3,691名(男2,056名、女1,635名)[平均年齢]38.8歳(男40.0歳、女37.1歳)[平均勤続年数]15.0年(男15.5年、女14.3年)

【年齢構成】■男 □女

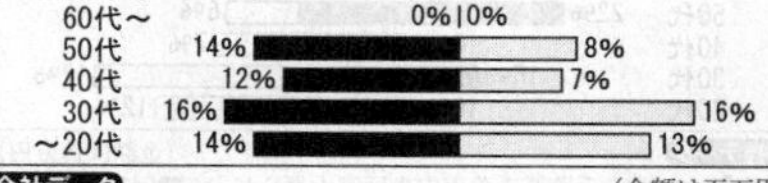

会社データ (金額は百万円)

【本店】260-8720 千葉県千葉市中央区千葉港1-2 ☎043-245-1111 https://www.chibabank.co.jp/

【業績(連結)】	経常収益	業務純益	経常利益	純利益
22.3	236,092	85,359	78,827	54,498
23.3	278,377	81,878	86,983	60,276
24.3	310,742	91,701	90,262	62,440

922 開示 ★★★ 短大 採用あり

㈱京葉銀行（けいようぎんこう）

えるぼし ★★　プラチナくるみん＋

【特色】千葉県の第二地銀。財務健全、収益性が高い

記者評価 千葉県の第二地銀。愛称はアルファバンク。効率経営と財務に定評。ITへの取り組みも先駆的。千葉は人口増加が追い風。東京の隣接地に出店も。住宅ローン伸びる。エリア制へ移行し店舗と人員の効率的なネットワーク化を完了。りそなHDと戦略的な業務提携。

平均勤続年数	男性育休取得率	3年後離職率	平均年収(平均40歳)
17.5年	132.5→103.9%	26.8→26.2%	㊔698万円

●採用・配属情報●

【男女・文理別採用実績】

	大卒男	大卒女	修士男	修士女
23年	31(文 29 理 2)	40(文 39 理 1)	0(文 0 理 0)	0(文 0 理 0)
24年	64(文 62 理 2)	33(文 33 理 0)	0(文 0 理 0)	0(文 0 理 0)
25年	55(文 - 理 -)	55(文 - 理 -)	-(文 - 理 -)	-(文 - 理 -)

※25年:予定数

【男女・職種別採用実績】

	総合職
23年	73(男 31 女 42)
24年	105(男 65 女 40)
25年	110(男 55 女 55)

【24年4月入社者の配属勤務地】㊔千葉105

【転勤】なし

【中途比率】[単年度]21年度5%、22年度20%、23年度11% [全体]NA

●働きやすさ、諸制度●

残業(月) 18.7時間 ㊔18.7時間

【勤務時間】8:30～17:10【有休取得年平均】16.2日【週休】完全2日(土日祝)【夏期休暇】有休で取得【年末年始休暇】12月31日～1月3日

【離職率】男:3.2%、35名 女:5.8%、49名

【新卒3年後離職率】
[20→23年]26.8%(男21.3%・入社47名、女30.8%・入社65名)
[21→24年]26.2%(男30.0%・入社40名、女22.7%・入社44名)

【テレワーク】制度あり:[場所]NA[対象]NA[日数]NA[利用率]NA【勤務制度】フレックス 時間単位有休 時差勤務 勤務間インターバル 副業容認【住宅補助】家族寮1 独身寮5(千葉県内)

●ライフイベント、女性活躍●

【女性比率】■男 □女

新卒採用 50% (55名)

従業員 42.9% (799名)

【産休】[期間]産前6・産後8週間[給与]会社全額給付[取得者数]58名

【育休】[期間]2歳年度末まで[給与]10日間有給、以降法定[取得者数]22年度 男53名(対象40名)女57名(対象57名)23年度 男53名(対象51名)女47名(対象47名)[平均取得日数]22年度 男6日 女563日、23年度 男9日 女510日

【従業員】[人数]1,863名(男1,064名、女799名)[平均年齢]40.0歳(男42.0歳、女36.0歳)[平均勤続年数]17.5年(男19.8年、女14.3年)

【年齢構成】■男 □女

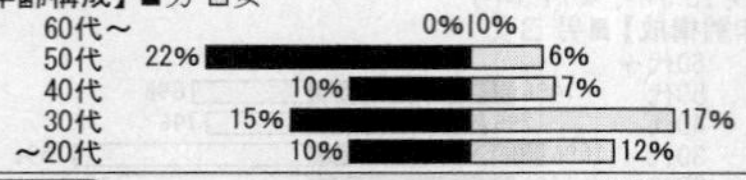

会社データ (金額は百万円)

【本店】260-0015 千葉県千葉市中央区富士見1-11-11 ☎043-306-8181
https://www.keiyobank.co.jp/

【業績(連結)】	経常収益	業務純益	経常利益	純利益
22.3	65,745	ND	16,210	11,185
23.3	65,614	ND	15,174	10,390
24.3	70,215	ND	15,678	10,878

859 開示 ★★★★

㈱千葉興業銀行（ちばこうぎょうぎんこう）

えるぼし ★★★　プラチナくるみん＋

【特色】千葉県地盤。県内地方銀行では規模で3番手

記者評価 千葉銀行、京葉銀行と並ぶ千葉県内3地銀の一角。県内メインバンクシェアは約8%。県内全域のほか、23区東部にも支店。個人向けの住宅ローンから、中小企業支援や不動産向け融資に軸足。地元農業を支援する地域商社やファンド運用会社を設立。

平均勤続年数	男性育休取得率	3年後離職率	平均年収(平均40歳)
①16.4年	15.0→108.7%	19.2→10.0%	㊔630万円

●採用・配属情報●

【男女・文理別採用実績】

	大卒男	大卒女	修士男	修士女
23年	27(文 24 理 3)	23(文 22 理 1)	0(文 0 理 0)	0(文 0 理 0)
24年	47(文 45 理 2)	18(文 18 理 0)	0(文 0 理 0)	0(文 0 理 0)
25年	35(文 33 理 2)	26(文 25 理 1)	0(文 0 理 0)	0(文 0 理 0)

【男女・職種別採用実績】

	総合職
23年	50(男 27 女 23)
24年	65(男 47 女 18)
25年	61(男 35 女 26)

【24年4月入社者の配属勤務地】㊔千葉65

【転勤】あり:全従業員

【中途比率】[単年度]21年度5%、22年度10%、23年度15% [全体]12%

●働きやすさ、諸制度●

残業(月) 15.6時間 ㊔15.6時間

【勤務時間】8:35～17:00(フレックスタイム制あり、コアタイム:10:00～15:00)【有休取得年平均】14.5日【週休】完全2日(土日祝)【夏期休暇】有休で取得【年末年始休暇】12月31日～1月3日

【離職率】男:5.9%、49名 女:5.1%、28名(選択定年男5名含む)

【新卒3年後離職率】
[20→23年]19.2%(男23.8%・入社42名、女13.9%・入社36名)
[21→24年]10.0%(男15.6%・入社32名、女3.6%・入社28名)

【テレワーク】制度あり:[場所]自宅 各本部店等※第三者と関わりを持つ事がなく、パソコンの画面を覗かれる恐れの無い閉鎖的環境であれば可[対象]制限なし[日数]制限なし[利用率]NA【勤務制度】フレックス 副業容認【住宅補助】住宅手当(月22,000円)家族寮自己負担額(18,000円)独身者・単身赴任者用社宅(自己負担額、適用条件あり、7,000～8,000円)

●ライフイベント、女性活躍●

【女性比率】■男 □女

新卒採用 42.6% (26名)　従業員 39.8% (520名)　管理職 10.3% (28名)

【産休】[期間]産前6・産後8週間[給与]会社全額給付[取得者数]15名

【育休】[期間]3歳年度末まで[給与]出生時育児休業は会社全額給付 育児休業は法定通り[取得者数]22年度 男3名(対象20名)女21名(対象22名)23年度 男25名(対象23名)女19名(対象14名)[平均取得日数]22年度 男7日 女532日、23年度 男10日 女514日

【従業員】[人数]1,306名(男786名、女520名)[平均年齢]41.0歳(男42.7歳、女38.8歳)[平均勤続年数]16.4年(男18.2年、女13.6年) ※嘱託含む【年齢構成】■男 □女

60代～ 3% 1%
50代 18% 8%
40代 10% 8%
30代 18% 11%
～20代 10% 11%

会社データ (金額は百万円)

【本店】261-0001 千葉県千葉市美浜区幸町2-1-2 ☎043-243-2111
https://www.chibakogyo-bank.co.jp/

【業績(連結)】	経常収益	業務純益	経常利益	純利益
22.3	51,248	ND	9,005	6,385
23.3	51,303	ND	9,671	6,477
24.3	54,584	ND	10,250	7,428

㈱東日本銀行
ひがしにっぽんぎんこう

[くるみん]

【特色】東京地盤の地方銀行。コンコルディアFG傘下

[記者評価] 中堅地銀。茨城発祥だが現在は東京が地盤。関東全域に店舗を構える。中小企業向け取引に強い。16年に横浜銀行と経営統合、システムや業務の共同化などグループ連携を推進。ビジネスマッチングやM&Aを育成。25年入社者から大卒初任給を26万円に引き上げ。

平均勤続年数	男性育休取得率	3年後離職率	平均年収(平均41歳)
17.5年	75.0→90.9%	NA	706万円

●採用・配属情報●

【男女・文理別採用実績】

	大卒男	大卒女	修士男	修士女
23年	15(文 13 理 2)	13(文 13 理 0)	0(文 0 理 0)	0(文 0 理 0)
24年	29(文 29 理 0)	12(文 12 理 0)	0(文 0 理 0)	0(文 0 理 0)
25年	-(文 - 理 -)	-(文 - 理 -)	-(文 - 理 -)	-(文 - 理 -)

※25年:50名採用予定

【男女・職種別採用実績】 転換制度:⇔

	総合職
23年	28(男 15 女 13)
24年	41(男 29 女 12)
25年	50(男 - 女 -)

【24年4月入社者の配属勤務地】[総]東京・神奈川・埼玉・千葉の本支店41

【転勤】あり:全社員

【中途比率】[単年度]21年度5%、22年度21%、23年度15%[全体]6%

●働きやすさ、諸制度●

残業(月) NA

【勤務時間】8:40〜17:10 フレックスタイム制(フレキシブルタイム6:00〜22:00)【有休取得年平均】14.1日【週休】完全2日(土日祝)【夏期休暇】連続5日(有休で取得)【年末年始休暇】12月31日〜1月3日

【離職率】NA

【新卒3年後離職率】[20→23年]NA [21→24年]NA

【テレワーク】制度あり:[場所]自宅 他[対象]一定条件を満たした全行員[日数]制限なし[利用率]NA【勤務制度】フレックス 時間単位有休 裁量労働 時差勤務 勤務間インターバル 副業容認【住宅補助】独身寮 小世帯住宅 家賃補給金 他

●ライフイベント、女性活躍●

【女性比率】■男 □女

従業員 33.7% (330名)

管理職 10.1% (40名)

【産休】[期間]産前6・産後8週間[給与]会社全額給付[取得者数]22名

【育休】[期間]3歳年度末まで[給与]5日間有給、以降法定[取得者数]22年度 男12名(対象16名)女18名(対象18名)、23年度 男20名(対象22名)女24名(対象22名)[平均取得日数]22年度 NA、23年度 男14日 女NA

【従業員】[人数]980名(男650名、女330名)[平均年齢]41.0歳(男NA、女NA)[平均勤続年数]17.5年(男NA、女NA)

【年齢構成】■男 □女

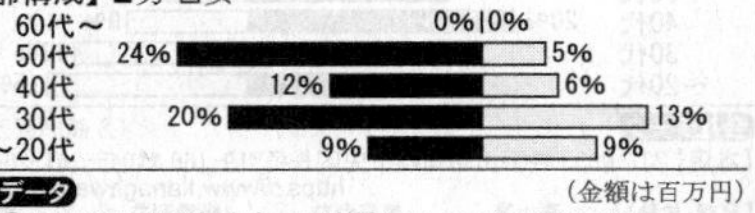

[会社データ] (金額は百万円)

【本店】103-8238 東京都中央区日本橋3-11-2 ☎03-3273-6221
https://www.higashi-nipponbank.co.jp/

【業績(連結)】	経常収益	業務純益	経常利益	純利益
22.3	286,979	89,881	82,257	53,881
23.3	312,983	90,838	79,870	56,159
24.3	358,303	88,737	77,004	66,931

※業績は㈱コンコルディア・フィナンシャルグループのもの

㈱きらぼし銀行
ぎんこう

[えるぼし ★★★]

【特色】地銀中位。M&Aや不動産など特殊な融資に強み

[記者評価] 東京都民銀行、八千代銀行と新銀行東京の3行が18年5月に合併して誕生。東京都内と神奈川県相模原地域を中心に展開。中小企業向け取引に強く、M&Aや不動産といった仕組み金融やファンド投資に特色。証券やリース、コンサルなどグループ会社との連携も推進。

平均勤続年数	男性育休取得率	3年後離職率	平均年収(平均43歳)
18.8年	113.8→102.4%	NA	734万円

●採用・配属情報●

【男女・文理別採用実績】

	大卒男	大卒女	修士男	修士女
23年	49(文 40 理 9)	27(文 23 理 4)	0(文 0 理 0)	0(文 0 理 0)
24年	64(文 59 理 5)	35(文 34 理 1)	0(文 0 理 0)	1(文 1 理 0)
25年	74(文 69 理 5)	47(文 43 理 4)	2(文 2 理 0)	1(文 1 理 0)

【男女・職種別採用実績】

	総合職
23年	76(男 49 女 27)
24年	100(男 64 女 36)
25年	125(男 76 女 49)

【24年4月入社者の配属勤務地】[総]東京83 神奈川16 千葉1

【転勤】あり:全社員

【中途比率】[単年度]21年度43%、22年度40%、23年度38%[全体]11%

●働きやすさ、諸制度●

残業(月) NA

【勤務時間】8:30〜17:00 フレックスタイム制導入(コアタイム11:00〜15:30)【有休取得年平均】12.8日【週休】完全2日(土日祝)【夏期休暇】連続最大6日(有休で取得、週休含め9日)【年末年始休暇】12月31日〜1月3日

【離職率】NA

【新卒3年後離職率】
[20→23年]NA
[21→24年]NA

【テレワーク】制度あり:[場所]自宅 サテライトオフィス[対象]全社員[日数]制限なし[利用率]2.9%【勤務制度】フレックス 時間単位有休 時差勤務【住宅補助】独身寮 社宅

●ライフイベント、女性活躍●

【女性比率】■男 □女

新卒採用 39.2% (49名)

従業員 39% (950名)

管理職 18.7% (152名)

【産休】[期間]産前6・産後8週間[給与]会社全額給付[取得者数]43名

【育休】[期間]1歳に到達後最初の5月末日まで[給与]最初5日間有給、以降給付金[取得者数]22年度 男74名(対象65名)女63名(対象63名)23年度 男43名(対象42名)女50名(対象50名)[平均取得日数]22年度 男23日 女518日、23年度 男20日 女479日

【従業員】[人数]2,435名(男1,485名、女950名)[平均年齢]43.1歳(男44.6歳、女40.8歳)[平均勤続年数]18.8年(男20.1年、女16.9年)

【年齢構成】■男 □女

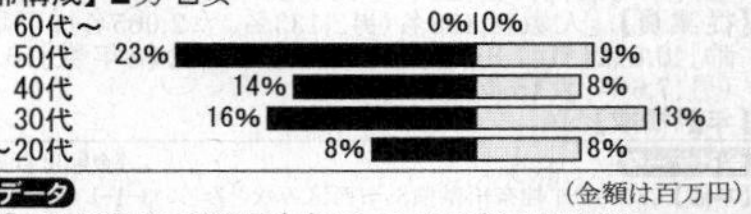

[会社データ] (金額は百万円)

【本店】107-0062 東京都港区南青山3-10-43 ☎03-6447-5760
https://www.kiraboshibank.co.jp/

【業績(連結)】	経常収益	業務純益	経常利益	純利益
22.3	108,348	ND	24,943	18,183
23.3	125,291	ND	30,774	21,150
24.3	138,331	ND	32,968	25,652

※資本金・業績は㈱東京きらぼしフィナンシャルグループのもの

金融

㈱横浜銀行

よこはまぎんこう

[えるぼし ★★★] [プラチナくるみん]

【特色】地銀首位級。傘下に県内2番手の神奈川銀行

[記者評価] 神奈川県地盤の地方銀行。県内貸出金シェアは約36%と断トツ。都内にも積極進出。M&Aや不動産など特殊な案件に強い。16年に関東地盤の東日本銀行と経営統合。23年に県内2番手の神奈川銀行を子会社化。25年入社者から大卒初任給を26万円に引き上げ。

平均勤続年数	男性育休取得率	3年後離職率	平均年収(平均41歳)
16.5年	113.0 → 119.2%	NA	[総] 856万円

●採用・配属情報●

【男女・文理別採用実績】

	大卒男	大卒女	修士男	修士女
23年	72(文 63 理 9)	54(文 53 理 1)	3(文 1 理 2)	2(文 1 理 1)
24年	114(文 109 理 5)	103(文 99 理 4)	5(文 2 理 3)	0(文 0 理 0)
25年	-(文 - 理 -)	-(文 - 理 -)	-(文 - 理 -)	-(文 - 理 -)

※25年:160名採用予定

【男女・職種別採用実績】 転換制度:⇔

	総合職	カスタマーサービス職
23年	113(男 75 女 38)	19(男 0 女 19)
24年	186(男 119 女 67)	42(男 0 女 42)
25年	-(男 - 女 -)	-(男 - 女 -)

【職種併願】総合職(オープンコース)とCS職で可能

【24年4月入社者の配属勤務地】[総]神奈川・東京186

【転勤】あり:全社員

【中途比率】[単年度]21年度18%、22年度14%、23年度28%[全体]NA

●働きやすさ、諸制度●

残業(月) 11.5時間

【勤務時間】8:40〜17:10(フレックスタイム制 コアタイムなし)【有休取得年平均】15.3日【週休】完全2日(土日祝)【夏期休暇】制度休暇(1週間連続休暇、5日間連続休暇)で取得【年末年始休暇】12月31日〜1月3日

【離職率】NA

【新卒3年後離職率】

[20→23年]NA

[21→24年]NA

【テレワーク】制度あり:[場所]自宅 自宅に準じる場所(銀行が許可した場所)サテライトオフィス[対象]全社員[日数]終日在宅は週1回目安[利用率]NA【勤務制度】フレックス 時間単位有休 裁量労働 時差勤務 勤務間インターバル 副業容認【住宅補助】独身寮 社宅 住宅補給金 家賃補給金 共済会住宅融資制度

●ライフイベント、女性活躍●

【女性比率】■男 □女

従業員 49.2% (2065名)

【産休】[期間]産前6・産後8週間[給与]会社全額給付[取得者数]90名

【育休】[期間]2歳到達月末まで[給与]最初5日間有給、以降給付金[取得者数]22年度 男104名(対象92名)女109名(対象109名)23年度 男93名(対象78名)女88名(対象88名)[平均取得日数]22年度 NA、23年度 NA

【従業員】[人数]4,198名(男2,133名、女2,065名)[平均年齢]40.6歳(男41.8歳、女39.3歳)[平均勤続年数]16.5年(男17.6年、女15.4年)

【年齢構成】NA

会社データ (金額は百万円)

【本店】220-8611 神奈川県横浜市西区みなとみらい3-1-1 ☎045-225-1111 https://www.boy.co.jp/

【業績(連結)】	経常収益	業務純益	経常利益	純利益
22.3	286,979	89,881	82,257	53,881
23.3	312,983	90,838	79,870	56,159
24.3	358,303	88,737	77,004	66,931

※業績は㈱コンコルディア・フィナンシャルグループのもの

㈱神奈川銀行

かながわぎんこう

[えるぼし ★★] [くるみん]

【特色】神奈川県の第二地銀。横浜銀行の子会社

[記者評価] 神奈川県地盤の第二地銀。商工会議所を中心に地元の政・財・官の協力で戦後設立。神奈川県内に約30店舗を展開。24年3月末の貸出金残高は4059億円。横浜銀行によるTOBで23年6月に同社の完全子会社に。25年4月から大卒総合職初任給を23.5万円に増額予定。

平均勤続年数	男性育休取得率	3年後離職率	平均年収(平均41歳)
16.2年	25.0 → 66.7%	NA	[総] 744万円

●採用・配属情報●

【男女・文理別採用実績】

	大卒男	大卒女	修士男	修士女
23年	9(文 9 理 0)	12(文 12 理 0)	0(文 0 理 0)	0(文 0 理 0)
24年	21(文 18 理 3)	14(文 13 理 1)	0(文 0 理 0)	0(文 0 理 0)
25年	22(文 22 理 0)	15(文 14 理 1)	0(文 0 理 0)	1(文 1 理 0)

【男女・職種別採用実績】 転換制度:⇔

	総合職	一般職
23年	11(男 9 女 2)	10(男 0 女 10)
24年	24(男 21 女 3)	11(男 0 女 11)
25年	27(男 22 女 5)	11(男 0 女 11)

【24年4月入社者の配属勤務地】[総]神奈川(横浜12 横須賀1 平塚2 茅ヶ崎2 藤沢2 川崎3 相模原1 大和1)

【転勤】あり:[職種]全社員[勤務地]神奈川

【中途比率】[単年度]21年度0%、22年度0%、23年度22%[全体]NA

●働きやすさ、諸制度●

残業(月) 12.6時間 [総]20.5時間

【勤務時間】8:40〜17:10【有休取得年平均】15.5日【週休】完全2日(土日祝)【夏期休暇】なし【年末年始休暇】連続4日

【離職率】NA

【新卒3年後離職率】

[20→23年]NA

[21→24年]NA

【テレワーク】制度あり:[場所]自宅[対象]管理監督者[日数]制限なし[利用率]NA【勤務制度】時差勤務 勤務間インターバル【住宅補助】家賃手当35,000円

●ライフイベント、女性活躍●

【女性比率】■男 □女

新卒採用 42.1% (16名)

従業員 45% (158名)

【産休】[期間]産前6・産後8週間[給与]基本給全額給付[取得者数]9名

【育休】[期間]1歳になるまで[給与]法定[取得者数]22年度 男1名(対象4名)女9名(対象9名)23年度 男2名(対象3名)女8名(対象8名)[平均取得日数]22年度 NA、23年度 NA

【従業員】[人数]351名(男193名、女158名)[平均年齢]39.7歳(男42.0歳、女36.9歳)[平均勤続年数]16.2年(男18.7年、女13.2年)

【年齢構成】■男 □女

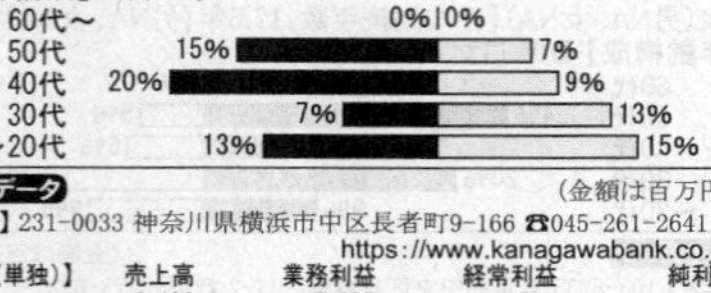

会社データ (金額は百万円)

【本店】231-0033 神奈川県横浜市中区長者町9-166 ☎045-261-2641 https://www.kanagawabank.co.jp/

【業績(単独)】	売上高	業務利益	経常利益	純利益
22.3	8,482	2,637	1,303	879
23.3	8,869	2,208	2,020	1,461
24.3	11,001	535	800	450

だいしほくえつぎんこう
㈱第四北越銀行

プラチナえるぼし　プラチナくるみん＋

【特色】新潟県地盤の第四銀行と北越銀行の合併で誕生

記者評価 新潟県で断トツの第四銀行と、地銀中位の北越銀行が18年に持ち株会社「第四北越FG」を設立して経営統合。21年1月両行の合併で現体制に。店舗統廃合や人員再配置など構造改革を加速し、グループシナジーを追求。システムはTSUBASAアライアンスに参加。

平均勤続年数	男性育休取得率	3年後離職率	平均年収(平均41歳)
18.3年	106.0→111.4%	NA	㊚763万円

●採用・配属情報●

【男女・文理別採用実績】

	大卒男	大卒女	修士男	修士女
23年	43(文 37理 6)	24(文 22理 2)	0(文 0理 0)	0(文 0理 0)
24年	49(文 47理 2)	32(文 31理 1)	2(文 2理 0)	0(文 0理 0)
25年	65(文 60理 5)	41(文 36理 5)	0(文 0理 0)	0(文 0理 0)

※25年:24年7月29日時点

【男女・職種別採用実績】 転換制度:⇒

	総合職	エリア総合職	事務職
23年	67(男 43 女 24)	0(男 0 女 0)	0(男 0 女 0)
24年	86(男 51 女 35)	0(男 0 女 0)	0(男 0 女 0)
25年	108(男 65 女 43)	0(男 0 女 0)	0(男 0 女 0)

【24年4月入社者の配属勤務地】㊚新潟84 東京2
【転勤】あり:全社員
【中途比率】[単年度]21年度9%、22年度13%、23年度20%[全体]NA

●働きやすさ、諸制度●

残業(月) 9.5時間

【勤務時間】7時間40分(フレックスタイム制 コアタイム11:00〜15:00)【有休取得年平均】13.6日【週休】完全2日(土日祝)【夏期休暇】連続5日(有休で取得)【年末年始休暇】12月31日〜1月3日
【離職率】NA
【新卒3年後離職率】[20→23年]NA [21→24年]NA
【テレワーク】制度あり:[場所]自宅 サテライトオフィス[対象]総合職[日数]制限なし[利用率]2.0%【勤務制度】フレックス 時差勤務 勤務間インターバル 副業容認【住宅補助】社宅(県内 東京)家賃補助金制度

●ライフイベント、女性活躍●

【女性比率】■男 □女

新卒採用 39.8% (43名)

従業員 40.7% (1287名)

【産休】[期間]産前6・産後8週間[給与]会社全額給付[取得者数]71名
【育休】[期間]1歳6カ月到達月末まで[給与]開始7日間会社全額給付、以降法定[取得者数]22年度 男89名(対象84名)女79名(対象78名)23年度 男88名(対象79名)女68名(対象68名)[平均取得日数]22年度 男4日 女486日、23年度 男6日 女473日
【従業員】[人数]3,164名(男1,877名、女1,287名)[平均年齢]41.5歳(男NA、女NA)[平均勤続年数]18.3年(男NA、女NA)
【年齢構成】■男 □女

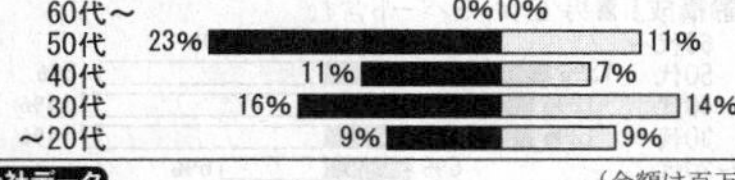

会社データ (金額は百万円)
【本店】951-8066 新潟県新潟市中央区東堀前通七番町1071-1 ☎025-222-4111
https://www.dhbk.co.jp/

【業績(連結)】	経常収益	業務純益	経常利益	純利益
22.3	135,711	25,817	23,545	15,144
23.3	148,759	29,217	25,048	17,768
24.3	182,058	33,342	30,868	21,203

※業績は㈱第四北越フィナンシャルグループのもの

たいこうぎんこう
㈱大光銀行

えるぼし★★★　プラチナくるみん

【特色】新潟県の第二地銀。県内2番手。長岡市が本拠

記者評価 資金量は地銀中下位。新潟県内が主体だが、埼玉にも複数店。関東地区本部設け、県内企業の関東展開後押し。経営支援プラットフォーム活用や人材紹介・育成など駆使。22年5月にSBIと資本業務提携。23年5月ファンド運営会社設立、ベンチャー等に資金提供加速。

平均勤続年数	男性育休取得率	3年後離職率	平均年収(平均43歳)
18.8年	92.3→100%	NA	563万円

●採用・配属情報●

【男女・文理別採用実績】

	大卒男	大卒女	修士男	修士女
23年	10(文 10理 0)	6(文 6理 0)	0(文 0理 0)	0(文 0理 0)
24年	22(文 22理 0)	8(文 8理 0)	0(文 0理 0)	0(文 0理 0)
25年	-(文 -理 -)	-(文 -理 -)	-(文 -理 -)	-(文 -理 -)

※25年:継続中

【男女・職種別採用実績】 転換制度:⇔

	総合職	地域総合職	スマイルスタッフ
23年	15(男 10 女 5)	ND(男 ND 女 ND)	10(男 0 女 10)
24年	24(男 17 女 7)	13(男 6 女 7)	ND(男 ND 女 ND)
25年	-(男 - 女 -)	-(男 - 女 -)	-(男 - 女 -)

【24年4月入社者の配属勤務地】㊚新潟31 埼玉4 東京1 神奈川1
【転勤】あり:[職種]総合職[勤務地]本支店 [職種]地域総合職[勤務地]自宅から通える範囲内の本支店
【中途比率】[単年度]21年度NA、22年度NA、23年度NA[全体]NA

●働きやすさ、諸制度●

残業(月) 7.2時間

【勤務時間】通常日8:40〜17:10 特定日(月末営業日)8:40〜17:40【有休取得年平均】8.4日【週休】完全2日(土日祝)【夏期休暇】連続5日※夏に限らず通年で取得可【年末年始休暇】12月31日〜1月3日
【離職率】NA
【新卒3年後離職率】
[20→23年]NA
[21→24年]NA
【テレワーク】制度なし【勤務制度】時差勤務【住宅補助】社有社宅(長岡 群馬 東京)他地域は借上社宅

●ライフイベント、女性活躍●

【女性比率】NA
【産休】[期間]産前6・産後8週間[給与]会社全額給付[取得者数]29名
【育休】[期間]1歳になるまで[給与]法定[取得者数]22年度 男12名(対象13名)女26名(対象26名)23年度 男22名(対象22名)女29名(対象29名)[平均取得日数]22年度 NA、23年度 NA
【従業員】[人数]799名(男NA、女NA)[平均年齢]43.3歳(男NA、女NA)[平均勤続年数]18.8年(男NA、女NA)
【年齢構成】NA

会社データ (金額は百万円)
【本店】940-8651 新潟県長岡市大手通1-5-6 ☎0258-36-4111
https://www.taikobank.jp/

【業績(連結)】	経常収益	業務純益	経常利益	純利益
22.3	21,220	3,365	2,612	2,042
23.3	21,844	3,276	2,238	1,280
24.3	21,968	3,863	3,285	1,716

金融

1549 開示 ★★☆☆☆ [短大]採用あり

㈱北陸銀行（ほくりくぎんこう）

[えるぼし ★★★] [プラチナくるみん]

【特色】富山県地盤の地方銀行。北海道銀行と経営統合

[記者評価] 地銀上位。富山県内では地銀3行の中でトップ。隣県の石川や福井にも多数出店。04年に北海道銀行と経営統合し、ほくほくFGが発足。両行での人事交流も。26年に富山駅前に新本社ビルが完成予定。24年7月から大卒総合職の初任給を23.5万円に引き上げ。

平均勤続年数	男性育休取得率	3年後離職率	平均年収(平均42歳)
16.6年	62.0→102.3%	NA	[総]773万円

●採用・配属情報●

【男女・文理別採用実績】

	大卒男	大卒女	修士男	修士女
23年	38(文 34理 4)	69(文 67理 2)	1(文 1理 0)	0(文 0理 0)
24年	40(文 37理 3)	56(文 56理 0)	1(文 1理 0)	3(文 1理 2)
25年	57(文 53理 4)	75(文 72理 3)	1(文 1理 0)	1(文 0理 1)

※25年:継続中

【男女・職種別採用実績】 転換制度:⇔

	総合職Gコース	総合職Aコース	事務職	総合職	エリア総合職
23年	ND(男ND女ND)	ND(男ND女ND)	5(男 0女 5)	52(男39女13)	54(男 0女54)
24年	54(男40女14)	41(男 1女40)	7(男 0女 7)	ND(男ND女ND)	ND(男ND女ND)
25年	60(男41女19)	69(男17女52)	15(男 0女15)	ND(男ND女ND)	ND(男ND女ND)

【職種併願】○

【24年4月入社者の配属勤務地】[総]<Gコース>富山19 石川9 福井3 北海道8 東京8 大阪4 愛知3 <Aコース>富山18 石川15 福井4 北海道4 [技]なし

【転勤】あり:[職種]総合職(Gコースのみ)

【中途比率】[単年度]21年度8%、22年度9%、23年度19% [全体]9%

●働きやすさ、諸制度●

残業(月) 19.6時間

【勤務時間】8:30～17:00【有休取得年平均】14.7日【週休】完全2日(土日祝)【夏期休暇】連続7～9日(土日祝含む、有休で取得)【年末年始休暇】12月31日～1月3日

【離職率】男:5.6%、69名 女:6.6%、69名

【新卒3年後離職率】[20→23年]NA [21→24年]NA

【テレワーク】制度あり:[場所]自宅 サテライトオフィス(高岡 金沢 福井 東京)[対象]全社員[日数]制限なし[利用率]NA【勤務制度】時差勤務 副業容認【住宅補助】寮・社宅(転居転勤者が利用可能)

●ライフイベント、女性活躍●

【女性比率】■男 □女

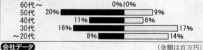

新卒採用 59.7% (86名)

従業員 45.6% (971名)

管理職 20.2% (186名)

【産休】[期間]産前6・産後8週間[給与]会社全額給付[取得者数]53名

【育休】[期間]3歳になるまで[給与]開始3日間有給、以降給付金[取得者数]22年度 男31名(対象50名)女48名(対象48名)23年度 男45名(対象44名)女57名(対象57名)[平均取得日数]22年度 NA、23年度 男8日 女493日

【従業員】[人数]2,128名(男1,157名、女971名)[平均年齢]40.2歳(男42.6歳、女37.3歳)[平均勤続年数]16.6年(男19.1年、女13.6年)

【年齢構成】■男 □女

	男	女
60代～	0%	0%
50代	20%	9%
40代	11%	6%
30代	16%	17%
～20代	8%	14%

[会社データ] (金額は百万円)

【本店】930-8637 富山県富山市堤町通り1-2-26 ☎076-423-7111

https://www.hokugin.co.jp/

【業績(単独)】	経常収益	コア業務純益	経常利益	純利益
22.3	88,998	26,747	20,910	13,102
23.3	97,217	25,801	14,532	14,314
24.3	100,853	25,956	15,129	18,264

2830 開示 ★★★☆☆

㈱北國フィナンシャルホールディングス（ほっこく）

[プラチナえるぼし] [くるみん]

【特色】石川県地盤。傘下に地銀中位の北國銀行

[記者評価] 石川県地盤の北國銀行を中心とする金融グループ。融資のほか、近年は経営コンサルティングや業務のデジタル化を全社的に推進。テレワークや印鑑レス、ペーパーレスなどを早くから導入。投資ファンドやキャッシュレス、デジタル通貨にも本腰。

平均勤続年数	男性育休取得率	3年後離職率	平均年収(平均43歳)
16.1年	93.9→106.3%	8.3→8.8%	[総]691万円

●採用・配属情報●

【男女・文理別採用実績】

	大卒男	大卒女	修士男	修士女
23年	5(文 4理 1)	5(文 4理 1)	0(文 0理 0)	1(文 0理 1)
24年	7(文 5理 2)	14(文 14理 0)	0(文 0理 0)	0(文 0理 0)
25年	13(文 13理 0)	7(文 7理 0)	1(文 0理 1)	0(文 0理 0)

※25年:24年8月1日時点

【男女・職種別採用実績】

	総合職
23年	11(男 5 女 6)
24年	21(男 7 女 14)
25年	21(男 14 女 7)

【24年4月入社者の配属勤務地】[総]石川15 富山3 福井1 [技]石川2

【転勤】あり:全社員

【中途比率】[単年度]21年度55%、22年度67%、23年度75%[全体]23%

●働きやすさ、諸制度●

残業(月) 3.5時間 [総]3.5時間

【勤務時間】8:40～17:30【有休取得年平均】17.8日【週休】完全2日(土日祝)【夏期休暇】なし【年末年始休暇】12月31日～1月3日

【離職率】男:2.7%、27名 女:3.1%、29名

【新卒3年後離職率】

[20→23年]8.3%(男7.7%・入社26名、女9.1%・入社22名)

[21→24年]8.8%(男0%・入社11名、女13.0%・入社23名)

【テレワーク】制度あり:[場所]自宅 サテライトオフィス[対象]全社員[日数]制限なし[利用率]NA【勤務制度】フレックス 週休3日 裁量労働 時差勤務 勤務間インターバル 副業容認【住宅補助】借上社宅 単身・家族

●ライフイベント、女性活躍●

【女性比率】■男 □女

新卒採用 33.3% (7名)

従業員 48.4% (918名)

管理職 21.2% (82名)

【産休】[期間]産前6・産後8週間[給与]法定[取得者数]41名

【育休】[期間]2歳になるまで[給与]10日間特別有給、以降法定[取得者数]22年度 男31名(対象33名)女27名(対象27名)23年度 男51名(対象48名)女40名(対象40名)[平均取得日数]22年度 男5日 女NA、23年度 男10日 女NA

【従業員】[人数]1,898名(男980名、女918名)[平均年齢]43.6歳(男44.9歳、女42.2歳)[平均勤続年数]16.1年(男18.1年、女14.8年)

【年齢構成】■男 □女 ※パート含む

	男	女
60代～	5%	5%
50代	13%	13%
40代	12%	14%
30代	12%	14%
～20代	5%	6%

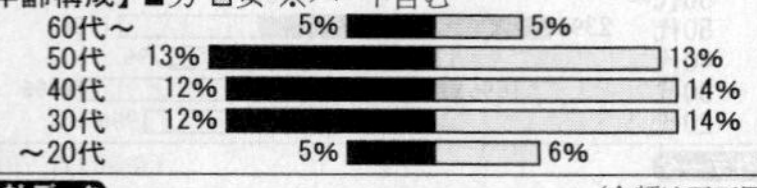

[会社データ] (金額は百万円)

【本店】920-8670 石川県金沢市広岡2-12-6 ☎076-263-1111

https://www.hfhd.co.jp/

【業績(連結)】	経常収益	業務純益	経常利益	純利益
22.3	84,730	11,926	19,167	9,387
23.3	84,743	5,270	16,046	8,741
24.3	90,839	▲3,687	14,461	9,055

㈱福井銀行

ふくいぎんこう

[プラチナくるみん＋]

【特色】福井地盤の地銀中位。子会社に福邦銀行

[記者評価] 福井県地盤の地銀。県内貸出金シェアは約4割で首位。24年3月の北陸新幹線・金沢～敦賀間開業による再開発需要の取り込みに意欲。21年に子会社化した福邦銀行とは統合に向けた「Fプロジェクト」推進、合併に向けた協議続く。野村證券と金融商品仲介で業務開始。

平均勤続年数	男性育休取得率	3年後離職率	平均年収(平均42歳)
16.1年	31.8→100%	13.6→14.0%	533万円

●採用・配属情報●

【男女・文理別採用実績】

	大卒男	大卒女	修士男	修士女
23年	19(文 19 理 0)	15(文 15 理 0)	0(文 0 理 0)	0(文 0 理 0)
24年	24(文 23 理 1)	14(文 13 理 1)	0(文 0 理 0)	0(文 0 理 0)
25年	37(文 35 理 2)	35(文 34 理 1)	0(文 0 理 0)	0(文 0 理 0)

【男女・職種別採用実績】

	総合職	エリア職
23年	34(男 19 女 15)	0(男 0 女 0)
24年	38(男 24 女 14)	0(男 0 女 0)
25年	72(男 37 女 35)	0(男 0 女 0)

【24年4月入社者の配属勤務地】[総]福井37 石川1 [技]なし

【転勤】あり:[職種]総合職で「隔地転勤あり」を選択した職員[勤務地]福井・石川・富山・東京・大阪・京都・愛知・滋賀・海外

【中途比率】[単年度]21年度NA、22年度NA、23年度29%[全体]NA

●働きやすさ、諸制度●

残業(月) 10.1時間 [総]10.7時間

【勤務時間】8:40～17:00【有休取得年平均】10.6日【週休】完全2日(土日祝)【夏期休暇】有休で取得【年末年始休暇】12月31日～1月3日

【離職率】NA

【新卒3年後離職率】

[20→23年]13.6%(男5.9%・入社17名、女18.5%・入社27名)

[21→24年]14.0%(男11.1%・入社18名、女16.0%・入社25名)

【テレワーク】制度あり:[場所]自宅 他[対象]全社員[日数]原則週4回まで[利用率]NA【勤務制度】時差勤務 副業容認【住宅補助】独身寮 家族寮 借上社宅

●ライフイベント、女性活躍●

【女性比率】■男 □女

新卒採用 48.6% (35名)

従業員 61% (767名)

【産休】[期間]産前6・産後8週間[給与]法定[取得者数]37名

【育休】[期間]1歳になるまで[給与]法定[取得者数]22年度 男7名(対象22名)女40名(対象40名)23年度 男30名(対象30名)女38名(対象38名)[平均取得日数]22年度 NA、23年度 男13日 女339日

【従業員】[人数]1,258名(男491名、女767名)[平均年齢]41.6歳(男40.8歳、女42.1歳)[平均勤続年数]16.1年(男17.3年、女15.3年)

【年齢構成】■男 □女

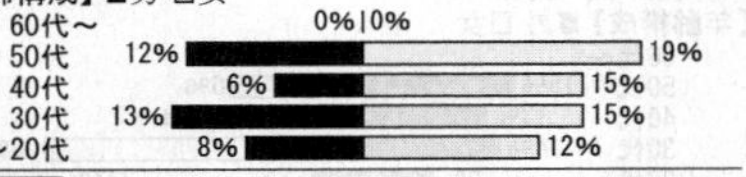
60代～ 0% 0%
50代 12% 19%
40代 6% 15%
30代 13% 15%
～20代 8% 12%

[会社データ] (金額は百万円)

【本店】910-8660 福井県福井市順化1-1-1 ☎0776-24-2030

https://www.fukuibank.co.jp/

【業績(連結)】	経常収益	業務純益	経常利益	純利益
22.3	45,790	272	▲754	4,440
23.3	54,897	▲2,704	788	1,803
24.3	55,423	4,171	5,615	3,717

㈱山梨中央銀行

やまなしちゅうおうぎんこう

[えるぼし★★] [くるみん]

【特色】山梨地盤。県内唯一の地銀。西東京に展開

[記者評価] 1877年創業の第十国立銀行が前身。山梨県で唯一の地銀。県内を中心に東京、神奈川などに合計約100店舗を展開する。県内貸出金シェア約5割で首位。東京西部の中小企業と取引を拡大、収益性は県内上回る。地銀屈指の好財務。静岡銀行と包括業務提携。

平均勤続年数	男性育休取得率	3年後離職率	平均年収(平均39歳)
15.8年	115.2→72.2%	18.3→15.7%	[総]636万円

●採用・配属情報●

【男女・文理別採用実績】

	大卒男	大卒女	修士男	修士女
23年	25(文 23 理 2)	16(文 16 理 0)	0(文 0 理 0)	0(文 0 理 0)
24年	37(文 35 理 2)	25(文 24 理 1)	0(文 0 理 0)	0(文 0 理 0)
25年	-(文 - 理 -)	-(文 - 理 -)	-(文 - 理 -)	-(文 - 理 -)

※25年:70名採用予定

【男女・職種別採用実績】 転換制度:⇔

	ゼネラルアソシエイトコース	オペレーションアソシエイトコース	システムアソシエイトコース
23年	38(男 24 女 14)	3(男 0 女 3)	3(男 3 女 0)
24年	52(男 36 女 16)	10(男 0 女 10)	3(男 3 女 0)
25年	60(男 - 女 -)	8(男 - 女 -)	2(男 - 女 -)

【24年4月入社者の配属勤務地】[総]山梨52 東京13

【転勤】あり:全行員(特殊業務従事者除く)

【中途比率】[単年度]21年度7%、22年度5%、23年度32%[全体]7%

●働きやすさ、諸制度●

残業(月) 12.6時間 [総]12.6時間

【勤務時間】8:30～17:00 フレックスタイム制度【有休取得年平均】13.6日【週休】完全2日【夏期休暇】有休で取得【年末年始休暇】12月31日～1月3日

【離職率】男:2.3%、23名 女:3.7%、24名

【新卒3年後離職率】

[20→23年]18.3%(男14.7%・入社34名、女21.6%・入社37名)

[21→24年]15.7%(男13.5%・入社52名、女19.4%・入社31名)

【テレワーク】制度あり:[場所]自宅[対象]全行員[日数]制限なし[利用率]0.7%【勤務制度】フレックス 時間単位有休 時差勤務 勤務間インターバル 副業容認【住宅補助】社宅 家族寮 独身寮 単身赴任寮

●ライフイベント、女性活躍●

【女性比率】■男 □女

従業員 39.2% (632名)

管理職 7.1% (13名)

【産休】[期間]産前6・産後8週間[給与]法定[取得者数]36名

【育休】[期間]2歳になるまで[給与]法定[取得者数]22年度 男38名(対象33名)女38名(対象34名)23年度 男26名(対象36名)女36名(対象44名)[平均取得日数]22年度 NA、23年度 NA

【従業員】[人数]1,614名(男982名、女632名)[平均年齢]39.3歳(男41.3歳、女36.1歳)[平均勤続年数]15.8年(男18.3年、女11.9年)

【年齢構成】■男 □女

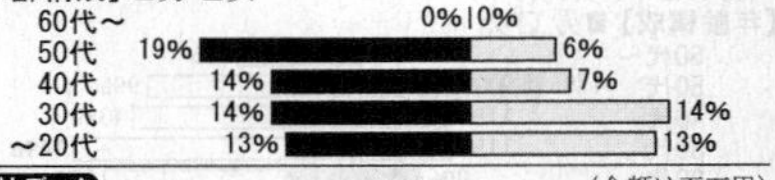
60代～ 0% 0%
50代 19% 6%
40代 14% 7%
30代 14% 14%
～20代 13% 13%

[会社データ] (金額は百万円)

【本店】400-8601 山梨県甲府市丸の内1-20-8 ☎055-233-2111

https://www.yamanashibank.co.jp/

【業績(連結)】	経常収益	業務純益	経常利益	純利益
22.3	46,310	ND	6,624	4,241
23.3	60,552	ND	7,721	5,061
24.3	56,525	ND	7,641	5,658

金融

はちじゅうにぎんこう ながのぎんこう
㈱八十二銀行（㈱長野銀行）

えるぼし★★　プラチナくるみん＋

【特色】地銀上位行。長野全域が地盤。堅実経営に定評

記者評価 第十九銀行と六十三銀行の合併で発足。総資産14.8兆円で地銀上位。堅実経営に特徴。長野県内貸出金シェアトップ。個人向け信託や法人事業承継に注力。三菱UFJ銀行と親密。23年6月に長野銀行を完全子会社化、26年1月に合併予定。店舗の統廃合を進める。

平均勤続年数	男性育休取得率	3年後離職率	平均年収(平均43歳)
14.8年	38.6→101.9%	NA	691万円

●採用・配属情報●

【男女・文理別採用実績】

	大卒男	大卒女	修士男	修士女
23年	48(文 43 理 5)	51(文 49 理 2)	0(文 0 理 0)	0(文 0 理 0)
24年	50(文 43 理 7)	65(文 62 理 3)	3(文 0 理 3)	1(文 1 理 0)
25年	70(文 60 理 10)	70(文 60 理 10)	0(文 0 理 0)	0(文 0 理 0)

【男女・職種別採用実績】 転換制度：⇔

	スタンダードコース勤務地制限なし	スタンダードコース勤務地制限あり	営業業務職	デジタル・システムコース
23年	93(男 48 女 45)	6(男 0 女 6)	0(男 0 女 0)	NA(男 NA 女 NA)
24年	96(男 47 女 49)	7(男 0 女 7)	0(男 0 女 0)	17(男 6 女 11)
25年	120(男 60 女 60)	0(男 0 女 0)	0(男 0 女 0)	20(男 10 女 10)

【職種併願】スタンダードコースとデジタル・システムコースで可能

【24年4月入社者の配属勤務地】㊓長野 新潟 埼玉 ㊔長野

【転勤】あり：[職種]スタンダードコース[勤務地]制限なし

【中途比率】[単年度]21年度14%、22年度11%、23年度15%（八十二銀行のみ）[全体]3%

●働きやすさ、諸制度●

残業(月) 11.7時間

【勤務時間】8:30～17:00（但し、毎月月末1営業日と3・9月月末2営業日の終業時間は17:30）【有休取得年平均】16.0日【週休】完全2日【夏期休暇】なし【年末年始休暇】12月31日～1月3日

【離職率】NA

【新卒3年後離職率】
[20→23年]NA
[21→24年]NA

【テレワーク】制度あり：[場所]自宅 サテライトオフィス等の独立した環境[対象]全職員[日数]制限なし[利用率]0.6%

【勤務制度】時間単位有休 時差勤務【住宅補助】社宅

●ライフイベント、女性活躍●

【女性比率】■男 □女

新卒採用 50%（70名）　従業員 47.5%（1562名）　管理職 13.3%（119名）

【産休】[期間]産前6・産後8週間[給与]法定[取得者数]53名

【育休】[期間]2歳到達月末まで[給与]法定[取得者数]22年度 男22名（対象57名）女72名（対象73名）23年度 男54名（対象53名）女68名（対象68名）[平均取得日数]22年度 男11日 女630日、23年度 男10日 女580日

【従業員】[人数]3,289名（男1,727名、女1,562名）[平均年齢]42.5歳（男44.7歳、女40.1歳）[平均勤続年数]14.8年（男16.2年、女13.3年）

【年齢構成】■男 □女

	男	女
60代～	5%	3%
50代	17%	9%
40代	11%	10%
30代	11%	14%
～20代	9%	12%

会社データ （金額は百万円）

【本店】380-8682 長野県長野市中御所岡田178-8 ☎026-227-1182
https://www.82bank.co.jp/

【業績（連結）】	経常収益	業務純益	経常利益	純利益
22.3	151,349	ND	38,047	26,667
23.3	202,228	ND	34,893	24,135
24.3	212,201	ND	35,217	37,071

おおがききょうりつぎんこう
㈱大垣共立銀行

くるみん

【特色】岐阜西部地盤で地銀中位。岐阜県の指定金融機関

記者評価 明治29年設立。総資産6.6兆円。岐阜西部が地盤だが愛知県内への貸出多い。三重、滋賀にも展開。157店舗体制。岐阜県の指定金融機関。証券子会社や信託業務も。ドライブスルー型支店などの顧客サービスに特徴。25年4月入社者の大卒初任給を26万円に引き上げ。

平均勤続年数	男性育休取得率	3年後離職率	平均年収(平均39歳)
16.6年	88.7→94.4%	NA	712万円

●採用・配属情報●

【男女・文理別採用実績】

	大卒男	大卒女	修士男	修士女
23年	50(文 49 理 1)	36(文 36 理 0)	2(文 1 理 1)	0(文 0 理 0)
24年	54(文 53 理 1)	41(文 40 理 1)	0(文 0 理 0)	0(文 0 理 0)
25年	-(文 - 理 -)	-(文 - 理 -)	-(文 - 理 -)	-(文 - 理 -)

※25年：100名採用計画

【男女・職種別採用実績】 転換制度：⇔

	総合職
23年	89(男 53 女 36)
24年	95(男 54 女 41)
25年	100(男 - 女 -)

【24年4月入社者の配属勤務地】㊓岐阜 愛知 三重 滋賀

【転勤】あり：全社員

【中途比率】[単年度]21年度13%、22年度7%、23年度10%[全体]NA

●働きやすさ、諸制度●

残業(月) 16.2時間

【勤務時間】通常日8:45～17:15 特殊日8:45～17:45【有休取得年平均】14.9日【週休】完全2日（土日祝）※一部店舗にて休日営業【夏期休暇】5営業日の連続休暇【年末年始休暇】12月31日～1月3日

【離職率】NA

【新卒3年後離職率】
[20→23年]NA
[21→24年]NA

【テレワーク】制度あり：[場所]自宅[対象]全職員（生産性が確保できる業務に限る）[日数]制限なし[利用率]NA【勤務制度】時差勤務 勤務間インターバル【住宅補助】社宅（岐阜・大垣 愛知・稲沢 東京 大阪 他）

●ライフイベント、女性活躍●

【女性比率】■男 □女

従業員 47.8%（1134名）

【産休】[期間]産前6・産後8週間[給与]会社全額給付[取得者数]99名

【育休】[期間]3歳年度末まで[給与]法定[取得者数]22年度 男47名（対象53名）女91名（対象91名）23年度 男51名（対象54名）女95名（対象95名）[平均取得日数]22年度 NA、23年度 NA

【従業員】[人数]2,372名（男1,238名、女1,134名）[平均年齢]39.2歳（男41.6歳、女36.5歳）[平均勤続年数]16.6年（男18.6年、女14.3年）

【年齢構成】■男 □女

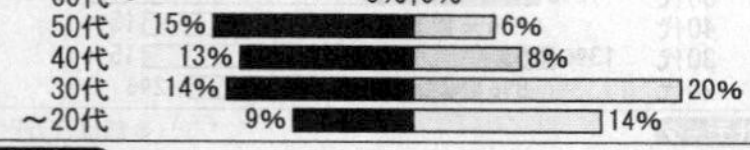

	男	女
60代～	0%	10%
50代	15%	6%
40代	13%	8%
30代	14%	20%
～20代	9%	14%

会社データ （金額は百万円）

【本店】503-0887 岐阜県大垣市郭町3-98 ☎0584-74-2027
https://www.okb.co.jp/

【業績（連結）】	経常収益	業務純益	経常利益	純利益
22.3	115,400	16,167	16,671	10,620
23.3	122,762	6,925	9,376	4,825
24.3	134,138	1,806	14,429	9,471

㈱十六フィナンシャルグループ（じゅうろく）

えるぼし★★★

【特色】傘下に岐阜県首位の十六銀行。愛知県にも進出

記者評価 岐阜県首位地銀の十六銀行が中核。21年に持株会社制に移行。岐阜県内の貸出金シェアは3割弱でトップ。資金需要の多い愛知県にも多数の店舗を構える。証券、カード、リース、システム、シンクタンク、地域商社も抱える。24年7月から初任給を26万円に引き上げ。

平均勤続年数	男性育休取得率	3年後離職率	平均年収(平均43歳)
20.4年	107.0→102.6%	NA	㊢713万円

●採用・配属情報●

【男女・文理別採用実績】

	大卒男	大卒女	修士男	修士女
23年	55(文 52 理 3)	50(文 49 理 1)	3(文 0 理 3)	0(文 0 理 0)
24年	67(文 64 理 3)	56(文 56 理 0)	3(文 0 理 3)	0(文 0 理 0)
25年	82(文 70 理 12)	64(文 64 理 0)	3(文 2 理 1)	1(文 1 理 0)

【男女・職種別採用実績】

	総合職
23年	108(男 58 女 50)
24年	126(男 70 女 56)
25年	150(男 85 女 65)

【24年4月入社者の配属勤務地】㊢岐阜 愛知
【転勤】あり:全社員
【中途比率】[単年度]21年度0%、22年度0%、23年度0%
[全体]2%

●働きやすさ、諸制度●

残業(月) 14.3時間 ㊢14.3時間

【勤務時間】8:30〜17:15【有休取得年平均】10.5日【週休】完全2日(土日祝)【夏期休暇】有休で取得【年末年始休暇】12月31日〜1月3日
【離職率】NA
【新卒3年後離職率】
[20→23年]NA
[21→24年]NA
【テレワーク】制度あり:[場所]自宅[対象]全社員[日数]制限なし[利用率]NA【勤務制度】時差勤務【住宅補助】寮・社宅

●ライフイベント、女性活躍●

【女性比率】■男 □女

新卒採用 43.3% (65名)

従業員 37.7% (858名)

管理職 9.1% (45名)

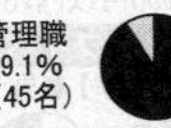

【産休】[期間]産前6・産後8週間[給与]会社全額給付[取得者数]30名
【育休】[期間]2歳になるまで[給与]法定[取得者数]22年度 男61名(対象57名)女35名(対象34名)23年度 男40名(対象39名)女32名(対象32名)[平均取得日数]22年度 男3日 女586日、23年度 男4日 女423日
【従業員】[人数]2,278名(男1,420名、女858名)[平均年齢]43.1歳(男44.9歳、女40.1歳)[平均勤続年数]20.4年(男21.7年、女18.3年)
【年齢構成】■男 □女

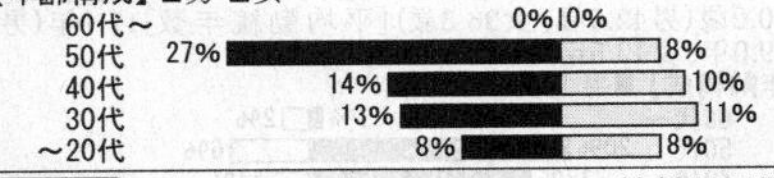

会社データ　(金額は百万円)

【本店】500-8833 岐阜県岐阜市神田町8-26 ☎058-207-0016
https://www.16fg.co.jp/

【業績(連結)】	経常収益	業務純益	経常利益	純利益
22.3	117,350	20,327	26,798	17,191
23.3	112,685	ND	27,262	18,630
24.3	128,835	ND	27,908	19,318

㈱静岡銀行（しずおかぎんこう）

えるぼし★★★　プラチナくるみん

【特色】地銀上位。国際基準行で財務強固。異業種と提携

記者評価 しずおかフィナンシャルグループ傘下。静岡県内の貸出金シェアはグループで約4割。総資産16兆円超と地銀上位。財務の健全性に定評。審査に厳しく金利ダンピングしない体質。県内171、県外33拠点。隣県の愛知や神奈川にも展開。金融ITベンチャーにも積極出資。

平均勤続年数	男性育休取得率	3年後離職率	平均年収(平均39歳)
15.5年	74.4→110.8%	NA	㊢768万円

●採用・配属情報●

【男女・文理別採用実績】

	大卒男	大卒女	修士男	修士女
23年	90(文 82 理 8)	75(文 70 理 5)	4(文 2 理 2)	3(文 2 理 1)
24年	118(文109 理 9)	91(文 84 理 7)	4(文 3 理 1)	2(文 2 理 0)
25年	100(文 94 理 6)	90(文 89 理 1)	6(文 2 理 4)	3(文 3 理 0)

【男女・職種別採用実績】

	総合職
23年	172(男 94 女 78)
24年	215(男122 女 93)
25年	201(男107 女 94)

【24年4月入社者の配属勤務地】㊢国内本支店(東京・神奈川・愛知・大阪180)本部35
【転勤】あり:全社員
【中途比率】[単年度]21年度7%、22年度15%、23年度16%
[全体]NA

●働きやすさ、諸制度●

残業(月) 31.4時間 ㊢31.4時間

【勤務時間】7時間20分(フレックスタイム制)【有休取得年平均】13.7日【週休】完全2日(土日祝)【夏期休暇】有休で取得【年末年始休暇】12月31日〜1月3日
【離職率】NA
【新卒3年後離職率】
[20→23年]NA
[21→24年]NA
【テレワーク】制度あり:[場所]自宅 サテライトオフィス[対象]制限なし[日数]制限なし[利用率]NA【勤務制度】フレックス 時間単位有休 勤務間インターバル 副業容認【住宅補助】独身寮(男女別)家族寮 家賃補給金 新生活応援金 他

●ライフイベント、女性活躍●

【女性比率】■男 □女

新卒採用 46.8% (94名)

従業員 36% (929名)

【産休】[期間]産前6・産後8週間[給与]法定[取得者数]46名
【育休】[期間]2年間[給与]法定[取得者数]22年度 男61名(対象82名)女43名(対象45名)23年度 男92名(対象83名)女50名(対象48名)[平均取得日数]22年度 男12日 女486日、23年度 男19日 女458日
【従業員】[人数]2,577名(男1,648名、女929名)[平均年齢]38.8歳(男40.5歳、女35.7歳)[平均勤続年数]15.5年(男17.2年、女13.2年)
【年齢構成】NA

会社データ　(金額は百万円)

【本店】420-8761 静岡県静岡市葵区呉服町1-10 ☎054-347-6685
https://www.shizuokabank.co.jp/

【業績(連結)】	経常収益	業務純益	経常利益	純利益
22.3	241,600	52,750	54,219	41,635
23.3	287,386	65,538	73,964	52,452
24.3	346,526	83,121	102,224	57,757

金融

873 開示 ★★☆☆☆  短大 専門 採用あり

スルガ銀行(株)

えるぼし★★★　くるみん

【特色】静岡東部地盤の地方銀行。不動産向け融資に特色

記者評価 静岡東部や神奈川西部が地盤だが、東京にも積極展開。個人向け融資が大半で、投資用不動産ローンの実績は地方銀行随一。近年は富裕層向け取引を推進。医療費や趣味など多様な目的別ローンも。クレディセゾンと資本業務提携。24年7月から大卒初任給を2万円増額。

平均勤続年数	男性育休取得率	3年後離職率	平均年収(平均46歳)
21.7年	NA→100%	NA	総735万円

●採用・配属情報●

【男女・文理別採用実績】

	大卒男	大卒女	修士男	修士女
23年	3(文 3理 0)	7(文 7理 0)	0(文 0理 0)	0(文 0理 0)
24年	11(文 10理 1)	10(文 10理 0)	0(文 0理 0)	0(文 0理 0)
25年	-(文 -理 -)	-(文 -理 -)	-(文 -理 -)	-(文 -理 -)

【男女・職種別採用実績】　転換制度:⇔

	総合職	一般職
23年	9(男 3女 6)	2(男 0女 2)
24年	23(男 13女 10)	0(男 0女 0)
25年	-(男 -女 -)	-(男 -女 -)

【24年4月入社者の配属勤務地】総静岡9 神奈川12 技静岡2

【転勤】あり:詳細NA

【中途比率】[単年度]21年度18%、22年度10%、23年度43%[全体]NA

●働きやすさ、諸制度●

残業(月) NA

【勤務時間】8:45～17:00【有休取得年平均】NA【週休】完全2日(土日祝)【夏期休暇】連続9日(特別有休3日+有休2日+週休4日)と連続5日(特別有休3日+週休2日)のいずれか(各年1回)【年末年始休暇】12月31日～1月3日

【離職率】NA

【新卒3年後離職率】

[20→23年]NA

[21→24年]NA

【テレワーク】制度なし【勤務制度】時差勤務【住宅補助】寮 借上社宅

●ライフイベント、女性活躍●

【女性比率】■男 □女

従業員 37.3% (463名)

【産休】[期間]産前6・産後8週間[給与]会社全額給付[取得者数]22名

【育休】[期間]1歳になるまで[給与]法定[取得者数]22年度NA 23年度 男12名(対象12名)女28名(対象28名)[平均取得日数]22年度 NA、23年度 NA

【従業員】[人数]1,242名(男779名、女463名)[平均年齢]45.7歳(男46.5歳、女44.4歳)[平均勤続年数]21.7年(男22.6年、女19.1年)

【年齢構成】NA

会社データ　(金額は百万円)

【本店】410-8689 静岡県沼津市通横町23 ☎055-952-6335
https://www.surugabank.co.jp/

【業績(連結)】	経常収益	業務純益	経常利益	純利益
22.3	92,072	39,081	10,596	7,960
23.3	92,403	7,930	13,266	10,576
24.3	91,447	17,797	20,641	15,375

879 開示 ★★☆☆☆ 短大 採用あり

(株)清水銀行

くるみん

【特色】静岡の地銀。旧清水市から県内他地域にも展開

記者評価 静岡県の地銀3番手。戦前に7行合併で誕生。03年破綻の中部銀行の営業を一部譲受。中小企業と個人向け取引が中心。県内を中心に東京、愛知にも支店。計約80店舗体制。全行員がM&Aや事業承継に取り組む。SBIグループと幅広く提携。行員の資格取得を促進。

平均勤続年数	男性育休取得率	3年後離職率	平均年収(平均40歳)
17.1年	114.3→21.1%	NA	総610万円

●採用・配属情報●

【男女・文理別採用実績】※25年:50名採用予定

	大卒男	大卒女	修士男	修士女
23年	28(文 25理 3)	31(文 29理 2)	1(文 0理 1)	0(文 0理 0)
24年	25(文 24理 1)	20(文 18理 2)	0(文 0理 0)	0(文 0理 0)
25年	-(文 -理 -)	-(文 -理 -)	-(文 -理 -)	-(文 -理 -)

【男女・職種別採用実績】

	総合職
23年	60(男 29女 31)
24年	46(男 25女 21)
25年	50(男 -女 -)

【24年4月入社者の配属勤務地】総静岡46

【転勤】あり:全社員

【中途比率】[単年度]21年度2%、22年度2%、23年度2%[全体]6%

●働きやすさ、諸制度●

残業(月) 15.9時間 総16.1時間

【勤務時間】8:45～17:15【有休取得年平均】13.4日【週休】完全2日(土日祝)【夏期休暇】連続5日(有休2日含む)※夏に限らず取得可【年末年始休暇】12月31日～1月3日

【離職率】NA

【新卒3年後離職率】

[20→23年]NA(男NA・入社27名、女NA・入社30名)

[21→24年]NA(男NA・入社26名、女NA・入社37名)

【テレワーク】制度なし【勤務制度】時差勤務 副業容認【住宅補助】寮・単身寮(居住地域を離れる場合 本人負担5,000円(一部寮は1,200円))家族寮(本人負担18,000円)借上(単身は本人負担5,000円 家族帯同は会社負担45,000円以内(6大都市は75,000円以内))

●ライフイベント、女性活躍●

【女性比率】■男 □女

従業員 35.9% (319名)　管理職 5.7% (8名)

【産休】[期間]産前6・産後8週間[給与]会社全額給付[取得者数]16名

【育休】[期間]1歳になるまで[給与]法定[取得者数]22年度 男16名(対象14名)女10名(対象10名)23年度 男4名(対象19名)女16名(対象16名)[平均取得日数]22年度 男1日 女480日、23年度 男3日 女449日

【従業員】[人数]888名(男569名、女319名)[平均年齢]40.2歳(男42.5歳、女36.3歳)[平均勤続年数]17.1年(男19.0年、女13.5年)

【年齢構成】■男 □女

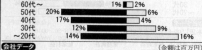

	男	女
60代～	1%	2%
50代	20%	6%
40代	17%	4%
30代	12%	9%
～20代	14%	16%

会社データ　(金額は百万円)

【本店】424-0941 静岡県静岡市清水区富士見町2-1 ☎054-353-5151
https://www.shimizubank.co.jp/

【業績(連結)】	経常収益	業務純益	経常利益	純利益
22.3	27,421	4,484	3,984	2,580
23.3	28,403	2,251	1,596	1,474
24.3	29,904	▲4,796	▲4,131	▲3,301

(株)名古屋銀行（なごやぎんこう）

えるぼし ★★　プラチナくるみん＋

【特色】愛知県地盤。地銀中位。第二地銀トップクラス

[記者評価] 第二地銀のリーダー格。藤原頭取は3代ぶりの創業家。22年4月に静岡銀行と「静岡・名古屋アライアンス」提携。同年10月に経営統合した「愛知銀行・中京銀行」連合を睨む。23年に静岡銀行と共同ファンド設立。25年4月から初任給を26万円に引き上げ予定。

平均勤続年数	男性育休取得率	3年後離職率	平均年収(平均42歳)
18.0年	110.5→100%	NA	631万円

●採用・配属情報●

【男女・文理別採用実績】

	大卒男	大卒女	修士男	修士女
23年	43(文 43理 0)	18(文 18理 0)	0(文 0理 0)	0(文 0理 0)
24年	48(文 46理 2)	17(文 17理 0)	0(文 0理 0)	0(文 0理 0)
25年	-(文 -理 -)	-(文 -理 -)	-(文 -理 -)	-(文 -理 -)

※25年:80名採用予定

【男女・職種別採用実績】

	総合職
23年	62(男 43 女 19)
24年	66(男 48 女 18)
25年	80(男 - 女 -)

【24年4月入社者の配属勤務地】[総]愛知66
【転勤】あり:全社員[勤務地]愛知 静岡 岐阜 大阪 東京
【中途比率】[単年度]21年度NA、22年度NA、23年度NA[全体]NA

●働きやすさ、諸制度●

残業(月) 9.3時間

【勤務時間】8:45～17:30【有休取得年平均】14.4日【週休】完全2日(土日祝)【夏期休暇】なし【年末年始休暇】12月31日～1月3日
【離職率】NA
【新卒3年後離職率】
[20→23年]NA
[21→24年]NA
【テレワーク】制度なし【勤務制度】時間単位有休 時差勤務
【住宅補助】借上社宅(愛知、東京、大阪、静岡、浜松)※条件あり

●ライフイベント、女性活躍●

【女性比率】■男 □女

従業員
38.4%
(693名)

【産休】[期間]産前6・産後8週間[給与]会社全額給付[取得者数]53名
【育休】[期間]2歳になるまで[給与]法定[取得者数]22年度 男42名(対象38名)女43名(対象36名)23年度 男36名(対象36名)女42名(対象42名)[平均取得日数]22年度 男3日 女489日、23年度 男5日 女534日
【従業員】[人数]1,805名(男1,112名、女693名)[平均年齢]41.8歳(男43.6歳、女38.8歳)[平均勤続年数]18.0年(男19.8年、女15.0年)
【年齢構成】NA

会社データ　(金額は百万円)

【本店】460-0003 愛知県名古屋市中区錦3-19-17 ☎052-951-5911
https://www.meigin.com/

【業績(連結)】	経常収益	業務純益	経常利益	純利益
22.3	77,762	11,659	15,721	11,643
23.3	79,765	6,427	11,495	8,377
24.3	101,276	▲2,642	14,513	10,036

(株)あいちフィナンシャルグループ

えるぼし ★★　プラチナくるみん

【特色】愛知地盤の地銀中位。25年1月に中京銀行と合併

[記者評価] 第二地銀の愛知銀行が中核。名古屋市以西の尾張地区を地盤に岐阜、三重にも展開。17年12月に大株主の三菱東京UFJ銀行(現三菱UFJ銀行)が全株売却。22年10月に中京銀行と経営統合、25年1月合併で「あいち銀行」に。24年10月から大卒初任給を26万円に引き上げ。

平均勤続年数	男性育休取得率	3年後離職率	平均年収(平均41歳)
ⓘ17.8年	NA	NA	◇977万円

●採用・配属情報●

【男女・文理別採用実績】

	大卒男	大卒女	修士男	修士女
23年	90(文 89理 1)	84(文 83理 1)	0(文 0理 0)	0(文 0理 0)
24年	85(文 82理 3)	55(文 55理 0)	0(文 0理 0)	0(文 0理 0)
25年	67(文 66理 1)	52(文 52理 0)	1(文 0理 1)	1(文 1理 0)

※23年:愛知銀行、中京銀行の合算。24年・25年:愛知銀行のみの採用

【男女・職種別採用実績】

	総合職
23年	174(男 90 女 84)
24年	140(男 85 女 55)
25年	122(男 68 女 54)

【24年4月入社者の配属勤務地】[総]愛知138 岐阜2
【転勤】あり:全社員
【中途比率】[単年度]21年度10%、22年度7%、23年度12%[全体]NA

●働きやすさ、諸制度●

残業(月) 15.0時間 [総]15.0時間

【勤務時間】8:30～17:30【有休取得年平均】NA【週休】2日【夏期休暇】連続5日【年末年始休暇】12月31日～1月3日
【離職率】NA
【新卒3年後離職率】
[20→23年]NA
[21→24年]NA
【テレワーク】制度あり:[場所]自宅[対象]全社員※特別な事情がある場合に限り実施可[日数]制限あり[利用率]NA
【勤務制度】時差勤務【住宅補助】独身寮(自己負担20,000～30,000円)

●ライフイベント、女性活躍●

【女性比率】■男 □女

新卒採用
44.3%
(54名)

【産休】[期間]産前6・産後8週間[給与]法定[取得者数]NA
【育休】[期間]1歳になるまで[給与]法定[取得者数]22年度 NA 23年度 NA[平均取得日数]22年度 NA、23年度 NA
【従業員】[人数]2,297名(男NA、女NA)[平均年齢]40.9歳(男NA、女NA)[平均勤続年数]17.8年(男NA、女NA)※愛知銀行、中京銀行の2行合算
【年齢構成】NA

会社データ　(金額は百万円)

【本店】460-8678 愛知県名古屋市中区栄3-14-12 ☎052-262-6512
https://www.aichi-fg.co.jp/

【業績(連結)】	経常収益	業務純益	経常利益	純利益
23.3	74,648	ND	5,237	81,806
24.3	88,687	ND	12,584	8,295

金融

㈱百五銀行

えるぼし★★★ プラチナくるみん+

【特色】地銀中上位。三重県断トツで愛知県に出店攻勢

記者評価 三菱UFJ銀行、十六銀行、名古屋銀行と親密。県内貸出シェアは約4割で、愛知県へ攻勢。中堅・中小企業向け融資と住宅ローンの愛知県含めた拡大に注力。M&Aや事業承継、脱炭素化のコンサルなど非金利収入を増やす。店舗は統廃合で効率化、軽量化。

平均勤続年数	男性育休取得率	3年後離職率	平均年収(平均41歳)
16.2年	109.1→106.2%	21.1→26.3%	総 780万円

●採用・配属情報●

【男女・文理別採用実績】

	大卒男	大卒女	修士男	修士女
23年	33(文 31理 2)	24(文 23理 1)	0(文 0理 0)	0(文 0理 0)
24年	58(文 55理 3)	32(文 31理 1)	0(文 0理 0)	0(文 0理 0)
25年	95(文 92理 3)	52(文 52理 0)	1(文 0理 1)	0(文 0理 0)

【男女・職種別採用実績】 転換制度:⇔

	専門職
23年	59(男 33 女 26)
24年	92(男 58 女 34)
25年	152(男 96 女 56)

【24年4月入社者の配属勤務地】総三重78 愛知13 技三重1

【転勤】あり:[職種]専門職Ⅰ種

【中途比率】[単年度]21年度5%、22年度8%、23年度15% [全体]1%

●働きやすさ、諸制度●

残業(月) 18.1時間 総 18.1時間

【勤務時間】8:45～17:15【有休取得年平均】14.5日【週休】完全2日(土日祝)【夏期休暇】なし【年末年始休暇】12月31日～1月3日

【離職率】男:3.3%、44名 女:5.3%、53名

【新卒3年後離職率】
[20→23年]21.1%(男22.7%・入社44名、女19.6%・入社51名)
[21→24年]26.3%(男24.0%・入社50名、女30.0%・入社30名)

【テレワーク】制度あり:[場所]原則自宅[対象]全従業員[日数]制限なし[利用率]NA【勤務制度】時間単位有休 時差勤務 勤務間インターバル 副業容認【住宅補助】独身寮 社宅 住宅手当

●ライフイベント、女性活躍●

【女性比率】■男 □女

新卒採用 36.8% (56名)

従業員 42.4% (938名)

管理職 16.6% (148名)

【産休】[期間]産前6・産後8週間[給与]会社全額給付[取得者数]45名

【育休】[期間]3歳の誕生日の前月末まで[給与]法定[取得者数]22年度 男72名(対象66名)女45名(対象45名)23年度 男69名(対象65名)女42名(対象45名)[平均取得日数]22年度 NA、23年度 男9日 女697日

【従業員】[人数]2,213名(男1,275名、女938名)[平均年齢]41.4歳(男42.0歳、女40.5歳)[平均勤続年数]16.2年(男17.5年、女14.6年)

【年齢構成】NA

会社データ (金額は百万円)

【本店】514-8666 三重県津市岩田21-27 ☎059-227-2151
https://www.hyakugo.co.jp/

【業績(連結)】	経常収益	業務純益	経常利益	純利益
22.3	98,683	17,682	19,423	13,402
23.3	102,884	17,372	20,794	14,493
24.3	119,487	16,356	20,054	14,281

㈱三十三銀行

プラチナくるみん

【特色】三重銀行と第三銀行が21年に経営統合。地銀中位

記者評価 三重県の三重銀行と第三銀行が18年4月に持株会社を設立して経営統合。21年5月の合併で発足。旧三重銀は県北部、旧第三銀は県中南部が地盤。資金量は県内2番手。個人向け預かり資産や中小企業向けコンサルを強化。24年7月から総合職初任給を26万円に引き上げ。

平均勤続年数	男性育休取得率	3年後離職率	平均年収(平均*41歳)
17.4年	98.0→75.4%	NA	総 772万円

●採用・配属情報●

【男女・文理別採用実績】

	大卒男	大卒女	修士男	修士女
23年	27(文 27理 0)	36(文 35理 1)	0(文 0理 0)	0(文 0理 0)
24年	29(文 28理 1)	30(文 28理 2)	0(文 0理 0)	0(文 0理 0)
25年	28(文 24理 4)	18(文 17理 1)	0(文 0理 0)	0(文 0理 0)

※25年:24年7月29日時点

【男女・職種別採用実績】 転換制度:⇔

	オーソリティ	エキスパート
23年	36(男 27 女 9)	29(男 0 女 29)
24年	35(男 29 女 6)	27(男 0 女 27)
25年	32(男 28 女 4)	17(男 0 女 17)

【24年4月入社者の配属勤務地】総三重26 愛知8 大阪1

【転勤】あり:全社員

【中途比率】[単年度]21年度2%、22年度3%、23年度4% [全体]NA

●働きやすさ、諸制度●

残業(月) 9.6時間 総 15.4時間

【勤務時間】8:40～17:10【有休取得年平均】17.0日【週休】完全2日(土日祝)※一部シフト制【夏期休暇】5日(有休で取得)【年末年始休暇】12月31日～1月3日+5日(有休で取得)

【離職率】NA

【新卒3年後離職率】[20→23年]NA [21→24年]NA

【テレワーク】制度あり:[場所]自宅または銀行が指定する場所[対象]正規職員[日数]制限なし[利用率]NA【勤務制度】時間単位有休 時差勤務 副業容認【住宅補助】社宅 寮(営業エリア各地)水道光熱費補助手当(10,000円、寮利用者のみ)

●ライフイベント、女性活躍●

【女性比率】■男 □女

新卒採用 42.9% (21名)

従業員 48% (1138名)

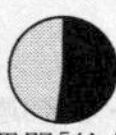

【産休】[期間]産前6・産後8週間[給与]会社全額給付[取得者数]62名

【育休】[期間]最長3歳になるまで[給与]開始3日間は給与、賞与、各種手当全額給付、それ以降は法定[取得者数]22年度 男48名(対象49名)女68名(対象68名)23年度 男43名(対象57名)女62名(対象62名)[平均取得日数]22年度 男3日 女519日、23年度 男8日 女505日

【従業員】[人数]2,372名(男1,234名、女1,138名)[平均年齢]40.5歳(男43.3歳、女37.4歳)[平均勤続年数]17.4年(男20.1年、女14.6年)

【年齢構成】■男 □女

	男	女
60代～	0%	0%
50代	20%	8%
40代	12%	10%
30代	13%	15%
～20代	8%	14%

会社データ (金額は百万円)

【本店】510-0087 三重県四日市市西新地7-8 ☎059-354-7181
https://www.33bank.co.jp/

【業績(単独)】	経常収益	業務純益	経常利益	純利益
22.3	54,955	7,401	7,427	7,244
23.3	51,487	9,561	8,914	6,056
24.3	53,474	12,838	10,136	7,129

880 開示 ★★☆☆☆

㈱滋賀銀行（しがぎんこう）

えるぼし ★★ / プラチナくるみん＋

【特色】滋賀県のトップ地銀。近隣の京都府等にも進出

記者評価 滋賀県地盤の地銀。県内貸出金シェアは約5割と盤石。京都、大阪、三重を含め近畿広域で店舗展開。財務健全性に定評。海外は香港支店のほか上海、バンコクに事務所。課題深掘りと伴走型ソリューション提供で法人営業強化。24年7月から大卒初任給を26万円に引き上げ。

平均勤続年数	男性育休取得率	3年後離職率	平均年収(平均38歳)
15.3年	14.0→16.3%	NA	679万円

●採用・配属情報●

【男女・文理別採用実績】

	大卒男	大卒女	修士男	修士女
23年	50(文 43 理 7)	51(文 47 理 4)	1(文 0 理 1)	0(文 0 理 0)
24年	58(文 52 理 6)	63(文 60 理 3)	1(文 0 理 1)	2(文 0 理 2)
25年	-(文 -理 -)	-(文 -理 -)	-(文 -理 -)	-(文 -理 -)

※25年:150名採用予定

【男女・職種別採用実績】 転換制度:⇔

	総合職
23年	102(男 51 女 51)
24年	127(男 59 女 68)
25年	150(男 - 女 -)

【24年4月入社者の配属勤務地】㊕滋賀104 京都20 大阪3

【転勤】あり:全社員(原則転居を伴わない転勤)

【中途比率】[単年度]21年度NA、22年度NA、23年度NA[全体]3%

●働きやすさ、諸制度●

残業(月) 12.7時間

【勤務時間】8:45～17:15【有休取得年平均】17.0日【週休】完全2日(土日祝)【夏期休暇】なし【年末年始休暇】12月31日～1月3日

【離職率】NA

【新卒3年後離職率】
[20→23年]NA
[21→24年]NA

【テレワーク】制度あり:[場所]自宅[対象]全社員[日数]月5回[利用率]NA【勤務制度】フレックス 時間単位有休 時差勤務 副業容認【住宅補助】寮(東京 名古屋 大阪 大津 大垣 四日市)

●ライフイベント、女性活躍●

【女性比率】■男 □女

従業員 42.6% (805名)

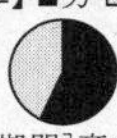

管理職 4.8% (9名)

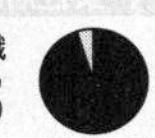

【産休】[期間]産前6・産後8週間[給与]会社全額給付[取得者数]53名

【育休】[期間]3歳到達月末まで[給与]法定[取得者数]22年度 男6名(対象43名)女45名(対象48名)23年度 男7名(対象43名)女53名(対象53名)[平均取得日数]22年度 男16日 女598日、23年度 男57日 女607日

【従業員】[人数]1,890名(男1,085名、女805名)[平均年齢]37.6歳(男39.0歳、女35.8歳)[平均勤続年数]15.3年(男16.1年、女14.1年)

【年齢構成】■男 □女

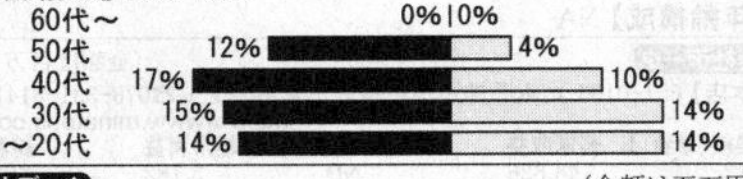

会社データ (金額は百万円)

【本店】520-8686 滋賀県大津市浜町1-38 ☎077-521-2270
https://www.shigagin.com/

【業績(連結)】	経常収益	業務純益	経常利益	純利益
22.3	98,306	11,628	23,999	17,715
23.3	115,289	4,339	20,041	14,858
24.3	122,630	12,273	23,967	15,940

883 開示 ★★☆☆☆ 短大 採用あり

㈱京都銀行（きょうとぎんこう）

えるぼし ★★★ / プラチナくるみん

【特色】京都府地盤で近畿地銀トップ級。広域出店推進

記者評価 京都地盤。近畿2府3県に出店。京セラや村田製作所、任天堂など京都地盤の企業に早くから出資、現在の株式配当金収入は地銀屈指。グループ内に証券やリース、カード会社。23年10月、株式移転により持株会社化。24年4月、グループに債権回収会社を設立。

平均勤続年数	男性育休取得率	3年後離職率	平均年収(平均39歳)
14.4年	102.0→100%	NA	㊕683万円

●採用・配属情報●

【男女・文理別採用実績】

	大卒男	大卒女	修士男	修士女
23年	88(文NA 理NA)	61(文NA 理NA)	0(文 0 理 0)	0(文 0 理 0)
24年	87(文NA 理NA)	90(文NA 理NA)	0(文 0 理 0)	0(文 0 理 0)
25年	-(文 -理 -)	-(文 -理 -)	-(文 -理 -)	-(文 -理 -)

【男女・職種別採用実績】

	総合職
23年	155(男 88 女 67)
24年	180(男 87 女 93)
25年	200(男 - 女 -)

※23年・24年:高卒含む

【24年4月入社者の配属勤務地】㊕京都 大阪 滋賀 奈良

【転勤】あり:全社員

【中途比率】[単年度]21年度14%、22年度12%、23年度7%[全体]NA

●働きやすさ、諸制度●

残業(月) 11.8時間 ㊕11.8時間

【勤務時間】8:30～17:10(セレクト勤務あり 本部のみフレックスタイム制あり)【有休取得年平均】14.3日【週休】完全2日(土日祝)【夏期休暇】有休で取得【年末年始休暇】12月31日～1月3日

【離職率】NA

【新卒3年後離職率】
[20→23年]NA
[21→24年]NA

【テレワーク】制度あり:[場所]自宅[対象]NA[日数]NA[利用率]NA【勤務制度】フレックス 時間単位有休 時差勤務 勤務間インターバル【住宅補助】独身寮 社宅

●ライフイベント、女性活躍●

【女性比率】■男 □女

従業員 46.3% (1549名)

【産休】[期間]産前6・産後8週間[給与]法定[取得者数]102名

【育休】[期間]4年間[給与]法定[取得者数]22年度 男100名(対象98名)女110名(対象110名)23年度 男86名(対象86名)女105名(対象105名)[平均取得日数]22年度 NA、23年度 NA

【従業員】[人数]3,343名(男1,794名、女1,549名)[平均年齢]39.0歳(男40.5歳、女37.3歳)[平均勤続年数]14.4年(男15.4年、女13.2年)

【年齢構成】NA

会社データ (金額は百万円)

【本店】600-8652 京都府京都市下京区烏丸通松原上ル薬師前町700 ☎075-361-2211
https://www.kyotobank.co.jp/

【業績(連結)】	経常収益	業務純益	経常利益	純利益
22.3	127,422	31,999	29,176	20,621
23.3	124,333	37,410	38,177	27,213
24.3	137,691	39,187	43,574	31,572

※24.3の業績は㈱京都フィナンシャルグループのもの

金融

1528 開示 ★★ 専門 採用あり

㈱関西みらい銀行（かんさいぎんこう）

えるぼし★★★ プラチナくるみん

【特色】旧近畿大阪銀と旧関西アーバン銀が合併し発足

記者評価 りそなHD傘下。みなと銀行とともに関西みらいFGを形成。19年4月SMFG系列だった関西アーバン銀、りそなHD傘下の近畿大阪銀が合併して発足。関西地区が地盤。大阪中心に266店舗を展開する。25年4月から院卒・大卒初任給を25.5万円に引き上げ予定。

平均勤続年数	男性育休取得率	3年後離職率	平均年収(平均42歳)
17.1年	92.8→98.8%	NA	㊗650万円

●採用・配属情報●

【男女・文理別採用実績】

	大卒男	大卒女	修士男	修士女
23年	54(文 52 理 2)	28(文 28 理 0)	0(文 0 理 0)	0(文 0 理 0)
24年	50(文 46 理 4)	52(文 51 理 1)	1(文 1 理 0)	0(文 0 理 0)
25年	60(文 60 理 0)	90(文 90 理 0)	0(文 0 理 0)	0(文 0 理 0)

【男女・職種別採用実績】

	総合職
23年	84(男 54 女 30)
24年	103(男 51 女 52)
25年	150(男 60 女 90)

【24年4月入社者の配属勤務地】㊗大阪83 滋賀11 兵庫6 京都3
【転勤】あり:全社員
【中途比率】[単年度]21年度9%、22年度5%、23年度38%[全体]11%

●働きやすさ、諸制度●

残業(月) 19.5時間 ㊗19.5時間

【勤務時間】8:40〜17:25【有休取得年平均】15.8日【週休】完全2日(原則土日祝、部署により一部異なる)【夏期休暇】連続5営業日(有休利用)【年末年始休暇】12月31日〜1月3日
【離職率】NA
【新卒3年後離職率】[20→23年]NA [21→24年]NA
【テレワーク】制度あり:[場所]自宅 サテライトオフィス[対象]全社員[日数]<スポット型>週1日程度<常時型>最低週1日は会社で勤務[利用率]NA【勤務制度】時間単位有休 裁量労働 副業容認【住宅補助】寮 借上社宅

●ライフイベント、女性活躍●

【女性比率】■男 □女

新卒採用 60%(90名)　従業員 47.3%(1448名)　管理職 27.4%(199名)

【産休】[期間]産前6・産後8週間[給与]会社全額支給[取得者数]86名
【育休】[期間]1歳半になるまで(最長2歳1カ月になるまで延長可)[給与]出生時育児休業における当初14日間は有給、それ以降は法定[取得者数]22年度 男64名(対象69名)女95名(対象95名)23年度 男83名(対象84名)女82名(対象82名)[平均取得日数]22年度 男10日 女482日、23年度 男15日 女497日
【従業員】[人数]3,061名(男1,613名、女1,448名)[平均年齢]41.8歳(男43.8歳、女39.3歳)[平均勤続年数]17.1年(男19.5年、女14.4年)
【年齢構成】■男 □女

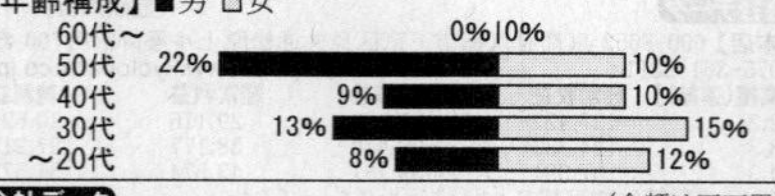

会社データ (金額は百万円)

【本店】540-8610 大阪府大阪市中央区備後町2-2-1 ☎06-7638-5000
https://www.kansaimiraibank.co.jp/

【業績(連結)】	経常収益	業務純益	経常利益	純利益
22.3	134,600	ND	23,816	13,413
23.3	132,315	ND	24,076	17,981
24.3	132,869	ND	19,894	16,454

921 開示 ★★

㈱みなと銀行（ぎんこう）

えるぼし★★★ プラチナくるみん

【特色】兵庫県地盤の第二地銀。りそなグループ

記者評価 兵庫県中心に105店を展開。旧阪神銀行と旧みどり銀行の合併で誕生。りそなHD傘下の旧近畿大阪銀行と旧関西アーバン銀行で結成した関西みらいFGを経て、24年4月からりそなHD傘下。貿易為替取扱高は第二地銀首位。25年入社者から初任給25.5万円に増額。

平均勤続年数	男性育休取得率	3年後離職率	平均年収(平均42歳)
16.2年	86.0→103.5%	NA	㊗661万円

●採用・配属情報●

【男女・文理別採用実績】

	大卒男	大卒女	修士男	修士女
23年	35(文 35 理 0)	15(文 15 理 0)	0(文 0 理 0)	0(文 0 理 0)
24年	40(文 39 理 1)	30(文 28 理 2)	0(文 0 理 0)	0(文 0 理 0)
25年	-(文 - 理 -)	-(文 - 理 -)	-(文 - 理 -)	-(文 - 理 -)

※25年:80名採用計画

【男女・職種別採用実績】

	事務職
23年	50(男 35 女 15)
24年	70(男 40 女 30)
25年	80(男 - 女 -)

【24年4月入社者の配属勤務地】㊗兵庫70
【転勤】あり:全社員(兵庫県内・東京都)
【中途比率】[単年度]21年度17%、22年度15%、23年度41%[全体]NA

●働きやすさ、諸制度●

残業(月) 20.9時間 ㊗20.9時間

【勤務時間】8:40〜17:25【有休取得年平均】16.3日【週休】完全2日(土日祝)【夏期休暇】連続5日(有休取得)【年末年始休暇】12月31日〜1月3日
【離職率】NA
【新卒3年後離職率】
[20→23年]NA
[21→24年]NA
【テレワーク】制度あり:[場所]自宅 サテライトオフィス 出張先 他[対象]所属長が認めた社員等で企画管理〜営業・融資審査業務を行うもの[日数]週1回程度(育児介護を行うものは、最低週1回は出社)[利用率]NA【勤務制度】時間単位有休 裁量労働 副業容認【住宅補助】独身寮

●ライフイベント、女性活躍●

【女性比率】■男 □女

従業員 49.1%(863名)

【産休】[期間]産前6・産後8週間[給与]法定[取得者数]49名
【育休】[期間]2歳1カ月になるまで[給与]法定[取得者数]22年度 男43名(対象50名)女47名(対象47名)23年度 男59名(対象57名)女52名(対象52名)[平均取得日数]22年度NA、23年度 NA
【従業員】[人数]1,759名(男896名、女863名)[平均年齢]41.7歳(男41.5歳、女42.0歳)[平均勤続年数]16.2年(男17.7年、女14.7年)
【年齢構成】NA

会社データ (金額は百万円)

【本店】651-0193 兵庫県神戸市中央区三宮町2-1-1 ☎078-331-8141
https://www.minatobk.co.jp/

【業績(単独)】	経常収益	業務純益	経常利益	純利益
22.3	48,828	ND	3,782	2,244
23.3	48,179	ND	4,804	3,671
24.3	52,144	ND	8,355	4,613

881 開示 ★★

㈱南都銀行（なんとぎんこう）

[プラチナくるみん]

【特色】奈良県のトップ地銀。効率経営に定評あり

[記者評価] 奈良県地盤の地銀。1934年に六十八銀行など4行の合併で誕生。県内貸出金シェアは約5割と圧倒的。コンサルや証券の子会社と連携し、ワンストップでカネ・チエ・ヒトの解決策を提供するコンサル営業を志向。給与改定で24年7月から各コースの初任給を引き上げ。

平均勤続年数	男性育休取得率	3年後離職率	平均年収(平均41歳)
18.3年	32.1→34.5%	NA	676万円

●採用・配属情報●

【男女・文理別採用実績】

	大卒男	大卒女	修士男	修士女
23年	43(文 42 理 1)	77(文 74 理 3)	0(文 0 理 0)	0(文 0 理 0)
24年	60(文 57 理 3)	66(文 64 理 2)	0(文 0 理 0)	0(文 0 理 0)
25年	-(文 - 理 -)	-(文 - 理 -)	-(文 - 理 -)	-(文 - 理 -)

※25年:130名採用計画

【男女・職種別採用実績】 転換制度:⇔

	Proコース	EXコース	OPコース	BPコース
23年	69(男 43 女 26)	51(男 0 女 51)	0(男 0 女 0)	NA(男 NA 女 NA)
24年	ND(男 ND 女 ND)	ND(男 ND 女 ND)	13(男 0 女 13)	113(男 60 女 53)
25年	ND(男 ND 女 ND)	ND(男 ND 女 ND)	10(男 - 女 -)	120(男 - 女 -)

【24年4月入社者の配属勤務地】[総]奈良 大阪 京都 三重 和歌山

【転勤】あり:[職種]全社員[勤務地]奈良 大阪 京都 和歌山 三重 兵庫 東京

【中途比率】[単年度]21年度5%、22年度7%、23年度7%[全体]3%

●働きやすさ、諸制度●

残業(月) 7.9時間

【勤務時間】平日8:30～17:10【有休取得年平均】11.0日【週休】完全2日(土日祝)【夏期休暇】有休で取得【年末年始休暇】12月31日～1月3日

【離職率】NA

【新卒3年後離職率】
[20→23年]NA
[21→24年]NA

【テレワーク】制度なし【勤務制度】フレックス 時差勤務 副業容認【住宅補助】寮・社宅等(大阪 和歌山 千葉 他)住宅手当(賃料の80% 月40,000円上限 30歳以下の独身者)

●ライフイベント、女性活躍●

【女性比率】■男 □女

従業員 41% (926名)

管理職 16% (144名)

【産休】[期間]産前6・産後8週間[給与]会社全額給付[取得者数]51名

【育休】[期間]2歳到達月末まで[給与]法定[取得者数]22年度 男18名(対象56名)女42名(対象42名)23年度 男19名(対象55名)女51名(対象51名)[平均取得日数]22年度NA、23年度 NA

【従業員】[人数]2,257名(男1,331名、女926名)[平均年齢]41.0歳(男43.1歳、女37.1歳)[平均勤続年数]18.3年(男20.2年、女15.5年)

【年齢構成】■男 □女

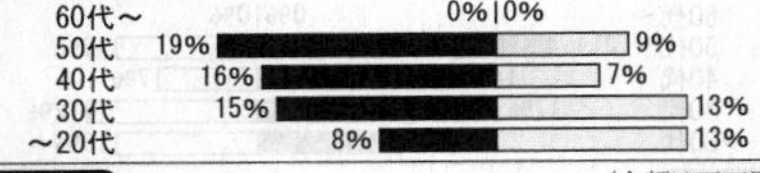

	男	女
60代～	0%	0%
50代	19%	9%
40代	16%	7%
30代	15%	13%
～20代	8%	13%

[会社データ] (金額は百万円)

【本店】630-8677 奈良県奈良市橋本町16 ☎0742-22-1131
https://www.nantobank.co.jp/

【業績(連結)】	経常収益	業務純益	経常利益	純利益
22.3	77,531	ND	17,981	11,867
23.3	77,748	ND	6,322	4,731
24.3	85,736	ND	16,631	12,037

889 開示 ★★★ [専門] 採用あり

㈱山陰合同銀行（さんいんごうどうぎんこう）

[えるぼし★★] [プラチナくるみん]

【特色】島根・鳥取でトップの地銀。山陽にも展開

[記者評価] 1941年に松江銀行と米子銀行が合併して誕生。91年に鳥取のふそう銀行を合併。鳥取・島根を地盤に広島、岡山、兵庫などにも展開。山陰両県での貸出金シェアは5割で首位。海外は中国、バンコクに駐在員事務所。22年に銀行界で初めて電力事業に参入。

平均勤続年数	男性育休取得率	3年後離職率	平均年収(平均42歳)
[!]18.1年	82.1→94.3%	14.3→14.5%	[総]699万円

●採用・配属情報●

【男女・文理別採用実績】

	大卒男	大卒女	修士男	修士女
23年	28(文 24 理 4)	17(文 15 理 2)	0(文 0 理 0)	0(文 0 理 0)
24年	44(文 40 理 4)	16(文 15 理 1)	1(文 0 理 1)	0(文 0 理 0)
25年	44(文 42 理 2)	37(文 35 理 2)	2(文 0 理 2)	0(文 0 理 0)

※25年:24年7月末時点

【男女・職種別採用実績】

	総合職
23年	45(男 28 女 17)
24年	62(男 45 女 17)
25年	84(男 47 女 37)

【24年4月入社者の配属勤務地】[総]島根28 鳥取18 兵庫7 広島5 岡山3 大阪1

【転勤】あり:全社員(「転居を伴う転勤可・不可」を選択(変更も可能))

【中途比率】[単年度]21年度16%、22年度22%、23年度24%[全体]10%

●働きやすさ、諸制度●

残業(月) 11.9時間 [総]11.9時間

【勤務時間】8:40～17:15(フレックスタイム制)【有休取得年平均】17.1日【週休】完全2日(土日祝)【夏期休暇】連続5日(全て有休利用)【年末年始休暇】12月31日～1月3日

【離職率】男:4.7%、45名 女:4.8%、41名

【新卒3年後離職率】
[20→23年]14.3%(男3.6%・入社28名、女21.4%・入社42名)
[21→24年]14.5%(男9.1%・入社22名、女17.0%・入社47名)

【テレワーク】制度あり:[場所]自宅[対象]NA[日数]NA[利用率]NA【勤務制度】フレックス 時間単位有休 勤務間インターバル 副業容認【住宅補助】社宅(各営業店近隣)

●ライフイベント、女性活躍●

【女性比率】■男 □女

新卒採用 44% (37名)

従業員 47.3% (810名)

管理職 22.4% (57名)

【産休】[期間]産前6・産後8週間[給与]会社全額給付[取得者数]43名

【育休】[期間]3年間[給与]法定[取得者数]22年度 男23名(対象28名)女53名(対象53名)23年度 男33名(対象35名)女48名(対象48名)[平均取得日数]22年度 NA、23年度NA

【従業員】[人数]1,714名(男904名、女810名)[平均年齢]41.5歳(男43.6歳、女38.9歳)[平均勤続年数]18.1年(男19.8年、女16.0年) ※出向者除く

【年齢構成】■男 □女

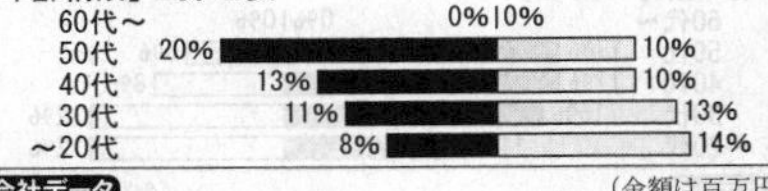

	男	女
60代～	0%	0%
50代	20%	10%
40代	13%	10%
30代	11%	13%
～20代	8%	14%

[会社データ] (金額は百万円)

【本店】690-0062 島根県松江市魚町10 ☎0852-55-1000
https://www.gogin.co.jp/

【業績(連結)】	経常収益	業務純益	経常利益	純利益
22.3	95,111	ND	20,791	14,485
23.3	112,683	ND	21,722	15,463
24.3	120,176	ND	24,727	16,800

金融

㈱中国銀行（ちゅうごくぎんこう）

[プラチナくるみん+]

【特色】地銀上位。岡山県で断トツ。瀬戸内圏に展開

[記者評価] ちゅうぎんFG傘下。初代頭取は倉敷紡績など率いた大原孫三郎。岡山、広島、香川ほか海外含め140店。岡山県内の貸出金シェアはグループで約5割。NY、上海、バンコクに海外事務所。医療・介護、教育、環境分野を重点に融資拡大方針。地区本部制で自治体と連携。

平均勤続年数	男性育休取得率	3年後離職率	平均年収(平均39歳)
16.9年	105.7→131.9%	20.8→16.2%	738万円

●採用・配属情報●

【男女・文理別採用実績】

	大卒男	大卒女	修士男	修士女
23年	51(文 45 理 6)	49(文 47 理 2)	1(文 1 理 0)	1(文 1 理 0)
24年	47(文 43 理 4)	45(文 42 理 3)	3(文 2 理 1)	0(文 0 理 0)
25年	46(文 37 理 9)	63(文 62 理 1)	3(文 1 理 2)	1(文 0 理 1)

【男女・職種別採用実績】 転換制度:⇔

	総合職
23年	103(男 53 女 50)
24年	95(男 50 女 45)
25年	113(男 49 女 64)

【24年4月入社者の配属勤務地】[総]本支店所在地(岡山 広島 香川)95
【転勤】あり:全社員(転居転勤有無を選択可能)
【中途比率】[単年度]21年度6%、22年度15%、23年度25% [全体]NA

●働きやすさ、諸制度●

残業(月) 4.3時間 [総]5.5時間

【勤務時間】8:30〜17:10【有休取得年平均】13.1日【週休】2日【夏期休暇】有休で取得【年末年始休暇】12月31日〜1月3日
【離職率】NA
【新卒3年後離職率】
[20→23年]20.8%(男20.6%・入社68名、女21.0%・入社62名)
[21→24年]16.2%(男8.9%・入社56名、女21.6%・入社74名)
【テレワーク】制度あり:[場所]原則自宅[対象]NA[日数]NA[利用率]NA【勤務制度】フレックス 時間単位有休 時差勤務 勤務間インターバル 副業容認【住宅補助】社宅(岡山 広島 香川 愛媛 鳥取 兵庫 東京)住宅手当

●ライフイベント、女性活躍●

【女性比率】■男 □女

新卒採用 56.6% (64名)

従業員 38% (1000名)

【産休】[期間]産前6・産後8週間[給与]会社全額給付[取得者数]71名
【育休】[期間]1歳になるまで[給与]5営業日給与給付、以降法定[取得者数]22年度 男93名(対象88名)女81名(対象81名)23年度 男95名(対象72名)女62名(対象71名)[平均取得日数]22年度 男13日 女400日、23年度 男11日 女312日
【従業員】[人数]2,632名(男1,632名、女1,000名)[平均年齢]39.4歳(男41.0歳、女36.6歳)[平均勤続年数]16.9年(男18.2年、女14.5年)
【年齢構成】■男 □女
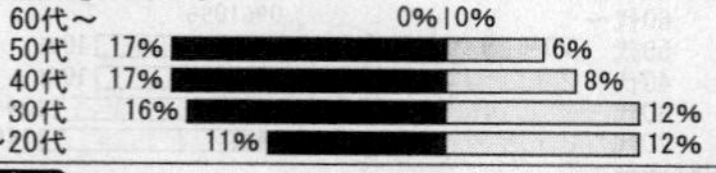
60代〜 0% 0%
50代 17% 6%
40代 17% 8%
30代 16% 12%
〜20代 11% 12%

[会社データ] (金額は百万円)

【本店】700-8628 岡山県岡山市北区丸の内1-15-20 ☎086-223-3111
https://www.chugin.co.jp/

【業績(連結)】	経常収益	業務純益	経常利益	純利益
23.3	183,586	ND	29,593	20,477
24.3	184,661	ND	31,191	21,389

※資本金・業績は㈱ちゅうぎんフィナンシャルグループのもの

㈱広島銀行（ひろしまぎんこう）

[くるみん]

【特色】地銀大手。ひろぎんホールディングス中核

[記者評価] 広島に加え、岡山、山口、愛媛も地盤。広島県内の貸出金シェアは3割強。地元に自動車、海運、造船など有力製造業の拠点が多い。海外は上海、ハノイ、バンコク、シンガポールに駐在員事務所。20年10月から持株会社体制に。IT、人材活用など多角化進める。

平均勤続年数	男性育休取得率	3年後離職率	平均年収(平均42歳)
17.8年	101.1→100%	24.6→13.8%	675万円

●採用・配属情報●

【男女・文理別採用実績】※25年:計画数

	大卒男	大卒女	修士男	修士女
23年	37(文NA 理NA)	28(文NA 理NA)	3(文NA 理NA)	0(文 0 理 0)
24年	50(文NA 理NA)	44(文NA 理NA)	0(文 0 理 0)	0(文 0 理 0)
25年	55(文NA 理NA)	55(文NA 理NA)	0(文 0 理 0)	0(文 0 理 0)

【男女・職種別採用実績】 転換制度:⇔

	Pコース	Cコース
23年	71(男 40 女 31)	0(男 0 女 0)
24年	95(男 51 女 44)	6(男 1 女 5)
25年	110(男 55 女 55)	20(男 10 女 10)

【職種併願】○
【24年4月入社者の配属勤務地】[総]広島 岡山 山口 愛媛
【転勤】あり:全社員
【中途比率】[単年度]21年度9%、22年度14%、23年度27% [全体]10%

●働きやすさ、諸制度●

残業(月) NA

【勤務時間】8時間(フレックスタイム制)【有休取得年平均】NA【週休】完全2日(土日祝)【夏期休暇】なし【年末年始休暇】連続4日
【離職率】NA
【新卒3年後離職率】
[20→23年]24.6%(男21.3%・入社61名、女28.3%・入社53名)
[21→24年]13.8%(男14.9%・入社47名、女12.8%・入社47名)
【テレワーク】制度あり:[場所]自宅 サテライトオフィス[対象]NA[日数]制限なし[利用率]NA【勤務制度】フレックス 裁量労働 勤務間インターバル【住宅補助】社宅(700程度 広島中心)住宅手当

●ライフイベント、女性活躍●

【女性比率】■男 □女

新卒採用 50% (65名)

従業員 38.6% (1227名)

管理職 6% (30名)

【産休】[期間]産前6・産後8週間[給与]会社全額給付(産前も取得マスト)[取得者数]47名
【育休】[期間]1歳6カ月到達後最初の4月末日もしくは2歳になるまで[給与]法定[取得者数]22年度 男91名(対象90名)女69名(対象69名)23年度 男81名(対象81名)女43名(対象43名)[平均取得日数]22年度 男7日 女518日、23年度 男8日 女518日
【従業員】[人数]3,180名(男1,953名、女1,227名)[平均年齢]41.5歳(男42.8歳、女39.4歳)[平均勤続年数]17.8年(男19.3年、女15.5年)
【年齢構成】■男 □女
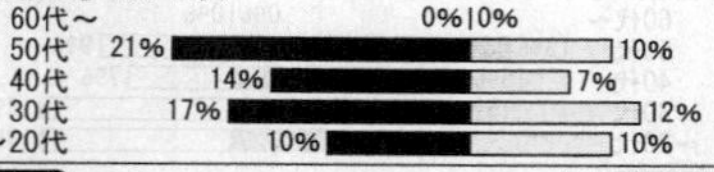
60代〜 0% 0%
50代 21% 10%
40代 14% 7%
30代 17% 12%
〜20代 10% 10%

[会社データ] (金額は百万円)

【本店】730-0031 広島県広島市中区紙屋町1-3-8 ☎082-247-5151
https://www.hirogin.co.jp/

【業績(連結)】	経常収益	業務純益	経常利益	純利益
22.3	114,013	ND	23,492	20,628
23.3	129,759	ND	17,091	11,560
24.3	154,364	ND	31,510	26,527

894 開示 ★★☆☆☆ [短大] [専門] 採用あり

(株)阿波銀行

あわぎんこう

[プラチナくるみん]

【特色】徳島地盤の中堅地銀。東京にも積極展開

[記者評価] 徳島県や県内市町村の指定金融機関。県内の貸出金シェアは5割弱で首位。「永代取引」掲げ、中小企業とオーナー、個人取引が主体。東京、大阪でも中小企業取引先を獲得し融資伸ばす。証券業務は21年から野村證券との全面提携で口座数伸ばし他行のモデルに。

平均勤続年数	男性育休取得率	3年後離職率	平均年収(平均44歳)
20.0年	100 → 100%	29.8 → 26.5%	[総] 824万円

●採用・配属情報●

【男女・文理別採用実績】

	大卒男	大卒女	修士男	修士女
23年	18(文 17 理 1)	23(文 22 理 1)	0(文 0 理 0)	0(文 0 理 0)
24年	27(文 20 理 7)	34(文 28 理 6)	2(文 1 理 1)	1(文 1 理 0)
25年	-(文 - 理 -)	-(文 - 理 -)	-(文 - 理 -)	-(文 - 理 -)

※25年:70名採用予定

【男女・職種別採用実績】

	総合職	エリア総合職
23年	22(男 18 女 4)	21(男 0 女 21)
24年	67(男 30 女 37)	ND(男 ND 女 ND)
25年	70(男 - 女 -)	ND(男 ND 女 ND)

【職種併願】○

【24年4月入社者の配属勤務地】[総]徳島67

【転勤】あり:[職種]総合職 [勤務地]徳島 大阪 兵庫 東京 神奈川 香川 高知 愛媛 岡山※転居を伴う異動については、原則、本人の同意を以て決定する

【中途比率】[単年度]21年度NA、22年度NA、23年度NA[全体]NA

●働きやすさ、諸制度●

残業(月) 13.2時間 [総]24.5時間

【勤務時間】8:30～17:30【有休取得年平均】10.9日【週休】完全2日(土日祝)【夏期休暇】1日 その他年1回:連続5日【年末年始休暇】12月31日～1月3日

【離職率】NA

【新卒3年後離職率】

[20→23年]29.8%(男17.4%・入社23名、女38.2%・入社34名)

[21→24年]26.5%(男20.0%・入社20名、女31.0%・入社29名)

【テレワーク】制度あり:[場所]NA[対象]NA[日数]NA[利用率]NA【勤務制度】フレックス 時間単位有休 勤務間インターバル 副業容認【住宅補助】社宅(大阪 兵庫・西宮 東京 他 徳島県外店舗の勤務用)

●ライフイベント、女性活躍●

【女性比率】■男 □女

従業員 44.6% (587名)

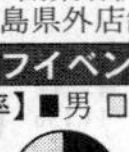

【産休】[期間]産前6・産後8週間[給与]会社全額給付[取得者数]48名

【育休】[期間]3歳になるまで[給与]法定[取得者数]22年度 男22名(対象22名)女34名(対象35名)23年度 男20名(対象20名)女33名(対象33名)[平均取得日数]22年度 NA、23年度 男4日 女421日

【従業員】[人数]1,316名(男729名、女587名)[平均年齢]43.3歳(男45.8歳、女39.7歳)[平均勤続年数]20.0年(男22.4年、女16.5年)

【年齢構成】NA

[会社データ] (金額は百万円)

【本店】770-8601 徳島県徳島市西船場町2-24-1 ☎088-623-3131
https://www.awabank.co.jp/

【業績(連結)】	経常収益	業務純益	経常利益	純利益
22.3	67,938	16,565	16,134	11,112
23.3	88,081	1,828	15,428	10,207
24.3	76,107	16,912	16,624	11,263

892 開示 ★★★☆☆ [短大] [専門] 採用あり

(株)百十四銀行

ひゃくじゅうしぎんこう

[えるぼし★★★] [プラチナくるみん+]

【特色】香川県地盤で地銀中位。大企業取引が多い

[記者評価] 香川に加え、岡山、大阪など瀬戸内圏を準地元ととらえ、営業人員を重点的に配置する。香川県内の貸出金シェアは4割弱で首位。近隣3県の首位行と「四国アライアンス」を締結し、4行均等出資で地域商社を設立。デジタル分野でりそなHDと戦略的業務提携。

平均勤続年数	男性育休取得率	3年後離職率	平均年収(平均41歳)
18.1年	3.6 → 22.0%	27.5 → 22.2%	636万円

●採用・配属情報●

【男女・文理別採用実績】※25年:予定数

	大卒男	大卒女	修士男	修士女
23年	33(文 31 理 2)	32(文 31 理 1)	1(文 1 理 0)	0(文 0 理 0)
24年	30(文 25 理 5)	40(文 39 理 1)	0(文 0 理 0)	0(文 0 理 0)
25年	29(文 27 理 2)	43(文 42 理 1)	0(文 0 理 0)	0(文 0 理 0)

【男女・職種別採用実績】 転換制度:⇔

	総合職	エリア総合職	エキスパート職
23年	38(男 28 女 10)	29(男 6 女 23)	0(男 0 女 0)
24年	40(男 29 女 11)	31(男 1 女 30)	0(男 0 女 0)
25年	29(男 27 女 2)	25(男 2 女 23)	19(男 0 女 19)

【24年4月入社者の配属勤務地】[総]香川65 岡山4 広島1 愛媛1

【転勤】あり:[職種]総合職[勤務地]本支店がある地域 海外 [職種]エリア総合職 エキスパート職[勤務地]基本居住地(自宅)から住居変更を伴わない範囲の地域

【中途比率】[単年度]21年度5%、22年度5%、23年度17% [全体]6%

●働きやすさ、諸制度●

残業(月) NA

【勤務時間】平日8:30～17:00 月末営業日8:30～17:30【有休取得年平均】NA【週休】完全2日(土日祝)【夏期休暇】有休で取得【年末年始休暇】12月31日～1月3日

【離職率】男:2.5%、28名 女:4.4%、40名

【新卒3年後離職率】

[20→23年]27.5%(男34.4%・入社32名、女21.6%・入社37名)

[21→24年]22.2%(男29.4%・入社34名、女15.8%・入社38名)

【テレワーク】制度あり:[場所]自宅[対象]全社員[日数]制限なし[利用率]NA【勤務制度】フレックス 時間単位有休 時差勤務 副業容認【住宅補助】社有・借上社宅または独身寮(遠方者)

●ライフイベント、女性活躍●

【女性比率】■男 □女

新卒採用 60.3% (44名)

従業員 44.4% (871名)

管理職 14% (51名)

【産休】[期間]産前6・産後8週間[給与]会社全額給付[取得者数]37名

【育休】[期間]1歳になるまで[給与]法定[取得者数]22年度 男2名(対象55名)女56名(対象56名)23年度 男9名(対象41名)女45名(対象45名)[平均取得日数]22年度 男16日 女337日、23年度 男16日 女318日

【従業員】[人数]1,963名(男1,092名、女871名)[平均年齢]41.3歳(男43.5歳、女38.6歳)[平均勤続年数]18.1年(男20.1年、女15.1年)

【年齢構成】■男 □女

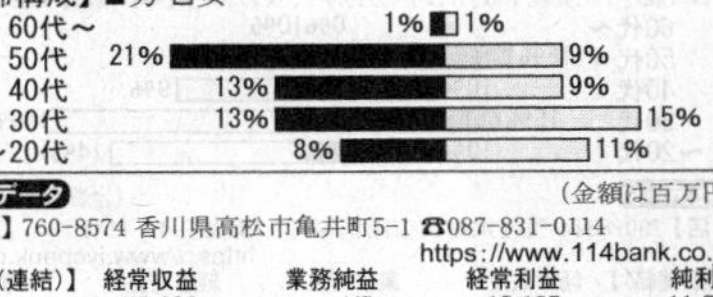

[会社データ] (金額は百万円)

【本店】760-8574 香川県高松市亀井町5-1 ☎087-831-0114
https://www.114bank.co.jp/

【業績(連結)】	経常収益	業務純益	経常利益	純利益
22.3	73,092	ND	15,187	11,702
23.3	84,888	ND	13,295	9,172
24.3	82,146	ND	14,557	9,642

金融

㈱伊予銀行（いよぎんこう）

えるぼし ★★★　プラチナくるみん

【特色】四国首位、愛媛県から瀬戸内圏一帯に事業展開

記者評価 いよぎんHD傘下。前身は1876年創設の第二十九国立銀行。資金量は四国首位。愛媛から瀬戸内圏一帯に展開。愛媛船主との関係深くシップファイナンスに強み。地元は製造業も多い。四国電力とはカーボンニュートラルに向け包括連携。グループ連携強化。DX化推進。

平均勤続年数	男性育休取得率	3年後離職率	平均年収(平均*39歳)
15.7年	111.7→103.2%	12.3→22.0%	㊝794万円

●採用・配属情報●

【男女・文理別採用実績】

	大卒男	大卒女	修士男	修士女
23年	46(文 43 理 3)	83(文 79 理 4)	3(文 1 理 2)	0(文 0 理 0)
24年	57(文 49 理 8)	61(文 61 理 0)	2(文 2 理 0)	0(文 0 理 0)
25年	73(文 66 理 7)	83(文 79 理 4)	4(文 0 理 4)	2(文 0 理 2)

【男女・職種別採用実績】　転換制度:⇔

	総合職(エリアF)	総合職(エリアL)	デジタルテクノロジーコース	オフィスコース
23年	64(男 49 女 15)	25(男 0 女 25)	ND(男 ND 女ND)	43(男 0 女 43)
24年	72(男 58 女 14)	15(男 1 女 14)	ND(男 ND 女ND)	35(男 0 女 35)
25年	85(男 70 女 15)	26(男 3 女 23)	5(男 4 女 1)	47(男 0 女 47)

【24年4月入社者の配属勤務地】㊝愛媛(松山45 今治8 新居浜5 四国中央6 西条4 八幡浜3 大洲3 宇和島3) 大分市2 香川・高松2 高知市1 徳島市1 広島市2 岡山市2

【転勤】あり:［職種］総合職(転居転勤の有無、範囲は選択可)

【中途比率】［単年度］21年度9%、22年度6%、23年度9%［全体］6%

●働きやすさ、諸制度●

残業(月) 4.7時間 ㊝6.1時間

【勤務時間】8時間(フレックスタイム制 コアタイムなし)【有休取得年平均】15.7日【週休】完全2日(土日祝)【夏期休暇】なし【年末年始休暇】12月31日～1月3日

【離職率】男:2.6%、38名 女:3.1%、44名(早期退職男5名、女2名含む)

【新卒3年後離職率】

［20→23年］12.3%(男8.2%・入社49名、女15.8%・入社57名)

［21→24年］22.0%(男21.8%・入社55名、女22.2%・入社72名)

【テレワーク】制度あり:［場所］自宅 ホテルの一室 他［対象］育児・介護の事情がある職員 在宅勤務により生産性が向上すると認められる者 緊急時に在宅勤務を認められた者［日数］制限なし［利用率］NA【勤務制度】フレックス 時間単位有休 時差勤務 勤務間インターバル 副業容認【住宅補助】独身寮(愛媛県内6棟 大分 岡山各1棟 自己負担3,200～4,600円)社宅(愛媛県内30棟 他全国24棟 自己負担6,400～18,500円)戸建て社宅・マンション(愛媛県内65戸 他全国15戸 自己負担6,400～18,500円)※職位、築年数などで負担額変動

●ライフイベント、女性活躍●

【女性比率】■男 □女

新卒採用 52.8%(86名)　従業員 48.4%(1356名)　管理職 4.1%(17名)

【産休】［期間］産前6・産後8週間［給与］会社全額給付［取得者数］76名

【育休】［期間］3歳到達年度の翌年度の4月末日まで(複数回取得の場合は産後休業を含め累積5年まで)［給与］出生時育児休業は給与・賞与を全額支給［取得者数］22年度 男86名(対象77名)女68名(対象68名)23年度 男65名(対象63名)女77名(対象77名)［平均取得日数］22年度 男6日 女390日、23年度 男7日 女386日

【従業員】［人数］2,804名(男1,448名、女1,356名)［平均年齢］38.5歳(男40.8歳、女36.1歳)［平均勤続年数］15.7年(男18.0年、女13.4年)【年齢構成】■男 □女

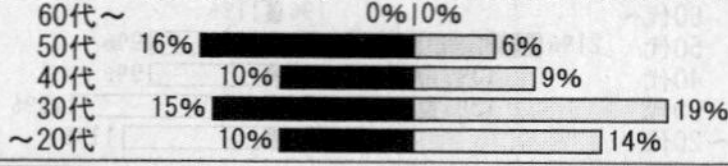

会社データ　(金額は百万円)

【本店】790-8514 愛媛県松山市南堀端町1 ☎089-941-1141 https://www.iyobank.co.jp/

【業績(連結)】	経常収益	業務純益	経常利益	純利益
22.3	133,971	ND	38,239	26,417
23.3	172,954	ND	42,415	27,899
24.3	192,758	ND	58,579	39,464

㈱四国銀行（しこくぎんこう）

えるぼし ★★　プラチナくるみん＋

【特色】1878年創業の名門地銀。高知・徳島に店舗多い

記者評価 高知県地盤に四国全域に展開する地銀。地域ごとに複数店連携でフルサービスを提供するエリア制。人材開発に注力しコンサル強化。M&Aや事業承継など手数料収益増やす。証券業務は23年に大和証券と口座一本化。24年7月から大卒総合職初任給を25万円に引き上げ。

平均勤続年数	男性育休取得率	3年後離職率	平均年収(平均39歳)
14.7年	14.8→47.8%	23.5→21.3%	654万円

●採用・配属情報●

【男女・文理別採用実績】

	大卒男	大卒女	修士男	修士女
23年	17(文 13 理 4)	34(文 31 理 3)	1(文 0 理 1)	0(文 0 理 0)
24年	21(文 18 理 3)	30(文 29 理 1)	0(文 0 理 0)	0(文 0 理 0)
25年	18(文 16 理 2)	34(文 31 理 3)	0(文 0 理 0)	0(文 0 理 0)

※25年:継続中

【男女・職種別採用実績】　転換制度:⇔

	総合職	地域総合職
23年	37(男 20 女 17)	17(男 0 女 17)
24年	33(男 20 女 13)	18(男 1 女 17)
25年	33(男 18 女 15)	20(男 0 女 20)

【24年4月入社者の配属勤務地】㊝高知37 徳島12 香川2

【転勤】あり:全社員

【中途比率】［単年度］21年度16%、22年度11%、23年度17%［全体］10%

●働きやすさ、諸制度●

残業(月) 10.5時間 ㊝10.5時間

【勤務時間】8:30～17:30【有休取得年平均】14.5日【週休】完全2日(土日祝)【夏期休暇】年次有休とは別に、1年で営業日のうち5日連続で休暇取得可【年末年始休暇】12月31日～1月3日

【離職率】男:3.7%、26名 女:5.2%、31名

【新卒3年後離職率】

［20→23年］23.5%(男19.4%・入社31名、女26.0%・入社50名)

［21→24年］21.3%(男25.0%・入社16名、女19.4%・入社31名)

【テレワーク】制度あり:［場所］自宅 サテライトオフィス［対象］全社員［日数］制限なし［利用率］0.2%【勤務制度】時差勤務 勤務間インターバル 副業容認【住宅補助】社宅(総合職のみ)

●ライフイベント、女性活躍●

【女性比率】■男 □女

新卒採用 66%(35名)　従業員 45.8%(570名)　管理職 11.1%(32名)

【産休】［期間］産前6・産後8週間［給与］会社全額給付［取得者数］44名

【育休】［期間］1歳になるまで［給与］法定［取得者数］22年度 男4名(対象27名)女33名(対象33名)23年度 男11名(対象23名)女40名(対象40名)［平均取得日数］22年度 男6日 女341日、23年度 男21日 女311日

【従業員】［人数］1,244名(男674名、女570名)［平均年齢］39.1歳(男42.1歳、女35.9歳)［平均勤続年数］14.7年(男18.3年、女10.8年)

【年齢構成】■男 □女

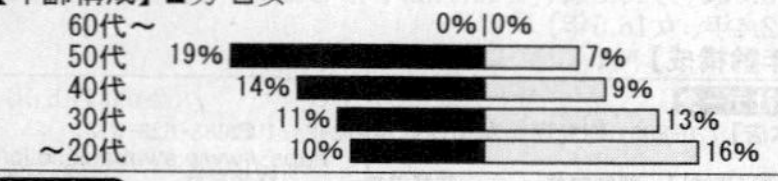

会社データ　(金額は百万円)

【本店】780-8605 高知県高知市南はりまや町1-1-1 ☎088-823-2111 https://www.shikokubank.co.jp/

【業績(連結)】	経常収益	業務純益	経常利益	純利益
22.3	43,527	ND	10,948	7,945
23.3	60,695	ND	7,903	5,549
24.3	52,486	ND	9,319	7,285

㈱高知銀行（こうちぎんこう）

[えるぼし ★★★] [プラチナくるみん]

【特色】高知県の第二地銀。県内の貸出金シェアは2割強

[記者評価] 1930年高知無尽として創業、51年に相互銀行、89年に普通銀行に転換し現行名に。県内の貸出金シェアは2割強と第二地銀としては高水準。高知県内や近隣県を中心に本支店約70店体制。中小企業向け融資が約8割を占める。24年7月から大卒初任給を25万円に引き上げ。

平均勤続年数	男性育休取得率	3年後離職率	平均年収(平均41歳)
17.6年	77.8→90.9%	34.6→30.4%	577万円

●採用・配属情報●

【男女・文理別採用実績】

	大卒男	大卒女	修士男	修士女
23年	16(文 15 理 1)	12(文 10 理 2)	0(文 0 理 0)	0(文 0 理 0)
24年	19(文 18 理 1)	12(文 12 理 0)	1(文 1 理 0)	0(文 0 理 0)
25年	-(文 - 理 -)	-(文 - 理 -)	-(文 - 理 -)	-(文 - 理 -)

※25年:45名採用予定

【男女・職種別採用実績】 転換制度:⇔

	総合職
23年	29(男 16 女 13)
24年	34(男 20 女 14)
25年	45(男 - 女 -)

【24年4月入社者の配属勤務地】[総]高知(高知市17 他13) 徳島1 愛媛2 岡山1

【転勤】あり:全社員

【中途比率】[単年度]21年度15%、22年度19%、23年度20%[全体]NA

●働きやすさ、諸制度●

残業(月) 17.4時間

【勤務時間】8:30〜17:30【有休取得年平均】13.0日【週休】完全2日(土日祝)【夏期休暇】なし【年末年始休暇】12月31日〜1月3日

【離職率】男:5.5%、23名 女:5.4%、18名

【新卒3年後離職率】

[20→23年]34.6%(男36.4%・入社11名、女33.3%・入社15名)

[21→24年]30.4%(男33.3%・入社9名、女28.6%・入社14名)

【テレワーク】制度あり:[場所]NA[対象]NA[日数]NA[利用率]NA【勤務制度】時間単位有休 時差勤務 副業容認

【住宅補助】社宅(四国島内)借上社宅

●ライフイベント、女性活躍●

【女性比率】■男 □女

従業員 44.2% (316名)

【産休】[期間]産前6・産後8週間[給与]会社全額給付[取得者数]13名

【育休】[期間]1歳になるまで[給与]法定[取得者数]22年度 男7名(対象9名)女15名(対象15名)23年度 男10名(対象11名)女11名(対象11名)[平均取得日数]22年度 男2日 女357日、23年度 男2日 女391日

【従業員】[人数]715名(男399名、女316名)[平均年齢]40.9歳(男43.2歳、女38.2歳)[平均勤続年数]17.6年(男19.7年、女14.9年)

【年齢構成】■男 □女

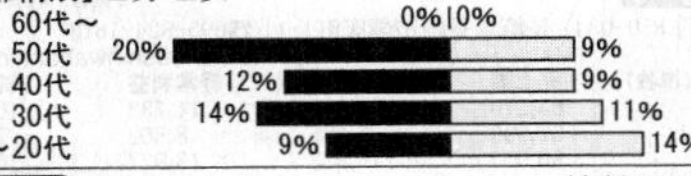

会社データ

(金額は百万円)

【本店】780-0834 高知県高知市堺町2-24 ☎088-822-9311

https://www.kochi-bank.co.jp/

【業績(連結)】	経常収益	業務純益	経常利益	純利益
22.3	22,099	ND	2,314	1,606
23.3	23,080	ND	2,551	1,601
24.3	22,990	ND	1,952	1,251

㈱福岡銀行（ふくおかぎんこう）

[えるぼし ★★★] [くるみん+]

【特色】ふくおかFGの中核。県内首位、地銀で上位

[記者評価] 九州首位の地銀。九州初の銀行である第十七国立銀行として創業。福岡を中心に九州全域に展開。山口や広島、東名阪にも出店。海外は米国や中国、東南アジアに駐在員事務所。子会社にカードやシステムなど。自社開発の銀行アプリ「アイバンク」は同業地銀も導入。

平均勤続年数	男性育休取得率	3年後離職率	平均年収(平均38歳)
14.8年	97.8→100%	NA	719万円

●採用・配属情報●

【男女・文理別採用実績】

	大卒男	大卒女	修士男	修士女
23年	94(文 87 理 7)	80(文 78 理 2)	2(文 0 理 2)	0(文 0 理 0)
24年	119(文107 理 12)	97(文 94 理 3)	5(文 0 理 5)	4(文 2 理 2)
25年	NA(文NA 理NA)	NA(文NA 理NA)	NA(文NA 理NA)	NA(文NA 理NA)

【男女・職種別採用実績】 転換制度:⇔

	総合職
23年	187(男 104 女 83)
24年	230(男 126 女104)
25年	NA(男 NA 女 NA)

【職種併願】○

【24年4月入社者の配属勤務地】[総]福岡県内219 [技]福岡県内11

【転勤】あり:全社員

【中途比率】[単年度]21年度9%、22年度11%、23年度15%(中途採用=経験者採用、社員登用の人数)[全体]NA

●働きやすさ、諸制度●

残業(月) NA

【勤務時間】8:45〜17:45【有休取得年平均】NA【週休】完全2日(土日祝)【夏期休暇】なし【年末年始休暇】12月31日〜1月3日

【離職率】NA

【新卒3年後離職率】

[20→23年]NA

[21→24年]NA

【テレワーク】制度あり:[場所]自宅[対象]制限なし[日数]制限なし[利用率]NA【勤務制度】フレックス 時間単位有休 裁量労働 時差勤務【住宅補助】独身寮 社宅 家賃手当

●ライフイベント、女性活躍●

【女性比率】■男 □女

従業員 44% (1546名)

【産休】[期間]産前6・産後8週間[給与]会社全額給付[取得者数]72名

【育休】[期間]1歳の誕生日まで[給与]法定[取得者数]22年度 男134名(対象137名)女74名(対象74名)23年度 男98名(対象98名)女72名(対象72名)[平均取得日数]22年度 男12日 女400日、23年度 男16日 女414日

【従業員】[人数]3,517名(男1,971名、女1,546名)[平均年齢]38.0歳(男38.9歳、女36.9歳)[平均勤続年数]14.8年(男15.3年、女13.9年)

【年齢構成】NA

会社データ

(金額は百万円)

【本店】810-8727 福岡県福岡市中央区天神2-13-1 ☎092-723-2131

https://www.fukuokabank.co.jp/

【業績(単独)】	経常収益	業務純益	経常利益	純利益
22.3	180,430	69,918	73,323	52,792
23.3	225,772	58,101	52,933	39,027
24.3	272,505	68,149	64,616	48,438

金融

1692 開示 ★★☆☆☆ [短大] 採用あり

㈱佐賀銀行（さがぎんこう）

[えるぼし ★★★] [プラチナ くるみん]

【特色】佐賀県地盤の地銀中位。福岡での展開強化

[記者評価] 佐賀県内の貸出金シェアは4割強で首位。県内と福岡中心に約100店体制。中小企業向け事業性資金の融資、住宅ローンが柱。資金需要旺盛な福岡で融資拡大。顧客情報を管理する営業支援システムが稼働。24年に三井住友DSと業務提携し、資産運用サービスで連携。

平均勤続年数	男性育休取得率	3年後離職率	平均年収(平均41歳)
18.8年	58.6→96.6%	①23.5→①16.7%	◇610万円

●採用・配属情報●

【男女・文理別採用実績】

	大卒男	大卒女	修士男	修士女
23年	14(文 12 理 2)	14(文 14 理 0)	2(文 1 理 1)	1(文 1 理 0)
24年	34(文 30 理 4)	23(文 22 理 1)	0(文 0 理 0)	0(文 0 理 0)
25年	33(文 30 理 3)	22(文 22 理 0)	0(文 0 理 0)	0(文 0 理 0)

【男女・職種別採用実績】 転換制度:⇔

	総合職	地域総合職
23年	31(男 18 女 13)	2(男 0 女 2)
24年	58(男 34 女 24)	2(男 0 女 2)
25年	53(男 32 女 21)	4(男 1 女 3)

【職種併願】○
【24年4月入社者の配属勤務地】[総]佐賀35 福岡17 長崎1 [技]佐賀7
【転勤】あり:[職種]総合職 地域総合職[勤務地]福岡 佐賀 長崎 東京
【中途比率】[単年度]21年度NA、22年度NA、23年度NA[全体]NA

●働きやすさ、諸制度●

残業(月) 6.7時間 [総]6.7時間

【勤務時間】8:30～17:30【有休取得年平均】13.0日【週休】完全2日(土日祝)【夏期休暇】なし【年末年始休暇】12月31日～1月3日
【離職率】男:1.0%、8名 女:3.3%、16名
【新卒3年後離職率】
[20→23年]23.5%(男17.6%・入社17名、女29.4%・入社17名)※高卒含む
[21→24年]16.7%(男20.0%・入社25名、女13.8%・入社29名)※高卒含む
【テレワーク】制度なし【勤務制度】フレックス 裁量労働 時差勤務 副業容認【住宅補助】寮 社宅

●ライフイベント、女性活躍●

【女性比率】■男 □女

新卒採用 42.1% (24名)

従業員 37.8% (463名)

【産休】[期間]産前6・産後8週間[給与]法定[取得者数]48名
【育休】[期間]1歳半になるまで、保育園に入れない場合2歳になるまで[給与]法定[取得者数]22年度 男17名(対象29名)女30名(対象30名)23年度 男28名(対象29名)女20名(対象20名)[平均取得日数]22年度 NA、23年度 NA
【従業員】[人数]1,225名(男762名、女463名)[平均年齢]41.0歳(男42.0歳、女39.0歳)[平均勤続年数]18.8年(男19.5年、女17.3年)
【年齢構成】NA

会社データ (金額は百万円)

【本店】840-0813 佐賀県佐賀市唐人2-7-20 ☎0952-24-5111
https://www.sagabank.co.jp/

【業績(連結)】	経常収益	業務純益	経常利益	純利益
22.3	43,861	8,978	6,975	4,076
23.3	47,675	6,299	7,265	5,491
24.3	53,013	4,582	7,571	6,218

1524 開示 ★★☆☆☆ [短大] 採用あり

㈱十八親和銀行（じゅうはちしんわぎんこう）

[えるぼし ★★★] [くるみん]

【特色】ふくおかFG傘下。十八・親和銀の合併で20年誕生

[記者評価] ふくおかFGと19年4月経営統合した十八銀行と、07年10月以来ふくおかFG傘下にある親和銀行が20年10月合併。勘定系システムは21年に一本化。長崎地盤で、単体総資産8兆円、預金残高5.5兆円(24年3月末)。188店体制、長崎のほか福岡、佐賀、熊本等にも展開。

平均勤続年数	男性育休取得率	3年後離職率	平均年収(平均39歳)
17.0年	108.5→102.0%	NA	585万円

●採用・配属情報●

【男女・文理別採用実績】

	大卒男	大卒女	修士男	修士女
23年	52(文 49 理 3)	42(文 41 理 1)	0(文 0 理 0)	0(文 0 理 0)
24年	61(文 59 理 2)	41(文 41 理 0)	0(文 0 理 0)	0(文 0 理 0)
25年	-(文 - 理 -)	-(文 - 理 -)	-(文 - 理 -)	-(文 - 理 -)

【男女・職種別採用実績】 転換制度:⇔

	総合職
23年	105(男 52 女 53)
24年	114(男 61 女 53)
25年	-(男 - 女 -)

【職種併願】○
【24年4月入社者の配属勤務地】[総]長崎107 福岡5 佐賀2
【転勤】あり:全社員
【中途比率】[単年度]21年度0%、22年度1%、23年度2%[全体]NA

●働きやすさ、諸制度●

残業(月) NA

【勤務時間】8:45～17:45【有休取得年平均】NA【週休】完全2日(土日祝)【夏期休暇】なし【年末年始休暇】12月31日～1月3日
【離職率】NA
【新卒3年後離職率】
[20→23年]NA
[21→24年]NA
【テレワーク】制度あり:[場所]自宅[対象]制限なし[日数]制限なし[利用率]NA【勤務制度】フレックス 時間単位有休 裁量労働 時差勤務【住宅補助】独身寮 社宅 家賃手当

●ライフイベント、女性活躍●

【女性比率】■男 □女

従業員 40.5% (767名)

【産休】[期間]産前6・産後8週間[給与]会社全額給付[取得者数]37名
【育休】[期間]1歳の誕生日まで[給与]法定[取得者数]22年度 男77名(対象71名)女33名(対象33名)23年度 男50名(対象49名)女39名(対象40名)[平均取得日数]22年度 NA、23年度 男16日 女319日
【従業員】[人数]1,892名(男1,125名、女767名)[平均年齢]39.1歳(男40.5歳、女37.2歳)[平均勤続年数]17.0年(男18.0年、女15.7年)
【年齢構成】NA

会社データ (金額は百万円)

【本店】850-0841 長崎県長崎市銅座町1-11 ☎095-824-1818
https://www.18shinwabank.co.jp/

【業績(単独)】	売上高	営業利益	経常利益	純利益
22.3	63,210	11,178	11,733	10,850
23.3	67,993	5,225	8,562	7,374
24.3	80,913	16,872	13,827	10,523

㈱肥後銀行（ひごぎんこう）

[プラチナくるみん]

【特色】熊本地盤の地方銀行。15年鹿児島銀行と経営統合

[記者評価] 熊本県地盤。県内貸出金シェアは約5割と断トツ。九州を軸に東京、大阪にも出店。TSMC進出で半導体や関連産業の支援に本腰、融資やビジネスマッチングを推進。台湾の玉山銀行とも連携。台北と上海に駐在員事務所。15年に鹿児島銀行と経営統合、九州FG設立。

平均勤続年数	男性育休取得率	3年後離職率	平均年収(平均40歳)
14.9年	101.8 → 88.4%	26.0 → 4.1%	[総] 736万円

●採用・配属情報●

【男女・文理別採用実績】

	大卒男	大卒女	修士男	修士女
23年	30(文 24 理 6)	27(文 26 理 1)	1(文 0 理 1)	2(文 1 理 1)
24年	53(文 47 理 6)	27(文 24 理 3)	0(文 0 理 0)	1(文 1 理 0)
25年	51(文 43 理 8)	57(文 55 理 2)	2(文 1 理 1)	1(文 1 理 0)

【男女・職種別採用実績】 転換制度:⇔

	総合職ゼネラリストコース	総合職専門キャリアコース
23年	58(男 29 女 29)	3(男 3 女 0)
24年	78(男 51 女 27)	5(男 4 女 1)
25年	109(男 52 女 57)	2(男 1 女 1)

※特定職の人数は総合職ゼネラリストコースに含む

【職種併願】○

【24年4月入社者の配属勤務地】[総]熊本78 福岡3 東京1 長崎1

【転勤】あり:[職種]総合職(エリアフリーコース)

【中途比率】[単年度]21年度22%、22年度28%、23年度37%[全体]6%

●働きやすさ、諸制度●

残業(月) 7.0時間 [総]7.3時間

【勤務時間】8:30～17:30【有休取得年平均】15.9日【週休】完全2日(土日祝)【夏期休暇】有休で取得【年末年始休暇】12月31日～1月3日

【離職率】男:2.3%、27名 女:4.4%、49名

【新卒3年後離職率】
[20→23年]26.0%(男17.6%・入社34名、女30.6%・入社62名)
[21→24年]4.1%(男7.5%・入社40名、女1.8%・入社57名)

【テレワーク】制度あり:[場所]自宅 行内サテライトオフィス[対象]制限なし[日数]制限なし[利用率]7.9%【勤務制度】時間単位有休 時差勤務 勤務間インターバル 副業容認【住宅補助】社宅(熊本市10 熊本県内外の主要地区各2～4 全体で約60カ所)住宅手当

●ライフイベント、女性活躍●

【女性比率】■男 □女

新卒採用 52.3% (58名)

従業員 48.9% (1076名)

管理職 14.1% (48名)

【産休】[期間]産前6・産後8週間[給与]会社全額給付[取得者数]44名

【育休】[期間]1歳になるまで[給与]20営業日まで有給、以降育休給付金[取得者数]22年度 男56名(対象55名)女46名(対象49名)23年度 男38名(対象43名)女42名(対象42名)[平均取得日数]22年度 男5日 女316日、23年度 男5日 女314日

【従業員】[人数]2,202名(男1,126名、女1,076名)[平均年齢]40.8歳(男42.3歳、女39.2歳)[平均勤続年数]14.9年(男16.2年、女13.5年)【年齢構成】■男 □女

	男	女
60代～	3%	2%
50代	14%	11%
40代	10%	9%
30代	15%	14%
～20代	8%	13%

[会社データ] (金額は百万円)

【本店】860-8615 熊本県熊本市中央区練兵町1 ☎096-325-2111
https://www.higobank.co.jp/

【業績(連結)】	経常収益	業務純益	経常利益	純利益
22.3	105,226	16,198	15,201	9,728
23.3	115,310	19,335	21,861	15,248
24.3	126,332	10,882	21,323	14,589

㈱鹿児島銀行（かごしまぎんこう）

[えるぼし★★★] [プラチナくるみん]

【特色】地銀中位。鹿児島県地盤でシェアトップ

[記者評価] 鹿児島県地盤の中堅地銀。県内貸出金シェア約5割。宮崎、福岡、熊本、沖縄、東京、大阪にも出店。上海と台北に駐在員事務所。グループ会社にカードやリース、シンクタンクなど。15年に熊本県地盤の肥後銀行と経営統合し九州フィナンシャルグループ設立、連携強化。

平均勤続年数	男性育休取得率	3年後離職率	平均年収(平均38歳)
15.6年	91.7 → 118.2%	NA	NA

●採用・配属情報●

【男女・文理別採用実績】

	大卒男	大卒女	修士男	修士女
23年	53(文 51 理 2)	19(文 17 理 2)	1(文 0 理 1)	0(文 0 理 0)
24年	37(文 35 理 2)	44(文 42 理 2)	1(文 0 理 1)	0(文 0 理 0)
25年	45(文 - 理 -)	45(文 - 理 -)	0(文 0 理 0)	0(文 0 理 0)

※25年:計画数

【男女・職種別採用実績】 転換制度:⇔

	総合職エリアフリー	総合職エリア限定
23年	70(男 54 女 16)	37(男 0 女 37)
24年	79(男 38 女 41)	25(男 0 女 25)
25年	80(男 - 女 -)	30(男 - 女 -)

【24年4月入社者の配属勤務地】[総]鹿児島95 宮崎9

【転勤】あり:全行員

【中途比率】[単年度]21年度8%、22年度6%、23年度17%[全体]7%

●働きやすさ、諸制度●

残業(月) NA

【勤務時間】平日8:30～17:30 特定日8:30～17:00【有休取得年平均】15.1日【週休】完全2日(土日祝)【夏期休暇】なし【年末年始休暇】12月31日～1月3日

【離職率】NA

【新卒3年後離職率】
[20→23年]NA
[21→24年]NA

【テレワーク】制度あり:[場所]自宅[対象]全社員[日数]制限なし[利用率]NA【勤務制度】時間単位有休 時差勤務 勤務間インターバル 副業容認【住宅補助】集合住宅(鹿児島県内23棟 県外14棟)一戸建住宅(90戸)住宅手当 借上社宅

●ライフイベント、女性活躍●

【女性比率】■男 □女

従業員 45.1% (943名)

管理職 10.5% (33名)

【産休】[期間]産前6・産後8週間[給与]会社全額給付[取得者数]48名

【育休】[期間]2歳になるまで[給与]開始10業日有給、以降給付金[取得者数]22年度 男66名(対象72名)女36名(対象37名)23年度 男65名(対象55名)女48名(対象47名)[平均取得日数]22年度 NA、23年度 男5日 女280日

【従業員】[人数]2,090名(男1,147名、女943名)[平均年齢]38.2歳(男41.4歳、女34.5歳)[平均勤続年数]15.6年(男17.9年、女12.8年)

【年齢構成】NA

[会社データ] (金額は百万円)

【本店】892-0828 鹿児島県鹿児島市金生町6-6 ☎099-225-3111
https://www.kagin.co.jp/

【業績(連結)】	経常収益	業務純益	経常利益	純利益
22.3	67,886	16,049	10,970	7,981
23.3	85,167	9,919	15,051	10,511
24.3	82,819	11,058	18,848	13,365

金融

902 開示 ★★★ 短大 専門 採用あり

りゅうきゅうぎんこう

㈱琉球銀行

えるぼし ★★★

【特色】沖縄県地盤の地銀トップ級。略称りゅうぎん

記者評価 1948年に米軍が51%出資する特殊銀行として設立、72年に米軍保有株を県民に売却して普通銀行に。預金、貸出金は県内トップ級。資金量は約2.8兆円。2025年に新本店ビル竣工予定。子会社5社を集約し、グループ連携機能を強化。事業承継コンサルに力を入れる。

平均勤続年数	男性育休取得率	3年後離職率	平均年収(平均40歳)
16.2年	66.0 → 97.4%	15.4 → 23.1%	㊕609万円

●採用・配属情報●

【男女・文理別採用実績】

	大卒男	大卒女	修士男	修士女
23年	26(文 26 理 0)	25(文 22 理 3)	1(文 0 理 1)	0(文 0 理 0)
24年	44(文 37 理 7)	34(文 33 理 1)	1(文 0 理 1)	0(文 0 理 0)
25年	47(文 37 理 10)	37(文 36 理 1)	0(文 0 理 0)	0(文 0 理 0)

【男女・職種別採用実績】 転換制度:⇔

	事業性フィールド	リテールフィールド
23年	26(男 20 女 6)	30(男 8 女 22)
24年	50(男 39 女 11)	31(男 6 女 25)
25年	51(男 39 女 12)	35(男 8 女 27)

【職種併願】○
【24年4月入社者の配属勤務地】㊕沖縄81
【転勤】あり:全社員
【中途比率】[単年度]21年度0%、22年度28%、23年度20% [全体]6%

●働きやすさ、諸制度●

残業(月) 10.7時間 ㊕10.7時間

【勤務時間】8:30〜17:00【有休取得年平均】13.0日【週休】完全2日(土日祝)【夏期休暇】夏期に限らず連続9日(有休4日、週休4日含む)【年末年始休暇】12月31日〜1月3日
【離職率】男:1.1%、8名 女:2.6%、18名
【新卒3年後離職率】
[20→23年]15.4%(男22.2%・入社18名、女9.5%・入社21名)
[21→24年]23.1%(男16.0%・入社25名、女29.6%・入社27名)
【テレワーク】制度あり:[場所]自宅 サテライトオフィス 自宅に準じた場所[対象]全社員[日数]月間10営業日[利用率]NA【勤務制度】時間単位有休 時差勤務 副業容認【住宅補助】社宅(東京1 沖縄(名護1 宮古1 八重山1 久米島1))

●ライフイベント、女性活躍●

【女性比率】■男 □女

新卒採用 45.3% (39名)

従業員 49.5% (684名)

管理職 23.6% (131名)

【産休】[期間]産前6・産後8週間[給与]会社全額給付[取得者数]36名
【育休】[期間]1歳になるまで[給与]法定[取得者数]22年度 男31名(対象47名)女41名(対象41名)23年度 男37名(対象38名)女36名(対象36名)[平均取得日数]22年度 NA、23年度 NA
【従業員】[人数]1,381名(男697名、女684名)[平均年齢]40.3歳(男41.4歳、女39.3歳)[平均勤続年数]16.2年(男16.9年、女15.8年)
【年齢構成】■男 □女

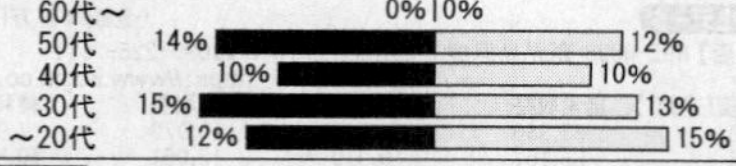

会社データ (金額は百万円)

【本店】900-0034 沖縄県那覇市東町2-1 那覇ポートビル ☎098-860-3967
https://www.ryugin.co.jp/

【業績(連結)】	経常収益	業務純益	経常利益	純利益
22.3	57,011	7,673	7,930	5,590
23.3	60,093	6,453	8,499	5,896
24.3	65,951	6,507	8,452	5,651

900 開示 ★★★ 専門 採用あり

おきなわぎんこう

㈱沖縄銀行

えるぼし ★★★

【特色】戦後に創立した地銀中位行。おきなわFG傘下

記者評価 資金量は約2.7兆円で地銀中位。経済成長を続ける沖縄の資金需要を取り込む。2019年から一般職廃止、勤務地を限定できる地域総合職を新設。22年に行内初の女性部長が誕生するなど、女性が活躍できる環境作りに力を入れる。取引先の事業承継コンサルに注力。

平均勤続年数	男性育休取得率	3年後離職率	平均年収(平均39歳)
15.5年	100 → 100%	13.6 → 19.1%	㊕560万円

●採用・配属情報●

【男女・文理別採用実績】

	大卒男	大卒女	修士男	修士女
23年	13(文 12 理 1)	15(文 15 理 0)	0(文 0 理 0)	1(文 0 理 1)
24年	18(文 18 理 0)	15(文 14 理 1)	0(文 0 理 0)	0(文 0 理 0)
25年	31(文 30 理 1)	26(文 25 理 1)	1(文 0 理 1)	1(文 0 理 1)

【男女・職種別採用実績】

	総合職(銀行業務全般)
23年	33(男 13 女 20)
24年	37(男 20 女 17)
25年	60(男 33 女 27)

【24年4月入社者の配属勤務地】㊕沖縄37
【転勤】あり:全社員
【中途比率】[単年度]21年度10%、22年度3%、23年度5% [全体]3%

●働きやすさ、諸制度●

残業(月) 12.3時間 ㊕12.3時間

【勤務時間】1日勤務時間平均:7時間30分(フレックスタイム制 コアタイムなし 05:00〜22:00)【有休取得年平均】15.8日【週休】完全2日(土日祝)【夏期休暇】有休で取得【年末年始休暇】12月31日〜1月3日
【離職率】男:2.8%、17名 女:3.6%、20名
【新卒3年後離職率】
[20→23年]13.6%(男16.0%・入社25名、女11.8%・入社34名)
[21→24年]19.1%(男21.7%・入社23名、女16.7%・入社24名)
【テレワーク】制度あり:[場所]自宅 他店舗 他[対象]全職員(原則 勤続年数1年以上)[日数]制限なし[利用率]NA【勤務制度】フレックス 時間単位有休 時差勤務 副業容認【住宅補助】勤務地手当(沖縄(名護 宮古 八重山)・東京)借家手当

●ライフイベント、女性活躍●

【女性比率】■男 □女

新卒採用 45% (27名)

従業員 47% (529名)

管理職 32% (144名)

【産休】[期間]産前6・産後8週間[給与]会社全額給付[取得者数]45名
【育休】[期間]1歳になるまで[給与]法定[取得者数]22年度 男33名(対象33名)女48名(対象48名)23年度 男29名(対象29名)女50名(対象50名)[平均取得日数]22年度 男28日 女NA、23年度 男28日 女NA
【従業員】[人数]1,126名(男597名、女529名)[平均年齢]38.1歳(男40.7歳、女36.9歳)[平均勤続年数]15.5年(男16.9年、女13.8年)
【年齢構成】■男 □女

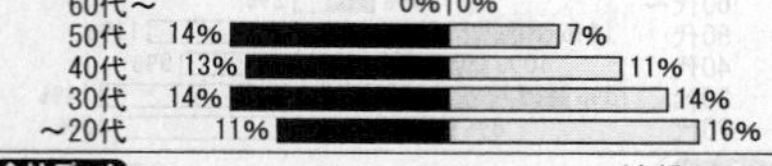

会社データ (金額は百万円)

【本店】900-8651 沖縄県那覇市久茂地3-10-1 ☎098-867-2141
https://www.okinawa-bank.co.jp/

【業績(単独)】	経常収益	業務純益	経常利益	純利益
22.3	35,725	ND	6,799	4,614
23.3	37,787	ND	7,219	5,066
24.3	38,366	ND	7,447	5,581

金融

しょうこうちゅうきん
商工中金

[プラチナくるみん]

【特色】政府系。中小企業専門。24年度末に完全民営化へ

[記者評価] 正式名は商工組合中央金庫。半官半民。資金量約10兆円。中小企業向け中心に融資などのサービス提供。47都道府県に102店、海外はNY、香港、上海、バンコク、ハノイの5拠点。入庫後は営業店に配属、発行株の5割弱持つ国が保有株売却し、24年度末までに完全民営化へ。

平均勤続年数	男性育休取得率	3年後離職率	平均年収(平均39歳)
15.3年	87.6→84.8%	6.7→NA	807万円

●採用・配属情報●

【男女・文理別採用実績】

	大卒男	大卒女	修士男	修士女
23年	77(文 75 理 2)	47(文 46 理 1)	1(文 1 理 0)	0(文 0 理 0)
24年	110(文107 理 3)	44(文 43 理 1)	1(文 1 理 0)	0(文 0 理 0)
25年	53(文 52 理 1)	52(文 49 理 3)	3(文 0 理 3)	0(文 0 理 0)

【男女・職種別採用実績】

	総合職
23年	125(男 78 女 47)
24年	155(男111 女 44)
25年	108(男 56 女 52)

【職種併願】総合職内のコース別採用で可能
【24年4月入社者の配属勤務地】[総]首都圏(東京 神奈川 千葉 埼玉)61 近畿圏(大阪 京都 兵庫 奈良)24 その他全国70
【転勤】あり:[職種]総合職(全国転勤型コース)[勤務地]東京本店含む全国
【中途比率】[単年度]21年度12%、22年度18%、23年度34%[全体]3%

●働きやすさ、諸制度●

残業(月)　19.5時間 [総]19.5時間

【勤務時間】8:40〜17:10【有休取得年平均】15.7日【週休】完全2日(土日祝)【夏期休暇】連続5日(取得時期自由、有休で取得)【年末年始休暇】12月31日〜1月3日
【離職率】NA
【新卒3年後離職率】
[20→23年]6.7%(男8.3%・入社121名、女0%・入社28名)
[21→24年]NA
【テレワーク】制度あり:[場所]自宅 カフェ サテライトオフィス[対象]全社員[日数]制限なし[利用率]NA【勤務制度】時間単位有休 週休3日 裁量労働 時差勤務 副業容認【住宅補助】借上舎宅(独身、世帯両方)会社保有舎宅(世帯用のみ)

●ライフイベント、女性活躍●

【女性比率】■男 □女
新卒採用
48.1%
(52名)

【産休】[期間]産前6・産後8週間[給与]法定以上(詳細NA)[取得者数]82名
【育休】[期間]2歳になるまで[給与]法定[取得者数]22年度 男85名(対象97名)女72名(対象72名)23年度 男89名(対象105名)女82名(対象82名)[平均取得日数]22年度 男7日 女NA、23年度 男12日 女NA
【従業員】[人数]3,383名(男NA、女NA)[平均年齢]38.8歳(男NA、女NA)[平均勤続年数]15.3年(男NA、女NA)
【年齢構成】NA

[会社データ]　(金額は百万円)
【本社】104-0028 東京都中央区八重洲2-10-17 ☎03-3272-6111
https://www.shokochukin.co.jp/

【業績(連結)】	資金量	融資残高	債券発行残高
22.3	9,735,066	9,597,836	3,542,170
23.3	9,918,763	9,628,093	3,448,850
24.3	10,034,148	9,612,074	3,296,400

こくさいきょうりょくぎんこう
(株)国際協力銀行

[くるみん]

【特色】政府系金融機関。対外経済政策の一翼を担う

[記者評価] 略称JBIC。前身は日本輸出入銀行で、1999年海外経済協力基金との統合により現体制。政府全額出資の特殊会社。NY・ロンドンなど海外主要都市に駐在員事務所を置く。金融仲介機能を通じ、日本企業の海外M&Aなど幅広く支援。出融資残高16兆8287億円(24年3月末)。

平均勤続年数	男性育休取得率	3年後離職率	平均年収(平均38歳)
10.2年	40.0→76.5%	12.5→12.9%	835万円

●採用・配属情報●

【男女・文理別採用実績】

	大卒男	大卒女	修士男	修士女
23年	13(文 13 理 0)	27(文 26 理 1)	3(文 1 理 2)	1(文 1 理 0)
24年	14(文 14 理 0)	25(文 23 理 2)	1(文 0 理 1)	3(文 1 理 2)
25年	10(文 10 理 0)	27(文 26 理 1)	5(文 2 理 3)	2(文 1 理 1)

【男女・職種別採用実績】　転換制度:⇔

	総合職	業務職
23年	30(男 16 女 14)	14(男 0 女 14)
24年	30(男 15 女 15)	13(男 0 女 13)
25年	27(男 14 女 13)	17(男 1 女 16)

【24年4月入社者の配属勤務地】[総]東京30
【転勤】あり:[職種]総合職
【中途比率】[単年度]21年度33%、22年度48%、23年度30%[全体]NA

●働きやすさ、諸制度●

残業(月)　21.7時間

【勤務時間】8:50〜17:10(時差勤務制度あり)【有休取得年平均】12.4日【週休】完全2日(土日祝)【夏期休暇】連続5営業日【年末年始休暇】12月31日〜1月3日
【離職率】NA
【新卒3年後離職率】
[20→23年]12.5%(男9.1%・入社11名、女14.3%・入社21名)
[21→24年]12.9%(男14.3%・入社14名、女11.8%・入社17名)
【テレワーク】制度あり:[場所]自宅 実家等(短期ワーケーションも可)[対象]全職員[日数]制限なし(原則週2日以上の出社を目途としつつ、各チーム・個人に応じて調整)[利用率]NA【勤務制度】時間単位有休 時差勤務 副業容認【住宅補助】職員寮(世帯・独身 一定の条件あり)住宅手当他

●ライフイベント、女性活躍●

【女性比率】■男 □女
新卒採用
65.9%
(29名)

【産休】[期間]産前6・産後8週間[給与]NA[取得者数]18名
【育休】[期間]1歳になるまで[給与]NA[取得者数]22年度 男6名(対象15名)女11名(対象11名)23年度 男13名(対象17名)女12名(対象12名)[平均取得日数]22年度 NA、23年度 NA
【従業員】[人数]720名(男NA、女NA)[平均年齢]38.3歳(男NA、女NA)[平均勤続年数]10.2年(男NA、女NA)
【年齢構成】NA

[会社データ]　(金額は百万円)
【本社】100-8144 東京都千代田区大手町1-4-1 ☎03-5218-3053
https://www.jbic.go.jp/

【業績(連結)】	経常収益	経常利益	純利益
22.3	313,480	17,391	17,345
23.3	659,923	156,518	156,518
24.3	1,133,061	63,265	62,316

金融

1629 開示 ★★☆☆☆

信金中央金庫

しんきんちゅうおうきんこ

【特色】信用金庫の中央金融機関。信金バンクの司令塔

記者評価 1950年信用金庫法に基づき設立。総資産45.92兆円の信金の中央金融機関。全国254信金の経営基盤強化や業務機能補完等も担う。国内12支店18分室、海外6拠点を展開。優先出資証券のみ東証に上場している。各信金への出向・人事交流も。

平均勤続年数	男性育休取得率	3年後離職率	平均年収(平均38歳)
14.4年	105.7→94.4%	10.6→4.6%	790万円

●採用・配属情報●

【男女・文理別採用実績】

	大卒男	大卒女	修士男	修士女
23年	39(文 37 理 2)	22(文 22 理 0)	1(文 0 理 1)	0(文 0 理 0)
24年	38(文 34 理 4)	25(文 25 理 0)	1(文 0 理 1)	0(文 0 理 0)
25年	30(文 23 理 7)	23(文 23 理 0)	1(文 0 理 1)	3(文 2 理 1)

【男女・職種別採用実績】 転換制度:⇒

	総合職	事務職
23年	52(男 40 女 12)	10(男 0 女 10)
24年	50(男 39 女 11)	14(男 0 女 14)
25年	43(男 31 女 12)	14(男 0 女 14)

【職種併願】○
【24年4月入社者の配属勤務地】㊙東京(本店)および全国の営業店50
【転勤】あり:[職種]総合職
【中途比率】[単年度]21年度13%、22年度21%、23年度33%[全体]NA

●働きやすさ、諸制度●

残業(月) 14.0時間 ㊙18.1時間

【勤務時間】8:45〜17:15【有休取得年平均】12.1日【週休】完全2日(土日祝)【夏期休暇】連続5日(取得時期自由)【年末年始休暇】12月31日〜1月3日
【離職率】NA
【新卒3年後離職率】
[20→23年]10.6%(男8.1%・入社37名、女13.8%・入社29名)
[21→24年]4.6%(男7.7%・入社39名、女0%・入社26名)
【テレワーク】制度あり:[場所]自宅 他[対象]NA[日数]NA[利用率]NA【勤務制度】時間単位有休 時差勤務 副業容認【住宅補助】職員住宅(独身寮・家族寮 総合職のみ)

●ライフイベント、女性活躍●

【女性比率】■男 □女

新卒採用 45.6% (26名)

従業員 29% (348名)

【産休】[期間]産前6・産後8週間[給与]会社全額給付[取得者数]20名
【育休】[期間]1歳になるまで[給与]法定[取得者数]22年度 男37名(対象35名)女14名(対象15名)23年度 男34名(対象36名)女16名(対象18名)[平均取得日数]22年度 NA、23年度 NA
【従業員】[人数]1,200名(男852名、女348名)[平均年齢]38.3歳(男39.6歳、女35.1歳)[平均勤続年数]14.4年(男15.4年、女11.9年)
【年齢構成】NA

会社データ (金額は百万円)

【本社】103-0028 東京都中央区八重洲1-3-7 ☎03-5202-7623
https://www.shinkin-central-bank.jp/

【業績(連結)】	経常収益	経常利益	純利益
22.3	249,597	48,174	35,942
23.3	373,723	36,027	26,221
24.3	427,435	44,230	32,145

2685 開示 ★★★★☆

㈱日本貿易保険(NEXI)

にほんぼうえきほけん

えるぼし ★★★

【特色】政府全額出資の特殊会社。貿易保険の提供を行う

記者評価 旧通産省の貿易保険事業が母体。独立行政法人化し、17年政府全額出資の特殊会社に。略称・NEXI。輸出、海外投融資など対外取引リスクを補填する貿易保険の元受業務を展開。脱炭素、社会課題解決、外国企業との国際連携などに関わる案件を積極引き受け。

平均勤続年数	男性育休取得率	3年後離職率	平均年収(平均40歳)
7.7年	0→—	8.3→20.0%	㊙969万円

●採用・配属情報●

【男女・文理別採用実績】

	大卒男	大卒女	修士男	修士女
23年	5(文 4 理 1)	6(文 6 理 0)	2(文 1 理 1)	2(文 2 理 0)
24年	12(文 12 理 0)	10(文 9 理 1)	3(文 3 理 0)	6(文 4 理 2)
25年	7(文 6 理 1)	6(文 6 理 0)	1(文 0 理 1)	1(文 1 理 0)

【男女・職種別採用実績】

	総合職
23年	15(男 7 女 8)
24年	31(男 15 女 16)
25年	15(男 8 女 7)

【24年4月入社者の配属勤務地】㊙東京31
【転勤】あり:全社員[勤務地]本社 大阪支店 シンガポール支店
【中途比率】[単年度]21年度52%、22年度41%、23年度40%[全体]67%

●働きやすさ、諸制度●

残業(月) 22.2時間 ㊙22.2時間

【勤務時間】9:00〜17:30【有休取得年平均】11.9日【週休】完全2日(土日祝)【夏期休暇】5日【年末年始休暇】12月29日〜1月3日
【離職率】男:3.6%、4名 女:4.1%、4名
【新卒3年後離職率】
[20→23年]8.3%(男16.7%・入社6名、女0%・入社6名)
[21→24年]20.0%(男0%・入社5名、女40.0%・入社5名)
【テレワーク】制度あり:[場所]自宅[対象]制限なし[日数]週1日まで[利用率]13.8%【勤務制度】時間単位有休 時差勤務【住宅補助】住居手当(上限50,000円 非管理職のみ)

●ライフイベント、女性活躍●

【女性比率】■男 □女

新卒採用 46.7% (7名)

従業員 46.8% (94名)
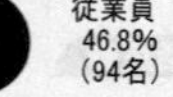
管理職 27.1% (13名)

【産休】[期間]産前6・産後8週間[給与]会社全額給付[取得者数]6名
【育休】[期間]3歳になるまで[給与]法定[取得者数]22年度 男0名(対象3名)女3名(対象3名)23年度 男0名(対象0名)女3名(対象3名)[平均取得日数]22年度 男− 女143日、23年度 男− 女406日
【従業員】[人数]201名(男107名、女94名)[平均年齢]40.2歳(男42.4歳、女37.7歳)[平均勤続年数]7.7年(男7.9年、女7.4年)
【年齢構成】■男 □女

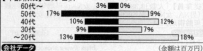

	男	女
60代〜	3%	0%
50代	17%	9%
40代	10%	12%
30代	9%	7%
〜20代	13%	18%

会社データ (金額は百万円)

【本社】101-8359 東京都千代田区西神田3-8-1 千代田ファーストビル東館 ☎03-3512-7650
https://www.nexi.go.jp/

【業績(単独)】	経常収益	経常利益	純利益
22.3	73,411	▲1,000	6
23.3	116,632	▲1,000	▲19
24.3	153,592	▲1,000	▲5

ちゅうおうろうどうきんこ
中央労働金庫

えるぼし ★★★ ｜ プラチナくるみん

【特色】関東8労働金庫が01年4月合併。労金では最大

[記者評価] 茨城、栃木、群馬、埼玉、千葉、神奈川、山梨、東京の1都7県の労働金庫が合併して誕生。仮想店舗含め135店舗を展開。預金残高6.9兆円、貸出金残高4.6兆円(24年3月末)。労組や生協の組合員などによる協同組織金融機関で、営利を目的としない。

平均勤続年数	男性育休取得率	3年後離職率	平均年収(平均39歳)
16.3年	23.1→38.6%	23.4→23.6%	[総]731万円

●採用・配属情報●

【男女・文理別採用実績】

	大卒男	大卒女	修士男	修士女
23年	44(文 44 理 0)	52(文 51 理 1)	0(文 0 理 0)	0(文 0 理 0)
24年	89(文 89 理 0)	47(文 47 理 0)	0(文 0 理 0)	0(文 0 理 0)
25年	57(文 55 理 2)	52(文 52 理 0)	0(文 0 理 0)	0(文 0 理 0)

【男女・職種別採用実績】

	総合職
23年	96(男 44 女 52)
24年	136(男 89 女 47)
25年	109(男 57 女 52)

【24年4月入社者の配属勤務地】[総]茨城15 栃木8 群馬12 埼玉13 千葉9 東京55 神奈川21 山梨3

【転勤】あり:[職種]総合職[勤務地]茨城 栃木 群馬 埼玉 千葉 東京 神奈川 山梨

【中途比率】[単年度]21年度3%、22年度3%、23年度5%[全体]10%

●働きやすさ、諸制度●

残業(月) 17.1時間 [総]17.1時間

【勤務時間】8:40〜17:00【有休取得年平均】17.0日【週休】完全2日(土日祝)【夏期休暇】3日【年末年始休暇】12月31日〜1月3日(+1日)

【離職率】男:3.7%、61名 女:5.9%、55名(キャリアアシストプラン男4名、女7名含む)

【新卒3年後離職率】
[20→23年]23.4%(男21.3%・入社80名、女26.2%・入社61名)
[21→24年]23.6%(男26.1%・入社88名、女20.3%・入社69名)

【テレワーク】制度なし【勤務制度】フレックス 時間単位有休 時差勤務【住宅補助】単身者家賃補助 借上制度

●ライフイベント、女性活躍●

【女性比率】■男 □女

新卒採用 47.7% (52名)

従業員 35.6% (877名)

管理職 25.8% (354名)

【産休】[期間]産前8・産後8週間[給与]会社全額給付[取得者数]55名

【育休】[期間]2歳になるまで[給与]法定[取得者数]22年度 男18名(対象78名)女63名(対象63名)23年度 男32名(対象83名)女56名(対象56名)[平均取得日数]22年度 男25日 女438日、23年度 男19日 女436日

【従業員】[人数]2,463名(男1,586名、女877名)[平均年齢]39.5歳(男40.1歳、女38.4歳)[平均勤続年数]16.3年(男16.5年、女16.0年)

【年齢構成】■男 □女
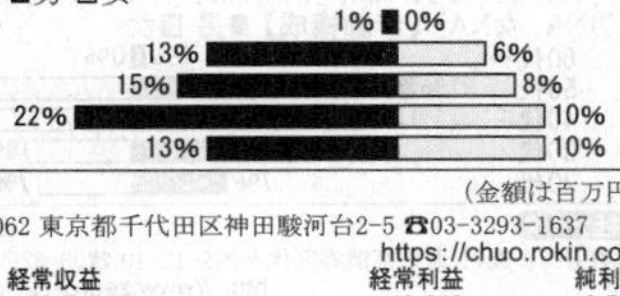
60代〜
1% 0%
50代
13% 6%
40代
15% 8%
30代
22% 10%
〜20代
13% 10%

[会社データ] (金額は百万円)

【本社】101-0062 東京都千代田区神田駿河台2-5 ☎03-3293-1637
https://chuo.rokin.com

【業績(単独)】	経常収益	経常利益	純利益
22.3	78,547	13,248	9,599
23.3	81,241	13,147	9,479
24.3	84,751	11,948	9,229

ジェイエーきょうさいれん
ＪＡ共済連(全国本部)

【特色】全国農協の共済事業を統括。生保・損保を兼営

[記者評価] JAの共済事業を統括。生命・損害共済の新種保険開発や資産運用を手がける。総資産58.4兆円、保有契約高216兆円(24年3月)は世界屈指。全国JA店舗を窓口にサービスを展開。傘下の共栄火災海上保険と農家向け保障で連携。キャッシュレス化を一段加速。

平均勤続年数	男性育休取得率	3年後離職率	平均年収(平均42歳)
19.4年	92.0→95.0%	3.4→6.7%	NA

●採用・配属情報●

【男女・文理別採用実績】

	大卒男	大卒女	修士男	修士女
23年	13(文 13 理 0)	16(文 15 理 1)	3(文 1 理 2)	1(文 0 理 1)
24年	17(文 15 理 2)	9(文 9 理 0)	8(文 3 理 5)	2(文 0 理 2)
25年	22(文 19 理 3)	23(文 22 理 1)	5(文 2 理 3)	0(文 0 理 0)

【男女・職種別採用実績】 転換制度:⇔

	総合職	引受審査職	一般職
23年	28(男 16 女 12)	5(男 0 女 5)	0(男 0 女 0)
24年	36(男 25 女 11)	0(男 0 女 0)	0(男 0 女 0)
25年	42(男 27 女 15)	8(男 0 女 8)	0(男 0 女 0)

【24年4月入社者の配属勤務地】[総]東京(永田町30 豊洲5)川崎1

【転勤】あり:[職種]全国域総合職 [勤務地]全国

【中途比率】[単年度]21年度0%、22年度0%、23年度18%[全体]3%

●働きやすさ、諸制度●

残業(月) 12.7時間 [総]16.5時間

【勤務時間】9:00〜17:00【有休取得年平均】16.5日【週休】完全2日(土日祝)【夏期休暇】有休で5日取得【年末年始休暇】連続6日

【離職率】男:1.6%、13名 女:2.7%、11名

【新卒3年後離職率】
[20→23年]3.4%(男0%・入社14名、女6.7%・入社15名)
[21→24年]6.7%(男5.9%・入社17名、女7.7%・入社13名)

【テレワーク】制度あり:[場所]自宅[対象]全職員[日数]月5日まで[利用率]8.2%【勤務制度】時間単位有休 時差勤務 勤務間インターバル 副業容認【住宅補助】借上社宅 住宅手当

●ライフイベント、女性活躍●

【女性比率】■男 □女

新卒採用 46% (23名)

従業員 33.1% (393名)

管理職 2.9% (8名)

【産休】[期間]産前6・産後8週間[給与]法定[取得者数]20名

【育休】[期間]1歳になるまで[給与]法定[取得者数]22年度 男23名(対象25名)女19名(対象20名)23年度 男19名(対象20名)女14名(対象14名)[平均取得日数]22年度 男39日 女333日、23年度 男28日 女239日

【従業員】[人数]1,187名(男794名、女393名)[平均年齢]42.2歳(男44.0歳、女38.7歳)[平均勤続年数]19.4年(男21.0年、女16.3年)

【年齢構成】■男 □女
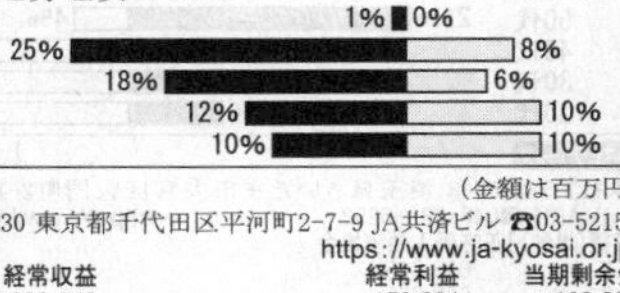
60代〜
1% 0%
50代
25% 8%
40代
18% 6%
30代
12% 10%
〜20代
10% 10%

[会社データ] (金額は百万円)

【本社】102-8630 東京都千代田区平河町2-7-9 JA共済ビル ☎03-5215-9100
https://www.ja-kyosai.or.jp/

【業績(単独)】	経常収益	経常利益	当期剰余金
22.3	5,992,749	170,334	102,937
23.3	5,101,527	122,292	71,504
24.3	5,818,973	55,802	48,364

金融

ぜんこくせいかつきょうどうくみあいれんごうかい　ぜんこくせいきょうれん

全国生活協同組合連合会(全国生協連)

[くるみん]

【特色】全国47都道府県で実施される共済事業の元受団体

[記者評価] 消費生活協同組合法に基づき厚労省の認可により設立された非営利の協同組合。都民共済(東京都)など各都道府県で実施される共済事業の元受団体として、共済制度の開発や共済金の調査・審査・支払など担う。総加入件数は2170万件超(23年度)。

平均勤続年数	男性育休取得率	3年後離職率	平均年収(平均43歳)
16.8年	25.0→33.3%	0→0%	NA

●採用・配属情報●

【男女・文理別採用実績】

	大卒男	大卒女	修士男	修士女
23年	2(文 2 理 0)	3(文 2 理 1)	0(文 0 理 0)	0(文 0 理 0)
24年	1(文 0 理 1)	4(文 4 理 0)	0(文 0 理 0)	0(文 0 理 0)
25年	1(文 1 理 0)	3(文 3 理 0)	0(文 0 理 0)	0(文 0 理 0)

【男女・職種別採用実績】

	総合職
23年	5(男 2 女 3)
24年	5(男 1 女 4)
25年	4(男 1 女 3)

【24年4月入社者の配属勤務地】[総]埼玉(大宮3 与野2) [技]なし

【転勤】あり:全職員

【中途比率】[単年度]21年度NA、22年度NA、23年度NA[全体]NA

●働きやすさ、諸制度●

残業(月) 7.4時間 [総]7.4時間

【勤務時間】9:00〜17:00【有休取得年平均】14.2日【週休】完全2日【夏期休暇】5日(年間を通して利用できる特別有給休暇)【年末年始休暇】12月30日〜1月3日

【離職率】男:4.1%、5名 女:3.4%、3名

【新卒3年後離職率】
[20→23年]0%(男0%・入社3名、女0%・入社3名)
[21→24年]0%(男0%・入社2名、女0%・入社3名)

【テレワーク】制度あり:[場所]自宅[対象]全職員[日数]制限なし[利用率]NA【勤務制度】なし【住宅補助】なし

●ライフイベント、女性活躍●

【女性比率】■男 □女

新卒採用 75% (3名)

従業員 42.1% (85名)

【産休】[期間]産前6・産後8週間[給与]法定[取得者数]2名

【育休】[期間]4歳に達するまで、通算8年を限度[給与]給付金＋育児手当[取得者数]22年度 男1名(対象4名)女3名(対象3名)23年度 男1名(対象3名)女1名(対象1名)[平均取得日数]22年度 男NA 女248日、23年度 男196日 女796日

【従業員】[人数]202名(男117名、女85名)[平均年齢]43.3歳(男46.4歳、女38.2歳)[平均勤続年数]16.8年(男18.7年、女9.7年)

【年齢構成】■男 □女

	男	女
60代〜	8%	1%
50代	21%	4%
40代	9%	11%
30代	12%	14%
〜20代	7%	11%

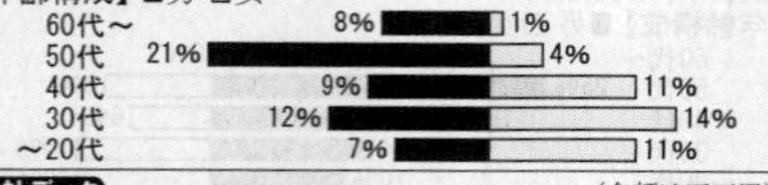

会社データ

(金額は百万円)

【本社】330-8708 埼玉県さいたま市大宮区大門町2-118 大宮門街SQUARE ☎048-633-6253
http://www.kyosai-cc.or.jp/

【業績(単独)】	正味受入共済掛金	当期剰余金
22.3	656,895	15,643
23.3	662,975	7,974
24.3	662,166	15,000

ぜんこくろうどうしゃきょうさいせいかつきょうどうくみあいれんごうかい

全国労働者共済生活協同組合連合会(こくみん共済coop)

[えるぼし ★★★]

【特色】共済事業を手がける生活協同組合。略称・全労済

[記者評価] 消費生活協同組合法に基づき設立された、共済事業を手がける協同組合。1957年に18都道府県の労働者共済生協の中央組織として発足、76年に全国統合。遺族補償、医療保障など6分野で11の共済商品を展開。契約件数2907万件、保有契約高786兆円(23年度)。

平均勤続年数	男性育休取得率	3年後離職率	平均年収(平均41歳)
14.6年	38.2→59.2%	17.2→15.8%	[総]800万円

●採用・配属情報●

【男女・文理別採用実績】

	大卒男	大卒女	修士男	修士女
23年	14(文 13 理 1)	34(文 34 理 0)	0(文 0 理 0)	1(文 0 理 1)
24年	19(文 19 理 0)	20(文 20 理 0)	2(文 0 理 2)	0(文 0 理 0)
25年	17(文 16 理 1)	21(文 20 理 1)	1(文 1 理 0)	1(文 1 理 0)

【男女・職種別採用実績】　転換制度:⇔

	総合職
23年	49(男 14 女 35)
24年	41(男 21 女 20)
25年	40(男 18 女 22)

【24年4月入社者の配属勤務地】[総](23年)北海道3 青森2 宮城1 秋田2 山形2 福島1 茨城3 栃木1 埼玉2 東京7 神奈川4 山梨1 石川1 愛知3 岐阜1 滋賀1 奈良1 大阪3 和歌山1 兵庫1 岡山2 広島1 山口1 福岡2 佐賀1 宮崎1

【転勤】あり:[対象]異動範囲「全国」「統括本部域内」を選択 [勤務地]全国各地

【中途比率】[単年度]21年度5%、22年度0%、23年度43%[全体]NA

●働きやすさ、諸制度●

残業(月) 18.5時間

【勤務時間】9:00〜17:15(フレックスタイム制 コアタイム11:00〜15:00)【有休取得年平均】15.7日【週休】完全2日(土日祝)【夏期休暇】時期を問わず連続5日取得【年末年始休暇】12月30日〜1月3日

【離職率】男:3.4%、73名 女:5.0%、76名(早期退職男9名、女7名含む)

【新卒3年後離職率】
[20→23年]17.2%(男11.5%・入社26名、女21.9%・入社32名)
[21→24年]15.8%(男0%・入社7名、女25.0%・入社12名)

【テレワーク】制度あり:[場所]自宅[対象]NA[日数]制限なし[利用率]NA【勤務制度】フレックス 時間単位有休 時差勤務【住宅補助】借上住宅(通勤時間90分以上)住宅使用料一部補助(30歳または入会7年のいずれか長い者・単身赴任者 他 45,000〜160,000円 自己負担10,000円〜)

●ライフイベント、女性活躍●

【女性比率】■男 □女

新卒採用 55% (22名)

従業員 40.7% (1429名)

管理職 15.7% (160名)

【産休】[期間]産前8・産後8週間[給与]法定[取得者数]82名

【育休】[期間]1歳になるまで[給与]配偶者出産時特別休暇5日間(有給・出産日より2週間以内)、その他は法定[取得者数]22年度 男26名(対象68名)女37名(対象39名)23年度 男29名(対象49名)女35名(対象33名)[平均取得日数]22年度 男42日 女399日、23年度 男45日 女422日

【従業員】[人数]3,509名(男2,080名、女1,429名)[平均年齢]43.8歳(男44.4歳、女43.1歳)[平均勤続年数]14.6年(男NA、女NA)【年齢構成】■男 □女

	男	女
60代〜	1%	0%
50代	21%	14%
40代	17%	11%
30代	14%	8%
〜20代	7%	7%

会社データ

(金額は百万円)

【本社】151-8571 東京都渋谷区代々木2-12-10 ☎03-3299-0161
http://www.zenrosai.coop/index.php

【業績】	経常収益	経常剰余金	当期剰余金
22.5	655,475	78,363	22,418
23.5	638,047	60,945	24,752
24.5	648,866	88,532	37,434

日本コープ共済生活協同組合連合会（にほんきょうさいせいかつきょうどうくみあいれんごうかい）

えるぼし ★★★　くるみん

【特色】共済専門生協の中央組織。略称・コープ共済連

[記者評価] 元受共済事業とその他事業の兼業規制が盛り込まれた改正消費者生活協同組合法施行を受け発足。日本生活協同組合連合会と161生協（当時）の元受事業の受け皿に。23年度末の加入者数1027万人、保有契約高15兆円。誕生前の子ども向け加入制度を24年9月開始。

平均勤続年数	男性育休取得率	3年後離職率	平均年収（平均39歳）
NA	82.4 → 60.0%	0 → 9.1%	[総] 645万円

●採用・配属情報●

【男女・文理別採用実績】

	大卒男	大卒女	修士男	修士女
23年	8(文 7理 1)	7(文 7理 0)	0(文 0理 0)	0(文 0理 0)
24年	6(文 5理 1)	15(文 15理 0)	0(文 0理 0)	0(文 0理 0)
25年	9(文 8理 1)	11(文 11理 0)	3(文 1理 2)	0(文 0理 0)

【男女・職種別採用実績】

	総合職
23年	15(男 8 女 7)
24年	21(男 6 女 15)
25年	23(男 12 女 11)

【24年4月入社者の配属勤務地】[総]東京（渋谷17 京橋2 高円寺1）札幌1
【転勤】あり：[職種]総合職
【中途比率】[単年度]21年度NA、22年度NA、23年度NA[全体]28%

●働きやすさ、諸制度●

残業(月) [総]19.3時間

【勤務時間】（平日）9:00～17:15（土曜）9:00～16:00【有休取得年平均】16.1日【週休】隔週2日（1月、5月を除く各月1日の指定休付与）【夏期休暇】有休利用【年末年始休暇】4日
【離職率】男：2.5%、7名 女：5.1%、9名
【新卒3年後離職率】
[20→23年]0%（男0%・入社14名、女0%・入社5名）
[21→24年]9.1%（男20.0%・入社10名、女4.3%・入社23名）
【テレワーク】制度あり：[場所]自宅[対象]全社員[日数]制限なし[利用率]NA【勤務制度】フレックス 時差勤務【住宅補助】単身寮

●ライフイベント、女性活躍●

【女性比率】■男 □女

新卒採用 47.8%（11名）
従業員 37.5%（166名）
管理職 14.3%（15名）

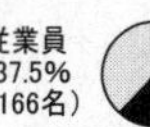

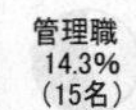

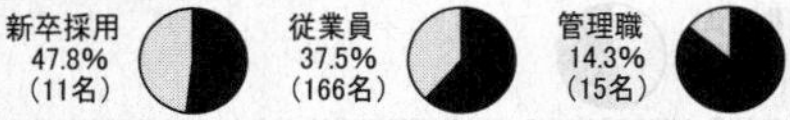

【産休】[期間]産前8・産後8週間[給与]法定期間中は互助会にて給付対応、産前7～8週は連合会にて全額負担[取得者数]NA
【育休】[期間]2歳になるまで[給与]法定[取得者数]22年度 男14名（対象17名）女19名（対象19名）23年度 男6名（対象10名）女16名（対象16名）[平均取得日数]22年度 男80日 女NA、23年度 男63日 女NA
【従業員】[人数]443名（男277名、女166名）[平均年齢]40.2歳（男42.5歳、女36.5歳）[平均勤続年数]NA
【年齢構成】■男 □女

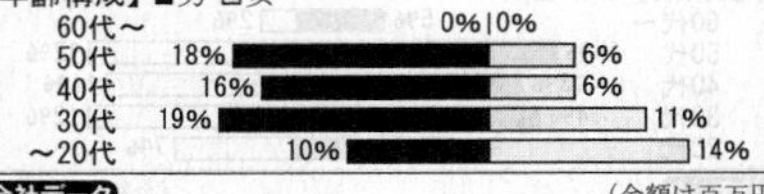

60代～ 0% 0%
50代 18% 6%
40代 16% 6%
30代 19% 11%
～20代 10% 14%

[会社データ]　（金額は百万円）
【本社】151-0051 東京都渋谷区千駄ヶ谷4-1-13 ☎03-6836-1300
https://coopkyosai.coop/

【業績（連結）】	経常収益	経常剰余金	当期剰余金
22.3	244,658	44,188	7,971
23.3	251,560	▲24,166	▲19,304
24.3	240,353	43,827	10,534

大和証券グループ（だいわしょうけん）

プラチナくるみん

【特色】国内2位の証券大手。女性活躍や健康経営に特長

[記者評価] 対面証券を中核にネット銀行、農業や介護など多分野に進出、グループでハイブリッド型証券を標榜。ワーク・ライフ・バランスの確保にも意欲的で、テレワークを全社員に導入。一部の社員に対して定年を撤廃。目下、不動産運用ビジネスを強化中。

平均勤続年数	男性育休取得率	3年後離職率	平均年収（平均*41歳）
! 14.1年	89.5 → 92.2%	NA	[総]! 1,300万円

●採用・配属情報●

【男女・文理別採用実績】

	大卒男	大卒女	修士男	修士女
23年	219(文187理 32)	176(文160理 16)	54(文 9理 45)	12(文 4理 8)
24年	214(文188理 26)	184(文175理 9)	60(文 10理 50)	20(文 11理 9)
25年	-(文 -理 -)	-(文 -理 -)	-(文 -理 -)	-(文 -理 -)

※グループ会社主要3社の数字 25年：560名採用予定
【男女・職種別採用実績】　転換制度：⇔

	総合職	広域エリア総合職	エリア総合職	カスタマーサービス職
23年	380(男 NA 女 NA)	16(男 NA 女 NA)	49(男 NA 女 NA)	20(男 NA 女 NA)
24年	400(男 NA 女 NA)	15(男 NA 女 NA)	46(男 NA 女 NA)	21(男 NA 女 NA)
25年	-(男 - 女 -)	-(男 - 女 -)	-(男 - 女 -)	-(男 - 女 -)

【職種併願】総合職と広域エリア総合職・エリア総合職 エリア総合職とカスタマーサービス職 総合職と総合職エキスパートコースで可能
【24年4月入社者の配属勤務地】[総]本社および全国の本支店
【転勤】あり：[職種]総合職 広域エリア総合職（初期配属は原則転居を伴わない範囲内。その後ホームエリア区分内および隣接都道府県への転居を伴う異動の可能性あり）
【中途比率】[単年度]21年度NA、22年度NA、23年度NA[全体]NA

●働きやすさ、諸制度●

残業(月) 26.2時間

【平均年収（総合職）】（G本社及び大和証券との兼務者）1,300万円【勤務時間】8:40～17:10【有休取得年平均】17.3日【週休】完全2日（土日祝）【夏期休暇】連続7～10日（有休2日、週休含む）【年末年始休暇】12月31日～1月3日
【離職率】NA
【新卒3年後離職率】[20→23年]NA [21→24年]NA
【テレワーク】制度あり：[場所]自宅等[対象]全社員[日数]原則月10回まで[利用率]NA【勤務制度】フレックス 時間単位有休 時差勤務 勤務間インターバル【住宅補助】独身寮 社宅・準社宅（総合職・広域エリア総合職のみ）住宅手当

●ライフイベント、女性活躍●

【女性比率】■男 □女

従業員 40.3%（5126名）
管理職 18.4%（883名）

【産休】[期間]産前6・産後8週間[給与]会社全額給付[取得者数]129名
【育休】[期間]3歳になるまで[給与]2週間以内会社全額給付、以降給付金[取得者数]22年度 男187名（対象209名）女157名（対象158名）23年度 男188名（対象204名）女132名（対象133名）[平均取得日数]22年度 男16日 女540日、23年度 男19日 女563日
【従業員】[人数]12,706名（男7,580名、女5,126名）[平均年齢]40.7歳（男41.8歳、女39.3歳）[平均勤続年数]14.1年（男14.9年、女13.0年）※従業員数は連結、平均年齢・勤続年数は大和証券【年齢構成】NA

[会社データ]　（金額は百万円）
【本社】100-6751 東京都千代田区丸の内1-9-1 グラントウキョウノースタワー ☎03-5555-7000
https://www.daiwa-grp.jp/

【業績（連結）】	営業収益	営業利益	経常利益	純利益
22.3	619,471	115,534	135,821	94,891
23.3	866,090	66,273	86,930	63,875
24.3	1,277,482	153,705	174,587	121,557

※会社データは㈱大和証券グループ本社のもの
※注記のないデータは大和証券㈱のもの

エスビーアイ

ＳＢＩホールディングス㈱

【特色】ネット証券、保険、銀行など手がける総合金融

記者評価 中核のネット証券は国内首位。国内株の手数料無料化で他社を引き離しにかかる。HD傘下に保険や銀行、資産運用など多数の金融子会社を抱え、ベンチャー投資にも積極的。新生銀行を子会社化し、地銀との連携を強化。台湾PSMCと合弁での半導体工場建設は白紙に。

平均勤続年数	男性育休取得率	3年後離職率	平均年収(平均40歳)
5.5年	33.3→50.0%	28.6→16.0%	㊗897万円

●採用・配属情報●

【男女・文理別採用実績】

	大卒男	大卒女	修士男	修士女
23年	32(文 30 理 2)	12(文 11 理 1)	2(文 1 理 1)	0(文 0 理 0)
24年	21(文 18 理 3)	8(文 8 理 0)	3(文 2 理 1)	1(文 1 理 0)
25年	35(文 32 理 3)	13(文 13 理 0)	2(文 0 理 2)	1(文 1 理 0)

【男女・職種別採用実績】

	総合職
23年	46(男 34 女 12)
24年	33(男 24 女 9)
25年	51(男 37 女 14)

【24年4月入社者の配属勤務地】㊗東京・港33

【転勤】あり:希望確認の上転勤の可能性あり

【中途比率】[単年度]21年度65%、22年度87%、23年度75%[全体]80%

●働きやすさ、諸制度●

残業(月) NA

【勤務時間】9:00〜17:45【有休取得年平均】13.5日【週休】完全2日【夏期休暇】なし【年末年始休暇】12月31日〜1月3日

【離職率】男:6.9%、15名 女:3.0%、4名

【新卒3年後離職率】

[20→23年]28.6%(男23.5%・入社17名、女50.0%・入社4名)

[21→24年]16.0%(男15.0%・入社20名、女20.0%・入社5名)

【テレワーク】制度あり:[場所]自宅 他[対象]高度専門職のみ[日数]週2回 月8回[利用率]NA【勤務制度】時間単位有休 裁量労働 時差勤務【住宅補助】家賃補助(新卒入社3年目まで、上限20,000円)

●ライフイベント、女性活躍●

【女性比率】■男 □女

新卒採用 27.5%(14名)　従業員 38.8%(128名)　管理職 26.1%(52名)

【産休】[期間]産前6・産後8週間[給与]法定[取得者数]4名

【育休】[期間]1歳になるまで[給与]法定[取得者数]22年度 男1名(対象3名)女6名(対象6名)23年度 男3名(対象6名)女4名(対象4名)[平均取得日数]22年度 男66日 女309日、23年度 男4日 女290日

【従業員】[人数]330名(男202名、女128名)[平均年齢]39.8歳(男41.0歳、女38.1歳)[平均勤続年数]5.5年(男5.5年、女5.5年)

【年齢構成】■男 □女

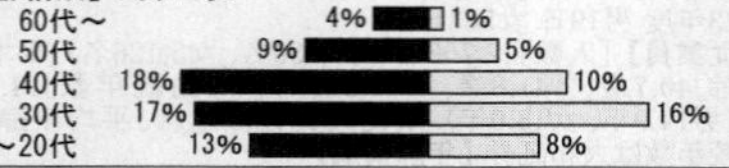

会社データ (金額は百万円)

【本社】106-6019 東京都港区六本木1-6-1 泉ガーデンタワー ☎03-6229-0100 https://www.sbigroup.co.jp/

【業績(IFRS)】	営業収益	営業利益	税前利益	純利益
22.3	763,618	414,457	412,724	366,854
23.3	998,559	114,560	100,753	35,000
24.3	1,210,504	168,769	141,569	87,243

のむらしょうけん

野村證券㈱

くるみん

【特色】国内証券最大手。対面営業の再興に注力中

記者評価 野村ホールディングスの中核企業。国内に強大な顧客基盤を構築しており、企業・個人取引の強さに定評がある。伝統的に「実力主義」の企業風土で、入社4年目の成績上位者を1年間海外に派遣する制度も。顧客に対して金融商品の長期保有を促すコンサル姿勢を明確化。

平均勤続年数	男性育休取得率	3年後離職率	平均年収(平均43歳)
16.9年	3.5→88.3%	NA	1,087万円

●採用・配属情報●

【男女・文理別採用実績】

	大卒男	大卒女	修士男	修士女
23年	180(文NA理NA)	120(文NA理NA)	0(文 0 理 0)	0(文 0 理 0)
24年	190(文NA理NA)	110(文NA理NA)	0(文 0 理 0)	0(文 0 理 0)
25年	200(文 － 理 －)	110(文 － 理 －)	0(文 0 理 0)	0(文 0 理 0)

※大卒に修士・博士含む

【男女・職種別採用実績】 転換制度:⇔

	総合職オープンコース	総合職エリアコース	総合職B/GM/リサーチコース	IT/リスクマネジメント/コーポレートコース
23年	155(男NA女NA)	80(男NA女NA)	65(男NA女NA)	NA(男NA女NA)
24年	135(男NA女NA)	65(男NA女NA)	100(男NA女NA)	NA(男NA女NA)
25年	155(男 － 女 －)	52(男 － 女 －)	80(男 － 女 －)	23(男 － 女 －)

【24年4月入社者の配属勤務地】㊗東京 大阪 名古屋 他

【転勤】あり:詳細NA

【中途比率】[単年度]21年度38%、22年度53%、23年度55%[全体]NA

●働きやすさ、諸制度●

残業(月) ㊗14.6時間

【勤務時間】8:40〜17:10【有休取得年平均】17.3日【週休】完全2日(土日祝)【夏期休暇】有休5日を充当【年末年始休暇】なし

【離職率】NA

【新卒3年後離職率】

[20→23年]NA

[21→24年]NA

【テレワーク】制度あり:[場所]自宅 自宅に準じる場所[対象]NA[日数]8割[利用率]NA【勤務制度】フレックス 時間単位有休 裁量労働 副業容認【住宅補助】社宅(使用料の一部補助)

●ライフイベント、女性活躍●

【女性比率】■男 □女

従業員 44.3%(6156名)

【産休】[期間]産前6・産後8週間[給与]会社全額給付[取得者数]272名

【育休】[期間]2歳になるまで[給与]法定[取得者数]22年度 男12名(対象342名)女260名(対象267名)23年度 男288名(対象326名)女246名(対象257名)[平均取得日数]22年度 男40日 女300日、23年度 男33日 女280日

【従業員】[人数]13,908名(男7,752名、女6,156名)[平均年齢]42.9歳(男43.4歳、女42.2歳)[平均勤続年数]16.9年(男17.0年、女16.7年)

【年齢構成】■男 □女

	男	女
60代〜	5%	2%
50代	15%	12%
40代	13%	11%
30代	14%	12%
〜20代	9%	7%

会社データ (金額は百万円)

【本社】103-0027 東京都中央区日本橋1-13-1 ☎03-3211-1811 https://www.nomura.co.jp/

【業績(単独)】	営業収益	営業利益	経常利益	純利益
22.3	580,076	NA	74,790	67,542
23.3	587,186	NA	44,331	33,557
24.3	770,387	NA	148,771	104,306

しょうけん
みずほ証券㈱

[プラチナくるみん]

【特色】みずほグループの総合証券会社。国内大手の一角

[記者評価] 09年に新光証券、13年にみずほインベスターズ証券が合流して現体制。国内大手証券の一角で、みずほFGにおける証券事業の中核を担う。国内公募債の引受金額はシェア約2割で業界首位級。海外はアジア、欧州、北米に19拠点。PayPay証券、楽天証券に出資。

平均勤続年数	男性育休取得率	3年後離職率	平均年収(平均41歳)
[!]13.9年	NA	NA	[総][!]1,073万円

●採用・配属情報●

【男女・文理別採用実績】

	大卒男	大卒女	修士男	修士女
23年	152(文146 理 6)	60(文 58 理 2)	17(文 4 理 13)	4(文 2 理 2)
24年	238(文225 理 13)	103(文 97 理 6)	22(文 2 理 20)	4(文 3 理 1)
25年	-(文 - 理 -)	-(文 - 理 -)	-(文 - 理 -)	-(文 - 理 -)

※25年:325名採用予定

【男女・職種別採用実績】 転換制度:⇔

	-
23年	NA(男 NA 女 NA)
24年	NA(男 NA 女 NA)
25年	NA(男 NA 女 NA)

【職種併願】NA

【24年4月入社者の配属勤務地】[総]本社および全国の本支店

【転勤】あり:詳細NA

【中途比率】[単年度]21年度23%、22年度51%、23年度53%[全体]NA

●働きやすさ、諸制度●

残業(月) (組合員)20.3時間

【平均年収(総合職)】(FG)1,073万円【勤務時間】8:40〜17:10(フレックス制度あり)【有休取得年平均】15.2日【週休】完全2日(土日祝)【夏期休暇】夏季に限定することなく連続5営業日休暇、連続2営業日等取得可【年末年始休暇】12月31日〜1月3日

【離職率】NA

【新卒3年後離職率】
[20→23年]NA
[21→24年]NA

【テレワーク】制度あり:[場所]自宅 サテライトオフィス[対象]NA[日数]制限なし[利用率]NA【勤務制度】フレックス 時間単位有休 週休3日 裁量労働 時差勤務 勤務間インターバル 副業容認【住宅補助】独身寮 住宅補給金 隔地間異動手当 単身赴任補給金 他

●ライフイベント、女性活躍●

【女性比率】■男 □女

従業員 36.1% (2683名)

【産休】[期間]産前6・産後8週間[給与]会社全額給付[取得者数]NA

【育休】[期間]2歳になるまで[給与]法定[取得者数]22年度NA 23年度 NA[平均取得日数]22年度 NA、23年度 NA

【従業員】[人数]7,432名(男4,749名、女2,683名)[平均年齢]42.2歳(男42.3歳、女42.1歳)[平均勤続年数]13.9年(男13.9年、女13.9年) ※従業員数は臨時従業員含む

【年齢構成】NA

会社データ (金額は百万円)

【本社】100-0004 東京都千代田区大手町1-5-1 大手町ファーストスクエア ☎03-5208-3210 https://www.mizuho-sc.com/

【業績】	純営業収益	経常利益	純利益
23.3	534,265	111,624	79,862
24.3	696,223	173,164	162,763

※業績は米国拠点との合算値

エスエムビーシーにっこうしょうけん
ＳＭＢＣ日興証券㈱

[えるぼし★★] [くるみん]

【特色】証券大手の一角。三井住友FGの中核証券会社

[記者評価] 旧日興コーディアル証券。米シティG傘下から、シティによる全事業譲渡で09年三井住友FG傘下に。旧日興シティG証券の一部事業も継承。リテールに強い。SBIグループと資本業務提携。VTuber「順張リコ」による20〜30代向け金融経済情報発信を24年3月開始。

平均勤続年数	男性育休取得率	3年後離職率	平均年収(平均42歳)
16.5年	110.0→136.5%	NA	[総]969万円

●採用・配属情報●

【男女・文理別採用実績】

	大卒男	大卒女	修士男	修士女
23年	161(文151 理 10)	109(文102 理 7)	23(文 5 理 18)	9(文 4 理 5)
24年	136(文128 理 8)	109(文104 理 5)	30(文 5 理 25)	5(文 3 理 2)
25年	143(文129 理 14)	137(文133 理 4)	21(文 4 理 17)	5(文 0 理 5)

※25年:24年7月時点

【男女・職種別採用実績】 転換制度:⇔

	総合職	事務職
23年	280(男185 女 95)	23(男 0 女 23)
24年	259(男167 女 92)	22(男 0 女 22)
25年	290(男167 女123)	19(男 0 女 19)

【24年4月入社者の配属勤務地】[総]全国105拠点(本社 国内支店)

【転勤】あり:[職種]総合コース(オープン採用)全国型 総合コース(部門別採用)

【中途比率】[単年度]21年度26%、22年度19%、23年度27%[全体]34%

●働きやすさ、諸制度●

残業(月) 32.9時間 [総]33.9時間

【勤務時間】8:40〜17:10【有休取得年平均】19.5日【週休】完全2日(土日祝)【夏期休暇】7日(特休3日+年休4日)【年末年始休暇】12月31日〜1月3日

【離職率】NA

【新卒3年後離職率】
[20→23年]NA
[21→24年]NA

【テレワーク】制度あり:[場所]自宅 他[対象]全社員[日数]制限なし[利用率]NA【勤務制度】フレックス 時間単位有休 週休3日 裁量労働 時差勤務 副業容認【住宅補助】寮・社宅

●ライフイベント、女性活躍●

【女性比率】■男 □女

新卒採用 46% (142名)

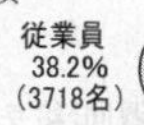

従業員 38.2% (3718名)

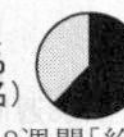

管理職 16% (227名)

【産休】[期間]産前8・産後8週間[給与]健保85%給付[取得者数]145名

【育休】[期間]3歳になるまで[給与]法定[取得者数]22年度 男220名(対象200名)女155名(対象156名)23年度 男269名(対象197名)女141名(対象145名)[平均取得日数]22年度 男8日 女574日、23年度 男7日 女541日

【従業員】[人数]9,742名(男6,024名、女3,718名)[平均年齢]42.5歳(男43.1歳、女41.4歳)[平均勤続年数]16.5年(男16.9年、女15.9年)

【年齢構成】NA

会社データ (金額は百万円)

【本社】100-6524 東京都千代田区丸の内1-5-1 新丸の内ビルディング ☎03-5644-3111 https://www.smbcnikko.co.jp/

【業績(単独)】	営業収益	営業利益	経常利益	純利益
22.3	333,183	56,657	59,620	44,258
23.3	262,888	▲42,094	▲38,342	▲32,314
24.3	403,315	24,630	36,158	26,832

金融

三菱ＵＦＪモルガン・スタンレー証券㈱

プラチナくるみん

【特色】総合証券大手の一角。MUFGの証券戦略の中核

記者評価 2010年にモルガン・スタンレー証券の投資銀行部門が三菱UFJ証券と統合して現体制に。グループ証券戦略の中核を担う。MUFGの顧客基盤とモルガン・スタンレーのグローバルネットワークが強み。ウェルスマネジメント(富裕層向けサービス)やESG投資にも注力。

平均勤続年数	男性育休取得率	3年後離職率	平均年収(平均45歳)
17.5年	91.5→122.0%	NA	NA

●採用・配属情報●

【男女・文理別採用実績】

	大卒男	大卒女	修士男	修士女
23年	80(文 74 理 6)	32(文 32 理 0)	7(文 1 理 6)	1(文 0 理 1)
24年	61(文 57 理 4)	61(文 59 理 2)	11(文 3 理 8)	4(文 3 理 1)
25年	−(文 − 理 −)	−(文 − 理 −)	−(文 − 理 −)	−(文 − 理 −)

※25年:一部継続中

【男女・職種別採用実績】 転換制度:⇔

	総合職	エリア総合職	地域職
23年	120(男 87 女 33)	0(男 0 女 0)	0(男 0 女 0)
24年	111(男 72 女 39)	4(男 0 女 4)	22(男 0 女 22)
25年	−(男 − 女 −)	−(男 − 女 −)	−(男 − 女 −)

【24年4月入社者の配属勤務地】㊙本社および全国の本支店

【転勤】あり:[職種]総合職(全域型)

【中途比率】[単年度]21年度55%、22年度68%、23年度59%[全体]NA

●働きやすさ、諸制度●

残業(月) 22.9時間

【勤務時間】8:40〜17:10【有休取得年平均】16.6日【週休】完全2日(土日祝)【夏期休暇】年1回連続5営業日休暇 有休 クリエイティブ休暇 他【年末年始休暇】12月31日〜1月3日

【離職率】NA

【新卒3年後離職率】
[20→23年]NA
[21→24年]NA

【テレワーク】制度あり:[場所]NA[対象]NA[日数]NA[利用率]NA【勤務制度】フレックス 裁量労働 時差勤務 勤務間インターバル 副業容認【住宅補助】社宅

●ライフイベント、女性活躍●

【女性比率】■男 □女

従業員 35.8% (2062名)

【産休】[期間]産前6・産後8週間[給与]健保84%給付[取得者数]63名

【育休】[期間]2歳になるまで[給与]10日有給、以降給付金[取得者数]22年度 男97名(対象106名)女58名(対象59名)23年度 男111名(対象91名)女55名(対象58名)[平均取得日数]22年度 男9日 女428日、23年度 男16日 女463日

【従業員】[人数]5,752名(男3,690名、女2,062名)[平均年齢]44.5歳(男45.7歳、女42.3歳)[平均勤続年数]17.5年(男18.1年、女16.4年)

【年齢構成】NA

会社データ (金額は百万円)

【本社】100-8127 東京都千代田区大手町1-9-2 大手町フィナンシャルシティグランキューブ ☎03-6213-8500 https://www.sc.mufg.jp/

【業績(単独)】	営業収益	営業利益	経常利益	純利益
22.3	258,098	49,783	52,332	36,739
23.3	261,100	44,263	46,982	36,341
24.3	290,173	69,357	71,860	54,499

㈱日本取引所グループ

くるみん

【特色】東証・大阪取引所を擁する総合取引所グループ

記者評価 国内唯一の総合金融取引所グループ。東証は現物株・ETF(指数連動型上場投信)、大阪取引所は金融デリバティブ、東京商品取引所(TOCOM)は商品先物の売買が主体。傘下の自主規制法人は不正の未然防止・調査・審査、処分を手がける。傘下にJPX総研。

平均勤続年数	男性育休取得率	3年後離職率	平均年収(平均47歳)
17.7年	66.7→70.3%	7.1→0%	㊙1,067万円

●採用・配属情報●

【男女・文理別採用実績】

	大卒男	大卒女	修士男	修士女
23年	14(文 12 理 2)	11(文 10 理 1)	4(文 0 理 4)	1(文 0 理 1)
24年	11(文 11 理 0)	12(文 11 理 1)	7(文 0 理 7)	0(文 0 理 0)
25年	8(文 8 理 0)	14(文 13 理 1)	4(文 0 理 4)	2(文 1 理 1)

【男女・職種別採用実績】 転換制度:⇔

	GS職	DS職	SS職
23年	21(男 14 女 7)	5(男 4 女 1)	4(男 0 女 4)
24年	21(男 14 女 7)	4(男 4 女 0)	5(男 0 女 5)
25年	17(男 8 女 9)	6(男 5 女 1)	6(男 0 女 6)

【職種併願】NA

【24年4月入社者の配属勤務地】㊙東京17 大阪8

【転勤】あり:[職種]DSコース GSコース[勤務地]東京 大阪

【中途比率】[単年度]21年度33%、22年度32%、23年度31%[全体]31%

●働きやすさ、諸制度●

残業(月) 24.9時間

【勤務時間】8:45〜16:45【有休取得年平均】14.0日【週休】完全2日(土日祝)【夏期休暇】なし【年末年始休暇】なし

【離職率】男:1.8%、16名 女:1.3%、5名

【新卒3年後離職率】
[20→23年]7.1%(男6.3%・入社16名、女8.3%・入社12名)
[21→24年]0%(男0%・入社16名、女0%・入社13名)

【テレワーク】制度あり:[場所]自宅[対象]勤続2年を経過した社員[日数]月6日まで[利用率]NA【勤務制度】フレックス 時間単位有休【住宅補助】独身寮 転勤者社宅 提携住宅融資

●ライフイベント、女性活躍●

【女性比率】■男 □女

新卒採用 55.2% (16名)

従業員 30.2% (373名)

管理職 8.6% (44名)

【産休】[期間]産前6・産後8週間[給与]法定[取得者数]NA

【育休】[期間]3歳になるまで[給与]法定[取得者数]22年度 男20名(対象30名)女NA(対象NA)23年度 男26名(対象37名)女NA(対象NA)[平均取得日数]22年度 男21日 女NA、23年度 男29日 女NA

【従業員】[人数]1,236名(男863名、女373名)[平均年齢]43.0歳(男43.5歳、女42.0歳)[平均勤続年数]17.7年(男17.5年、女18.2年)

【年齢構成】NA

会社データ (金額は百万円)

【本社】103-8224 東京都中央区日本橋兜町2-1 ☎03-3666-1361 https://www.jpx.co.jp/

【業績(IFRS)】	営業収益	営業利益	税前利益	純利益
22.3	135,432	73,473	73,429	49,955
23.3	133,991	68,253	68,207	46,342
24.3	152,871	87,444	87,404	60,822

金融

とうかいとうきょう
東海東京フィナンシャル・ホールディングス(株)

[えるぼし ★★]

【特色】中京地区地盤の準大手証券。対面営業主体

[記者評価] 東海東京証券が中核。横浜銀行など有力地銀との提携戦略を推進し、7社の提携合弁証券会社を展開。保険代理店の買収、フィンテック企業への出資など販売チャネル多様化を推進。20年から副業・兼業解禁。24年7月から大卒総合職初任給を26.5万円に引き上げ。

平均勤続年数	男性育休取得率	3年後離職率	平均年収(平均38歳)
14.1年	NA	NA	NA

●採用・配属情報●

【男女・文理別採用実績】

	大卒男	大卒女	修士男	修士女
23年	115(文113 理 2)	38(文 36 理 2)	4(文 2 理 2)	2(文 1 理 1)
24年	98(文 95 理 3)	30(文 29 理 1)	4(文 2 理 2)	1(文 1 理 0)
25年	-(文 - 理 -)	-(文 - 理 -)	-(文 - 理 -)	-(文 - 理 -)

※25年:200名採用予定

【男女・職種別採用実績】

	総合職
23年	161(男121 女 40)
24年	135(男103 女 32)
25年	200(男 - 女 -)

【24年4月入社者の配属勤務地】[総]全国20拠点(宮城 東京 埼玉 千葉 愛知 山梨 新潟 静岡 三重 京都 大阪 和歌山 滋賀 奈良 兵庫 岡山 香川 愛媛 高知 福岡)

【転勤】あり:[職種]総合職(全国型)[勤務地]東京本社 名古屋本社 または全国の各支店

【中途比率】[単年度]21年度10%、22年度7%、23年度10% [全体]NA

●働きやすさ、諸制度●

残業(月) 24.0時間

【勤務時間】8:40~17:10【有休取得年平均】11.2日【週休】完全2日(土日祝)※一部配属先により異なる【夏期休暇】連続9日(有休5日と土日を利用)【年末年始休暇】取引所の休暇に合わせ、毎年変動

【離職率】NA

【新卒3年後離職率】

[20→23年]NA

[21→24年]NA

【テレワーク】制度あり:[場所]自宅 会社が認めた場所[対象]NA[日数]NA[利用率]NA【勤務制度】フレックス 週休3日 時差勤務 副業容認【住宅補助】男女独身寮 家族寮 社宅

●ライフイベント、女性活躍●

【女性比率】■男 □女

従業員
36.4%
(1058名)

【産休】[期間]産前6・産後8週間[給与]法定[取得者数]NA

【育休】[期間]3歳になるまで[給与]法定[取得者数]22年度 NA 23年度 NA[平均取得日数]22年度 NA、23年度 NA

【従業員】[人数]2,904名(男1,846名、女1,058名)[平均年齢]38.2歳(男37.9歳、女38.6歳)[平均勤続年数]14.1年(男13.7年、女14.8年)

【年齢構成】NA

会社データ (金額は百万円)

【本社】103-6130 東京都中央区日本橋2-5-1 日本橋高島屋三井ビルディング ☎03-3517-8100 https://www.tokaitokyo-fh.jp/

【業績(連結)】	営業収益	営業利益	経常利益	純利益
22.3	80,975	9,881	12,979	13,150
23.3	73,383	3,159	6,346	1,953
24.3	89,201	15,304	18,397	10,189

おかさんしょうけん
岡三証券(株)

[えるぼし ★★] [くるみん]

【特色】独立系の準大手証券会社。ネット取引も展開

[記者評価] 1923年創業。創業地の三重県周辺が地盤。岡三証券グループの中核企業。全国69拠点、海外2拠点を構える。21年に証券ジャパンを子会社化。高コスト体質の改善などを目的にグループ内企業の再編を実施中。新入社員には1年間の研修期間を設けている。

平均勤続年数	男性育休取得率	3年後離職率	平均年収(平均*41歳)
11.0年	18.9→102.0%	NA	[総]758万円

●採用・配属情報●

【男女・文理別採用実績】

	大卒男	大卒女	修士男	修士女
23年	78(文 73 理 5)	60(文 58 理 2)	0(文 0 理 0)	0(文 0 理 0)
24年	107(文 98 理 9)	54(文 53 理 1)	4(文 2 理 2)	0(文 0 理 0)
25年	-(文 - 理 -)	-(文 - 理 -)	-(文 - 理 -)	-(文 - 理 -)

※25年:200名採用予定

【男女・職種別採用実績】 転換制度:⇔

	総合職	総合職(地域限定)	専任職
23年	94(男 78 女 16)	46(男 0 女 46)	0(男 0 女 0)
24年	127(男111 女 16)	40(男 0 女 40)	0(男 0 女 0)
25年	-(男 - 女 -)	-(男 - 女 -)	-(男 - 女 -)

【24年4月入社者の配属勤務地】[総]国内各拠点

【転勤】あり:[職種]総合職

【中途比率】[単年度]21年度20%、22年度30%、23年度34%[全体]NA

●働きやすさ、諸制度●

残業(月) 25.5時間 [総]27.9時間

【勤務時間】8:40~17:10【有休取得年平均】10.0日【週休】完全2日(土日祝)【夏期休暇】連続5営業日(「リフレッシュプラス5」制度)【年末年始休暇】12月31日~1月3日

【離職率】NA

【新卒3年後離職率】

[20→23年]NA

[21→24年]NA

【テレワーク】NA【勤務制度】裁量労働【住宅補助】独身寮(全国)借上社宅 住宅手当 住宅資金利子補給

●ライフイベント、女性活躍●

【女性比率】■男 □女

従業員
30.6%
(768名)

【産休】[期間]産前6・産後8週間[給与]会社全額給付[取得者数]16名

【育休】[期間]1歳になるまで[給与]法定[取得者数]22年度 男14名(対象74名)女32名(対象30名)23年度 男51名(対象50名)女22名(対象22名)[平均取得日数]22年度 NA、23年度 男20日 女338日

【従業員】[人数]2,513名(男1,745名、女768名)[平均年齢]41.1歳(男43.0歳、女38.0歳)[平均勤続年数]11.0年(男11.1年、女9.1年)

【年齢構成】NA

会社データ (金額は百万円)

【本社】103-0022 東京都中央区日本橋室町2-2-1 ☎03-3272-2211 https://www.okasan.co.jp/recruit/

【業績(連結)】	営業収益	営業利益	経常利益	純利益
22.3	73,778	4,976	6,898	10,073
23.3	66,551	▲1,034	421	529
24.3	84,509	16,111	18,061	13,167

※資本金・業績は(株)岡三証券グループのもの

958 開示 ★★★★☆

まつい しょうけん
松井証券(株)

[くるみん]

【特色】独立系のネット証券大手。一日信用取引に特長

[記者評価] 創業100年超の老舗。日本で初めて本格的なネット証券取引を開始。顧客が自身の判断で金融取引を行うための仕組み作りに重点。一日信用取引、ダークプール利用など先進的サービス開発に強み。22年から米国株の取引に対応。FXや投信販売なども強化中。

平均勤続年数	男性育休取得率	3年後離職率	平均年収(平均38歳)
10.7年	62.5→100%	11.1→0%	[総]916万円

●採用・配属情報●

【男女・文理別採用実績】

	大卒男	大卒女	修士男	修士女
23年	6(文 5理 1)	6(文 6理 0)	0(文 0理 0)	0(文 0理 0)
24年	5(文 5理 0)	4(文 4理 0)	2(文 0理 2)	1(文 0理 1)
25年	4(文 3理 1)	4(文 3理 1)	0(文 0理 0)	0(文 0理 0)

【男女・職種別採用実績】

	総合職
23年	12(男 6 女 6)
24年	12(男 7 女 5)
25年	8(男 4 女 4)

【24年4月入社者の配属勤務地】[総]東京10 札幌2
【転勤】あり:[職種]全社員[勤務地]札幌[部署]顧客サポートセンター
【中途比率】[単年度]21年度57%、22年度58%、23年度54%[全体]42%

●働きやすさ、諸制度●

残業(月) 27.0時間 [総]27.0時間

【勤務時間】8:30～17:30【有休取得年平均】16.4日【週休】完全2日(土日祝)【夏期休暇】なし【年末年始休暇】12月31日～1月3日
【離職率】男:4.7%、6名 女:6.3%、4名
【新卒3年後離職率】
[20→23年]11.1%(男12.5%・入社8名、女0%・入社1名)
[21→24年]0%(男0%・入社3名、女0%・入社6名)
【テレワーク】制度あり:[場所]自宅 他[対象]全社員[日数]職種による[利用率]15.9%【勤務制度】時間単位有休【住宅補助】住宅手当(勤務5年以内の独身者で、中途は30歳まで家賃10万円以下20,000円、家賃10万円超30,000円)

●ライフイベント、女性活躍●

【女性比率】■男 □女

新卒採用
50%
(4名)
従業員
32.6%
(59名)
管理職
14%
(6名)

【産休】[期間]産前6・産後8週間[給与]健保+付加給付20%[取得者数]1名
【育休】[期間]1歳になるまで[給与]法定[取得者数]22年度男5名(対象8名)女1名(対象1名)23年度 男1名(対象1名)女1名(対象1名)[平均取得日数]22年度 男47日 女-、23年度 男63日 女-
【従業員】[人数]181名(男122名、女59名)[平均年齢]37.9歳(男37.1歳、女39.4歳)[平均勤続年数]10.7年(男10.1年、女12.0年)
【年齢構成】■男 □女

60代～ 0% | 0%
50代 9% 9%
40代 16% 8%
30代 24% 5%
～20代 18% 10%

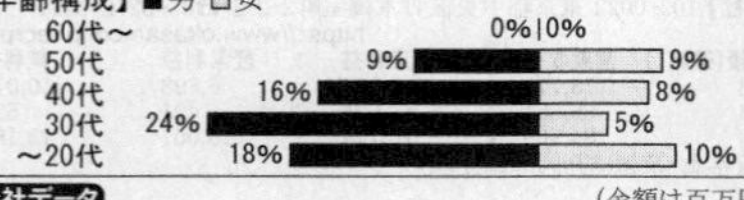

[会社データ] (金額は百万円)
【本社】102-8516 東京都千代田区麹町1-4 ☎03-5216-0606
https://www.matsui.co.jp/

【業績(単独)】	営業収益	営業利益	経常利益	純利益
22.3	30,616	12,772	12,791	11,439
23.3	31,071	11,349	11,253	7,823
24.3	40,207	15,165	15,054	9,790

957 開示 ★★☆☆☆ [短大] [専門] 採用あり

しょうけん
いちよし証券(株)

[えるぼし ★★★]

【特色】中堅証券。中小型の新規公開株発掘に注力

[記者評価] 大阪発祥だが現在の軸足は首都圏。いちよし経済研究所を通じた中小型有望企業の調査・発掘に定評。売れる商品でも、売らない信念がモットー。子会社でIFA業務を展開。本部主導の営業目標廃止に取り組む。新入社員には1年間インストラクターがつき業務を指導。

平均勤続年数	男性育休取得率	3年後離職率	平均年収(平均45歳)
15.8年	23.8→106.3%	NA	[総]652万円

●採用・配属情報●

【男女・文理別採用実績】

	大卒男	大卒女	修士男	修士女
23年	20(文 18理 2)	18(文 17理 1)	0(文 0理 0)	0(文 0理 0)
24年	23(文 23理 0)	18(文 18理 0)	0(文 0理 0)	1(文 1理 0)
25年	28(文 28理 0)	22(文 22理 0)	1(文 1理 0)	0(文 0理 0)

【男女・職種別採用実績】 転換制度:⇔

	全国転勤型	地域限定型
23年	28(男 19 女 9)	12(男 2 女 10)
24年	27(男 23 女 4)	16(男 1 女 15)
25年	32(男 26 女 6)	21(男 4 女 17)

【24年4月入社者の配属勤務地】[総]東京(茅場町4 赤坂1 成城1 成増1)横浜1 千葉(千葉1 浦安1)名古屋4 埼玉・越谷1 長野(飯田1 伊那1)三重・伊勢1 京都・伏見2 神戸2 大阪(大阪2 難波2 今里2 針中野1 岸和田1 枚方2 八尾1)奈良(高田2 学園前1)和歌山・環1 岡山(岡山2 倉敷2)福岡・大牟田1 佐賀・武雄1
【転勤】あり:[職種]全国転勤型 [勤務地]全店舗 [職種]地域限定型 [勤務地]転居を伴わない範囲
【中途比率】[単年度]21年度35%、22年度36%、23年度53%[全体]45%

●働きやすさ、諸制度●

残業(月) 16.2時間 [総]16.2時間

【勤務時間】8:00～17:00【有休取得年平均】10.6日【週休】完全2日(土日祝)【夏期休暇】連続9日(週休4日含む)取得を義務化。夏期以外でも取得可【年末年始休暇】12月31日～1月3日
【離職率】NA
【新卒3年後離職率】[20→23年]NA [21→24年]NA
【テレワーク】制度なし【勤務制度】時差勤務【住宅補助】独身寮(東京 大阪 岡山 その他は法人契約で1ルーム貸与)社宅 単身赴任用社宅 家賃補助手当 他

●ライフイベント、女性活躍●

【女性比率】■男 □女

新卒採用
43.4%
(23名)
従業員
31.8%
(275名)
管理職
19.6%
(42名)

【産休】[期間]産前6・産後8週間[給与]法定+直近12カ月間の標準報酬月額平均額÷30×20%給付[取得者数]12名
【育休】[期間]1歳になるまで[給与]法定[取得者数]22年度 男5名(対象21名)女7名(対象7名)23年度 男17名(対象16名)女12名(対象12名)[平均取得日数]22年度NA、23年度 NA
【従業員】[人数]864名(男589名、女275名)[平均年齢]44.6歳(男45.8歳、女42.2歳)[平均勤続年数]15.8年(男17.0年、女13.1年)【年齢構成】■男 □女

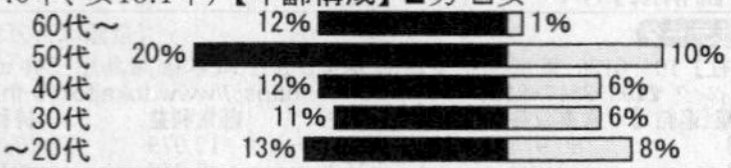

60代～ 12% 1%
50代 20% 10%
40代 12% 6%
30代 11% 6%
～20代 13% 8%

[会社データ] (金額は百万円)
【本社】103-0025 東京都中央区日本橋茅場町1-5-8 東京証券会館 ☎03-4346-4630
https://www.ichiyoshi.co.jp/

【業績(連結)】	営業収益	営業利益	経常利益	純利益
22.3	19,591	3,321	3,443	2,526
23.3	16,666	1,166	1,216	758
24.3	18,837	2,803	2,875	1,929

水戸証券(株)（みとしょうけん）

[くるみん]

【特色】茨城発祥。独立系で関東地盤の中堅証券会社

[記者評価] 茨城県を中心に関東一円に展開。地域密着型の対面営業が主体。近年は安定収益源の確保を目指して、投資信託やファンドラップの残高増加に力点を置く。事業承継・相続支援などを含めた関連サービスを強化。研修や資格取得の支援を進める。

平均勤続年数	男性育休取得率	3年後離職率	平均年収(平均43歳)
18.3年	31.6→40.0%	NA	◇648万円

●採用・配属情報●

【男女・文理別採用実績】

	大卒男	大卒女	修士男	修士女
23年	34(文 28 理 6)	16(文 16 理 0)	0(文 0 理 0)	0(文 0 理 0)
24年	60(文 59 理 1)	10(文 10 理 0)	0(文 0 理 0)	0(文 0 理 0)
25年	51(文 51 理 0)	14(文 13 理 1)	0(文 0 理 0)	0(文 0 理 0)

【男女・職種別採用実績】 転換制度:⇔

	総合職	エリア総合職
23年	44(男 33 女 11)	6(男 1 女 5)
24年	61(男 55 女 6)	9(男 5 女 4)
25年	59(男 49 女 10)	7(男 3 女 4)

【24年4月入社者の配属勤務地】[総]茨城27 福島3 東京3 千葉10 神奈川4 栃木4 群馬5 埼玉14
【転勤】あり:[職種]総合職 エリア総合職［職種］関東一円25店舗
【中途比率】[単年度]21年度NA、22年度NA、23年度NA[全体]16%

●働きやすさ、諸制度●

残業(月) 12.2時間

【勤務時間】8:20〜17:20【有休取得年平均】14.6日【週休】完全2日(土日祝)【夏期休暇】リフレッシュ休暇(年5日)で取得【年末年始休暇】12月31日〜1月3日
【離職率】NA
【新卒3年後離職率】
[20→23年]NA
[21→24年]NA
【テレワーク】制度あり:[場所]自宅(自宅に準ずる場所)[対象]会社が認めたもの[日数]1カ月に10営業日以上必要とされるもの[利用率]NA【勤務制度】なし【住宅補助】社宅

●ライフイベント、女性活躍●

【女性比率】■男 □女

新卒採用 21.2% (14名)

従業員 28.5% (207名)

管理職 16.6% (25名)

【産休】[期間]産前6・産後8週間[給与]法定+健保2割給付[取得者数]4名
【育休】[期間]1歳になるまで[給与]法定[取得者数]22年度 男6名(対象19名)女10名(対象10名)23年度 男4名(対象10名)女2名(対象3名)[平均取得日数]22年度 男2日 女484日、23年度 男28日 女353日
【従業員】[人数]726名(男519名、女207名)[平均年齢]43.4歳(男44.4歳、女41.0歳)[平均勤続年数]18.3年(男19.1年、女16.3年)
【年齢構成】■男 □女

	男	女
60代〜	12%	2%
50代	19%	7%
40代	9%	5%
30代	12%	6%
〜20代	19%	9%

[会社データ] (金額は百万円)
【本社】112-0002 東京都文京区小石川1-1-1 文京ガーデンゲートタワー ☎03-6739-0310 https://www.mito.co.jp/

【業績(単独)】	営業収益	営業利益	経常利益	純利益
22.3	13,683	1,523	1,961	1,389
23.3	11,196	▲268	186	773
24.3	14,554	2,391	2,803	2,336

東洋証券(株)（とうようしょうけん）

[えるぼし ★★]

【特色】独立系の中堅証券。広島地盤。中国株の草分け

[記者評価] 対面営業主体の中堅証券。創業の地である広島を中心に約30店舗を展開。93年に取り扱いを開始した中国株取引の草分け的存在。アジア系投信や米国株も扱う。地域ごとに専任営業員を配置する「地域担当制」導入。収益性改善に向け顧客基盤拡充と費用削減に専心。

平均勤続年数	男性育休取得率	3年後離職率	平均年収(平均41歳)
18.1年	10.0→28.6%	67.7→60.9%	[総]675万円

●採用・配属情報●

【男女・文理別採用実績】※25年:24年7月24日時点

	大卒男	大卒女	修士男	修士女
23年	12(文 11 理 1)	20(文 19 理 1)	0(文 0 理 0)	1(文 0 理 1)
24年	32(文 32 理 0)	4(文 4 理 0)	0(文 0 理 0)	1(文 1 理 0)
25年	31(文 31 理 0)	11(文 11 理 0)	0(文 0 理 0)	0(文 0 理 0)

【男女・職種別採用実績】 転換制度:⇔

	基幹職	広域エリア職	エリア職
23年	23(男 11 女 12)	9(男 1 女 8)	1(男 0 女 1)
24年	17(男 16 女 1)	22(男 16 女 6)	4(男 3 女 1)
25年	30(男 27 女 3)	13(男 5 女 8)	0(男 0 女 0)

【24年4月入社者の配属勤務地】[総]東京(中央4 新宿2)横浜2 千葉・館山2 群馬・桐生2 茨城(日立3 つくば2)仙台2 名古屋2 静岡・藤枝1 大阪3 奈良2 広島(広島3 福山2 三原1 呉3)山口(山口2 宇部3 下関2)
【転勤】あり:全社員(基幹職、広域エリア職のみ)
【中途比率】[単年度]21年度34%、22年度21%、23年度25%[全体]25%

●働きやすさ、諸制度●

残業(月) 24.4時間 [総]24.4時間

【勤務時間】8:30〜17:00【有休取得年平均】9.0日【週休】完全2日(土日祝)【夏期休暇】連続9日(特別有休3日、有休2日含む)【年末年始休暇】12月31日〜1月3日
【離職率】男:11.8%、60名 女:13.7%、31名
【新卒3年後離職率】
[20→23年]67.7%(男70.7%・入社41名、女61.9%・入社21名)
[21→24年]60.9%(男63.0%・入社27名、女57.9%・入社19名)
【テレワーク】制度あり:[場所]自宅[対象]全社員[日数]制限なし[利用率]2.8%【勤務制度】裁量労働 時差勤務 勤務間インターバル【住宅補助】借上社宅(基幹職/広域エリア職のみ)

●ライフイベント、女性活躍●

【女性比率】■男 □女

新卒採用 25.6% (11名)

従業員 30.3% (196名)

管理職 12.6% (17名)

【産休】[期間]産前6・産後8週間[給与]会社全額給付[取得者数]3名
【育休】[期間]1歳になるまで[給与]法定[取得者数]22年度 男1名(対象10名)女4名(対象4名)23年度 男2名(対象7名)女4名(対象4名)[平均取得日数]22年度 男32日 女297日、23年度 男10日 女416日
【従業員】[人数]646名(男450名、女196名)[平均年齢]43.0歳(男43.3歳、女42.8歳)[平均勤続年数]18.1年(男19.5年、女14.9年)【年齢構成】■男 □女

	男	女
60代〜	12%	2%
50代	20%	7%
40代	9%	7%
30代	14%	4%
〜20代	16%	10%

[会社データ] (金額は百万円)
【本社】104-8678 東京都中央区八丁堀4-7-1 ☎03-5117-1040 https://www.toyo-sec.co.jp/

【業績(連結)】	営業収益	営業利益	経常利益	純利益
22.3	10,863	▲180	579	875
23.3	8,341	▲2,167	▲1,660	▲2,955
24.3	12,023	1,153	1,437	1,305

金融

みつびしユーエフジェイ

三菱ＵＦＪアセットマネジメント㈱

くるみん

【特色】MUFG傘下。グループ資産運用業務の中核

記者評価 日本最古の投信会社・旧山一投信を系譜に持つ三菱UFJ投信と国際投信投資顧問が15年合併して発足。運用資産残高は38兆円(24年3月)。23年10月、MU投資顧問の有価証券運用機能などを継承し、現社名に商号変更。24年4月、三菱UFJ信託傘下からMUFG持株直下に。

平均勤続年数	男性育休取得率	3年後離職率	平均年収(平均43歳)
13.5年	109.1 → 107.1%	9.4 → 4.3%	NA

●採用・配属情報●

【男女・文理別採用実績】

	大卒男	大卒女	修士男	修士女
23年	8(文 8理 0)	10(文 10理 0)	3(文 0理 3)	0(文 0理 0)
24年	6(文 5理 1)	11(文 10理 1)	2(文 0理 2)	0(文 0理 0)
25年	11(文 10理 1)	7(文 7理 0)	6(文 0理 6)	2(文 0理 2)

【男女・職種別採用実績】

	総合職	業務職
23年	21(男 11 女 10)	0(男 0 女 0)
24年	19(男 8 女 11)	0(男 0 女 0)
25年	26(男 17 女 9)	0(男 0 女 0)

【24年4月入社者の配属勤務地】㊔東京・汐留19
【転勤】なし
【中途比率】[単年度]21年度18%、22年度67%、23年度49%[全体]48%

●働きやすさ、諸制度●

残業(月) 28.7時間 ㊔28.7時間

【勤務時間】8:40～17:10【有休取得年平均】13.9日【週休】完全2日(土日祝)【夏期休暇】連続5日(特別休暇3日、有休2日)【年末年始休暇】12月31日～1月3日
【離職率】男:3.1%、16名 女:2.0%、7名
【新卒3年後離職率】
[20→23年]9.4%(男6.7%・入社15名、女11.8%・入社17名)
[21→24年]4.3%(男0%・入社11名、女8.3%・入社12名)
【テレワーク】制度あり:[場所]自宅[対象]全社員[日数]制限なし[利用率]42.5%【勤務制度】時間単位有休 時差勤務 勤務間インターバル 副業容認【住宅補助】独身寮 住宅費補助

●ライフイベント、女性活躍●

【女性比率】■男 □女

新卒採用 34.6% (9名)

従業員 41.1% (345名)

管理職 11.8% (12名)

【産休】[期間]産前6・産後8週間[給与]法定[取得者数]16名
【育休】[期間]2歳になるまで[給与]法定[取得者数]22年度 男24名(対象22名)女15名(対象15名)23年度 男15名(対象14名)女11名(対象11名)[平均取得日数]22年度 男38日 女430日、23年度 男40日 女411日
【従業員】[人数]839名(男494名、女345名)[平均年齢]42.7歳(男44.3歳、女40.3歳)[平均勤続年数]13.5年(男13.3年、女13.9年)
【年齢構成】■男 □女

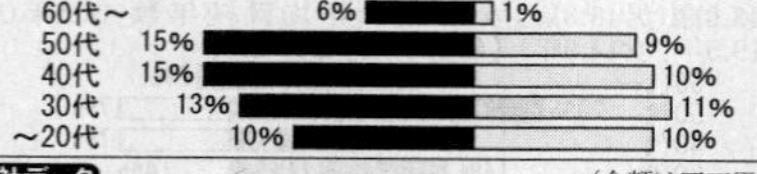

会社データ (金額は百万円)

【本社】105-0021 東京都港区東新橋1-9-1 東京汐留ビルディング ☎03-4223-3000
https://www.am.mufg.jp/

【業績(単独)】	営業収益	営業利益	経常利益	純利益
22.3	82,702	15,551	17,011	12,150
23.3	86,882	14,263	15,012	10,342
24.3	101,901	15,859	15,975	10,537

だいいちせいめいほけん

第一生命保険㈱

プラチナ
くるみん＋

【特色】民間生保4強で唯一の株式会社。海外拡大基調

記者評価 1902年国内初の相互会社として発足。みずほGと緊密。米国生保の買収など海外展開で先行。ダイバーシティ経営を推進。16年に持株会社体制に移行。第一生命グループのフロンティア生命を中心に外貨建て保険の販売好調。親会社は海外一段活発。

平均勤続年数	男性育休取得率	3年後離職率	平均年収(平均46歳)
16.5年	118.9 → 102.5%	NA	NA

●採用・配属情報●

【男女・文理別採用実績】

	大卒男	大卒女	修士男	修士女
23年	43(文 41理 2)	50(文 48理 2)	13(文 3理 10)	0(文 0理 0)
24年	60(文 58理 2)	61(文 57理 4)	17(文 2理 15)	0(文 0理 0)
25年	58(文 48理 10)	56(文 53理 3)	32(文 9理 23)	3(文 2理 1)

※基幹職のみ 25年:24年7月下旬時点

【男女・職種別採用実績】 転換制度:⇔

	基幹総合職(G型)	基幹総合職(R型)	基幹業務職(A型)	機関経営職	ライフプロ職
23年	62(男54女 8)	13(男 1女12)	31(男 1女30)	36(男34女 2)	139(男 0女139)
24年	91(男73女18)	25(男 3女22)	25(男 1女24)	55(男53女 2)	211(男 0女211)
25年	109(男83女26)	20(男 5女15)	20(男 2女18)	60(男47女13)	417(男 0女417)

【職種併願】○
【24年4月入社者の配属勤務地】㊔全国各地の事業所
【転勤】あり:[職種]基幹総合職(G型)[勤務地]全国
【中途比率】[単年度]21年度NA、22年度NA、23年度NA[全体]NA

●働きやすさ、諸制度●

残業(月) 5.5時間 ㊔5.5時間

【勤務時間】9:00～17:00【有休取得年平均】15.2日【週休】完全2日(土日祝)【夏期休暇】連続7日以上【年末年始休暇】連続4日
【離職率】NA
【新卒3年後離職率】[20→23年]NA [21→24年]NA
【テレワーク】制度あり:[場所]自宅 カフェ サテライトオフィス他[対象]全社員[日数]制限なし[利用率]NA【勤務制度】フレックス 時間単位有休 裁量労働 勤務間インターバル 副業容認【住宅補助】社宅(全国、基幹総合職(G型)のみ)

●ライフイベント、女性活躍●

【女性比率】■男 □女

新卒採用 78.1% (489名)

従業員 72% (6183名)

【産休】[期間]産前6・産後8週間[給与]会社全額給付[取得者数]226名
【育休】[期間]1歳6カ月到達日の翌月以降最初の4月末日または10月末日の早い方まで[給与]法定[取得者数]22年度 男157名(対象132名)女226名(対象229名)23年度 男121名(対象118名)女214名(対象215名)[平均取得日数]22年度 NA、23年度 NA
【従業員】[人数]8,582名(男2,399名、女6,183名)[平均年齢]46.1歳(男47.3歳、女45.6歳)[平均勤続年数]16.5年(男23.4年、女13.8年)
【年齢構成】■男 □女

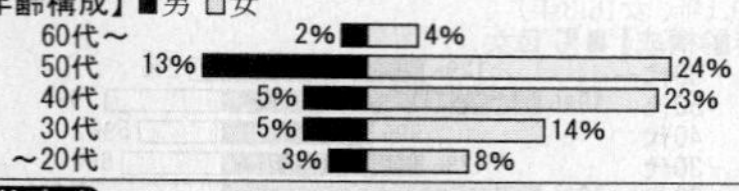

会社データ (金額は百万円)

【本社】100-8411 東京都千代田区有楽町1-13-1 第一生命日比谷ファースト ☎03-3216-1211
https://www.dai-ichi-life.co.jp/

【業績(連結)】	経常収益	保険料等収入	経常利益	純利益
22.3	8,209,708	5,291,973	590,897	409,353
23.3	9,508,766	6,654,426	387,500	173,735
24.3	11,028,166	7,526,357	539,006	320,765

※業績は第一生命ホールディングス㈱のもの
※データは全て基幹職のもの

日本生命保険(相)

にほんせいめいほけん

プラチナくるみん

【特色】関西発祥の生保最大手。財閥に属さず独立色

記者評価 国内民間生保の最大手。相互会社経営を堅持。営業職員チャネルや死亡保障保険の販売力は強大。資本の厚みなど安定性も強固。メガ損保のMS＆ADグループのあいおいニッセイ同和損保と親密。国際金融大手と幅広く提携。23年11月介護大手ニチイ学館の親会社を買収。

平均勤続年数	男性育休取得率	3年後離職率	平均年収(平均45歳)
①14.3年	100→100%	NA	NA

●採用・配属情報●

【男女・文理別採用実績】

	大卒男	大卒女	修士男	修士女
23年	NA(文NA理NA)	NA(文NA理NA)	NA(文NA理NA)	NA(文NA理NA)
24年	NA(文NA理NA)	NA(文NA理NA)	NA(文NA理NA)	NA(文NA理NA)
25年	NA(文NA理NA)	NA(文NA理NA)	NA(文NA理NA)	NA(文NA理NA)

【男女・職種別採用実績】 転換制度:⇔

	総合職	エリア総合職	営業総合職	法人職域FC	エリア業務職
23年	154(男NA女NA)	58(男NA女NA)	68(男NA女NA)	337(男NA女NA)	22(男NA女NA)
24年	169(男NA女NA)	62(男NA女NA)	104(男NA女NA)	321(男NA女NA)	83(男NA女NA)
25年	180(男NA女NA)	60(男NA女NA)	90(男NA女NA)	340(男NA女NA)	140(男NA女NA)

【職種併願】○
【24年4月入社者の配属勤務地】㊕本店本部(大阪 東京)支社(全国主要都市)
【転勤】あり:[職種]総合職 営業総合職[勤務地]本店本部(大阪 東京)支社(全国主要都市)
【中途比率】[単年度]21年度91%、22年度90%、23年度91%[全体]NA

●働きやすさ、諸制度●

残業(月) NA

【勤務時間】原則9:00～17:00【有休取得年平均】18.2日【週休】完全2日【夏期休暇】連続1週間程度(有休利用)【年末年始休暇】12月31日～1月3日
【離職率】NA
【新卒3年後離職率】[20→23年]NA [21→24年]NA
【テレワーク】制度あり:[場所]NA[対象]NA[日数]NA[利用率]NA【勤務制度】フレックス 時間単位有休 裁量労働 勤務間インターバル 副業容認【住宅補助】独身寮 社宅 住宅手当(職員区分による)

●ライフイベント、女性活躍●

【女性比率】■男 □女

【産休】[期間]産前6・産後8週間[給与]有給[取得者数]429名
【育休】[期間]誕生日に応じて最長2歳半になるまで[給与]開始日から7日目まで有給、以降法定[取得者数]22年度 男292名(対象292名)女491名(対象442名)23年度 男274名(対象274名)女387名(対象394名)[平均取得日数]22年度 男12日 女NA、23年度 男16日 女NA
【従業員】[人数]20,135名(男6,191名、女13,944名)[平均年齢]45.4歳(男44.2歳、女46.0歳)[平均勤続年数]14.3年(男17.9年、女12.7年) ※内勤職員のみ
【年齢構成】■男 □女

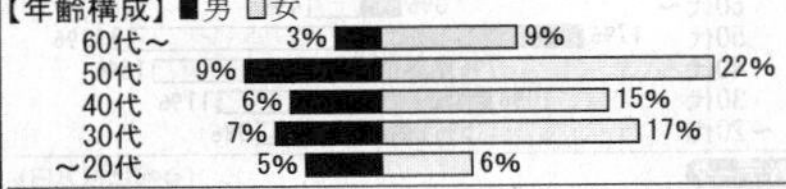

会社データ (金額は百万円)

【本社】541-8501 大阪府大阪市中央区今橋3-5-12 ☎06-6209-4500 https://www.nissay.co.jp/

【業績(単独)】	保険料等収入	基礎利益	経常利益	純剰余
22.3	4,307,975	796,654	493,205	351,873
23.3	4,647,991	498,828	247,884	187,453
24.3	5,297,399	708,743	654,562	512,077

㈱かんぽ生命保険

せいめいほけん

えるぼし★★★ プラチナくるみん

【特色】日本郵政傘下の生命保険会社。15年に上場

記者評価 郵政民営化で07年に誕生。旧郵政公社の簡易保険業務を継承。アフラックや第一生命と提携。15年11月に日本郵政やゆうちょ銀行と同時上場。販売は郵便局ネットワーク軸。21～22年に大規模な自己株買い実施、郵政の議決権比率5割切り、完全民営化への移行進む。

平均勤続年数	男性育休取得率	3年後離職率	平均年収(平均44歳)
18.5年	NA	12.7→14.8%	◇634万円

●採用・配属情報●

【男女・文理別採用実績】

	大卒男	大卒女	修士男	修士女
23年	228(文219 理 9)	109(文107 理 2)	8(文 1 理 7)	0(文 0 理 0)
24年	171(文158 理 13)	58(文 55 理 3)	4(文 2 理 2)	0(文 0 理 0)
25年	−(文 − 理 −)	−(文 − 理 −)	−(文 − 理 −)	−(文 − 理 −)

【男女・職種別採用実績】 転換制度:⇔

	総合職	業務職	営業職	一般職	エリア基幹職
23年	90(男71女19)	0(男 0女 0)	0(男 0女 0)	0(男 0女 0)	269(男169女100)
24年	29(男25女 4)	0(男 0女 0)	0(男 0女 0)	0(男 0女 0)	212(男156女56)
25年	−(男 −女 −)	−(男 −女 −)	−(男 −女 −)	0(男 0女 0)	−(男 −女 −)

【職種併願】○
【24年4月入社者の配属勤務地】㊕北海道2 東北1 関東3 東京8 南関東2 信越1 北陸1 東海2 近畿4 四国1 中国2 九州2
【転勤】あり:全社員(一般職を除く)
【中途比率】[単年度]21年度7%、22年度7%、23年度22%[全体]NA

●働きやすさ、諸制度●

残業(月) 9.2時間

【勤務時間】8時間【有休取得年平均】18.9日【週休】4週8休【夏期休暇】1日【年末年始休暇】12月31日～1月3日(別途冬期休暇1日)
【離職率】男:2.2%、320名 女:3.9%、174名(早期退職男31名、女11名含む)
【新卒3年後離職率】
[20→23年]12.7%(男10.1%・入社79名、女14.3%・入社126名)
[21→24年]14.8%(男5.0%・入社60名、女23.5%・入社68名)
【テレワーク】制度あり:[場所]自宅 サテライトオフィス カフェ 公共交通機関(新幹線車内・航空機機内)短期間遠隔地 他[対象]特定の部署・職種[日数]月1回以上は出社[利用率]5.8%【勤務制度】フレックス 時間単位有休 時差勤務 勤務間インターバル 副業容認【住宅補助】社宅(世帯用 独身用)住居手当(家賃等に応じて)※一定の要件あり

●ライフイベント、女性活躍●

【女性比率】■男 □女

従業員
23.5%
(4339名)

【産休】[期間]産前6・産後8週間[給与]会社全額給付[取得者数]184名
【育休】[期間]3歳になるまで。部分育休は9歳年度末まで[給与]産後8週間以内の育休のうち3日間有給、以降法定[取得者数]22年度 男338名(対象NA)女178名(対象NA)23年度 男206名(対象NA)女185名(対象NA)[平均取得日数]22年度 NA、23年度 男52日 女573日
【従業員】[人数]18,427名(男14,088名、女4,339名)[平均年齢]43.9歳(男45.3歳、女39.5歳)[平均勤続年数]18.5年(男19.7年、女14.3年)【年齢構成】■男 □女

60代～ 2% 0%
50代 28% 5%
40代 26% 4%
30代 15% 10%
～20代 6% 4%

会社データ (金額は百万円)

【本社】100-8794 東京都千代田区大手町2-3-1 大手町プレイスウエストタワー ☎03-3477-0111 https://www.jp-life.japanpost.jp/

【業績(連結)】	経常収益	保険料等収入	経常利益	純利益
22.3	6,454,208	2,418,979	356,113	158,062
23.3	6,379,561	2,200,945	117,570	97,614
24.3	6,744,134	2,484,007	161,173	87,056

めいじやすだせいめいほけん
明治安田生命保険(相)

プラチナくるみん

【特色】明治と安田の合併で誕生。業界上位、団保首位

[記者評価] 三菱系の明治生命と芙蓉系の安田生命との合併で誕生。団体保険首位。16年に米国団保上位のスタンコープ社買収。ポーランドのオイロパ社に約50%出資。21年に契約社員約2500人のうち希望者全員を正社員化。25年6月末までに米団保のアメリカンヘリテージ買収へ。

平均勤続年数	男性育休取得率	3年後離職率	平均年収(平均NA)
NA	NA	NA	NA

●採用・配属情報●

【男女・文理別採用実績】

	大卒男	大卒女	修士男	修士女
23年	151(文139 理 12)	133(文126 理 7)	12(文 6 理 6)	4(文 2 理 2)
24年	223(文NA 理NA)	111(文NA 理NA)	NA(文NA 理NA)	NA(文NA 理NA)
25年	-(文 - 理 -)	-(文 - 理 -)	-(文 - 理 -)	-(文 - 理 -)

※25年:約300名採用予定

【男女・職種別採用実績】 転換制度:⇔

	総合職(全国型)	総合職(地域型)
23年	199(男 163 女 36)	101(男 0 女101)
24年	268(男 NA 女 NA)	66(男 NA 女 NA)
25年	-(男 - 女 -)	-(男 - 女 -)

【職種併願】一部職種間で可能
【24年4月入社者の配属勤務地】[総]全国各地の事業所
【転勤】あり:[職種]総合職(全国型)
【中途比率】[単年度]21年度NA、22年度NA、23年度NA[全体]NA

●働きやすさ、諸制度●

残業(月) NA

【勤務時間】9:00〜17:00【有休取得年平均】NA【週休】2日(土日祝)【夏期休暇】あり【年末年始休暇】あり
【離職率】NA
【新卒3年後離職率】
[20→23年]NA
[21→24年]NA
【テレワーク】制度あり:[場所]指定なし(情報漏洩が発生しないよう留意)[対象]全職員[日数]制限なし[利用率]NA【勤務制度】フレックス 時間単位有休 週休3日 裁量労働 時差勤務 勤務間インターバル【住宅補助】代用社宅制度

●ライフイベント、女性活躍●

【女性比率】NA
【産休】[期間]産前・産後8週間。通算して16週間の範囲で産後9週間取得可[給与]基準内賃金0.3%/日控除[取得者数]NA
【育休】[期間]2歳到達月末まで[給与]法定[取得者数]22年度 NA 23年度 NA[平均取得日数]22年度 NA、23年度 NA
【従業員】[人数]47,140名(男NA、女NA)[平均年齢]NA[平均勤続年数]NA
【年齢構成】NA

会社データ (金額は百万円)

【本社】100-0005 東京都千代田区丸の内2-1-1 ☎03-3283-8111
https://www.meijiyasuda.co.jp/

【業績(単独)】	保険料等収入	基礎利益	経常利益	純剰余
22.3	2,443,588	NA	248,377	185,926
23.3	3,203,693	NA	283,055	104,146
24.3	2,827,246	NA	231,010	164,714

※データは全て営業職員を除いたもの

すみともせいめいほけん
住友生命保険(相)

プラチナくるみん+

【特色】民間生保大手4強の一角。大型M&Aで米国進出

[記者評価] 後発ながら営業力の強さ生かし国内生保4強の一角に。米生保シメトラ・フィナンシャルを16年に買収、米国本格進出。来店型保険ショップも展開、販売チャンネルの多角化を進める。若手・女性積極登用。23年2月東京本社を東京ミッドタウン八重洲に移転。

平均勤続年数	男性育休取得率	3年後離職率	平均年収(平均46歳)
18.3年	97.3 → 109.5%	NA	NA

●採用・配属情報●

【男女・文理別採用実績】※25年:継続中

	大卒男	大卒女	修士男	修士女
23年	64(文 59 理 5)	61(文 57 理 4)	7(文 1 理 6)	2(文 1 理 1)
24年	55(文 50 理 5)	96(文 94 理 2)	8(文 1 理 7)	5(文 2 理 3)
25年	125(文121 理 4)	130(文126 理 4)	9(文 2 理 7)	6(文 3 理 3)

【男女・職種別採用実績】※総合営業職を含む 転換制度:⇔

	総合キャリア職	ビジネスキャリア職	総合営業職
23年	91(男 71 女 20)	44(男 0 女 44)	159(男 0 女159)
24年	91(男 63 女 28)	74(男 0 女 74)	156(男 0 女156)
25年	169(男 132 女 37)	101(男 2 女 99)	204(男 0 女204)

【職種併願】総合キャリア職通常コースとリテールマネジメントコースを除く職種で可能
【24年4月入社者の配属勤務地】[総]全国47都道府県
【転勤】あり:[職種]総合キャリア職Gコース[勤務地]全国または海外の事業所 [職種]総合キャリア職Aコース[勤務地]自身で設定する本拠地を含むエリア内および本拠地の隣接都道府県の事業所
【中途比率】[単年度]21年度92%、22年度94%、23年度94%(総合キャリア職、ビジネスキャリア職、総合営業職のもの)[全体]31%

●働きやすさ、諸制度●

残業(月) NA

【勤務時間】8:50〜17:50【有休取得年平均】21.1日【週休】完全2日(土日祝)【夏期休暇】連続5日(有休で取得)【年末年始休暇】12月31日〜1月3日
【離職率】NA
【新卒3年後離職率】[20→23年]NA [21→24年]NA
【テレワーク】制度あり:[場所]原則自宅[対象]NA[日数]制限なし[利用率]NA【勤務制度】フレックス 時間単位有休 時差勤務 勤務間インターバル 副業容認【住宅補助】独身寮(東京 大阪)社宅(全国、借上含む)住宅手当※いずれも転居を伴う異動のある職種が対象

●ライフイベント、女性活躍●

【女性比率】■男 □女

新卒採用 71.7% (340名)

従業員 57.9% (4777名)

【産休】[期間]産前6・産後8週間[給与]1日につき0.3%の減額[取得者数]130名
【育休】[期間]3歳になるまで[給与]1カ月有給(勤続5年以上)、以降給付金[取得者数]22年度 男144名(対象148名)女139名(対象134名)23年度 男138名(対象126名)女138名(対象142名)[平均取得日数]22年度 男12日 女440日、23年度 男17日 女491日
【従業員】[人数]8,257名(男3,480名、女4,777名)[平均年齢]45.6歳(男46.0歳、女45.3歳)[平均勤続年数]18.3年(男22.2年、女15.5年)【年齢構成】■男 □女

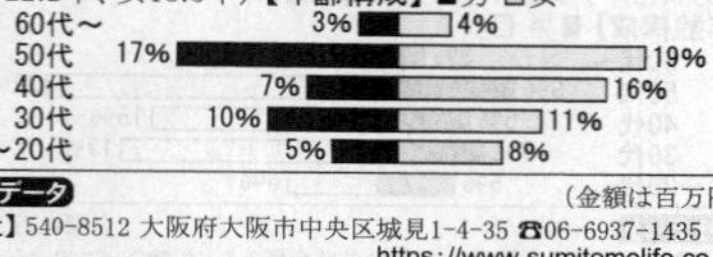
60代〜 3% 4%
50代 17% 19%
40代 7% 16%
30代 10% 11%
〜20代 5% 8%

会社データ (金額は百万円)

【本社】540-8512 大阪府大阪市中央区城見1-4-35 ☎06-6937-1435
https://www.sumitomolife.co.jp/

【業績(単独)】	保険料等収入	基礎利益	経常利益	純剰余
22.3	2,143,199	333,397	145,962	58,342
23.3	2,216,429	236,366	61,852	147,204
24.3	2,182,842	261,745	147,276	71,946

※データは総合キャリア職・ビジネスキャリア職のもの

ソニー生命保険(株)

くるみん

【特色】ソニーの金融グループ中核。コンサル営業に定評

記者評価 ソニーフィナンシャルG傘下。プルデンシャル生命との合弁で出発したが、1987年合弁解消。23年度末の保有契約高66兆5861億円。5500人強を擁する「ライフプランナー」(登録商標)のコンサル営業に特徴。リモートコンサルも推進。全国133支社・39営業所を配置。

平均勤続年数	男性育休取得率	3年後離職率	平均年収(平均NA)
NA	98.2→100%	5.1→21.7%	NA

●採用・配属情報●

【男女・文理別採用実績】

	大卒男	大卒女	修士男	修士女
23年	16(文 15理 1)	10(文 10理 0)	5(文 2理 3)	1(文 0理 1)
24年	19(文 15理 4)	12(文 12理 0)	3(文 0理 3)	1(文 0理 1)
25年	18(文 16理 2)	12(文 12理 0)	6(文 2理 4)	0(文 0理 0)

【男女・職種別採用実績】

	総合	IT	ACT
23年	26(男 17 女 9)	2(男 1 女 1)	4(男 3 女 1)
24年	27(男 15 女 12)	3(男 3 女 0)	5(男 4 女 1)
25年	28(男 16 女 12)	3(男 3 女 0)	5(男 5 女 0)

【24年4月入社者の配属勤務地】㊎<本社>東京(大手町21 外苑前4)札幌2 <代理店営業拠点>東京3 大阪2 福岡2 愛知1

【転勤】あり:[部署]代理店営業 保険オペレーション本部(一部)

【中途比率】[単年度]21年度70%、22年度76%、23年度83%(新卒ライフプランナーは除く)[全体]NA

●働きやすさ、諸制度●

残業(月) NA

【勤務時間】9:00～17:30(マンスリーフレックス制)【有休取得年平均】12.3日【週休】完全2日(土日祝)【夏期休暇】なし【年末年始休暇】12月31日～1月3日

【離職率】NA

【新卒3年後離職率】
[20→23年]5.1%(男3.6%・入社28名、女6.5%・入社31名)
[21→24年]21.7%(男20.0%・入社25名、女23.8%・入社21名)

【テレワーク】制度あり:[場所]自宅[対象]全社員[日数]週2出社[利用率]NA【勤務制度】フレックス【住宅補助】独身寮 借上社宅

●ライフイベント、女性活躍●

【女性比率】■男 □女

新卒採用 33.3% (12名)

従業員 19.9% (1867名)
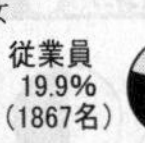

【産休】[期間]産前8・産後8週間[給与]産前8～6週は会社6割 産前6・産後8週間は健保85%給付[取得者数]42名

【育休】[期間]3歳になるまで[給与]5日有給、以降給付金50%[取得者数]22年度 男55名(対象56名)女38名(対象38名)23年度 男59名(対象59名)女41名(対象42名)[平均取得日数]22年度 NA、23年度 NA

【従業員】[人数]9,373名(男7,506名、女1,867名)[平均年齢]NA[平均勤続年数]NA

【年齢構成】NA

会社データ (金額は百万円)

【本社】100-8179 東京都千代田区大手町1-9-2 大手町フィナンシャルグランキューブ ☎03-5290-6100 https://www.sonylife.co.jp/

【業績(単独)】	保険料等収入	基礎利益	経常利益	純利益
22.3	1,377,393	132,222	53,673	19,050
23.3	1,473,844	119,648	95,392	100,770
24.3	1,743,977	185,943	26,115	13,579

アフラック生命保険(株)

プラチナえるぼし　プラチナくるみん

【特色】米Aflacの日本法人。がん保険草分けでシェア圧倒的

記者評価 1974年日本初のがん保険を発売。同保険と医療保険で国内トップ。個人保険・年金の保有契約件数は2269万件(24年3月末)。360の金融機関のほか、日本郵政グループ、第一生命、大同生命と提携。志望領域が明確な新卒社員を希望部署に配属する「WING制度」導入。

平均勤続年数	男性育休取得率	3年後離職率	平均年収(平均42歳)
14.2年	108.9→114.0%	9.5→10.0%	NA

●採用・配属情報●

【男女・文理別採用実績】※25年:計画数

	大卒男	大卒女	修士男	修士女
23年	16(文 15理 1)	26(文 23理 3)	6(文 3理 3)	3(文 1理 2)
24年	48(文 45理 3)	33(文 32理 1)	3(文 0理 3)	0(文 0理 0)
25年	40(文 35理 5)	40(文 35理 5)	5(文 1理 4)	5(文 1理 4)

【男女・職種別採用実績】

	総合職
23年	51(男 22 女 29)
24年	84(男 51 女 33)
25年	90(男 45 女 45)

【24年4月入社者の配属勤務地】㊎東京および全国主要都市(主に県庁所在地)

【転勤】あり:地域限定コース以外の社員

【中途比率】[単年度]21年度63%、22年度46%、23年度72%[全体]46%

●働きやすさ、諸制度●

残業(月) 26.8時間 ㊎26.8時間

【勤務時間】9:00～17:00【有休取得年平均】17.0日【週休】完全2日(土日祝)【夏期休暇】連続5営業日(有休で取得)【年末年始休暇】12月31日～1月3日

【離職率】NA

【新卒3年後離職率】
[20→23年]9.5%(男12.5%・入社32名、女6.5%・入社31名)
[21→24年]10.0%(男10.7%・入社28名、女9.4%・入社32名)

【テレワーク】制度あり:[場所]自宅 サテライトオフィス 親族宅 他[対象]制限なし※派遣社員・当社オフィスで勤務する業務委託先社員も利用可能[日数]制限なし[利用率]38.6%【勤務制度】フレックス 時間単位有休 副業容認【住宅補助】社宅制度 転勤手当(利用条件あり)

●ライフイベント、女性活躍●

【女性比率】■男 □女

新卒採用 50% (45名)

従業員 50.7% (2472名)

管理職 27.2% (168名)

【産休】[期間]産前6・産後8週間[給与]法定[取得者数]126名

【育休】[期間]1歳になるまで[給与]法定[取得者数]22年度 男110名(対象101名)女139名(対象141名)23年度 男106名(対象93名)女126名(対象126名)[平均取得日数]22年度 NA、23年度 男41日 女435日

【従業員】[人数]4,874名(男2,402名、女2,472名)[平均年齢]42.0歳(男42.6歳、女41.4歳)[平均勤続年数]14.2年(男15.0年、女13.5年)

【年齢構成】■男 □女

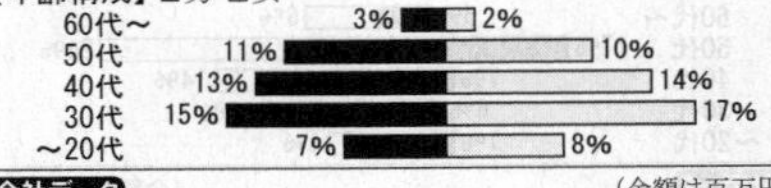

会社データ (金額は百万円)

【本社】163-0422 東京都新宿区西新宿2-1-1 新宿三井ビル ☎03-5908-6410 https://www.aflac.co.jp/

【業績(単独)】	保険料等収入	基礎利益	経常利益	純利益
22.3	1,320,326	360,527	366,814	260,695
23.3	1,294,241	375,944	497,857	354,674
24.3	1,295,082	453,452	602,062	425,901

金融

大樹生命保険(株)

たいじゅせいめいほけん

えるぼし ★★★ / くるみん

【特色】旧三井生命。日本生命の子会社。業界中堅

記者評価 1914年創業の高砂生命が母体。財務基盤の低下で三井住友FGの資本支援など受け、04年相互会社から株式会社に。日本生命と16年経営統合。19年4月主力商品名から現社名に。有価証券運用機能の一部を日生の資産運用子会社に移管。入社5年以内層の育成強化を加速。

平均勤続年数	男性育休取得率	3年後離職率	平均年収(平均44歳)
! 17.8年	NA	17.5 → 11.1%	総 919万円

●採用・配属情報●

【男女・文理別採用実績】

	大卒男	大卒女	修士男	修士女
23年	42(文 40理 2)	9(文 8理 1)	1(文 1理 0)	1(文 0理 1)
24年	53(文 50理 3)	22(文 22理 0)	2(文 0理 2)	0(文 0理 0)
25年	84(文 80理 4)	28(文 26理 2)	6(文 1理 5)	0(文 0理 0)

【男女・職種別採用実績】 転換制度:⇔

	総合職(全国型)	総合職(エリア型)
23年	49(男 43 女 6)	4(男 0 女 4)
24年	67(男 55 女 12)	10(男 0 女 10)
25年	106(男 90 女 16)	12(男 0 女 12)

【職種併願】○

【24年4月入社者の配属勤務地】総本社39 全国支社・営業部38

【転勤】あり:[職種]総合職(エリア総合職を除く)[勤務地]本社機構および全国各地の支社・営業部

【中途比率】[単年度]21年度57%、22年度77%、23年度77%[全体]NA

●働きやすさ、諸制度●

残業(月) 10.0時間 総26.5時間

【勤務時間】<総合職>9:00～18:00(一部フレックスタイム制)<エリア総合職>9:00～17:00(一部9:00～18:00)【有休取得年平均】14.7日【週休】完全2日(土日祝)【夏期休暇】連続7日(土日祝・夏季特別休暇4日含む)【年末年始休暇】12月31日～1月3日

【離職率】男:4.6%、81名 女:5.1%、123名

【新卒3年後離職率】

[20→23年]17.5%(男20.3%・入社64名、女6.3%・入社16名)

[21→24年]11.1%(男7.4%・入社54名、女22.2%・入社18名)

【テレワーク】制度あり:[場所]自宅 サテライトオフィス(当社施設内)他[対象]全従業員※営業職員を除く[日数]NA[利用率]NA【勤務制度】フレックス 時間単位有休 時差勤務 副業容認【住宅補助】独身寮 社有・借上社宅(全国、総合職のみ)

●ライフイベント、女性活躍●

【女性比率】■男 □女

新卒採用 23.7% (28名)

従業員 57.4% (2284名)

【産休】[期間]産前6・産後8週間[給与]法定[取得者数]NA

【育休】[期間]最長2歳になるまで[給与]法定[取得者数]22年度 NA 23年度 NA[平均取得日数]22年度 NA、23年度 NA

【従業員】[人数]3,976名(男1,692名、女2,284名)[平均年齢]47.4歳(男46.7歳、女48.0歳)[平均勤続年数]17.8年(男20.7年、女15.6年)※内勤職員のみ

【年齢構成】■男 □女

	男	女
60代～	5%	6%
50代	17%	24%
40代	7%	14%
30代	6%	10%
～20代	7%	4%

会社データ (金額は百万円)

【本社】135-8222 東京都江東区青海1-1-20 ☎03-6831-8000 https://www.taiju-life.co.jp/

【業績(単独)】	保険料等収入	基礎利益	経常利益	純利益
22.3	498,644	46,681	39,489	702
23.3	884,896	20,480	20,841	4,922
24.3	928,896	17,141	▲24,454	▲52,764

アクサ生命保険(株)

せいめいほけん

えるぼし ★★ / プラチナくるみん

【特色】仏保険最大手AXAグループの在日拠点。業界中堅

記者評価 00年日本団体生命との経営統合で発足した共同持株会社が母体。14年アクサジャパンHDが生保免許取得し、旧アクサ生命吸収し社名継承。19年アクサHDジャパン設立、その傘下に。商工会議所チャネルに強み。24年4月HD傘下のアクサダイレクト生命と合併。

平均勤続年数	男性育休取得率	3年後離職率	平均年収(平均45歳)
13.9年	66.7 → 71.4%	27.8 → 21.9%	NA

●採用・配属情報●

【男女・文理別採用実績】

	大卒男	大卒女	修士男	修士女
23年	13(文 12理 1)	9(文 7理 2)	1(文 1理 0)	0(文 0理 0)
24年	21(文 18理 3)	8(文 7理 1)	2(文 1理 1)	0(文 0理 0)
25年	26(文 23理 3)	7(文 6理 1)	3(文 1理 2)	0(文 0理 0)

【男女・職種別採用実績】 転換制度:⇔

	総合職
23年	23(男 14 女 9)
24年	31(男 23 女 8)
25年	36(男 29 女 7)

【24年4月入社者の配属勤務地】総北海道2 仙台1 東京14 神奈川2 千葉1 埼玉1 長野1 愛知2 大阪3 兵庫2 福岡2

【転勤】あり:[職種]営業[勤務地]全国 [職種]非営業[勤務地]東京 札幌

【中途比率】[単年度]21年度81%、22年度85%、23年度90%[全体]NA

●働きやすさ、諸制度●

残業(月) 総21.0時間

【勤務時間】9:00～17:00【有休取得年平均】15.0日【週休】完全2日(土日祝)【夏期休暇】5日【年末年始休暇】12月30日～1月4日

【離職率】NA

【新卒3年後離職率】

[20→23年]27.8%(男33.3%・入社21名、女20.0%・入社15名)

[21→24年]21.9%(男23.8%・入社21名、女18.2%・入社11名)

【テレワーク】制度あり:[場所]自宅のみ[対象]在宅勤務制度の対象部署のみ[日数]週3日まで[利用率]NA【勤務制度】フレックス 時間単位有休 裁量労働 時差勤務 副業容認【住宅補助】借上社宅(賃貸物件の家賃の60%を会社負担)

●ライフイベント、女性活躍●

【女性比率】■男 □女

新卒採用 19.4% (7名)

従業員 50.2% (1089名)

【産休】[期間]産前6・産後8週間[給与]法定[取得者数]26名

【育休】[期間]3歳になるまで[給与]開始20営業日有給、以降法定[取得者数]22年度 男12名(対象18名)女21名(対象20名)23年度 男20名(対象28名)女30名(対象29名)[平均取得日数]22年度 男23日 女450日、23年度 男25日 女419日

【従業員】[人数]2,168名(男1,079名、女1,089名)[平均年齢]45.4歳(男45.0歳、女45.6歳)[平均勤続年数]13.9年(男13.8年、女13.9年)

【年齢構成】NA

会社データ (金額は百万円)

【本社】108-8020 東京都港区白金1-17-3 ☎03-6737-7777 https://www.axa.co.jp/

【業績(単独)】	保険料等収入	基礎利益	経常利益	純利益
22.3	735,018	93,188	157,761	105,878
23.3	806,076	65,044	65,485	40,604
24.3	888,563	80,464	90,342	57,293

※データは全て内勤正社員のもの

金融

967 開示 ★★★

だいどうせいめいほけん
大同生命保険㈱

プラチナ くるみん

【特色】T＆Dグループ中核。中小企業向け保険に強み

記者評価 1902年に生保3社の合併で発足。T＆Dグループ中核。新規契約高の9割強を中小企業市場が占める。税理士・公認会計士や中小企業団体と提携し、各団体の特性に応じた保険を設計・販売。経営者向け定期保険は業界随一。りそなグループと相続・事業承継分野で提携。

平均勤続年数	男性育休取得率	3年後離職率	平均年収(平均43歳)
18.6年	96.3 → 96.2%	7.0 → 5.6%	NA

●採用・配属情報●

【男女・文理別採用実績】

	大卒男	大卒女	修士男	修士女
23年	56(文 52理 4)	17(文 16理 1)	3(文 0理 3)	0(文 0理 0)
24年	46(文 36理 10)	28(文 25理 3)	9(文 0理 9)	0(文 0理 0)
25年	62(文 55理 7)	35(文 33理 2)	3(文 0理 3)	0(文 0理 0)

【男女・職種別採用実績】 転換制度：⇔

	全国型	地域型
23年	66(男 59 女 7)	10(男 0 女 10)
24年	54(男 42 女 12)	29(男 13 女 16)
25年	85(男 55 女 30)	15(男 10 女 5)

【24年4月入社者の配属勤務地】㊕本社(東京・大阪)および全国各地の支社

【転勤】あり:［職種］全国型(総合職)［勤務地］国内外のすべての拠点

【中途比率】［単年度］21年度33%、22年度45%、23年度38%［全体］29%

●働きやすさ、諸制度●

残業(月) 8.3時間 ㊕11.3時間

【勤務時間】9:00〜17:00【有休取得年平均】18.4日【週休】完全2日(土日祝)【夏期休暇】連続5日(有休で取得)【年末年始休暇】12月31日〜1月3日

【離職率】男:2.4%、46名 女:4.0%、56名

【新卒3年後離職率】

［20→23年］7.0%(男10.0%・入社50名、女4.0%・入社50名)

［21→24年］5.6%(男6.1%・入社49名、女4.9%・入社41名)

【テレワーク】制度あり:［場所］自宅 サテライトオフィス シェアオフィス 他［対象］制限なし［日数］制限なし［利用率］NA【勤務制度】フレックス 時間単位有休 時差勤務 副業容認【住宅補助】代用社宅(通勤可能圏内に自宅がない場合、基準により家賃を会社負担・一部自己負担あり、全国型のみ)

●ライフイベント、女性活躍●

【女性比率】■男 □女

新卒採用 35% (35名)

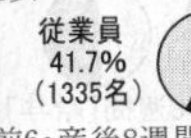

従業員 41.7% (1335名)

管理職 21.8% (411名)

【産休】［期間］産前6・産後8週間［給与］会社全額給付［取得者数］61名

【育休】［期間］3歳になるまで［給与］男性が生後8週以内に取得したときは2週間まで有給、それ以外は法定［取得者数］22年度 男52名(対象54名)女59名(対象59名)23年度 男51名(対象53名)女60名(対象60名)［平均取得日数］22年度 男5日 女478日、23年度 男8日 女491日

【従業員】［人数］3,202名(男1,867名、女1,335名)［平均年齢］43.1歳(男44.8歳、女40.7歳)［平均勤続年数］18.6年(男20.3年、女16.2年)【年齢構成】■男 □女

	男	女
60代〜	2%	1%
50代	19%	10%
40代	19%	10%
30代	10%	11%
〜20代	8%	10%

会社データ (金額は百万円)

【本社】103-6031 東京都中央区日本橋2-7-1 ☎03-3272-6777
https://www.daido-life.co.jp/

【業績(単独)】	保険料等収入	基礎利益	経常利益	純利益
22.3	808,083	131,632	122,780	76,222
23.3	810,311	75,039	84,079	49,309
24.3	843,749	86,551	101,662	60,910

2036 開示 ★★

とうきょうかいじょうにちどう せいめいほけん
東京海上日動あんしん生命保険㈱

プラチナ くるみん

【特色】東京海上HDの生保子会社。医療保険などに強み

記者評価 東京海上あんしん生命と日動生命の合併で03年発足。14年東京海上日動フィナンシャル生命が合流。販売は東京海上日動の代理店が軸。医療・がん保険など第3分野や終身保険に強い。24年3月末の保有契約高(個人保険＋個人年金保険)29.6兆円、保有契約件数634万件。

平均勤続年数	男性育休取得率	3年後離職率	平均年収(平均44歳)
10.3年	69.4 → 97.8%	12.5 → 23.4%	NA

●採用・配属情報●

【男女・文理別採用実績】

	大卒男	大卒女	修士男	修士女
23年	21(文 20理 1)	15(文 15理 0)	1(文 0理 1)	0(文 0理 0)
24年	24(文 23理 1)	20(文 19理 1)	0(文 0理 0)	0(文 0理 0)
25年	23(文 21理 2)	22(文 22理 0)	3(文 0理 3)	0(文 0理 0)

【男女・職種別採用実績】 転換制度：⇔

	総合職	エリア総合職	グローバルコース	エリアコース
23年	ND(男 ND 女ND)	ND(男 ND 女ND)	23(男 22 女 1)	14(男 0 女 14)
24年	25(男 22 女 3)	19(男 2 女 17)	ND(男 ND 女ND)	ND(男 ND 女ND)
25年	32(男 26 女 6)	16(男 0 女 16)	ND(男 ND 女ND)	ND(男 ND 女ND)

【24年4月入社者の配属勤務地】㊕東京22 大阪8 横浜2 千葉1 群馬1 栃木1 岐阜1 愛知1 京都1 岡山1 広島1 愛媛1 福岡1 熊本1 宮崎1

【転勤】あり:［職種］総合職［勤務地］国内全域

【中途比率】［単年度］21年度40%、22年度48%、23年度52%［全体］NA

●働きやすさ、諸制度●

残業(月) 37.5時間 ㊕37.5時間

【勤務時間】9:00〜17:00【有休取得年平均】9.4日【週休】完全2日(土日祝)【夏期休暇】5日間特別連続有休(年2回取得)【年末年始休暇】連続4日

【離職率】NA

【新卒3年後離職率】

［20→23年］12.5%(男12.5%・入社24名、女12.5%・入社16名)

［21→24年］23.4%(男9.1%・入社22名、女36.0%・入社25名)

【テレワーク】制度あり:［場所］自宅 サテライトオフィス 他［対象］全社員［日数］制限なし［利用率］18.4%【勤務制度】フレックス 裁量労働 時差勤務 副業容認【住宅補助】借上社宅

●ライフイベント、女性活躍●

【女性比率】■男 □女

新卒採用 45.8% (22名)

従業員 34.5% (893名)

管理職 9.2% (54名)

【産休】［期間］産前8・産後8週間［給与］会社全額給付［取得者数］30名

【育休】［期間］2歳になるまで［給与］開始7営業日会社全額給付、以降法定［取得者数］22年度 男34名(対象49名)女35名(対象35名)23年度 男44名(対象45名)女32名(対象32名)［平均取得日数］22年度 NA、23年度 男13日 女353日

【従業員】［人数］2,591名(男1,698名、女893名)［平均年齢］43.7歳(男45.2歳、女40.9歳)［平均勤続年数］10.3年(男9.8年、女11.3年)

【年齢構成】■男 □女

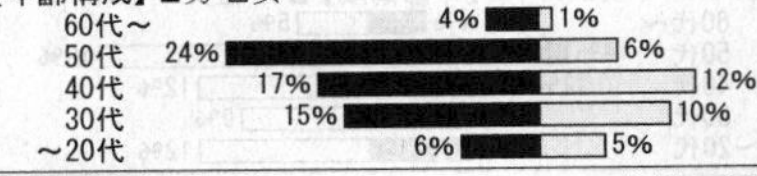

会社データ (金額は百万円)

【本社】100-0004 東京都千代田区大手町2-6-4 常盤橋タワー ☎03-5208-5091
https://www.tmn-anshin.co.jp/

【業績(単独)】	保険料等収入	基礎利益	経常利益	純利益
22.3	830,261	62,959	59,232	48,383
23.3	812,727	40,360	67,614	35,611
24.3	785,762	42,482	39,783	39,768

太陽生命保険(株)（たいようせいめいほけん）

プラチナくるみん

【特色】家庭市場に強い中堅。T&Dグループの中核

[記者評価] 1893年創設の老舗。04年発足のT&D・HD傘下で大同生命と並ぶ中核。医療・介護などの保障性へのシフトが奏功。家庭市場を営業職員2人のコンビで開拓する営業力が源泉。月500円から始められる「スマ保険」が好評。銀行などと提携し介護保険の窓口販売を積極化。

平均勤続年数	男性育休取得率	3年後離職率	平均年収(平均45歳)
20.6年	100→100%	NA	NA

●採用・配属情報●

【男女・文理別採用実績】

	大卒男	大卒女	修士男	修士女
23年	39(文 38理 1)	58(文 57理 1)	2(文 2理 0)	0(文 0理 0)
24年	51(文 43理 8)	79(文 74理 5)	4(文 1理 3)	0(文 0理 0)
25年	64(文 47理 17)	79(文 77理 2)	2(文 1理 1)	0(文 0理 0)

【男女・職種別採用実績】 転換制度:⇔

	総合職	担当職	エリア総合職	システムコース	一般職
23年	51(男41女10)	6(男 0女 6)	0(男 0女 0)	0(男 0女 0)	42(男 0女42)
24年	58(男44女14)	3(男 0女 3)	0(男 0女 0)	27(男11女16)	46(男 0女46)
25年	64(男48女16)	6(男 0女 6)	0(男 0女 0)	27(男18女 9)	48(男 0女48)

【職種併願】○

【24年4月入社者の配属勤務地】[総]全国各地の支社56 [技]本社2

【転勤】あり:[職種]総合職[勤務地]本社および全国の営業拠点

【中途比率】[単年度]21年度9%、22年度7%、23年度15%[全体]14%

●働きやすさ、諸制度●

残業(月) 2.5時間 [総]8.4時間

【勤務時間】1カ月単位のフレックス(月所定労働時間は営業日数×7時間)【有休取得年平均】17.3日【週休】完全2日(土日祝)【夏期休暇】連続5日(有休で取得)【年末年始休暇】12月30日～1月4日

【離職率】NA

【新卒3年後離職率】[20→23年]NA [21→24年]NA

【テレワーク】制度あり:[場所]自宅 サテライトオフィス[対象]全内務員(ただし業務の性質上、一部所属を除く)[日数]週3日まで[利用率]3.5%【勤務制度】フレックス 時間単位有休 時差勤務 副業容認【住宅補助】社有社宅24棟(首都圏7棟 関西圏5棟 他全国12棟)代用社宅(家賃の約8～9割を会社負担)

●ライフイベント、女性活躍●

【女性比率】■男 □女

新卒採用 54.5%(79名)　従業員 56.7%(1349名)　管理職 21.3%(149名)

【産休】[期間]産前6・産後8週間[給与]最初2週間有給、以降一部控除[取得者数]15名

【育休】[期間]3歳になるまで[給与]最初20日間有給、以降法定[取得者数]22年度 男27名(対象27名)女24名(対象24名)23年度 男25名(対象25名)女19名(対象19名)[平均取得日数]22年度 男12日 女516日、23年度 男23日 女473日

【従業員】[人数]2,380名(男1,031名、女1,349名)[平均年齢]44.9歳(男45.6歳、女44.2歳)[平均勤続年数]20.6年(男21.0年、女20.3年)【年齢構成】■男 □女

	男	女
60代～	4%	5%
50代	14%	19%
40代	11%	12%
30代	7%	9%
～20代	7%	12%

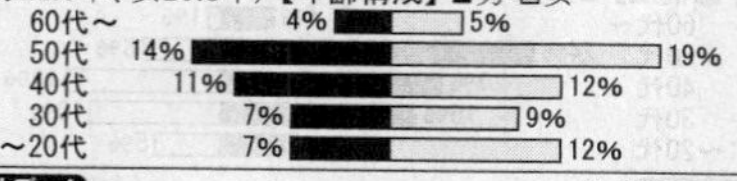

[会社データ] (金額は百万円)

【本社】103-6031 東京都中央区日本橋2-7-1 ☎03-3272-6420
https://www.taiyo-seimei.co.jp/

【業績(単独)】	保険料等収入	基礎利益	経常利益	純利益
22.3	598,144	55,122	▲86,642	▲74,147
23.3	643,308	21,294	48,144	26,832
24.3	702,821	40,761	55,314	38,983

富国生命保険(相)（ふこくせいめいほけん）

くるみん

【特色】生命保険中堅上位。医療保険など第3分野に強い

[記者評価] 東武鉄道再建など手がけた根津嘉一郎が富国徴兵保険として1923年創業。以来、相互会社形態を貫く。規模よりも質を重視する堅実経営を掲げ、財務健全性が高い。設計自由度が高い「未来のとびら」や「ワイド・プロテクト」が主力。共栄火災と提携。

平均勤続年数	男性育休取得率	3年後離職率	平均年収(平均45歳)
16.7年	84.6→119.7%	12.5→20.0%	NA

●採用・配属情報●

【男女・文理別採用実績】※25年:継続中

	大卒男	大卒女	修士男	修士女
23年	40(文 37理 3)	51(文 49理 2)	3(文 0理 3)	0(文 0理 0)
24年	40(文 36理 4)	75(文 74理 1)	3(文 0理 3)	0(文 0理 0)
25年	34(文 28理 6)	28(文 26理 2)	5(文 1理 4)	0(文 0理 0)

【男女・職種別採用実績】 転換制度:⇔

	総合職	アクチュアリー	エリア職
23年	43(男 39 女 4)	4(男 4 女 0)	53(男 0 女 53)
24年	45(男 37 女 8)	6(男 6 女 0)	76(男 0 女 76)
25年	39(男 33 女 6)	7(男 6 女 1)	22(男 0 女 22)

【職種併願】○

【24年4月入社者の配属勤務地】[総]本社(東京6 千葉2)支社(全国41)関連会社(東京2)

【転勤】あり:[職種]総合職[勤務地]全国・海外

【中途比率】[単年度]21年度16%、22年度20%、23年度19%(内務職員のみ)[全体]NA

●働きやすさ、諸制度●

残業(月) NA

【勤務時間】9:00～17:00【有休取得年平均】NA【週休】完全2日(土日祝)【夏期休暇】連続5日(特別休暇3日含む)【年末年始休暇】12月30日～1月3日

【離職率】NA

【新卒3年後離職率】
[20→23年]12.5%(男20.0%・入社40名、女5.0%・入社40名)
[21→24年]20.0%(男17.4%・入社46名、女22.0%・入社59名)

【テレワーク】制度なし【勤務制度】時間単位有休 時差勤務【住宅補助】独身寮 家族寮 代用社宅 住宅手当(既婚者対象 21,000円 首都圏は19,000円加算)

●ライフイベント、女性活躍●

【女性比率】■男 □女

新卒採用 42.6%(29名)　従業員 48.5%(1385名)

【産休】[期間]産前6・産後8週間[給与]給与85%支給[取得者数]31名

【育休】[期間]1歳以降の延長については、事情がある場合に限り、1歳6カ月、2歳、2歳6カ月まで延長可能[給与]育休当初7日間は有給、以降法定[取得者数]22年度 男55名(対象65名)女28名(対象28名)23年度 男73名(対象61名)女26名(対象26名)[平均取得日数]22年度 男7日 女403日、23年度 男4日 女409日

【従業員】[人数]2,858名(男1,473名、女1,385名)[平均年齢]45.1歳(男45.5歳、女44.9歳)[平均勤続年数]16.7年(男17.8年、女15.6年)【年齢構成】■男 □女

	男	女
60代～	6%	5%
50代	17%	15%
40代	10%	12%
30代	10%	7%
～20代	9%	9%

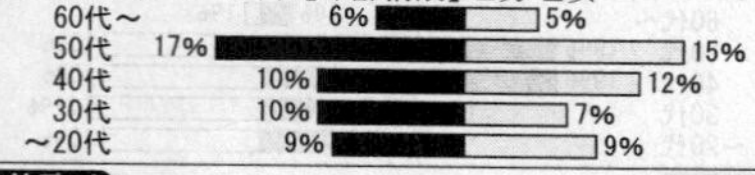

[会社データ] (金額は百万円)

【本社】100-0011 東京都千代田区内幸町2-2-2 富国生命ビル ☎03-3508-1101
https://www.fukoku-life.co.jp/

【業績(単独)】	保険料等収入	基礎利益	経常利益	純剰余
22.3	486,461	76,369	38,752	33,319
23.3	526,037	47,297	32,512	30,872
24.3	491,480	93,019	49,357	39,783

三井住友海上あいおい生命保険(株)

みついすみともかいじょう　せいめいほけん

[えるぼし ★★] [プラチナくるみん]

【特色】MS＆ADホールディングスの中核生保子会社

[記者評価] MS＆ADインシュアランスグループHDの下で三井住友海上きらめき生命とあいおい生命が合併し発足。平準払いの保障性商品に重点。個人保険・個人年金保険の24年3月末保有契約高は22兆円。保障前後を含めトータルサポートする「MSAケア」のサービス内容を拡充。

平均勤続年数	男性育休取得率	3年後離職率	平均年収(平均43歳)
9.8年	75.8 → NA	29.7 → 39.3%	NA

●採用・配属情報●

【男女・文理別採用実績】

	大卒男	大卒女	修士男	修士女
23年	23(文 20 理 3)	30(文 30 理 0)	1(文 0 理 1)	0(文 0 理 0)
24年	41(文 40 理 1)	22(文 22 理 0)	1(文 0 理 1)	0(文 0 理 0)
25年	34(文 5 理 29)	20(文 18 理 2)	3(文 1 理 2)	0(文 0 理 0)

【男女・職種別採用実績】　転換制度：⇔

	総合職
23年	54(男 24 女 30)
24年	64(男 42 女 22)
25年	57(男 37 女 20)

【職種併願】全域社員と地域社員 全域社員と専門職で可能

【24年4月入社者の配属勤務地】[総]北海道1 宮城2 福島1 群馬1 山梨1 埼玉3 千葉2 東京24 神奈川2 静岡2 愛知4 岐阜1 三重1 石川1 富山1 京都1 神戸3 大阪7 広島1 岡山1 福岡1 熊本1

【転勤】あり:[職種名]全域社員[勤務地]全国の事業所

【中途比率】[単年度]21年度NA、22年度NA、23年度NA[全体]NA

●働きやすさ、諸制度●

残業(月)　14.3時間

【勤務時間】9:00〜17:00【有休取得年平均】17.2日【週休】完全2日(土日祝)【夏期休暇】なし【年末年始休暇】12月31日〜1月3日および12月最終営業日または1月4日

【離職率】NA

【新卒3年後離職率】
[20→23年]29.7%(男18.8%・入社16名、女38.1%・入社21名)
[21→24年]39.3%(男10.0%・入社10名、女55.6%・入社18名)

【テレワーク】制度あり:[場所]自宅[対象]全域社員 地域社員 スペシャリスト社員 地域社員(事務)再雇用社員 キャリアLC社員 LC社員 特別職 派遣社員[日数]制限なし[利用率]NA【勤務制度】フレックス 時間単位有休 裁量労働 時差勤務 副業容認【住宅補助】<全国転勤型>借上社宅または家賃補助<地域限定型>住宅費用補助(条件あり)

●ライフイベント、女性活躍●

【女性比率】■男 □女

新卒採用 35.1% (20名)

従業員 49.9% (1230名)

【産休】[期間]産前8・産後8週間[給与]有給[取得者数]NA

【育休】[期間]1歳になるまで[給与]給付金に加え、会社から開始後7カ月目以降月例給の10%給付(12回限度)[取得者数]22年度 男25名(対象33名)女53名(対象53名)23年度 NA[平均取得日数]22年度 NA、23年度 男15日 女NA

【従業員】[人数]2,465名(男1,235名、女1,230名)[平均年齢]43.2歳(男45.5歳、女40.8歳)[平均勤続年数]9.8年(男9.9年、女9.6年)

【年齢構成】NA

会社データ　(金額は百万円)

【本社】104-8258 東京都中央区新川2-27-2 ☎03-5539-8300
https://www.msa-life.co.jp/

【業績(単独)】	保険料等収入	基礎利益	経常利益	純利益
22.3	503,525	34,519	39,051	21,072
23.3	489,081	24,909	27,861	12,725
24.3	473,700	49,100	40,400	28,100

オリックス生命保険(株)

せいめいほけん

[えるぼし ★★★] [くるみん]

【特色】オリックス系生保。ハートフォード生命と合併

[記者評価] オリックス全額出資。死亡保障商品や第3分野商品を提供。15年変額年金主力のハートフォード生命を吸収。24年3月末の個人保険保有契約件数は482万件。来店型ショップも運営。働き方改革に積極的、原則11時間の「勤務時間インターバル」などの取り組みも。

平均勤続年数	男性育休取得率	3年後離職率	平均年収(平均39歳)
8.0年	29.0 → 39.0%	10.0 → 9.5%	NA

●採用・配属情報●

【男女・文理別採用実績】

	大卒男	大卒女	修士男	修士女
23年	25(文 22 理 3)	38(文 36 理 2)	2(文 0 理 2)	0(文 0 理 0)
24年	37(文 34 理 3)	29(文 28 理 1)	3(文 0 理 3)	1(文 0 理 1)
25年	39(文 36 理 3)	24(文 24 理 0)	2(文 1 理 1)	0(文 0 理 0)

【男女・職種別採用実績】

	総合職	IT専門職	CA職
23年	36(男 25 女 11)	4(男 1 女 3)	25(男 1 女 24)
24年	42(男 32 女 10)	7(男 6 女 1)	23(男 2 女 21)
25年	41(男 29 女 12)	5(男 5 女 0)	23(男 8 女 15)

【24年4月入社者の配属勤務地】[総]<総合職>東京23 大阪10 名古屋9<IT専門職>東京7<CA職>長崎23

【転勤】あり:詳細NA

【中途比率】[単年度]21年度NA、22年度NA、23年度NA[全体]NA

●働きやすさ、諸制度●

残業(月)　NA

【勤務時間】9:00〜17:00(フレックスタイム制 コアタイム11:00〜15:00)【有休取得年平均】12.5日【週休】完全2日(土日祝)【夏期休暇】連続5日(取得時期自由)【年末年始休暇】12月30日〜1月3日

【離職率】NA

【新卒3年後離職率】
[20→23年]10.0%(男4.5%・入社22名、女16.7%・入社18名)
[21→24年]9.5%(男15.0%・入社20名、女4.5%・入社22名)

【テレワーク】制度あり:[場所]NA[対象]NA[日数]NA[利用率]NA【勤務制度】フレックス 時間単位有休 時差勤務 勤務間インターバル 副業容認【住宅補助】借上社宅(一定要件を満たす社員)

●ライフイベント、女性活躍●

【女性比率】■男 □女

新卒採用 39.1% (27名)

従業員 54.6% (1167名)

【産休】[期間]産前6・産後8週間[給与]会社全額給付[取得者数]53名

【育休】[期間]3歳になるまで[給与]最初2週間有給、以降給付金[取得者数]22年度 男18名(対象62名)女49名(対象49名)23年度 男16名(対象41名)女56名(対象56名)[平均取得日数]22年度 NA、23年度 男84日 女422日

【従業員】[人数]2,139名(男972名、女1,167名)[平均年齢]39.1歳(男40.1歳、女38.1歳)[平均勤続年数]8.0年(男8.1年、女7.9年)

【年齢構成】NA

会社データ　(金額は百万円)

【本社】100-0004 東京都千代田区大手町2-3-2 大手町プレイス イーストタワー ☎03-3517-4300
https://www.orixlife.co.jp/

【業績(単独)】	保険料等収入	基礎利益	経常利益	純利益
22.3	448,512	▲6,742	▲11,778	▲10,375
23.3	453,265	▲6,946	▲9,433	▲8,944
24.3	462,082	20,501	▲3,134	▲3,176

金融

SOMPOひまわり生命保険(株)
(ソンポ せいめいほけん)

[えるぼし ★★] [くるみん]

【特色】SOMPO・HDの生保子会社。収入保障保険などに強い

[記者評価] 損保ジャパンと日本興亜損保の両生保子会社が合併して誕生。「健康応援企業」を志向し、新卒募集要項にも「非喫煙者」を明記。健康応援機能を組み合わせた「インシュアヘルス」商品を強化。25年4月から自律的キャリア形成実現に向けた新人事制度を導入。

平均勤続年数	男性育休取得率	3年後離職率	平均年収(平均43歳)
11.8年	NA	20.0→33.9%	671万円

●採用・配属情報●

【男女・文理別採用実績】

	大卒男	大卒女	修士男	修士女
23年	16(文 16 理 0)	6(文 6 理 0)	1(文 0 理 1)	0(文 0 理 0)
24年	30(文 30 理 0)	8(文 8 理 0)	1(文 0 理 1)	0(文 0 理 0)
25年	39(文 37 理 2)	19(文 14 理 5)	0(文 0 理 0)	0(文 0 理 0)

【男女・職種別採用実績】

	総合職
23年	23(男 17 女 6)
24年	39(男 31 女 8)
25年	58(男 39 女 19)

【24年4月入社者の配属勤務地】[総]東京8 千葉1 埼玉1 神奈川3 栃木1 茨城2 群馬1 愛媛1 大阪5 宮崎1 京都1 熊本1 高松1 北海道1 三重1 鹿児島1 兵庫2 静岡2 福岡2 愛知3
【転勤】あり:[職種]基幹職
【中途比率】[単年度]21年度78%、22年度85%、23年度86%[全体]NA

●働きやすさ、諸制度●

残業(月) 21.2時間

【勤務時間】9:00～17:00【有休取得年平均】20.2日【週休】完全2日(土日祝)【夏期休暇】連続5日【年末年始休暇】12月31日～1月3日
【離職率】NA
【新卒3年後離職率】
[20→23年]20.0%(男19.2%・入社26名、女25.0%・入社4名)
[21→24年]33.9%(男30.2%・入社43名、女43.8%・入社16名)
【テレワーク】制度あり:[場所]自宅 カフェ サテライトオフィス[対象]NA[日数]制限なし[利用率]NA【勤務制度】フレックス 時間単位有休 裁量労働 時差勤務 勤務間インターバル【住宅補助】借上社宅(4.8万～11.2万を会社負担)

●ライフイベント、女性活躍●

【女性比率】■男 □女

新卒採用 32.8% (19名)

従業員 57.3% (1275名)

管理職 27.9% (78名)

【産休】[期間]産前8・産後8週間[給与]会社全額給付[取得者数]55名
【育休】[期間]2歳1カ月になるまで[給与]短期育休期間(7日目まで)会社全額、以降法定[取得者数]22年度 男33名(対象NA)女76名(対象NA)23年度 男53名(対象NA)女57名(対象NA)[平均取得日数]22年度 NA、23年度 男7日 女446日
【従業員】[人数]2,224名(男949名、女1,275名)[平均年齢]42.5歳(男43.1歳、女42.0歳)[平均勤続年数]11.8年(男14.0年、女10.2年)
【年齢構成】NA

会社データ (金額は百万円)
【本社】100-8963 東京都千代田区霞が関3-7-3 損保ジャパン霞が関ビル ☎03-6742-3111 https://www.himawari-life.co.jp/

【業績(単独)】	保険料等収入	基礎利益	経常利益	純利益
22.3	436,893	27,596	26,444	15,924
23.3	434,473	▲1,817	6,330	945
24.3	433,079	31,500	27,818	15,889

朝日生命保険(相)
(あさひ せいめい ほけん)

[くるみん]

【特色】生保最古参。介護保険など第三分野に注力

[記者評価] 1888(明治21)年に帝国生命として創業。旧古河財閥。みずほ銀行と親密。主力商品は「保険王プラス」「やさしさプラス」。認知症専用の介護保険も扱う。医療保険など第三分野商品を乗合代理店チャネルなどで販売する子会社・なないろ生命も成長。

平均勤続年数	男性育休取得率	3年後離職率	平均年収(平均47歳)
20.4年	146.4→83.9%	11.4→19.5%	NA

●採用・配属情報●

【男女・文理別採用実績】

	大卒男	大卒女	修士男	修士女
23年	50(文 49 理 1)	33(文 33 理 0)	2(文 1 理 1)	0(文 0 理 0)
24年	48(文 44 理 4)	44(文 44 理 0)	0(文 0 理 0)	0(文 0 理 0)
25年	45(文 40 理 5)	45(文 44 理 1)	5(文 1 理 4)	0(文 0 理 0)

【男女・職種別採用実績】 転換制度:⇔

	総合職(全国型・ブロック型)	総合職(地域型)	総合職(地域型)(募集職制)
23年	63(男 52 女 11)	22(男 0 女 22)	NA(男 NA 女 NA)
24年	58(男 48 女 10)	25(男 0 女 25)	9(男 0 女 9)
25年	60(男 50 女 10)	25(男 0 女 25)	10(男 0 女 10)

【職種併願】○
【24年4月入社者の配属勤務地】[総]本社及び全国各地の事業所
【転勤】あり:全社員
【中途比率】[単年度]21年度98%、22年度98%、23年度97%[全体]2%

●働きやすさ、諸制度●

残業(月) 10.6時間 [総]14.0時間

【勤務時間】9:00～17:00【有休取得年平均】11.3日【週休】完全2日(土日祝)【夏期休暇】5日【年末年始休暇】12月30日～1月3日
【離職率】男:2.1%、39名 女:3.4%、81名
【新卒3年後離職率】
[20→23年]11.4%(男14.0%・入社43名、女8.3%・入社36名)
[21→24年]19.5%(男7.5%・入社40名、女29.8%・入社47名)
【テレワーク】制度あり:[場所]自宅 サテライトオフィス 図書館[対象]全社員[日数]制限なし[利用率]12.5%【勤務制度】フレックス 時間単位有休 勤務間インターバル【住宅補助】独身寮 社宅貸与(総合職全国型・ブロック型が対象)住宅手当(総合職地域型募集職制)

●ライフイベント、女性活躍●

【女性比率】■男 □女

新卒採用 47.4% (45名)

従業員 55.7% (2306名)

管理職 33.9% (451名)

【産休】[期間]産前6・産後8週間[給与]法定以上(詳細NA)[取得者数]25名
【育休】[期間]1歳2カ月または1歳年度末の長い方[給与]法定[取得者数]22年度 男41名(対象28名)女46名(対象46名)23年度 男26名(対象31名)女24名(対象25名)[平均取得日数]22年度 NA、23年度 NA
【従業員】[人数]4,137名(男1,831名、女2,306名)[平均年齢]47.1歳(男48.1歳、女46.4歳)[平均勤続年数]20.4年(男24.7年、女16.9年)
【年齢構成】■男 □女

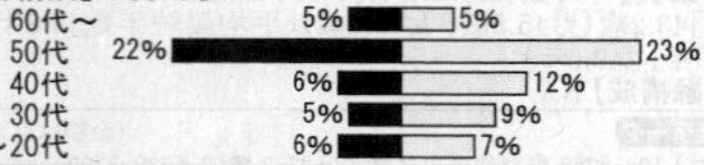
60代～ 5% 5%
50代 22% 23%
40代 6% 12%
30代 5% 9%
～20代 6% 7%

会社データ (金額は百万円)
【本社】160-8570 東京都新宿区四谷1-6-1 YOTSUYA TOWER ☎03-4214-3111 https://www.asahi-life.co.jp/

【業績(単独)】	保険料等収入	基礎利益	経常利益	純剰余
22.3	387,134	47,782	32,305	22,924
23.3	379,223	13,357	17,648	17,257
24.3	367,279	42,301	18,115	15,251

1532 開示 ★★★ 短大 採用あり

とうきょうかいじょうにちどう か さい ほ けん

東京海上日動火災保険(株)

プラチナ くるみん

【特色】三菱系で損保最大手。海外展開に積極的

記者評価 起源の旧東京海上は国内損保の草分け。東京海上HDの中核。収益力、効率性、財務力で業界のライバル他社を頭一つリード。三菱系ほかの大企業と強固な取引基盤がある。グループのあんしん生命とともに生損保一体商品でリテール分野開拓。M&A通じて海外事業を拡大。

平均勤続年数	男性育休取得率	3年後離職率	平均年収(平均43歳)
15.9年	101.0→92.0%	9.3→12.1%	㊝856万円

●採用・配属情報●

【男女・文理別採用実績】※25年:24年7月末時点

	大卒男	大卒女	修士男	修士女
23年	147(文135 理 12)	334(文324 理 10)	13(文 2 理 11)	7(文 1 理 6)
24年	224(文216 理 8)	461(文454 理 7)	20(文 4 理 16)	11(文 5 理 6)
25年	196(文186 理 10)	297(文288 理 9)	21(文 5 理 16)	4(文 1 理 3)

【男女・職種別採用実績】 転換制度:⇔

	総合職	総合職(エリア限定)
23年	115(男 96 女 19)	387(男 64 女323)
24年	157(男132 女 25)	559(男112 女447)
25年	120(男 97 女 23)	398(男120 女278)

【職種併願】○

【24年4月入社者の配属勤務地】㊝NA

【転勤】あり:[職種]総合職、総合職(エリア限定)のうちワイド型を選択した者

【中途比率】[単年度]21年度7%、22年度14%、23年度26%[全体]5%

●働きやすさ、諸制度●

残業(月) 23.7時間

【勤務時間】9:00～17:00【有休取得年平均】18.3日【週休】完全2日(土日祝)【夏期休暇】特別有休(年2回)から取得【年末年始休暇】連続5日

【離職率】男:4.9%、386名 女:5.1%、473名

【新卒3年後離職率】
[20→23年]9.3%(男8.3%・入社206名、女9.9%・入社416名)
[21→24年]12.1%(男11.8%・入社195名、女12.3%・入社408名)

【テレワーク】制度あり:[場所]自宅 サテライトオフィス 他[対象]全従業員[日数]NA[利用率]NA【勤務制度】時間単位有休 裁量労働 時差勤務 勤務間インターバル 副業容認【住宅補助】独身寮または社宅(移転を伴う配属・転勤時、総合職・総合職(エリア限定)のうちワイド型を選択した従業員対象)

●ライフイベント、女性活躍●

【女性比率】■男 □女

新卒採用 58.1% (301名)　従業員 54% (8795名) 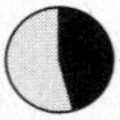　管理職 27.9% (1862名)

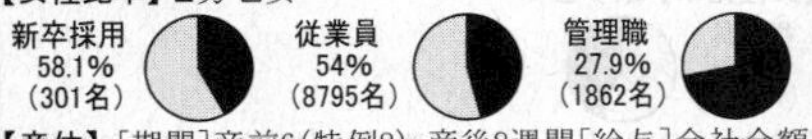

【産休】[期間]産前6(特例8)・産後8週間[給与]会社全額給付(月給)[取得者数]516名

【育休】[期間]1歳2カ月になるまで[給与]最初5日間有給、以降給付金[取得者数]22年度 男198名(対象196名)女507名(対象512名)23年度 男185名(対象201名)女508名(対象516名)[平均取得日数]22年度 男7日 女210日、23年度 男10日 女313日

【従業員】[人数]16,296名(男7,501名、女8,795名)[平均年齢]41.8歳(男46.6歳、女38.0歳)[平均勤続年数]15.9年(男18.8年、女13.7年)【年齢構成】■男 □女

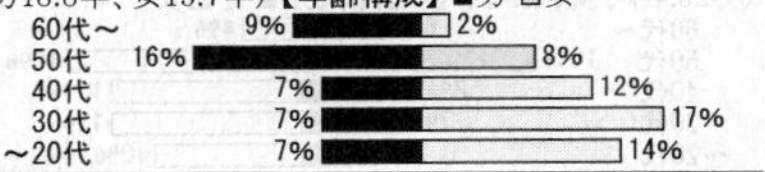

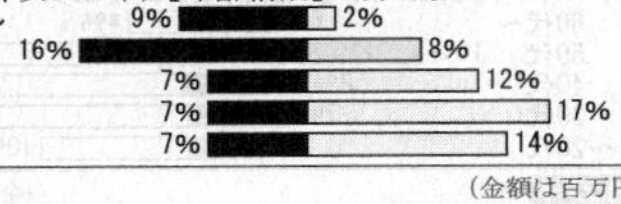

	男	女
60代～	9%	2%
50代	16%	8%
40代	7%	12%
30代	7%	17%
～20代	7%	14%

会社データ (金額は百万円)

【本社】100-8050 東京都千代田区大手町2-6-4 ☎03-5208-5001
https://www.tokiomarine-nichido.co.jp/

【業績(単独)】	経常収益	正味収入保険料	経常利益	純利益
22.3	2,691,743	2,288,170	319,212	235,471
23.3	2,929,331	2,385,239	362,113	189,549
24.3	3,179,505	2,417,974	430,609	420,713

961 開示 ★★ 専門 採用あり

そんがい ほ けん

損害保険ジャパン(株)

くるみん

【特色】収入保険料で業界2位。旧安田火災が主体

記者評価 14年に損保ジャパンと日本興亜の合併で誕生。3メガ損保の一角で、SOMPO・HDの中核会社。自動車保険などリテールに強み。介護事業やセキュリティ事業を強化。入社後一定期間は人事ローテーションし実務経験を積む。25年4月から各コースの初任給を引き上げ予定。

平均勤続年数	男性育休取得率	3年後離職率	平均年収(平均42歳)
17.5年	80.4→97.4%	NA	㊝846万円

●採用・配属情報●

【男女・文理別採用実績】

	大卒男	大卒女	修士男	修士女
23年	130(文123 理 7)	86(文 85 理 1)	6(文 1 理 5)	0(文 0 理 0)
24年	65(文 63 理 2)	96(文 91 理 5)	7(文 1 理 6)	2(文 2 理 0)
25年	-(文 - 理 -)	-(文 - 理 -)	-(文 - 理 -)	-(文 - 理 -)

※25年:継続中

【男女・職種別採用実績】 転換制度:⇔

	総合系	技術調査系
23年	218(男132 女 86)	11(男 11 女 0)
24年	169(男 71 女 98)	6(男 6 女 0)
25年	-(男 - 女 -)	-(男 - 女 -)

【職種併願】総合系と技術調査系で可能

【24年4月入社者の配属勤務地】㊝北海道 東北 関東 中部 北陸 甲信越 関西 中国 四国 九州

【転勤】あり:[職種]総合系 限定なし[勤務地]海外・国内全地域

【中途比率】[単年度]21年度27%、22年度15%、23年度16%[全体]38%

●働きやすさ、諸制度●

残業(月) 12.0時間

【勤務時間】9:00～17:00【有休取得年平均】19.0日【週休】完全2日(土日祝)【夏期休暇】特別連続休暇5日と指定休暇5日で取得【年末年始休暇】12月31日～1月3日

【離職率】NA

【新卒3年後離職率】[20→23年]NA [21→24年]NA

【テレワーク】制度あり:[場所]自宅 他[対象]職員(総合系 専門系 技術調査系)エキスパート社員 アソシエイト スタッフ[日数]制限なし[利用率]14.7%【勤務制度】時間単位有休 裁量労働 時差勤務 副業容認【住宅補助】独身寮 社宅

●ライフイベント、女性活躍●

【女性比率】■男 □女

従業員 59.8% (8924名)

管理職 9.1% (180名)

【産休】[期間]産前8・産後8週間[給与]会社全額給付[取得者数]415名

【育休】[期間]2年1カ月[給与]7日有給、以降法定[取得者数]22年度 男176名(対象219名)女502名(対象489名)23年度 男147名(対象151名)女403名(対象407名)[平均取得日数]22年度 NA、23年度 NA

【従業員】[人数]14,918名(男5,994名、女8,924名)[平均年齢]42.7歳(男45.2歳、女41.1歳)[平均勤続年数]17.5年(男19.7年、女16.0年)

【年齢構成】■男 □女

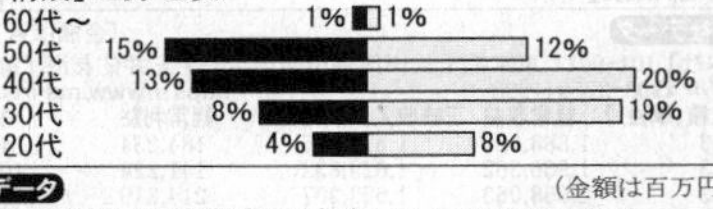

	男	女
60代～	1%	1%
50代	15%	12%
40代	13%	20%
30代	8%	19%
～20代	4%	8%

会社データ (金額は百万円)

【本社】160-8338 東京都新宿区西新宿1-26-1 ☎03-3349-3111
https://www.sompo-japan.co.jp/

【業績(単独)】	経常収益	正味保険料	経常利益	純利益
22.3	2,490,458	2,158,791	210,810	166,207
23.3	2,623,349	2,225,531	124,926	108,041
24.3	2,737,163	2,177,954	251,517	207,984

959 開示 ★★☆☆☆

三井住友海上火災保険(株)
（みついすみともかいじょうかさいほけん）

えるぼし★★ プラチナくるみん

【特色】MS＆AD傘下の損保大手。旧住友海上が主体

記者評価 01年に三井海上と住友海上が合併して誕生。三井、住友両財閥系企業の顧客基盤が厚い。あいおいニッセイ同和損保と機能別再編でMS＆ADグループを形成。16年に英損害保険大手アムリンを買収し海外展開を一段と強化。東南アジア地域では外資系損保首位。

平均勤続年数	男性育休取得率	3年後離職率	平均年収(平均*42歳)
14.8年	94.7→92.5%	NA	㊗818万円

●採用・配属情報●

【男女・文理別採用実績】

	大卒男	大卒女	修士男	修士女
23年	70(文 63理 7)	112(文112理 0)	14(文 5理 9)	0(文 0理 0)
24年	96(文 88理 8)	142(文136理 6)	12(文 5理 7)	2(文 2理 0)
25年	-(文 -理 -)	-(文 -理 -)	-(文 -理 -)	-(文 -理 -)

※25年：360名採用予定

【男女・職種別採用実績】 転換制度：⇔

	総合社員(グローバル)	総合社員(ワイドエリア)	総合社員(エリア)
23年	90(男 NA 女 NA)	46(男 NA 女 NA)	60(男 NA 女 NA)
24年	101(男 NA 女 NA)	78(男 NA 女 NA)	74(男 NA 女 NA)
25年	-(男 -女 -)	-(男 -女 -)	-(男 -女 -)

【24年4月入社者の配属勤務地】㊗北海道 東北 関東 東海 北陸 中部 関西 中国 四国 九州

【転勤】あり：[職種]総合社員(グローバル、ワイドエリア)[勤務地]グローバル：国内外 ワイドエリア：一定の地域・期間

【中途比率】[単年度]21年度28%、22年度54%、23年度68%[全体]NA

●働きやすさ、諸制度●

残業(月) NA

【勤務時間】9:00～17:00【有休取得年平均】19.0日【週休】完全2日(土日祝)【夏期休暇】5日【年末年始休暇】12月31日～1月3日

【離職率】NA

【新卒3年後離職率】
[20→23年]NA
[21→24年]NA

【テレワーク】制度あり：[場所]任意[対象]NA[日数]NA[利用率]NA【勤務制度】フレックス 時間単位有休 裁量労働 時差勤務 副業容認【住宅補助】住宅費用補助 他

●ライフイベント、女性活躍●

【女性比率】■男 □女

従業員 54.7% (6648名)

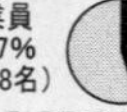

【産休】[期間]産前8・産後8週間[給与]会社全額給付[取得者数]331名

【育休】[期間]1歳になるまで[給与]法定[取得者数]22年度 男180名(対象190名)女370名(対象491名)23年度 男160名(対象173名)女327名(対象472名)[平均取得日数]22年度 NA、23年度 男21日 女215日

【従業員】[人数]12,143名(男5,495名、女6,648名)[平均年齢]42.1歳(男45.0歳、女39.6歳)[平均勤続年数]14.8年(男15.2年、女14.5年)

【年齢構成】NA

会社データ (金額は百万円)

【本社】101-8011 東京都千代田区神田駿河台3-9 三井住友海上駿河台ビル ☎03-3259-1298
https://www.ms-ins.com/

【業績(単独)】	経常収益	正味収入保険料	経常利益	純利益
22.3	1,888,581	1,579,325	184,234	145,744
23.3	1,956,362	1,629,832	141,224	107,899
24.3	2,058,063	1,623,307	214,319	167,777

963 開示 ★★☆☆☆ 短大 採用あり

あいおいニッセイ同和損害保険(株)
（どうわそんがいほけん）

えるぼし★★ くるみん

【特色】大手損保の一角。トヨタ自動車や日本生命と親密

記者評価 MS＆ADグループの中核。あいおい損保とニッセイ同和損保の合併で10年に誕生。自動車ディーラーを通じた保険募集で優位。15年英自動車保険のボックス・イノベーション・グループ(BIG)を買収。運転特性によって保険料が変わる「テレマティクス保険」に強み。

平均勤続年数	男性育休取得率	3年後離職率	平均年収(平均45歳)
17.1年	95.8→97.3%	NA	㊗770万円

●採用・配属情報●

【男女・文理別採用実績】※25年：約300名採用予定

	大卒男	大卒女	修士男	修士女
23年	79(文 71理 8)	111(文109理 2)	6(文 0理 6)	2(文 2理 0)
24年	199(文190理 9)	133(文127理 6)	13(文 4理 9)	3(文 0理 3)
25年	-(文 -理 -)	-(文 -理 -)	-(文 -理 -)	-(文 -理 -)

【男女・職種別採用実績】

	転居可社員	転居不可社員	後継者嘱託	カスタマーサポート専任社員
23年	92(男 85女 7)	104(男 0女104)	0(男 0女 0)	3(男 1女 2)
24年	246(男184女 62)	99(男 24女 75)	0(男 0女 0)	4(男 4女 0)
25年	-(男 -女 -)	-(男 -女 -)	-(男 -女 -)	-(男 -女 -)

【職種併願】○

【24年4月入社者の配属勤務地】㊗北海道 東北 関東甲信越 中部 近畿 北陸 中国四国 九州沖縄

【転勤】あり：転居可を選択している基幹社員

【中途比率】[単年度]21年度17%、22年度15%、23年度60%[全体]NA

●働きやすさ、諸制度●

残業(月) 18.7時間

【勤務時間】フレックスタイム制(コアタイム11:00～14:00)、9:00～17:00(シフト勤務有)【有休取得年平均】15.6日【週休】原則完全2日(土日祝)【夏期休暇】有休で取得【年末年始休暇】12月31日～1月3日プラス12月最終営業日か1月第1営業日

【離職率】NA

【新卒3年後離職率】[20→23年]NA [21→24年]NA

【テレワーク】制度あり：[場所]自宅 社内サテライトスペース[対象]制限なし[日数]週4日まで(週1日の出社は必須)[利用率]9.2%【勤務制度】フレックス 時間単位有休 裁量労働 時差勤務 副業容認【住宅補助】借上社宅(転居可を選択している社員 会社都合により他の条件でも対応あり)独身寮(転居可を選択している社員)

●ライフイベント、女性活躍●

【女性比率】■男 □女

従業員 57.2% (7712名)

【産休】[期間]産前8・産後8週間[給与]会社全額給付[取得者数]348名

【育休】[期間]2歳の前日まで[給与]法定[取得者数]22年度 男161名(対象168名)女320名(対象328名)23年度 男108名(対象111名)女325名(対象328名)[平均取得日数]22年度 男10日 女402日、23年度 男14日 女431日

【従業員】[人数]13,493名(男5,781名、女7,712名)[平均年齢]44.7歳(男47.1歳、女43.0歳)[平均勤続年数]17.1年(男20.4年、女14.7年)【年齢構成】■男 □女

	男	女
60代～	6%	4%
50代	16%	16%
40代	8%	13%
30代	7%	13%
～20代	5%	10%

会社データ (金額は百万円)

【本社】150-8488 東京都渋谷区恵比寿1-28-1 ☎03-5424-0101
https://www.aioinissaydowa.co.jp/

【業績(単独)】	経常収益	正味保険料	経常利益	純利益
22.3	1,422,301	1,291,344	80,964	53,973
23.3	1,524,367	1,335,557	66,757	43,195
24.3	1,660,243	1,368,988	79,064	56,081

トーア再保険(株)

【特色】国内唯一の総合再保険専門会社。海外展開も

記者評価 国内元受損保全社の出資で1940年設立。45年元受に業態転換した後、47年再保険会社として再発足。生保の再保険も。米国・スイスに子会社、シンガポール・マレーシア・香港に支店。アクチュアリー資格取得支援や海外派遣研修など教育制度充実。

平均勤続年数	男性育休取得率	3年後離職率	平均年収(平均42歳)
15.1年	100→100%	0→0%	950万円

●採用・配属情報●

【男女・文理別採用実績】

	大卒男	大卒女	修士男	修士女
23年	4(文 3理 1)	5(文 5理 0)	1(文 0理 1)	0(文 0理 0)
24年	2(文 2理 0)	5(文 5理 0)	2(文 0理 2)	0(文 0理 0)
25年	5(文 4理 1)	1(文 1理 0)	2(文 1理 1)	0(文 0理 0)

【男女・職種別採用実績】 転換制度:⇒

	総合職	事務職
23年	7(男 5 女 2)	3(男 0 女 3)
24年	8(男 4 女 4)	1(男 0 女 1)
25年	7(男 7 女 0)	1(男 0 女 1)

【職種併願】NA
【24年4月入社者の配属勤務地】㊟東京・御茶ノ水8
【転勤】NA
【中途比率】[単年度]21年度18%、22年度8%、23年度0%[全体]NA

●働きやすさ、諸制度●

残業(月) (法定外)5時間

【勤務時間】(4月1日〜11月24日)9:15〜17:00(11月25日〜3月31日)9:30〜17:00【有休取得年平均】18.2日【週休】完全2日(土日祝)【夏期休暇】なし【年末年始休暇】12月31日〜1月4日
【離職率】男:5.7%、10名 女:1.7%、3名
【新卒3年後離職率】
[20→23年]0%(男0%・入社9名、女0%・入社5名)
[21→24年]0%(男0%・入社5名、女0%・入社4名)
【テレワーク】NA【勤務制度】時差勤務【住宅補助】NA

●ライフイベント、女性活躍●

【女性比率】■男 □女
新卒採用 12.5%(1名)　従業員 50.6%(169名)

【産休】[期間]産前6・産後8週間[給与]法定[取得者数]2名
【育休】[期間]1歳になるまで[給与]法定[取得者数]22年度 男3名(対象3名)女4名(対象4名)23年度 男6名(対象6名)女5名(対象5名)[平均取得日数]22年度 NA、23年度 NA
【従業員】[人数]334名(男165名、女169名)[平均年齢]41.9歳(男42.3歳、女41.7歳)[平均勤続年数]15.1年(男14.8年、女15.4年)
【年齢構成】■男 □女

	男	女
60代〜	2%	3%
50代	15%	13%
40代	11%	10%
30代	10%	14%
〜20代	10%	10%

会社データ (金額は百万円)
【本社】101-8703 東京都千代田区神田駿河台3-6-5 ☎03-3253-3171
https://www.toare.co.jp/

【業績(連結)】	経常収益	正味収入保険料	経常利益	純利益
22.3	329,804	302,024	827	▲1,248
23.3	349,337	320,822	3,238	2,450
24.3	329,071	280,826	21,197	15,556

共栄火災海上保険(株)

【特色】業界中堅。03年JAグループ入り。信金中金も出資

記者評価 農協、漁協、生協、信金などの協同組合・組織が基盤で「共存同栄」が創業の精神。03年株式会社化時にJA共済連が株式の約6割を取得、09年追加出資。JAのほか信金・信組や生協などにも強み。国内に120超の営業拠点網、代理店数9535(24年3月末)。

平均勤続年数	男性育休取得率	3年後離職率	平均年収(平均42歳)
13.2年	17.4→52.0%	NA	㊟674万円

●採用・配属情報●

【男女・文理別採用実績】

	大卒男	大卒女	修士男	修士女
23年	30(文NA理NA)	42(文NA理NA)	0(文 0理 0)	0(文 0理 0)
24年	41(文NA理NA)	36(文NA理NA)	0(文 0理 0)	0(文 0理 0)
25年	−(文 −理 −)	−(文 −理 −)	−(文 −理 −)	−(文 −理 −)

※25年:85名採用予定
【男女・職種別採用実績】 転換制度:⇔

	総合職
23年	72(男 30 女 42)
24年	77(男 41 女 36)
25年	85(男 − 女 −)

【24年4月入社者の配属勤務地】㊟東京(新橋9 練馬5 立川1)関東3 北海道6 東北6 甲信越2 東海9 北陸2 近畿13 中四国7 九州14
【転勤】あり:[職種]総合職(全国型 ワイドエリア型)
【中途比率】[単年度]21年度NA、22年度NA、23年度NA[全体]24%

●働きやすさ、諸制度●

残業(月) 7.4時間 ㊟9.0時間

【勤務時間】9:00〜16:45【有休取得年平均】18.0日【週休】完全2日(土日祝)【夏期休暇】連続3日【年末年始休暇】12月31日〜1月3日
【離職率】NA
【新卒3年後離職率】
[20→23年]NA
[21→24年]NA
【テレワーク】制度あり:[場所]NA[対象]制限なし[日数]制限なし[利用率]NA【勤務制度】フレックス 時差勤務【住宅補助】社宅 住宅手当(全国型総合職、ワイドエリア型総合職のみ)

●ライフイベント、女性活躍●

【女性比率】■男 □女
従業員 54.5%(1497名)

【産休】[期間]産前8・産後8週間[給与]会社全額給付[取得者数]29名
【育休】[期間]1歳になるまで[給与]法定[取得者数]22年度 男4名(対象23名)女19名(対象19名)23年度 男13名(対象25名)女26名(対象29名)[平均取得日数]22年度 NA、23年度 NA
【従業員】[人数]2,748名(男1,251名、女1,497名)[平均年齢]46.6歳(男NA、女NA)[平均勤続年数]13.2年(男NA、女NA)
【年齢構成】NA

会社データ (金額は百万円)
【本社】105-8604 東京都港区新橋1-18-6 ☎03-3504-0133
https://www.kyoeikasai.co.jp/

【業績(単独)】	正味収入保険料	引受利益	経常利益	純利益
22.3	170,107	4,365	10,489	6,929
23.3	172,832	▲4,923	1,067	653
24.3	174,604	3,321	11,186	7,568

金融

2186 開示 ★★☆☆☆ 短大 採用あり

ソニー損害保険(株)

（そんがいほけん） くるみん

【特色】ソニー系の損保。ダイレクト保険の主導的企業

記者評価 ソニーフィナンシャルGの損保会社。販売代理店を介さないダイレクト型保険の先駆。自動車保険から出発し、がん重点の医療保険や海外旅行保険、火災保険へも展開。AI活用の運転特性連動型自動車保険が好調。ソニー生命、ソニー銀行との連携を強化。

平均勤続年数	男性育休取得率	3年後離職率	平均年収(平均39歳)
8.9年	29.6→32.0%	20.4→20.8%	721万円

●採用・配属情報●

【男女・文理別採用実績】

	大卒男	大卒女	修士男	修士女
23年	15(文 15 理 0)	38(文 38 理 0)	0(文 0 理 0)	0(文 0 理 0)
24年	11(文 11 理 0)	29(文 28 理 1)	2(文 0 理 2)	0(文 0 理 0)
25年	-(文 - 理 -)	-(文 - 理 -)	-(文 - 理 -)	-(文 - 理 -)

【男女・職種別採用実績】 転換制度:⇔

	GS社員(全国勤務型社員)	SC社員(エリア限定型損害サービス専任社員)	CP社員(エリア限定型カスタマーサービス専任社員)
23年	12(男 10 女 2)	31(男 0 女 31)	11(男 5 女 6)
24年	14(男 12 女 2)	23(男 0 女 23)	5(男 1 女 4)
25年	-(男 - 女 -)	-(男 - 女 -)	-(男 - 女 -)

【24年4月入社者の配属勤務地】㊗札幌2 東京10 大阪2
【転勤】あり:[職種]総合職[勤務地]札幌 仙台 東京(蒲田 大崎)名古屋 大阪 広島 福岡 熊本
【中途比率】[単年度]21年度64%、22年度55%、23年度67%[全体]NA

●働きやすさ、諸制度●

残業(月) 25.7時間

【勤務時間】7時間30分(標準勤務制 フレックスタイム制 裁量労働制)【有休取得年平均】15.2日【週休】完全2日【夏期休暇】計画休暇(5日 有休利用)【年末年始休暇】12月31日～1月3日
【離職率】NA
【新卒3年後離職率】
[20→23年]20.4%(男NA、女NA)
[21→24年]20.8%(男NA、女NA)
【テレワーク】制度あり:[場所]自宅[対象]NA[日数]週2日目安[利用率]NA【勤務制度】フレックス 時間単位有休 裁量労働【住宅補助】借上社宅(GS社員のみ 条件有り)

●ライフイベント、女性活躍●

【女性比率】NA
【産休】[期間]産前8(出産(予定)日含)・産後8週間(多胎妊娠の場合は産前14・産後10週間)※男性も取得可[給与]給与の85%給付[取得者数]43名
【育休】[期間]子どもが満1歳2カ月に達する日前日まで<一定要件に該当する場合>申し出により子どもが満2歳に達した日の属する月の末日まで[給与]法定[取得者数]22年度 男8名(対象27名)女40名(対象40名)23年度 男8名(対象25名)女43名(対象43名)[平均取得日数]22年度 男41日 女484日、23年度 男65日 女440日
【従業員】[人数]1,518名(男NA、女NA)[平均年齢]39.0歳(男NA、女NA)[平均勤続年数]8.9年(男NA、女NA)
【年齢構成】NA

会社データ (金額は百万円)
【本社】144-8721 東京都大田区蒲田5-37-1 アロマスクエア11階 ☎NA
https://www.sonysonpo.co.jp/

【業績(単独)】	正味収入保険料	引受利益	経常利益	純利益
22.3	139,548	7,860	9,070	6,418
23.3	143,760	8,720	9,953	7,105
24.3	150,540	5,146	6,478	4,590

1600 開示 ★☆☆☆☆

日新火災海上保険(株)

（にっしんかさいかいじょうほけん）

【特色】中堅損保。東京海上ホールディングス傘下

記者評価 1908(明治41)年創業。業界中堅。東京海上HD傘下。個人・中小企業向けリテール市場に経営資源集中。1万417店(24年3月末)の代理店は地域密着志向。マンション管理組合向けや事業者向け火災保険など堅調。東京都内のリフォーム比較サイト運営会社へ資本参加。

平均勤続年数	男性育休取得率	3年後離職率	平均年収(平均46歳)
17.1年	NA→100%	NA	654万円

●採用・配属情報●

【男女・文理別採用実績】

	大卒男	大卒女	修士男	修士女
23年	37(文 32 理 5)	22(文 21 理 1)	0(文 0 理 0)	0(文 0 理 0)
24年	49(文 49 理 0)	20(文 20 理 0)	2(文 0 理 2)	0(文 0 理 0)
25年	-(文 - 理 -)	-(文 - 理 -)	-(文 - 理 -)	-(文 - 理 -)

※25年:継続中

【男女・職種別採用実績】 転換制度:⇔

	総合職
23年	59(男 37 女 22)
24年	71(男 51 女 20)
25年	70(男 - 女 -)

【職種併願】○
【24年4月入社者の配属勤務地】㊗北海道 東北 関東甲信越 中部 近畿 北陸 中国 四国 九州
【転勤】あり:[職種]全国型[勤務地]転居を伴う異動あり(全国各地)[職種]広域型[勤務地]特定のブロック内で転居を伴う異動あり[職種]地域型[勤務地]転居を伴う配置転換なし
【中途比率】[単年度]21年度NA、22年度NA、23年度NA[全体]NA

●働きやすさ、諸制度●

残業(月) (法定外)10.5時間

【勤務時間】9:00～17:00(時差出勤可)【有休取得年平均】11.1日【週休】完全2日(土日祝)【夏期休暇】3日【年末年始休暇】12月31日～1月3日(30日と4日はシフト勤務)
【離職率】NA
【新卒3年後離職率】
[20→23年]NA
[21→24年]NA
【テレワーク】制度あり:[場所]カフェ サテライトオフィス[対象]制限なし[日数]制限なし[利用率]NA【勤務制度】時間単位有休 週休3日 時差勤務 副業容認【住宅補助】借上社宅付与もしくは住宅手当支給(全国型・広域型)住宅補助手当支給(地域型)

●ライフイベント、女性活躍●

【女性比率】■男 □女

管理職 15.8% (29名)

【産休】[期間]産前8・産後8週間[給与]法定[取得者数]20名
【育休】[期間]1年2カ月以内(最長2年)[給与]法定[取得者数]22年度 NA 23年度 男17名(対象17名)女24名(対象24名)[平均取得日数]22年度 NA、23年度 男38日 女426日
【従業員】[人数]2,033名(男NA、女NA)[平均年齢]45.9歳(男NA、女NA)[平均勤続年数]17.1年(男NA、女NA)
【年齢構成】NA

会社データ (金額は百万円)
【本社】101-8329 東京都千代田区神田駿河台2-3 ☎03-3292-8000
https://www.nisshinfire.co.jp/
【業績】NA

金融

㈱アドバンスクリエイト

えるぼし ★★★

【特色】オンラインを活用した生損保代理店大手

[記者評価] 保険商品の比較サイト「保険市場」を運営。Webで集客し、店舗での対面や訪問、電話、協業と展開多様。医療保険など第3分野のほか自動車・火災保険も販売。ソフトウェア開発は内製化。ASP、再保険、保険会社など向けの広告代理店事業も展開している。

平均勤続年数	男性育休取得率	3年後離職率	平均年収(平均36歳)
6.7年	NA→100%	50.0→48.3%	[総]631万円

●採用・配属情報●

【男女・文理別採用実績】※25年:24年7月23日時点

	大卒男	大卒女	修士男	修士女
23年	27(文 27 理 0)	13(文 11 理 2)	0(文 0 理 0)	0(文 0 理 0)
24年	31(文 29 理 2)	12(文 12 理 0)	0(文 0 理 0)	0(文 0 理 0)
25年	12(文 12 理 0)	4(文 4 理 0)	0(文 0 理 0)	0(文 0 理 0)

【男女・職種別採用実績】 転換制度:⇔

	グローバル職	エリア職
23年	40(男 27 女 13)	0(男 0 女 0)
24年	43(男 31 女 12)	0(男 0 女 0)
25年	16(男 12 女 4)	0(男 0 女 0)

【24年4月入社者の配属勤務地】[総]札幌1 仙台3 東京4 横浜4 名古屋3 大阪(梅田5 本町13 阿倍野4 千里中央2)神戸2 福岡1

【転勤】あり:[職種]グローバル職(営業 営業事務)[勤務地]札幌 仙台 東京 横浜 名古屋 大阪 神戸 福岡

【中途比率】[単年度]21年度26%、22年度25%、23年度59%[全体]49%

●働きやすさ、諸制度●

残業(月) 24.3時間 [総]24.3時間

【勤務時間】9:00～17:30【有休取得年平均】9.7日【週休】完全2日(土日祝)※一部部署のみ土日祝出勤あり【夏期休暇】連続5日【年末年始休暇】連続5日

【離職率】男:13.3%、26名 女:13.8%、27名

【新卒3年後離職率】

[20→23年]50.0%(男28.6%・入社7名、女60.0%・入社15名)

[21→24年]48.3%(男8.3%・入社12名、女76.5%・入社17名)

【テレワーク】制度あり:[場所]自宅 自宅に準じる場所(会社指定)[対象]正社員 嘱託社員 契約社員[日数]制限なし[利用率]3.3%【勤務制度】なし【住宅補助】独身寮(自己負担8,000～16,000円 ただし、2025年4月1日より12,000円～26,000円)借上社宅(社命に基づく転勤者、入社年数に応じて70%～20%会社負担等規定あり)

●ライフイベント、女性活躍●

【女性比率】■男 □女

新卒採用 25% (4名)

従業員 49.7% (168名)

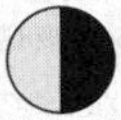

管理職 26.8% (15名)

【産休】[期間]産前6・産後8週間[給与]法定[取得者数]3名

【育休】[期間]1歳になるまで[給与]法定[取得者数]22年度 男NA(対象NA)女6名(対象6名)23年度 男5名(対象5名)女4名(対象4名)[平均取得日数]22年度 NA、23年度 男5日 女381日

【従業員】[人数]338名(男170名、女168名)[平均年齢]35.5歳(男33.1歳、女38.0歳)[平均勤続年数]6.7年(男6.5年、女6.9年)【年齢構成】■男 □女

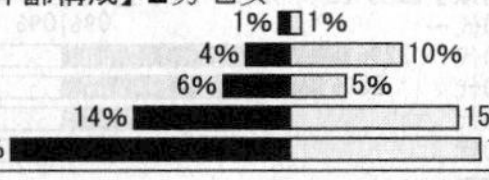
60代～ 1% 1%
50代 4% 10%
40代 6% 5%
30代 14% 15%
～20代 25% 17%

会社データ (金額は百万円)

【本社】541-0048 大阪府大阪市中央区瓦町3-5-7 野村不動産御堂筋ビル ☎06-6204-1193 https://www.advancecreate.co.jp/

【業績(連結)】	売上高	営業利益	経常利益	純利益
21.9	11,019	2,041	1,925	1,295
22.9	11,860	2,061	2,015	1,312
23.9	10,163	▲2,020	▲2,190	▲1,769

共立㈱(きょうりつ)

【特色】旧興銀系の保険代理店。企業向け保険に強み

[記者評価] 旧日本興業銀行系でみずほFGと親密。企業向けにオーダーメイドの保険サービスを提供。損保が9割を占めるが生保も扱う。全国に支店、営業所。上場400社含む約5000社と取引実績。香港、上海、タイ、シンガポール、ジャカルタにも拠点持ち顧客の海外展開に対応。

平均勤続年数	男性育休取得率	3年後離職率	平均年収(平均44歳)
! 13.1年	42.9→50.0%	10.0→15.4%	NA

●採用・配属情報●

【男女・文理別採用実績】

	大卒男	大卒女	修士男	修士女
23年	3(文 3 理 0)	4(文 4 理 0)	0(文 0 理 0)	0(文 0 理 0)
24年	2(文 2 理 0)	9(文 7 理 2)	0(文 0 理 0)	0(文 0 理 0)
25年	2(文 1 理 1)	7(文 7 理 0)	1(文 1 理 0)	0(文 0 理 0)

【男女・職種別採用実績】 転換制度:⇔

	総合職	一般職
23年	3(男 3 女 0)	4(男 0 女 4)
24年	6(男 2 女 4)	5(男 0 女 5)
25年	5(男 3 女 2)	5(男 0 女 5)

【24年4月入社者の配属勤務地】[総]東京2 名古屋1 静岡1 新潟1 富山1

【転勤】あり:[職種]基幹職[勤務地]全国各支店 海外

【中途比率】[単年度]21年度59%、22年度62%、23年度70%[全体]39%

●働きやすさ、諸制度●

残業(月) 6.8時間 [総]7.8時間

【勤務時間】9:00～17:20【有休取得年平均】16.5日【週休】完全2日(土日祝)【夏期休暇】有休で取得【年末年始休暇】12月29日～1月3日

【離職率】男:7.5%、12名 女:5.0%、6名

【新卒3年後離職率】

[20→23年]10.0%(男16.7%・入社6名、女0%・入社4名)

[21→24年]15.4%(男0%・入社4名、女22.2%・入社9名)

【テレワーク】制度あり:[場所]自宅[対象]試用期間を除く[日数]月6回[利用率]NA【勤務制度】時間単位有休 時差勤務【住宅補助】借上社宅 住宅手当

●ライフイベント、女性活躍●

【女性比率】■男 □女

新卒採用 70% (7名)

従業員 43.1% (113名)

管理職 6.3% (3名)

【産休】[期間]産前6・産後8週間[給与]会社全額給付[取得者数]6名

【育休】[期間]1歳になるまで[給与]法定[取得者数]22年度 男3名(対象7名)女7名(対象7名)23年度 男2名(対象4名)女4名(対象4名)[平均取得日数]22年度 男1日 女422日、23年度 男7日 女329日

【従業員】[人数]262名(男149名、女113名)[平均年齢]43.7歳(男46.1歳、女40.5歳)[平均勤続年数]13.1年(男13.0年、女13.3年) ※嘱託社員含む 関連会社への出向・執行役員を除く

【年齢構成】■男 □女

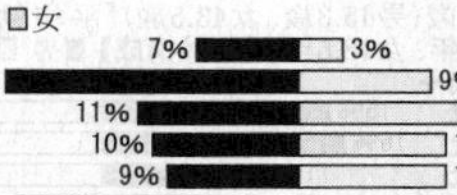
60代～ 7% 3%
50代 20% 9%
40代 11% 12%
30代 10% 10%
～20代 9% 10%

会社データ (金額は百万円)

【本社】103-0027 東京都中央区日本橋2-2-16 ☎03-5962-3100 https://www.kyoritsu-ins.co.jp/

【業績(単独)】	売上高	営業利益	経常利益	純利益
22.3	4,795	552	840	3,934
23.3	5,250	956	1,203	759
24.3	5,070	774	1,055	729

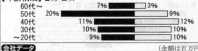

オリックス(株)

えるぼし ★★★ くるみん

【特色】独立系リースの業界先駆。金融や投資など多角化

記者評価 リース国内首位から銀行、生保、資産運用など幅広い金融事業を展開する総合金融会社に。近年は投資事業の利益が拡大。委員会等設置会社にいち早く移行するなど企業統治でも先駆。米国や欧州、中国などでも事業展開。23年に経営再建中の東芝に2000億円出資。

平均勤続年数	男性育休取得率	3年後離職率	平均年収(平均43歳)
18.0年	91.0→96.2%	(!)8.8→(!)7.5%	(総)1,098万円

●採用・配属情報●

【男女・文理別採用実績】

	大卒男	大卒女	修士男	修士女
23年	114(文 99 理 15)	142(文130 理 12)	8(文 0 理 8)	3(文 0 理 3)
24年	43(文 42 理 1)	39(文 39 理 0)	3(文 2 理 1)	1(文 0 理 1)
25年	51(文 45 理 6)	37(文 37 理 0)	9(文 3 理 6)	1(文 0 理 1)

※23年:オリックスグループ(オリックス、オリックス自動車、オリックス銀行、オリックス生命保険、他3社)の実績

【男女・職種別採用実績】 転換制度:⇔

	総合職	一般職	CS・CA・技術専門職
23年	198(男 117 女 81)	34(男 0 女 34)	38(男 7 女 31)
24年	69(男 46 女 23)	17(男 0 女 17)	0(男 0 女 0)
25年	84(男 60 女 24)	14(男 0 女 14)	0(男 0 女 0)

【24年4月入社者の配属勤務地】(総)首都圏43 近畿圏7 他地域19

【転勤】あり:[職種]全国型総合職

【中途比率】[単年度]21年度60%、22年度70%、23年度65%[全体]34%

●働きやすさ、諸制度●

残業(月) 26.3時間 (総)34.9時間

【勤務時間】9:00〜17:00【有休取得年平均】15.2日【週休】完全2日(土日祝)【夏期休暇】原則5日以上(有休で取得)【年末年始休暇】12月30日〜1月3日

【離職率】男:5.8%、124名 女:2.4%、39名

【新卒3年後離職率】

[20→23年]8.8%(男8.6%・入社35名、女9.1%・入社33名)※オリックス本籍者のみ

[21→24年]7.5%(男9.5%・入社21名、女5.3%・入社19名)※オリックス本籍者のみ

【テレワーク】制度あり:[場所]自宅 サテライトオフィス等[対象]全社員[日数]部署ごとに異なる[利用率]NA【勤務制度】フレックス 時間単位有休 時差勤務 勤務間インターバル 副業容認【住宅補助】社有寮 一括借上寮 借上社宅(独身寮含む)住宅手当

●ライフイベント、女性活躍●

【女性比率】■男 □女

新卒採用 38.8% (38名)

従業員 44.6% (1613名)

【産休】[期間]産前6・産後8週間[給与]会社全額給付[取得者数]46名

【育休】[期間]3歳になるまで[給与]1子につき初回の育休の最初の2週間は有給(会社支給)[取得者数]22年度 男61名(対象67名)女61名(対象61名)23年度 男51名(対象53名)女46名(対象46名)[平均取得日数]22年度 男16日 女459日、23年度 男24日 女517日

【従業員】[人数]3,613名(男2,000名、女1,613名)[平均年齢]44.5歳(男45.3歳、女43.5歳)[平均勤続年数]18.0年(男17.6年、女18.6年)【年齢構成】■男 □女

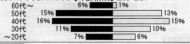

	男	女
60代〜	6%	1%
50代	15%	13%
40代	16%	15%
30代	11%	10%
〜20代	7%	6%

会社データ (金額は百万円)

【本社】105-5135 東京都港区浜松町2-4-1 世界貿易センタービル南館 ☎03-3435-3000 https://www.orix.co.jp/

【業績(SEC)】	売上高	営業利益	税前利益	純利益
22.3	2,520,365	302,083	504,876	312,135
23.3	2,666,373	313,988	367,168	273,075
24.3	2,814,361	360,713	469,975	346,132

三井住友ファイナンス&リース(株)

(みついすみとも)

えるぼし ★★ プラチナくるみん

【特色】総合リース大手。SMFGと住友商事の折半出資

記者評価 三井住友銀リースと住商リースの合併で発足。総合リース大手の一角。船舶・航空機から不動産まで総合展開。航空機リースでは世界的。19年春グループリース事業の再編で住商とSMFGとの折半出資に。25年4月入社の大卒総合職初任給を30万円に引き上げ予定。

平均勤続年数	男性育休取得率	3年後離職率	平均年収(平均43歳)
14.1年	105.4→115.4%	12.3→16.1%	916万円

●採用・配属情報●

【男女・文理別採用実績】※25年:24年8月時点

	大卒男	大卒女	修士男	修士女
23年	46(文 43 理 3)	38(文 38 理 0)	1(文 1 理 0)	2(文 2 理 0)
24年	33(文 31 理 2)	39(文 38 理 1)	1(文 0 理 1)	0(文 0 理 0)
25年	43(文 41 理 2)	61(文 61 理 0)	0(文 0 理 0)	0(文 0 理 0)

【男女・職種別採用実績】 転換制度:⇔

	総合職	業務職
23年	75(男 47 女 28)	12(男 0 女 12)
24年	62(男 34 女 28)	11(男 0 女 11)
25年	87(男 43 女 44)	17(男 0 女 17)

【24年4月入社者の配属勤務地】(総)東京(千代田36 新宿2 御徒町2 五反田2 池袋1)横浜1 埼玉1 大阪8 名古屋2 京都1 神戸1 札幌1 仙台1 広島1 福岡2

【転勤】あり:[職種]総合職(全域型)

【中途比率】[単年度]21年度27%、22年度42%、23年度46%(中途採用に嘱託含む)[全体]37%

●働きやすさ、諸制度●

残業(月) NA

【勤務時間】9:00〜17:30【有休取得年平均】17.2日【週休】完全2日(土日祝)【夏期休暇】連続5日(有休で取得)【年末年始休暇】12月29日〜1月3日

【離職率】男:2.3%、34名 女:2.4%、21名

【新卒3年後離職率】

[20→23年]12.3%(男8.3%・入社48名、女18.2%・入社33名)

[21→24年]16.1%(男11.1%・入社36名、女23.1%・入社26名)

【テレワーク】制度あり:[場所]サテライトオフィス[対象]NA[日数]NA[利用率]NA【勤務制度】フレックス 時差勤務 副業容認【住宅補助】借上社宅 契約社宅 家賃補給金 持家補給金 留守宅補給金

●ライフイベント、女性活躍●

【女性比率】■男 □女

新卒採用 58.7% (61名)

従業員 37.9% (865名)

管理職 12.2% (91名)

【産休】[期間]産前6・産後8週間[給与]会社全額給付[取得者数]27名

【育休】[期間]1歳になるまで[給与]原則法定、育休1年未満を対象に2歳まで取得可能な有給制度あり[取得者数]22年度 男39名(対象37名)女37名(対象37名)23年度 男45名(対象39名)女34名(対象34名)[平均取得日数]22年度 男5日 女399日、23年度 男10日 女378日

【従業員】[人数]2,282名(男1,417名、女865名)[平均年齢]42.9歳(男43.9歳、女41.1歳)[平均勤続年数]14.1年(男15.1年、女12.3年)

【年齢構成】■男 □女 ※受入出向者を含み社外出向者を除く

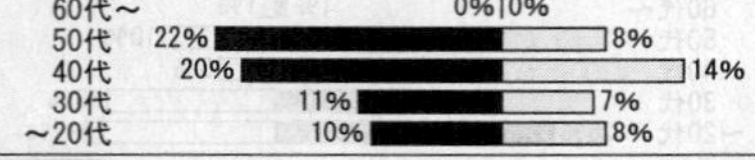

会社データ (金額は百万円)

【本社】100-8287 東京都千代田区丸の内1-3-2 ☎03-5219-6400 https://www.smfl.co.jp/

【業績(連結)】	売上高	営業利益	経常利益	純利益
22.3	1,818,535	116,212	119,468	35,363
23.3	2,159,316	133,197	136,566	50,418
24.3	2,267,470	157,392	149,667	129,731

金融

みつびしエイチシー

三菱ＨＣキャピタル(株)

[えるぼし ★★] [プラチナ くるみん]

【特色】MUFG系リース大手。資産規模で業界首位級

[記者評価] 21年4月に三菱UFJリースと日立キャピタルが合併して現体制に。資産規模でリース業界最大級。三菱商事とMUFGが大株主。航空機リースなど買収で規模拡大、海上コンテナや鉄道貨車でも世界で存在感。不動産関連も主力。水素や風力など環境エネルギーにも注力。

平均勤続年数	男性育休取得率	3年後離職率	平均年収(平均41歳)
15.7年	97.1 → 113.0%	4.2 → 0%	977万円

●採用・配属情報●

【男女・文理別採用実績】

	大卒男	大卒女	修士男	修士女
23年	22(文 22 理 0)	23(文 23 理 0)	1(文 0 理 1)	0(文 0 理 0)
24年	33(文 32 理 1)	38(文 38 理 0)	2(文 0 理 2)	0(文 0 理 0)
25年	46(文 45 理 1)	47(文 46 理 1)	4(文 0 理 4)	1(文 1 理 0)

【男女・職種別採用実績】 転換制度:⇔

	総合職	準総合職(地域限定)	一般職
23年	43(男 23 女 20)	0(男 0 女 0)	3(男 0 女 3)
24年	60(男 35 女 25)	0(男 0 女 0)	13(男 0 女 13)
25年	83(男 50 女 33)	0(男 0 女 0)	15(男 0 女 15)

【24年4月入社者の配属勤務地】[総]東京40 大阪5 名古屋4 東北2 横浜2 京都2 九州2 大宮1 刈谷1 神戸1

【転勤】あり:[職種]総合職[勤務地]本社、全国の事業所及び海外拠点(グループ会社への出向含む)

【中途比率】[単年度]21年度37%、22年度49%、23年度57%[全体]NA

●働きやすさ、諸制度●

残業(月) 18.7時間

【勤務時間】標準時間8:45～17:10(フレックス制 コアタイムなし)【有休取得年平均】14.8日【週休】完全2日(土日祝)【夏期休暇】有休で取得【年末年始休暇】12月29日～1月3日

【離職率】男:3.7%、48名 女:2.8%、25名

【新卒3年後離職率】
[20→23年]4.2%(男6.3%・入社32名、女2.5%・入社40名)
[21→24年]0%(男0%・入社33名、女0%・入社25名)

【テレワーク】制度あり:[場所]自宅および自宅に準ずる場所[対象]NA[日数]制限なし[利用率]NA【勤務制度】フレックス 時間単位有休 時差勤務【住宅補助】借上社宅 住宅補助制度

●ライフイベント、女性活躍●

【女性比率】■男 □女

新卒採用 49% (48名)

従業員 41.1% (879名)

管理職 16% (60名)

【産休】[期間]産前6カ月・産後8週間[給与]産前6週間・産後8週間は会社全額給付、法定範囲外は無給[取得者数]33名

【育休】[期間]小学1年修了時まで通算3年、2回までの分割取得可[給与]取得開始日より10営業日まで有給、以降無給[取得者数]22年度 男68名(対象70名)女37名(対象37名)23年度 男78名(対象69名)女34名(対象34名)[平均取得日数]22年度 男15日 女409日、23年度 男18日 女372日

【従業員】[人数]2,140名(男1,261名、女879名)[平均年齢]41.3歳(男42.4歳、女39.2歳)[平均勤続年数]15.7年(男16.5年、女14.2年)【年齢構成】■男 □女

	男	女
60代～	1%	0%
50代	16%	6%
40代	16%	13%
30代	17%	13%
～20代	8%	8%

[会社データ] (金額は百万円)

【本社】100-6525 東京都千代田区丸の内1-5-1 新丸の内ビルディング ☎03-6865-3000 https://www.mitsubishi-hc-capital.com/

【業績(連結)】	売上高	営業利益	経常利益	純利益
22.3	1,765,559	114,092	117,239	99,401
23.3	1,896,231	138,727	146,076	116,241
24.3	1,950,583	146,176	151,633	123,842

とうきょう

東京センチュリー(株)

[プラチナ くるみん]

【特色】伊藤忠系と旧第一勧銀系が合併。総合金融を志向

[記者評価] 従来型リースを超えた金融・サービス企業を志向。銀行色は薄く経営に自由度。傘下にニッポンレンタカー。米航空機リース大手のACGを買収するなど積極経営。NTTと資本・業務提携したほか、三菱UFJ系の東銀リースにも25%資本参加。DX人材の育成に積極的。

平均勤続年数	男性育休取得率	3年後離職率	平均年収(平均44歳)
17.2年	100 → 80.0%	NA → 0%	[総]965万円

●採用・配属情報●

【男女・文理別採用実績】

	大卒男	大卒女	修士男	修士女
23年	21(文 21 理 0)	25(文 24 理 1)	1(文 0 理 1)	0(文 0 理 0)
24年	31(文 30 理 1)	21(文 20 理 1)	0(文 0 理 0)	0(文 0 理 0)
25年	24(文 24 理 0)	35(文 33 理 2)	2(文 1 理 1)	0(文 0 理 0)

※25年:24年9月12日時点

【男女・職種別採用実績】 転換制度:⇔

	総合職	業務職
23年	37(男 22 女 15)	10(男 0 女 10)
24年	46(男 31 女 15)	6(男 0 女 6)
25年	55(男 26 女 29)	6(男 0 女 6)

【24年4月入社者の配属勤務地】[総]東京(秋葉原27 大手町14)大阪・本町2 埼玉・大宮1 横浜1 愛知・栄1

【転勤】あり:[職種]総合職(全国勤務型)

【中途比率】[単年度]21年度NA、22年度NA、23年度NA[全体]35%

●働きやすさ、諸制度●

残業(月) 11.6時間 [総]16.8時間

【勤務時間】9:00～17:15【有休取得年平均】15.2日【週休】完全2日(土日祝)【夏期休暇】原則5営業日連続取得を推奨(有休で取得)【年末年始休暇】12月29日～1月3日

【離職率】男:2.5%、18名 女:3.4%、12名

【新卒3年後離職率】
[20→23年]NA(男NA・入社9名、女NA・入社4名)
[21→24年]0%(男0%・入社8名、女0%・入社9名)

【テレワーク】制度あり:[場所]自宅[対象]全従業員[日数]NA[利用率]NA【勤務制度】時間単位有休 時差勤務【住宅補助】<首都圏勤務>住宅手当<地方勤務>借上社宅

●ライフイベント、女性活躍●

【女性比率】■男 □女

新卒採用 57.4% (35名)

従業員 32.7% (339名)

管理職 12% (63名)

【産休】[期間]産前6・産後8週間[給与]産前・産後は全期間有給[取得者数]6名

【育休】[期間]2歳半になるまで[給与]最初5日有給、以降法定[取得者数]22年度 男19名(対象19名)女7名(対象7名)23年度 男16名(対象20名)女7名(対象7名)[平均取得日数]22年度 男5日 女329日、23年度 男20日 女318日

【従業員】[人数]1,037名(男698名、女339名)[平均年齢]44.1歳(男45.4歳、女41.4歳)[平均勤続年数]17.2年(男17.3年、女16.9年)

【年齢構成】■男 □女

	男	女
60代～	5%	1%
50代	24%	8%
40代	16%	11%
30代	13%	7%
～20代	9%	7%

[会社データ] (金額は百万円)

【本社】101-0022 東京都千代田区神田練塀町3 富士ソフトビル ☎03-5209-7437 https://www.tokyocentury.co.jp/

【業績(連結)】	売上高	営業利益	経常利益	純利益
22.3	1,277,976	82,675	90,519	50,290
23.3	1,324,962	91,221	106,194	4,765
24.3	1,346,113	104,225	117,303	72,136

芙蓉総合リース(株)

ふようそうごう

えるぼし★★ プラチナくるみん

【特色】みずほ(旧富士銀行)系の総合リース。業界大手

記者評価 情報機器リースやフォークリフトなどの物流関連リースのほか、航空機リースに強み。不動産事業が業績を牽引してきたが、一層の残高積み増しには慎重姿勢。再生可能エネルギーやヘルスケア、バックオフィス業務などのBPOを中期的な重点分野として集中投資。

平均勤続年数	男性育休取得率	3年後離職率	平均年収(平均39歳)
14.1年	100→100%	11.1→5.3%	㊗962万円

●採用・配属情報●

【男女・文理別採用実績】※障がい者採用含む

	大卒男	大卒女	修士男	修士女
23年	18(文 18理 0)	26(文 25理 1)	0(文 0理 0)	0(文 0理 0)
24年	14(文 13理 1)	22(文 22理 0)	1(文 0理 1)	0(文 0理 0)
25年	24(文 24理 0)	24(文 24理 0)	2(文 0理 2)	1(文 0理 1)

【男女・職種別採用実績】 転換制度:⇔

	総合職	業務職
23年	40(男 18 女 22)	4(男 0 女 4)
24年	34(男 15 女 19)	3(男 0 女 3)
25年	48(男 26 女 22)	3(男 0 女 3)

【24年4月入社者の配属勤務地】㊗東京20 大阪3 名古屋2 福岡2 札幌1 高崎1 横浜1 金沢1 京都1 神戸1 広島1

【転勤】あり:[職種]基幹職A 総合職A

【中途比率】[単年度]21年度22%、22年度28%、23年度29%[全体]NA

●働きやすさ、諸制度●

残業(月) 13.7時間 ㊗17.5時間

【勤務時間】9:00〜17:20【有休取得年平均】17.7日【週休】完全2日(土日祝)【夏期休暇】有休で取得【年末年始休暇】12月29日〜1月3日

【離職率】男:4.3%、23名 女:1.6%、5名

【新卒3年後離職率】
[20→23年]11.1%(男14.8%・入社27名、女5.6%・入社18名)
[21→24年]5.3%(男5.6%・入社18名、女5.0%・入社20名)

【テレワーク】制度あり:[場所]自宅 サテライトオフィス 他[対象]従業員(顧問 総合職 業務職 嘱託 契約社員)[日数]制限なし[利用率]NA【勤務制度】時間単位有休 裁量労働 時差勤務 勤務間インターバル【住宅補助】男子独身寮(東京・石神井公園)転勤時は借上社宅(全国、条件あり)住宅手当

●ライフイベント、女性活躍●

【女性比率】■男 □女

新卒採用 49% (25名)

従業員 38.2% (317名)

管理職 32.2% (148名)

【産休】[期間]産前6・産後8週間[給与]会社全額給付[取得者数]7名

【育休】[期間]2歳になるまで、事情により2歳6カ月になるまで[給与]法定[取得者数]22年度 男17名(対象17名)女3名(対象3名)23年度 男12名(対象12名)女7名(対象7名)[平均取得日数]22年度 NA、23年度 男17日 女NA

【従業員】[人数]830名(男513名、女317名)[平均年齢]41.3歳(男43.3歳、女38.0歳)[平均勤続年数]14.1年(男14.8年、女12.9年)

【年齢構成】■男 □女

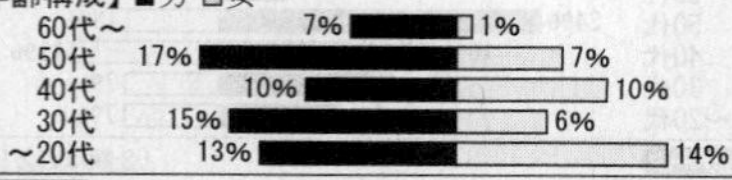

会社データ (金額は百万円)

【本社】102-0083 東京都千代田区麹町5-1-1 住友不動産麹町ガーデンタワー ☎03-5275-8801 https://www.fgl.co.jp/

【業績(連結)】	売上高	営業利益	経常利益	純利益
22.3	657,847	46,034	52,723	33,886
23.3	688,655	51,561	59,699	38,939
24.3	708,538	60,046	68,355	47,219

みずほリース(株)

プラチナくるみん

【特色】旧日本興業銀行系。みずほFGと丸紅の持分会社

記者評価 旧興銀リース。みずほ銀行の取引先である製造業や大企業に強く、相次ぐ買収で情報通信や医療機器などのリースも展開。20年にリコーと業務提携し、同社リース子会社を持分会社化。23年6月インド同業の買収が完了し、同国に初の拠点。24年6月丸紅の持分会社に。

平均勤続年数	男性育休取得率	3年後離職率	平均年収(平均43歳)
14.2年	44.4→69.2%	7.7→10.0%	㊗1,074万円

●採用・配属情報●

【男女・文理別採用実績】

	大卒男	大卒女	修士男	修士女
23年	10(文 8理 2)	14(文 14理 0)	0(文 0理 0)	0(文 0理 0)
24年	12(文 12理 0)	10(文 10理 0)	0(文 0理 0)	0(文 0理 0)
25年	14(文 14理 0)	18(文 18理 0)	1(文 1理 0)	0(文 0理 0)

【男女・職種別採用実績】 転換制度:⇔

	総合職	地域限定総合職	業務職
23年	19(男 10 女 9)	1(男 0 女 1)	4(男 0 女 4)
24年	17(男 12 女 5)	2(男 0 女 2)	3(男 0 女 3)
25年	28(男 15 女 13)	4(男 0 女 4)	1(男 0 女 1)

【24年4月入社者の配属勤務地】㊗本社(東京)17 大阪1 名古屋1

【転勤】あり:[職種]総合職[勤務地]国内拠点 海外拠点

【中途比率】[単年度]21年度42%、22年度32%、23年度47%[全体]36%

●働きやすさ、諸制度●

残業(月) 19.4時間 ㊗26.5時間

【勤務時間】9:00〜17:20【有休取得年平均】15.9日【週休】完全2日(土日祝)【夏期休暇】5日(有休で取得)【年末年始休暇】12月29日〜1月3日

【離職率】男:3.5%、18名 女:3.9%、13名

【新卒3年後離職率】
[20→23年]7.7%(男7.1%・入社14名、女8.3%・入社12名)
[21→24年]10.0%(男14.3%・入社14名、女6.3%・入社16名)

【テレワーク】制度あり:[場所]自宅 サテライトオフィス[対象]全社員[日数]制限なし[利用率]20.4%【勤務制度】時間単位有休 時差勤務 副業容認【住宅補助】首都圏世帯用社有社宅 支店世帯用借上社宅 首都圏・支店借上独身寮 住宅手当

●ライフイベント、女性活躍●

【女性比率】■男 □女

新卒採用 54.5% (18名)

従業員 39.6% (321名)

管理職 12.5% (34名)

【産休】[期間]産前6・産後8週間[給与]会社全額給付[取得者数]13名

【育休】[期間]1歳になるまで[給与]給付金+5日まで会社全額給付[取得者数]22年度 男4名(対象9名)女10名(対象10名)23年度 男9名(対象13名)女7名(対象7名)[平均取得日数]22年度 男5日 女387日、23年度 男12日 女404日

【従業員】[人数]811名(男490名、女321名)[平均年齢]43.9歳(男46.1歳、女40.6歳)[平均勤続年数]14.2年(男15.1年、女12.8年)

【年齢構成】NA

会社データ (金額は百万円)

【本社】105-0001 東京都港区虎ノ門1-2-6 みずほリースビル ☎03-5253-6511 https://www.mizuho-ls.co.jp/

【業績(連結)】	売上高	営業利益	経常利益	純利益
22.3	554,809	17,893	20,064	14,902
23.3	529,700	31,756	40,110	28,398
24.3	656,127	39,511	50,897	35,220

ジェイエイみつい JA三井リース(株)

えるぼし ★ くるみん

【特色】JA系と三井物産系の総合リース会社。農機強い

[記者評価] 農林中金と三井物産が大株主の総合リース会社。JA(農協)系の協同リースと三井物産系の三井リース事業の経営統合で発足。農機や医療関連などに強み。M&Aに積極的、米国では23年7月ファクタリング会社、24年3月小口リース・ファイナンス会社をそれぞれ買収。

平均勤続年数	男性育休取得率	3年後離職率	平均年収(平均44歳)
16.6年	41.7 → 76.2%	17.4 → 22.2%	[総]1,025万円

●採用・配属情報●

【男女・文理別採用実績】

	大卒男	大卒女	修士男	修士女
23年	10(文 9理 1)	5(文 5理 0)	0(文 0理 0)	0(文 0理 0)
24年	27(文 27理 0)	19(文 19理 0)	0(文 0理 0)	0(文 0理 0)
25年	22(文 22理 0)	16(文 16理 0)	1(文 0理 1)	0(文 0理 0)

【男女・職種別採用実績】 転換制度:⇒

	総合職	一般職
23年	15(男 10 女 5)	0(男 0 女 0)
24年	46(男 27 女 19)	0(男 0 女 0)
25年	39(男 23 女 16)	0(男 0 女 0)

【24年4月入社者の配属勤務地】[総]東京・銀座42 大阪4

【転勤】あり:[職種]総合職

【中途比率】[単年度]21年度31%、22年度35%、23年度50%[全体]23%

●働きやすさ、諸制度●

残業(月) 24.0時間 [総]33.8時間

【勤務時間】9:00~17:15(フレックスタイム制 コアタイム11:00~15:00)【有休取得年平均】15.1日【週休】完全2日(土日祝)【夏期休暇】有休で取得【年末年始休暇】12月29日~1月3日

【離職率】男:3.7%、23名 女:3.7%、15名(早期退職男2名含む)

【新卒3年後離職率】
[20→23年]17.4%(男14.3%・入社7名、女18.8%・入社16名)
[21→24年]22.2%(男27.3%・入社11名、女14.3%・入社7名)

【テレワーク】制度あり:[場所]自宅[対象]総合職 一般職 契約社員(パート社員除く)[日数]月8回まで[利用率]NA【勤務制度】フレックス【住宅補助】借上社宅制度あり(総合職)

●ライフイベント、女性活躍●

【女性比率】■男 □女

新卒採用 41% (16名)

従業員 39.5% (395名)

管理職 2.9% (3名)

【産休】[期間]産前6・産後8週間[給与]会社全額給付[取得者数]21名

【育休】[期間]1歳になるまで[給与]法定[取得者数]22年度 男5名(対象12名)女11名(対象11名)23年度 男16名(対象21名)女15名(対象15名)[平均取得日数]22年度 男34日 女494日、23年度 男21日 女544日

【従業員】[人数]999名(男604名、女395名)[平均年齢]43.9歳(男46.4歳、女39.4歳)[平均勤続年数]16.6年(男18.7年、女13.4年)

【年齢構成】■男 □女

	男	女
60代~	9%	1%
50代	20%	6%
40代	13%	12%
30代	12%	11%
~20代	7%	9%

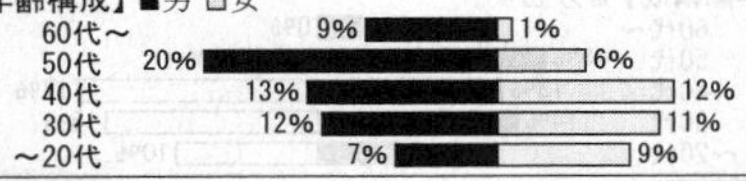

会社データ (金額は百万円)

【本社】104-0061 東京都中央区銀座8-13-1 銀座三井ビルディング ☎03-6775-3000 https://www.jamitsuilease.co.jp/

【業績(連結)】	売上高	営業利益	経常利益	純利益
22.3	459,232	25,781	25,970	18,464
23.3	503,227	28,649	29,363	20,941
24.3	547,893	38,003	39,528	26,503

エヌティティ ティーシー NTT・TCリース(株)

えるぼし ★★★ くるみん

【特色】NTTグループと東京センチュリーのリース合弁

[記者評価] NTT、NTTファイナンス、東京センチュリー3社が出資する合弁会社。20年2月、NTTファイナンスのリース事業とグローバル事業の一部を分社化して設立。通信機器に加え、医療機器、建設機械、産業機械などリースの対象は幅広い。自治体向けにLED照明のリースも。

平均勤続年数	男性育休取得率	3年後離職率	平均年収(平均40歳)
[!]16.7年	50.0 → 85.7%	10.3 → 17.4%	[総]797万円

●採用・配属情報●

【男女・文理別採用実績】

	大卒男	大卒女	修士男	修士女
23年	37(文 35理 2)	18(文 18理 0)	0(文 0理 0)	0(文 0理 0)
24年	25(文 25理 0)	13(文 12理 1)	0(文 0理 0)	1(文 1理 0)
25年	29(文 29理 0)	17(文 17理 0)	0(文 0理 0)	1(文 1理 0)

【男女・職種別採用実績】

	総合職
23年	55(男 37 女 18)
24年	39(男 25 女 14)
25年	47(男 29 女 18)

【24年4月入社者の配属勤務地】[総]東京・品川19 札幌2 仙台2 埼玉・大宮4 名古屋3 大阪5 広島2 福岡2

【転勤】あり:[職種]総合職

【中途比率】[単年度]21年度100%、22年度100%、23年度33%[全体]7%

●働きやすさ、諸制度●

残業(月) 10.8時間 [総]17.5時間

【勤務時間】9:00~17:30【有休取得年平均】18.4日【週休】完全2日(土日祝)【夏期休暇】5日【年末年始休暇】12月29日~1月3日

【離職率】男:2.3%、10名 女:4.3%、7名

【新卒3年後離職率】
[20→23年]10.3%(男8.7%・入社23名、女12.5%・入社16名)
[21→24年]17.4%(男11.1%・入社18名、女40.0%・入社5名)

【テレワーク】制度あり:[場所]自宅 サテライトオフィス[対象]全社員[日数]制限なし[利用率]26.6%【勤務制度】フレックス 時間単位有休 時差勤務 副業容認【住宅補助】社宅(独身 世帯)住宅補助 住宅財形貯蓄 住宅ローン返済補助 利子補給 他

●ライフイベント、女性活躍●

【女性比率】■男 □女

新卒採用 38.3% (18名)

従業員 26.5% (154名)
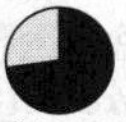
管理職 11.2% (18名)

【産休】[期間]法定、ただし予定より早く出産の場合早くなった分を産後に付加[給与]会社全額給付[取得者数]8名

【育休】[期間]3歳になるまで[給与]法定[取得者数]22年度 男4名(対象8名)女15名(対象15名)23年度 男6名(対象7名)女7名(対象7名)[平均取得日数]22年度 NA、23年度 NA

【従業員】[人数]582名(男428名、女154名)[平均年齢]39.8歳(男41.2歳、女36.0歳)[平均勤続年数]16.7年(男17.9年、女13.4年) ※総合職のみ

【年齢構成】■男 □女

	男	女
60代~	3%	0%
50代	24%	4%
40代	12%	6%
30代	11%	6%
~20代	23%	10%

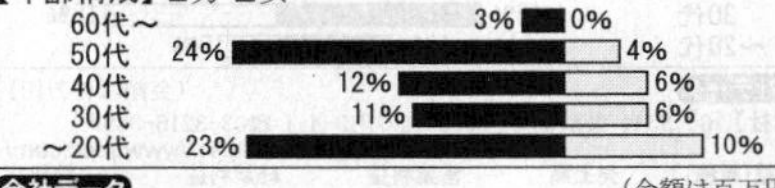

会社データ (金額は百万円)

【本社】108-0075 東京都港区港南1-2-70 ☎03-6455-8511 https://www.ntt-tc-lease.com/

【業績(連結)】	売上高	営業利益	経常利益	純利益
22.3	363,408	16,044	16,961	11,832
23.3	384,713	17,442	18,583	12,864
24.3	375,956	19,951	21,443	15,027

金融

㈱JECC（ジェック）

[プラチナくるみん]

【特色】IT機器リース・レンタル大手。官公・公共に強み

[記者評価] 1961年に政府指導の下、富士通、NEC、日立、東芝、OKI、三菱電機の共同出資で誕生したリース・レンタル会社。IT機器の取り扱いが主力で官公庁や自治体に強み。民間は大企業中心。賃貸資産残高1.2兆円超。少数精鋭のため、若手にも大型案件に携わる機会も。

平均勤続年数	男性育休取得率	3年後離職率	平均年収(平均41歳)
16.3年	66.7→50.0%	14.3→0%	[総]823万円

●採用・配属情報●

【男女・文理別採用実績】

	大卒男	大卒女	修士男	修士女
23年	5(文 5理 0)	0(文 0理 0)	0(文 0理 0)	0(文 0理 0)
24年	5(文 5理 0)	2(文 1理 1)	0(文 0理 0)	0(文 0理 0)
25年	6(文 6理 0)	3(文 3理 0)	0(文 0理 0)	0(文 0理 0)

【男女・職種別採用実績】　転換制度:⇔

	総合職
23年	5(男 5 女 0)
24年	7(男 5 女 2)
25年	9(男 6 女 3)

【24年4月入社者の配属勤務地】[総]本社(東京)7
【転勤】あり:[職種]総合職[勤務地]東京本社および各支店
【中途比率】[単年度]21年度38%、22年度55%、23年度71%[全体]NA

●働きやすさ、諸制度●

残業(月) 20.1時間

【勤務時間】9:00〜17:45【有休取得年平均】14.1日【週休】完全2日(土日祝)【夏期休暇】2日【年末年始休暇】12月30日〜1月3日
【離職率】男:3.2%、8名 女:2.8%、3名
【新卒3年後離職率】
[20→23年]14.3%(男0%・入社2名、女20.0%・入社5名)
[21→24年]0%(男0%・入社3名、女0%・入社2名)
【テレワーク】制度あり:[場所]自宅[対象]全社員[日数]制限なし[利用率]NA【勤務制度】時間単位有休 時差勤務
【住宅補助】独身寮 住宅手当

●ライフイベント、女性活躍●

【女性比率】■男 □女

新卒採用 33.3%(3名)

従業員 29.9%(103名)

【産休】[期間]産前6・産後8週間[給与]法定[取得者数]7名
【育休】[期間]3歳になるまで[給与]法定[取得者数]22年度 男6名(対象9名)女5名(対象5名)23年度 男5名(対象10名)女6名(対象6名)[平均取得日数]22年度 NA、23年度NA
【従業員】[人数]345名(男242名、女103名)[平均年齢]40.4歳(男41.7歳、女37.3歳)[平均勤続年数]16.3年(男17.2年、女14.3年)
【年齢構成】■男 □女

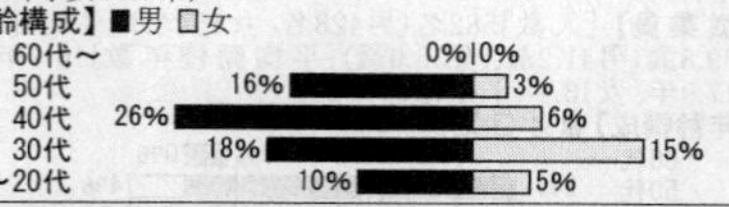
60代〜 0% 0%
50代 16% 3%
40代 26% 6%
30代 18% 15%
〜20代 10% 5%

会社データ　(金額は百万円)

【本社】100-8341 東京都千代田区丸の内3-4-1 ☎03-3216-3890
https://www.jecc.com/

【業績(単独)】	売上高	営業利益	経常利益	純利益
22.3	327,117	4,577	5,621	4,165
23.3	312,923	6,393	6,536	4,718
24.3	348,494	7,368	7,544	5,233

リコーリース㈱

[えるぼし★★★] [プラチナくるみん]

【特色】リコー系。中小企業向け事務機器リースに強み

[記者評価] メーカー系リース会社の代表格。中小企業40万社の顧客基盤を軸に小口取引が中心。ベンダーリースで抜群の実力。取扱高に占めるリコー関連の割合は3割程度。20年からみずほリースと業務提携。集金代行、介護事業向けファクタリングなどサービス事業も。

平均勤続年数	男性育休取得率	3年後離職率	平均年収(平均41歳)
13.5年	104.8→100%	0→11.8%	[総]840万円

●採用・配属情報●

【男女・文理別採用実績】※25年:24年8月5日時点

	大卒男	大卒女	修士男	修士女
23年	7(文 7理 0)	8(文 8理 0)	0(文 0理 0)	0(文 0理 0)
24年	16(文 16理 0)	6(文 6理 0)	0(文 0理 0)	0(文 0理 0)
25年	19(文 19理 0)	6(文 6理 0)	0(文 0理 0)	0(文 0理 0)

【男女・職種別採用実績】　転換制度:⇔

	総合職
23年	15(男 7 女 8)
24年	22(男 16 女 6)
25年	25(男 19 女 6)

【24年4月入社者の配属勤務地】[総]東京(港6 千代田3 江東1)札幌1 仙台1 さいたま2 千葉市1 横浜1 名古屋1 京都市1 大阪市1 神戸1 広島市1 福岡市1
【転勤】あり:[職種]正社員(Nコース)
【中途比率】[単年度]21年度81%、22年度75%、23年度84%[全体]69%

●働きやすさ、諸制度●

残業(月) 18.2時間 [総]20.1時間

【勤務時間】9:00〜17:30【有休取得年平均】13.8日【週休】完全2日(土日祝)【夏期休暇】有休で取得【年末年始休暇】連続6日以上
【離職率】男:3.7%、22名 女:1.3%、7名(早期退職1名含む)
【新卒3年後離職率】
[20→23年]0%(男0%・入社9名、女0%・入社8名)
[21→24年]11.8%(男14.3%・入社7名、女10.0%・入社10名)
【テレワーク】制度あり:[場所]原則自宅[対象]全社員[日数]制限なし[利用率]28.4%【勤務制度】フレックス 時間単位有休 勤務間インターバル 副業容認【住宅補助】借上社宅(転勤者)

●ライフイベント、女性活躍●

【女性比率】■男 □女

新卒採用 24%(6名)

従業員 48.1%(532名)

管理職 22.1%(64名)

【産休】[期間]産前6・産後8週間[給与]法定[取得者数]24名
【育休】[期間]3年間[給与]法定[取得者数]22年度 男22名(対象21名)女23名(対象22名)23年度 男18名(対象18名)女18名(対象18名)[平均取得日数]22年度 男16日 女509日、23年度 男19日 女400日
【従業員】[人数]1,105名(男573名、女532名)[平均年齢]41.3歳(男43.7歳、女38.8歳)[平均勤続年数]13.5年(男14.8年、女12.1年)
【年齢構成】■男 □女

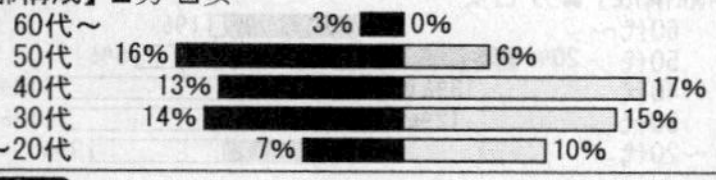
60代〜 3% 0%
50代 16% 6%
40代 13% 17%
30代 14% 15%
〜20代 7% 10%

会社データ　(金額は百万円)

【本社】105-7119 東京都港区東新橋1-5-2 汐留シティセンター ☎03-6204-0700
https://www.r-lease.co.jp/

【業績(連結)】	売上高	営業利益	経常利益	純利益
22.3	303,853	19,280	19,522	13,481
23.3	298,889	21,242	21,587	14,879
24.3	308,335	21,010	21,544	11,278

NTTファイナンス(株)（エヌティティ）

えるぼし★★★　くるみん

【特色】NTTグループの金融中核。決済やカードが主軸

記者評価 NTTリースとして1985年発足。グループ全額出資。05年NTTファイナンス・ジャパンを吸収。カードや決済関連の金融決済サービスを提供。20年東京センチュリー、NTTとの合弁会社にリース事業を移管。21年旧NTTビジネスアソシエからグループの経理事業も継承。

平均勤続年数	男性育休取得率	3年後離職率	平均年収(平均44歳)
18.9年	25.0→45.5%	8.2→7.8%	総 879万円

●採用・配属情報●

【男女・文理別採用実績】

	大卒男	大卒女	修士男	修士女
23年	31(文 31 理 0)	18(文 17 理 1)	1(文 1 理 0)	1(文 1 理 0)
24年	21(文 19 理 2)	22(文 22 理 0)	3(文 0 理 3)	1(文 1 理 0)
25年	27(文 25 理 2)	28(文 28 理 0)	2(文 1 理 1)	0(文 0 理 0)

【男女・職種別採用実績】

	総合職
23年	51(男 32 女 19)
24年	47(男 24 女 23)
25年	59(男 29 女 30)

【24年4月入社者の配属勤務地】総東京(品川30 池袋5) 神奈川(川崎2 横浜2) 大阪市5 福岡市3
【転勤】あり:全社員
【中途比率】[単年度]21年度NA、22年度NA、23年度NA[全体]59%

●働きやすさ、諸制度●

残業(月) 18.6時間

【勤務時間】9:00〜17:30(フレックスタイム制5:00〜22:00)【有休取得年平均】18.9日【週休】完全2日(土日祝)【夏期休暇】5日【年末年始休暇】12月29日〜1月3日
【離職率】男:1.5%、18名 女:1.2%、8名
【新卒3年後離職率】
[20→23年]8.2%(男5.7%・入社35名、女11.5%・入社26名)
[21→24年]7.8%(男5.3%・入社38名、女15.4%・入社13名)
【テレワーク】制度あり:[場所]自宅 サテライトオフィス(会社指定)[対象]NA[日数]NA[利用率]NA【勤務制度】フレックス 時間単位有休 時差勤務【住宅補助】社宅(独身 世帯)住宅補助 住宅財形貯蓄 住宅ローン返済補助 利子補給 他

●ライフイベント、女性活躍●

【女性比率】■男 □女

新卒採用 50.8% (30名)

従業員 36% (675名)

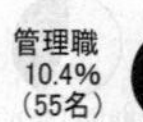
管理職 10.4% (55名)
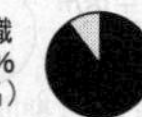

【産休】[期間]法定、ただし予定より早い出産の場合その分を産後に付加[給与]会社全額給付[取得者数]24名
【育休】[期間]3歳になるまで[給与]法定[取得者数]22年度 男4名(対象16名)女38名(対象39名)23年度 男5名(対象11名)女25名(対象25名)[平均取得日数]22年度 NA、23年度 男154日 女472日
【従業員】[人数]1,874名(男1,199名、女675名)[平均年齢]44.7歳(男46.2歳、女42.2歳)[平均勤続年数]18.9年(男22.6年、女12.3年)
【年齢構成】NA

会社データ (金額は百万円)

【本社】108-0075 東京都港区港南1-2-70 品川シーズンテラス ☎03-6455-8810
https://www.ntt-finance.co.jp/

【業績(連結)】	売上高	営業利益	経常利益	純利益
22.3	189,882	5,881	11,481	6,687
23.3	226,403	10,948	13,751	9,949
24.3	301,767	16,427	20,198	13,221

三井住友トラスト・パナソニックファイナンス(株)（みついすみとも）

えるぼし★★　くるみん

【特色】三井住友信託銀行とパナソニック合弁の総合金融

記者評価 三井住友信託銀行とパナソニックが出資する総合ファイナンス企業。両株主の主要取引先に対してリースを中心とした金融サービスを提供。個人向けにはパナソニック系列店専用のクレジットカード「パナカード」発行や、リフォームローンを展開。

平均勤続年数	男性育休取得率	3年後離職率	平均年収(平均42歳)
15.3年	150.0→116.7%	16.7→7.4%	総 803万円

●採用・配属情報●

【男女・文理別採用実績】

	大卒男	大卒女	修士男	修士女
23年	27(文 26 理 1)	11(文 11 理 0)	0(文 0 理 0)	0(文 0 理 0)
24年	30(文 30 理 0)	17(文 16 理 1)	0(文 0 理 0)	0(文 0 理 0)
25年	17(文 16 理 1)	17(文 17 理 0)	1(文 1 理 0)	0(文 0 理 0)

※25年:24年7月末時点

【男女・職種別採用実績】 転換制度:⇔

	総合職(地域限定勤務総合職含む)
23年	38(男 27 女 11)
24年	47(男 30 女 17)
25年	35(男 18 女 17)

【24年4月入社者の配属勤務地】総東京22 大阪12 札幌2 仙台3 さいたま1 名古屋3 中四国2 九州2
【転勤】あり:[職種]全国勤務総合職
【中途比率】[単年度]21年度18%、22年度42%、23年度36%[全体]39%

●働きやすさ、諸制度●

残業(月) 18.0時間

【勤務時間】9:00〜17:20※業務によって異なる場合あり、フレックスタイム制勤務あり【有休取得年平均】10.4日【週休】完全2日【夏期休暇】有休で5日取得【年末年始休暇】12月30日〜1月3日
【離職率】男:NA、21名 女:NA、8名
【新卒3年後離職率】
[20→23年]16.7%(男18.2%・入社11名、女14.3%・入社7名)
[21→24年]7.4%(男15.4%・入社13名、女0%・入社14名)
【テレワーク】制度あり:[場所]自宅 サテライトオフィス カフェ[対象]全従業員[日数]制限なし[利用率]NA【勤務制度】フレックス 時差勤務 勤務間インターバル 副業容認【住宅補助】借上社宅(全国勤務総合職 20代は8割会社負担等、年齢により割合設定)

●ライフイベント、女性活躍●

【女性比率】■男 □女

新卒採用 48.6% (17名)

管理職 10.4% (29名)

【産休】[期間]産前8・産後8週間[給与]法定[取得者数]8名
【育休】[期間]3歳になるまで[給与]法定[取得者数]22年度 男21名(対象14名)女14名(対象10名)23年度 男14名(対象12名)女14名(対象14名)[平均取得日数]22年度 NA、23年度 男13日 女597日
【従業員】[人数]874名(男NA、女NA)[平均年齢]42.3歳(男NA、女NA)[平均勤続年数]15.3年(男NA、女NA)
【年齢構成】NA

会社データ (金額は百万円)

【本社】105-0023 東京都港区芝浦1-2-3 シーバンスS館 ☎03-6858-9200
https://www.smtpfc.jp/

【業績(単独)】	売上高	営業利益	経常利益	純利益
22.3	285,041	10,344	10,543	7,340
23.3	267,975	10,866	11,068	6,347
24.3	278,832	8,934	9,536	6,469

金融

1314 開示 ★★★

すみともみつい
住友三井オートサービス(株)

【特色】国内オートリース首位級。再編で業容に厚み

記者評価 住商オートリースと三井住友銀オートリースの合併で誕生。住友商事が筆頭株主。グループ保有管理台数約102万。国内に約20,000の提携整備工場。グループリース事業再編に伴い三井住友ファイナンス&リース(SMFL)が資本参加、SMFL系の自動車リース事業も統合。

平均勤続年数	男性育休取得率	3年後離職率	平均年収(平均42歳)
13.3年	27.3→17.1%	10.9→8.3%	795万円

●採用・配属情報●

【男女・文理別採用実績】

	大卒男	大卒女	修士男	修士女
23年	20(文 20 理 0)	33(文 33 理 0)	0(文 0 理 0)	0(文 0 理 0)
24年	26(文 26 理 0)	23(文 23 理 0)	0(文 0 理 0)	0(文 0 理 0)
25年	40(文 40 理 0)	30(文 30 理 0)	0(文 0 理 0)	0(文 0 理 0)

【男女・職種別採用実績】 転換制度:⇒

	総合職	事務職
23年	25(男 20 女 5)	28(男 0 女 28)
24年	30(男 26 女 4)	19(男 0 女 19)
25年	40(男 30 女 10)	30(男 0 女 30)

【24年4月入社者の配属勤務地】㊓東京14 大阪6 名古屋2 さいたま1 横浜1 京都1 広島1 札幌1 神戸1 千葉1 福岡1

【転勤】あり:[職種]総合職

【中途比率】[単年度]21年度NA、22年度NA、23年度NA[全体]30%

●働きやすさ、諸制度●

残業(月) 33.7時間 ㊓42.0時間

【勤務時間】スーパーフレックスタイム制(標準時間9:00〜17:15)【有休取得年平均】14.9日【週休】完全2日(土日祝)【夏期休暇】有休利用にて最低5日取得推奨【年末年始休暇】12月29日〜1月3日

【離職率】男:NA、29名 女:NA、23名

【新卒3年後離職率】
[20→23年]10.9%(男11.8%・入社17名、女10.3%・入社29名)
[21→24年]8.3%(男12.5%・入社16名、女5.0%・入社20名)

【テレワーク】制度あり:[場所]自宅 レンタルオフィス[対象]全社員[日数]週2回まで[利用率]NA【勤務制度】フレックス 時間単位有休【住宅補助】借上社宅(家賃の最大8割会社負担)

●ライフイベント、女性活躍●

【女性比率】■男 □女

新卒採用 57.1%(40名)

管理職 6.3%(18名)

【産休】[期間]産前6・産後8週間[給与]法定[取得者数]18名

【育休】[期間]1歳になるまで[給与]法定[取得者数]22年度 男9名(対象33名)女26名(対象26名)23年度 男6名(対象35名)女19名(対象19名)[平均取得日数]22年度 NA、23年度 NA

【従業員】[人数]1,674名(男NA、女NA)[平均年齢]42.4歳(男NA、女NA)[平均勤続年数]13.3年(男NA、女NA)

【年齢構成】NA

会社データ (金額は百万円)

【本社】163-1434 東京都新宿区西新宿3-20-2 東京オペラシティビル ☎03-5358-6311 https://www.smauto.co.jp/

【業績(単独)】	売上高	営業利益	経常利益	純利益
22.3	293,872	16,315	18,156	16,120
23.3	281,401	18,809	20,227	13,823
24.3	271,567	18,720	20,202	13,549

965 開示 ★★★

エヌイーシー
NECキャピタルソリューション(株)

【特色】NEC系の中堅リース会社。ファンド事業も運営

記者評価 NEC財務部の一組織が発祥。24年10月にSBI新生銀行が株式取得し、同行の持分会社に。リース取り扱いはNEC関連など情報通信機器が7割強。官公庁案件に強み。リサ・パートナーズを買収しファンド事業も運営するほか、不動産やベンチャー投資にも積極的。

平均勤続年数	男性育休取得率	3年後離職率	平均年収(平均44歳)
! 13.8年	76.9→75.0%	28.6→10.5%	761万円

●採用・配属情報●

【男女・文理別採用実績】

	大卒男	大卒女	修士男	修士女
23年	4(文 4 理 0)	6(文 6 理 0)	0(文 0 理 0)	0(文 0 理 0)
24年	8(文 8 理 0)	7(文 7 理 0)	0(文 0 理 0)	0(文 0 理 0)
25年	3(文 3 理 0)	4(文 4 理 0)	0(文 0 理 0)	0(文 0 理 0)

【男女・職種別採用実績】 転換制度:⇔

	総合職	一般職
23年	9(男 4 女 5)	1(男 0 女 1)
24年	13(男 8 女 5)	2(男 0 女 2)
25年	7(男 3 女 4)	0(男 0 女 0)

【24年4月入社者の配属勤務地】㊓東京10 宮城1 愛知1 福岡1

【転勤】あり:[職種]総合職

【中途比率】[単年度]21年度59%、22年度60%、23年度73%[全体]NA

●働きやすさ、諸制度●

残業(月) 28.1時間

【勤務時間】8:30〜17:15【有休取得年平均】15.9日【週休】完全2日(土日祝)【夏期休暇】7〜9月の間に有休を利用、5日以上取得を推奨【年末年始休暇】12月29日〜1月3日

【離職率】男:3.8%、17名 女:2.5%、7名

【新卒3年後離職率】
[20→23年]28.6%(男33.3%・入社9名、女20.0%・入社5名)
[21→24年]10.5%(男16.7%・入社12名、女0%・入社7名)

【テレワーク】制度あり:[場所]自宅 サテライトオフィス 他[対象]全社員[日数]制限なし[利用率]NA【勤務制度】フレックス 時差勤務【住宅補助】家賃補助制度 借上社宅制度

●ライフイベント、女性活躍●

【女性比率】■男 □女

新卒採用 57.1%(4名)

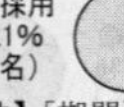

従業員 38.8%(271名)

管理職 6.6%(15名)

【産休】[期間]産前8・産後8週間[給与]法定[取得者数]11名

【育休】[期間]1歳到達後最初の3月31日または1歳6カ月になる日の遅い方[給与]開始実働10日有給、以降法定[取得者数]22年度 男10名(対象13名)女5名(対象5名)23年度 男3名(対象4名)女11名(対象11名)[平均取得日数]22年度 NA、23年度 男24日 女371日

【従業員】[人数]698名(男427名、女271名)[平均年齢]43.5歳(男46.2歳、女39.9歳)[平均勤続年数]13.8年(男14.7年、女11.2年)※嘱託社員含む

【年齢構成】■男 □女

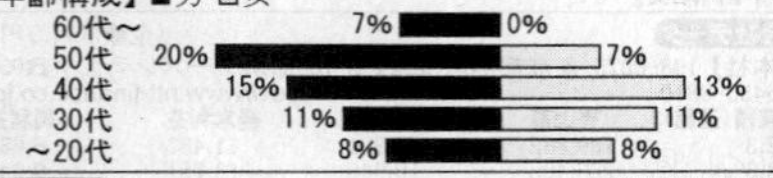

会社データ (金額は百万円)

【本社】108-6219 東京都港区港南2-15-3 品川インターシティC棟 ☎03-6720-8400 https://www.necap.co.jp/

【業績(連結)】	売上高	営業利益	経常利益	純利益
22.3	249,907	10,447	11,422	6,939
23.3	258,107	11,715	12,440	6,418
24.3	255,857	11,694	11,818	7,034

金融

みついすみとも
三井住友カード㈱

プラチナくるみん

【特色】クレジットカード大手。SMBCグループ

記者評価 SMBCグループの総合決済分野を担う。カード、信販、トランザクションの3事業で展開。国内で初めてVisaカードを発行したパイオニア。会員数3615万(24年3月末)、総取扱高53.1兆円。金融総合サービス「Olive」に注力。24年4月SMBCファイナンスサービスと合併。

平均勤続年数	男性育休取得率	3年後離職率	平均年収(平均43歳)
17.6年	80.2→98.5%	NA	NA

●採用・配属情報●

【男女・文理別採用実績】

	大卒男	大卒女	修士男	修士女
23年	NA(文NA 理NA)	NA(文NA 理NA)	NA(文NA 理NA)	NA(文NA 理NA)
24年	113(文103 理 10)	41(文 39 理 2)	11(文 1 理 10)	2(文 1 理 1)
25年	-(文 - 理 -)	-(文 - 理 -)	-(文 - 理 -)	-(文 - 理 -)

※25年:150名採用予定

【男女・職種別採用実績】

	総合職
23年	79(男 48 女 31)
24年	167(男124 女 43)
25年	150(男 - 女 -)

【24年4月入社者の配属勤務地】㊔東京139 神奈川2 大阪22 愛知2 福岡2

【転勤】あり:全社員(但し、就業地域を限定する制度あり)

【中途比率】[単年度]21年度26%、22年度40%、23年度66%[全体]23%

●働きやすさ、諸制度●

残業(月) 21.7時間

【勤務時間】(原則)9:00～17:30 実働7.5時間(一部シフト制の部署あり フレックスタイム制度あり)【有休取得年平均】17.8日【週休】完全2日(土日祝)※部により異なる【夏期休暇】連続5日(有休で取得)【年末年始休暇】原則12月30日～1月3日 ※部により異なる

【離職率】NA

【新卒3年後離職率】

[20→23年]NA

[21→24年]NA

【テレワーク】制度あり:[場所]外出先 サテライトオフィス[対象]所属長が承認した全社員[日数]なし[利用率]NA【勤務制度】フレックス 時間単位有休 時差勤務 勤務間インターバル 副業容認【住宅補助】家賃補給金 借上社宅

●ライフイベント、女性活躍●

【女性比率】■男 □女

従業員 49.2% (2947名)

管理職 13.2% (97名)

【産休】[期間]産前6・産後8週間[給与]勤続年数に応じて最長90日間全額給付、他は法定[取得者数]113名

【育休】[期間]1歳6カ月まで(最大2歳迄延長可)[給与]法定[取得者数]22年度 男65名(対象81名)女113名(対象106名)23年度 男66名(対象67名)女105名(対象105名)[平均取得日数]22年度 NA、23年度 NA

【従業員】[人数]5,984名(男3,037名、女2,947名)[平均年齢]42.9歳(男44.2歳、女41.7歳)[平均勤続年数]17.6年(男18.5年、女16.7年)

【年齢構成】NA

会社データ (金額は百万円)

【本社】135-0061 東京都江東区豊洲2-2-31 SMBC豊洲ビル ☎03-6634-1700 https://www.smbc-card.com/

【業績(単独)】	取扱高	営業利益	経常利益	純利益
22.3	40,107,800	31,400	34,700	20,200
23.3	47,237,400	33,600	33,300	21,500
24.3	53,131,800	39,400	39,400	24,700

㈱ジェーシービー

くるみん

【特色】日本発の国際カード会社大手。海外展開など加速

記者評価 国際クレジットカード会社大手。設立母体は旧三和銀など三菱UFJ系だが、系列色は薄く独自路線。会員数は1.58億人を突破し年間取扱高は48兆円に迫る。海外でのカード発行などグローバル展開を加速。アジアを代表する総合決済サービス企業を目指す。

平均勤続年数	男性育休取得率	3年後離職率	平均年収(平均40歳)
14.8年	72.4→79.4%	NA	NA

●採用・配属情報●

【男女・文理別採用実績】

	大卒男	大卒女	修士男	修士女
23年	80(文 74 理 6)	72(文 70 理 2)	2(文 1 理 1)	0(文 0 理 0)
24年	122(文115 理 7)	97(文 95 理 2)	8(文 6 理 2)	4(文 1 理 3)
25年	102(文 90 理 12)	89(文 86 理 3)	8(文 2 理 6)	0(文 0 理 0)

【男女・職種別採用実績】 転換制度:NA

	総合職	習熟職
23年	112(男 82 女 30)	42(男 0 女 42)
24年	181(男130 女 51)	50(男 0 女 50)
25年	164(男110 女 54)	35(男 0 女 35)

【24年4月入社者の配属勤務地】㊔東京(青山101 高田馬場56 三鷹33)大阪19 札幌5 仙台3 大宮4 名古屋3 広島3 福岡4

【転勤】あり:[職種]総合職 専門職

【中途比率】[単年度]21年度48%、22年度47%、23年度42%[全体]NA

●働きやすさ、諸制度●

残業(月) 20.4時間 ㊔28.8時間

【勤務時間】9:00～17:15【有休取得年平均】14.5日【週休】完全2日(土日)※一部シフト勤務あり【夏期休暇】連続10日奨励(週休含む有休で取得)【年末年始休暇】12月30日～1月3日

【離職率】男:5.5%、94名 女:6.3%、104名

【新卒3年後離職率】

[20→23年]NA

[21→24年]NA

【テレワーク】制度あり:[場所]自宅[対象]制限なし[日数]原則週2日まで(配属部署により例外あり)[利用率]NA【勤務制度】時間単位有休 時差勤務【住宅補助】住宅手当※総合職のみ 社宅※東京以外勤務の場合

●ライフイベント、女性活躍●

【女性比率】■男 □女

新卒採用 44.7% (89名)

従業員 48.7% (1545名)

【産休】[期間]産前6・産後8週間[給与]法定[取得者数]79名

【育休】[期間]父母共1歳半になるまで(初回)[給与]法定[取得者数]22年度 男42名(対象58名)女73名(対象73名)23年度 男50名(対象63名)女78名(対象86名)[平均取得日数]22年度 NA、23年度 男25日 女499日

【従業員】[人数]3,172名(男1,627名、女1,545名)[平均年齢]40.1歳(男40.7歳、女39.5歳)[平均勤続年数]14.8年(男14.7年、女14.8年)

【年齢構成】■男 □女

	男	女
60代～	0%	0%
50代	13%	8%
40代	13%	16%
30代	15%	14%
～20代	11%	10%

会社データ (金額は百万円)

【本社】107-8686 東京都港区南青山5-1-22 青山ライズスクエア ☎03-5778-8311 https://www.global.jcb/ja/

【業績(単独)】	取扱高	営業利益	経常利益	純利益
22.3	37,720,375	37,400	38,500	27,500
23.3	43,279,758	36,200	36,800	25,000
24.3	47,095,489	37,500	39,400	27,800

みつびしユーエフジェイ

三菱ＵＦＪニコス㈱

【特色】クレジットカード大手。MUFGの決済分野中核

記者評価 割賦販売草分けだが、同事業は08年ジャックスに譲渡。「MUFGカード」「DC」「NICOS」の各ブランドで展開。17年MUFGが完全子会社化。MUFGカードを昇華させた新カードブランド「三菱UFJカード」も運営。25年4月から大卒初任給を25.5万円に引き上げ予定。

平均勤続年数	男性育休取得率	3年後離職率	平均年収(平均*43歳)
18.5年	88.6 → 91.9%	NA	㊕854万円

●採用・配属情報●

【男女・文理別採用実績】

	大卒男	大卒女	修士男	修士女
23年	27(文 27 理 0)	12(文 11 理 1)	0(文 0 理 0)	0(文 0 理 0)
24年	43(文 40 理 3)	24(文 23 理 1)	0(文 0 理 0)	0(文 0 理 0)
25年	45(文 45 理 0)	45(文 44 理 1)	1(文 0 理 1)	2(文 2 理 0)

【男女・職種別採用実績】 転換制度:⇔

	総合職	エリア職
23年	39(男 27 女 12)	0(男 0 女 0)
24年	67(男 43 女 24)	0(男 0 女 0)
25年	93(男 46 女 47)	0(男 0 女 0)

【24年4月入社者の配属勤務地】㊕東京50 名古屋10 大阪7

【転勤】あり:[職種]総合職[勤務地]東京 名古屋 大阪 福岡

【中途比率】[単年度]21年度16%、22年度23%、23年度65%[全体]25%

●働きやすさ、諸制度●

残業(月) 21.8時間

【勤務時間】9:00〜17:20(シフト勤務あり)【有休取得年平均】19.7日【週休】完全2日(土日祝)【夏期休暇】連続5営業日以上の有休取得推奨【年末年始休暇】12月30日〜1月3日

【離職率】NA

【新卒3年後離職率】
[20→23年]NA
[21→24年]NA

【テレワーク】制度あり:[場所]自宅[対象]一部対象外あり(コールセンター等)[日数]制限なし[利用率]NA【勤務制度】時間単位有休 時差勤務 勤務間インターバル 副業容認【住宅補助】家賃補助 借上社宅(総合職のみ)

●ライフイベント、女性活躍●

【女性比率】■男 □女

新卒採用 50.5% (47名)

従業員 52.1% (1724名)

【産休】[期間]産前6・産後8週間[給与]会社全額給付[取得者数]85名

【育休】[期間]1歳6カ月になるまで 延長理由に該当する場合は2歳に達する日まで延長可[給与]法定+最大10日有給(会社支給)[取得者数]22年度 男31名(対象35名)女72名(対象72名)23年度 男34名(対象37名)女78名(対象78名)[平均取得日数]22年度 NA、23年度 NA

【従業員】[人数]3,310名(男1,586名、女1,724名)[平均年齢]43.1歳(男44.1歳、女42.2歳)[平均勤続年数]18.5年(男18.4年、女18.6年)

【年齢構成】NA

会社データ (金額は百万円)

【本社】101-8960 東京都千代田区外神田4-14-1 秋葉原UDXビル ☎03-3811-3111 https://www.cr.mufg.jp/

【業績(単独)】	取扱高	営業利益	経常利益	純利益
22.3	16,721,800	▲396	▲221	4,862
23.3	18,729,800	827	1,564	2,234
24.3	20,644,400	1,917	2,397	4,445

※取扱高はFC等を含めた計数

イオンフィナンシャルサービス㈱

((株)イオン銀行、イオン保険サービス(株))

【特色】イオン系の金融事業を統括。アジアでも存在感

記者評価 イオングループの金融サービスを統括、傘下にクレジットカード、銀行、保険会社などを擁する。早期から海外展開を進め、香港、タイ、マレーシアに上場子会社を持つ。アジアビジネスは業界屈指。グループ内で顧客IDを共通化し、決済やポイントの一本化を進める。

平均勤続年数	男性育休取得率	3年後離職率	平均年収(平均40歳)
8.1年	75.0 → 80.0%	23.5 → 15.4%	㊕638万円

●採用・配属情報●

【男女・文理別採用実績】

	大卒男	大卒女	修士男	修士女
23年	60(文 60 理 0)	40(文 40 理 0)	1(文 1 理 0)	0(文 0 理 0)
24年	75(文 69 理 6)	19(文 18 理 1)	4(文 3 理 1)	1(文 1 理 0)
25年	69(文 65 理 4)	44(文 43 理 1)	7(文 6 理 1)	3(文 2 理 1)

【男女・職種別採用実績】 転換制度:⇔

	総合職
23年	101(男 61 女 40)
24年	99(男 79 女 20)
25年	123(男 76 女 47)

【24年4月入社者の配属勤務地】㊕北海道2 岩手1 宮城8 埼玉5 千葉24 東京17 神奈川4 山梨1 静岡1 愛知8 京都4 兵庫3 大阪13 岡山1 広島2 福岡5

【転勤】あり:[職種]グローバル社員[勤務地]全国[職種]リージョナル社員[勤務地]地域限定

【中途比率】[単年度]21年度59%、22年度75%、23年度74%[全体]70%

●働きやすさ、諸制度●

残業(月) 18.9時間 ㊕20.3時間

【勤務時間】9:00〜18:00【有休取得年平均】14.3日【週休】2〜3日【夏期休暇】連続10日(長期連続休暇制度で取得)【年末年始休暇】連続10日(長期連続休暇制度で取得)

【離職率】男:5.0%、135名 女:7.3%、176名

【新卒3年後離職率】
[20→23年]23.5%(男25.2%・入社119名、女20.8%・入社77名)
[21→24年]15.4%(男15.0%・入社40名、女15.7%・入社51名)

【テレワーク】制度あり:[場所]自宅 サテライトオフィス[対象]一部センターおよび外勤(店舗勤務)の従業員は対象外[日数]制限なし[利用率]NA【勤務制度】フレックス 時間単位有休 時差勤務 勤務間インターバル 副業容認【住宅補助】社宅手当(27,000〜96,000円、地域・家族数による)

●ライフイベント、女性活躍●

【女性比率】■男 □女

新卒採用 38.2% (47名)
従業員 46.5% (2238名)
管理職 21.8% (207名)

【産休】[期間]産前8週前より取得可能、産後8週間[給与]法定[取得者数]93名

【育休】[期間]第1子は3歳の誕生月の末日まで、第2子以降は2歳の誕生月の末日まで[給与]法定[取得者数]22年度 男63名(対象84名)女104名(対象105名)23年度 男68名(対象85名)女95名(対象92名)[平均取得日数]22年度 男49日 女355日、23年度 男84日 女348日

【従業員】[人数]4,811名(男2,573名、女2,238名)[平均年齢]42.5歳(男42.4歳、女42.6歳)[平均勤続年数]8.1年(男8.4年、女7.4年)【年齢構成】■男 □女

	男	女
60代〜	3%	4%
50代	12%	12%
40代	16%	10%
30代	14%	12%
〜20代	9%	9%

会社データ (金額は百万円)

【本社】101-0054 東京都千代田区神田錦町3-22 テラススクエア ☎03-5281-2080 https://www.aeonfinancial.co.jp/

【業績(連結)】	営業収益	営業利益	経常利益	純利益
22.2	470,657	58,852	59,944	30,212
23.2	451,767	58,859	61,547	30,677
24.2	485,608	50,088	51,174	20,896

※新卒採用関連は3社合同採用のもの

(株)クレディセゾン

【特色】流通系クレジットカード大手。インド事業を強化

記者評価 クレジットカードやファイナンスなどが事業領域。ポイントが失効しない「永久不滅」が特徴。新たな成長の柱としてインド事業に積極投資。リボ手数料の引き上げなど収益構造改革に着手。働き方改革にも積極的。23年5月に再建中のスルガ銀行と資本業務提携。

平均勤続年数	男性育休取得率	3年後離職率	平均年収(平均42歳)
13.4年	NA→46.7%	NA	総 745万円

採用・配属情報

【男女・文理別採用実績】

	大卒男	大卒女	修士男	修士女
23年	21(文 12理 9)	13(文 13理 0)	0(文 0理 0)	0(文 0理 0)
24年	33(文 26理 7)	22(文 21理 1)	5(文 0理 5)	1(文 0理 1)
25年	25(文 21理 4)	33(文 33理 0)	6(文 0理 6)	1(文 0理 1)

【男女・職種別採用実績】

	新卒
23年	34(男 21 女 13)
24年	62(男 38 女 24)
25年	65(男 31 女 34)

【24年4月入社者の配属勤務地】総東京51 技東京11
【転勤】あり:[職種]ナショナルコース ブロックコース
【中途比率】[単年度]21年度62%、22年度80%、23年度78%[全体]64%

働きやすさ、諸制度

残業(月) 総16.2時間

【勤務時間】9:00〜17:30(部門により異なる)【有休取得年平均】12.4日【週休】2日(部門により異なる)【夏期休暇】有休で取得【年末年始休暇】有休で取得
【離職率】NA
【新卒3年後離職率】
[20→23年]NA
[21→24年]NA
【テレワーク】制度あり:[場所]業務に集中できる場所 第三者に覗き見防止を担保できる場所[対象]NA[日数]NA[利用率]NA【勤務制度】フレックス 時間単位有休 時差勤務 副業容認【住宅補助】住宅手当 家賃補填

ライフイベント、女性活躍

【女性比率】■男 □女

新卒採用 52.3%(34名) 従業員 75.9%(3108名) 管理職 33.4%(212名)

【産休】[期間]産前8・産後8週間[給与]産前6〜8週間は7割給付、以降法定[取得者数]136名
【育休】[期間]3歳年度末まで[給与]法定[取得者数]22年度 男NA(対象NA)女127名(対象123名)23年度 男14名(対象30名)女138名(対象136名)[平均取得日数]22年度NA、23年度 男24日 女558日
【従業員】[人数]4,096名(男988名、女3,108名)[平均年齢]43.7歳(男43.9歳、女43.6歳)[平均勤続年数]13.4年(男13.3年、女13.4年)
【年齢構成】■男 □女

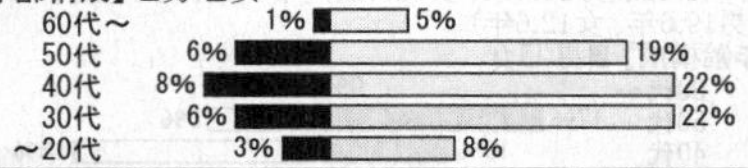

	男	女
60代〜	1%	5%
50代	6%	19%
40代	8%	22%
30代	6%	22%
〜20代	3%	8%

会社データ (金額は百万円)
【本社】170-6073 東京都豊島区東池袋3-1-1 サンシャイン60 ☎03-3988-2111 https://www.saisoncard.co.jp/

【業績(IFRS)】	営業収益	営業利益	税前利益	純利益
22.3	362,955	40,438	49,936	35,375
23.3	382,540	43,491	61,044	43,599
24.3	420,317	55,934	97,952	72,987

トヨタファイナンシャルサービスグループ

くるみん

【特色】トヨタ系の金融中核。自動車ローン・カードが軸

記者評価 自動車ローンやクレジットカード事業を手がける。トヨタグループの金融事業中核。トヨタ自動車の融資・リース・保険代理店業務などを継承して設立。クレジットカード会員数は24年3月末1512万人。ほけんの窓口グループと提携し、来店型保険ショップの運営も。

平均勤続年数	男性育休取得率	3年後離職率	平均年収(平均42歳)
13.8年	52.0→71.4%	12.2→8.2%	総 810万円

採用・配属情報

【男女・文理別採用実績】

	大卒男	大卒女	修士男	修士女
23年	14(文 13理 1)	8(文 7理 1)	0(文 0理 0)	0(文 0理 0)
24年	18(文 15理 3)	29(文 26理 3)	0(文 0理 0)	0(文 0理 0)
25年	13(文 13理 0)	61(文 58理 3)	1(文 0理 1)	0(文 0理 0)

【男女・職種別採用実績】 転換制度:⇔

	総合職	エリア総合職	一般職
23年	18(男 12 女 6)	1(男 0 女 1)	3(男 2 女 1)
24年	34(男 18 女 16)	1(男 0 女 1)	12(男 0 女 12)
25年	26(男 12 女 14)	4(男 0 女 4)	45(男 2 女 43)

【24年4月入社者の配属勤務地】総(23年)名古屋14 東京5
【転勤】あり:[職種]総合職(全国転勤型)
【中途比率】[単年度]21年度NA、22年度NA、23年度NA[全体]36%

働きやすさ、諸制度

残業(月) 18.2時間

【勤務時間】9:00〜18:00【有休取得年平均】16.3日【週休】完全2日(部署により異なる)【夏期休暇】有休利用【年末年始休暇】12月30日〜1月3日
【離職率】NA
【新卒3年後離職率】
[20→23年]12.2%(男25.0%・入社20名、女8.1%・入社62名)
[21→24年]8.2%(男7.1%・入社14名、女8.6%・入社35名)
【テレワーク】制度あり:[場所]自宅 他[対象]全社員[日数]制限なし[利用率]NA【勤務制度】フレックス 副業容認【住宅補助】借上住宅(家賃補助制度あり)

ライフイベント、女性活躍

【女性比率】■男 □女

新卒採用 81.3%(61名) 従業員 47%(797名) 管理職 6.2%(30名)

【産休】[期間]産前6・産後8週間[給与]法定[取得者数]52名
【育休】[期間]2歳になるまで[給与]法定[取得者数]22年度 男13名(対象25名)女53名(対象53名)23年度 男15名(対象21名)女49名(対象49名)[平均取得日数]22年度 NA、23年度 NA
【従業員】[人数]1,696名(男899名、女797名)[平均年齢]41.0歳(男44.8歳、女36.7歳)[平均勤続年数]13.8年(男15.7年、女11.6年)
【年齢構成】■男 □女

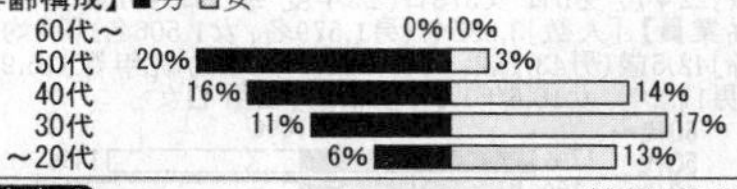

	男	女
60代〜	0%	0%
50代	20%	3%
40代	16%	14%
30代	11%	17%
〜20代	6%	13%

会社データ (金額は百万円)
【本社】451-6014 愛知県名古屋市西区牛島町6-1 名古屋ルーセントタワー ☎052-527-7109 https://www.toyota-finance.co.jp/

【業績(連結)】	売上高	営業利益	経常利益	純利益
22.3	239,138	38,235	41,579	28,844
23.3	257,443	45,251	48,965	33,883
24.3	271,217	42,384	47,074	34,224

※採用関連はトヨタファイナンシャルサービス、トヨタファイナンスのもの。他はトヨタファイナンスのもの

金融

㈱オリエントコーポレーション

[プラチナくるみん+]

【特色】みずほグループ。信販業界の老舗で最大手

[記者評価] 個品割賦に強く、オートローン首位。家賃や売掛金の決済保証も強化。ローン保証業務やクレジットカードなどでみずほ銀行と密接に連携。伊藤忠商事とも資本提携。タイ、フィリピン、インドネシアでもオートローン事業などを展開。女性管理職比率が上昇中。

平均勤続年数	男性育休取得率	3年後離職率	平均年収(平均43歳)
16.9年	102.2→108.1%	NA	[総]735万円

●採用・配属情報●

【男女・文理別採用実績】※25年:24年7月25日時点

	大卒男	大卒女	修士男	修士女
23年	47(文 45 理 2)	46(文 44 理 2)	1(文 1 理 0)	1(文 0 理 1)
24年	76(文 72 理 4)	26(文 26 理 0)	0(文 0 理 0)	0(文 0 理 0)
25年	37(文 31 理 6)	54(文 51 理 3)	0(文 0 理 0)	2(文 2 理 0)

【男女・職種別採用実績】

	総合職(全国型)	総合職(地域限定型)
23年	63(男 45 女 18)	32(男 3 女 29)
24年	89(男 69 女 20)	13(男 7 女 6)
25年	56(男 30 女 26)	37(男 7 女 30)

【24年4月入社者の配属勤務地】[総]東北地方8 首都圏40 中部地方12 関西圏19 中国地方10 九州地方13 ※入社後半年間はローテーション研修

【転勤】あり:[全社員]意向に即した異動運用を実施[転居転勤が可能な社員]本拠地と可能エリア・地域の範囲で異動(希望する勤務地にのみ転勤)

【中途比率】[単年度]21年度12%、22年度35%、23年度48%[全体]12%

●働きやすさ、諸制度●

残業(月) 17.6時間 [総]17.6時間

【勤務時間】9:20～17:45 9:20～18:55【有休取得年平均】13.1日【週休】完全2日(土日祝)※一部部署は週休3日制【夏期休暇】連続9日奨励(特別休暇3日、有休2日、土日4日)【年末年始休暇】12月30日～1月4日

【離職率】NA

【新卒3年後離職率】[20→23年]NA[21→24年]NA

【テレワーク】制度あり:[場所]自宅 サテライトオフィス 取引先の施設内 出張時の宿泊ホテル 他[対象]全社員[日数]制限なし[利用率]NA【勤務制度】時間単位有休 週休3日 時差勤務 勤務間インターバル 副業容認【住宅補助】社宅制度(930名が利用 月額11,000円～)借家補助金制度(263名が利用 賃貸料の一部を補助)

●ライフイベント、女性活躍●

【女性比率】■男 □女

新卒採用 60.2% (56名)

従業員 48.8% (1506名)

管理職 20.3% (162名)

【産休】[期間]産前6・産後8週間[給与]会社全額給付[取得者数]48名

【育休】[期間]2歳になるまで[給与]5日有給、以降法定[取得者数]22年度 男46名(対象45名)女35名(対象35名)23年度 男40名(対象37名)女43名(対象43名)[平均取得日数]22年度 男5日 女378日、23年度 男11日 女400日

【従業員】[人数]3,085名(男1,579名、女1,506名)[平均年齢]42.5歳(男43.1歳、女41.9歳)[平均勤続年数]16.9年(男17.2年、女16.6年)【年齢構成】■男 □女

60代～ 0%|0%
50代 17% 14%
40代 16% 17%
30代 9% 8%
～20代 9% 10%

[会社データ] (金額は百万円)

【本社】102-8503 東京都千代田区麹町5-2-1 ☎03-5877-5063 https://www.orico.co.jp/

【業績(連結)】	営業収益	営業利益	経常利益	純利益
22.3	229,806	28,994	28,994	19,476
23.3	227,693	23,070	23,070	19,035
24.3	229,054	16,118	16,118	12,571

㈱ジャックス

[えるぼし★] [プラチナくるみん]

【特色】MUFG系信販。オートローンに強くカードも展開

[記者評価] 北海道発祥。MUFG系で三菱UFJニコスの個品割賦事業を譲り受け拡大。中古車や外車のオートローンと投資用不動産ローンの保証事業に強い。クレジットカード事業も展開。東南アジアでも4輪車や2輪車ローンを展開。中国BYDの日本法人と業務提携。

平均勤続年数	男性育休取得率	3年後離職率	平均年収(平均44歳)
15.6年	71.4→129.4%	NA	[総]847万円

●採用・配属情報●

【男女・文理別採用実績】※25年:100名採用計画

	大卒男	大卒女	修士男	修士女
23年	43(文 42 理 1)	46(文 46 理 0)	0(文 0 理 0)	0(文 0 理 0)
24年	27(文 27 理 0)	33(文 32 理 1)	0(文 0 理 0)	0(文 0 理 0)
25年	-(文 - 理 -)	-(文 - 理 -)	-(文 - 理 -)	-(文 - 理 -)

【男女・職種別採用実績】 転換制度:⇔

	総合職	一般職
23年	43(男 36 女 7)	48(男 7 女 41)
24年	32(男 26 女 6)	29(男 1 女 28)
25年	-(男 - 女 -)	-(男 - 女 -)

【24年4月入社者の配属勤務地】[総]東北1 北関東2 首都圏14 中部4 関西5 中四国3 九州3

【転勤】あり:[働き方]全国転勤型[勤務地]全国

【中途比率】[単年度]21年度44%、22年度59%、23年度53%[全体]39%

●働きやすさ、諸制度●

残業(月) 12.3時間 [総]22.2時間

【勤務時間】9:45～18:10【有休取得年平均】13.3日【週休】完全2日【夏期休暇】連続最大5日【年末年始休暇】12月30日～1月4日

【離職率】男:5.3%、63名 女:6.1%、101名(早期退職男15名、女14名)

【新卒3年後離職率】
[20→23年]NA
[21→24年]NA

【テレワーク】制度あり:[場所]NA[対象]システム 法務部署[日数]NA[利用率]NA【勤務制度】時間単位有休 週休3日 勤務間インターバル【住宅補助】借上社宅(全国転勤型のみ)住宅手当(地域限定型のみ)持家手当

●ライフイベント、女性活躍●

【女性比率】■男 □女

従業員 58.1% (1567名)

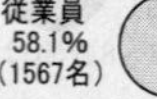

管理職 15.3% (49名)

【産休】[期間]産前6・産後8週間[給与]法定[取得者数]59名

【育休】[期間]1歳になるまで[給与]法定[取得者数]22年度 男20名(対象28名)女48名(対象48名)23年度 男22名(対象17名)女62名(対象62名)[平均取得日数]22年度 NA、23年度 男7日 女380日

【従業員】[人数]2,695名(男1,128名、女1,567名)[平均年齢]41.0歳(男44.4歳、女38.5歳)[平均勤続年数]15.6年(男19.6年、女12.6年)

【年齢構成】■男 □女

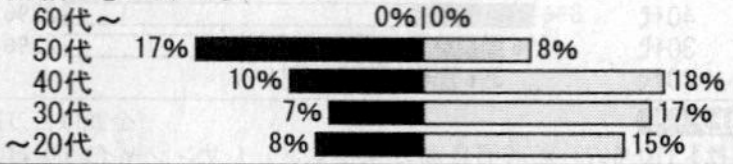

60代～ 0%|0%
50代 17% 8%
40代 10% 18%
30代 7% 17%
～20代 8% 15%

[会社データ] (金額は百万円)

【本社】150-8932 東京都渋谷区恵比寿4-1-18 恵比寿ネオナート ☎03-5448-1310 https://www.jaccs.co.jp/

【業績(連結)】	営業収益	営業利益	経常利益	純利益
22.3	164,070	26,743	26,786	18,316
23.3	173,506	31,678	31,769	21,651
24.3	184,782	33,126	33,060	23,770

1318 開示 ★★★

ユーシーカード(株)

[プラチナくるみん]

【特色】みずほ銀行子会社。クレジットカード事業中核

[記者評価] 旧第一銀行、旧富士銀行等の出資で発足したユニオンクレジットが母体。クレディセゾンが資本参加していたが、みずほ銀行とクレディの包括業務提携解消で19年10月クレディが出資引き揚げ。20年3月にみずほ銀行100%出資に。多彩な勤務形態、休暇制度など充実。

平均勤続年数	男性育休取得率	3年後離職率	平均年収(平均41歳)
13.9年	75.0 → 140.0%	27.3 → 17.6%	[総] 710万円

●採用・配属情報●

【男女・文理別採用実績】

	大卒男	大卒女	修士男	修士女
23年	6(文 6理 0)	14(文 14理 0)	0(文 0理 0)	0(文 0理 0)
24年	10(文 10理 0)	21(文 21理 0)	0(文 0理 0)	0(文 0理 0)
25年	14(文 13理 1)	32(文 32理 0)	0(文 0理 0)	0(文 0理 0)

【男女・職種別採用実績】 転換制度:⇔

	総合職(基幹職)	一般職(事務系基幹職)
23年	16(男 6 女 10)	4(男 0 女 4)
24年	17(男 9 女 8)	14(男 1 女 13)
25年	28(男 14 女 14)	18(男 0 女 18)

【24年4月入社者の配属勤務地】[総]東京(台場16 東池袋1)

【転勤】あり:[職種]総合系基幹職[勤務地]東京(台場・東池袋)大阪

【中途比率】[単年度]21年度43%、22年度69%、23年度65%[全体]22%

●働きやすさ、諸制度●

残業(月) 24.5時間

【勤務時間】9:00〜17:30【有休取得年平均】16.1日【週休】完全2日(原則土日祝)【夏期休暇】有休で取得【年末年始休暇】12月30日〜1月3日

【離職率】男:7.7%、21名 女:7.2%、26名

【新卒3年後離職率】
[20→23年]27.3%(男50.0%・入社6名、女0%・入社5名)
[21→24年]17.6%(男37.5%・入社8名、女0%・入社9名)

【テレワーク】制度あり:[場所]自宅 シェアオフィス[対象]制限なし[日数]制限なし[利用率]NA【勤務制度】時間単位有休 時差勤務 勤務間インターバル【住宅補助】借上社宅(総合系基幹職のみ 通勤時間90分以上の場合 最大家賃7割を補助)

●ライフイベント、女性活躍●

【女性比率】■男 □女

新卒採用 69.6% (32名)

従業員 57.1% (336名)

管理職 17.8% (21名)

【産休】[期間]産前8・産後8週間[給与]産前8〜6週間は会社から給与の7割給付、以降は法定通り[取得者数]14名

【育休】[期間]3歳到達年度の3月31日まで取得可[給与]法定[取得者数]22年度 男3名(対象4名)女9名(対象9名)23年度 男7名(対象5名)女11名(対象11名)[平均取得日数]22年度 NA、23年度 NA

【従業員】[人数]588名(男252名、女336名)[平均年齢]42.2歳(男46.6歳、女38.9歳)[平均勤続年数]13.9年(男16.8年、女11.7年)

【年齢構成】■男 □女

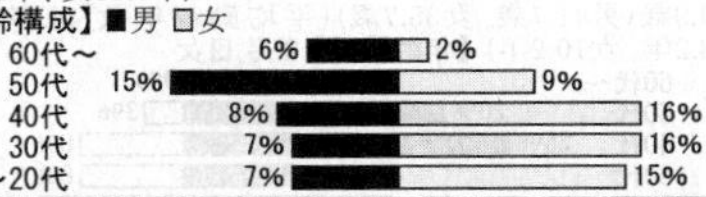

会社データ

(金額は百万円)

【本社】135-8601 東京都港区台場2-3-2 台場フロンティアビル ☎03-5531-6331 https://www2.uccard.co.jp/

【業績(単独)】	取扱高	営業利益	経常利益	純利益
22.3	4,564,266	381	390	227
23.3	5,232,889	204	218	434
24.3	5,478,483	486	498	615

※業績の取扱高はグループ合計

2781 開示 ★★★★★ [短大] 採用あり

アコム(株)

[くるみん]

【特色】MUFG連結子会社。消費者金融専業の最大手

[記者評価] 神戸で創業。消費者向け無担保ローンの専業大手。業界初24時間ATMや無人自動契約機、Web完結取引など先進的な取り組みが特徴。地銀との提携を進めて信用保証事業を拡大。タイ、フィリピン、マレーシアで事業展開するなどアジア事業も強化。

平均勤続年数	男性育休取得率	3年後離職率	平均年収(平均42歳)
15.5年	54.8 → 103.8%	20.6 → 21.1%	[総] 715万円

●採用・配属情報●

【男女・文理別採用実績】

	大卒男	大卒女	修士男	修士女
23年	36(文 34理 2)	27(文 26理 1)	0(文 0理 0)	0(文 0理 0)
24年	51(文 48理 3)	26(文 25理 1)	0(文 0理 0)	0(文 0理 0)
25年	61(文 59理 2)	37(文 35理 2)	1(文 0理 1)	0(文 0理 0)

【男女・職種別採用実績】 転換制度:⇒

	総合職	限定職
23年	60(男 36 女 24)	3(男 0 女 3)
24年	72(男 51 女 21)	6(男 0 女 6)
25年	94(男 62 女 32)	5(男 0 女 5)

【24年4月入社者の配属勤務地】[総]横浜38 大阪34 [技]なし

【転勤】あり:[職種]総合職

【中途比率】[単年度]21年度28%、22年度33%、23年度45%[全体]28%

●働きやすさ、諸制度●

残業(月) 20.4時間 [総]23.3時間

【勤務時間】9:00〜18:00【有休取得年平均】15.3日【週休】完全2日(土日祝)【夏期休暇】3日【年末年始休暇】5日

【離職率】男:3.4%、43名 女:5.9%、51名

【新卒3年後離職率】
[20→23年]20.6%(男16.3%・入社49名、女24.1%・入社58名)
[21→24年]21.1%(男11.1%・入社36名、女31.4%・入社35名)

【テレワーク】制度あり:[場所]自宅[対象]顧客接点部署以外の部署[日数]制限なし[利用率]1.4%【勤務制度】フレックス 時間単位有休 時差勤務 副業容認【住宅補助】社宅(入社前居住地から職場まで1時間半以上の場合のみ)

●ライフイベント、女性活躍●

【女性比率】■男 □女

新卒採用 37.4% (37名)

従業員 40.2% (820名)

管理職 8.2% (24名)

【産休】[期間]産前6・産後8週間[給与]法定[取得者数]28名

【育休】[期間]1歳になるまで[給与]法定[取得者数]22年度 男17名(対象31名)女25名(対象24名)23年度 男27名(対象26名)女28名(対象26名)[平均取得日数]22年度 男47日 女433日、23年度 男22日 女299日

【従業員】[人数]2,042名(男1,222名、女820名)[平均年齢]41.3歳(男43.6歳、女38.0歳)[平均勤続年数]15.5年(男18.7年、女10.7年)

【年齢構成】■男 □女

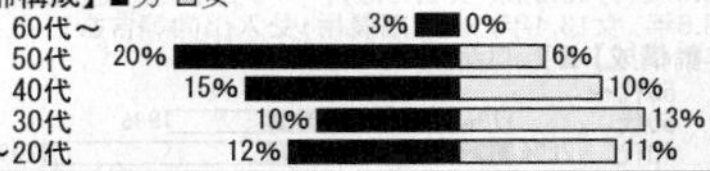

会社データ

(金額は百万円)

【本社】105-7302 東京都港区東新橋1-9-1 東京汐留ビルディング ☎03-6865-6474 https://www.acom.co.jp/

【業績(連結)】	営業収益	営業利益	経常利益	純利益
22.3	262,155	34,779	35,441	55,678
23.3	273,793	87,287	87,485	54,926
24.3	294,730	86,347	86,715	53,091

エスエムビーシー
ＳＭＢＣコンシューマーファイナンス(株)

[えるぼし ★★] [プラチナくるみん]

【特色】SMFG子会社。旧プロミス。消費者金融大手

[記者評価] 1962年大阪で創業した消費者金融大手。2004年SMFGと資本業務提携、12年完全子会社に。店舗名は「プロミス」を継承。店舗数は447(24年3月末)。24年10月グループ再編で三井住友カード完全子会社に。25年入社者から大卒初任給を27万円に増額予定。

平均勤続年数	男性育休取得率	3年後離職率	平均年収(平均44歳)
① 16.3年	65.0→100%	7.0→8.7%	[総] 810万円

●採用・配属情報●

【男女・文理別採用実績】

	大卒男	大卒女	修士男	修士女
23年	23(文 21 理 2)	12(文 12 理 0)	0(文 0 理 0)	0(文 0 理 0)
24年	23(文 21 理 2)	21(文 21 理 0)	3(文 1 理 2)	1(文 1 理 0)
25年	46(文 42 理 4)	32(文 32 理 0)	0(文 0 理 0)	2(文 2 理 0)

【男女・職種別採用実績】 転換制度:⇔

	総合職	総合職(システム)
23年	33(男 22 女 11)	2(男 1 女 1)
24年	44(男 22 女 22)	4(男 4 女 0)
25年	74(男 40 女 34)	6(男 6 女 0)

【24年4月入社者の配属勤務地】[総]東京37 大阪11
【転勤】あり:[職種]総合職
【中途比率】[単年度]21年度68%、22年度56%、23年度49%[全体]NA

●働きやすさ、諸制度●

残業(月) 21.7時間

【勤務時間】9:00～17:30【有休取得年平均】16.2日【週休】2日【夏期休暇】5日【年末年始休暇】約5日
【離職率】男:5.8%、70名 女:4.8%、48名(早期退職男7名、女3名含む)
【新卒3年後離職率】
[20→23年]7.0%(男10.0%・入社20名、女5.4%・入社37名)
[21→24年]8.7%(男9.1%・入社22名、女8.3%・入社24名)
【テレワーク】制度あり:[場所]自宅 サテライトオフィス 他[対象]全社員[日数]週4日まで[利用率]NA【勤務制度】時間単位有休 時差勤務 勤務間インターバル 副業容認【住宅補助】借上社宅(入社時および会社都合による転居時)住宅手当(自己都合による転居時)※地域・等級によって異なる

●ライフイベント、女性活躍●

【女性比率】■男 □女

新卒採用 42.5% (34名)

従業員 45.5% (947名)

管理職 19% (136名)

【産休】[期間]産前6・産後8週間[給与]法定[取得者数]20名
【育休】[期間]1歳6カ月になるまで 保育所等に入園できない場合最長2歳[給与]法定[取得者数]22年度 男13名(対象20名)女23名(対象23名)23年度 男16名(対象16名)女21名(対象16名)[平均取得日数]22年度 NA、23年度 男42日 女438日
【従業員】[人数]2,083名(男1,136名、女947名)[平均年齢]43.6歳(男45.3歳、女41.6歳)[平均勤続年数]16.3年(男18.6年、女13.4年) ※有期雇用・受入出向等含む
【年齢構成】■男 □女

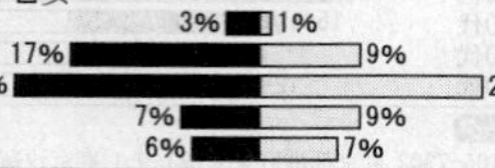
60代～ 3% 1%
50代 17% 9%
40代 22% 20%
30代 7% 9%
～20代 6% 7%

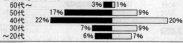

会社データ (金額は百万円)

【本社】135-0061 東京都江東区豊洲2-2-31 SMBC豊洲ビル ☎03-6887-1515
https://www.smbc-cf.com/corporate/

【業績(連結)】	営業収益	営業利益	経常利益	純利益
22.3	268,920	68,415	68,641	85,150
23.3	294,089	77,325	59,527	44,081
24.3	268,769	77,211	19,080	▲4,386

アイフル(株)

[プラチナくるみん]

【特色】独立系消費者金融大手、事業者ローンも手がける

[記者評価] 京都で創業。消費者向け無担保ローンの専業大手。傘下にクレジットカード会社のライフカードや事業者向けローン会社、割賦事業会社も。タイとインドネシアでも事業展開。IT関連事業への投資に意欲。IT人材の採用も積極的で、将来的に全社員の25%を目指す。

平均勤続年数	男性育休取得率	3年後離職率	平均年収(平均42歳)
14.4年	78.9→42.4%	NA	[総] 702万円

●採用・配属情報●

【男女・文理別採用実績】

	大卒男	大卒女	修士男	修士女
23年	32(文 27 理 5)	22(文 20 理 2)	1(文 0 理 1)	1(文 1 理 0)
24年	37(文 28 理 9)	24(文 23 理 1)	0(文 0 理 0)	1(文 1 理 0)
25年	30(文 25 理 5)	23(文 19 理 4)	4(文 0 理 4)	2(文 1 理 1)

※25年:24年7月末時点、70名採用予定
【男女・職種別採用実績】 転換制度:⇔

	総合職	地域限定職
23年	57(男 39 女 18)	14(男 6 女 8)
24年	55(男 35 女 20)	15(男 9 女 6)
25年	55(男 32 女 23)	15(男 8 女 7)

【職種併願】○
【24年4月入社者の配属勤務地】[総]東京1 神奈川13 京都1 滋賀35 [技]東京8 神奈川4 京都8
【転勤】あり:[職種]全国転勤コースの総合職 [勤務地]全国 [職種]全国転勤コースのIT職 [勤務地]京都 東京 神奈川
【中途比率】[単年度]21年度37%、22年度74%、23年度78%[全体]54%

●働きやすさ、諸制度●

残業(月) 13.8時間 [総] 14.2時間

【勤務時間】9:00～18:00【有休取得年平均】14.9日【週休】完全2日(土日祝)※部署によりシフト制あり【夏期休暇】リフレッシュ休暇5日【年末年始休暇】12月30日～1月3日
【離職率】男:5.0%、72名 女:3.8%、23名
【新卒3年後離職率】[20→23年]NA [21→24年]NA
【テレワーク】制度あり:[場所]自宅[対象]正社員 準社員 嘱託社員 契約社員[日数]制限なし[利用率]NA【勤務制度】フレックス 時間単位有休 時差勤務 勤務間インターバル 副業容認【住宅補助】〈借上社宅〉新規採用者・独身転勤者・単身赴任者:自己負担9,000円(地区ごとに上限家賃あり)同居扶養家族あり:賃料の28%～50%自己負担(東京・神奈川28% 京都・滋賀38%)〈住宅取得支援手当〉月25,000円

●ライフイベント、女性活躍●

【女性比率】■男 □女

新卒採用 42.9% (30名)

従業員 30.2% (590名)

管理職 5% (11名)

【産休】[期間]産前6・産後8週間[給与]法定[取得者数]15名
【育休】[期間]1歳になるまで[給与]法定[取得者数]22年度 男30名(対象38名)女11名(対象11名)23年度 男14名(対象33名)女15名(対象15名)[平均取得日数]22年度 男37日 女482日、23年度 男72日 女358日
【従業員】[人数]1,953名(男1,363名、女590名)[平均年齢]39.9歳(男41.7歳、女35.7歳)[平均勤続年数]14.4年(男16.2年、女10.2年)【年齢構成】■男 □女

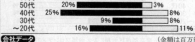

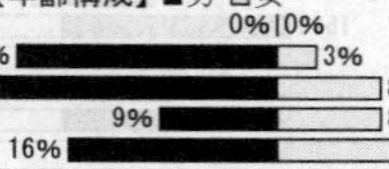
60代～ 0% 0%
50代 20% 3%
40代 25% 8%
30代 9% 8%
～20代 16% 11%

会社データ (金額は百万円)

【本社】600-8420 京都府京都市下京区烏丸通五条上る高砂町381-1 ☎075-201-2000
https://group.aiful.co.jp/

【業績(連結)】	営業収益	営業利益	経常利益	純利益
22.3	132,097	11,242	12,265	12,334
23.3	144,152	23,724	24,428	22,343
24.3	163,109	21,064	22,067	21,818

マスコミ・メディア

テレビ　ラジオ　広告　新聞
通信社　出版　メディア・映像・音楽

放送局

主力のテレビ広告縮小を、アニメをはじめとするＩＰ開発や配信収入で賄おうとするが、収益貢献はまだ先の話

広告

ネット広告が牽引し市場は拡大。ただ、「クッキー規制」の強化が見込まれる今後は、総合的な提案力が問われる

出版

紙の出版物は好転見込めず。大手は版権売買・電子コミックが成長ドライバー。流通費増で出版物は高価格化

音楽

ＣＤ販売やダウンロード数の減少はまだ続くが、サブスクの会員数は着実に積み上がっていく見通し

（天気図は24年度後半⇒25年度、続きは東洋経済『会社四季報業界地図 2025年版』で）

1377 開示 ★☆☆☆☆

にっぽんほうそうきょうかい エヌエイチケイ
日本放送協会(NHK)

[プラチナくるみん]

【特色】放送法に基づく公共放送機関、世界でも有数の規模

[記者評価] 視聴者からの受信料収入が経営財源の特殊法人。規模は英国BBCと比肩。1925年東京・愛宕山でラジオ放送、53年テレビ放送開始。東京・渋谷の放送センター含め国内54の放送局、海外に29の取材拠点。23年度のBS1波削減に続き、26年度にAMラジオ1波削減へ。

平均勤続年数	男性育休取得率	3年後離職率	平均年収(平均42歳)
18.1年	NA	NA	NA

●採用・配属情報●

【男女・文理別採用実績】

	大卒男	大卒女	修士男	修士女
23年	NA(文NA 理NA)	NA(文NA 理NA)	NA(文NA 理NA)	NA(文NA 理NA)
24年	NA(文NA 理NA)	NA(文NA 理NA)	NA(文NA 理NA)	NA(文NA 理NA)
25年	NA(文NA 理NA)	NA(文NA 理NA)	NA(文NA 理NA)	NA(文NA 理NA)

【男女・職種別採用実績】 転換制度:NA

	総合職
23年	NA(男 NA 女 NA)
24年	NA(男 NA 女 NA)
25年	NA(男 NA 女 NA)

【職種併願】NA
【24年4月入社者の配属勤務地】[総]NA [技]NA
【転勤】あり:詳細NA
【中途比率】[単年度]21年度NA、22年度NA、23年度NA[全体]NA

●働きやすさ、諸制度●

残業(月) NA

【勤務時間】NA【有休取得年平均】NA【週休】完全2日【夏期休暇】NA【年末年始休暇】NA
【離職率】NA
【新卒3年後離職率】
[20→23年]NA
[21→24年]NA
【テレワーク】制度あり:[場所]NA[対象]NA[日数]NA[利用率]NA【勤務制度】フレックス 時間単位有休 週休3日 裁量労働 時差勤務【住宅補助】NA

●ライフイベント、女性活躍●

【女性比率】■男 □女

従業員
22.9%
(2351名)

【産休】NA
【育休】NA
【従業員】[人数]10,268名(男7,917名、女2,351名)[平均年齢]42.0歳(男43.8歳、女36.0歳)[平均勤続年数]18.1年(男19.8年、女12.5年)
【年齢構成】NA

会社データ (金額は百万円)

【本社】150-8001 東京都渋谷区神南2-2-1 ☎03-3465-1111
https://www.nhk.or.jp/

【業績(単独)】	事業収入
22.3	700,900
23.3	696,500
24.3	653,100

2358 開示 ★★☆☆☆

に ほん ほうそうもう
日本テレビ放送網(株)

【特色】国内初の民間テレビ局。読売グループの一角

[記者評価] 個人視聴率は民放首位級。地上波では若年層を意識したバラエティやドラマを展開。子会社が運営する動画配信サービス「Hulu」は「ディズニープラス」とのセットプランで拡大目指す。23年9月にアニメ制作会社スタジオジブリを買収し子会社化。アニメ強化を狙う。

平均勤続年数	男性育休取得率	3年後離職率	平均年収(平均NA)
NA	58.3 → 85.7%	3.2 → 7.4%	[総]! 1,296万円

●採用・配属情報●

【男女・文理別採用実績】

	大卒男	大卒女	修士男	修士女
23年	7(文 6 理 1)	14(文 14 理 0)	4(文 0 理 4)	1(文 0 理 1)
24年	11(文 10 理 1)	15(文 14 理 1)	6(文 1 理 5)	4(文 0 理 4)
25年	NA(文NA 理NA)	NA(文NA 理NA)	NA(文NA 理NA)	NA(文NA 理NA)

【男女・職種別採用実績】

	総合職(制作/報道/メディアビジネス)	総合職(アナウンス)	総合職(技術)
23年	19(男 7 女 12)	3(男 1 女 2)	4(男 3 女 1)
24年	23(男 11 女 12)	3(男 1 女 2)	10(男 5 女 5)
25年	NA(男 NA 女 NA)	NA(男 NA 女 NA)	NA(男 NA 女 NA)

【職種併願】一部職種間で可能
【24年4月入社者の配属勤務地】[総]東京・汐留26 [技]東京・汐留10
【転勤】あり:配属部署による
【中途比率】[単年度]21年度33%、22年度46%、23年度26%[全体]NA

●働きやすさ、諸制度●

残業(月) NA

【平均年収(総合職)】(日テレHD)1,296万円【勤務時間】9:30〜18:30【有休取得年平均】NA【週休】完全2日【夏期休暇】有休利用【年末年始休暇】あり
【離職率】NA
【新卒3年後離職率】
[20→23年]3.2%(男6.3%・入社16名、女0%・入社15名)
[21→24年]7.4%(男0%・入社15名、女16.7%・入社12名)
【テレワーク】制度あり:[場所]自宅 勤務地近郊の自宅に準ずる場所[対象]NA[日数]NA[利用率]NA【勤務制度】フレックス 裁量労働【住宅補助】NA

●ライフイベント、女性活躍●

【女性比率】■男 □女

従業員
28.2%
(370名)

【産休】[期間]産前・産後計18週(産前9週以内)[給与]会社全額給付[取得者数]11名
【育休】[期間]2歳到達月末まで[給与]法定[取得者数]22年度 男21名(対象36名)女9名(対象10名)23年度 男24名(対象28名)女11名(対象12名)[平均取得日数]22年度 男15日 女323日、23年度 男33日 女333日
【従業員】[人数]1,314名(男944名、女370名)[平均年齢]NA[平均勤続年数]NA
【年齢構成】NA

会社データ (金額は百万円)

【本社】105-7444 東京都港区東新橋1-6-1 汐留・日本テレビタワー ☎03-6215-1111
https://www.ntv.co.jp/

【業績(連結)】	売上高	営業利益	経常利益	純利益
22.3	406,395	58,682	64,838	47,431
23.3	413,979	46,593	51,775	34,081
24.3	423,523	41,877	49,503	34,660

※業績は日本テレビホールディングス(株)のもの

2580 開示★☆☆☆☆

㈱テレビ朝日（あさひ）

【特色】朝日新聞社系キー局。高齢者層からの支持に強み

[記者評価] 高齢者層の支持が高く、世帯視聴率は民放1位。全年齢層の取り込み図る独自戦略。子会社に「ケツメイシ」など所属する音楽会社。サイバーエージェントと組んだネット放送局「ABEMA」向けに番組制作。HD筆頭株主の東映と共同でコンテンツ制作を行うなど関係強化。

平均勤続年数	男性育休取得率	3年後離職率	平均年収(平均NA)
NA	NA	NA	NA

●採用・配属情報●

【男女・文理別採用実績】

	大卒男	大卒女	修士男	修士女
23年	11(文NA理NA)	10(文NA理NA)	4(文NA理NA)	0(文NA理NA)
24年	11(文NA理NA)	12(文NA理NA)	2(文NA理NA)	2(文NA理NA)
25年	10(文NA理NA)	13(文NA理NA)	3(文NA理NA)	3(文NA理NA)

【男女・職種別採用実績】 転換制度:NA

	技術職	アナウンサー職	一般職	デジタル企画	美術職
23年	4(男 3女 1)	2(男 1女 1)	17(男10女 7)	0(男 0女 0)	2(男 1女 1)
24年	6(男 4女 2)	2(男 0女 2)	19(男 9女10)	0(男 0女 0)	0(男 0女 0)
25年	4(男 3女 1)	4(男 1女 3)	20(男 9女11)	0(男 0女 0)	1(男 0女 1)

【職種併願】NA

【24年4月入社者の配属勤務地】[総]東京・六本木21 [技]東京・六本木6

【転勤】あり:[所属]報道局から海外特派員[勤務地]海外支局[所属]セールスプロモーション局[勤務地]関西支社、名古屋支局[所属]ビジネスプロデュース局[勤務地]バンコクビジネスビューロ

【中途比率】[単年度]21年度35%、22年度40%、23年度24%[全体]NA

●働きやすさ、諸制度●

残業(月) NA

【勤務時間】10:00～18:00【有休取得年平均】NA【週休】完全2日(土日祝)【夏期休暇】5日【年末年始休暇】NA

【離職率】NA

【新卒3年後離職率】
[20→23年]NA
[21→24年]NA

【テレワーク】制度あり:[場所]自宅 他[対象]NA[日数]1週間に一日単位で5回以内[利用率]NA【勤務制度】フレックス 裁量労働【住宅補助】なし

●ライフイベント、女性活躍●

【女性比率】■男 □女

新卒採用
55.2%
(16名)

【産休】[期間]産前7・産後8週間[給与]法定[取得者数]NA

【育休】[期間]2歳2カ月になるまで(父母両方取得可)[給与]法定[取得者数]22年度 NA 23年度 NA[平均取得日数]22年度 NA、23年度 NA

【従業員】[人数]1,391名(男NA、女NA)[平均年齢]NA[平均勤続年数]NA

【年齢構成】NA

[会社データ] (金額は百万円)

【本社】106-8001 東京都港区六本木6-9-1 ☎03-6406-1111
https://www.tv-asahi.co.jp/

【業績(連結)】	売上高	営業利益	経常利益	純利益
22.3	298,276	21,431	26,443	20,999
23.3	304,566	14,503	23,157	16,603
24.3	307,898	12,337	19,919	17,138

※業績は㈱テレビ朝日ホールディングスのもの

1739 開示★☆☆☆☆

㈱フジテレビジョン

【特色】民放キー局の一角。フジサンケイグループ中核

[記者評価] 産経新聞、ニッポン放送などとフジサンケイグループを形成。かつてはバラエティやドラマで若年層の支持集め、視聴率の首位争いを演じてきた。若年層に強く、個人視聴率では民放4位。動画配信「FOD」に注力。NY、ロンドン、北京などに海外支局。

平均勤続年数	男性育休取得率	3年後離職率	平均年収(平均43歳)
NA	NA	NA	NA

●採用・配属情報●

【男女・文理別採用実績】

	大卒男	大卒女	修士男	修士女
23年	10(文 9理 1)	13(文 12理 1)	1(文 0理 1)	0(文 0理 0)
24年	11(文 10理 1)	12(文 11理 1)	4(文 3理 1)	1(文 1理 0)
25年	-(文 -理 -)	-(文 -理 -)	-(文 -理 -)	-(文 -理 -)

【男女・職種別採用実績】 転換制度:NA

	総合職	技術職	アナウンサー職
23年	20(男 8 女 12)	2(男 2 女 0)	2(男 1 女 1)
24年	21(男 11 女 10)	3(男 2 女 1)	4(男 2 女 2)
25年	-(男 - 女 -)	-(男 - 女 -)	-(男 - 女 -)

【職種併願】○

【24年4月入社者の配属勤務地】[総]東京25 [技]東京3

【転勤】あり:[営業局在籍社員]関西支社(大阪)名古屋支社[報道局在籍社員]海外支局9支局 2事務所

【中途比率】[単年度]21年度NA、22年度NA、23年度NA[全体]NA

●働きやすさ、諸制度●

残業(月) NA

【勤務時間】NA【有休取得年平均】NA【週休】NA【夏期休暇】NA【年末年始休暇】NA

【離職率】NA

【新卒3年後離職率】
[20→23年]NA
[21→24年]NA

【テレワーク】制度あり:[場所]自宅[対象]全社員[日数]週4日まで[利用率]NA【勤務制度】時間単位有休 副業容認

【住宅補助】NA

●ライフイベント、女性活躍●

【女性比率】■男 □女

従業員
28.5%
(338名)

【産休】[期間]産前6・産後8週間[給与]法定[取得者数]NA

【育休】[期間]6歳年度末まで[給与]法定以上(詳細NA)[取得者数]22年度 NA 23年度 NA[平均取得日数]22年度 NA、23年度 NA

【従業員】[人数]1,185名(男847名、女338名)[平均年齢]42.8歳(男44.1歳、女39.7歳)[平均勤続年数]NA

【年齢構成】NA

[会社データ] (金額は百万円)

【本社】137-8088 東京都港区台場2-4-8 ☎03-5500-8888
https://www.fujitv.co.jp/

【業績(単独)】	売上高	営業利益	経常利益	純利益
22.3	238,240	11,457	11,457	1,275
23.3	237,400	7,677	7,959	5,726
24.3	238,219	5,433	5,624	3,660

マスコミ

㈱テレビ東京（とうきょう）

【特色】民放キー局の一角。経済やアニメ番組が得意

[記者評価] 個人視聴率5位。日本経済新聞社との繋がりを生かした経済番組や、いち早く手がけていたアニメに強み。「NARUTO」など人気アニメの版権ビジネスが好調。配信・アニメなどから成るライツ事業を成長の柱に位置付ける。経済番組配信「テレ東BIZ」運営。

平均勤続年数	男性育休取得率	3年後離職率	平均年収(平均42歳)
16.1年	NA	0→5.0%	NA

●採用・配属情報●

【男女・文理別採用実績】

	大卒男	大卒女	修士男	修士女
23年	8(文 8 理 0)	7(文 5 理 2)	4(文 0 理 4)	0(文 0 理 0)
24年	6(文 5 理 1)	11(文 11 理 0)	6(文 1 理 5)	2(文 2 理 0)
25年	8(文 7 理 1)	12(文 12 理 0)	5(文 1 理 4)	0(文 0 理 0)

【男女・職種別採用実績】　転換制度：NA

	総合職	アナウンス職
23年	16(男 10 女 6)	3(男 2 女 1)
24年	22(男 11 女 11)	3(男 1 女 2)
25年	24(男 13 女 11)	1(男 0 女 1)

【職種併願】NA
【24年4月入社者の配属勤務地】[総]東京・六本木21 [技]東京・六本木4
【転勤】NA
【中途比率】[単年度]21年度NA、22年度NA、23年度NA[全体]NA

●働きやすさ、諸制度●

残業(月)　NA

【勤務時間】9:30～17:30(部署により異なる)【有休取得年平均】NA【週休】2日(部署により一部シフト制あり)【夏期休暇】冬期休暇と合わせて5日【年末年始休暇】1週間程度
【離職率】NA
【新卒3年後離職率】
[20→23年]0%(男0%・入社11名、女0%・入社12名)
[21→24年]5.0%(男7.7%・入社13名、女0%・入社7名)
【テレワーク】制度あり:[場所]NA[対象]NA[日数]NA[利用率]NA【勤務制度】フレックス 裁量労働 時差勤務 勤務間インターバル 副業容認【住宅補助】社宅

●ライフイベント、女性活躍●

【女性比率】■男 □女

新卒採用 48% (12名)

従業員 28.6% (223名)

【産休】[期間]産前6・産後8週間[給与]法定[取得者数]NA
【育休】[期間]1歳半になるまで[給与]法定[取得者数]22年度 NA 23年度 NA[平均取得日数]22年度 NA、23年度 NA
【従業員】[人数]779名(男556名、女223名)[平均年齢]42.1歳(男43.6歳、女38.4歳)[平均勤続年数]16.1年(男17.3年、女12.9年)
【年齢構成】■男 □女

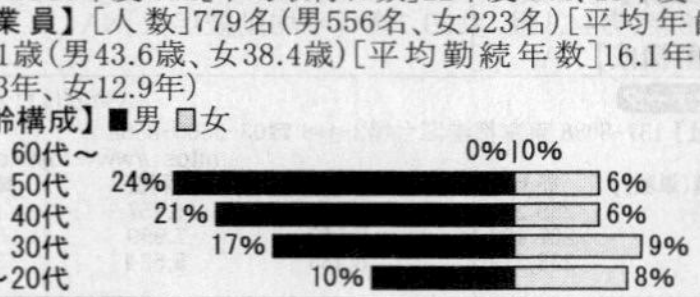

60代～ 0% | 0%
50代 24% 6%
40代 21% 6%
30代 17% 9%
～20代 10% 8%

[会社データ]　(金額は百万円)

【本社】106-8007 東京都港区六本木3-2-1 六本木グランドタワー ☎03-6632-7777
https://www.tv-tokyo.co.jp/

【業績(連結)】	売上高	営業利益	経常利益	純利益
22.3	148,070	8,584	9,159	6,024
23.3	150,963	9,229	9,378	6,724
24.3	148,587	8,836	9,599	6,736

※業績は㈱テレビ東京ホールディングスのもの

㈱長野放送（ながのほうそう）

[プラチナえるぼし] [プラチナくるみん]

【特色】フジテレビ系列。長野県が放送エリア。略称NBS

[記者評価] 1969年4月に長野県で2番目に開局した民放テレビ局。フジ・メディアHDが筆頭株主。4支社・3支局体制。「NBSみんなの信州」はじめ報道に強み。人気番組「土曜はこれダネッ！」などを自社制作。本社前に野外彫刻庭園「波動の庭」。北京電視台(中国)と業務提携。

平均勤続年数	男性育休取得率	3年後離職率	平均年収(平均NA)
NA	NA	NA	NA

●採用・配属情報●

【男女・文理別採用実績】

	大卒男	大卒女	修士男	修士女
23年	2(文 2 理 0)	0(文 0 理 0)	0(文 0 理 0)	0(文 0 理 0)
24年	0(文 0 理 0)	1(文 1 理 0)	0(文 0 理 0)	0(文 0 理 0)
25年	1(文 1 理 0)	0(文 0 理 0)	0(文 0 理 0)	0(文 0 理 0)

【男女・職種別採用実績】

	総合職
23年	2(男 2 女 0)
24年	1(男 0 女 1)
25年	1(男 1 女 0)

【24年4月入社者の配属勤務地】[総]長野市1
【転勤】あり:詳細NA
【中途比率】[単年度]21年度0%、22年度0%、23年度0%[全体]NA

●働きやすさ、諸制度●

残業(月)　NA

【勤務時間】9:30～17:30【有休取得年平均】NA【週休】完全2日【夏期休暇】有休で取得【年末年始休暇】12月29日～1月3日
【離職率】NA
【新卒3年後離職率】
[20→23年]NA
[21→24年]NA
【テレワーク】NA【勤務制度】なし【住宅補助】NA

●ライフイベント、女性活躍●

【女性比率】■男 □女

新卒採用 0% (0名)

【産休】[期間]産前6・産後8週間[給与]法定[取得者数]NA
【育休】[期間]3歳になるまで[給与]法定[取得者数]22年度 NA 23年度 NA[平均取得日数]22年度 NA、23年度 NA
【従業員】[人数]81名(男NA、女NA)[平均年齢]NA[平均勤続年数]NA
【年齢構成】NA

[会社データ]　(金額は百万円)

【本社】380-8633 長野県長野市岡田町131-7 ☎026-227-3000
https://www.nbs-tv.co.jp/
【業績(単独)】NA

(株)テレビ静岡（しずおか）

【特色】フジテレビ系列。自社制作の長寿番組も

[記者評価] 愛称・テレしず。フジ・メディアHDが筆頭株主、静岡鉄道やスズキも大株主。東京、大阪、名古屋など5支社。手話を交えた自社制作の公開教育番組「テレビ寺子屋」は放送2000回を超す長寿番組。夕方ワイド「ただいま！テレビ」を制作。23年11月で開局55周年。

平均勤続年数	男性育休取得率	3年後離職率	平均年収(平均43歳)
NA	0 → 0%	0 → 0%	NA

●採用・配属情報●

【男女・文理別採用実績】

	大卒男	大卒女	修士男	修士女
23年	1(文 1理 0)	0(文 0理 0)	0(文 0理 0)	0(文 0理 0)
24年	3(文 3理 0)	3(文 3理 0)	0(文 0理 0)	0(文 0理 0)
25年	-(文 -理 -)	-(文 -理 -)	-(文 -理 -)	-(文 -理 -)

【男女・職種別採用実績】

	総合職
23年	1(男 1 女 0)
24年	6(男 3 女 3)
25年	-(男 - 女 -)

【24年4月入社者の配属勤務地】[総]静岡4 東京1 [技]静岡1
【転勤】あり:全社員
【中途比率】[単年度]21年度0%、22年度0%、23年度0% [全体]NA

●働きやすさ、諸制度●

残業(月) NA

【勤務時間】9:30〜17:30【有休取得年平均】NA【週休】完全2日【夏期休暇】なし【年末年始休暇】12月30日〜1月3日
【離職率】男:0%、0名 女:0%、0名
【新卒3年後離職率】
[20→23年]0%(男0%・入社3名、女0%・入社3名)
[21→24年]0%(男ー・入社0名、女0%・入社1名)
【テレワーク】制度なし【勤務制度】フレックス 裁量労働【住宅補助】賃貸の家賃一部補助(新卒者のみ)

●ライフイベント、女性活躍●

【女性比率】■男 □女

従業員
31.4%
(44名)

【産休】[期間]産前6・産後8週間[給与]会社全額給付[取得者数]4名
【育休】[期間]1歳になるまで[給与]法定[取得者数]22年度 男0名(対象3名)女1名(対象1名)23年度 男0名(対象2名)女2名(対象2名)[平均取得日数]22年度 NA、23年度 NA
【従業員】[人数]140名(男96名、女44名)[平均年齢]43.3歳(男43.7歳、女42.5歳)[平均勤続年数]NA
【年齢構成】NA

会社データ　(金額は百万円)

【本社】422-8525 静岡県静岡市駿河区栗原18-65 ☎054-261-6111
https://www.sut-tv.com/

【業績(単独)】	売上高	営業利益	経常利益	純利益
22.3	7,942	855	902	760
23.3	7,629	591	646	408
24.3	7,200	293	382	194

中京（ちゅうきょう）テレビ放送（ほうそう）(株)

【特色】NTV系列のテレビ局。愛知等中京圏が放送エリア

[記者評価] 略称CTV。名古屋財界の総意で設立。日テレが筆頭株主、名古屋鉄道も大株主。愛知、岐阜、三重の約480万世帯が放送圏。東京・大阪に支社、豊橋・岐阜・三重に支局。海外はLA、北京に特派員を派遣。ローカル情報番組「キャッチ！」など自社制作は約2割。

平均勤続年数	男性育休取得率	3年後離職率	平均年収(平均41歳)
NA	NA	NA	NA

●採用・配属情報●

【男女・文理別採用実績】

	大卒男	大卒女	修士男	修士女
23年	3(文 3理 0)	1(文 1理 0)	1(文 0理 1)	0(文 0理 0)
24年	5(文 5理 0)	4(文 3理 1)	1(文 0理 1)	1(文 0理 1)
25年	NA(文NA理NA)	NA(文NA理NA)	NA(文NA理NA)	NA(文NA理NA)

【男女・職種別採用実績】　転換制度:⇔

	総合職
23年	5(男 4 女 1)
24年	11(男 6 女 5)
25年	NA(男 NA 女 NA)

【24年4月入社者の配属勤務地】[総]名古屋8 東京1 [技]名古屋2
【転勤】あり:[職種]全社員[勤務地]東京 岐阜 愛知・豊橋 大阪
【中途比率】[単年度]21年度0%、22年度67%、23年度69% [全体]NA

●働きやすさ、諸制度●

残業(月) NA

【勤務時間】9:30〜17:30【有休取得年平均】14.4日【週休】完全2日(土日祝)【夏期休暇】なし【年末年始休暇】あり
【離職率】NA
【新卒3年後離職率】
[20→23年]NA(男NA・入社12名、女NA・入社2名)
[21→24年]NA(男NA・入社7名、女NA・入社3名)
【テレワーク】制度あり:[場所]自宅[対象]全従業員[日数]原則週2日程度※諸事情による申請により上限解除あり[利用率]NA【勤務制度】フレックス 副業容認【住宅補助】借上社宅(支社・支局勤務者)住宅手当

●ライフイベント、女性活躍●

【女性比率】■男 □女

従業員
26.1%
(69名)

【産休】[期間]産前6・産後8週間[給与]法定[取得者数]4名
【育休】[期間]1歳になるまで[給与]法定[取得者数]22年度 男0名(対象NA)女3名(対象NA)23年度 男5名(対象NA)女3名(対象NA)[平均取得日数]22年度 NA、23年度 NA
【従業員】[人数]264名(男195名、女69名)[平均年齢]41.2歳(男41.7歳、女39.7歳)[平均勤続年数]NA
【年齢構成】NA

会社データ　(金額は百万円)

【本社】453-8704 愛知県名古屋市中村区平池町4-60-11 ☎052-588-4600
https://www.ctv.co.jp/

【業績(単独)】	売上高	営業利益	経常利益	純利益
22.3	31,482	5,024	5,402	4,290
23.3	34,311	3,619	4,133	2,640
24.3	34,316	2,273	4,642	3,739

2737 開示 ★★★★★

朝日放送テレビ(株)

あさひほうそう

【特色】西日本の民放で最大手。テレビ朝日系列

[記者評価] テレビ朝日系の在阪準キー局。通称「ABCテレビ」。2018年から認定放送持株会社制に移行。「探偵！ナイトスクープ」「M-1グランプリ」など自社制作。プロ野球の阪神戦や高校野球などスポーツ中継も得意。「プリキュア」などアニメ版権活用した展開も強み。

平均勤続年数	男性育休取得率	3年後離職率	平均年収(平均45歳)
21.0年	88.2 → 73.7%	0 → 0%	NA

●採用・配属情報●

【男女・文理別採用実績】

	大卒男	大卒女	修士男	修士女
23年	3(文 3理 0)	7(文 7理 0)	3(文 0理 3)	0(文 0理 0)
24年	3(文 3理 0)	7(文 7理 0)	4(文 0理 4)	0(文 0理 0)
25年	5(文 5理 0)	9(文 9理 0)	4(文 0理 4)	2(文 2理 0)

【男女・職種別採用実績】

	総合職	アナウンス職	技術職	美術職
23年	9(男 3女 6)	2(男 1女 1)	2(男 2女 0)	0(男 0女 0)
24年	10(男 4女 6)	2(男 1女 1)	2(男 2女 0)	0(男 0女 0)
25年	15(男 6女 9)	2(男 0女 2)	3(男 3女 0)	0(男 0女 0)

【職種併願】○

【24年4月入社者の配属勤務地】[総]大阪11 東京1 [技]大阪2

【転勤】あり:全社員

【中途比率】[単年度]21年度44%、22年度40%、23年度38%[全体]6%

●働きやすさ、諸制度●

残業(月) NA

【勤務時間】標準10:00～18:00(職場により不定時勤務あり)【有休取得年平均】NA【週休】完全2日(土日祝)【夏期休暇】なし【年末年始休暇】12月30日～1月3日

【離職率】男:1.5%、8名 女:1.1%、2名(早期退職男2名含む)

【新卒3年後離職率】
[20→23年]0%(男0%・入社7名、女0%・入社4名)
[21→24年]0%(男0%・入社7名、女0%・入社3名)

【テレワーク】制度あり:[場所]自宅[対象]全社員[日数]週3日まで(育児・介護等の事情がある場合を除く)[利用率]NA【勤務制度】フレックス 時間単位有休 裁量労働 副業容認【住宅補助】借上住宅等(適用条件あり)

●ライフイベント、女性活躍●

【女性比率】■男 □女

新卒採用 55% (11名)

従業員 24.9% (177名)

管理職 12.4% (14名)

【産休】[期間]産前6・産後8週間[給与]会社全額給付[取得者数]6名

【育休】[期間]2歳になるまで[給与]一部有給扱い、その他は法定[取得者数]22年度 男15名(対象17名)女4名(対象4名)23年度 男14名(対象19名)女5名(対象5名)[平均取得日数]22年度 男75日 女309日、23年度 男45日 女401日

【従業員】[人数]710名(男533名、女177名)[平均年齢]45.0歳(男47.0歳、女41.0歳)[平均勤続年数]21.0年(男22.2年、女17.2年)

【年齢構成】■男 □女

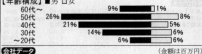

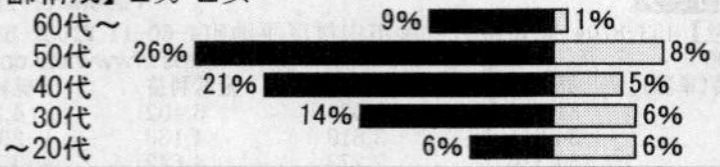
60代～
9%
1%
50代
26%
8%
40代
21%
5%
30代
14%
6%
～20代
6%
6%

会社データ (金額は百万円)

【本社】553-8503 大阪府大阪市福島区福島1-1-30 ☎06-6458-5321
https://corp.asahi.co.jp/ja/tv

【業績(連結)】	売上高	営業利益	経常利益	純利益
22.3	85,100	4,203	4,792	2,671
23.3	87,028	2,594	2,661	1,354
24.3	90,452	832	723	▲884

※業績は朝日放送グループホールディングス(株)のもの

1367 開示 ★★★★★

讀賣テレビ放送(株)

よみうりほうそう

【特色】NTV系列の準キー局。近畿広域が放送圏

[記者評価] 略称ytv。日テレを筆頭に読売新聞G本社も大株主。「情報ライブ ミヤネ屋」や「ダウンタウンDX」などを自社制作。東京に支社。名古屋、京都、神戸に支局。海外はパリ、上海、NYに支局。コンテンツのマルチユース、イベントで収益の拡大狙う。

平均勤続年数	男性育休取得率	3年後離職率	平均年収(平均43歳)
18.1年	66.7 → 66.7%	0 → 0%	NA

●採用・配属情報●

【男女・文理別採用実績】

	大卒男	大卒女	修士男	修士女
23年	2(文 2理 0)	9(文 8理 1)	2(文 0理 2)	2(文 0理 2)
24年	8(文 6理 2)	3(文 3理 0)	3(文 0理 3)	3(文 1理 2)
25年	-(文 -理 -)	-(文 -理 -)	-(文 -理 -)	-(文 -理 -)

【男女・職種別採用実績】

	一般・技術コース	アナウンスコース
23年	13(男 3女 10)	2(男 1女 1)
24年	17(男 11女 6)	0(男 0女 0)
25年	-(男 -女 -)	-(男 -女 -)

【職種併願】○

【24年4月入社者の配属勤務地】[総]本社(大阪)14 [技]本社(大阪)3

【転勤】あり:全社員

【中途比率】[単年度]21年度NA、22年度NA、23年度26%[全体]NA

●働きやすさ、諸制度●

残業(月) NA

【勤務時間】9:30～17:30【有休取得年平均】NA【週休】完全2日(土日祝)【夏期休暇】あり【年末年始休暇】あり

【離職率】男:1.1%、5名 女:0%、0名(早期退職男2名含む)

【新卒3年後離職率】
[20→23年]0%(男0%・入社14名、女0%・入社4名)
[21→24年]0%(男0%・入社8名、女0%・入社8名)

【テレワーク】制度あり:[場所]自宅 他[対象]全社員[日数]週2日[利用率]NA【勤務制度】フレックス 裁量労働【住宅補助】準社宅 住居手当

●ライフイベント、女性活躍●

【女性比率】■男 □女

従業員 23.3% (140名)

【産休】[期間]産前6・産後8週間 ただし予定より早く出産した場合、早くなった日数を産後に付加[給与]法定以上(詳細NA)[取得者数]4名

【育休】[期間]1歳到達以後最初の3月末日、または1歳6カ月到達月末[給与]法定以上(詳細NA)[取得者数]22年度 男12名(対象18名)女8名(対象8名)23年度 男16名(対象24名)女2名(対象2名)[平均取得日数]22年度 NA、23年度 NA

【従業員】[人数]601名(男461名、女140名)[平均年齢]43.3歳(男44.6歳、女39.2歳)[平均勤続年数]18.1年(男19.2年、女14.2年)

【年齢構成】NA

会社データ (金額は百万円)

【本社】540-8510 大阪府大阪市中央区城見1-3-50 ☎06-6947-2111
https://www.ytv.co.jp/

【業績(連結)】	売上高	営業利益	経常利益	純利益
22.3	73,484	6,236	7,293	5,256
23.3	72,856	3,273	4,448	3,083
24.3	73,858	4,423	5,879	3,975

㈱毎日放送（まいにちほうそう）

【特色】TBS系列の準キーTV局。近畿広域が放送圏

記者評価 略称MBS。MBSメディアHD傘下のテレビ局。放送圏は近畿広域。東京に支社、名古屋に支局。「プレバト！！」「日曜日の初耳学」など自社制作の人気番組多い。近畿各地の学校へ出向き、放送についての授業も。ラジオ放送はMBSラジオが担当。GAORAもグループ企業。

平均勤続年数	男性育休取得率	3年後離職率	平均年収(平均44歳)
19.2年	61.5→73.7%	0→NA	NA

●採用・配属情報●

【男女・文理別採用実績】

	大卒男	大卒女	修士男	修士女
23年	4(文 4理 0)	5(文 4理 1)	3(文 1理 2)	3(文 0理 3)
24年	5(文 4理 1)	4(文 4理 0)	1(文 0理 1)	2(文 1理 1)
25年	5(文 5理 0)	6(文 5理 1)	3(文 1理 2)	1(文 0理 1)

【男女・職種別採用実績】

	総合職一般コース	総合職アナウンサーコース	総合職ITエンジニアコース
23年	11(男 5女 6)	0(男 0女 0)	4(男 2女 2)
24年	9(男 5女 4)	1(男 0女 1)	2(男 1女 1)
25年	12(男 8女 4)	1(男 0女 1)	2(男 0女 2)

【職種併願】○

【24年4月入社者の配属勤務地】㊕大阪8 東京2 ㊎大阪2

【転勤】あり:[勤務地]全社員:東京支社、報道情報局:パリ支局 上海支局 神戸支局 京都支局

【中途比率】[単年度]21年度NA、22年度NA、23年度NA[全体]NA

●働きやすさ、諸制度●

残業(月) NA

【勤務時間】10:00～18:00【有休取得年平均】NA【週休】完全2日(土日祝)【夏期休暇】有休で取得【年末年始休暇】連続5日

【離職率】NA

【新卒3年後離職率】
[20→23年]0%(男0%・入社9名、女0%・入社4名)
[21→24年]NA

【テレワーク】制度あり:[場所]NA[対象]NA[日数]NA[利用率]NA【勤務制度】フレックス 裁量労働【住宅補助】借上社宅(転勤者のみ、条件あり)

●ライフイベント、女性活躍●

【女性比率】■男 □女

新卒採用 46.7% (7名)

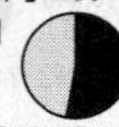

従業員 21.2% (132名)

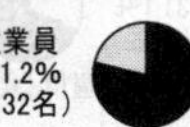

【産休】[期間]産前6・産後8週間[給与]会社全額給付[取得者数]3名

【育休】[期間]2歳の月末まで[給与]給付金+毎月育児休業補助金[取得者数]22年度 男8名(対象13名)女2名(対象2名)23年度 男14名(対象19名)女5名(対象5名)[平均取得日数]22年度 男23日 女523日、23年度 男34日 女441日

【従業員】[人数]622名(男490名、女132名)[平均年齢]44.1歳(男45.4歳、女39.0歳)[平均勤続年数]19.2年(男20.3年、女15.1年)

【年齢構成】NA

会社データ (金額は百万円)

【本社】530-8304 大阪府大阪市北区茶屋町17-1 ☎06-6359-1123
https://www.mbs.jp/

【業績(連結)】	売上高	営業利益	経常利益	純利益
22.3	64,563	4,569	5,518	2,967
23.3	66,941	3,681	4,826	2,795
24.3	71,810	3,847	5,205	2,791

関西テレビ放送㈱（かんさいほうそう）

【特色】フジテレビ系列。近畿広域が放送圏の準キー局

記者評価 1958年開局。愛称「カンテレ」。フジ・メディアHDが25%弱出資、阪急阪神HDも大株主。ドラマやバラエティを軸に全国ネットの人気番組が多い。ローカル制作番組も多彩。上海に支局、パリとLAに特派員を派遣。上司に距離なく話のできる社風に特徴。

平均勤続年数	男性育休取得率	3年後離職率	平均年収(平均42歳)
19.1年	47.1→82.4%	7.7→9.1%	NA

●採用・配属情報●

【男女・文理別採用実績】

	大卒男	大卒女	修士男	修士女
23年	5(文 2理 3)	6(文 5理 1)	3(文 0理 3)	2(文 1理 1)
24年	4(文 3理 1)	6(文 6理 0)	3(文 0理 3)	2(文 0理 2)
25年	6(文 6理 0)	9(文 9理 0)	6(文 2理 4)	1(文 0理 1)

【男女・職種別採用実績】

	総合職・一般	総合職・技術	総合職・アナウンサー
23年	14(男 7女 7)	2(男 1女 1)	0(男 0女 0)
24年	9(男 4女 5)	4(男 2女 2)	2(男 1女 1)
25年	18(男 9女 9)	3(男 2女 1)	1(男 1女 0)

【24年4月入社者の配属勤務地】㊕大阪12 東京1 ㊎大阪2

【転勤】あり:全正社員

【中途比率】[単年度]21年度17%、22年度24%、23年度32%[全体]5%

●働きやすさ、諸制度●

残業(月) NA

【勤務時間】10:00～18:00(職場によって不定時勤務、輪番勤務あり)【有休取得年平均】NA【週休】完全2日【夏期休暇】なし【年末年始休暇】連続4日

【離職率】NA

【新卒3年後離職率】
[20→23年]7.7%(男11.1%・入社9名、女0%・入社4名)
[21→24年]9.1%(男16.7%・入社6名、女0%・入社5名)

【テレワーク】制度あり:[場所]自宅 他[対象]全社員[日数]週2日まで[利用率]NA【勤務制度】フレックス 副業容認

【住宅補助】新入社員借上社宅 社宅(大阪 東京)

●ライフイベント、女性活躍●

【女性比率】■男 □女

新卒採用 45.5% (10名)

従業員 26.4% (145名)

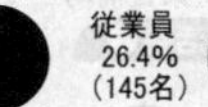

管理職 23.2% (54名)

【産休】[期間]法定以上(詳細NA)[給与]法定以上(詳細NA)[取得者数]7名

【育休】[期間]法定以上(詳細NA)[給与]法定以上(詳細NA)[取得者数]22年度 男8名(対象17名)女10名(対象10名)23年度 男14名(対象17名)女11名(対象11名)[平均取得日数]22年度 NA、23年度 NA

【従業員】[人数]549名(男404名、女145名)[平均年齢]42.0歳(男43.0歳、女41.0歳)[平均勤続年数]19.1年(男19.6年、女18.5年)

【年齢構成】■男 □女

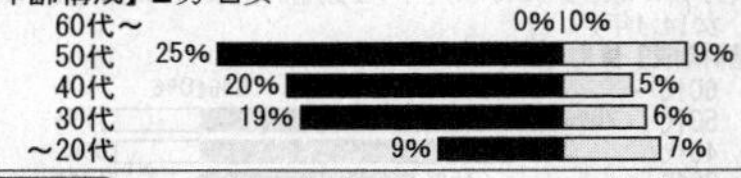

会社データ (金額は百万円)

【本社】530-8408 大阪府大阪市北区扇町2-1-7 ☎06-6314-8888
https://www.ktv.jp/

【業績(単独)】	売上高	営業利益	経常利益	純利益
22.3	55,049	3,241	3,894	2,789
23.3	53,328	974	1,725	1,341
24.3	52,839	▲293	642	▲146

マスコミ

テレビ大阪(株)

おおさか

【特色】テレビ東京系列の在阪局。日本経済新聞グループ

[記者評価] 略称TVO。日経新聞が筆頭株主。大阪府とその周辺が放送圏。従業員約150人と在阪局では最小規模。東京、名古屋、福岡に支社。関西の経済・情報番組に重点。「おとな旅あるき旅」など自社制作番組に注力。インターネット、各種イベントでもコンテンツ発信。

平均勤続年数	男性育休取得率	3年後離職率	平均年収(平均43歳)
16.2年	50.0→100%	0→0%	NA

●採用・配属情報●

【男女・文理別採用実績】

	大卒男	大卒女	修士男	修士女
23年	2(文 1理 1)	3(文 3理 0)	0(文 0理 0)	0(文 0理 0)
24年	0(文 0理 0)	2(文 2理 0)	0(文 0理 0)	0(文 0理 0)
25年	2(文 1理 1)	2(文 2理 0)	1(文 1理 0)	0(文 0理 0)

【男女・職種別採用実績】

	総合職	技術職
23年	4(男 1女 3)	1(男 1女 0)
24年	2(男 0女 2)	0(男 0女 0)
25年	5(男 3女 2)	0(男 0女 0)

【24年4月入社者の配属勤務地】[総]大阪2
【転勤】あり:全社員
【中途比率】[単年度]21年度NA、22年度NA、23年度NA[全体]31%

●働きやすさ、諸制度●

残業(月) NA

【勤務時間】10:00～18:00(一部部署9:30～17:30)【有休取得年平均】NA【週休】完全2日(土日祝)【夏期休暇】約5日(有休で取得)【年末年始休暇】連続4日
【離職率】男:0%、0名 女:2.3%、1名
【新卒3年後離職率】
[20→23年]0%(男0%・入社3名、女—・入社0名)
[21→24年]0%(男0%・入社1名、女0%・入社2名)
【テレワーク】制度あり:[場所]従業員の自宅および自宅外で業務遂行ができる場所(会社が貸与する情報端末を利用できる場所)[対象]勤続6カ月以上の者 業務に支障がないと所属長が認める者[日数]週2日まで[利用率]NA【勤務制度】時間単位有休 裁量労働 時差勤務 勤務間インターバル【住宅補助】支社転勤時家賃補助

●ライフイベント、女性活躍●

【女性比率】■男 □女

新卒採用 40% (2名)

従業員 28% (42名)

管理職 20% (2名)

【産休】[期間]産前6・産後8週間[給与]会社全額給付[取得者数]1名
【育休】[期間]1歳になるまで[給与]法定[取得者数]22年度 男1名(対象2名)女0名(対象3名)23年度 男2名(対象2名)女1名(対象3名)[平均取得日数]22年度 NA、23年度 NA
【従業員】[人数]150名(男108名、女42名)[平均年齢]42.5歳(男43.9歳、女38.9歳)[平均勤続年数]16.2年(男17.0年、女14.4年)
【年齢構成】■男 □女

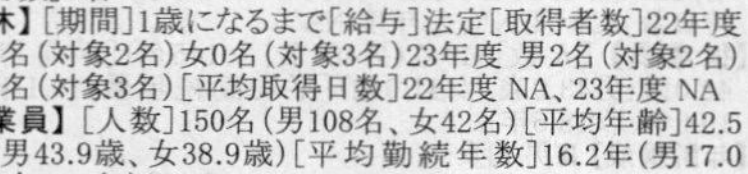

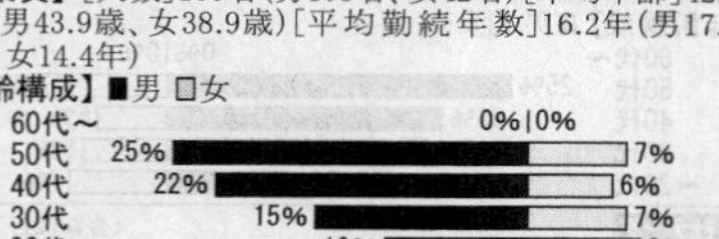
60代～ 0% 0%
50代 25% 7%
40代 22% 6%
30代 15% 7%
～20代 10% 8%

会社データ

(金額は百万円)

【本社】540-0008 大阪府大阪市中央区大手前1-1-7 ☎06-6947-7777
https://www.tv-osaka.co.jp/

【業績(単独)】	売上高	営業利益	経常利益	純利益
22.3	12,432	825	953	580
23.3	12,673	864	998	677
24.3	12,461	400	432	259

RSK山陽放送(株)

アールエスケイさんようほうそう

【特色】19年4月持株会社体制に。TBS系列。ラ・テ兼営

[記者評価] TBS系列局。略称RSKの「R」はラジオ山陽に由来。山陽新聞が系列紙。東京、大阪など4支社・2支局。テレビは岡山、香川県、ラジオは岡山県が放送圏。「ライブ5時 いまドキッ!」「VOICE de GO!」など地域密着番組に定評。ドキュメンタリー番組制作にも注力。

平均勤続年数	男性育休取得率	3年後離職率	平均年収(平均44歳)
19.6年	0→33.3%	14.3→25.0%	NA

●採用・配属情報●

【男女・文理別採用実績】

	大卒男	大卒女	修士男	修士女
23年	2(文 2理 0)	1(文 1理 0)	0(文 0理 0)	0(文 0理 0)
24年	3(文 3理 0)	4(文 3理 1)	0(文 0理 0)	0(文 0理 0)
25年	1(文 1理 0)	7(文 7理 0)	0(文 0理 0)	0(文 0理 0)

【男女・職種別採用実績】

	総合職
23年	3(男 2女 1)
24年	7(男 3女 4)
25年	8(男 1女 7)

【24年4月入社者の配属勤務地】[総]岡山6 [技]岡山1
【転勤】あり:[部署]営業部 報道部[勤務地]営業部:東京 大阪 広島 四国 報道部:四国 岡山(倉敷 津山)
【中途比率】[単年度]21年度0%、22年度0%、23年度0%[全体]16%

●働きやすさ、諸制度●

残業(月) (管理職除く)18.0時間 [総]18.0時間

【勤務時間】9:00～17:30【有休取得年平均】9.5日【週休】完全2日(土日祝)【夏期休暇】有休で取得【年末年始休暇】12月30日～1月3日
【離職率】男:2.2%、2名 女:6.8%、3名
【新卒3年後離職率】
[20→23年]14.3%(男0%・入社2名、女20.0%・入社5名)
[21→24年]25.0%(男0%・入社1名、女33.3%・入社3名)
【テレワーク】制度なし【勤務制度】なし【住宅補助】住宅手当 支社勤務時に借上社宅制度

●ライフイベント、女性活躍●

【女性比率】■男 □女

新卒採用 87.5% (7名)

従業員 31.1% (41名)

管理職 10.3% (3名)

【産休】[期間]産前6・産後8週間[給与]会社給与8割給付[取得者数]0名
【育休】[期間]1歳になるまで[給与]法定[取得者数]22年度 男0名(対象3名)女1名(対象0名)23年度 男1名(対象3名)女0名(対象1名)[平均取得日数]22年度 男—女—、23年度 男31日 女308日
【従業員】[人数]132名(男91名、女41名)[平均年齢]43.9歳(男45.1歳、女41.3歳)[平均勤続年数]19.6年(男20.4年、女17.8年)
【年齢構成】■男 □女

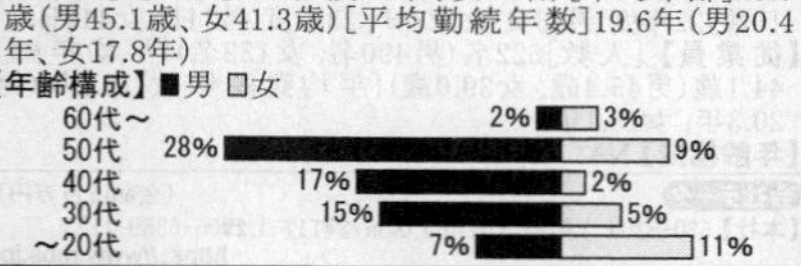
60代～ 2% 3%
50代 28% 9%
40代 17% 2%
30代 15% 5%
～20代 7% 11%

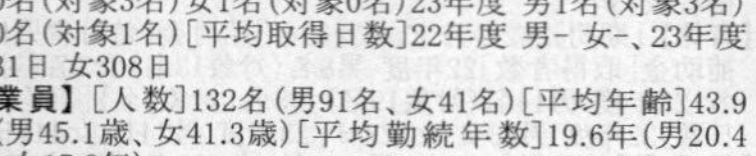

会社データ

(金額は百万円)

【本社】700-8580 岡山県岡山市北区天神町9-24 ☎086-225-5531
https://www.rsk.co.jp/

【業績(単独)】	売上高	営業利益	経常利益	純利益
22.3	6,877	NA	NA	NA
23.3	6,772	NA	NA	NA
24.3	6,858	NA	NA	NA

おかやまほうそう
岡山放送㈱

【特色】フジ系列のテレビ局。岡山、香川両県が放送エリア

[記者評価] 通称OHK。岡山県の民放局として1969年に開局後、79年香川も放送圏に。自社制作「なんしょん？」「金バク！」が人気番組。本社が立地する「杜の街グレース」と、JR岡山駅前のスタジオ「ミルン」の2拠点から放送。手話放送など情報のバリアフリー化にも注力。

平均勤続年数	男性育休取得率	3年後離職率	平均年収(平均45歳)
17.1年	0→0%	25.0→0%	NA

●採用・配属情報●

【男女・文理別採用実績】

	大卒男	大卒女	修士男	修士女
23年	2(文 2 理 0)	4(文 4 理 0)	0(文 0 理 0)	0(文 0 理 0)
24年	3(文 1 理 2)	1(文 1 理 0)	0(文 0 理 0)	0(文 0 理 0)
25年	0(文 0 理 0)	2(文 1 理 1)	0(文 0 理 0)	0(文 0 理 0)

【男女・職種別採用実績】 転換制度:⇒

	総合職	アナウンサー職	技術職
23年	2(男 1 女 1)	4(男 1 女 3)	0(男 0 女 0)
24年	4(男 3 女 1)	0(男 0 女 0)	0(男 0 女 0)
25年	2(男 0 女 2)	0(男 0 女 0)	0(男 0 女 0)

【24年4月入社者の配属勤務地】[総]岡山市4
【転勤】あり:全社員
【中途比率】[単年度]21年度0%、22年度0%、23年度40%[全体]5%

●働きやすさ、諸制度●

残業(月) NA

【勤務時間】9:30～18:00【有休取得年平均】12.1日【週休】完全2日(土日祝)【夏期休暇】なし【年末年始休暇】12月29日～1月3日
【離職率】男:2.3%、2名 女:0%、0名
【新卒3年後離職率】
[20→23年]25.0%(男50.0%・入社2名、女0%・入社2名)
[21→24年]0%(男0%・入社1名、女0%・入社4名)
【テレワーク】制度あり:[場所]自宅[対象]原則3等級以上[日数]制限なし[利用率]NA【勤務制度】時差勤務【住宅補助】住宅手当(既婚借家:月額67,000円 既婚自宅:月額62,000円 独身借家:月額52,200円 独身自宅:月額40,300円)

●ライフイベント、女性活躍●

【女性比率】■男 □女

新卒採用 100% (2名) 従業員 34.8% (46名) 管理職 12% (3名)

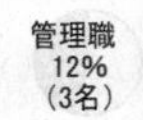

【産休】[期間]産前6・産後8週間[給与]法定[取得者数]3名
【育休】[期間]1歳になるまで[給与]法定[取得者数]22年度 男0名(対象2名)女2名(対象2名)23年度 男0名(対象1名)女2名(対象2名)[平均取得日数]22年度 男– 女284日、23年度 男– 女328日
【従業員】[人数]132名(男86名、女46名)[平均年齢]45.1歳(男48.2歳、女39.2歳)[平均勤続年数]17.1年(男19.1年、女13.2年)
【年齢構成】■男 □女

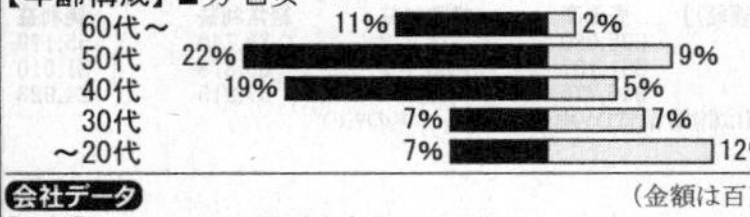

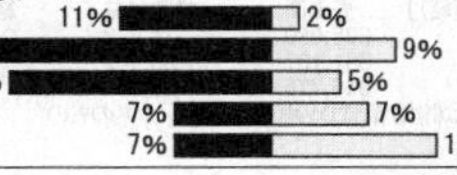

60代～ 11% 2%
50代 22% 9%
40代 19% 5%
30代 7% 7%
～20代 7% 12%

会社データ (金額は百万円)
【本社】700-8635 岡山県岡山市北区下石井2-10-12 ☎086-941-0008
https://www.ohk.co.jp/

【業績(単独)】	売上高	営業利益	経常利益	純利益
22.3	6,124	151	219	115
23.3	5,848	12	45	▲37
24.3	5,665	64	117	76

ほうそう
㈱ニッポン放送

【特色】AMラジオ局最大手。フジ・メディアHD傘下

[記者評価] 文化放送とともにNRN(全国ラジオネットワーク)の基幹局。AM、FMサイマル放送。大阪、横浜、千葉の3支局。1967年放送開始の「オールナイトニッポン」が看板番組。コンサート、舞台演劇などイベント事業も活発。インターネット放送、通販も手がける。

平均勤続年数	男性育休取得率	3年後離職率	平均年収(平均43歳)
18.7年	NA	0→25.0%	NA

●採用・配属情報●

【男女・文理別採用実績】

	大卒男	大卒女	修士男	修士女
23年	1(文 1 理 0)	0(文 0 理 0)	3(文 1 理 2)	0(文 0 理 0)
24年	3(文 3 理 0)	2(文 2 理 0)	1(文 0 理 1)	0(文 0 理 0)
25年	2(文 2 理 0)	2(文 2 理 0)	0(文 0 理 0)	1(文 0 理 1)

【男女・職種別採用実績】

	総合職	技術・ITデジタル職	アナウンサー職
23年	4(男 4 女 0)	0(男 0 女 0)	0(男 0 女 0)
24年	5(男 3 女 2)	1(男 1 女 0)	0(男 0 女 0)
25年	4(男 2 女 2)	1(男 0 女 1)	0(男 0 女 0)

【24年4月入社者の配属勤務地】[総]東京・有楽町5 [技]東京・有楽町1
【転勤】あり:全社員
【中途比率】[単年度]21年度NA、22年度NA、23年度NA[全体]NA

●働きやすさ、諸制度●

残業(月) NA

【勤務時間】フレックスタイム制【有休取得年平均】NA【週休】完全2日(土日祝)【夏期休暇】なし【年末年始休暇】12月30日～1月3日
【離職率】男:3.4%、3名 女:3.2%、1名
【新卒3年後離職率】
[20→23年]0%(男0%・入社3名、女0%・入社1名)
[21→24年]25.0%(男–・入社0名、女25.0%・入社4名)
【テレワーク】制度あり:[場所]NA[対象]NA[日数]NA[利用率]NA【勤務制度】フレックス 時間単位有休【住宅補助】採用地と勤務地が異なる場合は家賃補助

●ライフイベント、女性活躍●

【女性比率】■男 □女

新卒採用 60% (3名) 従業員 25.9% (30名)

【産休】[期間]産前6・産後8週間[給与]法定[取得者数]0名
【育休】[期間]3歳になるまで[給与]法定[取得者数]22年度 男NA(対象NA)女1名(対象1名)23年度 男NA(対象NA)女0名(対象0名)[平均取得日数]22年度 NA、23年度 男NA 女–
【従業員】[人数]116名(男86名、女30名)[平均年齢]42.8歳(男44.6歳、女33.7歳)[平均勤続年数]18.7年(男19.7年、女15.8年)
【年齢構成】NA

会社データ (金額は百万円)
【本社】100-8439 東京都千代田区有楽町1-9-3 ☎03-3287-1111
https://www.jolf.co.jp/

【業績(単独)】	売上高	営業利益	経常利益	純利益
22.3	13,919	515	660	556
23.3	13,818	553	920	732
24.3	16,431	645	1,036	475

マスコミ

㈱電通（でんつう）

【特色】広告代理で国内最大手。AI・データ活用を積極化

記者評価 国内最大の広告会社。20年1月持株会社体制に移行。マス4媒体（テレビ、新聞、雑誌、ラジオ）で強い。川上の事業戦略を担うコンサルやDXの機能を強化。エンタメ・IPビジネスの支援も加速。最新技術を用いたソリューション開発が活発。働き方改革に意欲的。

平均勤続年数	男性育休取得率	3年後離職率	平均年収(平均41歳)
15.8年	88.6→94.3%	NA	NA

●採用・配属情報●

【男女・文理別採用実績】

	大卒男	大卒女	修士男	修士女
23年	NA(文NA理NA)	NA(文NA理NA)	NA(文NA理NA)	NA(文NA理NA)
24年	NA(文NA理NA)	NA(文NA理NA)	NA(文NA理NA)	NA(文NA理NA)
25年	NA(文NA理NA)	NA(文NA理NA)	NA(文NA理NA)	NA(文NA理NA)

※23年は120名、24年は145名、25年は153名採用

【男女・職種別採用実績】

	総合職
23年	120(男 58 女 62)
24年	145(男 68 女 77)
25年	153(男 75 女 78)

※総合職・デジタルクリエーティブ職・アート職の総合

【職種併願】○

【24年4月入社者の配属勤務地】㊗東京 大阪 名古屋

【転勤】あり：全社員［勤務地］東京オフィス 中部オフィス 関西オフィス

【中途比率】［単年度］21年度17%、22年度31%、23年度39%［全体］NA

●働きやすさ、諸制度●

残業(月) NA

【勤務時間】9:30～17:30（フレックスタイム制）【有休取得年平均】13.9日【週休】完全2日（土日祝）【夏期休暇】なし【年末年始休暇】あり

【離職率】NA

【新卒3年後離職率】
［20→23年］NA
［21→24年］NA

【テレワーク】制度あり：［場所］自宅 サテライトオフィス［対象］NA［日数］NA［利用率］NA【勤務制度】フレックス 時間単位有休 時差勤務【住宅補助】借上社宅

●ライフイベント、女性活躍●

【女性比率】■男 □女

新卒採用 51%（78名）

【産休】［期間］産前6・産後8週間［給与］会社全額給付（特別手当除く）［取得者数］48名

【育休】［期間］1歳になるまで［給与］法定［取得者数］22年度 男140名（対象158名）女52名（対象52名）23年度 男166名（対象176名）女48名（対象48名）［平均取得日数］22年度 NA、23年度 NA

【従業員】［人数］5,502名（男NA、女NA）［平均年齢］41.3歳（男NA、女NA）［平均勤続年数］15.8年（男NA、女NA）

【年齢構成】NA

会社データ （金額は百万円）

【本社】105-7001 東京都港区東新橋1-8-1 ☎03-6216-5111 https://www.dentsu.co.jp/

【業績】NA

㈱博報堂（はくほうどう） くるみん

【特色】広告代理で国内2位。博報堂DY・HDの中核子会社

記者評価 1895年に創業。傘下に大広、読売広告社を抱える博報堂DYホールディングスの中核事業子会社。自動車や大手IT企業がメインの広告主。近年は制作業務の内製化を進め、利益率を引き上げてきた。データサイエンティストやデジタルマーケターを積極的に採用。

平均勤続年数	男性育休取得率	3年後離職率	平均年収(平均40歳)
NA	NA	NA	NA

●採用・配属情報●

【男女・文理別採用実績】

	大卒男	大卒女	修士男	修士女
23年	98(文NA理NA)	82(文NA理NA)	0(文 0理 0)	0(文 0理 0)
24年	81(文NA理NA)	99(文NA理NA)	0(文 0理 0)	0(文 0理 0)
25年	57(文NA理NA)	64(文NA理NA)	0(文 0理 0)	0(文 0理 0)

※大卒に修士含む、㈱博報堂DYメディアパートナーズと合同採用

【男女・職種別採用実績】

	総合職
23年	180(男 98 女 82)
24年	180(男 81 女 99)
25年	121(男 57 女 64)

【24年4月入社者の配属勤務地】㊗NA

【転勤】あり：詳細NA

【中途比率】［単年度］21年度NA、22年度NA、23年度NA［全体］NA

●働きやすさ、諸制度●

残業(月) NA

【勤務時間】9:30～17:30【有休取得年平均】NA【週休】完全2日（土日祝）【夏期休暇】なし【年末年始休暇】12月29日～1月3日

【離職率】NA

【新卒3年後離職率】
［20→23年］NA
［21→24年］NA

【テレワーク】制度あり：［場所］NA［対象］NA［日数］NA［利用率］NA【勤務制度】裁量労働 勤務間インターバル【住宅補助】なし

●ライフイベント、女性活躍●

【女性比率】■男 □女

新卒採用 52.9%（64名）

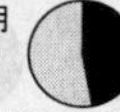

従業員 29.6%（1109名）

【産休】［期間］産前6・産後8週間［給与］NA［取得者数］NA

【育休】［期間］2歳到達後の4月末まで［給与］NA［取得者数］22年度 NA 23年度 NA［平均取得日数］22年度 NA、23年度 NA

【従業員】［人数］3,752名（男2,643名、女1,109名）［平均年齢］40.2歳（男41.3歳、女37.5歳）［平均勤続年数］NA

【年齢構成】NA

会社データ （金額は百万円）

【本社】107-6322 東京都港区赤坂5-3-1 赤坂Bizタワー ☎03-6441-6215 https://www.hakuhodo.co.jp/

【業績(連結)】	売上高	営業利益	経常利益	純利益
22.3	895,080	71,642	75,740	55,179
23.3	991,137	55,409	60,378	31,010
24.3	946,776	34,288	37,815	24,923

※業績は㈱博報堂DYホールディングスのもの

㈱ＡＤＫホールディングス（エイディケイ） [えるぼし ★★★]

【特色】広告代理店大手。アニメに強い。米ベイン傘下

[記者評価] 国内大手の広告代理店。旭通信社と第一企画が合併して発足したアサツー・ディ・ケイが19年に持ち株会社へ移行して現体制に。米ベインキャピタル傘下で新たなビジネスモデルを模索。「ドラえもん」「クレヨンしんちゃん」などアニメのIPビジネスに強みを持つ。

平均勤続年数	男性育休取得率	3年後離職率	平均年収(平均43歳)
13.0年	NA → 60.4%	NA	NA

●採用・配属情報●

【男女・文理別採用実績】

	大卒男	大卒女	修士男	修士女
23年	35(文 33 理 2)	56(文 53 理 3)	3(文 1 理 2)	2(文 2 理 0)
24年	41(文 37 理 4)	59(文 55 理 4)	16(文 2 理 14)	8(文 3 理 5)
25年	61(文 50 理 11)	59(文 53 理 6)	12(文 3 理 9)	3(文 1 理 2)

※25年:24年8月時点

【男女・職種別採用実績】 転換制度:NA

	総合職
23年	96(男 38 女 58)
24年	125(男 57 女 68)
25年	135(男 73 女 62)

【職種併願】NA
【24年4月入社者の配属勤務地】[総]東京・虎ノ門105 大阪11 福岡5 名古屋4
【転勤】あり:[職種]ADK全社員(派遣社員を除く)[勤務地]ADK全支社
【中途比率】[単年度]21年度NA、22年度NA、23年度56% [全体]5%

●働きやすさ、諸制度●

残業(月) [総]13.0時間

【勤務時間】9:30～17:45(フレックスタイム制あり)【有休取得年平均】13.0日【週休】完全2日(土日祝)【夏期休暇】5日(年間を通して取得できる休暇で取得)【年末年始休暇】会社指定休日
【離職率】NA
【新卒3年後離職率】
[20→23年]NA
[21→24年]NA
【テレワーク】制度あり:[場所]自宅[対象]全社員[日数]制限なし(ハイブリット勤務制度 週2日出社を推奨)[利用率]NA【勤務制度】フレックス 時間単位有休 裁量労働【住宅補助】NA

●ライフイベント、女性活躍●

【女性比率】■男 □女

新卒採用 45.9% (62名)

従業員 32.1% (783名)

【産休】[期間]産前6・産後8週間[給与]会社全額給付[取得者数]26名
【育休】[期間]1歳になるまで[給与]法定[取得者数]22年度NA 23年度 男29名(対象48名)女26名(対象NA)[平均取得日数]22年度 NA、23年度 NA
【従業員】[人数]2,443名(男1,660名、女783名)[平均年齢]43.0歳(男NA、女NA)[平均勤続年数]13.0年(男NA、女NA)
【年齢構成】NA

会社データ (金額は百万円)
【本社】105-6312 東京都港区虎ノ門1-23-1 虎ノ門ヒルズ森タワー ☎03-6830-3811 https://www.adk.jp/
【業績(連結)】NA

㈱東急エージェンシー（とうきゅう）

【特色】東急Gの大手広告代理店。交通・屋外広告に強い

[記者評価] 東急グループの大手広告代理店。交通広告や商業・空港施設などのOOH(屋外)広告に強い。パス・コミュニケーションズとの共同運用で、国内最大級のOOHアドネットワーク目指す。デジタルシフト加速。10年以降生まれ「α世代」の購買行動をとらえる調査を実施。

平均勤続年数	男性育休取得率	3年後離職率	平均年収(平均NA)
14.8年	66.7 → 45.8%	10.0 → 4.8%	NA

●採用・配属情報●

【男女・文理別採用実績】

	大卒男	大卒女	修士男	修士女
23年	16(文 13 理 3)	16(文 16 理 0)	1(文 0 理 1)	0(文 0 理 0)
24年	19(文 18 理 1)	21(文 21 理 0)	1(文 1 理 0)	1(文 0 理 1)
25年	20(文 20 理 0)	25(文 25 理 0)	1(文 0 理 1)	2(文 0 理 2)

※25年:24年7月17日時点

【男女・職種別採用実績】

	総合職
23年	33(男 17 女 16)
24年	42(男 20 女 22)
25年	48(男 21 女 27)

【24年4月入社者の配属勤務地】[総]東京42
【転勤】あり:全社員
【中途比率】[単年度]21年度58%、22年度66%、23年度63%[全体]43%

●働きやすさ、諸制度●

残業(月) NA

【勤務時間】7時間(フレックスタイム制 コアタイム11:00～15:00)【有休取得年平均】8.6日【週休】完全2日(土日祝)【夏期休暇】3日【年末年始休暇】12月29日～1月3日
【離職率】男:3.0%、23名 女:4.8%、16名
【新卒3年後離職率】
[20→23年]10.0%(男7.7%・入社13名、女14.3%・入社7名)
[21→24年]4.8%(男11.1%・入社9名、女0%・入社12名)
【テレワーク】制度あり:[場所]自宅[対象]全社員[日数]最低出社:月4日[利用率]NA【勤務制度】フレックス 裁量労働 副業容認【住宅補助】なし

●ライフイベント、女性活躍●

【女性比率】■男 □女

新卒採用 56.3% (27名)

従業員 29.8% (317名)

管理職 12% (20名)

【産休】[期間]産前6・産後8週間[給与]法定+共済組合4分の1給付[取得者数]15名
【育休】[期間]1歳になるまで[給与]法定[取得者数]22年度 男8名(対象12名)女7名(対象7名)23年度 男11名(対象24名)女4名(対象4名)[平均取得日数]22年度 男36日 女400日、23年度 男43日 女203日
【従業員】[人数]1,064名(男747名、女317名)[平均年齢]NA[平均勤続年数]14.8年(男14.8年、女14.8年)
【年齢構成】■男 □女

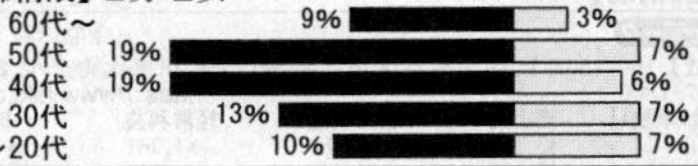

会社データ (金額は百万円)
【本社】105-0003 東京都港区西新橋1-1-1 日比谷フォートタワー ☎03-6811-2400 https://www.tokyu-agc.co.jp/

【業績(単独)】	売上高	営業利益	経常利益	純利益
22.3	104,354	NA	NA	NA
23.3	101,110	NA	NA	NA
24.3	94,633	NA	NA	NA

マスコミ

〔広告〕

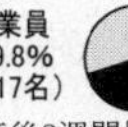

㈱ジェイアール東日本企画

ひがしにほんきかく

えるぼし ★★★

【特色】JR東日本系の大手広告代理店。鉄道広告に強み

[記者評価] 略称jeki。親会社の鉄道資産を生かし広告戦略推進。代理店と媒体社の両面持つ。クライアントは全国3000社以上。車内「トレインチャンネル」と駅構内「J・ADビジョン」の映像メディア設置拡大続く。企業と子育て家族のための「イマドキファミリー研究所」も。

平均勤続年数	男性育休取得率	3年後離職率	平均年収(平均44歳)
10.6年	NA	NA	NA

●採用・配属情報●

【男女・文理別採用実績】

	大卒男	大卒女	修士男	修士女
23年	6(文 6 理 0)	8(文 6 理 2)	0(文 0 理 0)	2(文 1 理 1)
24年	9(文 9 理 0)	13(文 13 理 0)	2(文 0 理 2)	0(文 0 理 0)
25年	9(文 9 理 0)	8(文 8 理 0)	0(文 0 理 0)	2(文 1 理 1)

【男女・職種別採用実績】

	総合職
23年	16(男 6 女 10)
24年	24(男 11 女 13)
25年	19(男 9 女 10)

【職種併願】NA
【24年4月入社者の配属勤務地】[総]本社(東京・恵比寿)24
【転勤】あり:全社員
【中途比率】[単年度]21年度NA、22年度NA、23年度NA[全体]NA

●働きやすさ、諸制度●

残業(月) NA

【勤務時間】9:30〜17:30【有休取得年平均】NA【週休】完全2日(土日祝)【夏期休暇】なし【年末年始休暇】12月30日〜1月3日
【離職率】NA
【新卒3年後離職率】
[20→23年]NA
[21→24年]NA
【テレワーク】制度あり:[場所]制限なし[対象]全社員[日数]制限なし[利用率]NA【勤務制度】フレックス 裁量労働 勤務間インターバル 副業容認【住宅補助】住宅手当

●ライフイベント、女性活躍●

【女性比率】■男 □女

新卒採用
52.6%
(10名)

【産休】[期間]産前6・産後8週間[給与]法定[取得者数]9名
【育休】[期間]2歳になるまで、父母両方取得は1歳2カ月まで[給与]法定[取得者数]22年度 男7名(対象NA)女7名(対象NA)23年度 男5名(対象NA)女8名(対象NA)[平均取得日数]22年度 NA、23年度 NA
【従業員】[人数]1,088名(男NA、女NA)[平均年齢]44.0歳(男NA、女NA)[平均勤続年数]10.6年(男NA、女NA)
【年齢構成】NA

会社データ (金額は百万円)

【本社】150-8508 東京都渋谷区恵比寿南1-5-5 JR恵比寿ビル ☎03-5447-7800
https://www.jeki.co.jp/

【業績(単独)】	売上高	営業利益	経常利益	純利益
22.3	43,151	▲2,185	▲1,961	▲1,422
23.3	47,329	▲1,748	▲1,705	▲1,278
24.3	54,277	132	394	200

㈱東北新社

とうほくしんしゃ

【特色】CM制作大手。映画の字幕や吹替も手がける

[記者評価] CM制作大手の一角。外国映画やドラマの日本語版制作を展開。最近ではアニメやゲームなどの音響制作も行う。運営していた映画専門の衛星放送「スターチャンネル」は売却。「牙狼」IP保有。中期経営計画を策定し人員削減をはじめとする構造改革を推進中。

平均勤続年数	男性育休取得率	3年後離職率	平均年収(平均41歳)
13.7年	57.1→36.4%	NA	600万円

●採用・配属情報●

【男女・文理別採用実績】

	大卒男	大卒女	修士男	修士女
23年	20(文 17 理 3)	22(文 21 理 1)	0(文 0 理 0)	2(文 2 理 0)
24年	15(文 14 理 1)	25(文 23 理 2)	2(文 1 理 1)	0(文 0 理 0)
25年	16(文 15 理 1)	22(文 21 理 1)	1(文 1 理 0)	0(文 0 理 0)

【男女・職種別採用実績】　転換制度:NA

	総合職	広告・映像制作職	専門職(映像ディレクター/CMプランナー)	専門職(エディター)	専門職(グラフィックデザイナー)
23年	42(男 20 女 22)	0(男 0 女 0)	1(男 0 女 1)	1(男 0 女 1)	2(男 1 女 1)
24年	4(男 2 女 2)	39(男 16 女 23)	0(男 0 女 0)	0(男 0 女 0)	0(男 0 女 0)
25年	2(男 1 女 1)	38(男 17 女 21)	0(男 0 女 0)	0(男 0 女 0)	0(男 0 女 0)

※23年:総合職に広告・映像制作職を含む
【職種併願】NA
【24年4月入社者の配属勤務地】[総]東京43
【転勤】なし
【中途比率】[単年度]21年度49%、22年度45%、23年度28%[全体]NA

●働きやすさ、諸制度●

残業(月) NA

【勤務時間】9:30〜18:30【有休取得年平均】NA【週休】完全2日(土日祝)【夏期休暇】なし【年末年始休暇】12月30日〜1月4日
【離職率】NA
【新卒3年後離職率】
[20→23年]NA
[21→24年]NA
【テレワーク】制度あり:[場所]自宅 サテライトオフィス[対象]NA[日数]NA[利用率]NA【勤務制度】フレックス【住宅補助】なし

●ライフイベント、女性活躍●

【女性比率】■男 □女

新卒採用
55%
(22名)

従業員
48.5%
(413名)

管理職
21.6%
(33名)

【産休】[期間]産前6・産後8週間[給与]法定[取得者数]12名
【育休】[期間]1歳になるまで[給与]法定[取得者数]22年度 男4名(対象7名)女10名(対象10名)23年度 男4名(対象11名)女14名(対象14名)[平均取得日数]22年度 男106日 女296日、23年度 男47日 女408日
【従業員】[人数]852名(男439名、女413名)[平均年齢]41.2歳(男NA、女NA)[平均勤続年数]13.7年(男NA、女NA)
【年齢構成】NA

会社データ (金額は百万円)

【本社】107-8460 東京都港区赤坂4-8-10 ☎03-5414-0211
https://www.tfc.co.jp/

【業績(連結)】	売上高	営業利益	経常利益	純利益
22.3	52,758	4,135	5,507	3,068
23.3	55,922	4,201	4,820	3,133
24.3	52,819	2,678	2,214	4,021

あさひこうこくしゃ
㈱朝日広告社

[くるみん]

【特色】朝日新聞グループの広告代理店。業界中堅

[記者評価] 1924年創業の老舗。通称アサコー。朝日新聞系のグループ力に強み。1300社以上の広告主と取引。テレビ、新聞などマス4媒体が売上の約5割、インターネット広告が約2割を占める。博報堂DYメディアパートナーズと資本業務提携。メタバース上のマーケ支援に着手。

平均勤続年数	男性育休取得率	3年後離職率	平均年収(平均44歳)
NA	83.3→75.0%	0→0%	NA

●採用・配属情報●

【男女・文理別採用実績】

	大卒男	大卒女	修士男	修士女
23年	5(文 5理 0)	4(文 4理 0)	0(文 0理 0)	0(文 0理 0)
24年	3(文 3理 0)	11(文 11理 0)	0(文 0理 0)	0(文 0理 0)
25年	8(文 7理 1)	5(文 5理 0)	0(文 0理 0)	0(文 0理 0)

【男女・職種別採用実績】

	総合職
23年	9(男 5 女 4)
24年	14(男 3 女 11)
25年	13(男 8 女 5)

【24年4月入社者の配属勤務地】[総]東京12 横浜1 大阪1
【転勤】あり:全社員
【中途比率】[単年度]21年度47%、22年度38%、23年度67%[全体]NA

●働きやすさ、諸制度●

残業(月) NA

【勤務時間】9:30〜17:30【有休取得年平均】11.3日【週休】完全2日(土日祝)【夏期休暇】5日【年末年始休暇】12月29日〜1月4日
【離職率】男:2.9%、8名 女:6.6%、9名
【新卒3年後離職率】
[20→23年]0%(男0%・入社6名、女0%・入社9名)
[21→24年]0%(男0%・入社5名、女0%・入社5名)
【テレワーク】制度あり:[場所]自宅など[対象]全社員[日数]週2日まで[利用率]NA【勤務制度】フレックス【住宅補助】なし

●ライフイベント、女性活躍●

【女性比率】■男 □女

新卒採用 38.5% (5名)

従業員 32.4% (127名)

【産休】[期間]産前6・産後8週間[給与]会社全額給付[取得者数]6名
【育休】[期間]1歳になるまで[給与]法定[取得者数]22年度 男5名(対象6名)女1名(対象1名)23年度 男3名(対象4名)女3名(対象3名)[平均取得日数]22年度 NA、23年度 NA
【従業員】[人数]392名(男265名、女127名)[平均年齢]43.6歳(男44.8歳、女41.0歳)[平均勤続年数]NA
【年齢構成】NA

会社データ (金額は百万円)
【本社】104-8313 東京都中央区銀座7-16-12 G-7ビル ☎03-3547-5400
https://www.asakonet.co.jp/

【業績(単独)】	売上高	営業利益	経常利益	純利益
22.3	40,471	601	620	361
23.3	40,749	678	709	425
24.3	43,613	750	787	1,199

よみうりアイエス
㈱読売ＩＳ

【特色】読売新聞系折込広告大手。購買行動データに定評

[記者評価] 読売新聞東京本社と首都圏同紙販売店の共同出資。折込広告で国内首位。同広告が売上の約8割占める。東北、北陸、関東の12社でグループ形成。新聞部数減背景に新機軸模索。Web広告配信サービスや印刷通販サイトも運営。エリアマーケティング駆使し顧客深掘り。

平均勤続年数	男性育休取得率	3年後離職率	平均年収(平均44歳)
17.4年	42.9→40.0%	NA	NA

●採用・配属情報●

【男女・文理別採用実績】

	大卒男	大卒女	修士男	修士女
23年	5(文 5理 0)	4(文 4理 0)	0(文 0理 0)	0(文 0理 0)
24年	6(文 6理 0)	3(文 3理 0)	0(文 0理 0)	0(文 0理 0)
25年	6(文 6理 0)	6(文 6理 0)	0(文 0理 0)	1(文 0理 1)

【男女・職種別採用実績】

	総合職
23年	9(男 5 女 4)
24年	9(男 6 女 3)
25年	13(男 6 女 7)

【24年4月入社者の配属勤務地】[総]東京・人形町 他
【転勤】あり:正社員
【中途比率】[単年度]21年度NA、22年度NA、23年度NA[全体]NA

●働きやすさ、諸制度●

残業(月) NA

【勤務時間】9:30〜17:30【有休取得年平均】16.0日【週休】2日(土日祝、ただし原則4・7・10・1月の第2土曜は出社)【夏期休暇】5日【年末年始休暇】12月30日〜1月3日
【離職率】NA
【新卒3年後離職率】
[20→23年]NA
[21→24年]NA
【テレワーク】NA【勤務制度】フレックス 時差勤務【住宅補助】住宅手当

●ライフイベント、女性活躍●

【女性比率】■男 □女

新卒採用 53.8% (7名)

従業員 25.8% (59名)

【産休】[期間]産前6・産後8週間[給与]法定[取得者数]4名
【育休】[期間]1歳到達月末まで[給与]法定[取得者数]22年度 男3名(対象7名)女1名(対象1名)23年度 男2名(対象5名)女5名(対象5名)[平均取得日数]22年度 NA、23年度 男11日 女413日
【従業員】[人数]229名(男170名、女59名)[平均年齢]44.3歳(男45.5歳、女41.0歳)[平均勤続年数]17.4年(男18.2年、女14.8年)
【年齢構成】NA

会社データ (金額は百万円)
【本社】103-0013 東京都中央区日本橋人形町3-9-1 ☎03-5847-1500
https://www.yomiuri-is.co.jp/

【業績(単独)】	売上高	営業利益	経常利益	純利益
22.3	40,099	NA	NA	NA
23.3	42,244	NA	NA	NA
24.3	42,516	NA	NA	NA

マスコミ

241 開示 ★★☆☆☆ [専門] 採用あり

㈱セプテーニ・ホールディングス

【特色】ネット広告代理店が中核の持株会社。電通傘下

[記者評価] ネット広告代理店が主力の持株会社。LINEなどSNS向け広告や動画広告が牽引。22年に電通グループが連結子会社化。電通デジタルなどとの人事交流が活発に。独自作品を売りにする漫画アプリ「GANMA！」を育成するも24年に連結除外。ネット広告への集中を高める。

平均勤続年数	男性育休取得率	3年後離職率	平均年収(平均32歳)
NA	36.0 → 30.4%	NA	[総] 632万円

●採用・配属情報●

【男女・文理別採用実績】

	大卒男	大卒女	修士男	修士女
23年	64(文 57 理 7)	55(文 47 理 8)	11(文 2 理 9)	4(文 0 理 4)
24年	61(文 45 理 16)	50(文 45 理 5)	8(文 2 理 6)	2(文 2 理 0)
25年	33(文 29 理 4)	40(文 37 理 3)	4(文 0 理 4)	3(文 1 理 2)

※グループの国内採用数

【男女・職種別採用実績】

	総合職	エンジニア職
23年	132(男 72 女 60)	4(男 4 女 0)
24年	119(男 67 女 52)	3(男 3 女 0)
25年	78(男 36 女 42)	2(男 1 女 1)

【職種併願】総合職とエンジニア職で可能

【24年4月入社者の配属勤務地】[総]東京93 大阪2 [技]NA

【転勤】あり:原則、希望した社員

【中途比率】[単年度]21年度NA、22年度NA、23年度NA[全体]NA

●働きやすさ、諸制度●

残業(月) 18.6時間 [総] 18.6時間

【勤務時間】9:30～18:30一部9:00～18:00 10:00～19:00

【有休取得年平均】10.1日【週休】完全2日(土日祝)【夏期休暇】10日※入社初年度は5日【年末年始休暇】12月29日～1月3日(29日が平日の場合は有休で取得)

【離職率】男:7.2%、75名 女:7.3%、59名

【新卒3年後離職率】
[20→23年]NA
[21→24年]NA

【テレワーク】制度あり:[場所]自宅 他[対象]全社員[日数]制限なし[利用率]72.0%【勤務制度】フレックス 裁量労働 副業容認【住宅補助】なし

●ライフイベント、女性活躍●

【女性比率】■男 □女

新卒採用 53.8% (43名)

従業員 43.7% (754名)

【産休】[期間]産前6・産後8週間[給与]法定[取得者数]24名

【育休】[期間]1歳になるまで[給与]法定[取得者数]22年度 男9名(対象25名)女19名(対象21名)23年度 男7名(対象23名)女22名(対象20名)[平均取得日数]22年度 NA、23年度 男116日 女337日

【従業員】[人数]1,724名(男970名、女754名)[平均年齢]31.7歳(男31.7歳、女31.8歳)[平均勤続年数]NA ※グループ計

【年齢構成】NA

会社データ (金額は百万円)

【本社】160-6130 東京都新宿区西新宿8-17-1 住友不動産新宿グランドタワー ☎03-6863-5623 https://www.septeni-holdings.co.jp/

【業績(IFRS)】	売上高	営業利益	税前利益	純利益
21.9	21,383	3,650	3,910	2,604
22.9	28,818	5,439	8,240	5,733
23.12変	34,266	4,949	6,652	4,318

2853 開示 ★★☆☆☆

㈱CARTA HOLDINGS（カルタ ホールディングス）

[えるぼし ★★★]

【特色】電通グループ傘下。デジタルマーケで存在感

[記者評価] 2019年にVOYAGE GROUPとサイバー・コミュニケーションズが経営統合し、両社の純粋持ち株会社として発足。運用型テレビCM「テレシー」などデジタルマーケを展開。メディア運営も。親会社の電通本社にサテライトオフィスを立ち上げ、連携深化を図る。

平均勤続年数	男性育休取得率	3年後離職率	平均年収(平均35歳)
7.2年	75.0 → 67.4%	NA → 19.1%	[総] 658万円

●採用・配属情報●

【男女・文理別採用実績】

	大卒男	大卒女	修士男	修士女
23年	25(文 23 理 2)	29(文 29 理 0)	1(文 0 理 1)	0(文 0 理 0)
24年	19(文 19 理 0)	18(文 18 理 0)	0(文 0 理 0)	2(文 2 理 0)
25年	2(文 2 理 0)	9(文 9 理 0)	0(文 0 理 0)	0(文 0 理 0)

※エンジニア職除く

【男女・職種別採用実績】 転換制度:⇔

	総合職	エンジニア職
23年	55(男 26 女 29)	18(男 17 女 1)
24年	39(男 19 女 20)	15(男 15 女 0)
25年	10(男 2 女 8)	13(男 12 女 1)

【職種併願】○

【24年4月入社者の配属勤務地】[総]東京39 [技]東京15

【転勤】あり:[職種]総合職[勤務地]東京 大阪 愛知 福岡

【中途比率】[単年度]21年度NA、22年度NA、23年度NA[全体]69%

●働きやすさ、諸制度●

残業(月) 6.7時間 [総] 6.7時間

【勤務時間】9:30～18:30(フレックスタイム制 コアタイムなし)

【有休取得年平均】14.9日【週休】完全2日(土日祝)【夏期休暇】なし【年末年始休暇】12月29日～1月3日

【離職率】男:15.1%、132名 女:13.7%、97名

【新卒3年後離職率】
[20→23年]NA
[21→24年]19.1%(男23.5%・入社34名、女7.7%・入社13名)

【テレワーク】制度あり:[場所]自宅[対象]制限なし[日数]制限なし[利用率]NA【勤務制度】フレックス 時間単位有休 時差勤務 副業容認【住宅補助】なし

●ライフイベント、女性活躍●

【女性比率】■男 □女

新卒採用 39.1% (9名)

従業員 45.2% (613名)

管理職 19.1% (35名)

【産休】[期間]産前6・産後8週間[給与]法定[取得者数]35名

【育休】[期間]1歳になるまで[給与]法定[取得者数]22年度 男18名(対象24名)女42名(対象42名)23年度 男31名(対象46名)女33名(対象34名)[平均取得日数]22年度 男21日 女440日、23年度 男33日 女464日

【従業員】[人数]1,357名(男744名、女613名)[平均年齢]34.5歳(男34.7歳、女34.4歳)[平均勤続年数]7.2年(男7.1年、女7.2年)

【年齢構成】■男 □女

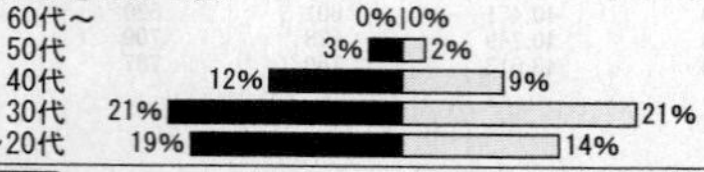
60代～
0%
0%
50代
3%
2%
40代
12%
9%
30代
21%
21%
～20代
19%
14%

会社データ (金額は百万円)

【本社】105-5536 東京都港区虎ノ門2-6-1 虎ノ門ヒルズステーションタワー ☎03-4577-1450 https://cartaholdings.co.jp/

【業績(連結)】	売上高	営業利益	経常利益	純利益
21.12	25,821	4,973	5,614	3,104
22.12	25,940	2,418	3,036	3,035
23.12	24,111	1,301	1,798	▲2,360

1414 **開示 ★★☆☆☆**

㈱オリコム

【特色】老舗の総合広告代理店。交通広告で高シェア

[記者評価] 独立系で業界中堅。新聞の折込み広告で1922年創業。旧国鉄の有料広告第1号を扱うなど、鉄道の中吊り広告で先駆。OOH(屋外)広告に強みを持ち、デジタルサイネージ(DOOH広告)も展開。デジタル広告は完全内製化を実現。環境印刷にも取り組む。

平均勤続年数	男性育休取得率	3年後離職率	平均年収(平均43歳)
NA	― → 0%	10.0 → 16.7%	NA

●採用・配属情報●

【男女・文理別採用実績】

	大卒男	大卒女	修士男	修士女
23年	1(文 1理 0)	2(文 2理 0)	1(文 0理 1)	0(文 0理 0)
24年	3(文 2理 1)	3(文 3理 0)	0(文 0理 0)	0(文 0理 0)
25年	3(文 3理 0)	4(文 4理 0)	0(文 0理 0)	0(文 0理 0)

【男女・職種別採用実績】

	総合職
23年	4(男 2 女 2)
24年	6(男 3 女 3)
25年	7(男 3 女 4)

【24年4月入社者の配属勤務地】[総]本社(東京)6
【転勤】あり:[職種]全社員[勤務地]札幌 名古屋 大阪 福岡
【中途比率】[単年度]21年度40%、22年度42%、23年度43%[全体]NA

●働きやすさ、諸制度●

残業(月) NA

【勤務時間】9:30～17:30【有休取得年平均】NA【週休】完全2日(土日祝)【夏期休暇】6日(6～9月)【年末年始休暇】12月30日～1月4日
【離職率】NA
【新卒3年後離職率】
[20→23年]10.0%(男0%・入社2名、女12.5%・入社8名)
[21→24年]16.7%(男40.0%・入社5名、女0%・入社7名)
【テレワーク】制度あり:[場所]自宅 レンタルオフィス[対象]全社員[日数]週2～3日程度の出社[利用率]NA【勤務制度】フレックス 裁量労働【住宅補助】なし

●ライフイベント、女性活躍●

【女性比率】■男 □女

新卒採用 57.1% (4名)

【産休】[期間]産前6・産後8週間[給与]法定[取得者数]3名
【育休】[期間]1歳になるまで[給与]法定[取得者数]22年度 男0名(対象0名)女1名(対象2名)23年度 男0名(対象1名)女3名(対象3名)[平均取得日数]22年度 男- 女NA、23年度 男- 女NA
【従業員】[人数]220名(男NA、女NA)[平均年齢]42.5歳(男NA、女NA)[平均勤続年数]NA
【年齢構成】NA

会社データ (金額は百万円)

【本社】105-0004 東京都港区新橋1-11-7 新橋センタープレイス ☎03-6733-2000 https://www.oricom.co.jp/

【業績(単独)】	売上高	営業利益	経常利益	純利益
22.3	16,900	NA	NA	NA
23.3	17,900	NA	NA	NA
24.3	17,900	NA	NA	NA

1420 **開示 ★★☆☆☆**

㈱読売広告社(よみうりこうこくしゃ)

えるぼし ★★

【特色】博報堂DYホールディングス傘下で広告代理大手

[記者評価] 1946年設立の業界大手。営業エリアは首都圏が中心で不動産関連に強く、アニメビジネスも得意。社名の由来はもともと読売新聞との取引が多かったためだが直接的な資本関係はない。ビジョンは「都市と生活者の未来を拓く」。21年にYOMIKO Digital Shiftを設立。

平均勤続年数	男性育休取得率	3年後離職率	平均年収(平均40歳)
11.7年	NA	6.1 → 16.0%	NA

●採用・配属情報●

【男女・文理別採用実績】

	大卒男	大卒女	修士男	修士女
23年	13(文 13理 0)	16(文 16理 0)	1(文 0理 1)	1(文 1理 0)
24年	13(文 13理 0)	17(文 15理 2)	0(文 0理 0)	0(文 0理 0)
25年	16(文 15理 1)	10(文 10理 0)	0(文 0理 0)	0(文 0理 0)

【男女・職種別採用実績】 転換制度:⇔

	総合職
23年	31(男 14 女 17)
24年	30(男 13 女 17)
25年	26(男 16 女 10)

【24年4月入社者の配属勤務地】[総]東京・赤坂26 大阪4
【転勤】あり:[職種]総合職
【中途比率】[単年度]21年度NA、22年度NA、23年度NA[全体]46%

●働きやすさ、諸制度●

残業(月) NA

【勤務時間】9:30～17:30【有休取得年平均】7.8日【週休】完全2日(土日祝)【夏期休暇】5日(7～10月)【年末年始休暇】12月29日～1月3日
【離職率】男:5.1%、21名 女:8.1%、17名
【新卒3年後離職率】
[20→23年]6.1%(男10.0%・入社20名、女0%・入社13名)
[21→24年]16.0%(男6.7%・入社15名、女30.0%・入社10名)
【テレワーク】制度あり:[場所]会社に1時間程度で出社が可能な場所[対象]全社員[日数]制限なし[利用率]NA【勤務制度】フレックス 裁量労働 時差勤務 勤務間インターバル
【住宅補助】社宅(転勤者のみ)

●ライフイベント、女性活躍●

【女性比率】■男 □女

新卒採用 38.5% (10名)

従業員 33.4% (194名)

管理職 6.2% (6名)

【産休】[期間]産前6・産後8週間[給与]法定[取得者数]11名
【育休】[期間]3歳の4月末まで[給与]法定[取得者数]22年度 男11名(対象NA)女10名(対象10名)23年度 男7名(対象NA)女4名(対象4名)[平均取得日数]22年度 NA、23年度 NA
【従業員】[人数]581名(男387名、女194名)[平均年齢]39.6歳(男40.8歳、女36.9歳)[平均勤続年数]11.7年(男13.2年、女8.7年)
【年齢構成】■男 □女

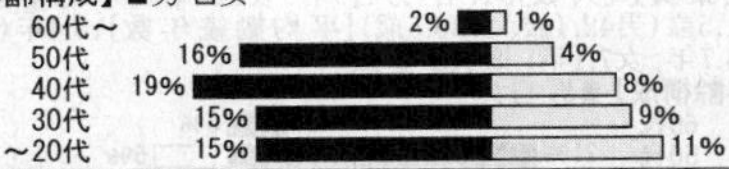

会社データ (金額は百万円)

【本社】107-6105 東京都港区赤坂5-2-20 赤坂パークビル ☎03-3589-8111 https://www.yomiko.co.jp/
【業績(連結)】NA

マスコミ

1415 開示★★☆☆☆

㈱大広（㈱大広、㈱大広WEDO）

（だいこう）

【特色】大阪地盤の広告代理店。博報堂DY・HD傘下

記者評価 博報堂DYホールディングス傘下の広告代理店で大手の一角。ダイレクトマーケティングに強い。大阪と東京に本社があり、近畿に強力な地盤を有する。大広WEDOはクリエイティブ領域など広告制作関連事業等を手がける。中国やインド、ASEAN地域にも展開。

平均勤続年数	男性育休取得率	3年後離職率	平均年収(平均42歳)
! 10.4年	33.3 → 28.6%	13.3 → 0%	NA

●採用・配属情報●

【男女・文理別採用実績】

	大卒男	大卒女	修士男	修士女
23年	8(文 8 理 0)	17(文 16 理 1)	1(文 0 理 1)	1(文 1 理 0)
24年	7(文 7 理 0)	15(文 11 理 4)	0(文 0 理 0)	0(文 0 理 0)
25年	5(文 3 理 2)	25(文 23 理 2)	1(文 0 理 1)	0(文 0 理 0)

【男女・職種別採用実績】 転換制度：⇔

	総合職	クリエイティブ系専門職
23年	22(男 8 女 14)	5(男 1 女 4)
24年	17(男 6 女 11)	5(男 1 女 4)
25年	23(男 6 女 17)	8(男 0 女 8)

【職種併願】○

【24年4月入社者の配属勤務地】㊓東京10 大阪5 名古屋2

【転勤】あり：[職種]全社員[勤務地]東京 大阪 名古屋 海外他

【中途比率】[単年度]21年度54%、22年度76%、23年度63%[全体]NA

●働きやすさ、諸制度●

残業(月) 24.7時間

【勤務時間】9:30～17:30【有休取得年平均】11.6日【週休】完全2日(土日祝)【夏期休暇】リフレッシュ休暇あり(5日)【年末年始休暇】12月29日～1月4日

【離職率】男：5.8%、26名 女：3.0%、7名

【新卒3年後離職率】
[20→23年]13.3%(男16.7%・入社12名、女11.1%・入社18名)
[21→24年]0%(男0%・入社10名、女0%・入社11名)

【テレワーク】制度あり：[場所]自宅 提携シェアオフィス[対象]NA[日数]制限なし[利用率]NA【勤務制度】フレックス 時間単位有休 裁量労働 時差勤務 勤務間インターバル【住宅補助】初任配属転居支援金 転任者住宅サポート規程

●ライフイベント、女性活躍●

【女性比率】■男 □女

新卒採用 80.6% (25名)　従業員 35.2% (228名)　管理職 10.6% (13名)

【産休】[期間]産前8・産後8週間[給与]会社全額給付[取得者数]5名

【育休】[期間]1歳になるまで[給与]法定[取得者数]22年度 男4名(対象12名)女8名(対象8名)23年度 男4名(対象14名)女4名(対象4名)[平均取得日数]22年度 NA、23年度 男37日 女192日

【従業員】[人数]647名(男419名、女228名)[平均年齢]41.5歳(男42.4歳、女36.5歳)[平均勤続年数]10.4年(男13.7年、女7.1年) ※大広単独ベース

【年齢構成】■男 □女

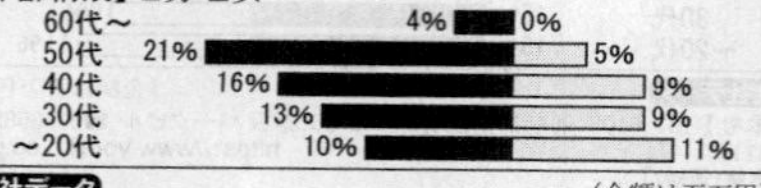

会社データ　(金額は百万円)

【本社】105-8658 東京都港区芝2-14-5 ☎03-4346-8111 https://www.daiko.co.jp/

【業績(連結)】NA

1486 開示★★☆☆☆

㈱電通東日本

（でんつうひがしにほん）

えるぼし★★★

【特色】電通の完全子会社。首都圏中心に東日本がエリア

記者評価 総合広告代理店。95年に電通本体から地域営業拠点が分離・独立して発足。浜松から青森まで本社を含め11拠点。グループのネットワーク力を生かし、広告キャンペーン、プロモーションなど展開。地域密着に強み。少数チームでクライアントにあたるケースが多い。

平均勤続年数	男性育休取得率	3年後離職率	平均年収(平均45歳)
11.6年	60.0 → 62.5%	0 → 14.3%	NA

●採用・配属情報●

【男女・文理別採用実績】

	大卒男	大卒女	修士男	修士女
23年	5(文 5 理 0)	3(文 3 理 0)	0(文 0 理 0)	0(文 0 理 0)
24年	2(文 2 理 0)	5(文 5 理 0)	0(文 0 理 0)	0(文 0 理 0)
25年	4(文 4 理 0)	6(文 6 理 0)	0(文 0 理 0)	0(文 0 理 0)

※25年：夏採用実施中

【男女・職種別採用実績】 転換制度：NA

	総合職	クリエーティブ職
23年	7(男 4 女 3)	1(男 1 女 0)
24年	6(男 2 女 4)	1(男 0 女 1)
25年	10(男 4 女 6)	0(男 0 女 0)

【24年4月入社者の配属勤務地】㊓東京6

【転勤】あり：入社5年目以降(転勤の有無や居住エリアを選ぶことが可能)

【中途比率】[単年度]21年度NA、22年度NA、23年度NA[全体]NA

●働きやすさ、諸制度●

残業(月) NA

【勤務時間】9:30～17:30(フレックスタイム制)【有休取得年平均】10.4日【週休】完全2日(土日祝)【夏期休暇】NA【年末年始休暇】12月29日～1月3日

【離職率】NA

【新卒3年後離職率】
[20→23年]0%(男0%・入社4名、女0%・入社7名)
[21→24年]14.3%(男33.3%・入社3名、女0%・入社4名)

【テレワーク】制度あり：[場所]自宅 サテライトオフィス[対象]NA[日数]NA[利用率]NA【勤務制度】フレックス 時間単位有休 時差勤務 勤務間インターバル【住宅補助】借上社宅(転勤者、遠隔地配属の新入社員)

●ライフイベント、女性活躍●

【女性比率】■男 □女

新卒採用 60% (6名)　従業員 25.6% (150名)

【産休】[期間]産前6・産後8週間[給与]基本給+グレード給+諸手当[取得者数]10名

【育休】[期間]1歳到達後の4月末まで[給与]法定[取得者数]22年度 男6名(対象10名)女2名(対象2名)23年度 男5名(対象8名)女7名(対象7名)[平均取得日数]22年度 NA、23年度 NA

【従業員】[人数]586名(男436名、女150名)[平均年齢]44.6歳(男46.1歳、女40.5歳)[平均勤続年数]11.6年(男12.5年、女9.9年)

【年齢構成】NA

会社データ　(金額は百万円)

【本社】105-7001 東京都港区東新橋1-8-1 電通本社ビル32階 ☎03-6216-7100 https://www.dentsu-east.co.jp/

【業績(単独)】NA

㈱AOI Pro.（アオイ プロ）

【特色】テレビCM制作大手。Web広告、メディアも展開

[記者評価] テレビCM制作に強い映像プロダクション。17年にTYOと統合して設立した共同持株会社の傘下。年間1000本以上の広告映像に加え、「万引き家族」など映画やドラマの制作も手がける。海外はマレーシア、シンガポール、インドネシアなどに制作拠点を置く。

平均勤続年数	男性育休取得率	3年後離職率	平均年収(平均29歳)
NA	—→16.7%	NA	NA

●採用・配属情報●

【男女・文理別採用実績】

	大卒男	大卒女	修士男	修士女
23年	20(文 20理 0)	18(文 18理 0)	0(文 0理 0)	0(文 0理 0)
24年	18(文 18理 0)	25(文 25理 0)	0(文 0理 0)	0(文 0理 0)
25年	25(文 24理 1)	27(文 26理 1)	0(文 0理 0)	0(文 0理 0)

【男女・職種別採用実績】

	PM	PD	GPM	VG	ECP
23年	32(男18女14)	4(男 2女 2)	3(男 1女 2)	0(男 0女 0)	ND(男ND女ND)
24年	37(男18女19)	1(男 0女 1)	3(男 0女 3)	0(男 0女 0)	3(男 0女 3)
25年	42(男19女23)	3(男 3女 0)	6(男 4女 2)	0(男 0女 0)	2(男 0女 2)

【24年4月入社者の配属勤務地】[総]東京・芝浦40 東京・中目黒4

【転勤】なし

【中途比率】[単年度]21年度NA、22年度NA、23年度NA[全体]NA

●働きやすさ、諸制度●

残業(月) NA

【勤務時間】9:00～17:30【有休取得年平均】NA【週休】完全2日(土日祝)【夏期休暇】有休で取得【年末年始休暇】12月28日～1月3日

【離職率】NA

【新卒3年後離職率】
[20→23年]NA
[21→24年]NA

【テレワーク】制度あり:[場所]自宅 カフェ サテライトオフィス[対象]全社員[日数]制限なし[利用率]NA【勤務制度】フレックス 裁量労働 勤務間インターバル 副業容認【住宅補助】なし

●ライフイベント、女性活躍●

【女性比率】■男 □女

新卒採用 50.9% (27名)

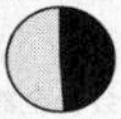

従業員 48.5% (230名)

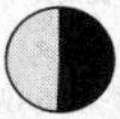

【産休】[期間]産前6・産後8週間[給与]法定[取得者数]3名

【育休】[期間]1歳になるまで[給与]法定[取得者数]22年度 男0名(対象0名)女4名(対象4名)23年度 男1名(対象6名)女2名(対象3名)[平均取得日数]22年度 NA、23年度 NA

【従業員】[人数]474名(男244名、女230名)[平均年齢]29.1歳(男NA、女NA)[平均勤続年数]NA

【年齢構成】NA

[会社データ] (金額は百万円)

【本社】108-0022 東京都港区海岸3-18-12 ☎03-3779-8000
https://www.aoi-pro.com/jp/

【業績(連結)】NA

※PMはプロダクションマネージャー職、PDはプランナー・ディレクター職、GPMはグローバルプロダクションマネージャー職、VGはビデオグラファー職、ECPはエンタテインメントコンテンツプロデュース部の略

㈱プロトコーポレーション

【特色】中古車販売サイト広告と物販が軸。情報誌も発行

[記者評価] 中古車情報サイト「グーネット」を運営。中古車販売業者からの広告掲載料が収益柱。整備工場検索サイト「グーネットピット」も。タイヤ・ホイールの販売や中古車の輸出も手がける。オンライン商談・査定など新車ディーラーのDX化支援進める。

平均勤続年数	男性育休取得率	3年後離職率	平均年収(平均39歳)
12.0年	13.6→39.1%	NA	642万円

●採用・配属情報●

【男女・文理別採用実績】

	大卒男	大卒女	修士男	修士女
23年	7(文 5理 2)	3(文 2理 1)	2(文 0理 2)	0(文 0理 0)
24年	14(文 7理 7)	6(文 5理 1)	0(文 0理 0)	0(文 0理 0)
25年	6(文 6理 0)	3(文 3理 0)	0(文 0理 0)	0(文 0理 0)

【男女・職種別採用実績】

	総合職
23年	12(男 9女 3)
24年	20(男 14女 6)
25年	9(男 6女 3)

【24年4月入社者の配属勤務地】[総]東京11 名古屋9

【転勤】あり:[職種]全社員[勤務地]全国

【中途比率】[単年度]21年度72%、22年度82%、23年度79%[全体]NA

●働きやすさ、諸制度●

残業(月) 20.7時間

【勤務時間】標準9:00～18:00(フレックスタイム制 コアタイム10:00～15:00)【有休取得年平均】NA【週休】年間120日(土日祝、会社カレンダーによる)【夏期休暇】あり【年末年始休暇】あり

【離職率】NA

【新卒3年後離職率】
[20→23年]NA
[21→24年]NA

【テレワーク】制度あり:[場所]自宅等[対象]NA[日数]NA[利用率]NA【勤務制度】フレックス 時間単位有休 裁量労働 時差勤務【住宅補助】なし

●ライフイベント、女性活躍●

【女性比率】■男 □女

新卒採用 33.3% (3名)

従業員 9.3% (49名)

【産休】[期間]産前6・産後8週間[給与]法定[取得者数]3名

【育休】[期間]1歳になるまで[給与]法定[取得者数]22年度 男3名(対象22名)女5名(対象8名)23年度 男9名(対象23名)女3名(対象3名)[平均取得日数]22年度 NA、23年度 男40日 女364日

【従業員】[人数]525名(男476名、女49名)[平均年齢]39.3歳(男40.1歳、女30.8歳)[平均勤続年数]12.0年(男13.0年、女5.1年)

【年齢構成】NA

[会社データ] (金額は百万円)

【本社】460-0006 愛知県名古屋市中区葵1-23-14 ☎052-934-2000
https://www.proto-g.co.jp/

【業績(連結)】	売上高	営業利益	経常利益	純利益
22.3	57,446	6,422	6,622	5,880
23.3	105,596	7,336	6,963	4,424
24.3	115,548	7,704	8,274	5,471

マスコミ

(株)博報堂プロダクツ
（はくほうどう）

[えるぼし ★★★]

【特色】博報堂傘下。広告制作やプロモーションを展開

[記者評価] 博報堂Gの総合制作事業会社。「こしらえる」プロ集団を標榜。映像・コンテンツ制作、顧客接点支援、イベント企画、企業広報、Web3関連など広範なプロモーション領域をカバー。DX推進を加速。採用は職種別選考、1年目のOJTから専門性の高いプロとして育成。

平均勤続年数	男性育休取得率	3年後離職率	平均年収(平均38歳)
8.5年	20.4→19.4%	20.9→25.0%	NA

●採用・配属情報●

【男女・文理別採用実績】

	大卒男	大卒女	修士男	修士女
23年	42(文 35理 7)	52(文 44理 8)	4(文 3理 1)	5(文 4理 1)
24年	36(文 34理 2)	54(文 53理 1)	0(文 0理 0)	1(文 1理 0)
25年	22(文 22理 0)	37(文 37理 0)	2(文 2理 0)	3(文 3理 0)

※25年:24年7月中旬時点

【男女・職種別採用実績】

	全職種
23年	116(男 51 女 65)
24年	105(男 41 女 64)
25年	73(男 28 女 45)

※25年:募集46職種

【24年4月入社者の配属勤務地】[総]東京97 大阪2 名古屋1 福岡5

【転勤】あり:[職種]全職種 [勤務地] 本社(豊洲)及び各オフィス(赤坂オフィス 関西支社 九州支社 中部支社)など

【中途比率】[単年度]21年度59%、22年度60%、23年度58%[全体]50%

●働きやすさ、諸制度●

残業(月) 21.0時間

【勤務時間】9:30～17:30【有休取得年平均】9.7日【週休】完全2日(土日祝)【夏期休暇】なし【年末年始休暇】6日

【離職率】男:5.4%、75名 女:5.2%、51名

【新卒3年後離職率】
[20→23年]20.9%(男21.2%・入社52名、女20.7%・入社58名)
[21→24年]25.0%(男33.3%・入社33名、女17.1%・入社35名)

【テレワーク】制度あり:[場所]自宅[対象]全社員[日数]制限なし[利用率]26.0%【勤務制度】フレックス 週休3日 裁量労働【住宅補助】月額家賃補助(一律月3万円 適用条件あり)引越費用補助(一律10万円 適用条件あり)

●ライフイベント、女性活躍●

【女性比率】■男 □女

新卒採用 61.6% (45名)

従業員 41.1% (922名)

管理職 17.6% (73名)

【産休】[期間]産前6・産後8週間[給与]会社全額給付[取得者数]19名

【育休】[期間]1歳になるまで[給与]法定[取得者数]22年度 男10名(対象49名)女17名(対象17名)23年度 男6名(対象31名)女20名(対象20名)[平均取得日数]22年度 男53日 女357日、23年度 男41日 女272日

【従業員】[人数]2,242名(男1,320名、女922名)[平均年齢]37.6歳(男39.5歳、女34.7歳)[平均勤続年数]8.5年(男9.7年、女6.7年)

【年齢構成】■男 □女

	男	女
60代～	3%	0%
50代	10%	4%
40代	17%	8%
30代	15%	12%
～20代	14%	17%

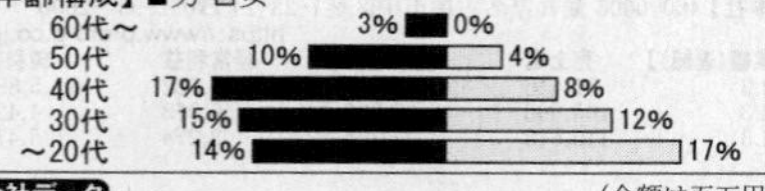

[会社データ] (金額は百万円)

【本社】135-8619 東京都江東区豊洲5-6-15 NBF豊洲ガーデンフロント ☎03-5144-7200 https://www.h-products.co.jp/

【業績(単独)】	売上高	営業利益	経常利益	純利益
22.3	134,718	NA	NA	NA
23.3	153,745	NA	NA	NA
24.3	113,900	NA	NA	NA

(株)電通PRコンサルティング
（でんつうピーアール）

[えるぼし ★★★]

【特色】国内最大手のPR会社。プランナー資格取得者多数

[記者評価] 電通Gの総合PR会社で国内首位。旧電通パブリックリレーションズ。企業広報のプランニングやコンサルサービスを提供。顧客は企業、政府、団体と幅広い。内外でPR関連賞受賞多い。東大とSNSデータからAIで社会問題抽出する研究も。PRSJ認定PRプランナー約120人。

平均勤続年数	男性育休取得率	3年後離職率	平均年収(平均NA)
NA	80.0→100%	10.0→0%	NA

●採用・配属情報●

【男女・文理別採用実績】

	大卒男	大卒女	修士男	修士女
23年	2(文 2理 0)	7(文 7理 0)	1(文 1理 0)	0(文 0理 0)
24年	1(文 1理 0)	13(文 12理 1)	0(文 0理 0)	1(文 0理 1)
25年	7(文 7理 0)	7(文 6理 1)	0(文 0理 0)	1(文 1理 0)

【男女・職種別採用実績】

	総合職
23年	10(男 3 女 7)
24年	16(男 1 女 15)
25年	15(男 7 女 8)

【24年4月入社者の配属勤務地】[総]東京・新橋16

【転勤】なし

【中途比率】[単年度]21年度NA、22年度NA、23年度NA[全体]NA

●働きやすさ、諸制度●

残業(月) 27.2時間 [総]36.1時間

【勤務時間】9:30～17:30【有休取得年平均】12.4日【週休】完全2日(土日祝)【夏期休暇】夏期に限らずリフレッシュ休暇として年5日付与【年末年始休暇】12月29日～1月3日

【離職率】男:7.0%、12名 女:9.0%、12名

【新卒3年後離職率】
[20→23年]10.0%(男0%・入社4名、女16.7%・入社6名)
[21→24年]0%(男0%・入社4名、女0%・入社6名)

【テレワーク】制度あり:[場所]NA[対象]NA[日数]NA[利用率]NA【勤務制度】フレックス 時間単位有休 時差勤務 勤務間インターバル 副業容認【住宅補助】なし

●ライフイベント、女性活躍●

【女性比率】■男 □女

新卒採用 53.3% (8名)

従業員 43.1% (121名)

【産休】[期間]産前6・産後8週間[給与]会社全額給付[取得者数]3名

【育休】[期間]会社が認めた場合2歳になるまで(特別な事情がない場合も含む)[給与]法定[取得者数]22年度 男4名(対象5名)女4名(対象4名)23年度 男5名(対象5名)女3名(対象3名)[平均取得日数]22年度 NA、23年度 NA

【従業員】[人数]281名(男160名、女121名)[平均年齢]NA[平均勤続年数]NA

【年齢構成】NA

[会社データ] (金額は百万円)

【本社】105-7001 東京都港区東新橋1-8-1 ☎03-6216-8980 https://www.dentsuprc.co.jp/

【業績(単独)】	売上高	営業利益	経常利益	純利益
21.12	9,333	NA	NA	NA
22.12	8,690	NA	NA	NA
23.12	10,565	NA	NA	NA

マスコミ

㈱電通プロモーションプラス
（でんつう）

くるみん

【特色】電通の完全子会社。販促プロモーションに特化

[記者評価] デジタル環境下の販促全域で事業展開。顧客データを分析して課題を抽出するマーケ力や課題解決成果の企画力に定評があり、実行・実装・運用をワンストップで提供。旧電通テック。23年10月に本社を東京・港区の電通本社ビルに移転、グループ連携を強化。

平均勤続年数	男性育休取得率	3年後離職率	平均年収(平均NA)
NA	NA	NA	NA

●採用・配属情報●

【男女・文理別採用実績】

	大卒男	大卒女	修士男	修士女
23年	5(文 4理 1)	6(文 5理 1)	0(文 0理 0)	0(文 0理 0)
24年	0(文 0理 0)	0(文 0理 0)	0(文 0理 0)	0(文 0理 0)
25年	-(文 -理 -)	-(文 -理 -)	-(文 -理 -)	-(文 -理 -)

※25年:6名採用予定

【男女・職種別採用実績】 転換制度:NA

	総合職	クリエーティブプランナー	マーケティングプランナー	アートディレクター職
23年	8(男 3女 5)	1(男 1女 0)	2(男 1女 1)	0(男 0女 0)
24年	0(男 0女 0)	0(男 0女 0)	0(男 0女 0)	0(男 0女 0)
25年	5(男 -女 -)	0(男 0女 0)	0(男 0女 0)	1(男 -女 -)

【24年4月入社者の配属勤務地】[総]なし
【転勤】あり:全社員
【中途比率】[単年度]21年度20%、22年度42%、23年度63%[全体]NA

●働きやすさ、諸制度●

残業(月) NA

【勤務時間】フレックスタイム制(コアタイムなし)【有休取得年平均】NA【週休】完全2日(土日祝)【夏期休暇】リフレッシュ休暇等で取得【年末年始休暇】12月29日～1月3日
【離職率】NA
【新卒3年後離職率】
[20→23年]NA
[21→24年]NA
【テレワーク】制度あり:[場所]サテライトオフィス等[対象]制限なし[日数]制限なし(フルリモート制度ではない)[利用率]NA【勤務制度】フレックス 時間単位有休 勤務間インターバル【住宅補助】なし

●ライフイベント、女性活躍●

【女性比率】NA
【産休】[期間]産前6・産後8週間[給与]会社全額給付[取得者数]NA
【育休】[期間]1歳になるまで[給与]最初5日有給、以降法定[取得者数]22年度 NA 23年度 NA[平均取得日数]22年度 NA、23年度 NA
【従業員】NA
【年齢構成】NA

会社データ (金額は百万円)

【本社】105-7001 東京都港区東新橋1-8-1 電通本社ビル ☎NA
https://www.dentsu-pmp.co.jp/

【業績】NA

㈱日本経済新聞社
（にほんけいざいしんぶんしゃ）

えるぼし ★★★　くるみん

【特色】世界最大の経済メディア。傘下に英国FT

[記者評価] 15年に英国経済紙フィナンシャル・タイムズ(FT)を買収し、世界最大の経済メディアに。国内51支局、海外37拠点体制。朝刊部数137万部と漸減(24年6月)。「日経電子版」や「NIKKEI Prime」などデジタル有料メディアの購読数は112万(24年6月)と世界有数。

平均勤続年数	男性育休取得率	3年後離職率	平均年収(平均46歳)
20.7年	NA	NA	1,199万円

●採用・配属情報●

【男女・文理別採用実績】

	大卒男	大卒女	修士男	修士女
23年	24(文 23理 1)	33(文 33理 0)	8(文 2理 6)	6(文 2理 4)
24年	19(文 17理 2)	39(文 38理 1)	12(文 6理 6)	4(文 2理 2)
25年	-(文 -理 -)	-(文 -理 -)	-(文 -理 -)	-(文 -理 -)

【男女・職種別採用実績】 転換制度:NA

	総合職
23年	71(男 32女 39)
24年	74(男 31女 43)
25年	-(男 -女 -)

【職種併願】NA
【24年4月入社者の配属勤務地】[総]東京 大阪 名古屋 横浜 さいたま 宇都宮 富山 岡山 高松 [技]東京
【転勤】あり:正社員
【中途比率】[単年度]21年度44%、22年度48%、23年度48%[全体]NA

●働きやすさ、諸制度●

残業(月) NA

【勤務時間】原則9:00～17:30【有休取得年平均】NA【週休】年120日【夏期休暇】有休で取得【年末年始休暇】有休で取得
【離職率】NA
【新卒3年後離職率】
[20→23年]NA
[21→24年]NA
【テレワーク】制度あり:[場所]自宅 他[対象]NA[日数]NA[利用率]NA【勤務制度】裁量労働【住宅補助】借上社宅 住居費補助

●ライフイベント、女性活躍●

【女性比率】■男 □女

従業員
20.7%
(632名)

【産休】[期間]産前11・産後8週間[給与]会社全額給付[取得者数]NA
【育休】[期間]2歳になるまで[給与]法定[取得者数]22年度 NA 23年度 NA[平均取得日数]22年度 NA、23年度 NA
【従業員】[人数]3,054名(男2,422名、女632名)[平均年齢]45.5歳(男47.1歳、女39.2歳)[平均勤続年数]20.7年(男22.5年、女13.6年)
【年齢構成】NA

会社データ (金額は百万円)

【本社】100-8066 東京都千代田区大手町1-3-7 ☎03-3270-0251
https://www.nikkei.com/

【業績(連結)】	売上高	営業利益	経常利益	純利益
21.12	352,905	19,823	22,190	12,370
22.12	358,432	18,158	22,457	11,891
23.12	366,502	11,403	16,130	9,712

マスコミ

㈱朝日新聞社
あさひしんぶんしゃ

えるぼし★★ / プラチナくるみん

【特色】日本を代表する全国紙。デジタル戦略を推進

記者評価 「不偏不党」掲げ、言論界のオピニオンリーダーを自負。4本社制のもと、国内外193の取材拠点(海外5総局・22支局)を擁する(24年9月)。紙媒体の23年度平均部数は朝刊358万部、夕刊106万部。デジタル有料会員は30万人強(24年3月末)。不動産事業が安定収益源。

平均勤続年数	男性育休取得率	3年後離職率	平均年収(平均47歳)
23.9年	NA	NA	㊗1,148万円

●採用・配属情報●

【男女・文理別採用実績】

	大卒男	大卒女	修士男	修士女
23年	NA(文NA理NA)	NA(文NA理NA)	NA(文NA理NA)	NA(文NA理NA)
24年	NA(文NA理NA)	NA(文NA理NA)	NA(文NA理NA)	NA(文NA理NA)
25年	−(文 −理 −)	−(文 −理 −)	−(文 −理 −)	−(文 −理 −)

※25年:修士・大卒40〜50名程度採用予定

【男女・職種別採用実績】

	総合職
23年	33(男 17 女 16)
24年	37(男 16 女 21)
25年	−(男 − 女 −)

【24年4月入社者の配属勤務地】㊗〈記者〉総局(全国)報道センター(福岡・名古屋)ネットワーク報道本部(大阪)他〈ビジネス〉東京本社 他 ㊕〈技術〉東京本社 他

【転勤】あり:全社員

【中途比率】[単年度]21年度29%、22年度51%、23年度31%[全体]NA

●働きやすさ、諸制度●

残業(月) NA

【勤務時間】10:00〜18:00【有休取得年平均】18.6日【週休】完全2日(年107日)【夏期休暇】有休で取得【年末年始休暇】有休で取得

【離職率】NA

【新卒3年後離職率】[20→23年]NA [21→24年]NA

【テレワーク】制度あり:[場所]自宅 ホテル シェアオフィス カラオケボックス 有給休暇中の旅行先(ワーケーション)他[対象]全社員[日数]制限なし[利用率]NA【勤務制度】週休3日 裁量労働 時差勤務 副業容認【住宅補助】住宅法人契約制度 住宅地域補助 他

●ライフイベント、女性活躍●

【女性比率】■男 □女

従業員 20.6%(782名)

管理職 14%(171名)

【産休】[期間]産前・産後計19週(産前は10週を超えないものとする)[給与]基準給与支給[取得者数]NA

【育休】[期間]2歳に達する年度末まで[給与]法定[取得者数]22年度 男12名(対象NA)女31名(対象NA)23年度 男24名(対象NA)女24名(対象NA)[平均取得日数]22年度NA、23年度 NA

【従業員】[人数]3,803名(男3,021名、女782名)[平均年齢]47.8歳(男49.2歳、女42.3歳)[平均勤続年数]23.9年(男25.3年、女18.4年)

【年齢構成】■男 □女

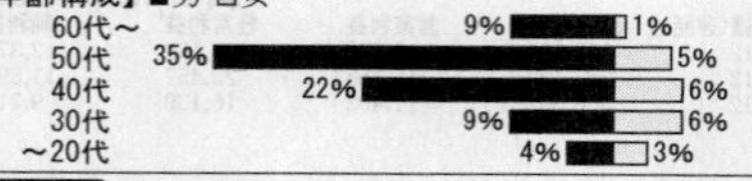

会社データ (金額は百万円)

【本社】104-8011 東京都中央区築地5-3-2 ☎03-3545-0131
https://www.asahi.com/corporate/

【業績(連結)】	売上高	営業利益	経常利益	純利益
22.3	272,473	9,501	18,925	12,943
23.3	267,031	▲419	7,062	2,592
24.3	269,116	5,781	13,069	9,889

読売新聞社
よみうりしんぶんしゃ

えるぼし★★ / くるみん

【特色】発行部数が世界最大の新聞社。保守論調をリード

記者評価 題号はかわら版の「読みながら売る」に由来。24年11月創刊150周年。発行部数は世界最大だが、朝刊598万部(24年3月)と漸減が続く。国内約6600の販売店、うち約3100の専売店など、販売ネットで他社をしのぐ。「海外臓器売買あっせん」報道で23年日本新聞協会賞。

平均勤続年数	男性育休取得率	3年後離職率	平均年収(平均48歳)
23.6年	42.4→84.1%	3.9→9.5%	NA

●採用・配属情報●

【男女・文理別採用実績】

	大卒男	大卒女	修士男	修士女
23年	45(文 42理 3)	32(文 32理 0)	7(文 5理 2)	5(文 1理 4)
24年	49(文 49理 0)	32(文 32理 0)	9(文 4理 5)	5(文 2理 3)
25年	57(文 54理 3)	46(文 45理 1)	9(文 7理 2)	5(文 4理 1)

※25年:24年8月16日時点

【男女・職種別採用実績】 転換制度:NA

	総合職
23年	89(男 52 女 37)
24年	95(男 58 女 37)
25年	117(男 66 女 51)

【24年4月入社者の配属勤務地】㊗〈記者〉全国の支社・総支局63〈その他の職種(写真記者・校閲記者含む)〉入社した本社25 ㊕東京・大手町4 大阪市・北区3

【転勤】あり:[職種]主に記者職[勤務地]新卒入社後約5年間は各道府県の支局に配属

【中途比率】[単年度]21年度NA、22年度30%、23年度28%(22・23年度ともに母数は東京本社入社)[全体]NA

●働きやすさ、諸制度●

残業(月) NA

【勤務時間】9:30〜17:30(時間管理職場)【有休取得年平均】15.3日【週休】公休年106日【夏期休暇】連続7日以上(取得モデル)【年末年始休暇】連続7日以上(取得モデル)

【離職率】NA

【新卒3年後離職率】
[20→23年]3.9%(男1.9%・入社52名、女8.3%・入社24名)
[21→24年]9.5%(男5.9%・入社51名、女15.2%・入社33名)

【テレワーク】制度あり:[場所]自宅 自宅に準じる場所[対象]編集記者職 編集取材支援職 営業渉外支援職 事務職 技術職 技能職[日数]原則週に2回まで[利用率]NA【勤務制度】時間単位有休 裁量労働 時差勤務【住宅補助】借上社宅(転勤者)住宅家賃補助 他

●ライフイベント、女性活躍●

【女性比率】■男 □女

新卒採用 43.6%(51名)

従業員 18.7%(769名)

【産休】[期間]計112日 産前56日以内、産後56日以上[給与]基準賃金全額給付、基準外賃金は出勤日数により減額[取得者数]22名

【育休】[期間]2歳年度末まで[給与]法定[取得者数]22年度 男28名(対象66名)女24名(対象24名)23年度 男53名(対象63名)女17名(対象17名)[平均取得日数]22年度NA、23年度 男65日 女429日

【従業員】[人数]4,120名(男3,351名、女769名)[平均年齢]47.6歳(男48.9歳、女42.2歳)[平均勤続年数]23.6年(男24.9年、女18.0年)

【年齢構成】NA

会社データ (金額は百万円)

【本社】100-8055 東京都千代田区大手町1-7-1 ☎03-3242-1111
https://info.yomiuri.co.jp/

【業績】	売上高	営業利益	経常利益	純利益
22.3	268,821	4,465	12,670	7,870
23.3	272,033	5,534	10,751	5,566
24.3	258,803	▲2,621	4,214	5,035

※業績は基幹7社のもの

マスコミ

㈱毎日新聞社

まいにちしんぶんしゃ

くるみん

【特色】日本最古の歴史を持つ日刊紙。リベラル路線を貫く

記者評価 1872年東京日日新聞を創刊、1875年世界初の宅配開始。1911年大阪毎日新聞（1876年創刊）と合併。スポニチとの持株会社傘下。朝刊販売部数は177万（23年上期）と漸減続く。21年資本金1億円に減資。新聞協会賞（編集部門）は35回と業界最多。デジタル戦略に力点。

平均勤続年数	男性育休取得率	3年後離職率	平均年収(平均45歳)
19.4年	58.3→66.7%	9.1→14.8%	NA

●採用・配属情報●

【男女・文理別採用実績】

	大卒男	大卒女	修士男	修士女
23年	6(文 6 理 0)	7(文 7 理 0)	0(文 0 理 0)	1(文 1 理 0)
24年	6(文 4 理 2)	11(文 11 理 0)	3(文 2 理 1)	0(文 0 理 0)
25年	-(文 - 理 -)	-(文 - 理 -)	-(文 - 理 -)	-(文 - 理 -)

※25年：26名採用予定

【男女・職種別採用実績】

	総合職
23年	14(男 6 女 8)
24年	20(男 9 女 11)
25年	26(男 - 女 -)

【24年4月入社者の配属勤務地】㊔<一般記者 校閲 写真・映像>全国の本支社・支局9<ビジネス>東京4 大阪1 ㊎東京5 大阪1

【転勤】あり：[職種]一般記者[勤務地]全国の本支社・支局、海外［職種］写真・映像記者、ビジネス[勤務地]東京 大阪 愛知 福岡 北海道［職種］校閲記者、エンジニア[勤務地]東京 大阪

【中途比率】[単年度]21年度40%、22年度47%、23年度52%[全体]NA

●働きやすさ、諸制度●

残業(月) NA

【勤務時間】9:45～18:00【有休取得年平均】NA【週休】年104日【夏期休暇】有休で取得（部署により推奨日数は異なる）【年末年始休暇】有休で取得（部署により推奨日数は異なる）

【離職率】NA

【新卒3年後離職率】

[20→23年]9.1%（男0%・入社14名、女13.3%・入社30名）

[21→24年]14.8%（男14.3%・入社7名、女15.0%・入社20名）

【テレワーク】制度あり：[場所]自宅 実家 配偶者の実家[対象]NA[日数]NA[利用率]NA【勤務制度】なし【住宅補助】借上社宅 家賃補助

●ライフイベント、女性活躍●

【女性比率】■男 □女

従業員
28.2%
（469名）

【産休】[期間]133日間（産前45日以内～）[給与]会社全額給付（133日間）[取得者数]17名

【育休】[期間]2歳年度末になるまで[給与]法定[取得者数]22年度 男14名（対象24名）女10名（対象11名）23年度 男20名（対象30名）女21名（対象21名）[平均取得日数]22年度 NA、23年度 男80日 女219日

【従業員】[人数]1,666名（男1,197名、女469名）[平均年齢]44.6歳（男46.7歳、女39.6歳）[平均勤続年数]19.4年（男21.4年、女14.7年）

【年齢構成】NA

会社データ （金額は百万円）

【本社】100-8051 東京都千代田区一ツ橋1-1-1 ☎03-3212-0321
https://www.mainichi.co.jp/

【業績(連結)】	売上高	営業利益	経常利益	純利益
22.3	130,456	NA	NA	NA
23.3	128,545	NA	NA	NA
24.3	126,721	NA	NA	NA

※業績は㈱毎日新聞グループホールディングスのもの

㈱中日新聞社

ちゅうにちしんぶんしゃ

【特色】ブロック紙最大手。中日新聞と東京新聞が核

記者評価 1886年創刊。中京圏最有力紙の中日新聞ほか東京新聞、北陸中日新聞、日刊県民福井、中日スポーツ、東京中日スポーツを発行。スポーツ紙除き223万部（24年1月）と読売、朝日に次ぎ第3位。反権力の報道姿勢。東海3県の占有率6割強。中日ドラゴンズのオーナー。

平均勤続年数	男性育休取得率	3年後離職率	平均年収(平均43歳)
ⓘ20.5年	34.2→54.3%	6.7→8.1%	NA

●採用・配属情報●

【男女・文理別採用実績】

	大卒男	大卒女	修士男	修士女
23年	25(文 22 理 3)	12(文 12 理 0)	0(文 0 理 0)	0(文 0 理 0)
24年	19(文 17 理 2)	14(文 14 理 0)	2(文 1 理 1)	0(文 0 理 0)
25年	NA(文NA 理NA)	NA(文NA 理NA)	NA(文NA 理NA)	NA(文NA 理NA)

※23年：大卒には院卒を含む

【男女・職種別採用実績】 転換制度：NA

	総合職
23年	37(男 25 女 12)
24年	35(男 21 女 14)
25年	NA(男NA 女NA)

【24年4月入社者の配属勤務地】㊔本社（名古屋 東京 東海 北陸）支社（岐阜 大阪 福井）32 ㊎名古屋本社3

【転勤】あり：全社員[勤務地]会社の定める事業所

【中途比率】［単年度］21年度0%、22年度0%、23年度0%［全体］NA

●働きやすさ、諸制度●

残業(月) NA

【勤務時間】10:00～18:00（職場により異なる）【有休取得年平均】14.7日【週休】会社暦2日【夏期休暇】有休取得奨励【年末年始休暇】有休取得奨励

【離職率】NA

【新卒3年後離職率】

[20→23年]6.7%（男3.0%・入社33名、女16.7%・入社12名）

[21→24年]8.1%（男0%・入社18名、女15.8%・入社19名）

【テレワーク】制度あり：[場所]NA[対象]NA[日数]NA[利用率]NA【勤務制度】裁量労働【住宅補助】転勤者用住宅 住宅手当

●ライフイベント、女性活躍●

【女性比率】■男 □女

従業員
26.2%
（700名）

【産休】[期間]通算98日（産前42日・産後63日以内）[給与]会社全額給付[取得者数]NA

【育休】[期間]3年間[給与]法定[取得者数]22年度 男13名（対象38名）女18名（対象18名）23年度 男19名（対象35名）女16名（対象16名）[平均取得日数]22年度 NA、23年度 NA

【従業員】[人数]2,674名（男1,974名、女700名）[平均年齢]43.2歳（男NA、女NA）[平均勤続年数]20.5年（男NA、女NA）※平均年齢、勤続年数は部次長以下平均

【年齢構成】NA

会社データ （金額は百万円）

【本社】460-8511 愛知県名古屋市中区三の丸1-6-1 ☎052-201-8811
https://www.chunichi.co.jp/

【業績(単独)】	売上高	営業利益	経常利益	純利益
22.3	107,639	NA	NA	NA
23.3	104,194	NA	NA	NA
24.3	101,114	NA	NA	NA

マスコミ

(株)産業経済新聞社

さんぎょうけいざいしんぶんしゃ

くるみん

【特色】フジサンケイグループの中核。保守論陣の牙城

[記者評価] 1933年前田久吉が大阪で経済紙を創刊。戦後、一般紙へ転換、55年産経新聞の名称に。フジサンケイG中核。「正論路線」堅持。東・阪2本社制で東京は朝刊のみ発行。部数86万(24年3月)と漸減。夕刊フジ、サンケイスポーツも発行。24年9月富山県での発行停止。

平均勤続年数	男性育休取得率	3年後離職率	平均年収(平均48歳)
21.3年	NA	NA	NA

●採用・配属情報●

【男女・文理別採用実績】

	大卒男	大卒女	修士男	修士女
23年	13(文 13 理 0)	6(文 6 理 0)	1(文 0 理 1)	0(文 0 理 0)
24年	12(文 12 理 0)	8(文 8 理 0)	0(文 0 理 0)	0(文 0 理 0)
25年	17(文 15 理 2)	13(文 13 理 0)	3(文 2 理 1)	2(文 1 理 1)

【男女・職種別採用実績】

	総合職
23年	20(男 14 女 6)
24年	20(男 12 女 8)
25年	35(男 20 女 15)

【24年4月入社者の配属勤務地】[総]東京14 大阪4 兵庫1 京都1 [技]なし

【転勤】あり:全社員

【中途比率】[単年度]21年度NA、22年度NA、23年度NA[全体]NA

●働きやすさ、諸制度●

残業(月) NA

【勤務時間】9:30〜18:00【有休取得年平均】NA【週休】完全2日【夏期休暇】有休で取得【年末年始休暇】有休で取得

【離職率】NA

【新卒3年後離職率】
[20→23年]NA
[21→24年]NA

【テレワーク】制度あり:[場所]自宅[対象]全社員[日数]制限なし[利用率]NA【勤務制度】裁量労働【住宅補助】なし

●ライフイベント、女性活躍●

【女性比率】■男 □女

新卒採用
42.9%
(15名)

【産休】[期間]産前6・産後8週間[給与]法定+産後は会社80%給付[取得者数]NA

【育休】[期間]1歳になるまで[給与]法定[取得者数]22年度NA 23年度 NA[平均取得日数]22年度 NA、23年度 NA

【従業員】[人数]1,360名(男NA、女NA)[平均年齢]47.8歳(男NA、女NA)[平均勤続年数]21.3年(男NA、女NA)

【年齢構成】NA

会社データ (金額は百万円)

【本社】100-8077 東京都千代田区大手町1-7-2 ☎03-3231-7111
https://www.sankei.jp/

【業績(単独)】	売上高	営業利益	経常利益	純利益
22.3	50,945	608	845	1,942
23.3	50,470	223	504	1,136
24.3	49,759	313	504	▲2,888

マスコミ

(株)北海道新聞社

ほっかいどうしんぶんしゃ

【特色】北海道を代表するブロック紙。道内シェア約7割

[記者評価] 1887年発行の北海新聞などが母体。1942年道内11紙を統合し現体制に。朝刊部数79.8万部(24年1月)。道内シェアは約7割。モスクワとユジノサハリンスクに支局を置くなど北方領土問題を丹念に追う。海外4カ国・5支局。傘下に北海道文化放送など。

平均勤続年数	男性育休取得率	3年後離職率	平均年収(平均47歳)
22.6年	37.5→66.7%	NA	NA

●採用・配属情報●

【男女・文理別採用実績】※新卒・中途一括採用

	大卒男	大卒女	修士男	修士女
23年	4(文 2 理 2)	8(文 7 理 1)	0(文 0 理 0)	2(文 2 理 0)
24年	15(文 14 理 1)	9(文 8 理 1)	1(文 1 理 0)	1(文 0 理 1)
25年	13(文 10 理 3)	8(文 7 理 1)	2(文 2 理 0)	3(文 3 理 0)

【男女・職種別採用実績】

	総合職
23年	14(男 4 女 10)
24年	26(男 16 女 10)
25年	26(男 15 女 11)

【24年4月入社者の配属勤務地】[総]本社(札幌)15 函館2 旭川3 釧路3 小樽1 東京1 [技]本社(札幌)1

【転勤】あり:[職種]全社員[勤務地]札幌本社 道内9支社 道外2支社 道内全38支局 海外全5支局

【中途比率】[単年度]21年度22%、22年度15%、23年度52%[全体]NA

●働きやすさ、諸制度●

残業(月) [総]27.0時間

【勤務時間】9:30〜17:30【有休取得年平均】16.7日【週休】会社暦2日【夏期休暇】有休で取得【年末年始休暇】有休で取得

【離職率】男:1.2%、11名 女:5.4%、13名

【新卒3年後離職率】[20→23年]NA [21→24年]NA

【テレワーク】制度あり:[場所]自宅[対象]全社員[日数]原則1週間につき2回まで ただし感染予防対策においては回数制限なし 平時においても会社が認めた場合は週3回以上可能[利用率]NA【勤務制度】フレックス 裁量労働【住宅補助】転勤者借上住宅

●ライフイベント、女性活躍●

【女性比率】■男 □女

新卒採用
42.3%
(11名)

従業員
20.1%
(227名)

管理職
10.8%
(54名)

【産休】[期間]計126日[給与]会社全額給付[取得者数]6名

【育休】[期間]出生後8週間以内のうち4週間(2回まで分割取得可)のほか、小学1年終了までの通算2年間(3回まで分割取得可)[給与]法定[取得者数]22年度 男6名(対象16名)女4名(対象4名)23年度 男4名(対象6名)女5名(対象5名)[平均取得日数]22年度 男89日 女259日、23年度 男70日 女273日

【従業員】[人数]1,129名(男902名、女227名)[平均年齢]46.8歳(男48.6歳、女39.8歳)[平均勤続年数]22.6年(男24.4年、女15.6年)

【年齢構成】■男 □女

	男	女
60代〜	6%	0%
50代	40%	5%
40代	19%	4%
30代	10%	5%
〜20代	5%	5%

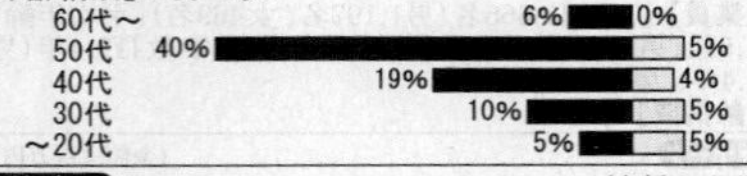

会社データ (金額は百万円)

【本社】060-8711 北海道札幌市中央区大通西3-6 ☎011-221-2111
https://kk.hokkaido-np.co.jp/

【業績(単独)】	売上高	営業利益	経常利益	純利益
22.3	40,300	1,121	NA	1,169
23.3	37,800	441	1,232	957
24.3	36,836	▲420	620	421

1379

㈱河北新報社（かほくしんぽうしゃ）

くるみん

【特色】東北を代表する日刊ブロック紙。企画報道に定評

記者評価 1897年一力健治郎が仙台市で創刊。東北随一の日刊紙で、朝刊発行部数は約38万(23年下期)。宮城県世帯普及率は36%。東・阪2支社と、東北6県に8総局、23支局。「不羈独立、東北振興」を社是に東北の発展に寄与。企画報道に定評、新聞協会賞など受賞多い。

平均勤続年数	男性育休取得率	3年後離職率	平均年収(平均46歳)
23.3年	100→100%	0→0%	NA

●採用・配属情報●

【男女・文理別採用実績】

	大卒男	大卒女	修士男	修士女
23年	4(文 3理 1)	3(文 3理 0)	0(文 0理 0)	1(文 1理 0)
24年	2(文 2理 0)	6(文 6理 0)	0(文 0理 0)	2(文 2理 0)
25年	2(文 2理 0)	1(文 1理 0)	1(文 1理 0)	1(文 1理 0)

【男女・職種別採用実績】

	総合職
23年	8(男 4 女 4)
24年	12(男 4 女 8)
25年	7(男 4 女 3)

【職種併願】○

【24年4月入社者の配属勤務地】㊨仙台11 ㊥仙台1

【転勤】あり:[職種]編集職 営業職[勤務地]編集職:青森 岩手 宮城 秋田 山形 福島 東京 営業職:東京 大阪

【中途比率】[単年度]21年度38%、22年度10%、23年度43%[全体]3%

●働きやすさ、諸制度●

残業(月) NA

【勤務時間】9:30〜17:30【有休取得年平均】12.4日【週休】会社暦2日【夏期休暇】連続4日【年末年始休暇】連続2日

【離職率】男:0.6%、2名 女:2.6%、2名(早期退職3名含む)

【新卒3年後離職率】

[20→23年]0%(男0%・入社1名、女0%・入社6名)

[21→24年]0%(男0%・入社4名、女0%・入社4名)

【テレワーク】制度あり:[場所]自宅[対象]全社員[日数]制限なし[利用率]NA【勤務制度】裁量労働 副業容認【住宅補助】住宅手当(新入社員、本社以外勤務者、転勤から本社に戻り4年以内の社員)

●ライフイベント、女性活躍●

【女性比率】■男 □女

新卒採用 42.9% (3名)

従業員 18.6% (75名)

管理職 7.1% (8名)

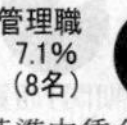

【産休】[期間]産前6・産後8週間[給与]基準内賃金相当額給付[取得者数]3名

【育休】[期間]1歳になるまで[給与]法定[取得者数]22年度男4名(対象4名)女1名(対象1名)23年度 男6名(対象6名)女3名(対象3名)[平均取得日数]22年度 男31日 女270日、23年度 男98日 女260日

【従業員】[人数]403名(男328名、女75名)[平均年齢]46.2歳(男47.8歳、女38.6歳)[平均勤続年数]23.3年(男25.1年、女15.5年)

【年齢構成】NA

会社データ (金額は百万円)

【本社】980-8660 宮城県仙台市青葉区五橋1-2-28 ☎022-211-1111 https://www.kahoku.co.jp/

【業績(単独)】	売上高	営業利益	経常利益	純利益
21.12	17,033	1,162	1,230	370
22.12	16,668	318	377	191
23.12	17,139	157	252	154

1382

信濃毎日新聞㈱（しなのまいにちしんぶん）

くるみん

【特色】長野県の有力地方紙。キャンペーン報道に定評

記者評価 1873年創刊。通称・信毎(しんまい)。発行部数37.9万部(24年1月)。反権力報道の伝統。今日的な問題を丹念に掘り下げるキャンペーン報道に定評。編集システムは広範にAIを活用。長野・松本の2本社制。8支社、13支局。長野マラソンの主催者にも名を連ねる。

平均勤続年数	男性育休取得率	3年後離職率	平均年収(平均43歳)
19.1年	14.3→66.7%	12.5→11.1%	NA

●採用・配属情報●

【男女・文理別採用実績】

	大卒男	大卒女	修士男	修士女
23年	4(文 4理 0)	3(文 3理 0)	2(文 1理 1)	1(文 1理 0)
24年	2(文 1理 1)	3(文 3理 0)	1(文 1理 0)	0(文 0理 0)
25年	1(文 1理 0)	4(文 4理 0)	1(文 1理 0)	1(文 1理 0)

【男女・職種別採用実績】

	総合職	技術職
23年	10(男 6 女 4)	0(男 0 女 0)
24年	6(男 3 女 3)	0(男 0 女 0)
25年	7(男 2 女 5)	0(男 0 女 0)

【24年4月入社者の配属勤務地】㊨長野(長野4 松本2) ㊥なし

【転勤】あり:[職種]記者職 ビジネス職 印刷職

【中途比率】[単年度]21年度0%、22年度11%、23年度10%[全体]10%

●働きやすさ、諸制度●

残業(月) NA

【勤務時間】各部署のダイヤによる【有休取得年平均】9.3日【週休】会社暦2日【夏期休暇】なし【年末年始休暇】なし

【離職率】男:1.1%、4名 女:1.5%、1名

【新卒3年後離職率】

[20→23年]12.5%(男14.3%・入社7名、女0%・入社1名)

[21→24年]11.1%(男20.0%・入社5名、女0%・入社4名)

【テレワーク】制度あり:[場所]自宅 他[対象]全社員[日数]週4日まで[利用率]0.7%【勤務制度】裁量労働 時差勤務【住宅補助】転勤者住宅補助 住宅手当(24,800〜32,200円)

●ライフイベント、女性活躍●

【女性比率】■男 □女

新卒採用 71.4% (5名)

従業員 15.2% (64名)

管理職 5.8% (9名)

【産休】[期間]産前6・産後9週間[給与]会社全額給付[取得者数]2名

【育休】[期間]2歳になるまで[給与]法定[取得者数]22年度男1名(対象7名)女1名(対象1名)23年度 男4名(対象6名)女1名(対象1名)[平均取得日数]22年度 男28日 女206日、23年度 男13日 女120日

【従業員】[人数]421名(男357名、女64名)[平均年齢]42.7歳(男43.8歳、女36.5歳)[平均勤続年数]19.1年(男20.3年、女12.7年)

【年齢構成】■男 □女

	男	女
60代〜	0%	0%
50代	26%	2%
40代	30%	3%
30代	19%	5%
〜20代	10%	5%

会社データ (金額は百万円)

【本社】380-8546 長野県長野市南県町657 ☎026-236-3050 https://www.shinmai.co.jp/

【業績(単独)】	売上高	営業利益	経常利益	純利益
21.12	16,606	593	1,027	631
22.12	16,650	404	939	530
23.12	16,216	210	728	435

マスコミ

1390 開示 ★★★☆☆

さんようしんぶんしゃ

㈱山陽新聞社

くるみん

【特色】岡山県の日刊新聞社。県内シェアは約6割

記者評価 1879年創刊。岡山県と広島県東部が販売圏。発行部数27万部（24年1月）。電子新聞「さんデジ」も強化。文化・スポーツ振興にも取り組む。東京・大阪・福山・広島・高松に県外拠点。テレビせとうち筆頭株主。世界報道機関の「SDGメディア・コンパクト」に加盟。

平均勤続年数	男性育休取得率	3年後離職率	平均年収(平均47歳)
23.1年	22.2 → 71.4%	33.3 → 20.0%	NA

●採用・配属情報●

【男女・文理別採用実績】

	大卒男	大卒女	修士男	修士女
23年	1(文 0 理 1)	6(文 6 理 0)	0(文 0 理 0)	0(文 0 理 0)
24年	2(文 2 理 0)	1(文 1 理 0)	0(文 0 理 0)	0(文 0 理 0)
25年	3(文 3 理 0)	3(文 3 理 0)	1(文 0 理 1)	0(文 0 理 0)

【男女・職種別採用実績】

	総合職
23年	7(男 1 女 6)
24年	3(男 2 女 1)
25年	7(男 4 女 3)

【24年4月入社者の配属勤務地】㊗岡山市3 ㊕なし

【転勤】あり:［職種］記者 営業

【中途比率】［単年度］21年度0%、22年度60%、23年度13%［全体］NA

●働きやすさ、諸制度●

残業(月) NA

【勤務時間】9:30～17:30（職場により時差出勤あり）【有休取得年平均】NA【週休】年107日【夏期休暇】有休で取得【年末年始休暇】有休で取得

【離職率】男:2.2%、7名 女:8.3%、7名

【新卒3年後離職率】

［20→23年］33.3%（男25.0%・入社4名、女50.0%・入社2名）

［21→24年］20.0%（男25.0%・入社4名、女16.7%・入社6名）

【テレワーク】制度あり:［場所］自宅［対象］上長判断［日数］上長判断［利用率］NA【勤務制度】時差勤務 勤務間インターバル 副業容認【住宅補助】借上住宅（支社局勤務者）自宅外通勤者への家賃補助制度（入社後5年間）

●ライフイベント、女性活躍●

【女性比率】■男 □女

新卒採用 42.9%（3名）

従業員 20.2%（77名）

管理職 7.2%（8名）

【産休】［期間］産前6・産後8週間［給与］法定［取得者数］8名

【育休】［期間］1歳半になるまで［給与］法定［取得者数］22年度 男2名（対象9名）女2名（対象2名）23年度 男5名（対象7名）女3名（対象3名）［平均取得日数］22年度 男12日 女475日、23年度 男51日 女345日

【従業員】［人数］382名（男305名、女77名）［平均年齢］47.1歳（男49.1歳、女40.1歳）［平均勤続年数］23.1年（男25.1年、女16.1年）

【年齢構成】■男 □女

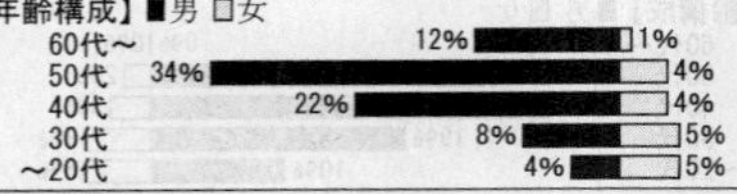

会社データ （金額は百万円）

【本社】700-8634 岡山県岡山市北区柳町2-1-1 ☎086-803-8005

https://www.sanyonews.jp/

【業績(単独)】	売上高	営業利益	経常利益	純利益
21.11	11,928	NA	50	NA
22.11	11,649	NA	▲11	NA
23.11	11,559	NA	▲37	NA

1509 開示 ★★★☆☆

ちゅうごくしんぶんしゃ

㈱中国新聞社

くるみん

【特色】広島地盤のブロック紙。山口、岡山でも販売

記者評価 1892年に日刊「中國」として創刊、1908年に「中國新聞」に改題。朝刊部数49万部（24年1月）。広島を核に山口、島根、岡山の各県でも販売。週6日発行の「中国新聞セレクト」や電子版「中国新聞デジタル」も。グループに広告、デジタルコンテンツ制作、印刷など。

平均勤続年数	男性育休取得率	3年後離職率	平均年収(平均45歳)
20.3年	100 → 62.5%	18.2 → 14.3%	NA

●採用・配属情報●

【男女・文理別採用実績】

	大卒男	大卒女	修士男	修士女
23年	4(文 4 理 0)	2(文 2 理 0)	1(文 0 理 1)	2(文 2 理 0)
24年	2(文 2 理 0)	4(文 2 理 2)	0(文 0 理 0)	1(文 1 理 0)
25年	5(文 4 理 1)	1(文 1 理 0)	0(文 0 理 0)	0(文 0 理 0)

【男女・職種別採用実績】

	記者職	ビジネス総合職	技術総合職	メディアエンジニア
23年	5(男 3 女 2)	3(男 2 女 1)	0(男 0 女 0)	1(男 0 女 1)
24年	3(男 0 女 3)	2(男 2 女 0)	2(男 0 女 2)	0(男 0 女 0)
25年	3(男 3 女 0)	2(男 1 女 1)	1(男 1 女 0)	0(男 0 女 0)

【24年4月入社者の配属勤務地】㊗広島市5 ㊕広島市2

【転勤】あり:全社員

【中途比率】［単年度］21年度30%、22年度44%、23年度47%［全体］NA

●働きやすさ、諸制度●

残業(月) 12.5時間 ㊗12.5時間

【勤務時間】（本社）ビジネス・総務・メディア開発9:30～17:30（記者職）裁量労働制【有休取得年平均】14.6日【週休】年108日【夏期休暇】有休で取得【年末年始休暇】有休で取得

【離職率】男:0.6%、2名 女:3.3%、3名

【新卒3年後離職率】

［20→23年］18.2%（男20.0%・入社5名、女16.7%・入社6名）

［21→24年］14.3%（男0%・入社3名、女25.0%・入社4名）

【テレワーク】制度あり:［場所］自宅もしくは自宅に準じる場所［対象］NA［日数］制限なし［利用率］NA【勤務制度】裁量労働 時差勤務 副業容認【住宅補助】社宅（東京）借上寮（入社3年までの原則広島市外に実家がある社員）

●ライフイベント、女性活躍●

【女性比率】■男 □女

新卒採用 16.7%（1名）

従業員 21.9%（87名）

管理職 11.1%（11名）

【産休】［期間］通算16週間［給与］基準内賃金全額給付［取得者数］4名

【育休】［期間］1歳到達月末まで［給与］法定［取得者数］22年度 男7名（対象7名）女0名（対象0名）23年度 男5名（対象8名）女2名（対象2名）［平均取得日数］22年度 男10日 女-、23年度 男9日 女-

【従業員】［人数］397名（男310名、女87名）［平均年齢］44.8歳（男46.4歳、女39.1歳）［平均勤続年数］20.3年（男21.8年、女15.3年）

【年齢構成】NA

会社データ （金額は百万円）

【本社】730-8677 広島県広島市中区土橋町7-1 ☎082-236-2111

https://chugoku-np.com/

【業績(単独)】	売上高	営業利益	経常利益	純利益
21.12	19,456	570	781	499
22.12	18,986	737	991	619
23.12	19,867	871	1,182	1,010

マスコミ

にしにっぽんしんぶんしゃ
(株)西日本新聞社

くるみん

【特色】九州を代表するブロック紙。アジア報道を充実

[記者評価] 1877年西南戦争報道で出発。朝刊36.2万部(24年1月)で九州最大。九州7県に総支局・通信部を置く。福岡県のみ朝夕刊セットで、他県は統合版。電子版を強化。西日本スポーツも発行。海外はワシントン、北京、ソウル、バンコクに支局、釜山と台北にも取材拠点。

平均勤続年数	男性育休取得率	3年後離職率	平均年収(平均46歳)
21.9年	28.6→62.5%	0→20.0%	812万円

●採用・配属情報●

【男女・文理別採用実績】

	大卒男	大卒女	修士男	修士女
23年	0(文 0理 0)	2(文 2理 0)	0(文 0理 0)	0(文 0理 0)
24年	2(文 2理 0)	3(文 3理 0)	0(文 0理 0)	0(文 0理 0)
25年	1(文 1理 0)	5(文 5理 0)	0(文 0理 0)	2(文 1理 1)

【男女・職種別採用実績】

	総合職
23年	2(男 0 女 2)
24年	5(男 2 女 3)
25年	8(男 1 女 7)

【職種併願】○

【24年4月入社者の配属勤務地】[総]福岡(福岡4 久留米1)

【転勤】あり:[部署]記者部門 [勤務地]九州各県 東京 大阪 沖縄 海外 [部署]総合ビジネス部門(メディアビジネス局) [勤務地]東京 大阪 北九州

【中途比率】[単年度]21年度0%、22年度0%、23年度33% [全体]NA

●働きやすさ、諸制度●

残業(月) NA

【勤務時間】9:30〜17:30【有休取得年平均】NA【週休】年78日【夏期休暇】有休で取得【年末年始休暇】有休で取得

【離職率】男:3.9%、16名 女:2.0%、2名

【新卒3年後離職率】
[20→23年]0%(男0%・入社5名、女0%・入社6名)
[21→24年]20.0%(男33.3%・入社6名、女0%・入社4名)

【テレワーク】制度あり:[場所]自宅または自宅に準じる場所(実家など)[対象]入社から半年以上で、在宅でも業務に集中できる環境が整っていること 在宅で可能な業務に従事していること[日数]週2日まで[利用率]NA【勤務制度】時間単位有休 裁量労働 時差勤務 副業容認【住宅補助】社宅(東京勤務者 家賃補助50%(上限、期限あり))

●ライフイベント、女性活躍●

【女性比率】■男 □女

新卒採用 87.5% (7名)

従業員 19.8% (97名)

管理職 9.2% (28名)

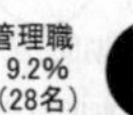

【産休】[期間]産前6・産後8週間[給与]会社全額給付[取得者数]7名

【育休】[期間]1歳到達月末まで[給与]法定[取得者数]22年度 男2名(対象7名)女2名(対象2名)23年度 男5名(対象8名)女2名(対象2名)[平均取得日数]22年度 男198日 女425日、23年度 男80日 女228日

【従業員】[人数]490名(男393名、女97名)[平均年齢]45.7歳(男47.6歳、女37.9歳)[平均勤続年数]21.9年(男23.8年、女14.5年)【年齢構成】■男 □女

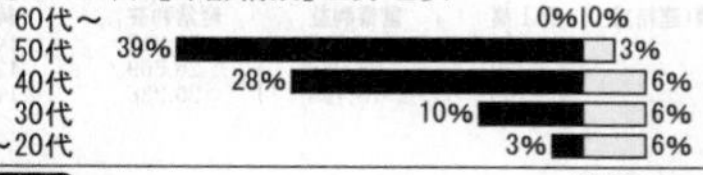
60代〜
0%|0%
50代
39%
3%
40代
28%
6%
30代
10%
6%
〜20代
3%
6%

[会社データ] (金額は百万円)

【本社】810-8721 福岡県福岡市中央区天神1-4-1 ☎092-711-5555
https://www.nishinippon.co.jp/

【業績(連結)】	売上高	営業利益	経常利益	純利益
22.3	33,596	1,130	1,626	636
23.3	32,928	829	1,272	▲2,746
24.3	33,905	1,722	2,029	1,401

きょうどうつうしんしゃ
(一社)共同通信社

くるみん

【特色】国内2大通信社の1つ。英語や中国語の配信も

[記者評価] 旧同盟通信の通信部門を引き継いで発足。加盟社・契約社の拠出金で運営する一般社団法人。新聞社、NHK、民放、海外メディアなどにニュースを配信。国内6支社・45支局体制。海外はNY、ロンドン、パリ、モスクワ、北京など主要41都市に拠点。電通の大株主。

平均勤続年数	男性育休取得率	3年後離職率	平均年収(平均NA)
NA	74.1→100%	2.5→9.5%	NA

●採用・配属情報●

【男女・文理別採用実績】

	大卒男	大卒女	修士男	修士女
23年	16(文 15理 1)	23(文 23理 0)	2(文 1理 1)	3(文 3理 0)
24年	19(文 19理 0)	22(文 21理 1)	2(文 1理 1)	3(文 3理 0)
25年	17(文 17理 0)	25(文 25理 0)	3(文 2理 1)	2(文 2理 0)

【男女・職種別採用実績】

	総合職
23年	44(男 18 女 26)
24年	46(男 21 女 25)
25年	47(男 20 女 27)

【24年4月入社者の配属勤務地】[総]全国各地38 東京7 [技]東京1

【転勤】あり:[職種]記者職 グラフィック記者 メディア・エンジニア 総合事務職員 校閲専門記者 編集職員[勤務地](記者職)海外 日本全国(グラフィック記者、メディア・エンジニア)東京 大阪(総合事務職員)東京 大阪 米国 他(校閲専門記者 編集職員)東京

【中途比率】[単年度]21年度10%、22年度10%、23年度13%[全体]NA

●働きやすさ、諸制度●

残業(月) NA

【勤務時間】原則8時間(うち休憩1時間)【有休取得年平均】NA【週休】4週8休【夏期休暇】有休で取得【年末年始休暇】あり

【離職率】NA

【新卒3年後離職率】
[20→23年]2.5%(男4.5%・入社22名、女0%・入社18名)
[21→24年]9.5%(男0%・入社21名、女19.0%・入社21名)

【テレワーク】制度あり:[場所]自宅 他[対象]育児・介護・通院と仕事の両立で必要と認められた場合[日数]週2[利用率]NA【勤務制度】裁量労働 時差勤務【住宅補助】住宅費補助制度 転勤手当 寮(都内 条件あり)

●ライフイベント、女性活躍●

【女性比率】■男 □女

新卒採用 57.4% (27名)

従業員 25.8% (396名)

【産休】[期間]産前・産後計17週[給与]法定[取得者数]19名

【育休】[期間]小1の4月末まで通算2年間[給与]給付金+共済会[取得者数]22年度 男20名(対象27名)女10名(対象10名)23年度 男26名(対象26名)女15名(対象15名)[平均取得日数]22年度 NA、23年度 男70日 女434日

【従業員】[人数]1,536名(男1,140名、女396名)[平均年齢]NA[平均勤続年数]NA

【年齢構成】NA

[会社データ] (金額は百万円)

【本社】105-7201 東京都港区東新橋1-7-1 汐留メディアタワー ☎03-6252-8021
https://www.kyodonews.jp/

【業績(単独)】	経常収益
22.3	41,200
23.3	42,300
24.3	41,100

マスコミ

1381 開示 ★★☆☆☆ [専門] 採用あり

㈱時事通信社

（じじつうしんしゃ）

【特色】国内2大通信社の1つ。国内契約メディアは約140

[記者評価] 戦後、旧同盟通信の経済通信部門を引き継ぎ設立。全国紙、NHKなどの契約メディアにニュースを配信。個別面接方式の世論調査に定評。AFP、トムソン・ロイター等海外通信社と特約。企業向けに金融・証券情報の提供も。支社・総支局は国内60、海外24。電通の大株主。

平均勤続年数	男性育休取得率	3年後離職率	平均年収(平均43歳)
18.6年	42.9 → 45.5%	22.7 → 20.4%	NA

●採用・配属情報●

【男女・文理別採用実績】

	大卒男	大卒女	修士男	修士女
23年	29(文 25 理 4)	23(文 23 理 0)	2(文 2 理 0)	0(文 0 理 0)
24年	19(文 18 理 1)	24(文 23 理 1)	2(文 1 理 1)	3(文 3 理 0)
25年	11(文 11 理 0)	14(文 14 理 0)	2(文 2 理 0)	1(文 1 理 0)

【男女・職種別採用実績】

	総合職
23年	54(男 31 女 23)
24年	49(男 21 女 28)
25年	28(男 13 女 15)

【24年4月入社者の配属勤務地】[総]東京39 大阪3 さいたま1 福岡2 広島1 神戸1 [技]東京2

【転勤】あり:全社員

【中途比率】[単年度]21年度0%、22年度5%、23年度14%[全体]2%

●働きやすさ、諸制度●

残業(月) NA

【勤務時間】実働7時間30分【有休取得年平均】NA【週休】2日(原則土日祝)【夏期休暇】有休で取得【年末年始休暇】12月29日～1月3日

【離職率】NA

【新卒3年後離職率】
[20→23年]22.7%(男17.6%・入社17名、女25.9%・入社27名)
[21→24年]20.4%(男5.0%・入社20名、女31.0%・入社29名)

【テレワーク】制度あり:[場所]自宅または自宅に準じる場所[対象]全社員[日数]週1～2日[利用率]NA【勤務制度】裁量労働【住宅補助】住宅手当

●ライフイベント、女性活躍●

【女性比率】■男 □女

新卒採用 53.6% (15名)

従業員 27% (231名)

【産休】[期間]産前4・産後8週間、他5週間は自由に取り計17週間[給与]法定[取得者数]4名

【育休】[期間]2歳になるまで[給与]法定[取得者数]22年度 男3名(対象7名)女3名(対象4名)23年度 男5名(対象11名)女4名(対象4名)[平均取得日数]22年度 男55日 女203日、23年度 男28日 女289日

【従業員】[人数]854名(男623名、女231名)[平均年齢]42.6歳(男45.6歳、女34.3歳)[平均勤続年数]18.6年(男21.5年、女10.7年)

【年齢構成】NA

会社データ (金額は百万円)

【本社】104-8178 東京都中央区銀座5-15-8 ☎03-6800-1111
https://www.jiji.co.jp/

【業績(単独)】	売上高	営業利益	経常利益	純利益
22.3	16,558	▲2,938	▲55,123	▲851
23.3	15,763	▲3,618	▲838	▲790
24.3	15,200	▲3,798	▲1,178	▲1,215

2767 開示 ★★☆☆☆

㈱KADOKAWA

（カドカワ）

えるぼし ★★★

【特色】出版大手。傘下に「ニコニコ動画」のドワンゴ

[記者評価] 14年に動画投稿・共有サービス「ニコニコ動画」を運営するドワンゴと経営統合。ライトノベルに強み。書籍に加え、ゲームや映像作品、マーチャンダイジングなどメディアミックスを推進。映画配給も手がける。通信制高校向けにツール提供。

平均勤続年数	男性育休取得率	3年後離職率	平均年収(平均42歳)
3.7年	26.7 → 53.8%	7.1 → 3.6%	[総]885万円

●採用・配属情報●

【男女・文理別採用実績】

	大卒男	大卒女	修士男	修士女
23年	4(文 4 理 0)	19(文 19 理 0)	3(文 2 理 1)	6(文 4 理 2)
24年	11(文 8 理 3)	25(文 22 理 3)	3(文 2 理 1)	2(文 2 理 0)
25年	2(文 2 理 0)	16(文 16 理 0)	6(文 2 理 4)	3(文 2 理 1)

【男女・職種別採用実績】

	総合職
23年	32(男 7 女 25)
24年	41(男 14 女 27)
25年	27(男 8 女 19)

【24年4月入社者の配属勤務地】[総]東京41

【転勤】あり:詳細NA

【中途比率】[単年度]21年度72%、22年度81%、23年度79%[全体]NA

●働きやすさ、諸制度●

残業(月) 27.9時間 [総]27.9時間

【勤務時間】7時間【有休取得年平均】NA【週休】完全2日(土日祝)【夏期休暇】有休付与5日【年末年始休暇】12月29日～1月4日

【離職率】NA

【新卒3年後離職率】
[20→23年]7.1%(男5.0%・入社20名、女9.1%・入社22名)
[21→24年]3.6%(男10.0%・入社10名、女0%・入社18名)

【テレワーク】制度あり:[場所]NA[対象]全社員[日数]制限なし[利用率]NA【勤務制度】フレックス 時間単位有休 副業容認【住宅補助】社宅(新卒新入社員向け 月50,000円負担 2年間)

●ライフイベント、女性活躍●

【女性比率】■男 □女

新卒採用 70.4% (19名)

管理職 25.1% (101名)

【産休】[期間]産前6・産後8週間[給与]法定[取得者数]32名

【育休】[期間]1歳になるまで[給与]法定[取得者数]22年度 男8名(対象30名)女26名(対象28名)23年度 男14名(対象26名)女18名(対象24名)[平均取得日数]22年度 NA、23年度 NA

【従業員】[人数]2,164名(男NA、女NA)[平均年齢]41.6歳(男NA、女NA)[平均勤続年数]3.7年(男NA、女NA)

【年齢構成】NA

会社データ (金額は百万円)

【本社】102-8177 東京都千代田区富士見2-13-3 ☎03-3238-8401
https://group.kadokawa.co.jp/

【業績(連結)】	売上高	営業利益	経常利益	純利益
22.3	221,208	18,519	20,213	14,078
23.3	255,429	25,931	26,669	12,679
24.3	258,109	18,454	20,236	11,384

1400 開示 ★☆☆☆☆

㈱講談社（こうだんしゃ）

【特色】業界を代表する総合出版社。デジタルにも注力

[記者評価] 野間清治が1909年に設立した大日本雄弁会が前身。「少年倶楽部」など大衆雑誌を創刊。「おもしろくて、ためになる」をテーマに多様なジャンルの雑誌・書籍などを出版。海外展開加速。傘下に光文社、一迅社、キングレコードなど擁し音羽グループを形成。

平均勤続年数	男性育休取得率	3年後離職率	平均年収(平均43歳)
17.8年	NA	NA	NA

●採用・配属情報●

【男女・文理別採用実績】

	大卒男	大卒女	修士男	修士女
23年	8(文 8理 0)	13(文 13理 0)	3(文 1理 2)	3(文 2理 1)
24年	4(文 4理 0)	11(文 10理 1)	4(文 1理 3)	3(文 2理 1)
25年	4(文 4理 0)	18(文 18理 0)	2(文 2理 0)	4(文 2理 2)

【男女・職種別採用実績】 転換制度:NA

	総合職
23年	27(男 11 女 16)
24年	22(男 8 女 14)
25年	28(男 6 女 22)

【24年4月入社者の配属勤務地】[総]東京22
【転勤】NA
【中途比率】[単年度]21年度NA、22年度NA、23年度NA[全体]NA

●働きやすさ、諸制度●

残業(月) NA

【勤務時間】9:30〜17:30(部門によりフレックスタイム制 裁量労働制コアタイム13:00〜15:00)【有休取得年平均】NA
【週休】完全2日(土日祝)【夏期休暇】あり【年末年始休暇】あり
【離職率】NA
【新卒3年後離職率】
[20→23年]NA
[21→24年]NA
【テレワーク】制度あり:[場所]NA[対象]NA[日数]60時間／月まで[利用率]NA【勤務制度】フレックス 裁量労働
【住宅補助】住宅資金貸与 家賃補助 社宅 他

●ライフイベント、女性活躍●

【女性比率】■男 □女

新卒採用 78.6% (22名)

従業員 38% (362名)

【産休】[期間]産前8・産後8週間[給与]法定以上(詳細NA)[取得者数]NA
【育休】[期間]1年半または1歳の3月末まで[給与]法定以上(詳細NA)[取得者数]22年度 NA 23年度 NA[平均取得日数]22年度 NA、23年度 NA
【従業員】[人数]953名(男591名、女362名)[平均年齢]42.9歳(男44.2歳、女40.8歳)[平均勤続年数]17.8年(男18.5年、女16.7年)
【年齢構成】NA

[会社データ] (金額は百万円)
【本社】112-8001 東京都文京区音羽2-12-21 ☎03-3945-1111
https://www.kodansha.co.jp/

【業績(単独)】	売上高	営業利益	経常利益	純利益
22.3	170,700	NA	NA	NA
23.3	169,400	NA	NA	NA
24.3	172,000	NA	NA	NA

1485 開示 ★★★★☆

㈱東洋経済新報社（とうようけいざいしんぽうしゃ）

【特色】1895年創業の経済出版社。一貫して自由主義貫く

[記者評価] 首相を輩出した唯一の出版社。雑誌・書籍、企業データ、オンライン媒体、セミナーなどを展開。「週刊東洋経済」は創刊129年、「会社四季報」は同88年。「業界地図」「就職四季報」なども発行。「東洋経済オンライン」のPVはビジネス系サイトでトップ級。

平均勤続年数	男性育休取得率	3年後離職率	平均年収(平均42歳)
13.4年	44.4→60.0%	10.0→0%	[総]1,043万円

●採用・配属情報●

【男女・文理別採用実績】

	大卒男	大卒女	修士男	修士女
23年	1(文 1理 0)	2(文 2理 0)	0(文 0理 0)	2(文 2理 0)
24年	1(文 1理 0)	3(文 2理 1)	0(文 0理 0)	1(文 1理 0)
25年	0(文 0理 0)	3(文 3理 0)	2(文 1理 1)	1(文 1理 0)

【男女・職種別採用実績】

	総合職
23年	5(男 1 女 4)
24年	5(男 1 女 4)
25年	6(男 2 女 4)

【24年4月入社者の配属勤務地】[総]本社(東京)5
【転勤】なし
【中途比率】[単年度]21年度61%、22年度72%、23年度71%[全体]60%

●働きやすさ、諸制度●

残業(月) 24.2時間 [総]24.2時間

【勤務時間】標準9:30〜18:00【有休取得年平均】12.8日
【週休】完全2日(土日祝)【夏期休暇】3日【年末年始休暇】12月28日〜1月3日
【離職率】男:3.7%、8名 女:4.2%、5名
【新卒3年後離職率】
[20→23年]10.0%(男20.0%・入社5名、女0%・入社5名)
[21→24年]0%(男0%・入社4名、女0%・入社5名)
【テレワーク】制度あり:[場所]自宅 自宅近辺の図書館 喫茶店 ホテル シェアオフィス 他[対象]全社員[日数]週3〜4日[利用率]32.0%【勤務制度】フレックス 時間単位有休 裁量労働【住宅補助】なし

●ライフイベント、女性活躍●

【女性比率】■男 □女

新卒採用 66.7% (4名)

従業員 35.4% (114名)

管理職 16.2% (12名)

【産休】[期間]産前8・産後8週間[給与]会社全額給付[取得者数]3名
【育休】[期間]1歳半または1歳年度末まで[給与]法定[取得者数]22年度 男4名(対象9名)女3名(対象4名)23年度 男3名(対象5名)女2名(対象2名)[平均取得日数]22年度 男67日 女372日、23年度 男36日 女374日
【従業員】[人数]322名(男208名、女114名)[平均年齢]41.6歳(男43.9歳、女37.4歳)[平均勤続年数]13.4年(男14.9年、女10.7年)
【年齢構成】■男 □女

	男	女
60代〜	0%	0%
50代	25%	5%
40代	16%	7%
30代	15%	14%
〜20代	9%	9%

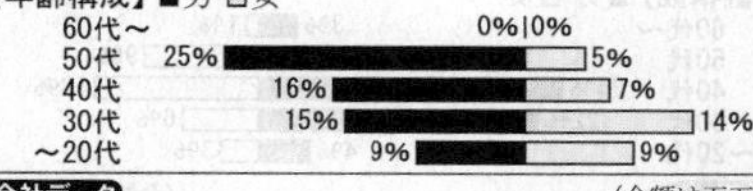

[会社データ] (金額は百万円)
【本社】103-8345 東京都中央区日本橋本石町1-2-1 東洋経済ビル ☎03-3246-5410
https://toyokeizai.net/

【業績(単独)】	売上高	営業利益	経常利益	純利益
21.9	12,046	1,245	1,249	963
22.9	11,586	813	825	604
23.9	11,269	584	608	453

㈱医学書院（いがくしょいん）

[くるみん]

【特色】医学・看護分野の総合出版社。同分野で最大手

[記者評価] 医学関連の専門書出版。医師、歯科医師、看護師、薬剤師、臨床検査技師、理学・作業療法士向けなど多岐。主力の「標準シリーズ」は医学生の大半が購読。59年初版「今日の治療指針」は医療関係者が愛読。「系統看護学講座」も高シェア。電子出版にも取り組む。

平均勤続年数	男性育休取得率	3年後離職率	平均年収(平均44歳)
17.1年	66.7→66.7%	0→0%	NA

●採用・配属情報●

【男女・文理別採用実績】

	大卒男	大卒女	修士男	修士女
23年	0(文 0理 0)	0(文 0理 0)	0(文 0理 0)	0(文 0理 0)
24年	0(文 0理 0)	2(文 2理 0)	0(文 0理 0)	0(文 0理 0)
25年	0(文 0理 0)	1(文 0理 1)	1(文 0理 1)	0(文 0理 0)

【男女・職種別採用実績】

	総合職
23年	0(男 0 女 0)
24年	2(男 0 女 2)
25年	2(男 1 女 1)

【24年4月入社者の配属勤務地】[総]東京2

【転勤】なし

【中途比率】[単年度]21年度0%、22年度50%、23年度100%[全体]36%

●働きやすさ、諸制度●

残業(月) 16.5時間 [総]16.5時間

【勤務時間】9:00～17:00【有休取得年平均】17.2日【週休】完全2日(土日祝)【夏期休暇】連続6日【年末年始休暇】12月29日～1月5日

【離職率】男:1.8%、3名 女:1.3%、1名

【新卒3年後離職率】
[20→23年]0%(男0%・入社1名、女0%・入社1名)
[21→24年]0%(男0%・入社1名、女0%・入社1名)

【テレワーク】制度あり:[場所]自宅[対象]全社員[日数]週1日まで[利用率]NA【勤務制度】時間単位有休 時差勤務 副業容認【住宅補助】なし

●ライフイベント、女性活躍●

【女性比率】■男 □女

新卒採用 50% (1名)

従業員 31.8% (75名)

管理職 18.6% (8名)

【産休】[期間]産前8・産後8週間[給与]会社全額給付[取得者数]0名

【育休】[期間]1歳の4月末または1歳半になるまで[給与]給付金+会社給与、賞与1割給付[取得者数]22年度 男2名(対象3名)女1名(対象1名)23年度 男2名(対象3名)女1名(対象2名)[平均取得日数]22年度 男23日 女156日、23年度 男22日 女156日

【従業員】[人数]236名(男161名、女75名)[平均年齢]44.0歳(男43.7歳、女44.8歳)[平均勤続年数]17.1年(男16.3年、女18.7年)

【年齢構成】■男 □女

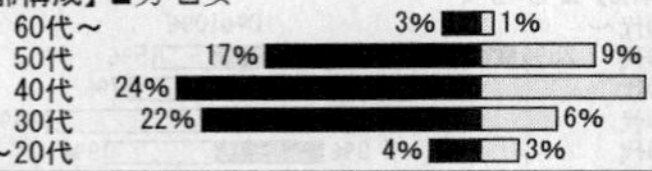

会社データ　(金額は百万円)

【本社】113-8719 東京都文京区本郷1-28-23 ☎03-3817-5600
https://www.igaku-shoin.co.jp/

【業績(単独)】	売上高	営業利益	経常利益	純利益
21.10	10,866	398	611	354
22.10	10,428	35	219	151
23.10	9,886	▲552	30	43

学研グループ（がっけん）

[くるみん]

【特色】塾・教室、学参・児童書など出版。医療福祉も柱

[記者評価] 学習参考書や児童書で首位。eラーニング教材も拡充。学研教室に加え、学習塾を全国展開。保育園運営など子ども向け事業に加え、近年は高齢者向け事業が急成長。市進HD子会社化やポプラ社との提携などアライアンスやM&Aにも積極的。ベトナムでの展開も強化中。

平均勤続年数	男性育休取得率	3年後離職率	平均年収(平均NA)
NA	NA	NA	◇895万円

●採用・配属情報●

【男女・文理別採用実績】

	大卒男	大卒女	修士男	修士女
23年	80(文 70理 10)	150(文130理 20)	8(文 4理 4)	8(文 4理 4)
24年	69(文 64理 5)	125(文119理 6)	3(文 1理 2)	3(文 2理 1)
25年	43(文 37理 6)	98(文 85理 13)	2(文 0理 2)	2(文 2理 0)

【男女・職種別採用実績】

	総合職
23年	311(男 110 女201)
24年	209(男 73 女136)
25年	163(男 50 女113)

【24年4月入社者の配属勤務地】[総]NA

【転勤】あり:詳細NA

【中途比率】[単年度]21年度NA、22年度NA、23年度NA[全体]NA

●働きやすさ、諸制度●

残業(月) NA

【勤務時間】フレックスタイム制(コアタイム11:00～15:00フレキシブルタイム7:00～11:00、15:00～19:00)【有休取得年平均】NA【週休】完全2日(主要会社のみ土日祝)【夏期休暇】連続5日【年末年始休暇】連続7日

【離職率】NA

【新卒3年後離職率】
[20→23年]NA
[21→24年]NA

【テレワーク】制度あり:[場所]NA[対象]NA[日数]NA[利用率]NA【勤務制度】フレックス【住宅補助】グループ各社によって異なる

●ライフイベント、女性活躍●

【女性比率】■男 □女

新卒採用 69.3% (113名)

【産休】[期間]産前6・産後8週間[給与]会社全額給付[取得者数]NA

【育休】[期間]1歳になるまで[給与]法定[取得者数]22年度NA 23年度 NA[平均取得日数]22年度 NA、23年度 NA

【従業員】NA

【年齢構成】NA

会社データ　(金額は百万円)

【本社】141-8510 東京都品川区西五反田2-11-8 ☎03-6431-1001
https://www.gakken.co.jp/

【業績(連結)】	売上高	営業利益	経常利益	純利益
21.9	150,288	6,239	6,126	2,617
22.9	156,032	6,427	6,929	3,440
23.9	164,116	6,170	6,477	3,194

※採用情報はグループ全体のもの、その他注記のないデータは㈱学研ホールディングスのもの

東京書籍(株)
とうきょうしょせき

えるぼし ★★★

【特色】教科書出版大手。小・中・高校の教科書で首位

記者評価 凸版印刷の子会社。売上の約7割を教科書が占める。学習教材や指導用教材、参考書ほか一般書籍、ICT教材も発行。日本語検定にも携わる。高校英語教育の質的向上を目的にブリティッシュ・カウンシルと提携。鎌倉時代からの教育資料16万点所蔵の「東書文庫」運営。

平均勤続年数	男性育休取得率	3年後離職率	平均年収(平均42歳)
15.6年	70.0→90.0%	11.1→0%	NA

●採用・配属情報●

【男女・文理別採用実績】

	大卒男	大卒女	修士男	修士女
23年	2(文 2理 0)	11(文 11理 0)	2(文 2理 0)	2(文 1理 1)
24年	7(文 5理 2)	8(文 7理 1)	4(文 3理 1)	2(文 1理 1)
25年	2(文 2理 0)	2(文 2理 0)	2(文 1理 1)	1(文 1理 0)

【男女・職種別採用実績】

	総合職
23年	17(男 4 女 13)
24年	21(男 11 女 10)
25年	7(男 4 女 3)

【24年4月入社者の配属勤務地】㊀東京18 北海道1 宮城1 大阪1
【転勤】あり:[部署]営業
【中途比率】[単年度]21年度38%、22年度32%、23年度22%[全体]NA

●働きやすさ、諸制度●

残業(月) 26.4時間

【勤務時間】9:00〜17:00【有休取得年平均】16.3日【週休】完全2日(土日祝)【夏期休暇】5日【年末年始休暇】12月29日〜1月4日
【離職率】男:0.3%、1名 女:1.5%、2名
【新卒3年後離職率】
[20→23年]11.1%(男0%・入社3名、女16.7%・入社6名)
[21→24年]0%(男0%・入社6名、女0%・入社3名)
【テレワーク】制度あり:[場所]自宅[対象]全社員[日数]週2日[利用率]NA【勤務制度】フレックス 時間単位有休【住宅補助】独身寮(浦和、独身者)借上社宅(転勤者)住宅手当(8,500〜22,000円)

●ライフイベント、女性活躍●

【女性比率】■男 □女

新卒採用 42.9% (3名)

従業員 27.1% (131名)
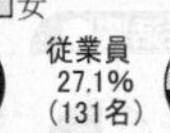

【産休】[期間]産前8・産後8週間[給与]法定以上(詳細NA)[取得者数]5名
【育休】[期間]1歳年度末まで[給与]法定[取得者数]22年度 男7名(対象10名)女8名(対象8名)23年度 男9名(対象10名)女4名(対象4名)[平均取得日数]22年度 NA、23年度NA
【従業員】[人数]483名(男352名、女131名)[平均年齢]41.6歳(男42.8歳、女38.2歳)[平均勤続年数]15.6年(男16.7年、女12.9年)
【年齢構成】NA

会社データ (金額は百万円)

【本社】114-8524 東京都北区堀船2-17-1 ☎03-5390-7200
https://www.tokyo-shoseki.co.jp/

【業績(単独)】	売上高	営業利益	経常利益	純利益
21.8	29,304	2,663	2,910	2,489
22.8	24,951	106	247	9
23.8	25,991	56	280	401

(株)文溪堂
ぶんけいどう

【特色】学校図書・教材で首位級。小学生向けが主力

記者評価 小学生向けに学力テストやドリルなど学習教材を制作・販売する。岐阜、東京の2本社制。裁縫セットなどの教具も手がける。絵本「バムとケロ」シリーズはロングセラー。英語のコミュニケーション力を測る教材を拡販。デジタル教材にも注力。好財務。

平均勤続年数	男性育休取得率	3年後離職率	平均年収(平均41歳)
①14.2年	33.3→60.0%	0→0%	㊀660万円

●採用・配属情報●

【男女・文理別採用実績】

	大卒男	大卒女	修士男	修士女
23年	2(文 2理 0)	2(文 2理 0)	0(文 0理 0)	0(文 0理 0)
24年	1(文 1理 0)	1(文 1理 0)	0(文 0理 0)	0(文 0理 0)
25年	1(文 0理 1)	4(文 4理 0)	1(文 1理 0)	0(文 0理 0)

【男女・職種別採用実績】

	総合職
23年	4(男 2 女 2)
24年	2(男 1 女 1)
25年	6(男 2 女 4)

【24年4月入社者の配属勤務地】㊀岐阜本社2
【転勤】あり:[部署]営業部[勤務地]岐阜 東京 大阪
【中途比率】[単年度]21年度60%、22年度50%、23年度43%[全体]39%

●働きやすさ、諸制度●

残業(月) NA

【勤務時間】9:00〜17:00【有休取得年平均】NA【週休】2日(年数回土曜出勤)【夏期休暇】連続7〜10日【年末年始休暇】連続7〜9日
【離職率】男:4.3%、5名 女:2.0%、2名
【新卒3年後離職率】
[20→23年]0%(男0%・入社1名、女0%・入社3名)
[21→24年]0%(男0%・入社2名、女0%・入社2名)
【テレワーク】制度なし【勤務制度】なし【住宅補助】住宅手当

●ライフイベント、女性活躍●

【女性比率】■男 □女

新卒採用 66.7% (4名)

従業員 46.9% (97名)
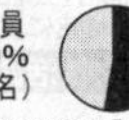
管理職 24.2% (8名)

【産休】[期間]産前6・産後8週間[給与]法定[取得者数]2名
【育休】[期間]1歳になるまで[給与]法定[取得者数]22年度 男2名(対象6名)女4名(対象4名)23年度 男3名(対象5名)女3名(対象3名)[平均取得日数]22年度 NA、23年度 NA
【従業員】[人数]207名(男110名、女97名)[平均年齢]41.7歳(男41.1歳、女42.3歳)[平均勤続年数]14.2年(男13.8年、女14.3年) ※従業員数に無期雇用者含む
【年齢構成】■男 □女

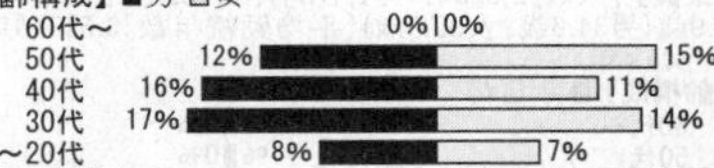

会社データ (金額は百万円)

【本社】501-6297 岐阜県羽島市江吉良町江中7-1 ☎058-398-1111
https://www.bunkei.co.jp/

【業績(連結)】	売上高	営業利益	経常利益	純利益
22.3	13,197	1,153	1,216	774
23.3	12,750	1,068	1,126	704
24.3	12,871	986	1,049	687

マスコミ

㈱サイバーエージェント

【特色】ネット広告代理、ゲームが柱。「ABEMA」を育成

記者評価 ネット広告代理店大手。営業中心だが、エンジニアや制作部隊も拡充。AIに強い。収益柱はネット広告運用とスマホゲーム。ネットテレビ局「ABEMA」の育成にも注力。子会社のサイゲームスで「ウマ娘」が大ヒット。子会社社長や役員など若手の抜擢人事に積極的。

平均勤続年数	男性育休取得率	3年後離職率	平均年収(平均34歳)
5.5年	36.4→50.6%	NA	806万円

●採用・配属情報●

【男女・文理別採用実績】

	大卒男	大卒女	修士男	修士女
23年	137(文 93 理 44)	95(文 86 理 9)	49(文 6 理 43)	5(文 3 理 2)
24年	165(文 41 理124)	105(文 98 理 7)	62(文 3 理 59)	7(文 3 理 4)
25年	124(文 74 理 50)	118(文115 理 3)	37(文 3 理 34)	8(文 3 理 5)

※25年:予定数

【男女・職種別採用実績】

	総合職	エンジニア職	デザイナー職
23年	191(男 99 女 92)	92(男 90 女 2)	17(男 10 女 7)
24年	223(男122 女101)	122(男116 女 6)	10(男 5 女 5)
25年	233(男115 女118)	52(男 49 女 3)	10(男 5 女 5)

【職種併願】○

【24年4月入社者の配属勤務地】㊗東京 大阪 ㊕東京 大阪

【転勤】あり:[勤務地]東京 大阪 福岡 仙台

【中途比率】[単年度]21年度NA、22年度64%、23年度57% [全体]62%

●働きやすさ、諸制度●

残業(月) NA

【勤務時間】10:00～19:00【有休取得年平均】NA【週休】完全2日(土日祝)【夏期休暇】3日【年末年始休暇】12月29日～1月3日

【離職率】NA

【新卒3年後離職率】
[20→23年]NA
[21→24年]NA

【テレワーク】制度あり:[場所]自宅[対象]全社員[日数]制限なし[利用率]NA【勤務制度】裁量労働 時差勤務 副業容認【住宅補助】家賃補助(会社から2駅以内居住者に3万円、勤続5年以上は居住地域に関わらず5万円)

●ライフイベント、女性活躍●

【女性比率】■男 □女

新卒採用 42.7%(126名)　従業員 33.8%(752名)　管理職 25.8%(85名)

【産休】[期間]産前6・産後8週間[給与]法定[取得者数]40名

【育休】[期間]1歳になるまで[給与]法定[取得者数]22年度NA 23年度 NA[平均取得日数]22年度 NA、23年度 NA

【従業員】[人数]2,225名(男1,473名、女752名)[平均年齢]33.9歳(男34.6歳、女32.5歳)[平均勤続年数]5.5年(男5.5年、女5.4年)

【年齢構成】■男 □女

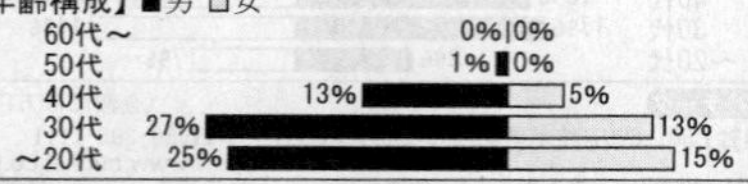

会社データ (金額は百万円)

【本社】150-0042 東京都渋谷区宇田川町40-1 Abema Towers ☎03-5459-0202 https://www.cyberagent.co.jp/

【業績(連結)】	売上高	営業利益	経常利益	純利益
21.9	666,460	104,381	104,694	41,553
22.9	710,575	69,114	69,464	24,219
23.9	720,207	24,557	24,915	5,332

スカパーJSAT㈱

【特色】衛星通信事業とCS放送「スカパー！」が柱

記者評価 有料放送「スカパー！」など提供。プロ野球中継は12球団網羅に強み。動画配信の台頭で会員数は減少傾向。保有する放送設備を活用した事業も開始し収益多角化。収益柱の宇宙事業は放送事業者や企業などに通信サービス提供。防衛需要の高まりが追い風。

平均勤続年数	男性育休取得率	3年後離職率	平均年収(平均44歳)
15.9年	50.0→60.0%	0→8.3%	㊗1,025万円

●採用・配属情報●

【男女・文理別採用実績】

	大卒男	大卒女	修士男	修士女
23年	3(文 2 理 1)	6(文 5 理 1)	13(文 0 理 13)	1(文 0 理 1)
24年	4(文 3 理 1)	4(文 3 理 1)	9(文 0 理 9)	2(文 0 理 2)
25年	5(文 4 理 1)	4(文 4 理 0)	15(文 0 理 15)	2(文 0 理 2)

【男女・職種別採用実績】

	総合職
23年	23(男 16 女 7)
24年	19(男 13 女 6)
25年	26(男 20 女 6)

【24年4月入社者の配属勤務地】㊗赤坂本社 11 ㊕東京(本社2 江東1)横浜5

【転勤】あり:全社員

【中途比率】[単年度]21年度52%、22年度64%、23年度51%[全体]NA

●働きやすさ、諸制度●

残業(月) 38.6時間 ㊗38.6時間

【勤務時間】フルフレックスタイム制 標準勤務時間 9:30～17:30【有休取得年平均】14.8日【週休】完全2日(土日祝)【夏期休暇】有休奨励日あり【年末年始休暇】12月29日～1月3日

【離職率】男:3.5%、21名 女:1.6%、3名(早期退職男4名含む)

【新卒3年後離職率】
[20→23年]0%(男0%・入社13名、女0%・入社6名)
[21→24年]8.3%(男12.5%・入社16名、女0%・入社8名)

【テレワーク】制度あり:[場所]自宅または自宅に準ずる場所 サテライトオフィス(自社拠点およびZXY)[対象]全社員[日数]制限なし[利用率]NA【勤務制度】フレックス【住宅補助】なし

●ライフイベント、女性活躍●

【女性比率】■男 □女

新卒採用 23.1%(6名)　従業員 24.1%(184名)　管理職 10.8%(34名)

【産休】[期間]産前6・産後8週間[給与]法定[取得者数]6名

【育休】[期間]保育園に入園できなかった場合、最長3歳になるまで延長可[給与]最初5営業日有給、以降法定[取得者数]22年度 男11名(対象22名)女5名(対象5名)23年度男9名(対象15名)女7名(対象6名)[平均取得日数]22年度男34日 女524日、23年度 男54日 女520日

【従業員】[人数]764名(男580名、女184名)[平均年齢]43.7歳(男44.6歳、女41.0歳)[平均勤続年数]15.9年(男16.4年、女14.3年)

【年齢構成】NA

会社データ (金額は百万円)

【本社】107-0052 東京都港区赤坂1-8-1 赤坂インターシティAIR ☎03-5571-7800 https://www.skyperfectjsat.space/

【業績(連結)】	売上高	営業利益	経常利益	純利益
22.3	119,632	18,862	20,307	14,579
23.3	121,139	22,324	23,194	15,810
24.3	121,872	26,545	27,128	17,739

※業績は㈱スカパーJSATホールディングスのもの

ソニーミュージックグループ

【特色】ソニーグループ。広範な音楽事業を担う

記者評価 旧CBS・ソニーレコード。総合エンタメ企業として多角的に展開。マーケティング、タイアップ、アーティスト・タレント・クリエーターの登録・育成に豊富なノウハウ。有力アーティストやタレントを多数抱える。デジタルコンテンツ、ライブエンタメなど注力。

平均勤続年数	男性育休取得率	3年後離職率	平均年収(平均NA)
NA	0 → 4.0%	2.4 → 0%	NA

●採用・配属情報●

【男女・文理別採用実績】

	大卒男	大卒女	修士男	修士女
23年	NA(文NA 理NA)	NA(文NA 理NA)	NA(文NA 理NA)	NA(文NA 理NA)
24年	NA(文NA 理NA)	NA(文NA 理NA)	NA(文NA 理NA)	NA(文NA 理NA)
25年	NA(文NA 理NA)	NA(文NA 理NA)	NA(文NA 理NA)	NA(文NA 理NA)

※グループ一括採用 25年:65名採用

【男女・職種別採用実績】 転換制度:NA

	総合職
23年	62(男 29 女 33)
24年	63(男 28 女 35)
25年	65(男 29 女 36)

【職種併願】NA
【24年4月入社者の配属勤務地】㊔東京 ㊋NA
【転勤】NA
【中途比率】[単年度]21年度NA、22年度NA、23年度NA[全体]NA

●働きやすさ、諸制度●

残業(月) NA

【勤務時間】9:30〜18:15**【有休取得年平均】**NA**【週休】**2日(土日祝)**【夏期休暇】**リフレッシュ休暇で取得**【年末年始休暇】**12月30日〜1月4日
【離職率】NA
【新卒3年後離職率】
[20→23年]2.4%(男4.5%・入社22名、女0%・入社20名)
[21→24年]0%(男0%・入社14名、女0%・入社25名)
【テレワーク】制度あり:[場所]自宅 サテライトオフィス[対象]制限なし[日数]週2日まで[利用率]NA**【勤務制度】**フレックス 時間単位有休 裁量労働**【住宅補助】**NA

●ライフイベント、女性活躍●

【女性比率】■男 □女

新卒採用 55.4% (36名)

【産休】[期間]産前6・産後8週間[給与]法定[取得者数]21名
【育休】[期間]1歳になるまで[給与]法定[取得者数]22年度 男0名(対象29名)女20名(対象20名)23年度 男1名(対象25名)女20名(対象20名)[平均取得日数]22年度 NA、23年度 NA
【従業員】[人数]4,700名(男NA、女NA)[平均年齢]NA[平均勤続年数]NA
【年齢構成】NA

会社データ (金額は百万円)

【本社】102-8353 東京都千代田区六番町4-5 SME六番町ビル ☎03-3515-5050
https://www.sonymusic.co.jp/

【業績(連結)】	売上高	営業利益	経常利益	純利益
22.3	358,288	NA	NA	NA
23.3	362,159	NA	NA	NA
24.3	400,295	NA	NA	NA

※会社データは㈱ソニー・ミュージックエンタテインメントのもの

メーカー
（電機・自動車・機械）

電機・事務機器　電子部品・機器
住宅・医療機器他　自動車　自動車部品
輸送用機器　機械

白物・生活家電

人口減少が続く国内市場は縮小傾向。コスト競争力に優れた中国勢が本格参入し、シェア争奪戦が激化しそうだ

電子部品

ＥＶシフトは失速気味だが、ＡＤＡＳ等で自動車の電子部品搭載数は伸長。伸び悩むスマホは生成ＡＩ搭載型に期待

自動車（国内）

半導体不足の解消と円安効果で業績は好調だが、国内市場は成熟しており伸び悩む。相次ぐ認証不正の影響も

自動車部品

新車生産回復や円安が追い風。ただ完成車メーカーよりも利益率の改善幅は小さく、一段の価格転嫁が求められる

建設機械

安定している公共投資や民間設備の投資計画が追い風。部品・部材の納入遅れ改善や、為替の円安も寄与する見通し

工作機械

設備投資の需要は２０２４年度後半にかけ、緩やかに回復へ。自動化や省人化のソリューション提案で各社の競争激化

（天気図は24年度後半⇒25年度、続きは東洋経済『会社四季報業界地図 2025年版』で）

497 開示 ★☆☆☆☆

㈱日立製作所
ひたちせいさくしょ

えるぼし ★★ / くるみん

【特色】総合電機で国内トップ。社会インフラに注力

[記者評価] 09年の巨額赤字を機に総花的経営と決別し、社会インフラ関連サービスなどに集中。米IT企業など買収も活用。データ活用ビジネス「ルマーダ」を成長戦略の柱に事業の選択と集中を進め、欧米ライバルをしのぐ高収益企業に。成果主義に近いジョブ型雇用を推進。

平均勤続年数	男性育休取得率	3年後離職率	平均年収(平均43歳)
◇19.1年	28.5→37.2%	NA	◇936万円

●採用・配属情報●

【男女・文理別採用実績】

	大卒男	大卒女	修士男	修士女
23年	NA(文NA 理NA)	NA(文NA 理NA)	NA(文NA 理NA)	NA(文NA 理NA)
24年	NA(文NA 理NA)	NA(文NA 理NA)	NA(文NA 理NA)	NA(文NA 理NA)
25年	NA(文NA 理NA)	NA(文NA 理NA)	NA(文NA 理NA)	NA(文NA 理NA)

※23年:600名 24年:660名 25年:730名採用予定

【男女・職種別採用実績】 転換制度:⇔

	総合職
23年	600(男 NA 女 NA)
24年	660(男 NA 女 NA)
25年	730(男 NA 女 NA)

【24年4月入社者の配属勤務地】[総]東京 神奈川 茨城 他全国 [技]東京 神奈川 茨城 他全国

【転勤】あり:全社員

【中途比率】[単年度]21年度38%、22年度48%、23年度45%[全体]NA

●働きやすさ、諸制度●

残業(月) 7.2時間 [総]9.0時間

【勤務時間】8:50〜17:20【有休取得年平均】18.0日【週休】完全2日(土日祝)【夏期休暇】5日(夏季の有休一斉取得期間で取得)【年末年始休暇】12月31日〜1月3日

【離職率】NA

【新卒3年後離職率】
[20→23年]NA
[21→24年]NA

【テレワーク】制度あり:[場所]自宅(単身赴任先の居住地含む)サテライトオフィス 親族の居住地 他[対象]管理職 裁量労働勤務適用者 業務遂行上有効と認められる者 育児・介護・持病等の事情がある者 他[日数]制限なし[利用率]51.5%【勤務制度】フレックス 時間単位有休 裁量労働 勤務間インターバル 副業容認【住宅補助】独身寮 社宅 単身用住宅手当 家族用住宅手当

●ライフイベント、女性活躍●

【女性比率】NA

【産休】[期間]産前8・産後8週間[給与]出産手当金支給対象外の期間は休業1日につき標準報酬日額の3分の2相当額を会社給付[取得者数]224名

【育休】[期間]小学1年修了までの間で通算3年間[給与]法定[取得者数]22年度 男259名(対象909名)女256名(対象260名)23年度 男314名(対象844名)女199名(対象210名)[平均取得日数]22年度 NA、23年度 NA

【従業員】◇[人数]28,111名(男NA、女NA)[平均年齢]42.9歳(男NA、女NA)[平均勤続年数]19.1年(男NA、女NA)

【年齢構成】NA

[会社データ] (金額は百万円)

【本社】100-8280 東京都千代田区丸の内1-6-6 ☎03-3258-1111
https://www.hitachi.co.jp/

【業績(IFRS)】	売上高	営業利益	税前利益	純利益
22.3	10,264,602	782,625	839,333	583,470
23.3	10,881,150	805,324	819,971	649,124
24.3	9,728,716	775,285	825,801	589,896

499 開示 ★★☆☆☆

三菱電機㈱
みつびしでんき

えるぼし ★★

【特色】総合電機大手。工場向け制御装置を軸に安定的

[記者評価] 防衛関連から、空調などの白物家電まで幅広く手がける。BtoBが事業が主体で稼ぎ頭はシーケンサーなどのFAシステム。昇降機や人工衛星、業務用空調機、パワー半導体が強い。近年は労務問題に続いて品質検査不正が発覚。組織風土の改革急ぐ。

平均勤続年数	男性育休取得率	3年後離職率	平均年収(平均41歳)
16.3年	76.1→85.1%	4.6→6.0%	[総]929万円

●採用・配属情報●

【男女・文理別採用実績】※大卒に修士を含む

	大卒男	大卒女	修士男	修士女
23年	660(文130 理530)	140(文 70 理 70)	0(文 0 理 0)	0(文 0 理 0)
24年	690(文110 理580)	160(文 90 理 70)	0(文 0 理 0)	0(文 0 理 0)
25年	-(文 - 理 -)	-(文 - 理 -)	-(文 - 理 -)	-(文 - 理 -)

【男女・職種別採用実績】 転換制度:⇔

	総合職	一般職(高専・短大・専門)
23年	800(男660 女140)	300(男 NA 女 NA)
24年	850(男690 女160)	250(男 NA 女 NA)
25年	850(男 - 女 -)	250(男 NA 女 NA)

【24年4月入社者の配属勤務地】[総]本社および全国の事業所 [技]本社および全国の事業所

【転勤】あり:全社員

【中途比率】[単年度]21年度31%、22年度45%、23年度48%[全体]21%

●働きやすさ、諸制度●

残業(月) 25.0時間

【勤務時間】9:00〜17:30【有休取得年平均】18.9日【週休】完全2日(土日)【夏期休暇】連続7日(有休3日含む)【年末年始休暇】連続8日(有休2日含む)

【離職率】男:1.8%、413名 女:2.1%、47名

【新卒3年後離職率】
[20→23年]4.6%(男4.9%・入社677名、女3.7%・入社163名)
[21→24年]6.0%(男6.0%・入社584名、女6.2%・入社145名)

【テレワーク】制度あり:[場所]自宅 サテライトオフィス 単身赴任者の留守宅 本人・配偶者の実家および親族宅[対象]全社員(現業部門を除く)[日数]制限なし[利用率]21.7%【勤務制度】フレックス 時間単位有休【住宅補助】独身寮・社宅 家賃補助

●ライフイベント、女性活躍●

【女性比率】■男 □女

従業員 8.8% (2225名)

管理職 3.1% (110名)

【産休】[期間]産前8・産後8週間[給与]会社全額給付[取得者数]196名

【育休】[期間]1歳到達後の3月末日[給与]法定[取得者数]22年度 男1,353名(対象1,778名)女385名(対象385名)23年度 男1,121名(対象1,318名)女369名(対象369名)[平均取得日数]22年度 NA、23年度 NA

【従業員】[人数]25,403名(男23,178名、女2,225名)[平均年齢]41.4歳(男42.0歳、女35.6歳)[平均勤続年数]16.3年(男16.8年、女10.8年)

【年齢構成】■男 □女

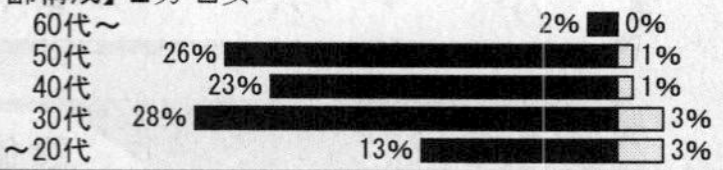

[会社データ] (金額は百万円)

【本社】100-8310 東京都千代田区丸の内2-7-3 ☎03-3218-2386
https://www.mitsubishielectric.co.jp/

【業績(IFRS)】	売上高	営業利益	税前利益	純利益
22.3	4,476,758	252,051	279,693	203,482
23.3	5,003,694	262,352	292,179	213,908
24.3	5,257,914	328,525	365,853	284,949

515 開示 ★★☆☆☆

ふじつう
富士通㈱

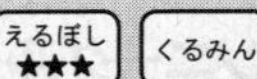

【特色】ITサービスで国内トップクラス。海外事業も展開

記者評価 ITサービスは国内トップクラス。官公庁や金融向け多い。パソコンや携帯電話、半導体などを分社化し、法人向けシステム構築やITサービスに集中。従来の受託型開発からの脱却に向け、上流コンサルティング能力を強化するため、共通利用型のシステム開発に注力。

平均勤続年数	男性育休取得率	3年後離職率	平均年収(平均44歳)
18.8年	40.3 → 40.9%	NA	㊓965万円

●採用・配属情報●

【男女・文理別採用実績】※25年:800名採用予定

	大卒男	大卒女	修士男	修士女
23年	NA(文NA理NA)	NA(文NA理NA)	NA(文NA理NA)	NA(文NA理NA)
24年	NA(文NA理NA)	NA(文NA理NA)	NA(文NA理NA)	NA(文NA理NA)
25年	−(文 −理 −)	−(文 −理 −)	−(文 −理 −)	−(文 −理 −)

【男女・職種別採用実績】

	総合職
23年	750(男500 女250)
24年	800(男540 女260)
25年	800(男 − 女 −)

【24年4月入社者の配属勤務地】㊓神奈川 大阪 他全国多数 ㊔神奈川 大阪 他全国多数

【転勤】あり:全社員(会社の定める要件を満たす場合、テレワークや出張の活用で遠地からの勤務可)

【中途比率】[単年度]21年度NA、22年度43%、23年度56% [全体]14%

●働きやすさ、諸制度●

残業(月) NA

【勤務時間】8:45〜17:30【有休取得年平均】14.2日【週休】完全2日(土日祝)【夏期休暇】特別休日1日+有休の計画的付与【年末年始休暇】12月30日〜1月3日

【離職率】男:2.1%、619名 女:2.1%、155名(早期退職男211名、女39名含む)

【新卒3年後離職率】[20→23年]NA [21→24年]NA

【テレワーク】制度あり:[場所]制限なし[対象]全社員[日数]制限なし[利用率]75.0%【勤務制度】フレックス 裁量労働 勤務間インターバル 副業容認【住宅補助】寮(独身、寮費9,000〜20,000円 他)家賃補助(独身、補助額5,000〜30,000円 他)他

●ライフイベント、女性活躍●

【女性比率】■男 □女

従業員 20.5%(7375名)　管理職 10.3%(787名)

【産休】[期間]産前8・産後8週間[給与]健保85%給付[取得者数]222名

【育休】[期間]1歳になるまで[給与]法定[取得者数]22年度 男286名(対象710名)女232名(対象246名)23年度 男303名(対象741名)女222名(対象223名)[平均取得日数]22年度 男70日 女384日、23年度 男70日 女395日

【従業員】[人数]35,924名(男28,549名、女7,375名)[平均年齢]43.6歳(男44.6歳、女39.8歳)[平均勤続年数]18.8年(男19.8年、女15.2年)

【年齢構成】■男 □女

	男	女
60代〜	0%	0%
50代	32%	5%
40代	21%	4%
30代	17%	6%
〜20代	9%	5%

会社データ (金額は百万円)

【本社】211-8588 神奈川県川崎市中原区上小田中4-1-1 ☎044-777-1111 https://global.fujitsu/ja-jp/

【業績(IFRS)】	売上高	営業利益	税前利益	純利益
22.3	3,586,839	219,201	239,986	182,691
23.3	3,713,767	335,614	371,876	215,182
24.3	3,756,059	160,260	178,180	254,478

514 開示 ★★★☆☆

エヌイーシー
NEC

えるぼし ★★★　プラチナくるみん

【特色】ITサービス大手。通信インフラで国内首位

記者評価 ITサービスの国内大手で、通信事業者向けに強み。半導体や個人用PCなど不採算事業を切り離し、法人向けIT事業に集中。顔や虹彩など生体認証技術で競争力が高く、空港などのセキュリティ分野にも展開中。グローバル5GやDXなどを成長事業として注力。

平均勤続年数	男性育休取得率	3年後離職率	平均年収(平均44歳)
17.5年	24.8 → 40.6%	5.1 → 8.2%	㊓903万円

●採用・配属情報●

【男女・文理別採用実績】

	大卒男	大卒女	修士男	修士女
23年	NA(文NA理NA)	NA(文NA理NA)	NA(文NA理NA)	NA(文NA理NA)
24年	NA(文NA理NA)	NA(文NA理NA)	NA(文NA理NA)	NA(文NA理NA)
25年	NA(文NA理NA)	NA(文NA理NA)	NA(文NA理NA)	NA(文NA理NA)

※23年:修士・大卒計600名 24年:同680名 25年:同700名採用予定

【男女・職種別採用実績】 転換制度:⇔

	総合職
23年	600(男400 女200)
24年	680(男420 女260)
25年	700(男430 女270)

【24年4月入社者の配属勤務地】㊓東京(港 府中)神奈川・川崎 千葉・我孫子を中心に全国各地 ㊔東京(港 府中)神奈川・川崎 千葉・我孫子を中心に全国各地

【転勤】あり:[職種]全社員[勤務地]本社(田町)事業場(玉川 府中 相模原 我孫子)研究所(玉川)支社・支店など国内外の各拠点 ※上記いずれの勤務地においても、テレワークを行う場所は含む

【中途比率】[単年度]21年度55%、22年度47%、23年度54%[全体]37%

●働きやすさ、諸制度●

残業(月) 23.1時間

【勤務時間】8:30〜17:15(フレックスタイム制 コアタイムなし)【有休取得年平均】13.5日【週休】完全2日(土日祝)【夏期休暇】連続9日(有休5日含む)【年末年始休暇】連続6日

【離職率】男:2.9%、524名 女:2.8%、137名

【新卒3年後離職率】
[20→23年]5.1%(男6.9%・入社403名、女1.4%・入社210名)
[21→24年]8.2%(男9.2%・入社382名、女6.4%・入社188名)

【テレワーク】制度あり:[場所]自宅 サテライトオフィス 業務に支障のない場所[対象]全社員[日数]制限なし[利用率]NA【勤務制度】フレックス 時間単位有休 裁量労働 勤務間インターバル 副業容認【住宅補助】セットアップ住居 家賃補助制度 転勤借上社宅制度 購入・賃貸提携割引

●ライフイベント、女性活躍●

【女性比率】■男 □女

新卒採用 38.6%(270名)　従業員 21.6%(4802名) 　管理職 8.4%(218名)

【産休】[期間]産前8・産後8週間[給与]健保80%給付[取得者数]107名

【育休】[期間]1歳年度末または1歳半になるまで[給与]法定[取得者数]22年度 男99名(対象399名)女105名(対象100名)23年度 男176名(対象434名)女116名(対象96名)[平均取得日数]22年度 男66日 女401日、23年度 男85日 女404日

【従業員】[人数]22,210名(男17,408名、女4,802名)[平均年齢]43.3歳(男44.0歳、女40.9歳)[平均勤続年数]17.5年(男18.0年、女16.2年)【年齢構成】■男 □女

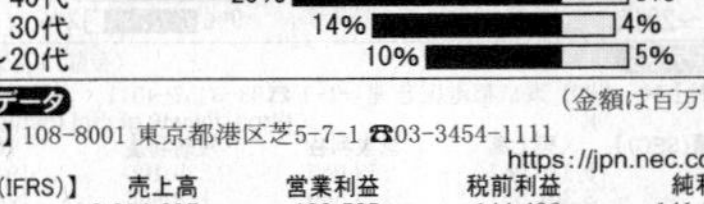

	男	女
60代〜	5%	1%
50代	29%	6%
40代	20%	5%
30代	14%	4%
〜20代	10%	5%

会社データ (金額は百万円)

【本社】108-8001 東京都港区芝5-7-1 ☎03-3454-1111 https://jpn.nec.com/

【業績(IFRS)】	売上高	営業利益	税前利益	純利益
22.3	3,014,095	132,525	144,436	141,277
23.3	3,313,018	170,447	167,671	114,500
24.3	3,477,262	188,012	185,011	149,521

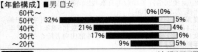

498 開示 ★★

㈱東芝（とうしば）

えるぼし★★ プラチナくるみん

【特色】総合電機大手。非上場化し、中長期視点で経営

記者評価 日本を代表する電機名門だったが、15年の不正会計発覚と17年の巨額原発関連損失で経営危機に。人員削減のほか、医療機器や半導体メモリなど資産売却してスリム化。データ事業を軸に躍進図るも窮境打開ならず、23年12月上場廃止。高度技術生かして再建狙う。

平均勤続年数	男性育休取得率	3年後離職率	平均年収(平均46歳)
◇21.3年	60.1→59.8%	NA	総852万円

●採用・配属情報●

【男女・文理別採用実績】

	大卒男	大卒女	修士男	修士女
23年	NA(文NA理NA)	NA(文NA理NA)	NA(文NA理NA)	NA(文NA理NA)
24年	NA(文NA理NA)	NA(文NA理NA)	NA(文NA理NA)	NA(文NA理NA)
25年	NA(文NA理NA)	NA(文NA理NA)	NA(文NA理NA)	NA(文NA理NA)

※23年:文系100、理系290、技能20名 24年:文系110、理系360、技能30名 25年:文系110、理系500、技能60名予定

【男女・職種別採用実績】

	事務職・技術職
23年	410(男 NA 女 NA)
24年	500(男 NA 女 NA)
25年	670(男 NA 女 NA)

【24年4月入社者の配属勤務地】㊍本社および全国の支社・事業場・工場・研究所 ㊏本社および全国の支社・事業場・工場・研究所
【転勤】あり:[職種]全社員[勤務地]本社 支社 支店 工場 研究所(国内外を問わず)
【中途比率】[単年度]21年度18%、22年度25%、23年度29%[全体]NA

●働きやすさ、諸制度●

残業(月) NA

【勤務時間】8:30〜17:15(フレックスタイム制 コアタイム11:00〜14:00)【有休取得年平均】17.4日【週休】完全2日(土日祝)【夏期休暇】4日(一斉年休含め)【年末年始休暇】連続5日
【離職率】NA
【新卒3年後離職率】[20→23年]NA [21→24年]NA
【テレワーク】制度あり:[場所]自宅 社内施設内のサテライトオフィス 会社契約締結の社外サテライトオフィス[対象]間接員のみ[日数]制限なし[利用率]36.3%【勤務制度】フレックス 時間単位有休 週休3日 裁量労働 勤務間インターバル 副業容認【住宅補助】独身寮 社宅 住宅費補助 家賃補助

●ライフイベント、女性活躍●

【女性比率】■男 □女

従業員 15% (2909名)

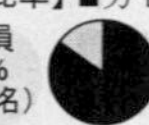

【産休】[期間]産前8・産後8週間[給与]法定[取得者数]NA
【育休】[期間]3歳到達月末まで[給与]法定[取得者数]22年度 男252名(対象419名)女110名(対象NA)23年度 男214名(対象358名)女96名(対象NA)[平均取得日数]22年度 男63日 女427日、23年度 男71日 女412日
【従業員】◇[人数]19,408名(男16,499名、女2,909名)[平均年齢]45.7歳(男45.9歳、女44.2歳)[平均勤続年数]21.3年(男21.5年、女20.1年)【年齢構成】■男 □女

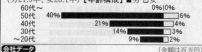

	男	女
60代〜	0%	0%
50代	40%	6%
40代	21%	4%
30代	14%	3%
〜20代	9%	2%

会社データ (金額は百万円)

【本社】105-8001 東京都港区芝浦1-1-1 ☎03-3457-4511
https://www.global.toshiba/jp/

【業績(SEC)】	売上高	営業利益	税前利益	純利益
22.3	3,336,967	158,945	239,105	194,651
23.3	3,361,657	110,549	188,965	126,573
24.3	3,285,800	39,900	▲2,030	▲7,480

※ベースは東芝と4分社(東芝エネルギーシステムズ、東芝インフラシステムズ、東芝デバイス＆ストレージ、東芝デジタルソリューションズ)のもの

530 開示 ★★

ソニーグループ㈱

プラチナえるぼし くるみん＋

【特色】音楽・映画、ゲームで成長。半導体や金融も

記者評価 売上高の過半を占めるゲーム、映画、音楽のエンタメ3領域への注力を鮮明にし、サブスク等での安定収益確保に努める。スマホカメラなどに搭載されるイメージセンサー(半導体事業)も成長事業。25年10月に銀行や生損保など金融事業を分離・上場させる方針。

平均勤続年数	男性育休取得率	3年後離職率	平均年収(平均42歳)
!15.8年	56.9→76.2%	!3.5→!4.2%	総1,113万円

●採用・配属情報●

【男女・文理別採用実績】

	大卒男	大卒女	修士男	修士女
23年	NA(文NA理NA)	NA(文NA理NA)	NA(文NA理NA)	NA(文NA理NA)
24年	NA(文NA理NA)	NA(文NA理NA)	NA(文NA理NA)	NA(文NA理NA)
25年	NA(文NA理NA)	NA(文NA理NA)	NA(文NA理NA)	NA(文NA理NA)

※主なソニーグループ各社の合計 25年:1,200名採用予定

【男女・職種別採用実績】

	総合職
23年	1,280(男 NA 女 NA)
24年	1,400(男 NA 女 NA)
25年	1,200(男 NA 女 NA)

【24年4月入社者の配属勤務地】㊍NA ㊏NA
【転勤】あり:全社員
【中途比率】[単年度]21年度NA、22年度NA、23年度NA[全体]NA

●働きやすさ、諸制度●

残業(月) 24.1時間

【勤務時間】9:00〜17:30(フレックスタイム制、裁量労働制、高度プロフェッショナル制度あり)【有休取得年平均】15.8日【週休】完全2日(土日祝)【夏期休暇】2日+各自設定【年末年始休暇】連続6日
【離職率】NA
【新卒3年後離職率】
[20→23年]3.5%(男3.9%・入社431名、女1.1%・入社89名)※ソニーグループ、ソニー、ソニーセミコンダクタソリューションズを対象
[21→24年]4.2%(男5.2%・入社402名、女0%・入社104名)※ソニーグループ、ソニー、ソニーセミコンダクタソリューションズを対象
【テレワーク】制度あり:[場所]自宅 実家 サテライトオフィス他[対象]全社員[日数]制限なし[利用率]NA【勤務制度】フレックス 時間単位有休 裁量労働 時差勤務 副業容認【住宅補助】独身向けの社宅・寮

●ライフイベント、女性活躍●

【女性比率】■男 □女

従業員 31% (653名)

管理職 18.4% (59名)

【産休】[期間]産前8・産後8週間[給与]会社給与7割+健保給付[取得者数]26名
【育休】[期間]1歳の4月15日または1歳2カ月になる日の長い方[給与]法定+5万円[取得者数]22年度 男33名(対象58名)女17名(対象17名)23年度 男32名(対象42名)女26名(対象26名)[平均取得日数]22年度 男24日 女83日、23年度 男26日 女100日
【従業員】[人数]2,109名(男1,456名、女653名)[平均年齢]42.4歳(男NA、女NA)[平均勤続年数]15.8年(男15.7年、女16.1年) ※受入出向者含み、外部出向者除く
【年齢構成】NA

会社データ (金額は百万円)

【本社】108-0075 東京都港区港南1-7-1 ☎03-6748-2111
https://www.sony.com/

【業績(IFRS)】	売上高	営業利益	税前利益	純利益
22.3	9,921,513	1,202,339	1,117,503	882,178
23.3	11,539,837	1,208,206	1,180,313	937,126
24.3	13,020,768	1,208,831	1,268,662	970,573

パナソニックグループ

【特色】松下幸之助創業の電機大手、電池に巨額投資

[記者評価] 総合電機大手。11年に三洋電機、パナソニック電工を完全子会社化。洗濯機やエアコン、冷蔵庫などの白物家電は国内最大手。米テスラ向けがほとんどの車載電池を中長期の成長軸と位置づけ、新工場建設など集中投資。足元は家電や電子部品で稼ぐ。

平均勤続年数	男性育休取得率	3年後離職率	平均年収(平均NA)
20.4年	NA	NA	◇930万円

●採用・配属情報●

【男女・文理別採用実績】

	大卒男	大卒女	修士男	修士女
23年	NA(文NA 理NA)	NA(文NA 理NA)	NA(文NA 理NA)	NA(文NA 理NA)
24年	NA(文NA 理NA)	NA(文NA 理NA)	NA(文NA 理NA)	NA(文NA 理NA)
25年	NA(文NA 理NA)	NA(文NA 理NA)	NA(文NA 理NA)	NA(文NA 理NA)

※25年:1,000名採用予定

【男女・職種別採用実績】　転換制度:⇔

	総合職
23年	800(男 NA 女 NA)
24年	1,000(男 NA 女 NA)
25年	1,000(男 NA 女 NA)

【24年4月入社者の配属勤務地】[総]NA [技]NA

【転勤】あり:[職種]全社員[勤務地]全国の事業所

【中途比率】[単年度]21年度37%、22年度61%、23年度−((20年度)15%)[全体]25%

●働きやすさ、諸制度●

残業(月) NA

【勤務時間】9:00〜17:30【有休取得年平均】18.0日【週休】完全2日(土日)【夏期休暇】NA【年末年始休暇】NA

【離職率】NA

【新卒3年後離職率】
[20→23年]NA
[21→24年]NA

【テレワーク】制度あり:[場所]自宅 実家等の通勤圏外からの勤務も可[対象]NA[日数]NA[利用率]14.5%【勤務制度】フレックス 時間単位有休 週休3日 裁量労働 時差勤務 勤務間インターバル 副業容認【住宅補助】独身寮 社宅 住居費補助

●ライフイベント、女性活躍●

【女性比率】■男 □女

従業員 20.8% (13717名)

【産休】[期間]産前8・産後8週間[給与]NA[取得者数]NA

【育休】[期間]小学校就学直後の4月末日に達する日までの間で通算730日以内を限度[給与]NA[取得者数]22年度NA 23年度 NA[平均取得日数]22年度 男22日 女376日、23年度 男36日 女306日

【従業員】[人数]65,808名(男52,091名、女13,717名)[平均年齢]NA[平均勤続年数]20.4年(男20.7年、女19.4年)

【年齢構成】NA

会社データ　(金額は百万円)

【本社】571-8501 大阪府門真市大字門真1006 ☎06-6908-1121
https://holdings.panasonic/jp/

【業績(IFRS)】	売上高	営業利益	税前利益	純利益
22.3	7,388,791	357,526	360,395	255,334
23.3	8,378,942	288,570	316,409	265,502
24.3	8,496,420	360,962	425,239	443,994

※会社データはパナソニック ホールディングス㈱のもの

シャープ㈱

[くるみん]

【特色】液晶や家電など製造。台湾・鴻海精密工業傘下

[記者評価] 00年代前半に「世界の亀山」モデルで国内液晶市場を席巻。しかし大型投資があだとなり巨額赤字を計上。16年台湾・鴻海精密工業の傘下に入った。24年8月に大型液晶パネルの生産終了。今後は家電や複合機などシャープブランド活用した事業に注力。

平均勤続年数	男性育休取得率	3年後離職率	平均年収(平均46歳)
◇21.6年	95.7→84.1%	11.4→22.4%	◇718万円

●採用・配属情報●

【男女・文理別採用実績】

	大卒男	大卒女	修士男	修士女
23年	NA(文NA 理NA)	NA(文NA 理NA)	NA(文NA 理NA)	NA(文NA 理NA)
24年	NA(文NA 理NA)	NA(文NA 理NA)	NA(文NA 理NA)	NA(文NA 理NA)
25年	NA(文NA 理NA)	NA(文NA 理NA)	NA(文NA 理NA)	NA(文NA 理NA)

※23年:文系45名・理系176名採用、24年:文系113名・理系209名採用(博士・修士・大卒・高専含む)

【男女・職種別採用実績】

	総合職
23年	221(男 184 女 37)
24年	322(男 250 女 72)
25年	NA(男 NA 女 NA)

【24年4月入社者の配属勤務地】[総]大阪 東京 奈良 三重 千葉 広島 計113 [技]大阪 東京 奈良 三重 千葉 広島 計209

【転勤】あり:[職種]所定の勤務地での就業を前提とする従業員(勤務地限定社員)以外

【中途比率】[単年度]21年度29%、22年度29%、23年度33%(国内連結)[全体]◇12%

●働きやすさ、諸制度●

残業(月) 14.0時間 [総]14.0時間

【勤務時間】9:00〜17:45【有休取得年平均】15.3日【週休】完全2日(土日祝)【夏期休暇】2日(土日祝、年休の一斉使用を含め連続9日)【年末年始休暇】連続6日(土日含め連続9日)

【離職率】◇男:4.5%、202名 女:5.9%、46名

【新卒3年後離職率】
[20→23年]11.4%(男11.4%・入社140名、女11.1%・入社27名)
[21→24年]22.4%(男20.3%・入社192名、女32.5%・入社40名)

【テレワーク】制度あり:[場所]NA[対象]会社が在宅勤務を認めた者[日数]週2日[利用率]NA【勤務制度】フレックス 時差勤務 勤務間インターバル【住宅補助】独身寮(33歳までまたは入寮後満5年・単身赴任者、物件所在地により使用料を設定)社宅(7年、物件所在地により家賃上限及び負担割合を設定)

●ライフイベント、女性活躍●

【女性比率】■男 □女

従業員 14.7% (739名)

管理職 5% (55名)

【産休】[期間]産前8・産後9週間[給与]健保他85%給付[取得者数]13名

【育休】[期間]2歳になるまで[給与]開始10日間は有給、以降法定[取得者数]22年度 男88名(対象92名)女19名(対象19名)23年度 男53名(対象63名)女14名(対象14名)[平均取得日数]22年度 男30日 女360日、23年度 男26日 女438日

【従業員】◇[人数]5,029名(男4,290名、女739名)[平均年齢]45.5歳(男45.9歳、女43.3歳)[平均勤続年数]21.6年(男21.9年、女19.6年)【年齢構成】■男 □女

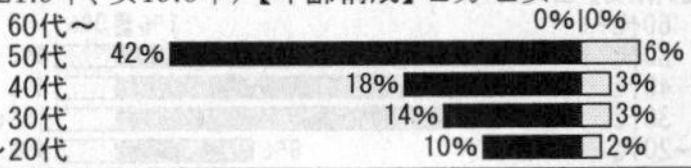
60代〜 0% 0%
50代 42% 6%
40代 18% 3%
30代 14% 3%
〜20代 10% 2%

会社データ　(金額は百万円)

【本社】590-8522 大阪府堺市堺区匠町1 ☎072-282-1221
https://corporate.jp.sharp/

【業績(連結)】	売上高	営業利益	経常利益	純利益
22.3	2,495,588	84,716	114,964	73,991
23.3	2,548,117	▲25,719	▲30,487	▲260,840
24.3	2,321,921	▲20,343	▲7,084	▲149,980

メーカーI

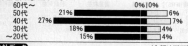

(株)ニコン

えるぼし ★★ / プラチナくるみん

【特色】一眼レフカメラ世界2位。露光装置も主力

[記者評価] 海軍用双眼鏡の国産化で創業。戦後、カメラなど民生品に事業転換。現在はカメラと半導体・液晶製造用露光装置が主柱。デジタル一眼レフではキヤノンに次ぐ2位。ミラーレス拡充中。医療機器も。ドイツの金属3Dプリンタ会社を買収するなど材料加工事業を強化。

平均勤続年数	男性育休取得率	3年後離職率	平均年収(平均43歳)
14.5年	46.9→80.3%	5.1→7.3%	[総]864万円

●採用・配属情報●

【男女・文理別採用実績】

	大卒男	大卒女	修士男	修士女
23年	NA(文NA 理NA)	NA(文NA 理NA)	NA(文NA 理NA)	NA(文NA 理NA)
24年	NA(文NA 理NA)	NA(文NA 理NA)	NA(文NA 理NA)	NA(文NA 理NA)
25年	24(文 16 理 8)	26(文 17 理 9)	62(文 1 理 61)	22(文 3 理 19)

【男女・職種別採用実績】

	総合職
23年	148(男 99 女 49)
24年	142(男 94 女 48)
25年	154(男 102 女 52)

【24年4月入社者の配属勤務地】[総]東京 神奈川 埼玉 仙台 [技]東京 神奈川 埼玉 茨城 仙台

【転勤】あり:全社員

【中途比率】[単年度]21年度53%、22年度63%、23年度65%[全体]37%

●働きやすさ、諸制度●

残業(月) 23.0時間 [総]23.0時間

【勤務時間】9:00〜17:45(スーパーフレックスタイム制 コアタイムなし)【有休取得年平均】14.8日【週休】完全2日(土日祝)【夏期休暇】連続5日(7月)連続3日(8月)【年末年始休暇】連続5日(12〜1月)

【離職率】男:2.2%、83名 女:3.0%、23名

【新卒3年後離職率】

[20→23年]5.1%(男2.8%・入社71名、女11.1%・入社27名)

[21→24年]7.3%(男4.7%・入社64名、女16.7%・入社18名)

【テレワーク】制度あり:[場所]自宅 自宅に準ずる場所[対象]全社員[日数]週3日まで[利用率]30.6%【勤務制度】フレックス 時差勤務 副業容認【住宅補助】家賃補助(条件あり)

●ライフイベント、女性活躍●

【女性比率】■男 □女

新卒採用 33.8%(52名)

従業員 17.1%(752名)

管理職 7.8%(50名)

【産休】[期間]産前6・産後8週間[給与]法定[取得者数]22名

【育休】[期間]最大2年間[給与]法定[取得者数]22年度 男61名(対象130名)女25名(対象25名)23年度 男106名(対象132名)女18名(対象21名)[平均取得日数]22年度 男27日 女228日、23年度 男45日 女220日

【従業員】[人数]4,388名(男3,636名、女752名)[平均年齢]42.5歳(男43.3歳、女39.0歳)[平均勤続年数]14.5年(男15.1年、女11.8年)

【年齢構成】■男 □女

	男	女
60代〜	1%	0%
50代	26%	4%
40代	25%	4%
30代	22%	5%
〜20代	9%	4%

会社データ (金額は百万円)

【本社】140-8601 東京都品川区西大井1-5-20 ☎03-6433-3600 https://www.jp.nikon.com/

【業績(IFRS)】	売上高	営業利益	税前利益	純利益
22.3	539,612	49,934	57,096	42,679
23.3	628,105	54,908	57,058	44,944
24.3	717,245	39,776	42,669	32,570

(株)デンソーテン

えるぼし ★★★ / プラチナくるみん

【特色】車載用電子機器メーカー。デンソー子会社

[記者評価] 1920年創立の川西機械製作所が源流。旧富士通テン。73年トヨタとデンソーが資本参加後、17年に親会社だった富士通が保有株の一部をデンソーに譲渡し同社傘下に。ドライブレコーダー、カーナビなど車載用電子機器を製造・販売。海外売上高比率は約4割。

平均勤続年数	男性育休取得率	3年後離職率	平均年収(平均41歳)
◇15.6年	29.3→49.1%	9.4→9.8%	[総]710万円

●採用・配属情報●

【男女・文理別採用実績】※25年:継続中

	大卒男	大卒女	修士男	修士女
23年	57(文 2 理 55)	12(文 5 理 7)	40(文 0 理 40)	6(文 0 理 6)
24年	46(文 4 理 42)	9(文 2 理 7)	22(文 0 理 22)	0(文 0 理 0)
25年	55(文 4 理 51)	9(文 5 理 4)	38(文 0 理 38)	2(文 0 理 2)

【男女・職種別採用実績】 転換制度:⇒

	総合職
23年	119(男 100 女 19)
24年	81(男 72 女 9)
25年	105(男 93 女 12)

【24年4月入社者の配属勤務地】[総]神戸6 [技]神戸74 栃木・小山1

【転勤】あり:全社員

【中途比率】[単年度]21年度43%、22年度49%、23年度39%[全体]NA

●働きやすさ、諸制度●

残業(月) 23.9時間

【勤務時間】8:30〜17:30 9:00〜18:00【有休取得年平均】15.7日【週休】2日【夏期休暇】連続10日程度【年末年始休暇】連続10日程度

【離職率】NA

【新卒3年後離職率】

[20→23年]9.4%(男7.5%・入社53名、女18.2%・入社11名)

[21→24年]9.8%(男9.6%・入社73名、女11.1%・入社9名)

【テレワーク】制度あり:[場所]自宅 実家 サテライトオフィス他[対象]フレックス勤務者[日数]制限なし[利用率]約50.0%【勤務制度】フレックス 裁量労働 時差勤務 勤務間インターバル 副業容認【住宅補助】独身寮(自己負担10,000〜24,000円)

●ライフイベント、女性活躍●

【女性比率】■男 □女

新卒採用 11.4%(12名)

従業員 19.9%(811名)

【産休】[期間]産前8・産後8週間[給与]法定[取得者数]18名

【育休】[期間]2歳到達後最初の4月20日まで[給与]基本的に法定通り。短期の場合100%にできる制度あり[取得者数]22年度 男27名(対象92名)女19名(対象19名)23年度 男55名(対象112名)女18名(対象18名)[平均取得日数]22年度 男23日 女405日、23年度 男60日 女388日

【従業員】◇[人数]4,071名(男3,260名、女811名)[平均年齢]41.4歳(男41.3歳、女41.5歳)[平均勤続年数]15.6年(男15.4年、女16.2年)

【年齢構成】■男 □女

	男	女
60代〜	0%	0%
50代	21%	6%
40代	27%	7%
30代	18%	4%
〜20代	15%	4%

会社データ (金額は百万円)

【本社】652-8510 兵庫県神戸市兵庫区御所通1-2-28 ☎078-671-5081 https://www.denso-ten.com/jp/

【業績(連結)】	売上高	営業利益	経常利益	純利益
22.3	348,490	7,984	NA	2,700
23.3	439,283	21,006	NA	11,414
24.3	524,903	31,880	NA	24,291

メーカーI

(株)ＪＶＣケンウッド

ジェイブイシー

えるぼし ★★★

【特色】カーナビやドライブレコーダーなど車載機器が柱

[記者評価] VHSを生んだ日本ビクターと音響機器のケンウッドが08年に経営統合。カーナビやドライブレコーダーなど車載機器のOEM供給を手がける。近年はデジタル無線機事業が米国中心に急成長し稼ぎ頭に。子会社でエンタテイメント事業を展開。海外売上高6割超。

平均勤続年数	男性育休取得率	3年後離職率	平均年収(平均51歳)
◇24.7年	94.7→100%	4.9→0%	[総]784万円

●採用・配属情報●

【男女・文理別採用実績】

	大卒男	大卒女	修士男	修士女
23年	20(文 12 理 8)	14(文 11 理 3)	12(文 0 理 12)	3(文 0 理 3)
24年	20(文 8 理 12)	15(文 13 理 2)	10(文 0 理 10)	1(文 1 理 0)
25年	31(文 12 理 19)	8(文 6 理 2)	22(文 0 理 22)	0(文 0 理 0)

【男女・職種別採用実績】

	総合職
23年	49(男 32 女 17)
24年	47(男 31 女 16)
25年	62(男 54 女 8)

【24年4月入社者の配属勤務地】[総]横浜15 八王子7 [技]横浜25

【転勤】あり:[職種]総合職 主に営業

【中途比率】[単年度]21年度89%、22年度71%、23年度56%[全体]◇27%

●働きやすさ、諸制度●

残業(月) 13.1時間 [総]13.1時間

【勤務時間】スーパーフレックスタイム制【有休取得年平均】18.8日【週休】完全2日(土日祝)【夏期休暇】平日連続5日(有休で取得)【年末年始休暇】12月29日～1月4日

【離職率】NA

【新卒3年後離職率】

[20→23年]4.9%(男6.1%・入社33名、女0%・入社8名)

[21→24年]0%(男0%・入社2名、女0%・入社1名)

【テレワーク】制度あり:[場所]自宅 サテライトオフィス[対象]全社員[日数]制限なし[利用率]42.9%【勤務制度】フレックス 時間単位有休 週休3日 時差勤務 副業容認【住宅補助】独身寮 転勤社宅 住宅手当(家賃補助 持家補助)

●ライフイベント、女性活躍●

【女性比率】■男 □女

新卒採用 12.9% (8名)

従業員 12.8% (395名)

【産休】[期間]産前8・産後8週間[給与](産前7・8週)会社6割給付+法定+18%[取得者数]6名

【育休】[期間]2歳到達月の末日まで[給与]法定[取得者数]22年度 男18名(対象19名)女4名(対象4名)23年度 男15名(対象15名)女6名(対象6名)[平均取得日数]22年度 男25日 女176日、23年度 男41日 女134日

【従業員】◇[人数]3,089名(男2,694名、女395名)[平均年齢]51.0歳(男51.6歳、女46.0歳)[平均勤続年数]24.7年(男25.3年、女20.3年)

【年齢構成】■男 □女

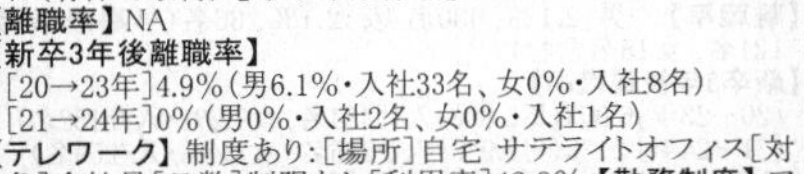
60代～
15%
1%
50代
47%
6%
40代
16%
3%
30代
5%
2%
～20代
5%
2%

会社データ (金額は百万円)

【本社】221-0022 神奈川県横浜市神奈川区守屋町3-12 ☎045-450-4567
https://www.jvckenwood.com/

【業績(IFRS)】	売上高	営業利益	税前利益	純利益
22.3	282,088	9,054	8,515	5,873
23.3	336,910	21,634	21,161	16,229
24.3	359,459	18,226	18,245	13,016

574 開示★★

カシオ計算機(株)

けいさんき

くるみん

【特色】腕時計、電子辞書で高シェア。関数電卓も

[記者評価] 樫尾4兄弟が創業。世界的人気の「Gショック」など腕時計が主力。近年では金属製や女性向けの腕時計を展開、海外販路開拓に意欲的。関数電卓・電子辞書も高シェア。電子ピアノも手がける。電卓や電子辞書の強みを生かしたオンライン教育システムの開発を強化。

平均勤続年数	男性育休取得率	3年後離職率	平均年収(平均46歳)
16.7年	77.1→104.0%	0→6.7%	◇810万円

●採用・配属情報●

【男女・文理別採用実績】

	大卒男	大卒女	修士男	修士女
23年	20(文 4 理 16)	11(文 10 理 1)	17(文 1 理 16)	4(文 1 理 3)
24年	14(文 10 理 4)	17(文 13 理 4)	17(文 1 理 16)	5(文 2 理 3)
25年	-(文 - 理 -)	-(文 - 理 -)	-(文 - 理 -)	-(文 - 理 -)

※25年:50名採用予定

【男女・職種別採用実績】

	総合職
23年	52(男 37 女 15)
24年	53(男 31 女 22)
25年	50(男 - 女 -)

【24年4月入社者の配属勤務地】[総]東京13 北海道1 埼玉1 愛知2 大阪3 福岡1 [技]東京32

【転勤】NA

【中途比率】[単年度]21年度79%、22年度69%、23年度64%[全体]NA

●働きやすさ、諸制度●

残業(月) 17.0時間 [総]17.0時間

【勤務時間】7時間45分時差勤務制度(7:20～19:30の勤務時間内で始業・終業時刻を変えることができる※標準勤務時間8:50～17:30)【有休取得年平均】15.4日【週休】完全2日(土日祝)【夏期休暇】連続9日(週休含む)【年末年始休暇】連続7日(週休含む)

【離職率】NA

【新卒3年後離職率】

[20→23年]0%(男0%・入社29名、女0%・入社13名)

[21→24年]6.7%(男4.0%・入社25名、女20.0%・入社5名)

【テレワーク】制度あり:[場所]自宅に準じる場所[対象]NA[日数]制限なし[利用率]NA【勤務制度】時間単位有休 時差勤務 勤務間インターバル 副業容認【住宅補助】独身寮 社宅

●ライフイベント、女性活躍●

【女性比率】■男 □女

従業員 22.2% (551名)

【産休】[期間]産前8・産後8週間[給与]産前7～8週は無給、以後法定+健保10分の1給付[取得者数]19名

【育休】[期間]3歳の誕生日前日まで[給与]法定[取得者数]22年度 男37名(対象48名)女25名(対象25名)23年度 男52名(対象50名)女17名(対象17名)[平均取得日数]22年度 男53日 女430日、23年度 男62日 女427日

【従業員】[人数]2,480名(男1,929名、女551名)[平均年齢]45.7歳(男46.8歳、女42.1歳)[平均勤続年数]16.7年(男17.6年、女13.6年)

【年齢構成】NA

会社データ (金額は百万円)

【本社】151-8543 東京都渋谷区本町1-6-2 ☎03-5334-4111
https://www.casio.com/jp/

【業績(連結)】	売上高	営業利益	経常利益	純利益
22.3	252,322	22,011	22,174	15,889
23.3	263,831	18,164	19,570	13,079
24.3	268,828	14,208	17,920	11,909

ぞうじるし
象印マホービン(株)

くるみん

【特色】調理家電大手。海外展開加速、アジア・北米で強い

記者評価 魔法瓶メーカーとして創業。戦後、炊飯器、電気ポット等の調理家電から加湿器等の生活家電も展開。調理家電が売上の約7割を占める。ステンレス水筒にも強い。中国でブランドが浸透。国内では電子レンジを育成中。高級炊飯器など高付加価値化戦略進める。

平均勤続年数	男性育休取得率	3年後離職率	平均年収(平均41歳)
15.0年	5.9 → 77.3%	0 → 10.0%	総 840万円

●採用・配属情報●

【男女・文理別採用実績】

	大卒男	大卒女	修士男	修士女
23年	14(文 7 理 7)	7(文 5 理 2)	1(文 0 理 1)	0(文 0 理 0)
24年	11(文 9 理 2)	9(文 5 理 4)	3(文 0 理 3)	1(文 0 理 1)
25年	14(文 9 理 5)	7(文 7 理 0)	5(文 0 理 5)	0(文 0 理 0)

【男女・職種別採用実績】

	総合職
23年	22(男 15 女 7)
24年	24(男 14 女 10)
25年	26(男 19 女 7)

【24年4月入社者の配属勤務地】総 大阪(大阪7 大東1) 東京・港4 福岡・博多2 技 大阪(大阪1 大東9)

【転勤】あり:[職種]総合職[勤務地]大阪 東京 名古屋 福岡 他 全国16拠点(国内営業部門)

【中途比率】[単年度]21年度25%、22年度27%、23年度42%[全体]15%

●働きやすさ、諸制度●

残業(月) 15.0時間 総 15.0時間

【勤務時間】9:00～17:45【有休取得年平均】13.5日【週休】完全2日(土日祝)【夏期休暇】連続5～6日(一斉有休3日、土日祝含む)【年末年始休暇】9日

【離職率】男:2.1%、9名 女:0%、0名

【新卒3年後離職率】
[20→23年]0%(男0%・入社14名、女0%・入社5名)
[21→24年]10.0%(男13.3%・入社15名、女0%・入社5名)

【テレワーク】制度あり:[場所]自宅[対象]全社員[日数]週2日まで[利用率]NA【勤務制度】フレックス 時間単位有休 時差勤務【住宅補助】住宅手当(地域別 世帯・準世帯主区分)

●ライフイベント、女性活躍●

【女性比率】■男 □女

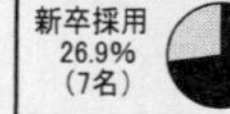

新卒採用 26.9% (7名)　従業員 19.6% (105名)　管理職 5.2% (9名)

【産休】[期間]産前6・産後8週間[給与]会社全額給付[取得者数]2名

【育休】[期間]2歳になるまで[給与]法定[取得者数]22年度 男1名(対象17名) 女6名(対象6名) 23年度 男17名(対象22名) 女2名(対象2名)[平均取得日数]22年度 NA、23年度 NA

【従業員】[人数]535名(男430名、女105名)[平均年齢]41.3歳(男41.9歳、女38.3歳)[平均勤続年数]15.0年(男15.5年、女12.9年)

【年齢構成】■男 □女

	男	女
60代～	0%	0%
50代	28%	5%
40代	19%	3%
30代	17%	4%
～20代	16%	7%

会社データ (金額は百万円)

【本社】530-8511 大阪府大阪市北区天満1-20-5 ☎06-6356-2311
https://www.zojirushi.co.jp/

【業績(連結)】	売上高	営業利益	経常利益	純利益
21.11	77,673	6,399	6,791	4,509
22.11	82,534	4,664	5,815	3,658
23.11	83,494	5,000	6,496	4,441

キヤノン(株)

プラチナくるみん

【特色】カメラ、事務機に加えて医療機器にも注力

記者評価 国産カメラの開発・製造を目的に1933年開設された精機光学研究所が祖。カメラの世界最大手。事務機でも世界的。半導体露光装置も注力。近年はCTやMRIといった医療機器を成長の柱に据える。16年に東芝メディカルシステムズを買収、国内外で営業強化中。

平均勤続年数	男性育休取得率	3年後離職率	平均年収(平均44歳)
◇19.0年	56.5 → 78.6%	6.9 → 7.1%	総 832万円

●採用・配属情報●

【男女・文理別採用実績】

	大卒男	大卒女	修士男	修士女
23年	144(文 17 理127)	43(文 13 理 30)	0(文 0 理 0)	0(文 0 理 0)
24年	217(文 22 理195)	64(文 17 理 47)	0(文 0 理 0)	0(文 0 理 0)
25年	174(文 12 理162)	40(文 12 理 28)	0(文 0 理 0)	0(文 0 理 0)

※博士・修士・高専・短大・専門を大卒に含む

【男女・職種別採用実績】

	−
23年	187(男144 女 43)
24年	281(男217 女 64)
25年	214(男174 女 40)

【24年4月入社者の配属勤務地】総 本社(東京)および国内外事業所 他 技 本社(東京)および国内外事業所 他

【転勤】あり:全社員

【中途比率】[単年度]21年度NA、22年度NA、23年度NA[全体]◇12%

●働きやすさ、諸制度●

残業(月) 11.7時間

【勤務時間】8:30～17:00【有休取得年平均】17.7日【週休】完全2日(土日祝)【夏期休暇】連続9日(土日含む)【年末年始休暇】連続5日

【離職率】◇男:2.1%、430名 女:2.1%、86名(早期退職男121名、女18名含む)

【新卒3年後離職率】
[20→23年]6.9%(男6.8%・入社484名、女7.2%・入社152名)
[21→24年]7.1%(男7.9%・入社266名、女3.4%・入社59名)

【テレワーク】制度あり:[場所]自宅 自宅に準ずる場所[対象]テレワークにより出社と同等以上の生産性を見込めることが条件[日数]原則週1日は出社指示[利用率]NA【勤務制度】時間単位有休 時差勤務 副業容認【住宅補助】転居がともなう異動の場合、入社時支度金50万円・転勤時支度金90万円(独身)、180万円(家族帯同) 単身赴任者については、会社が住居を用意し、本人が月額賃借料の8%を負担

●ライフイベント、女性活躍●

【女性比率】■男 □女

新卒採用 18.7% (40名)　従業員 16.8% (4032名)　管理職 4.1% (75名)

【産休】[期間]法定+産前休業(マタニティ休業)[給与]産前産後休暇中は会社が基本給の40%を支給[取得者数]100名

【育休】[期間]3歳になるまで[給与]法定[取得者数]22年度 男296名(対象524名) 女92名(対象92名) 23年度 男361名(対象459名) 女99名(対象100名)[平均取得日数]22年度 男62日 女472日、23年度 男71日 女507日

【従業員】◇[人数]23,931名(男19,899名、女4,032名)[平均年齢]44.1歳(男44.3歳、女43.2歳)[平均勤続年数]19.0年(男19.2年、女18.1年)【年齢構成】■男 □女

	男	女
60代～	9%	2%
50代	26%	5%
40代	25%	5%
30代	15%	3%
～20代	8%	3%

会社データ (金額は百万円)

【本社】146-8501 東京都大田区下丸子3-30-2 ☎03-3758-2111
https://global.canon/

【業績(SEC)】	売上高	営業利益	税前利益	純利益
21.12	3,513,357	281,918	302,706	214,718
22.12	4,031,414	353,399	352,440	243,961
23.12	4,180,972	375,366	390,767	264,513

富士フイルムビジネスイノベーション(株)

えるぼし ★★　プラチナくるみん

【特色】複合機の大手メーカー。ビジネスDX事業に注力

記者評価 複合機・プリンターなどオフィス機器を製造・販売。複合機管理などBPOにも注力。富士フイルムHDと米ゼロックスの合弁で出発したが、富士フイルムによるゼロックス買収がこじれ19年に合弁解消、富士フイルム全額出資に。24年10月から米国での複合機販売を開始。

平均勤続年数	男性育休取得率	3年後離職率	平均年収(平均46歳)
20.0年	62.7→83.5%	ND→12.6%	㊕936万円

●採用・配属情報●

【男女・文理別採用実績】※大卒に修士・博士を含む

	大卒男	大卒女	修士男	修士女
23年	45(文 8理 37)	17(文 6理 11)	0(文 0理 0)	0(文 0理 0)
24年	71(文 17理 54)	34(文 19理 15)	0(文 0理 0)	0(文 0理 0)
25年	109(文 14理 95)	59(文 36理 23)	0(文 0理 0)	0(文 0理 0)

【男女・職種別採用実績】

	総合職
23年	62(男 45 女 17)
24年	105(男 71 女 34)
25年	168(男 109 女 59)

【職種併願】○
【24年4月入社者の配属勤務地】㊕東京 神奈川 ㊍神奈川
【転勤】あり:全社員
【中途比率】[単年度]21年度5%、22年度19%、23年度54% [全体]12%

●働きやすさ、諸制度●

残業(月) 20.7時間 ㊕20.7時間

【勤務時間】9:00～17:40(フレックスタイム制 コアタイム10:30～15:10)【有休取得年平均】16.0日【週休】完全2日(土日祝)【夏期休暇】9日(週休含む)【年末年始休暇】連続5日
【離職率】男:3.3%、122名 女:4.4%、31名
【新卒3年後離職率】
[20→23年]ND
[21→24年]12.6%(男11.6%・入社129名、女15.8%・入社38名)
【テレワーク】制度あり:[場所]自宅など[対象]全社員(業務内容により例外あり)[日数]週2日程度[利用率]NA【勤務制度】フレックス 時間単位有休 時差勤務 勤務間インターバル 副業容認【住宅補助】社宅(家賃の7割を会社が負担 入社後5年まで)住宅補助手当(家賃の3割を会社から支給)住宅手当

●ライフイベント、女性活躍●

【女性比率】■男 □女

新卒採用 35.1% (59名)

従業員 15.8% (679名)

管理職 7.9% (106名)
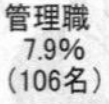

【産休】[期間]産前6・産後8週間[給与]法定に加え、共済会による出産補填により本給相当額を補填[取得者数]37名
【育休】[期間]1歳になるまで[給与]法定[取得者数]22年度 男69名(対象110名)女26名(対象26名)23年度 男76名(対象91名)女31名(対象31名)[平均取得日数]22年度 男64日 女291日、23年度 男88日 女318日
【従業員】[人数]4,303名(男3,624名、女679名)[平均年齢]45.3歳(男46.0歳、女41.2歳)[平均勤続年数]20.0年(男20.6年、女16.7年)【年齢構成】■男 □女

	男	女
60代～	2%	0%
50代	37%	4%
40代	21%	4%
30代	17%	5%
～20代	7%	2%

会社データ (金額は百万円)

【本社】107-0052 東京都港区赤坂9-7-3 東京ミッドタウン ☎03-6271-5111
https://www.fujifilm.com/fb/

【業績(連結)】	売上高	営業利益	税前利益	純利益
22.3	2,525,773	229,702	260,446	211,180
23.3	2,859,041	273,079	282,224	219,422
24.3	2,960,916	276,725	317,288	243,509

※業績は富士フイルムホールディングス(株)の実績

(株)リコー

えるぼし ★★★　プラチナくるみん

【特色】複合機など事務機で世界首位級。デジカメも展開

記者評価 複合機など事務機大手。オフィスのDX化を支援するデジタルサービスを柱に据え、積極的な投資を計画。強い営業力も武器。シェアより収益重視へ経営方針を転換。欧州ではM&Aで事業拡大を推進。デジカメでは「ペンタックス」に加え360度カメラ「THETA」を展開。

平均勤続年数	男性育休取得率	3年後離職率	平均年収(平均45歳)
20.6年	112.9→93.4%	6.5→8.6%	㊕860万円

●採用・配属情報●

【男女・文理別採用実績】

	大卒男	大卒女	修士男	修士女
23年	25(文 11理 14)	15(文 13理 2)	62(文 1理 61)	9(文 0理 9)
24年	22(文 17理 5)	17(文 14理 3)	80(文 2理 78)	15(文 1理 14)
25年	10(文 6理 4)	15(文 14理 1)	70(文 1理 69)	18(文 4理 14)

【男女・職種別採用実績】

	総合職
23年	115(男 89 女 26)
24年	139(男 107 女 32)
25年	118(男 84 女 34)

【24年4月入社者の配属勤務地】㊕本社および全国の事業所・研究所38 ㊍本社および全国の事業所・研究所101
【転勤】あり:全社員
【中途比率】[単年度]21年度29%、22年度42%、23年度44%[全体]22%

●働きやすさ、諸制度●

残業(月) 18.2時間 ㊕18.2時間

【勤務時間】9:00～17:30【有休取得年平均】15.4日【週休】完全2日(原則土日祝)※計画年休含む【夏期休暇】5日(土日祝含め連続10日)【年末年始休暇】4日(土日祝含め連続7日)
【離職率】男:2.3%、159名 女:1.9%、28名(事業所移転に伴う退職男23名、女4名含む)
【新卒3年後離職率】
[20→23年]6.5%(男5.8%・入社120名、女8.3%・入社48名)
[21→24年]8.6%(男9.6%・入社52名、女6.9%・入社29名)
【テレワーク】制度あり:[場所]自宅 サテライトオフィス 公共スペース 他[対象]全社員[日数]制限なし[利用率]53.9%
【勤務制度】フレックス 時間単位有休 週休3日 時差勤務 勤務間インターバル 副業容認【住宅補助】独身寮 社宅

●ライフイベント、女性活躍●

【女性比率】■男 □女

新卒採用 28.8% (34名)

従業員 17.5% (1443名)
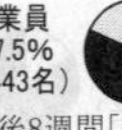
管理職 7.2% (160名)

【産休】[期間]産前6・産後8週間[給与]法定[取得者数]37名
【育休】[期間]2歳到達月末まで[給与]3カ月以内の育休は10日間有給、それ以外は法定[取得者数]22年度 男228名(対象202名)女50名(対象50名)23年度 男171名(対象183名)女32名(対象32名)[平均取得日数]22年度 男31日 女426日、23年度 男40日 女452日
【従業員】[人数]8,268名(男6,825名、女1,443名)[平均年齢]45.0歳(男45.2歳、女44.0歳)[平均勤続年数]20.6年(男20.5年、女21.1年)
【年齢構成】■男 □女

	男	女
60代～	0%	0%
50代	33%	7%
40代	24%	4%
30代	19%	4%
～20代	6%	2%

会社データ (金額は百万円)

【本社】143-8555 東京都大田区中馬込1-3-6 ☎03-3777-8111
https://jp.ricoh.com/

【業績(IFRS)】	売上高	営業利益	税前利益	純利益
22.3	1,758,587	40,052	44,388	30,371
23.3	2,134,180	78,740	81,308	54,367
24.3	2,348,987	62,023	68,202	44,176

メーカーI

セイコーエプソン(株)

[えるぼし ★★★] [プラチナくるみん]

【特色】インクジェットプリンタで世界首位級

[記者評価] 主軸のインクジェットプリンタはインクなど消耗品で稼ぐ事業モデルから大容量インク搭載のプリンタにシフト中。インクジェット複合機も教育業界などに本格展開。プロジェクターや半導体、水晶デバイスのほか、腕時計も手がける。海外売上比率は約8割。

平均勤続年数	男性育休取得率	3年後離職率	平均年収(平均43歳)
◇19.5年	97.2→87.7%	4.9→6.0%	[総]801万円

●採用・配属情報●

【男女・文理別採用実績】

	大卒男	大卒女	修士男	修士女
23年	77(文 23 理 54)	22(文 11 理 11)	144(文 0 理144)	18(文 5 理 13)
24年	90(文 28 理 62)	29(文 10 理 19)	129(文 2 理127)	23(文 4 理 19)
25年	45(文 19 理 26)	33(文 18 理 15)	151(文 0 理151)	13(文 0 理 13)

【男女・職種別採用実績】

	総合職
23年	300(男249 女 51)
24年	314(男249 女 65)
25年	281(男220 女 61)

【24年4月入社者の配属勤務地】[総]長野58 新宿1 [技]長野247 北海道5 東京1 福岡2

【転勤】あり:全社員

【中途比率】[単年度]21年度17%、22年度49%、23年度37%[全体]◇20%

●働きやすさ、諸制度●

残業(月) 17.3時間 [総]17.3時間

【勤務時間】8:30～17:15(事業所により異なる)【有休取得年平均】14.3日【週休】完全2日(土日祝)【夏期休暇】連続4日【年末年始休暇】連続5日

【離職率】◇男:1.3%、122名 女:1.2%、24名(早期退職男35名、女2名含む)

【新卒3年後離職率】

[20→23年]4.9%(男5.8%・入社278名、女1.5%・入社66名)

[21→24年]6.0%(男4.1%・入社148名、女11.5%・入社52名)

【テレワーク】制度あり:[場所]自宅 帰宅連絡先 実家 別居配偶者の居宅[対象]全社員[日数]制限なし[利用率]12.8%【勤務制度】フレックス 時間単位有休 副業容認【住宅補助】社有・借上独身アパート(自己負担15,000円程度30歳まで)借上社宅(自己負担30,000円程度 35歳まで)

●ライフイベント、女性活躍●

【女性比率】■男 □女

新卒採用 21.7% (61名)

従業員 17.2% (1954名)

管理職 4.3% (41名)

【産休】[期間]産前6・産後8週間[給与]法定+1割付加給付[取得者数]46名

【育休】[期間]1歳になるまで[給与]法定[取得者数]22年度 男273名(対象281名)女38名(対象38名)23年度 男213名(対象243名)女46名(対象46名)[平均取得日数]22年度 男45日 女378日、23年度 男49日 女307日

【従業員】◇[人数]11,343名(男9,389名、女1,954名)[平均年齢]43.9歳(男43.9歳、女43.6歳)[平均勤続年数]19.5年(男19.3年、女20.5年)【年齢構成】■男 □女

	男	女
60代～	0%	0%
50代	30%	7%
40代	24%	4%
30代	16%	3%
～20代	13%	4%

会社データ (金額は百万円)

【本社】392-8502 長野県諏訪市大和3-3-5 ☎0266-52-3131 https://corporate.epson/ja/

【業績(IFRS)】	売上高	営業利益	税前利益	純利益
22.3	1,128,914	94,479	97,162	92,288
23.3	1,330,331	97,044	103,755	75,043
24.3	1,313,998	57,533	70,094	52,616

コニカミノルタ(株)

[えるぼし ★★★] [プラチナくるみん]

【特色】複合機などの印刷機が主力。東欧で高シェア

[記者評価] 03年にコニカとミノルタが経営統合。事務機など印刷関連に経営資源を集中。事務機器の販路拡大に向け日米欧でM&A戦略を積極展開。ヘルスケア領域では超音波診断装置やX線撮影装置など強化。20年には計測機器領域で買収を行うなど、新規事業の開拓を進める。

平均勤続年数	男性育休取得率	3年後離職率	平均年収(平均47歳)
◇21.0年	42.0→65.3%	15.5→15.4%	[総]801万円

●採用・配属情報●

【男女・文理別採用実績】

	大卒男	大卒女	修士男	修士女
23年	11(文 8 理 3)	8(文 7 理 1)	33(文 1 理 32)	18(文 0 理 18)
24年	12(文 10 理 2)	16(文 12 理 4)	40(文 0 理 40)	18(文 3 理 15)
25年	10(文 4 理 6)	5(文 2 理 3)	30(文 0 理 30)	13(文 2 理 11)

【男女・職種別採用実績】※24年:高卒3名含む

	総合職
23年	83(男 52 女 31)
24年	100(男 61 女 39)
25年	64(男 44 女 20)

【24年4月入社者の配属勤務地】[総]東京19 大阪5 [技]東京50 大阪16 愛知7 兵庫3

【転勤】あり:全社員

【中途比率】[単年度]21年度63%、22年度71%、23年度58%[全体]◇22%

●働きやすさ、諸制度●

残業(月) 15.0時間 [総]15.0時間

【勤務時間】9:15～17:40【有休取得年平均】14.0日【週休】完全2日(土日祝)【夏期休暇】連続7日以上【年末始休暇】連続7日以上

【離職率】◇男:3.8%、155名 女:3.6%、39名(早期退職男52名、女13名含む)

【新卒3年後離職率】

[20→23年]15.5%(男14.5%・入社55名、女17.2%・入社29名)

[21→24年]15.4%(男10.0%・入社30名、女33.3%・入社9名)

【テレワーク】制度あり:[場所]制限なし(自宅および自宅から最寄りのサイトを推奨)[対象]上長が認めたもの[日数]原則週に1日は出社 職場単位で最低週2日の出社を推奨[利用率]39.1%【勤務制度】フレックス 時間単位有休 裁量労働 時差勤務 副業容認【住宅補助】借上社宅(家賃の75%を会社負担、上限あり、7年間)独身寮(東京のみ、7年かつ30歳まで)借上独身寮(7年かつ30歳まで)

●ライフイベント、女性活躍●

【女性比率】■男 □女

新卒採用 31.3% (20名)

従業員 21.1% (1056名)

管理職 10.9% (113名)

【産休】[期間]産前6・産後8週間[給与]健保+会社で8割給付[取得者数]23名

【育休】[期間]2年3カ月になるまで[給与]2年まで法定通り、2年を超える場合は共済会から基準賃金の30%[取得者数]22年度 男37名(対象88名)女17名(対象17名)23年度 男66名(対象101名)女22名(対象22名)[平均取得日数]22年度 男72日 女367日、23年度 男63日 女485日

【従業員】◇[人数]5,003名(男3,947名、女1,056名)[平均年齢]46.7歳(男46.9歳、女45.7歳)[平均勤続年数]21.0年(男20.9年、女21.6年)【年齢構成】■男 □女

	男	女
60代～	0%	0%
50代	36%	11%
40代	24%	4%
30代	13%	4%
～20代	5%	3%

会社データ (金額は百万円)

【本社】100-7015 東京都千代田区丸の内2-7-2 JPタワー ☎03-6250-2111 https://www.konicaminolta.com/

【業績(IFRS)】	売上高	営業利益	税前利益	純利益
22.3	911,426	▲22,297	▲23,617	▲26,123
23.3	1,130,397	▲95,125	▲101,872	▲103,153
24.3	1,159,999	26,091	13,566	4,521

メーカーI

ブラザー工業(株)（こうぎょう）

[くるみん]

【特色】ミシンで創業、現在はプリンタと産業機械が主力

[記者評価] プリンタが柱。ミシンではシェア首位級。ラベルプリンタ、工業用ミシンなど産業機械も。中国など40カ国以上に生産・販売拠点持ち、海外売上比率は8割超。主にアジアで製造、欧米で販売。インドで工作機械を拡大中。子会社で「JOYSOUND」などカラオケ事業も。

平均勤続年数	男性育休取得率	3年後離職率	平均年収(平均44歳)
15.0年	75.3 → 70.0%	6.2 → 5.4%	[総]845万円

●採用・配属情報●

【男女・文理別採用実績】

	大卒男	大卒女	修士男	修士女
23年	11(文 9理 2)	16(文 12理 4)	64(文 0理 64)	10(文 0理 10)
24年	9(文 9理 0)	13(文 13理 0)	49(文 0理 49)	14(文 1理 13)
25年	15(文 12理 3)	11(文 9理 2)	53(文 2理 51)	10(文 0理 10)

【男女・職種別採用実績】 転換制度:⇔

	総合職	一般職
23年	95(男 75 女 20)	6(男 0 女 6)
24年	80(男 59 女 21)	6(男 0 女 6)
25年	85(男 68 女 17)	4(男 0 女 4)

【24年4月入社者の配属勤務地】[総]愛知(名古屋15 刈谷1) [技]愛知(名古屋51 刈谷13)

【転勤】あり:[職種]事務系国内営業職[勤務地]全国8拠点(東京 大阪 他)

【中途比率】[単年度]21年度24%、22年度46%、23年度30%[全体]32%

●働きやすさ、諸制度●

残業(月) 17.3時間

【勤務時間】フレックスタイム制(コアタイムなし)【有休取得年平均】17.4日【週休】完全2日(土日祝)【夏期休暇】連続5日(週休含む)【年末年始休暇】連続7日

【離職率】男:1.1%、35名 女:2.4%、19名(早期退職男10名、女2名含む)

【新卒3年後離職率】
[20→23年]6.2%(男6.1%・入社66名、女6.7%・入社15名)
[21→24年]5.4%(男5.3%・入社57名、女5.9%・入社17名)

【テレワーク】制度あり:[場所]自宅など[対象]フレックスタイム勤務者[日数]週2日まで[利用率]NA【勤務制度】フレックス 勤務間インターバル 副業容認【住宅補助】独身寮(3棟、名古屋)住宅手当

●ライフイベント、女性活躍●

【女性比率】■男 □女

新卒採用 23.6% (21名)
従業員 19.6% (758名)
管理職 5.6% (50名)

【産休】[期間]産前6・産後8週間[給与]法定[取得者数]32名

【育休】[期間]1歳半または1歳到達年度末の翌月、ただし1歳半を超えて保育所に入所できなかった場合は1年間追加[給与]法定[取得者数]22年度 男70名(対象93名)女29名(対象31名)23年度 男77名(対象110名)女42名(対象42名)[平均取得日数]22年度 男36日 女419日、23年度 男42日 女450日

【従業員】[人数]3,876名(男3,118名、女758名)[平均年齢]44.0歳(男44.0歳、女42.0歳)[平均勤続年数]15.0年(男14.0年、女16.0年)【年齢構成】■男 □女

60代〜 10% 1%
50代 17% 4%
40代 26% 6%
30代 19% 5%
〜20代 8% 3%

[会社データ] (金額は百万円)

【本社】467-8561 愛知県名古屋市瑞穂区苗代町15-1 ☎052-824-2511
https://www.brother.co.jp/

【業績(IFRS)】	売上高	営業利益	税前利益	純利益
22.3	710,938	85,501	86,429	61,030
23.3	815,269	55,378	56,953	39,082
24.3	822,930	49,792	52,523	31,645

東芝テック(株)（とうしば）

【特色】POSレジ端末世界首位。東芝の上場子会社

[記者評価] 50年に東芝の大仁工場が分離独立した旧東京電気器具が母体。POSレジなど流通端末で国内シェア約5割で首位。12年に米IBMの同事業を買収し世界でも首位に。海外中心に事務機(複合機)も手がける。複合機はリコーと生産・開発部門統合するなど合理化を進める。

平均勤続年数	男性育休取得率	3年後離職率	平均年収(平均46歳)
17.1年	24.3 → 29.2%	11.6 → 11.9%	◇782万円

●採用・配属情報●

【男女・文理別採用実績】

	大卒男	大卒女	修士男	修士女
23年	51(文 32理 19)	20(文 15理 5)	11(文 0理 11)	0(文 0理 0)
24年	57(文 41理 16)	20(文 15理 5)	12(文 1理 11)	3(文 0理 3)
25年	52(文 31理 21)	33(文 29理 4)	4(文 0理 4)	3(文 0理 3)

【男女・職種別採用実績】

	総合職
23年	82(男 62 女 20)
24年	92(男 69 女 23)
25年	92(男 56 女 36)

【24年4月入社者の配属勤務地】[総]東京(大崎19 品川1)静岡・大仁1 関西7 中部3 関信越3 東北2 広島3 九州4 [技]東京(大崎15 品川6)静岡(大仁13 三島2)関西4 中部3 関信越2 東北1 九州3

【転勤】あり:全社員

【中途比率】[単年度]21年度35%、22年度37%、23年度43%[全体]NA

●働きやすさ、諸制度●

残業(月) 20.2時間 [総]20.2時間

【勤務時間】8:30〜17:15【有休取得年平均】14.5日【週休】完全2日(土日祝)【夏期休暇】連続4日(有休2日、週休2日で取得)【年末年始休暇】12月30日〜1月4日

【離職率】男:2.2%、65名 女:1.9%、10名(早期退職男4名、女1名含む)

【新卒3年後離職率】
[20→23年]11.6%(男11.8%・入社76名、女10.5%・入社19名)
[21→24年]11.9%(男12.7%・入社55名、女8.3%・入社12名)

【テレワーク】制度あり:[場所]自宅 他[対象]全社員[日数]制限なし[利用率]NA【勤務制度】フレックス 時間単位有休 裁量労働 副業容認【住宅補助】住宅費補助・家賃補助(金額は単身・世帯・賃貸額・地域による)

●ライフイベント、女性活躍●

【女性比率】■男 □女

新卒採用 39.1% (36名)
従業員 15.3% (522名)
管理職 4.4% (38名)

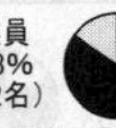

【産休】[期間]産前8・産後8週間[給与]健保80%給付[取得者数]9名

【育休】[期間]3歳到達月末まで[給与]法定[取得者数]22年度 男17名(対象70名)女8名(対象8名)23年度 男21名(対象72名)女7名(対象7名)[平均取得日数]22年度 NA、23年度 男47日 女510日

【従業員】[人数]3,422名(男2,900名、女522名)[平均年齢]46.2歳(男46.8歳、女43.1歳)[平均勤続年数]17.1年(男17.1年、女16.7年)【年齢構成】■男 □女

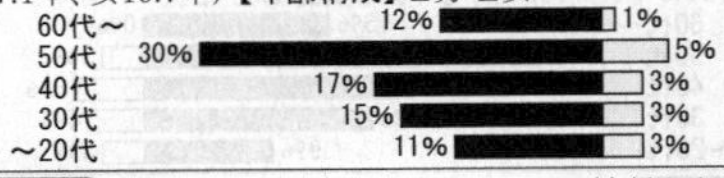

60代〜 12% 1%
50代 30% 5%
40代 17% 3%
30代 15% 3%
〜20代 11% 3%

[会社データ] (金額は百万円)

【本社】141-8562 東京都品川区大崎1-11-1 ゲートシティ大崎ウエストタワー ☎03-6830-9100
https://www.toshibatec.co.jp/

【業績(連結)】	売上高	営業利益	経常利益	純利益
22.3	445,317	11,566	10,197	5,381
23.3	510,767	16,078	13,149	▲13,745
24.3	548,135	15,854	11,004	▲6,707

メーカーI

京セラドキュメントソリューションズ㈱

くるみん

【特色】京セラGの情報機器事業の中核担う。海外が大半

記者評価 京セラの完全子会社。オフィス向けプリンターや複合機などを製販。企業内のデータ管理・活用などのECM／CSPソリューションや、商業・産業用インクジェット機も手がける。海外展開は早く、世界各国に販売拠点網。米国とフィリピンには研究開発拠点も。

平均勤続年数	男性育休取得率	3年後離職率	平均年収(平均46歳)
◇19.0年	17.1→26.8%	6.5→15.1%	[総]802万円

●採用・配属情報●

【男女・文理別採用実績】※25年:予定数

	大卒男	大卒女	修士男	修士女
23年	22(文 14 理 8)	7(文 3 理 4)	18(文 0 理 18)	5(文 1 理 4)
24年	23(文 8 理 15)	7(文 5 理 2)	18(文 1 理 17)	6(文 1 理 5)
25年	22(文 14 理 8)	10(文 6 理 4)	26(文 0 理 26)	5(文 0 理 5)

【男女・職種別採用実績】 転換制度:⇔

	総合職	一般職
23年	52(男 40 女 12)	0(男 0 女 0)
24年	54(男 41 女 13)	0(男 0 女 0)
25年	63(男 48 女 15)	0(男 0 女 0)

【24年4月入社者の配属勤務地】[総]大阪12 東京7 [技]大阪34 横浜1

【転勤】あり:全社員

【中途比率】[単年度]21年度6%、22年度34%、23年度30% [全体]◇28%

●働きやすさ、諸制度●

残業(月) 10.6時間 [総]10.6時間

【勤務時間】8:45〜17:30【有休取得年平均】13.7日【週休】完全2日(土日祝)【夏期休暇】連続9日(一斉有休取得1日含む)【年末年始休暇】連続7日(一斉有休取得1日含む)

【離職率】◇男:1.6%、46名 女:2.0%、11名(早期退職5名含む)

【新卒3年後離職率】

[20→23年]6.5%(男6.5%・入社46名、女6.3%・入社16名)

[21→24年]15.1%(男13.2%・入社38名、女20.0%・入社15名)

【テレワーク】制度あり:[場所]オープンスペースを除く(その他、利用条件あり)[対象]制限なし[日数]制限なし[利用率]26.9%【勤務制度】フレックス 時間単位有休 時差勤務 勤務間インターバル【住宅補助】独身寮／単身赴任者住宅(借り上げ社宅):本人負担 7,000円 社宅(借り上げ社宅):本人負担22,000〜44,000円(家族構成等により異なる)都市勤務者手当(住宅補助):5,000〜45,000円(勤務する都市により異なる)

●ライフイベント、女性活躍●

【女性比率】■男 □女

新卒採用 23.8% (15名)

従業員 16% (547名)

管理職 5.4% (44名)

【産休】[期間]産前6・産後8週間[給与]法定[取得者数]12名

【育休】[期間]1歳になるまで[給与]法定[取得者数]22年度 男7名(対象41名)女14名(対象14名)23年度 男15名(対象56名)女12名(対象12名)[平均取得日数]22年度 NA、23年度 NA

【従業員】◇[人数]3,422名(男2,875名、女547名)[平均年齢]45.8歳(男46.7歳、女40.0歳)[平均勤続年数]19.0年(男19.3年、女16.7年)【年齢構成】■男 □女

年齢	男	女
60代〜	13%	0%
50代	28%	3%
40代	19%	5%
30代	16%	4%
〜20代	9%	3%

会社データ (金額は百万円)

【本社】540-8585 大阪府大阪市中央区玉造1-2-28 ☎06-6764-3555 https://www.kyoceradocumentsolutions.co.jp/

【業績(IFRS)】	売上高	営業利益	税前利益	純利益
22.3	366,691	NA	33,334	NA
23.3	434,914	NA	33,706	NA
24.3	452,162	NA	43,940	NA

沖電気工業㈱

えるぼし★★★ プラチナくるみん

【特色】情報通信システム、プリンタ、ATM、EMSの4本柱

記者評価 1881年、日本で最初の通信機器メーカーとして誕生。現在は情報通信、プリンタ、銀行ATM、EMSが軸。ATMはキャッシュレス化の影響で停滞。プリンタもデジタル化の波受け苦戦、構造改革でスリム化し産業用に活路模索。DX領域など軸に、研究開発を加速している。

平均勤続年数	男性育休取得率	3年後離職率	平均年収(平均45歳)
◇19.6年	81.7→80.0%	7.6→8.2%	[総]752万円

●採用・配属情報●

【男女・文理別採用実績】※25年:計画数

	大卒男	大卒女	修士男	修士女
23年	54(文 26 理 28)	23(文 17 理 6)	41(文 3 理 38)	3(文 0 理 3)
24年	60(文 21 理 39)	28(文 20 理 8)	43(文 1 理 42)	6(文 3 理 3)
25年	61(文 16 理 45)	17(文 15 理 2)	34(文 0 理 34)	3(文 1 理 2)

【男女・職種別採用実績】

	総合職	経理職
23年	116(男 93 女 23)	5(男 2 女 3)
24年	134(男 101 女 33)	4(男 3 女 1)
25年	112(男 93 女 19)	3(男 2 女 1)

【24年4月入社者の配属勤務地】[総]東京(虎ノ門9 芝浦15)埼玉・本庄1 群馬・高崎5 大阪3 札幌2 仙台2 名古屋2 広島2 高松2 福岡2 [技]東京(虎ノ門1 芝浦14 三鷹3 小峰2)埼玉(蕨29 本庄3)群馬(高崎27 富岡1)静岡・沼津13

【転勤】あり:全社員

【中途比率】[単年度]21年度18%、22年度32%、23年度28%[全体]◇9%

●働きやすさ、諸制度●

残業(月) 27.6時間 [総]27.9時間

【勤務時間】8:30〜17:15【有休取得年平均】13.4日【週休】完全2日(土日祝)【夏期休暇】連続9日(計画年休5日含む)【年末年始休暇】12月30日〜1月3日

【離職率】◇男:2.2%、88名 女:2.7%、19名

【新卒3年後離職率】

[20→23年]7.6%(男8.9%・入社79名、女3.8%・入社26名)

[21→24年]8.2%(男7.7%・入社78名、女9.4%・入社32名)

【テレワーク】制度あり:[場所]自宅 サテライトオフィス[対象]現業除く[日数]制限なし[利用率]34.3%【勤務制度】フレックス 時間単位有休 裁量労働 副業容認【住宅補助】住宅手当(対象:会社都合で転居が必要となる社員)

●ライフイベント、女性活躍●

【女性比率】■男 □女

新卒採用 17.4% (20名)

従業員 14.8% (689名)

管理職 4.2% (33名)

【産休】[期間]産前8・産後8週間[給与]法定+月額の1／30を給付[取得者数]23名

【育休】[期間]2歳になるまで(保育所へ入所できない場合に限り3歳になるまで)[給与]法定[取得者数]22年度 男76名(対象93名)女21名(対象22名)23年度 男60名(対象75名)女18名(対象18名)[平均取得日数]22年度 男60日 女341日、23年度 男105日 女381日

【従業員】◇[人数]4,648名(男3,959名、女689名)[平均年齢]44.6歳(男45.3歳、女40.8歳)[平均勤続年数]19.6年(男20.4年、女15.0年)【年齢構成】■男 □女

年齢	男	女
60代〜	0%	0%
50代	40%	5%
40代	19%	3%
30代	16%	3%
〜20代	11%	4%

会社データ (金額は百万円)

【本社】105-8460 東京都港区虎ノ門1-7-12 ☎03-3501-3111 https://www.oki.com/jp/

【業績(連結)】	売上高	営業利益	経常利益	純利益
22.3	352,064	5,864	7,691	2,065
23.3	369,096	2,403	▲328	▲2,800
24.3	421,854	18,692	18,293	25,649

メーカーI

1227 開示 ★★★ 短大 専門 採用あり

(株)PFU（ビーエフユー）

えるぼし★★ くるみん

【特色】業務用スキャナー世界首位。リコーの連結子会社

記者評価 リコーが80%、富士通が20%を出資。世界シェア首位の業務用イメージスキャナーが主力。組込みコンピュータも強い。スキャナーで培った光学技術でAI活用の文字認識ソフトや廃棄物分別システムを展開。石川・かほくと横浜の2本社制。海外は中国、米国などに拠点。

平均勤続年数	男性育休取得率	3年後離職率	平均年収(平均45歳)
21.3年	64.1→76.2%	11.1→5.0%	728万円

●採用・配属情報●

【男女・文理別採用実績】

	大卒男	大卒女	修士男	修士女
23年	14(文 4理 10)	2(文 2理 0)	12(文 1理 11)	0(文 0理 0)
24年	25(文 13理 12)	16(文 15理 1)	18(文 0理 18)	1(文 0理 1)
25年	22(文 9理 13)	18(文 14理 4)	12(文 0理 12)	1(文 0理 1)

【男女・職種別採用実績】 転換制度:NA

	総合職
23年	32(男 30 女 2)
24年	69(男 50 女 19)
25年	55(男 36 女 19)

【24年4月入社者の配属勤務地】㊔神奈川16 石川5 大阪3 ㊕神奈川14 石川31
【転勤】あり:全社員
【中途比率】[単年度]21年度12%、22年度75%、23年度70%[全体]NA

●働きやすさ、諸制度●

残業(月) 18.4時間

【勤務時間】8:40〜17:10【有休取得年平均】15.0日【週休】完全2日(土日祝)【夏期休暇】連続10日(週休含む)【年末年始休暇】連続7日(週休含む)
【離職率】男:2.4%、48名 女:3.1%、16名
【新卒3年後離職率】
[20→23年]11.1%(男13.6%・入社44名、女0%・入社10名)
[21→24年]5.0%(男5.8%・入社52名、女0%・入社8名)
【テレワーク】制度あり:[場所]自宅 単身赴任者の帰省先自宅 親(本人・配偶者)の住居[対象]全社員[日数]制限なし[利用率]52.2%【勤務制度】フレックス 時間単位有休 副業容認【住宅補助】住宅手当(大卒の場合、卒年から2年間は賃料の80%を家賃補助として支給※限度額あり)社宅(石川地区のみ)単身赴任社宅

●ライフイベント、女性活躍●

【女性比率】■男 □女

新卒採用 34.5% (19名)
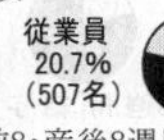
従業員 20.7% (507名)

管理職 9.5% (43名)

【産休】[期間]産前8・産後8週間[給与]健保85%給付[取得者数]12名
【育休】[期間]1歳になるまで[給与]法定[取得者数]22年度 男25名(対象39名)女14名(対象14名)23年度 男32名(対象42名)女15名(対象15名)[平均取得日数]22年度 NA、23年度 NA
【従業員】[人数]2,446名(男1,939名、女507名)[平均年齢]45.3歳(男46.1歳、女42.3歳)[平均勤続年数]21.3年(男22.6年、女16.4年)
【年齢構成】NA

会社データ (金額は百万円)

【本社】929-1192 石川県かほく市宇野気ヌ98-2 ☎076-283-1212 https://www.pfu.ricoh.com/

【業績(連結)】	売上高	営業利益	経常利益	純利益
22.3	133,634	5,590	NA	4,509
23.3	134,451	7,815	NA	6,484
24.3	127,529	3,343	NA	2,470

482 開示 ★★★

マックス(株)

【特色】事務用ステープラー、建築用くぎ打ち機で国内首位

記者評価 小型ステープラー「ホッチキス」のメーカー。コピー機内蔵の自動綴じ機は有力メーカーが採用。くぎ打ち機など木造・コンクリート向け建築工具は北米で積極展開。注力中の鉄筋結束機は、国内・欧米に加え、ASEANや中東、オセアニアでも市場開拓を推進。

平均勤続年数	男性育休取得率	3年後離職率	平均年収(平均43歳)
17.5年	30.0→59.3%	6.3→2.9%	㊔966万円

●採用・配属情報●

【男女・文理別採用実績】

	大卒男	大卒女	修士男	修士女
23年	18(文 12理 6)	5(文 4理 1)	8(文 0理 8)	1(文 0理 1)
24年	12(文 10理 2)	6(文 5理 1)	9(文 0理 9)	3(文 0理 3)
25年	15(文 9理 6)	11(文 10理 1)	7(文 0理 7)	2(文 0理 2)

【男女・職種別採用実績】

	総合職
23年	32(男 26 女 6)
24年	30(男 21 女 9)
25年	35(男 22 女 13)

【24年4月入社者の配属勤務地】㊔東京・中央8 大阪市4 福岡市2 横浜1 ㊕群馬14 東京・中央1
【転勤】あり:全社員
【中途比率】[単年度]21年度21%、22年度26%、23年度30%[全体]10%

●働きやすさ、諸制度●

残業(月) 14.3時間 ㊔14.3時間

【勤務時間】9:00〜17:30【有休取得年平均】14.1日【週休】完全2日(土日祝)【夏期休暇】連続7日(有休2日 公休5日)【年末年始休暇】連続7日(有休2日 公休5日)
【離職率】男:2.4%、19名 女:1.2%、1名
【新卒3年後離職率】
[20→23年]6.3%(男8.3%・入社24名、女0%・入社8名)
[21→24年]2.9%(男4.0%・入社25名、女0%・入社10名)
【テレワーク】制度あり:[場所]自宅[対象]NA[日数]原則週1日[利用率]NA【勤務制度】フレックス 時間単位有休【住宅補助】独身寮 他(東京 大阪 愛知 群馬 他)

●ライフイベント、女性活躍●

【女性比率】■男 □女

新卒採用 37.1% (13名)

従業員 9.6% (81名)
管理職 0.8% (2名)

【産休】[期間]産前6・産後8週間[給与]会社全額給付[取得者数]4名
【育休】[期間]1歳になるまで[給与]法定[取得者数]22年度 男6名(対象20名)女3名(対象4名)23年度 男16名(対象27名)女5名(対象5名)[平均取得日数]22年度 NA、23年度 NA
【従業員】[人数]847名(男766名、女81名)[平均年齢]42.6歳(男43.5歳、女34.0歳)[平均勤続年数]17.5年(男18.3年、女10.1年)
【年齢構成】■男 □女

	男	女
60代〜	2%	0%
50代	32%	1%
40代	23%	2%
30代	18%	3%
〜20代	16%	4%

会社データ (金額は百万円)

【本社】103-8502 東京都中央区日本橋箱崎町6-6 ☎03-3669-0311 https://www.max-ltd.co.jp/

【業績(連結)】	売上高	営業利益	経常利益	純利益
22.3	73,958	7,498	8,282	6,090
23.3	84,316	9,926	10,510	7,619
24.3	86,638	12,601	13,717	10,435

りそうかがくこうぎょう 理想科学工業(株)

くるみん

【特色】高速印刷機で有名、世界的に学校関連に強み

記者評価 速い、安い印刷機で独自路線。孔版印刷機「リソグラフ」で有名だが、近年は高速インクジェットプリンターに注力。学校分野に強み。高速印刷で教員の労働時間削減に貢献。開発拠点はつくば市で、鹿島アントラーズのオフィシャルパートナー。

平均勤続年数	男性育休取得率	3年後離職率	平均年収(平均44歳)
20.5年	28.6 → 52.8%	18.2 → 22.2%	㊋864万円

●採用・配属情報●

【男女・文理別採用実績】

	大卒男	大卒女	修士男	修士女
23年	2(文 1理 1)	3(文 3理 0)	6(文 2理 4)	1(文 0理 1)
24年	13(文 10理 3)	7(文 6理 1)	5(文 0理 5)	2(文 0理 2)
25年	12(文 8理 4)	8(文 7理 1)	4(文 0理 4)	2(文 0理 2)

【男女・職種別採用実績】　転換制度:⇔

	総合職	一般職
23年	12(男 8 女 4)	0(男 0 女 0)
24年	27(男 18 女 9)	0(男 0 女 0)
25年	26(男 16 女 10)	0(男 0 女 0)

【24年4月入社者の配属勤務地】㊋東京(三田5 日本橋1 新宿1)横浜2 さいたま1 名古屋2 大阪・新大阪1 京都市1 福岡・博多1 茨城・つくば3 ㊕茨城・つくば9

【転勤】あり:[職種]ナショナル職 ブロック職

【中途比率】[単年度]21年度20%、22年度25%、23年度29%[全体]24%

●働きやすさ、諸制度●

残業(月) 12.8時間 ㊋14.4時間

【勤務時間】9:00〜17:40【有休取得年平均】14.3日【週休】完全2日(土日祝)【夏期休暇】連続7日(週休2日、計画年休2日含む)【年末年始休暇】連続7日(週休2日含む)

【離職率】NA

【新卒3年後離職率】
[20→23年]18.2%(男14.8%・入社27名、女33.3%・入社6名)
[21→24年]22.2%(男16.7%・入社6名、女33.3%・入社3名)

【テレワーク】制度あり:[場所]自宅 サテライトオフィス[対象]原則勤続3年目以上の正社員[日数]月8日以内[利用率]8.1%【勤務制度】フレックス【住宅補助】独身寮(28歳誕生日月末まで)転勤者社宅 首都圏住宅取得支援制度

●ライフイベント、女性活躍●

【女性比率】■男 □女

新卒採用 38.5% (10名)　従業員 18.5% (254名)

管理職 4.3% (14名)

【産休】[期間]産前6・産後8週間[給与]会社全額給付[取得者数]12名

【育休】[期間]1歳になるまで[給与]法定[取得者数]22年度 男12名(対象42名)女11名(対象11名)23年度 男19名(対象36名)女11名(対象11名)[平均取得日数]22年度 男61日 女346日、23年度 男41日 女362日

【従業員】[人数]1,375名(男1,121名、女254名)[平均年齢]44.1歳(男44.6歳、女41.9歳)[平均勤続年数]20.5年(男20.9年、女18.6年)

【年齢構成】■男 □女

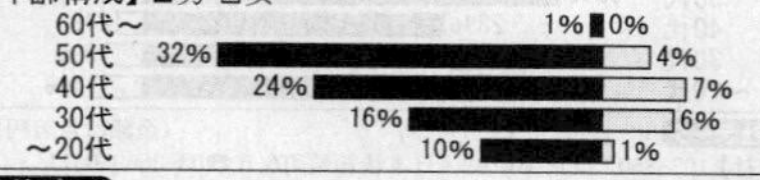

会社データ　(金額は百万円)

【本社】108-8385 東京都港区芝5-34-7 田町センタービル ☎03-5441-6805
https://www.riso.co.jp/

【業績(連結)】	売上高	営業利益	経常利益	純利益
22.3	69,313	4,164	4,644	3,578
23.3	74,655	5,955	6,201	4,624
24.3	74,602	5,256	6,202	4,831

ちよだ 千代田インテグレ(株)

プラチナくるみん

【特色】ソフト素材加工専門の総合部品メーカー

記者評価 OA・AV機器部品をつなぐ緩衝材などソフト加工材の開発に強み。スマホ向けほかヘルスケアにも進出。自動運転など車載関連はOA機器に次ぐ柱に育成中。5G関連では低誘電フィルムの開発急ぐ。海外売上比率8割弱で、幹部社員の多くは海外法人で経営ノウハウ習得。

平均勤続年数	男性育休取得率	3年後離職率	平均年収(平均38歳)
15.9年	100 → 100%	33.3 → 44.4%	㊋772万円

●採用・配属情報●

【男女・文理別採用実績】

	大卒男	大卒女	修士男	修士女
23年	8(文 8理 0)	7(文 7理 0)	0(文 0理 0)	0(文 0理 0)
24年	11(文 10理 1)	3(文 2理 1)	0(文 0理 0)	0(文 0理 0)
25年	7(文 6理 1)	4(文 4理 0)	0(文 0理 0)	0(文 0理 0)

【男女・職種別採用実績】　転換制度:⇔

	総合職
23年	15(男 8 女 7)
24年	14(男 11 女 3)
25年	11(男 7 女 4)

【24年4月入社者の配属勤務地】㊋埼玉・草加2 東京・千代田2 愛知・豊橋1 大阪1 ㊕埼玉・草加7 愛知・豊橋1

【転勤】あり:[職種]全社員[勤務地]国内 海外(勤務地区分による)

【中途比率】[単年度]21年度NA、22年度NA、23年度NA[全体]NA

●働きやすさ、諸制度●

残業(月) 12.7時間

【勤務時間】9:00〜17:30【有休取得年平均】16.0日【週休】完全2日(土日祝)【夏期休暇】連続9日(有休3日含む)【年末年始休暇】連続7日

【離職率】男:4.5%、10名 女:6.9%、4名

【新卒3年後離職率】
[20→23年]33.3%(男40.0%・入社5名、女0%・入社1名)
[21→24年]44.4%(男25.0%・入社4名、女60.0%・入社5名)

【テレワーク】制度あり:[場所]NA[対象]生産現場勤務者以外の従業員[日数]NA[利用率]NA【勤務制度】フレックス 裁量労働 勤務間インターバル【住宅補助】社宅(海外赴任者 管理職12.6万円、一般社員7.8万円を上限に自己負担)

●ライフイベント、女性活躍●

【女性比率】■男 □女

新卒採用 36.4% (4名)　従業員 20.3% (54名)　管理職 2.5% (2名)

【産休】[期間]産前6・産後8週間[給与]法定[取得者数]1名

【育休】[期間]1歳になるまで[給与]法定[取得者数]22年度 男3名(対象3名)女1名(対象1名)23年度 男4名(対象4名)女1名(対象1名)[平均取得日数]22年度 男10日 女−、23年度 男44日 女308日

【従業員】[人数]266名(男212名、女54名)[平均年齢]40.3歳(男42.7歳、女30.9歳)[平均勤続年数]15.9年(男18.1年、女7.4年)

【年齢構成】■男 □女

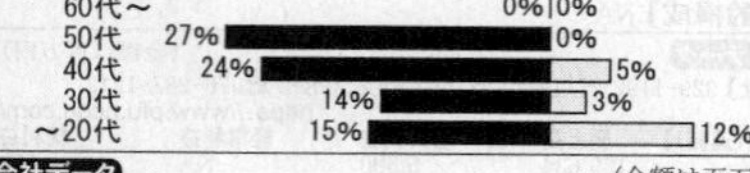

会社データ　(金額は百万円)

【本社】102-0084 東京都千代田区二番町1-1 ☎03-6386-5555
https://www.chiyoda-i.co.jp/

【業績(連結)】	売上高	営業利益	経常利益	純利益
21.12	40,006	2,696	3,024	2,398
22.12	39,372	3,015	3,780	2,725
23.12	39,416	3,058	3,770	2,556

メーカーI

ふじでんき
富士電機(株)

えるぼし ★★★ くるみん

【特色】重電大手。パワエレやパワー半導体、自販機に強い

[記者評価] 古河電気工業と独シーメンスの合弁で出発。古河財閥中核で富士通の母体。電力(地熱発電に強み)、電源、産業機器を手がける。HDD用ディスク媒体は撤退し、EV向けが拡大するパワー半導体を増産。自動販売機で国内首位。コンビニ向けコーヒーマシンも。

平均勤続年数	男性育休取得率	3年後離職率	平均年収(平均45歳)
20.8年	14.8→19.0%	9.1→10.0%	[総]861万円

●採用・配属情報●

【男女・文理別採用実績】

	大卒男	大卒女	修士男	修士女
23年	61(文 25 理 36)	35(文 21 理 14)	101(文 0 理101)	13(文 0 理 13)
24年	83(文 30 理 53)	36(文 28 理 8)	102(文 1 理101)	13(文 0 理 13)
25年	85(文 24 理 61)	41(文 35 理 6)	95(文 0 理 95)	10(文 0 理 10)

【男女・職種別採用実績】 転換制度:⇔

	総合職
23年	248(男195 女 53)
24年	276(男219 女 57)
25年	279(男223 女 56)

【24年4月入社者の配属勤務地】[総]本社および国内各拠点 [技]本社および国内各拠点

【転勤】あり:全社員

【中途比率】[単年度]21年度23%、22年度28%、23年度37%[全体]19%

●働きやすさ、諸制度●

残業(月) 13.3時間 [総]16.0時間

【勤務時間】9:00〜17:35【有休取得年平均】18.6日【週休】完全2日(土日祝)【夏期休暇】連続5日【年末年始休暇】連続5日

【離職率】男:2.1%、162名 女:2.4%、30名

【新卒3年後離職率】
[20→23年]9.1%(男8.3%・入社204名、女11.9%・入社59名)
[21→24年]10.0%(男9.7%・入社207名、女11.5%・入社52名)

【テレワーク】制度あり:[場所]要介護者・要看護者の住居 自宅 親族の居住地等自宅に準ずる場所 各事業所が設置したサテライトスペース 他[対象]幹部社員 企画職Ⅰ・Ⅱ級 介護・育児・妊娠中・家族看護・本人怪我に該当する者 他[日数]月10日を超えない[利用率]NA【勤務制度】フレックス 時間単位有休 時差勤務【住宅補助】寮(30歳まで)社宅(40歳まで)家賃補助(40歳まで)

●ライフイベント、女性活躍●

【女性比率】■男 □女

新卒採用 20.1% (56名)

従業員 13.9% (1208名)

管理職 1.9% (15名)

【産休】[期間]産前8・産後8週間[給与]法定+出産見舞金(産前法定以上期間に対し日額7割程度)[取得者数]31名

【育休】[期間]2年間(保育所に入所できない等の場合は4歳の前日まで取得可)[給与]法定[取得者数]22年度 男27名(対象183名)女31名(対象31名)23年度 男41名(対象216名)女31名(対象31名)[平均取得日数]22年度 男74日 女521日、23年度 男75日 女461日

【従業員】[人数]8,719名(男7,511名、女1,208名)[平均年齢]45.5歳(男45.9歳、女43.0歳)[平均勤続年数]20.8年(男21.1年、女18.9年)【年齢構成】■男 □女

	男	女
60代〜	6%	1%
50代	37%	5%
40代	17%	3%
30代	15%	2%
〜20代	11%	3%

会社データ (金額は百万円)

【本社】141-0032 東京都品川区大崎1-11-2 ゲートシティ大崎 ☎03-5435-7111 https://www.fujielectric.co.jp/

【業績(連結)】	売上高	営業利益	経常利益	純利益
22.3	910,226	74,835	79,297	58,660
23.3	1,009,447	88,882	87,811	61,348
24.3	1,103,214	106,066	107,822	75,353

(株)キーエンス

【特色】FAセンサーなど検出・計測制御機器大手。高収益

[記者評価] 1974年に滝崎武光氏(現名誉会長)が設立。新製品の約7割が「世界・業界初」。その開発力と直販体制、自社で工場を持たないファブレスが強み。フラットな組織で成果主義が浸透。徹底した合理性で高収益を実現、給与水準は上場企業でも突出。海外営業を強化中。

平均勤続年数	男性育休取得率	3年後離職率	平均年収(平均35歳)
11.5年	NA	NA	2,067万円

●採用・配属情報●

【男女・文理別採用実績】

	大卒男	大卒女	修士男	修士女
23年	NA(文NA理NA)	NA(文NA理NA)	NA(文NA理NA)	NA(文NA理NA)
24年	NA(文NA理NA)	NA(文NA理NA)	NA(文NA理NA)	NA(文NA理NA)
25年	NA(文NA理NA)	NA(文NA理NA)	NA(文NA理NA)	NA(文NA理NA)

※25年:294名採用

【男女・職種別採用実績】 転換制度:⇔

	B職・S職
23年	382(男340 女 42)
24年	389(男341 女 48)
25年	294(男245 女 49)

※B職は総合職、S職は一般職扱い

【職種併願】○

【24年4月入社者の配属勤務地】[総]本社・研究所(新大阪)東京研究所(台場)国内各事業所 [技]本社・研究所(新大阪)東京研究所(台場)

【転勤】NA

【中途比率】[単年度]21年度NA、22年度NA、23年度NA[全体]NA

●働きやすさ、諸制度●

残業(月) NA

【勤務時間】8:30〜17:15【有休取得年平均】NA【週休】2日(年127日)【夏期休暇】連続9日(週休含む)【年末年始休暇】連続9日(週休含む)

【離職率】NA

【新卒3年後離職率】
[20→23年]NA
[21→24年]NA

【テレワーク】NA【勤務制度】なし【住宅補助】借上社宅 地域住宅補助

●ライフイベント、女性活躍●

【女性比率】■男 □女

新卒採用 16.7% (49名)

【産休】[期間]産前6・産後8週間[給与]法定[取得者数]NA

【育休】[期間]1歳になるまで[給与]法定[取得者数]22年度NA 23年度 NA[平均取得日数]22年度 NA、23年度 NA

【従業員】[人数]3,042名(男NA、女NA)[平均年齢]35.2歳(男NA、女NA)[平均勤続年数]11.5年(男NA、女NA)

【年齢構成】NA

会社データ (金額は百万円)

【本社】533-8555 大阪府大阪市東淀川区東中島1-3-14 ☎06-6379-1111 https://www.keyence.co.jp/

【業績(連結)】	売上高	営業利益	経常利益	純利益
22.3	755,174	418,045	431,240	303,360
23.3	922,422	498,914	512,830	362,963
24.3	967,288	495,014	519,295	369,642

メーカーI

オムロン(株)

くるみん

【特色】体温計などで有名だが、主力事業は制御機器

記者評価 製造現場向け制御機器が柱。ただ、23年度に業績が大幅悪化、リストラも実施。中国偏重を見直そうと、構造改革に取組中。創業家が取締役から去り、社内は変革期に入った。ビッグデータを活用した新ビジネスを模索中。ヘルスケアや自動改札、電子部品も展開。

平均勤続年数	男性育休取得率	3年後離職率	平均年収(平均45歳)
19.4年	18.4 → 40.6%	13.2 → 15.6%	(総)901万円

●採用・配属情報●

【男女・文理別採用実績】

	大卒男	大卒女	修士男	修士女
23年	20(文 16理 4)	10(文 9理 1)	29(文 1理 28)	5(文 0理 5)
24年	8(文 5理 3)	14(文 13理 1)	41(文 0理 41)	7(文 1理 6)
25年	8(文 6理 2)	7(文 3理 4)	31(文 0理 31)	7(文 0理 7)

【男女・職種別採用実績】 転換制度:⇔

	総合職
23年	68(男 53 女 15)
24年	76(男 53 女 23)
25年	58(男 44 女 14)

【24年4月入社者の配属勤務地】(総)東京 愛知 大阪 京都 他 (技)東京 愛知 滋賀 京都 岡山 他

【転勤】あり:全社員

【中途比率】[単年度]21年度NA、22年度NA、23年度NA[全体]NA

●働きやすさ、諸制度●

残業(月) 18.6時間 (総)18.6時間

【勤務時間】9:00〜17:30【有休取得年平均】18.3日【週休】完全2日(土日祝)【夏期休暇】有休で取得【年末年始休暇】当年カレンダーによる

【離職率】NA

【新卒3年後離職率】
[20→23年]13.2%(男NA、女NA)
[21→24年]15.6%(男NA、女NA)

【テレワーク】制度あり:[場所]サテライトオフィス[対象]所属長により判断[日数]所属長により判断[利用率]NA【勤務制度】フレックス 時間単位有休 時差勤務 副業容認【住宅補助】独身寮 社宅

●ライフイベント、女性活躍●

【女性比率】■男 □女

新卒採用 24.1%(14名)

従業員 21.3%(978名)

【産休】[期間]産前8・産後8週間[給与]法定[取得者数]146名

【育休】[期間]2歳の3月末まで[給与]法定[取得者数]22年度 男43名(対象234名)女71名(対象71名)23年度 男86名(対象212名)女60名(対象62名)[平均取得日数]22年度NA、23年度 NA

【従業員】[人数]4,593名(男3,615名、女978名)[平均年齢]44.7歳(男45.0歳、女43.6歳)[平均勤続年数]19.4年(男19.3年、女19.7年)

【年齢構成】NA

会社データ (金額は百万円)

【本社】600-8530 京都府京都市下京区塩小路通堀川東入 ☎075-344-7000 https://www.omron.com/jp/ja/

【業績(SEC)】	売上高	営業利益	税前利益	純利益
22.3	762,927	89,316	86,714	61,400
23.3	876,082	100,686	98,409	73,861
24.3	818,761	34,342	34,953	8,105

(株)安川電機

やすかわでんき

プラチナくるみん+

【特色】サーボ、インバーター、産業用ロボットで首位級

記者評価 1915年に創業、地元・八幡製鉄所向け電機品などで独自制御技術を培い、サーボモーター、インバーターに競争力。産業用ロボットは世界4強の一角。製薬や農業向けロボットも展開。生産現場のデータ活用ソリューションも注力。国内外の生産拠点で内製化推進。

平均勤続年数	男性育休取得率	3年後離職率	平均年収(平均42歳)
18.6年	36.0 → 56.6%	5.5 → 5.8%	(総)924万円

●採用・配属情報●

【男女・文理別採用実績】※25年:継続中

	大卒男	大卒女	修士男	修士女
23年	18(文 10理 8)	11(文 7理 4)	24(文 1理 23)	3(文 0理 3)
24年	20(文 15理 5)	9(文 7理 2)	30(文 0理 30)	3(文 0理 3)
25年	23(文 16理 7)	5(文 5理 0)	32(文 0理 32)	6(文 0理 6)

【男女・職種別採用実績】

	総合職
23年	74(男 56 女 18)
24年	73(男 59 女 14)
25年	73(男 60 女 13)

【24年4月入社者の配属勤務地】(総)(23年)福岡12 東京5 大阪2 (技)(23年)福岡44 埼玉6 大阪3 群馬1 神奈川1

【転勤】あり:全社員(転勤の対象者とならない「エリア限定制度」あり)

【中途比率】[単年度]21年度16%、22年度30%、23年度35%[全体]NA

●働きやすさ、諸制度●

残業(月) 20.4時間 (総)20.4時間

【勤務時間】8:30〜17:00【有休取得年平均】15.4日【週休】完全2日(土日祝)【夏期休暇】連続8〜10日(年休一斉取得日2〜3日含む)【年末年始休暇】連続6〜8日

【離職率】男:1.5%、43名 女:2.2%、9名

【新卒3年後離職率】
[20→23年]5.5%(男6.2%・入社65名、女0%・入社8名)
[21→24年]5.8%(男6.4%・入社78名、女0%・入社8名)

【テレワーク】制度あり:[場所]自宅 他[対象]各職場の判断[日数]制限なし[利用率]3.3%【勤務制度】フレックス 時間単位有休 裁量労働 副業容認【住宅補助】寮(独身・転勤者・単身赴任用 自己負担10,000円 条件あり)社宅(自己負担 条件あり)

●ライフイベント、女性活躍●

【女性比率】■男 □女

新卒採用 17.8%(13名)

従業員 12.7%(406名)

【産休】[期間]産前8・産後8週間[給与]共済会より基準給の8割(健保給付含む)[取得者数]19名

【育休】[期間]1歳到達後の4月末日もしくは1歳6カ月までのいずれか長い方[給与]産後パパ育休については共済会より基準給の8割支給(健保給付含む)、他は給付金[取得者数]22年度 男31名(対象86名)女11名(対象11名)23年度 男43名(対象76名)女19名(対象19名)[平均取得日数]22年度 男43日 女594日、23年度 男40日 女560日

【従業員】[人数]3,189名(男2,783名、女406名)[平均年齢]42.1歳(男42.3歳、女41.0歳)[平均勤続年数]18.6年(男19.0年、女16.1年)【年齢構成】■男 □女

	男	女
60代〜	0%	0%
50代	30%	4%
40代	22%	3%
30代	19%	3%
〜20代	16%	3%

会社データ (金額は百万円)

【本社】806-0004 福岡県北九州市八幡西区黒崎城石2-1 ☎093-645-8801 https://www.yaskawa.co.jp/

【業績(IFRS)】	売上高	営業利益	税前利益	純利益
22.2	479,082	52,860	55,378	38,354
23.2	555,955	68,301	71,134	51,783
24.2	575,658	66,225	69,078	50,687

メーカーI

㈱島津製作所（しまづせいさくしょ）

えるぼし★★★ プラチナくるみん

【特色】分析計測機器大手。医用・航空・産業機器も展開

記者評価 製薬企業等が使う液体クロマトグラフや化学メーカーが使うガスクロマトグラフなどが成長。半導体製造装置向けターボ分子ポンプにも強み。豊富な知財生かす。ノーベル化学賞の田中耕一氏がエグゼクティブ・リサーチ・フェローを務め、異分野横断のR&Dを加速。

平均勤続年数	男性育休取得率	3年後離職率	平均年収(平均43歳)
18.0年	56.7→65.5%	5.8→7.1%	◇892万円

●採用・配属情報●

【男女・文理別採用実績】

	大卒男	大卒女	修士男	修士女
23年	21(文 17理 4)	17(文 16理 1)	65(文 1理 64)	18(文 0理 18)
24年	20(文 15理 5)	25(文 14理 11)	77(文 0理 77)	16(文 1理 15)
25年	19(文 15理 4)	12(文 11理 1)	51(文 2理 49)	16(文 0理 16)

【男女・職種別採用実績】 転換制度:NA

	総合職	一般職
23年	122(男 92 女 30)	6(男 0 女 6)
24年	138(男 99 女 39)	6(男 0 女 6)
25年	100(男 73 女 27)	3(男 0 女 3)

【職種併願】総合職と一般職で可能

【24年4月入社者の配属勤務地】㊥京都14 東京9 大阪3 名古屋3 横浜3 埼玉2 茨城2 宮城2 福岡2 広島2 ㊔京都88 神奈川6 滋賀2

【転勤】あり:[職種]総合職

【中途比率】[単年度]21年度15%、22年度28%、23年度27%[全体]NA

●働きやすさ、諸制度●

残業(月) 8.5時間 ㊥8.6時間

【勤務時間】8:20〜16:50【有休取得年平均】16.3日【週休】完全2日(土日祝)【夏期休暇】連続9日(有休充当含む)【年末年始休暇】連続7日(有休充当含む)

【離職率】男:0.7%、21名 女:1.4%、11名

【新卒3年後離職率】
[20→23年]5.8%(男7.1%・入社84名、女2.8%・入社36名)
[21→24年]7.1%(男9.5%・入社63名、女0%・入社22名)

【テレワーク】制度あり:[場所]自宅 会社が指定するサテライトオフィス[対象]全社員[日数]月80時間[利用率]NA【勤務制度】フレックス 時間単位有休 副業容認【住宅補助】独身寮(京都・東京・神奈川)家族社宅(東京)借上社宅(全国各地)住宅手当 住宅費用補助

●ライフイベント、女性活躍●

【女性比率】■男 □女

新卒採用 29.1% (30名)

従業員 21.2% (758名)

【産休】[期間]産前8・産後8週間[給与]法定[取得者数]119名

【育休】[期間]1歳になるまで[給与]法定[取得者数]22年度 男80名(対象141名)女42名(対象43名)23年度 男76名(対象116名)女43名(対象40名)[平均取得日数]22年度 男42日 女395日、23年度 男74日 女343日

【従業員】[人数]3,569名(男2,811名、女758名)[平均年齢]43.3歳(男44.0歳、女41.1歳)[平均勤続年数]18.0年(男18.2年、女14.2年)【年齢構成】■男 □女

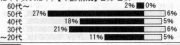

	男	女
60代〜	2%	0%
50代	27%	6%
40代	18%	5%
30代	21%	6%
〜20代	11%	5%

会社データ (金額は百万円)

【本社】604-8511 京都府京都市中京区西ノ京桑原町1 ☎075-823-1246
https://www.shimadzu.co.jp/

【業績(連結)】	売上高	営業利益	経常利益	純利益
22.3	428,175	63,806	65,577	47,289
23.3	482,240	68,219	70,882	52,048
24.3	511,895	72,753	76,895	57,037

㈱堀場製作所（ほりばせいさくしょ）

プラチナくるみん

【特色】分析・計測機器の大手。排ガス計測で高シェア

記者評価 半導体製造装置で使われるマスフローコントローラー(流体制御機器)が利益柱。エンジン排ガス計測機器は世界シェア約8割。水素エネルギー関連の計測機器など新領域も開拓。現会長堀場厚氏は創業者の長男で2代目。社是は「おもしろおかしく」と独自の企業文化。

平均勤続年数	男性育休取得率	3年後離職率	平均年収(平均42歳)
◇15.8年	86.0→87.2%	13.0→17.2%	㊥692万円

●採用・配属情報●

【男女・文理別採用実績】

	大卒男	大卒女	修士男	修士女
23年	8(文 6理 2)	7(文 5理 2)	8(文 0理 8)	2(文 0理 2)
24年	5(文 4理 1)	8(文 7理 1)	13(文 1理 12)	4(文 2理 2)
25年	17(文 17理 0)	9(文 8理 1)	13(文 1理 12)	2(文 0理 2)

【男女・職種別採用実績】

	総合職
23年	30(男 20 女 10)
24年	32(男 19 女 13)
25年	42(男 31 女 11)

【24年4月入社者の配属勤務地】㊥(24年)京都市13 名古屋1 横浜1 ㊔(23年)京都市8 滋賀・大津7

【転勤】あり:[職種]全社員[勤務地]京都 滋賀 東京 大阪 名古屋 福岡 海外 他

【中途比率】[単年度]21年度28%、22年度60%、23年度65%[全体]NA

●働きやすさ、諸制度●

残業(月) 14.2時間 ㊥14.2時間

【勤務時間】本社・工場8:30〜17:15【有休取得年平均】16.1日【週休】完全2日(土日)【夏期休暇】有休で取得【年末年始休暇】連続6日

【離職率】◇男:3.5%、40名 女:2.6%、11名

【新卒3年後離職率】
[20→23年]13.0%(男14.6%・入社41名、女7.7%・入社13名)
[21→24年]17.2%(男5.0%・入社20名、女44.4%・入社9名)

【テレワーク】制度あり:[場所]居宅 帰省先 他[対象]全社員[日数]制限なし[利用率]NA【勤務制度】時間単位有休 裁量労働 時差勤務 副業容認【住宅補助】住宅補助(対象者は会社規程による)

●ライフイベント、女性活躍●

【女性比率】■男 □女

新卒採用 26.2% (11名)

従業員 27% (407名)

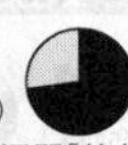

【産休】[期間]産前6・産後8週間[給与]法定[取得者数]21名

【育休】[期間]1歳になるまで[給与]最初5日間特別有休(100%)、以降法定[取得者数]22年度 男37名(対象43名)女19名(対象19名)23年度 男34名(対象39名)女18名(対象18名)[平均取得日数]22年度 男20日 女370日、23年度 男22日 女428日

【従業員】◇[人数]1,510名(男1,103名、女407名)[平均年齢]42.4歳(男43.3歳、女39.8歳)[平均勤続年数]15.8年(男16.8年、女13.2年)

【年齢構成】NA

会社データ (金額は百万円)

【本社】601-8510 京都府京都市南区吉祥院宮の東町2 ☎075-313-8121
https://www.horiba.com/jp/

【業績(連結)】	売上高	営業利益	経常利益	純利益
21.12	224,314	32,046	32,038	21,311
22.12	270,133	45,843	46,860	34,072
23.12	290,558	47,296	48,251	40,302

503 開示 ★★★★★

めいでんしゃ
㈱明電舎

えるぼし ★★★　プラチナくるみん

【特色】重電準大手。水関連や発電、鉄道関連機器に強い

記者評価 1897年創業。住友グループで重電国内準大手。上下水道用の変電設備や監視システム、維持管理受託に強み。中小容量の発電機、風力発電、産業用機器、自動車試験装置も。EV、PHV用モータ・インバータが成長。旧本社工場跡地のJR大崎駅前高層ビルを共同所有。

平均勤続年数	男性育休取得率	3年後離職率	平均年収(平均44歳)
19.7年	70.3 → 88.2%	8.1 → 6.8%	㊙791万円

●採用・配属情報●

【男女・文理別採用実績】※高専専攻科は大卒に含む

	大卒男	大卒女	修士男	修士女
23年	22(文 12理 10)	19(文 12理 7)	31(文 0理 31)	4(文 1理 3)
24年	15(文 8理 7)	10(文 8理 2)	25(文 0理 25)	1(文 0理 1)
25年	33(文 15理 18)	10(文 9理 1)	22(文 0理 22)	5(文 2理 3)

【男女・職種別採用実績】　転換制度:⇔

	総合職
23年	81(男 58 女 23)
24年	61(男 50 女 11)
25年	76(男 61 女 15)

【24年4月入社者の配属勤務地】㊙東京・大崎11 静岡・沼津3 名古屋1 大阪市1 ㊕東京・大崎9 静岡・沼津27 名古屋4 群馬・太田3 山梨・甲府2

【転勤】あり:[職種]管理職 上級職 専任職 総合職

【中途比率】[単年度]21年度27%、22年度31%、23年度29%(現業職含む)[全体]14%

●働きやすさ、諸制度●

残業(月) 22.1時間 ㊙24.6時間

【勤務時間】8:30〜17:15【有休取得年平均】17.0日【週休】完全2日(土日祝)【夏期休暇】連続約5日【年末年始休暇】連続約5日

【離職率】男:3.2%、88名 女:3.2%、19名

【新卒3年後離職率】
[20→23年]8.1%(男6.9%・入社58名、女12.5%・入社16名)
[21→24年]6.8%(男6.9%・入社58名、女6.7%・入社15名)

【テレワーク】制度あり:[場所]自宅 サテライトオフィス シェアオフィス 帰省先[対象]現業以外[日数]週4日まで[利用率]17.3%【勤務制度】フレックス 時間単位有休 裁量労働 時差勤務【住宅補助】独身寮 社宅(家族・単身・独身)、別居手当

●ライフイベント、女性活躍●

【女性比率】■男 □女

新卒採用 19.7%(15名)　従業員 18%(582名)　管理職 5.4%(35名)

【産休】[期間]産前8・産後8週間[給与]産前・産後各6週間は有給(100%)、以降法定[取得者数]10名

【育休】[期間]2歳到達後最初の月末まで[給与]法定[取得者数]22年度 男71名(対象101名)女18名(対象18名)23年度 男75名(対象85名)女12名(対象12名)[平均取得日数]22年度 男12日 女342日、23年度 男32日 女364日

【従業員】[人数]3,237名(男2,655名、女582名)[平均年齢]44.6歳(男45.1歳、女42.5歳)[平均勤続年数]19.7年(男20.0年、女18.2年)【年齢構成】■男 □女

	男	女
60代〜	7%	1%
50代	31%	6%
40代	16%	4%
30代	18%	2%
〜20代	11%	5%

会社データ　(金額は百万円)

【本社】141-6029 東京都品川区大崎2-1-1 ThinkPark Tower ☎03-6420-8504 https://www.meidensha.co.jp/

【業績(連結)】	売上高	営業利益	経常利益	純利益
22.3	255,046	9,468	10,206	6,733
23.3	272,578	8,539	8,823	7,128
24.3	287,880	12,731	13,385	11,205

2149 開示 ★★★

ティーマイク
㈱TMEIC

【特色】東芝と三菱電機の折半出資合弁。海外展開加速

記者評価 東芝と三菱電機の産業分野が統合して発足。高効率で電気制御するパワーエレクトロニクス機器、回転機が主力。主力事業・製品の多くが国内シェア首位。海外でも高シェアで、約130カ国に納入実績がある。24年4月、東芝三菱電機産業システムから社名変更。

平均勤続年数	男性育休取得率	3年後離職率	平均年収(平均40歳)
13.9年	54.2 → 77.8%	6.9 → 7.4%	㊙900万円

●採用・配属情報●

【男女・文理別採用実績】

	大卒男	大卒女	修士男	修士女
23年	18(文 13理 5)	7(文 5理 2)	32(文 2理 30)	4(文 1理 3)
24年	36(文 19理 17)	4(文 4理 0)	20(文 0理 20)	3(文 1理 2)
25年	37(文 20理 17)	3(文 2理 1)	27(文 0理 27)	1(文 0理 1)

【男女・職種別採用実績】

	総合職
23年	63(男 52 女 11)
24年	65(男 58 女 7)
25年	73(男 69 女 4)

【24年4月入社者の配属勤務地】㊙東京(京橋11 府中5)横浜1 大阪2 神戸2 広島1 福岡1 長崎1 ㊕東京(京橋11 府中13)横浜5 神戸6 長崎6

【転勤】あり:全社員

【中途比率】[単年度]21年度23%、22年度54%、23年度63%[全体]NA

●働きやすさ、諸制度●

残業(月) 31.5時間 ㊙31.5時間

【勤務時間】8:45〜17:15(フレックスタイム制 コアタイム11:15〜13:45)【有休取得年平均】15.7日【週休】完全2日(土日祝)【夏期休暇】連続6〜10日【年末年始休暇】連続9日

【離職率】男:2.4%、51名 女:1.4%、3名

【新卒3年後離職率】
[20→23年]6.9%(男7.7%・入社52名、女0%・入社6名)
[21→24年]7.4%(男8.3%・入社48名、女0%・入社6名)

【テレワーク】制度あり:[場所]自宅[対象]入社2年目以降の社員(1年目社員は研修受講の場合のみ)[日数]週3日まで[利用率]NA【勤務制度】フレックス 時間単位有休 裁量労働【住宅補助】借上社宅(家賃の約7割を会社負担)住宅費補助(7,000〜27,000円)

●ライフイベント、女性活躍●

【女性比率】■男 □女

新卒採用 5.5%(4名)

従業員 9.1%(207名)

【産休】[期間]産前8・産後8週間[給与]法定[取得者数]5名

【育休】[期間]満2歳に到達以降、最初に到来する4月末日まで[給与]法定[取得者数]22年度 男45名(対象83名)女1名(対象1名)23年度 男42名(対象54名)女5名(対象5名)[平均取得日数]22年度 NA、23年度 NA

【従業員】[人数]2,275名(男2,068名、女207名)[平均年齢]40.5歳(男40.3歳、女41.8歳)[平均勤続年数]13.9年(男14.2年、女10.9年)【年齢構成】■男 □女

	男	女
60代〜	0%	0%
50代	26%	3%
40代	19%	2%
30代	27%	1%
〜20代	20%	2%

会社データ　(金額は百万円)

【本社】104-0031 東京都中央区京橋3-1-1 東京スクエアガーデン ☎03-3277-5868 https://www.tmeic.co.jp/

【業績(単独)】	売上高	営業利益	経常利益	純利益
22.3	178,334	9,380	10,657	7,703
23.3	212,900	7,546	8,813	6,750
24.3	225,800	10,794	13,900	10,941

㈱ダイヘン

【特色】変圧器やアーク溶接機、産業用ロボットを展開

[記者評価] 変圧器からスタート。溶接機や溶接ロボット、半導体やFPDの搬送用ロボットに展開。自動車製造用アーク溶接ロボットでは世界大手。再生可能エネやEV、労働力不足など課題解決型製品に注力。24年1月に完了した独メーカー買収により溶接機などで欧州首位に。

平均勤続年数	男性育休取得率	3年後離職率	平均年収(平均43歳)
19.9年	19.6→57.1%	11.1→7.9%	[総]966万円

●採用・配属情報●

【男女・文理別採用実績】

	大卒男	大卒女	修士男	修士女
23年	7(文 5理 2)	2(文 1理 1)	10(文 0理 10)	0(文 0理 0)
24年	7(文 6理 1)	1(文 1理 0)	9(文 0理 9)	1(文 0理 1)
25年	7(文 5理 2)	3(文 3理 0)	14(文 0理 14)	1(文 0理 1)

【男女・職種別採用実績】 転換制度:⇒

	総合職
23年	19(男 17 女 2)
24年	19(男 17 女 2)
25年	26(男 22 女 4)

【24年4月入社者の配属勤務地】[総]大阪4 神戸3 [技]大阪8 神戸3 三重1
【転勤】あり:全社員
【中途比率】[単年度]21年度0%、22年度0%、23年度0%[全体]9%

●働きやすさ、諸制度●

残業(月) 22.4時間 [総]25.1時間

【勤務時間】7時間45分【有休取得年平均】13.3日【週休】完全2日【夏期休暇】連続約7日(年休一斉取得含む)【年末年始休暇】連続約7日
【離職率】男:2.9%、27名 女:1.4%、2名
【新卒3年後離職率】
[20→23年]11.1%(男8.3%・入社24名、女33.3%・入社3名)
[21→24年]7.9%(男8.8%・入社34名、女0%・入社4名)
【テレワーク】制度なし【勤務制度】時間単位有休 裁量労働 時差勤務 勤務間インターバル【住宅補助】独身寮 社宅 住宅手当

●ライフイベント、女性活躍●

【女性比率】■男 □女

新卒採用 15.4% (4名)

従業員 13.4% (138名)

管理職 0.8% (2名)

【産休】[期間]産前9・産後8週間[給与]法定[取得者数]1名
【育休】[期間]2歳になるまで[給与]法定+最大6カ月会社33%給付[取得者数]22年度 男9名(対象46名)女6名(対象5名)23年度 男20名(対象35名)女2名(対象2名)[平均取得日数]22年度 男48日 女220日、23年度 男51日 女274日
【従業員】[人数]1,033名(男895名、女138名)[平均年齢]43.6歳(男43.6歳、女43.5歳)[平均勤続年数]19.9年(男19.7年、女21.7年)
【年齢構成】■男 □女
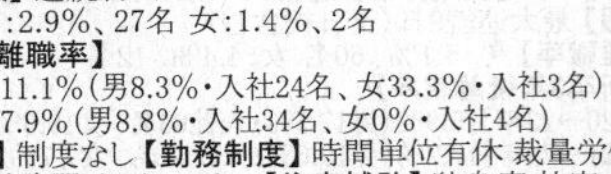
60代〜
1%
0%
50代
36%
5%
40代
16%
3%
30代
22%
4%
〜20代
12%
1%

[会社データ] (金額は百万円)
【本社】532-8512 大阪府大阪市淀川区田川2-1-11 ☎06-6301-1212
https://www.daihen.co.jp/

【業績(連結)】	売上高	営業利益	経常利益	純利益
22.3	160,618	14,191	15,790	10,985
23.3	185,288	16,568	17,660	13,193
24.3	188,571	15,145	16,082	16,494

日本電子㈱

（にほんでんし） えるぼし★★★ くるみん

【特色】電子顕微鏡で世界首位。半導体・医用機器も展開

[記者評価] 理化学・医用機器メーカー。ニコンと提携。柱の電子顕微鏡は世界首位。海外売上7割。東大と共同開発の電子顕微鏡は世界最高の分解能を誇る。旧新川の本社工場居抜きで買収、半導体機器の生産拠点として本格稼働。2ナノ対応機量産準備を加速。

平均勤続年数	男性育休取得率	3年後離職率	平均年収(平均45歳)
◇16.0年	45.0→61.9%	5.3→6.1%	[総]803万円

●採用・配属情報●

【男女・文理別採用実績】

	大卒男	大卒女	修士男	修士女
23年	11(文 4理 7)	3(文 2理 1)	21(文 0理 21)	3(文 0理 3)
24年	18(文 3理 15)	3(文 2理 1)	18(文 0理 18)	1(文 0理 1)
25年	15(文 6理 9)	7(文 4理 3)	16(文 1理 15)	7(文 0理 7)

【男女・職種別採用実績】

	総合職
23年	41(男 34 女 7)
24年	46(男 39 女 7)
25年	50(男 35 女 15)

【24年4月入社者の配属勤務地】[総]東京(大手町6 昭島2) [技]東京(武蔵村山1 昭島37)
【転勤】あり:全社員
【中途比率】[単年度]21年度50%、22年度42%、23年度50%[全体]◇43%

●働きやすさ、諸制度●

残業(月) 14.5時間 [総]14.5時間

【勤務時間】8:30〜17:20【有休取得年平均】13.6日【週休】完全2日(土日祝)【夏期休暇】連続9日(土日、一斉有休含む)【年末年始休暇】連続9日(土日祝含む)
【離職率】◇男:1.9%、39名 女:1.3%、5名
【新卒3年後離職率】
[20→23年]5.3%(男0%・入社27名、女18.2%・入社11名)
[21→24年]6.1%(男2.7%・入社37名、女16.7%・入社12名)
【テレワーク】制度あり:[場所]なし[対象]全社員[日数]週2日まで[利用率]−【勤務制度】フレックス 時間単位有休【住宅補助】独身寮 地方転勤者には社宅 住宅手当

●ライフイベント、女性活躍●

【女性比率】■男 □女

新卒採用 30% (15名)

従業員 15.7% (378名)

管理職 5.3% (19名)

【産休】[期間]産前6・産後8週間[給与]会社全額給付[取得者数]9名
【育休】[期間]1歳になるまで[給与]法定[取得者数]22年度 男18名(対象40名)女3名(対象3名)23年度 男26名(対象42名)女10名(対象10名)[平均取得日数]22年度 男84日 女263日、23年度 男43日 女302日
【従業員】◇[人数]2,406名(男2,028名、女378名)[平均年齢]44.1歳(男44.1歳、女43.6歳)[平均勤続年数]16.0年(男16.1年、女15.6年)
【年齢構成】■男 □女
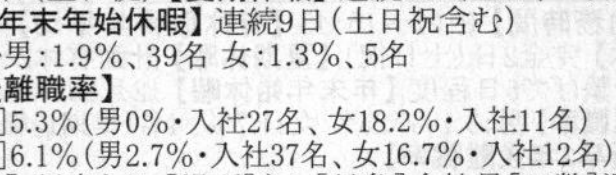
60代〜
3%
0%
50代
26%
5%
40代
29%
6%
30代
15%
2%
〜20代
11%
2%

[会社データ] (金額は百万円)
【本社】196-8558 東京都昭島市武蔵野3-1-2 ☎042-543-1111
https://www.jeol.co.jp/

【業績(連結)】	売上高	営業利益	経常利益	純利益
22.3	138,408	14,144	16,313	12,278
23.3	162,689	24,155	23,501	17,830
24.3	174,336	27,531	30,023	21,704

メーカーI

512 開示 ★★★★☆☆☆☆ [専門]採用あり

日東工業㈱（にっとうこうぎょう）

くるみん

【特色】電設資材のキャビネットで首位。配電盤も大手

[記者評価] 配電盤と電設資材のキャビネットが2本柱。多品種少ロット・短納期対応に強み。蓄電池収納用キャビネットも得意。18年12月TOBで北川工業を子会社化。海外は中国、シンガポールやタイなどに展開。24年春に瀬戸市の新工場が稼働。同4月テンパール工業を買収。

平均勤続年数	男性育休取得率	3年後離職率	平均年収(平均42歳)
16.6年	31.3→19.7%	30.0→3.8%	[総]714万円

●採用・配属情報●

【男女・文理別採用実績】

	大卒男	大卒女	修士男	修士女
23年	14(文 9理 5)	4(文 1理 3)	1(文 0理 1)	0(文 0理 0)
24年	13(文 8理 5)	2(文 0理 2)	2(文 1理 1)	2(文 2理 0)
25年	13(文 8理 5)	3(文 3理 0)	1(文 0理 1)	1(文 1理 0)

【男女・職種別採用実績】 転換制度：⇔

	総合職
23年	20(男 16 女 4)
24年	21(男 17 女 4)
25年	21(男 17 女 4)

【24年4月入社者の配属勤務地】[総](研修中)愛知・長久手2 東京・新宿2 大阪2 仙台1 さいたま1 福岡市1(配属)愛知・長久手2 [技]愛知・長久手9 愛知・瀬戸1

【転勤】あり：[職種]総合職[勤務地]営業職：全国営業所 営業職以外：全国工場

【中途比率】[単年度]21年度42%、22年度55%、23年度53%[全体]32%

●働きやすさ、諸制度●

残業(月) 19.5時間 [総]20.6時間

【勤務時間】8:00～16:45【有休取得年平均】13.3日【週休】完全2日(土日祝)【夏期休暇】計画有休2～3日と土日を繋げて6日程度【年末年始休暇】12月28日～1月5日

【離職率】男：3.1%、25名 女：1.7%、4名(早期退職2名含む)

【新卒3年後離職率】
[20→23年]30.0%(男14.3%・入社14名、女66.7%・入社6名)
[21→24年]3.8%(男5.3%・入社19名、女0%・入社7名)

【テレワーク】制度あり：[場所]自宅 他[対象]会社の承認を得た者[日数]制限なし[利用率]0.4%【勤務制度】フレックス 時間単位有休 時差勤務【住宅補助】独身寮(30歳になる年度末まで)借上社宅(会社都合により通勤が片道1.5時間以上かかる場合／自己負担：家賃の50%)帰省手当(単身赴任者、30歳までの独身者)

●ライフイベント、女性活躍●

【女性比率】■男 □女

新卒採用 19% (4名)

従業員 22.4% (226名)

管理職 2.1% (5名)

【産休】[期間]産前6・産後8週間[給与]法定[取得者数]11名

【育休】[期間]1歳になる日の翌日まで[給与]法定[取得者数]22年度 男10名(対象32名)女5名(対象5名)23年度 男12名(対象61名)女10名(対象10名)[平均取得日数]22年度 NA、23年度 男26日 女482日

【従業員】[人数]1,007名(男781名、女226名)[平均年齢]41.8歳(男41.5歳、女42.9歳)[平均勤続年数]16.6年(男16.4年、女17.2年)【年齢構成】■男 □女

	男	女
60代～	0%	0%
50代	21%	5%
40代	23%	10%
30代	21%	4%
～20代	13%	3%

[会社データ] (金額は百万円)

【本社】480-1189 愛知県長久手市蟹原2201 ☎0561-62-3111
https://www.nito.co.jp/

【業績(連結)】	売上高	営業利益	経常利益	純利益
22.3	132,735	8,637	9,412	6,607
23.3	146,698	8,172	9,056	5,476
24.3	160,709	11,967	12,566	8,715

1240 開示 ★★★☆☆☆☆☆ [短大]採用あり

㈱イシダ

くるみん

【特色】計量・包装・検査機器の老舗メーカー

[記者評価] 1893年創業。民間初のはかりメーカー。農産物産地、食品工場、小売など「食」の現場をサポート。計量・情報技術を結合したシステム機器に特色。世界100カ国以上で事業展開。野菜等の組み合わせ計量機は世界首位。医療機器分野にも領域拡大。23年新本社屋完成。

平均勤続年数	男性育休取得率	3年後離職率	平均年収(平均40歳)
15.5年	61.5→32.5%	15.9→17.2%	[総]787万円

●採用・配属情報●

【男女・文理別採用実績】

	大卒男	大卒女	修士男	修士女
23年	32(文 23理 9)	14(文 11理 3)	20(文 3理 17)	2(文 0理 2)
24年	48(文 37理 11)	17(文 14理 3)	13(文 0理 13)	3(文 1理 2)
25年	65(文 49理 16)	25(文 21理 4)	19(文 2理 17)	4(文 1理 3)

【男女・職種別採用実績】 転換制度：⇔

	全国コース	地域コース
23年	74(男 65 女 9)	7(男 0 女 7)
24年	88(男 71 女 17)	7(男 0 女 7)
25年	120(男 94 女 26)	6(男 0 女 6)

【職種併願】○

【24年4月入社者の配属勤務地】[総]東京17 京都12 大阪10 滋賀3 新潟1 [技]滋賀32 東京10 本社3

【転勤】あり：[職種]全国コース

【中途比率】[単年度]21年度14%、22年度12%、23年度18%[全体]24%

●働きやすさ、諸制度●

残業(月) 18.5時間 [総]20.7時間

【勤務時間】9:00～17:45【有休取得年平均】12.1日【週休】2日【夏期休暇】連続5日(土日祝含む)【年末年始休暇】最大連続9日(土日祝含む)

【離職率】男：5.1%、60名 女：4.4%、12名

【新卒3年後離職率】
[20→23年]15.9%(男17.5%・入社63名、女10.5%・入社19名)
[21→24年]17.2%(男19.6%・入社51名、女7.7%・入社13名)

【テレワーク】制度あり：[場所]NA[対象]NA[日数]NA[利用率]NA【勤務制度】時間単位有休 裁量労働 時差勤務【住宅補助】住宅手当 地域手当 独身寮家賃補助(50,000～70,000円)

●ライフイベント、女性活躍●

【女性比率】■男 □女

新卒採用 25.4% (32名)

従業員 18.8% (260名)

管理職 5% (7名)

【産休】[期間]産前6・産後8週間[給与]法定[取得者数]13名

【育休】[期間]法定の育児休業終了日の属する月度末(毎月20日)まで取得可能[給与]法定[取得者数]22年度 男16名(対象26名)女7名(対象7名)23年度 男13名(対象40名)女13名(対象13名)[平均取得日数]22年度 男39日 女444日、23年度 男78日 女452日

【従業員】[人数]1,384名(男1,124名、女260名)[平均年齢]39.8歳(男40.6歳、女36.4歳)[平均勤続年数]15.5年(男15.9年、女13.7年)

【年齢構成】■男 □女

	男	女
60代～	0%	0%
50代	22%	3%
40代	18%	4%
30代	18%	4%
～20代	23%	8%

[会社データ] (金額は百万円)

【本社】606-8392 京都府京都市左京区聖護院山王町44 ☎075-751-7101
https://www.ishida.co.jp/

【業績(連結)】	売上高	営業利益	経常利益	純利益
22.3	134,443	13,920	NA	NA
23.3	145,881	13,041	NA	NA
24.3	159,274	16,498	NA	NA

日新電機㈱ (にっしんでんき)

えるぼし★★ プラチナくるみん

【特色】電力機器やFPD製造装置など展開。住友電工傘下

記者評価 1910年創業。ガス絶縁開閉装置などの電力機器、ビル・工場用の監視制御システム、太陽光発電関連が主力。半導体製造用やFPD製造用のイオン注入装置に強み。FPD用の世界シェアほぼ100%。分散型エネ対応などにR&Dの重点。技術、海外拠点など親会社と相互活用。

平均勤続年数	男性育休取得率	3年後離職率	平均年収(平均43歳)
◇18.2年	51.8→48.9%	12.8→3.3%	総 732万円

●採用・配属情報●

【男女・文理別採用実績】

	大卒男	大卒女	修士男	修士女
23年	4(文 2理 2)	3(文 3理 0)	9(文 0理 9)	0(文 0理 0)
24年	7(文 3理 4)	7(文 7理 0)	4(文 0理 4)	2(文 0理 2)
25年	18(文 11理 7)	11(文 11理 0)	10(文 0理 10)	1(文 0理 1)

【男女・職種別採用実績】

	事務職	技術職
23年	5(男 2女 3)	18(男 17女 1)
24年	10(男 3女 7)	14(男 10女 4)
25年	21(男 11女 10)	23(男 21女 2)

【24年4月入社者の配属勤務地】総京都7 大阪2 東京1 技京都10 前橋3 大阪1

【転勤】あり:全社員

【中途比率】[単年度]21年度37%、22年度46%、23年度55%[全体]◇45%

●働きやすさ、諸制度●

残業(月) 23.7時間 総23.7時間

【勤務時間】8:20〜16:50【有休取得年平均】17.2日【週休】完全2日(土日祝)【夏期休暇】連続7日以上【年末年始休暇】連続7日以上

【離職率】◇男:2.3%、38名 女:2.7%、10名

【新卒3年後離職率】
[20→23年]12.8%(男12.9%・入社31名、女12.5%・入社8名)
[21→24年]3.3%(男4.2%・入社24名、女0%・入社6名)

【テレワーク】制度あり:[場所]自宅[対象]在宅勤務が可能な職種の全従業員[日数]月5日[利用率]31.1%【勤務制度】フレックス 時間単位有休 裁量労働 副業容認【住宅補助】社有独身寮(群馬 京都各1)社宅(転勤者)住宅手当 家賃補助

●ライフイベント、女性活躍●

【女性比率】■男 □女

新卒採用 27.3% (12名)

従業員 18.1% (362名)

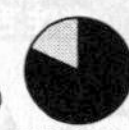

管理職 4% (17名)

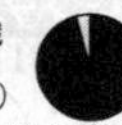

【産休】[期間]産前8・産後8週間[給与]会社4割+健保6割給付[取得者数]9名

【育休】[期間]2歳になるまで[給与]法定[取得者数]22年度 男29名(対象56名)女9名(対象9名)23年度 男22名(対象45名)女10名(対象10名)[平均取得日数]22年度 NA、23年度 男62日 女302日

【従業員】◇[人数]1,997名(男1,635名、女362名)[平均年齢]42.8歳(男42.5歳、女44.1歳)[平均勤続年数]18.2年(男18.8年、女15.4年)

【年齢構成】■男 □女

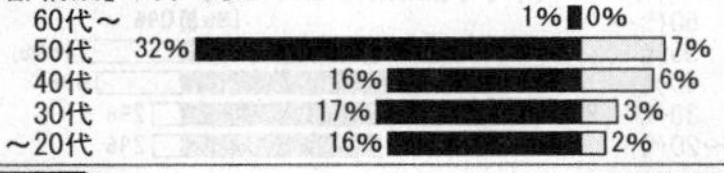

	男	女
60代〜	1%	0%
50代	32%	7%
40代	16%	6%
30代	17%	3%
〜20代	16%	2%

会社データ

(金額は百万円)

【本社】615-8686 京都府京都市右京区梅津高畝町47 ☎075-861-3151
https://nissin.jp/

【業績(連結)】	売上高	営業利益	経常利益	純利益
22.3	132,128	16,756	16,634	11,881
23.3	142,600	NA	NA	NA
24.3	145,200	NA	NA	NA

㈱日立パワーソリューションズ (ひたち)

【特色】日立製作所の電力システム中核。4社合併で誕生

記者評価 日立傘下の電力システム4社が合併して発足。電力・エネルギーや社会インフラに関する技術・製品・システムを提供。受託分析サービス事業は20年ファンドに譲渡、機器設計などの原子力事業は日立グループ会社に移管。24年4月日立本体のエネルギー設備管理事業譲受。

平均勤続年数	男性育休取得率	3年後離職率	平均年収(平均42歳)
!20.2年	23.4→22.7%	14.0→7.5%	総 718万円

●採用・配属情報●

【男女・文理別採用実績】

	大卒男	大卒女	修士男	修士女
23年	22(文 5理 17)	3(文 3理 0)	12(文 0理 12)	2(文 1理 1)
24年	30(文 3理 27)	8(文 6理 2)	21(文 1理 20)	2(文 0理 2)
25年	-(文 -理 -)	-(文 -理 -)	-(文 -理 -)	-(文 -理 -)

※25年:理系64名、文系9名採用計画

【男女・職種別採用実績】 転換制度:⇔

	総合職
23年	43(男 36女 7)
24年	68(男 58女 10)
25年	73(男 -女 -)

【24年4月入社者の配属勤務地】総茨城・日立10 技茨城(日立42 ひたちなか14)横浜2

【転勤】あり:全社員

【中途比率】[単年度]21年度15%、22年度21%、23年度40%[全体]10%

●働きやすさ、諸制度●

残業(月) 23.2時間 総26.5時間

【勤務時間】8:50〜17:20【有休取得年平均】18.3日【週休】完全2日(土日祝)【夏期休暇】連続10日(土日祝5日+有休5日)【年末年始休暇】連続5日

【離職率】男:1.6%、45名 女:1.9%、5名

【新卒3年後離職率】
[20→23年]14.0%(男14.6%・入社48名、女0%・入社2名)
[21→24年]7.5%(男8.1%・入社37名、女0%・入社3名)

【テレワーク】制度あり:[場所]自宅 親族の居住地[対象]月俸者 業務上有効と認められる者 他[日数]制限なし[利用率]5.8%【勤務制度】フレックス【住宅補助】独身寮 借上社宅 住宅手当

●ライフイベント、女性活躍●

【女性比率】■男 □女

従業員 8.5% (252名)

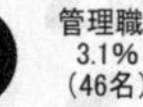

管理職 3.1% (46名)

【産休】[期間]産前8・産後8週間、ただし多胎妊娠の場合は法定通り[給与]法定[取得者数]3名

【育休】[期間]通算3年間[給与]法定[取得者数]22年度 男11名(対象47名)女8名(対象8名)23年度 男10名(対象44名)女3名(対象3名)[平均取得日数]22年度 NA、23年度 男47日 女90日

【従業員】[人数]2,966名(男2,714名、女252名)[平均年齢]42.6歳(男42.5歳、女44.3歳)[平均勤続年数]20.2年(男20.0年、女22.5年)※従業員数は再雇用含む

【年齢構成】■男 □女

	男	女
60代〜	12%	0%
50代	32%	4%
40代	13%	2%
30代	22%	1%
〜20代	13%	1%

会社データ

(金額は百万円)

【本社】317-0073 茨城県日立市幸町3-2-2 ☎0294-55-6874
https://www.hitachi-power-solutions.com/

【業績(単独)】	売上高	営業利益	経常利益	純利益
22.3	107,001	12,610	12,823	7,633
23.3	110,806	13,371	13,551	9,190
24.3	118,889	10,532	10,719	10,166

メーカーI

のうみぼうさい
能美防災(株)

【特色】火災報知・消火設備の総合最大手。セコム傘下

記者評価 火災報知、消火設備・システムの総合最大手。セコムが株式の過半を保有。オフィスビルや工場から、トンネル、文化財、船舶まで幅広い分野に展開。海外は中国、台湾、ASEAN、インドが軸。主力の自動火災報知設備で視認性・操作性向上した新製品を24年4月投入。

平均勤続年数	男性育休取得率	3年後離職率	平均年収(平均41歳)
◇16.4年	13.3→31.8%	11.7→7.1%	総 646万円

●採用・配属情報●

【男女・文理別採用実績】

	大卒男	大卒女	修士男	修士女
23年	40(文 27理 13)	13(文 11理 2)	19(文 0理 19)	5(文 0理 5)
24年	33(文 20理 13)	17(文 10理 7)	12(文 0理 12)	2(文 1理 1)
25年	48(文 30理 18)	17(文 12理 5)	5(文 0理 5)	1(文 0理 1)

【男女・職種別採用実績】 転換制度:⇔

	総合職	地域限定職	一般職
23年	79(男 61 女 18)	0(男 0 女 0)	1(男 0 女 1)
24年	58(男 42 女 16)	7(男 4 女 3)	1(男 0 女 1)
25年	60(男 46 女 14)	12(男 8 女 4)	1(男 0 女 1)

【職種併願】総合職と地域限定職で可能

【24年4月入社者の配属勤務地】総東京(市ヶ谷6 丸の内2 八重洲1 新宿2)北海道1 技東京(市ヶ谷22 八重洲7 新宿10 三鷹2)埼玉(三郷4 熊谷3)横浜1 名古屋1 大阪2 福岡1

【転勤】あり:[職種]総合職(地域限定職等を除く)[勤務地]全事業所

【中途比率】[単年度]21年度49%、22年度41%、23年度49%[全体]◇30%

●働きやすさ、諸制度●

残業(月) 21.4時間 総21.0時間

【勤務時間】9:00〜17:30【有休取得年平均】12.4日【週休】完全2日(土日祝)【夏期休暇】5日(7〜9月で取得)【年末年始休暇】計画年休含め連続7日

【離職率】◇男:1.9%、33名 女:0.8%、3名

【新卒3年後離職率】
[20→23年]11.7%(男8.7%・入社46名、女21.4%・入社14名)
[21→24年]7.1%(男10.5%・入社38名、女0%・入社18名)

【テレワーク】制度あり:[場所]自宅[対象]全社員[日数]制限なし[利用率]2.7%【勤務制度】フレックス 時間単位有休 時差勤務【住宅補助】独身社宅(東京)借上社宅(全国各地)住宅手当 他

●ライフイベント、女性活躍●

【女性比率】■男 □女

新卒採用 26%(19名)　従業員 18.7%(387名)　管理職 0.4%(1名)

【産休】[期間]産前6・産後8週間[給与]法定[取得者数]8名

【育休】[期間]1歳になるまで[給与]法定[取得者数]22年度 男6名(対象45名)女12名(対象12名)23年度 男14名(対象44名)女11名(対象11名)[平均取得日数]22年度 男18日 女307日、23年度 男34日 女361日

【従業員】◇[人数]2,065名(男1,678名、女387名)[平均年齢]42.3歳(男43.0歳、女39.4歳)[平均勤続年数]16.4年(男16.9年、女14.2年)【年齢構成】■男 □女

	男	女
60代〜	8%	1%
50代	23%	3%
40代	14%	6%
30代	21%	4%
〜20代	16%	5%

会社データ (金額は百万円)

【本社】102-8277 東京都千代田区九段南4-7-3 ☎03-3265-0211 https://www.nohmi.co.jp/

【業績(連結)】	売上高	営業利益	経常利益	純利益
22.3	112,913	12,633	13,155	9,351
23.3	105,537	8,879	9,420	7,022
24.3	118,506	11,662	12,242	8,574

ふるのでんき
古野電気(株)

【特色】魚群探知機で先駆。船舶用電子機器の世界大手

記者評価 魚群探知機の老舗。オーナー系。レーダー(航海機器)、ソナーなど船舶用通信装置が主力。海外売上比率約7割。無線技術をテコにGPS、気象レーダー、地盤変異観測にも展開。医療機器やETC車載器も手がける。養殖支援事業に進出。無人運航船の開発に挑戦。

平均勤続年数	男性育休取得率	3年後離職率	平均年収(平均41歳)
15.7年	45.7→62.7%	2.6→6.9%	総 731万円

●採用・配属情報●

【男女・文理別採用実績】

	大卒男	大卒女	修士男	修士女
23年	12(文 10理 2)	7(文 7理 0)	21(文 0理 21)	0(文 0理 0)
24年	8(文 5理 3)	5(文 4理 1)	12(文 0理 12)	4(文 0理 4)
25年	7(文 5理 2)	9(文 8理 1)	16(文 0理 16)	3(文 0理 3)

【男女・職種別採用実績】 転換制度:⇔

	総合職
23年	42(男 35 女 7)
24年	29(男 20 女 9)
25年	38(男 26 女 12)

【24年4月入社者の配属勤務地】総兵庫・西宮12 技兵庫・西宮17

【転勤】あり:全社員

【中途比率】[単年度]21年度56%、22年度42%、23年度31%[全体]35%

●働きやすさ、諸制度●

残業(月) 18.5時間 総19.6時間

【勤務時間】8:35〜17:20(一部を除きフレックスタイム制、コアタイム10:00〜15:00)【有休取得年平均】15.8日【週休】完全2日(原則土日祝)【夏期休暇】連続9日(有休2日、週休4日含む)および連続4日(週休含む)【年末年始休暇】12月28日〜1月5日

【離職率】男:3.0%、33名 女:1.7%、4名(早期退職男2名 女1名含む)

【新卒3年後離職率】
[20→23年]2.6%(男3.2%・入社31名、女0%・入社8名)
[21→24年]6.9%(男7.7%・入社26名、女0%・入社3名)

【テレワーク】制度あり:[場所]自宅[対象]全社員[日数]週1日まで(特例を除く)[利用率]7.4%【勤務制度】フレックス 時間単位有休 副業容認【住宅補助】独身寮 借上社宅(転勤者)賃貸住宅費補助 持家住宅手当

●ライフイベント、女性活躍●

【女性比率】■男 □女

新卒採用 31.6%(12名)　従業員 18.3%(237名)　管理職 5.9%(10名)

【産休】[期間]産前7・産後8週間[給与]法定[取得者数]8名

【育休】[期間]1歳になるまで[給与]法定[取得者数]22年度 男21名(対象46名)女6名(対象6名)23年度 男42名(対象67名)女9名(対象9名)[平均取得日数]22年度 男78日 女360日、23年度 男76日 女314日

【従業員】[人数]1,295名(男1,058名、女237名)[平均年齢]42.3歳(男41.4歳、女46.3歳)[平均勤続年数]15.7年(男15.0年、女20.3年)【年齢構成】■男 □女

	男	女
60代〜	1%	0%
50代	20%	8%
40代	22%	6%
30代	25%	2%
〜20代	14%	2%

会社データ (金額は百万円)

【本社】662-8580 兵庫県西宮市芦原町9-52 ☎0798-63-1027 https://www.furuno.co.jp/

【業績(連結)】	売上高	営業利益	経常利益	純利益
22.2	84,783	2,532	3,717	2,814
23.2	91,325	1,523	2,593	1,348
24.2	114,850	6,519	8,169	6,238

523 開示 ★★

にっぽんしんごう

日本信号(株)

【特色】3大信号会社トップ。鉄道、交通信号ともに強い

[記者評価] 鉄道信号を起点に交通信号、交通情報システム、改札機など駅業務自動化システムを展開。駐車場管理システムでも先行。独立系で多くの鉄道会社と取引。駅ホームドアも得意。研究開発は自動運転などに重点。海外はウガンダ、バングラデシュなどに拠点。

平均勤続年数	男性育休取得率	3年後離職率	平均年収(平均44歳)
◇19.3年	80.6 → 92.0%	12.7 → 20.6%	◇753万円

●採用・配属情報●

【男女・文理別採用実績】

	大卒男	大卒女	修士男	修士女
23年	12(文 2理 10)	4(文 2理 2)	15(文 0理 15)	2(文 0理 2)
24年	18(文 5理 13)	6(文 2理 4)	13(文 0理 13)	1(文 0理 1)
25年	19(文 5理 14)	7(文 4理 3)	17(文 0理 17)	0(文 0理 0)

【男女・職種別採用実績】 転換制度:⇔

	総合職
23年	35(男 29 女 6)
24年	40(男 32 女 8)
25年	44(男 37 女 7)

【24年4月入社者の配属勤務地】[総]東京・丸の内9 [技]東京・丸の内4 埼玉・久喜16 栃木・宇都宮11

【転勤】あり:[職種]総合職

【中途比率】[単年度]21年度NA、22年度NA、23年度NA[全体]NA

●働きやすさ、諸制度●

残業(月) 22.5時間

【勤務時間】8:30〜17:05【有休取得年平均】15.7日【週休】完全2日(土日祝)【夏期休暇】連続4日【年末年始休暇】12月29日〜1月3日

【離職率】◇男:3.4%、36名 女:4.4%、8名

【新卒3年後離職率】

[20→23年]12.7%(男12.0%・入社50名、女20.0%・入社5名)

[21→24年]20.6%(男15.4%・入社26名、女37.5%・入社8名)

【テレワーク】制度あり:[場所]自宅 サテライトオフィス[対象]NA[日数]NA[利用率]20.4%【勤務制度】フレックス 時間単位有休 時差勤務【住宅補助】独身寮(埼玉 栃木)借上社宅(転勤時など要件を満たした場合)

●ライフイベント、女性活躍●

【女性比率】■男 □女

新卒採用 15.9% (7名)

従業員 14.8% (175名)

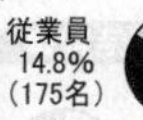

管理職 3.8% (10名)

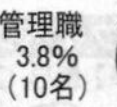

【産休】[期間]産前8・産後8週間[給与]会社(基本給)50%+法定を上限とし給付[取得者数]27名

【育休】[期間]1歳2カ月になるまで[給与]法定[取得者数]22年度 男25名(対象31名)女6名(対象6名)23年度 男23名(対象25名)女4名(対象4名)[平均取得日数]22年度 NA、23年度 NA

【従業員】◇[人数]1,185名(男1,010名、女175名)[平均年齢]43.7歳(男43.7歳、女43.8歳)[平均勤続年数]19.3年(男18.1年、女21.5年)

【年齢構成】NA

会社データ (金額は百万円)

【本社】100-6513 東京都千代田区丸の内1-5-1 新丸の内ビルディング13階 ☎03-3217-7200 https://www.signal.co.jp/

【業績(連結)】	売上高	営業利益	経常利益	純利益
22.3	85,047	5,390	6,538	4,503
23.3	85,456	5,112	5,915	4,075
24.3	98,536	6,824	7,893	5,346

1646 開示 ★★

アジレント・テクノロジー(株)

【特色】医薬・バイオ関連機器米国大手の日本法人

[記者評価] 米アジレント・テクノロジーズ社の日本法人。ライフサイエンス・診断・応用化学分野で分析機器事業を展開。食品、製薬、環境・法医学、診断、化学・エネルギー、研究の主要市場を深耕。産学連携も活発。多様性尊重の一方でチームワークも重視。

平均勤続年数	男性育休取得率	3年後離職率	平均年収(平均44歳)
13.7年	100 → 60.0%	0 → 0%	997万円

●採用・配属情報●

【男女・文理別採用実績】

	大卒男	大卒女	修士男	修士女
23年	1(文 0理 1)	0(文 0理 0)	3(文 0理 3)	5(文 0理 5)
24年	0(文 0理 0)	0(文 0理 0)	1(文 0理 1)	0(文 0理 0)
25年	1(文 0理 1)	1(文 0理 1)	5(文 0理 5)	3(文 0理 3)

【男女・職種別採用実績】 転換制度:⇔

	総合職
23年	9(男 4 女 5)
24年	1(男 1 女 0)
25年	12(男 8 女 4)

【24年4月入社者の配属勤務地】[技]東京・八王子1

【転勤】あり:[職種]営業 フィールドサービスエンジニア[勤務地]顧客による

【中途比率】[単年度]21年度80%、22年度70%、23年度62%[全体]NA

●働きやすさ、諸制度●

残業(月) 14.9時間

【勤務時間】8:45〜17:30【有休取得年平均】20.2日【週休】完全2日(土日祝)【夏期休暇】連続5日(有休で取得)【年末年始休暇】12月30日〜1月4日

【離職率】男:3.7%、15名 女:4.4%、7名

【新卒3年後離職率】

[20→23年]0%(男0%・入社12名、女0%・入社3名)

[21→24年]0%(男0%・入社7名、女0%・入社2名)

【テレワーク】制度あり:[場所]自宅[対象]仕事の性質に応じてマネージャが決定[日数]仕事の性質に応じて週2〜5日[利用率]NA【勤務制度】フレックス 裁量労働【住宅補助】なし

●ライフイベント、女性活躍●

【女性比率】■男 □女

新卒採用 33.3% (4名)

従業員 28.3% (153名)

【産休】[期間]産前6・産後8週間[給与]法定[取得者数]7名

【育休】[期間]1歳到達後の3月末まで[給与]法定[取得者数]22年度 男3名(対象3名)女3名(対象3名)23年度 男9名(対象15名)女7名(対象7名)[平均取得日数]22年度 NA、23年度 男38日 女235日

【従業員】[人数]540名(男387名、女153名)[平均年齢]44.1歳(男44.1歳、女44.1歳)[平均勤続年数]13.7年(男14.3年、女12.2年)

【年齢構成】NA

会社データ (金額は百万円)

【本社】192-8510 東京都八王子市高倉町9-1 ☎042-660-3111 https://www.agilent.com/

【業績(単独)】	売上高	営業利益	経常利益	純利益
21.10	31,045	NA	NA	NA
22.10	34,173	NA	NA	NA
23.10	36,467	NA	NA	NA

ニデック(株)

えるぼし ★★★

【特色】モーター世界首位。M&Aに積極的で拡大主義

記者評価 岸田光哉社長による新体制が発足。創業者・永守重信氏の後継者となれるか注目される。HDD向けモーターに続く成長源として、自動車用や駆動装置、工作機械などに注力。ハードワークな社風だが、働き方改革やコスト削減も積極的。売上高10兆円を目指している。

平均勤続年数	男性育休取得率	3年後離職率	平均年収(平均40歳)
12.6年	31.5 → 50.9%	21.3 → 34.3%	総 743万円

●採用・配属情報●

【男女・文理別採用実績】

	大卒男	大卒女	修士男	修士女
23年	107(文 39 理 68)	39(文 30 理 9)	50(文 1 理 49)	6(文 2 理 4)
24年	88(文 63 理 25)	31(文 29 理 2)	30(文 5 理 25)	8(文 5 理 3)
25年	-(文 - 理 -)	-(文 - 理 -)	-(文 - 理 -)	-(文 - 理 -)

※ニデックグループの数値 25年:目標値230名(文系49 理系181)

【男女・職種別採用実績】

	総合職
23年	248(男 192 女 56)
24年	191(男 148 女 43)
25年	230(男 - 女 -)

※高卒含む

【24年4月入社者の配属勤務地】㊗京都 神奈川 ㊕京都 神奈川 滋賀

【転勤】あり:全社員

【中途比率】[単年度]21年度57%、22年度61%、23年度40%[全体]33%

●働きやすさ、諸制度●

残業(月) 20.0時間 総 20.0時間

【勤務時間】8:30～17:30【有休取得年平均】12.6日【週休】2日【夏期休暇】連続9日(年休計画付与による一斉取得3日含む)【年末年始休暇】12月28日～1月5日

【離職率】男:18.3%、347名 女:9.0%、41名

【新卒3年後離職率】
[20→23年]21.3%(男22.1%・入社149名、女16.0%・入社25名)
[21→24年]34.3%(男36.7%・入社60名、女20.0%・入社10名)

【テレワーク】制度あり:[場所]自宅または自宅に準ずる場所(会社に申請した場所に限る)[対象]制限なし[日数]制限なし[利用率]3.1%【勤務制度】時間単位有休 時差勤務 勤務間インターバル【住宅補助】独身寮 借上社宅 単身赴任手当 勤務地手当

●ライフイベント、女性活躍●

【女性比率】■男 □女

従業員 21.1% (414名)

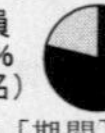

管理職 9.3% (40名)

【産休】[期間]産前6・産後8週間[給与]健保70%給付[取得者数]20名

【育休】[期間]3歳の4月末まで[給与]法定[取得者数]22年度 男23名(対象73名)女19名(対象19名)23年度 男27名(対象53名)女12名(対象12名)[平均取得日数]22年度 男40日 女382日、23年度 男49日 女513日

【従業員】[人数]1,964名(男1,550名、女414名)[平均年齢]41.7歳(男42.4歳、女38.1歳)[平均勤続年数]12.6年(男12.9年、女11.0年)【年齢構成】■男 □女

	男	女
60代～	7%	0%
50代	14%	3%
40代	20%	7%
30代	21%	6%
～20代	18%	5%

会社データ (金額は百万円)

【本社】601-8205 京都府京都市南区久世殿城町338 ☎075-935-6600
https://www.nidec.com/ja-JP/

【業績(IFRS)】	売上高	営業利益	税前利益	純利益
22.3	1,918,174	171,487	171,145	136,870
23.3	2,242,824	100,081	120,593	45,003
24.3	2,347,159	162,799	202,612	125,144

TDK(株)

ティーディーケイ

くるみん

【特色】電子部品大手。看板商品を入れ替えながら成長

記者評価 コンデンサーやHDD用磁気ヘッド、リチウムイオン電池、センサー等を製造販売。柱のスマホ向けバッテリーは世界シェア1位。独自開発のシリコン負極など技術力高い。海外従業員比率9割で、人事もグローバル化。社員に挑戦を促すベンチャー気質が今も残る。

平均勤続年数	男性育休取得率	3年後離職率	平均年収(平均42歳)
17.7年	23.1 → 44.4%	9.9 → 9.2%	総 937万円

●採用・配属情報●

【男女・文理別採用実績】

	大卒男	大卒女	修士男	修士女
23年	73(文 17 理 56)	14(文 5 理 9)	78(文 0 理 78)	9(文 1 理 8)
24年	75(文 14 理 61)	14(文 7 理 7)	82(文 2 理 80)	6(文 1 理 5)
25年	55(文 13 理 42)	14(文 10 理 4)	90(文 0 理 90)	6(文 0 理 6)

【男女・職種別採用実績】 転換制度:⇔

	総合職
23年	179(男 154 女 25)
24年	180(男 160 女 20)
25年	169(男 147 女 22)

【職種併願】○

【24年4月入社者の配属勤務地】㊗千葉13 東京5 秋田4 山梨1 大分1 ㊕秋田92 千葉41 長野15 山梨4 大分4

【転勤】あり:[職種]総合職

【中途比率】[単年度]21年度39%、22年度46%、23年度38%[全体]29%

●働きやすさ、諸制度●

残業(月) 16.5時間 総 19.3時間

【勤務時間】8:50～17:20【有休取得年平均】16.8日【週休】完全2日(土日祝)【夏期休暇】(本社)連続7日【年末年始休暇】(本社)連続7日

【離職率】男:1.9%、98名 女:3.1%、35名

【新卒3年後離職率】
[20→23年]9.9%(男7.3%・入社82名、女21.1%・入社19名)
[21→24年]9.2%(男9.7%・入社155名、女7.3%・入社41名)

【テレワーク】制度あり:[場所]制限なし[対象](1)育児・介護(2)事業所もしくは部署単位で自律的な働き方の推進を目的として実施する場合[日数]対象により異なる(1)最大で週2日(2)制限なし[利用率]21.7%【勤務制度】フレックス 裁量労働 時差勤務 副業容認【住宅補助】独身寮 転勤住宅手当

●ライフイベント、女性活躍●

【女性比率】■男 □女

新卒採用 13% (22名)

従業員 18.3% (1104名)

管理職 4.7% (58名)

【産休】[期間]産前6・産後8週間[給与]法定[取得者数]27名

【育休】[期間]1歳になるまで[給与]法定[取得者数]22年度 男30名(対象130名)女29名(対象30名)23年度 男59名(対象133名)女32名(対象30名)[平均取得日数]22年度 男72日 女293日、23年度 男53日 女287日

【従業員】[人数]6,037名(男4,933名、女1,104名)[平均年齢]42.7歳(男43.5歳、女38.7歳)[平均勤続年数]17.7年(男18.4年、女14.4年)

【年齢構成】■男 □女

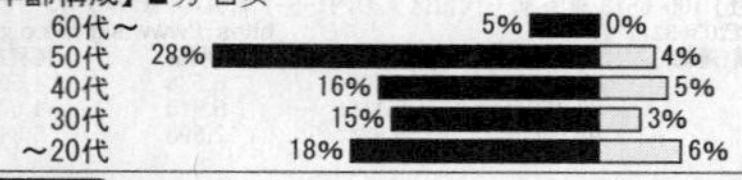

会社データ (金額は百万円)

【本社】103-6128 東京都中央区日本橋2-5-1 日本橋高島屋三井ビルディング ☎03-6778-1000
https://www.tdk.com/ja/

【業績(IFRS)】	売上高	営業利益	税前利益	純利益
23.3	2,180,817	168,827	167,219	114,187
24.3	2,103,876	172,893	179,241	124,687

メーカーI

581 開示 ★★★

京セラ(株)

プラチナくるみん

【特色】電子部品大手。携帯、太陽電池など多角経営

記者評価 創業者の故・稲盛和夫氏が提唱した「アメーバ経営」と社員への「京セラフィロソフィ教育」に特徴。ファインセラミックス技術をベースに、半導体用セラミックパッケージや半導体製造装置向け部品に強み。コンデンサ、太陽光発電システム、複合機など多角展開。

平均勤続年数	男性育休取得率	3年後離職率	平均年収(平均40歳)
◇15.6年	18.1→21.5%	9.2→9.9%	㊓861万円

●採用・配属情報●

【男女・文理別採用実績】

	大卒男	大卒女	修士男	修士女
23年	94(文 44理 50)	62(文 51理 11)	239(文 1理238)	29(文 6理 23)
24年	111(文 47理 64)	48(文 30理 18)	228(文 5理223)	35(文 2理 33)
25年	62(文 12理 50)	30(文 20理 10)	139(文 3理136)	25(文 5理 20)

【男女・職種別採用実績】

	総合職
23年	428(男335 女 93)
24年	428(男344 女 84)
25年	260(男200 女 60)

【24年4月入社者の配属勤務地】㊓京都47 大阪2 滋賀4 東京13 神奈川4 愛知4 九州7 他3 ㊔京都54 滋賀71 東京7 神奈川34 九州149 他29
【転勤】あり:全社員
【中途比率】[単年度]21年度NA、22年度NA、23年度NA[全体]◇43%

●働きやすさ、諸制度●

残業(月) 14.6時間 ㊓14.6時間

【勤務時間】8:45〜17:30【有休取得年平均】16.4日【週休】完全2日(土日祝)【夏期休暇】8月11〜16日【年末年始休暇】12月29日〜1月4日
【離職率】◇男:2.1%、363名 女:2.2%、91名
【新卒3年後離職率】
[20→23年]9.2%(男10.1%・入社576名、女6.5%・入社170名)
[21→24年]9.9%(男9.2%・入社433名、女12.6%・入社103名)
【テレワーク】制度あり:[場所]自宅 単身赴任元[対象]全社員[日数]月10日まで[利用率]NA【勤務制度】フレックス 時間単位有休 時差勤務 勤務間インターバル 副業容認
【住宅補助】転勤者用社有社宅 借上社宅 社有寮 借上寮 都市勤務者住宅補助

●ライフイベント、女性活躍●

【女性比率】■男 □女

新卒採用 23.1%(60名)　従業員 19.7%(4141名) 　管理職 5.4%(159名)

【産休】[期間]産前6・産後8週間[給与]法定[取得者数]160名
【育休】[期間]失効有休の積立を利用可[給与]法定[取得者数]22年度 男116名(対象640名)女150名(対象164名)23年度 男118名(対象548名)女153名(対象129名)[平均取得日数]22年度 男59日 女312日、23年度 男70日 女305日
【従業員】◇[人数]21,072名(男16,931名、女4,141名)[平均年齢]40.0歳(男40.6歳、女37.6歳)[平均勤続年数]15.6年(男15.7年、女15.3年)
【年齢構成】■男 □女

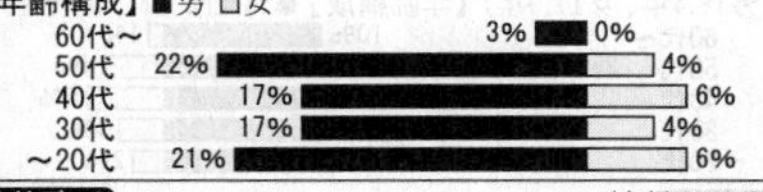

会社データ (金額は百万円)

【本社】612-8501 京都府京都市伏見区竹田鳥羽殿町6 ☎075-604-3500
https://www.kyocera.co.jp/

【業績(IFRS)】	売上高	営業利益	税前利益	純利益
22.3	1,838,938	148,910	198,947	148,414
23.3	2,025,332	128,517	176,192	127,988
24.3	2,004,221	92,923	136,143	101,074

584 開示 ★★ 短大 専門 採用あり

(株)村田製作所

くるみん

【特色】電子部品大手。世界トップシェアの製品が複数

記者評価 スマホ等の積層セラミックコンデンサーで世界トップシェア。特定周波数帯の電気信号を取り出すSAWフィルターも首位。電子部品の搭載増える車載関連が成長中。海外売上比率9割超。24年アンテナ間の干渉改善デバイスを世界初開発。現社長は初の創業家外トップ。

平均勤続年数	男性育休取得率	3年後離職率	平均年収(平均40歳)
13.9年	32.5→50.0%	6.5→4.2%	760万円

●採用・配属情報●

【男女・文理別採用実績】

	大卒男	大卒女	修士男	修士女
23年	250(文 36理214)	125(文 99理 26)	0(文 0理 0)	0(文 0理 0)
24年	236(文 25理211)	127(文 93理 34)	0(文 0理 0)	0(文 0理 0)
25年	231(文 21理210)	126(文 95理 31)	0(文 0理 0)	0(文 0理 0)

※修士は大卒に含む 25年:24年8月1日時点

【男女・職種別採用実績】 転換制度:⇒

	総合職	一般職
23年	291(男253 女 38)	98(男 10 女 88)
24年	290(男237 女 53)	85(男 8 女 77)
25年	287(男235 女 52)	84(男 9 女 75)

※25年:一般職は採用継続中
【24年4月入社者の配属勤務地】㊓京都・長岡京 滋賀・野洲 名古屋 東京・渋谷 横浜 さいたま ㊔京都・長岡京 滋賀(野洲 東近江)東京・渋谷 神奈川(横浜 厚木)千葉・流山 島根・出雲 岡山・瀬戸内 三重・津 福井(鯖江 越前)石川(金沢 小松)富山
【転勤】あり:[職種]総合職
【中途比率】[単年度]21年度33%、22年度48%、23年度38%[全体]NA

●働きやすさ、諸制度●

残業(月) 15.2時間

【勤務時間】8:30〜17:00 9:00〜17:30【有休取得年平均】16.8日【週休】2日制(基本土日祝、当社カレンダーに基づく)【夏期休暇】連続4日【年末年始休暇】連続6日
【離職率】男:1.9%、156名 女:1.8%、45名(早期退職者含む)
【新卒3年後離職率】
[20→23年]6.5%(男NA、女NA)
[21→24年]4.2%(男NA、女NA)
【テレワーク】制度あり:[場所]自宅 安全と情報セキュリティが担保できる場所[対象]全社員[日数]週2回程度[利用率]26.2%【勤務制度】フレックス 時間単位有休 裁量労働 時差勤務 勤務間インターバル 副業容認【住宅補助】独身寮 社宅 家賃補助 他

●ライフイベント、女性活躍●

【女性比率】■男 □女

新卒採用 34.2%(127名) 　従業員 24.2%(2518名)

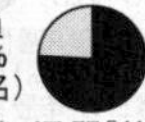

【産休】[期間]産前8・産後8週間[給与]法定+付加給付10%[取得者数]NA
【育休】[期間]1歳年度末まで[給与]法定[取得者数]22年度 男100名(対象308名)女86名(対象82名)23年度 NA[平均取得日数]22年度 NA、23年度 NA
【従業員】[人数]10,401名(男7,883名、女2,518名)[平均年齢]39.9歳(男41.0歳、女36.5歳)[平均勤続年数]13.9年(男14.4年、女12.2年)【年齢構成】■男 □女

	男	女
60代〜	0%	0%
50代	18%	3%
40代	25%	7%
30代	20%	6%
〜20代	13%	8%

会社データ (金額は百万円)

【本社】617-8555 京都府長岡京市東神足1-10-1 ☎075-955-6791
https://www.murata.com/

【業績(IFRS)】	売上高	営業利益	税前利益	純利益
24.3	1,640,158	215,447	239,404	180,838

ルネサスエレクトロニクス(株)

[くるみん]

【特色】半導体大手で車載用マイコン首位。買収で拡大

[記者評価] 三菱電機、日立製作所、NECの半導体部門が母体。大規模構造改革で世界シェア首位の車載用マイコンや産業分野へ特化。自動運転向けに注力。17年以降の積極買収でアナログ半導体を拡充。無線通信領域も強化。買収先人材の幹部登用などグローバル化推進。

平均勤続年数	男性育休取得率	3年後離職率	平均年収(平均46歳)
22.7年	26.0 → 29.0%	11.0 → 12.7%	[総]954万円

●採用・配属情報●

【男女・文理別採用実績】

	大卒男	大卒女	修士男	修士女
23年	17(文 4理 13)	13(文 8理 5)	118(文 2理116)	10(文 1理 9)
24年	18(文 4理 14)	9(文 6理 3)	126(文 1理125)	24(文 4理 20)
25年	13(文 9理 4)	11(文 9理 2)	108(文 1理107)	27(文 2理 25)

【男女・職種別採用実績】

	総合職
23年	161(男138 女 23)
24年	190(男154 女 36)
25年	171(男131 女 40)

【24年4月入社者の配属勤務地】[総]東京(豊洲11 国分寺1)茨城・ひたちなか3 [技]東京(豊洲8 国分寺106)群馬・高崎24 茨城・ひたちなか14 熊本(川尻6 球磨3)山梨・甲府4 大分・中津4 山形・米沢3 愛媛・西条3

【転勤】あり:全社員

【中途比率】[単年度]21年度55%、22年度52%、23年度56%[全体]16%

●働きやすさ、諸制度●

残業(月) 29.6時間 [総]30.4時間

【勤務時間】9:00～17:45【有休取得年平均】17.0日【週休】完全2日(土日祝)【夏期休暇】連続10日(有休5日含む)【年末年始休暇】12月28日～1月4日

【離職率】男:3.6%、188名 女:3.1%、25名

【新卒3年後離職率】
[20→23年]11.0%(男10.7%・入社75名、女14.3%・入社7名)
[21→24年]12.7%(男11.1%・入社90名、女25.0%・入社12名)

【テレワーク】制度あり:[場所]自宅 サテライトオフィス[対象]非現業者[日数]制限なし[利用率]48.5%【勤務制度】フレックス 時間単位有休 週休3日 裁量労働 副業容認【住宅補助】家賃補助(地域により異なる)

●ライフイベント、女性活躍●

【女性比率】■男 □女

新卒採用 23.4% (40名)

従業員 13.3% (770名)

管理職 3.9% (89名)

【産休】[期間]産前8・産後8週間[給与]法定+出産手当金付加金(標準報酬日額の13%)[取得者数]7名

【育休】[期間]1歳到達日以降最初の3月31日または1歳2カ月になる日まで[給与]法定[取得者数]22年度 男20名(対象77名)女11名(対象13名)23年度 男20名(対象69名)女8名(対象8名)[平均取得日数]22年度 NA、23年度 男72日 女348日

【従業員】[人数]5,809名(男5,039名、女770名)[平均年齢]48.1歳(男48.3歳、女46.7歳)[平均勤続年数]22.7年(男22.7年、女22.3年)【年齢構成】■男 □女

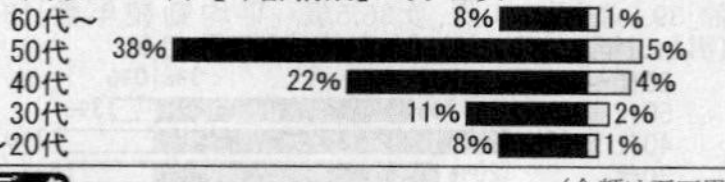
60代～ 8% 1%
50代 38% 5%
40代 22% 4%
30代 11% 2%
～20代 8% 1%

[会社データ] (金額は百万円)

【本社】135-0061 東京都江東区豊洲3-2-24 豊洲フォレシア ☎03-6773-4001
https://www.renesas.com/

【業績(IFRS)】	売上高	営業利益	税前利益	純利益
21.12	994,418	183,601	152,463	127,261
22.12	1,500,853	424,170	362,299	256,632
23.12	1,469,415	390,766	422,173	337,086

ミネベアミツミ(株)

[えるぼし ★★★] [くるみん]

【特色】極小ベアリング世界首位。M&Aでの拡大に積極的

[記者評価] 極小ボールベアリングで世界シェア6割。ほかにアナログ半導体や小型モーターなど数多くの収益源を持つ。各分野の技術や製品を掛け合わせて新事業を生み出せるのが強み。主力工場はタイにあり、海外生産比率約9割。貝沼由久会長の手腕で業績は拡大傾向。

平均勤続年数	男性育休取得率	3年後離職率	平均年収(平均45歳)
◇18.4年	32.1 → 54.7%	14.5 → 18.8%	[総]726万円

●採用・配属情報●

【男女・文理別採用実績】

	大卒男	大卒女	修士男	修士女
23年	77(文 22理 55)	24(文 16理 8)	73(文 0理 73)	2(文 0理 2)
24年	93(文 33理 60)	21(文 14理 7)	80(文 2理 78)	7(文 0理 7)
25年	96(文 29理 67)	38(文 30理 8)	101(文 1理100)	11(文 0理 11)

【男女・職種別採用実績】

	総合職
23年	182(男156 女 26)
24年	214(男183 女 31)
25年	259(男207 女 52)

【24年4月入社者の配属勤務地】[総]東京(港25 多摩2)長野(軽井沢6 松本1)大阪6 愛知4 神奈川(藤沢2 厚木3)京都2 静岡2 広島2 山形1 群馬1 埼玉1 [技]東京(港14 多摩2)長野41 神奈川(藤沢10 厚木10)静岡17 広島18 鳥取10 滋賀8 群馬6 秋田6 北海道5 福岡4 山形3 大阪2

【転勤】あり:全社員

【中途比率】[単年度]21年度61%、22年度58%、23年度58%[全体]◇38%

●働きやすさ、諸制度●

残業(月) 7.9時間 [総]7.9時間

【勤務時間】東京本部8:45～17:30【有休取得年平均】14.4日【週休】2日【夏期休暇】連続9日程度(週休含む、東京本部はリフレッシュ休暇として有休5日取得)【年末年始休暇】連続9日程度

【離職率】◇男:3.4%、234名 女:2.1%、27名

【新卒3年後離職率】
[20→23年]14.5%(男16.0%・入社125名、女5.0%・入社20名)
[21→24年]18.8%(男18.3%・入社142名、女22.2%・入社18名)

【テレワーク】制度なし【勤務制度】時差勤務【住宅補助】独身寮(期間12年)社宅(期間15年)住宅手当(家賃の70%を上限に独身15,000円配偶者あり35,000円(地方25,000円)※持家は世帯主の場合5,000円)

●ライフイベント、女性活躍●

【女性比率】■男 □女

新卒採用 20.1% (52名)

従業員 15.8% (1255名)

管理職 2.5% (30名)

【産休】[期間]産前6・産後8週間[給与]法定[取得者数]52名

【育休】[期間]1歳になるまで[給与]法定[取得者数]22年度 男45名(対象140名)女26名(対象27名)23年度 男64名(対象117名)女32名(対象32名)[平均取得日数]22年度 男54日 女295日、23年度 男42日 女382日

【従業員】◇[人数]7,919名(男6,664名、女1,255名)[平均年齢]45.2歳(男45.5歳、女43.8歳)[平均勤続年数]18.4年(男18.4年、女17.9年)【年齢構成】■男 □女

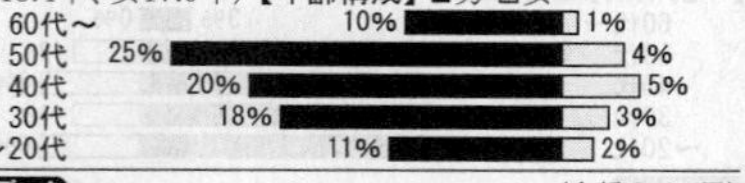
60代～ 10% 1%
50代 25% 4%
40代 20% 5%
30代 18% 3%
～20代 11% 2%

[会社データ] (金額は百万円)

【本社】389-0293 長野県北佐久郡御代田町大字御代田4106-73 ☎0267-32-2200
https://www.minebeamitsumi.com/

【業績(IFRS)】	売上高	営業利益	税前利益	純利益
22.3	1,124,140	92,136	90,788	68,935
23.3	1,292,203	101,522	96,120	77,010
24.3	1,402,127	73,536	75,545	54,035

キオクシア(株)

【特色】NAND型で世界大手。東芝のメモリ事業が母体

[記者評価] 18年東芝の半導体メモリ事業を分離し誕生。東芝に加え、米ベインキャピタルグループ、HOYAが出資。19年持株会社・東芝メモリHD(現キオクシアHD)を設立。NAND型フラッシュメモリーで世界大手の一角。四日市工場はフラッシュメモリ工場として世界最大級。

平均勤続年数	男性育休取得率	3年後離職率	平均年収(平均43歳)
◇17.7年	30.7→44.1%	NA	[総]708万円

●採用・配属情報●

【男女・文理別採用実績】

	大卒男	大卒女	修士男	修士女
23年	88(文 14理 74)	23(文 8理 15)	254(文 0理254)	18(文 0理 18)
24年	31(文 17理 14)	13(文 6理 7)	178(文 0理178)	17(文 2理 15)
25年	3(文 3理 0)	8(文 5理 3)	46(文 1理 45)	5(文 1理 4)

【男女・職種別採用実績】

	総合職
23年	402(男361 女 41)
24年	245(男214 女 31)
25年	65(男 52 女 13)

【24年4月入社者の配属勤務地】[総]東京 神奈川 三重 [技]東京 神奈川 三重
【転勤】あり:全社員
【中途比率】[単年度]21年度42%、22年度41%、23年度5% [全体]NA

●働きやすさ、諸制度●

残業(月) 32.8時間 [総]32.8時間

【勤務時間】8:30~17:15【有休取得年平均】19.0日【週休】完全2日(土日祝)【夏期休暇】あり【年末年始休暇】あり
【離職率】NA
【新卒3年後離職率】
[20→23年]NA
[21→24年]NA
【テレワーク】制度あり:[場所]原則自宅(育児・介護等の事由による特別取扱いあり)[対象]在宅勤務可能な業務に従事している従業員[日数]制限なし[利用率]NA【勤務制度】フレックス 時間単位有休 副業容認【住宅補助】社宅(独身・家族同伴)住宅費補助 家賃補助

●ライフイベント、女性活躍●

【女性比率】■男 □女

新卒採用 20% (13名)

従業員 9.9% (1149名)

【産休】[期間]産前8・産後8週間[給与]8割給付(健保・団体保険)[取得者数]36名
【育休】[期間]3歳到達月末まで[給与]法定[取得者数]22年度 男78名(対象254名)女44名(対象44名)23年度 男82名(対象186名)女36名(対象43名)[平均取得日数]22年度NA、23年度 NA
【従業員】◇[人数]11,584名(男10,435名、女1,149名)[平均年齢]42.8歳(男43.4歳、女37.5歳)[平均勤続年数]17.7年(男18.3年、女12.8年)
【年齢構成】NA

会社データ (金額は百万円)

【本社】108-0023 東京都港区芝浦3-1-21 田町ステーションタワーS ☎03-6478-2500
https://www.kioxia.com/ja-jp/top.html

【業績(IFRS)】	売上高	営業利益	税前利益	純利益
22.3	1,526,500	216,200	NA	105,900
23.3	1,282,100	▲99,000	NA	▲138,100
24.3	1,076,600	▲252,700	NA	▲243,700

※業績はキオクシアホールディングス(株)のもの

アルプスアルパイン(株)

【特色】電子部品の大手メーカー。車載とスマホ向け中心

[記者評価] 電子部品のアルプス電気と車載情報機器のアルパインが2019年に再統合して誕生。稼ぎ頭はスマホ向け電子部品で、カメラのピント合わせを行うアクチュエータが代表製品。ゲーム機用の部品も。自動車関連は収益体質改善が道半ば。積極的な構造改革に取組中。

平均勤続年数	男性育休取得率	3年後離職率	平均年収(平均45歳)
◇17.7年	37.5→53.7%	13.7→17.2%	[総]737万円

●採用・配属情報●

【男女・文理別採用実績】

	大卒男	大卒女	修士男	修士女
23年	48(文 9理 39)	8(文 6理 2)	46(文 4理 42)	2(文 1理 1)
24年	63(文 16理 47)	16(文 12理 4)	44(文 0理 44)	7(文 2理 5)
25年	47(文 8理 39)	8(文 1理 7)	53(文 3理 50)	5(文 1理 4)

【男女・職種別採用実績】 転換制度:⇔

	総合職	一般職
23年	107(男 98 女 9)	2(男 0 女 2)
24年	136(男115 女 21)	2(男 0 女 2)
25年	115(男104 女 11)	2(男 0 女 2)

【職種併願】○
【24年4月入社者の配属勤務地】[総]宮城・大崎4 東京・大田12 福島・いわき1 新潟・長岡1 [技]宮城(大崎48 遠田7 涌谷10 角田4)東京・大田8 福島(いわき33 小名浜2)新潟・長岡6
【転勤】あり:[職種]総合職
【中途比率】[単年度]21年度14%、22年度18%、23年度30%[全体]◇23%

●働きやすさ、諸制度●

残業(月) 12.6時間 [総]18.2時間

【勤務時間】8:20~17:00(フレックスタイム制 実働7時間45分)【有休取得年平均】15.3日【週休】2日(年数回土曜出勤の可能性あり)【夏期休暇】連続7日(週休2日含む)【年末年始休暇】連続7日(週休2日含む)
【離職率】◇男:3.4%、184名 女:2.8%、44名(早期退職(ライフプラン選択制)男25名、女3名含む)
【新卒3年後離職率】
[20→23年]13.7%(男12.9%・入社101名、女18.8%・入社16名)
[21→24年]17.2%(男18.4%・入社152名、女13.5%・入社52名)
【テレワーク】制度あり:[場所]自宅 サテライトオフィス カフェ 公共交通機関(新幹線 飛行機)[対象]教育受講者 フレックスタイム者もしくは同等の時間管理等十分な自己管理能力を有する者[日数]制限なし[利用率]NA【勤務制度】フレックス 時間単位有休 裁量労働 副業容認【住宅補助】独身寮 住宅手当 住宅資金貸付

●ライフイベント、女性活躍●

【女性比率】■男 □女

新卒採用 11.1% (13名)

従業員 22.7% (1524名)

管理職 3.5% (17名)

【産休】[期間]産前6・産後8週間[給与]法定[取得者数]53名
【育休】[期間]2歳到達後最初の4月末まで[給与]法定[取得者数]22年度 男36名(対象96名)女27名(対象27名)23年度 男65名(対象121名)女40名(対象50名)[平均取得日数]22年度 NA、23年度 男67日 女NA
【従業員】◇[人数]6,720名(男5,196名、女1,524名)[平均年齢]42.3歳(男42.8歳、女40.0歳)[平均勤続年数]17.7年(男18.1年、女16.6年)【年齢構成】■男 □女

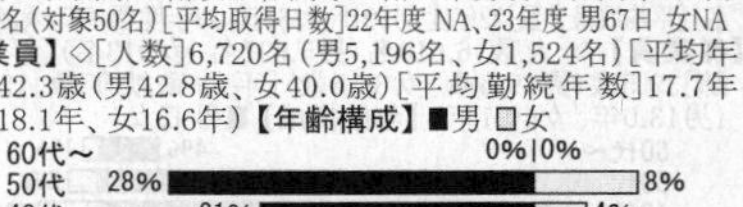
60代~ 0% 0%
50代 28% 8%
40代 21% 4%
30代 14% 5%
~20代 14% 6%

会社データ (金額は百万円)

【本社】145-8501 東京都大田区雪谷大塚町1-7 ☎03-3726-1211
https://www.alpsalpine.com/j/

【業績(連結)】	売上高	営業利益	経常利益	純利益
22.3	802,854	35,208	40,286	22,960
23.3	933,114	33,595	34,940	11,470
24.3	964,090	19,711	24,809	▲29,814

585 開示 ★★★

日東電工(株)

にっとうでんこう

【特色】総合材料メーカー。ニッチトップ戦略を標榜

記者評価 ニッチな新市場でトップシェアを目指すグローバルニッチトップ戦略を展開。代名詞ともいえる液晶部材の偏光板は有機ELへの移行が進み減少傾向だが、スマホ向けでは高精度基板や部品同士を貼り付けるシートなど拡大。新領域の核酸医薬でも受託製造や開発推進。

平均勤続年数	男性育休取得率	3年後離職率	平均年収(平均39歳)
◇12.6年	91.8→94.3%	5.6→9.2%	㊋944万円

●採用・配属情報●

【男女・文理別採用実績】

	大卒男	大卒女	修士男	修士女
23年	10(文 8理 2)	10(文 7理 3)	71(文 2理 69)	18(文 1理 17)
24年	13(文 7理 6)	8(文 7理 1)	80(文 1理 79)	24(文 0理 24)
25年	8(文 8理 0)	13(文 8理 5)	71(文 0理 71)	11(文 1理 10)

【男女・職種別採用実績】 転換制度:⇔

	総合職
23年	144(男 101 女 43)
24年	161(男 116 女 45)
25年	126(男 97 女 29)

【24年4月入社者の配属勤務地】㊋埼玉・深谷1 東京・品川4 愛知(豊橋3 名古屋1)三重・亀山4 滋賀・草津1 大阪(大阪2 茨木6)広島・尾道5 ㊕宮城・大崎6 埼玉・深谷6 愛知・豊橋27 三重・亀山22 滋賀・草津3 大阪・茨木33 広島・尾道37

【転勤】あり:全社員(一部地域限定職を除く)

【中途比率】[単年度]21年度53%、22年度43%、23年度43%[全体]NA

●働きやすさ、諸制度●

残業(月) 15.3時間

【勤務時間】8:45〜17:30【有休取得年平均】16.7日【週休】完全2日(土日祝)【夏期休暇】連続9日(土日含む)【年末年始休暇】あり

【離職率】◇男:1.7%、99名 女:2.7%、25名(早期退職男8名含む)

【新卒3年後離職率】
[20→23年]5.6%(男3.9%・入社76名、女14.3%・入社14名)
[21→24年]9.2%(男9.7%・入社93名、女7.9%・入社38名)

【テレワーク】制度あり:[場所]自宅 サテライトオフィス 他[対象]全社員(ただし現業は除く)[日数]週2〜4日[利用率]9.0%【勤務制度】フレックス 時間単位有休 裁量労働 時差勤務 副業容認

【住宅補助】寮 社宅 借上社宅(地域により会社負担率変更)

●ライフイベント、女性活躍●

【女性比率】■男 □女

新卒採用 23%(29名)　従業員 13.8%(913名)　管理職 6.5%(70名)

【産休】[期間]産前6・産後8週間[給与]健保+付加給付で80%[取得者数]27名

【育休】[期間]最大2歳になるまで取得可能[給与]育児目的の特別休暇(有給)制度5日あり、それ以外は法定[取得者数]22年度 男191名(対象208名)女33名(対象33名)23年度 男200名(対象212名)女27名(対象27名)[平均取得日数]22年度 男50日 女365日、23年度 男60日 女391日

【従業員】◇[人数]6,610名(男5,697名、女913名)[平均年齢]39.5歳(男39.6歳、女38.5歳)[平均勤続年数]12.6年(男13.0年、女10.1年)【年齢構成】■男 □女

	男	女
60代〜	4%	1%
50代	16%	2%
40代	27%	4%
30代	22%	3%
〜20代	17%	4%

会社データ (金額は百万円)

【本社】530-0011 大阪府大阪市北区大深町4-20 グランフロント大阪タワーA ☎06-7632-2101 https://www.nitto.com/jp/ja/

【業績(IFRS)】	売上高	営業利益	税前利益	純利益
22.3	853,448	132,260	132,378	97,132
23.3	929,036	147,173	146,840	109,173
24.3	915,139	139,132	138,901	102,679

1207 開示 ★★★★ 短大 専門 採用あり

日亜化学工業(株)

にちあかがくこうぎょう

【特色】窒化物LEDで世界首位級。グローバル展開加速

記者評価 高純度カルシウム塩の製販で出発し蛍光体などに展開。1993年青色LEDを世界で初めて実用化、現在はLEDやリチウムイオン電池正極材、半導体レーザー等が柱。生産拠点は徳島に集約。従業員の子育て支援策充実。ドイツのアーヘン市に車載LEDの拠点開設。

平均勤続年数	男性育休取得率	3年後離職率	平均年収(平均40歳)
15.0年	26.8→53.0%	17.6→21.6%	㊋757万円

●採用・配属情報●

【男女・文理別採用実績】

	大卒男	大卒女	修士男	修士女
23年	38(文 12理 26)	16(文 10理 6)	59(文 0理 59)	4(文 0理 4)
24年	44(文 20理 24)	9(文 6理 3)	54(文 0理 54)	5(文 0理 5)
25年	55(文 29理 26)	13(文 7理 6)	66(文 0理 66)	4(文 0理 4)

※25年:24年8月21日時点

【男女・職種別採用実績】

	総合職	一般職
23年	112(男 91 女 21)	16(男 14 女 2)
24年	99(男 84 女 15)	31(男 30 女 1)
25年	118(男 100 女 18)	31(男 30 女 1)

【24年4月入社者の配属勤務地】㊋徳島・阿南16 ㊕徳島(阿南76 鳴門3 徳島1)大阪2 横浜1

【転勤】あり:全社員

【中途比率】[単年度]21年度11%、22年度28%、23年度12%[全体]21%

●働きやすさ、諸制度●

残業(月) 14.1時間

【勤務時間】8:00〜17:00【有休取得年平均】17.2日【週休】完全2日(土日祝)(祝日週土曜出勤あり)【夏期休暇】連続7日(週休2日含む)【年末年始休暇】連続9日(週休4日含む)

【離職率】男:1.8%、51名 女:2.5%、10名

【新卒3年後離職率】
[20→23年]17.6%(男17.2%・入社93名、女20.0%・入社15名)
[21→24年]21.6%(男18.8%・入社69名、女60.0%・入社5名)

【テレワーク】制度なし【勤務制度】時間単位有休 裁量労働 時差勤務 副業容認【住宅補助】社宅(独身用・家族用、独身用は自己負担額1.5万円〜2.5万円)

●ライフイベント、女性活躍●

【女性比率】■男 □女

新卒採用 12.8%(19名)　従業員 12.8%(397名)　管理職 2.1%(7名)

【産休】[期間]産前6・産後8週間[給与]法定[取得者数]51名

【育休】[期間]3歳になるまで[給与]法定[取得者数]22年度 男91名(対象339名)女51名(対象51名)23年度 男179名(対象338名)女54名(対象54名)[平均取得日数]22年度 男78日 女448日、23年度 男60日 女500日

【従業員】[人数]3,110名(男2,713名、女397名)[平均年齢]40.0歳(男40.0歳、女39.6歳)[平均勤続年数]15.0年(男14.9年、女15.8年)

【年齢構成】■男 □女

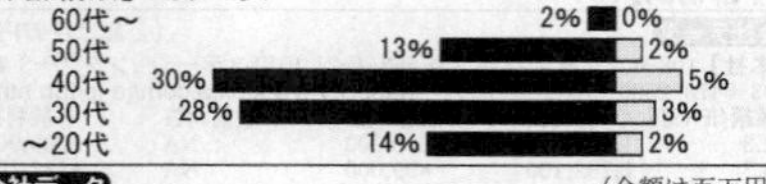

会社データ (金額は百万円)

【本社】774-8601 徳島県阿南市上中町岡491 ☎0884-22-2311 http://www.nichia.co.jp/

【業績(連結)】	売上高	営業利益	経常利益	純利益
21.12	403,699	76,152	87,521	65,418
22.12	502,113	91,900	107,995	79,764
23.12	507,106	43,562	50,852	34,186

メーカーI

577 開示 ★★★★★

ローム(株)

プラチナくるみん

【特色】特注のカスタムLSIで首位。半導体素子も展開

記者評価 電子部品大手。1954年に抵抗器の生産で創業。LSI(大規模集積回路)とダイオード、トランジスタなど半導体素子を生産する。製品の用途は自動車向けが中心で、産業機械、家電など民生機器向けも。SiC(炭化ケイ素)ウエハを使用した次世代パワー半導体に積極投資。

平均勤続年数	男性育休取得率	3年後離職率	平均年収(平均42歳)
14.1年	42.9→55.6%	15.3→14.7%	㊕941万円

●採用・配属情報●

【男女・文理別採用実績】

	大卒男	大卒女	修士男	修士女
23年	19(文 12理 7)	19(文 15理 4)	103(文 0理103)	13(文 1理 12)
24年	17(文 13理 4)	10(文 5理 5)	143(文 0理143)	23(文 1理 22)
25年	13(文 8理 5)	9(文 7理 2)	115(文 1理114)	6(文 0理 6)

【男女・職種別採用実績】 転換制度:⇔

	基幹職	限定基幹職
23年	158(男129 女 29)	4(男 0 女 4)
24年	196(男162 女 34)	0(男 0 女 0)
25年	143(男128 女 15)	0(男 0 女 0)

【24年4月入社者の配属勤務地】㊕京都10 東京2 名古屋1 ㊔京都115 横浜24 筑後21 宮崎14 滋賀6 浜松3

【転勤】あり:[職種]総合職

【中途比率】[単年度]21年度37%、22年度40%、23年度30%[全体]27%

●働きやすさ、諸制度●

残業(月) 16.4時間 ㊕18.7時間

【勤務時間】8:15〜17:15 事業所8:30〜17:30【有休取得年平均】15.2日【週休】完全2日(土日祝)【夏期休暇】連続5日(一斉有休含む)【年末年始休暇】連続7日(一斉有休含む)

【離職率】男:2.9%、86名 女:2.8%、23名

【新卒3年後離職率】

[20→23年]15.3%(男14.5%・入社83名、女17.9%・入社28名)

[21→24年]14.7%(男18.1%・入社105名、女5.3%・入社38名)

【テレワーク】制度あり:[場所]原則自宅 他[対象]全社員(ただしテレワークが適さない業務に従事する者等を除く)[日数]制限なし[利用率]21.0%【勤務制度】時間単位有休 裁量労働 時差勤務 勤務間インターバル 副業容認【住宅補助】借上社宅(45,000円 会社負担)持家補助(持家購入者45,000円)

●ライフイベント、女性活躍●

【女性比率】■男 □女

新卒採用 10.5%(15名)

従業員 21.6%(792名)

管理職 1.6%(6名)

【産休】[期間]産前6・産後8週間[給与]法定[取得者数]34名

【育休】[期間]3歳になるまで[給与]法定[取得者数]22年度 男48名(対象112名)女47名(対象47名)23年度 男55名(対象99名)女35名(対象35名)[平均取得日数]22年度 男35日 女441日、23年度 男37日 女489日

【従業員】[人数]3,675名(男2,883名、女792名)[平均年齢]40.1歳(男41.0歳、女36.8歳)[平均勤続年数]14.1年(男14.6年、女12.2年)【年齢構成】■男 □女

	男	女
60代〜	1%	0%
50代	18%	2%
40代	25%	5%
30代	19%	8%
〜20代	16%	6%

会社データ (金額は百万円)

【本社】615-8585 京都府京都市右京区西院溝崎町21 ☎075-311-2121 https://www.rohm.co.jp/

【業績(連結)】	売上高	営業利益	経常利益	純利益
22.3	452,124	71,479	82,551	66,827
23.3	507,882	92,316	109,530	80,375
24.3	467,780	43,327	69,200	53,965

217 開示 ★★★★☆

イビデン(株)

プラチナくるみん

【特色】米インテル向け半導体パッケージが主力

記者評価 岐阜地盤。主要顧客は米インテルで、PCやサーバー用の半導体パッケージ基板が主力。AIサーバー拡大も追い風。中長期的な需要増大に備え、大垣市の拠点を建て替えて増産。近隣の大野町の新工場には経済産業省が経済安全保障推進法に基づき助成金を支援。

平均勤続年数	男性育休取得率	3年後離職率	平均年収(平均42歳)
◇17.1年	54.7→52.6%	14.6→14.8%	㊕811万円

●採用・配属情報●

【男女・文理別採用実績】

	大卒男	大卒女	修士男	修士女
23年	35(文 10理 25)	10(文 7理 3)	54(文 1理 53)	2(文 1理 1)
24年	21(文 6理 15)	11(文 8理 3)	44(文 0理 44)	3(文 0理 3)
25年	32(文 9理 23)	9(文 4理 5)	56(文 0理 56)	4(文 1理 3)

【男女・職種別採用実績】 転換制度:⇔

	総合職
23年	106(男 93 女 13)
24年	80(男 65 女 15)
25年	105(男 91 女 14)

【24年4月入社者の配属勤務地】㊕岐阜・大垣13 愛知1 ㊔岐阜・大垣65 愛知1

【転勤】あり:[職種]全従業員[勤務地]国内(岐阜 愛知)、海外出向の可能性あり

【中途比率】[単年度]21年度50%、22年度33%、23年度27%[全体]◇28%

●働きやすさ、諸制度●

残業(月) 19.4時間 ㊕22.1時間

【勤務時間】事務8:15〜17:00 技術8:00〜16:45【有休取得年平均】15.6日【週休】完全2日(土日祝)【夏期休暇】8月10〜18日(有休1日を含む)【年末年始休暇】12月28日〜1月5日(有休1日を含む)

【離職率】◇男:2.8%、97名 女:2.3%、11名

【新卒3年後離職率】

[20→23年]14.6%(男14.6%・入社41名、女14.3%・入社7名)

[21→24年]14.8%(男9.1%・入社44名、女40.0%・入社10名)

【テレワーク】制度なし【勤務制度】フレックス 裁量労働 時差勤務 勤務間インターバル【住宅補助】独身寮(30歳まで)社宅(転勤者のみ)

●ライフイベント、女性活躍●

【女性比率】■男 □女

新卒採用 13.3%(14名)

従業員 12%(459名)

管理職 2.2%(8名)

【産休】[期間]産前6・産後8週間[給与]法定[取得者数]16名

【育休】[期間]1歳になるまで[給与]法定[取得者数]22年度 男52名(対象95名)女9名(対象9名)23年度 男60名(対象114名)女12名(対象12名)[平均取得日数]22年度 男57日 女361日、23年度 男88日 女390日

【従業員】◇[人数]3,829名(男3,370名、女459名)[平均年齢]40.3歳(男40.5歳、女39.0歳)[平均勤続年数]17.1年(男17.1年、女17.3年)

【年齢構成】■男 □女

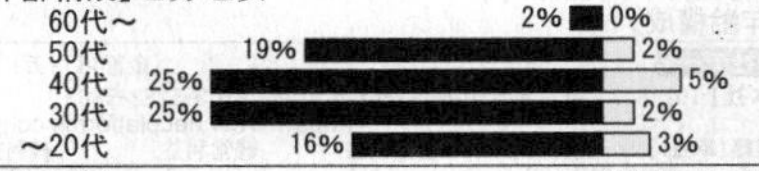

会社データ (金額は百万円)

【本社】503-8604 岐阜県大垣市神田町2-1 ☎0584-81-3111 https://www.ibiden.co.jp/

【業績(連結)】	売上高	営業利益	経常利益	純利益
22.3	401,138	70,821	74,394	41,232
23.3	417,549	72,362	76,176	52,187
24.3	370,511	47,568	51,140	31,490

メーカーI

1595 開示 ★★

エヌイーシー
ＮＥＣプラットフォームズ㈱

えるぼし ★★ / プラチナくるみん

【特色】NECの完全子会社。ハードウェア開発・製造中核

[記者評価] NEC系IP電話会社に3子会社が合流後、親会社のグループ再編で現体制。ネットワーク機器や企業向けサーバなど各種ハードウェアを製販。国内6生産拠点。コンビニ業務用端末の開発など実績多い。23年8月稼働の掛川新工場では自律走行搬送ロボットなど先端技術を活用。

平均勤続年数	男性育休取得率	3年後離職率	平均年収(平均48歳)
◇24.1年	NA	7.9 → 11.8%	NA

●採用・配属情報●

【男女・文理別採用実績】

	大卒男	大卒女	修士男	修士女
23年	48(文 11 理 37)	33(文 23 理 10)	27(文 0 理 27)	2(文 1 理 1)
24年	43(文 5 理 38)	23(文 17 理 6)	22(文 0 理 22)	3(文 1 理 2)
25年	30(文 4 理 26)	12(文 8 理 4)	9(文 0 理 9)	4(文 1 理 3)

【男女・職種別採用実績】 転換制度:⇔

	総合職	エリア総合職
23年	80(男 52 女 28)	30(男 23 女 7)
24年	55(男 38 女 17)	36(男 27 女 9)
25年	38(男 28 女 10)	17(男 11 女 6)

【24年4月入社者の配属勤務地】[総]東京2 神奈川8 千葉1 静岡5 山梨4 福島4 栃木1 宮城1 [技]東京14 神奈川17 千葉8 静岡7 山梨5 福島2 栃木2 山形1 宮城5 愛媛4

【転勤】あり:全社員

【中途比率】[単年度]21年度NA、22年度NA、23年度NA[全体]NA

●働きやすさ、諸制度●

残業(月) 15.6時間

【勤務時間】8:30～17:15(スーパーフレックス制度あり)【有休取得年平均】14.9日【週休】完全2日(土日祝)【夏期休暇】連続5日(有休で取得)【年末年始休暇】あり

【離職率】◇男:1.0%、59名 女:1.5%、17名

【新卒3年後離職率】
[20→23年]7.9%(男7.4%・入社68名、女12.5%・入社8名)
[21→24年]11.8%(男14.5%・入社76名、女3.8%・入社26名)

【テレワーク】制度あり:[場所]自宅 サテライトオフィス[対象]全社員(現業部門と特定事業従事者を除く)[日数]制限なし[利用率]NA【勤務制度】フレックス 時間単位有休 時差勤務 勤務間インターバル 副業容認【住宅補助】独身寮(最大5年間)独身者家賃補助(支給条件あり)

●ライフイベント、女性活躍●

【女性比率】■男 □女

新卒採用 29.1% (16名)

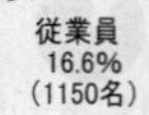

従業員 16.6% (1150名)

【産休】[期間]産前8・産後8週間[給与]法定[取得者数]21名

【育休】[期間]1歳年度末または1歳半まで[給与]法定[取得者数]22年度 男24名(対象NA)女16名(対象NA)23年度 男34名(対象NA)女18名(対象NA)[平均取得日数]22年度 男97日 女408日、23年度 男76日 女421日

【従業員】◇[人数]6,934名(男5,784名、女1,150名)[平均年齢]48.4歳(男49.1歳、女44.8歳)[平均勤続年数]24.1年(男24.6年、女21.3年)

【年齢構成】NA

[会社データ] (金額は百万円)

【本社】101-8532 東京都千代田区神田司町2-3 ☎03-5282-5803
https://www.necplatforms.co.jp/

【業績(単独)】	売上高	営業利益	経常利益	純利益
22.3	317,500	NA	NA	NA
23.3	360,100	NA	NA	NA
24.3	343,100	NA	NA	NA

583 開示 ★★★

たいようゆうでん
太陽誘電㈱

えるぼし ★★★ / プラチナくるみん

【特色】電子部品大手。主力はスマホなど用コンデンサー

[記者評価] 積層セラミックコンデンサーで世界3番手グループに位置。小型で高容量の先端品が得意で、高級スマホに数多く搭載される。自動車やAIサーバー向けも足元で拡大中。1988年に光記録メディアのCD-Rを世界で初めて開発するなど技術力に強み。材料も自社開発。

平均勤続年数	男性育休取得率	3年後離職率	平均年収(平均41歳)
16.9年	8.3 → 54.0%	8.9 → 11.5%	628万円

●採用・配属情報●

【男女・文理別採用実績】

	大卒男	大卒女	修士男	修士女
23年	14(文 8 理 6)	12(文 7 理 5)	26(文 0 理 26)	5(文 2 理 3)
24年	11(文 6 理 5)	7(文 5 理 2)	33(文 1 理 32)	8(文 2 理 6)
25年	10(文 5 理 5)	11(文 6 理 5)	28(文 0 理 28)	9(文 0 理 9)

【男女・職種別採用実績】 転換制度:⇒

	総合職
23年	57(男 40 女 17)
24年	60(男 45 女 15)
25年	60(男 40 女 20)

【24年4月入社者の配属勤務地】[総]群馬・高崎8 東京・京橋4 [技]群馬(玉村23 高崎24)川崎1

【転勤】あり:[職種]総合職

【中途比率】[単年度]21年度22%、22年度31%、23年度37%[全体]NA

●働きやすさ、諸制度●

残業(月) 12.2時間

【勤務時間】本社・営業所9:00～17:40 高崎グローバルセンター・工場・研究所8:30～17:10【有休取得年平均】16.1日【週休】完全2日(土日祝)【夏期休暇】連続10日(有休1日、週休含む)【年末年始休暇】連続10日(有休1日、週休含む)

【離職率】男:1.9%、41名 女:2.9%、21名

【新卒3年後離職率】
[20→23年]8.9%(男6.9%・入社58名、女11.6%・入社43名)
[21→24年]11.5%(男10.2%・入社88名、女14.7%・入社34名)

【テレワーク】制度あり:[場所]自宅[対象]NA[日数]週2日まで[利用率]NA【勤務制度】時間単位有休 時差勤務 勤務間インターバル【住宅補助】独身寮(群馬1戸、4年11カ月まで)借上社宅(4年11カ月まで)住宅手当

●ライフイベント、女性活躍●

【女性比率】■男 □女

新卒採用 33.3% (20名)

従業員 25% (712名)

【産休】[期間]産前6・産後8週間[給与]法定[取得者数]16名

【育休】[期間]2歳になるまで[給与]法定[取得者数]22年度 男3名(対象36名)女8名(対象8名)23年度 男27名(対象50名)女14名(対象14名)[平均取得日数]22年度 NA、23年度 男58日 女438日

【従業員】[人数]2,853名(男2,141名、女712名)[平均年齢]41.2歳(男42.0歳、女38.6歳)[平均勤続年数]16.9年(男17.2年、女15.8年)

【年齢構成】NA

[会社データ] (金額は百万円)

【本社】104-0031 東京都中央区京橋2-7-19 京橋イーストビル ☎03-6757-8310
https://www.yuden.co.jp/jp/

【業績(連結)】	売上高	営業利益	経常利益	純利益
22.3	349,636	68,218	72,191	54,361
23.3	319,504	31,980	34,832	23,216
24.3	322,647	9,079	13,757	8,317

707 開示 ★★★★★

シチズン時計(とけい)(株)

【特色】腕時計大手。電波時計に強い。工作機械も展開

[記者評価] 中価格帯の腕時計に強み。尚工舎時計研究所として1918年創業。第2の柱・工作機械は加工の邪魔にならない切り屑処理の仕組みに特長。海外売上比率は7割超。16年にスイスの高級時計メーカー「フレデリック・コンスタント」を買収。機械式時計ブランド再始動。

平均勤続年数	男性育休取得率	3年後離職率	平均年収(平均44歳)
18.5年	42.1→62.5%	15.4→40.0%	[総]745万円

●採用・配属情報●

【男女・文理別採用実績】

	大卒男	大卒女	修士男	修士女
23年	4(文 1理 3)	5(文 4理 1)	2(文 0理 2)	2(文 0理 2)
24年	5(文 4理 1)	4(文 4理 0)	5(文 0理 5)	4(文 1理 3)
25年	4(文 3理 1)	4(文 4理 0)	6(文 1理 5)	4(文 0理 4)

【男女・職種別採用実績】

	総合職
23年	13(男 6 女 7)
24年	18(男 10 女 8)
25年	18(男 10 女 8)

【24年4月入社者の配属勤務地】[総]東京・西東京9 [技]東京・西東京8 埼玉・所沢1
【転勤】あり:全社員
【中途比率】[単年度]21年度58%、22年度100%、23年度52%[全体]36%

●働きやすさ、諸制度●

残業(月) 9.3時間 [総]9.3時間

【勤務時間】9:00～17:30 9:30～18:00【有休取得年平均】13.2日【週休】完全2日(土日祝)【夏期休暇】連続5日【年末年始休暇】連続5日
【離職率】男:5.9%、34名 女:3.5%、8名
【新卒3年後離職率】
[20→23年]15.4%(男18.2%・入社11名、女0%・入社2名)
[21→24年]40.0%(男40.0%・入社5名、女—・入社0名)
【テレワーク】制度あり:[場所]自宅[対象]全社員[日数]月10日※一部フルテレワークの社員あり[利用率]13.6%【勤務制度】フレックス 時間単位有休 裁量労働 時差勤務 副業容認【住宅補助】独身寮(自己負担13,000円)

●ライフイベント、女性活躍●

【女性比率】■男 □女

新卒採用 44.4% (8名)
従業員 29.1% (223名)
管理職 9% (23名)
【産休】[期間]産前6・産後8週間[給与]給付金+付加給付15%[取得者数]7名
【育休】[期間]2歳になるまで[給与]法定[取得者数]22年度 男8名(対象19名)女10名(対象10名)23年度 男10名(対象16名)女7名(対象7名)[平均取得日数]22年度 男71日 女334日、23年度 男46日 女280日
【従業員】[人数]766名(男543名、女223名)[平均年齢]44.3歳(男45.0歳、女42.5歳)[平均勤続年数]18.5年(男19.3年、女16.5年)
【年齢構成】■男 □女

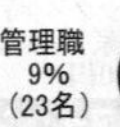

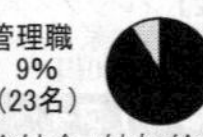

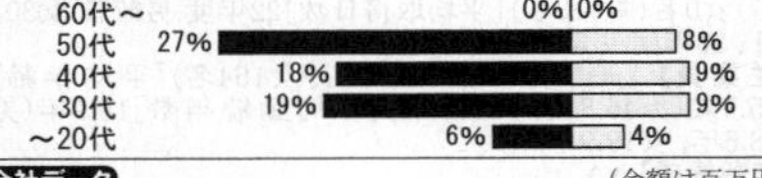

	男	女
60代～	0%	0%
50代	27%	8%
40代	18%	9%
30代	19%	9%
～20代	6%	4%

[会社データ] (金額は百万円)

【本社】188-8511 東京都西東京市田無町6-1-12 ☎042-468-4918
https://www.citizen.co.jp/

【業績(連結)】	売上高	営業利益	経常利益	純利益
22.3	281,417	22,273	27,342	22,140
23.3	301,366	23,708	29,096	21,836
24.3	312,830	25,068	30,810	22,958

555 開示 ★★★ [専門] 採用あり

アズビル(株)

[えるぼし ★★★] [プラチナくるみん]

【特色】制御・自動化機器とメンテ大手。海外展開も積極

[記者評価] 独立系制御・自動化機器大手。ビル向け空調・セキュリティ制御システムに加え、工場・プラント向け計測制御機器、医薬品製造装置やガス・水道メーターが柱。AIを利用した工場設備の異常検知・予測システムを展開。タイ、ベトナムなど海外での生産を強化。

平均勤続年数	男性育休取得率	3年後離職率	平均年収(平均46歳)
◇20.0年	51.9→75.3%	6.9→12.3%	[総]761万円

●採用・配属情報●

【男女・文理別採用実績】

	大卒男	大卒女	修士男	修士女
23年	40(文 14理 26)	11(文 6理 5)	36(文 0理 36)	9(文 0理 9)
24年	38(文 12理 26)	11(文 4理 7)	43(文 3理 40)	3(文 0理 3)
25年	37(文 22理 15)	5(文 4理 1)	21(文 0理 21)	4(文 0理 4)

【男女・職種別採用実績】

	総合職
23年	99(男 79 女 20)
24年	109(男 93 女 16)
25年	83(男 65 女 18)

【24年4月入社者の配属勤務地】[総](23年)東京(丸の内5 大崎1)神奈川・湘南1 [技](23年)東京(大崎41 霞が関3)神奈川(横浜1 藤沢29 湘南3)埼玉1 宮城1 新潟1 石川1 長野1 愛知1 三重1 大阪3 岡山2 広島1 福岡2
【転勤】あり:全社員
【中途比率】[単年度]21年度26%、22年度33%、23年度43%[全体]◇27%

●働きやすさ、諸制度●

残業(月) 18.7時間 [総]18.7時間

【勤務時間】本社9:00～17:45 工場8:30～17:10【有休取得年平均】18.0日【週休】2日【夏期休暇】連続9～10日(休日振替含む)【年末年始休暇】連続7～9日
【離職率】◇男:2.2%、88名 女:1.1%、13名(早期退職男11名含む)
【新卒3年後離職率】
[20→23年]6.9%(男4.8%・入社83名、女15.8%・入社19名)
[21→24年]12.3%(男10.8%・入社83名、女17.4%・入社23名)
【テレワーク】制度あり:[場所]自宅[対象]全社員[日数]週の就業日が4～5日の場合最低2日出社、2～3日の場合最低1日出社[利用率]32.0%【勤務制度】フレックス 時間単位有休 時差勤務 勤務間インターバル 副業容認
【住宅補助】独身寮・借上寮(自己負担7,800円 29歳まで)借上社宅(転勤先、地域別・家賃別使用料を自己負担)住宅手当(36歳未満の本人名義の持家・賃貸住宅居住者16,500～33,000円※26年9月まで移行措置)

●ライフイベント、女性活躍●

【女性比率】■男 □女

新卒採用 21.7% (18名)
従業員 23.2% (1197名)
管理職 7.3% (81名)
【産休】[期間]産前6・産後8週間[給与]法定[取得者数]26名
【育休】[期間]2歳到達月末まで[給与]法定[取得者数]22年度 男40名(対象77名)女25名(対象26名)23年度 男55名(対象73名)女19名(対象19名)[平均取得日数]22年度 NA、23年度 男36日 女373日
【従業員】◇[人数]5,163名(男3,966名、女1,197名)[平均年齢]45.9歳(男45.9歳、女46.1歳)[平均勤続年数]20.0年(男20.2年、女19.8年)【年齢構成】■男 □女

	男	女
60代～	1%	0%
50代	37%	11%
40代	16%	6%
30代	14%	4%
～20代	8%	2%

[会社データ] (金額は百万円)

【本社】100-6419 東京都千代田区丸の内2-7-3 ☎03-6810-1000
https://www.azbil.com/jp/

【業績(連結)】	売上高	営業利益	経常利益	純利益
22.3	256,551	28,231	29,519	20,784
23.3	278,406	31,251	32,140	22,602
24.3	290,938	36,841	38,999	30,207

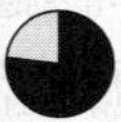

セイコーグループ(株)

くるみん

【特色】腕時計で国内首位級。電子機器やシステムも

記者評価 時計小売・修理の服部時計店として1881年創業。後に世界的ブランドに。腕時計で国内首位級。「グランドセイコー」など高価格帯の機械式腕時計に注力。服部家は今も大株主。傘下にクロックや電子デバイス、システムソリューションなどの子会社群。和光事業も。

平均勤続年数	男性育休取得率	3年後離職率	平均年収(平均44歳)
18.3年	50.0→100%	0→0%	㊗834万円

●採用・配属情報●

【男女・文理別採用実績】

	大卒男	大卒女	修士男	修士女
23年	1(文 1理 0)	1(文 1理 0)	0(文 0理 0)	1(文 1理 0)
24年	0(文 0理 0)	2(文 2理 0)	0(文 0理 0)	0(文 0理 0)
25年	0(文 0理 0)	2(文 2理 0)	0(文 0理 0)	0(文 0理 0)

【男女・職種別採用実績】

	総合職
23年	3(男 1 女 2)
24年	2(男 0 女 2)
25年	2(男 0 女 2)

【24年4月入社者の配属勤務地】㊗東京・銀座2
【転勤】なし
【中途比率】[単年度]21年度75%、22年度85%、23年度75%[全体]27%

●働きやすさ、諸制度●

残業(月) 16.9時間 ㊗16.9時間

【勤務時間】9:30～18:00【有休取得年平均】12.0日【週休】完全2日(土日祝)【夏期休暇】フレックス休日(1日)【年末年始休暇】12月30日～1月4日
【離職率】男:3.6%、2名 女:1.9%、1名
【新卒3年後離職率】
[20→23年]0%(男0%・入社1名、女0%・入社2名)
[21→24年]0%(男—・入社0名、女0%・入社1名)
【テレワーク】制度あり:[場所]サテライトオフィス[対象]全社員[日数]原則週2回まで 育児・介護・傷病等の特別な事由の場合週3回以上認める[利用率]NA【勤務制度】フレックス 時間単位有休 時差勤務 勤務間インターバル 副業容認
【住宅補助】単身用斡旋住宅

●ライフイベント、女性活躍●

【女性比率】■男 □女

新卒採用 100% (2名)

従業員 48.6% (51名)

管理職 25% (6名)

【産休】[期間]産前8・産後8週間[給与]給与・賞与とも全額支給[取得者数]1名
【育休】[期間]1歳到達後の3月末まで[給与]出生時育児休業は全額支給、育児休業は1年以内に復職した場合は5日間有給、それ以外は法定[取得者数]22年度 男1名(対象2名)女1名(対象1名)23年度 男2名(対象2名)女0名(対象0名)[平均取得日数]22年度 NA、23年度 男27日 女-
【従業員】[人数]105名(男54名、女51名)[平均年齢]44.3歳(男45.5歳、女43.1歳)[平均勤続年数]18.3年(男20.0年、女16.6年)
【年齢構成】■男 □女

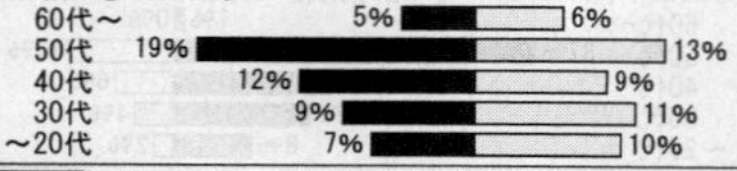

会社データ (金額は百万円)

【本社】104-8110 東京都中央区銀座1-26-1 ☎03-3563-2111
https://www.seiko.co.jp/

【業績(連結)】	売上高	営業利益	経常利益	純利益
22.3	237,382	8,770	9,939	6,415
23.3	260,504	11,233	11,167	5,028
24.3	276,807	14,737	15,894	10,051

サンケン電気(でんき)(株)

くるみん

【特色】パワー半導体中心に電力制御部材を開発・製造

記者評価 独立系パワー半導体大手。車載向けと白物家電向けでアジアの大手メーカーにパイプ。虎の子の米国法人アレグロ・マイクロシステムズは24年8月に非連結化。サンケン本体の低採算工場建て替え、開発拠点新設など構造改革を進める。EV軸に車載向けを拡大。

平均勤続年数	男性育休取得率	3年後離職率	平均年収(平均45歳)
18.9年	72.7→118.2%	22.2→0%	㊗704万円

●採用・配属情報●

【男女・文理別採用実績】

	大卒男	大卒女	修士男	修士女
23年	7(文 1理 6)	4(文 2理 2)	7(文 0理 7)	0(文 0理 0)
24年	12(文 2理 10)	3(文 1理 2)	4(文 0理 4)	3(文 0理 3)
25年	12(文 2理 10)	3(文 2理 1)	5(文 0理 5)	1(文 0理 1)

【男女・職種別採用実績】

	総合職
23年	18(男 14 女 4)
24年	22(男 16 女 6)
25年	21(男 17 女 4)

【職種併願】NA
【24年4月入社者の配属勤務地】㊗東京3 ㊕埼玉19
【転勤】あり:全社員
【中途比率】[単年度]21年度60%、22年度64%、23年度50%[全体]37%

●働きやすさ、諸制度●

残業(月) 14.0時間 ㊗14.0時間

【勤務時間】本社8:15～16:55 営業所8:45～17:25【有休取得年平均】14.1日【週休】完全2日(土日祝)【夏期休暇】夏季休暇:連続9日(週休4日含む)お盆:連続4日(有休1日、週休2日含む)【年末年始休暇】連続9日(週休4日含む)
【離職率】男:3.0%、20名 女:1.8%、3名(早期退職男4名、女2名含む)
【新卒3年後離職率】
[20→23年]22.2%(男18.8%・入社16名、女50.0%・入社2名)
[21→24年]0%(男0%・入社16名、女0%・入社1名)
【テレワーク】制度あり:[場所]自宅 サテライトオフィス[対象]全社員(ただし中途社員で試用期間3カ月、新卒社員で登用後1年間は除く)[日数]制限なし[利用率]NA【勤務制度】フレックス 時差勤務 勤務間インターバル【住宅補助】独身寮(家賃・共益費含む約19,000円)ライフステップ手当(～25,000円)

●ライフイベント、女性活躍●

【女性比率】■男 □女

新卒採用 19% (4名)

従業員 20.2% (164名)

管理職 3.5% (5名)

【産休】[期間]産前7・産後8週間[給与]法定+会社30%給付[取得者数]1名
【育休】[期間]2歳になるまで、分割して4回取得可[給与]20日間の特別有給休暇付与、他は法定[取得者数]22年度 男8名(対象11名)女1名(対象1名)23年度 男13名(対象11名)女0名(対象0名)[平均取得日数]22年度 男67日 女303日、23年度 男32日 女673日
【従業員】[人数]810名(男646名、女164名)[平均年齢]45.5歳(男45.8歳、女44.4歳)[平均勤続年数]18.9年(男18.6年、女19.9年)
【年齢構成】NA

会社データ (金額は百万円)

【本社】352-8666 埼玉県新座市北野3-6-3 ☎048-472-1111
https://www.sanken-ele.co.jp/

【業績(連結)】	売上高	営業利益	経常利益	純利益
22.3	175,660	13,720	13,700	3,204
23.3	225,387	26,156	27,229	9,533
24.3	235,221	19,539	18,246	▲8,112

にほんこうくうでんしこうぎょう
日本航空電子工業(株)

【特色】コネクター大手。自己株TOBでNECの連結から除外

記者評価 売上の約9割を占めるコネクターは小型・薄型・高速伝送に強み。携帯機器用コネクターは米アップル向けの割合が高い。CASE需要を商機に、自動車用や産業機器・インフラ用も需要拡大中。加速度計など航空・宇宙関連向け電子機器も展開。防衛向け拡大中。

平均勤続年数	男性育休取得率	3年後離職率	平均年収(平均42歳)
◇16.9年	22.4→23.5%	12.3→3.8%	㊗709万円

●採用・配属情報●

【男女・文理別採用実績】

	大卒男	大卒女	修士男	修士女
23年	28(文 11理 17)	14(文 12理 2)	15(文 0理 15)	2(文 0理 2)
24年	26(文 7理 19)	14(文 12理 2)	17(文 0理 17)	0(文 0理 0)
25年	24(文 8理 16)	14(文 12理 2)	18(文 0理 18)	3(文 0理 3)

※25年:24年9月上旬時点

【男女・職種別採用実績】

	総合職
23年	59(男 43 女 16)
24年	57(男 43 女 14)
25年	59(男 42 女 17)

【24年4月入社者の配属勤務地】㊗東京(渋谷10 昭島9) ㊕東京・昭島38

【転勤】あり:全社員

【中途比率】[単年度]21年度34%、22年度31%、23年度14%[全体]◇25%

●働きやすさ、諸制度●

残業(月) 14.4時間 ㊗14.4時間

【勤務時間】昭島8:15～17:00 渋谷8:45～17:30【有休取得年平均】16.8日【週休】完全2日(土日祝)【夏期休暇】連続10日(有休、休日含む)【年末年始休暇】12月28日～1月5日

【離職率】◇男:3.1%、44名 女:5.2%、11名

【新卒3年後離職率】
[20→23年]12.3%(男12.0%・入社50名、女14.3%・入社7名)
[21→24年]3.8%(男4.5%・入社44名、女0%・入社9名)

【テレワーク】制度あり:[場所]自宅[対象]技術職 営業職 事務職[日数]制限なし[利用率]7.7%【勤務制度】フレックス

【住宅補助】独身寮(東京・青梅 昭島 国分寺)

●ライフイベント、女性活躍●

【女性比率】■男 □女

新卒採用 28.8% (17名)

従業員 13% (202名)
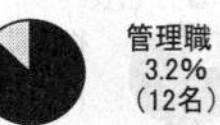
管理職 3.2% (12名)

【産休】[期間]産前8・産後8週間[給与]健保80%給付[取得者数]2名

【育休】[期間]1歳になるまで[給与]法定[取得者数]22年度 男13名(対象58名)女5名(対象5名)23年度 男8名(対象34名)女5名(対象2名)[平均取得日数]22年度 NA、23年度 NA

【従業員】◇[人数]1,555名(男1,353名、女202名)[平均年齢]41.8歳(男41.8歳、女41.6歳)[平均勤続年数]16.9年(男16.9年、女16.2年)

【年齢構成】NA

会社データ
(金額は百万円)

【本社】150-0043 東京都渋谷区道玄坂1-21-1 ☎03-3780-2711
https://www.jae.com/

【業績(連結)】	売上高	営業利益	経常利益	純利益
22.3	225,079	18,049	18,594	14,325
23.3	235,864	17,562	19,115	14,639
24.3	225,781	14,423	14,762	12,245

はままつ
浜松ホトニクス(株)

【特色】光電子増倍管で世界シェア首位。医療向け強い

記者評価 光学関連の開発型企業。超微弱な光を感知・増幅し電気信号に変換する光電子増倍管が主力、世界シェア約9割。観測装置「スーパーカミオカンデ」、「ハイパーカミオカンデ」にも部材提供。産業機械や自動運転、医療機器向け部品も強い。海外売上高比率は8割弱。

平均勤続年数	男性育休取得率	3年後離職率	平均年収(平均40歳)
15.7年	52.9→64.1%	2.1→2.9%	772万円

●採用・配属情報●

【男女・文理別採用実績】

	大卒男	大卒女	修士男	修士女
23年	28(文 11理 17)	6(文 3理 3)	56(文 0理 56)	6(文 0理 6)
24年	29(文 14理 15)	14(文 11理 3)	57(文 0理 57)	7(文 0理 7)
25年	20(文 8理 12)	15(文 12理 3)	53(文 2理 51)	8(文 0理 8)

【男女・職種別採用実績】 転換制度:⇔

	総合職	一般職
23年	100(男 88 女 12)	27(男 25 女 2)
24年	104(男 86 女 18)	34(男 24 女 10)
25年	98(男 75 女 23)	22(男 15 女 7)

【24年4月入社者の配属勤務地】㊗静岡(浜松・磐田)25 ㊕静岡(浜松・磐田)113

【転勤】あり:[職種]国内営業など(その他は原則浜松市近郊勤務)

【中途比率】[単年度]21年度27%、22年度40%、23年度31%[全体]24%

●働きやすさ、諸制度●

残業(月) 10.6時間

【勤務時間】8:30～17:00(勤務地により異なる)【有休取得年平均】15.9日【週休】会社暦2日【夏期休暇】連続9日【年末年始休暇】連続9日

【離職率】男:0.9%、31名 女:1.5%、11名

【新卒3年後離職率】
[20→23年]2.1%(男2.4%・入社125名、女0%・入社18名)
[21→24年]2.9%(男2.5%・入社120名、女5.9%・入社17名)

【テレワーク】制度なし【勤務制度】フレックス 時間単位有休

【住宅補助】独身寮 住宅手当

●ライフイベント、女性活躍●

【女性比率】■男 □女

新卒採用 25% (30名)

従業員 17.3% (705名)
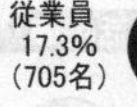

管理職 3.4% (23名)

【産休】[期間]産前6・産後8週間[給与]法定[取得者数]5名

【育休】[期間]1歳になるまで[給与]法定[取得者数]22年度 男83名(対象157名)女16名(対象16名)23年度 男82名(対象128名)女5名(対象5名)[平均取得日数]22年度 NA、23年度 NA

【従業員】[人数]4,071名(男3,366名、女705名)[平均年齢]39.9歳(男39.2歳、女43.5歳)[平均勤続年数]15.7年(男15.9年、女14.6年)

【年齢構成】■男 □女

	男	女
60代～	6%	1%
50代	14%	6%
40代	16%	5%
30代	24%	3%
～20代	22%	3%

会社データ
(金額は百万円)

【本社】430-8587 静岡県浜松市中央区砂山町325-6 ☎053-452-2141
https://www.hamamatsu.com/

【業績(連結)】	売上高	営業利益	経常利益	純利益
21.9	169,026	34,318	34,648	25,053
22.9	208,803	56,983	58,879	41,295
23.9	221,445	56,676	59,415	42,825

メーカーI

㈱ソシオネクスト

【特色】先端半導体を設計。データセンターや自動車向け

[記者評価] 14年9月に富士通・パナソニックの半導体設計部門が統合して誕生。顧客の要望に合わせてオーダーメイドの多機能半導体チップを設計するカスタムSoC事業を展開。設計・開発に特化したファブレス企業。車載向けや通信基地局向けなどの分野で開発実績。

平均勤続年数	男性育休取得率	3年後離職率	平均年収(平均50歳)
8.0年	15.8 → 57.1%	9.4 → 9.1%	[総]921万円

●採用・配属情報●

【男女・文理別採用実績】※23・24年:10月入社含む

	大卒男	大卒女	修士男	修士女
23年	5(文 0理 5)	0(文 0理 0)	17(文 0理 17)	2(文 0理 2)
24年	7(文 2理 5)	4(文 3理 1)	22(文 0理 22)	2(文 1理 1)
25年	3(文 1理 2)	4(文 2理 2)	27(文 0理 27)	1(文 0理 1)

【男女・職種別採用実績】 転換制度:⇒

	総合職
23年	25(男 23 女 2)
24年	36(男 30 女 6)
25年	36(男 31 女 5)

【24年4月入社者の配属勤務地】[総]神奈川・新横浜6 [技]神奈川(新横浜17 溝の口2)京都9 愛知・春日井2

【転勤】あり:[職種]全社員[勤務地]全国 海外

【中途比率】[単年度]21年度38%、22年度73%、23年度59%[全体]11%

●働きやすさ、諸制度●

残業(月) 29.0時間 [総]29.0時間

【勤務時間】7時間45分【有休取得年平均】15.1日【週休】完全2日(土日祝)【夏期休暇】4～10月で有休5日を取得する運用【年末年始休暇】12月30日～1月3日

【離職率】男:1.7%、31名 女:2.1%、4名

【新卒3年後離職率】

[20→23年]9.4%(男10.0%・入社30名、女0%・入社2名)

[21→24年]9.1%(男10.3%・入社29名、女0%・入社4名)

【テレワーク】制度あり:[場所]原則自宅[対象]在宅で可能な業務に従事しており、出社した場合と同等の成果が期待できる従業員(試用社員除く)[日数]週3日を上限(事情により日数の制限なし)[利用率]41.6%【勤務制度】フレックス 副業容認【住宅補助】ニューカマー住宅手当(家賃の25～50% 上限15,000～35,000円 手当額・年限は地域・卒年で異なる)

●ライフイベント、女性活躍●

【女性比率】■男 □女

新卒採用 13.9% (5名)

従業員 9.8% (190名)

管理職 2.5% (12名)

【産休】[期間]産前8・産後8週間[給与]法定[取得者数]2名

【育休】[期間]1歳になるまで[給与]法定[取得者数]22年度 男3名(対象19名)女3名(対象3名)23年度 男8名(対象14名)女2名(対象2名)[平均取得日数]22年度 男44日 女416日、23年度 男26日 女285日

【従業員】[人数]1,938名(男1,748名、女190名)[平均年齢]48.5歳(男48.9歳、女44.5歳)[平均勤続年数]8.0年(男7.5年、女8.1年)

【年齢構成】■男 □女

	男	女
60代～	2%	0%
50代	48%	3%
40代	28%	4%
30代	5%	2%
～20代	6%	1%

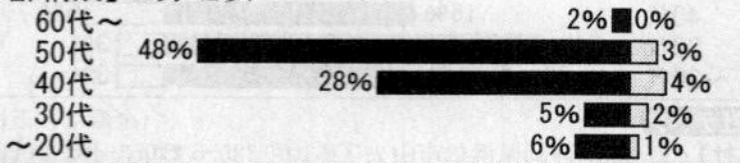

会社データ (金額は百万円)

【本社】222-0033 神奈川県横浜市港北区新横浜2-10-23 野村不動産新横浜ビル ☎045-568-1000 https://www.socionext.com/jp/

【業績(連結)】	売上高	営業利益	経常利益	純利益
22.3	117,009	8,463	9,050	7,480
23.3	192,767	21,711	23,440	19,763
24.3	221,246	35,510	37,122	26,134

㈱トプコン

えるぼし ★

【特色】建・農機自動化と測量、眼科検査装置で世界有数

[記者評価] 現セイコーホールディングスの測量機部門から独立。GPS応用製品へ展開し、建機、農機自動化システムで世界首位級。眼科検査装置はマイクロソフトと提携し、疾患発症リスクを検知する予防医療を米国で展開計画。AI、IoT、ドローンなど新技術の導入に積極的。

平均勤続年数	男性育休取得率	3年後離職率	平均年収(平均44歳)
◇12.4年	29.4 → 73.7%	18.2 → 5.6%	[総]822万円

●採用・配属情報●

【男女・文理別採用実績】

	大卒男	大卒女	修士男	修士女
23年	5(文 1理 4)	5(文 2理 3)	7(文 1理 6)	4(文 0理 4)
24年	3(文 0理 3)	3(文 3理 0)	15(文 0理 15)	8(文 0理 8)
25年	2(文 0理 2)	2(文 0理 2)	13(文 0理 13)	2(文 2理 0)

※25年:継続中

【男女・職種別採用実績】 転換制度:⇔

	総合職
23年	21(男 12 女 9)
24年	30(男 19 女 11)
25年	19(男 15 女 4)

【24年4月入社者の配属勤務地】[総]東京・板橋2 [技]東京・板橋28

【転勤】あり:全社員

【中途比率】[単年度]21年度63%、22年度69%、23年度74%[全体]◇48%

●働きやすさ、諸制度●

残業(月) 22.4時間

【勤務時間】8:30～17:15【有休取得年平均】11.3日【週休】完全2日(土日祝)【夏期休暇】4日(6～8月で取得)【年末年始休暇】12月30日～1月4日

【離職率】◇男:3.1%、21名 女:4.9%、8名

【新卒3年後離職率】

[20→23年]18.2%(男7.1%・入社14名、女37.5%・入社8名)

[21→24年]5.6%(男6.3%・入社16名、女0%・入社2名)

【テレワーク】制度あり:[場所]自宅[対象]自立的職務を自律的に遂行している者[日数]週4まで[利用率]32.2%【勤務制度】フレックス 時間単位有休 時差勤務【住宅補助】独身寮 住宅手当

●ライフイベント、女性活躍●

【女性比率】■男 □女

新卒採用 21.1% (4名)

従業員 19% (155名)

管理職 7.8% (24名)

【産休】[期間]産前6・産後8週間[給与]産前6・産後6週は全額給付、以降法定[取得者数]6名

【育休】[期間]最長2歳を経過後の最初の4月末まで[給与]法定[取得者数]22年度 男5名(対象17名)女3名(対象3名)23年度 男14名(対象19名)女5名(対象5名)[平均取得日数]22年度 男54日 女341日、23年度 男30日 女378日

【従業員】◇[人数]814名(男659名、女155名)[平均年齢]43.7歳(男44.6歳、女40.1歳)[平均勤続年数]12.4年(男13.8年、女11.1年)

【年齢構成】■男 □女

	男	女
60代～	8%	0%
50代	28%	4%
40代	23%	8%
30代	13%	3%
～20代	10%	4%

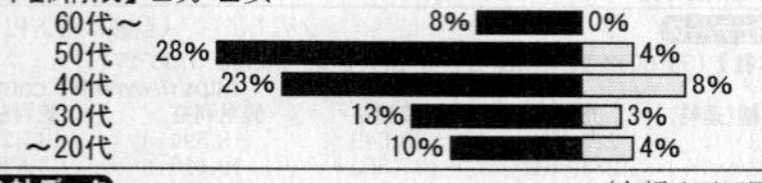

会社データ (金額は百万円)

【本社】174-8580 東京都板橋区蓮沼町75-1 ☎03-3558-2535 https://www.topcon.co.jp/

【業績(連結)】	売上高	営業利益	経常利益	純利益
22.3	176,421	15,914	14,820	10,699
23.3	215,625	19,537	17,829	11,806
24.3	216,497	11,204	8,857	4,940

メーカーI

新光電気工業(株)

しんこうでんきこうぎょう

プラチナくるみん+

【特色】半導体パッケージが主力。主顧客は米インテル

記者評価 半導体パッケージ基板やリードフレームの世界的メーカーで海外売上比率は約9割。官民ファンド傘下入りで富士通との親子上場は解消。米インテル社などにICパッケージを供給するほか、半導体製造装置向けの静電チャックも。需要急拡大受けて千曲市に新工場。

平均勤続年数	男性育休取得率	3年後離職率	平均年収(平均*42歳)
◇18.4年	20.0→29.8%	8.7→6.3%	(総)785万円

採用・配属情報

【男女・文理別採用実績】

	大卒男	大卒女	修士男	修士女
23年	36(文 13 理 23)	10(文 7 理 3)	39(文 0 理 39)	7(文 0 理 7)
24年	21(文 10 理 11)	7(文 3 理 4)	39(文 0 理 39)	3(文 0 理 3)
25年	18(文 5 理 13)	6(文 4 理 2)	31(文 0 理 31)	0(文 0 理 0)

【男女・職種別採用実績】

	技術職	事務職
23年	75(男 64 女 11)	23(男 15 女 8)
24年	61(男 54 女 7)	13(男 10 女 3)
25年	47(男 45 女 2)	9(男 5 女 4)

【24年4月入社者の配属勤務地】(総)長野 新潟 (技)長野 新潟
【転勤】あり:全社員
【中途比率】[単年度]21年度73%、22年度67%、23年度16%[全体]◇36%

働きやすさ、諸制度

残業(月) 5.3時間 (総)5.3時間

【勤務時間】8:30～17:15【有休取得年平均】14.1日【週休】完全2日【夏期休暇】8月10～18日(うち2日間は有休利用)【年末年始休暇】12月28日～1月5日
【離職率】◇男:2.3%、89名 女:1.4%、14名
【新卒3年後離職率】
[20→23年]8.7%(男10.3%・入社39名、女0%・入社7名)
[21→24年]6.3%(男5.6%・入社36名、女8.3%・入社12名)
【テレワーク】制度あり:[場所]自宅[対象]総合職[日数]NA[利用率]NA【勤務制度】フレックス 時間単位有休 時差勤務 勤務間インターバル 副業容認【住宅補助】家賃補助(通勤困難者・既婚者)借上社宅(会社都合の転勤者)

ライフイベント、女性活躍

【女性比率】■男 □女

新卒採用 10.7% (6名)

従業員 20.2% (973名)
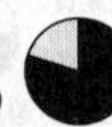
管理職 5.6% (22名)

【産休】[期間]通院休暇・出産育児サポート休暇:出産前後8週間以内に20日[給与]健保85%給付[取得者数]14名
【育休】[期間]1歳になるまで[給与]法定[取得者数]22年度 男23名(対象115名)女12名(対象12名)23年度 男36名(対象121名)女9名(対象9名)[平均取得日数]22年度 男29日 女322日、23年度 男29日 女395日
【従業員】◇[人数]4,808名(男3,835名、女973名)[平均年齢]42.0歳(男41.6歳、女43.4歳)[平均勤続年数]18.4年(男17.6年、女21.6年)
【年齢構成】■男 □女

	男	女
60代～	0%	0%
50代	29%	9%
40代	17%	5%
30代	16%	2%
～20代	18%	5%

会社データ (金額は百万円)

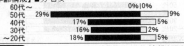

【本社】381-2287 長野県長野市小島田町80 ☎026-283-1000
https://www.shinko.co.jp/

【業績(連結)】	売上高	営業利益	経常利益	純利益
22.3	271,949	71,394	75,820	52,628
23.3	286,358	76,712	78,755	54,488
24.3	209,972	24,810	27,257	18,609

(株)三井ハイテック

みつい

【特色】ICリードフレームとEV用モーターコアで世界的

記者評価 超精密な金型加工技術に強み。半導体パッケージの内部配線として用いるリードフレーム、省エネ部品のモーターコアが両軸で、車載向け柱。EV、省エネ・脱炭素化を追い風に成長戦略描く。オーナー経営色強い。北九州に本社機能集約。SDGs経営への体制整備急ぐ。

平均勤続年数	男性育休取得率	3年後離職率	平均年収(平均39歳)
14.1年	25.0→43.8%	13.4→9.2%	(総)642万円

採用・配属情報

【男女・文理別採用実績】※25年:24年7月17日時点

	大卒男	大卒女	修士男	修士女
23年	53(文 11 理 42)	19(文 11 理 8)	12(文 0 理 12)	1(文 1 理 0)
24年	60(文 10 理 50)	16(文 13 理 3)	16(文 0 理 16)	3(文 0 理 3)
25年	43(文 12 理 31)	15(文 7 理 8)	13(文 0 理 13)	2(文 2 理 0)

【男女・職種別採用実績】

	総合職
23年	88(男 68 女 20)
24年	97(男 77 女 20)
25年	76(男 58 女 18)

【24年4月入社者の配属勤務地】(総)北九州23 (技)福岡(北九州50 直方23)熊本・阿蘇1
【転勤】あり:[職種]全社員(正社員)[勤務地]事業所:福岡(北九州 直方)岐阜 熊本 営業所:東京 名古屋 豊田 大阪 宮城
【中途比率】[単年度]21年度60%、22年度51%、23年度54%[全体]31%

働きやすさ、諸制度

残業(月) 19.6時間 (総)19.6時間

【勤務時間】8:30～17:15【有休取得年平均】11.7日【週休】完全2日(土日)【夏期休暇】連続5日【年末年始休暇】連続9日
【離職率】男:2.9%、58名 女:4.8%、11名
【新卒3年後離職率】
[20→23年]13.4%(男14.0%・入社86名、女9.1%・入社11名)
[21→24年]9.2%(男9.0%・入社67名、女11.1%・入社9名)
【テレワーク】制度なし【勤務制度】時間単位有休 時差勤務
【住宅補助】独身寮(自社保有・借上げあり)借上社宅(各営業所)住宅手当(20,000円45歳まで)

ライフイベント、女性活躍

【女性比率】■男 □女

新卒採用 23.7% (18名)

従業員 9.9% (218名)

管理職 2.5% (8名)

【産休】[期間]産前6・産後8週間[給与]法定[取得者数]8名
【育休】[期間]第1子1歳、第2子1歳半、第3子2歳になるまで[給与]法定[取得者数]22年度 男16名(対象64名)女14名(対象14名)23年度 男28名(対象64名)女10名(対象10名)[平均取得日数]22年度 男81日 女353日、23年度 男61日 女367日
【従業員】[人数]2,192名(男1,974名、女218名)[平均年齢]39.0歳(男39.4歳、女35.3歳)[平均勤続年数]14.1年(男14.6年、女9.8年)
【年齢構成】■男 □女

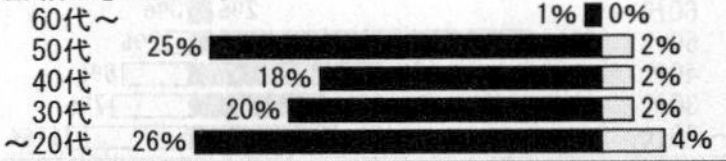

	男	女
60代～	1%	0%
50代	25%	2%
40代	18%	2%
30代	20%	2%
～20代	26%	4%

会社データ (金額は百万円)

【本社】807-8588 福岡県北九州市八幡西区小嶺2-10-1 ☎093-614-1111
https://www.mitsui-high-tec.com/

【業績(連結)】	売上高	営業利益	経常利益	純利益
22.1	139,429	14,959	15,672	11,778
23.1	174,615	22,586	22,669	17,581
24.1	195,881	18,119	21,733	15,545

メーカーI

ニチコン(株)

【特色】電子部品大手。アルミ電解コンデンサーが主製品

[記者評価] 自動車やエアコン、産業機器などで幅広く使われるアルミ電解コンデンサーが売上の過半。自動車の電動化でフィルムコンデンサーも拡大。設備投資に積極的。家庭向けは国内有数の蓄電池や、EV用充電器、これらと太陽光発電を組み合わせた蓄電システムなど展開。

平均勤続年数	男性育休取得率	3年後離職率	平均年収(平均42歳)
10.6年	100→50.0%	19.5→31.0%	[総]772万円

●採用・配属情報●

【男女・文理別採用実績】

	大卒男	大卒女	修士男	修士女
23年	46(文 14 理 32)	8(文 6 理 2)	19(文 3 理 16)	1(文 0 理 1)
24年	41(文 9 理 32)	9(文 8 理 1)	20(文 2 理 18)	4(文 4 理 0)
25年	13(文 5 理 8)	6(文 5 理 1)	12(文 2 理 10)	2(文 2 理 0)

※25年:理系65名、文系15名採用予定

【男女・職種別採用実績】

	総合職(博士・修士・大卒)	一般職
23年	71(男 65 女 6)	5(男 0 女 5)
24年	71(男 61 女 10)	7(男 0 女 7)
25年	29(男 26 女 3)	5(男 0 女 5)

【24年4月入社者の配属勤務地】[総]京都(京都8 亀岡1)東京5 名古屋2 滋賀・草津1 福井(小浜1 大野1) [技]京都(京都1 亀岡13)東京7 滋賀・草津14 大阪・高槻1 福井(小浜1 大野7)長野(大町2 安曇野3)岩手3

【転勤】あり:全社員

【中途比率】[単年度]21年度10%、22年度20%、23年度44%[全体]44%

●働きやすさ、諸制度●

残業(月) 10.1時間

【勤務時間】8:45〜17:15【有休取得年平均】15.6日【週休】2日(一部土曜出勤あり)【夏期休暇】連続9日(週休2日含む)【年末年始休暇】連続9日(週休2日含む)

【離職率】男:6.7%、26名 女:8.4%、11名

【新卒3年後離職率】

[20→23年]19.5%(男16.9%・入社65名、女33.3%・入社12名)

[21→24年]31.0%(男27.9%・入社61名、女50.0%・入社10名)

【テレワーク】制度あり:[場所]自宅[対象]会社の許可・承認を受けた者[日数]制限なし[利用率]0.7%【勤務制度】時間単位有休 時差勤務【住宅補助】独身寮 住宅家族手当

●ライフイベント、女性活躍●

【女性比率】■男 □女

新卒採用 23.5% (8名)

従業員 25% (120名)

管理職 4.7% (7名)

【産休】[期間]産前8・産後8週間[給与]法定[取得者数]3名

【育休】[期間]2歳になるまで[給与]法定[取得者数]22年度 男7名(対象7名)女4名(対象4名)23年度 男1名(対象2名)女4名(対象4名)[平均取得日数]22年度 男20日 女503日、23年度 男28日 女282日

【従業員】[人数]480名(男360名、女120名)[平均年齢]42.2歳(男44.7歳、女34.7歳)[平均勤続年数]10.6年(男10.9年、女9.9年)

【年齢構成】■男 □女

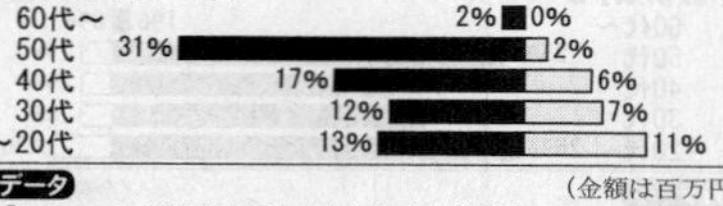

[会社データ] (金額は百万円)

【本社】604-0845 京都府京都市中京区烏丸通御池上る ☎075-231-8461 https://www.nichicon.co.jp/

【業績(連結)】	売上高	営業利益	経常利益	純利益
22.3	142,198	6,427	8,594	7,902
23.3	184,725	12,676	15,263	7,814
24.3	181,643	8,904	11,407	8,253

(株)メイコー

【特色】プリント配線板製造で国内上位。EMS事業参入

[記者評価] 名幸電子工業として創業。電子機器に使用されるプリント配線板の設計・製造で国内上位。車載用とスマホ用が2本柱。神奈川、東北の各工場のほか、中国とベトナムに量産工場を持ちグローバル展開。スマホ用や自動運転、EV用などの高付加価値基板を育成中。

平均勤続年数	男性育休取得率	3年後離職率	平均年収(平均45歳)
[!]13.7年	20.0→100%	14.3→NA	◇616万円

●採用・配属情報●

【男女・文理別採用実績】

	大卒男	大卒女	修士男	修士女
23年	13(文 4 理 9)	1(文 1 理 0)	13(文 0 理 13)	2(文 0 理 2)
24年	1(文 0 理 1)	0(文 0 理 0)	3(文 0 理 3)	1(文 0 理 1)
25年	5(文 0 理 5)	2(文 2 理 0)	9(文 0 理 9)	1(文 1 理 0)

【男女・職種別採用実績】

	技術職	営業職	管理系総合職
23年	22(男 20 女 2)	7(男 6 女 1)	0(男 0 女 0)
24年	5(男 4 女 1)	0(男 0 女 0)	0(男 0 女 0)
25年	14(男 14 女 0)	4(男 1 女 3)	0(男 0 女 0)

【24年4月入社者の配属勤務地】[総]なし [技]山形・天童3 宮城・石巻1 福島1

【転勤】あり:全社員

【中途比率】[単年度]21年度NA、22年度NA、23年度NA[全体]69%

●働きやすさ、諸制度●

残業(月) 13.5時間 [総]13.5時間

【勤務時間】8:30〜17:20【有休取得年平均】12.3日【週休】2日(会社カレンダーによる)【夏期休暇】あり【年末年始休暇】あり

【離職率】NA

【新卒3年後離職率】

[20→23年]14.3%(男0%・入社5名、女50.0%・入社2名)

[21→24年]NA

【テレワーク】制度なし【勤務制度】フレックス 時差勤務 勤務間インターバル【住宅補助】借上社宅

●ライフイベント、女性活躍●

【女性比率】■男 □女

新卒採用 16.7% (3名)

従業員 23.6% (198名)

管理職 1.8% (3名)

【産休】[期間]産前6・産後8週間[給与]法定[取得者数]4名

【育休】[期間]1歳になるまで[給与]法定[取得者数]22年度 男1名(対象5名)女1名(対象1名)23年度 男2名(対象2名)女1名(対象1名)[平均取得日数]22年度 NA、23年度 男19日 女NA

【従業員】[人数]839名(男641名、女198名)[平均年齢]45.2歳(男46.2歳、女42.7歳)[平均勤続年数]13.7年(男14.5年、女10.9年)※非正規雇用含む

【年齢構成】■男 □女

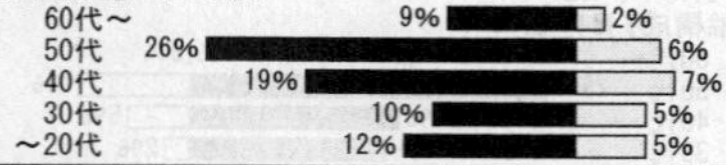

[会社データ] (金額は百万円)

【本社】252-1104 神奈川県綾瀬市大上5-14-15 ☎0467-76-6001 https://www.meiko-elec.com/

【業績(連結)】	売上高	営業利益	経常利益	純利益
22.3	151,275	13,255	14,294	11,451
23.3	167,276	9,575	11,212	8,847
24.3	179,458	11,660	14,267	11,310

メーカーI

2117 開示 ★★★★☆ [短大] [専門] 採用あり

マブチモーター(株)

[えるぼし ★★★] [プラチナくるみん]

【特色】自動車向け中心に中小型モーターを製造・販売

[記者評価] 圧倒的シェアのミラー用などを軸に車載向けが売上の約8割を占める。中型電装品に注力。美容機器、家電向けなど民生品用も展開。他にAGVなどのモビリティー、産業機器、医療用モーターの拡大を目指す。海外売上比率9割。大量生産によるコスト競争力が強み。

平均勤続年数	男性育休取得率	3年後離職率	平均年収(平均45歳)
18.6年	43.8 → 69.2%	8.3 → 0%	[総] 734万円

●採用・配属情報●

【男女・文理別採用実績】

	大卒男	大卒女	修士男	修士女
23年	3(文 2 理 1)	2(文 1 理 1)	10(文 0 理 10)	0(文 0 理 0)
24年	7(文 4 理 3)	2(文 2 理 0)	15(文 0 理 15)	1(文 0 理 1)
25年	11(文 2 理 9)	9(文 8 理 1)	7(文 0 理 7)	0(文 0 理 0)

【男女・職種別採用実績】 転換制度:⇒

	総合職	一般職
23年	18(男 16 女 2)	0(男 0 女 0)
24年	32(男 29 女 3)	0(男 0 女 0)
25年	31(男 21 女 10)	0(男 0 女 0)

【24年4月入社者の配属勤務地】[総]千葉・松戸5 [技]千葉(松戸21 印西6)

【転勤】あり:[職種]全社員[勤務地]千葉 東京 長野 米国 メキシコ ドイツ ポーランド スイス 中国 台湾 シンガポール ベトナム 韓国 タイ

【中途比率】[単年度]21年度78%、22年度66%、23年度70%[全体]35%

●働きやすさ、諸制度●

残業(月) 18.1時間 [総] 19.4時間

【勤務時間】7時間55分【有休取得年平均】16.0日【週休】完全2日(土日祝)【夏期休暇】なし【年末年始休暇】7〜9日(連休になるように設定)

【離職率】男:3.6%、27名 女:6.4%、9名

【新卒3年後離職率】
[20→23年]8.3%(男6.3%・入社16名、女12.5%・入社8名)
[21→24年]0%(男0%・入社8名、女−・入社0名)

【テレワーク】制度あり:[場所]自宅以外に就業環境やセキュリティ確保の観点から所属長が妥当と判断した場所[対象]全社員[日数]制限なし[利用率]NA【勤務制度】フレックス 時間単位有休 裁量労働 時差勤務 勤務間インターバル 副業容認

【住宅補助】独身寮(千葉・松戸 自己負担6,000〜9,000円)

●ライフイベント、女性活躍●

【女性比率】■男 □女

新卒採用 32.3% (10名)

従業員 15.5% (131名)

管理職 4.4% (4名)

【産休】[期間]産前6・産後8週間[給与]会社全額給付(賞与減算)[取得者数]2名

【育休】[期間]3歳になるまで[給与]1歳(2歳)まで8割(会社+給付金)給付[取得者数]22年度 男7名(対象16名)女3名(対象3名)23年度 男9名(対象13名)女1名(対象1名)[平均取得日数]22年度 男18日 女199日、23年度 男80日 女568日

【従業員】[人数]845名(男714名、女131名)[平均年齢]45.0歳(男45.2歳、女43.7歳)[平均勤続年数]18.6年(男18.9年、女17.1年)【年齢構成】■男 □女

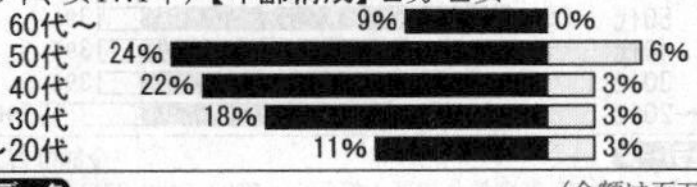

60代〜 9% 0%
50代 24% 6%
40代 22% 3%
30代 18% 3%
〜20代 11% 3%

会社データ (金額は百万円)

【本社】270-2280 千葉県松戸市松飛台430 ☎047-710-1111
https://www.mabuchi-motor.co.jp/

【業績(連結)】	売上高	営業利益	経常利益	純利益
21.12	134,595	13,800	19,570	14,251
22.12	156,706	10,824	21,473	14,295
23.12	178,663	15,536	26,994	19,416

724 開示 ★★★☆☆

NISSHA(株)

[プラチナくるみん]

【特色】印刷技術生かし多角化。タッチパネル部材が柱

[記者評価] 祖業は印刷。モバイル機器用タッチパネルをアップルなど世界的メーカーに供給。ただ、波の激しいIT依存から、医療機器、サステナブル資材の蒸着紙、自動車用内装・外装加飾などへ事業の重点を移す。M&Aも視野。海外含めグループ63社体制。海外売上比率9割弱。

平均勤続年数	男性育休取得率	3年後離職率	平均年収(平均43歳)
15.6年	64.7 → 93.8%	33.3 → 0%	[総] 712万円

●採用・配属情報●

【男女・文理別採用実績】

	大卒男	大卒女	修士男	修士女
23年	2(文 2 理 0)	3(文 3 理 0)	1(文 0 理 1)	1(文 0 理 1)
24年	1(文 1 理 0)	5(文 5 理 0)	5(文 0 理 5)	3(文 0 理 3)
25年	5(文 4 理 1)	8(文 8 理 0)	3(文 0 理 3)	4(文 0 理 4)

【男女・職種別採用実績】

	総合職
23年	8(男 4 女 4)
24年	17(男 8 女 9)
25年	23(男 10 女 13)

【24年4月入社者の配属勤務地】[総]京都5 東京1 [技]京都(京都5 亀岡2)滋賀・甲賀4

【転勤】あり:全社員

【中途比率】[単年度]21年度62%、22年度53%、23年度73%(国内NISSHAグループで採用)[全体]41%

●働きやすさ、諸制度●

残業(月) 12.0時間 [総] 12.0時間

【勤務時間】9:00〜18:00(部門、事業所により異なる)【有休取得年平均】13.3日【週休】完全2日(土日祝)【夏期休暇】連続3日【年末年始休暇】12月29日〜1月4日

【離職率】NA

【新卒3年後離職率】
[20→23年]33.3%(男42.9%・入社7名、女20.0%・入社5名)
[21→24年]0%(男0%・入社3名、女0%・入社8名)

【テレワーク】制度あり:[場所]自宅[対象]非生産部門[日数]週4日まで(週1日は出社が必要)[利用率]NA【勤務制度】フレックス 時間単位有休 時差勤務【住宅補助】借上社宅(独身 月12,000円 家族帯同 基準家賃30%自己負担)

●ライフイベント、女性活躍●

【女性比率】■男 □女

新卒採用 56.5% (13名)

従業員 28.6% (206名)

管理職 7.4% (12名)

【産休】[期間]産前6・産後8週間[給与]法定[取得者数]11名

【育休】[期間]1歳になるまで[給与]法定[取得者数]22年度 男11名(対象17名)女10名(対象10名)23年度 男15名(対象16名)女11名(対象11名)[平均取得日数]22年度 男58日 女381日、23年度 男58日 女374日

【従業員】[人数]720名(男514名、女206名)[平均年齢]42.9歳(男44.8歳、女38.1歳)[平均勤続年数]15.6年(男17.2年、女11.6年)

【年齢構成】NA

会社データ (金額は百万円)

【本社】604-8551 京都府京都市中京区壬生花井町3 ☎075-811-8111
https://www.nissha.com/

【業績(IFRS)】	売上高	営業利益	税前利益	純利益
21.12	189,285	17,363	19,499	15,859
22.12	193,963	9,520	12,373	10,140
23.12	167,726	▲3,817	▲2,762	▲2,988

メーカーI

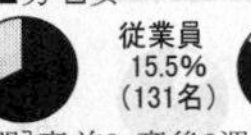

544 開示 ★★ [短大] [専門] 採用あり

ヒロセ電機(株)

(でんき)

【特色】コネクター専業メーカー大手。高収益で好財務

[記者評価] 機器の部品を接続するコネクターで世界10指に入る。コネクターは産業機器やスマホ等で幅広く使われ、電装化の進む自動車で需要拡大中。開発と営業に特化し、量産は主に外部の協力会社を活用。高付加価値品に注力し、高い営業利益率を誇る。無借金で好財務。

平均勤続年数	男性育休取得率	3年後離職率	平均年収(平均41歳)
13.5年	NA	30.0→26.7%	866万円

●採用・配属情報●

【男女・文理別採用実績】

	大卒男	大卒女	修士男	修士女
23年	9(文 5理 4)	6(文 5理 1)	14(文 0理 14)	1(文 0理 1)
24年	15(文 9理 6)	4(文 3理 1)	11(文 0理 11)	1(文 0理 1)
25年	10(文 5理 5)	7(文 7理 0)	9(文 0理 9)	0(文 0理 0)

【男女・職種別採用実績】 転換制度:⇒

	総合職	一般職
23年	NA(男 NA 女 NA)	NA(男 NA 女 NA)
24年	NA(男 NA 女 NA)	NA(男 NA 女 NA)
25年	NA(男 NA 女 NA)	NA(男 NA 女 NA)

【24年4月入社者の配属勤務地】[総]横浜6 宇都宮1 大阪1 愛知・刈谷2 [技]横浜18 岩手・盛岡1

【転勤】あり:[職種]総合職[勤務地]国内 海外

【中途比率】[単年度]21年度9%、22年度42%、23年度54% [全体]NA

●働きやすさ、諸制度●

残業(月) 18.9時間

【勤務時間】8:00～17:00【有休取得年平均】13.4日【週休】完全2日(土日祝)【夏期休暇】別途計画有休制度あり【年末年始休暇】連続7日(土日含む)

【離職率】NA

【新卒3年後離職率】

[20→23年]30.0%(男31.3%・入社16名、女28.6%・入社14名)

[21→24年]26.7%(男15.8%・入社19名、女45.5%・入社11名)

【テレワーク】制度あり:[場所]自宅[対象]NA[日数]週2日まで[利用率]NA【勤務制度】時間単位有休 裁量労働 時差勤務【住宅補助】独身寮(京浜地区のみ、水道光熱費込14,000円～)家賃補助(東北地区工場配属で、自己名義・自己負担で物件を契約した場合20,000円、入社後3年目まで)

●ライフイベント、女性活躍●

【女性比率】■男 □女

従業員 25.8% (245名)

【産休】[期間]産前6・産後8週間[給与]法定[取得者数]10名

【育休】[期間]1歳になるまで[給与]法定[取得者数]22年度 男6名(対象NA)女24名(対象NA)23年度 男5名(対象NA)女10名(対象NA)[平均取得日数]22年度 NA、23年度 NA

【従業員】[人数]948名(男703名、女245名)[平均年齢]40.6歳(男43.2歳、女33.1歳)[平均勤続年数]13.5年(男15.0年、女9.3年)

【年齢構成】■男 □女

	男	女
60代～	5%	0%
50代	19%	1%
40代	21%	4%
30代	18%	9%
～20代	10%	11%

会社データ (金額は百万円)

【本社】224-0003 神奈川県横浜市都筑区中川中央2-6-3 ☎045-620-3491 https://www.hirose.com/

【業績(IFRS)】	売上高	営業利益	税前利益	純利益
22.3	163,671	40,765	43,081	31,437
23.3	183,224	46,751	48,591	34,648
24.3	165,509	34,017	38,761	26,480

589 開示 ★★

日本ケミコン(株)

(にっぽん)

【特色】アルミ電解コンデンサーで世界シェア首位

[記者評価] 自動車や産業機械、通信機器、家電等で使われるアルミ電解コンデンサーが売上の約9割を占める。世界シェアはトップ。材料のアルミ電極箔も製造・外販。生産性改善を重視した構造改革に取り組む。ハイブリッドコンデンサー増産へ宮城工場新棟が24年6月竣工。

平均勤続年数	男性育休取得率	3年後離職率	平均年収(平均40歳)
16.5年	NA	15.1→31.6%	◇640万円

●採用・配属情報●

【男女・文理別採用実績】

	大卒男	大卒女	修士男	修士女
23年	8(文 2理 6)	8(文 8理 0)	9(文 0理 9)	1(文 0理 1)
24年	7(文 2理 5)	4(文 3理 1)	8(文 0理 8)	1(文 0理 1)
25年	7(文 0理 7)	8(文 6理 2)	6(文 0理 6)	1(文 0理 1)

【男女・職種別採用実績】

	総合職
23年	26(男 17 女 9)
24年	20(男 15 女 5)
25年	22(男 13 女 9)

【24年4月入社者の配属勤務地】[総]東京・大崎4 栃木・宇都宮1 [技]川崎2 茨城・高萩3 山形・長井2 福島・西白河郡7 東京・大崎1

【転勤】あり:[職種]全社員[勤務地]事業所:神奈川 茨城 新潟 山形 福島 他 営業所:東京 栃木 静岡 愛知 大阪 福岡 他

【中途比率】[単年度]21年度2%、22年度23%、23年度19% [全体]13%

●働きやすさ、諸制度●

残業(月) 11.0時間

【勤務時間】本社・営業所8:45～17:30【有休取得年平均】15.7日【週休】完全2日(土日祝)【夏期休暇】連続5日【年末年始休暇】連続7日

【離職率】男:7.2%、61名 女:9.2%、16名

【新卒3年後離職率】

[20→23年]15.1%(男16.7%・入社42名、女9.1%・入社11名)

[21→24年]31.6%(男36.0%・入社25名、女23.1%・入社13名)

【テレワーク】制度あり:[場所]自宅[対象]本社 神奈川研究所 営業所[日数]週2日まで[利用率]NA【勤務制度】フレックス 時間単位有休 勤務間インターバル【住宅補助】借上社宅(各事業所近辺)住宅手当 住宅利子補給

●ライフイベント、女性活躍●

【女性比率】■男 □女

新卒採用 40.9% (9名)

従業員 16.7% (157名)

管理職 3% (6名)

【産休】[期間]産前8・産後8週間[給与]法定[取得者数]NA

【育休】[期間]1歳になるまで[給与]法定[取得者数]22年度 NA 23年度 NA[平均取得日数]22年度 NA、23年度 NA

【従業員】[人数]941名(男784名、女157名)[平均年齢]40.4歳(男41.1歳、女36.9歳)[平均勤続年数]16.5年(男17.2年、女13.0年)

【年齢構成】■男 □女

	男	女
60代～	0%	0%
50代	25%	3%
40代	18%	3%
30代	23%	3%
～20代	17%	7%

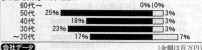

会社データ (金額は百万円)

【本社】141-8605 東京都品川区大崎5-6-4 ☎03-5436-7711 https://www.chemi-con.co.jp/

【業績(連結)】	売上高	営業利益	経常利益	純利益
22.3	140,316	8,798	8,038	▲12,124
23.3	161,881	12,939	10,994	2,273
24.3	150,740	9,422	7,913	▲21,291

マクセル(株)

えるぼし ★★　くるみん

【特色】電池や産業用部材に強い。日立傘下を経て独立

[記者評価] ゲーム向けリチウムイオン電池や自動車LEDヘッドランプ用レンズ、美容家電などを手がける。タイヤの空気圧管理システム用電池や車載カメラ用レンズユニットなど自動車関連が主力。長らく日立グループに属していたが17年に独立。23年6月全固体電池の量産開始。

平均勤続年数	男性育休取得率	3年後離職率	平均年収(平均45歳)
◇20.0年	250.0→42.9%	25.6→18.2%	717万円

●採用・配属情報●

【男女・文理別採用実績】

	大卒男	大卒女	修士男	修士女
23年	6(文 2理 4)	4(文 3理 1)	7(文 0理 7)	5(文 1理 4)
24年	5(文 1理 4)	6(文 4理 2)	5(文 1理 4)	4(文 0理 4)
25年	6(文 1理 5)	7(文 7理 0)	8(文 0理 8)	4(文 0理 4)

【男女・職種別採用実績】　転換制度:⇔

	総合職
23年	22(男 13 女 9)
24年	20(男 10 女 10)
25年	25(男 14 女 11)

【24年4月入社者の配属勤務地】[総]大阪市1 京都・山崎2 兵庫・小野1 [技]京都・山崎8 神奈川(川崎4 横浜1)山梨・小淵沢1 兵庫・小野1 九州・田川1

【転勤】あり:[職種]総合職

【中途比率】[単年度]21年度56%、22年度44%、23年度44%[全体]◇17%

●働きやすさ、諸制度●

残業(月)　15.6時間

【勤務時間】事業所により異なる(所定労働時間7時間45分)【有休取得年平均】16.5日【週休】完全2日(土日祝)【夏期休暇】連続9日(有休5日、週休含む)【年末年始休暇】連続9日(週休含む)

【離職率】◇男:3.7%、39名 女:3.9%、10名

【新卒3年後離職率】

[20→23年]25.6%(男22.7%・入社22名、女29.4%・入社17名)

[21→24年]18.2%(男11.1%・入社9名、女50.0%・入社2名)

【テレワーク】制度あり:[場所]自宅 サテライトオフィス[対象]NA[日数]NA[利用率]NA【勤務制度】フレックス 時間単位有休 裁量労働 時差勤務【住宅補助】独身寮 社宅 住宅手当(単身用/家族用)

●ライフイベント、女性活躍●

【女性比率】■男 □女

新卒採用
44%
(11名)
従業員
19.8%
(248名)
管理職
4.8%
(17名)

【産休】[期間]産前8・産後8週間[給与]法定[取得者数]16名

【育休】[期間]小学校1年修了時の3月31日までの通算2年間[給与]法定[取得者数]22年度 男25名(対象10名)女5名(対象5名)23年度 男12名(対象28名)女4名(対象4名)[平均取得日数]22年度 NA、23年度 NA

【従業員】◇[人数]1,250名(男1,002名、女248名)[平均年齢]45.2歳(男45.6歳、女43.6歳)[平均勤続年数]20.0年(男20.5年、女18.0年)

【年齢構成】■男 □女

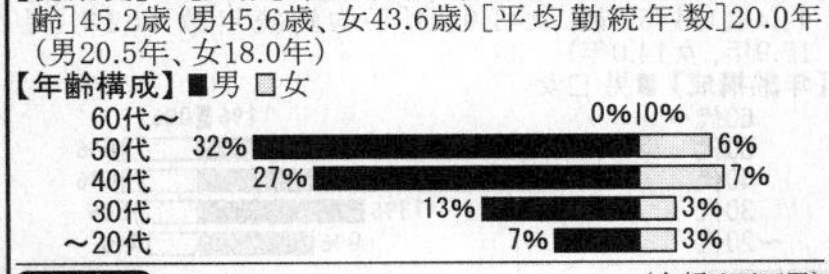
60代〜 0% 0%
50代 32% 6%
40代 27% 7%
30代 13% 3%
〜20代 7% 3%

[会社データ]　(金額は百万円)

【本社】618-8525 京都府乙訓郡大山崎町大山崎小泉1 ☎075-275-5093 https://www.maxell.co.jp/

【業績(連結)】	売上高	営業利益	経常利益	純利益
22.3	138,215	9,332	9,888	▲3,659
23.3	132,776	5,638	6,727	5,193
24.3	129,139	8,083	9,786	7,544

フォスター電機(でんき)(株)

くるみん

【特色】音響機器の製造を手がける。車載用に注力

[記者評価] 本社と開発拠点は東京都昭島市。生産はアジア。OEM中心だが、自社ブランド「フォステクス」も展開。スマホ付属のヘッドセットは、米アップル製品向けを計画的に減産。今後の成長を見据え、車載用音響製品に注力。海外売上高比率は約8割。

平均勤続年数	男性育休取得率	3年後離職率	平均年収(平均44歳)
15.2年	50.0→40.0%	13.3→14.3%	[総]700万円

●採用・配属情報●

【男女・文理別採用実績】

	大卒男	大卒女	修士男	修士女
23年	6(文 1理 5)	3(文 3理 0)	2(文 0理 2)	1(文 0理 1)
24年	5(文 2理 3)	4(文 3理 1)	5(文 0理 5)	0(文 0理 0)
25年	11(文 4理 7)	4(文 4理 0)	7(文 1理 6)	0(文 0理 0)

【男女・職種別採用実績】

	総合職
23年	14(男 9 女 5)
24年	14(男 10 女 4)
25年	23(男 19 女 4)

【職種併願】○

【24年4月入社者の配属勤務地】[総]東京・昭島5 [技]東京・昭島8 静岡1

【転勤】あり:[職種]グローバルコース エキスパートコース

【中途比率】[単年度]21年度50%、22年度21%、23年度60%[全体]49%

●働きやすさ、諸制度●

残業(月)　10.9時間 [総]10.9時間

【勤務時間】9:00〜17:15、7時間30分(フレックスタイム制コアタイムなし)【有休取得年平均】13.5日【週休】完全2日(土日祝)【夏期休暇】8月14〜15日【年末年始休暇】12月29日〜1月4日

【離職率】男:5.2%、16名 女:3.3%、4名

【新卒3年後離職率】

[20→23年]13.3%(男20.0%・入社10名、女0%・入社5名)

[21→24年]14.3%(男25.0%・入社4名、女0%・入社3名)

【テレワーク】制度あり:[場所]自宅 外出先[対象]全社員[日数]制限なし[利用率]46.0%【勤務制度】フレックス 時間単位有休 副業容認【住宅補助】独身寮(学部卒から4年間、自己負担20,000円)

●ライフイベント、女性活躍●

【女性比率】■男 □女

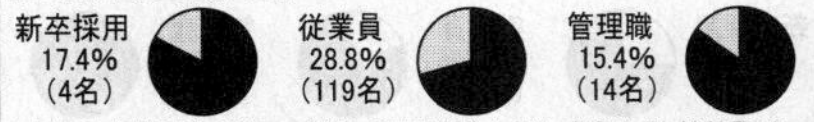
新卒採用
17.4%
(4名)
従業員
28.8%
(119名)
管理職
15.4%
(14名)

【産休】[期間]産前6・産後8週間[給与]法定[取得者数]3名

【育休】[期間]1歳の誕生日前日が属する月の末日まで[給与]法定[取得者数]22年度 男3名(対象6名)女2名(対象2名)23年度 男2名(対象5名)女4名(対象4名)[平均取得日数]22年度 男41日 女364日、23年度 男106日 女310日

【従業員】[人数]413名(男294名、女119名)[平均年齢]44.2歳(男45.4歳、女41.1歳)[平均勤続年数]15.2年(男16.4年、女12.3年)

【年齢構成】■男 □女

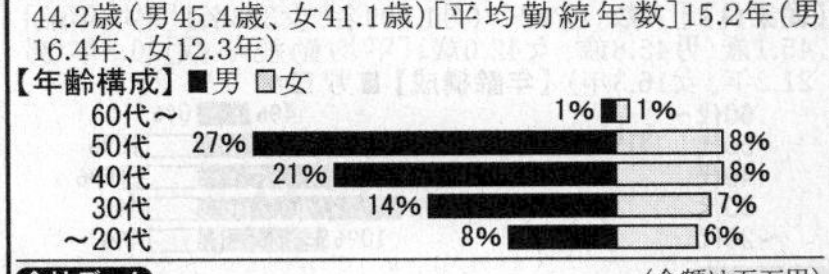
60代〜 1% 1%
50代 27% 8%
40代 21% 8%
30代 14% 7%
〜20代 8% 6%

[会社データ]　(金額は百万円)

【本社】196-8550 東京都昭島市つつじが丘1-1-109 ☎042-546-2311 https://www.foster.co.jp/

【業績(連結)】	売上高	営業利益	経常利益	純利益
22.3	91,106	▲7,757	▲7,473	▲7,017
23.3	121,338	2,445	2,327	848
24.3	122,447	4,412	4,305	2,304

メーカーⅠ

アンリツ㈱

えるぼし ★★★ くるみん

【特色】1895年創業の老舗。通信計測器の世界大手

記者評価 通信用計測器の世界大手。スマホなど通信端末の開発用計測器でもトップクラス。計測器は5G関連需要が追い風。データセンター向けも需要捉え拡大。異物混入対策のX線検査機など食品向け産業機械も手がける。21年、高砂製作所を子会社化し電池試験装置に参入。

平均勤続年数	男性育休取得率	3年後離職率	平均年収(平均45歳)
20.3年	45.2→90.3%	2.9→2.3%	総744万円

●採用・配属情報●

【男女・文理別採用実績】

	大卒男	大卒女	修士男	修士女
23年	12(文 9理 3)	7(文 5理 2)	21(文 0理 21)	1(文 0理 1)
24年	4(文 1理 3)	6(文 4理 2)	16(文 0理 16)	2(文 0理 2)
25年	13(文 9理 4)	8(文 6理 2)	13(文 0理 13)	1(文 0理 1)

【男女・職種別採用実績】

	総合職
23年	42(男 33 女 9)
24年	28(男 20 女 8)
25年	35(男 26 女 9)

【24年4月入社者の配属勤務地】総神奈川・厚木5 技神奈川・厚木23

【転勤】あり:[職種]営業職 フィールドエンジニア職[勤務地]国内営業拠点

【中途比率】[単年度]21年度44%、22年度37%、23年度29%[全体]NA

●働きやすさ、諸制度●

残業(月) 9.6時間 総9.6時間

【勤務時間】8:30～17:00【有休取得年平均】16.5日【週休】完全2日(土日)【夏期休暇】連続10日(一斉有休5日含む)【年末年始休暇】連続10日

【離職率】男:2.6%、37名 女:1.5%、5名

【新卒3年後離職率】

[20→23年]2.9%(男0%・入社23名、女9.1%・入社11名)

[21→24年]2.3%(男2.9%・入社34名、女0%・入社9名)

【テレワーク】制度あり:[場所]自宅[対象]全社員[日数](1)1カ月に4回まで(2)3歳までの育児は日数制限なし(3)小学校卒業までの育児と介護は1カ月に10回まで[利用率]10.9%

【勤務制度】フレックス 週休3日【住宅補助】独身寮(男女)社宅 賃貸住宅家賃補助(条件あり)住宅資金利子補助

●ライフイベント、女性活躍●

【女性比率】■男 □女

新卒採用 25.7% (9名)　従業員 18.6% (323名)　管理職 3.4% (11名)

【産休】[期間]産前8・産後8週間[給与]法定+共済会25%給付[取得者数]7名

【育休】[期間]最大2歳到達後翌年度の4月末まで[給与]出生時育児休業については法定+共済会25%給付[取得者数]22年度 男14名(対象31名)女9名(対象9名)23年度 男28名(対象31名)女7名(対象7名)[平均取得日数]22年度 男55日 女360日、23年度 男76日 女394日

【従業員】[人数]1,732名(男1,409名、女323名)[平均年齢]45.1歳(男45.8歳、女42.0歳)[平均勤続年数]20.3年(男21.2年、女16.3年)【年齢構成】■男 □女

	男	女
60代～	4%	0%
50代	31%	5%
40代	20%	6%
30代	16%	4%
～20代	10%	4%

会社データ (金額は百万円)

【本社】243-8555 神奈川県厚木市恩名5-1-1 ☎046-223-1111 https://www.anritsu.com/

【業績(IFRS)】	売上高	営業利益	税前利益	純利益
22.3	105,387	16,499	17,150	12,796
23.3	110,919	11,746	12,438	9,272
24.3	109,952	8,983	9,951	7,675

㈱タムラ製作所(せいさくしょ)

くるみん

【特色】トランス、リアクター大手。はんだなど化学材料も

記者評価 スマホや車載用はんだペースト、はんだ付け装置など電子化学実装と、産機、家電・住宅向けトランス、リアクタなど電子部品が2本柱。風力発電関連では世界8拠点で大型トランス、リアクター地産地消。海外売上比65%。EV向けにも意欲的。24年度に創業100周年。

平均勤続年数	男性育休取得率	3年後離職率	平均年収(平均44歳)
17.1年	90.0→70.0%	19.2→25.0%	総684万円

●採用・配属情報●

【男女・文理別採用実績】

	大卒男	大卒女	修士男	修士女
23年	6(文 0理 6)	3(文 3理 0)	3(文 0理 3)	1(文 0理 1)
24年	7(文 2理 5)	5(文 4理 1)	5(文 0理 5)	1(文 0理 1)
25年	3(文 0理 3)	3(文 2理 1)	4(文 0理 4)	2(文 0理 2)

【男女・職種別採用実績】

	総合職
23年	13(男 9 女 4)
24年	18(男 12 女 6)
25年	12(男 7 女 5)

【24年4月入社者の配属勤務地】総埼玉・坂戸5 大阪1 技東京3 埼玉(坂戸3 入間6)

【転勤】あり:全社員(勤務地限定制度利用者を除く)

【中途比率】[単年度]21年度58%、22年度31%、23年度62%[全体]47%

●働きやすさ、諸制度●

残業(月) 12.8時間 総12.8時間

【勤務時間】8:30～17:20【有休取得年平均】12.8日【週休】完全2日(土日祝)【夏期休暇】連続6日(うち有休一斉取得2日)【年末年始休暇】連続5日

【離職率】男:3.5%、26名 女:2.1%、4名

【新卒3年後離職率】

[20→23年]19.2%(男21.1%・入社19名、女14.3%・入社7名)

[21→24年]25.0%(男28.6%・入社14名、女0%・入社2名)

【テレワーク】制度あり:[場所]自宅 他事業所他[対象]全社員[日数]原則週4日まで(育児、介護、天災事変など特殊事情の場合は制限なし)[利用率]NA【勤務制度】時間単位有休 裁量労働 時差勤務 勤務間インターバル 副業容認

【住宅補助】借上社宅 独身寮

●ライフイベント、女性活躍●

【女性比率】■男 □女

新卒採用 41.7% (5名)　従業員 20.6% (184名)　管理職 9.9% (16名)

【産休】[期間]産前7・産後8週間[給与]法定[取得者数]3名

【育休】[期間]2歳になる日の属する給与計算締切日まで[給与]法定[取得者数]22年度 男9名(対象10名)女1名(対象1名)23年度 男7名(対象10名)女3名(対象3名)[平均取得日数]22年度 NA、23年度 NA

【従業員】[人数]895名(男711名、女184名)[平均年齢]44.4歳(男45.0歳、女41.9歳)[平均勤続年数]17.1年(男17.9年、女14.0年)

【年齢構成】■男 □女

	男	女
60代～	1%	0%
50代	31%	6%
40代	26%	6%
30代	13%	5%
～20代	9%	4%

会社データ (金額は百万円)

【本社】178-8511 東京都練馬区東大泉1-19-43 ☎050-3664-0571 https://www.tamura-ss.co.jp/

【業績(連結)】	売上高	営業利益	経常利益	純利益
22.3	88,328	1,564	2,001	▲84
23.3	107,993	4,829	4,329	2,047
24.3	106,622	4,940	4,956	2,240

メーカーI

502　開示 ★★☆☆☆　[短大] 採用あり

シンフォニアテクノロジー(株)

【特色】重電から精密機器まで製品多様、搬送機器も

[記者評価] 産機用サーボモーター軸に各種搬送機や業務用プリンタなど展開。防衛用航空機電装品や自動車用試験装置に強い。再生医療、次世代ロケットも強化。中国や東南ア、米国に拠点。タイ現法の第3工場は24年5月稼働。半導体後工程自動化・標準化技術研究組合に参画。

平均勤続年数	男性育休取得率	3年後離職率	平均年収(平均38歳)
◇16.3年	71.8→77.8%	19.7→3.5%	[総]722万円

●採用・配属情報●

【男女・文理別採用実績】

	大卒男	大卒女	修士男	修士女
23年	36(文 5理 31)	11(文 7理 4)	15(文 0理 15)	1(文 0理 1)
24年	42(文 6理 36)	10(文 8理 2)	17(文 0理 17)	2(文 0理 2)
25年	41(文 7理 34)	13(文 8理 5)	15(文 0理 15)	4(文 0理 4)

※25年:24年7月末時点

【男女・職種別採用実績】

	総合職	一般職
23年	64(男 52 女 12)	1(男 0 女 1)
24年	75(男 63 女 12)	1(男 0 女 1)
25年	75(男 58 女 17)	1(男 0 女 1)

【24年4月入社者の配属勤務地】[総]東京・港8 愛知(豊橋1 名古屋3) 三重・伊勢2 [技]三重・伊勢25 愛知・豊橋36

【転勤】あり:全社員

【中途比率】[単年度]21年度NA、22年度NA、23年度NA[全体]NA

●働きやすさ、諸制度●

残業(月)　20.2時間

【勤務時間】9:00〜17:30【有休取得年平均】16.5日【週休】完全2日(土日祝)【夏期休暇】9日(うち2日は一斉年休)【年末年始休暇】9日

【離職率】◇男:1.7%、30名 女:0.9%、2名

【新卒3年後離職率】
[20→23年]19.7%(男19.0%・入社58名、女25.0%・入社8名)
[21→24年]3.5%(男4.2%・入社48名、女0%・入社9名)

【テレワーク】制度あり:[場所]自宅[対象]NA[日数]NA[利用率]NA【勤務制度】フレックス 時間単位有休 時差勤務 勤務間インターバル【住宅補助】寮・社宅(社有・借上 全国各勤務地)

●ライフイベント、女性活躍●

【女性比率】■男 □女

新卒採用 23.7% (18名)

従業員 11.8% (232名)

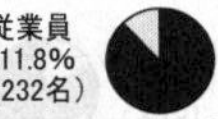

【産休】[期間]産前8・産後8週間[給与]産後は法定、産前は健保3分の2のうち共済会が6割給付[取得者数]5名

【育休】[期間]1歳到達翌年度の4月末日または1歳6カ月到達前日までの長い方。その後2歳まで再延長可[給与]最初5日間有給、以降法定[取得者数]22年度 男51名(対象71名)女20名(対象NA)23年度 男28名(対象36名)女15名(対象NA)[平均取得日数]22年度 NA、23年度 NA

【従業員】◇[人数]1,965名(男1,733名、女232名)[平均年齢]39.8歳(男39.8歳、女39.7歳)[平均勤続年数]16.3年(男16.2年、女16.7年)【年齢構成】■男 □女

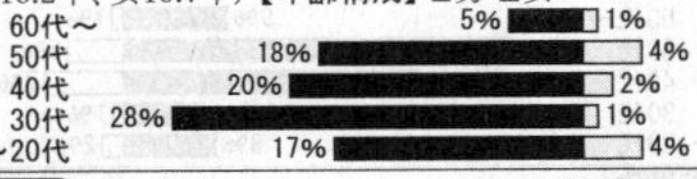
60代〜 5% 1%
50代 18% 4%
40代 20% 2%
30代 28% 1%
〜20代 17% 4%

会社データ　(金額は百万円)

【本社】105-8564 東京都港区芝大門1-1-30 芝NBFタワー ☎03-6386-3140 https://www.sinfo-t.jp/

【業績(連結)】	売上高	営業利益	経常利益	純利益
22.3	94,585	7,514	7,898	5,593
23.3	108,808	11,625	11,997	8,098
24.3	102,657	10,011	10,532	7,506

554　開示 ★★★☆☆　[専門] 採用あり

しんでんげんこうぎょう
新電元工業(株)

【特色】ダイオード、パワー半導体が柱。2輪車電装品も

[記者評価] 強みのダイオード、パワーデバイスなど電源専業大手。ホンダ軸に2輪向け充電装置や点火装置は東南アジア、インドなど深耕。国内で研究開発、生産の拠点刷新を行い、その本部機能は飯能から朝霞へ移転集約。急速充電器や2輪用含めたEV市場領域に拡大余地。

平均勤続年数	男性育休取得率	3年後離職率	平均年収(平均43歳)
17.0年	44.4→73.9%	15.4→11.5%	[総]753万円

●採用・配属情報●

【男女・文理別採用実績】

	大卒男	大卒女	修士男	修士女
23年	5(文 2理 3)	5(文 4理 1)	12(文 0理 12)	4(文 0理 4)
24年	9(文 5理 4)	5(文 4理 1)	16(文 0理 16)	4(文 0理 4)
25年	13(文 6理 7)	7(文 5理 2)	11(文 0理 11)	3(文 0理 3)

※25年:24年8月20日時点

【男女・職種別採用実績】

	総合職
23年	27(男 18 女 9)
24年	35(男 26 女 9)
25年	35(男 25 女 10)

【24年4月入社者の配属勤務地】[総]埼玉・朝霞9 [技]埼玉・朝霞26

【転勤】あり:全社員

【中途比率】[単年度]21年度32%、22年度54%、23年度58%[全体]32%

●働きやすさ、諸制度●

残業(月)　13.5時間 [総]13.5時間

【勤務時間】本社・支店9:00〜17:30【有休取得年平均】14.0日【週休】完全2日(土日祝)【夏期休暇】連続5日【年末年始休暇】連続5日

【離職率】男:2.4%、23名 女:1.8%、2名(早期退職男5名含む)

【新卒3年後離職率】
[20→23年]15.4%(男18.2%・入社22名、女0%・入社4名)
[21→24年]11.5%(男8.7%・入社23名、女33.3%・入社3名)

【テレワーク】制度あり:[場所]自宅 サテライトオフィス[対象]全社員[日数]制限なし[利用率]NA【勤務制度】フレックス 時間単位有休 週休3日 時差勤務【住宅補助】住宅手当

●ライフイベント、女性活躍●

【女性比率】■男 □女

新卒採用 28.6% (10名)

従業員 10.7% (112名)

管理職 0.6% (2名)

【産休】[期間]産前8・産後8週間[給与]会社全額給付[取得者数]3名

【育休】[期間]1歳になるまで[給与]法定[取得者数]22年度 男8名(対象18名)女1名(対象1名)23年度 男17名(対象23名)女3名(対象3名)[平均取得日数]22年度 NA、23年度 男61日 女NA

【従業員】[人数]1,050名(男938名、女112名)[平均年齢]43.1歳(男43.6歳、女38.2歳)[平均勤続年数]17.0年(男17.3年、女14.0年)【年齢構成】■男 □女

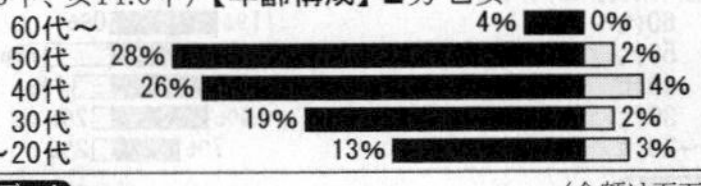
60代〜 4% 0%
50代 28% 2%
40代 26% 4%
30代 19% 2%
〜20代 13% 3%

会社データ　(金額は百万円)

【本社】100-0004 東京都千代田区大手町2-2-1 新大手町ビル ☎03-3279-4431 https://www.shindengen.co.jp/

【業績(連結)】	売上高	営業利益	経常利益	純利益
22.3	92,168	5,562	5,828	5,902
23.3	101,007	3,621	4,326	1,644
24.3	102,261	1,278	1,660	▲712

メーカーI

富士通フロンテック(株)

ふじつう

くるみん

【特色】富士通子会社。金融・流通端末や表示装置が主力

記者評価 富士通の完全子会社。燕市の洋食器製造で創業。現在はATM、POSシステムが柱。DXによる生産体制を構築。手のひら静脈認証システム、RFIDに強み。米法人買収で生体認証に厚み。患者案内システム、公営競技の発払機にも展開。グローバル人材の育成に注力。

平均勤続年数	男性育休取得率	3年後離職率	平均年収(平均49歳)
◇!26.0年	31.3→77.3%	NA	総755万円

●採用・配属情報●

【男女・文理別採用実績】

	大卒男	大卒女	修士男	修士女
23年	NA(文NA 理NA)	NA(文NA 理NA)	NA(文NA 理NA)	NA(文NA 理NA)
24年	NA(文NA 理NA)	NA(文NA 理NA)	NA(文NA 理NA)	NA(文NA 理NA)
25年	NA(文NA 理NA)	NA(文NA 理NA)	NA(文NA 理NA)	NA(文NA 理NA)

【男女・職種別採用実績】

	総合職
23年	NA(男 NA 女 NA)
24年	NA(男 NA 女 NA)
25年	NA(男 NA 女 NA)

【24年4月入社者の配属勤務地】総東京(稲城 大森) 技東京(稲城 有明)埼玉(熊谷 大宮)群馬・前橋

【転勤】あり:全社員

【中途比率】[単年度]21年度4%、22年度14%、23年度55% [全体]◇13%

●働きやすさ、諸制度●

残業(月) 24.0時間 総24.0時間

【勤務時間】8:45〜17:30【有休取得年平均】14.8日【週休】完全2日(土日)【夏期休暇】一斉年休5日【年末年始休暇】連続6日

【離職率】男:2.7%、35名 女:3.6%、9名

【新卒3年後離職率】
[20→23年]NA
[21→24年]NA

【テレワーク】制度あり:[場所]自宅 サテライトオフィス[対象]非現業者[日数]制限なし[利用率]40.0%【勤務制度】フレックス 時間単位有休 裁量労働 勤務間インターバル 副業容認【住宅補助】借上独身寮 賃貸住宅家賃補助 転貸管理サービス 住宅財形

●ライフイベント、女性活躍●

【女性比率】■男 □女

従業員 16% (240名)

管理職 3.9% (15名)

【産休】[期間]産前8・産後8週間[給与]健保85%給付[取得者数]4名

【育休】[期間]最長2歳の4月20日まで[給与]法定[取得者数]22年度 男5名(対象16名)女4名(対象4名)23年度 男17名(対象22名)女4名(対象4名)[平均取得日数]22年度 男19日 女431日、23年度 男53日 女412日

【従業員】◇[人数]1,499名(男1,259名、女240名)[平均年齢]48.6歳(男49.4歳、女44.8歳)[平均勤続年数]26.0年(男26.7年、女22.6年)※定年後再雇用含む

【年齢構成】■男 □女

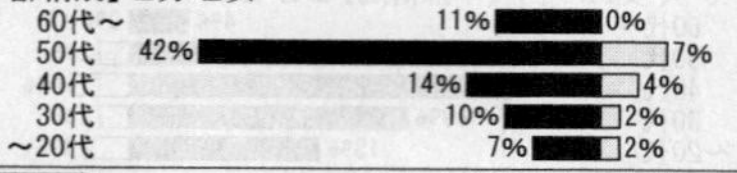

会社データ (金額は百万円)

【本社】206-8555 東京都稲城市矢野口1776 ☎042-377-5111
https://www.fujitsu.com/jp/frontech/

【業績(単独)】	売上高	営業利益	経常利益	純利益
22.3	68,439	▲402	312	▲564
23.3	77,574	1,022	1,872	958
24.3	90,800	5,053	5,928	4,629

日本シイエムケイ(株)

にっぽん

【特色】プリント配線板の専業大手。自動車関連に強み

記者評価 プリント配線板最大手。産業用・民生用の各種配線板や電子デバイスを生産。配線板の年産面積は東京ドーム85個分。自動車向けが売上の8割。自動運転や電動化のミリ波センサーで使われる高精細回路基板を強化。24年5月ドイツに生産現法開設、ドイツ車向け深耕。

平均勤続年数	男性育休取得率	3年後離職率	平均年収(平均48歳)
◇18.9年	80.0→111.1%	25.0→7.7%	◇565万円

●採用・配属情報●

【男女・文理別採用実績】

	大卒男	大卒女	修士男	修士女
23年	3(文 3 理 0)	0(文 0 理 0)	0(文 0 理 0)	0(文 0 理 0)
24年	6(文 4 理 2)	0(文 0 理 0)	1(文 0 理 1)	0(文 0 理 0)
25年	3(文 3 理 0)	1(文 1 理 0)	1(文 0 理 1)	0(文 0 理 0)

※25年:継続中

【男女・職種別採用実績】 転換制度:⇔

	総合職	一般職
23年	3(男 3 女 0)	0(男 0 女 0)
24年	7(男 7 女 0)	0(男 0 女 0)
25年	5(男 4 女 1)	0(男 0 女 0)

【24年4月入社者の配属勤務地】総埼玉2 愛知1 大阪1 技新潟3

【転勤】あり:[職種]総合職

【中途比率】[単年度]21年度13%、22年度36%、23年度46%[全体]NA

●働きやすさ、諸制度●

残業(月) 27.0時間

【勤務時間】8:20〜17:10【有休取得年平均】13.1日【週休】完全2日(土日祝、会社カレンダーあり)【夏期休暇】3日+有休利用で最大10日【年末年始休暇】4日+有休利用で最大10日

【離職率】◇男:9.3%、99名 女:23.7%、58名

【新卒3年後離職率】
[20→23年]25.0%(男15.0%・入社20名、女50.0%・入社8名)
[21→24年]7.7%(男9.1%・入社11名、女0%・入社2名)

【テレワーク】制度あり:[場所]自宅[対象]製造現場部門を除く社員[日数]週1日程度[利用率]NA【勤務制度】フレックス 時間単位有休 裁量労働【住宅補助】独身寮 社宅 住宅手当(持家・賃貸)

●ライフイベント、女性活躍●

【女性比率】■男 □女

新卒採用 20% (1名)

従業員 16.2% (187名)

【産休】[期間]産前6・産後8週間[給与]法定[取得者数]5名

【育休】[期間]1歳になるまで[給与]法定[取得者数]22年度 男12名(対象15名)女7名(対象7名)23年度 男10名(対象9名)女4名(対象4名)[平均取得日数]22年度 NA、23年度 NA

【従業員】◇[人数]1,156名(男969名、女187名)[平均年齢]48.0歳(男48.5歳、女45.7歳)[平均勤続年数]18.9年(男19.3年、女16.6年)

【年齢構成】■男 □女

	男	女
60代〜	9%	1%
50代	34%	5%
40代	26%	7%
30代	7%	1%
〜20代	8%	2%

会社データ (金額は百万円)

【本社】163-1388 東京都新宿区西新宿6-5-1 新宿アイランドタワー 43階 ☎03-5323-0231
https://www.cmk-corp.com/

【業績(連結)】	売上高	営業利益	経常利益	純利益
22.3	81,486	3,021	3,305	2,785
23.3	83,840	2,605	2,622	1,588
24.3	90,568	3,529	4,795	3,855

メーカーI

(株)タムロン

くるみん

【特色】カメラ用交換レンズで世界的。監視カメラ用も

記者評価 カメラ用交換レンズが事業柱。自社ブランド交換レンズは高性能かつ値段も手ごろで人気。OEM生産も。監視カメラや車載用レンズも成長中。国内に加えて中国とベトナムに製造拠点を持つ。「現場・現物・現実」を見て判断する「三現主義」が伝統的社風。

平均勤続年数	男性育休取得率	3年後離職率	平均年収(平均43歳)
◇16.7年	68.4→80.0%	5.6→16.7%	総792万円

●採用・配属情報●

【男女・文理別採用実績】

	大卒男	大卒女	修士男	修士女
23年	5(文 4理 1)	1(文 0理 1)	8(文 0理 8)	2(文 0理 2)
24年	1(文 0理 1)	0(文 0理 0)	6(文 0理 6)	0(文 0理 0)
25年	2(文 1理 1)	1(文 0理 1)	10(文 0理 10)	2(文 0理 2)

【男女・職種別採用実績】

	総合職
23年	19(男 16 女 3)
24年	7(男 7 女 0)
25年	15(男 12 女 3)

【24年4月入社者の配属勤務地】総なし 技さいたま7
【転勤】なし
【中途比率】[単年度]21年度63%、22年度76%、23年度42%[全体]◇53%

●働きやすさ、諸制度●

残業(月) 16.9時間 総16.9時間

【勤務時間】8:30~17:20【有休取得年平均】15.6日【週休】完全2日(土日祝)【夏期休暇】連続6日(週休祝日含む、有休時季指定5日)【年末年始休暇】連続7日
【離職率】◇男:2.1%、17名 女:2.3%、4名
【新卒3年後離職率】
[20→23年]5.6%(男0%・入社14名、女25.0%・入社4名)
[21→24年]16.7%(男25.0%・入社4名、女0%・入社2名)
【テレワーク】制度なし【勤務制度】フレックス 時間単位有休
【住宅補助】独身寮 社宅

●ライフイベント、女性活躍●

【女性比率】■男 □女

新卒採用 20% (3名)

従業員 18% (170名)

管理職 8% (11名)
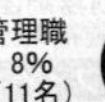

【産休】[期間]産前6・産後8週間[給与]法定[取得者数]10名
【育休】[期間]1歳になるまで[給与]法定[取得者数]22年度 男13名(対象19名)女4名(対象4名)23年度 男20名(対象25名)女10名(対象10名)[平均取得日数]22年度 NA、23年度 NA
【従業員】◇[人数]947名(男777名、女170名)[平均年齢]43.0歳(男43.4歳、女41.2歳)[平均勤続年数]16.7年(男17.0年、女15.3年)
【年齢構成】■男 □女

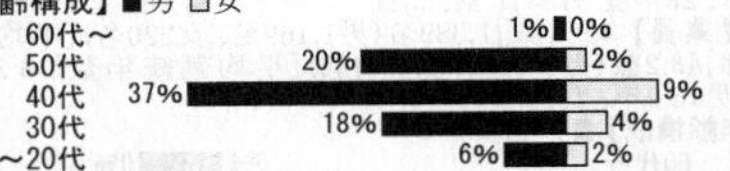

会社データ (金額は百万円)

【本社】337-8556 埼玉県さいたま市見沼区蓮沼1385 ☎048-684-9111
https://www.tamron.com/jp/

【業績(連結)】	売上高	営業利益	経常利益	純利益
21.12	57,539	7,408	7,531	5,173
22.12	63,445	11,038	11,496	8,350
23.12	71,426	13,607	13,972	10,812

オリエンタルモーター(株)

えるぼし★★ プラチナくるみん

【特色】精密小型モーターの専業メーカー。海外展開進む

記者評価 日本で初めて標準化した精密小型モーターと制御用電子回路が主力。家庭用機器、産業用設備機器、半導体製造装置など用途は幅広い。制御用ステッピングモーターが売り上げの約6割を占める。海外売上比率は約5割。東京ショールームを全面改装し先進性訴求。

平均勤続年数	男性育休取得率	3年後離職率	平均年収(平均43歳)
◇16.4年	58.8→58.8%	9.5→4.4%	総811万円

●採用・配属情報●

【男女・文理別採用実績】

	大卒男	大卒女	修士男	修士女
23年	24(文 18理 6)	16(文 16理 0)	7(文 0理 7)	0(文 0理 0)
24年	17(文 8理 9)	18(文 16理 2)	1(文 0理 1)	0(文 0理 0)
25年	21(文 16理 5)	22(文 22理 0)	6(文 0理 6)	2(文 0理 2)

【男女・職種別採用実績】 転換制度:⇔

	グローバルコース	リージョナルコース
23年	30(男 30 女 0)	20(男 3 女 17)
24年	18(男 17 女 1)	26(男 8 女 18)
25年	27(男 23 女 4)	26(男 4 女 22)

※24年入社よりコース名称変更:全国コース→グローバルコース、エリアコース→リージョナルコース
【24年4月入社者の配属勤務地】総東京・小島3 神奈川・海老名2 愛知(名古屋2 豊田1)大阪2 京都1 技茨城(つくば2 土浦1)山形・鶴岡2 福島・相馬1 香川・高松1
【転勤】あり:[職種]グローバルコース[勤務地]全国
【中途比率】[単年度]21年度8%、22年度28%、23年度10%[全体]◇27%

●働きやすさ、諸制度●

残業(月) 5.9時間 総7.2時間

【勤務時間】9:00~17:35(勤務地により異なる)【有休取得年平均】14.7日【週休】完全2日(土日祝)【夏期休暇】8月11~16日【年末年始休暇】12月30日~1月4日
【離職率】◇男:3.0%、37名 女:4.4%、35名
【新卒3年後離職率】
[20→23年]9.5%(男8.3%・入社24名、女11.1%・入社18名)
[21→24年]4.4%(男3.3%・入社30名、女6.7%・入社15名)
【テレワーク】制度あり:[場所]自宅[対象]全社員[日数]制限なし[利用率]NA【勤務制度】時差勤務【住宅補助】借上社宅(基本給の8%自己負担)

●ライフイベント、女性活躍●

【女性比率】■男 □女

新卒採用 49.1% (26名)

従業員 38.9% (766名)

管理職 8.3% (31名)

【産休】[期間]産前6・産後8週間[給与]法定[取得者数]18名
【育休】[期間]1歳になるまで[給与]5日間有給、以降給付金[取得者数]22年度 男20名(対象34名)女20名(対象20名)23年度 男20名(対象34名)女18名(対象18名)[平均取得日数]22年度 NA、23年度 男7日 女336日
【従業員】◇[人数]1,969名(男1,203名、女766名)[平均年齢]40.9歳(男42.1歳、女38.4歳)[平均勤続年数]16.4年(男18.7年、女12.9年)
【年齢構成】■男 □女

	男	女
60代~	2%	0%
50代	21%	8%
40代	13%	10%
30代	12%	9%
~20代	14%	10%

会社データ (金額は百万円)

【本社】110-8536 東京都台東区東上野4-8-1 ☎03-6744-0411
https://www.orientalmotor.co.jp/

【業績(連結)】	売上高	営業利益	経常利益	純利益
22.3	66,894	9,678	9,638	7,225
23.3	71,881	11,109	11,272	7,995
24.3	60,778	5,015	5,090	3,594

㈱日立国際電気（ひたちこくさいでんき）

くるみん

【特色】無線、放送システムを製造。半導体装置は分離

記者評価 2000年に国際電気、日立電子、八木アンテナが合併して発足。無線通信技術、映像監視・画像処理技術を軸に、防災無線やテレビ放送機器などを手がける。AIを利用した画像処理システムに注力。23年から日清紡HD傘下。24年12月に国際電気に社名変更予定。

平均勤続年数	男性育休取得率	3年後離職率	平均年収(平均47歳)
22.3年	17.6→46.7%	12.8→23.8%	NA

●採用・配属情報●

【男女・文理別採用実績】

	大卒男	大卒女	修士男	修士女
23年	24(文 4理 20)	4(文 0理 4)	13(文 0理 13)	0(文 0理 0)
24年	22(文 8理 14)	9(文 3理 6)	11(文 0理 11)	2(文 0理 2)
25年	-(文 -理 -)	-(文 -理 -)	-(文 -理 -)	-(文 -理 -)

※25年:44名採用予定

【男女・職種別採用実績】　転換制度:⇔

	総合職
23年	42(男 38 女 4)
24年	46(男 35 女 11)
25年	44(男 - 女 -)

【24年4月入社者の配属勤務地】㊍東京5 ㊋東京41
【転勤】あり:全社員
【中途比率】[単年度]21年度6%、22年度0%、23年度10%[全体]10%

●働きやすさ、諸制度●

残業(月) 19.5時間

【勤務時間】本社・支社・東京事業所9:00～17:30 東京事業所(一部)8:30～17:00【有休取得年平均】16.8日【週休】完全2日(土日祝)【夏期休暇】連続9日(一斉年休及び土日含む)【年末年始休暇】連続6日
【離職率】男:4.0%、51名 女:7.1%、11名
【新卒3年後離職率】
[20→23年]12.8%(男12.1%・入社33名、女16.7%・入社6名)
[21→24年]23.8%(男17.6%・入社34名、女50.0%・入社8名)
【テレワーク】制度あり:[場所]自宅[対象]総合職(一定レベル以上)および管理職[日数]週3日まで[利用率]18.9%
【勤務制度】フレックス 時間単位有休【住宅補助】住宅手当

●ライフイベント、女性活躍●

【女性比率】■男 □女

従業員 10.5%(145名)
管理職 2%(6名)

【産休】[期間]産前8・産後8週間[給与]法定+産前6～8週は会社3分の2給付[取得者数]1名
【育休】[期間]小学1年修了までの間で通算3年間[給与]法定[取得者数]22年度 男3名(対象17名)女0名(対象0名)23年度 男7名(対象15名)女1名(対象1名)[平均取得日数]22年度 男47日 女-、23年度 男47日 女367日
【従業員】[人数]1,383名(男1,238名、女145名)[平均年齢]47.1歳(男47.3歳、女45.0歳)[平均勤続年数]22.3年(男22.5年、女21.1年)
【年齢構成】■男 □女

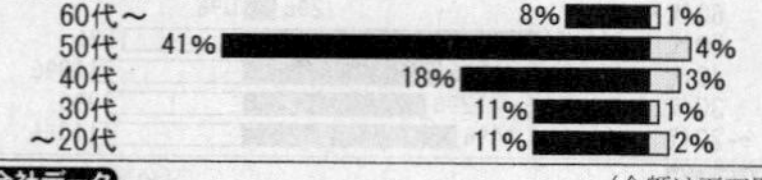

会社データ　(金額は百万円)

【本社】105-8039 東京都港区西新橋2-15-12 日立愛宕別館 ☎03-5510-5931 https://www.hitachi-kokusai.co.jp/

【業績(単独)】	売上高	営業利益	税前利益	純利益
22.3	54,791	4,036	5,065	4,024
23.3	52,947	3,318	4,954	4,016
24.3	50,572	985	1,940	1,799

東京計器㈱（とうきょうけいき）

【特色】航海・航空計器大手。防衛省向け中心に民需も

記者評価 1896年圧力計で創業、航海・航空計器へと業容を広げた精密機器メーカー。防衛・通信機器や油空圧機器、船舶港湾機器など幅広い。超音波レール探傷車にも強み。2030年までの中計でエッジAI、水素・エネルギー、宇宙、鉄道、ライフサイエンス各事業強化掲げる。

平均勤続年数	男性育休取得率	3年後離職率	平均年収(平均42歳)
◇16.3年	27.3→66.7%	9.5→11.5%	㊍643万円

●採用・配属情報●

【男女・文理別採用実績】

	大卒男	大卒女	修士男	修士女
23年	14(文 5理 9)	5(文 3理 2)	8(文 0理 8)	1(文 0理 1)
24年	19(文 8理 11)	1(文 1理 0)	5(文 1理 4)	1(文 1理 0)
25年	17(文 7理 10)	2(文 2理 0)	9(文 0理 9)	1(文 0理 1)

※25年:24年8月7日時点

【男女・職種別採用実績】

	総合職
23年	29(男 23 女 6)
24年	28(男 25 女 3)
25年	30(男 27 女 3)

【24年4月入社者の配属勤務地】㊍東京・蒲田9 大阪1 栃木・那須2 ㊋東京・蒲田5 栃木(那須4 矢板4 佐野3)
【転勤】あり:全社員
【中途比率】[単年度]21年度44%、22年度41%、23年度44%[全体]◇19%

●働きやすさ、諸制度●

残業(月) 15.8時間 ㊍15.8時間

【勤務時間】7時間55分(フレックスタイム制)【有休取得年平均】12.5日【週休】完全2日(土日祝)【夏期休暇】7日(7月最終週+盆休み)【年末年始休暇】5日
【離職率】◇男:3.3%、40名 女:1.8%、4名
【新卒3年後離職率】
[20→23年]9.5%(男9.5%・入社21名、女ー・入社0名)
[21→24年]11.5%(男13.6%・入社22名、女0%・入社4名)
【テレワーク】制度あり:[場所]自宅 ブランチオフィス サテライトオフィス[対象]生産職除く[日数]週2日まで[利用率]7.6%【勤務制度】フレックス 裁量労働【住宅補助】独身寮 社宅 家賃補助

●ライフイベント、女性活躍●

【女性比率】■男 □女

新卒採用 10%(3名)
従業員 15.8%(220名)

管理職 1.2%(2名)

【産休】[期間]産前6・産後8週間[給与]産前6・産後6週間は会社全額給付、以降法定[取得者数]10名
【育休】[期間]1歳になるまで[給与]法定[取得者数]22年度 男9名(対象33名)女3名(対象3名)23年度 男16名(対象24名)女8名(対象8名)[平均取得日数]22年度 男77日 女308日、23年度 男53日 女285日
【従業員】◇[人数]1,389名(男1,169名、女220名)[平均年齢]43.2歳(男43.4歳、女42.4歳)[平均勤続年数]16.3年(男16.9年、女13.4年)
【年齢構成】■男 □女

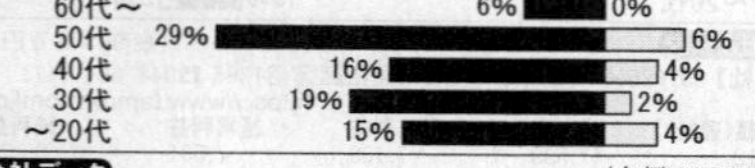

会社データ　(金額は百万円)

【本社】144-8551 東京都大田区南蒲田2-16-46 ☎03-3732-2111 https://www.tokyokeiki.jp/

【業績(連結)】	売上高	営業利益	経常利益	純利益
22.3	41,510	1,635	1,926	1,493
23.3	44,296	1,312	1,687	873
24.3	47,166	2,768	2,990	2,277

エスエムケイ
ＳＭＫ(株)

[くるみん]

【特色】コネクター、タッチパネル等の電子部品メーカー

[記者評価] コネクターは、自動車向けでは多くの大手部品メーカーが顧客。通信向けでは中国マホメーカーや米国でも有力顧客を抱える。5GやCASEに注力。リモコンやタッチパネルも手がけ、特定顧客から大型案件の受注も。米・中などに海外拠点。海外売上比率7割弱。

平均勤続年数	男性育休取得率	3年後離職率	平均年収(平均45歳)
20.0年	0 → 44.4%	0 → 16.7%	[総]720万円

●採用・配属情報●

【男女・文理別採用実績】

	大卒男	大卒女	修士男	修士女
23年	7(文 3理 4)	2(文 1理 1)	3(文 1理 2)	0(文 0理 0)
24年	3(文 3理 0)	2(文 2理 0)	2(文 0理 2)	4(文 4理 0)
25年	5(文 3理 2)	5(文 3理 2)	1(文 0理 1)	1(文 1理 0)

※25年:予定数

【男女・職種別採用実績】 転換制度:⇒

	企画職	一般職
23年	13(男 10 女 3)	0(男 0 女 0)
24年	11(男 5 女 6)	1(男 0 女 1)
25年	14(男 8 女 6)	0(男 0 女 0)

【24年4月入社者の配属勤務地】[総]東京8 [技]東京3

【転勤】あり:[職種]総合職[勤務地]当社拠点全般

【中途比率】[単年度]21年度31%、22年度50%、23年度62%[全体]32%

●働きやすさ、諸制度●

残業(月) 4.6時間 [総]4.9時間

【勤務時間】8:20～17:05(フレックスタイム制・コアタイム10:20～15:35)【有休取得年平均】14.0日【週休】完全2日(土日)【夏期休暇】連続4日【年末年始休暇】連続7日

【離職率】男:3.4%、14名 女:2.3%、5名

【新卒3年後離職率】
[20→23年]0%(男0%・入社8名、女0%・入社2名)
[21→24年]16.7%(男14.3%・入社7名、女20.0%・入社5名)

【テレワーク】制度あり:[場所]事前に届け出た場所(自宅および規定を満たした場所)[対象]制限なし[日数]週4日以内[利用率]13.0%【勤務制度】フレックス 週休3日 副業容認【住宅補助】家賃補助 独身寮(東京地区のみ1棟、収容人数15名)社宅(1棟、収容人数23名)

●ライフイベント、女性活躍●

【女性比率】■男 □女

新卒採用 42.9% (6名)

従業員 34.6% (210名)

管理職 8.6% (8名)

【産休】[期間]産前8・産後8週間[給与]会社全額給付[取得者数]9名

【育休】[期間]3年間[給与]法定[取得者数]22年度 男0名(対象11名)女9名(対象9名)23年度 男4名(対象9名)女8名(対象8名)[平均取得日数]22年度 男‐ 女83日、23年度 男15日 女156日

【従業員】[人数]607名(男397名、女210名)[平均年齢]45.4歳(男45.8歳、女44.8歳)[平均勤続年数]20.0年(男19.0年、女22.0年)

【年齢構成】■男 □女

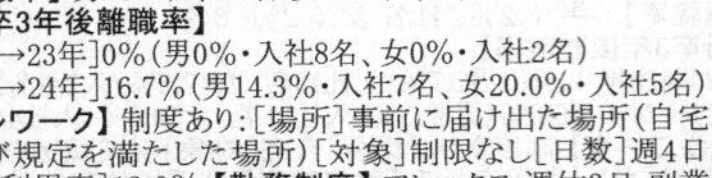

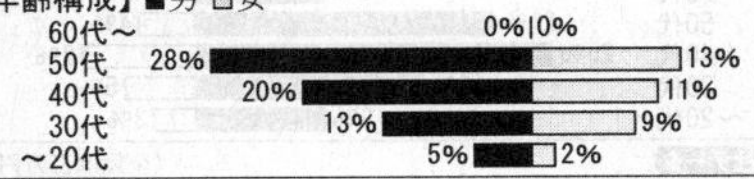

[会社データ] (金額は百万円)

【本社】142-8511 東京都品川区戸越6-5-5 ☎03-3785-1111
https://www.smk.co.jp/

【業績(連結)】	売上高	営業利益	経常利益	純利益
22.3	48,243	703	3,413	2,992
23.3	54,842	1,128	2,503	1,334
24.3	46,522	▲1,243	226	▲489

(株)アイ・オー・データ機器(きき)

【特色】PC周辺機器大手。ファブレス経営が特徴

[記者評価] HDD、メモリ、液晶モニターなどPC周辺機器が主力。量販店向け主体だが、法人向けも強化。Eスポーツやゲーミング関連などにも注力。22年6月MBOにより上場廃止。24年6月、英社とLinux OSのライセンス契約を締結、同OSプリインストール機器の販売などを展開へ。

平均勤続年数	男性育休取得率	3年後離職率	平均年収(平均43歳)
16.6年	42.9 → 80.0%	26.7 → 16.7%	[総]470万円

●採用・配属情報●

【男女・文理別採用実績】

	大卒男	大卒女	修士男	修士女
23年	0(文 0理 0)	2(文 0理 2)	3(文 0理 3)	1(文 0理 1)
24年	2(文 0理 2)	1(文 0理 1)	0(文 0理 0)	1(文 1理 0)
25年	0(文 0理 0)	0(文 0理 0)	0(文 0理 0)	0(文 0理 0)

【男女・職種別採用実績】

	総合職
23年	6(男 3 女 3)
24年	4(男 2 女 2)
25年	0(男 0 女 0)

【24年4月入社者の配属勤務地】[総]金沢1 [技]金沢3

【転勤】あり:全社員

【中途比率】[単年度]21年度40%、22年度42%、23年度42%[全体]NA

●働きやすさ、諸制度●

残業(月) 17.6時間 [総]17.6時間

【勤務時間】9:15～17:45(コールセンター8:45～17:15)【有休取得年平均】14.0日【週休】完全2日(土日祝)【夏期休暇】連続3日【年末年始休暇】連続6日

【離職率】NA

【新卒3年後離職率】
[20→23年]26.7%(男0%・入社6名、女44.4%・入社9名)
[21→24年]16.7%(男40.0%・入社5名、女0%・入社7名)

【テレワーク】制度あり:[場所]自宅[対象]事由による[日数]事由による[利用率]NA【勤務制度】時間単位有休 副業容認【住宅補助】独身寮(本社のみ)借上社宅 借家補助手当

●ライフイベント、女性活躍●

【女性比率】■男 □女

従業員 39.5% (192名)

【産休】[期間]産前6・産後8週間[給与]法定[取得者数]1名

【育休】[期間]1歳になるまで[給与]法定[取得者数]22年度 男3名(対象7名)女2名(対象2名)23年度 男4名(対象5名)女2名(対象2名)[平均取得日数]22年度 男13日 女255日、23年度 男13日 女240日

【従業員】[人数]486名(男294名、女192名)[平均年齢]45.1歳(男46.5歳、女42.9歳)[平均勤続年数]16.6年(男17.6年、女14.9年)

【年齢構成】NA

[会社データ] (金額は百万円)

【本社】920-8512 石川県金沢市桜田町3-10 ☎076-260-3377
https://www.iodata.jp/

【業績(単独)】	売上高	営業利益	経常利益	純利益
22.6	NA	NA	NA	NA
23.6	46,557	NA	NA	NA
24.6	42,534	NA	NA	NA

メーカーI

メクテック(株)

【特色】NOKの完全子会社。FPC中心の電子部品メーカー

[記者評価] NOK傘下。フレキシブルプリント基板(FPC)を中心とした電子部品メーカー。開発・設計・材料生産・FPC生産・販売まで一貫体制構築。早くからグローバルに展開し、中国、台湾などアジア中心に製販拠点多数。ドイツでも生産。24年7月日本メクトロンから商号変更。

平均勤続年数	男性育休取得率	3年後離職率	平均年収(平均44歳)
◇[!] 21.6年	61.5 → 70.0%	—	NA

●採用・配属情報●

【男女・文理別採用実績】

	大卒男	大卒女	修士男	修士女
23年	5(文 2理 3)	1(文 1理 0)	1(文 0理 1)	0(文 0理 0)
24年	2(文 2理 0)	1(文 1理 0)	8(文 0理 8)	0(文 0理 0)
25年	NA(文NA理NA)	NA(文NA理NA)	NA(文NA理NA)	NA(文NA理NA)

※25年:NOKグループ採用、計画数はNOK(株)に掲載

【男女・職種別採用実績】　転換制度:⇒

	総合職	一般職
23年	7(男 7 女 0)	1(男 0 女 1)
24年	12(男 11 女 1)	0(男 0 女 0)
25年	NA(男 NA 女 NA)	NA(男 NA 女 NA)

【24年4月入社者の配属勤務地】[総](23年)東京・台東2 [技](23年)茨城・牛久5

【転勤】あり:[職種]総合職

【中途比率】[単年度]21年度0%、22年度100%、23年度42%[全体]◇21%

●働きやすさ、諸制度●

残業(月)　NA

【勤務時間】8:00～16:50(フレックスタイム制 コアタイムなし)【有休取得年平均】NA【週休】完全2日(土日祝)(祝日週土曜出勤)【夏期休暇】連続9日【年末年始休暇】連続8日

【離職率】男:1.1%、4名 女:2.9%、2名

【新卒3年後離職率】

[20→23年]—(男—・入社0名、女—・入社0名)

[21→24年]—(男—・入社0名、女—・入社0名)

【テレワーク】制度あり:[場所]自宅[対象]NA[日数]週2日以内[利用率]5.3%【勤務制度】フレックス 時差勤務【住宅補助】借上を中心に独身寮・社宅(全国)住宅手当

●ライフイベント、女性活躍●

【女性比率】■男 □女

従業員 15.5% (67名)

管理職 0.8% (1名)

【産休】[期間]産前6・産後8週間[給与]会社全額給付[取得者数]2名

【育休】[期間]2歳になるまで[給与]法定[取得者数]22年度 男8名(対象13名)女1名(対象1名)23年度 男7名(対象10名)女2名(対象2名)[平均取得日数]22年度 NA、23年度 男97日 女326日

【従業員】◇[人数]433名(男366名、女67名)[平均年齢]44.2歳(男44.6歳、女42.2歳)[平均勤続年数]21.6年(男21.7年、女20.6年) ※出向者を除く

【年齢構成】■男 □女

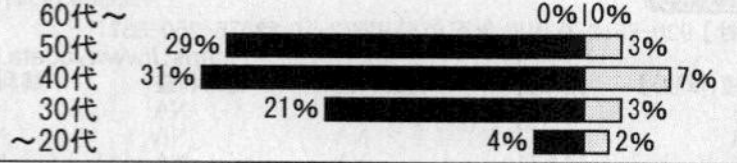

	男	女
60代～	0%	0%
50代	29%	3%
40代	31%	7%
30代	21%	3%
～20代	4%	2%

[会社データ]　(金額は百万円)

【本社】105-8585 東京都港区芝大門1-12-15 正和ビル ☎03-3438-3604
https://www.mektron.co.jp/

【業績(単独)】	売上高	営業利益	経常利益	純利益
22.3	20,944	▲3,342	3,345	3,068
23.3	19,402	▲2,979	4,882	▲1,201
24.3	20,273	▲1,541	6,210	▲6,127

(株)ナカヨ

[くるみん]

【特色】電話機や交換機の中堅メーカー。IPホンに注力

[記者評価] 日立、NTT東西との取引が多い。中堅・中小企業向けにビジネスホンを販売。FM放送の起動信号を受信すると自動で起動する防災ラジオは緊急時対応として自治体で好評。次世代を見据え、IoTやAIなど新技術を組み込んだモノづくりに経営資源を投入。無借金経営。

平均勤続年数	男性育休取得率	3年後離職率	平均年収(平均44歳)
◇17.9年	40.0 → 60.0%	9.5 → 36.0%	◇471万円

●採用・配属情報●

【男女・文理別採用実績】

	大卒男	大卒女	修士男	修士女
23年	5(文 4理 1)	2(文 2理 0)	1(文 0理 1)	0(文 0理 0)
24年	5(文 2理 3)	0(文 0理 0)	0(文 0理 0)	0(文 0理 0)
25年	6(文 2理 4)	1(文 1理 0)	0(文 0理 0)	0(文 0理 0)

※25年:継続中

【男女・職種別採用実績】

	総合職
23年	9(男 7 女 2)
24年	6(男 6 女 0)
25年	8(男 7 女 1)

【24年4月入社者の配属勤務地】[総]群馬2 大阪1 [技]群馬3

【転勤】あり:全社員

【中途比率】[単年度]21年度NA、22年度61%、23年度65%[全体]◇32%

●働きやすさ、諸制度●

残業(月)　[総]13.0時間

【勤務時間】8:30～17:30【有休取得年平均】15.3日【週休】完全2日(土日)【夏期休暇】有休で取得【年末年始休暇】基本12月28日～1月3日 職場により有休で取得の場合もあり

【離職率】◇男:6.2%、41名 女:5.2%、8名

【新卒3年後離職率】

[20→23年]9.5%(男7.7%・入社13名、女12.5%・入社8名)

[21→24年]36.0%(男33.3%・入社21名、女50.0%・入社4名)

【テレワーク】制度あり:[場所]自宅[対象]現業職場を除く[日数]なし[利用率]NA【勤務制度】時間単位有休【住宅補助】独身寮 借上社宅

●ライフイベント、女性活躍●

【女性比率】■男 □女

新卒採用 12.5% (1名)

従業員 19.2% (147名)

管理職 0% (0名)

【産休】[期間]産前6・産後8週間[給与]法定[取得者数]6名

【育休】[期間]1歳になるまで[給与]法定[取得者数]22年度 男4名(対象10名)女5名(対象5名)23年度 男6名(対象10名)女0名(対象0名)[平均取得日数]22年度 NA、23年度 NA

【従業員】◇[人数]764名(男617名、女147名)[平均年齢]44.3歳(男45.0歳、女41.5歳)[平均勤続年数]17.9年(男18.7年、女15.0年)

【年齢構成】■男 □女

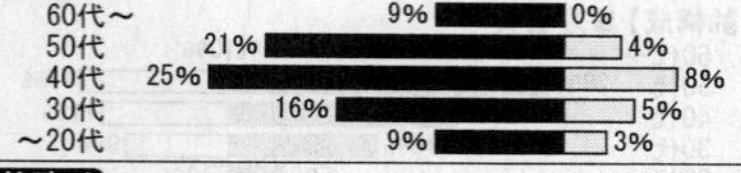

	男	女
60代～	9%	0%
50代	21%	4%
40代	25%	8%
30代	16%	5%
～20代	9%	3%

[会社データ]　(金額は百万円)

【本社】371-0853 群馬県前橋市総社町1-3-2 ☎027-253-1111
https://www.nyc.co.jp/

【業績(連結)】	売上高	営業利益	経常利益	純利益
22.3	18,587	86	218	281
23.3	17,086	▲974	▲858	▲708
24.3	17,220	▲660	▲598	▲1,268

㈱エヌエフホールディングス

【特色】電子計測器で高シェア。アナログ技術に強み

記者評価 NF(ネガティブ・フィードバック)制御技術など、高精度な計測・制御を実現する独自の技術基盤を武器に、電子計測器や電源機器、電子部品など展開。技術志向型企業。自動車・デジタル家電や宇宙関連まで幅広く製品を供給。海外は米国、中国に拠点。

平均勤続年数	男性育休取得率	3年後離職率	平均年収(平均NA)
NA	NA	0 → 0%	◇749万円

●採用・配属情報●

【男女・文理別採用実績】

	大卒男	大卒女	修士男	修士女
23年	1(文 1理 0)	0(文 0理 0)	2(文 0理 2)	0(文 0理 0)
24年	0(文 0理 0)	1(文 1理 0)	0(文 0理 0)	0(文 0理 0)
25年	0(文 0理 0)	2(文 0理 2)	2(文 0理 2)	0(文 0理 0)

※グループ全体での採用数

【男女・職種別採用実績】

	総合職
23年	3(男 3 女 0)
24年	1(男 0 女 1)
25年	5(男 3 女 2)

【職種併願】○
【24年4月入社者の配属勤務地】㊀横浜1 ㊈なし
【転勤】あり:全社員
【中途比率】[単年度]21年度NA、22年度NA、23年度NA[全体]NA

●働きやすさ、諸制度●

残業(月) 35.0時間 ㊀35.0時間

【勤務時間】7.5時間【有休取得年平均】9.6日【週休】完全2日(土日祝)【夏期休暇】連続9日(8月中旬)【年末年始休暇】連続7日
【離職率】NA
【新卒3年後離職率】
[20→23年]0%(男0%・入社5名、女—・入社0名)
[21→24年]0%(男0%・入社2名、女—・入社0名)
【テレワーク】制度なし【勤務制度】時差勤務【住宅補助】住宅手当(実家12,500円 賃貸18,000円)

●ライフイベント、女性活躍●

【女性比率】■男 □女

新卒採用 40% (2名)　従業員 9% (29名)

【産休】[期間]産前6・産後8週間[給与]法定[取得者数]NA
【育休】[期間]1歳になるまで[給与]法定[取得者数]22年度NA 23年度 NA[平均取得日数]22年度 NA、23年度 NA
【従業員】[人数]324名(男295名、女29名)[平均年齢]NA[平均勤続年数]NA ※グループ全体
【年齢構成】NA

会社データ (金額は百万円)

【本社】223-0052 神奈川県横浜市港北区綱島東6-3-20 ☎045-545-8101 https://nfhd.co.jp/

【業績(連結)】	売上高	営業利益	経常利益	純利益
22.3	10,148	952	1,058	615
23.3	9,642	467	622	457
24.3	9,399	418	484	323

日本テキサス・インスツルメンツ(合同)

プラチナくるみん

【特色】米TI社の日本法人。アナログICやDSPに強い

記者評価 米国テキサス州ダラスに本拠を置く半導体大手、テキサス・インスツルメンツ(TI)の日本法人。アナログICやデジタル信号処理に欠かせないDSP、マイクロコントローラーが主力。生産機能は大幅縮小。本体再編受けナショナルセミコンダクターの日本法人統合。

平均勤続年数	男性育休取得率	3年後離職率	平均年収(平均44歳)
17.6年	100 → 95.8%	0 → 0%	㊀788万円

●採用・配属情報●

【男女・文理別採用実績】

	大卒男	大卒女	修士男	修士女
23年	8(文 1理 7)	2(文 0理 2)	14(文 0理 14)	4(文 0理 4)
24年	2(文 1理 1)	2(文 1理 1)	16(文 0理 16)	3(文 0理 3)
25年	14(文 0理 14)	1(文 1理 0)	8(文 0理 8)	1(文 0理 1)

【男女・職種別採用実績】

	総合職
23年	31(男 25 女 6)
24年	25(男 20 女 5)
25年	26(男 22 女 4)

【職種併願】○
【24年4月入社者の配属勤務地】㊀NA ㊈NA
【転勤】あり:全社員
【中途比率】[単年度]21年度49%、22年度37%、23年度25%[全体]73%

●働きやすさ、諸制度●

残業(月) 12.0時間 ㊀12.0時間

【勤務時間】7時間55分(フレックスタイム制 コアタイムなし)
【有休取得年平均】18.0日【週休】完全2日(土日祝日)
【夏期休暇】2日【年末年始休暇】12月29日～1月3日
【離職率】男:7.5%、49名 女:6.5%、8名
【新卒3年後離職率】
[20→23年]0%(男0%・入社23名、女0%・入社6名)
[21→24年]0%(男0%・入社25名、女0%・入社7名)
【テレワーク】制度あり:[場所]制限なし(情報漏洩防止への義務あり)[対象]制限なし[日数]制限なし[利用率]NA【勤務制度】フレックス 時間単位有休 時差勤務 副業容認【住宅補助】なし

●ライフイベント、女性活躍●

【女性比率】■男 □女

新卒採用 15.4% (4名)　従業員 16% (116名)　管理職 8.9% (16名)

【産休】[期間]産前6・産後8週間[給与]法定[取得者数]32名
【育休】[期間]1歳になるまで[給与]法定[取得者数]22年度男4名(対象4名)女5名(対象5名)23年度 男23名(対象24名)女2名(対象2名)[平均取得日数]22年度 NA、23年度男17日 女NA
【従業員】[人数]723名(男607名、女116名)[平均年齢]43.8歳(男44.7歳、女39.2歳)[平均勤続年数]17.6年(男18.6年、女12.0年)
【年齢構成】■男 □女

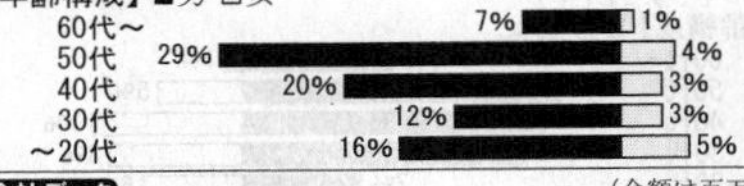

会社データ (金額は百万円)

【本社】108-0075 東京都港区港南1-2-70 品川シーズンテラス ☎03-4331-2000 https://www.tij.co.jp/
【業績】NA

メーカーI

とうきょう
東京エレクトロン(株)

【特色】半導体製造装置世界3位。液晶パネル製造装置も

[記者評価] 世界的な半導体製造装置メーカー。国内最大手で、半導体関連企業として新卒採用人数圧倒的。露光装置を除くほぼ全工程の製造装置を扱う。シェア9割のコータ・デベロッパに加え、エッチング装置、成膜装置も。熊本と宮城で新開発棟を建設へ。液晶製造装置も。

平均勤続年数	男性育休取得率	3年後離職率	平均年収(平均*44歳)
15.5年	28.9 → 37.5%	[!] 0.4 → [!] 5.3%	[総] 1,394万円

●採用・配属情報●

【男女・文理別採用実績】※25年:継続中

	大卒男	大卒女	修士男	修士女
23年	36(文 12 理 24)	24(文 19 理 5)	221(文 0 理221)	19(文 1 理 18)
24年	71(文 34 理 37)	55(文 40 理 15)	209(文 2 理207)	23(文 1 理 22)
25年	67(文 23 理 44)	61(文 41 理 20)	302(文 2 理300)	33(文 1 理 32)

【男女・職種別採用実績】 転換制度:⇔

	総合職	一般職
23年	321(男 293 女 28)	17(男 0 女 17)
24年	354(男 306 女 48)	33(男 0 女 33)
25年	498(男 420 女 78)	25(男 0 女 25)

【24年4月入社者の配属勤務地】[総]東京(赤坂25 府中7) 山梨10 岩手9 宮城7 熊本2 [技]宮城88 熊本77 山梨55 東京・府中55 岩手12 札幌5 茨城・つくば2

【転勤】あり:総合職

【中途比率】[単年度]21年度65%、22年度71%、23年度43%(東京エレクトロングループ(国内)全体)[全体]45%

●働きやすさ、諸制度●

残業(月) 25.5時間 [総]28.0時間

【勤務時間】9:00〜17:30(一部フレックスタイム制)【有休取得年平均】13.3日【週休】完全2日(土日祝)【夏期休暇】有休で取得【年末年始休暇】12月29日〜1月3日

【離職率】男:3.6%、54名 女:1.5%、9名

【新卒3年後離職率】
[20→23年]0.4%(男0.5%・入社202名、女0%・入社45名)※東京エレクトロングループ(国内)
[21→24年]5.3%(男5.1%・入社177名、女6.3%・入社32名)※東京エレクトロングループ(国内)

【テレワーク】制度あり:[場所]自宅[対象]全社員[日数]制限なし[利用率]48.1%【勤務制度】フレックス 時間単位有休【住宅補助】独身寮 転勤者住宅 持家援助 他

●ライフイベント、女性活躍●

【女性比率】■男 □女

新卒採用 19.7% (103名)

従業員 29.9% (609名)

管理職 8.1% (34名)

【産休】[期間]産前6・産後8週間[給与]法定[取得者数]19名

【育休】[期間]1年半(3年まで延長可)[給与]法定[取得者数]22年度 男13名(対象45名)女22名(対象22名)23年度 男21名(対象56名)女19名(対象19名)[平均取得日数]22年度 NA、23年度 NA

【従業員】[人数]2,036名(男1,427名、女609名)[平均年齢]43.7歳(男45.0歳、女40.7歳)[平均勤続年数]15.5年(男15.9年、女14.7年)

【年齢構成】■男 □女
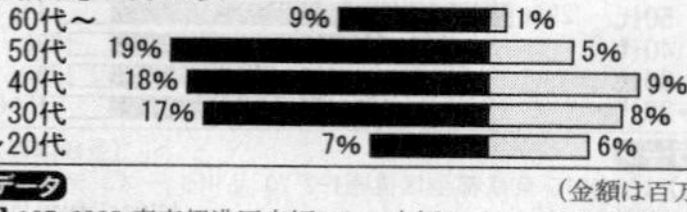

会社データ

(金額は百万円)

【本社】107-6325 東京都港区赤坂5-3-1 赤坂Bizタワー ☎03-5561-7000
https://www.tel.co.jp/

【業績(連結)】	売上高	営業利益	経常利益	純利益
22.3	2,003,805	599,271	601,724	437,076
23.3	2,209,025	617,723	625,185	471,584
24.3	1,830,527	456,263	463,185	363,963

よこがわでんき
横河電機(株)

[えるぼし ★★★] [プラチナくるみん]

【特色】プラント向け制御機器が主力。工業計器国内首位

[記者評価] 主力の制御・運転監視システムは、強み持つ石油ガスのほか、化学・鉄鋼・紙パルプ・医薬品・食品・電力など多様な分野に顧客。海外売上比率は7割。メンテなどストック収入が主な収益源。電子計測器や通信測定器、半導体試験装置を中心に測定機器も手がける。

平均勤続年数	男性育休取得率	3年後離職率	平均年収(平均45歳)
18.0年	NA	4.3 → 7.1%	[総] 921万円

●採用・配属情報●

【男女・文理別採用実績】

	大卒男	大卒女	修士男	修士女
23年	3(文 1 理 2)	7(文 5 理 2)	13(文 0 理 13)	7(文 0 理 7)
24年	12(文 8 理 4)	6(文 5 理 1)	16(文 2 理 14)	3(文 1 理 2)
25年	13(文 8 理 5)	9(文 8 理 1)	27(文 0 理 27)	5(文 0 理 5)

【男女・職種別採用実績】

	技術系	事務系
23年	24(男 15 女 9)	6(男 1 女 5)
24年	25(男 20 女 5)	14(男 9 女 5)
25年	38(男 32 女 6)	16(男 8 女 8)

【24年4月入社者の配属勤務地】[総]東京・武蔵野(本社)14 [技]東京・武蔵野(本社)22 山梨・甲府3

【転勤】あり:全社員

【中途比率】[単年度]21年度NA、22年度NA、23年度NA[全体]25%

●働きやすさ、諸制度●

残業(月) 19.2時間 [総]19.2時間

【勤務時間】8:30〜17:15 7時間50分(フレックス制 コアタイム無し)【有休取得年平均】20.8日【週休】完全2日(土日祝)【夏期休暇】連続5日(年休利用)【年末年始休暇】連続6日

【離職率】男:2.8%、53名 女:3.7%、17名

【新卒3年後離職率】
[20→23年]4.3%(男3.7%・入社27名、女5.3%・入社19名)
[21→24年]7.1%(男14.3%・入社21名、女0%・入社21名)

【テレワーク】制度あり:[場所]自宅 外部契約シェアオフィス[対象]全社員[日数]制限なし[利用率]64.2%【勤務制度】フレックス 時間単位有休 副業容認【住宅補助】住宅手当 ※最大月46,000円

●ライフイベント、女性活躍●

【女性比率】■男 □女

新卒採用 25.9% (14名)

従業員 19.6% (444名)

管理職 9.5% (62名)

【産休】[期間]産前6・産後8週間[給与]法定[取得者数]10名

【育休】[期間]1歳半または、1歳になる日の次の4月30日まで。4月に1歳になる場合は翌年の4月30日まで[給与]5日間有給、以降法定[取得者数]22年度 男31名(対象NA)女11名(対象NA)23年度 男43名(対象NA)女9名(対象NA)[平均取得日数]22年度 男56日 女347日、23年度 男64日 女295日

【従業員】[人数]2,269名(男1,825名、女444名)[平均年齢]44.9歳(男45.5歳、女42.3歳)[平均勤続年数]18.0年(男18.5年、女16.0年)

【年齢構成】NA

会社データ

(金額は百万円)

【本社】180-8750 東京都武蔵野市中町2-9-32 ☎0422-52-7796
https://www.yokogawa.co.jp/

【業績(連結)】	売上高	営業利益	経常利益	純利益
22.3	389,901	30,685	35,757	21,282
23.3	456,479	44,409	48,608	38,920
24.3	540,152	78,800	84,098	61,685

701 開示 ★★★

㈱SCREENホールディングス（スクリーン）

[くるみん]

【特色】半導体製造に使う洗浄装置が主力。印刷機器も

[記者評価] 14年に持株会社に移行し現社名に。祖業の印刷製版関連機器からエレクトロニクス産業へと展開。半導体ウエハ洗浄装置では世界シェア断トツ。半導体関連が全社売上の約8割に成長。滋賀県彦根市の基幹工場を拡張中。デジタル印刷機やプリント基板関連機器も。

平均勤続年数	男性育休取得率	3年後離職率	平均年収(平均43歳)
16.3年	82.7→83.0%	5.9→1.9%	[総]1,017万円

●採用・配属情報●

【男女・文理別採用実績】

	大卒男	大卒女	修士男	修士女
23年	10(文 7理 3)	10(文 9理 1)	51(文 2理 49)	6(文 0理 6)
24年	34(文 15理 19)	17(文 15理 2)	97(文 3理 94)	13(文 1理 12)
25年	11(文 9理 2)	12(文 9理 3)	86(文 0理 86)	20(文 3理 17)

【男女・職種別採用実績】　転換制度:⇒

	総合職
23年	82(男 64 女 18)
24年	179(男 147 女 32)
25年	161(男 126 女 35)

【24年4月入社者の配属勤務地】[総]滋賀・彦根1 京都(上京30 洛西1 久御山2) [技]滋賀(彦根99 野洲7 多賀6) 京都(上京6 洛西16 久御山7) 富山・高岡4

【転勤】あり:全社員

【中途比率】[単年度]21年度40%、22年度62%、23年度64%[全体]37%

●働きやすさ、諸制度●

残業(月)　24.6時間 [総]24.9時間

【勤務時間】9:00〜17:30【有休取得年平均】18.9日【週休】完全2日(土日祝)【夏期休暇】連続5日(有休で取得)【年末年始休暇】年末年始(連続5日)

【離職率】男:2.5%、51名 女:0.4%、1名

【新卒3年後離職率】

[20→23年]5.9%(男4.9%・入社41名、女10.0%・入社10名)

[21→24年]1.9%(男2.3%・入社44名、女0%・入社8名)

【テレワーク】制度あり:[場所]自宅 二親等以内の親族の住居[対象]全従業員[日数]月75時間(10日程度)[利用率]20.3%【勤務制度】フレックス 勤務間インターバル【住宅補助】独身寮 借上社宅(転勤社宅 厚生社宅)

●ライフイベント、女性活躍●

【女性比率】■男 □女

新卒採用 21.7% (35名)

従業員 11.1% (250名)

管理職 4.1% (29名)

【産休】[期間]産前6・産後8週間[給与]互助会全額給付[取得者数]6名

【育休】[期間]1歳になるまで[給与]給付金+互助会で基本給の20%給付 他に配偶者の産後3カ月以内3日有給[取得者数]22年度 男67名(対象81名)女9名(対象9名)23年度 男73名(対象88名)女6名(対象6名)[平均取得日数]22年度 NA、23年度 男65日 女407日

【従業員】[人数]2,262名(男2,012名、女250名)[平均年齢]43.2歳(男43.7歳、女39.2歳)[平均勤続年数]16.3年(男16.6年、女13.2年)【年齢構成】■男 □女

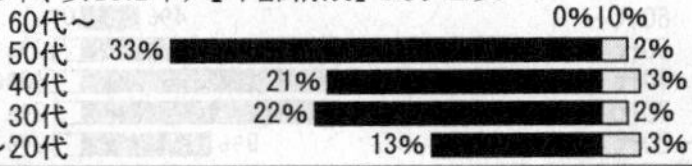

60代〜 0% 0%
50代 33% 2%
40代 21% 3%
30代 22% 2%
〜20代 13% 3%

会社データ　(金額は百万円)

【本社】602-8585 京都府京都市上京区堀川通寺之内上る4丁目天神北町1-1 ☎075-414-7123 https://www.screen.co.jp/

【業績(連結)】	売上高	営業利益	経常利益	純利益
22.3	411,865	61,273	59,438	45,481
23.3	460,834	76,452	77,393	57,491
24.3	504,916	94,164	94,279	70,579

558 開示 ★★★★

㈱アドバンテスト

[えるぼし ★★] [くるみん]

【特色】半導体検査装置で世界シェア首位級の大手

[記者評価] 2011年に同業の米ベリジーを買収し、半導体検査装置の世界最大手メーカーに。かつてはメモリー半導体向けが中心だったが、現在はスマホのプロセッサなどロジック半導体向けも成長。GPU大手の米エヌビディアと取引があり、生成AI市場の拡大が追い風。

平均勤続年数	男性育休取得率	3年後離職率	平均年収(平均46歳)
◇20.4年	21.2→34.3%	7.7→5.1%	[総]1,005万円

●採用・配属情報●

【男女・文理別採用実績】

	大卒男	大卒女	修士男	修士女
23年	9(文 5理 4)	4(文 3理 1)	20(文 0理 20)	2(文 1理 1)
24年	10(文 1理 9)	5(文 3理 2)	40(文 0理 40)	3(文 1理 2)
25年	8(文 5理 3)	6(文 3理 3)	23(文 0理 23)	3(文 0理 3)

【男女・職種別採用実績】

	総合職
23年	36(男 30 女 6)
24年	59(男 51 女 8)
25年	42(男 32 女 10)

【24年4月入社者の配属勤務地】[総]東京・丸の内8 [技]群馬46 東京・丸の内2 埼玉2 仙台1

【転勤】あり:全社員

【中途比率】[単年度]21年度30%、22年度50%、23年度61%(高卒含む)[全体]NA

●働きやすさ、諸制度●

残業(月)　20.9時間 [総]20.9時間

【勤務時間】8:45〜17:30【有休取得年平均】19.0日【週休】完全2日(土日)【夏期休暇】連続5営業日(選択制)【年末年始休暇】連続6〜7日

【離職率】◇男:0.9%、16名 女:0.9%、3名(早期退職男3名、女1名含む)

【新卒3年後離職率】

[20→23年]7.7%(男5.0%・入社20名、女16.7%・入社6名)

[21→24年]5.1%(男3.4%・入社29名、女10.0%・入社10名)

【テレワーク】制度あり:[場所]自宅等(ワーケーション以外)[対象]全従業員[日数]制限なし[利用率]24.8%【勤務制度】フレックス 時間単位有休 裁量労働 時差勤務 副業容認【住宅補助】借上寮(独身寮)家賃補助

●ライフイベント、女性活躍●

【女性比率】■男 □女

新卒採用 23.8% (10名)

従業員 15.9% (320名)

管理職 3.7% (11名)

【産休】[期間]産前8・産後8〜10週間(多胎の場合を除き前後合わせて16週間以内)[給与]法定+会社1割給付[取得者数]10名

【育休】[期間]2歳3カ月になるまで[給与]法定＋産後8週以内最大4週において会社1割給付[取得者数]22年度 男7名(対象33名)女6名(対象6名)23年度 男12名(対象35名)女12名(対象12名)[平均取得日数]22年度 男21日 女490日、23年度 男81日 女489日

【従業員】◇[人数]2,011名(男1,691名、女320名)[平均年齢]46.1歳(男46.6歳、女43.0歳)[平均勤続年数]20.4年(男21.0年、女17.3年)【年齢構成】■男 □女

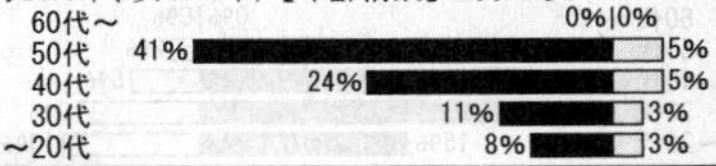

60代〜 0% 0%
50代 41% 5%
40代 24% 5%
30代 11% 3%
〜20代 8% 3%

会社データ　(金額は百万円)

【本社】100-0005 東京都千代田区丸の内1-6-2 新丸の内センタービル ☎03-3214-7500 https://www.advantest.com/

【業績(IFRS)】	売上高	営業利益	税前利益	純利益
22.3	416,901	114,734	116,343	87,301
23.3	560,191	167,687	171,270	130,400
24.3	486,507	81,628	78,170	62,290

446　開示 ★★★　短大 採用あり

㈱ディスコ　くるみん

【特色】半導体ウエハ切断・研削・研磨装置で世界首位

記者評価 万年筆のペン先の溝入れ用薄型砥石で成長。半導体や電子部品向け切断・研削・研磨の精密加工装置が主力。消耗品のダイヤモンド工具なども好調。生産は広島と長野の2拠点。自己評価に基づき受給するかを選べる月額10万円の「コミット手当」など独自の取り組み。

平均勤続年数	男性育休取得率	3年後離職率	平均年収(平均40歳)
10.5年	70.8 → 91.7%	19.5 → 6.0%	㊍1,716万円

●採用・配属情報●

【男女・文理別採用実績】

	大卒男	大卒女	修士男	修士女
23年	39(文 30 理 9)	28(文 27 理 1)	49(文 1 理 48)	8(文 2 理 6)
24年	42(文 32 理 10)	26(文 23 理 3)	66(文 0 理 66)	7(文 1 理 6)
25年	30(文 19 理 11)	23(文 19 理 4)	99(文 2 理 97)	10(文 2 理 8)

【男女・職種別採用実績】　転換制度：⇔

	総合職	技能職	事務職
23年	92(男 74 女 18)	35(男 31 女 4)	16(男 0 女 16)
24年	101(男 87 女 14)	38(男 36 女 2)	19(男 0 女 19)
25年	142(男 120 女 22)	30(男 26 女 4)	10(男 0 女 10)

【24年4月入社者の配属勤務地】㊍東京101(技術系含む) ㊕事務系に含む

【転勤】あり:[職種]総合職 [勤務地]本社 広島 長野 仙台 大阪 九州

【中途比率】[単年度]21年度45%、22年度48%、23年度44%[全体]45%

●働きやすさ、諸制度●

残業(月)　33.5時間 ㊍36.5時間

【勤務時間】7時間45分(フレックスタイム制 コアタイム10:00～14:30)【有休取得年平均】13.0日【週休】完全2日(土日祝)【夏期休暇】有休で取得【年末年始休暇】12月29日～1月4日

【離職率】男:2.5%、38名 女:4.2%、21名

【新卒3年後離職率】
[20→23年]19.5%(男17.5%・入社57名、女23.3%・入社30名)
[21→24年]6.0%(男8.7%・入社46名、女0%・入社21名)

【テレワーク】制度あり:[場所]自宅[対象]自身や家族の感染症等による体調不良時 育児・看護時 他[日数]制限なし[利用率]2.5%【勤務制度】フレックス 時間単位有休 副業容認【住宅補助】独身寮 借上社宅 住勤手当 大森手当

●ライフイベント、女性活躍●

【女性比率】■男 □女

新卒採用 19.8%(36名)　従業員 24.9%(481名)　管理職 10.2%(25名)

【産休】[期間]法定+出産準備休業[給与]法定[取得者数]26名

【育休】[期間]3歳になるまで[給与]法定[取得者数]22年度 男51名(対象72名)女21名(対象21名)23年度 男66名(対象72名)女17名(対象18名)[平均取得日数]22年度 男12日 女424日、23年度 男11日 女440日

【従業員】[人数]1,935名(男1,454名、女481名)[平均年齢]37.8歳(男39.1歳、女34.0歳)[平均勤続年数]10.5年(男11.0年、女8.9年)

【年齢構成】■男 □女

	男	女
60代～	0%	0%
50代	12%	2%
40代	24%	5%
30代	24%	9%
～20代	15%	10%

会社データ　(金額は百万円)

【本社】143-8580 東京都大田区大森北2-13-11 ☎03-4590-1130 https://www.disco.co.jp/

【業績(連結)】	売上高	営業利益	経常利益	純利益
22.3	253,781	91,513	92,449	66,206
23.3	284,135	110,413	112,338	82,891
24.3	307,554	121,490	122,393	84,205

522　開示 ★★★

㈱アルバック

【特色】真空技術を生かし、FPD・半導体製造装置を展開

記者評価 真空技術を軸に、FPD向けや半導体向けの製造装置などを展開する。顧客企業と対話しながら進める技術開発が特徴。中国を中心に海外FPDメーカーとの取引が多い。半導体向けの比率が上昇傾向。新事業の車載電池向け両面蒸着巻取装置でも存在感。

平均勤続年数	男性育休取得率	3年後離職率	平均年収(平均45歳)
17.2年	16.7 → 30.2%	5.4 → 33.3%	㊍751万円

●採用・配属情報●

【男女・文理別採用実績】

	大卒男	大卒女	修士男	修士女
23年	1(文 1 理 0)	0(文 0 理 0)	5(文 0 理 5)	2(文 0 理 2)
24年	2(文 1 理 1)	0(文 0 理 0)	4(文 0 理 4)	1(文 1 理 0)
25年	4(文 1 理 3)	0(文 0 理 0)	13(文 0 理 13)	0(文 0 理 0)

【男女・職種別採用実績】

	総合職
23年	9(男 7 女 2)
24年	9(男 8 女 1)
25年	17(男 17 女 0)

【24年4月入社者の配属勤務地】㊍未定2 ㊕神奈川・茅ヶ崎5 静岡・裾野2

【転勤】あり:全社員

【中途比率】[単年度]21年度100%、22年度77%、23年度78%[全体]NA

●働きやすさ、諸制度●

残業(月)　22.9時間 ㊍22.9時間

【勤務時間】8:30～17:05【有休取得年平均】13.3日【週休】完全2日【夏期休暇】連続3日(有休で取得)に加えて2日の有休取得を奨励【年末年始休暇】あり

【離職率】男:3.3%、52名 女:3.2%、5名(早期退職4名含む)

【新卒3年後離職率】
[20→23年]5.4%(男6.1%・入社33名、女0%・入社4名)
[21→24年]33.3%(男33.3%・入社3名、女ー・入社0名)

【テレワーク】制度あり:[場所]自宅 サテライトオフィス 他[対象]全従業員(ただし条件あり)[日数]週3日まで[利用率]1.1%【勤務制度】フレックス 時間単位有休 時差勤務 勤務間インターバル【住宅補助】借上社宅:学校卒業後規定の年数入居可 独身者のみ 自己負担7,800円／月

●ライフイベント、女性活躍●

【女性比率】■男 □女

新卒採用 0%(0名)　従業員 8.9%(150名)　管理職 4.8%(20名)

【産休】[期間]産前6・産後8週間[給与]法定[取得者数]3名

【育休】[期間]2歳到達後最初の4月末日まで[給与]法定[取得者数]22年度 男4名(対象24名)女5名(対象5名)23年度 男16名(対象53名)女2名(対象2名)[平均取得日数]22年度 NA、23年度 NA

【従業員】[人数]1,680名(男1,530名、女150名)[平均年齢]44.5歳(男44.9歳、女41.0歳)[平均勤続年数]17.2年(男17.5年、女13.7年)

【年齢構成】■男 □女

	男	女
60代～	4%	0%
50代	30%	2%
40代	30%	3%
30代	18%	2%
～20代	9%	2%

会社データ　(金額は百万円)

【本社】253-8543 神奈川県茅ヶ崎市萩園2500 ☎0467-89-2038 https://www.ulvac.co.jp/

【業績(連結)】	売上高	営業利益	経常利益	純利益
22.6	241,260	30,061	32,200	20,211
23.6	227,528	19,946	22,880	14,169
24.6	261,115	29,771	29,785	20,233

メーカーI

2845 開示 ★★★

レーザーテック(株)

【特色】EUV露光装置用のマスク欠陥検査装置が柱

記者評価 1960年にX線テレビの開発で創業。現在はEUV露光装置向けの半導体マスク欠陥検査装置とレーザー顕微鏡が柱。マスクブランクス検査装置はシェア100%。ファブレス体制で開発主体のエンジニアを多数擁し、新製品開発能力に強み。SiCウエハ検査装置も育成。

平均勤続年数	男性育休取得率	3年後離職率	平均年収(平均*40歳)
8.3年	8.0→50.0%	0→23.1%	(総)1,638万円

●採用・配属情報●

【男女・文理別採用実績】

	大卒男	大卒女	修士男	修士女
23年	0(文 0理 0)	0(文 0理 0)	12(文 0理 12)	1(文 0理 1)
24年	1(文 0理 1)	0(文 0理 0)	13(文 0理 13)	2(文 0理 2)
25年	0(文 0理 0)	0(文 0理 0)	10(文 0理 10)	0(文 0理 0)

【男女・職種別採用実績】

	総合職
23年	14(男 13 女 1)
24年	17(男 15 女 2)
25年	12(男 11 女 1)

【24年4月入社者の配属勤務地】(技)横浜17
【転勤】なし
【中途比率】[単年度]21年度77%、22年度84%、23年度74%[全体]78%

●働きやすさ、諸制度●

残業(月) 39.4時間 (総)39.4時間

【勤務時間】8:30〜17:15【有休取得年平均】16.8日【週休】完全2日(土日祝)【夏期休暇】なし【年末年始休暇】12月28日〜1月3日
【離職率】男:1.0%、4名 女:1.9%、1名
【新卒3年後離職率】
[20→23年]0%(男0%・入社8名、女0%・入社1名)
[21→24年]23.1%(男0%・入社9名、女75.0%・入社4名)
【テレワーク】制度あり:[場所]自宅[対象]全社員[日数]制限なし[利用率]NA【勤務制度】フレックス 時間単位有休 副業容認【住宅補助】家賃補助(月上限20,000円 30歳まで)

●ライフイベント、女性活躍●

【女性比率】■男 □女

新卒採用 8.3%(1名)　従業員 11%(51名)　管理職 10.5%(15名)

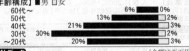

【産休】[期間]産前6・産後8週間[給与]法定[取得者数]1名
【育休】[期間]1歳になるまで[給与]法定[取得者数]22年度 男2名(対象25名)女0名(対象0名)23年度 男9名(対象18名)女195名(対象195名)[平均取得日数]22年度 NA、23年度 男35日 女195日
【従業員】[人数]463名(男412名、女51名)[平均年齢]39.9歳(男NA、女NA)[平均勤続年数]8.3年(男NA、女NA)
【年齢構成】■男 □女

	男	女
60代〜	6%	0%
50代	13%	2%
40代	21%	3%
30代	30%	2%
〜20代	20%	3%

会社データ (金額は百万円)

【本社】222-8552 神奈川県横浜市港北区新横浜2-10-1 ☎045-478-7111
https://www.lasertec.co.jp/

【業績(連結)】	売上高	営業利益	経常利益	純利益
22.6	90,378	32,492	33,582	24,850
23.6	152,832	62,287	63,668	46,164
24.6	213,506	81,375	82,021	59,076

2861 開示 ★★★★

コクサイ エレクトリック

(株)KOKUSAI ELECTRIC

くるみん

【特色】半導体製造装置メーカー。日立国際電気から分離

記者評価 日立国際電気の成膜プロセスソリューション事業が前身。現在は米投資ファンドKKRの傘下。半導体製造の前工程における成膜プロセスに特化した装置専業メーカー。数十枚のシリコンウエハを一括処理するバッチ成膜装置で世界シェアトップ級。富山に製造拠点。

平均勤続年数	男性育休取得率	3年後離職率	平均年収(平均43歳)
19.6年	47.4→65.5%	11.1→4.2%	(総)922万円

●採用・配属情報●

【男女・文理別採用実績】

	大卒男	大卒女	修士男	修士女
23年	8(文 4理 4)	3(文 3理 0)	14(文 0理 14)	3(文 0理 3)
24年	7(文 1理 6)	1(文 0理 1)	13(文 1理 12)	0(文 0理 0)
25年	8(文 3理 5)	8(文 6理 2)	23(文 0理 23)	1(文 0理 1)

【男女・職種別採用実績】　転換制度:⇔

	総合職
23年	30(男 24 女 6)
24年	25(男 24 女 1)
25年	42(男 33 女 9)

【職種併願】○
【24年4月入社者の配属勤務地】(総)富山2 (技)富山23
【転勤】あり:全社員
【中途比率】[単年度]21年度65%、22年度61%、23年度47%[全体]14%

●働きやすさ、諸制度●

残業(月) 24.6時間 (総)19.9時間

【勤務時間】9:00〜17:30【有休取得年平均】17.7日【週休】完全2日(土日祝)【夏期休暇】一斉年休で4日取得【年末年始休暇】12月31日、1月2〜3日、特別休日2日
【離職率】男:2.7%、28名 女:4.1%、6名
【新卒3年後離職率】
[20→23年]11.1%(男12.5%・入社24名、女0%・入社3名)
[21→24年]4.2%(男4.3%・入社23名、女0%・入社1名)
【テレワーク】制度あり:[場所]自宅(通勤手当算定元の現住所)[対象]所属上長が適用妥当と判断し、部門長が認めた者[日数]週2日は出社勤務[利用率]4.6%【勤務制度】フレックス 時間単位有休 副業容認【住宅補助】独身寮 住宅手当

●ライフイベント、女性活躍●

【女性比率】■男 □女

新卒採用 21.4%(9名)

従業員 11.9%(139名)

管理職 3.9%(11名)

【産休】[期間]産前8・産後8週間[給与]法定[取得者数]2名
【育休】[期間]小学1年修了まで、通算3年[給与]法定[取得者数]22年度 男9名(対象19名)女2名(対象2名)23年度 男19名(対象29名)女1名(対象1名)[平均取得日数]22年度 男74日 女273日、23年度 男60日 女308日
【従業員】[人数]1,166名(男1,027名、女139名)[平均年齢]44.5歳(男44.7歳、女42.5歳)[平均勤続年数]19.6年(男20.0年、女16.4年)
【年齢構成】■男 □女

	男	女
60代〜	5%	0%
50代	37%	5%
40代	16%	2%
30代	15%	2%
〜20代	15%	2%

会社データ (金額は百万円)

【本社】101-0045 東京都千代田区神田鍛冶町3-4 oak神田鍛冶町 ☎03-5297-8515
https://www.kokusai-electric.com/

【業績(IFRS)】	売上高	営業利益	税前利益	純利益
22.3	245,425	70,652	69,264	51,339
23.3	245,721	56,064	55,895	40,305
24.3	180,838	30,745	29,757	22,374

メーカーI

ウシオ電機(株)

でんき

くるみん

【特色】産業用光源で世界首位。映像装置なども展開

記者評価 電球メーカーが前身で光源と関連装置を展開。FPD・半導体・IC向け光学装置に強み。特にEUV向けで成長期待。映画館向け映像装置はレーザー用いた新製品に注力。映写機と音響設備で名画座再建にも貢献。24年6月に大卒初任給を25万円に増額。

平均勤続年数	男性育休取得率	3年後離職率	平均年収(平均45歳)
◇19.9年	56.3→54.3%	13.6→20.0%	◇767万円

●採用・配属情報●

【男女・文理別採用実績】

	大卒男	大卒女	修士男	修士女
23年	17(文 12理 5)	21(文 18理 3)	14(文 0理 14)	4(文 0理 4)
24年	1(文 1理 0)	2(文 2理 0)	15(文 0理 15)	2(文 0理 2)
25年	0(文 0理 0)	1(文 1理 0)	5(文 0理 5)	0(文 0理 0)

※24年:高専は継続中

【男女・職種別採用実績】 転換制度:⇒

	総合職
23年	58(男 33 女 25)
24年	20(男 16 女 4)
25年	6(男 5 女 1)

【24年4月入社者の配属勤務地】㊙東京・丸の内1 横浜1 静岡・御殿場1 ㊈横浜5 静岡・御殿場4 兵庫・姫路8

【転勤】あり:全社員

【中途比率】[単年度]21年度15%、22年度48%、23年度41%[全体]◇35%

●働きやすさ、諸制度●

残業(月) 14.0時間

【勤務時間】8:45～17:15(事業所・姫路8:15～16:45 御殿場・佐久8:30～17:00)【有休取得年平均】18.1日【週休】完全2日(土日祝)【夏期休暇】連続10日(有休5日含む)【年末年始休暇】連続10日(土日祝含む)

【離職率】NA

【新卒3年後離職率】

[20→23年]13.6%(男17.6%・入社17名、女0%・入社5名)

[21→24年]20.0%(男18.2%・入社11名、女25.0%・入社4名)

【テレワーク】制度あり:[場所]自宅 自宅に準ずる場所[対象]製造職を除く[日数]制限なし[利用率]19.7%【勤務制度】フレックス 時間単位有休【住宅補助】借上寮 借上社宅 家賃補助

●ライフイベント、女性活躍●

【女性比率】■男 □女

新卒採用 16.7%(1名)

従業員 32.4%(555名)

管理職 5.4%(11名)

【産休】[期間]産前8・産後8週間[給与]給与の80%給付[取得者数]10名

【育休】[期間]1歳半到達月末または1歳到達後の4月末まで[給与]法定[取得者数]22年度 男9名(対象16名)女10名(対象11名)23年度 男19名(対象35名)女10名(対象10名)[平均取得日数]22年度 男40日 女421日、23年度 男35日 女435日

【従業員】◇[人数]1,713名(男1,158名、女555名)[平均年齢]44.5歳(男45.2歳、女43.2歳)[平均勤続年数]19.9年(男19.9年、女19.0年)【年齢構成】■男 □女

	男	女
60代～	1%	0%
50代	27%	10%
40代	19%	11%
30代	14%	7%
～20代	6%	4%

会社データ (金額は百万円)

【本社】100-8150 東京都千代田区丸の内1-6-5 丸の内北口ビル ☎03-5657-1000 https://www.ushio.co.jp/

【業績(連結)】	売上高	営業利益	経常利益	純利益
22.3	148,821	13,068	15,195	12,606
23.3	175,025	15,861	20,144	13,699
24.3	179,420	12,976	16,088	10,785

(株)東京精密

とうきょうせいみつ

【特色】半導体製造装置メーカー。高精度の計測技術が強み

記者評価 精密測定機器の製造で創業。培った計測技術を武器に半導体製造装置に展開し、現在は同事業が収益の柱に。ウエハ検査装置は高シェア。研削・切断など加工装置も製造。祖業の精密測定機器は自動車や精密機械向けが主。EV向け充放電システムを育成中。

平均勤続年数	男性育休取得率	3年後離職率	平均年収(平均39歳)
◇10.2年	38.5→57.1%	11.1→3.7%	㊙801万円

●採用・配属情報●

【男女・文理別採用実績】

	大卒男	大卒女	修士男	修士女
23年	9(文 5理 4)	5(文 4理 1)	12(文 0理 12)	2(文 0理 2)
24年	9(文 4理 5)	3(文 2理 1)	16(文 1理 15)	2(文 0理 2)
25年	13(文 5理 8)	7(文 5理 2)	22(文 0理 22)	3(文 0理 3)

【男女・職種別採用実績】

	総合職
23年	28(男 21 女 7)
24年	31(男 26 女 5)
25年	45(男 35 女 10)

【24年4月入社者の配属勤務地】㊙東京・八王子6 茨城・土浦1 ㊈東京・八王子13 埼玉・飯能6 茨城・土浦5

【転勤】あり:全社員

【中途比率】[単年度]21年度NA、22年度NA、23年度NA[全体]NA

●働きやすさ、諸制度●

残業(月) 本文参照

【残業(月)】(組合員)20.6時間 ㊙(組合員)20.6時間

【勤務時間】技術系8:30～17:00 技術系以外9:00～17:30【有休取得年平均】13.8日【週休】完全2日(土日祝)【夏期休暇】なし【年末年始休暇】12月30日～1月4日

【離職率】男:NA、36名 女:NA、6名

【新卒3年後離職率】

[20→23年]11.1%(男8.3%・入社24名、女33.3%・入社3名)

[21→24年]3.7%(男4.3%・入社23名、女0%・入社4名)

【テレワーク】制度なし【勤務制度】フレックス 時間単位有休 裁量労働【住宅補助】借上社宅 住宅手当13,000～23,000円

●ライフイベント、女性活躍●

【女性比率】■男 □女

新卒採用 22.2%(10名)

【産休】[期間]産前6・産後8週間[給与]法定[取得者数]1名

【育休】[期間]特定条件で、3歳になるまで6カ月単位で延長可[給与]法定+基準内賃金20%(2歳になるまで)[取得者数]22年度 男10名(対象26名)女2名(対象2名)23年度 男16名(対象28名)女1名(対象1名)[平均取得日数]22年度NA、23年度 NA

【従業員】◇[人数]1,200名(男NA、女NA)[平均年齢]39.2歳(男NA、女NA)[平均勤続年数]10.2年(男NA、女NA)

【年齢構成】NA

会社データ (金額は百万円)

【本社】192-8515 東京都八王子市石川町2968-2 ☎042-642-1701 https://www.accretech.com/

【業績(連結)】	売上高	営業利益	経常利益	純利益
22.3	133,277	28,550	29,390	21,441
23.3	146,801	34,494	35,297	23,630
24.3	134,680	25,307	26,453	19,378

2866 開示 ★★☆☆☆

ローツェ(株)

【特色】半導体ウエハやFPD用ガラス基板の搬送装置を製造

記者評価 半導体ウエハの搬送機と液晶・有機ELテレビなどに使われるガラス基板の搬送機を製造販売。台湾ファウンドリーや韓国ディスプレーメーカーが大口顧客。海外売上高比率は約9割。米国、ドイツ、中国、シンガポールなどに拠点。広島・福山市に本社工場。

平均勤続年数	男性育休取得率	3年後離職率	平均年収(平均*44歳)
16.0年	NA→50.0%	20.0→0%	㊍984万円

●採用・配属情報●

【男女・文理別採用実績】

	大卒男	大卒女	修士男	修士女
23年	1(文 0理 1)	0(文 0理 0)	6(文 0理 6)	0(文 0理 0)
24年	3(文 0理 3)	0(文 0理 0)	2(文 0理 2)	1(文 0理 1)
25年	2(文 0理 2)	1(文 0理 1)	5(文 0理 5)	2(文 0理 2)

【男女・職種別採用実績】 転換制度:⇔

	総合職
23年	7(男 7 女 0)
24年	7(男 6 女 1)
25年	12(男 9 女 3)

【24年4月入社者の配属勤務地】㊕広島本社7
【転勤】あり:全社員
【中途比率】[単年度]21年度58%、22年度55%、23年度54%[全体]54%

●働きやすさ、諸制度●

残業(月) 20.5時間

【勤務時間】8:40～18:00【有休取得年平均】16.7日【週休】完全2日(土日祝、一部土曜出勤あり)【夏期休暇】連続7日(土日含む)【年末年始休暇】連続9日(土日含む)
【離職率】NA
【新卒3年後離職率】
[20→23年]20.0%(男25.0%・入社4名、女0%・入社1名)
[21→24年]0%(男0%・入社4名、女0%・入社1名)
【テレワーク】制度なし【勤務制度】時間単位有休【住宅補助】住宅手当(遠方より転勤を伴う場合 扶養なし上限45,000円 扶養あり上限65,000円)

●ライフイベント、女性活躍●

【女性比率】■男 □女

新卒採用 25%(3名)　従業員 15.8%(38名)　管理職 12.5%(4名)

【産休】[期間]産前6・産後8週間[給与]法定[取得者数]12名
【育休】[期間]1歳になるまで[給与]法定[取得者数]22年度NA 23年度 男3名(対象6名)女6名(対象6名)[平均取得日数]22年度 NA、23年度 NA
【従業員】[人数]240名(男202名、女38名)[平均年齢]43.8歳(男NA、女NA)[平均勤続年数]16.0年(男NA、女NA)
【年齢構成】NA

会社データ (金額は百万円)

【本社】720-2104 広島県福山市神辺町字道上1588-2 ☎084-960-0001
https://www.rorze.com/

【業績(連結)】	売上高	営業利益	経常利益	純利益
22.2	67,004	15,809	17,818	12,824
23.2	94,518	26,418	30,344	21,384
24.2	93,247	24,138	27,076	19,576

1796 開示 ★★★★☆ 専門 採用あり

ホーチキ(株)

【特色】防災機器大手。火災報知器メーカーの草分け

記者評価 火災報知、消火設備など総合防災で業界2位。筆頭株主はALSOKだが、会社の設立主体だった損保大手各社が大株主として名を連ねる。大規模案件では業界首位。TV共同受信機など情報通信事業を併営。潜在需要大きい中東、アジアを深耕。DX活用でサービス拡大図る。

平均勤続年数	男性育休取得率	3年後離職率	平均年収(平均41歳)
◇14.0年	15.8→56.8%	25.6→30.0%	㊍758万円

●採用・配属情報●

【男女・文理別採用実績】

	大卒男	大卒女	修士男	修士女
23年	32(文 22理 10)	13(文 13理 0)	3(文 0理 3)	1(文 0理 1)
24年	56(文 38理 18)	16(文 13理 3)	5(文 0理 5)	0(文 0理 0)
25年	50(文 33理 17)	31(文 24理 7)	6(文 0理 6)	0(文 0理 0)

【男女・職種別採用実績】 転換制度:⇔

	総合職	一般職
23年	45(男 37 女 8)	6(男 0 女 6)
24年	79(男 65 女 14)	2(男 0 女 2)
25年	89(男 58 女 31)	0(男 0 女 0)

【職種併願】○
【24年4月入社者の配属勤務地】㊍東京(目黒14 大崎3)北海道1 仙台2 横浜2 名古屋1 大阪1 神戸1 広島1 福岡1 ㊕東京(目黒3 大崎13 町田10)北海道1 宮城2 大宮1 横浜8 静岡1 名古屋4 大阪3 京都1 広島2 福岡3
【転勤】あり:[職種]総合職
【中途比率】[単年度]21年度55%、22年度58%、23年度62%[全体]◇36%

●働きやすさ、諸制度●

残業(月) 23.4時間 ㊍23.4時間

【勤務時間】9:00～17:30【有休取得年平均】15.3日【週休】完全2日(土日祝)【夏期休暇】連続9日奨励(週休、有休2日含む)【年末年始休暇】12月29日午後(午前は全社有休奨励)～1月4日
【離職率】◇男:4.0%、53名 女:1.6%、4名
【新卒3年後離職率】
[20→23年]25.6%(男31.0%・入社29名、女10.0%・入社10名)
[21→24年]30.0%(男26.5%・入社34名、女50.0%・入社6名)
【テレワーク】制度あり:[場所]自宅 サテライトオフィス 他[対象]全社員[日数]制限なし[利用率]19.8%【勤務制度】フレックス 時間単位有休 時差勤務【住宅補助】都内に独身寮 社宅 住宅手当 賃借手当

●ライフイベント、女性活躍●

【女性比率】■男 □女

新卒採用 34.8%(31名)

従業員 16%(240名)

管理職 1.5%(5名)

【産休】[期間]産前6・産後8週間[給与]法定[取得者数]8名
【育休】[期間]1歳になるまで[給与]法定[取得者数]22年度男6名(対象38名)女11名(対象11名)23年度 男21名(対象37名)女8名(対象8名)[平均取得日数]22年度 NA、23年度 NA
【従業員】◇[人数]1,500名(男1,260名、女240名)[平均年齢]42.0歳(男42.3歳、女41.0歳)[平均勤続年数]14.0年(男14.3年、女13.0年)【年齢構成】■男 □女

	男	女
60代～	0%	0%
50代	23%	3%
40代	19%	4%
30代	23%	5%
～20代	19%	5%

会社データ (金額は百万円)

【本社】141-8660 東京都品川区上大崎2-10-43 ☎03-3444-4111
https://www.hochiki.co.jp/

【業績(連結)】	売上高	営業利益	経常利益	純利益
22.3	81,251	5,479	5,626	4,124
23.3	85,457	5,590	5,857	4,422
24.3	93,485	7,375	7,782	5,661

アイホン(株)

【特色】インターホン国内首位。住宅向け中心に病院も

[記者評価] 非対面ニーズに応えるインターホンは需要旺盛。パナソニックと市場を二分。マンション・戸建て向け主体に、病院・老人ホーム向けナースコールシステムも。北米・欧州・オセアニアなどでも展開。宅配便の伝票番号を認証しオートロックを解錠するサービス開始。

平均勤続年数	男性育休取得率	3年後離職率	平均年収(平均40歳)
17.3年	34.8 → 56.5%	10.0 → 0%	[総] 610万円

●採用・配属情報●

【男女・文理別採用実績】

	大卒男	大卒女	修士男	修士女
23年	17(文 6理 11)	2(文 0理 2)	1(文 0理 1)	0(文 0理 0)
24年	13(文 7理 6)	6(文 4理 2)	0(文 0理 0)	1(文 0理 1)
25年	13(文 6理 7)	1(文 1理 0)	2(文 0理 2)	0(文 0理 0)

【男女・職種別採用実績】 転換制度:⇔

	総合職	一般職
23年	20(男 18 女 2)	0(男 0 女 0)
24年	19(男 12 女 7)	1(男 1 女 0)
25年	16(男 15 女 1)	0(男 0 女 0)

【24年4月入社者の配属勤務地】[総]札幌1 埼玉1 東京2 名古屋1 大阪2 京都1 広島1 福岡1 [技]名古屋9

【転勤】あり:[職種]総合職

【中途比率】[単年度]21年度57%、22年度59%、23年度60%[全体]NA

●働きやすさ、諸制度●

残業(月) 15.6時間 [総] 18.0時間

【勤務時間】8:30〜17:30(フレックスタイム制 7:00〜21:00 コアタイム10:00〜15:00)【有休取得年平均】15.1日【週休】完全2日(土日)【夏期休暇】連続5日(土日祝含む)【年末年始休暇】12月29日〜1月4日

【離職率】男:3.7%、35名 女:3.7%、8名(選択定年男2名)

【新卒3年後離職率】
[20→23年]10.0%(男12.5%・入社16名、女0%・入社4名)
[21→24年]0%(男0%・入社9名、女0%・入社3名)

【テレワーク】制度なし【勤務制度】フレックス 時間単位有休

【住宅補助】独身寮(30歳まで、自己負担1万円と光熱費会社負担)借上社宅(東京勤務4人家族の場合、家賃15万円まで自己負担3万円)住宅手当(20,000円)

●ライフイベント、女性活躍●

【女性比率】■男 □女

新卒採用 6.3% (1名)

従業員 18.7% (211名)

【産休】[期間]産前6・産後8週間[給与]法定[取得者数]8名

【育休】[期間]2歳になるまで[給与]法定[取得者数]22年度 男8名(対象23名)女19名(対象19名)23年度 男13名(対象23名)女8名(対象8名)[平均取得日数]22年度 男8日 女304日、23年度 男56日 女142日

【従業員】[人数]1,131名(男920名、女211名)[平均年齢]42.2歳(男43.7歳、女35.5歳)[平均勤続年数]17.3年(男18.6年、女11.7年)

【年齢構成】■男 □女

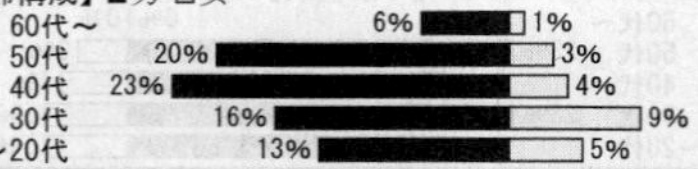

[会社データ] (金額は百万円)

【本社】460-0004 愛知県名古屋市中区新栄町1-1 明治安田生命名古屋ビル ☎052-228-8181 https://www.aiphone.co.jp/

【業績(連結)】	売上高	営業利益	経常利益	純利益
22.3	51,991	5,538	5,931	4,226
23.3	52,811	3,758	4,167	2,929
24.3	61,334	5,268	6,130	4,645

オリンパス(株)

えるぼし★★★ プラチナくるみん

【特色】医療機器大手。消化器内視鏡で世界シェア7割

[記者評価] 主力は消化器内視鏡で、世界シェア7割かつ高い利益率を誇る。海外売上比率約9割。内視鏡に装着して使う治療機器を強化中、買収にも積極的。デジカメ事業や顕微鏡事業は売却し医療分野に集中。ガバナンス改革に邁進。ジョブ型雇用を世界的に導入。

平均勤続年数	男性育休取得率	3年後離職率	平均年収(平均43歳)
14.4年	70.2 → 73.7%	15.5 → 25.7%	[総] 1,041万円

●採用・配属情報●

【男女・文理別採用実績】

	大卒男	大卒女	修士男	修士女
23年	9(文 2理 7)	8(文 5理 3)	25(文 0理 25)	7(文 0理 7)
24年	15(文 8理 7)	13(文 9理 4)	32(文 0理 32)	9(文 0理 9)
25年	6(文 6理 0)	3(文 3理 0)	69(文 0理 69)	25(文 0理 25)

【男女・職種別採用実績】

	事務系	技術系
23年	5(男 1 女 4)	44(男 33 女 11)
24年	6(男 5 女 1)	64(男 43 女 21)
25年	9(男 6 女 3)	94(男 69 女 25)

【24年4月入社者の配属勤務地】[総]東京(新宿 八王子)東北(青森 会津 白河)長野 他 [技]東京(新宿 八王子)東北(青森 会津 白河)長野 他

【転勤】あり:全社員

【中途比率】[単年度]21年度52%、22年度43%、23年度70%[全体]41%

●働きやすさ、諸制度●

残業(月) 18.9時間 [総] 18.9時間

【勤務時間】8:45〜17:30【有休取得年平均】12.6日【週休】完全2日(土日祝)【夏期休暇】最低2日(年間労働日数に応じて決定、本社と研究開発拠点では選択制夏季休暇)【年末年始休暇】12月30日〜1月4日(年によって前後の休暇あり)

【離職率】男:3.9%、196名 女:3.9%、47名(早期退職男38名、女10名含む)

【新卒3年後離職率】
[20→23年]15.5%(男20.0%・入社40名、女5.6%・入社18名)
[21→24年]25.7%(男26.9%・入社26名、女22.2%・入社9名)

【テレワーク】制度あり:[場所]自宅 社外シェアオフィス 社内サテライトオフィス 他[対象]全従業員(正社員含む直接雇用者全員)[日数]制限なし[利用率]NA【勤務制度】フレックス 時間単位有休 時差勤務 副業容認【住宅補助】独身寮 社宅

●ライフイベント、女性活躍●

【女性比率】■男 □女

新卒採用 27.2% (28名)

従業員 19.4% (1168名)

管理職 11.5% (71名)

【産休】[期間]産前6・産後8週間[給与]産前6・産後6週間は会社全額給付、以降法定[取得者数]59名

【育休】[期間]2歳に達するまでの原則1年間[給与]法定[取得者数]22年度 男113名(対象161名)女46名(対象46名)23年度 男146名(対象198名)女63名(対象61名)[平均取得日数]22年度 男57日 女355日、23年度 男54日 女376日

【従業員】[人数]6,023名(男4,855名、女1,168名)[平均年齢]42.5歳(男43.1歳、女39.7歳)[平均勤続年数]14.4年(男15.0年、女12.1年)【年齢構成】■男 □女

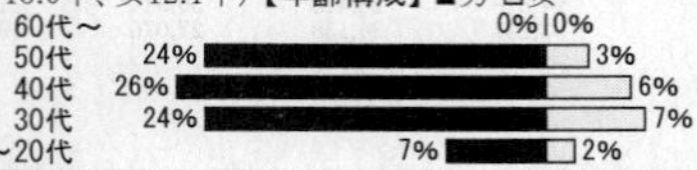

[会社データ] (金額は百万円)

【本社】192-8507 東京都八王子市石川町2951 ☎042-642-2111 https://www.olympus.co.jp/

【業績(IFRS)】	売上高	営業利益	税前利益	純利益
22.3	868,867	153,898	149,873	115,742
23.3	881,923	186,609	182,294	143,432
24.3	936,210	43,598	35,854	242,566

テルモ(株)

[くるみん]

【特色】医療機器メーカー大手。心臓血管分野が強み

[記者評価] 国内医療機器でオリンパスに次ぐ売上高2位。北里柴三郎らが発起人となり体温計の国産化を目的に創業。主力は心臓手術に欠かせないカテーテル。製薬会社から受託するデバイスの開発製造が成長領域。今年は初の海外製薬会社との契約も締結した。

平均勤続年数	男性育休取得率	3年後離職率	平均年収(平均41歳)
15.0年	68.9→76.6%	9.2→5.7%	[総]801万円

●採用・配属情報●

【男女・文理別採用実績】

	大卒男	大卒女	修士男	修士女
23年	37(文 26理 11)	42(文 32理 10)	59(文 3理 56)	24(文 1理 23)
24年	34(文 26理 8)	41(文 33理 8)	48(文 2理 46)	32(文 2理 30)
25年	36(文 23理 13)	34(文 26理 8)	53(文 1理 52)	28(文 4理 24)

【男女・職種別採用実績】

	総合職
23年	179(男 107 女 72)
24年	164(男 89 女 75)
25年	161(男 98 女 63)

【24年4月入社者の配属勤務地】[総]全国27拠点 [技]神奈川 静岡 山梨

【転勤】あり:全社員

【中途比率】[単年度]21年度33%、22年度40%、23年度38%[全体]23%

●働きやすさ、諸制度●

残業(月) 21.7時間 [総]21.7時間

【勤務時間】9:00～17:45(一部フレックスタイム制)【有休取得年平均】13.9日【週休】完全2日(土日祝)【夏期休暇】週休を含め原則連続9日、工場地区:原則連続9日【年末年始休暇】連続7日(週休含む)

【離職率】男:2.7%、78名 女:4.5%、41名

【新卒3年後離職率】
[20→23年]9.2%(男8.9%・入社101名、女9.8%・入社51名)
[21→24年]5.7%(男7.1%・入社85名、女2.6%・入社38名)

【テレワーク】制度あり:[場所]自宅 サテライトオフィス[対象]全社員[日数]制限なし[利用率]NA【勤務制度】フレックス 時間単位有休 裁量労働 時差勤務 勤務間インターバル【住宅補助】借上社宅・寮(全国)自社寮3棟(神奈川 静岡 山梨)住宅手当(扶養あり)独身住宅手当

●ライフイベント、女性活躍●

【女性比率】■男 □女

新卒採用 39.1% (63名)

従業員 23.5% (870名)

管理職 10.8% (107名)

【産休】[期間]産前6・産後8週間[給与]法定[取得者数]27名

【育休】[期間]事由によっては3歳になるまで延長可[給与]法定[取得者数]22年度 男104名(対象151名)女56名(対象56名)23年度 男118名(対象154名)女27名(対象27名)[平均取得日数]22年度 NA、23年度 男32日 女356日

【従業員】[人数]3,700名(男2,830名、女870名)[平均年齢]41.3歳(男42.8歳、女36.7歳)[平均勤続年数]15.0年(男16.4年、女10.3年)

【年齢構成】■男 □女

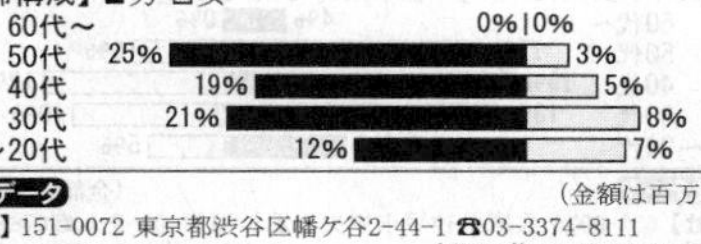

会社データ (金額は百万円)

【本社】151-0072 東京都渋谷区幡ケ谷2-44-1 ☎03-3374-8111
https://www.terumo.co.jp/

【業績(IFRS)】	売上高	営業利益	税前利益	純利益
22.3	703,303	115,960	114,501	88,813
23.3	820,209	117,332	116,137	89,325
24.3	921,863	140,096	140,829	106,374

ニプロ(株)

【特色】医療器具大手。人工腎臓が強い。ジェネリックも

[記者評価] 人工透析で使用するダイアライザ(人工腎臓)が主力。注射器や心臓手術で使うカテーテル、ジェネリック医薬品など幅広く扱う。人工腎臓は北米や中国でも販売を伸ばす。近年は透析センターの買収を通じて中南米に注力。インドなどの新興国で消耗品が成長。

平均勤続年数	男性育休取得率	3年後離職率	平均年収(平均40歳)
◇13.6年	28.2→40.2%	10.5→17.7%	[総]712万円

●採用・配属情報●

【男女・文理別採用実績】

	大卒男	大卒女	修士男	修士女
23年	24(文 13理 11)	18(文 10理 8)	42(文 0理 42)	17(文 0理 17)
24年	23(文 15理 8)	15(文 10理 5)	37(文 0理 37)	19(文 0理 19)
25年	29(文 21理 8)	33(文 26理 7)	35(文 0理 35)	22(文 0理 22)

【男女・職種別採用実績】 転換制度:⇔

	総合職	一般職
23年	116(男 74 女 42)	0(男 0 女 0)
24年	96(男 60 女 36)	0(男 0 女 0)
25年	125(男 70 女 55)	0(男 0 女 0)

【24年4月入社者の配属勤務地】[総]全国13拠点 [技]札幌 秋田 東京 埼玉 愛知 滋賀

【転勤】あり:[職種]グローバルコース ブロックコース

【中途比率】[単年度]21年度36%、22年度38%、23年度42%[全体]◇43%

●働きやすさ、諸制度●

残業(月) 10.4時間 [総]11.2時間

【勤務時間】8時間【有休取得年平均】12.3日【週休】完全2日(土日祝)【夏期休暇】なし【年末年始休暇】12月29日～1月4日

【離職率】◇男:4.0%、136名 女:5.1%、62名

【新卒3年後離職率】
[20→23年]10.5%(男11.1%・入社54名、女9.4%・入社32名)
[21→24年]17.7%(男16.7%・入社78名、女20.0%・入社35名)

【テレワーク】制度あり:[場所]自宅[対象]製造職除く[日数]週に3日まで[利用率]NA【勤務制度】フレックス 時間単位有休 裁量労働 時差勤務 勤務間インターバル【住宅補助】社有寮 借り上げ社宅 住宅手当

●ライフイベント、女性活躍●

【女性比率】■男 □女

新卒採用 44% (55名)

従業員 26.1% (1146名)

管理職 5.5% (35名)

【産休】[期間]産前8・産後8週間[給与]法定[取得者数]39名

【育休】[期間]1歳になるまで[給与]法定[取得者数]22年度 男33名(対象117名)女46名(対象46名)23年度 男45名(対象112名)女61名(対象61名)[平均取得日数]22年度 男28日 女356日、23年度 男30日 女378日

【従業員】◇[人数]4,398名(男3,252名、女1,146名)[平均年齢]39.9歳(男41.0歳、女36.9歳)[平均勤続年数]13.6年(男14.5年、女11.0年)

【年齢構成】■男 □女

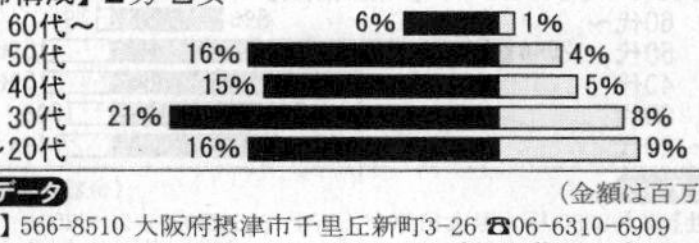

会社データ (金額は百万円)

【本社】566-8510 大阪府摂津市千里丘新町3-26 ☎06-6310-6909
https://www.nipro.co.jp/

【業績(連結)】	売上高	営業利益	経常利益	純利益
22.3	494,789	23,882	27,583	13,455
23.3	545,199	17,729	15,346	4,574
24.3	586,785	22,335	19,509	11,109

メーカーⅠ

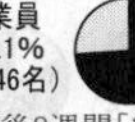

キヤノンメディカルシステムズ(株)

くるみん

【特色】キヤノン傘下の医療機器メーカー。国内大手

記者評価 旧東芝メディカルシステムズ。東芝の構造改革を受け、16年キヤノンが買収。画像診断装置に強く、CTは国内首位、MRIや超音波診断装置も高シェア。体外診断システムや医療ITソリューションも強化中。24年1月、超音波内視鏡システムでオリンパスと協業で合意。

平均勤続年数	男性育休取得率	3年後離職率	平均年収(平均44歳)
◇18.5年	43.8→33.3%	12.1→10.6%	総785万円

●採用・配属情報●

【男女・文理別採用実績】

	大卒男	大卒女	修士男	修士女
23年	23(文 15理 8)	11(文 6理 5)	32(文 0理 32)	21(文 1理 20)
24年	21(文 17理 4)	10(文 5理 5)	42(文 0理 42)	14(文 1理 13)
25年	26(文 14理 12)	19(文 12理 7)	45(文 1理 44)	12(文 2理 10)

【男女・職種別採用実績】

	総合職
23年	133(男 89 女 44)
24年	132(男 101 女 31)
25年	124(男 87 女 37)

【24年4月入社者の配属勤務地】総〈営業系〉全国主要事業所〈スタッフ系〉本社(栃木・大田原) 技〈研究・開発〉本社(栃木・大田原)〈営業技術〉全国主要事業所

【転勤】あり:全社員

【中途比率】[単年度]21年度32%、22年度35%、23年度32%[全体]NA

●働きやすさ、諸制度●

残業(月) 30.8時間 総30.8時間

【勤務時間】8:30～17:00 9:00～17:30(部門により異なる)【有休取得年平均】18.6日【週休】完全2日(土日祝)【夏期休暇】(本社)8月11～16日【年末年始休暇】(本社)12月29日～1月5日

【離職率】◇男:2.0%、92名 女:3.4%、34名

【新卒3年後離職率】
[20→23年]12.1%(男11.5%・入社113名、女13.6%・入社44名)
[21→24年]10.6%(男8.8%・入社102名、女15.0%・入社40名)

【テレワーク】制度あり:[場所]自宅およびそれに準ずる場所[対象]従事する業務が在宅勤務に適している従業員[日数]月6日まで[利用率]NA【勤務制度】フレックス 時間単位有休 裁量労働【住宅補助】借上社宅(家賃の6割を会社負担、上限あり)

●ライフイベント、女性活躍●

【女性比率】■男 □女

新卒採用 29.8% (37名)

従業員 17.7% (958名)

【産休】[期間]産前8・産後8週間[給与]法定以上(詳細NA)[取得者数]28名

【育休】[期間]3歳になるまで[給与]法定以上(詳細NA)[取得者数]22年度 男46名(対象105名)女23名(対象23名)23年度 男30名(対象90名)女24名(対象24名)[平均取得日数]22年度 男31日 女219日、23年度 男37日 女151日

【従業員】◇[人数]5,424名(男4,466名、女958名)[平均年齢]44.7歳(男45.4歳、女41.5歳)[平均勤続年数]18.5年(男19.3年、女14.5年)【年齢構成】■男 □女

	男	女
60代～	8%	1%
50代	29%	5%
40代	19%	5%
30代	14%	3%
～20代	12%	4%

会社データ (金額は百万円)

【本社】324-8550 栃木県大田原市下石上1385 ☎0287-26-6200 https://jp.medical.canon/

【業績】	売上高	営業利益	経常利益	純利益
21.12	480,400	29,400	NA	NA
22.12	513,331	31,005	NA	NA
23.12	553,780	31,649	NA	NA

※業績はキヤノングループメディカルシステムビジネスユニットの数値

シスメックス(株)

えるぼし★★★ くるみん

【特色】臨床検査機器・試薬大手。190カ国以上で展開

記者評価 血液中の成分を分析する検査「ヘマトロジー」で世界首位。検査機器を販売後、検査で使用する試薬も販売することで収益を伸ばすビジネスモデル。海外売上比率は8割強。24度中に新工場が稼働予定のインド市場に力を入れる。手術支援ロボットも拡販中。

平均勤続年数	男性育休取得率	3年後離職率	平均年収(平均43歳)
13.0年	63.6→61.2%	7.7→18.3%	総874万円

●採用・配属情報●

【男女・文理別採用実績】

	大卒男	大卒女	修士男	修士女
23年	13(文 8理 5)	7(文 7理 0)	44(文 0理 44)	25(文 2理 23)
24年	22(文 11理 11)	12(文 6理 6)	39(文 0理 39)	37(文 0理 37)
25年	23(文 12理 11)	23(文 10理 13)	57(文 0理 57)	26(文 0理 26)

【男女・職種別採用実績】

	総合職	業務職(専門職)	業務職(一般事務)
23年	92(男 58 女 34)	0(男 0 女 0)	0(男 0 女 0)
24年	110(男 61 女 49)	0(男 0 女 0)	0(男 0 女 0)
25年	136(男 87 女 49)	0(男 0 女 0)	0(男 0 女 0)

【24年4月入社者の配属勤務地】総神戸5 さいたま3 仙台2 大阪2 横浜1 千葉1 名古屋1 高松1 広島1 福岡1 鹿児島1 技兵庫(神戸70 加古川6 小野1)福岡3 さいたま2 東京2 仙台1 横浜1 名古屋1 京都1 高松1 広島1 鹿児島1

【転勤】あり:全社員(本人の意向に沿わない場合は拒否可)

【中途比率】[単年度]21年度65%、22年度44%、23年度52%[全体]39%

●働きやすさ、諸制度●

残業(月) 20.9時間 総20.9時間

【勤務時間】9:00～17:45(フレックスタイム制)【有休取得年平均】14.3日【週休】完全2日(土日祝)【夏期休暇】最大8月10～18日(16日は有休推奨)【年末年始休暇】最大12月27日～1月5日(週休含む、12月27日は有休推奨)

【離職率】男:2.5%、47名 女:2.2%、21名(早期退職男3名含む)

【新卒3年後離職率】
[20→23年]7.7%(男5.9%・入社34名、女11.1%・入社18名)
[21→24年]18.3%(男25.6%・入社39名、女4.8%・入社21名)

【テレワーク】制度あり:[場所]グループ事業所 自宅 外出先 帰省先 シェアオフィス 他[対象]フレックスタイム制適用の従業員[日数]原則月の就業日数の50%を上限、勤務事業所に週に1回以上の出勤[利用率]16.4%【勤務制度】フレックス 時差勤務 勤務間インターバル【住宅補助】借上住宅 独身寮 各種社宅(全国)

●ライフイベント、女性活躍●

【女性比率】■男 □女

新卒採用 36% (49名)

従業員 33.4% (936名)

管理職 10.4% (67名)

【産休】[期間]産前6・産後8週間[給与]法定[取得者数]26名

【育休】[期間]2歳になるまで[給与]法定[取得者数]22年度 男49名(対象77名)女25名(対象25名)23年度 男52名(対象85名)女41名(対象41名)[平均取得日数]22年度 男35日 女419日、23年度 男60日 女428日

【従業員】[人数]2,806名(男1,870名、女936名)[平均年齢]42.6歳(男43.5歳、女40.9歳)[平均勤続年数]13.0年(男14.0年、女11.1年)【年齢構成】■男 □女

	男	女
60代～	4%	0%
50代	17%	6%
40代	19%	12%
30代	18%	10%
～20代	8%	5%

会社データ (金額は百万円)

【本社】651-0073 兵庫県神戸市中央区脇浜海岸通1-5-1 ☎078-265-0500 https://www.sysmex.co.jp/

【業績(IFRS)】	売上高	営業利益	税前利益	純利益
22.3	363,780	67,416	64,346	44,093
23.3	410,502	73,679	68,713	45,784
24.3	461,510	78,382	74,600	49,639

日本光電（にほんこうでん）

【特色】医療用電子機器メーカー。柱は生体情報モニター

記者評価 医療機関で患者の生体情報を管理するモニターが主力。脳波計は国内シェア9割。国内で唯一AEDを製造。近年は医療DX化や医療者の人手不足を背景に、院内のITC化や業務効率化に貢献する製品を強化。米国、新興国中心に海外事業を拡大させている。

平均勤続年数	男性育休取得率	3年後離職率	平均年収(平均42歳)
15.3年	38.9 → 51.4%	7.8 → 9.6%	㊗972万円

●採用・配属情報●

【男女・文理別採用実績】

	大卒男	大卒女	修士男	修士女
23年	39(文 26 理 13)	9(文 8 理 1)	37(文 4 理 33)	9(文 0 理 9)
24年	39(文 23 理 16)	19(文 11 理 8)	30(文 1 理 29)	7(文 0 理 7)
25年	19(文 7 理 12)	5(文 3 理 2)	21(文 0 理 21)	1(文 0 理 1)

【男女・職種別採用実績】 転換制度:⇒

	総合職	一般職
23年	95(男 77 女 18)	0(男 0 女 0)
24年	96(男 70 女 26)	0(男 0 女 0)
25年	46(男 40 女 6)	0(男 0 女 0)

【24年4月入社者の配属勤務地】㊗〈管理〉東京3 埼玉2〈営業〉北海道2 仙台2 千葉2 宇都宮1 埼玉(さいたま4 川越1)東京(小石川4 五反田1 立川1)横浜3 静岡(三島1 浜松1)名古屋3 岡崎1 大阪3 和歌山1 奈良1 広島2 岡山1 松山1 徳島1 高知1 福岡1 北九州1 熊本1 ㊕〈技術〉研修中29〈サービスエンジニア〉北海道1 仙台1 千葉1 筑波1 川越1 東京(西落合1 小石川2 立川1)神奈川(横浜1 厚木1)岡崎1 岐阜1 大阪(大阪1 堺1)神戸1 岡山1 山口1 高松1 福岡2)
【転勤】あり:[対象]グループ採用社員
【中途比率】[単年度]21年度66%、22年度69%、23年度56%[全体]52%

●働きやすさ、諸制度●

残業(月) 26.9時間 ㊗29.8時間

【勤務時間】7時間40分(フレックスタイム制 コアタイムあり)※コアタイムの適用例外あり【有休取得年平均】10.4日【週休】完全2日(土日祝)【夏期休暇】8月11〜16日【年末年始休暇】12月29日〜1月4日
【離職率】男:2.5%、66名 女:2.3%、17名
【新卒3年後離職率】
[20→23年]7.8%(男6.7%・入社45名、女16.7%・入社6名)
[21→24年]9.6%(男7.9%・入社38名、女14.3%・入社14名)
【テレワーク】制度あり:[場所]業務可能な環境が整っている従業員の自宅他[対象]テレワーク勤務が可能な正社員[日数]制限なし[利用率]18.1%
【勤務制度】フレックス 時間単位有休 時差勤務 勤務間インターバル 副業容認【住宅補助】借上独身寮 借上社宅 住宅手当(地域により異なる)

●ライフイベント、女性活躍●

【女性比率】■男 □女

新卒採用 13%(6名)

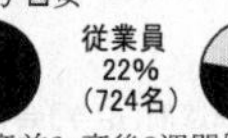
従業員 22%(724名)
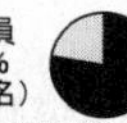
管理職 8%(70名)
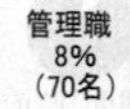

【産休】[期間]産前6・産後8週間[給与]法定[取得者数]25名
【育休】[期間]1歳年度末まで。ただし、特別な事情がある場合、2歳になるまで延長可[給与]育休(産後パパ育休含む)開始後、歴日30日間まで給付金と合わせて賃金の80%になるように賃金を補助、それ以外は法定[取得者数]22年度 男44名(対象113名)女23名(対象23名)23年度 男57名(対象111名)女22名(対象22名)[平均取得日数]22年度 男38日 女NA、23年度 男44日 女NA
【従業員】[人数]3,292名(男2,568名、女724名)[平均年齢]42.1歳(男41.9歳、女42.7歳)[平均勤続年数]15.3年(男15.3年、女15.2年)【年齢構成】■男 □女

	男	女
60代〜	1%	0%
50代	18%	6%
40代	24%	7%
30代	25%	6%
〜20代	11%	3%

会社データ (金額は百万円)
【本社】161-8560 東京都新宿区西落合1-31-4 ☎03-5996-8008
https://www.nihonkohden.co.jp/

【業績(連結)】	売上高	営業利益	経常利益	純利益
22.3	205,129	30,992	34,563	23,435
23.3	206,603	21,120	24,122	17,110
24.3	221,986	19,591	25,589	17,026

日機装㈱（にっきそう）

【特色】工業・医療向け機器。日本初の製品も多い

記者評価 産業用の精密ポンプと医療用の人工透析機器が主力。航空機で使用する部品も扱う。近年は世界のエネルギー確保や脱炭素化の需要が追い風となり、LNG(液化天然ガス)関連の製品が成長している。石油関連事業の売却など事業ポートフォリオの見直しも進行中。

平均勤続年数	男性育休取得率	3年後離職率	平均年収(平均41歳)
◇14.5年	22.7 → 63.4%	30.4 → 19.4%	㊗733万円

●採用・配属情報●

【男女・文理別採用実績】

	大卒男	大卒女	修士男	修士女
23年	4(文 1 理 3)	11(文 7 理 4)	15(文 2 理 13)	2(文 0 理 2)
24年	7(文 4 理 3)	1(文 0 理 1)	7(文 1 理 6)	1(文 1 理 0)
25年	11(文 6 理 5)	3(文 2 理 1)	11(文 0 理 11)	4(文 0 理 4)

【男女・職種別採用実績】 転換制度:⇒

	総合職
23年	33(男 19 女 14)
24年	17(男 15 女 2)
25年	29(男 22 女 7)

【24年4月入社者の配属勤務地】㊗東京(恵比寿4 木場1)大阪1 金沢1 ㊕東京(東村山7 恵比寿1)名古屋1 金沢1
【転勤】あり:[職種]総合職
【中途比率】[単年度]21年度68%、22年度65%、23年度68%[全体]◇55%

●働きやすさ、諸制度●

残業(月) 22.3時間 ㊗27.2時間

【勤務時間】8:50〜17:30【有休取得年平均】11.4日【週休】完全2日【夏期休暇】5日(有休2日含む)【年末年始休暇】6日
【離職率】◇男:5.2%、74名 女:4.7%、17名
【新卒3年後離職率】
[20→23年]30.4%(男33.3%・入社12名、女27.3%・入社11名)
[21→24年]19.4%(男10.0%・入社30名、女66.7%・入社6名)
【テレワーク】制度あり:[場所]自宅 他[対象]在宅勤務形態が職場環境や担当の職務内容に適用可能な社員[日数]NA[利用率]28.2%【勤務制度】フレックス 時間単位有休 時差勤務【住宅補助】独身寮(静岡・牧之原 30歳未満6,000円 30〜34歳未満12,000円)社有社宅(東京・小平 単身12,000円 家族18,000円)社有社宅(静岡・牧之原 単身2,000円 家族15,000円)借上社宅(基準家賃の8割を会社負担)住宅手当(8,500〜15,000円)

●ライフイベント、女性活躍●

【女性比率】■男 □女

新卒採用 24.1%(7名)

従業員 20.4%(342名)
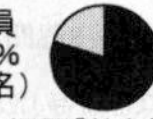
管理職 4.7%(21名)

【産休】[期間]産前6・産後8週間[給与]法定[取得者数]10名
【育休】[期間]1歳になるまで[給与]法定[取得者数]22年度 男15名(対象66名)女16名(対象17名)23年度 男26名(対象41名)女10名(対象10名)[平均取得日数]22年度 NA、23年度 NA
【従業員】◇[人数]1,678名(男1,336名、女342名)[平均年齢]42.4歳(男42.5歳、女41.9歳)[平均勤続年数]14.5年(男14.0年、女15.1年)【年齢構成】■男 □女

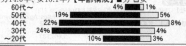

	男	女
60代〜	4%	1%
50代	19%	5%
40代	22%	8%
30代	24%	4%
〜20代	10%	3%

会社データ (金額は百万円)
【本社】150-6022 東京都渋谷区恵比寿4-20-3 恵比寿ガーデンプレイスタワー ☎03-3443-3711
https://www.nikkiso.co.jp/

【業績(IFRS)】	売上高	営業利益	税前利益	純利益
21.12	167,759	3,125	3,952	221
22.12	177,109	34,222	32,682	13,639
23.12	192,629	5,885	11,626	9,071

トヨタ自動車(株)
(じどうしゃ)

【特色】世界首位の4輪メーカー。ハイブリッド車で先行

[記者評価] 年間世界販売は1000万台超。子会社にダイハツ工業、日野自動車。SUBARU、マツダ、スズキと資本提携。収益力は業界で突出。今でも豊田家の威光が強い。EVに加えてハイブリッド車、燃料電池車など電動車を全方位戦略で展開。30年にEVの世界販売350万台目指す。

平均勤続年数	男性育休取得率	3年後離職率	平均年収(平均41歳)
◇16.0年	45.0→67.9%	NA	◇899万円

●採用・配属情報●

【男女・文理別採用実績】

	大卒男	大卒女	修士男	修士女
23年	73(文 45理 28)	58(文 50理 8)	260(文 0理260)	31(文 0理 31)
24年	99(文 72理 27)	104(文 96理 8)	319(文 2理317)	34(文 1理 33)
25年	NA(文NA理NA)	NA(文NA理NA)	NA(文NA理NA)	NA(文NA理NA)

【男女・職種別採用実績】 転換制度:NA

	事務職・技術職	業務職
23年	409(男342 女 67)	23(男 0 女 23)
24年	497(男419 女 78)	61(男 1 女 60)
25年	NA(男 NA 女 NA)	NA(男 NA 女 NA)

【24年4月入社者の配属勤務地】[総]豊田本社 東京本社 名古屋オフィス 愛知県内各工場 他 [技]豊田本社 東京本社 名古屋オフィス 東富士研究所 愛知県内各工場 他

【転勤】あり:詳細NA

【中途比率】[単年度]21年度39%、22年度47%、23年度49%[全体]◇12%

●働きやすさ、諸制度●

残業(月) 21.8時間

【勤務時間】8:00〜17:00または8:30〜17:30【有休取得年平均】NA【週休】完全2日(土日)【夏期休暇】連続9日(週休含む、地域により異なる)【年末年始休暇】連続9日(週休含む、地域により異なる)

【離職率】NA

【新卒3年後離職率】

[20→23年]NA

[21→24年]NA

【テレワーク】制度あり:[場所]NA[対象]NA[日数]NA[利用率]NA【勤務制度】フレックス 裁量労働 副業容認【住宅補助】寮 社宅 借家家賃補助(条件あり)

●ライフイベント、女性活躍●

【女性比率】■男 □女

管理職
3.7%
(386名)

【産休】[期間]産前6・産後8週間[給与]健保8割給付[取得者数]405名

【育休】[期間]2歳まで[給与]法定[取得者数]22年度 男919名(対象2,042名)女427名(対象427名)23年度 男1,502名(対象2,212名)女405名(対象405名)[平均取得日数]22年度 男57日 女502日、23年度 男64日 女482日

【従業員】◇[人数]70,224名(男NA、女NA)[平均年齢]40.6歳(男NA、女NA)[平均勤続年数]16.0年(男NA、女NA)

【年齢構成】NA

会社データ (金額は百万円)

【本社】471-8571 愛知県豊田市トヨタ町1 ☎0565-28-2121
https://global.toyota/

【業績(IFRS)】	営業収益	営業利益	税前利益	純利益
22.3	31,379,507	2,995,697	3,990,532	2,850,110
23.3	37,154,298	2,725,025	3,668,733	2,451,318
24.3	45,095,325	5,352,934	6,965,085	4,944,933

本田技研工業(株)
(ほんだぎけんこうぎょう)

[えるぼし ★★] [くるみん]

【特色】4輪販売台数で世界8位。2輪は世界一

[記者評価] 祖業の2輪は世界シェア3割強でダントツ。後発で参入した4輪も世界ブランドに成長。発電機からビジネスジェットまで広く手がける。歴代トップはエンジニア出身で技術主導の社風。日産と大型提携、三菱自も含めて電動化領域で非トヨタ連合形成に邁進。

平均勤続年数	男性育休取得率	3年後離職率	平均年収(平均45歳)
NA	NA	7.3→9.0%	[総]831万円

●採用・配属情報●

【男女・文理別採用実績】

	大卒男	大卒女	修士男	修士女
23年	98(文 33理 65)	44(文 28理 16)	297(文 5理292)	29(文 0理 29)
24年	146(文 55理 91)	51(文 34理 17)	325(文 1理324)	35(文 3理 32)
25年	161(文 60理101)	66(文 47理 19)	422(文 6理416)	40(文 2理 38)

【男女・職種別採用実績】

	総合職
23年	NA(男 NA 女 NA)
24年	NA(男 NA 女 NA)
25年	NA(男 NA 女 NA)

【職種併願】NA

【24年4月入社者の配属勤務地】[総]東京 埼玉 栃木 静岡 三重 熊本 他 [技]東京 埼玉 栃木 静岡 三重 熊本 他

【転勤】あり:正規従業員

【中途比率】[単年度]21年度NA、22年度NA、23年度NA[全体]NA

●働きやすさ、諸制度●

残業(月) 21.7時間 [総]21.7時間

【勤務時間】標準労働時間帯8:30〜17:30 ※フレックスタイム制(コアタイムなし)【有休取得年平均】17.9日【週休】完全2日(土日)【夏期休暇】連続9日(週休含む)【年末年始休暇】連続10日(週休含む)

【離職率】男:4.6%、1,748名 女:3.6%、138名

【新卒3年後離職率】

[20→23年]7.3%(男7.9%・入社789名、女5.1%・入社178名)

[21→24年]9.0%(男8.6%・入社672名、女10.5%・入社152名)

【テレワーク】制度あり:[場所]自宅 従業員の家族が居住する家屋 出張および公用外出時に滞在する宿泊施設 他[対象]正規従業員[日数]制限なし[利用率]13.7%【勤務制度】フレックス 裁量労働 勤務間インターバル【住宅補助】独身寮 転勤者用社宅 住宅手当 高額家賃補助 駐車場代補助 他

●ライフイベント、女性活躍●

【女性比率】■男 □女

従業員
9.3%
(3731名)

【産休】[期間]産前6・産後8週間[給与]会社全額給付[取得者数]142名

【育休】[期間]3歳到達直後の4月末まで[給与]法定[取得者数]22年度 男458名(対象NA)女149名(対象NA)23年度 男604名(対象NA)女142名(対象NA)[平均取得日数]22年度 男67日 女343日、23年度 男62日 女259日

【従業員】[人数]40,207名(男36,476名、女3,731名)[平均年齢]43.2歳(男43.9歳、女36.7歳)[平均勤続年数]NA

【年齢構成】■男 □女

	男	女
60代〜	9%	0%
50代	26%	1%
40代	21%	2%
30代	21%	3%
〜20代	13%	3%

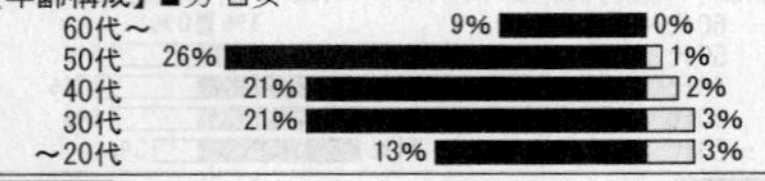

会社データ (金額は百万円)

【本社】107-8556 東京都港区南青山2-1-1 ☎03-3423-1111
https://global.honda/

【業績(IFRS)】	売上高	営業利益	税前利益	純利益
22.3	14,552,696	871,232	1,070,190	707,067
23.3	16,907,725	780,769	879,565	651,416
24.3	20,428,802	1,381,977	1,642,384	1,107,174

メーカーI

にっさんじどうしゃ
日産自動車(株)

[えるぼし ★★★] [プラチナくるみん]

【特色】自動車大手。仏ルノー・三菱自と3社連合形成

[記者評価] 1990年代の経営危機を機に、仏ルノーと資本提携。系列解体などカルロス・ゴーン社長(当時)の改革で復活。10年発売の「リーフ」などEVと独自HVシステム「eパワー」が電動化戦略の2本柱。16年に三菱自動車を実質傘下に。ホンダとの戦略提携を検討。

平均勤続年数	男性育休取得率	3年後離職率	平均年収(平均41歳)
◇15.0年	43.0→51.4%	NA	◇877万円

●採用・配属情報●

【男女・文理別採用実績】

	大卒男	大卒女	修士男	修士女
23年	129(文 48 理 81)	41(文 30 理 11)	212(文 4 理208)	28(文 5 理 23)
24年	164(文 71 理 93)	42(文 30 理 12)	287(文 10 理277)	32(文 7 理 25)
25年	-(文 - 理 -)	-(文 - 理 -)	-(文 - 理 -)	-(文 - 理 -)

※25年:継続中

【男女・職種別採用実績】

	事務系総合職	技術系総合職	技能系採用
23年	69(男 41 女 28)	369(男 327 女 42)	64(男 59 女 5)
24年	97(男 65 女 32)	473(男 428 女 45)	57(男 55 女 2)
25年	-(男 - 女 -)	-(男 - 女 -)	-(男 - 女 -)

【24年4月入社者の配属勤務地】[総]神奈川(横浜 厚木 横須賀 相模原)栃木 他 [技]神奈川(横浜 厚木 横須賀 相模原)栃木 他

【転勤】あり:全社員

【中途比率】[単年度]21年度53%、22年度59%、23年度62%(事務員・技術員に限る)[全体]NA

●働きやすさ、諸制度●

残業(月) 30.2時間 [総]30.2時間

【勤務時間】8:30～17:30(事業所により異なる)【有休取得年平均】19.0日【週休】完全2日(土日)【夏期休暇】連続9日【年末年始休暇】連続10日

【離職率】NA

【新卒3年後離職率】
[20→23年]NA
[21→24年]NA

【テレワーク】制度あり:[場所]自宅及び自宅に準ずる場所(配偶者又は2親等 以内の親族宅)他[対象]リモートワークを実施可能な従業員で会社が許可した者[日数]制限なし[利用率]24.8%【勤務制度】フレックス【住宅補助】寮・社宅(栃木 福島)他地区は家賃補助

●ライフイベント、女性活躍●

【女性比率】■男 □女

従業員 14.7% (3524名)

【産休】[期間]法定+妊娠期の母性保護休職(妊娠以降～産前休暇前月まで)[給与]法定[取得者数]115名

【育休】[期間]2歳の4月末まで[給与]法定[取得者数]22年度 男250名(対象581名)女127名(対象135名)23年度 男302名(対象588名)女110名(対象115名)[平均取得日数]22年度 男69日 女529日、23年度 男72日 女503日

【従業員】◇[人数]24,034名(男20,510名、女3,524名)[平均年齢]41.2歳(男41.3歳、女40.7歳)[平均勤続年数]15.0年(男15.6年、女11.2年)

【年齢構成】NA

会社データ (金額は百万円)

【本社】220-8686 神奈川県横浜市西区高島1-1-1 ☎045-523-5523
https://www.nissan.co.jp/

【業績(連結)】	売上高	営業利益	経常利益	純利益
22.3	8,424,585	247,307	306,117	215,533
23.3	10,596,695	377,109	515,443	221,900
24.3	12,685,716	568,718	702,161	426,649

スズキ(株)

[くるみん]

【特色】国内軽大手、2輪で3位。インド4輪シェア4割強

[記者評価] 主力車種は軽「スペーシア」「ワゴンR」「アルト」、登録車「ソリオ」など。国内は軽でダイハツやホンダと争う。インドでは、シェア4割強と圧倒的。19年にトヨタと資本提携。カリスマ経営者の鈴木修氏は21年6月に退任。長男の俊宏社長が経営改革を進める。

平均勤続年数	男性育休取得率	3年後離職率	平均年収(平均*41歳)
14.2年	NA	10.2→10.4%	[総]787万円

●採用・配属情報●

【男女・文理別採用実績】

	大卒男	大卒女	修士男	修士女
23年	249(文101 理148)	80(文 69 理 11)	134(文 2 理132)	3(文 0 理 3)
24年	287(文129 理158)	92(文 82 理 10)	91(文 2 理 89)	8(文 0 理 8)
25年	-(文 - 理 -)	-(文 - 理 -)	-(文 - 理 -)	-(文 - 理 -)

※25年:継続中

【男女・職種別採用実績】 転換制度:⇒

	総合職	一般職
23年	436(男 398 女 38)	45(男 0 女 45)
24年	443(男 392 女 51)	51(男 0 女 51)
25年	-(男 - 女 -)	-(男 - 女 -)

【24年4月入社者の配属勤務地】[総]〈営業職〉全国の販売代理店〈事務職〉本社及び国内の各事業所 [技]本社及び国内の各事業所

【転勤】あり:職種による

【中途比率】[単年度]21年度9%、22年度14%、23年度23%[全体]16%

●働きやすさ、諸制度●

残業(月) 25.5時間 [総]25.5時間

【勤務時間】8:45～17:30【有休取得年平均】15.5日【週休】2日【夏期休暇】連続9日【年末年始休暇】連続9日

【離職率】男:4.1%、406名 女:4.0%、48名

【新卒3年後離職率】
[20→23年]10.2%(男11.3%・入社514名、女6.7%・入社150名)
[21→24年]10.4%(男11.4%・入社290名、女6.0%・入社67名)

【テレワーク】制度あり:[場所]自宅[対象]フレックス対象職場の従業員[日数]制限なし(各職場判断)[利用率]NA【勤務制度】フレックス 勤務間インターバル 副業容認【住宅補助】独身寮 住宅資金貸付

●ライフイベント、女性活躍●

【女性比率】■男 □女

従業員 10.8% (1138名)

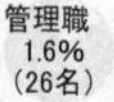

管理職 1.6% (26名)

【産休】[期間]産前6・産後8週間[給与]基本的給与の80%給付[取得者数]99名

【育休】[期間]1歳になるまで[給与]法定[取得者数]22年度 男213名(対象NA)女86名(対象NA)23年度 男289名(対象NA)女101名(対象NA)[平均取得日数]22年度 NA、23年度 NA

【従業員】[人数]10,522名(男9,384名、女1,138名)[平均年齢]40.8歳(男41.2歳、女37.2歳)[平均勤続年数]14.2年(男14.4年、女12.7年)

【年齢構成】■男 □女

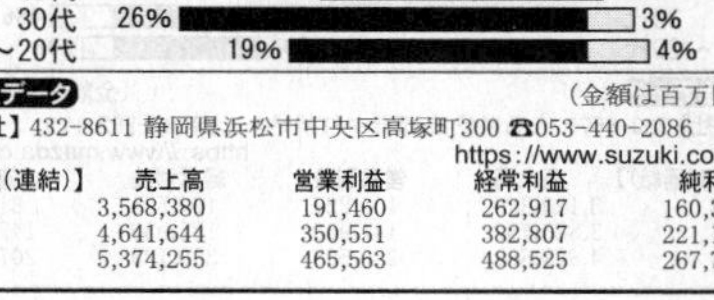

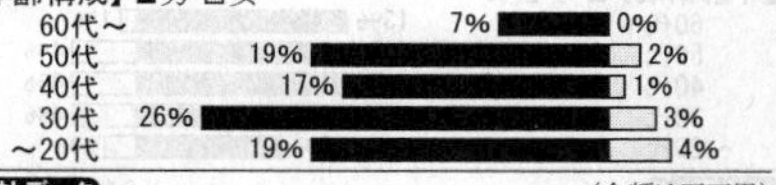

60代～ 7% 0%
50代 19% 2%
40代 17% 1%
30代 26% 3%
～20代 19% 4%

会社データ (金額は百万円)

【本社】432-8611 静岡県浜松市中央区高塚町300 ☎053-440-2086
https://www.suzuki.co.jp/

【業績(連結)】	売上高	営業利益	経常利益	純利益
22.3	3,568,380	191,460	262,917	160,345
23.3	4,641,644	350,551	382,807	221,107
24.3	5,374,255	465,563	488,525	267,717

メーカーI

マツダ㈱

[くるみん]

【特色】中堅自動車メーカー。トヨタと業務資本提携

[記者評価] 走りと燃費両立の「スカイアクティブ」など独自のエンジン技術に特徴。次世代技術対応を見据え17年にトヨタと資本提携。21年に米国でトヨタとの合弁工場稼働。22～30年まで3フェーズで段階的に電動化を進める。30年のグローバル販売BEV比率は25～40%を想定。

平均勤続年数	男性育休取得率	3年後離職率	平均年収(平均44歳)
19.0年	37.2 → 63.2%	6.5 → 6.8%	[総] 767万円

●採用・配属情報●

【男女・文理別採用実績】

	大卒男	大卒女	修士男	修士女
23年	54(文 16 理 38)	16(文 8 理 8)	141(文 2 理139)	7(文 2 理 5)
24年	62(文 13 理 49)	14(文 9 理 5)	141(文 1 理140)	6(文 2 理 4)
25年	68(文 5 理 63)	21(文 14 理 7)	112(文 0 理112)	7(文 2 理 5)

※(文系)事務系職種(理系)技術系職種

【男女・職種別採用実績】

	総合職・事務系	総合職・技術系
23年	27(男 17 女 10)	202(男 187 女 15)
24年	26(男 14 女 12)	210(男 195 女 15)
25年	21(男 5 女 16)	198(男 182 女 16)

【24年4月入社者の配属勤務地】[総]広島26 [技]広島204 山口・防府6

【転勤】あり:全社員

【中途比率】[単年度]21年度22%、22年度31%、23年度35%(事務・技術系職種のみ)[全体]15%

●働きやすさ、諸制度●

残業(月) 21.1時間 [総] 19.3時間

【勤務時間】9:00～17:45【有休取得年平均】17.0日【週休】完全2日【夏期休暇】連続9日【年末年始休暇】連続9日

【離職率】男:3.6%、421名 女:4.1%、80名

【新卒3年後離職率】

[20→23年]6.5%(男5.5%・入社219名、女11.6%・入社43名)

[21→24年]6.8%(男7.1%・入社212名、女5.3%・入社38名)

【テレワーク】制度あり:[場所]制限なし[対象]全社員[日数]制限なし[利用率]42.0%【勤務制度】フレックス 時間単位有休 裁量労働【住宅補助】独身寮 社宅 マツダフレックスベネフィット(選択型福利厚生制度)による費用補助

●ライフイベント、女性活躍●

【女性比率】■男 □女

新卒採用 14.6% (32名)

従業員 14.5% (1885名)

管理職 7.9% (347名)

【産休】[期間]産前6・産後8週間[給与]法定[取得者数]54名

【育休】[期間]3歳になるまで[給与]法定[取得者数]22年度男125名(対象336名)女67名(対象72名)23年度 男168名(対象266名)女65名(対象67名)[平均取得日数]22年度NA、23年度 NA

【従業員】[人数]13,008名(男11,123名、女1,885名)[平均年齢]45.6歳(男46.2歳、女42.2歳)[平均勤続年数]19.0年(男19.6年、女15.9年)

【年齢構成】■男 □女

	男	女
60代～	13%	1%
50代	25%	4%
40代	22%	4%
30代	17%	4%
～20代	9%	2%

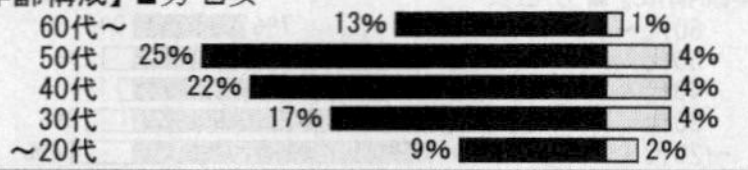

[会社データ] (金額は百万円)

【本社】730-8670 広島県安芸郡府中町新地3-1 ☎082-282-1111

https://www.mazda.co.jp/

【業績(連結)】	売上高	営業利益	経常利益	純利益
22.3	3,120,349	104,227	123,525	81,557
23.3	3,826,752	141,969	185,936	142,814
24.3	4,827,662	250,503	320,120	207,696

㈱SUBARU(スバル)

[くるみん]

【特色】中堅自動車企業。4輪駆動やエンジンに独自性

[記者評価] 航空機開発が源流。水平対向エンジンや自動ブレーキ「アイサイト」など技術面で独自路線。根強いファンを持つ。SUV(スポーツ多目的車)に注力。売上高の7割超を北米で稼ぐ。19年にトヨタからの出資比率引き上げで持ち分法適用会社に、EVを共同開発。

平均勤続年数	男性育休取得率	3年後離職率	平均年収(平均*39歳)
16.5年	38.6 → 58.0%	0.9 → NA	[総] 788万円

●採用・配属情報●

【男女・文理別採用実績】

	大卒男	大卒女	修士男	修士女
23年	81(文 10 理 71)	24(文 9 理 15)	117(文 0 理117)	5(文 0 理 5)
24年	105(文 15 理 90)	21(文 11 理 10)	109(文 0 理109)	10(文 1 理 9)
25年	124(文 23 理101)	30(文 17 理 13)	118(文 2 理116)	8(文 1 理 7)

【男女・職種別採用実績】

	総合職
23年	227(男 198 女 29)
24年	245(男 214 女 31)
25年	280(男 242 女 38)

【24年4月入社者の配属勤務地】[総]群馬・太田 東京(恵比寿 三鷹)栃木・宇都宮 [技]群馬・太田 東京(恵比寿 三鷹)栃木・宇都宮

【転勤】あり:全社員

【中途比率】[単年度]21年度36%、22年度56%、23年度57%[全体]26%

●働きやすさ、諸制度●

残業(月) 19.1時間

【勤務時間】9:00～18:00【有休取得年平均】18.1日【週休】完全2日(土日)【夏期休暇】連続10日【年末年始休暇】連続9日

【離職率】男:2.1%、351名 女:3.8%、52名

【新卒3年後離職率】

[20→23年]0.9%(男1.0%・入社305名、女0%・入社35名)

[21→24年]NA

【テレワーク】制度あり:[場所]NA[対象]NA[日数]NA[利用率]17.6%【勤務制度】フレックス 時間単位有休 時差勤務【住宅補助】独身寮 社宅 カフェテリア制度として年間上限150,000円までの住宅補助

●ライフイベント、女性活躍●

【女性比率】■男 □女

新卒採用 13.6% (38名)

従業員 7.6% (1314名)

管理職 3.6% (43名)

【産休】[期間]産前6・産後8週間[給与]法定[取得者数]36名

【育休】[期間]2歳到達後の4月末まで[給与]法定[取得者数]22年度 男211名(対象547名)女45名(対象45名)23年度 男318名(対象548名)女36名(対象36名)[平均取得日数]22年度 NA、23年度 男59日 女356日

【従業員】[人数]17,366名(男16,052名、女1,314名)[平均年齢]38.9歳(男39.1歳、女36.8歳)[平均勤続年数]16.5年(男16.6年、女14.9年)

【年齢構成】■男 □女

	男	女
60代～	1%	0%
50代	19%	1%
40代	24%	2%
30代	25%	2%
～20代	23%	3%

[会社データ] (金額は百万円)

【本社】150-8554 東京都渋谷区恵比寿1-20-8 ☎03-6447-8000

https://www.subaru.co.jp/

【業績(IFRS)】	売上高	営業利益	税前利益	純利益
22.3	2,744,520	90,452	106,972	70,007
23.3	3,774,468	267,483	278,366	200,431
24.3	4,702,947	468,198	532,574	385,084

メーカーI

602 開示 ★★☆☆☆ 専門 採用あり

三菱自動車工業(株)

みつびしじどうしゃこうぎょう

【特色】中堅自動車メーカー。日産自動車の事実上傘下

記者評価 2000年代のリコール隠しに続き、16年の燃費改ざんなど不祥事が相次いだ。同年、日産自動車が筆頭株主に。三菱商事なども出資。4駆技術やSUV(スポーツ用多目的車)、軽EV、PHVに強み。東南アジアやオセアニアに経営資源集中方針だが北米回帰も模索。

平均勤続年数	男性育休取得率	3年後離職率	平均年収(平均42歳)
15.3年	NA	NA	786万円

●採用・配属情報●

【男女・文理別採用実績】

	大卒男	大卒女	修士男	修士女
23年	97(文 29理 68)	21(文 16理 5)	52(文 3理 49)	5(文 4理 1)
24年	113(文 57理 56)	29(文 22理 7)	59(文 4理 55)	5(文 2理 3)
25年	132(文 54理 78)	24(文 23理 1)	54(文 3理 51)	5(文 1理 4)

※25年:24年7月18日時点

【男女・職種別採用実績】 転換制度:NA

総合職
23年 178(男152 女 26)
24年 208(男173 女 35)
25年 219(男188 女 31)

【24年4月入社者の配属勤務地】㊑NA ㊈NA
【転勤】あり:全社員
【中途比率】[単年度]21年度NA、22年度NA、23年度72% [全体]42%

●働きやすさ、諸制度●

残業(月) 28.2時間

【勤務時間】8:45〜17:45【有休取得年平均】15.4日【週休】完全2日(土日)【夏期休暇】連続9日【年末年始休暇】連続11日
【離職率】男:2.5%、320名 女:3.9%、64名
【新卒3年後離職率】
[20→23年]NA
[21→24年]NA
【テレワーク】制度あり:[場所]必要要件を満たす場所[対象]IT機器を利用して業務に従事する者[日数]制限なし(ただし週2日以上出社要)[利用率]25.2%【勤務制度】フレックス【住宅補助】独身寮(自己負担9,000〜18,000円) 社宅(自己負担 家賃・駐車場代の3割 最大8年間)

●ライフイベント、女性活躍●

【女性比率】■男 □女

新卒採用 14.2% (31名)

従業員 11.5% (1596名)

管理職 5.8% (111名)

【産休】[期間]法定通り、他に妊娠期休業あり[給与]法定[取得者数]83名
【育休】[期間]3歳到達日の翌年度4月末まで[給与]法定[取得者数]22年度 男150名(対象NA)女57名(対象NA)23年度 男195名(対象NA)女66名(対象NA)[平均取得日数]22年度 NA、23年度 NA
【従業員】[人数]13,844名(男12,248名、女1,596名)[平均年齢]42.1歳(男42.5歳、女39.1歳)[平均勤続年数]15.3年(男15.8年、女11.8年)
【年齢構成】■男 □女

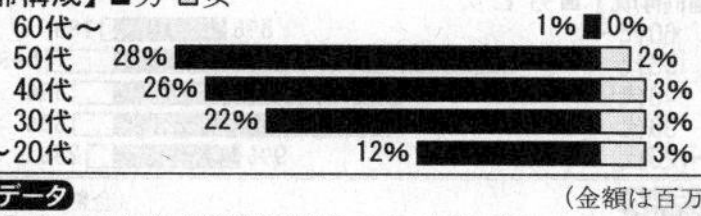

	男	女
60代〜	1%	0%
50代	28%	2%
40代	26%	3%
30代	22%	3%
〜20代	12%	3%

会社データ (金額は百万円)

【本社】108-8410 東京都港区芝浦3-1-21 田町ステーションタワーS ☎03-3456-1111 https://www.mitsubishi-motors.co.jp/

【業績(連結)】	売上高	営業利益	経常利益	純利益
22.3	2,038,909	87,331	100,969	74,037
23.3	2,458,141	190,495	182,022	168,730
24.3	2,789,589	190,971	209,040	154,709

625 開示 ★☆☆☆☆ 短大 専門 採用あり

ダイハツ工業(株)

こうぎょう

【特色】軽自動車で首位級。トヨタ傘下で軽と小型車を担当

記者評価 国内軽自動車でスズキと双璧。「ミラ」「ムーヴ」「タント」が主力。トヨタやSUBARUに小型車やエンジンのOEM・受託生産も。インドネシア、マレーシアで高シェア。23年4月以降、複数車種で認証関連の不正が発覚、経営・生産現場・風土の改革により再発防止へ。

平均勤続年数	男性育休取得率	3年後離職率	平均年収(平均41歳)
◇18.8年	NA	NA	NA

●採用・配属情報●

【男女・文理別採用実績】

	大卒男	大卒女	修士男	修士女
23年	35(文 13理 22)	16(文 6理 10)	48(文 0理 48)	0(文 0理 0)
24年	46(文 13理 33)	25(文 12理 13)	36(文 1理 35)	5(文 1理 4)
25年	NA(文NA理NA)	NA(文NA理NA)	NA(文NA理NA)	NA(文NA理NA)

【男女・職種別採用実績】

スタッフ職
23年 113(男 95 女 18)
24年 128(男 97 女 31)
25年 NA(男 NA 女 NA)

【24年4月入社者の配属勤務地】㊑大阪 滋賀 兵庫 東京 ㊈大阪 滋賀 京都 兵庫 福岡
【転勤】あり:詳細NA
【中途比率】[単年度]21年度27%、22年度31%、23年度44%[全体]NA

●働きやすさ、諸制度●

残業(月) 20.3時間 ㊑20.3時間

【勤務時間】8:45〜17:30【有休取得年平均】17.5日【週休】完全2日(土日)【夏期休暇】9日【年末年始休暇】9日
【離職率】NA
【新卒3年後離職率】
[20→23年]NA
[21→24年]NA
【テレワーク】制度あり:[場所]自宅 サテライトオフィス[対象]非現業職のみ[日数]制限なし[利用率]NA【勤務制度】フレックス 勤務間インターバル【住宅補助】独身寮 借上寮:自己負担8,000〜17,000円 家賃補助:月額家賃の65%、上限4.5万円(東京地区7.2万円)

●ライフイベント、女性活躍●

【女性比率】■男 □女

従業員 8.1% (1012名)

【産休】[期間]産前6・産後8週間[給与]法定[取得者数]33名
【育休】[期間]2歳になるまで[給与]法定[取得者数]22年度NA 23年度 男204名(対象NA)女27名(対象NA)[平均取得日数]22年度 NA、23年度 NA
【従業員】◇[人数]12,470名(男11,458名、女1,012名)[平均年齢]41.2歳(男41.4歳、女38.5歳)[平均勤続年数]18.8年(男19.1年、女15.5年)
【年齢構成】NA

会社データ (金額は百万円)

【本社】563-8651 大阪府池田市ダイハツ町1-1 ☎072-751-8811 https://www.daihatsu.co.jp/
【業績(連結)】NA

メーカーI

598 開示 ★★

いすゞ自動車(株)

【特色】商用車大手。海外でピックアップトラックも展開

記者評価 トラック・バスの国内大手。商用車では国内唯一の独立系。中小型トラックに強い。ピックアップトラック「D-MAX」も大きな柱で、生産地のタイで高い人気を誇る。欧州のボルボと包括提携し、同社傘下のUDトラックスを買収。21年トヨタと合弁会社設立。

平均勤続年数	男性育休取得率	3年後離職率	平均年収(平均41歳)
17.3年	19.1 → NA	10.4 → NA	㊟777万円

●採用・配属情報●

【男女・文理別採用実績】

	大卒男	大卒女	修士男	修士女
23年	73(文 28理 45)	9(文 8理 1)	72(文 1理 71)	11(文 4理 7)
24年	81(文 46理 35)	13(文 10理 3)	50(文 1理 49)	6(文 0理 6)
25年	89(文 51理 38)	20(文 17理 3)	79(文 3理 76)	7(文 2理 5)

【男女・職種別採用実績】

	総合職
23年	166(男146 女 20)
24年	153(男134 女 19)
25年	195(男168 女 27)

【24年4月入社者の配属勤務地】㊟神奈川(横浜 藤沢)栃木 ㊕神奈川(横浜 藤沢)栃木

【転勤】あり:[部署]海外営業 海外商品設計 生産技術 他 [勤務地]横浜 藤沢 栃木 海外

【中途比率】[単年度]21年度21%、22年度29%、23年度42%[全体]NA

●働きやすさ、諸制度●

残業(月) ㊟25.3時間

【勤務時間】8:45～17:45【有休取得年平均】17.9日【週休】会社暦2日【夏期休暇】連続9日【年末年始休暇】連続7日

【離職率】男:NA、151名 女:NA、25名

【新卒3年後離職率】
[20→23年]10.4%(男9.7%・入社145名、女16.7%・入社18名)
[21→24年]NA(男NA・入社151名、女NA・入社7名)

【テレワーク】制度あり:[場所]自宅 サテライトオフィス[対象]NA[日数]部署の意向による 週1～2程度[利用率]NA

【勤務制度】フレックス 時間単位有休【住宅補助】独身寮・社宅(東京 神奈川 栃木)約2,000名利用

●ライフイベント、女性活躍●

【女性比率】■男 □女

新卒採用 13.8% (27名)

【産休】[期間]産前6・産後8週間[給与]法定[取得者数]NA

【育休】[期間]2歳到達直後の4月末まで[給与]給付金+賞与の一部補償[取得者数]22年度 男45名(対象235名)女17名(対象17名)23年度 NA[平均取得日数]22年度 NA、23年度 NA

【従業員】[人数]8,491名(男NA、女NA)[平均年齢]40.8歳(男NA、女NA)[平均勤続年数]17.3年(男NA、女NA)

【年齢構成】NA

会社データ (金額は百万円)

【本社】220-8720 神奈川県横浜市西区高島1-2-5 横濱ゲートタワー ☎045-299-9111 https://www.isuzu.co.jp/

【業績(連結)】	売上高	営業利益	経常利益	純利益
22.3	2,514,291	187,197	208,406	126,193
23.3	3,195,537	253,546	269,872	151,743
24.3	3,386,676	293,085	313,039	176,442

600 開示 ★★★★★ 専門 採用あり

日野自動車(株)

くるみん

【特色】トヨタ傘下の商用車メーカー。中・大型に強み

記者評価 国内トラック大手。東南アジアが最大の地盤。トヨタ車の受託生産や部品供給も。バスはいすゞ自動車との合弁(ジェイ・バス)で製造。22年に認証試験で20年近くに及ぶエンジンへの不正行為が発覚。三菱ふそうトラック・バスとの経営統合計画は延期。

平均勤続年数	男性育休取得率	3年後離職率	平均年収(平均45歳)
19.8年	46.0 → 65.5%	13.1 → 17.6%	㊟763万円

●採用・配属情報●

【男女・文理別採用実績】

	大卒男	大卒女	修士男	修士女
23年	23(文 11理 12)	6(文 4理 2)	25(文 2理 23)	1(文 1理 0)
24年	15(文 8理 7)	5(文 5理 0)	12(文 0理 12)	1(文 0理 1)
25年	13(文 6理 7)	3(文 3理 0)	12(文 0理 12)	1(文 1理 0)

【男女・職種別採用実績】

	総合職
23年	64(男 57 女 7)
24年	43(男 31 女 12)
25年	33(男 29 女 4)

【24年4月入社者の配属勤務地】㊟東京(日野 新宿)茨城・古河 ㊕東京(日野 羽村 八王子みなみ野)茨城(古河 常陸大宮)

【転勤】あり:全社員

【中途比率】[単年度]21年度31%、22年度55%、23年度58%[全体]25%

●働きやすさ、諸制度●

残業(月) 18.9時間 ㊟18.1時間

【勤務時間】8:30～17:25 8:00～16:55【有休取得年平均】19.4日【週休】完全2日(土日)【夏期休暇】連続9～10日(週休含む)【年末年始休暇】連続9～10日(週休含む)

【離職率】男:2.6%、116名 女:2.6%、20名(他に男6名転籍)

【新卒3年後離職率】
[20→23年]13.1%(男11.2%・入社116名、女23.8%・入社21名)
[21→24年]17.6%(男16.4%・入社61名、女28.6%・入社7名)

【テレワーク】制度あり:[場所]自宅 サテライトオフィス[対象]間接職場の従業員[日数]制限なし[利用率]30.7%【勤務制度】フレックス 副業容認【住宅補助】独身寮 住宅手当

●ライフイベント、女性活躍●

【女性比率】■男 □女

新卒採用 12.1% (4名)

従業員 14.7% (746名)

管理職 2.5% (17名)

【産休】[期間]産前6・産後8週間[給与]会社全額給付[取得者数]41名

【育休】[期間]2歳年度末まで[給与]法定[取得者数]22年度 男161名(対象350名)女40名(対象40名)23年度 男230名(対象351名)女42名(対象42名)[平均取得日数]22年度 男59日 女462日、23年度 男55日 女414日

【従業員】[人数]5,074名(男4,328名、女746名)[平均年齢]45.0歳(男45.3歳、女43.8歳)[平均勤続年数]19.8年(男19.8年、女20.3年)

【年齢構成】■男 □女

	男	女
60代～	8%	1%
50代	29%	5%
40代	21%	3%
30代	20%	3%
～20代	9%	2%

会社データ (金額は百万円)

【本社】191-8660 東京都日野市日野台3-1-1 ☎0570-095-111 https://www.hino.co.jp/

【業績(連結)】	売上高	営業利益	経常利益	純利益
22.3	1,459,706	33,810	37,986	▲84,732
23.3	1,507,336	17,406	15,787	▲117,664
24.3	1,516,255	▲8,103	▲9,233	17,087

UDトラックス(株)

ユーディー

えるぼし ★★★

【特色】トラックが柱の商用車メーカー。いすゞグループ

[記者評価] 大型トラック「クオン」など各種トラックを製造・販売。07年からスウェーデン・ボルボの傘下だったが、19年にボルボといすゞ自動車が包括提携、21年からいすゞの完全子会社に。大型トラック自動運転の実証実験を進める。シンガポールに販売拠点、タイに工場。

平均勤続年数	男性育休取得率	3年後離職率	平均年収(平均47歳)
16.9年	69.6→93.3%	41.7→14.3%	NA

●採用・配属情報●

【男女・文理別採用実績】

	大卒男	大卒女	修士男	修士女
23年	12(文 4理 8)	4(文 4理 0)	7(文 0理 7)	2(文 1理 1)
24年	7(文 2理 5)	3(文 2理 1)	11(文 0理 11)	2(文 0理 2)
25年	23(文 5理 18)	1(文 1理 0)	6(文 1理 5)	5(文 2理 3)

【男女・職種別採用実績】

	総合職
23年	25(男 19 女 6)
24年	23(男 18 女 5)
25年	37(男 31 女 6)

【職種併願】○

【24年4月入社者の配属勤務地】[総]埼玉・上尾4 [技]埼玉・上尾19

【転勤】なし

【中途比率】[単年度]21年度50%、22年度57%、23年度61%[全体]NA

●働きやすさ、諸制度●

残業(月) 9.2時間 [総]9.2時間

【勤務時間】8:30〜17:30 8:45〜17:45 9:00〜18:00(部門により異なる)【有休取得年平均】14.9日【週休】完全2日(土日)【夏期休暇】約5日【年末年始休暇】約5日

【離職率】男:2.9%、55名 女:6.5%、23名

【新卒3年後離職率】
[20→23年]41.7%(男28.6%・入社7名、女60.0%・入社5名)
[21→24年]14.3%(男15.4%・入社13名、女0%・入社1名)

【テレワーク】制度あり:[場所]自宅 他[対象]オフィス勤務従業員(工場現場以外)[日数]制限なし[利用率]NA【勤務制度】フレックス【住宅補助】社宅(埼玉・上尾周辺)

●ライフイベント、女性活躍●

【女性比率】■男 □女

新卒採用 16.2% (6名)

従業員 15.1% (332名)

管理職 7.7% (28名)

【産休】[期間]産前8・産後8週間[給与]法定[取得者数]34名

【育休】[期間]1歳の4月末または1歳6カ月になるまで[給与]法定[取得者数]22年度 男16名(対象23名)女7名(対象7名)23年度 男28名(対象30名)女4名(対象4名)[平均取得日数]22年度 男24日 女316日、23年度 男32日 女180日

【従業員】[人数]2,201名(男1,869名、女332名)[平均年齢]47.3歳(男48.0歳、女43.1歳)[平均勤続年数]16.9年(男18.4年、女9.9年)

【年齢構成】■男 □女

60代〜 18% 1%
50代 26% 4%
40代 19% 4%
30代 12% 4%
〜20代 10% 2%

[会社データ] (金額は百万円)

【本社】362-8523 埼玉県上尾市大字壱丁目1 ☎048-814-8046
https://www.udtrucks.com/japan

【業績(連結)】NA

ヤマハ発動機(株)

はつどうき

くるみん

【特色】2輪車で世界大手。船外機や産業ロボットも展開

[記者評価] ヤマハから1955年に分離独立。2輪世界大手でアジアが主戦場。船外機などマリン事業が好採算。産業用機械・ロボット、オフロード車など幅広い。電動・原付バイクでは長年ライバルのホンダと提携。デジタル変革(DX)加速。低速の電動車両など非2輪分野も注力。

平均勤続年数	男性育休取得率	3年後離職率	平均年収(平均42歳)
◇16.2年	NA	NA→3.7%	◇812万円

●採用・配属情報●

【男女・文理別採用実績】

	大卒男	大卒女	修士男	修士女
23年	60(文 40理 20)	30(文 23理 7)	98(文 0理 98)	11(文 4理 7)
24年	66(文 38理 28)	31(文 28理 3)	77(文 0理 77)	4(文 0理 4)
25年	101(文 58理 43)	11(文 10理 1)	84(文 1理 83)	5(文 2理 3)

【男女・職種別採用実績】 転換制度:⇔

	総合職	業務職
23年	187(男159 女 28)	29(男 16 女 13)
24年	170(男143 女 27)	27(男 15 女 12)
25年	202(男186 女 16)	15(男 15 女 0)

【職種併願】○

【24年4月入社者の配属勤務地】[総]静岡県西部(磐田 袋井 浜松)および国内外の各事業所 [技]静岡県西部(磐田 袋井 浜松)および国内外の各事業所

【転勤】あり:[職種]総合職 [勤務地]本社(磐田市)事業所(国内 海外)

【中途比率】[単年度]21年度26%、22年度30%、23年度31%[全体]NA

●働きやすさ、諸制度●

残業(月) 18.3時間 [総]18.3時間

【勤務時間】8:45〜17:30もしくは8:00〜17:00(フレックスタイム制あり)【有休取得年平均】18.4日【週休】完全2日(土日)【夏期休暇】連続9日程度【年末年始休暇】連続9日程度

【離職率】◇男:1.4%、120名 女:1.6%、21名(早期退職男35名、女2名含む)

【新卒3年後離職率】
[20→23年]NA(男NA・入社174名、女NA・入社69名)
[21→24年]3.7%(男NA、女NA)

【テレワーク】制度あり:[場所]自宅[対象]NA[日数]制限なし(ただし個別ルールを設けている部門あり)[利用率]NA

【勤務制度】フレックス 時間単位有休 時差勤務【住宅補助】寮 社宅

●ライフイベント、女性活躍●

【女性比率】■男 □女

新卒採用 7.4% (16名)

従業員 13.2% (1329名)

管理職 3.8% (56名)

【産休】[期間]産前46・産後56日間[給与]法定[取得者数]NA

【育休】[期間]2年間[給与]法定[取得者数]22年度 男150名(対象NA)女73名(対象NA)23年度 男126名(対象NA)女77名(対象NA)[平均取得日数]22年度 NA、23年度 NA

【従業員】◇[人数]10,075名(男8,746名、女1,329名)[平均年齢]41.6歳(男42.5歳、女38.5歳)[平均勤続年数]16.2年(男18.0年、女15.0年)【年齢構成】■男 □女

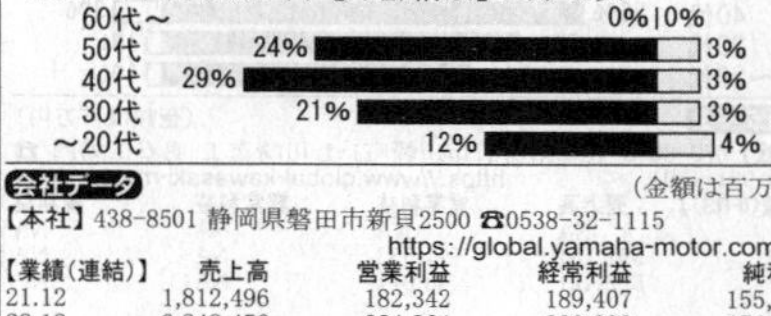
60代〜 0% 0%
50代 24% 3%
40代 29% 3%
30代 21% 3%
〜20代 12% 4%

[会社データ] (金額は百万円)

【本社】438-8501 静岡県磐田市新貝2500 ☎0538-32-1115
https://global.yamaha-motor.com/jp/

【業績(連結)】	売上高	営業利益	経常利益	純利益
21.12	1,812,496	182,342	189,407	155,578
22.12	2,248,456	224,864	239,293	174,439
23.12	2,414,759	250,655	241,982	164,119

メーカーI

2855 開示 ★★★☆☆

カワサキモータース(株)

【特色】二輪メーカー大手の一角。川崎重工傘下

[記者評価] 川崎重工の二輪、汎用エンジン事業が分離して発足。「ニンジャ」シリーズなど二輪が事業の柱。オフロード四輪は農場向け、レジャー向けなど幅広い製品群で展開。水上オートバイや芝刈機用エンジンも手がける。電動車のラインナップ拡大に力を入れる。

平均勤続年数	男性育休取得率	3年後離職率	平均年収(平均42歳)
◇15.1年	NA	ND	[総]1,034万円

●採用・配属情報●

【男女・文理別採用実績】

	大卒男	大卒女	修士男	修士女
23年	0(文 0 理 0)	0(文 0 理 0)	0(文 0 理 0)	0(文 0 理 0)
24年	18(文 12 理 6)	4(文 3 理 1)	30(文 0 理 30)	1(文 0 理 1)
25年	20(文 13 理 7)	6(文 5 理 1)	39(文 0 理 39)	0(文 0 理 0)

【男女・職種別採用実績】

	総合職
23年	0(男 0 女 0)
24年	53(男 48 女 5)
25年	68(男 62 女 6)

【24年4月入社者の配属勤務地】[総]兵庫15 [技]兵庫38
【転勤】あり:[職種]全社員 [勤務地]兵庫 東京 海外
【中途比率】[単年度]21年度-、22年度-、23年度-[全体]◇17%

●働きやすさ、諸制度●

残業(月) 23.2時間 [総]26.8時間

【勤務時間】8:00～17:00(フレックスタイム制)【有休取得年平均】18.5日【週休】完全2日(土日祝)【夏期休暇】連続9日(有休3日)【年末年始休暇】12月30日～1月4日
【離職率】◇男:0.5%、11名 女:2.0%、4名
【新卒3年後離職率】
[20→23年]ND
[21→24年]ND
【テレワーク】制度あり:[場所]NA[対象]全社員[日数]制限なし[利用率]NA【勤務制度】フレックス 裁量労働 勤務間インターバル【住宅補助】社宅(自己負担10,000～35,000円程度)寮(自己負担8,000～15,000円程度)

●ライフイベント、女性活躍●

【女性比率】■男 □女

新卒採用 8.8% (6名)
従業員 8.7% (199名)
【産休】[期間]産前6・産後8週間[給与]法定[取得者数]4名
【育休】[期間]3歳に到達するまで[給与]法定[取得者数]22年度 男11名(対象NA)女7名(対象NA)23年度 男12名(対象NA)女4名(対象NA)[平均取得日数]22年度 男73日 女271日、23年度 男118日 女480日
【従業員】◇[人数]2,282名(男2,083名、女199名)[平均年齢]41.6歳(男41.4歳、女43.7歳)[平均勤続年数]15.1年(男15.5年、女11.6年)

【年齢構成】■男 □女

	男	女
60代～	5%	1%
50代	19%	2%
40代	26%	3%
30代	22%	1%
～20代	19%	1%

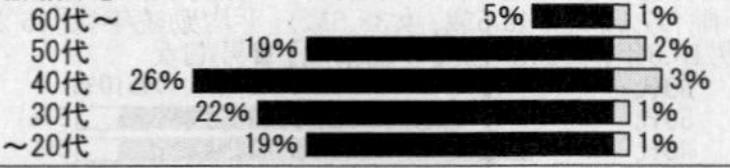

会社データ (金額は百万円)

【本社】673-8666 兵庫県明石市川崎町1-1 川崎重工 明石工場内 ☎078-921-1301 https://www.global-kawasaki-motors.com/

【業績(IFRS)】	売上高	営業利益	経常利益	純利益
22.3	NA	NA	NA	NA
23.3	591,151	71,533	NA	NA
24.3	592,421	48,071	NA	NA

604 開示 ★★★☆☆ [専門] 採用あり

トヨタ車体(しゃたい)(株)

[えるぼし★] [プラチナくるみん]

【特色】トヨタ完全子会社の完成車メーカー。BEVなども

[記者評価] ミニバン、商用車、SUV、HVなど生産。国内で手がけた車両は累計3000万台超。特装車、福祉車両、超小型BEV「コムス」の開発・生産も担う。「コムス」累計生産台数は1万台突破。国内10社、海外8社(アジア、北米等)でグループ構成。イベント通じた地域交流も活発。

平均勤続年数	男性育休取得率	3年後離職率	平均年収(平均46歳)
21.4年	37.5→58.3%	6.9→4.6%	◇835万円

●採用・配属情報●

【男女・文理別採用実績】

	大卒男	大卒女	修士男	修士女
23年	17(文 6 理 11)	10(文 6 理 4)	30(文 0 理 30)	4(文 0 理 4)
24年	20(文 5 理 15)	9(文 6 理 3)	27(文 0 理 27)	5(文 0 理 5)
25年	24(文 7 理 17)	18(文 12 理 6)	42(文 0 理 42)	4(文 0 理 4)

【男女・職種別採用実績】

	総合職
23年	61(男 47 女 14)
24年	62(男 47 女 15)
25年	88(男 66 女 22)

【24年4月入社者の配属勤務地】[総]愛知(刈谷9 豊田1)三重・いなべ1 [技]愛知(刈谷42 豊田4)三重・いなべ5
【転勤】あり:全社員
【中途比率】[単年度]21年度13%、22年度22%、23年度26%[全体]NA

●働きやすさ、諸制度●

残業(月) 23.7時間 [総]23.7時間

【勤務時間】8:30～17:30【有休取得年平均】20.7日【週休】完全2日(土日)【夏期休暇】連続9日【年末年始休暇】連続10日
【離職率】男:0.8%、29名 女:0.6%、3名
【新卒3年後離職率】
[20→23年]6.9%(男5.4%・入社92名、女12.5%・入社24名)
[21→24年]4.6%(男4.8%・入社84名、女4.0%・入社25名)
【テレワーク】制度あり:[場所]自宅 カフェ 他機密が確保できる場所[対象]フレックスタイム適用の職場[日数]制限なし[利用率]17.1%【勤務制度】フレックス 副業容認【住宅補助】寮(愛知(刈谷・豊田)三重(いなべ))

●ライフイベント、女性活躍●

【女性比率】■男 □女

新卒採用 25% (22名)
従業員 12.4% (542名)
管理職 2.3% (26名)
【産休】[期間]産前6・産後8週間[給与]健保80%給付[取得者数]13名
【育休】[期間]2年間(現業は3年間)[給与]法定[取得者数]22年度 男42名(対象112名)女11名(対象11名)23年度 男81名(対象139名)女13名(対象13名)[平均取得日数]22年度 NA、23年度 男50日 女466日
【従業員】[人数]4,374名(男3,832名、女542名)[平均年齢]45.5歳(男46.0歳、女41.6歳)[平均勤続年数]21.4年(男21.9年、女18.1年)

【年齢構成】■男 □女

	男	女
60代～	7%	0%
50代	32%	3%
40代	25%	4%
30代	14%	2%
～20代	9%	3%

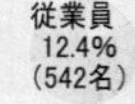

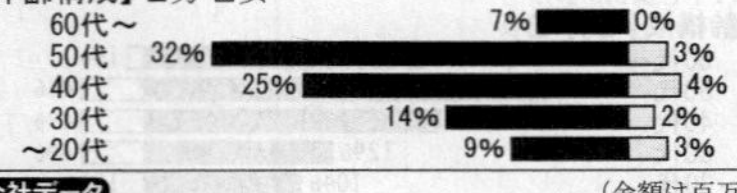

会社データ (金額は百万円)

【本社】448-8666 愛知県刈谷市一里山町金山100 ☎0566-36-7601 https://www.toyota-body.co.jp/

【業績(単独)】	売上高	営業利益	経常利益	純利益
22.3	1,566,200	NA	NA	NA
23.3	1,991,600	NA	NA	NA
24.3	2,344,000	NA	NA	NA

ダイハツ九州(株)

きゅうしゅう

【特色】ダイハツの生産拠点。マザー工場の役割を担う

記者評価 前身はダイハツ前橋製作所で04年に全面移転。中津2工場とエンジン生産の久留米工場を擁し、開発から生産まで一貫。ダイハツグループの全軽商用車・特装車を含め、全体の約8割を生産。親会社の認証不正に伴い23年12月稼働停止も、24年2月から順次生産再開。

平均勤続年数	男性育休取得率	3年後離職率	平均年収(平均40歳)
13.8年	16.7→55.9%	13.3→18.8%	㊣709万円

●採用・配属情報●

【男女・文理別採用実績】

	大卒男	大卒女	修士男	修士女
23年	7(文 3理 4)	2(文 2理 0)	0(文 0理 0)	0(文 0理 0)
24年	9(文 2理 7)	4(文 2理 2)	4(文 0理 4)	0(文 0理 0)
25年	7(文 3理 4)	1(文 1理 0)	0(文 0理 0)	0(文 0理 0)

【男女・職種別採用実績】 転換制度:⇔

	総合職
23年	10(男 8 女 2)
24年	19(男 14 女 5)
25年	8(男 7 女 1)

【24年4月入社者の配属勤務地】㊣大分・中津4 福岡・久留米1(予定) ㊕大分・中津14

【転勤】なし

【中途比率】[単年度]21年度52%、22年度52%、23年度56%[全体]53%

●働きやすさ、諸制度●

残業(月) 18.4時間 ㊣16.4時間

【勤務時間】8:00〜16:45(フレックスタイム制 コアタイムなし)【有休取得年平均】19.7日【週休】完全2日(土日)【夏期休暇】連続9日(土日を含む)【年末年始休暇】連続10日(土日を含む)

【離職率】男:4.3%、15名 女:6.5%、3名

【新卒3年後離職率】

[20→23年]13.3%(男8.3%・入社12名、女33.3%・入社3名)

[21→24年]18.8%(男18.2%・入社11名、女20.0%・入社5名)

【テレワーク】制度あり:[場所]自宅[対象]全社員(間接部門)[日数]制限なし[利用率]0.1%【勤務制度】フレックス【住宅補助】独身寮(自己負担11,800円 中津)社外寮(自己負担12,500円 中津、久留米)

●ライフイベント、女性活躍●

【女性比率】■男 □女

新卒採用 12.5% (1名)

従業員 11.3% (43名)

管理職 1.8% (1名)
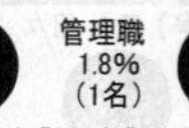
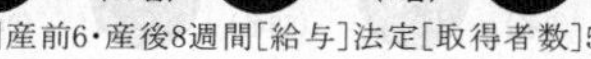

【産休】[期間]産前6・産後8週間[給与]法定[取得者数]5名

【育休】[期間]1歳になるまで[給与]法定[取得者数]22年度 男2名(対象12名)女3名(対象1名)23年度 男62名(対象111名)女5名(対象4名)[平均取得日数]22年度 男97日 女323日、23年度 男19日 女362日

【従業員】[人数]379名(男336名、女43名)[平均年齢]40.7歳(男41.0歳、女38.4歳)[平均勤続年数]13.8年(男14.4年、女9.0年)

【年齢構成】■男 □女

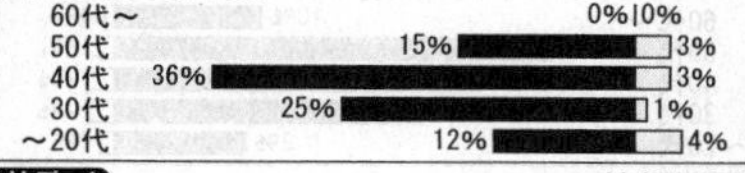

会社データ (金額は百万円)

【本社】879-0107 大分県中津市大字昭和新田1 ☎0979-33-1230 https://www.daihatsu-kyushu.co.jp/

【業績(単独)】	売上高	営業利益	経常利益	純利益
22.3	356,492	NA	NA	NA
23.3	467,849	NA	NA	NA
24.3	341,745	NA	NA	NA

日産車体(株)

にっさんしゃたい

プラチナくるみん

【特色】日産自動車系車両メーカー。SUVや商用車主体

記者評価 日産自動車から委託を受け、ミニバンやSUV、商用車などの開発から生産を担う。車種は国内向け「エルグランド」や海外向け「アルマーダ」、商用の「キャラバン」など。湘南工場と九州工場の2拠点体制だが、中心は九州にシフト。工場の生産合理化を推進。

平均勤続年数	男性育休取得率	3年後離職率	平均年収(平均41歳)
16.2年	61.9→76.9%	10.0→18.4%	㊣740万円

●採用・配属情報●

【男女・文理別採用実績】

	大卒男	大卒女	修士男	修士女
23年	25(文 6理 19)	4(文 4理 0)	8(文 0理 8)	2(文 0理 2)
24年	25(文 5理 20)	11(文 8理 3)	8(文 0理 8)	0(文 0理 0)
25年	24(文 5理 19)	11(文 8理 3)	8(文 0理 8)	0(文 0理 0)

※25年:継続中

【男女・職種別採用実績】

	総合職
23年	39(男 33 女 6)
24年	44(男 33 女 11)
25年	43(男 32 女 11)

【24年4月入社者の配属勤務地】㊣神奈川・平塚11 福岡・苅田1 ㊕神奈川(平塚30 秦野2)

【転勤】あり:[職種]全社員[勤務地]栃木 京都 福岡

【中途比率】[単年度]21年度5%、22年度27%、23年度31%[全体]16%

●働きやすさ、諸制度●

残業(月) 20.1時間 ㊣20.1時間

【勤務時間】8:30〜17:30【有休取得年平均】16.4日【週休】完全2日(土日)【夏期休暇】10日程度【年末年始休暇】10日程度

【離職率】男:2.5%、27名 女:1.9%、3名

【新卒3年後離職率】

[20→23年]10.0%(男13.0%・入社23名、女0%・入社7名)

[21→24年]18.4%(男19.6%・入社46名、女0%・入社3名)

【テレワーク】制度あり:[場所]自宅 他自宅に準じる場所[対象]日産車体・日産車体九州の社員 他社からの出向者 常勤嘱託 定年嘱託 契約従業員 他[日数]制限なし[利用率]NA【勤務制度】フレックス【住宅補助】独身寮(神奈川・平塚 月約17,000円 30歳まで)社宅(神奈川・平塚中心)

●ライフイベント、女性活躍●

【女性比率】■男 □女

新卒採用 25.6% (11名)

従業員 12.8% (154名)

管理職 6% (12名)

【産休】[期間]産前6・産後8週間[給与]法定[取得者数]2名

【育休】[期間]2歳に達した後の4月末まで[給与]法定[取得者数]22年度 男13名(対象21名)女6名(対象7名)23年度 男10名(対象13名)女5名(対象5名)[平均取得日数]22年度 男113日 女956日、23年度 男58日 女387日

【従業員】[人数]1,202名(男1,048名、女154名)[平均年齢]44.9歳(男45.3歳、女42.1歳)[平均勤続年数]16.2年(男16.6年、女13.2年)

【年齢構成】■男 □女

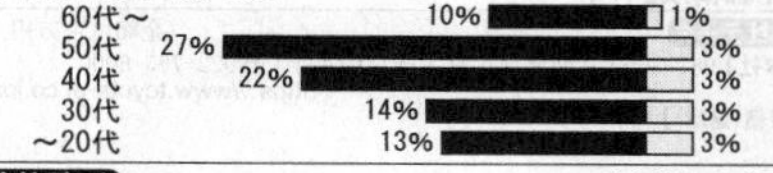

会社データ (金額は百万円)

【本社】254-8610 神奈川県平塚市堤町2-1 ☎0463-21-8004 https://www.nissan-shatai.co.jp/

【業績(連結)】	売上高	営業利益	経常利益	純利益
22.3	215,359	▲3,538	▲2,541	▲2,217
23.3	307,521	4,390	5,118	3,883
24.3	301,071	979	1,392	407

メーカーI

トヨタ自動車東日本(株)
じどうしゃひがしにほん

[くるみん]

【特色】トヨタ系3社が統合。宮城、岩手などに生産拠点

[記者評価] 関東自動車工業、セントラル自動車、トヨタ自動車東北の統合で12年に誕生。「ヤリス」「アクア」「カローラアクシオ」などコンパクト車の開発から生産まで一貫して手がける。福祉車両「ウェルキャブ」も。国内4工場とブラジル、タイに海外生産拠点。

平均勤続年数	男性育休取得率	3年後離職率	平均年収(平均45歳)
◇19.8年	20.8→40.8%	6.1→5.6%	[総]842万円

●採用・配属情報●

【男女・文理別採用実績】

	大卒男	大卒女	修士男	修士女
23年	21(文 12理 9)	6(文 6理 0)	13(文 0理 13)	0(文 0理 0)
24年	33(文 18理 15)	4(文 3理 1)	9(文 0理 9)	0(文 0理 0)
25年	24(文 11理 13)	5(文 4理 1)	6(文 0理 6)	0(文 0理 0)

【男女・職種別採用実績】

	総合職
23年	50(男 43 女 7)
24年	53(男 48 女 5)
25年	40(男 34 女 6)

【24年4月入社者の配属勤務地】[総]宮城・大衡15 岩手・金ヶ崎6 静岡・裾野1 [技]静岡・裾野14 宮城(大衡13 大和1)岩手・金ヶ崎3

【転勤】あり:全社員

【中途比率】[単年度]21年度3%、22年度32%、23年度15% [全体]NA

●働きやすさ、諸制度●

残業(月) 22.7時間 [総]24.9時間

【勤務時間】8時間(フレックスタイム制)【有休取得年平均】18.3日【週休】会社暦2日【夏期休暇】連続9日(うち平日5日)【年末年始休暇】連続10日(うち平日5日)

【離職率】NA

【新卒3年後離職率】
[20→23年]6.1%(男6.7%・入社30名、女0%・入社3名)
[21→24年]5.6%(男6.1%・入社33名、女0%・入社3名)

【テレワーク】制度あり:[場所]自宅[対象]事務職 技術職[日数]制限なし[利用率]20.3%【勤務制度】フレックス【住宅補助】独身寮 社宅

●ライフイベント、女性活躍●

【女性比率】■男 □女

新卒採用 15% (6名)

従業員 6.2% (421名)

【産休】[期間]産前6・産後8週間[給与]法定[取得者数]23名

【育休】[期間]小学校卒業まで通算2年(ライン作業者3年)分割2回取得可[給与]法定[取得者数]22年度 男38名(対象183名)女24名(対象24名)23年度 男64名(対象157名)女25名(対象25名)[平均取得日数]22年度 NA、23年度 男80日 女360日

【従業員】◇[人数]6,820名(男6,399名、女421名)[平均年齢]44.0歳(男44.3歳、女39.3歳)[平均勤続年数]19.8年(男20.0年、女16.4年)

【年齢構成】NA

会社データ

(金額は百万円)

【本社】981-3609 宮城県黒川郡大衡村中央平1 ☎022-765-6000
https://www.toyota-ej.co.jp/

【業績(連結)】NA

マザーサンヤチヨ・オートモーティブシステムズ(株)

【特色】燃料タンクやサンルーフなど自動車部品を製販

[記者評価] 自動車用燃料タンク、サンルーフ、補修部品など手がける。23年ホンダがTOB実施し9割超の株式取得、24年1月上場廃止。その後、ホンダはインド自動車部品メーカーへ大半の株式売却、ホンダ出資比率約2割に。40年全新車をEVかFCVにするホンダの戦略に翻弄される。

平均勤続年数	男性育休取得率	3年後離職率	平均年収(平均43歳)
◇22.0年	50.0→71.9%	12.5→23.8%	[総]606万円

●採用・配属情報●

【男女・文理別採用実績】

	大卒男	大卒女	修士男	修士女
23年	0(文 0理 0)	1(文 1理 0)	0(文 0理 0)	0(文 0理 0)
24年	4(文 2理 2)	1(文 1理 0)	2(文 0理 2)	0(文 0理 0)
25年	5(文 2理 3)	0(文 0理 0)	1(文 0理 1)	0(文 0理 0)

【男女・職種別採用実績】 転換制度:⇔

	事務系総合職	技術系総合職
23年	1(男 0 女 1)	2(男 2 女 0)
24年	3(男 2 女 1)	5(男 5 女 0)
25年	2(男 2 女 0)	5(男 5 女 0)

【職種併願】○

【24年4月入社者の配属勤務地】[総]埼玉3 [技]栃木1 埼玉4

【転勤】あり:[職種]全社員[勤務地]三重 栃木 埼玉 海外

【中途比率】[単年度]21年度0%、22年度25%、23年度70% [全体]◇38%

●働きやすさ、諸制度●

残業(月) 15.0時間 [総]15.0時間

【勤務時間】8時間(フレックスタイム制 コアタイム10:00~15:00)【有休取得年平均】18.0日【週休】完全2日(土日)【夏期休暇】8月中旬に平日5日間(土日含め9連休)【年末年始休暇】年末年始 平日4~5日間(土日含め9連休)

【離職率】◇男:3.1%、28名 女:5.4%、3名(早期退職8名含む)

【新卒3年後離職率】
[20→23年]12.5%(男6.7%・入社15名、女100%・入社1名)
[21→24年]23.8%(男21.1%・入社19名、女50.0%・入社2名)

【テレワーク】制度あり:[場所]自宅[対象]現場作業者以外[日数]一部理由の場合は制限あり(5日/月)[利用率]-【勤務制度】フレックス 勤務間インターバル【住宅補助】住宅手当(7,500~16,000円)社宅(条件対象者 例:6万円の物件の1割自己負担)

●ライフイベント、女性活躍●

【女性比率】■男 □女

新卒採用 0% (0名)

従業員 5.8% (53名)

管理職 0% (0名)

【産休】[期間]産前6・産後10週間[給与]法定[取得者数]1名

【育休】[期間]2年間[給与]法定+育休中賞与は1.5カ月を保証(入社後年数条件あり)[取得者数]22年度 男8名(対象16名)女1名(対象1名)23年度 男23名(対象32名)女1名(対象1名)[平均取得日数]22年度 男83日 女730日、23年度 男33日 女730日

【従業員】◇[人数]916名(男863名、女53名)[平均年齢]45.5歳(男45.9歳、女39.4歳)[平均勤続年数]22.0年(男22.5年、女14.8年)【年齢構成】■男 □女

	男	女
60代~	10%	0%
50代	30%	1%
40代	25%	2%
30代	21%	2%
~20代	9%	1%

会社データ

(金額は百万円)

【本社】350-1335 埼玉県狭山市柏原393 ☎04-2955-1211
https://www.yachiyo-ind.co.jp/

【業績(IFRS)】	売上高	営業利益	経常利益	純利益
22.3	164,230	11,907	6,406	5,154
23.3	188,243	12,326	7,532	5,971
24.3	NA	NA	NA	NA

メーカーI

(株)デンソー

[くるみん]

【特色】自動車部品で国内最大、世界2位。トヨタ系

[記者評価] トヨタ自動車から自動車の電装部品部門が分離独立。自動車部品で国内最大、世界2位。トヨタグループの筆頭格で、熱機器やエンジン、駆動系など製品は幅広い。グループで唯一、トヨタから社長を受け入れておらず独立色が強い。ソフトウェアや半導体に活路。

平均勤続年数	男性育休取得率	3年後離職率	平均年収(平均43歳)
21.0年	35.6 → 52.0%	6.9 → 6.3%	[総]1,048万円

●採用・配属情報●

【男女・文理別採用実績】※修士・博士・専門は大卒に含む

	大卒男	大卒女	修士男	修士女
23年	234(文 25理209)	28(文 17理 11)	0(文 0理 0)	0(文 0理 0)
24年	260(文 19理241)	42(文 14理 28)	0(文 0理 0)	0(文 0理 0)
25年	294(文 37理257)	49(文 26理 23)	0(文 0理 0)	0(文 0理 0)

【男女・職種別採用実績】

	事技職	一般職
23年	262(男234 女 28)	0(男 0 女 0)
24年	302(男260 女 42)	0(男 0 女 0)
25年	343(男294 女 49)	0(男 0 女 0)

【24年4月入社者の配属勤務地】[総]本社および国内海外事業所および機能分社会社 [技]本社および国内海外事業所および機能分社会社

【転勤】あり:全社員

【中途比率】[単年度]21年度27%、22年度37%、23年度39%[全体]15%

●働きやすさ、諸制度●

残業(月) 19.5時間 [総]15.5時間

【勤務時間】8:40〜17:40【有休取得年平均】19.3日【週休】完全2日(土日)【夏期休暇】連続9日(週休4日含む)【年末年始休暇】連続10日(週休4日含む)

【離職率】男:1.1%、245名 女:2.0%、83名(早期退職男52名、女3名含む)

【新卒3年後離職率】
[20→23年]6.9%(男6.5%・入社596名、女8.1%・入社210名)
[21→24年]6.3%(男6.2%・入社290名、女6.5%・入社92名)

【テレワーク】制度あり:[場所]自宅 カフェ 他[対象]フレックス勤務者 裁量労働制度適用者 マネジメント職およびフレックス職場に勤務する受入出向者 定年後再雇用者[日数]制限なし[利用率]20.0%【勤務制度】フレックス 裁量労働 副業容認【住宅補助】寮(入社直後者)家賃補助(独身者、年齢等支給要件あり)家賃補助(既婚者、入籍後4年まで)

●ライフイベント、女性活躍●

【女性比率】■男 □女

新卒採用 14.3% (49名)
従業員 15.3% (3966名)
管理職 1.7% (56名)
【産休】[期間]産前6・産後8週間[給与]法定[取得者数]147名

【育休】[期間]小学校卒業まで(通算3年)[給与]法定[取得者数]22年度 男231名(対象648名)女151名(対象170名)23年度 男343名(対象660名)女148名(対象141名)[平均取得日数]22年度 男60日 女522日、23年度 男67日 女526日

【従業員】[人数]25,935名(男21,969名、女3,966名)[平均年齢]42.9歳(男43.4歳、女40.0歳)[平均勤続年数]21.0年(男21.4年、女18.2年)【年齢構成】■男 □女

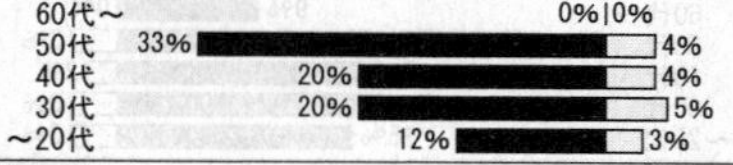

	男	女
60代〜	0%	0%
50代	33%	4%
40代	20%	4%
30代	20%	5%
〜20代	12%	3%

会社データ (金額は百万円)

【本社】448-8661 愛知県刈谷市昭和町1-1 ☎050-1738-6087
https://www.denso.com/jp/ja/

【業績(IFRS)】	売上高	営業利益	税前利益	純利益
22.3	5,515,512	341,179	384,808	263,901
23.3	6,401,320	426,099	456,870	314,633
24.3	7,144,733	380,599	436,237	312,791

(株)アイシン

[えるぼし ★★] [プラチナくるみん]

【特色】トヨタ系自動車部品大手。ATは世界シェア首位

[記者評価] 自動車部品全般を展開。自動変速機が軸のAWが手動変速機のAIを19年吸収合併。21年AWと経営統合し現社名に。ATなど開発・生産担うエンジニア1500人を電動化部門にシフト、関連製品開発加速。事業売却など構造改革進める。EV向けeアクスル拡販に集中。

平均勤続年数	男性育休取得率	3年後離職率	平均年収(平均42歳)
16.4年	33.9 → 50.4%	6.3 → 5.6%	[総]839万円

●採用・配属情報●

【男女・文理別採用実績】

	大卒男	大卒女	修士男	修士女
23年	68(文 19理 49)	26(文 9理 17)	102(文 0理102)	9(文 1理 8)
24年	54(文 27理 27)	26(文 15理 11)	108(文 0理108)	12(文 1理 11)
25年	72(文 29理 43)	31(文 25理 6)	122(文 2理120)	8(文 2理 6)

【男女・職種別採用実績】 転換制度:⇒

	総合職	実務職
23年	205(男170 女 35)	0(男 0 女 0)
24年	200(男162 女 38)	0(男 0 女 0)
25年	233(男194 女 39)	0(男 0 女 0)

【24年4月入社者の配属勤務地】[総]愛知県下各拠点 工場他 [技]愛知県下各拠点 工場 試験場 開発拠点

【転勤】あり:全社員

【中途比率】[単年度]21年度20%、22年度28%、23年度26%[全体]32%

●働きやすさ、諸制度●

残業(月) 19.4時間 [総]20.2時間

【勤務時間】本社・研究所8:30〜17:30【有休取得年平均】18.3日【週休】完全2日(土日)【夏期休暇】連続9日【年末年始休暇】連続10日

【離職率】男:1.9%、232名 女:1.7%、36名

【新卒3年後離職率】
[20→23年]6.3%(男6.7%・入社119名、女4.3%・入社23名)
[21→24年]5.6%(男5.8%・入社120名、女4.3%・入社23名)

【テレワーク】制度あり:[場所]自宅 サテライトオフィス 他[対象]PC保有者[日数]制限なし[利用率]22.7%【勤務制度】フレックス 裁量労働 時差勤務 副業容認【住宅補助】独身寮(自己負担額は各寮ごとに設定)社宅(自己負担額は社宅ごとに設定)

●ライフイベント、女性活躍●

【女性比率】■男 □女

新卒採用 16.7% (39名)
従業員 15.4% (2144名)
管理職 3.1% (139名)
【産休】[期間]産前6・産後8週間[給与]法定[取得者数]242名

【育休】[期間]2歳になるまで[給与]法定[取得者数]22年度 男428名(対象1,264名)女240名(対象240名)23年度 男572名(対象1,134名)女230名(対象231名)[平均取得日数]22年度 NA、23年度 男63日 女517日

【従業員】[人数]13,888名(男11,744名、女2,144名)[平均年齢]41.8歳(男42.2歳、女39.7歳)[平均勤続年数]16.4年(男16.8年、女14.3年)

【年齢構成】■男 □女

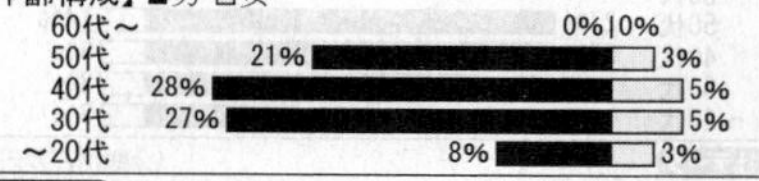

	男	女
60代〜	0%	0%
50代	21%	3%
40代	28%	5%
30代	27%	5%
〜20代	8%	3%

会社データ (金額は百万円)

【本社】448-8650 愛知県刈谷市朝日町2-1 ☎0566-24-8032
https://www.aisin.com/jp/

【業績(IFRS)】	売上高	営業利益	税前利益	純利益
22.3	3,917,434	182,011	219,983	141,941
23.3	4,402,823	57,942	73,741	37,670
24.3	4,909,557	143,396	149,877	90,813

メーカーI

(株)豊田自動織機（とよたじどうしょっき）

[えるぼし★★] [プラチナくるみん]

【特色】トヨタ本家。主力はフォークリフトや自動車部品

[記者評価] フォークリフト、カーエアコン用コンプレッサー、エアジェット織機の3分野で世界首位。グループ内で事業集約したディーゼルエンジンやトヨタ「RAV4」の組み立ても行う。電動化に備え、電動コンプレッサーに加えてHV・EV用電池も主軸として能力増強。

平均勤続年数	男性育休取得率	3年後離職率	平均年収(平均43歳)
17.6年	30.5→49.5%	3.8→8.3%	◇814万円

●採用・配属情報●

【男女・文理別採用実績】

	大卒男	大卒女	修士男	修士女
23年	29(文 18 理 11)	19(文 17 理 2)	106(文 0 理106)	8(文 0 理 8)
24年	43(文 20 理 23)	17(文 16 理 1)	110(文 0 理110)	4(文 1 理 3)
25年	60(文 33 理 27)	39(文 36 理 3)	116(文 1 理115)	9(文 1 理 8)

【男女・職種別採用実績】 転換制度:⇒

	総合職	一般職
23年	158(男135 女 23)	4(男 0 女 4)
24年	170(男153 女 17)	4(男 0 女 4)
25年	220(男176 女 44)	4(男 0 女 4)

【24年4月入社者の配属勤務地】[総]愛知県内各拠点 [技]愛知県内各拠点

【転勤】あり:詳細NA

【中途比率】[単年度]21年度21%、22年度20%、23年度16%[全体]12%

●働きやすさ、諸制度●

残業(月) 25.3時間

【勤務時間】8:00～17:00(フレックスタイム制)【有休取得年平均】18.9日【週休】完全2日(土日)【夏期休暇】連続9日【年末年始休暇】連続9日

【離職率】男:1.3%、67名 女:2.6%、21名

【新卒3年後離職率】
[20→23年]3.8%(男3.8%・入社131名、女3.8%・入社26名)
[21→24年]8.3%(男8.3%・入社108名、女8.3%・入社24名)

【テレワーク】制度あり:[場所]自宅 サテライトオフィス[対象]技術職 事務職[日数]制限なし[利用率]8.4%【勤務制度】フレックス 裁量労働【住宅補助】独身寮 社有・借上社宅 住宅家賃補助 他(愛知県内外)

●ライフイベント、女性活躍●

【女性比率】■男 □女

新卒採用 21.4% (48名)

従業員 12.8% (779名)
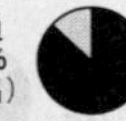
管理職 2% (52名)

【産休】[期間]産前6・産後8週間[給与]法定[取得者数]55名

【育休】[期間]2歳の誕生日まで[給与]法定[取得者数]22年度 男138名(対象453名)女38名(対象39名)23年度 男232名(対象469名)女39名(対象42名)[平均取得日数]22年度NA、23年度 男66日 女498日

【従業員】[人数]6,072名(男5,293名、女779名)[平均年齢]42.8歳(男43.1歳、女40.3歳)[平均勤続年数]17.6年(男17.8年、女16.3年)

【年齢構成】■男 □女

	男	女
60代～	0%	0%
50代	27%	4%
40代	27%	3%
30代	22%	3%
～20代	10%	3%

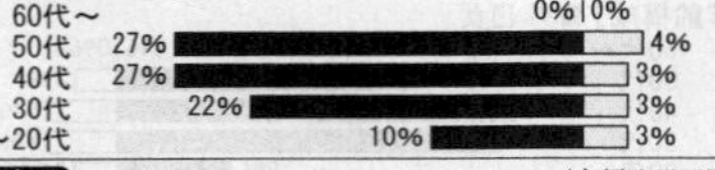

[会社データ] (金額は百万円)

【本社】448-8671 愛知県刈谷市豊田町2-1 ☎0566-27-5148
https://www.toyota-shokki.co.jp/

【業績(IFRS)】	売上高	営業利益	税前利益	純利益
22.3	2,705,183	159,066	246,123	180,306
23.3	3,379,891	169,904	262,967	192,861
24.3	3,833,205	200,404	309,190	228,778

豊田合成(株)（とよだごうせい）

[くるみん]

【特色】合成樹脂やゴム部品の大手メーカー。トヨタ系

[記者評価] トヨタ系の合成樹脂・ゴム製品の部品メーカー。自動車用内外装部品が主軸でエアバッグなど安全部品も展開。国内は愛知県中心に関東、九州にも工場。トヨタ比率は5割強。芦森工業とエアバッグなど次世代製品開発で提携。安全部品は中国やインドで能力増強。

平均勤続年数	男性育休取得率	3年後離職率	平均年収(平均45歳)
◇[!]19.5年	44.8→59.6%	3.0→10.0%	[総]799万円

●採用・配属情報●

【男女・文理別採用実績】

	大卒男	大卒女	修士男	修士女
23年	32(文 8 理 24)	12(文 6 理 6)	47(文 1 理 46)	4(文 0 理 4)
24年	43(文 13 理 30)	8(文 6 理 2)	27(文 0 理 27)	4(文 0 理 4)
25年	42(文 13 理 29)	17(文 11 理 6)	36(文 0 理 36)	8(文 0 理 8)

【男女・職種別採用実績】

	総合職
23年	95(男 79 女 16)
24年	82(男 70 女 12)
25年	103(男 78 女 25)

【24年4月入社者の配属勤務地】[総]愛知18 静岡1 [技]愛知61 三重1 静岡1

【転勤】あり:全社員

【中途比率】[単年度]21年度35%、22年度34%、23年度34%[全体]◇36%

●働きやすさ、諸制度●

残業(月) 14.8時間 [総]14.8時間

【勤務時間】8:30～17:15【有休取得年平均】17.9日【週休】完全2日(土日)【夏期休暇】約9日【年末年始休暇】約9日

【離職率】男:1.7%、99名 女:2.4%、20名

【新卒3年後離職率】
[20→23年]3.0%(男3.6%・入社111名、女0%・入社21名)
[21→24年]10.0%(男9.9%・入社81名、女10.5%・入社19名)

【テレワーク】制度あり:[場所]上司の出社指示に従える、機密性が確保されるなど一部制限あり[対象]全事技職(正社員 再雇用 嘱託社員)[日数]月10日まで[利用率]5.5%

【勤務制度】フレックス 裁量労働 副業容認【住宅補助】独身寮(愛知1 静岡1)

●ライフイベント、女性活躍●

【女性比率】■男 □女

新卒採用 24.3% (25名)

従業員 12.3% (828名)

管理職 3.6% (39名)

【産休】[期間]産前8・産後8週間[給与]健保8割(出産手当金)給付[取得者数]21名

【育休】[期間]2歳になるまで[給与]法定[取得者数]22年度 男73名(対象163名)女26名(対象26名)23年度 男87名(対象146名)女28名(対象28名)[平均取得日数]22年度 男56日 女443日、23年度 男53日 女370日

【従業員】◇[人数]6,722名(男5,894名、女828名)[平均年齢]43.3歳(男43.8歳、女39.9歳)[平均勤続年数]19.5年(男19.9年、女16.9年) ※外部出向者除く

【年齢構成】■男 □女

	男	女
60代～	9%	0%
50代	27%	3%
40代	20%	2%
30代	17%	3%
～20代	15%	3%

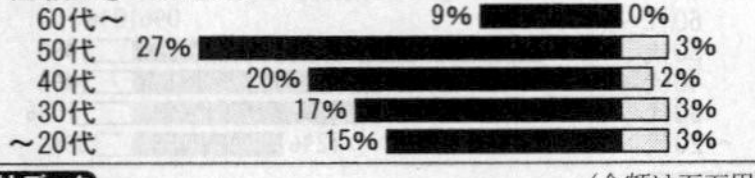

[会社データ] (金額は百万円)

【本社】452-8564 愛知県清須市春日長畑1 ☎052-400-1055
https://www.toyoda-gosei.co.jp/

【業績(IFRS)】	売上高	営業利益	税前利益	純利益
22.3	830,243	34,172	37,696	23,352
23.3	951,877	35,069	35,323	16,004
24.3	1,071,107	67,703	71,801	51,454

587 開示 ★★★★

㈱東海理化（とうかいりか）

プラチナくるみん

【特色】スイッチやシートベルトで大手。トヨタ系

記者評価 主力はウィンカーやワイパーのレバーなど自動車用各種スイッチ。トヨタ関連が売上の7割強。シートベルトやステアリングホイールなども展開。車載半導体を自社開発・生産。ゲーミングデバイスなどBtoC事業や外部連携によるバイオ領域にも意欲。

平均勤続年数	男性育休取得率	3年後離職率	平均年収(平均40歳)
20.0年	81.5→72.2%	5.2→10.3%	㊗791万円

●採用・配属情報●

【男女・文理別採用実績】

	大卒男	大卒女	修士男	修士女
23年	4(文 1理 3)	9(文 3理 6)	14(文 0理 14)	3(文 0理 3)
24年	15(文 5理 10)	9(文 6理 3)	15(文 0理 15)	2(文 0理 2)
25年	22(文 5理 17)	7(文 5理 2)	10(文 0理 10)	2(文 0理 2)

【男女・職種別採用実績】

	総合職	一般職
23年	30(男 18 女 12)	0(男 0 女 0)
24年	41(男 30 女 11)	0(男 0 女 0)
25年	41(男 32 女 9)	0(男 0 女 0)

【24年4月入社者の配属勤務地】㊗愛知(丹羽9 豊川1) ㊛愛知(丹羽26 名古屋4 豊川1)

【転勤】あり:全社員

【中途比率】[単年度]21年度8%、22年度29%、23年度31% [全体]18%

●働きやすさ、諸制度●

残業(月) 19.3時間 ㊗19.3時間

【勤務時間】8:30〜17:20【有休取得年平均】17.8日【週休】完全2日(土日)【夏期休暇】約10日【年末年始休暇】約10日

【離職率】男:1.8%、69名 女:2.9%、21名(早期退職男5名、女6名含む)

【新卒3年後離職率】

[20→23年]5.2%(男4.8%・入社84名、女7.7%・入社13名)

[21→24年]10.3%(男8.9%・入社56名、女13.6%・入社22名)

【テレワーク】制度あり:[場所]自宅[対象]新卒入社3年目より可[日数]週3日まで[利用率]9.0%【勤務制度】フレックス 裁量労働 副業容認【住宅補助】独身寮(条件あり)家賃補助(条件あり)

●ライフイベント、女性活躍●

【女性比率】■男 □女

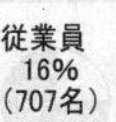

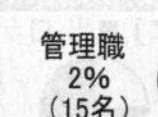

【産休】[期間]産前6・産後8週間[給与]法定[取得者数]43名

【育休】[期間]2歳になるまで[給与]法定[取得者数]22年度 男110名(対象135名)女35名(対象35名)23年度 男109名(対象151名)女46名(対象43名)[平均取得日数]22年度NA、23年度 男82日 女573日

【従業員】[人数]4,422名(男3,715名、女707名)[平均年齢]42.0歳(男43.0歳、女37.0歳)[平均勤続年数]20.0年(男20.0年、女19.0年)

【年齢構成】■男 □女

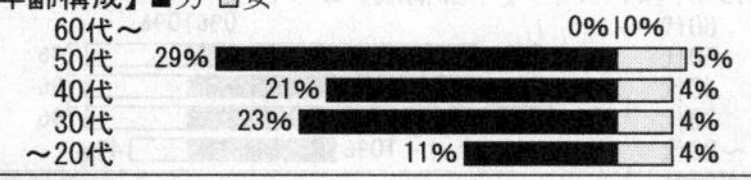

会社データ （金額は百万円）

【本社】480-0195 愛知県丹羽郡大口町豊田3-260 ☎0587-95-5217
https://www.tokai-rika.co.jp/

【業績(連結)】	売上高	営業利益	経常利益	純利益
22.3	487,303	9,211	15,557	3,569
23.3	553,124	16,656	24,063	10,900
24.3	623,558	28,822	39,592	24,850

2105 開示 ★★★

㈱G Sユアサ（ジーエス）

プラチナくるみん

【特色】自動車用鉛蓄電池が主力。リチウム電池も展開

記者評価 YUASAと日本電池が前身。新車・補修用の車載鉛蓄電池で世界大手。EV、HV車、航空機向けリチウムイオン電池も手がける。ホンダとの提携関係を強化。車載リチウムでは研究開発の合弁会社を23年に設立。新工場を滋賀県に建設中で、27年以降に量産開始予定。

平均勤続年数	男性育休取得率	3年後離職率	平均年収(平均42歳)
16.1年	45.4→63.6%	0→10.7%	㊗729万円

●採用・配属情報●

【男女・文理別採用実績】

	大卒男	大卒女	修士男	修士女
23年	13(文 5理 8)	19(文 17理 2)	33(文 0理 33)	5(文 0理 5)
24年	18(文 12理 6)	19(文 15理 4)	34(文 1理 33)	5(文 0理 5)
25年	37(文 15理 22)	20(文 18理 2)	41(文 2理 39)	6(文 1理 5)

【男女・職種別採用実績】 転換制度:⇔

	総合職	一般職
23年	67(男 50 女 17)	8(男 0 女 8)
24年	74(男 54 女 20)	6(男 1 女 5)
25年	104(男 84 女 20)	8(男 1 女 7)

【24年4月入社者の配属勤務地】㊗京都(京都10 福知山2)東京8 大阪市2 ㊛京都(京都39 福知山7)滋賀・栗東5 群馬1

【転勤】あり:[職種]総合職[勤務地]東京 北海道 宮城 愛知 大阪 広島 福岡 京都 群馬 滋賀 埼玉 米国 英国 東南アジア 中国 台湾 インド 他(19カ国37拠点)

【中途比率】[単年度]21年度30%、22年度46%、23年度51%[全体]3%

●働きやすさ、諸制度●

残業(月) 19.6時間 ㊗18.3時間

【勤務時間】技術・製造8:00〜16:35 営業・管理9:00〜17:35※一部フレックス制度あり【有休取得年平均】17.4日【週休】完全2日(土日祝)【夏期休暇】連続9日(週休含む)【年末年始休暇】連続6日(週休含む)

【離職率】男:2.8%、64名 女:3.1%、16名

【新卒3年後離職率】

[20→23年]0%(男0%・入社45名、女0%・入社15名)

[21→24年]10.7%(男9.4%・入社53名、女13.6%・入社22名)

【テレワーク】制度あり:[場所]自宅[対象]全従業員[日数]月8回[利用率]6.7%【勤務制度】フレックス 時間単位有休 時差勤務【住宅補助】独身寮 社宅 住宅手当(1,000〜8,400円)家賃補助(A)(31歳未満の独身者 他条件あり、30,000円以上の50%補助)家賃補助(B)(37歳未満の世帯主 他条件あり:35,000円以上の50%補助)

●ライフイベント、女性活躍●

【女性比率】■男 □女

管理職 3.7% (27名)

【産休】[期間]産前6・産後8週間[給与]法定[取得者数]21名

【育休】[期間]1歳2カ月になるまで取得可[給与]法定[取得者数]22年度 男49名(対象108名)女15名(対象16名)23年度 男84名(対象132名)女21名(対象21名)[平均取得日数]22年度 男48日 女249日、23年度 男58日 女393日

【従業員】[人数]2,709名(男2,215名、女494名)[平均年齢]41.6歳(男42.3歳、女38.7歳)[平均勤続年数]16.1年(男16.6年、女13.4年)【年齢構成】■男 □女

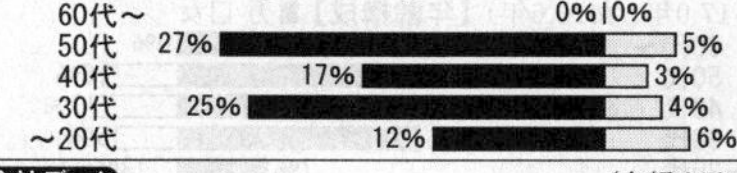

会社データ （金額は百万円）

【本社】601-8520 京都府京都市南区吉祥院西ノ庄猪之馬場町1 ☎075-312-1211
https://www.gs-yuasa.com/jp/

【業績(連結)】	売上高	営業利益	経常利益	純利益
22.3	432,133	22,664	24,684	8,468
23.3	517,735	31,500	24,213	13,925
24.3	562,897	41,595	43,981	32,064

※業績は㈱ジーエス・ユアサ コーポレーションのもの

(株)ブリヂストン

[くるみん]

【特色】タイヤ世界2強の一角。鉱山車両用や航空機用も

[記者評価] タイヤ国内ダントツ、世界では仏ミシュランと2強。売上収益は、日本事業が2割強、1988年に買収した米大手ファイアストンが軸の北米事業が5割弱。150カ国以上で事業展開する日本有数のグローバル企業。鉱山車両向けや航空機向けなど超大型タイヤも強い。

平均勤続年数	男性育休取得率	3年後離職率	平均年収(平均43歳)
16.5年	14.6→27.9%	7.6→4.3%	[総]1,004万円

●採用・配属情報●

【男女・文理別採用実績】

	大卒男	大卒女	修士男	修士女
23年	7(文 6理 1)	8(文 6理 2)	31(文 0理 31)	5(文 1理 4)
24年	17(文 13理 4)	7(文 7理 0)	35(文 0理 35)	6(文 0理 6)
25年	9(文 7理 2)	14(文 11理 3)	31(文 0理 31)	13(文 0理 13)

【男女・職種別採用実績】 転換制度:⇔

	総合職
23年	55(男 42 女 13)
24年	70(男 56 女 14)
25年	69(男 42 女 27)

【24年4月入社者の配属勤務地】[総]未定 [技]未定

【転勤】あり:全社員

【中途比率】[単年度]21年度62%、22年度64%、23年度71%[全体]43%

●働きやすさ、諸制度●

残業(月) 17.5時間 [総]12.7時間

【勤務時間】9:00～17:30(フレックスタイム制 コアタイム10:00～14:00)【有休取得年平均】18.0日【週休】カレンダーによる【夏期休暇】連続6日【年末年始休暇】連続9日

【離職率】男:4.0%、191名 女:2.6%、32名

【新卒3年後離職率】

[20→23年]7.6%(男7.0%・入社86名、女8.9%・入社45名)

[21→24年]4.3%(男4.0%・入社50名、女5.3%・入社19名)

【テレワーク】制度あり:[場所]勤務地へ出社できる場所(自宅・カフェ・サテライトオフィス等、就労場所を自ら選択)[対象]管理職 総合職 一般職および所属長が認めた者[日数]制限なし[利用率]45.5%【勤務制度】フレックス 時間単位有休 裁量労働【住宅補助】独身寮 社宅(各事業所)住宅給(扶養状況・地域別に金額を設定)

●ライフイベント、女性活躍●

【女性比率】■男 □女

新卒採用
39.1%
(27名)
従業員
20.6%
(1199名)
管理職
3.9%
(33名)

【産休】[期間]産前6・産後8週間[給与]会社全額給付[取得者数]53名

【育休】[期間]1歳6カ月到達後の4月末または2歳になるまでの長い方[給与]給付金+共済会月2万給付[取得者数]22年度 男91名(対象624名)女53名(対象54名)23年度 男147名(対象527名)女48名(対象53名)[平均取得日数]22年度 男94日 女410日、23年度 男79日 女336日

【従業員】[人数]5,815名(男4,616名、女1,199名)[平均年齢]44.2歳(男44.6歳、女42.7歳)[平均勤続年数]16.5年(男17.0年、女14.6年)【年齢構成】■男 □女

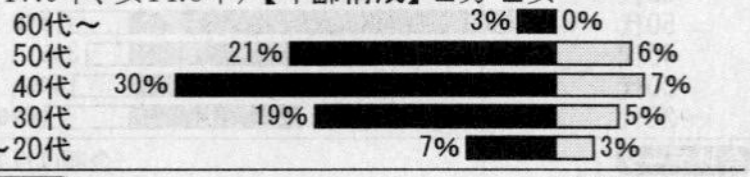
60代～ 3% 0%
50代 21% 6%
40代 30% 7%
30代 19% 5%
～20代 7% 3%

会社データ (金額は百万円)

【本社】104-8340 東京都中央区京橋3-1-1 東京スクエアガーデンビル ☎03-6836-3001 https://www.bridgestone.co.jp/

【業績(IFRS)】	売上高	営業利益	税前利益	純利益
21.12	3,246,057	376,799	377,594	394,037
22.12	4,110,070	441,298	423,458	300,367
23.12	4,313,800	481,775	444,154	331,305

住友ゴム工業(株)

(すみともゴムこうぎょう)

[えるぼし ★★★]

【特色】タイヤ国内2位世界5位。ダンロップブランドが主

[記者評価] タイヤのブランドは「ダンロップ」(欧米以外)、欧米で「ファルケン」展開。ゴルフやテニスなどスポーツ用品も。タイヤの摩耗状況等を検知するセンシング技術拡充。水や温度など路面状態に応じてゴムの性質を変化させる「アクティブトレッド」の技術も開発。

平均勤続年数	男性育休取得率	3年後離職率	平均年収(平均41歳)
13.2年	19.9→84.7%	10.4→11.8%	[総]784万円

●採用・配属情報●

【男女・文理別採用実績】

	大卒男	大卒女	修士男	修士女
23年	8(文 6理 2)	10(文 10理 0)	15(文 0理 15)	3(文 0理 3)
24年	2(文 0理 2)	0(文 0理 0)	5(文 0理 5)	1(文 0理 1)
25年	14(文 8理 6)	7(文 6理 1)	18(文 1理 17)	3(文 0理 3)

※25年:継続中

【男女・職種別採用実績】 転換制度:⇒

	総合職	一般職
23年	33(男 23 女 10)	3(男 0 女 3)
24年	8(男 7 女 1)	0(男 0 女 0)
25年	42(男 32 女 10)	0(男 0 女 0)

【24年4月入社者の配属勤務地】[総]なし [技]兵庫・神戸7 福島・白河1

【転勤】あり:[職種]総合職

【中途比率】[単年度]21年度58%、22年度65%、23年度48%(総合職での比率)[全体]37%

●働きやすさ、諸制度●

残業(月) 19.6時間 [総]22.7時間

【勤務時間】8:30～17:00【有休取得年平均】16.9日【週休】完全2日(土日祝)【夏期休暇】連続4～5日【年末年始休暇】12月29日～1月4日

【離職率】男:3.3%、68名 女:2.2%、15名(選択定年男4名含む)

【新卒3年後離職率】

[20→23年]10.4%(男7.0%・入社57名、女20.0%・入社20名)

[21→24年]11.8%(男12.2%・入社41名、女10.0%・入社10名)

【テレワーク】制度あり:[場所]自宅[対象]全従業員[日数]月4日以上出社[利用率]24.0%【勤務制度】フレックス 時間単位有休 時差勤務 副業容認【住宅補助】独身寮(男性のみ)社有社宅 借上社宅 住宅手当

●ライフイベント、女性活躍●

【女性比率】■男 □女

新卒採用
23.8%
(10名)
従業員
25%
(655名)
管理職
4.1%
(21名)

【産休】[期間]産前6・産後8週間[給与]会社全額給付[取得者数]40名

【育休】[期間]2年間[給与]法定[取得者数]22年度 男44名(対象221名)女35名(対象35名)23年度 男172名(対象203名)女32名(対象33名)[平均取得日数]22年度 男16日 女391日、23年度 男27日 女347日

【従業員】[人数]2,617名(男1,962名、女655名)[平均年齢]41.4歳(男41.5歳、女41.1歳)[平均勤続年数]13.2年(男13.8年、女11.1年)【年齢構成】■男 □女

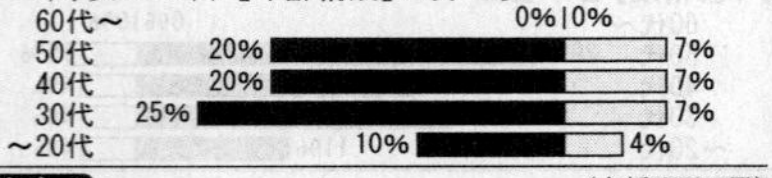
60代～ 0% 0%
50代 20% 7%
40代 20% 7%
30代 25% 7%
～20代 10% 4%

会社データ (金額は百万円)

【本社】651-0072 兵庫県神戸市中央区脇浜町3-6-9 ☎078-265-3000 https://www.srigroup.co.jp/

【業績(IFRS)】	売上高	営業利益	税前利益	純利益
21.12	936,039	49,169	44,765	29,470
22.12	1,098,664	14,988	22,539	9,415
23.12	1,177,399	64,490	62,745	37,048

よこはま
横浜ゴム(株)
くるみん

【特色】タイヤ国内3位。農機用タイヤなどを買収で強化

[記者評価] スポーツ用「アドバン」や低燃費「ブルーアース」など高付加価値タイヤに強み。蘭ATG社に続きスウェーデンTWS社を買収し農機用タイヤなど強化。米グッドイヤーの鉱山・建設車両用タイヤ事業も買収へ。ホース配管や「プロギア(PRGR)」ブランドのゴルフ用品も。

平均勤続年数	男性育休取得率	3年後離職率	平均年収(平均44歳)
17.9年	47.6 → 61.3%	14.8 → 15.4%	[総] 750万円

●採用・配属情報●

【男女・文理別採用実績】

	大卒男	大卒女	修士男	修士女
23年	8(文 3 理 5)	6(文 4 理 2)	12(文 1 理 11)	0(文 0 理 0)
24年	20(文 9 理 11)	5(文 5 理 0)	18(文 0 理 18)	2(文 0 理 2)
25年	19(文 12 理 7)	9(文 9 理 0)	22(文 0 理 22)	2(文 0 理 2)

【男女・職種別採用実績】 転換制度:⇒

	総合職
23年	26(男 20 女 6)
24年	46(男 39 女 7)
25年	53(男 42 女 11)

【24年4月入社者の配属勤務地】[総]神奈川6 埼玉2 大阪2 福岡2 新潟2 [技]神奈川32

【転勤】あり:[職種]総合職

【中途比率】[単年度]21年度24%、22年度49%、23年度68%[全体]23%

●働きやすさ、諸制度●

残業(月) 21.2時間 [総]21.2時間

【勤務時間】9:00～18:00(フレックスタイム制あり)【有休取得年平均】13.3日【週休】完全2日(土日祝)【夏期休暇】6日(8月10～15日)【年末年始休暇】8日(12月28日～1月4日)

【離職率】男:3.7%、45名 女:1.9%、7名

【新卒3年後離職率】
[20→23年]14.8%(男14.3%・入社42名、女16.7%・入社12名)
[21→24年]15.4%(男11.1%・入社9名、女25.0%・入社4名)

【テレワーク】制度あり:[場所]自宅 サテライトオフィス[対象]会社が認可した従業員[日数]適用する事由に応じて、週当たり上限5日[利用率]14.7%【勤務制度】フレックス 時間単位有休 裁量労働 時差勤務 勤務間インターバル【住宅補助】独身寮(自己負担13,500～15,000円)住宅手当(8,000～38,000円)転勤者用社宅

●ライフイベント、女性活躍●

【女性比率】■男 □女

新卒採用 20.8% (11名)

従業員 23.4% (357名)

管理職 2.1% (9名)

【産休】[期間]産前6・産後8週間[給与]給与の90%給付[取得者数]11名

【育休】[期間]3種類の育休制度があり、組み合わせて取得[給与]10日間は全額支給、以降法定[取得者数]22年度 男20名(対象42名)女16名(対象16名)23年度 男19名(対象31名)女11名(対象11名)[平均取得日数]22年度 男42日 女378日、23年度 男26日 女365日

【従業員】[人数]1,524名(男1,167名、女357名)[平均年齢]43.1歳(男44.0歳、女42.0歳)[平均勤続年数]17.9年(男18.3年、女16.5年)【年齢構成】■男 □女

	男	女
60代～	0%	0%
50代	31%	7%
40代	18%	6%
30代	19%	6%
～20代	9%	3%

会社データ (金額は百万円)

【本社】254-8601 神奈川県平塚市追分2-1 ☎0463-63-0451
https://www.y-yokohama.com/

【業績(IFRS)】	売上高	営業利益	税前利益	純利益
21.12	670,809	83,636	85,199	65,500
22.12	860,477	68,851	71,622	45,918
23.12	985,333	100,351	105,975	67,234

トーヨー タイヤ
TOYO TIRE(株)
くるみん

【特色】タイヤ国内4位。米国の大口径SUVタイヤに強み

[記者評価] タイヤ国内4位だが米国で高付加価値の大口径SUV用に強く利益率が高い。筆頭株主の三菱商事との協業推進。生産拠点のセルビア工場が22年に稼働し、日本、米国、マレーシア、中国、欧州の5拠点体制に。猛暑・感染症への対策として夏季の在宅勤務を推奨。

平均勤続年数	男性育休取得率	3年後離職率	平均年収(平均44歳)
17.5年	24.8 → 50.5%	22.2 → 6.5%	[総] 769万円

●採用・配属情報●

【男女・文理別採用実績】

	大卒男	大卒女	修士男	修士女
23年	12(文 6 理 6)	3(文 1 理 2)	10(文 0 理 10)	2(文 0 理 2)
24年	11(文 8 理 3)	7(文 5 理 2)	10(文 1 理 9)	1(文 0 理 1)
25年	11(文 8 理 3)	3(文 3 理 0)	13(文 0 理 13)	3(文 0 理 3)

※25年:計画数

【男女・職種別採用実績】

	総合職
23年	27(男 22 女 5)
24年	29(男 21 女 8)
25年	32(男 26 女 6)

【24年4月入社者の配属勤務地】[総]兵庫・伊丹13 愛知・みよし1 [技]兵庫県(伊丹 川西)15

【転勤】あり:全社員(技能職・拠点コアスタッフを除く)

【中途比率】[単年度]21年度11%、22年度36%、23年度57%[全体]32%

●働きやすさ、諸制度●

残業(月) 20.0時間 [総]11.1時間

【勤務時間】9:00～18:00【有休取得年平均】17.0日【週休】2日(原則土日祝)【夏期休暇】2日【年末年始休暇】7日

【離職率】男:2.9%、47名 女:3.4%、8名(早期退職6名含む)

【新卒3年後離職率】
[20→23年]22.2%(男23.3%・入社30名、女16.7%・入社6名)
[21→24年]6.5%(男7.4%・入社27名、女0%・入社4名)

【テレワーク】制度あり:[場所]自宅[対象]工場 物流拠点を除く[日数]月間上限70%[利用率]29.6%【勤務制度】フレックス 時間単位有休 時差勤務 副業容認【住宅補助】社宅(兵庫 三重 宮城 大阪 他)借上住宅 住宅手当

●ライフイベント、女性活躍●

【女性比率】■男 □女

新卒採用 18.8% (6名)

従業員 12.5% (229名)

管理職 1.5% (6名)

【産休】[期間]産前6・産後8週間[給与]会社全額給付[取得者数]14名

【育休】[期間]2歳の誕生日前日まで[給与]開始5営業日は全額補償、以降法定[取得者数]22年度 男28名(対象113名)女8名(対象8名)23年度 男51名(対象101名)女12名(対象12名)[平均取得日数]22年度 男23日 女457日、23年度 男22日 女323日

【従業員】[人数]1,830名(男1,601名、女229名)[平均年齢]43.3歳(男43.5歳、女42.0歳)[平均勤続年数]17.5年(男18.2年、女13.1年)【年齢構成】■男 □女

	男	女
60代～	0%	0%
50代	28%	4%
40代	26%	4%
30代	23%	3%
～20代	10%	2%

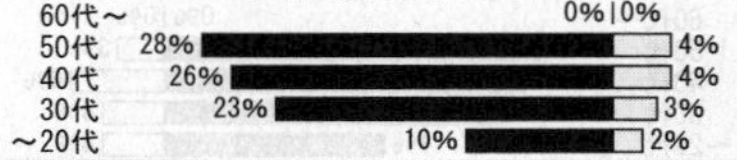

会社データ (金額は百万円)

【本社】664-0847 兵庫県伊丹市藤ノ木2-2-13 ☎072-789-9100
https://www.toyotires.co.jp/

【業績(連結)】	売上高	営業利益	経常利益	純利益
21.12	393,647	53,080	55,909	41,350
22.12	497,213	44,046	51,035	47,956
23.12	552,825	76,899	86,047	72,273

メーカーI

すみともりこう
住友理工(株)

えるぼし ★★ くるみん

【特色】自動車用防振ゴム・ホース首位。住友電工系

記者評価 トヨタを軸に国内全メーカーに供給。自動車用防振ゴムやホースが主力。車の電動化は冷却系ホースや遮音材拡販の商機。自動車用部品が売上の約9割。建機や事務機器など産業向け部品も展開。独自開発の導電材料製品開発も。M&Aに積極的で海外売上比率は6割超。

平均勤続年数	男性育休取得率	3年後離職率	平均年収(平均41歳)
16.2年	21.3→47.3%	12.8→10.0%	772万円

●採用・配属情報●

【男女・文理別採用実績】

	大卒男	大卒女	修士男	修士女
23年	20(文 10 理 10)	5(文 4 理 1)	19(文 0 理 19)	6(文 0 理 6)
24年	21(文 8 理 13)	8(文 5 理 3)	24(文 0 理 24)	3(文 0 理 3)
25年	22(文 8 理 14)	15(文 12 理 3)	25(文 0 理 25)	4(文 0 理 4)

【男女・職種別採用実績】 転換制度:⇔

	総合職
23年	50(男 39 女 11)
24年	56(男 45 女 11)
25年	66(男 47 女 19)

【24年4月入社者の配属勤務地】㊗愛知(小牧10 名古屋2)神奈川・相模大野2 静岡・裾野1 ㊕愛知・小牧38 京都・綾部1 静岡・裾野1 三重・松阪1

【転勤】あり:全社員

【中途比率】[単年度]21年度22%、22年度40%、23年度30%[全体]43%

●働きやすさ、諸制度●

残業(月) 20.5時間 ㊗26.3時間

【勤務時間】本社・製作所8:30～17:00 支社・支店9:00～17:30 グローバル本社8:30～17:15【有休取得年平均】14.8日【週休】完全2日(土日)【夏期休暇】〈製作所〉連続9日(週休4日含む)〈グローバル本社・支社支店〉稼動日連続3日以上の有休取得【年末年始休暇】〈製作所〉連続8日(週休2日含む)〈グローバル本社・支社支店〉連続5日(週休2日含む)

【離職率】男:2.9%、92名 女:3.8%、26名(早期退職男17名、女1名含む)

【新卒3年後離職率】
[20→23年]12.8%(男9.1%・入社33名、女21.4%・入社14名)
[21→24年]10.0%(男6.7%・入社15名、女20.0%・入社5名)

【テレワーク】制度あり:[場所]自宅[対象]制限なし[日数]制限なし[利用率]NA【勤務制度】フレックス 時間単位有休 時差勤務 勤務間インターバル【住宅補助】住宅手当(月30,000円 40歳まで)独身寮(自己負担7,600円 入社2年目まで)

●ライフイベント、女性活躍●

【女性比率】■男 □女

新卒採用 28.8%(19名)

従業員 17.4%(651名)

管理職 1.7%(13名)

【産休】[期間]産前6・産後8週間[給与]法定[取得者数]12名

【育休】[期間]1歳になるまで[給与]法定[取得者数]22年度 男19名(対象89名)女20名(対象20名)23年度 男35名(対象74名)女10名(対象10名)[平均取得日数]22年度 男48日 女453日、23年度 男45日 女443日

【従業員】[人数]3,736名(男3,085名、女651名)[平均年齢]40.8歳(男41.3歳、女38.5歳)[平均勤続年数]16.2年(男17.1年、女12.2年)【年齢構成】■男 □女

	男	女
60代～	0%	0%
50代	24%	3%
40代	23%	6%
30代	22%	4%
～20代	14%	4%

会社データ (金額は百万円)

【本社】450-6316 愛知県名古屋市中村区名駅1-1-1 JPタワー名古屋 ☎052-571-0200 https://www.sumitomoriko.co.jp/

【業績(IFRS)】	売上高	営業利益	税前利益	純利益
22.3	445,985	1,110	387	▲6,357
23.3	541,010	16,560	14,908	6,683
24.3	615,449	33,977	30,805	18,641

テイ・エス テック(株)

えるぼし ★★★ くるみん

【特色】ホンダ系4輪車シートメーカー。2輪車用も

記者評価 4輪車用シートを中心とした自動車内装品メーカー。2輪用のシートや樹脂部品も手がける。ホンダが筆頭株主で、売上の約9割占める。ホンダの海外展開に連動し、北米、中国などに拠点展開。海外売上比率は8割強。インドでスズキ向け新工場建設、25年6月稼働予定。

平均勤続年数	男性育休取得率	3年後離職率	平均年収(平均41歳)
17.7年	44.3→54.0%	12.8→14.6%	㊗724万円

●採用・配属情報●

【男女・文理別採用実績】

	大卒男	大卒女	修士男	修士女
23年	38(文 11 理 27)	5(文 4 理 1)	7(文 0 理 7)	0(文 0 理 0)
24年	34(文 13 理 21)	7(文 6 理 1)	4(文 0 理 4)	0(文 0 理 0)
25年	-(文 - 理 -)	-(文 - 理 -)	-(文 - 理 -)	-(文 - 理 -)

※25年:50名採用計画

【男女・職種別採用実績】

	総合職
23年	50(男 45 女 5)
24年	45(男 38 女 7)
25年	50(男 - 女 -)

【24年4月入社者の配属勤務地】㊗栃木・高根沢2 埼玉(行田9 朝霞4)三重・鈴鹿3 浜松1 ㊕栃木・高根沢13 埼玉・行田5 三重・鈴鹿6 浜松2

【転勤】あり:正社員

【中途比率】[単年度]21年度13%、22年度23%、23年度38%[全体]27%

●働きやすさ、諸制度●

残業(月) 15.1時間 ㊗15.1時間

【勤務時間】フレックスタイム制(コアタイムなし)【有休取得年平均】19.8日【週休】完全2日(土日)【夏期休暇】連続9日【年末年始休暇】連続9日

【離職率】男:5.7%、90名 女:5.8%、11名(早期退職男58名、女5名含む)

【新卒3年後離職率】
[20→23年]12.8%(男12.2%・入社41名、女16.7%・入社6名)
[21→24年]14.6%(男12.5%・入社40名、女25.0%・入社8名)

【テレワーク】制度あり:[場所]自宅[対象]正社員 嘱託 サポート社員※一部対象外部門あり[日数]月5日[利用率]NA【勤務制度】フレックス【住宅補助】独身寮(配属事業所近辺 条件あり)借上社宅 住宅手当

●ライフイベント、女性活躍●

【女性比率】■男 □女

従業員 10.7%(178名)

管理職 2.8%(8名)

【産休】[期間]産前6・産後8週間[給与]法定[取得者数]5名

【育休】[期間]1歳になるまで[給与]法定[取得者数]22年度 男27名(対象61名)女9名(対象9名)23年度 男27名(対象50名)女6名(対象6名)[平均取得日数]22年度 男78日 女556日、23年度 男82日 女338日

【従業員】[人数]1,660名(男1,482名、女178名)[平均年齢]41.0歳(男41.2歳、女39.3歳)[平均勤続年数]17.7年(男17.8年、女16.7年)【年齢構成】■男 □女

	男	女
60代～	5%	0%
50代	21%	3%
40代	20%	2%
30代	28%	3%
～20代	16%	3%

会社データ (金額は百万円)

【本社】351-0012 埼玉県朝霞市栄町3-7-27 ☎048-462-1121 https://www.tstech.co.jp/

【業績(IFRS)】	売上高	営業利益	税前利益	純利益
22.3	349,958	22,998	25,839	12,416
23.3	409,200	15,257	18,692	5,343
24.3	441,713	17,507	21,746	10,214

メーカーI

㈱タチエス

【特色】独立系自動車シート大手。ホンダ、日産向け中心

[記者評価] 旧日産系だが系列解体で独立。売上はホンダ向けと日産向けが拮抗。国内のほか、北米、中南米、中国などで事業を展開。米アディエントなど海外他社と提携。生産拠点の集約をほぼ終え、次の成長を模索中。EV化に備え、シートの新たな制御技術など開発。

平均勤続年数	男性育休取得率	3年後離職率	平均年収(平均39歳)
15.2年	44.0→44.8%	22.7→0%	[総]644万円

●採用・配属情報●

【男女・文理別採用実績】

	大卒男	大卒女	修士男	修士女
23年	5(文 4理 1)	5(文 4理 1)	2(文 0理 2)	1(文 1理 0)
24年	10(文 2理 8)	4(文 4理 0)	4(文 0理 4)	1(文 0理 1)
25年	13(文 3理 10)	5(文 5理 0)	0(文 0理 0)	2(文 1理 1)

【男女・職種別採用実績】

	総合職
23年	13(男 7 女 6)
24年	19(男 14 女 5)
25年	20(男 13 女 7)

【24年4月入社者の配属勤務地】[総]東京・青梅6 愛知・安城1 [技]東京・青梅12

【転勤】あり:全社員

【中途比率】[単年度]21年度65%、22年度60%、23年度67%(工場勤務の製造職は除く)[全体]36%

●働きやすさ、諸制度●

残業(月) 17.8時間

【勤務時間】9:00〜18:00【有休取得年平均】13.0日【週休】2日(土日、会社カレンダーによる)【夏期休暇】約10日【年末年始休暇】約10日

【離職率】男:12.9%、91名 女:7.5%、9名(早期退職男1名、進路選択制度利用者男4名含む)

【新卒3年後離職率】
[20→23年]22.7%(男0%・入社12名、女50.0%・入社10名)
[21→24年]0%(男0%・入社3名、女0%・入社3名)

【テレワーク】制度あり:[場所]自宅[対象]会社が認めたもの[日数]制限なし[利用率]1.6%【勤務制度】フレックス 時間単位有休 副業容認【住宅補助】借上社宅(新卒入社者が対象 家賃の8割を会社負担)

●ライフイベント、女性活躍●

【女性比率】■男 □女

新卒採用
35%
(7名)
従業員
15.3%
(111名)
管理職
4.5%
(8名)

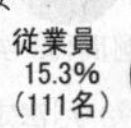

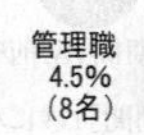

【産休】[期間]産前6・産後8週間[給与]法定+付加金日額10%給付[取得者数]4名

【育休】[期間]1歳になるまで[給与]法定[取得者数]22年度 男11名(対象25名)女6名(対象6名)23年度 男13名(対象29名)女4名(対象4名)[平均取得日数]22年度 男56日 女341日、23年度 男65日 女308日

【従業員】[人数]724名(男613名、女111名)[平均年齢]40.3歳(男41.0歳、女36.7歳)[平均勤続年数]15.2年(男16.0年、女10.8年)

【年齢構成】■男 □女

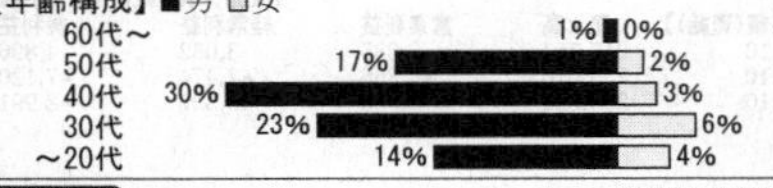

60代〜 1% 0%
50代 17% 2%
40代 30% 3%
30代 23% 6%
〜20代 14% 4%

[会社データ] (金額は百万円)

【本社】198-0025 東京都青梅市末広町1-3-1 ☎0428-33-1928
https://www.tachi-s.co.jp/

【業績(連結)】	売上高	営業利益	経常利益	純利益
22.3	206,441	▲4,203	▲3,536	▲2,059
23.3	243,436	1,367	1,973	5,823
24.3	292,947	7,205	8,755	5,422

アイシンシロキ㈱

【特色】トヨタ系自動車部品メーカー。旧シロキ工業

[記者評価] 百貨店「白木屋」の金属製品製造子会社として創業。現在はアイシンの完全子会社。自動車用ウィンドレギュレーター、ドアサッシなどを製造・販売。海外は北米3拠点に加え、中国、タイなどで現地生産。23年4月、名古屋工場を分社化しトヨタ紡織に移管。

平均勤続年数	男性育休取得率	3年後離職率	平均年収(平均46歳)
20.7年	31.3→38.1%	33.3→50.0%	[総]687万円

●採用・配属情報●

【男女・文理別採用実績】

	大卒男	大卒女	修士男	修士女
23年	0(文 0理 0)	0(文 0理 0)	0(文 0理 0)	0(文 0理 0)
24年	3(文 2理 1)	1(文 1理 0)	0(文 0理 0)	0(文 0理 0)
25年	1(文 1理 0)	2(文 2理 0)	0(文 0理 0)	0(文 0理 0)

【男女・職種別採用実績】

	総合職
23年	0(男 0 女 0)
24年	4(男 3 女 1)
25年	3(男 1 女 2)

【24年4月入社者の配属勤務地】[総]愛知・豊川3 [技]愛知・豊川1

【転勤】あり:全社員

【中途比率】[単年度]21年度33%、22年度21%、23年度100%[全体]39%

●働きやすさ、諸制度●

残業(月) 28.5時間 [総]22.5時間

【勤務時間】8:30〜17:30【有休取得年平均】16.3日【週休】完全2日(土日)【夏期休暇】10日程度【年末年始休暇】10日程度

【離職率】男:1.1%、8名 女:2.3%、2名

【新卒3年後離職率】
[20→23年]33.3%(男33.3%・入社3名、女—・入社0名)
[21→24年]50.0%(男50.0%・入社2名、女—・入社0名)

【テレワーク】制度あり:[場所]NA[対象]NA[日数]NA[利用率]NA【勤務制度】フレックス【住宅補助】独身寮(30歳まで)

●ライフイベント、女性活躍●

【女性比率】■男 □女

新卒採用
66.7%
(2名)
従業員
11%
(85名)
管理職
0.8%
(1名)

【産休】[期間]産前6・産後8週間[給与]法定[取得者数]9名

【育休】[期間]1歳になるまで[給与]法定[取得者数]22年度 男10名(対象32名)女5名(対象6名)23年度 男8名(対象21名)女4名(対象4名)[平均取得日数]22年度 NA、23年度 NA

【従業員】[人数]774名(男689名、女85名)[平均年齢]46.1歳(男46.3歳、女43.8歳)[平均勤続年数]20.7年(男21.3年、女15.4年)

【年齢構成】■男 □女

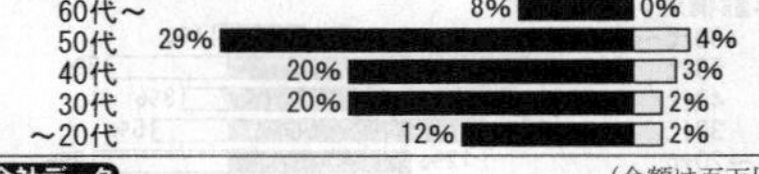

60代〜 8% 0%
50代 29% 4%
40代 20% 3%
30代 20% 2%
〜20代 12% 2%

[会社データ] (金額は百万円)

【本社】442-8501 愛知県豊川市千両町下野市場35-1 ☎0533-84-4691
https://www.shiroki.co.jp/

【業績(連結)】	売上高	営業利益	経常利益	純利益
22.3	254,240	NA	NA	NA
23.3	264,664	NA	NA	NA
24.3	235,453	NA	NA	NA

メーカーI

㈱ミツバ

【特色】自動車電装部品メーカー。ホンダ向けが約4割

記者評価 自動車電装部品メーカー。ワイパー・エンジンスターター用モーターが主力。売上の約4割を占めるホンダや日産自動車など日系メーカー中心に取引。世界十数カ国に進出し、日系以外へも拡販。2輪向けはインド注力。ドアミラー子会社売却するなど構造改革進める。

平均勤続年数	男性育休取得率	3年後離職率	平均年収(平均42歳)
◇19.0年	27.7→54.2%	6.3→30.8%	◇544万円

●採用・配属情報●

【男女・文理別採用実績】

	大卒男	大卒女	修士男	修士女
23年	8(文 1理 7)	2(文 2理 0)	3(文 0理 3)	0(文 0理 0)
24年	14(文 4理 10)	14(文 11理 3)	1(文 0理 1)	0(文 0理 0)
25年	17(文 6理 11)	4(文 4理 0)	7(文 0理 7)	0(文 0理 0)

※25年:50名採用予定

【男女・職種別採用実績】

	総合職
23年	13(男 11 女 2)
24年	29(男 15 女 14)
25年	50(男 - 女 -)

【24年4月入社者の配属勤務地】㊕(23年)群馬・桐生3 ㊔(23年)群馬・桐生10

【転勤】あり:全社員

【中途比率】[単年度]21年度29%、22年度29%、23年度44%[全体]◇27%

●働きやすさ、諸制度●

残業(月) 10.1時間

【勤務時間】8:00～17:00【有休取得年平均】13.8日【週休】完全2日(土日、会社暦による)【夏期休暇】連続9日【年末年始休暇】連続9日

【離職率】◇男:2.8%、69名 女:3.2%、26名

【新卒3年後離職率】

[20→23年]6.3%(男3.7%・入社27名、女20.0%・入社5名)

[21→24年]30.8%(男11.1%・入社9名、女75.0%・入社4名)

【テレワーク】制度あり:[場所]自宅[対象]全社員[日数]原則週1日[利用率]NA【勤務制度】フレックス 勤務間インターバル【住宅補助】独身寮 社宅

●ライフイベント、女性活躍●

【女性比率】■男 □女

従業員 24.9% (797名)

管理職 3.3% (16名)

【産休】[期間]産前6・産後8週間[給与]法定[取得者数]31名

【育休】[期間]1歳になるまで[給与]法定[取得者数]22年度 男13名(対象47名)女12名(対象12名)23年度 男26名(対象48名)女30名(対象30名)[平均取得日数]22年度 NA、23年度 男54日 女298日

【従業員】◇[人数]3,205名(男2,408名、女797名)[平均年齢]42.2歳(男43.3歳、女38.9歳)[平均勤続年数]19.0年(男19.8年、女16.7年)

【年齢構成】■男 □女

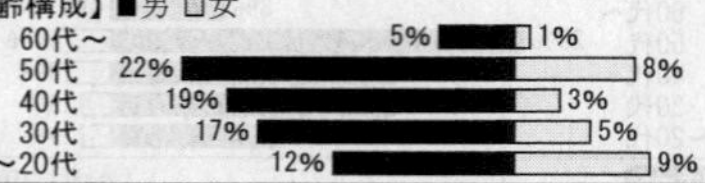

会社データ (金額は百万円)

【本社】376-8555 群馬県桐生市広沢町1-2681 ☎0277-52-0111 https://www.mitsuba.co.jp/

【業績(連結)】	売上高	営業利益	経常利益	純利益
22.3	286,482	7,187	7,529	83
23.3	319,500	6,718	6,049	1,185
24.3	344,154	21,152	22,344	13,741

㈱ハイレックスコーポレーション

【特色】自動車コントロールケーブル最大手。独立系

記者評価 自動車用コントロールケーブルで世界首位。欧州の同業を買収し、窓開閉装置でも世界シェア首位級。海外生産拠点は北米、欧州、中国、東南アジアなど幅広く展開。海外売上高比率は約8割。医療関連機器や住宅関連機器など非自動車関連分野の商品開発を推進。

平均勤続年数	男性育休取得率	3年後離職率	平均年収(平均*41歳)
◇15.7年	15.4→10.0%	14.3→40.0%	㊕600万円

●採用・配属情報●

【男女・文理別採用実績】

	大卒男	大卒女	修士男	修士女
23年	4(文 3理 1)	4(文 4理 0)	3(文 0理 3)	1(文 0理 1)
24年	2(文 2理 0)	3(文 3理 0)	1(文 1理 0)	0(文 0理 0)
25年	5(文 3理 2)	2(文 1理 1)	1(文 0理 1)	0(文 0理 0)

【男女・職種別採用実績】

	総合職	一般職
23年	9(男 7 女 2)	3(男 0 女 3)
24年	6(男 3 女 3)	0(男 0 女 0)
25年	8(男 6 女 2)	0(男 0 女 0)

【24年4月入社者の配属勤務地】㊕兵庫・宝塚6 ㊔なし

【転勤】あり:全社員

【中途比率】[単年度]21年度NA、22年度NA、23年度NA[全体]◇42%

●働きやすさ、諸制度●

残業(月) 13.7時間

【勤務時間】8:15～17:20【有休取得年平均】10.0日【週休】完全2日(土日)【夏期休暇】連続9日【年末年始休暇】連続10日

【離職率】◇男:3.4%、26名 女:3.3%、7名

【新卒3年後離職率】

[20→23年]14.3%(男21.4%・入社14名、女0%・入社7名)

[21→24年]40.0%(男28.6%・入社7名、女66.7%・入社3名)

【テレワーク】制度あり:[場所]NA[対象]NA[日数]NA[利用率]NA【勤務制度】フレックス 時間単位有休 時差勤務【住宅補助】独身寮 社宅

●ライフイベント、女性活躍●

【女性比率】■男 □女

新卒採用 25% (2名)

従業員 21.9% (205名)

【産休】[期間]産前6・産後8週間[給与]法定[取得者数]5名

【育休】[期間]1歳になるまで[給与]法定[取得者数]22年度 男4名(対象26名)女6名(対象6名)23年度 男2名(対象20名)女11名(対象11名)[平均取得日数]22年度 NA、23年度 NA

【従業員】◇[人数]935名(男730名、女205名)[平均年齢]41.1歳(男42.2歳、女37.5歳)[平均勤続年数]15.7年(男16.8年、女12.1年)

【年齢構成】NA

会社データ (金額は百万円)

【本社】665-0845 兵庫県宝塚市栄町1-12-28 ☎0797-85-2500 https://www.hi-lex.co.jp/

【業績(連結)】	売上高	営業利益	経常利益	純利益
21.10	217,754	685	3,032	4,896
22.10	255,616	▲4,856	▲2,474	▲7,120
23.10	298,623	2,980	5,327	▲2,991

すみともでんそう
住友電装(株)

プラチナくるみん

【特色】住友電工の完全子会社。ワイヤーハーネス世界大手

[記者評価] 1917年に電線の製販で創業した東海電線が母体、85年から現社名。自動車用・機械用ワイヤーハーネス(組電線)を製造。自動車用は世界シェア2割超でトップ。充電コネクタや高電圧ハーネスなど電気自動車向けにも注力。日本トランスシティなどと物流合弁設立。

平均勤続年数	男性育休取得率	3年後離職率	平均年収(平均33歳)
16.9年	78.0 → 100%	13.8 → 9.2%	[総] 759万円

●採用・配属情報●

【男女・文理別採用実績】※25年:24年7月末時点

	大卒男	大卒女	修士男	修士女
23年	74(文 21理 53)	19(文 10理 9)	37(文 2理 35)	3(文 1理 2)
24年	61(文 13理 48)	16(文 12理 4)	40(文 1理 39)	1(文 0理 1)
25年	60(文 8理 52)	24(文 17理 7)	31(文 1理 30)	5(文 0理 5)

【男女・職種別採用実績】 転換制度:⇒

	総合職
23年	135(男 113 女 22)
24年	121(男 104 女 17)
25年	120(男 91 女 29)

【24年4月入社者の配属勤務地】[総]三重(四日市・鈴鹿・津)21 名古屋1 東京・赤坂1 神奈川・海老名2 埼玉・大宮1 [技]三重(四日市・鈴鹿・津)71 愛知(名古屋・豊田・岡崎・刈谷)11 神奈川・海老名5 栃木・宇都宮4 埼玉・大宮2 浜松1 広島市1

【転勤】あり:[職種]管理職 総合職

【中途比率】[単年度]21年度43%、22年度37%、23年度51%[全体]37%

●働きやすさ、諸制度●

残業(月) 16.0時間 [総]20.0時間

【勤務時間】8:30〜17:15(事業所により一部異なる フレックスタイム制あり)【有休取得年平均】17.0日【週休】完全2日(土日)【夏期休暇】連続9日【年末年始休暇】連続9日

【離職率】男:3.5%、219名 女:4.0%、70名(自由選択定年男48名、女10名含む)

【新卒3年後離職率】
[20→23年]13.8%(男11.6%・入社155名、女23.5%・入社34名)
[21→24年]9.2%(男8.3%・入社109名、女14.3%・入社21名)

【テレワーク】制度あり:[場所]自宅[対象]全従業員(非現業者)[日数]月5回[利用率]10.4%【勤務制度】フレックス 時間単位有休 勤務間インターバル 副業容認【住宅補助】独身寮(7,500円の個人負担 30歳までの独身総合職)借上社宅 家賃補助 財形住宅融資

●ライフイベント、女性活躍●

【女性比率】■男 □女

新卒採用 24.2% (29名)

従業員 21.6% (1670名)

管理職 2.3% (43名)

【産休】[期間]産前6・産後8週間[給与]法定[取得者数]37名

【育休】[期間]2歳になるまで[給与]法定[取得者数]22年度 男181名(対象232名)女47名(対象47名)23年度 男195名(対象195名)女37名(対象37名)[平均取得日数]22年度 男35日 女504日、23年度 男65日 女477日

【従業員】[人数]7,722名(男6,052名、女1,670名)[平均年齢]41.2歳(男41.4歳、女40.4歳)[平均勤続年数]16.9年(男17.2年、女14.1年)【年齢構成】■男 □女

	男	女
60代〜	3%	0%
50代	21%	4%
40代	20%	8%
30代	19%	5%
〜20代	16%	4%

会社データ (金額は百万円)

【本社】510-8528 三重県四日市市浜田町5-28 ☎0120-113-140
https://www.sws.co.jp/

【業績(連結)】	売上高	営業利益	経常利益	純利益
22.3	1,315,300	NA	NA	NA
23.3	1,642,300	NA	NA	NA
24.3	1,988,920	NA	NA	NA

やざきそうぎょう
矢崎総業(株)(矢崎グループ)

【特色】独立系自動車部品メーカー。組電線は世界首位級

[記者評価] 矢崎グループ約140社の中核。組電線(ワイヤーハーネス)など自動車部品が主力。グループで46カ国に拠点。23年にはグアテマラ新工場が稼働。自動運転車やコネクテッドカーなど「CASE」対応加速。中国のEV開発大手、IAT社と配電ユニット開発などで24年10月新合弁。

平均勤続年数	男性育休取得率	3年後離職率	平均年収(平均42歳)
◇18.6年	35.3 → 53.4%	16.8 → 13.9%	[総] 775万円

●採用・配属情報●

【男女・文理別採用実績】※25年:24年7月16日時点

	大卒男	大卒女	修士男	修士女
23年	64(文 17理 47)	23(文 20理 3)	29(文 1理 28)	2(文 1理 1)
24年	54(文 19理 35)	23(文 17理 6)	19(文 2理 17)	2(文 1理 1)
25年	86(文 34理 52)	29(文 24理 5)	23(文 3理 20)	9(文 7理 2)

【男女・職種別採用実績】

	総合職
23年	124(男 96 女 28)
24年	112(男 85 女 27)
25年	150(男111 女 39)

※短大・専門を除く

【24年4月入社者の配属勤務地】[総]静岡30 岡山2 海外4 [技]静岡70 栃木2 岡山1 海外3

【転勤】あり:全社員

【中途比率】[単年度]21年度40%、22年度47%、23年度49%[全体]◇34%

●働きやすさ、諸制度●

残業(月) 12.7時間 [総]12.7時間

【勤務時間】8:30〜17:15 ※事業所により異なる【有休取得年平均】14.8日【週休】完全2日(土日)【夏期休暇】連続5日(カレンダーによる)【年末年始休暇】12月27日〜1月5日

【離職率】◇男:3.3%、280名 女:4.1%、95名

【新卒3年後離職率】
[20→23年]16.8%(男17.1%・入社117名、女15.9%・入社44名)
[21→24年]13.9%(男14.8%・入社61名、女9.1%・入社11名)

【テレワーク】制度あり:[場所]自宅[対象]入社1年以上の社員(新入社員であれば入社3年以上)[日数]週2日[利用率]NA【勤務制度】フレックス 時間単位有休 時差勤務 勤務間インターバル【住宅補助】寮・社宅(社有・借上寮)各事業所近隣地区

●ライフイベント、女性活躍●

【女性比率】■男 □女

新卒採用 26% (39名)

従業員 21.4% (2240名)

管理職 4.7% (112名)

【産休】[期間]産前6・産後8週間[給与]法定[取得者数]78名

【育休】[期間]1歳になるまで[給与]法定[取得者数]22年度 男78名(対象221名)女69名(対象69名)23年度 男111名(対象208名)女73名(対象73名)[平均取得日数]22年度 男52日 女347日、23年度 男54日 女365日

【従業員】◇[人数]10,461名(男8,221名、女2,240名)[平均年齢]41.5歳(男42.2歳、女39.0歳)[平均勤続年数]18.6年(男19.0年、女17.5年)【年齢構成】■男 □女

	男	女
60代〜	0%	0%
50代	26%	5%
40代	22%	5%
30代	16%	5%
〜20代	14%	6%

会社データ (金額は百万円)

【本社】108-0075 東京都港区港南1-8-15 Wビル7階 ☎03-5656-2000
https://www.yazaki-group.com/

【業績(連結)】	売上高	営業利益	経常利益	純利益
22.6	1,799,200	NA	NA	NA
23.6	2,269,700	NA	NA	NA
24.6	NA	NA	NA	NA

メーカーI

613 **開示 ★★★**

エヌオーケー
ＮＯＫ㈱

【特色】自動車用オイルシール首位。電子機器用FPCも

記者評価 独立系。油漏れを防止する自動車用オイルシールのシェアが、国内7割、世界5割と圧倒的。電動車向け製品の開発に注力。子会社のメクテックはフレキシブルプリント基板（FPC）で世界トップクラスのシェア。傘下のイーグル工業含めグループ一括採用。

平均勤続年数	男性育休取得率	3年後離職率	平均年収（平均41歳）
◇18.7年	21.8→40.0%	8.8→8.3%	◇760万円

●採用・配属情報●

【男女・文理別採用実績】

	大卒男	大卒女	修士男	修士女
23年	31(文 17理 14)	9(文 7理 2)	34(文 0理 34)	4(文 0理 4)
24年	37(文 20理 17)	15(文 11理 4)	38(文 0理 38)	3(文 0理 3)
25年	18(文 6理 12)	2(文 1理 1)	26(文 1理 25)	4(文 0理 4)

※NOKグループ採用 25年:24年8月時点

【男女・職種別採用実績】 転換制度：⇒

	総合職	一般職
23年	79(男 69 女 10)	5(男 1 女 4)
24年	97(男 82 女 15)	7(男 0 女 7)
25年	54(男 48 女 6)	1(男 1 女 0)

【24年4月入社者の配属勤務地】㊀(23年)愛知3 茨城3 東京2 埼玉1 兵庫1 静岡1 福島1 熊本1 ㊁(23年)神奈川11 茨城8 静岡5 熊本5 福島4 東京2 鳥取2 大阪1

【転勤】あり:[職種]総合職（一般職も本人の同意を得たうえで転勤の可能性あり）

【中途比率】[単年度]21年度NA、22年度NA、23年度NA[全体]◇15%

●働きやすさ、諸制度●

残業(月) 14.1時間

【勤務時間】本社・支店・研究所8:30～17:15 工場8:00～16:50【有休取得年平均】17.4日【週休】完全2日（土日祝）（祝日週土曜出勤）【夏期休暇】連続9日【年末年始休暇】連続8日

【離職率】◇男:2.1%、54名 女:2.7%、21名

【新卒3年後離職率】
[20→23年]8.8%（男8.5%・入社106名、女12.5%・入社8名）
[21→24年]8.3%（男5.4%・入社37名、女18.2%・入社11名）

【テレワーク】制度あり:[場所]自宅[対象]NA[日数]週2日以内[利用率]NA【勤務制度】フレックス 時差勤務【住宅補助】借上を中心に独身寮・社宅（全国）住宅手当

●ライフイベント、女性活躍●

【女性比率】■男 □女

新卒採用 10.9%（6名）

従業員 22.9%（765名）

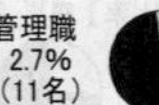

管理職 2.7%（11名）

【産休】[期間]産前6・産後8週間[給与]会社全額給付[取得者数]38名

【育休】[期間]2歳になるまで[給与]法定[取得者数]22年度 男24名（対象110名）女32名（対象32名）23年度 男46名（対象115名）女38名（対象38名）[平均取得日数]22年度 NA、23年度 NA

【従業員】◇[人数]3,337名（男2,572名、女765名）[平均年齢]41.4歳（男41.1歳、女42.5歳）[平均勤続年数]18.7年（男18.1年、女20.6年）【年齢構成】■男 □女

	男	女
60代～	1%	0%
50代	22%	8%
40代	18%	6%
30代	23%	5%
～20代	14%	4%

会社データ （金額は百万円）

【本社】105-8585 東京都港区芝大門1-12-15 ☎03-3432-4211
https://www.nok.co.jp/

【業績（連結）】	売上高	営業利益	経常利益	純利益
22.3	682,507	31,337	46,168	25,835
23.3	709,956	15,378	26,557	13,320
24.3	750,502	22,912	40,285	31,602

496 **開示 ★★**

こうぎょう
イーグル工業㈱

【特色】自動車用メカシールや特殊バルブ大手。NOK系列

記者評価 回転機器内部の液体の漏れを防ぐメカニカルシール大手。NOKからメカニカルシール部門が分離・独立。特殊バルブにも強み。主力は自動車向けだが、建設機械や産業機械、船舶などに向け、幅広く展開。EV用モーター向けのシールも。幅広い製品で電動化需要開拓。

平均勤続年数	男性育休取得率	3年後離職率	平均年収（平均42歳）
◇16.8年	20.0→78.0%	5.9→40.0%	◇792万円

●採用・配属情報●

【男女・文理別採用実績】

	大卒男	大卒女	修士男	修士女
23年	NA(文NA理NA)	NA(文NA理NA)	NA(文NA理NA)	NA(文NA理NA)
24年	NA(文NA理NA)	NA(文NA理NA)	NA(文NA理NA)	NA(文NA理NA)
25年	NA(文NA理NA)	NA(文NA理NA)	NA(文NA理NA)	NA(文NA理NA)

※NOKグループ採用 採用数はNOK㈱に掲載

【男女・職種別採用実績】 転換制度：⇒

	総合職	一般職
23年	NA(男 NA 女 NA)	NA(男 NA 女 NA)
24年	NA(男 NA 女 NA)	NA(男 NA 女 NA)
25年	NA(男 NA 女 NA)	NA(男 NA 女 NA)

【24年4月入社者の配属勤務地】㊀(23年)東京・港1 埼玉・坂戸1 茨城・つくば1 岡山・倉敷1 ㊁(23年)新潟・五泉3 埼玉・坂戸7 茨城・つくば2 岡山・高梁2 兵庫・高砂1 兵庫・明石1

【転勤】あり:[職種]総合職（一般職も本人の同意を得たうえで転勤の可能性あり）

【中途比率】[単年度]21年度58%、22年度61%、23年度63%[全体]◇22%

●働きやすさ、諸制度●

残業(月) 14.5時間

【勤務時間】8:30～17:15【有休取得年平均】18.1日【週休】完全2日（土日祝）（祝日週土曜出勤）【夏期休暇】連続9日【年末年始休暇】連続8日

【離職率】◇男:1.8%、18名 女:1.1%、3名

【新卒3年後離職率】
[20→23年]5.9%（男6.7%・入社30名、女0%・入社4名）
[21→24年]40.0%（男40.0%・入社5名、女ー・入社0名）

【テレワーク】制度あり:[場所]自宅[対象]NA[日数]週2日以内[利用率]NA【勤務制度】フレックス 時差勤務【住宅補助】借上を中心に独身寮・社宅（全国）住宅手当

●ライフイベント、女性活躍●

【女性比率】■男 □女

従業員 21.5%（261名）

管理職 4.5%（11名）

【産休】[期間]産前6・産後8週間[給与]会社全額給付[取得者数]10名

【育休】[期間]2歳になるまで[給与]法定[取得者数]22年度 男8名（対象40名）女7名（対象7名）23年度 男32名（対象41名）女10名（対象10名）[平均取得日数]22年度 NA、23年度 NA

【従業員】◇[人数]1,216名（男955名、女261名）[平均年齢]41.6歳（男41.2歳、女42.7歳）[平均勤続年数]16.8年（男16.0年、女19.7年）【年齢構成】■男 □女

	男	女
60代～	0%	0%
50代	23%	8%
40代	20%	6%
30代	22%	4%
～20代	14%	3%

会社データ （金額は百万円）

【本社】105-8587 東京都港区芝公園2-4-1 芝パークビル ☎03-3438-2291
https://www.ekkeagle.com/jp/

【業績（連結）】	売上高	営業利益	経常利益	純利益
22.3	140,842	7,560	10,811	5,713
23.3	157,380	9,264	12,277	6,796
24.3	167,042	8,107	13,799	7,491

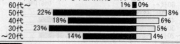

566 **開示 ★★★★★** 専門 **採用あり**

スタンレー電気(でんき)(株)

くるみん

【特色】自動車ランプ御三家。部品からの一貫生産に強み

記者評価 自動車用ランプ大手。電球の輸入販売で創業し、1960年代に自動車用ランプに参入した。ホンダ向けが約4割を占めるが、トヨタなど国内全メーカーと取引。独自の原価低減手法に特色があり、高い利益率と好財務に定評。PCバックライトなど電子機器向けのLEDも。

平均勤続年数	男性育休取得率	3年後離職率	平均年収(平均41歳)
◇16.3年	49.6→53.4%	13.9→12.1%	㊝710万円

●採用・配属情報●

【男女・文理別採用実績】

	大卒男	大卒女	修士男	修士女
23年	60(文 32 理 28)	13(文 11 理 2)	24(文 3 理 21)	3(文 2 理 1)
24年	50(文 23 理 27)	22(文 19 理 3)	20(文 3 理 17)	4(文 3 理 1)
25年	51(文 25 理 26)	22(文 20 理 2)	22(文 2 理 20)	5(文 2 理 3)

【男女・職種別採用実績】

	総合職	専門職
23年	100(男 84 女 16)	5(男 4 女 1)
24年	96(男 70 女 26)	3(男 1 女 2)
25年	100(男 73 女 27)	0(男 0 女 0)

【24年4月入社者の配属勤務地】㊝(23年)東京・目黒11 神奈川(秦野8 横浜9)栃木・宇都宮6 愛知(岡崎5 名古屋2)浜松3 広島・東広島3 埼玉・朝霞1 ㊕(23年)東京・目黒3 神奈川(秦野23 横浜9 みなとみらい9)栃木・宇都宮1 愛知・岡崎3 浜松2 広島・東広島2

【転勤】あり:[職種]全社員[勤務地]全国(東京 埼玉 神奈川 栃木 静岡 愛知 広島 山形 他)

【中途比率】[単年度]21年度38%、22年度41%、23年度41%[全体]◇22%

●働きやすさ、諸制度●

残業(月) 27.5時間 ㊝27.5時間

【勤務時間】8時間(フレックスタイム制あり コアタイム10:00～15:00)【有休取得年平均】12.1日【週休】会社暦2日【夏期休暇】連続9日(平日5日＋土日4日)【年末年始休暇】連続10日(平日6日＋土日4日)

【離職率】◇男:5.5%、192名 女:4.3%、27名(早期定年男27名、女2名含む)

【新卒3年後離職率】

[20→23年]13.9%(男11.8%・入社85名、女21.7%・入社23名)

[21→24年]12.1%(男11.5%・入社78名、女15.4%・入社13名)

【テレワーク】制度あり:[場所]自宅[対象]フレックスタイム制の社員[日数]週4日まで[利用率]6.6%【勤務制度】フレックス 時差勤務 勤務間インターバル 副業容認【住宅補助】独身寮 借上社宅 住宅手当

●ライフイベント、女性活躍●

【女性比率】■男 □女

新卒採用 27% (27名)　従業員 15.4% (600名)　管理職 3.3% (22名)

【産休】[期間]産前6・産後8週間[給与]法定+健保15%給付[取得者数]19名

【育休】[期間]1歳になるまで[給与]給付金+住民税相当額給付[取得者数]22年度 男58名(対象117名)女31名(対象31名)23年度 男55名(対象103名)女22名(対象22名)[平均取得日数]22年度 男29日 女337日、23年度 男58日 女402日

【従業員】◇[人数]3,902名(男3,302名、女600名)[平均年齢]40.9歳(男41.8歳、女36.4歳)[平均勤続年数]16.3年(男17.0年、女13.6年)【年齢構成】■男 □女

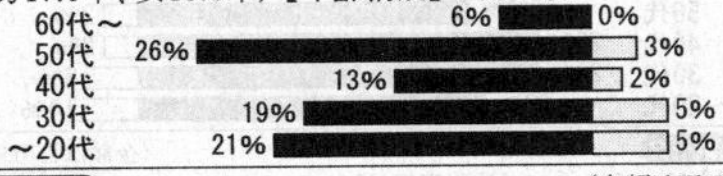

	男	女
60代～	6%	0%
50代	26%	3%
40代	13%	2%
30代	19%	5%
～20代	21%	5%

会社データ (金額は百万円)

【本社】153-8636 東京都目黒区中目黒2-9-13 ☎03-6866-2222 https://www.stanley.co.jp/

【業績(連結)】	売上高	営業利益	経常利益	純利益
22.3	382,561	27,743	36,714	21,445
23.3	437,790	34,926	44,872	26,496
24.3	472,397	35,834	48,064	26,497

614 **開示 ★★★**

フタバ産業(さんぎょう)(株)

くるみん

【特色】自動車骨格プレス部品大手。マフラー国内首位

記者評価 自動車部品、特に排気系部品に強く、プレス・溶接部品も手がける。17年にトヨタが31%超の大株主に。トヨタ向けに日本とカナダで大型プレスライン稼働。海外拠点も多数。車体部品は大型部品の提案を本格化。電池ケースなど電動化関連製品の開発も加速。

平均勤続年数	男性育休取得率	3年後離職率	平均年収(平均39歳)
14.4年	11.1→66.1%	8.5→9.7%	㊝646万円

●採用・配属情報●

【男女・文理別採用実績】

	大卒男	大卒女	修士男	修士女
23年	19(文 5 理 14)	4(文 0 理 4)	10(文 0 理 10)	3(文 1 理 2)
24年	22(文 4 理 18)	7(文 3 理 4)	6(文 1 理 5)	0(文 0 理 0)
25年	18(文 2 理 16)	7(文 5 理 2)	7(文 1 理 6)	1(文 0 理 1)

転換制度:⇒

【男女・職種別採用実績】

	総合職
23年	36(男 29 女 7)
24年	35(男 28 女 7)
25年	33(男 25 女 8)

【24年4月入社者の配属勤務地】㊝愛知(岡崎6 豊田1 幸田1)㊕愛知(岡崎17 豊田1 幸田8 田原1)

【転勤】あり:[職種]総合職(事務系 技術系)[勤務地]愛知県 当社グループ(海外を含む)の全事業所

【中途比率】[単年度]21年度27%、22年度26%、23年度28%[全体]17%

●働きやすさ、諸制度●

残業(月) 20.3時間 ㊝19.1時間

【勤務時間】8:00～16:45【有休取得年平均】18.2日【週休】完全2日(土日)【夏期休暇】連続9日(週休4日含む)【年末年始休暇】連続10日(週休4日含む)

【離職率】男:2.9%、31名 女:3.3%、10名

【新卒3年後離職率】

[20→23年]8.5%(男10.3%・入社39名、女0%・入社8名)

[21→24年]9.7%(男7.3%・入社55名、女28.6%・入社7名)

【テレワーク】制度あり:[場所]自宅[対象]入社3年目以降の社員[日数]週2日は出社の必要あり[利用率]NA【勤務制度】フレックス【住宅補助】家賃補助(家賃と駐車場代の半額を補助、上限30,000円 30歳未満の独身対象)

●ライフイベント、女性活躍●

【女性比率】■男 □女

新卒採用 24.2% (8名)

従業員 22.2% (294名)

管理職 1.2% (4名)

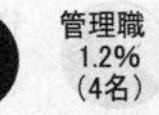

【産休】[期間]産前6・産後8週間[給与]法定[取得者数]19名

【育休】[期間]2歳になるまで[給与]法定[取得者数]22年度 男16名(対象144名)女23名(対象23名)23年度 男72名(対象109名)女19名(対象24名)[平均取得日数]22年度 NA、23年度 NA

【従業員】[人数]1,324名(男1,030名、女294名)[平均年齢]38.5歳(男38.9歳、女37.3歳)[平均勤続年数]14.4年(男14.8年、女12.8年)

【年齢構成】■男 □女

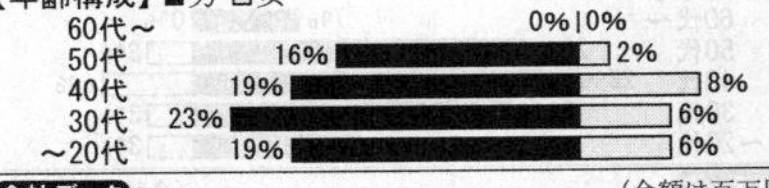

会社データ (金額は百万円)

【本社】444-8558 愛知県岡崎市橋目町御茶屋1 ☎0564-31-2212 https://www.futabasangyo.com/

【業績(連結)】	売上高	営業利益	経常利益	純利益
22.3	572,118	6,115	7,807	3,307
23.3	708,072	7,681	7,768	10,576
24.3	795,802	19,213	18,489	12,831

メーカーI

2444 開示★★★★

(株)三五

さんご

【特色】独立系自動車部品メーカー。トヨタG向け多い

[記者評価] 恒川鉄工所として1928年創業。プレス加工から出発し自動車部品へと展開。マフラーなど排気系主体で、現在は自動車部品売上比率が約9割。独立系だがトヨタG向け大半。海外は中国、アジア、欧米に拠点。海外売上比率5割超。EVやFCVへの対応急ぐ。

平均勤続年数	男性育休取得率	3年後離職率	平均年収(平均41歳)
17.8年	32.4→42.4%	5.3→7.7%	[総]676万円

●採用・配属情報●

【男女・文理別採用実績】

	大卒男	大卒女	修士男	修士女
23年	4(文 2理 2)	5(文 4理 1)	3(文 0理 3)	0(文 0理 0)
24年	12(文 4理 8)	4(文 4理 0)	2(文 0理 2)	0(文 0理 0)
25年	12(文 6理 6)	7(文 7理 0)	1(文 0理 1)	0(文 0理 0)

【男女・職種別採用実績】

	総合職
23年	12(男 7 女 5)
24年	18(男 14 女 4)
25年	20(男 13 女 7)

【24年4月入社者の配属勤務地】[総]愛知・みよし8 [技]愛知(みよし5 豊田5)

【転勤】あり:全社員

【中途比率】[単年度]21年度54%、22年度76%、23年度71%[全体]29%

●働きやすさ、諸制度●

残業(月) 27.2時間 [総]27.2時間

【勤務時間】8:30～17:15【有休取得年平均】17.2日【週休】2日(土日)【夏期休暇】連続9日程度【年末年始休暇】連続9日程度

【離職率】男:2.3%、22名 女:1.8%、3名

【新卒3年後離職率】

[20→23年]5.3%(男7.1%・入社14名、女0%・入社5名)

[21→24年]7.7%(男8.3%・入社12名、女0%・入社1名)

【テレワーク】制度あり:[場所]自宅 サテライトオフィス[対象]全社員[日数]週2日まで[利用率]NA【勤務制度】フレックス 時差勤務【住宅補助】独身寮(男性のみ)女性は家賃補助制度(上限5万円)を利用可能※別途会社規定あり

●ライフイベント、女性活躍●

【女性比率】■男 □女

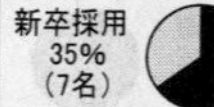

新卒採用 35% (7名)

従業員 14.7% (162名)

管理職 2.4% (7名)

【産休】[期間]産前6・産後8週間[給与]法定[取得者数]4名

【育休】[期間]2歳になるまで[給与]法定[取得者数]22年度 男12名(対象37名)女12名(対象12名)23年度 男14名(対象33名)女4名(対象4名)[平均取得日数]22年度 男30日 女484日、23年度 男62日 女508日

【従業員】[人数]1,104名(男942名、女162名)[平均年齢]43.1歳(男43.6歳、女40.4歳)[平均勤続年数]17.8年(男18.2年、女15.8年)

【年齢構成】■男 □女

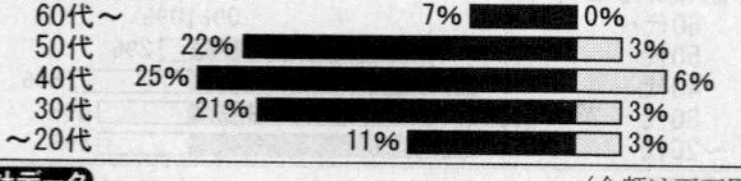

	男	女
60代～	7%	0%
50代	22%	3%
40代	25%	6%
30代	21%	3%
～20代	11%	3%

会社データ (金額は百万円)

【本社】456-0023 愛知県名古屋市熱田区六野1-3-1 ☎052-882-0035 https://www.sango.jp/

【業績(連結)】	売上高	営業利益	経常利益	純利益
22.3	502,754	4,130	6,994	NA
23.3	675,458	7,647	8,854	NA
24.3	729,470	11,722	12,802	NA

1235 開示★★★

豊田鉄工(株)

とよだてっこう

【特色】トヨタ系の自動車プレス部品大手。国内外に展開

[記者評価] トヨタ系自動車用プレス・樹脂部品メーカー。衝突安全・軽量化部品に強み。海外は中国、アメリカなど9カ国に16拠点を展開。マツダ系部品メーカーなど3社で米アラバマ州に合弁設立、21年9月から操業。植物工場も運営。低速小型EVの開発・実用化に挑戦中。

平均勤続年数	男性育休取得率	3年後離職率	平均年収(平均40歳)
16.7年	34.8→46.6%	0→12.1%	[総]794万円

●採用・配属情報●

【男女・文理別採用実績】

	大卒男	大卒女	修士男	修士女
23年	25(文 8理 17)	1(文 1理 0)	4(文 1理 3)	0(文 0理 0)
24年	28(文 11理 17)	7(文 7理 0)	0(文 0理 0)	0(文 0理 0)
25年	29(文 5理 24)	6(文 4理 2)	2(文 0理 2)	1(文 0理 1)

【男女・職種別採用実績】 転換制度:⇔

	総合職	一般職
23年	29(男 29 女 0)	1(男 0 女 1)
24年	34(男 28 女 6)	1(男 0 女 1)
25年	39(男 32 女 7)	0(男 0 女 0)

【24年4月入社者の配属勤務地】[総]愛知(豊田15 岡崎2) [技]愛知(豊田16 岡崎1)

【転勤】あり:[職種]総合職[勤務地]愛知(豊田・岡崎)

【中途比率】[単年度]21年度15%、22年度50%、23年度45%[全体]22%

●働きやすさ、諸制度●

残業(月) 33.5時間 [総]31.8時間

【勤務時間】8:00～17:00/8:15～17:15/8:30～17:30(フレックスタイム制 コアタイムなし)※職種による【有休取得年平均】18.7日【週休】完全2日(土日)【夏期休暇】連続9日【年末年始休暇】連続10日

【離職率】男:2.4%、21名 女:3.8%、4名

【新卒3年後離職率】

[20→23年]0%(男0%・入社28名、女0%・入社6名)

[21→24年]12.1%(男14.8%・入社27名、女0%・入社6名)

【テレワーク】制度あり:[場所]自宅に準ずる場所 他[対象]勤務1年以上の社員[日数]制限なし[利用率]NA【勤務制度】フレックス 勤務間インターバル【住宅補助】独身寮

●ライフイベント、女性活躍●

【女性比率】■男 □女

新卒採用 17.9% (7名)

従業員 10.6% (100名)

管理職 0.8% (2名)

【産休】[期間]産前6・産後8週間[給与]法定[取得者数]8名

【育休】[期間]1歳半になるまで[給与]法定[取得者数]22年度 男24名(対象69名)女10名(対象10名)23年度 男41名(対象88名)女9名(対象9名)[平均取得日数]22年度 NA、23年度 NA

【従業員】[人数]943名(男843名、女100名)[平均年齢]40.2歳(男40.7歳、女36.5歳)[平均勤続年数]16.7年(男17.1年、女13.0年)

【年齢構成】■男 □女

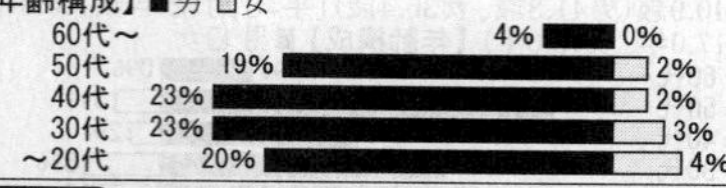

	男	女
60代～	4%	0%
50代	19%	2%
40代	23%	2%
30代	23%	3%
～20代	20%	4%

会社データ (金額は百万円)

【本社】471-8507 愛知県豊田市細谷町4-50 ☎0565-26-1220 https://www.tiw.co.jp/

【業績(連結)】	売上高	営業利益	経常利益	純利益
22.3	389,600	17,194	15,375	9,907
23.3	518,539	27,985	24,158	17,944
24.3	569,805	42,092	36,897	24,704

東プレ(株)

とう

【特色】独立系の自動車プレス部品大手。冷凍車も

記者評価 独立系の自動車プレス部品大手。主要顧客は日産、ホンダなど。フロントピラー、ドアビーム、センターピラーなどを製造。海外事業強化に向け、設備増強に積極的。EV向けの受注獲得へ軽量・高剛性部品の供給進める。冷凍車のコンテナと冷凍装置も手がける。

平均勤続年数	男性育休取得率	3年後離職率	平均年収(平均40歳)
◇15.6年	20.0→41.9%	33.3→50.0%	㊋678万円

●採用・配属情報●

【男女・文理別採用実績】

	大卒男	大卒女	修士男	修士女
23年	8(文 4理 4)	0(文 0理 0)	2(文 2理 0)	1(文 1理 0)
24年	21(文 6理 15)	5(文 3理 2)	2(文 1理 1)	0(文 0理 0)
25年	22(文 8理 14)	4(文 4理 0)	4(文 0理 4)	0(文 0理 0)

【男女・職種別採用実績】

	総合職
23年	11(男 10 女 1)
24年	28(男 23 女 5)
25年	30(男 26 女 4)

【24年4月入社者の配属勤務地】㊋相模原7 東京2 栃木2 岐阜1 ㊕相模原13 栃木2 岐阜1

【転勤】あり:全社員

【中途比率】[単年度]21年度36%、22年度40%、23年度66%[全体]◇66%

●働きやすさ、諸制度●

残業(月) 28.8時間

【勤務時間】9:00～17:30【有休取得年平均】12.3日【週休】2日【夏期休暇】あり【年末年始休暇】あり

【離職率】NA

【新卒3年後離職率】
[20→23年]33.3%(男29.0%・入社31名、女60.0%・入社5名)
[21→24年]50.0%(男50.0%・入社12名、女50.0%・入社2名)

【テレワーク】制度あり:[場所]自宅 自宅に準じる場所 他[対象]NA[日数]月8回まで[利用率]NA【勤務制度】フレックス 時差勤務 勤務間インターバル【住宅補助】社宅 独身寮(社内規定による)

●ライフイベント、女性活躍●

【女性比率】■男 □女

新卒採用 13.3%(4名)　従業員 7%(105名)　管理職 1.5%(3名)

【産休】[期間]産前6・産後8週間[給与]法定[取得者数]4名

【育休】[期間]1歳になるまで[給与]法定[取得者数]22年度 男9名(対象45名)女4名(対象5名)23年度 男18名(対象43名)女2名(対象2名)[平均取得日数]22年度 NA、23年度 NA

【従業員】◇[人数]1,504名(男1,399名、女105名)[平均年齢]39.5歳(男39.6歳、女37.4歳)[平均勤続年数]15.6年(男15.9年、女11.0年)

【年齢構成】NA

会社データ (金額は百万円)

【本社】103-0027 東京都中央区日本橋3-12-2 朝日ビル ☎03-3271-0711 https://www.topre.co.jp/

【業績(連結)】	売上高	営業利益	経常利益	純利益
22.3	233,601	6,853	17,013	10,998
23.3	290,416	7,330	16,518	10,009
24.3	354,922	22,406	37,840	17,099

(株)ジーテクト

くるみん

【特色】ホンダ系自動車プレスメーカー。解析技術に強み

記者評価 自動車プレス部品メーカー。ルーフやフロアなど車体部品を手がける。ボディ構造解析技術が強み。ホンダグループ向けが売上の5割強を占めるが、トヨタや欧州系メーカーにも供給。バッテリーケースやモーター関連部品開発も着手、EV化へ野心的。

平均勤続年数	男性育休取得率	3年後離職率	平均年収(平均42歳)
17.8年	20.8→31.8%	16.7→35.7%	㊋666万円

●採用・配属情報●

【男女・文理別採用実績】

	大卒男	大卒女	修士男	修士女
23年	5(文 2理 3)	3(文 1理 2)	4(文 0理 4)	0(文 0理 0)
24年	10(文 5理 5)	0(文 0理 0)	1(文 0理 1)	0(文 0理 0)
25年	9(文 5理 4)	2(文 2理 0)	2(文 0理 2)	0(文 0理 0)

【男女・職種別採用実績】

	総合職
23年	13(男 10 女 3)
24年	13(男 13 女 0)
25年	15(男 13 女 2)

【24年4月入社者の配属勤務地】㊋滋賀・甲賀3(予定) ㊕東京・羽村3 群馬・太田1 栃木・塩谷3 滋賀・甲賀2 岐阜・海津1(予定)

【転勤】あり:全社員

【中途比率】[単年度]21年度21%、22年度38%、23年度69%[全体]35%

●働きやすさ、諸制度●

残業(月) 21.7時間 ㊋22.5時間

【勤務時間】フレックスタイム制(コアタイムなし)【有休取得年平均】15.5日【週休】完全2日(土日)【夏期休暇】連続10日程度【年末年始休暇】連続10日程度

【離職率】男:4.4%、31名 女:11.8%、11名

【新卒3年後離職率】
[20→23年]16.7%(男11.1%・入社9名、女33.3%・入社3名)
[21→24年]35.7%(男33.3%・入社12名、女50.0%・入社2名)

【テレワーク】制度あり:[場所]自宅[対象]製造工を除く[日数]制限なし[利用率]NA【勤務制度】フレックス 時差勤務【住宅補助】独身寮(入社後3年間は一律家賃2万円を本人負担とし、独身寮又は借上アパートを提供)

●ライフイベント、女性活躍●

【女性比率】■男 □女

新卒採用 13.3%(2名)　　従業員 10.9%(82名)　　管理職 3.4%(5名)

【産休】[期間]産前6・産後8週間[給与]法定[取得者数]1名

【育休】[期間]1歳になるまで[給与]法定[取得者数]22年度 男5名(対象24名)女0名(対象0名)23年度 男7名(対象22名)女1名(対象1名)[平均取得日数]22年度 男21日 女357日、23年度 男49日 女308日

【従業員】[人数]755名(男673名、女82名)[平均年齢]42.0歳(男42.5歳、女37.9歳)[平均勤続年数]17.8年(男18.1年、女15.5年)

【年齢構成】■男 □女

	男	女
60代～	0%	0%
50代	25%	1%
40代	30%	4%
30代	23%	4%
～20代	12%	2%

会社データ (金額は百万円)

【本社】330-0854 埼玉県さいたま市大宮区桜木町1-11-20 大宮JPビルディング18階 ☎048-646-3400 https://www.g-tekt.jp/

【業績(連結)】	売上高	営業利益	経常利益	純利益
22.3	236,503	10,931	12,532	8,878
23.3	314,312	12,836	14,284	10,270
24.3	344,601	16,242	18,896	13,240

433 開示 ★★★★

ユニプレス(株)

[えるぼし ★★★] [くるみん]

【特色】自動車用プレス部品最大手。日産向けが主力

[記者評価] 日産の系列解体を経て現在は独立系だが、日産向けの売上が7割超。大株主の日本製鉄とはプレス部品の軽量化技術などを共同開発。ハイテン材(高張力鋼板)成形技術に強み。9カ国17拠点展開し海外売上高比率は6～7割。工場の生産ライン自動化進める。

平均勤続年数	男性育休取得率	3年後離職率	平均年収(平均42歳)
19.7年	84.8 → 71.4%	5.8 → 22.0%	[総] 653万円

●採用・配属情報●

【男女・文理別採用実績】

	大卒男	大卒女	修士男	修士女
23年	9(文 5 理 4)	5(文 5 理 0)	3(文 0 理 3)	0(文 0 理 0)
24年	13(文 5 理 8)	3(文 2 理 1)	0(文 0 理 0)	3(文 3 理 0)
25年	12(文 4 理 8)	5(文 5 理 0)	3(文 1 理 2)	1(文 1 理 0)

【男女・職種別採用実績】

	総合職
23年	17(男 12 女 5)
24年	19(男 13 女 6)
25年	21(男 15 女 6)

【24年4月入社者の配属勤務地】[総]横浜10 [技]神奈川(横浜2 大和5)静岡・富士2

【転勤】あり:全社員

【中途比率】[単年度]21年度6%、22年度100%、23年度28%[全体]29%

●働きやすさ、諸制度●

残業(月) 19.7時間 [総] 19.7時間

【勤務時間】9:00～18:00(フレックスタイム制)【有休取得年平均】18.0日【週休】完全2日(土日)【夏期休暇】連続8～11日【年末年始休暇】連続8～11日

【離職率】男:4.9%、48名 女:5.5%、9名

【新卒3年後離職率】

[20→23年]5.8%(男2.4%・入社41名、女18.2%・入社11名)

[21→24年]22.0%(男19.4%・入社31名、女30.0%・入社10名)

【テレワーク】制度あり:[場所]自宅 各拠点[対象]正社員(新卒入社1年以上)[日数]月5日まで ただし育児・介護の該当者は月10日まで[利用率]NA【勤務制度】フレックス 副業容認【住宅補助】家賃補助手当(最大65,000円 地区ごとに金額設定、条件あり)

●ライフイベント、女性活躍●

【女性比率】■男 □女

新卒採用 28.6% (6名)

従業員 14.2% (154名)

管理職 3.8% (11名)

【産休】[期間]産前6・産後8週間[給与]法定[取得者数]2名

【育休】[期間]1歳になるまで[給与]法定[取得者数]22年度 男28名(対象33名)女8名(対象8名)23年度 男25名(対象35名)女4名(対象4名)[平均取得日数]22年度 男19日 女412日、23年度 男31日 女345日

【従業員】[人数]1,085名(男931名、女154名)[平均年齢]44.5歳(男45.3歳、女39.8歳)[平均勤続年数]19.7年(男20.6年、女14.7年)

【年齢構成】■男 □女

	男	女
60代～	10%	0%
50代	24%	3%
40代	22%	3%
30代	17%	4%
～20代	12%	4%

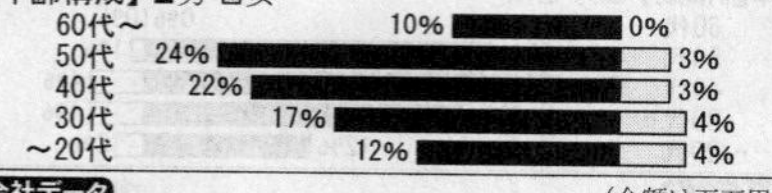

会社データ (金額は百万円)

【本社】222-0033 神奈川県横浜市港北区新横浜1-19-20 SUN HAMADA BLDG ☎045-470-8250

https://www.unipres.co.jp/

【業績(連結)】	売上高	営業利益	経常利益	純利益
22.3	254,450	▲7,593	▲4,718	▲7,955
23.3	304,442	3,738	5,029	2,483
24.3	335,079	10,927	12,553	5,256

610 開示 ★★

トピー工業(株)

こうぎょう

【特色】鋼材やホイール、建機足回り部品などを製造

[記者評価] 日本製鉄系。トラックのホイールと建設機械向け足回り部品で国内高シェア。ホイールの同業他社を買収。電炉で鋼材を生産し、自社製品に使用する一貫生産に特徴。化粧品用マイカなど、新規事業にも積極的。発電事業を廃止するなど選択と集中を進める。

平均勤続年数	男性育休取得率	3年後離職率	平均年収(平均*42歳)
15.6年	NA	13.6 → 0%	[総] 745万円

●採用・配属情報●

【男女・文理別採用実績】

	大卒男	大卒女	修士男	修士女
23年	11(文 6 理 5)	7(文 5 理 2)	2(文 0 理 2)	4(文 1 理 3)
24年	7(文 2 理 5)	10(文 9 理 1)	4(文 0 理 4)	0(文 0 理 0)
25年	16(文 8 理 8)	4(文 4 理 0)	1(文 0 理 1)	1(文 0 理 1)

【男女・職種別採用実績】

	総合職
23年	24(男 13 女 11)
24年	21(男 11 女 10)
25年	22(男 17 女 5)

【24年4月入社者の配属勤務地】[総]東京・大崎1 愛知(豊橋4 豊川2)神奈川(綾瀬2 茅ヶ崎2) [技]愛知(豊橋4 豊川2)神奈川(綾瀬2 茅ヶ崎1)福岡・京都郡1

【転勤】あり:全社員

【中途比率】[単年度]21年度0%、22年度22%、23年度42%[全体]NA

●働きやすさ、諸制度●

残業(月) 14.7時間 [総] 14.7時間

【勤務時間】9:00～17:30【有休取得年平均】14.9日【週休】完全2日(土日祝)※勤務地により異なる【夏期休暇】一斉有休で取得【年末年始休暇】12月29日～1月4日

【離職率】男:4.2%、21名 女:2.8%、6名

【新卒3年後離職率】

[20→23年]13.6%(男7.7%・入社13名、女22.2%・入社9名)

[21→24年]0%(男0%・入社9名、女0%・入社6名)

【テレワーク】制度あり:[場所]自宅 サテライトオフィス[対象]NA[日数]制限なし[利用率]NA【勤務制度】フレックス 時間単位有休 時差勤務【住宅補助】独身寮・社宅(本社 神奈川(綾瀬 茅ヶ崎)愛知(豊川 豊橋))住宅資金融資斡旋 他

●ライフイベント、女性活躍●

【女性比率】■男 □女

新卒採用 22.7% (5名)

従業員 29.9% (206名)

【産休】[期間]産前6・産後8週間[給与]法定[取得者数]25名

【育休】[期間]1歳になるまで[給与]法定[取得者数]22年度 NA 23年度 NA[平均取得日数]22年度 NA、23年度 NA

【従業員】[人数]689名(男483名、女206名)[平均年齢]41.9歳(男44.8歳、女35.4歳)[平均勤続年数]15.6年(男17.6年、女11.0年)

【年齢構成】NA

会社データ (金額は百万円)

【本社】141-8634 東京都品川区大崎1-2-2 アートヴィレッジ大崎Cタワー ☎03-3493-0120

https://www.topy.co.jp/

【業績(連結)】	売上高	営業利益	経常利益	純利益
22.3	271,178	▲1,706	▲1,401	386
23.3	334,496	7,175	8,043	6,321
24.3	333,992	10,440	10,462	4,676

メーカーI

1840 開示 ★★★☆☆

(株)エイチワン

[えるぼし ★★★] [くるみん]

【特色】自動車の車体骨格部品メーカー。ホンダ系

[記者評価] ホンダ系車体骨格部品メーカーのヒラタと本郷が06年に合併して誕生。車体フレームのプレスや加工組立が主力。売上の9割弱がホンダ向け。米国やタイ、中国などに生産拠点。海外売上高比率は約8割。ホンダが苦戦する中国では現地メーカーの開拓を進める。

平均勤続年数	男性育休取得率	3年後離職率	平均年収(平均46歳)
◇22.4年	100→100%	20.0→27.8%	[総]633万円

●採用・配属情報●

【男女・文理別採用実績】

	大卒男	大卒女	修士男	修士女
23年	2(文 0理 2)	2(文 0理 2)	1(文 0理 1)	1(文 0理 1)
24年	4(文 0理 4)	0(文 0理 0)	1(文 0理 1)	0(文 0理 0)
25年	4(文 0理 4)	0(文 0理 0)	1(文 0理 1)	0(文 0理 0)

【男女・職種別採用実績】 転換制度:⇔

	総合職
23年	6(男 3 女 3)
24年	5(男 5 女 0)
25年	5(男 5 女 0)

【24年4月入社者の配属勤務地】[総]群馬・太田1 [技]さいたま1 栃木・芳賀1 福島・郡山1 群馬・前橋1

【転勤】あり:全社員

【中途比率】[単年度]21年度7%、22年度35%、23年度29%(現業職含む)[全体]◇34%

●働きやすさ、諸制度●

残業(月) 13.8時間 [総]13.8時間

【勤務時間】フレックスタイム制(コアタイム10:10～14:50、フレキシブルタイム6:30～10:00、15:00～22:00)【有休取得年平均】20.0日【週休】2日(土日)【夏期休暇】連続9日【年末年始休暇】連続9日

【離職率】NA

【新卒3年後離職率】
[20→23年]20.0%(男16.7%・入社12名、女33.3%・入社3名)
[21→24年]27.8%(男20.0%・入社10名、女37.5%・入社8名)

【テレワーク】制度あり:[場所]自宅[対象]全社員[日数]月間稼働日数の80%まで[利用率]3.7%【勤務制度】フレックス 勤務間インターバル【住宅補助】転勤社宅(入居日より12年間まで家賃＋共益費の自己負担2割)新規採用者社宅(6年間まで家賃＋共益費の自己負担2割)

●ライフイベント、女性活躍●

【女性比率】■男 □女

新卒採用 0% (0名)

従業員 6.8% (83名)

管理職 2.2% (4名)

【産休】[期間]産前6・産後8週間[給与]法定[取得者数]1名

【育休】[期間]2歳になるまで[給与]子1人(双子以上は1人とみなす)につき10日間の育休は給与支給あり[取得者数]22年度 男17名(対象17名)女3名(対象3名)23年度 男27名(対象27名)女1名(対象1名)[平均取得日数]22年度 NA、23年度 NA

【従業員】◇[人数]1,227名(男1,144名、女83名)[平均年齢]45.8歳(男45.9歳、女41.3歳)[平均勤続年数]22.4年(男22.6年、女17.9年)【年齢構成】■男 □女

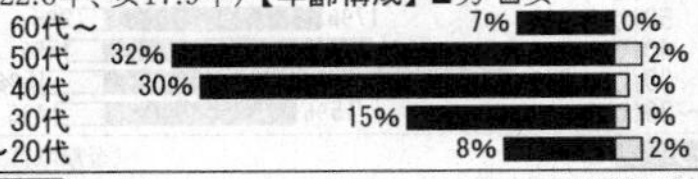
60代～ 7% 0%
50代 32% 2%
40代 30% 1%
30代 15% 1%
～20代 8% 2%

会社データ (金額は百万円)

【本社】330-0854 埼玉県さいたま市大宮区桜木町1-11-5 KSビル ☎048-643-0010
https://www.h1-co.jp/

【業績(IFRS)】	売上高	営業利益	税前利益	純利益
22.3	170,588	▲4,046	▲3,714	▲1,390
23.3	225,511	▲9,270	▲9,742	▲6,993
24.3	232,730	▲18,826	▲19,354	▲21,656

620 開示 ★★★★☆

太平洋工業(株)（たいへいようこうぎょう）

[えるぼし ★★★] [プラチナくるみん]

【特色】タイヤバルブとバルブコアで世界首位級メーカー

[記者評価] 独立系。タイヤの空気注入口に使われるバルブコアの国産化を目指し1930年創業。国内はほぼ独占。18年に米・仏の同業3社買収で世界シェアは約5割に。自動車用プレス・樹脂製品も展開。乗用車用タイヤ空気圧監視システムが好調。岐阜県の複数工場を増強中。

平均勤続年数	男性育休取得率	3年後離職率	平均年収(平均43歳)
15.7年	86.0→89.4%	13.3→27.8%	[総]663万円

●採用・配属情報●

【男女・文理別採用実績】

	大卒男	大卒女	修士男	修士女
23年	10(文 5理 5)	6(文 4理 2)	7(文 0理 7)	0(文 0理 0)
24年	16(文 4理 12)	4(文 3理 1)	4(文 0理 4)	0(文 0理 0)
25年	14(文 2理 12)	7(文 6理 1)	0(文 0理 0)	0(文 0理 0)

【男女・職種別採用実績】

	総合職
23年	23(男 17 女 6)
24年	25(男 21 女 4)
25年	22(男 15 女 7)

【24年4月入社者の配属勤務地】[総]岐阜・大垣7 [技]岐阜・大垣18

【転勤】あり:全社員

【中途比率】[単年度]21年度46%、22年度56%、23年度70%[全体]30%

●働きやすさ、諸制度●

残業(月) 19.1時間 [総]19.1時間

【勤務時間】8:10～17:10【有休取得年平均】14.5日【週休】完全2日(土日)【夏期休暇】連続9日【年末年始休暇】連続10日

【離職率】男:3.0%、15名 女:4.3%、5名

【新卒3年後離職率】
[20→23年]13.3%(男11.5%・入社26名、女25.0%・入社4名)
[21→24年]27.8%(男20.0%・入社15名、女66.7%・入社3名)

【テレワーク】制度なし【勤務制度】フレックス 勤務間インターバル【住宅補助】独身寮(32歳までかつ通勤距離片道25km以上、自己負担10,000円+電気代)

●ライフイベント、女性活躍●

【女性比率】■男 □女

新卒採用 31.8% (7名)

従業員 18.4% (110名)

管理職 3.6% (5名)

【産休】[期間]産前6・産後8週間[給与]法定[取得者数]5名

【育休】[期間]2歳になるまで[給与]配偶者収入がない場合、給付金と合わせ80%まで補填(1カ月間)、以降給付金[取得者数]22年度 男74名(対象86名)女7名(対象7名)23年度 男59名(対象66名)女7名(対象7名)[平均取得日数]22年度 男13日 女539日、23年度 男20日 女493日

【従業員】[人数]598名(男488名、女110名)[平均年齢]41.5歳(男41.5歳、女41.4歳)[平均勤続年数]15.7年(男15.7年、女15.6年)

【年齢構成】■男 □女

60代～ 0% 0%
50代 23% 5%
40代 22% 6%
30代 19% 3%
～20代 18% 5%

会社データ (金額は百万円)

【本社】503-8603 岐阜県大垣市久徳町100 ☎0584-91-1111
https://www.pacific-ind.co.jp/

【業績(連結)】	売上高	営業利益	経常利益	純利益
22.3	164,472	10,756	14,615	9,803
23.3	191,254	9,298	13,209	9,301
24.3	207,348	14,456	18,836	16,974

メーカーI

617 開示 ★★☆☆☆ [短大] [専門] 採用あり

プレス工業(株)

こうぎょう

【特色】トラック用フレーム、車軸生産で国内トップ

[記者評価] 商用車やSUVの車体フレーム、車軸を製造。鉄をプレスする鍛造技術に強み。大株主のいすゞ自動車が最大顧客だが、三菱ふそうトラック・バス、日産自動車など自動車関連の取引先は多い。建設機械用キャビンの製造も手がける。海外ではタイの事業規模が大きい。

平均勤続年数	男性育休取得率	3年後離職率	平均年収(平均43歳)
20.0年	12.2 → NA	9.1 → 0%	[総] 827万円

●採用・配属情報●

【男女・文理別採用実績】

	大卒男	大卒女	修士男	修士女
23年	10(文 5理 5)	4(文 3理 1)	1(文 0理 1)	0(文 0理 0)
24年	11(文 5理 6)	1(文 1理 0)	0(文 0理 0)	0(文 0理 0)
25年	7(文 3理 4)	4(文 4理 0)	0(文 0理 0)	0(文 0理 0)

【男女・職種別採用実績】

	総合職	事務職
23年	15(男 11 女 4)	0(男 0 女 0)
24年	14(男 13 女 1)	0(男 0 女 0)
25年	11(男 8 女 3)	1(男 0 女 1)

【24年4月入社者の配属勤務地】[総]神奈川・藤沢6 [技]未定

【転勤】あり:全社員

【中途比率】[単年度]21年度55%、22年度40%、23年度57%(総合職・事務職のみ)[全体]NA

●働きやすさ、諸制度●

残業(月) NA

【勤務時間】8:30～17:35【有休取得年平均】15.0日【週休】完全2日(土日)【夏期休暇】連続9～10日【年末年始休暇】連続9～10日

【離職率】男:0.9%、14名 女:0%、0名(早期退職男2名含む)

【新卒3年後離職率】

[20→23年]9.1%(男10.0%・入社10名、女0%・入社1名)

[21→24年]0%(男0%・入社5名、女―・入社0名)

【テレワーク】制度あり:[場所]自宅[対象]現業以外[日数]週1日[利用率]NA【勤務制度】フレックス 時間単位有休【住宅補助】独身寮 社宅 住宅手当

●ライフイベント、女性活躍●

【女性比率】■男 □女

新卒採用 33.3%(4名)

従業員 8%(141名)

【産休】[期間]産前6・産後8週間[給与]法定[取得者数]NA

【育休】[期間]1歳になるまで[給与]法定[取得者数]22年度男5名(対象41名)女2名(対象2名)23年度 NA[平均取得日数]22年度 NA、23年度 NA

【従業員】[人数]1,752名(男1,611名、女141名)[平均年齢]42.7歳(男41.1歳、女43.8歳)[平均勤続年数]20.0年(男20.3年、女19.1年)

【年齢構成】NA

会社データ (金額は百万円)

【本社】210-8512 神奈川県川崎市川崎区塩浜1-1-1 ☎044-266-2581

https://www.presskogyo.co.jp/

【業績(連結)】	売上高	営業利益	経常利益	純利益
22.3	160,060	12,424	12,673	7,107
23.3	184,844	13,110	13,714	6,793
24.3	197,817	12,807	13,461	8,078

2145 開示 ★★☆☆☆ [専門] 採用あり

(株)アドヴィックス

[くるみん]

【特色】アイシン子会社。ブレーキ専業メーカー大手

[記者評価] トヨタ系ブレーキメーカー。アイシン傘下。デンソー、トヨタ、住友電工も出資。自動車用ブレーキシステム国内大手。名古屋大とブレーキ設計・開発へのAI活用で共同研究展開。21年インドの2子会社を経営統合、24年7月同国自動車部品大手とブレーキ新合弁設立。

平均勤続年数	男性育休取得率	3年後離職率	平均年収(平均39歳)
12.9年	98.2 → 94.0%	11.1 → 9.6%	NA

●採用・配属情報●

【男女・文理別採用実績】

	大卒男	大卒女	修士男	修士女
23年	28(文 9理 19)	11(文 8理 3)	34(文 1理 33)	3(文 1理 2)
24年	37(文 8理 29)	11(文 6理 5)	13(文 0理 13)	1(文 0理 1)
25年	38(文 10理 28)	12(文 7理 5)	15(文 0理 15)	2(文 0理 2)

【男女・職種別採用実績】 転換制度:⇒

	総合職	テクニカルエキスパート職	実務職(一般職)
23年	76(男 61 女 15)	4(男 4 女 0)	1(男 1 女 0)
24年	59(男 48 女 11)	3(男 3 女 0)	3(男 0 女 3)
25年	66(男 53 女 13)	4(男 4 女 0)	1(男 0 女 1)

※実務職は障がい者採用枠

【24年4月入社者の配属勤務地】[総]愛知(刈谷8 半田2)静岡1 [技]愛知(刈谷42 半田3 豊田3)

【転勤】あり:[職種]総合職[勤務地]国内・海外各拠点

【中途比率】[単年度]21年度NA、22年度NA、23年度NA[全体]NA

●働きやすさ、諸制度●

残業(月) 26.9時間 [総]28.8時間

【勤務時間】8:30～17:30(コアレスフレックス制度あり)【有休取得年平均】16.7日【週休】完全2日(土日)【夏期休暇】連続9日【年末年始休暇】連続9日

【離職率】NA

【新卒3年後離職率】

[20→23年]11.1%(男12.7%・入社55名、女0%・入社8名)

[21→24年]9.6%(男7.1%・入社42名、女20.0%・入社10名)

【テレワーク】制度あり:[場所]NA[対象]部門長が認めた部署・個人[日数]制限なし[利用率]32.0%【勤務制度】フレックス 裁量労働 副業容認【住宅補助】独身寮 社宅制度

●ライフイベント、女性活躍●

【女性比率】■男 □女

新卒採用 19.7%(14名)

従業員 14.2%(302名)

【産休】[期間]産前6・産後8週間[給与]法定[取得者数]43名

【育休】[期間]2歳になる前日まで[給与]法定[取得者数]22年度 男164名(対象167名)女36名(対象36名)23年度 男156名(対象166名)女36名(対象36名)[平均取得日数]22年度 男9日 女468日、23年度 男21日 女479日

【従業員】[人数]2,125名(男1,823名、女302名)[平均年齢]39.0歳(男39.5歳、女36.3歳)[平均勤続年数]12.9年(男13.6年、女9.0年)

【年齢構成】■男 □女

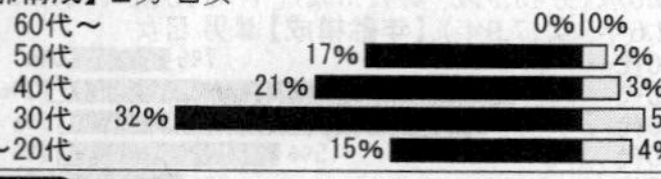

60代～ 0% 0%
50代 17% 2%
40代 21% 3%
30代 32% 5%
～20代 15% 4%

会社データ (金額は百万円)

【本社】448-8688 愛知県刈谷市昭和町2-1 ☎0566-63-8000

https://www.advics.co.jp/

【業績(IFRS)】	売上高	営業利益	経常利益	純利益
22.3	645,237	NA	NA	NA
23.3	751,847	NA	NA	NA
24.3	810,671	NA	NA	NA

メーカーI

1237 開示 ★★★ 専門 採用あり

ジヤトコ(株)

プラチナくるみん

【特色】日産自動車の連結子会社。自動変速機(AT)専業

記者評価 日産自動車傘下の自動車用自動変速機メーカー。三菱自動車、スズキも出資する。主力のCVT(無段変速機)は世界シェア首位。軽自動車から中・大型車までカバー範囲が広いのが特徴。仏ルノー、米GMにも製品を供給。EV向け電動パワートレインの開発を加速する。

平均勤続年数	男性育休取得率	3年後離職率	平均年収(平均45歳)
19.3年	16.5→30.2%	7.9→0%	(総)771万円

●採用・配属情報●

【男女・文理別採用実績】

	大卒男	大卒女	修士男	修士女
23年	19(文 3 理 16)	3(文 2 理 1)	5(文 1 理 4)	0(文 0 理 0)
24年	24(文 3 理 21)	3(文 1 理 2)	13(文 1 理 12)	1(文 0 理 1)
25年	45(文 10 理 35)	1(文 1 理 0)	10(文 0 理 10)	0(文 0 理 0)

【男女・職種別採用実績】

	総合職
23年	27(男 24 女 3)
24年	42(男 38 女 4)
25年	57(男 56 女 1)

【24年4月入社者の配属勤務地】(総)(24年)静岡・富士5 (技)(23年)静岡・富士16 神奈川・厚木5

【転勤】あり:全社員

【中途比率】[単年度]21年度23%、22年度29%、23年度52%[全体]NA

●働きやすさ、諸制度●

残業(月) 22.8時間 (総)22.8時間

【勤務時間】8:30〜17:30【有休取得年平均】16.8日【週休】会社暦2日【夏期休暇】連続9日(週休4日)【年末年始休暇】連続10日(週休4日)

【離職率】男:2.1%、36名 女:2.8%、8名

【新卒3年後離職率】
[20→23年]7.9%(男3.3%・入社30名、女25.0%・入社8名)
[21→24年]0%(男0%・入社18名、女0%・入社5名)

【テレワーク】制度あり:[場所]自宅 会社が認定した自宅扱い(社員の介護対象者の自宅他)[対象]間接員(管理職含む)準直員(係長他)[日数]制限なし[利用率]10.8%【勤務制度】フレックス 時差勤務 勤務間インターバル 副業容認【住宅補助】家賃補助制度(富士地区のみ独身・単身用寮あり・社宅なし)

●ライフイベント、女性活躍●

【女性比率】■男 □女

新卒採用 1.8%(1名)　従業員 14.4%(282名)　管理職 5.3%(24名)

【産休】[期間]産前6・産後8週間[給与]法定[取得者数]43名

【育休】[期間]2歳の4月末まで[給与]法定[取得者数]22年度 男18名(対象109名)女22名(対象24名)23年度 男29名(対象96名)女14名(対象14名)[平均取得日数]22年度 男106日 女467日、23年度 男95日 女505日

【従業員】[人数]1,960名(男1,678名、女282名)[平均年齢]44.6歳(男45.0歳、女42.0歳)[平均勤続年数]19.3年(男19.6年、女17.7年)

【年齢構成】■男 □女

	男	女
60代〜	0%	0%
50代	33%	5%
40代	28%	3%
30代	15%	4%
〜20代	9%	2%

会社データ (金額は百万円)

【本社】417-8585 静岡県富士市今泉700-1 ☎0545-51-0047
https://www.jatco.co.jp/

【業績(連結)】	売上高	営業利益	経常利益	純利益
22.3	561,300	26,700	NA	16,500
23.3	540,000	2,800	NA	▲4,800
24.3	563,700	13,900	NA	13,700

176 開示 ★★★★

日清紡ホールディングス(株)

(日清紡ホールディングス(株)、日清紡テキスタイル(株)、日清紡ブレーキ(株)、日清紡ケミカル(株)、日清紡メカトロニクス(株))

くるみん

【特色】綿紡績名門。ブレーキ摩擦材などに多角化

記者評価 繊維事業から多角化。自動車用ブレーキ摩擦材、無線通信、デバイス、工場跡地の不動産賃貸と不動産分譲など事業は多彩。日本無線や新日本無線、日立国際電気などを買収し無線通信やデバイス強化。一方、11年に買収したブレーキ事業の欧州TMDは売却。

平均勤続年数	男性育休取得率	3年後離職率	平均年収(平均46歳)
◇20.0年	22.9→55.2%	13.9→13.0%	(総)772万円

●採用・配属情報●

【男女・文理別採用実績】

	大卒男	大卒女	修士男	修士女
23年	2(文 2 理 0)	2(文 2 理 0)	12(文 0 理 12)	5(文 0 理 5)
24年	5(文 4 理 1)	4(文 4 理 0)	9(文 0 理 9)	3(文 1 理 2)
25年	3(文 2 理 1)	2(文 0 理 2)	10(文 0 理 10)	2(文 0 理 2)

【男女・職種別採用実績】 転換制度:⇔

	総合職
23年	22(男 15 女 7)
24年	22(男 15 女 7)
25年	17(男 13 女 4)

【24年4月入社者の配属勤務地】(総)東京9 群馬・館林1 大阪1 (技)千葉(千葉8 旭1)群馬・館林2

【転勤】あり:[職種]総合職

【中途比率】[単年度]21年度18%、22年度24%、23年度46%[全体]◇22%

●働きやすさ、諸制度●

残業(月) 5.8時間 (総)9.5時間

【勤務時間】8:30〜17:20(フレックスタイム制 コアタイム10:00〜15:00)【有休取得年平均】13.0日【週休】2日【夏期休暇】連続5日以上【年末年始休暇】連続5日以上

【離職率】◇男:3.1%、44名 女:2.8%、10名

【新卒3年後離職率】
[20→23年]13.9%(男8.0%・入社25名、女27.3%・入社11名)
[21→24年]13.0%(男11.8%・入社17名、女16.7%・入社6名)

【テレワーク】制度あり:[場所]自宅 自宅に準じる場所(単身赴任元の家族宅 介護する家族の居宅 他)サテライトオフィス[対象]就業規則上、認められた社員[日数]月10日以内[利用率]NA【勤務制度】フレックス 時間単位有休 時差勤務【住宅補助】独身寮(自己負担8,000〜15,000円)社宅(自己負担20,000〜50,000円)住宅手当(勤務地等により金額が異なる)

●ライフイベント、女性活躍●

【女性比率】■男 □女

新卒採用 23.5%(4名)　従業員 20.3%(348名)　管理職 6%(14名)

【産休】[期間]産前8・産後8週間[給与]法定[取得者数]6名

【育休】[期間]1歳になるまで[給与]開始7日間有給、以降給付金[取得者数]22年度 男8名(対象35名)女10名(対象10名)23年度 男16名(対象29名)女4名(対象6名)[平均取得日数]22年度 男31日 女419日、23年度 男41日 女426日

【従業員】◇[人数]1,713名(男1,365名、女348名)[平均年齢]46.7歳(男47.8歳、女43.1歳)[平均勤続年数]20.0年(男21.7年、女14.2年)

【年齢構成】■男 □女

	男	女
60代〜	1%	0%
50代	38%	4%
40代	19%	9%
30代	11%	4%
〜20代	10%	4%

会社データ (金額は百万円)

【本社】103-8650 東京都中央区日本橋人形町2-31-11 ☎03-5695-8864
https://www.nisshinbo.co.jp/

【業績(連結)】	売上高	営業利益	経常利益	純利益
21.12	510,643	21,788	25,358	24,816
22.12	516,085	15,435	20,397	19,740
23.12	541,211	12,453	15,785	▲20,045

5435 開示 ★★★★★

にっぽんはつじょう
日本発条(株)

くるみん

【特色】自動車向け懸架ばね首位。独立系メーカー

記者評価 通称ニッパツ。自動車向け懸架ばねとシートのほか、HDD用精密ばねや半導体向け部品に展開。EV部品も育成。海外は1963年にタイ進出と早く、日系メーカーの世界展開に積極随伴。24～26年の中期計画では投資2500億円のうち500億円を処遇改善など人的資本に投入。

平均勤続年数	男性育休取得率	3年後離職率	平均年収(平均38歳)
15.1年	30.1→47.2%	13.0→17.6%	[総]782万円

●採用・配属情報●

【男女・文理別採用実績】

	大卒男	大卒女	修士男	修士女
23年	51(文 24 理 27)	8(文 5 理 3)	16(文 0 理 16)	1(文 0 理 1)
24年	54(文 27 理 27)	8(文 7 理 1)	18(文 0 理 18)	1(文 0 理 1)
25年	34(文 8 理 26)	14(文 11 理 3)	21(文 0 理 21)	5(文 1 理 4)

【男女・職種別採用実績】 転換制度:⇔

	総合職
23年	80(男 71 女 9)
24年	81(男 72 女 9)
25年	74(男 55 女 19)

【24年4月入社者の配属勤務地】[総]神奈川(横浜19 伊勢原2 厚木2)群馬3 愛知(豊田1 名古屋1)長野(伊那1 宮田1 駒ヶ根2)滋賀2 [技]神奈川(横浜16 伊勢原3 厚木8)群馬3 豊田4 長野(伊那2 宮田1 駒ヶ根8)滋賀2
【転勤】あり:[職種]総合職(地域限定総合職は除く)
【中途比率】[単年度]21年度34%、22年度46%、23年度42%[全体]34%

●働きやすさ、諸制度●

残業(月) 22.2時間 [総]25.7時間

【勤務時間】8:30～17:15 8:00～16:45【有休取得年平均】19.3日【週休】完全2日(土日)【夏期休暇】連続9日【年末年始休暇】連続10日
【離職率】男:2.9%、56名 女:2.2%、10名(早期退職男4名、女1名含む)
【新卒3年後離職率】
[20→23年]13.0%(男12.5%・入社64名、女20.0%・入社5名)
[21→24年]17.6%(男15.6%・入社45名、女33.3%・入社6名)
【テレワーク】制度あり:[場所]自宅[対象]事務・技術系スタッフ・管理部門 他[日数]原則週2回[利用率]5.2%【勤務制度】フレックス【住宅補助】独身寮・社宅(各工場)住宅手当(受給資格者のみ)

●ライフイベント、女性活躍●

【女性比率】■男 □女

新卒採用 25.7% (19名)  従業員 19.2% (439名)  管理職 2.8% (17名) 

【産休】[期間]産前6・産後8週間[給与]法定[取得者数]19名
【育休】[期間]2歳になるまで[給与]法定+賞与40%[取得者数]22年度 男37名(対象123名)女23名(対象24名)23年度 男68名(対象144名)女17名(対象17名)[平均取得日数]22年度 男48日 女530日、23年度 男53日 女457日
【従業員】[人数]2,283名(男1,844名、女439名)[平均年齢]41.5歳(男41.2歳、女43.0歳)[平均勤続年数]15.1年(男14.9年、女15.7年)【年齢構成】■男 □女

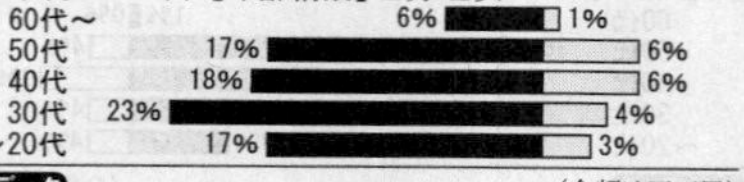
60代～ 6% 1%
50代 17% 6%
40代 18% 6%
30代 23% 4%
～20代 17% 3%

会社データ (金額は百万円)

【本社】236-0004 神奈川県横浜市金沢区福浦3-10 ☎045-786-7518
https://www.nhkspg.co.jp/

【業績(連結)】	売上高	営業利益	経常利益	純利益
22.3	586,903	21,359	30,674	31,998
23.3	693,246	28,838	37,317	21,537
24.3	766,934	34,652	47,814	39,188

7220 開示 ★★★★

(株)ヨロズ

プラチナえるぼし　くるみん

【特色】自動車足回り部品メーカー。主力は日産向け

記者評価 自動車足回りのサスペンション部品で国内トップ級のサプライヤー。現在は独立系だが、かつては日産自動車の系列であり現在も同社グループ向けが売上の6割強を占める。ホンダなど日系各社からも受注。日米中が主力市場。電動車向けに軽量部品の開発を強化。

平均勤続年数	男性育休取得率	3年後離職率	平均年収(平均41歳)
11.6年	22.2→40.0%	22.9→50.0%	[総]626万円

●採用・配属情報●

【男女・文理別採用実績】

	大卒男	大卒女	修士男	修士女
23年	10(文 4 理 6)	1(文 1 理 0)	0(文 0 理 0)	1(文 1 理 0)
24年	13(文 5 理 8)	4(文 3 理 1)	0(文 0 理 0)	0(文 0 理 0)
25年	16(文 6 理 10)	3(文 2 理 1)	1(文 0 理 1)	0(文 0 理 0)

【男女・職種別採用実績】

	技術系栃木	技術系神奈川	事務系	総合職
23年	ND(男 ND 女 ND)	ND(男 ND 女 ND)	ND(男 ND 女 ND)	12(男 10 女 2)
24年	10(男 10 女 0)	2(男 2 女 0)	5(男 3 女 2)	ND(男 ND 女 ND)
25年	9(男 9 女 0)	2(男 1 女 1)	9(男 7 女 2)	ND(男 ND 女 ND)

【24年4月入社者の配属勤務地】[総]横浜7 栃木2 [技]栃木8
【転勤】あり:[職種]全社員 [勤務地]海外拠点へ転勤可能性あり
【中途比率】[単年度]21年度17%、22年度53%、23年度43%[全体]27%

●働きやすさ、諸制度●

残業(月) 19.6時間 [総]19.6時間

【勤務時間】横浜本社8:30～17:30 グローバルテクニカルセンター8:00～17:00【有休取得年平均】14.0日【週休】完全2日(土日)【夏期休暇】連続9日(土日4日含む)【年末年始休暇】連続11日(土日4日含む)
【離職率】男:5.0%、22名 女:4.1%、3名
【新卒3年後離職率】
[20→23年]22.9%(男26.7%・入社30名、女0%・入社5名)
[21→24年]50.0%(男50.0%・入社2名、女ー・入社0名)
【テレワーク】制度あり:[場所]自宅[対象]全社員[日数]制限なし[利用率]28.1%【勤務制度】フレックス 副業容認【住宅補助】独身寮 社宅

●ライフイベント、女性活躍●

【女性比率】■男 □女

新卒採用 15% (3名)  従業員 14.2% (70名)  管理職 12.2% (10名) 

【産休】[期間]産前6・産後8週間[給与]法定+共済会10,000円、健保21,000円給付[取得者数]4名
【育休】[期間]1歳になるまで[給与]法定[取得者数]22年度 男2名(対象9名)女2名(対象2名)23年度 男4名(対象10名)女4名(対象4名)[平均取得日数]22年度 男204日 女399日、23年度 男138日 女257日
【従業員】[人数]492名(男422名、女70名)[平均年齢]41.0歳(男41.2歳、女39.3歳)[平均勤続年数]11.6年(男11.8年、女10.7年)
【年齢構成】■男 □女

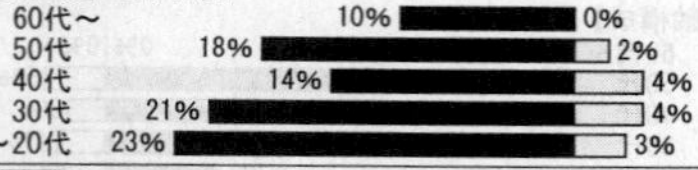
60代～ 10% 0%
50代 18% 2%
40代 14% 4%
30代 21% 4%
～20代 23% 3%

会社データ (金額は百万円)

【本社】222-8560 神奈川県横浜市港北区樽町3-7-60 ☎045-543-6800
https://www.yorozu-corp.co.jp/

【業績(連結)】	売上高	営業利益	経常利益	純利益
22.3	127,316	2,096	2,284	876
23.3	160,560	3,088	2,992	1,422
24.3	181,468	4,459	4,517	▲3,926

ちゅうおうはつじょう

中央発條(株)

【特色】自動車用ばねの大手メーカー。非自動車向け強化

記者評価 自動車用ばねの大手メーカー。トヨタ系で同グループ向けが約6割。シャシー関連からエンジン動弁系のバルブスプリングなど幅広い。水素タンク用ばねや鉄道レール締結用クリップ展開。インドなどアジア開拓で海外売上比率の向上狙う。住環境など新領域も模索。

平均勤続年数	男性育休取得率	3年後離職率	平均年収(平均44歳)
21.5年	8.3 → 21.1%	0 → 12.5%	㊗693万円

●採用・配属情報●

【男女・文理別採用実績】※25年:計画数

	大卒男	大卒女	修士男	修士女
23年	1(文 0理 1)	3(文 3理 0)	4(文 0理 4)	1(文 0理 1)
24年	8(文 3理 5)	4(文 4理 0)	2(文 0理 2)	1(文 0理 1)
25年	6(文 3理 3)	5(文 4理 1)	4(文 0理 4)	0(文 0理 0)

【男女・職種別採用実績】　転換制度:⇒

	総合職	一般職
23年	9(男 5 女 4)	0(男 0 女 0)
24年	15(男 10 女 5)	0(男 0 女 0)
25年	15(男 10 女 5)	0(男 0 女 0)

【24年4月入社者の配属勤務地】㊗愛知(名古屋3 みよし4) ㊈愛知(みよし5 豊田3)

【転勤】あり:[職種]総合職 [勤務地]栃木 大阪 海外(米国 タイ インドネシア 台湾 中国)

【中途比率】[単年度]21年度27%、22年度8%、23年度44%(総合職、一般職のみ)[全体]25%

●働きやすさ、諸制度●

残業(月) 23.9時間 ㊗28.4時間

【勤務時間】8:00～17:00【有休取得年平均】13.1日【週休】完全2日(土日)【夏期休暇】あり【年末年始休暇】あり

【離職率】男:2.1%、23名 女:1.6%、2名

【新卒3年後離職率】
[20→23年]0%(男0%・入社5名、女0%・入社8名)
[21→24年]12.5%(男25.0%・入社4名、女0%・入社4名)

【テレワーク】制度あり:[場所]自宅 2親等以内の親族の家[対象]フレックス勤務者(コアレス)[日数]週2日、2時間以上の在社義務あり[利用率]2.4%【勤務制度】フレックス 副業容認【住宅補助】独身寮(自己負担10,000円、駐車場ありの場合13,000円)結婚住宅手当(30歳まで30,000円 5年間)

●ライフイベント、女性活躍●

【女性比率】■男 □女

新卒採用 33.3%(5名)　従業員 10%(122名)　管理職 1.8%(2名)

【産休】[期間]産前6・産後8週間[給与]法定[取得者数]6名

【育休】[期間]2歳になるまで[給与]法定[取得者数]22年度 男1名(対象12名)女3名(対象3名)23年度 男4名(対象19名)女6名(対象6名)[平均取得日数]22年度 NA、23年度 NA

【従業員】[人数]1,217名(男1,095名、女122名)[平均年齢]44.1歳(男44.1歳、女38.4歳)[平均勤続年数]21.5年(男22.2年、女15.7年)

【年齢構成】■男 □女

	男	女
60代～	0%	0%
50代	36%	2%
40代	25%	2%
30代	17%	3%
～20代	12%	3%

会社データ　(金額は百万円)

【本社】458-8505 愛知県名古屋市緑区鳴海町字上汐田68 ☎052-624-8535 https://www.chkk.co.jp/

【業績(連結)】	売上高	営業利益	経常利益	純利益
22.3	82,144	1,826	3,434	1,801
23.3	92,766	354	1,572	481
24.3	100,975	1,073	3,093	1,990

カヤバ(株)

えるぼし ★★

【特色】油圧機器大手。自動車の衝撃緩衝器で高シェア

記者評価 トヨタ自動車が大株主だが独立系。油圧技術に強み。戦前は零戦の脚など製造。現在は自動車用ショックアブソーバや建機用シリンダ等を展開。18年に検査データ改ざんが発覚したビル免震・制振装置の交換はほぼ完了。自動車レースの製品供給・技術サポート等も。

平均勤続年数	男性育休取得率	3年後離職率	平均年収(平均41歳)
16.7年	54.7 → 70.9%	13.8 → 0%	㊗697万円

●採用・配属情報●

【男女・文理別採用実績】

	大卒男	大卒女	修士男	修士女
23年	19(文 6理 13)	2(文 1理 1)	6(文 0理 6)	1(文 1理 0)
24年	17(文 2理 15)	7(文 7理 0)	7(文 0理 7)	0(文 0理 0)
25年	27(文 8理 19)	7(文 5理 2)	6(文 1理 5)	0(文 0理 0)

【男女・職種別採用実績】

	事務	技術
23年	8(男 6 女 2)	20(男 19 女 1)
24年	9(男 2 女 7)	27(男 27 女 0)
25年	14(男 9 女 5)	26(男 24 女 2)

【24年4月入社者の配属勤務地】㊗東京2 神奈川2 岐阜5 ㊈神奈川7 埼玉1 岐阜16 長野3

【転勤】あり:[職種]全社員[勤務地]東京 神奈川 埼玉 愛知 岐阜 長野 三重 大阪 広島 福岡 海外 他

【中途比率】[単年度]21年度NA、22年度NA、23年度39%[全体]NA

●働きやすさ、諸制度●

残業(月) ㊗17.5時間

【勤務時間】8:30～17:15【有休取得年平均】16.3日【週休】完全2日(土日)【夏期休暇】会社カレンダーによる(連続10日程度)【年末年始休暇】会社カレンダーによる(連続7～10日程度)

【離職率】男:2.2%、90名 女:2.8%、14名(早期退職男9名、女3名含む)

【新卒3年後離職率】
[20→23年]13.8%(男10.7%・入社28名、女100%・入社1名)
[21→24年]0%(男NA・入社6名、女NA・入社0名)

【テレワーク】制度あり:[場所]自宅[対象]間接従業員[日数]月12日[利用率]NA【勤務制度】フレックス 時間単位有休 勤務間インターバル 副業容認【住宅補助】独身寮(自己負担10,000円程度)借上社宅(自己負担家賃の18.8%)

●ライフイベント、女性活躍●

【女性比率】■男 □女

新卒採用 17.5%(7名)　従業員 10.7%(488名)　管理職 2.9%(18名)

【産休】[期間]産前6・産後8週間[給与]健保7割給付[取得者数]21名

【育休】[期間]3歳到達後最初の4月末まで[給与]法定[取得者数]22年度 男58名(対象106名)女12名(対象12名)23年度 男90名(対象127名)女21名(対象21名)[平均取得日数]22年度 NA、23年度 NA

【従業員】[人数]4,555名(男4,067名、女488名)[平均年齢]41.3歳(男41.6歳、女38.7歳)[平均勤続年数]16.7年(男16.9年、女15.1年)【年齢構成】■男 □女

	男	女
60代～	0%	0%
50代	23%	2%
40代	27%	2%
30代	25%	3%
～20代	13%	3%

会社データ　(金額は百万円)

【本社】105-5128 東京都港区浜松町2-4-1 世界貿易センタービル南館 ☎03-3435-3535 https://www.kyb.co.jp/

【業績(IFRS)】	売上高	営業利益	税前利益	純利益
22.3	388,360	30,001	28,817	22,549
23.3	431,205	32,547	31,770	27,210
24.3	442,781	22,417	21,361	15,818

636 開示 ★★★☆☆☆ 専門 採用あり

愛三工業(株)

あいさんこうぎょう

えるぼし★★ くるみん

【特色】トヨタ系部品メーカー。主力は燃料噴射装置

記者評価 柱は電子制御燃料噴射装置。スロットルボディやポンプモジュールなど燃料供給・吸排気系の各種部品を展開。売上の約6割がトヨタグループ向け。重複する燃料ポンプ事業をデンソーから22年9月に譲受、事業拡大狙う。電池ケースなどEV関連システム製品も拡販。

平均勤続年数	男性育休取得率	3年後離職率	平均年収(平均42歳)
18.4年	56.5→81.9%	3.3→25.0%	総766万円

●採用・配属情報●

【男女・文理別採用実績】

	大卒男	大卒女	修士男	修士女
23年	11(文 5理 6)	8(文 5理 3)	13(文 0理 13)	0(文 0理 0)
24年	16(文 3理 13)	7(文 5理 2)	7(文 0理 7)	4(文 0理 4)
25年	21(文 4理 17)	5(文 3理 2)	3(文 0理 3)	1(文 0理 1)

【男女・職種別採用実績】 転換制度:⇒

	総合職	一般職
23年	32(男 24 女 8)	0(男 0 女 0)
24年	34(男 23 女 11)	1(男 1 女 0)
25年	30(男 24 女 6)	3(男 1 女 2)

【24年4月入社者の配属勤務地】総愛知・大府9 技愛知・大府25

【転勤】あり:全社員

【中途比率】[単年度]21年度37%、22年度42%、23年度45%[全体]28%

●働きやすさ、諸制度●

残業(月) 19.5時間 総20.1時間

【勤務時間】8:00～17:00【有休取得年平均】18.0日【週休】完全2日(土日)【夏期休暇】連続9～11日(週休含む)【年末年始休暇】連続9～11日(週休含む)

【離職率】男:2.0%、28名 女:3.8%、8名

【新卒3年後離職率】

[20→23年]3.3%(男3.8%・入社26名、女0%・入社4名)

[21→24年]25.0%(男21.4%・入社14名、女33.3%・入社6名)

【テレワーク】制度あり:[場所]自宅 自宅に準ずる場所[対象]フレックス勤務者 業務内容が適正である 所属長の承認[日数]週2日まで[利用率]20.8%【勤務制度】フレックス 時差勤務【住宅補助】独身寮 社宅 住宅取得資金の一部補助(結婚後7年未満の従業員)

●ライフイベント、女性活躍●

【女性比率】■男 □女

新卒採用 24.2% (8名) 従業員 12.7% (204名) 管理職 1.3% (4名)

【産休】[期間]産前6・産後8週間[給与]法定[取得者数]11名

【育休】[期間]3歳になるまで[給与]法定[取得者数]22年度 男48名(対象85名)女12名(対象12名)23年度 男59名(対象72名)女11名(対象11名)[平均取得日数]22年度 男65日 女555日、23年度 男77日 女774日

【従業員】[人数]1,603名(男1,399名、女204名)[平均年齢]42.0歳(男42.7歳、女37.9歳)[平均勤続年数]18.4年(男19.0年、女14.6年)

【年齢構成】■男 □女

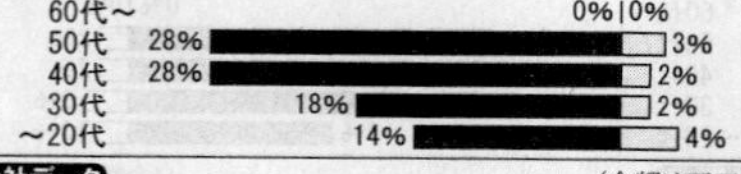

会社データ (金額は百万円)

【本社】474-8588 愛知県大府市共和町1-1-1 ☎0562-47-1131 https://www.aisan-ind.co.jp/

【業績(連結)】	売上高	営業利益	経常利益	純利益
22.3	193,751	9,809	10,255	6,831
23.3	240,806	13,632	14,083	8,504
24.3	314,336	15,498	17,201	11,744

1853 開示 ★★★★☆☆☆ 専門 採用あり

武蔵精密工業(株)

むさしせいみつこうぎょう

【特色】ホンダ系自動車・2輪部品メーカー。ギアを製造

記者評価 ギアやカムシャフトなど機構部品が主体。2輪車用も手がける。ホンダグループ向けが売上の5割を占める。海外売上比率約9割。非ホンダ系の拡販や、独自動車部品メーカー買収でグローバル化を加速。世界で電動部品の受注続く。非自動車向けとして蓄電器領域に進出。

平均勤続年数	男性育休取得率	3年後離職率	平均年収(平均42歳)
◇16.6年	38.3→42.9%	30.0→15.4%	総652万円

●採用・配属情報●

【男女・文理別採用実績】

	大卒男	大卒女	修士男	修士女
23年	2(文 1理 1)	0(文 0理 0)	1(文 0理 1)	0(文 0理 0)
24年	3(文 0理 3)	4(文 2理 2)	6(文 0理 6)	0(文 0理 0)
25年	8(文 1理 7)	4(文 4理 0)	5(文 0理 5)	1(文 0理 1)

【男女・職種別採用実績】

	総合職
23年	6(男 6 女 0)
24年	16(男 12 女 4)
25年	18(男 13 女 5)

【24年4月入社者の配属勤務地】総愛知・豊橋2 技愛知・豊橋14

【転勤】あり:全社員

【中途比率】[単年度]21年度49%、22年度39%、23年度49%[全体]◇43%

●働きやすさ、諸制度●

残業(月) 21.5時間 総21.5時間

【勤務時間】8:10～17:00【有休取得年平均】15.4日【週休】完全2日(土日)【夏期休暇】5日程度【年末年始休暇】5日程度

【離職率】◇男:3.2%、34名 女:7.1%、7名

【新卒3年後離職率】

[20→23年]30.0%(男30.8%・入社26名、女25.0%・入社4名)

[21→24年]15.4%(男22.2%・入社9名、女0%・入社4名)

【テレワーク】制度あり:[場所]自宅 サテライトオフィス[対象]非現業[日数]制限なし[利用率]12.1%【勤務制度】フレックス 時差勤務 勤務間インターバル【住宅補助】独身寮 社宅

●ライフイベント、女性活躍●

【女性比率】■男 □女

新卒採用 27.8% (5名)

従業員 8.2% (92名) 管理職 4.3% (5名)

【産休】[期間]産前6・産後8週間[給与]法定[取得者数]5名

【育休】[期間]1歳到達月末まで[給与]法定[取得者数]22年度 男18名(対象47名)女7名(対象7名)23年度 男15名(対象35名)女5名(対象5名)[平均取得日数]22年度 男42日 女673日、23年度 男80日 女343日

【従業員】◇[人数]1,128名(男1,036名、女92名)[平均年齢]41.5歳(男42.1歳、女35.3歳)[平均勤続年数]16.6年(男17.2年、女9.3年)

【年齢構成】■男 □女

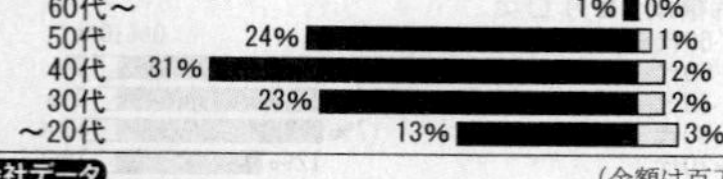

会社データ (金額は百万円)

【本社】441-8560 愛知県豊橋市植田町字大膳39-5 ☎0532-25-8111 https://www.musashi.co.jp/

【業績(連結)】	売上高	営業利益	経常利益	純利益
22.3	241,896	8,413	9,435	5,429
23.3	301,500	7,677	7,030	2,436
24.3	349,917	18,374	15,560	7,921

633 開示★★★★★

㈱エクセディ

【特色】自動車クラッチ最大手。EV対応など構造改革急ぐ

[記者評価] 自動車用クラッチやトルクコンバーターなど動力伝達機器が主力、国内シェア圧倒的。ジヤトコ、アイシン、マツダなどに供給。EV化に伴う主力のAT部品需要減見越し、HEV用ダンパー拡販や電動化新製品に注力。アイシンが全保有当社株売り出し、資本関係を解消。

平均勤続年数	男性育休取得率	3年後離職率	平均年収(平均42歳)
16.1年	33.8→57.8%	4.3→18.2%	[総]647万円

●採用・配属情報●

【男女・文理別採用実績】

	大卒男	大卒女	修士男	修士女
23年	1(文 0理 1)	0(文 0理 0)	1(文 0理 1)	0(文 0理 0)
24年	1(文 0理 1)	0(文 0理 0)	2(文 0理 2)	0(文 0理 0)
25年	2(文 1理 1)	0(文 0理 0)	0(文 0理 0)	1(文 1理 0)

【男女・職種別採用実績】 転換制度:⇒

	総合職
23年	2(男 2 女 0)
24年	4(男 4 女 0)
25年	4(男 2 女 2)

【24年4月入社者の配属勤務地】[総]なし [技]大阪・寝屋川4
【転勤】あり:全社員
【中途比率】[単年度]21年度15%、22年度47%、23年度45%[全体]27%

●働きやすさ、諸制度●

残業(月) 11.6時間 [総]11.6時間

【勤務時間】8:10～17:00【有休取得年平均】18.6日【週休】完全2日(土日)【夏期休暇】連続10日【年末年始休暇】連続9日
【離職率】男:4.6%、55名 女:2.0%、5名(早期退職1名含む)
【新卒3年後離職率】
[20→23年]4.3%(男2.4%・入社42名、女20.0%・入社5名)
[21→24年]18.2%(男15.0%・入社20名、女50.0%・入社2名)
【テレワーク】制度あり:[場所]自宅 実家[対象]間接部門および製造部門のデスクワーカー[日数]月2日出社義務あり[利用率]10.9%【勤務制度】フレックス 時間単位有休 時差勤務 副業容認【住宅補助】独身寮 転勤者社宅

●ライフイベント、女性活躍●

【女性比率】■男 □女

新卒採用
50%
(2名)
従業員
17.8%
(245名)
管理職
3.4%
(5名)

【産休】[期間]産前8・産後8週間[給与]法定[取得者数]9名
【育休】[期間]最長2歳になるまで[給与]法定[取得者数]22年度 男23名(対象68名)女24名(対象21名)23年度 男26名(対象45名)女9名(対象11名)[平均取得日数]22年度 男67日 女321日、23年度 男71日 女301日
【従業員】[人数]1,380名(男1,135名、女245名)[平均年齢]40.7歳(男40.9歳、女39.5歳)[平均勤続年数]16.1年(男16.5年、女14.1年)
【年齢構成】■男 □女

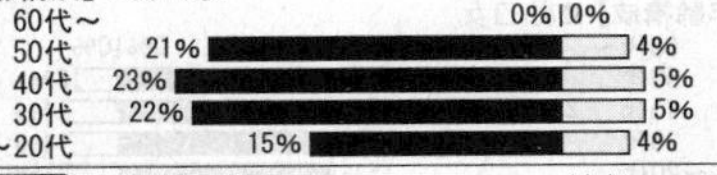
60代～
0%
0%
50代
21%
4%
40代
23%
5%
30代
22%
5%
～20代
15%
4%

会社データ (金額は百万円)

【本社】572-8570 大阪府寝屋川市木田元宮1-1-1 ☎072-822-1151
https://www.exedy.com/

【業績(IFRS)】	売上高	営業利益	税前利益	純利益
22.3	261,095	18,328	19,467	12,477
23.3	285,639	8,760	9,916	4,591
24.3	308,338	▲15,438	▲13,274	▲10,023

603 開示★★★★☆ [専門] 採用あり

㈱エフテック

[くるみん]

【特色】ホンダ系自動車部品会社。足回り部品に独自性

[記者評価] 金属玩具の福田製作所として創業。1959年ホンダとの取引を開始し、自動車部品を製造。サスペンションやサブフレームなど足回り部品に強い。ホンダ向け売上が6割。ホンダ以外の拡販積極的。米系メーカー開拓進みメキシコの能力増強。海外売上比率は約9割。

平均勤続年数	男性育休取得率	3年後離職率	平均年収(平均41歳)
◇18.4年	92.3→113.3%	14.3→0%	[総]593万円

●採用・配属情報●

【男女・文理別採用実績】

	大卒男	大卒女	修士男	修士女
23年	6(文 1理 5)	1(文 1理 0)	0(文 0理 0)	0(文 0理 0)
24年	4(文 2理 2)	4(文 3理 1)	1(文 1理 0)	0(文 0理 0)
25年	6(文 1理 5)	2(文 2理 0)	0(文 0理 0)	0(文 0理 0)

【男女・職種別採用実績】

	総合職
23年	9(男 8 女 1)
24年	11(男 7 女 4)
25年	12(男 10 女 2)

【24年4月入社者の配属勤務地】[総]なし [技]三重・亀山5 埼玉・久喜6(仮配属)
【転勤】あり:全社員
【中途比率】[単年度]21年度0%、22年度30%、23年度62%[全体]◇25%

●働きやすさ、諸制度●

残業(月) 9.4時間 [総]9.4時間

【勤務時間】フレックスタイム制(コアタイム10:10～14:50)【有休取得年平均】18.3日【週休】完全2日【夏期休暇】会社カレンダーによる【年末年始休暇】会社カレンダーによる
【離職率】◇男:3.2%、22名 女:4.7%、4名
【新卒3年後離職率】
[20→23年]14.3%(男0%・入社10名、女50.0%・入社4名)
[21→24年]0%(男0%・入社1名、女0%・入社1名)
【テレワーク】制度なし【勤務制度】フレックス【住宅補助】独身寮(寮費 3,000円、光熱費自己負担 26歳まで)社宅 住宅手当(11,300円)

●ライフイベント、女性活躍●

【女性比率】■男 □女

新卒採用
16.7%
(2名)
従業員
10.9%
(81名)
管理職
1.2%
(1名)

【産休】[期間]産前6・産後8週間[給与]法定[取得者数]5名
【育休】[期間]1歳になるまで[給与]法定[取得者数]22年度 男12名(対象13名)女3名(対象3名)23年度 男17名(対象15名)女3名(対象3名)[平均取得日数]22年度 男49日 女307日、23年度 男13日 女301日
【従業員】◇[人数]741名(男660名、女81名)[平均年齢]41.0歳(男41.5歳、女36.4歳)[平均勤続年数]18.4年(男18.9年、女14.6年)
【年齢構成】■男 □女

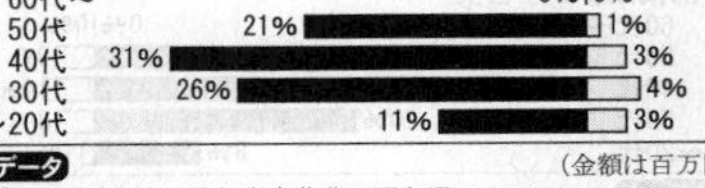
60代～
0%
0%
50代
21%
1%
40代
31%
3%
30代
26%
4%
～20代
11%
3%

会社データ (金額は百万円)

【本社】346-0194 埼玉県久喜市菖蒲町昭和沼19 ☎0480-85-5211
https://www.ftech.co.jp/

【業績(連結)】	売上高	営業利益	経常利益	純利益
22.3	191,892	1,142	1,292	209
23.3	261,156	2,038	1,921	1,734
24.3	298,759	3,708	3,001	1,683

638 開示 ★★★

㈱エフ・シー・シー

くるみん

【特色】クラッチ専業メーカー。2輪向けは世界トップ

記者評価 クラッチ専業メーカー。筆頭株主のホンダ向け約4割。2輪車用クラッチでは世界シェア首位。海外売上比率は約9割、東南アジアが稼ぎ頭。4輪車用は米系に販路拡大。外部提携で電動2輪用部品開発も加速。EV用モーター部品投資を日本や中国、インドで推進。

平均勤続年数	男性育休取得率	3年後離職率	平均年収(平均44歳)
◇20.0年	31.6→51.7%	4.2→45.0%	㊕735万円

●採用・配属情報●

【男女・文理別採用実績】

	大卒男	大卒女	修士男	修士女
23年	2(文 0理 2)	2(文 0理 2)	4(文 0理 4)	1(文 0理 1)
24年	9(文 2理 7)	0(文 0理 0)	2(文 0理 2)	0(文 0理 0)
25年	7(文 3理 4)	1(文 1理 0)	1(文 0理 1)	0(文 0理 0)

【男女・職種別採用実績】

	総合職
23年	9(男 6女 3)
24年	11(男 11女 0)
25年	9(男 8女 1)

【24年4月入社者の配属勤務地】㊕浜松2 ㊍浜松9

【転勤】あり:全社員

【中途比率】[単年度]21年度38%、22年度24%、23年度48%[全体]◇35%

●働きやすさ、諸制度●

残業(月) 10.0時間 ㊕10.0時間

【勤務時間】8:00～16:40【有休取得年平均】18.7日【週休】2日(原則)【夏期休暇】連続9日【年末年始休暇】連続9日

【離職率】◇男:3.3%、35名 女:3.8%、5名(早期退職男5名含む)

【新卒3年後離職率】
[20→23年]4.2%(男4.3%・入社23名、女0%・入社1名)
[21→24年]45.0%(男47.4%・入社19名、女0%・入社1名)

【テレワーク】制度あり:[場所]自宅[対象]<職種>非現業社員[日数]制限なし[利用率]0.8%【勤務制度】なし【住宅補助】住宅手当(入社1年目:家賃等の最大約9割会社負担 入社2年目以降:10,000円)

●ライフイベント、女性活躍●

【女性比率】■男 □女

新卒採用 11.1% (1名)

従業員 11% (126名)

管理職 0.6% (1名)

【産休】[期間]産前6・産後8週間[給与]法定[取得者数]3名

【育休】[期間]1歳半になるまで[給与]1歳まで法定、以降会社3割給付[取得者数]22年度 男6名(対象19名)女3名(対象3名)23年度 男15名(対象29名)女3名(対象3名)[平均取得日数]22年度 NA、23年度 NA

【従業員】◇[人数]1,143名(男1,017名、女126名)[平均年齢]44.1歳(男44.1歳、女43.1歳)[平均勤続年数]20.0年(男20.0年、女20.1年)

【年齢構成】■男 □女

	男	女
60代～	0%	0%
50代	29%	3%
40代	32%	4%
30代	20%	3%
～20代	8%	1%

会社データ (金額は百万円)

【本社】431-1394 静岡県浜松市浜名区細江町中川7000-36 ☎053-523-2400
https://www.fcc-net.co.jp/

【業績(IFRS)】	売上高	営業利益	税前利益	純利益
22.3	170,971	10,051	11,944	8,551
23.3	218,939	11,903	13,641	9,566
24.3	240,283	15,102	19,169	12,231

616 開示 ★★

大同(だいどう)メタル工業(こうぎょう)㈱

【特色】すべり軸受け専業で世界大手。自動車向けが主

記者評価 独立系。自動車エンジン用すべり軸受けで世界有数。ターボチャージャー向けも強い。国内外の主要自動車メーカーと取引。産業機械用、発電用、船舶用など幅広く展開。風力発電用特殊軸受けの生産を計画中。電動車向けにアルミダイカストの生産を本格化。

平均勤続年数	男性育休取得率	3年後離職率	平均年収(平均39歳)
◇16.7年	NA→42.4%	8.1→17.9%	㊕725万円

●採用・配属情報●

【男女・文理別採用実績】

	大卒男	大卒女	修士男	修士女
23年	NA(文NA理NA)	NA(文NA理NA)	NA(文NA理NA)	NA(文NA理NA)
24年	NA(文NA理NA)	NA(文NA理NA)	NA(文NA理NA)	NA(文NA理NA)
25年	NA(文NA理NA)	NA(文NA理NA)	NA(文NA理NA)	NA(文NA理NA)

【男女・職種別採用実績】 転換制度:⇒

	総合職
23年	17(男 10女 7)
24年	15(男 12女 3)
25年	15(男 10女 5)

【24年4月入社者の配属勤務地】㊕愛知(名古屋 犬山)東京 大阪 広島 ㊍愛知・犬山 岐阜・関

【転勤】あり:[職種]総合職[勤務地]愛知・犬山 他国内および海外拠点(関係会社含む)

【中途比率】[単年度]21年度NA、22年度NA、23年度47%[全体]NA

●働きやすさ、諸制度●

残業(月) 16.8時間 ㊕17.8時間

【勤務時間】9:00～18:00(フレックスタイム制あり)【有休取得年平均】16.5日【週休】完全2日(土日)【夏期休暇】連続約9日(週休含む)【年末年始休暇】連続約9日(週休含む)

【離職率】◇男:2.9%、35名 女:5.3%、12名

【新卒3年後離職率】
[20→23年]8.1%(男12.0%・入社25名、女0%・入社12名)
[21→24年]17.9%(男12.0%・入社25名、女66.7%・入社3名)

【テレワーク】制度あり:[場所]NA[対象]NA[日数]NA[利用率]NA【勤務制度】フレックス 副業容認【住宅補助】住宅手当(扶養家族有の世帯主・独立生計の単身者)

●ライフイベント、女性活躍●

【女性比率】■男 □女

新卒採用 33.3% (5名)

従業員 15.5% (214名)

【産休】[期間]産前6・産後8週間[給与]法定[取得者数]9名

【育休】[期間]1歳半年度末まで、または2歳になるまで[給与]法定[取得者数]22年度 男10名(対象NA)女14名(対象NA)23年度 男14名(対象33名)女9名(対象9名)[平均取得日数]22年度 NA、23年度 NA

【従業員】◇[人数]1,377名(男1,163名、女214名)[平均年齢]40.8歳(男41.4歳、女37.4歳)[平均勤続年数]16.7年(男17.2年、女14.3年)

【年齢構成】■男 □女

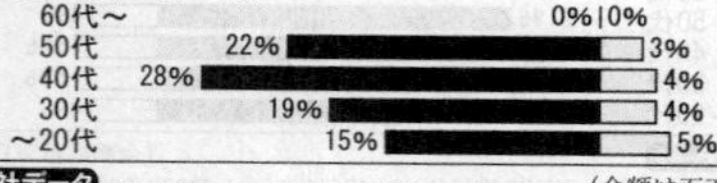

	男	女
60代～	0%	0%
50代	22%	3%
40代	28%	4%
30代	19%	4%
～20代	15%	5%

会社データ (金額は百万円)

【本社】460-0008 愛知県名古屋市中区栄2-3-1 名古屋広小路ビル ☎052-205-1400
https://www.daidometal.com/jp/

【業績(連結)】	売上高	営業利益	経常利益	純利益
22.3	104,024	5,042	4,836	1,897
23.3	115,480	2,824	2,909	▲2,208
24.3	128,738	6,084	5,825	2,569

オートリブ(株)

【特色】スウェーデン企業の日本法人。エアバッグ首位

記者評価 エアバッグ、シートベルト世界首位のオートリブ社日本法人。1988年に日本でのエアバッグ生産開始。ステアリングホイールも手がける。つくばの開発拠点は研究開発から営業支援まで一貫。23年11月愛知県知多市に中部事業所を新設、エアバッグなどの生産を開始。

平均勤続年数	男性育休取得率	3年後離職率	平均年収(平均43歳)
12.6年	9.3→53.8%	36.4→0%	NA

●採用・配属情報●

【男女・文理別採用実績】

	大卒男	大卒女	修士男	修士女
23年	3(文 1理 2)	2(文 0理 2)	6(文 0理 6)	0(文 0理 0)
24年	2(文 0理 2)	1(文 0理 1)	2(文 0理 2)	1(文 0理 1)
25年	1(文 0理 1)	1(文 0理 1)	5(文 0理 5)	1(文 0理 1)

※25年:24年7月時点

【男女・職種別採用実績】

	技術職	生産マネジメント職
23年	10(男 8女 2)	1(男 1女 0)
24年	6(男 4女 2)	0(男 0女 0)
25年	8(男 6女 2)	0(男 0女 0)

【24年4月入社者の配属勤務地】㊕茨城(つくば かすみがうら)6

【転勤】NA

【中途比率】[単年度]21年度71%、22年度75%、23年度82%[全体]79%

●働きやすさ、諸制度●

残業(月) 15.8時間 ㊛16.3時間

【勤務時間】8:30〜17:30【有休取得年平均】14.1日【週休】完全2日(土日)【夏期休暇】連続9日(週休含む)【年末年始休暇】連続10日(有休1日、週休4日含む)

【離職率】男:8.2%、75名 女:9.6%、16名(事業所閉鎖による退職男29名、女6名含む)

【新卒3年後離職率】
[20→23年]36.4%(男33.3%・入社21名、女100%・入社1名)
[21→24年]0%(男0%・入社9名、女0%・入社4名)

【テレワーク】制度あり:[場所]自宅[対象]現業職(工場ラインワーカー)を除く社員[日数]各事業所・職種により異なる[利用率]NA【勤務制度】フレックス【住宅補助】借上社宅

●ライフイベント、女性活躍●

【女性比率】■男 □女

新卒採用 25%(2名)

従業員 15.2%(150名)

管理職 5.9%(11名)
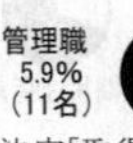

【産休】[期間]産前6・産後8週間[給与]法定[取得者数]8名

【育休】[期間]1歳になるまで[給与]法定[取得者数]22年度 男4名(対象43名)女14名(対象14名)23年度 男14名(対象26名)女8名(対象8名)[平均取得日数]22年度 男45日 女384日、23年度 男74日 女301日

【従業員】[人数]990名(男840名、女150名)[平均年齢]43.1歳(男43.6歳、女40.4歳)[平均勤続年数]12.6年(男13.3年、女8.5年)

【年齢構成】NA

会社データ (金額は百万円)

【本社】222-0033 神奈川県横浜市港北区新横浜3-17-6 イノテックビル4階 ☎NA https://www.autoliv.jp/

【業績(単独)】	売上高	営業利益	経常利益	純利益
21.12	83,107	5,529	5,484	4,099
22.12	92,679	292	▲377	6,536
23.12	122,129	5,682	4,951	2,836

バンドー化学(かがく)(株)

くるみん

【特色】伝動ベルト製造大手。自動車用で高シェア

記者評価 コンベヤベルト、Vベルトなどのベルト製品を国内で初めて生産した産業ベルトのパイオニア。無段変速機用など自動車用ベルトが中核事業。医療・ヘルスケア機器、電子資材、交通・自動車、ロボットの4つを重点領域と定め、高機能製品の開発を促進。

平均勤続年数	男性育休取得率	3年後離職率	平均年収(平均43歳)
◇16.1年	26.7→26.7%	9.1→16.0%	㊛677万円

●採用・配属情報●

【男女・文理別採用実績】

	大卒男	大卒女	修士男	修士女
23年	9(文 6理 3)	6(文 4理 2)	5(文 0理 5)	3(文 0理 3)
24年	14(文 7理 7)	7(文 6理 1)	6(文 1理 5)	3(文 1理 2)
25年	20(文 10理 10)	3(文 2理 1)	8(文 0理 8)	2(文 0理 2)

【男女・職種別採用実績】

	総合職
23年	23(男 14女 9)
24年	31(男 21女 10)
25年	33(男 28女 5)

【24年4月入社者の配属勤務地】㊛(23年)神戸5 大阪2 東京2 ㊕(23年)兵庫(神戸7 加古川1)大阪・泉南4 栃木・足利2

【転勤】あり:全社員

【中途比率】[単年度]21年度10%、22年度14%、23年度20%[全体]◇11%

●働きやすさ、諸制度●

残業(月) 21.0時間

【勤務時間】9:00〜17:30【有休取得年平均】14.1日【週休】原則2日【夏期休暇】連続9日(有休2日含む)【年末年始休暇】連続9日

【離職率】◇男:1.7%、20名 女:5.0%、6名

【新卒3年後離職率】
[20→23年]9.1%(男7.1%・入社14名、女12.5%・入社8名)
[21→24年]16.0%(男17.4%・入社23名、女0%・入社2名)

【テレワーク】制度あり:[場所]NA[対象]制限なし[日数]制限なし[利用率]NA【勤務制度】フレックス 時間単位有休 裁量労働【住宅補助】独身寮・借上社宅(実家からの通勤に2時間以上かかる人 30歳まで)

●ライフイベント、女性活躍●

【女性比率】■男 □女

新卒採用 15.2%(5名)

従業員 8.9%(114名)

管理職 4.9%(12名)

【産休】[期間]産前6・産後8週間[給与]法定[取得者数]2名

【育休】[期間]3歳到達後の4月末日まで[給与]法定[取得者数]22年度 男8名(対象30名)女6名(対象6名)23年度 男8名(対象30名)女2名(対象2名)[平均取得日数]22年度NA、23年度 NA

【従業員】◇[人数]1,287名(男1,173名、女114名)[平均年齢]42.9歳(男43.1歳、女40.0歳)[平均勤続年数]16.1年(男16.2年、女13.2年)

【年齢構成】■男 □女

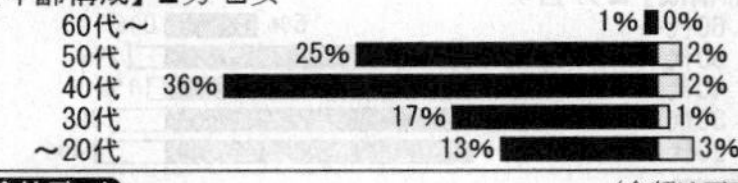

会社データ (金額は百万円)

【本社】650-0047 兵庫県神戸市中央区港島南町4-6-6 ☎078-304-2923 https://www.bandogrp.com/

【業績(IFRS)】	売上高	営業利益	税前利益	純利益
22.3	93,744	2,665	3,414	1,211
23.3	103,608	8,259	8,542	5,722
24.3	108,278	7,772	8,676	6,180

三ツ星ベルト㈱

くるみん

【特色】工業用ベルト製造の大手。自動車用Vベルト主力

記者評価 Vベルトなど伝動ベルトが主力。自動車用のほか、OA機器や産業機械用ベルトも展開。住宅用防水シートなど建設資材も手がける。海外売上比率は5割超で、10以上の国・地域に拠点。23年4月インド新工場が竣工し、生産能力が3倍に。自動車用は電動化対応を急ぐ。

平均勤続年数	男性育休取得率	3年後離職率	平均年収(平均41歳)
◇18.0年	29.4→59.3%	4.2→13.6%	総696万円

●採用・配属情報●

【男女・文理別採用実績】

	大卒男	大卒女	修士男	修士女
23年	11(文 9理 2)	7(文 6理 1)	7(文 0理 7)	1(文 0理 1)
24年	11(文 8理 3)	6(文 3理 3)	7(文 0理 7)	2(文 0理 2)
25年	11(文 8理 3)	10(文 8理 2)	3(文 0理 3)	3(文 0理 3)

【男女・職種別採用実績】

	総合職
23年	26(男 18 女 8)
24年	27(男 19 女 8)
25年	27(男 14 女 13)

【24年4月入社者の配属勤務地】総(23年)神戸9 東京3 香川1 栃木1 技(23年)神戸10 愛知・小牧1

【転勤】あり:全社員

【中途比率】[単年度]21年度15%、22年度17%、23年度24%(新卒に高卒者は含まず)[全体]◇14%

●働きやすさ、諸制度●

残業(月) 16.3時間 総16.3時間

【勤務時間】フレックスタイム制(コアタイム10:00〜14:30)【有休取得年平均】13.2日【週休】完全2日(土日祝)【夏期休暇】連続9日(有休1日 週休4日含む)【年末年始休暇】連続9日(週休4日含む)

【離職率】◇男:2.5%、17名 女:2.4%、2名

【新卒3年後離職率】

[20→23年]4.2%(男5.0%・入社20名、女0%・入社4名)

[21→24年]13.6%(男17.6%・入社17名、女0%・入社5名)

【テレワーク】制度あり:[場所]自宅 自宅に準ずる場所[対象]研究 設計 営業 管理部門 他[日数]週2日まで[利用率]1.1%【勤務制度】フレックス 時間単位有休【住宅補助】寮・社宅(基本給の4%を自己負担、寮・社宅入居者には住宅手当なし)住宅手当(8,700〜18,700円)

●ライフイベント、女性活躍●

【女性比率】■男 □女

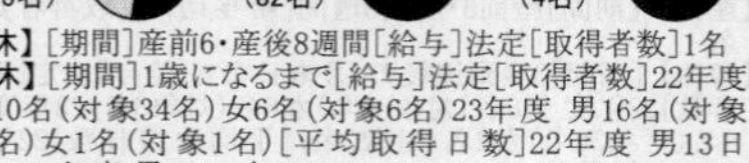

【産休】[期間]産前6・産後8週間[給与]法定[取得者数]1名

【育休】[期間]1歳になるまで[給与]法定[取得者数]22年度 男10名(対象34名)女6名(対象6名)23年度 男16名(対象27名)女1名(対象1名)[平均取得日数]22年度 男13日 女-、23年度 男64日 女353日

【従業員】◇[人数]748名(男666名、女82名)[平均年齢]41.3歳(男41.8歳、女37.1歳)[平均勤続年数]18.0年(男18.6年、女12.9年)

【年齢構成】■男 □女

	男	女
60代〜	5%	0%
50代	22%	2%
40代	22%	1%
30代	22%	3%
〜20代	17%	4%

会社データ (金額は百万円)

【本社】653-0024 兵庫県神戸市長田区浜添通4-1-21 ☎078-671-5071 https://www.mitsuboshi.com/

【業績(連結)】	売上高	営業利益	経常利益	純利益
22.3	74,870	7,640	8,552	6,380
23.3	82,911	9,030	10,471	7,071
24.3	84,014	7,759	9,605	7,102

㈱ニフコ

くるみん

【特色】自動車などの樹脂製ファスナー(留め具)を製造

記者評価 工業用ファスナー(留め具)など、合成樹脂部品を製造。自動車向けが柱で、日系から海外大手メーカーまで幅広く納入。技術者による提案型営業で差別化し高収益。傘下で安定収益源の高級ベッド「シモンズ」の成長推進。自動運転技術やEV関連の樹脂部品の拡販も。

平均勤続年数	男性育休取得率	3年後離職率	平均年収(平均42歳)
16.6年	9.1→47.4%	0→4.2%	総698万円

●採用・配属情報●

【男女・文理別採用実績】

	大卒男	大卒女	修士男	修士女
23年	1(文 0理 1)	1(文 1理 0)	2(文 0理 2)	1(文 0理 1)
24年	5(文 1理 4)	0(文 0理 0)	5(文 0理 5)	1(文 0理 1)
25年	6(文 1理 5)	2(文 2理 0)	3(文 0理 3)	2(文 1理 1)

【男女・職種別採用実績】

	総合職
23年	5(男 3 女 2)
24年	11(男 10 女 1)
25年	13(男 9 女 4)

【24年4月入社者の配属勤務地】総愛知・豊田2 技神奈川・横須賀6 愛知・豊田3

【転勤】あり:全社員

【中途比率】[単年度]21年度21%、22年度78%、23年度71%[全体]42%

●働きやすさ、諸制度●

残業(月) 20.0時間 総23.8時間

【勤務時間】8:30〜17:00【有休取得年平均】14.3日【週休】完全2日(原則土日)【夏期休暇】連続9日【年末年始休暇】連続9日

【離職率】男:4.0%、47名 女:4.1%、10名

【新卒3年後離職率】

[20→23年]0%(男0%・入社24名、女0%・入社2名)

[21→24年]4.2%(男5.3%・入社19名、女0%・入社5名)

【テレワーク】制度あり:[場所]自宅[対象]全社員[日数]部門判断による[利用率]NA【勤務制度】フレックス 時間単位有休【住宅補助】借上社宅(全事業所)

●ライフイベント、女性活躍●

【女性比率】■男 □女

新卒採用 30.8% (4名)　従業員 17.2% (234名)　管理職 7.3% (24名)

【産休】[期間]産前8・産後8週間[給与]法定[取得者数]6名

【育休】[期間]2歳になるまで[給与]法定[取得者数]22年度 男4名(対象44名)女7名(対象7名)23年度 男18名(対象38名)女6名(対象6名)[平均取得日数]22年度 NA、23年度 NA

【従業員】[人数]1,363名(男1,129名、女234名)[平均年齢]42.3歳(男42.7歳、女39.0歳)[平均勤続年数]16.6年(男16.8年、女13.6年)

【年齢構成】■男 □女

	男	女
60代〜	7%	0%
50代	22%	3%
40代	17%	4%
30代	24%	5%
〜20代	13%	4%

会社データ (金額は百万円)

【本社】239-8560 神奈川県横須賀市光の丘5-3 ☎046-839-0225 https://www.nifco.com/

【業績(連結)】	売上高	営業利益	経常利益	純利益
22.3	283,777	30,540	33,602	22,959
23.3	321,771	34,439	37,876	21,170
24.3	371,639	43,925	49,665	18,252

2776 開示 ★★★★

ダイキョーニシカワ(株)

くるみん

【特色】インパネやバンパーなど自動車樹脂部品製造

記者評価 自動車用樹脂部品メーカー。インパネ、バンパーやバックドアなど内外装部品、エンジン回りの部品を手がける。マツダの樹脂部品の主要サプライヤーで、同社向けが売上の約5割を占める。ダイハツ工業向けも。樹脂技術で電動化関連部品の軽量化に商機を探る。

平均勤続年数	男性育休取得率	3年後離職率	平均年収(平均41歳)
15.0年	22.7 → 45.5%	25.0 → 17.4%	㊍534万円

●採用・配属情報●

【男女・文理別採用実績】

	大卒男	大卒女	修士男	修士女
23年	14(文 2理 12)	2(文 2理 0)	2(文 0理 2)	2(文 1理 1)
24年	16(文 2理 14)	5(文 4理 1)	3(文 0理 3)	0(文 0理 0)
25年	21(文 4理 17)	5(文 4理 1)	3(文 0理 3)	0(文 0理 0)

【男女・職種別採用実績】

	総合職
23年	21(男 17 女 4)
24年	26(男 21 女 5)
25年	29(男 24 女 5)

【24年4月入社者の配属勤務地】㊍東広島6 ㊕東広島20

【転勤】あり:[職種]全社員[勤務地]広島 山口

【中途比率】[単年度]21年度10%、22年度63%、23年度58%[全体]34%

●働きやすさ、諸制度●

残業(月) 19.0時間 ㊍19.0時間

【勤務時間】9:00〜17:45【有休取得年平均】15.0日【週休】完全2日(土日)【夏期休暇】9〜11日【年末年始休暇】9〜11日

【離職率】男:3.3%、45名 女:4.7%、9名

【新卒3年後離職率】

[20→23年]25.0%(男22.4%・入社58名、女35.7%・入社14名)

[21→24年]17.4%(男15.8%・入社19名、女25.0%・入社4名)

【テレワーク】制度あり:[場所]自宅[対象]全社員[日数]月10日程度まで[利用率]4.0%【勤務制度】フレックス【住宅補助】借上社宅(県外出身者や県内の遠隔地居住者、家賃の60%を会社負担)

●ライフイベント、女性活躍●

【女性比率】■男 □女

新卒採用 17.2% (5名)　従業員 12.2% (182名)　管理職 3.9% (10名)

【産休】[期間]産前6・産後8週間[給与]法定[取得者数]11名

【育休】[期間]1歳になるまで[給与]法定[取得者数]22年度 男10名(対象44名)女11名(対象11名)23年度 男20名(対象44名)女11名(対象11名)[平均取得日数]22年度 男28日 女244日、23年度 男28日 女244日

【従業員】[人数]1,497名(男1,315名、女182名)[平均年齢]41.0歳(男41.0歳、女33.0歳)[平均勤続年数]15.0年(男NA、女NA)

【年齢構成】■男 □女

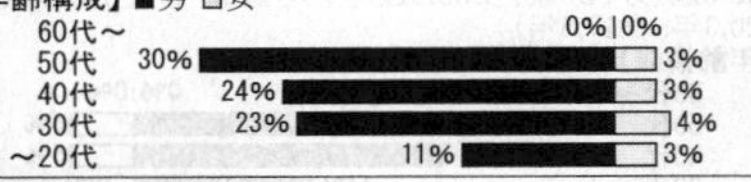

会社データ (金額は百万円)

【本社】739-0049 広島県東広島市寺家産業団地5-1 ☎082-493-5600

https://www.daikyonishikawa.co.jp/

【業績(連結)】	売上高	営業利益	経常利益	純利益
22.3	116,669	▲2,632	▲985	▲2,085
23.3	145,744	3,453	2,864	518
24.3	159,019	8,690	8,775	5,782

1746 開示 ★★★★ 専門 採用あり

リョービ(株)

えるぼし★★★　くるみん

【特色】独立系ダイカスト専業でトップ。印刷機も展開

記者評価 ダイカストの国内専業トップメーカー。日米欧の完成車メーカーが主顧客。海外売上比率は5割強。ハイブリッドカー含め電動化や構造材の軽量化対応でも強み。25年3月稼働予定で国内初の6000t級設備を導入へ。住建機器はドアクローザー軸に展開。

平均勤続年数	男性育休取得率	3年後離職率	平均年収(平均43歳)
19.1年	21.1 → 53.1%	20.7 → 7.1%	㊍701万円

●採用・配属情報●

【男女・文理別採用実績】

	大卒男	大卒女	修士男	修士女
23年	11(文 1理 10)	4(文 2理 2)	1(文 0理 1)	0(文 0理 0)
24年	19(文 5理 14)	5(文 3理 2)	4(文 0理 4)	2(文 0理 2)
25年	27(文 3理 24)	2(文 1理 1)	3(文 0理 3)	1(文 1理 0)

【男女・職種別採用実績】

	総合職
23年	16(男 12 女 4)
24年	35(男 26 女 9)
25年	34(男 31 女 3)

【24年4月入社者の配属勤務地】㊍広島・府中3 東京1 ㊕広島・府中27 静岡4

【転勤】あり:全社員

【中途比率】[単年度]21年度18%、22年度26%、23年度53%[全体]29%

●働きやすさ、諸制度●

残業(月) 18.6時間 ㊍18.6時間

【勤務時間】8:00〜16:30【有休取得年平均】13.4日【週休】完全2日(会社カレンダーによる)【夏期休暇】8月12〜20日(一斉有休2日含む)【年末年始休暇】12月29日〜1月7日

【離職率】男:2.4%、35名 女:5.1%、12名(早期退職男5名、女2名含む)

【新卒3年後離職率】

[20→23年]20.7%(男25.0%・入社20名、女11.1%・入社9名)

[21→24年]7.1%(男9.1%・入社22名、女0%・入社6名)

【テレワーク】制度あり:[場所]自宅 サテライトオフィス[対象]全社員[日数]制限なし[利用率]NA【勤務制度】フレックス 裁量労働 時差勤務 副業容認【住宅補助】独身寮(本社 東京支社)社有・借上社宅

●ライフイベント、女性活躍●

【女性比率】■男 □女

新卒採用 8.8% (3名)　従業員 13.7% (224名)　管理職 7.8% (8名)

【産休】[期間]産前6・産後8週間[給与]法定[取得者数]5名

【育休】[期間]1歳になるまで[給与]法定[取得者数]22年度 男8名(対象38名)女4名(対象4名)23年度 男17名(対象32名)女5名(対象5名)[平均取得日数]22年度 男18日 女339日、23年度 男47日 女333日

【従業員】[人数]1,633名(男1,409名、女224名)[平均年齢]43.1歳(男43.3歳、女42.0歳)[平均勤続年数]19.1年(男19.4年、女17.0年)

【年齢構成】■男 □女

60代〜 8% 1%

50代 28% 5%

40代 18% 3%

30代 20% 1%

〜20代 12% 4%

会社データ (金額は百万円)

【本社】726-8628 広島県府中市目崎町762 ☎0847-41-1111

https://www.ryobi-group.co.jp/

【業績(連結)】	売上高	営業利益	経常利益	純利益
21.12	198,073	▲1,524	4	▲4,397
22.12	249,521	6,969	7,791	4,784
23.12	282,693	12,214	13,861	10,115

㈱アーレスティ

えるぼし ★★★

【特色】ダイカスト大手。日産やホンダが主要取引先

記者評価 自動車用アルミダイカスト部品大手。日産、ホンダ、SUBARUなどの日系メーカーのほか、欧米系とも取引。EVなど電動車向け軽量化部品の開発・受注を継続、成長市場のインド、メキシコに注力。クリーンルーム向けのアルミダイカスト製二重床で国内シェア首位。

平均勤続年数	男性育休取得率	3年後離職率	平均年収(平均43歳)
18.8年	66.7→50.0%	21.4→21.4%	◇594万円

●採用・配属情報●

【男女・文理別採用実績】

	大卒男	大卒女	修士男	修士女
23年	3(文 1理 2)	5(文 4理 1)	2(文 0理 2)	0(文 0理 0)
24年	4(文 1理 3)	5(文 4理 1)	0(文 0理 0)	0(文 0理 0)
25年	2(文 2理 0)	3(文 3理 0)	2(文 0理 2)	0(文 0理 0)

【男女・職種別採用実績】

	総合職
23年	10(男 5 女 5)
24年	10(男 5 女 5)
25年	7(男 4 女 3)

【24年4月入社者の配属勤務地】㊙(23年)愛知3 東京2 ㊡(23年)愛知5

【転勤】あり:[職種]総合職[勤務地]東京 愛知 神奈川 大阪 栃木 埼玉

【中途比率】[単年度]21年度27%、22年度27%、23年度25%[全体]36%

●働きやすさ、諸制度●

残業(月) 9.7時間

【勤務時間】9:00～17:45【有休取得年平均】13.7日【週休】完全2日(土日祝)【夏期休暇】連続9～10日(週休含む)【年末年始休暇】連続9～10日(週休含む)

【離職率】男:1.3%、11名 女:2.7%、4名

【新卒3年後離職率】
[20→23年]21.4%(男33.3%・入社9名、女0%・入社5名)
[21→24年]21.4%(男18.2%・入社11名、女33.3%・入社3名)

【テレワーク】制度あり:[場所]自宅、または会社が容認した場所[対象]全社員(拠点による)[日数]制限なし(部署判断による)[利用率]NA【勤務制度】フレックス 時間単位有休 時差勤務 勤務間インターバル【住宅補助】借上社宅 住宅手当

●ライフイベント、女性活躍●

【女性比率】■男 □女

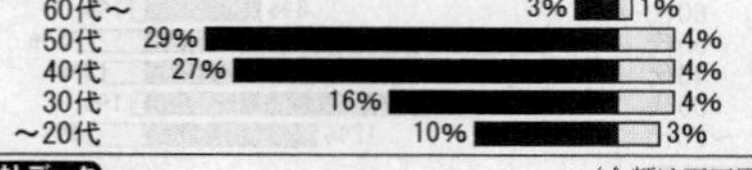

【産休】[期間]産前6・産後8週間[給与]法定[取得者数]16名

【育休】[期間]1歳になるまで[給与]法定[取得者数]22年度 男4名(対象6名)女11名(対象11名)23年度 男11名(対象22名)女5名(対象5名)[平均取得日数]22年度 男19日 女361日、23年度 男17日 女361日

【従業員】[人数]987名(男842名、女145名)[平均年齢]43.0歳(男44.0歳、女42.0歳)[平均勤続年数]18.8年(男19.0年、女17.0年)

【年齢構成】■男 □女

	男	女
60代～	3%	1%
50代	29%	4%
40代	27%	4%
30代	16%	4%
～20代	10%	3%

会社データ (金額は百万円)

【本社】441-3114 愛知県豊橋市三弥町中原1-2 ☎0532-65-5210 https://www.ahresty.co.jp/

【業績(連結)】	売上高	営業利益	経常利益	純利益
22.3	116,313	▲2,422	▲2,032	▲5,189
23.3	140,938	23	94	▲84
24.3	158,254	2,291	2,574	▲7,699

ＴＰＲ㈱

(ティーピーアール)

【特色】ピストンリング大手。シリンダライナ世界首位

記者評価 航空機用など軍需向けで始まったが、戦後、自動車用をはじめ民需向けに転換。柱はピストンリングやシリンダライナなどエンジン機能部品。12年に内外装樹脂部品を手がけるファルテックを買収。エンジン需要減見据え、EV関連部品など新規事業の創出急ぐ。

平均勤続年数	男性育休取得率	3年後離職率	平均年収(平均44歳)
◇20.1年	14.3→21.4%	7.1→0%	㊙737万円

●採用・配属情報●

【男女・文理別採用実績】

	大卒男	大卒女	修士男	修士女
23年	4(文 2理 2)	0(文 0理 0)	2(文 0理 2)	0(文 0理 0)
24年	6(文 4理 2)	0(文 0理 0)	4(文 0理 4)	1(文 1理 0)
25年	4(文 3理 1)	2(文 2理 0)	1(文 0理 1)	0(文 0理 0)

【男女・職種別採用実績】

	総合職
23年	6(男 6 女 0)
24年	14(男 11 女 3)
25年	7(男 5 女 2)

【24年4月入社者の配属勤務地】㊙長野・岡谷7 ㊡長野・岡谷6 山形・寒河江1

【転勤】あり:[職種]全社員[勤務地]東京 浜松 名古屋 大阪 広島 長野 岐阜 山形

【中途比率】[単年度]21年度15%、22年度21%、23年度55%[全体]◇17%

●働きやすさ、諸制度●

残業(月) 11.8時間 ㊙16.4時間

【勤務時間】8:30～17:10【有休取得年平均】16.6日【週休】完全2日(土日祝)【夏期休暇】9日【年末年始休暇】9日

【離職率】◇男:2.1%、14名 女:1.5%、2名

【新卒3年後離職率】
[20→23年]7.1%(男0%・入社10名、女25.0%・入社4名)
[21→24年]0%(男0%・入社7名、女0%・入社2名)

【テレワーク】制度なし【勤務制度】フレックス 時差勤務 勤務間インターバル【住宅補助】独身寮(自己負担7,200円、光熱費含む)借上社宅(遠隔地者対象 会社負担限度額(独身)77,000円(家族帯同)110,000円)※限度額は地域により変動

●ライフイベント、女性活躍●

【女性比率】■男 □女

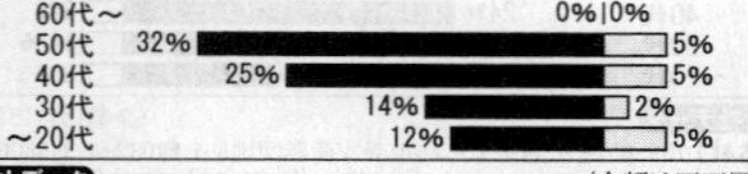

【産休】[期間]産前6・産後8週間[給与]法定[取得者数]3名

【育休】[期間]1歳になるまで[給与]法定[取得者数]22年度 男2名(対象14名)女1名(対象1名)23年度 男3名(対象14名)女0名(対象0名)[平均取得日数]22年度 NA、23年度 男39日 女-

【従業員】◇[人数]773名(男643名、女130名)[平均年齢]43.3歳(男44.0歳、女39.9歳)[平均勤続年数]20.1年(男20.3年、女17.5年)

【年齢構成】■男 □女

	男	女
60代～	0%	0%
50代	32%	5%
40代	25%	5%
30代	14%	2%
～20代	12%	5%

会社データ (金額は百万円)

【本社】100-0005 東京都千代田区丸の内1-6-2 新丸の内センタービル10階 ☎03-5293-2811 https://www.tpr.co.jp/

【業績(連結)】	売上高	営業利益	経常利益	純利益
22.3	163,537	10,701	14,633	8,087
23.3	178,619	6,856	10,215	3,843
24.3	193,834	12,526	16,066	8,195

いまばりぞうせん
今治造船(株)

【特色】造船国内首位。竣工量断トツ。JMUと1・2位連合

[記者評価] 1901年創業。瀬戸内海に複数の造船子会社を持ち、竣工量は国内断トツ。23年度の竣工量は69隻・357万総トン。21年国内2位のジャパン マリンユナイテッド(JMU)と資本業務提携、一般商船などで合弁会社設立。LNGやアンモニアなどの代替燃料船に注力。

平均勤続年数	男性育休取得率	3年後離職率	平均年収(平均37歳)
◇13.5年	23.1→29.1%	10.9→7.4%	[総]730万円

●採用・配属情報●

【男女・文理別採用実績】

	大卒男	大卒女	修士男	修士女
23年	18(文 7理 11)	13(文 9理 4)	9(文 0理 9)	1(文 0理 1)
24年	15(文 10理 5)	3(文 2理 1)	6(文 0理 6)	0(文 0理 0)
25年	38(文 20理 18)	12(文 11理 1)	11(文 1理 10)	0(文 0理 0)

【男女・職種別採用実績】 転換制度:⇔

	総合職	一般職
23年	41(男 27 女 14)	0(男 0 女 0)
24年	25(男 23 女 2)	1(男 0 女 1)
25年	60(男 49 女 11)	1(男 0 女 1)

【24年4月入社者の配属勤務地】[総]研修拠点で半年間実習の上で決定 [技]研修拠点で半年間実習の上で決定
【転勤】あり:[職種]総合職
【中途比率】[単年度]21年度14%、22年度47%、23年度49%[全体]◇32%

●働きやすさ、諸制度●

残業(月) 32.9時間

【勤務時間】8:00～17:00【有休取得年平均】14.9日【週休】2日【夏期休暇】連続約6日【年末年始休暇】連続約7日
【離職率】◇男:1.4%、24名 女:1.3%、2名
【新卒3年後離職率】
[20→23年]10.9%(男6.7%・入社45名、女30.0%・入社10名)
[21→24年]7.4%(男8.7%・入社23名、女0%・入社4名)
【テレワーク】制度あり:[場所]自宅[対象]NA[日数]NA[利用率]NA【勤務制度】フレックス 時間単位有休 裁量労働 時差勤務【住宅補助】独身寮 社宅

●ライフイベント、女性活躍●

【女性比率】■男 □女

新卒採用 19.7%(12名)

従業員 8.1%(152名)

管理職 0.2%(1名)

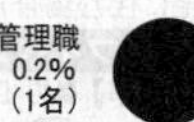

【産休】[期間]産前6・産後8週間[給与]法定[取得者数]4名
【育休】[期間]1歳になるまで[給与]法定[取得者数]22年度 男12名(対象52名)女5名(対象5名)23年度 男16名(対象55名)女4名(対象4名)[平均取得日数]22年度 NA、23年度 NA
【従業員】◇[人数]1,882名(男1,730名、女152名)[平均年齢]37.4歳(男37.5歳、女36.5歳)[平均勤続年数]13.5年(男13.7年、女10.3年)
【年齢構成】NA

会社データ (金額は百万円)
【本社】799-2111 愛媛県今治市小浦町1-4-52 ☎0898-36-5000
http://www.imazo.co.jp/

【業績(単独)】	売上高	営業利益	経常利益	純利益
22.3	365,200	NA	NA	NA
23.3	376,400	NA	NA	NA
24.3	443,100	NA	NA	NA

みつい イー アンド エス
(株)三井E＆S

くるみん

【特色】船舶用エンジン国内首位。港湾クレーンにも強み

[記者評価] 旧三井造船。米港湾クレーン最大手を子会社に持つ。船舶用ディーゼルエンジンは国内首位。海外プラント巨額損失で経営危機に。三井海洋開発を切り離し、エンジニアリングや祖業の造船からも撤退して再建。IHI原動機から舶用エンジン事業継承し新会社発足。

平均勤続年数	男性育休取得率	3年後離職率	平均年収(平均42歳)
15.0年	81.0→93.2%	NA	[総]824万円

●採用・配属情報●

【男女・文理別採用実績】

	大卒男	大卒女	修士男	修士女
23年	20(文 4理 16)	4(文 3理 1)	11(文 0理 11)	1(文 0理 1)
24年	16(文 2理 14)	8(文 6理 2)	8(文 0理 8)	2(文 0理 2)
25年	-(文 -理 -)	-(文 -理 -)	-(文 -理 -)	-(文 -理 -)

※25年:47名採用計画

【男女・職種別採用実績】 転換制度:⇒

	総合職
23年	39(男 33 女 6)
24年	38(男 28 女 10)
25年	47(男 - 女 -)

【職種併願】○
【24年4月入社者の配属勤務地】[総]東京4 岡山2 大分1 神戸1 [技]岡山18 大分12
【転勤】あり:全社員
【中途比率】[単年度]21年度26%、22年度43%、23年度43%[全体]27%

●働きやすさ、諸制度●

残業(月) (現業含む)28.0時間

【勤務時間】8:45～17:30【有休取得年平均】19.4日【週休】完全2日(土日祝)【夏期休暇】<本社>5日(7～9月)<事業所>連続5日(有休含む)【年末年始休暇】連続9日(一部事業所、有休含む)
【離職率】男:4.9%、63名 女:3.0%、5名
【新卒3年後離職率】
[20→23年]NA(男NA・入社47名、女NA・入社9名)
[21→24年]NA(男NA・入社35名、女NA・入社2名)
【テレワーク】制度あり:[場所]自宅など[対象]所属長の許可を得た入社2年目以降社員[日数]週3日まで[利用率]NA【勤務制度】フレックス 時間単位有休 時差勤務 勤務間インターバル【住宅補助】寮・社宅(東京本社 各事業所)

●ライフイベント、女性活躍●

【女性比率】■男 □女

従業員 11.7%(164名)

管理職 3.2%(11名)

【産休】[期間]産前6・産後8週間[給与]法定[取得者数]8名
【育休】[期間]1歳になるまで[給与]法定[取得者数]22年度 男51名(対象63名)女6名(対象6名)23年度 男41名(対象44名)女8名(対象8名)[平均取得日数]22年度 男18日 女472日、23年度 男34日 女382日
【従業員】[人数]1,399名(男1,235名、女164名)[平均年齢]40.8歳(男40.8歳、女40.7歳)[平均勤続年数]15.0年(男15.4年、女12.5年)【年齢構成】■男 □女

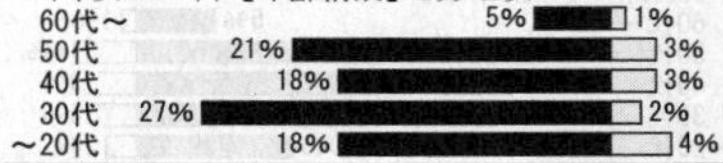

	男	女
60代～	5%	1%
50代	21%	3%
40代	18%	3%
30代	27%	2%
～20代	18%	4%

会社データ (金額は百万円)
【本社】104-8439 東京都中央区築地5-6-4 ☎03-3544-3013
https://www.mes.co.jp/

【業績(連結)】	売上高	営業利益	経常利益	純利益
22.3	579,363	▲10,029	▲25,742	▲21,825
23.3	262,301	9,376	12,532	15,554
24.3	301,875	19,630	20,711	25,051

メーカーI

2584 開示 ★★★★☆

ジャパン マリンユナイテッド(株)

くるみん

【特色】総合造船専業で建造量は国内有数。略称JMU

記者評価 ユニバーサル造船とIHIマリンユナイテッドの統合で13年誕生。コンテナ船などの商船から、艦船、海洋構造物、修理・保守保船まで総合展開。今治造船と資本業務提携、商船設計業務などを21年両社の新合弁会社に移管。洋上風力浮体や無人運航船などに意欲。

平均勤続年数	男性育休取得率	3年後離職率	平均年収(平均44歳)
9.2年	32.1→30.5%	6.7→0%	㊓742万円

●採用・配属情報●

【男女・文理別採用実績】

	大卒男	大卒女	修士男	修士女
23年	12(文 4理 8)	5(文 4理 1)	17(文 0理 17)	2(文 0理 2)
24年	11(文 1理 10)	1(文 1理 0)	21(文 1理 20)	4(文 1理 3)
25年	13(文 6理 7)	2(文 1理 1)	15(文 0理 15)	2(文 1理 1)

【男女・職種別採用実績】 転換制度:⇒

	総合職
23年	36(男 29 女 7)
24年	38(男 33 女 5)
25年	32(男 28 女 4)

【24年4月入社者の配属勤務地】㊓(24年)横浜2 広島・呉2 三重・津1 ㊔(23年)横浜16 広島・呉1 熊本・玉名3 三重・津4 京都・舞鶴2

【転勤】あり:[職種]総合職[勤務地]本社(横浜)事業所(横浜 津 舞鶴 呉 因島 有明)技術研究所(津 横浜)海外現法

【中途比率】[単年度]21年度1%、22年度1%、23年度1% [全体]35%

●働きやすさ、諸制度●

残業(月) 21.5時間 ㊓9.4時間

【勤務時間】8:30〜17:30【有休取得年平均】19.3日【週休】完全2日(土日祝)【夏期休暇】連続7日(有休含む)【年末年始休暇】連続約7日(有休含む)

【離職率】男:2.4%、42名 女:3.9%、10名

【新卒3年後離職率】

[20→23年]6.7%(男7.1%・入社14名、女0%・入社1名)

[21→24年]0%(男0%・入社10名、女0%・入社1名)

【テレワーク】制度あり:[場所]原則自宅[対象]スタッフ職のみ[日数]原則週に2日まで[利用率]8.3%【勤務制度】フレックス 時間単位有休 時差勤務【住宅補助】独身寮 社有・借上社宅

●ライフイベント、女性活躍●

【女性比率】■男 □女

新卒採用 12.5% (4名)

従業員 12.4% (246名)

管理職 3.6% (36名)

【産休】[期間]産前6・産後8週間[給与]会社全額給付[取得者数]9名

【育休】[期間]2歳になるまで[給与]育児休業以外の休暇は有給、その他は法定[取得者数]22年度 男45名(対象140名)女6名(対象6名)23年度 男39名(対象128名)女9名(対象9名)[平均取得日数]22年度 男101日 女364日、23年度 男86日 女371日

【従業員】[人数]1,990名(男1,744名、女246名)[平均年齢]43.6歳(男43.5歳、女44.3歳)[平均勤続年数]9.2年(男9.4年、女7.9年)【年齢構成】■男 □女

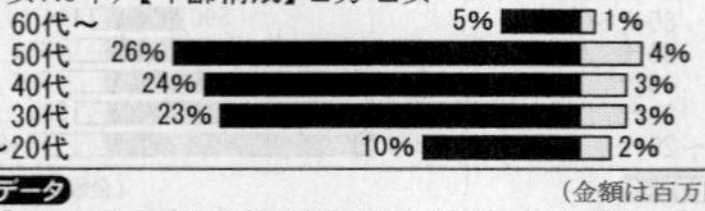

	男	女
60代〜	5%	1%
50代	26%	4%
40代	24%	3%
30代	23%	3%
〜20代	10%	2%

会社データ (金額は百万円)

【本社】220-0012 神奈川県横浜市西区みなとみらい4-4-2 横浜ブルーアベニュー ☎045-264-7200 https://www.jmuc.co.jp/

【業績(連結)】	売上高	営業利益	経常利益	純利益
22.3	227,400	NA	800	500
23.3	266,100	NA	▲15,400	▲15,600
24.3	286,400	NA	4,900	3,700

1801 開示 ★★★☆☆

(株)名村造船所（なむらぞうせんしょ）

【特色】造船専業大手。傘下に佐世保重工業、函館どつく

記者評価 造船専業でオーナー系。船舶竣工量で国内上位。佐賀・伊万里に造船所があり、07年函館どつく、14年佐世保重工業を傘下に。船舶市場低迷で佐世保は22年1月で船の修繕専業に切り替え。新造船需要は回復基調へ。修繕は安全保障環境悪化で海保や自衛隊向け安定。

平均勤続年数	男性育休取得率	3年後離職率	平均年収(平均41歳)
◇17.9年	18.9→43.3%	26.7→20.0%	㊓576万円

●採用・配属情報●

【男女・文理別採用実績】

	大卒男	大卒女	修士男	修士女
23年	7(文 4理 3)	1(文 1理 0)	2(文 0理 2)	0(文 0理 0)
24年	8(文 0理 8)	4(文 3理 1)	0(文 0理 0)	0(文 0理 0)
25年	10(文 2理 8)	3(文 2理 1)	2(文 0理 2)	0(文 0理 0)

※25年:24年7月末時点

【男女・職種別採用実績】

	総合職
23年	10(男 9 女 1)
24年	12(男 8 女 4)
25年	15(男 12 女 3)

【24年4月入社者の配属勤務地】㊓大阪市2 佐賀・伊万里1 ㊔佐賀・伊万里9

【転勤】あり:[職種]事務・営業職の一部 技術職の一部[勤務地]事務・営業職:大阪 東京 佐賀 他 技術職:佐賀 東京

【中途比率】[単年度]21年度66%、22年度28%、23年度51%[全体]NA

●働きやすさ、諸制度●

残業(月) 28.2時間 ㊓28.2時間

【勤務時間】本社・営業所8:30〜17:30 事業所8:00〜17:00【有休取得年平均】16.5日【週休】完全2日(土日祝)【夏期休暇】8月10〜18日【年末年始休暇】12月29日〜1月4日

【離職率】◇男:1.8%、18名 女:0%、0名

【新卒3年後離職率】

[20→23年]26.7%(男25.6%・入社43名、女50.0%・入社2名)

[21→24年]20.0%(男21.4%・入社28名、女0%・入社2名)

【テレワーク】制度あり:[場所]自宅[対象]所属長が認めたもの[日数]制限なし[利用率]NA【勤務制度】時間単位有休【住宅補助】独身寮 社宅 家賃補助(5万円以上の賃貸住宅に住む場合)

●ライフイベント、女性活躍●

【女性比率】■男 □女

新卒採用 20% (3名)

従業員 7.5% (81名)

管理職 6% (3名)

【産休】[期間]産前6・産後8週間[給与]給付金+月給2割会社給付[取得者数]15名

【育休】[期間]1歳になるまで[給与]給付金+月給2割会社給付[取得者数]22年度 男7名(対象37名)女1名(対象1名)23年度 男13名(対象30名)女2名(対象2名)[平均取得日数]22年度 NA、23年度 NA

【従業員】◇[人数]1,084名(男1,003名、女81名)[平均年齢]41.2歳(男41.1歳、女42.3歳)[平均勤続年数]17.9年(男17.9年、女17.1年)【年齢構成】■男 □女

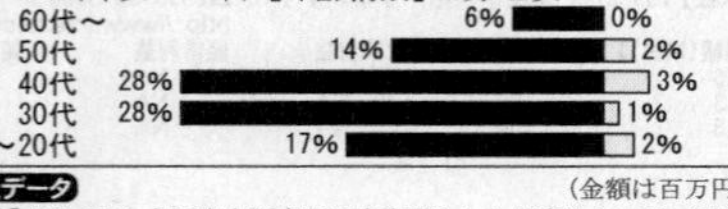

	男	女
60代〜	6%	0%
50代	14%	2%
40代	28%	3%
30代	28%	1%
〜20代	17%	2%

会社データ (金額は百万円)

【本社】550-0012 大阪府大阪市西区立売堀2-1-9 日建ビル ☎06-6543-3561 https://www.namura.co.jp/

【業績(連結)】	売上高	営業利益	経常利益	純利益
22.3	83,423	▲9,532	▲8,244	▲8,419
23.3	124,080	9,595	11,369	11,194
24.3	135,006	16,493	20,007	19,954

新明和工業(株)

しんめいわこうぎょう

【特色】ダンプなど特装車で国内首位。航空機材も強い

[記者評価] ダンプ車、タンクローリーなど特装車で国内首位。防衛省向け救難飛行艇や旅客搭乗橋を軸に航空機材・部品を開発・製造。水処理設備や自動電線処理機、機械式立体駐車場なども。丸紅子会社と合弁会社設立し、ビジネスジェットの整備事業を24年4月開始。

平均勤続年数	男性育休取得率	3年後離職率	平均年収(平均44歳)
19.4年	12.7→21.7%	10.5→14.3%	[総]739万円

●採用・配属情報●

【男女・文理別採用実績】

	大卒男	大卒女	修士男	修士女
23年	21(文 12理 9)	8(文 7理 1)	15(文 0理 15)	3(文 0理 3)
24年	24(文 11理 13)	10(文 7理 3)	16(文 0理 16)	2(文 0理 2)
25年	19(文 11理 8)	11(文 9理 2)	30(文 0理 30)	2(文 0理 2)

【男女・職種別採用実績】

	総合職
23年	51(男 39 女 12)
24年	62(男 48 女 14)
25年	63(男 50 女 13)

【24年4月入社者の配属勤務地】[総]兵庫(神戸3 宝塚1 西宮1 小野1)横浜4 東京・台東1 大阪市3 名古屋2 仙台1 広島市1 さいたま1 [技]兵庫(神戸13 宝塚3 西宮3 小野3)栃木・佐野8 神奈川(横浜1 寒川6)広島・東広島4 東京・台東1 大阪市1

【転勤】あり:全社員

【中途比率】[単年度]21年度29%、22年度40%、23年度62%[全体]46%

●働きやすさ、諸制度●

残業(月) 27.0時間 [総]27.0時間

【勤務時間】本社・工場8:30～17:00 営業所9:00～17:30【有休取得年平均】17.5日【週休】完全2日(土日祝)【夏期休暇】連続9日(週休5日、会社休日2日、有休2日)【年末年始休暇】連続9日(週休4日、祝日1日、会社休日4日)

【離職率】男:2.4%、45名 女:1.3%、3名

【新卒3年後離職率】

[20→23年]10.5%(男9.4%・入社32名、女16.7%・入社6名)

[21→24年]14.3%(男17.2%・入社29名、女0%・入社6名)

【テレワーク】制度あり:[場所]自宅 自宅に準ずる場所[対象]全社員[日数]週3回[利用率]3.1%【勤務制度】フレックス【住宅補助】独身寮 自己負担10,000～15,000円程度 社宅 自己負担20,000～30,000円程度 その他住宅手当等

●ライフイベント、女性活躍●

【女性比率】■男 □女

新卒採用 20.6% (13名)

従業員 11.1% (234名)

管理職 0.9% (3名)

【産休】[期間]産前8・産後8週間[給与]法定[取得者数]6名

【育休】[期間]1歳到達月末まで(2歳到達月末まで延長可)[給与]法定[取得者数]22年度 男10名(対象79名)女7名(対象7名)23年度 男15名(対象69名)女6名(対象6名)[平均取得日数]22年度 NA、23年度 NA

【従業員】[人数]2,099名(男1,865名、女234名)[平均年齢]43.4歳(男43.9歳、女39.7歳)[平均勤続年数]19.4年(男20.0年、女14.4年)【年齢構成】■男 □女

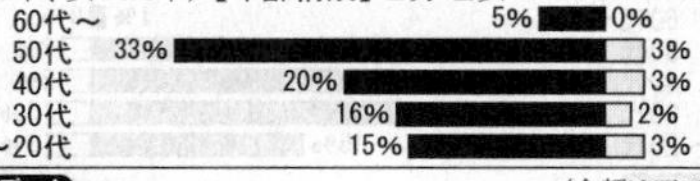
60代～ 5% 0%
50代 33% 3%
40代 20% 3%
30代 16% 2%
～20代 15% 3%

[会社データ] (金額は百万円)

【本社】665-8550 兵庫県宝塚市新明和町1-1 ☎0798-56-5006 https://www.shinmaywa.co.jp/

【業績(連結)】	売上高	営業利益	経常利益	純利益
22.3	216,823	10,569	11,821	6,907
23.3	225,175	9,293	9,902	7,313
24.3	257,060	11,765	12,106	7,279

極東開発工業(株)

きょくとうかいはつこうぎょう

【特色】特装車総合首位。ゴミ処理施設など環境事業も

[記者評価] 自動車向け特別装備の製造や架装の総合首位。コンクリートポンプ車やトレーラーに強くタンクローリーなども。中国、インドなど生産拠点。ゴミ処理施設の建設や運転委託、立体駐車装置の製造・設置も。立体駐車場向けEV充電設備など環境サービスにも注力。

平均勤続年数	男性育休取得率	3年後離職率	平均年収(平均42歳)
◇16.8年	19.4→42.3%	13.8→20.7%	[総]714万円

●採用・配属情報●

【男女・文理別採用実績】

	大卒男	大卒女	修士男	修士女
23年	8(文 5理 3)	3(文 2理 1)	2(文 0理 2)	0(文 0理 0)
24年	8(文 5理 3)	3(文 3理 0)	2(文 0理 2)	0(文 0理 0)
25年	7(文 3理 4)	1(文 1理 0)	3(文 1理 2)	0(文 0理 0)

【男女・職種別採用実績】

	総合職
23年	15(男 12 女 3)
24年	15(男 12 女 3)
25年	14(男 12 女 2)

【24年4月入社者の配属勤務地】[総]東京2 神奈川1 愛知1 大阪4 [技]神奈川1 愛知1 大阪1 兵庫4

【転勤】あり:全社員(事前面談実施のうえ決定)

【中途比率】[単年度]21年度36%、22年度68%、23年度66%[全体]◇38%

●働きやすさ、諸制度●

残業(月) 28.3時間 [総]28.3時間

【勤務時間】8:30～17:30【有休取得年平均】13.6日【週休】完全2日(土日祝)【夏期休暇】連続約9日(週休含む)【年末年始休暇】連続約9日(週休含む)

【離職率】◇男:3.9%、41名 女:3.8%、5名

【新卒3年後離職率】

[20→23年]13.8%(男15.4%・入社26名、女0%・入社3名)

[21→24年]20.7%(男23.1%・入社26名、女0%・入社3名)

【テレワーク】制度あり:[場所]自宅[対象]病気・育児等の社員[日数]週2日[利用率]NA【勤務制度】フレックス 時間単位有休【住宅補助】社有社宅・寮(兵庫・西宮 兵庫・三木 神奈川・大和 愛知・小牧 独身寮自己負担15,000円)借上社宅

●ライフイベント、女性活躍●

【女性比率】■男 □女

新卒採用 14.3% (2名)

従業員 11.1% (126名)

管理職 0.3% (1名)

【産休】[期間]産前6・産後8週間[給与]会社全額給付[取得者数]5名

【育休】[期間]1年6カ月到達年度末の翌月(4月)末日[給与]法定[取得者数]22年度 男6名(対象31名)女1名(対象1名)23年度 男11名(対象26名)女4名(対象4名)[平均取得日数]22年度 男49日 女292日、23年度 男20日 女92日

【従業員】◇[人数]1,133名(男1,007名、女126名)[平均年齢]41.7歳(男41.9歳、女40.2歳)[平均勤続年数]16.8年(男16.9年、女10.8年)

【年齢構成】■男 □女

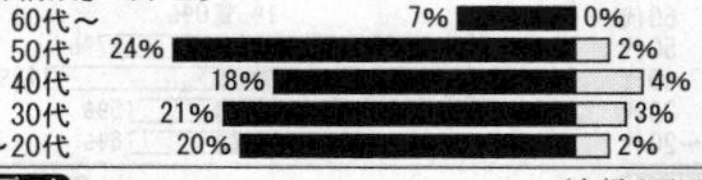
60代～ 7% 0%
50代 24% 2%
40代 18% 4%
30代 21% 3%
～20代 20% 2%

[会社データ] (金額は百万円)

【本社】541-8519 大阪府大阪市中央区淡路町2-5-11 極東開発グループ本社ビル ☎06-6205-7800 https://www.kyokuto.com/

【業績(連結)】	売上高	営業利益	経常利益	純利益
22.3	116,910	6,974	7,567	14,274
23.3	113,089	991	1,187	3,580
24.3	128,026	4,825	5,617	3,501

㈱モリタホールディングス

えるぼし ★★

【特色】消防車製造で国内首位。消火器など防災用品も

記者評価 1907(明治40)年創業。消防車で国内シェア約6割と圧倒的。はしご車など高付加価値品に強み。08年消火器大手の宮田工業を買収し、消火器でも国内トップ。16年フィンランドの消防車大手を買収し海外展開に意欲。業務改善につながる消防システム開発に積極的。

平均勤続年数	男性育休取得率	3年後離職率	平均年収(平均44歳)
12.3年	100→100%	21.1→14.3%	㊓691万円

●採用・配属情報●

【男女・文理別採用実績】

	大卒男	大卒女	修士男	修士女
23年	7(文 4理 3)	2(文 1理 1)	4(文 1理 3)	1(文 0理 1)
24年	5(文 2理 3)	0(文 0理 0)	2(文 0理 2)	0(文 0理 0)
25年	8(文 8理 0)	2(文 2理 0)	4(文 0理 4)	1(文 1理 0)

※25年:24年7月6日時点(グループ会社採用人数を含む)

【男女・職種別採用実績】

	総合職
23年	16(男 13 女 3)
24年	7(男 7 女 0)
25年	23(男 - 女 -)

※25年:予定数

【24年4月入社者の配属勤務地】㊓東京・港1 大阪(大阪1 八尾1) ㊑大阪・八尾1 神奈川・茅ヶ崎1 兵庫・三田2

【転勤】あり:全社員

【中途比率】[単年度]21年度83%、22年度0%、23年度25% [全体]33%

●働きやすさ、諸制度●

残業(月) 12.9時間 ㊓12.9時間

【勤務時間】9:00〜17:40【有休取得年平均】12.8日【週休】2日【夏期休暇】8月10〜18日【年末年始休暇】12月28日〜1月5日

【離職率】男:3.5%、2名 女:13.3%、4名

【新卒3年後離職率】
[20→23年]21.1%(男30.8%・入社13名、女0%・入社6名)
[21→24年]14.3%(男15.4%・入社13名、女0%・入社1名)

【テレワーク】制度なし【勤務制度】時間単位有休 裁量労働 勤務間インターバル【住宅補助】寮(35歳までの独身者・転勤により家族と別居する単身者、寮費8,000円)社宅(兵庫・三田)

●ライフイベント、女性活躍●

【女性比率】■男 □女

従業員 32.1% (26名)

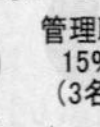

管理職 15% (3名)

【産休】[期間]産前6・産後8週間[給与]法定[取得者数]1名

【育休】[期間]1歳になるまで[給与]法定[取得者数]22年度 男1名(対象1名)女2名(対象2名)23年度 男1名(対象1名)女0名(対象0名)[平均取得日数]22年度 男59日 女261日、23年度 男49日 女-

【従業員】[人数]81名(男55名、女26名)[平均年齢]40.3歳(男40.6歳、女39.8歳)[平均勤続年数]12.3年(男11.5年、女13.9年)

【年齢構成】■男 □女

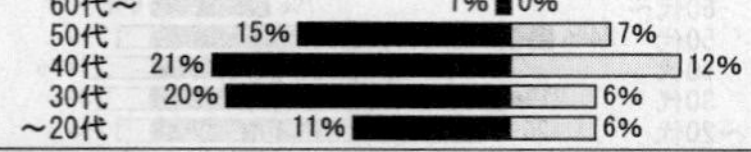

会社データ (金額は百万円)

【本社】541-0045 大阪府大阪市中央区道修町3-6-1 京阪神御堂筋ビル12階 ☎06-6208-1907 https://www.morita119.com/

【業績(連結)】	売上高	営業利益	経常利益	純利益
22.3	83,602	8,115	8,761	5,350
23.3	81,344	5,081	5,913	3,996
24.3	95,205	9,453	9,627	6,011

三菱(みつびし)ロジスネクスト㈱

えるぼし ★★ くるみん

【特色】フォークリフト世界大手。M&Aで業容拡大

記者評価 三菱重工のフォークリフト部門、ニチユ、TCM、日産フォークリフトが2017年までに段階的に経営統合して誕生。海外事業は北米が最大、欧州、東南アジアと続く。旧4社の販売会社や製品ラインナップを再編し効率化を進める。国内では京都、滋賀などに生産拠点。

平均勤続年数	男性育休取得率	3年後離職率	平均年収(平均42歳)
◇16.0年	34.7→65.9%	8.7→15.8%	㊓672万円

●採用・配属情報●

【男女・文理別採用実績】

	大卒男	大卒女	修士男	修士女
23年	9(文 2理 7)	10(文 6理 4)	3(文 1理 2)	2(文 1理 1)
24年	12(文 2理 10)	5(文 5理 0)	4(文 0理 4)	0(文 0理 0)
25年	-(文 -理 -)	-(文 -理 -)	-(文 -理 -)	-(文 -理 -)

※25年:24名採用予定

【男女・職種別採用実績】

	総合職
23年	24(男 12 女 12)
24年	22(男 17 女 5)
25年	24(男 - 女 -)

【24年4月入社者の配属勤務地】㊓京都・長岡京7 ㊑滋賀・近江八幡8 滋賀・安土4 京都・長岡京3

【転勤】あり:全社員

【中途比率】[単年度]21年度11%、22年度59%、23年度68%[全体]NA

●働きやすさ、諸制度●

残業(月) 12.4時間 ㊓13.0時間

【勤務時間】8:00〜16:50【有休取得年平均】16.5日【週休】2日【夏期休暇】年間カレンダーによる【年末年始休暇】年間カレンダーによる

【離職率】NA

【新卒3年後離職率】
[20→23年]8.7%(男5.3%・入社19名、女25.0%・入社4名)
[21→24年]15.8%(男14.3%・入社14名、女20.0%・入社5名)

【テレワーク】制度あり:[場所]自宅 実家[対象]在宅にて業務遂行が可能な全従業員[日数]最大週4日 他[利用率]29.2%【勤務制度】フレックス 時間単位有休 時差勤務 勤務間インターバル【住宅補助】独身寮(自己負担6,000〜7,300円)

●ライフイベント、女性活躍●

【女性比率】■男 □女

従業員 10.2% (157名)

管理職 3.1% (10名)

【産休】[期間]産前7・産後8週間[給与]法定[取得者数]8名

【育休】[期間]2歳になる月の末日まで[給与]法定[取得者数]22年度 男17名(対象49名)女7名(対象7名)23年度 男27名(対象41名)女7名(対象8名)[平均取得日数]22年度 男34日 女254日、23年度 男33日 女323日

【従業員】◇[人数]1,536名(男1,379名、女157名)[平均年齢]42.1歳(男42.7歳、女39.1歳)[平均勤続年数]16.0年(男16.5年、女11.6年)

【年齢構成】■男 □女

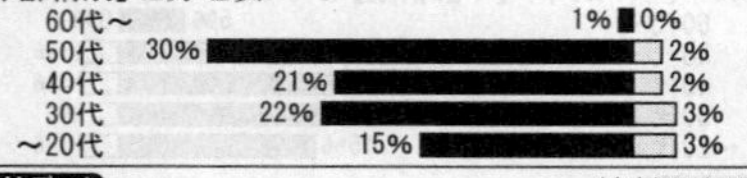

会社データ (金額は百万円)

【本社】617-8585 京都府長岡京市東神足2-1-1 ☎075-951-7171 https://www.logisnext.com/

【業績(連結)】	売上高	営業利益	経常利益	純利益
22.3	465,406	3,592	3,240	717
23.3	615,421	14,709	11,646	6,913
24.3	701,770	42,603	37,479	27,520

㈱シマノ

【特色】自転車用部品製造で世界首位、釣り具も強い

記者評価 金属加工技術が土台。変減速機やブレーキなど「コンポーネント」と呼ばれる自転車用部品の世界大手。高い品質・信頼性で知られ、特にロードバイクやMTBなど高額のスポーツ車用で大きな存在感を誇る。高価格帯品は今も国内で生産。釣具のリールでも世界大手。

平均勤続年数	男性育休取得率	3年後離職率	平均年収(平均41歳)
◇13.9年	NA→67.6%	8.9→5.6%	◇846万円

●採用・配属情報●

【男女・文理別採用実績】

	大卒男	大卒女	修士男	修士女
23年	6(文 6理 0)	0(文 0理 0)	12(文 0理 12)	3(文 0理 3)
24年	6(文 5理 1)	3(文 2理 1)	13(文 0理 13)	0(文 0理 0)
25年	13(文 10理 3)	3(文 3理 0)	9(文 0理 9)	1(文 1理 0)

【男女・職種別採用実績】

	総合職
23年	33(男 29 女 4)
24年	26(男 23 女 3)
25年	31(男 27 女 4)

【24年4月入社者の配属勤務地】㊍堺 7 佐賀 1 東京・大田1 ㊌堺 15 山口 2

【転勤】あり:ナショナル社員(地域限定社員)除く全社員

【中途比率】[単年度]21年度61%、22年度75%、23年度56%[全体]NA

●働きやすさ、諸制度●

残業(月) 24.4時間

【勤務時間】8:00～17:00【有休取得年平均】14.4日【週休】会社暦2日【夏期休暇】5日程度(週休含む)【年末年始休暇】6日程度(週休含む)

【離職率】男:NA、31名 女:NA、2名

【新卒3年後離職率】
[20→23年]8.9%(男9.6%・入社52名、女0%・入社4名)
[21→24年]5.6%(男5.9%・入社34名、女0%・入社2名)

【テレワーク】制度あり:[場所]自宅[対象]全社員[日数]年間稼働日の7割まで(168日)[利用率]NA【勤務制度】時間単位有休 時差勤務【住宅補助】独身寮、新婚者住宅、転勤者住宅(入居条件あり)

●ライフイベント、女性活躍●

【女性比率】■男 □女

新卒採用 12.9% (4名)

【産休】[期間]産前6・産後8週間[給与]法定[取得者数]5名

【育休】[期間]1歳になるまで[給与]法定[取得者数]22年度 男33名(対象NA)女3名(対象NA)23年度 男50名(対象74名)女3名(対象3名)[平均取得日数]22年度 NA、23年度 男51日 女76日

【従業員】◇[人数]1,651名(男NA、女NA)[平均年齢]41.1歳(男NA、女NA)[平均勤続年数]13.9年(男NA、女NA)

【年齢構成】NA

会社データ (金額は百万円)

【本社】590-8577 大阪府堺市堺区老松町3-77 ☎072-223-3210 https://www.shimano.com/

【業績(連結)】	売上高	営業利益	経常利益	純利益
21.12	546,515	148,287	152,562	115,937
22.12	628,909	169,158	176,568	128,178
23.12	474,362	83,653	103,369	61,142

みつびしじゅうこうぎょう

三菱重工業㈱

えるぼし ★★★　くるみん

【特色】総合重機の最大手。三菱グループ中核企業の一つ

記者評価 総合重機メーカー最大手。火力・原発などの発電所設備や航空・宇宙、造船、各種産業機械、プラントなど事業内容は幅広い。火力発電所用の大型ガスタービンが収益柱。防衛関連では護衛艦や潜水艦、戦闘機などを一手に手がけ、国内防衛産業における中核的存在。

平均勤続年数	男性育休取得率	3年後離職率	平均年収(平均42歳)
◇19.0年	30.9→38.6%	❗5.0→❗6.6%	◇965万円

●採用・配属情報●

【男女・文理別採用実績】

	大卒男	大卒女	修士男	修士女
23年	49(文 36理 13)	13(文 12理 1)	179(文 0理179)	13(文 1理 12)
24年	83(文 60理 23)	28(文 23理 5)	226(文 1理225)	36(文 1理 35)
25年	-(文 -理 -)	-(文 -理 -)	-(文 -理 -)	-(文 -理 -)

※25年:大卒事務系110名、大卒技術系460名、高専40名採用予定

【男女・職種別採用実績】

	事務技術職
23年	271(男243 女 28)
24年	397(男329 女 68)
25年	610(男 - 女 -)

【24年4月入社者の配属勤務地】㊍本社および全国の工場 ㊌本社および全国の工場・研究所

【転勤】あり:全社員

【中途比率】[単年度]21年度16%、22年度26%、23年度27%[全体]NA

●働きやすさ、諸制度●

残業(月) 23.2時間 ㊍23.2時間

【勤務時間】8:30～17:30【有休取得年平均】17.9日【週休】完全2日(土日祝)【夏期休暇】約3日(有休2日含む)【年末年始休暇】12月29日～1月4日

【離職率】◇男:3.8%、783名 女:4.7%、99名

【新卒3年後離職率】
[20→23年]5.0%(男5.6%・入社196名、女2.3%・入社44名)※旧MHPS入社者は除く
[21→24年]6.6%(男6.1%・入社196名、女9.4%・入社32名)※旧MHPS入社者は除く

【テレワーク】制度あり:[場所]自宅 自宅に準ずる場所(サテライトオフィス含む)[対象]全社員[日数]週に1回の出社義務あり[利用率]7.6%【勤務制度】フレックス 時間単位有休 裁量労働 勤務間インターバル 副業容認【住宅補助】寮・社宅(本社 支社 全国の各生産拠点)家賃補助

●ライフイベント、女性活躍●

【女性比率】■男 □女

従業員 9.2% (2020名)

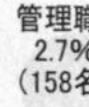

管理職 2.7% (158名)

【産休】[期間]産前8・産後8週間[給与]法定[取得者数]83名

【育休】[期間]3歳になるまで[給与]法定[取得者数]22年度 男346名(対象1,119名)女91名(対象92名)23年度 男297名(対象770名)女82名(対象90名)[平均取得日数]22年度 男57日 女410日、23年度 男64日 女380日

【従業員】◇[人数]22,072名(男20,052名、女2,020名)[平均年齢]42.4歳(男42.4歳、女42.5歳)[平均勤続年数]19.0年(男19.1年、女17.9年)【年齢構成】■男 □女

	男	女
60代～	1%	0%
50代	22%	3%
40代	32%	3%
30代	28%	3%
～20代	7%	1%

会社データ (金額は百万円)

【本社】100-8332 東京都千代田区丸の内3-2-3 丸の内二重橋ビル ☎03-6275-6200 https://www.mhi.com/jp/

【業績(IFRS)】	売上高	営業利益	税前利益	純利益
22.3	3,860,283	160,240	173,684	113,541
23.3	4,202,797	193,324	191,126	130,451
24.3	4,657,147	282,541	315,187	222,023

メーカーI

かわさきじゅうこうぎょう
川崎重工業(株)

えるぼし ★★ くるみん

【特色】総合重機大手。鉄道車両、大型バイクに強み

[記者評価] 鉄道車両や航空機、大型2輪・4輪、中型ガスタービンが主。鉄道車両は国内新幹線のほか、NY地下鉄で実績。航空は民間分野で米ボーイングの胴体を担当。自衛隊の輸送機、潜水艦も担う。産業用ロボットでは手術支援など医療分野にも進出。液化水素運搬船を開発。

平均勤続年数	男性育休取得率	3年後離職率	平均年収(平均42歳)
14.8年	19.3 → 25.8%	[!]7.0 → [!]11.7%	[総][!]978万円

●採用・配属情報●

【男女・文理別採用実績】

	大卒男	大卒女	修士男	修士女
23年	47(文 32理 15)	19(文 18理 1)	203(文 1理202)	4(文 0理 4)
24年	48(文 31理 17)	22(文 18理 4)	194(文 1理193)	24(文 1理 23)
25年	-(文 -理 -)	-(文 -理 -)	-(文 -理 -)	-(文 -理 -)

※川崎重工＋川崎車両の2社分 生産職は除く 25年:事務系55名、技術系250名採用計画

【男女・職種別採用実績】 転換制度:⇒

	総合職
23年	278(男254 女 24)
24年	289(男243 女 46)
25年	305(男 - 女 -)

【24年4月入社者の配属勤務地】[総]兵庫 東京 愛知 岐阜 香川 [技]兵庫 愛知 岐阜 香川

【転勤】あり:全社員

【中途比率】[単年度]21年度20%、22年度43%、23年度53%(2社平均)[全体]35%

●働きやすさ、諸制度●

残業(月) 22.0時間 [総]23.4時間

【平均年収(総合職)】(2社平均)978万円【勤務時間】8:30～17:30 工場8:00～17:00【有休取得年平均】18.5日【週休】完全2日(土日祝)【夏期休暇】連続9日【年末年始休暇】連続6日

【離職率】男:1.8%、140名 女:2.5%、30名

【新卒3年後離職率】

[20→23年]7.0%(男6.8%・入社295名、女8.3%・入社48名)※3社連結分(川崎重工+川崎車両+カワサキモータース)

[21→24年]11.7%(男11.5%・入社200名、女12.9%・入社31名)※3社連結分(川崎重工+川崎車両+カワサキモータース)

【テレワーク】制度あり:[場所]自宅 他[対象]全社員(試用社員・試用期間中の者、利用日の前2カ月間において1日以上欠勤があった者等以外)[日数]制限なし[利用率]0.8%【勤務制度】フレックス 時間単位有休 裁量労働 時差勤務 勤務間インターバル【住宅補助】独身寮 社宅

●ライフイベント、女性活躍●

【女性比率】■男 □女

従業員 13.3% (1172名)

管理職 1.8% (22名)

【産休】[期間]産前6・産後8週間[給与]法定[取得者数]43名

【育休】[期間]3年間(取得回数制限なし)[給与]法定[取得者数]22年度 男104名(対象538名)女36名(対象36名)23年度 男145名(対象563名)女43名(対象43名)[平均取得日数]22年度 男70日 女242日、23年度 男66日 女279日

【従業員】[人数]8,829名(男7,657名、女1,172名)[平均年齢]42.2歳(男42.0歳、女43.1歳)[平均勤続年数]14.8年(男15.2年、女11.8年)【年齢構成】■男 □女 ※現業含む

	■男	□女
60代～	4%	0%
50代	19%	2%
40代	23%	3%
30代	30%	2%
～20代	15%	1%

会社データ (金額は百万円)

【本社】650-8680 兵庫県神戸市中央区東川崎町1-1-3 神戸クリスタルタワー ☎078-371-9530 https://www.khi.co.jp/

【業績(IFRS)】	売上高	営業利益	税前利益	純利益
23.3	1,725,609	82,355	70,349	53,029
24.3	1,849,287	46,201	31,980	25,377

アイエイチアイ
(株)IHI

【特色】総合重機大手。航空エンジン、大型ボイラー強い

[記者評価] 航空エンジンや大型ボイラー、LNGタンク、産業機械など主力。収益柱の航空エンジン事業では、米GE等のパートナーとして、旅客機エンジンを共同開発。アンモニア発電に注力。航空機電動化など脱炭素技術の開発推進。造船所があった豊洲に不動産保有。

平均勤続年数	男性育休取得率	3年後離職率	平均年収(平均42歳)
◇16.0年	NA	9.7 → 6.6%	◇836万円

●採用・配属情報●

【男女・文理別採用実績】

	大卒男	大卒女	修士男	修士女
23年	15(文 13理 2)	10(文 7理 3)	71(文 1理 70)	14(文 0理 14)
24年	23(文 18理 5)	11(文 8理 3)	74(文 2理 72)	13(文 1理 12)
25年	-(文 -理 -)	-(文 -理 -)	-(文 -理 -)	-(文 -理 -)

【男女・職種別採用実績】

	総合職
23年	115(男 90 女 25)
24年	126(男101 女 25)
25年	-(男 - 女 -)

【職種併願】○

【24年4月入社者の配属勤務地】[総]本社および全国の事業所・工場 [技]本社および全国の事業所・工場

【転勤】あり:全社員

【中途比率】[単年度]21年度NA、22年度33%、23年度49%[全体]NA

●働きやすさ、諸制度●

残業(月) (現業含む)22.6時間

【勤務時間】8:30～17:30【有休取得年平均】17.0日【週休】完全2日(土日祝)【夏期休暇】連続5日(うち2日は有休利用)【年末年始休暇】12月28日～1月5日(うち1日は有休利用)

【離職率】◇男:1.5%、94名 女:2.1%、22名

【新卒3年後離職率】

[20→23年]9.7%(男8.6%・入社162名、女14.7%・入社34名)

[21→24年]6.6%(男6.3%・入社142名、女8.3%・入社24名)

【テレワーク】制度あり:[場所]自宅または自宅に準ずる場所 他[対象]業務効率の向上が期待できるものとして会社が認めた従業員[日数]制限なし[利用率]NA【勤務制度】フレックス 時間単位有休 裁量労働 時差勤務 勤務間インターバル 副業容認【住宅補助】独身寮 単身赴任寮 社宅

●ライフイベント、女性活躍●

【女性比率】■男 □女

従業員 14% (1035名)

管理職 5.8% (117名)

【産休】[期間]産前8・産後8週間[給与]法定[取得者数]175名

【育休】[期間]3歳になるまで[給与]法定[取得者数]22年度 男58名(対象NA)女95名(対象NA)23年度 男89名(対象NA)女45名(対象NA)[平均取得日数]22年度 男53日 女391日、23年度 男81日 女358日

【従業員】◇[人数]7,416名(男6,381名、女1,035名)[平均年齢]41.8歳(男41.7歳、女42.4歳)[平均勤続年数]16.0年(男16.2年、女15.3年)【年齢構成】■男 □女

	■男	□女
60代～	3%	0%
50代	21%	4%
40代	22%	4%
30代	27%	4%
～20代	13%	2%

会社データ (金額は百万円)

【本社】135-8710 東京都江東区豊洲3-1-1 豊洲IHIビル ☎03-6204-7800 https://www.ihi.co.jp/

【業績(IFRS)】	売上高	営業利益	税前利益	純利益
22.3	1,172,904	81,497	87,637	66,065
23.3	1,352,940	81,985	64,865	44,545
24.3	1,322,591	▲70,138	▲72,280	▲68,214

メーカーI

みつい かいようかいはつ
三井海洋開発㈱

【特色】浮体式海洋石油生産貯蔵設備を設計・建造

[記者評価] 浮体式原油生産貯蔵設備（FPSO）専門のエンジニアリング会社。設備設計・資材調達から外部活用による建造、特別目的会社でのリース・チャーター、オペレーション・メンテナンスまで一貫。24年、三井E&Sの持分会社から外れ、三井物産と商船三井が筆頭株主に。

平均勤続年数	男性育休取得率	3年後離職率	平均年収(平均42歳)
8.0年	NA	8.3 → 0%	[総]872万円

●採用・配属情報●

【男女・文理別採用実績】

	大卒男	大卒女	修士男	修士女
23年	0(文 0理 0)	1(文 1理 0)	3(文 0理 3)	0(文 0理 0)
24年	1(文 1理 0)	1(文 1理 0)	2(文 0理 2)	0(文 0理 0)
25年	2(文 2理 0)	1(文 1理 0)	4(文 0理 4)	3(文 1理 2)

【男女・職種別採用実績】 転換制度：⇔

	総合職
23年	4(男 3 女 1)
24年	4(男 3 女 1)
25年	10(男 6 女 4)

【24年4月入社者の配属勤務地】[総]東京・日本橋2 [技]東京・日本橋2

【転勤】あり：[職種]技術系（エンジニア）総合職 事務系総合職[勤務地]東京 将来的に海外勤務の可能性あり（シンガポール マレーシア ブラジル ガーナ メキシコ コートジボワール 中国 米国 他）

【中途比率】[単年度]21年度72％、22年度88％、23年度88％[全体]NA

●働きやすさ、諸制度●

残業(月) 29.0時間 [総]29.0時間

【勤務時間】9:00～17:40【有休取得年平均】12.7日【週休】完全2日（土日祝）【夏期休暇】2日【年末年始休暇】12月29日～1月4日

【離職率】男：13.5％、18名 女：7.1％、5名

【新卒3年後離職率】
[20→23年]8.3％（男0％・入社10名、女50.0％・入社2名）
[21→24年]0％（男0％・入社9名、女―・入社0名）

【テレワーク】制度あり：[場所]自宅[対象]NA[日数]月の所定労働日数の半分まで[利用率]NA【勤務制度】フレックス

【住宅補助】住宅手当（満35歳まで35,000円 配偶者有かつ世帯主の場合は60,000円）

●ライフイベント、女性活躍●

【女性比率】■男 □女

新卒採用 40%（4名）

従業員 36.1%（65名）

管理職 15.8%（9名）

【産休】[期間]産前6・産後8週間[給与]法定[取得者数]2名

【育休】[期間]1歳になるまで[給与]8週間分給与給付、他法定[取得者数]22年度 男11名（対象NA）女2名（対象NA）23年度 男8名（対象NA）女2名（対象NA）[平均取得日数]22年度 NA、23年度 NA

【従業員】[人数]180名（男115名、女65名）[平均年齢]41.8歳（男42.4歳、女40.8歳）[平均勤続年数]8.0年（男7.4年、女9.2年）【年齢構成】■男 □女

年齢	男	女
60代～	6%	0%
50代	16%	4%
40代	11%	14%
30代	17%	9%
～20代	14%	8%

会社データ （金額は百万円）

【本社】103-0027 東京都中央区日本橋2-3-10 日本橋丸善東急ビル ☎03-5290-1200
https://www.modec.com/

【業績(IFRS)】	売上高	営業利益	税前利益	純利益
21.12	448,510	▲36,521	▲39,597	▲41,860
22.12	363,593	9,997	7,277	4,960
23.12	507,031	27,364	30,446	13,691

㈱クボタ

[くるみん]

【特色】関西名門企業。農機国内首位、世界でも大手の一角

[記者評価] 関西製造業の名門。農業機械と鋳鉄管で国内首位。海外売上比率8割弱。トラクタやコンバインなどの農業機械や建設機械、エンジンなど内燃機器が主力。日本と同じ稲作・米食文化を持つタイなどの東南アジアで販売強化。北米の小型建機が近年の業績を牽引する。

平均勤続年数	男性育休取得率	3年後離職率	平均年収(平均41歳)
13.7年	72.4 → 70.7%	6.0 → 8.0%	[総]911万円

●採用・配属情報●

【男女・文理別採用実績】

	大卒男	大卒女	修士男	修士女
23年	74(文 50理 24)	50(文 32理 18)	184(文 3理181)	20(文 5理 15)
24年	43(文 36理 7)	40(文 32理 8)	219(文 6理213)	36(文 5理 31)
25年	51(文 36理 15)	37(文 32理 5)	175(文 1理174)	25(文 3理 22)

【男女・職種別採用実績】 転換制度：⇔

	総合職
23年	328(男258 女 70)
24年	340(男264 女 76)
25年	292(男229 女 63)

【24年4月入社者の配属勤務地】[総]大阪（大阪 堺 枚方）兵庫・尼崎 東京 茨城・つくばみらい 栃木・宇都宮 千葉・船橋 他 [技]大阪（大阪 堺 枚方）兵庫・尼崎 東京 茨城・つくばみらい 栃木・宇都宮 千葉・船橋 他

【転勤】あり：全社員

【中途比率】[単年度]21年度48％、22年度58％、23年度50％（現業職を含む）[全体]40％

●働きやすさ、諸制度●

残業(月) 18.8時間 [総]23.1時間

【勤務時間】本社・支社・支店8:30～17:00 工場8:00～16:30 8:30～17:00【有休取得年平均】20.3日【週休】〈本社・関連部門〉完全2日（土日祝）【夏期休暇】（本社）連続6日（年休2日、週休2日含む）（工場）連続最大11日（週休2日含む）【年末年始休暇】（本社）連続9日（週休2日含む）（工場）連続最大11日（年休1日、週休2日含む）

【離職率】男：1.5％、100名 女：2.2％、28名

【新卒3年後離職率】
[20→23年]6.0％（男5.9％・入社152名、女6.3％・入社32名）
[21→24年]8.0％（男6.0％・入社166名、女17.1％・入社35名）

【テレワーク】制度あり：[場所]自宅 サテライトオフィス 出張経路上の飲食店等[対象]総合職のみ[日数]おおむね週3日まで[利用率]34.9％【勤務制度】フレックス 時間単位有休 裁量労働 時差勤務 勤務間インターバル 副業容認【住宅補助】社宅寮（家賃の約6割会社負担、入居可能は5～9年※転勤時リセット）

●ライフイベント、女性活躍●

【女性比率】■男 □女

新卒採用 21.6%（63名）

従業員 16.1%（1274名）

管理職 4.2%（139名）

【産休】[期間]産前6・産後8週間[給与]法定[取得者数]52名

【育休】[期間]2歳になる前日まで[給与]最初7日間有給、以降給付金[取得者数]22年度 男312名（対象431名）女43名（対象43名）23年度 男374名（対象529名）女52名（対象52名）[平均取得日数]22年度 男23日 女279日、23年度 男38日 女339日

【従業員】[人数]7,933名（男6,659名、女1,274名）[平均年齢]41.0歳（男41.2歳、女40.0歳）[平均勤続年数]13.7年（男13.6年、女14.2年）【年齢構成】■男 □女

年齢	男	女
60代～	0%	0%
50代	23%	4%
40代	21%	4%
30代	26%	4%
～20代	13%	4%

会社データ （金額は百万円）

【本社】556-8601 大阪府大阪市浪速区敷津東1-2-47 ☎06-6648-2111
https://www.kubota.co.jp/

【業績(IFRS)】	売上高	営業利益	税前利益	純利益
21.12	2,196,766	246,207	252,559	175,637
22.12	2,678,772	218,942	233,927	156,182
23.12	3,020,711	328,829	342,289	238,455

メーカーI

日立建機(株)

ひたちけんき

くるみん

【特色】日立ブランドの総合建機メーカーで世界3位圏

記者評価 総合建機で国内はコマツに次ぐ2位。世界で3位級。海外売上比率は8割超。65年に国産技術で初めて油圧ショベルを開発。アフターサービス事業ほか、鉱山機械やICT建機の拡大に注力。22年に米州における合弁事業を解消し、同年日立製作所が筆頭株主から外れた。

平均勤続年数	男性育休取得率	3年後離職率	平均年収(平均43歳)
14.5年	NA	12.3 → 29.0%	㊍847万円

●採用・配属情報●

【男女・文理別採用実績】

	大卒男	大卒女	修士男	修士女
23年	31(文 8理 23)	5(文 3理 2)	30(文 1理 29)	0(文 0理 0)
24年	43(文 7理 36)	10(文 6理 4)	20(文 1理 19)	1(文 0理 1)
25年	29(文 7理 22)	5(文 4理 1)	29(文 0理 29)	2(文 0理 2)

※25年:データ算出時点

【男女・職種別採用実績】

	総合職
23年	69(男 64 女 5)
24年	78(男 67 女 11)
25年	69(男 62 女 7)

【24年4月入社者の配属勤務地】㊍東京6 茨城(土浦5 霞ヶ浦1 つくば部品1 龍ケ崎1) ㊈東京1 茨城(土浦59 常陸那珂臨港1 常陸那珂1 龍ケ崎1 霞ヶ浦1)

【転勤】あり:全社員

【中途比率】[単年度]21年度46%、22年度59%、23年度62%[全体]41%

●働きやすさ、諸制度●

残業(月) 21.1時間 ㊍21.1時間

【勤務時間】9:00～17:30【有休取得年平均】19.5日【週休】完全2日(土日祝)【夏期休暇】連続10日【年末年始休暇】連続9日

【離職率】男:3.5%、125名 女:2.5%、10名

【新卒3年後離職率】

[20→23年]12.3%(男11.6%・入社69名、女25.0%・入社4名)

[21→24年]29.0%(男24.1%・入社54名、女62.5%・入社8名)

【テレワーク】制度あり:[場所]自宅 サテライトオフィス[対象]正社員[日数]NA[利用率]NA【勤務制度】フレックス 勤務間インターバル【住宅補助】社有独身寮 借上部屋 住宅手当(最大6万円)

●ライフイベント、女性活躍●

【女性比率】■男 □女

新卒採用 10.1% (7名)

従業員 10.1% (385名)

管理職 3.3% (27名)

【産休】[期間]産前8・産後8週間[給与]法定+法定外期間は会社3分の2給付[取得者数]21名

【育休】[期間]小学1年修了までの通算3年間[給与]法定[取得者数]22年度 男51名(対象NA)女22名(対象NA)23年度 男67名(対象NA)女40名(対象NA)[平均取得日数]22年度 NA、23年度 NA

【従業員】[人数]3,803名(男3,418名、女385名)[平均年齢]42.7歳(男NA、女NA)[平均勤続年数]14.5年(男NA、女NA)

【年齢構成】■男 □女

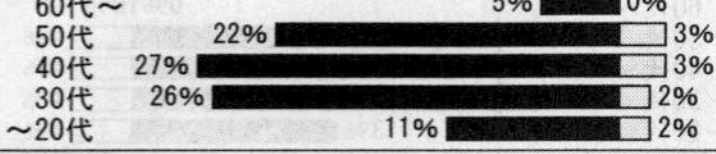

	男	女
60代～	5%	0%
50代	22%	3%
40代	27%	3%
30代	26%	2%
～20代	11%	2%

会社データ (金額は百万円)

【本社】110-0015 東京都台東区東上野2-16-1 ☎03-5826-8152 https://www.hitachicm.com/global/ja/

【業績(IFRS)】	売上高	営業利益	税前利益	純利益
22.3	1,024,961	106,590	110,869	75,826
23.3	1,279,468	133,310	112,661	70,175
24.3	1,405,928	162,690	160,476	93,294

ヤンマーホールディングス(株)

【特色】農機、建機大手。ディーゼルエンジンで世界首位級

記者評価 産業用エンジン・機械を製販。1912年発動機で創業、33年世界初の小形横形冷水ディーゼルエンジンを実用化し躍進。2013年持株会社化。海外戦略も積極的。ロボットとICTを活用したスマート農業を推進。24年9月インドでのアグリ事業拡大へ農機メーカーを買収。

平均勤続年数	男性育休取得率	3年後離職率	平均年収(平均41歳)
16.0年	53.3 → 67.5%	18.3 → 6.1%	㊍905万円

●採用・配属情報●

【男女・文理別採用実績】

	大卒男	大卒女	修士男	修士女
23年	11(文 6理 5)	3(文 1理 2)	21(文 2理 19)	3(文 1理 2)
24年	9(文 5理 4)	8(文 7理 1)	29(文 1理 28)	4(文 1理 3)
25年	18(文 13理 5)	9(文 7理 2)	36(文 1理 35)	4(文 0理 4)

※総合職のみ

【男女・職種別採用実績】 転換制度:⇔

	総合職	エリア総合職	一般職
23年	41(男 34 女 7)	0(男 0 女 0)	0(男 0 女 0)
24年	51(男 39 女 12)	1(男 1 女 0)	6(男 0 女 6)
25年	75(男 61 女 14)	2(男 1 女 1)	3(男 0 女 3)

【職種併願】総合職と地域限定職と一般職で可能

【24年4月入社者の配属勤務地】㊍大阪 東京 兵庫 北海道 茨城 滋賀 岡山 広島 ㊈滋賀 兵庫 岡山 福岡 大阪 高知

【転勤】あり:[職種]総合職[勤務地]全国

【中途比率】[単年度]21年度0%、22年度85%、23年度59%[全体]NA

●働きやすさ、諸制度●

残業(月) 21.3時間 ㊍24.4時間

【勤務時間】9:00～17:40【有休取得年平均】13.6日【週休】完全2日(土日祝)【夏期休暇】あり【年末年始休暇】あり

【離職率】男:2.7%、58名 女:1.6%、8名(選択定年男2名含む)

【新卒3年後離職率】

[20→23年]18.3%(男16.9%・入社77名、女25.0%・入社16名)

[21→24年]6.1%(男5.2%・入社58名、女12.5%・入社8名)

【テレワーク】制度あり:[場所]自宅[対象]事業所により異なる[日数]事業所により異なる[利用率]NA【勤務制度】フレックス 副業容認【住宅補助】<総合職>利用可独身寮(兵庫 滋賀 他)社宅 住宅手当

●ライフイベント、女性活躍●

【女性比率】■男 □女

新卒採用 22.5% (18名)

従業員 18.8% (494名)

管理職 3.5% (32名)

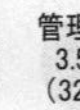

【産休】[期間]産前6・産後8週間[給与]法定[取得者数]17名

【育休】[期間]1歳になるまで[給与]給付金+休業日数に応じて50～100%の範囲で賞与給付[取得者数]22年度 男48名(対象90名)女24名(対象24名)23年度 男54名(対象80名)女20名(対象20名)[平均取得日数]22年度 NA、23年度 男38日 女401日

【従業員】[人数]2,624名(男2,130名、女494名)[平均年齢]41.9歳(男42.3歳、女40.4歳)[平均勤続年数]16.0年(男16.4年、女14.4年)

【年齢構成】NA

会社データ (金額は百万円)

【本社】530-8311 大阪府大阪市北区茶屋町1-32 YANMAR FLYING-Y BUILDING ☎06-6376-6211 https://www.yanmar.com/jp/

【業績(連結)】	売上高	営業利益	経常利益	純利益
22.3	871,453	36,217	48,991	36,778
23.3	1,022,283	48,110	61,830	41,992
24.3	1,081,433	61,342	80,419	49,593

メーカーⅠ

2171 開示 ★★★★☆

コベルコ建機(株)

[くるみん]

【特色】神鋼の完全子会社。油圧ショベルとクレーン主力

[記者評価] 神戸製鋼所の建機部門と系列子会社が統合し1999年発足。16年コベルコクレーンを吸収。ショベルが売上の9割強。クレーンにも強み。低燃費、低騒音、環境リサイクル関連の技術に定評。ICT施工を推進。中国、米国など世界各国に製・販拠点。海外売上比率約6割。

平均勤続年数	男性育休取得率	3年後離職率	平均年収(平均42歳)
12.5年	18.6→50.0%	16.7→5.0%	[総]821万円

●採用・配属情報●

【男女・文理別採用実績】

	大卒男	大卒女	修士男	修士女
23年	5(文 3 理 2)	4(文 2 理 2)	9(文 0 理 9)	1(文 0 理 1)
24年	12(文 3 理 9)	4(文 4 理 0)	7(文 0 理 7)	0(文 0 理 0)
25年	6(文 4 理 2)	3(文 3 理 0)	21(文 1 理 20)	1(文 0 理 1)

【男女・職種別採用実績】 転換制度:⇒

	総合職
23年	19(男 14 女 5)
24年	23(男 19 女 4)
25年	31(男 27 女 4)

【24年4月入社者の配属勤務地】[総]兵庫・大久保1 広島市1 山口市1 横浜1 東京・大崎3 [技]広島市15 横浜1

【転勤】あり:[職種]総合職

【中途比率】[単年度]21年度20%、22年度46%、23年度66%[全体]36%

●働きやすさ、諸制度●

残業(月) 20.3時間 [総]21.8時間

【勤務時間】東京本社9:00～17:40 広島本社8:00～16:55 【有休取得年平均】17.6日【週休】2日(一部土曜出勤有)【夏期休暇】会社カレンダーによる【年末年始休暇】会社カレンダーによる

【離職率】男:2.7%、37名 女:1.7%、4名

【新卒3年後離職率】

[20→23年]16.7%(男16.7%・入社42名、女16.7%・入社6名)

[21→24年]5.0%(男2.9%・入社35名、女20.0%・入社5名)

【テレワーク】制度あり:[場所]自宅など業務に専念できる就業環境が維持できる場所[対象]全従業員[日数]月8回まで[利用率]NA【勤務制度】フレックス【住宅補助】借上寮 社宅

●ライフイベント、女性活躍●

【女性比率】■男 □女

新卒採用 12.9% (4名)

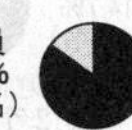

従業員 15.3% (237名)

管理職 2.8% (15名)

【産休】[期間]産前6・産後8週間[給与]法定[取得者数]8名

【育休】[期間]3歳になるまで[給与]法定[取得者数]22年度 男19名(対象102名)女9名(対象10名)23年度 男44名(対象88名)女7名(対象7名)[平均取得日数]22年度 男59日 女333日、23年度 男57日 女202日

【従業員】[人数]1,551名(男1,314名、女237名)[平均年齢]39.8歳(男39.8歳、女39.5歳)[平均勤続年数]12.5年(男12.5年、女12.0年)

【年齢構成】■男 □女

	男	女
60代～	2%	1%
50代	20%	4%
40代	22%	5%
30代	31%	3%
～20代	9%	3%

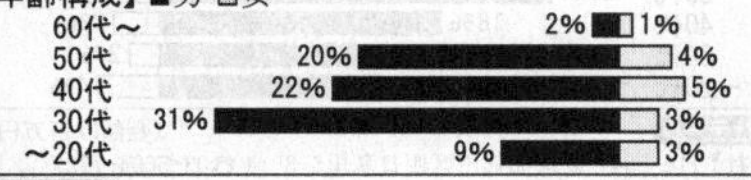

会社データ (金額は百万円)

【本社】141-8626 東京都品川区北品川5-5-15 大崎ブライトコア ☎03-5789-2111 https://www.kobelcocm-global.com/jp/

【業績(単独)】	売上高	営業利益	経常利益	純利益
22.3	371,600	NA	12,000	NA
23.3	381,700	NA	12,300	NA
24.3	404,000	NA	9,100	NA

1804 開示 ★★★☆☆

(株)タダノ

[くるみん]

【特色】移動式建設用クレーンで国内首位、世界でも大手

[記者評価] クレーン製造で国内最大手。移動式建設用クレーンの国内シェアは約6割でトップ、北米でも4割のシェアを誇る。カーゴクレーンなど車両搭載型クレーンや高所作業車も強い。傘下の独デマーグ社は20年12月に事業再生計画を提出、経営再建を進める。

平均勤続年数	男性育休取得率	3年後離職率	平均年収(平均42歳)
◇16.1年	35.5→45.0%	12.5→7.7%	◇645万円

●採用・配属情報●

【男女・文理別採用実績】

	大卒男	大卒女	修士男	修士女
23年	17(文 7 理 10)	6(文 5 理 1)	4(文 0 理 4)	0(文 0 理 0)
24年	22(文 11 理 11)	6(文 5 理 1)	7(文 0 理 7)	0(文 0 理 0)
25年	21(文 9 理 12)	7(文 5 理 2)	10(文 0 理 10)	0(文 0 理 0)

※25年:24年7月1日時点

【男女・職種別採用実績】 転換制度:⇔

	総合職
23年	35(男 28 女 7)
24年	44(男 38 女 6)
25年	45(男 38 女 7)

【職種併願】理系職種内 文系職種内で可能

【24年4月入社者の配属勤務地】[総](23年)東京4 香川3 北海道1 埼玉1 愛知1 大阪1 福岡1 [技](23年)香川15 愛知2 大阪2 宮城1 石川1 広島1 福岡1

【転勤】あり:全社員(エリア限定勤務のコースあり)

【中途比率】[単年度]21年度20%、22年度38%、23年度36%(含現業)[全体]NA

●働きやすさ、諸制度●

残業(月) 21.3時間 [総]21.3時間

【勤務時間】8:50～17:25【有休取得年平均】16.5日【週休】完全2日(土日祝)【夏期休暇】あり【年末年始休暇】あり

【離職率】◇男:2.3%、33名 女:3.4%、6名

【新卒3年後離職率】

[20→23年]12.5%(男10.7%・入社28名、女25.0%・入社4名)

[21→24年]7.7%(男6.9%・入社29名、女10.0%・入社10名)

【テレワーク】制度あり:[場所]自宅 サテライトオフィス[対象]技能職以外 所属長が認めた者[日数]全勤務時間の8割以下[利用率]NA【勤務制度】フレックス 時間単位有休 裁量労働【住宅補助】独身寮 借上社宅

●ライフイベント、女性活躍●

【女性比率】■男 □女

新卒採用 15.6% (7名)

従業員 10.7% (171名)

【産休】[期間]産前6・産後8週間[給与]法定[取得者数]3名

【育休】[期間]1歳になるまで[給与]法定[取得者数]22年度 男11名(対象31名)女8名(対象7名)23年度 男27名(対象60名)女3名(対象3名)[平均取得日数]22年度 NA、23年度 NA

【従業員】◇[人数]1,596名(男1,425名、女171名)[平均年齢]41.6歳(男41.8歳、女40.1歳)[平均勤続年数]16.1年(男16.8年、女10.2年)

【年齢構成】■男 □女

	男	女
60代～	7%	1%
50代	23%	2%
40代	18%	2%
30代	23%	2%
～20代	18%	3%

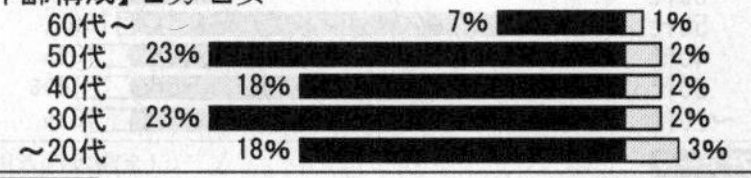

会社データ (金額は百万円)

【本社】761-0185 香川県高松市新田町甲34 ☎087-839-5555 https://www.tadano.co.jp/

【業績(連結)】	売上高	営業利益	経常利益	純利益
22.3	205,661	5,251	5,454	13,096
22.12変	192,932	7,191	6,540	2,210
23.12	280,266	18,349	16,367	7,773

メーカーⅠ

1773　**開示 ★★★★**

ふるかわきかいきんぞく　古河機械金属(株)　[くるみん]

【特色】古河グループ源流。土木機械と搭載クレーンが柱

[記者評価] 足尾銅山など銅山経営がルーツ。銅山開発に使う削岩機など機械事業へ展開。現在は機械事業が利益の大半を稼ぐ。産業機械、ロックドリル、トラック搭載クレーンが主力。ロックドリルは半分が海外で米国西海岸に拡販。電子素材や化成品も。祖業の銅製錬は縮小。

平均勤続年数	男性育休取得率	3年後離職率	平均年収(平均44歳)
◇18.2年	75.0→83.9%	6.7→7.3%	[総]785万円

●採用・配属情報●

【男女・文理別採用実績】

	大卒男	大卒女	修士男	修士女
23年	11(文 8理 3)	3(文 3理 0)	9(文 0理 9)	0(文 0理 0)
24年	9(文 4理 5)	1(文 1理 0)	4(文 1理 3)	0(文 0理 0)
25年	13(文 9理 4)	2(文 2理 0)	8(文 1理 7)	1(文 1理 0)

【男女・職種別採用実績】　転換制度:⇒

	総合職	一般職
23年	23(男 20女 3)	0(男 0女 0)
24年	15(男 14女 1)	0(男 0女 0)
25年	25(男 22女 3)	0(男 0女 0)

【24年4月入社者の配属勤務地】[総]東京4 群馬・高崎1 [技]栃木・小山2 群馬・高崎3 千葉・佐倉4 福島・いわき1
【転勤】あり:[職種]総合職(エリア限定総合職を除く)
【中途比率】[単年度]21年度35%、22年度48%、23年度60%[全体]◇34%

●働きやすさ、諸制度●

残業(月)　16.2時間　[総]16.2時間

【勤務時間】8:30〜17:15【有休取得年平均】13.3日【週休】完全2日(土日祝)【夏期休暇】事業所により異なる【年末年始休暇】12月29日〜1月3日
【離職率】◇男:1.7%、30名 女:5.2%、11名
【新卒3年後離職率】
[20→23年]6.7%(男0%・入社24名、女33.3%・入社6名)
[21→24年]7.3%(男6.7%・入社30名、女9.1%・入社11名)
【テレワーク】制度あり:[場所]自宅[対象]本社 各支店 研究所[日数]月4日[利用率]NA【勤務制度】フレックス 時間単位有休 時差勤務 勤務間インターバル【住宅補助】独身寮(男女別)社宅 住宅手当

●ライフイベント、女性活躍●

【女性比率】■男 □女

新卒採用 12% (3名)

従業員 10.6% (200名)

管理職 1.6% (9名)

【産休】[期間]産前6・産後8週間[給与]法定[取得者数]36名
【育休】[期間]2歳になるまで[給与]法定[取得者数]22年度 男24名(対象32名)女8名(対象8名)23年度 男26名(対象31名)女10名(対象10名)[平均取得日数]22年度 男38日 女498日、23年度 男50日 女365日
【従業員】◇[人数]1,895名(男1,695名、女200名)[平均年齢]43.8歳(男44.5歳、女38.0歳)[平均勤続年数]18.2年(男18.9年、女12.3年)
【年齢構成】■男 □女

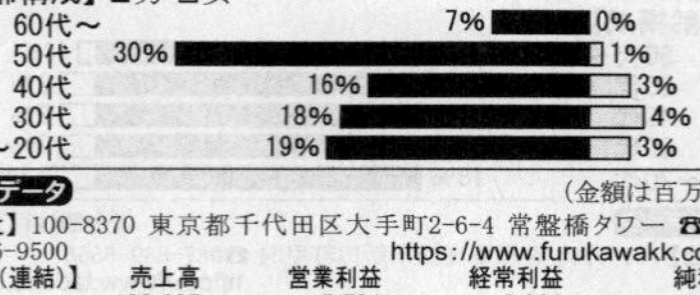

会社データ　(金額は百万円)

【本社】100-8370 東京都千代田区大手町2-6-4 常盤橋タワー ☎03-6636-9500
https://www.furukawakk.co.jp/

【業績(連結)】	売上高	営業利益	経常利益	純利益
22.3	199,097	7,734	8,996	6,477
23.3	214,190	9,031	9,348	6,211
24.3	188,255	8,524	10,384	16,097

1829　**開示 ★★★**　[専門] 採用あり

いせきのうき　井関農機(株)　[くるみん]

【特色】農業機械専業メーカー。愛媛・松山発祥

[記者評価] 愛媛発祥の農業機械専業メーカー。コンバイン、田植え機に強く、畑作関連も拡充。欧州で景観整備事業者向けの需要が伸長。インドネシアに生産拠点を擁し、日本から生産を段階的に移管。国内は愛媛・松山に生産拠点を集約するなどスリム化を進める。

平均勤続年数	男性育休取得率	3年後離職率	平均年収(平均44歳)
15.8年	42.1→72.2%	11.1→8.3%	[総]629万円

●採用・配属情報●

【男女・文理別採用実績】

	大卒男	大卒女	修士男	修士女
23年	6(文 1理 5)	2(文 2理 0)	8(文 1理 7)	2(文 1理 1)
24年	7(文 2理 5)	6(文 4理 2)	3(文 0理 3)	2(文 1理 1)
25年	6(文 3理 3)	0(文 0理 0)	1(文 0理 1)	0(文 0理 0)

【男女・職種別採用実績】　転換制度:⇔

	総合職
23年	19(男 15女 4)
24年	19(男 11女 8)
25年	7(男 7女 0)

【24年4月入社者の配属勤務地】[総]愛媛13 東京1 [技]愛媛5
【転勤】あり:[職種]総合職[勤務地]全国 海外
【中途比率】[単年度]21年度8%、22年度29%、23年度49%[全体]12%

●働きやすさ、諸制度●

残業(月)　13.6時間

【勤務時間】8:30〜17:20【有休取得年平均】13.4日【週休】2日(年数回土曜出勤)【夏期休暇】連続9日(有休2日含む)【年末年始休暇】連続8日
【離職率】男:2.0%、14名 女:2.5%、3名(選択定年制度利用者男2名含む)
【新卒3年後離職率】
[20→23年]11.1%(男4.3%・入社23名、女23.1%・入社13名)
[21→24年]8.3%(男9.1%・入社11名、女0%・入社1名)
【テレワーク】制度あり:[場所]自宅 会社が認めた場所[対象]主に東京勤務者[日数]なし[利用率]NA【勤務制度】フレックス【住宅補助】独身寮 社宅 住宅手当

●ライフイベント、女性活躍●

【女性比率】■男 □女

新卒採用 0% (0名)

従業員 14.7% (115名)

管理職 4.6% (13名)

【産休】[期間]産前6・産後8週間[給与]産前34・産後56日は有給、他法定[取得者数]2名
【育休】[期間]1歳になるまで[給与]法定[取得者数]22年度 男8名(対象19名)女1名(対象1名)23年度 男13名(対象18名)女1名(対象1名)[平均取得日数]22年度 男32日 女289日、23年度 男49日 女307日
【従業員】[人数]784名(男669名、女115名)[平均年齢]43.9歳(男44.3歳、女41.8歳)[平均勤続年数]15.8年(男15.9年、女15.6年)
【年齢構成】■男 □女

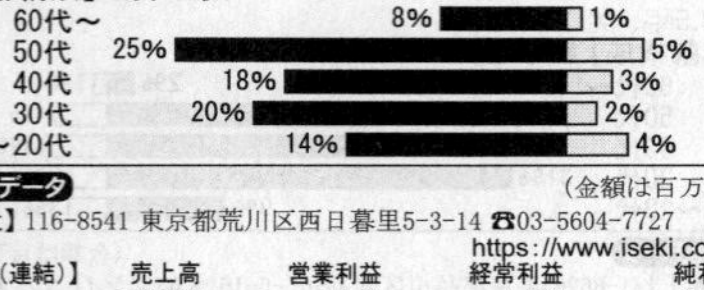

会社データ　(金額は百万円)

【本社】116-8541 東京都荒川区西日暮里5-3-14 ☎03-5604-7727
https://www.iseki.co.jp/

【業績(連結)】	売上高	営業利益	経常利益	純利益
21.12	158,192	4,147	4,687	3,196
22.12	166,629	3,534	3,762	4,119
23.12	169,916	2,253	2,092	29

メーカーⅠ

㈱やまびこ

[くるみん]

【特色】小型屋外作業機械で国内首位、北米販売が収益源

[記者評価] 共立と新ダイワ工業が08年統合。刈払機など小型屋外作業機械、農業用管理機械、土木工事向け発電機など産業機械の3事業。収益柱の小型屋外作業機械は北米市場が主戦場。90カ国以上に展開し海外売上比率は約7割。データ活用による業務自動化などDXを推進。

平均勤続年数	男性育休取得率	3年後離職率	平均年収(平均41歳)
◇18.2年	50.0→70.4%	9.7→17.6%	[総]848万円

●採用・配属情報●

【男女・文理別採用実績】

	大卒男	大卒女	修士男	修士女
23年	7(文 1理 6)	1(文 0理 1)	9(文 0理 9)	1(文 0理 1)
24年	8(文 3理 5)	3(文 2理 1)	2(文 0理 2)	0(文 0理 0)
25年	6(文 4理 2)	0(文 0理 0)	0(文 0理 0)	1(文 0理 1)

【男女・職種別採用実績】 転換制度:⇔

	総合職
23年	18(男 16 女 2)
24年	13(男 10 女 3)
25年	9(男 8 女 1)

【24年4月入社者の配属勤務地】[総]東京・青梅4 [技]東京・青梅6 神奈川・横須賀1 広島1 岩手・盛岡1
【転勤】あり:[職種]総合職
【中途比率】[単年度]21年度30%、22年度41%、23年度40%[全体]◇37%

●働きやすさ、諸制度●

残業(月) 15.4時間 [総]17.1時間

【勤務時間】8:30〜17:20【有休取得年平均】13.9日【週休】2日(原則土日祝)【夏期休暇】連続5日以上(土日含む)地区ごとのカレンダーに従う【年末年始休暇】連続7日以上(土日含む)
【離職率】◇男:1.6%、16名 女:3.6%、6名
【新卒3年後離職率】
[20→23年]9.7%(男11.5%・入社26名、女0%・入社5名)
[21→24年]17.6%(男7.7%・入社13名、女50.0%・入社4名)
【テレワーク】制度あり:[場所]自宅 自宅に準ずる場所[対象]本社地区 広島(大塚オフィス)[日数]週2回かつ月8回[利用率]NA【勤務制度】フレックス 時間単位有休 勤務間インターバル【住宅補助】独身寮(自己負担3,000〜8,500円)社宅

●ライフイベント、女性活躍●

【女性比率】■男 □女

新卒採用 11.1% (1名)

従業員 14% (160名)
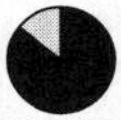
管理職 5.7% (18名)

【産休】[期間]産前6・産後8週間[給与]法定[取得者数]3名
【育休】[期間]1歳になるまで[給与]法定[取得者数]22年度 男12名(対象24名)女5名(対象6名)23年度 男19名(対象27名)女3名(対象3名)[平均取得日数]22年度 男18日 女437日、23年度 男42日 女470日
【従業員】◇[人数]1,145名(男985名、女160名)[平均年齢]43.8歳(男43.7歳、女44.9歳)[平均勤続年数]18.2年(男18.5年、女16.3年)
【年齢構成】■男 □女

	男	女
60代〜	10%	1%
50代	22%	6%
40代	23%	4%
30代	18%	2%
〜20代	13%	2%

会社データ (金額は百万円)

【本社】198-8760 東京都青梅市末広町1-7-2 ☎0428-32-6111
https://www.yamabiko-corp.co.jp/

【業績(連結)】	売上高	営業利益	経常利益	純利益
21.12	142,328	9,330	9,913	7,500
22.12	156,159	8,688	9,217	6,299
23.12	151,400	14,230	14,066	9,097

ダイキン工業(こうぎょう)㈱

[えるぼし★★★] [くるみん]

【特色】エアコン世界首位級、M&Aも駆使し海外拡大

[記者評価] グローバルに展開する空調機器メーカー。中国の格力電器や美的集団と世界シェアトップを競う。海外売上比率は約8割、現在の稼ぎ頭は米国市場。日本国内のエアコンは業務用で圧倒的シェア。家庭用も強い。欧州に加え、インド事業の育成に注力中。

平均勤続年数	男性育休取得率	3年後離職率	平均年収(平均41歳)
◇16.3年	79.3→88.0%	9.5→5.3%	[総]912万円

●採用・配属情報●

【男女・文理別採用実績】

	大卒男	大卒女	修士男	修士女
23年	31(文 15理 16)	49(文 34理 15)	104(文 0理104)	41(文 1理 40)
24年	61(文 25理 36)	66(文 56理 10)	170(文 1理169)	43(文 2理 41)
25年	67(文 38理 29)	83(文 72理 11)	168(文 2理166)	49(文 4理 45)

【男女・職種別採用実績】

	総合職
23年	298(男200 女 98)
24年	410(男295 女115)
25年	462(男319 女143)

【24年4月入社者の配属勤務地】[総]大阪(梅田 堺 摂津 心斎橋)122 滋賀・草津22 東京・八重洲3 横浜3 [技]大阪(梅田 堺 摂津 心斎橋)236 滋賀・草津21 横浜3
【転勤】あり:[職種]総合職 [勤務地]国内外全拠点
【中途比率】[単年度]21年度11%、22年度21%、23年度34%[全体]◇17%

●働きやすさ、諸制度●

残業(月) 17.7時間 [総]17.7時間

【勤務時間】9:00〜17:30【有休取得年平均】20.6日【週休】完全2日(土日祝)【夏期休暇】連続9日(有休5日含む)【年末年始休暇】連続9日
【離職率】◇男:2.4%、177名 女:3.5%、60名(他に男2名転籍)
【新卒3年後離職率】
[20→23年]9.5%(男8.6%・入社303名、女11.9%・入社118名)
[21→24年]5.3%(男6.3%・入社284名、女2.7%・入社112名)
【テレワーク】制度あり:[場所]サテライトオフィス カフェ 公共交通機関(新幹線車内 航空機機内等)[対象]育児中の社員 個々人の業務内容と生産性を落とさないと所属長が認める場合[日数]NA[利用率]NA【勤務制度】フレックス 裁量労働 時差勤務 勤務間インターバル【住宅補助】社有独身寮279戸 民間借上社宅1,564戸 社有社宅104戸(大阪 東京 埼玉 他)

●ライフイベント、女性活躍●

【女性比率】■男 □女

新卒採用 31% (143名)

従業員 18.6% (1658名)

管理職 8.2% (109名)

【産休】[期間]産前6・産後8週間[給与]本給25%給付+健保給付金[取得者数]83名
【育休】[期間]1歳になるまで[給与]法定[取得者数]22年度 男214名(対象270名)女78名(対象78名)23年度 男221名(対象251名)女84名(対象84名)[平均取得日数]22年度 男25日 女272日、23年度 男37日 女277日
【従業員】◇[人数]8,894名(男7,236名、女1,658名)[平均年齢]40.8歳(男41.9歳、女35.9歳)[平均勤続年数]16.3年(男17.3年、女12.1年)【年齢構成】■男 □女

	男	女
60代〜	1%	0%
50代	28%	3%
40代	14%	3%
30代	22%	6%
〜20代	16%	7%

会社データ (金額は百万円)

【本社】530-0001 大阪府大阪市北区梅田1-13-1 大阪梅田ツインタワーズ・サウス ☎06-6147-3321
https://www.daikin.co.jp/

【業績(連結)】	売上高	営業利益	経常利益	純利益
22.3	3,109,106	316,350	327,496	217,709
23.3	3,981,578	377,032	366,245	257,754
24.3	4,395,317	392,137	354,492	260,311

コマツ

くるみん

【特色】建設機械の総合メーカーで世界シェア2位

記者評価 一般建機、鉱山向け機械が主力。海外売上比率は9割弱。国内でエンジンや油圧部品など中核部品を生産し、海外現地工場で組み立てる。GPSを応用した車両情報システム、建設現場の3次元データやドローン活用などICTを活用したスマートコンストラクション事業に強み。

平均勤続年数	男性育休取得率	3年後離職率	平均年収(平均*41歳)
◇16.7年	77.0→82.1%	5.0→6.3%	㊙925万円

●採用・配属情報●

【男女・文理別採用実績】※25年:24年8月5日時点

	大卒男	大卒女	修士男	修士女
23年	27(文 14 理 13)	35(文 24 理 11)	78(文 0 理 78)	17(文 1 理 16)
24年	44(文 20 理 24)	34(文 26 理 8)	89(文 0 理 89)	13(文 1 理 12)
25年	32(文 25 理 7)	20(文 12 理 8)	109(文 1 理108)	18(文 1 理 17)

【男女・職種別採用実績】 転換制度:NA

	総合職(全社採用)	総合職(事業所採用)
23年	140(男 97 女 43)	26(男 17 女 9)
24年	153(男 118 女 35)	50(男 32 女 18)
25年	158(男 129 女 29)	32(男 21 女 11)

【職種併願】○
【24年4月入社者の配属勤務地】㊙東京 石川 大阪 茨城 神奈川 栃木 福島 富山 他 ㊛東京 石川 大阪 茨城 神奈川 栃木 福島 富山 他
【転勤】あり:全社員(採用区分に応じて本籍地を設定し、その本籍地を離れる期限を限定している社員を除く)
【中途比率】[単年度]21年度14%、22年度26%、23年度41%(含現業)[全体]◇34%

●働きやすさ、諸制度●

残業(月) 20.9時間

【勤務時間】9:00～17:45 フレックスタイム制(フレキシブルタイム5:00～22:00 コアタイムなし)**【有休取得年平均】**20.9日**【週休】**完全2日(土日祝、会社暦による)**【夏期休暇】**8月12～16日**【年末年始休暇】**12月30日～1月4日
【離職率】◇男:1.5%、166名 女:2.4%、37名
【新卒3年後離職率】
[20→23年]5.0%(男5.0%・入社298名、女4.7%・入社64名)
[21→24年]6.3%(男6.2%・入社211名、女7.0%・入社43名)
【テレワーク】制度あり:[場所]原則自宅[対象]非現業社員のみ[日数]制限なし[利用率]NA**【勤務制度】**フレックス 時間単位有休 裁量労働 時差勤務 勤務間インターバル**【住宅補助】**独身寮(自己負担3,500～7,500円+水道光熱費)単身寮(自己負担5,500～12,500円+水道光熱費)借上社宅(家賃の25～30%自己負担(会社補助額の上限あり))

●ライフイベント、女性活躍●

【女性比率】■男 □女

新卒採用 21.1%(40名)

従業員 12.3%(1514名)

管理職 6%(57名)

【産休】[期間]産前6・産後8週間[給与]健保約80%[取得者数]57名
【育休】[期間]出生時から小学3年修了前までの期間で最大3年間[給与]給付金+会社支給手当(10～30%)[取得者数]22年度 男361名(対象469名)女63名(対象63名)23年度 男349名(対象425名)女57名(対象57名)[平均取得日数]22年度 男70日 女372日、23年度 男74日 女412日
【従業員】◇[人数]12,285名(男10,771名、女1,514名)[平均年齢]41.2歳(男41.4歳、女39.9歳)[平均勤続年数]16.7年(男17.1年、女13.8年)**【年齢構成】**■男 □女

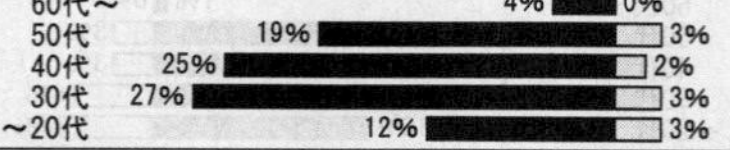

会社データ (金額は百万円)

【本社】105-8316 東京都港区海岸1-2-20 汐留ビルディング ☎03-5561-2619
https://home.komatsu/jp/

【業績(SEC)】	売上高	営業利益	税前利益	純利益
22.3	2,802,323	317,015	324,568	224,927
23.3	3,543,475	490,685	476,434	326,398
24.3	3,865,122	607,194	575,663	393,426

2774 開示 ★★★

ホシザキ㈱

えるぼし★★★ プラチナくるみん

【特色】業務用厨房機器大手。製氷機は世界トップ級

記者評価 業務用厨房機器の大手。製氷機、業務用冷蔵庫が主力で国内シェアは首位級。製氷機は世界でもトップ級。業務用食洗器、生ビールディスペンサーなども手がける。全国に販売子会社を配置した直販の営業力が強み。海外中心にM&Aを積極化し、海外売上高比率は4割超。

平均勤続年数	男性育休取得率	3年後離職率	平均年収(平均45歳)
◇①17.8年	50.0→90.3%	0→0%	㊙751万円

●採用・配属情報●

【男女・文理別採用実績】

	大卒男	大卒女	修士男	修士女
23年	9(文 6 理 3)	5(文 3 理 2)	3(文 0 理 3)	1(文 0 理 1)
24年	9(文 4 理 5)	3(文 3 理 0)	5(文 0 理 5)	0(文 0 理 0)
25年	9(文 7 理 2)	2(文 2 理 0)	3(文 0 理 3)	0(文 0 理 0)

【男女・職種別採用実績】

	総合職
23年	19(男 13 女 6)
24年	20(男 16 女 4)
25年	16(男 14 女 2)

【24年4月入社者の配属勤務地】㊙愛知・豊明7 島根・雲南1 ㊛愛知・豊明8 島根・雲南4
【転勤】あり:[職種]総合職 [勤務地]愛知本社 島根 海外・国内グループ会社 ※業務や役割により転勤の可能性・頻度は異なる
【中途比率】[単年度]21年度44%、22年度58%、23年度52%(現業含む)[全体]NA

●働きやすさ、諸制度●

残業(月) 17.3時間 ㊙18.5時間

【勤務時間】8:05～17:00(営業部門 9:00～17:45)**【有休取得年平均】**14.8日**【週休】**会社暦2日(土日)**【夏期休暇】**連続9日(週休含む)**【年末年始休暇】**連続9日(週休含む)
【離職率】男:1.5%、15名 女:2.9%、6名
【新卒3年後離職率】
[20→23年]0%(男0%・入社10名、女0%・入社4名)
[21→24年]0%(男0%・入社12名、女0%・入社3名)
【テレワーク】制度あり:[場所]自宅又は会社に届け出た場所[対象]社員のうちテレワーク申請をして会社が認めた者[日数]制限なし(所属部門毎に運用ルール有)[利用率]4.5%**【勤務制度】**時間単位有休 時差勤務**【住宅補助】**寮(自己負担10,000～17,000円 30歳未満の独身者・通勤要件あり)住宅手当(12,000円、同居の配偶者または子があるまたは30歳以上)

●ライフイベント、女性活躍●

【女性比率】■男 □女

新卒採用 12.5%(2名)

従業員 17.2%(199名)

管理職 5.6%(4名)

【産休】[期間]産前6・産後8週間[給与]法定[取得者数]4名
【育休】[期間]1歳になるまで[給与]法定[取得者数]22年度 男16名(対象32名)女8名(対象8名)23年度 男28名(対象31名)女4名(対象4名)[平均取得日数]22年度 男32日 女219日、23年度 男24日 女346日
【従業員】◇[人数]1,156名(男957名、女199名)[平均年齢]44.5歳(男45.6歳、女39.1歳)[平均勤続年数]17.8年(男18.8年、女12.8年)※常用パート・嘱託含む
【年齢構成】■男 □女

60代～ 8% 1%
50代 30% 4%
40代 20% 3%
30代 13% 3%
～20代 11% 6%

会社データ (金額は百万円)

【本社】470-1194 愛知県豊明市栄町南館3-16 ☎0562-97-2111
https://www.hoshizaki.co.jp/

【業績(連結)】	売上高	営業利益	経常利益	純利益
21.12	274,419	24,931	31,165	21,679
22.12	321,338	27,915	37,763	24,345
23.12	373,563	43,520	50,322	32,835

528 開示 ★★★★ [短大] 採用あり

㈱富士通ゼネラル（ふじつう）

[くるみん]

【特色】富士通系。エアコン主力。新興国に強み

[記者評価] 1936年に蓄音機やレコードの仕入・販売で設立。60年に参入したエアコン事業が現在の主力で売上の約9割を占める。エアコンの生産拠点は中国とタイに集中。家庭用が主力で国内準大手級。海外売上比率約7割、特に中東で高シェア。23年コンプレッサーを内製化。

平均勤続年数	男性育休取得率	3年後離職率	平均年収(平均43歳)
17.7年	47.1 → 55.9%	10.9 → 12.0%	[総] 722万円

●採用・配属情報●

【男女・文理別採用実績】

	大卒男	大卒女	修士男	修士女
23年	28(文 10 理 18)	13(文 8 理 5)	21(文 0 理 21)	4(文 0 理 4)
24年	40(文 11 理 29)	15(文 11 理 4)	29(文 0 理 29)	2(文 0 理 2)
25年	22(文 7 理 15)	4(文 2 理 2)	8(文 0 理 8)	4(文 0 理 4)

【男女・職種別採用実績】

	総合職
23年	69(男 51 女 18)
24年	88(男 71 女 17)
25年	41(男 33 女 8)

【24年4月入社者の配属勤務地】[総]川崎24 [技]川崎64
【転勤】あり：正社員
【中途比率】[単年度]21年度36%、22年度39%、23年度37%[全体]18%

●働きやすさ、諸制度●

残業(月) 17.3時間 [総] 17.3時間

【勤務時間】8:40〜17:30【有休取得年平均】15.7日【週休】完全2日(土日祝)【夏期休暇】有休を土日と繋げて4日取得【年末年始休暇】12月30日〜1月4日、および特別休日
【離職率】男：3.6%、55名 女：2.9%、8名
【新卒3年後離職率】
[20→23年]10.9%(男10.8%・入社37名、女11.1%・入社18名)
[21→24年]12.0%(男13.5%・入社52名、女8.7%・入社23名)
【テレワーク】制度あり：[場所]NA[対象]育児・介護・本人の治療の事情がある者[日数]月8日 他[利用率]NA【勤務制度】フレックス 時差勤務【住宅補助】転勤者用社宅 賃貸住宅家賃補助

●ライフイベント、女性活躍●

【女性比率】■男 □女

新卒採用 19.5% (8名)

従業員 15.6% (270名)

管理職 2.5% (11名)

【産休】[期間]産前8・産後8週間[給与]健保85%給付[取得者数]8名
【育休】[期間]2歳到達後最初の4月20日まで[給与]法定[取得者数]22年度 男16名(対象34名)女9名(対象9名)23年度 男19名(対象34名)女7名(対象7名)[平均取得日数]22年度 男66日 女435日、23年度 男50日 女343日
【従業員】[人数]1,734名(男1,464名、女270名)[平均年齢]42.8歳(男43.6歳、女38.9歳)[平均勤続年数]17.7年(男18.4年、女14.0年)

【年齢構成】■男 □女

	男	女
60代〜	1%	0%
50代	31%	4%
40代	19%	3%
30代	19%	3%
〜20代	14%	5%

[会社データ] (金額は百万円)

【本社】213-8502 神奈川県川崎市高津区末長3-3-17 ☎044-866-1111
https://www.fujitsu-general.com/jp/

【業績(連結)】	売上高	営業利益	経常利益	純利益
22.3	284,128	8,444	11,402	3,722
23.3	371,019	15,098	17,432	8,694
24.3	316,476	5,747	14,375	3,067

2124 開示 ★★★★★ [短大] 採用あり

㈱キッツ

【特色】国内首位の総合バルブメーカー。伸銅品でも上位

[記者評価] 国内でバルブ最大手、世界でも有数。建築設備や石油化学向けに強い。伸銅品も上位。国内工場は高付加価値品が軸、海外工場は現地ニーズに対応する最適地生産体制を構築。水素分野も模索。23年11月汐留に本社移転。ベトナムで半導体関連向け工場建設に着手。

平均勤続年数	男性育休取得率	3年後離職率	平均年収(平均41歳)
14.0年	39.0 → 62.5%	8.6 → 13.8%	[総] 684万円

●採用・配属情報●

【男女・文理別採用実績】

	大卒男	大卒女	修士男	修士女
23年	12(文 9 理 3)	6(文 2 理 4)	8(文 0 理 8)	1(文 0 理 1)
24年	14(文 4 理 10)	9(文 8 理 1)	6(文 0 理 6)	0(文 0 理 0)
25年	12(文 5 理 7)	3(文 3 理 0)	2(文 1 理 1)	2(文 0 理 2)

【男女・職種別採用実績】 転換制度：⇔

	グローバル総合職
23年	28(男 21 女 7)
24年	31(男 22 女 9)
25年	20(男 15 女 5)

【24年4月入社者の配属勤務地】[総](23年)大阪2 東京1 埼玉1 神奈川1 新潟1 福岡1 愛知2 岡山1 静岡1 山梨1 [技](23年)東京1 長野7 山梨4
【転勤】あり：[職種]総合職
【中途比率】[単年度]21年度26%、22年度39%、23年度58%[全体]52%

●働きやすさ、諸制度●

残業(月) 13.5時間 [総] 13.5時間

【勤務時間】8:45〜17:30【有休取得年平均】11.6日【週休】完全2日(土日祝)【夏期休暇】8月10〜18日【年末年始休暇】12月28日〜1月5日
【離職率】男：5.2%、32名 女：5.2%、13名
【新卒3年後離職率】
[20→23年]8.6%(男12.0%・入社25名、女0%・入社10名)
[21→24年]13.8%(男12.5%・入社24名、女20.0%・入社5名)
【テレワーク】制度あり：[場所]自宅[対象]全社員(現業以外)[日数]全勤務日数の3割[利用率]9.1%【勤務制度】フレックス 時間単位有休 時差勤務【住宅補助】独身寮(工場)借上社宅(転勤者)住宅手当(家賃の半額を補助※上限あり)

●ライフイベント、女性活躍●

【女性比率】■男 □女

新卒採用 25% (5名)

従業員 29.2% (239名)

管理職 5.3% (9名)

【産休】[期間]産前6・産後8週間[給与]法定[取得者数]11名
【育休】[期間]1歳半または育休取得年度末まで[給与]法定[取得者数]22年度 男16名(対象41名)女10名(対象10名)23年度 男25名(対象40名)女14名(対象14名)[平均取得日数]22年度 男22日 女422日、23年度 男29日 女338日
【従業員】[人数]819名(男580名、女239名)[平均年齢]41.1歳(男42.0歳、女40.1歳)[平均勤続年数]14.0年(男14.3年、女13.0年)

【年齢構成】■男 □女

	男	女
60代〜	1%	0%
50代	25%	7%
40代	14%	8%
30代	18%	8%
〜20代	13%	6%

[会社データ] (金額は百万円)

【本社】105-7305 東京都港区東新橋1-9-1 東京汐留ビルディング ☎03-5568-9300
https://www.kitz.co.jp/

【業績(連結)】	売上高	営業利益	経常利益	純利益
21.12	135,790	8,990	8,975	4,954
22.12	159,914	11,051	12,045	8,549
23.12	166,941	13,687	14,452	10,591

479 開示 ★★★★★ [専門] 採用あり

アマノ(株)

【特色】就業時間管理システム最大手。働き方改革で注目

[記者評価]「時間」と「空気」が事業の2大テーマ。「時間」はタイムレコーダーなどの就業時間管理システムで国内最大手。駐車場管理システムも高シェア。「空気」は床面洗浄機や工場向け集塵機を手がける。ロボット床面洗浄機は稼働管理のクラウドシステムの提案強化。

平均勤続年数	男性育休取得率	3年後離職率	平均年収(平均46歳)
19.3年	20.0→40.0%	14.3→14.3%	[総]745万円

●採用・配属情報●

【男女・文理別採用実績】

	大卒男	大卒女	修士男	修士女
23年	11(文 4 理 7)	8(文 5 理 3)	2(文 0 理 2)	0(文 0 理 0)
24年	21(文 10 理 11)	6(文 5 理 1)	3(文 0 理 3)	0(文 0 理 0)
25年	35(文 17 理 18)	11(文 9 理 2)	4(文 0 理 4)	0(文 0 理 0)

【男女・職種別採用実績】 転換制度:⇔

	総合職
23年	21(男 13 女 8)
24年	30(男 24 女 6)
25年	51(男 40 女 11)

【職種併願】○

【24年4月入社者の配属勤務地】[総]大宮2 西東京1 新宿1 東京1 横浜2 京都1 大阪2 広島1 [技]神奈川(横浜14 相模原2) 浜松3

【転勤】あり:全社員

【中途比率】[単年度]21年度17%、22年度42%、23年度48%[全体]44%

●働きやすさ、諸制度●

残業(月) 13.0時間 [総]13.7時間

【勤務時間】8:30〜17:15【有休取得年平均】9.7日【週休】2日【夏期休暇】7〜10日程度【年末年始休暇】7〜10日程度

【離職率】男:2.1%、35名 女:3.3%、11名

【新卒3年後離職率】
[20→23年]14.3%(男9.1%・入社22名、女33.3%・入社6名)
[21→24年]14.3%(男13.6%・入社22名、女16.7%・入社6名)

【テレワーク】制度あり:[場所]自宅 サテライトオフィス 他[対象]制限なし[日数]制限なし[利用率]3.5%【勤務制度】時間単位有休【住宅補助】独身寮・社宅(横浜 町田 浜松 計80室程度)住宅手当

●ライフイベント、女性活躍●

【女性比率】■男 □女

新卒採用 21.6% (11名)

従業員 16.7% (327名)

管理職 5.9% (35名)

【産休】[期間]産前6・産後8週間[給与]法定[取得者数]15名

【育休】[期間]1歳になるまで[給与]法定[取得者数]22年度 男7名(対象35名)女13名(対象13名)23年度 男14名(対象35名)女15名(対象15名)[平均取得日数]22年度 NA、23年度 男31日 女215日

【従業員】[人数]1,957名(男1,630名、女327名)[平均年齢]44.7歳(男45.3歳、女41.8歳)[平均勤続年数]19.3年(男20.1年、女15.5年)

【年齢構成】■男 □女

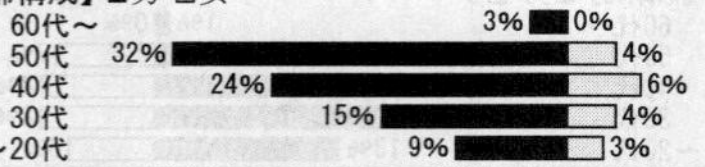
60代〜 3% 0%
50代 32% 4%
40代 24% 6%
30代 15% 4%
〜20代 9% 3%

会社データ (金額は百万円)

【本社】222-8558 神奈川県横浜市港北区大豆戸町275 ☎045-401-1441
https://www.amano.co.jp/

【業績(連結)】	売上高	営業利益	経常利益	純利益
22.3	118,429	12,893	13,919	9,733
23.3	132,810	15,787	16,960	11,288
24.3	152,864	19,567	20,855	13,141

476 開示 ★★★★★ [短大] [専門] 採用あり

フクシマガリレイ(株)

【特色】業務用冷凍冷蔵庫大手。中国・東南ア開拓加速

[記者評価]業務用冷凍冷蔵庫は飲食店の厨房向けを軸に国内首位級。冷凍冷蔵ショーケースも大手。医療・介護・理化学分野にも領域を拡大。ガリレイアカデミーを運営し、技術・ブランド力強化。25年4月ガリレイに社名変更予定。滋賀県に新工場を建設、26年3月完成メド。

平均勤続年数	男性育休取得率	3年後離職率	平均年収(平均38歳)
11.6年	51.9→62.1%	28.6→29.2%	[総]725万円

●採用・配属情報●

【男女・文理別採用実績】

	大卒男	大卒女	修士男	修士女
23年	21(文 11 理 10)	14(文 13 理 1)	1(文 0 理 1)	2(文 0 理 2)
24年	15(文 11 理 4)	17(文 14 理 3)	4(文 1 理 3)	1(文 0 理 1)
25年	19(文 10 理 9)	15(文 13 理 2)	1(文 0 理 1)	1(文 0 理 1)

【男女・職種別採用実績】 転換制度:⇒

	総合職	一般職	技能職
23年	32(男 21 女 11)	5(男 0 女 5)	4(男 3 女 1)
24年	29(男 19 女 10)	9(男 0 女 9)	2(男 2 女 0)
25年	29(男 19 女 10)	6(男 0 女 6)	3(男 3 女 0)

【職種併願】○

【24年4月入社者の配属勤務地】[総]東京6 大阪10 神戸1 滋賀1 [技]東京2 大阪6 滋賀1 岡山2

【転勤】あり:[職種]総合職 技能職 [勤務地]全国

【中途比率】[単年度]21年度63%、22年度62%、23年度73%[全体]58%

●働きやすさ、諸制度●

残業(月) 21.2時間 [総]27.3時間

【勤務時間】9:00〜17:30【有休取得年平均】13.1日【週休】2日(土日祝、社内カレンダーによる)【夏期休暇】5日【年末年始休暇】7日

【離職率】男:5.9%、41名 女:4.8%、21名

【新卒3年後離職率】
[20→23年]28.6%(男25.0%・入社24名、女36.4%・入社11名)
[21→24年]29.2%(男25.0%・入社16名、女37.5%・入社8名)

【テレワーク】制度あり:[場所]自宅[対象]自律的に労働時間と進捗管理ができる在宅勤務を希望する者 試用期間あるいは入社後3カ月を経過していること 上司が承認していること[日数]制限あり(上司の許可がおりた日数・期間)[利用率]NA【勤務制度】フレックス 裁量労働 時差勤務 勤務間インターバル 副業容認【住宅補助】独身寮・社宅(自己負担15,000円 総合職・技能職で自宅から通勤不可な勤務地に配属となった場合)

●ライフイベント、女性活躍●

【女性比率】■男 □女

新卒採用 42.1% (16名)

従業員 39% (421名)

管理職 4.2% (10名)

【産休】[期間]産前6・産後8週間[給与]法定[取得者数]25名

【育休】[期間]1歳になるまで[給与]初回取得の場合開始5日有給、以降法定[取得者数]22年度 男41名(対象79名)女29名(対象29名)23年度 男36名(対象58名)女26名(対象26名)[平均取得日数]22年度 男9日 女370日、23年度 男8日 女395日

【従業員】[人数]1,080名(男659名、女421名)[平均年齢]37.2歳(男39.8歳、女33.1歳)[平均勤続年数]11.6年(男14.4年、女7.4年)【年齢構成】■男 □女

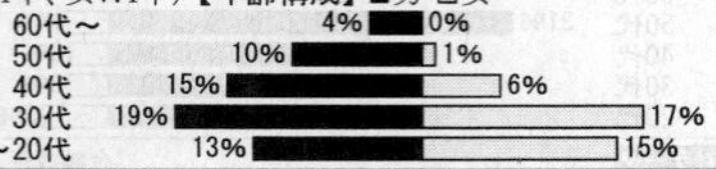
60代〜 4% 0%
50代 10% 1%
40代 15% 6%
30代 19% 17%
〜20代 13% 15%

会社データ (金額は百万円)

【本社】555-0011 大阪府大阪市西淀川区竹島2-6-18 ☎06-6477-2016
https://www.galilei.co.jp/

【業績(連結)】	売上高	営業利益	経常利益	純利益
22.3	96,073	9,806	11,265	8,172
23.3	104,996	11,485	12,292	8,654
24.3	115,815	15,298	16,159	12,306

とうこうたかおか
㈱東光高岳

えるぼし ★★★　くるみん

【特色】受変電設備と計器の2本柱。東電関連の依存度大

[記者評価] 高岳製作所と東光電気が経営統合。14年に持株会社が2社吸収し現体制に。開閉器や変圧器などの電力機器や電力量計などの計器類を製販。半導体向けの光応用検査装置も世界的。EV急速充電器や次世代スマートメーターにも注力。24年の不正試験発覚受け体制整備。

平均勤続年数	男性育休取得率	3年後離職率	平均年収(平均44歳)
◇19.0年	33.3→13.6%	17.9→15.2%	[総]657万円

●採用・配属情報●

【男女・文理別採用実績】※25年:継続中

	大卒男	大卒女	修士男	修士女
23年	15(文 7理 8)	4(文 4理 0)	9(文 1理 8)	2(文 1理 1)
24年	19(文 2理 17)	7(文 5理 2)	7(文 0理 7)	4(文 3理 1)
25年	20(文 7理 13)	5(文 4理 1)	10(文 0理 10)	1(文 1理 0)

【男女・職種別採用実績】

	総合職
23年	30(男 24 女 6)
24年	38(男 27 女 11)
25年	36(男 30 女 6)

【24年4月入社者の配属勤務地】[総]東京(豊洲10 新宿1) [技]東京・豊洲4 埼玉・蓮田9 栃木・小山13 浜松1

【転勤】あり:全社員

【中途比率】[単年度]21年度21%、22年度48%、23年度52%[全体]◇26%

●働きやすさ、諸制度●

残業(月) 18.3時間 [総]18.3時間

【勤務時間】8:30～17:00【有休取得年平均】16.2日【週休】完全2日(土日祝)【夏期休暇】計画休3日(7～9月で取得)【年末年始休暇】12月29日～1月3日

【離職率】◇男:1.6%、26名 女:2.0%、4名

【新卒3年後離職率】

[20→23年]17.9%(男17.4%・入社23名、女20.0%・入社5名)

[21→24年]15.2%(男13.8%・入社29名、女25.0%・入社4名)

【テレワーク】制度あり:[場所]自宅 サテライトオフィス[対象]社員[日数]制限なし[利用率]8.9%【勤務制度】時間単位有休 時差勤務 勤務間インターバル【住宅補助】借上寮 借上社宅 住宅手当

●ライフイベント、女性活躍●

【女性比率】■男 □女

新卒採用 16.7% (6名)

従業員 10.6% (195名)

管理職 1.1% (2名)

【産休】[期間]産前8・産後8週間[給与]法定[取得者数]5名

【育休】[期間]1歳になるまで[給与]1カ月以上取得する社員は、給付金プラス育児休職支援手当(基本給＋一部手当の13%)を会社から支給(最大3カ月分)[取得者数]22年度男9名(対象27名)女5名(対象5名)23年度 男3名(対象22名)女5名(対象6名)[平均取得日数]22年度 男93日 女370日、23年度 男134日 女300日

【従業員】◇[人数]1,833名(男1,638名、女195名)[平均年齢]44.3歳(男44.6歳、女41.9歳)[平均勤続年数]19.0年(男19.3年、女16.6年)

【年齢構成】■男 □女

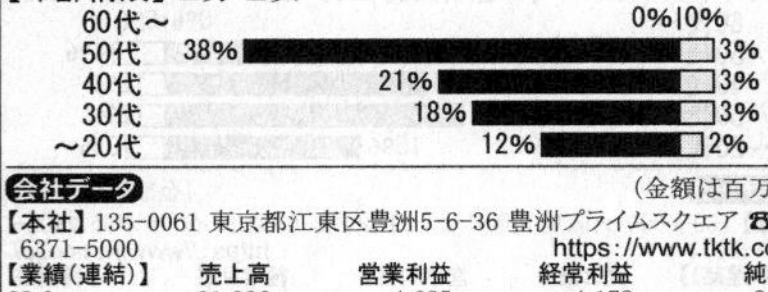
60代～
0%|0%
50代
38%
3%
40代
21%
3%
30代
18%
3%
～20代
12%
2%

会社データ (金額は百万円)

【本社】135-0061 東京都江東区豊洲5-6-36 豊洲プライムスクエア ☎03-6371-5000 https://www.tktk.co.jp/

【業績(連結)】	売上高	営業利益	経常利益	純利益
22.3	91,936	4,625	4,172	3,279
23.3	97,752	4,847	4,704	2,919
24.3	107,378	8,247	8,017	4,668

ちゅうがいろこうぎょう
中外炉工業㈱

【特色】工業炉大手。鉄鋼や産業用熱処理装置に強い

[記者評価] 工業炉で他社を凌駕。鉄鋼向け加熱炉や金属素材産業向け各種連続熱処理設備、自動車用鋼板および各種機械部品の熱処理炉に強み。売上の8割強占めるエネルギー分野ほか環境保全、情報・通信分野に展開。熱技術創造センターで水素還元用加熱技術の開発を急ぐ。

平均勤続年数	男性育休取得率	3年後離職率	平均年収(平均44歳)
16.6年	27.3→58.3%	16.7→0%	[総]866万円

●採用・配属情報●

【男女・文理別採用実績】

	大卒男	大卒女	修士男	修士女
23年	3(文 1理 2)	1(文 1理 0)	3(文 0理 3)	1(文 0理 1)
24年	4(文 1理 3)	0(文 0理 0)	4(文 0理 4)	0(文 0理 0)
25年	5(文 2理 3)	1(文 1理 0)	4(文 0理 4)	1(文 0理 1)

【男女・職種別採用実績】　転換制度:⇔

	総合職	一般職
23年	8(男 6 女 2)	0(男 0 女 0)
24年	8(男 8 女 0)	0(男 0 女 0)
25年	12(男 10 女 2)	0(男 0 女 0)

【24年4月入社者の配属勤務地】[総]堺1 [技]堺7

【転勤】あり:[職種]営業職[勤務地]国内営業所(大阪 東京 名古屋)海外支店

【中途比率】[単年度]21年度60%、22年度60%、23年度79%[全体]30%

●働きやすさ、諸制度●

残業(月) 28.5時間 [総]28.5時間

【勤務時間】7時間40分(フルフレックスタイム制 コアタイムなし)【有休取得年平均】11.3日【週休】完全2日(土日祝)【夏期休暇】連続5日(7～9月 有休2日含む)【年末年始休暇】12月29日～1月4日

【離職率】男:5.5%、22名 女:1.9%、1名

【新卒3年後離職率】

[20→23年]16.7%(男16.7%・入社6名、女―・入社0名)

[21→24年]0%(男0%・入社9名、女0%・入社1名)

【テレワーク】制度あり:[場所]自宅 サテライトオフィス[対象]全社員[日数]原則週1日まで[利用率]8.0%【勤務制度】フレックス 時間単位有休【住宅補助】借上独身寮(総合職、水道費込4,000円)社宅(転勤者向け、使用料7,000円(家族帯同の場合30,000円))住宅手当(世帯主・準世帯主以外17,000円、独立生計者28,000円、世帯主35,000円)

●ライフイベント、女性活躍●

【女性比率】■男 □女

新卒採用 16.7% (2名)

従業員 11.9% (51名)

管理職 0% (0名)

【産休】[期間]産前6・産後8週間[給与]会社全額給付[取得者数]15名

【育休】[期間]3歳になるまで[給与]法定[取得者数]22年度男3名(対象11名)女3名(対象3名)23年度 男7名(対象12名)女3名(対象3名)[平均取得日数]22年度 男19日 女277日、23年度 男45日 女135日

【従業員】[人数]429名(男378名、女51名)[平均年齢]43.6歳(男43.9歳、女41.7歳)[平均勤続年数]16.6年(男16.4年、女18.1年)【年齢構成】■男 □女

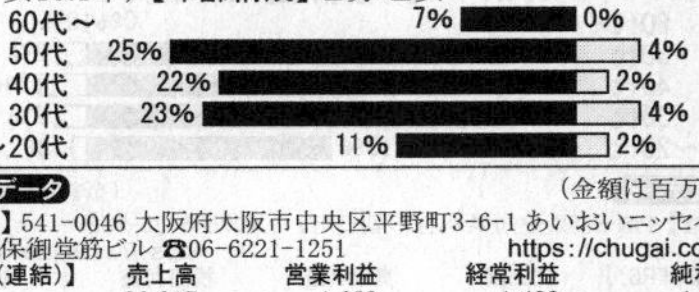
60代～
7%
0%
50代
25%
4%
40代
22%
2%
30代
23%
4%
～20代
11%
2%

会社データ (金額は百万円)

【本社】541-0046 大阪府大阪市中央区平野町3-6-1 あいおいニッセイ同和損保御堂筋ビル ☎06-6221-1251 https://chugai.co.jp/

【業績(連結)】	売上高	営業利益	経常利益	純利益
22.3	26,317	1,263	1,493	1,360
23.3	27,977	1,309	1,575	1,231
24.3	29,283	1,477	1,714	2,197

㈱ジェイテクト

くるみん

【特色】操舵部品、軸受け、工作機械が3本柱。トヨタ系

記者評価 軸受け大手4社の一角。軸受けや世界初の電動パワーステアリングを量産化した光洋精工と、工作機械などを手がける豊田工機が06年合併。ステアリングは世界シェア2割強。リチウムイオンキャパシタの第2世代製品を24年投入。ステアバイワイヤの開発にも注力。

平均勤続年数	男性育休取得率	3年後離職率	平均年収(平均39歳)
◇17.4年	31.6→57.2%	①4.9→①12.7%	㊞692万円

●採用・配属情報●

【男女・文理別採用実績】

	大卒男	大卒女	修士男	修士女
23年	33(文 20 理 13)	5(文 4 理 1)	25(文 0 理 25)	1(文 0 理 1)
24年	41(文 19 理 22)	10(文 9 理 1)	29(文 0 理 29)	1(文 0 理 1)
25年	45(文 27 理 18)	10(文 7 理 3)	28(文 1 理 27)	0(文 0 理 0)

【男女・職種別採用実績】 転換制度:⇔

	総合職	一般職
23年	64(男 58 女 6)	0(男 0 女 0)
24年	86(男 74 女 12)	0(男 0 女 0)
25年	85(男 75 女 10)	0(男 0 女 0)

【24年4月入社者の配属勤務地】㊞愛知14 大阪4 奈良6 東京1 神奈川1 静岡1 広島1 ㊕愛知34 大阪11 奈良9 三重2 東京1 兵庫1

【転勤】あり:[職種]総合職 技能職

【中途比率】[単年度]21年度NA、22年度NA、23年度NA[全体]◇32%

●働きやすさ、諸制度●

残業(月) 24.7時間 ㊞20.2時間

【勤務時間】8:45〜17:30【有休取得年平均】14.9日【週休】完全2日(土日)【夏期休暇】連続約9日【年末年始休暇】連続約9日

【離職率】◇男:2.4%、246名 女:3.0%、30名(早期退職男17名含む 他に男1名転籍)

【新卒3年後離職率】

[20→23年]4.9%(男5.3%・入社113名、女0%・入社10名)※総合職のみ

[21→24年]12.7%(男9.7%・入社62名、女33.3%・入社9名)※総合職のみ

【テレワーク】制度あり:[場所]自宅[対象]全従業員[日数]部署による[利用率]0.5%【勤務制度】フレックス 裁量労働 勤務間インターバル 副業容認【住宅補助】会社保有独身寮(男性のみ、東京・愛知・三重・奈良・香川)会社保有社宅(東京・愛知)住宅補助制度(保有施設がない地区)

●ライフイベント、女性活躍●

【女性比率】■男 □女

新卒採用 11.8% (10名)

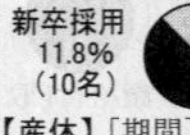

従業員 8.8% (980名)

管理職 2.3% (38名)

【産休】[期間]産前6・産後8週間[給与]法定[取得者数]35名

【育休】[期間]1歳になるまで[給与]法定[取得者数]22年度 男131名(対象415名)女44名(対象44名)23年度 男207名(対象362名)女41名(対象32名)[平均取得日数]22年度NA、23年度 男57日 女429日

【従業員】◇[人数]11,134名(男10,154名、女980名)[平均年齢]41.2歳(男41.2歳、女41.2歳)[平均勤続年数]17.4年(男17.7年、女14.4年)【年齢構成】■男 □女

	男	女
60代〜	0%	0%
50代	26%	2%
40代	23%	3%
30代	26%	2%
〜20代	15%	1%

会社データ (金額は百万円)

【本社】448-8652 愛知県刈谷市朝日町1-1 ☎0566-25-7323 https://www.jtekt.co.jp/

【業績(IFRS)】	売上高	営業利益	税前利益	純利益
22.3	1,428,426	36,401	43,934	20,682
23.3	1,678,146	49,325	55,889	34,276
24.3	1,891,504	62,196	72,513	40,257

NTN㈱

エヌティエヌ

えるぼし★★★ プラチナくるみん

【特色】日本精工、ジェイテクトと並ぶ軸受け大手の一角

記者評価 エンジン動力をタイヤに伝えるドライブシャフトで世界2位。ハブベアリングで世界1位。これらを含め自動車向けが売上高の約3分の2占める。技術力に定評があり、EV向けに高性能ベアリングも開発。コト売りや再生可能エネルギーなど新分野にも注力。

平均勤続年数	男性育休取得率	3年後離職率	平均年収(平均42歳)
20.2年	37.2→62.9%	12.1→10.9%	㊞707万円

●採用・配属情報●

【男女・文理別採用実績】

	大卒男	大卒女	修士男	修士女
23年	21(文 13 理 8)	15(文 12 理 3)	23(文 1 理 22)	0(文 0 理 0)
24年	28(文 14 理 14)	10(文 8 理 2)	24(文 0 理 24)	3(文 3 理 0)
25年	22(文 12 理 10)	21(文 21 理 0)	28(文 3 理 25)	3(文 2 理 1)

【男女・職種別採用実績】

	技術系職種コース	財務・経理コース	総合職
23年	ND(男 ND 女ND)	ND(男 ND 女ND)	63(男 48 女 15)
24年	ND(男 ND 女ND)	ND(男 ND 女ND)	69(男 54 女 15)
25年	14(男 14 女 0)	4(男 3 女 1)	ND(男 ND 女ND)

【24年4月入社者の配属勤務地】㊞三重・桑名10 東京5 静岡・磐田4 岡山3 大阪2 和歌山1 ㊕静岡・磐田25 三重・桑名12 和歌山2 岡山1 東京1

【転勤】あり:正規社員全員

【中途比率】[単年度]21年度46%、22年度48%、23年度49%[全体]6%

●働きやすさ、諸制度●

残業(月) 5.2時間 ㊞5.2時間

【勤務時間】本社営業部門9:00〜17:25【有休取得年平均】18.0日【週休】完全2日(土日祝)(工場は変則あり)【夏期休暇】(本社)連続2日(有休で取得)(工場)連続4〜9日【年末年始休暇】(本社)12月30日〜1月3日(工場)12月30日〜1月5日

【離職率】男:1.4%、73名 女:2.7%、16名

【新卒3年後離職率】

[20→23年]12.1%(男8.3%・入社133名、女33.3%・入社24名)

[21→24年]10.9%(男11.5%・入社52名、女0%・入社3名)

【テレワーク】制度あり:[場所]自宅(単身赴任者の場合は、帰省先の自宅も可)[対象]製造部門を除く[日数]週3回かつ月10日以内[利用率]7.9%【勤務制度】フレックス 時間単位有休 裁量労働 勤務間インターバル【住宅補助】住宅手当 独身寮 借上社宅(転勤者用)

●ライフイベント、女性活躍●

【女性比率】■男 □女

新卒採用 5.6% (1名)

従業員 10.3% (572名)

管理職 4.5% (30名)

【産休】[期間]産前6・産後8週間[給与]産前、産後各6週は有給、以降法定[取得者数]29名

【育休】[期間]1歳半になるまで。ただし保育園に入所できなかった場合、2歳1カ月まで延長可[給与]法定[取得者数]22年度 男83名(対象223名)女19名(対象52名)23年度 男110名(対象175名)女26名(対象26名)[平均取得日数]22年度 男40日 女371日、23年度 男61日 女410日

【従業員】[人数]5,572名(男5,000名、女572名)[平均年齢]42.2歳(男42.4歳、女40.7歳)[平均勤続年数]20.2年(男20.3年、女19.1年)【年齢構成】■男 □女

	男	女
60代〜	0%	0%
50代	32%	4%
40代	20%	2%
30代	23%	2%
〜20代	15%	3%

会社データ (金額は百万円)

【本社】530-0005 大阪府大阪市北区中之島3-6-32 ダイビル本館 ☎06-6443-5001 https://www.ntn.co.jp/

【業績(連結)】	売上高	営業利益	経常利益	純利益
22.3	642,023	6,880	6,815	7,341
23.3	773,960	17,145	12,047	10,367
24.3	836,285	28,149	20,001	10,568

メーカーⅠ

開示 ★★★★★ [短大] 採用あり

にっぽんせいこう
日本精工(株)

[くるみん]

【特色】日本最古のベアリングメーカー。国内最大手

[記者評価] 1916年設立、ベアリング業界の先駆者。シェアは国内トップ、世界でも有数。工作機械などの産業機械用と自動車用が柱。後者ではEV向けに低トルク化などの高性能化を進める。好採算のボール ねじが高評価。電動油圧ブレーキ用は2026年度に世界シェア5割目指す。

平均勤続年数	男性育休取得率	3年後離職率	平均年収(平均43歳)
17.6年	91.0 → 96.4%	11.5 → 14.9%	◇741万円

●採用・配属情報●

【男女・文理別採用実績】※25年:継続中

	大卒男	大卒女	修士男	修士女
23年	19(文 7理 12)	11(文 8理 3)	44(文 0理 44)	4(文 0理 4)
24年	17(文 7理 10)	15(文 8理 7)	30(文 0理 30)	2(文 0理 2)
25年	12(文 7理 5)	11(文 8理 3)	43(文 0理 43)	3(文 0理 3)

【男女・職種別採用実績】 転換制度:⇔

	総合職	一般職
23年	81(男 68 女 13)	3(男 1 女 2)
24年	67(男 52 女 15)	5(男 2 女 3)
25年	78(男 62 女 16)	0(男 0 女 0)

【職種併願】総合職と一般職で可能

【24年4月入社者の配属勤務地】[総]福島・東白川3 埼玉・羽生3 愛知(豊田2 名古屋1)東京・大崎2 大阪市1 滋賀・大津1 [技]神奈川・藤沢39 埼玉・羽生4 滋賀(湖南3 大津2)群馬・高崎3 福島・東白川2 東京・大崎1

【転勤】あり:[職種]総合職[勤務地]国内外(会社規定による)

【中途比率】[単年度]21年度48%、22年度26%、23年度25%[全体]23%

●働きやすさ、諸制度●

残業(月) 10.6時間 [総]11.7時間

【勤務時間】8:30〜17:15(フレックスタイム制の場合8:30〜17:25)【有休取得年平均】17.1日【週休】2日(部署により異なる)【夏期休暇】(本社)土日に連続して+平日5日【年末年始休暇】(本社)土日に連続して+平日5日

【離職率】男:2.0%、90名 女:3.3%、22名

【新卒3年後離職率】
[20→23年]11.5%(男11.9%・入社67名、女10.3%・入社29名)
[21→24年]14.9%(男15.4%・入社91名、女13.0%・入社23名)

【テレワーク】制度あり:[場所]自宅 自宅に準じる場所[対象]全社員(上司の承認が必要)[日数]月の半分程度[利用率]20.0%

【勤務制度】フレックス 裁量労働 勤務間インターバル【住宅補助】会社保有社宅 借上社宅 持家・賃貸者への住宅手当

●ライフイベント、女性活躍●

【女性比率】■男 □女

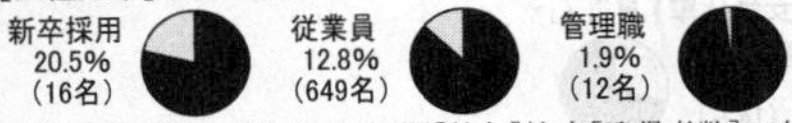
新卒採用
20.5%
(16名)
従業員
12.8%
(649名)
管理職
1.9%
(12名)

【産休】[期間]産前6・産後8週間[給与]法定[取得者数]35名

【育休】[期間]3歳の4月末まで[給与]最初5日間有給、以降給付金[取得者数]22年度 男193名(対象212名)女32名(対象32名)23年度 男190名(対象197名)女35名(対象35名)[平均取得日数]22年度 NA、23年度 NA

【従業員】[人数]5,077名(男4,428名、女649名)[平均年齢]43.1歳(男43.6歳、女39.4歳)[平均勤続年数]17.6年(男18.1年、女14.2年)【年齢構成】■男 □女

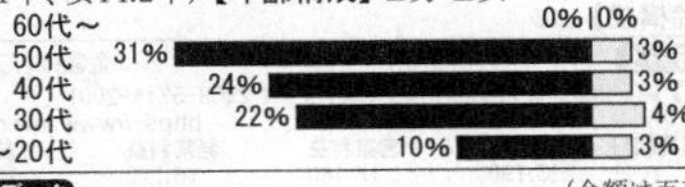
60代〜
0%|0%
50代
31%
3%
40代
24%
3%
30代
22%
4%
〜20代
10%
3%

会社データ (金額は百万円)

【本社】141-8560 東京都品川区大崎1-6-3 日精ビル ☎03-3779-7111
https://www.nsk.com/jp-ja/

【業績(IFRS)】	売上高	営業利益	税前利益	純利益
22.3	865,166	29,430	29,516	16,587
23.3	938,098	32,936	31,926	18,412
24.3	788,867	27,391	26,210	8,502

開示 ★★★★★ [専門] 採用あり

テイエイチケー
THK(株)

【特色】直動ベアリングで世界首位。技術力に定評

[記者評価] 産業機械に組み込まれる直線運動案内機器「LMガイド」が主力。超精密なハイエンド品が得意。ボールねじなど関連製品も。海外売上高比率は約7割。機械業界の先行指標的な会社として注目度が高い。半導体製造装置などで高シェア。故障予知IoTサービスにも注力。

平均勤続年数	男性育休取得率	3年後離職率	平均年収(平均40歳)
◇17.4年	28.1 → 66.3%	10.5 → 2.5%	[総]711万円

●採用・配属情報●

【男女・文理別採用実績】

	大卒男	大卒女	修士男	修士女
23年	34(文 19理 15)	11(文 9理 2)	9(文 0理 9)	2(文 0理 2)
24年	24(文 13理 11)	8(文 8理 0)	19(文 1理 18)	3(文 0理 3)
25年	24(文 15理 9)	10(文 10理 0)	12(文 0理 12)	2(文 2理 0)

【男女・職種別採用実績】

	総合職
23年	56(男 43 女 13)
24年	55(男 44 女 11)
25年	49(男 37 女 12)

【24年4月入社者の配属勤務地】[総]東京12 神奈川3 愛知2 静岡1 長野1 新潟1 滋賀1 兵庫1 広島1 [技]東京20 山口4 山形3 宮城1 山梨1 静岡1 岐阜1 三重1

【転勤】あり:全社員

【中途比率】[単年度]21年度29%、22年度37%、23年度24%[全体]◇19%

●働きやすさ、諸制度●

残業(月) 9.2時間

【勤務時間】8:30〜17:30【有休取得年平均】13.7日【週休】2日(土日祝、年数回出勤あり)【夏期休暇】連続6日(週休含む)【年末年始休暇】連続6日(週休含む)

【離職率】◇男:1.8%、60名 女:2.5%、17名

【新卒3年後離職率】
[20→23年]10.5%(男13.0%・入社46名、女0%・入社11名)
[21→24年]2.5%(男2.9%・入社34名、女0%・入社6名)

【テレワーク】制度あり:[場所]自宅[対象]NA[日数]NA[利用率]NA【勤務制度】時間単位有休 時差勤務【住宅補助】独身寮 社宅 住宅手当

●ライフイベント、女性活躍●

【女性比率】■男 □女

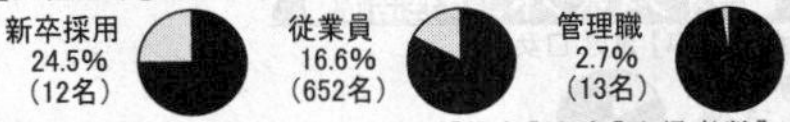
新卒採用
24.5%
(12名)
従業員
16.6%
(652名)
管理職
2.7%
(13名)

【産休】[期間]産前6・産後8週間[給与]法定[取得者数]14名

【育休】[期間]1歳になるまで[給与]法定[取得者数]22年度 男34名(対象121名)女20名(対象20名)23年度 男61名(対象92名)女12名(対象12名)[平均取得日数]22年度 NA、23年度 男59日 女366日

【従業員】◇[人数]3,925名(男3,273名、女652名)[平均年齢]39.5歳(男40.2歳、女36.1歳)[平均勤続年数]17.4年(男17.9年、女14.9年)

【年齢構成】■男 □女

60代〜
0%|0%
50代
23%
3%
40代
20%
4%
30代
20%
4%
〜20代
20%
6%

会社データ (金額は百万円)

【本社】108-8506 東京都港区芝浦2-12-10 ☎03-5730-3911
https://www.thk.com/jp/ja/

【業績(IFRS)】	売上高	営業利益	税前利益	純利益
21.12	318,188	30,268	29,984	23,007
22.12	393,687	34,460	35,596	21,198
23.12	351,939	23,707	25,289	18,398

メーカーI

(株)不二越（ふじこし）

【特色】軸受け、ロボット、工具等の総合機械メーカー

[記者評価] 富山で創業した老舗機械メーカー。精密工具やベアリングのほか、工作機械、油圧機器、ロボットなどを幅広く手がける。EV製造用ロボットが拡大中。国内工場はラインの省人化を進める。産機や補修など非自動車分野の収益性が高い。ブランド名は「NACHI」。

平均勤続年数	男性育休取得率	3年後離職率	平均年収(平均40歳)
◇15.3年	26.6 → 32.8%	NA	◇657万円

●採用・配属情報●

【男女・文理別採用実績】

	大卒男	大卒女	修士男	修士女
23年	36(文 14 理 22)	3(文 3 理 0)	29(文 0 理 29)	0(文 0 理 0)
24年	37(文 15 理 22)	8(文 5 理 3)	11(文 0 理 11)	0(文 0 理 0)
25年	30(文 17 理 13)	8(文 5 理 3)	18(文 0 理 18)	2(文 0 理 2)

※25年:計画数

【男女・職種別採用実績】

	総合職	事務
23年	69(男 66 女 3)	1(男 0 女 1)
24年	58(男 50 女 8)	0(男 0 女 0)
25年	60(男 50 女 10)	0(男 0 女 0)

【24年4月入社者の配属勤務地】[総]富山(富山14 東富山6) [技]富山(富山26 東富山9 滑川3)
【転勤】あり:[職種]全社員[勤務地]富山 東京 大阪 愛知 他
【中途比率】[単年度]21年度11%、22年度22%、23年度13%[全体]NA

●働きやすさ、諸制度●

残業(月) 13.7時間

【勤務時間】富山事業所8:00〜16:35 東京本社・支社支店9:00〜17:45【有休取得年平均】14.0日【週休】完全2日(土日)【夏期休暇】連続5日(週休2日含む)【年末年始休暇】連続5日(週休2日含む)
【離職率】男:NA、75名 女:NA、10名
【新卒3年後離職率】
[20→23年]NA
[21→24年]NA
【テレワーク】制度あり:[場所]自宅[対象]体調不良や怪我等で上司の許可が出た場合のみ[日数]NA[利用率]NA
【勤務制度】フレックス 時差勤務【住宅補助】独身寮(富山 千葉・船橋)社宅(横浜 千葉・船橋 他に借上)

●ライフイベント、女性活躍●

【女性比率】■男 □女

新卒採用
16.7%
(10名)

【産休】[期間]産前6・産後8週間[給与]法定[取得者数]14名
【育休】[期間]1歳になるまで[給与]法定[取得者数]22年度 男25名(対象94名)女11名(対象11名)23年度 男21名(対象64名)女14名(対象14名)[平均取得日数]22年度 男32日 女115日、23年度 男36日 女129日
【従業員】◇[人数]3,151名(男NA、女NA)[平均年齢]39.8歳(男NA、女NA)[平均勤続年数]15.3年(男NA、女NA)
【年齢構成】NA

[会社データ] (金額は百万円)

【本社】105-0021 東京都港区東新橋1-9-2 汐留住友ビル ☎03-5568-5111
https://www.nachi-fujikoshi.co.jp/

【業績(連結)】	売上高	営業利益	経常利益	純利益
21.11	229,117	14,718	14,457	9,993
22.11	258,097	17,025	17,100	12,237
23.11	265,464	11,873	11,028	6,469

(株)日本製鋼所（にほんせいこうしょ）

【特色】原発用の大型鋳鍛鋼で世界有数。樹脂機械が成長

[記者評価] 三井系。兵器国産化を目的に日・英3社出資で創業。大型鋳鍛鋼と産業機械の両輪。広島、横浜、愛知・大府の3工場体制。室蘭に子会社工場。火力・原子力向け鋳鍛鋼で世界大手。利益柱は樹脂製造・加工機。IT関連装置も成長柱。堅実な社風。配偶者転勤休職制度充実。

平均勤続年数	男性育休取得率	3年後離職率	平均年収(平均*39歳)
◇12.7年	40.3 → 63.9%	12.8 → 10.0%	[総]797万円

●採用・配属情報●

【男女・文理別採用実績】

	大卒男	大卒女	修士男	修士女
23年	16(文 8 理 8)	6(文 6 理 0)	19(文 0 理 19)	1(文 0 理 1)
24年	17(文 8 理 9)	11(文 8 理 3)	18(文 0 理 18)	2(文 1 理 1)
25年	16(文 6 理 10)	10(文 8 理 2)	15(文 0 理 15)	4(文 3 理 1)

※25年:24年7月31日時点

【男女・職種別採用実績】

	総合職
23年	45(男 38 女 7)
24年	52(男 39 女 13)
25年	49(男 35 女 14)

【24年4月入社者の配属勤務地】[総]広島13 東京・大崎2 北海道・室蘭2 横浜1 [技]広島22 北海道・室蘭7 横浜3 愛知・大府2
【転勤】あり:詳細NA
【中途比率】[単年度]21年度18%、22年度48%、23年度42%(含現業)[全体]NA

●働きやすさ、諸制度●

残業(月) 16.9時間

【勤務時間】9:00〜17:45【有休取得年平均】14.2日【週休】<本社>完全2日(土日祝)【夏期休暇】会社カレンダーによる【年末年始休暇】連続6〜9日
【離職率】男:NA、61名 女:NA、7名(早期退職男2名含む 他に男2名転籍)
【新卒3年後離職率】
[20→23年]12.8%(男14.0%・入社43名、女0%・入社4名)
[21→24年]10.0%(男11.1%・入社36名、女0%・入社4名)
【テレワーク】制度あり:[場所]自宅[対象]本社地区[日数]原則月8回まで[利用率]NA【勤務制度】時間単位有休 時差勤務【住宅補助】住宅手当(10,000〜25,000円)社宅(10,000〜15,000円程度 定年あり)独身寮(9,500円 35歳まで)

●ライフイベント、女性活躍●

【女性比率】■男 □女

新卒採用
28.6%
(14名)

【産休】[期間]100日まで取得可[給与]法定[取得者数]7名
【育休】[期間]1歳6カ月になるまで[給与]法定[取得者数]22年度 男29名(対象72名)女5名(対象5名)23年度 男53名(対象83名)女7名(対象7名)[平均取得日数]22年度 NA、23年度 NA
【従業員】◇[人数]1,901名(男NA、女NA)[平均年齢]39.0歳(男NA、女NA)[平均勤続年数]12.7年(男NA、女NA)
【年齢構成】NA

[会社データ] (金額は百万円)

【本社】141-0032 東京都品川区大崎1-11-1 ☎03-5745-2001
https://www.jsw.co.jp/

【業績(連結)】	売上高	営業利益	経常利益	純利益
22.3	213,790	15,460	16,772	13,948
23.3	238,721	13,846	14,958	11,974
24.3	252,501	18,014	19,945	14,278

オイレス工業(株)

こうぎょう

くるみん

【特色】無給油式ベアリングで高シェア、免震装置も

記者評価 無給油式(オイルレス)ベアリングの草分け。自動車向けが主力で、工作機械、鉄道車両、OA機器などにも納入。ビルや橋梁など構造物用の免震・制振装置や、排煙・換気装置なども手がける。EVや先端半導体向け製品の開発・拡販に注力。保有特許多数。

平均勤続年数	男性育休取得率	3年後離職率	平均年収(平均*45歳)
18.5年	50.0 → 68.4%	5.3 → 0%	㊗756万円

●採用・配属情報●

【男女・文理別採用実績】

	大卒男	大卒女	修士男	修士女
23年	2(文 2理 0)	6(文 4理 2)	3(文 0理 3)	2(文 0理 2)
24年	7(文 4理 3)	4(文 4理 0)	7(文 2理 5)	2(文 2理 0)
25年	3(文 1理 2)	7(文 6理 1)	9(文 0理 9)	0(文 0理 0)

【男女・職種別採用実績】

	総合職
23年	13(男 5 女 8)
24年	20(男 14 女 6)
25年	19(男 12 女 7)

【24年4月入社者の配属勤務地】㊗東京・品川2 神奈川・藤沢7 大阪1 名古屋1 ㊕栃木・足利2 神奈川・藤沢7

【転勤】あり:[職種]総合職

【中途比率】[単年度]21年度20%、22年度51%、23年度63%(契約社員から正社員登用された社員は除く)[全体]52%

●働きやすさ、諸制度●

残業(月) 6.0時間 ㊗7.1時間

【勤務時間】8:55～17:30(事務系総合職)8:30～17:20(技術系総合職)【有休取得年平均】15.9日【週休】会社暦2日【夏期休暇】8月10～20日【年末年始休暇】12月28日～1月5日

【離職率】男:3.7%、33名 女:3.5%、9名

【新卒3年後離職率】
[20→23年]5.3%(男8.3%・入社12名、女0%・入社7名)
[21→24年]0%(男0%・入社9名、女—・入社0名)

【テレワーク】制度あり:[場所]自宅 他[対象]NA[日数]NA[利用率]NA【勤務制度】時間単位有休 時差勤務【住宅補助】借上独身寮(7,000円 33歳まで)借上社宅(転勤者)結婚者家賃補助(最大50,000円)

●ライフイベント、女性活躍●

【女性比率】■男 □女

新卒採用 36.8% (7名)　従業員 22.6% (250名)　管理職 2.7% (4名)

【産休】[期間]産前6・産後8週間[給与]法定[取得者数]6名

【育休】[期間]1歳になるまで[給与]法定[取得者数]22年度 男15名(対象30名)女2名(対象2名)23年度 男13名(対象19名)女5名(対象5名)[平均取得日数]22年度 男46日 女309日、23年度 男63日 女309日

【従業員】[人数]1,107名(男857名、女250名)[平均年齢]44.6歳(男44.4歳、女45.2歳)[平均勤続年数]18.5年(男19.1年、女13.4年)

【年齢構成】■男 □女

	男	女
60代～	7%	2%
50代	27%	7%
40代	15%	7%
30代	18%	3%
～20代	10%	4%

会社データ (金額は百万円)

【本社】252-0811 神奈川県藤沢市桐原町8 ☎0466-44-4901
https://www.oiles.co.jp/

【業績(連結)】	売上高	営業利益	経常利益	純利益
22.3	59,853	5,861	6,514	4,325
23.3	62,882	5,056	5,730	4,132
24.3	68,765	7,291	7,791	5,476

住友重機械工業(株)

すみともじゅうきかいこうぎょう

プラチナ くるみん

【特色】住友系の総合重機メーカー。産業機械分野が主力

記者評価 総合重機メーカーで産業機械関連が主力。工場ラインやエレベーターに必要な変減速機で国内シェア1位。プラスチック製品を加工する射出成形機、建機や大型クレーン、タンカーも手がける。がん治療装置や半導体製造装置が伸長。国内外に生産・販売拠点多数。

平均勤続年数	男性育休取得率	3年後離職率	平均年収(平均42歳)
◇14.4年	62.9 → 100%	11.0 → 11.1%	㊗956万円

●採用・配属情報●

【男女・文理別採用実績】※秋入社含む

	大卒男	大卒女	修士男	修士女
23年	18(文 15理 3)	14(文 12理 2)	76(文 0理 76)	7(文 1理 6)
24年	27(文 20理 7)	16(文 13理 3)	75(文 0理 75)	11(文 1理 10)
25年	16(文 12理 4)	18(文 17理 1)	87(文 0理 87)	16(文 0理 16)

【男女・職種別採用実績】

	総合職
23年	116(男 95 女 21)
24年	130(男 103 女 27)
25年	141(男 106 女 35)

【24年4月入社者の配属勤務地】㊗東京(区内8 西東京3)千葉・稲毛9 神奈川・横須賀3 愛知・大府6 愛媛(新居浜3 西条2) ㊕東京(区内20 西東京6)千葉・稲毛20 神奈川・横須賀18 愛知・大府9 愛媛(新居浜12 西条11)

【転勤】あり:全社員

【中途比率】[単年度]21年度40%、22年度52%、23年度50%[全体]◇37%

●働きやすさ、諸制度●

残業(月) 25.4時間 ㊗25.4時間

【勤務時間】9:00～18:00(フレックスタイム制あり)【有休取得年平均】16.4日【週休】完全2日(土日祝)【夏期休暇】連続9日(有休3日、土日含む)【年末年始休暇】連続7日(有休1日、土日含む)

【離職率】◇男:3.0%、107名 女:2.2%、10名(早期退職男5名、女1名含む)

【新卒3年後離職率】
[20→23年]11.0%(男11.9%・入社101名、女5.9%・入社17名)
[21→24年]11.1%(男10.2%・入社88名、女13.8%・入社29名)

【テレワーク】制度あり:[場所]自宅 他[対象]全社員[日数]制限なし[利用率]17.1%【勤務制度】フレックス 時間単位有休 裁量労働 勤務間インターバル 副業容認【住宅補助】独身寮(各事業所に保有)家賃補助(賃貸の場合、居住居住地域に応じ最大65%)

●ライフイベント、女性活躍●

【女性比率】■男 □女

新卒採用 24.8% (35名)

従業員 11.4% (450名)

管理職 2.2% (10名)

【産休】[期間]産前6・産後8週間[給与]法定+賞与一部[取得者数]13名

【育休】[期間]3歳年度末まで[給与]法定+賞与一部[取得者数]22年度 男44名(対象70名)女3名(対象3名)23年度 男124名(対象124名)女14名(対象14名)[平均取得日数]22年度 男22日 女160日、23年度 男32日 女192日

【従業員】◇[人数]3,961名(男3,511名、女450名)[平均年齢]42.0歳(男42.4歳、女39.6歳)[平均勤続年数]14.4年(男14.7年、女12.4年)【年齢構成】■男 □女

	男	女
60代～	6%	0%
50代	24%	3%
40代	21%	3%
30代	21%	2%
～20代	17%	3%

会社データ (金額は百万円)

【本社】141-6025 東京都品川区大崎2-1-1 ☎03-6737-2332
https://www.shi.co.jp/

【業績(連結)】	売上高	営業利益	経常利益	純利益
22.3	943,979	65,678	64,847	44,053
22.12変	854,093	44,803	43,253	5,782
23.12	1,081,533	74,367	70,250	32,742

450 開示 ★★★★★ [短大] [専門] 採用あり

エスエムシー
ＳＭＣ㈱

【特色】FA空圧制御機器で世界1位。利益率高く財政堅実

[記者評価] 工場の設備自動化に用いる空圧制御機器のトップメーカー。BCP重視し、約80の国と地域でサービス展開。自動車や医療機器など顧客は幅広い。特定分野に依存せず安定性抜群。26年度に売上高1兆円へ。製品の小型・軽量化でCO2削減に貢献するなどSDGsにも注力。

平均勤続年数	男性育休取得率	3年後離職率	平均年収(平均46歳)
◇19.9年	21.9→43.1%	2.2→10.1%	[総]1,075万円

●採用・配属情報●

【男女・文理別採用実績】

	大卒男	大卒女	修士男	修士女
23年	61(文 25 理 36)	7(文 6 理 1)	50(文 0 理 50)	1(文 0 理 1)
24年	47(文 24 理 23)	4(文 4 理 0)	40(文 0 理 40)	3(文 0 理 3)
25年	43(文 26 理 17)	3(文 3 理 0)	48(文 0 理 48)	1(文 0 理 1)

【男女・職種別採用実績】 転換制度:⇔

	総合職	一般職
23年	115(男 107 女 8)	22(男 8 女 14)
24年	87(男 80 女 7)	27(男 17 女 10)
25年	100(男 96 女 4)	19(男 8 女 11)

【24年4月入社者の配属勤務地】[総]東京・千代田3 仙台1 埼玉(大宮2 草加2)神奈川・厚木1 山梨・甲府1 静岡1 愛知(名古屋2 豊田1)金沢1 京都2 大阪1 広島1 福岡1 [技]茨城(つくばみらい38 下妻6)埼玉・草加23

【転勤】あり:[職種]総合職(営業・企画業務 技術)

【中途比率】[単年度]21年度16%、22年度43%、23年度26%[全体]◇17%

●働きやすさ、諸制度●

残業(月) 7.9時間 [総]11.7時間

【勤務時間】8:30〜17:15【有休取得年平均】15.3日【週休】完全2日(土日祝)【夏期休暇】連続6日【年末年始休暇】連続6日

【離職率】◇男:2.1%、99名 女:1.5%、26名

【新卒3年後離職率】
[20→23年]2.2%(男0%・入社33名、女8.3%・入社12名)
[21→24年]10.1%(男8.5%・入社106名、女14.3%・入社42名)

【テレワーク】制度なし【勤務制度】裁量労働 時差勤務【住宅補助】独身寮(本社 工場 技術センター 各営業拠点)、住宅手当

●ライフイベント、女性活躍●

【女性比率】■男 □女

新卒採用 12.6%(15名)

従業員 27.7%(1743名)

管理職 2.9%(4名)

【産休】[期間]産前6・産後8週間[給与]法定[取得者数]64名

【育休】[期間]1歳になるまで[給与]法定[取得者数]22年度 男25名(対象114名)女56名(対象57名)23年度 男56名(対象130名)女62名(対象66名)[平均取得日数]22年度 男38日 女109日、23年度 男24日 女94日

【従業員】◇[人数]6,286名(男4,543名、女1,743名)[平均年齢]41.3歳(男42.3歳、女38.9歳)[平均勤続年数]19.9年(男20.1年、女19.4年)

【年齢構成】■男 □女

	男	女
60代〜	5%	0%
50代	20%	5%
40代	16%	9%
30代	16%	7%
〜20代	15%	7%

会社データ (金額は百万円)

【本社】101-0021 東京都千代田区外神田4-14-1 秋葉原UDX ☎03-5207-8271 https://www.smcworld.com/

【業績(連結)】	売上高	営業利益	経常利益	純利益
22.3	727,397	227,857	272,981	192,991
23.3	824,772	258,200	305,980	224,609
24.3	776,873	196,226	251,008	178,321

505 開示 ★★★★ [専門] 採用あり

㈱マキタ

【特色】電動工具で国内首位、世界でも最大手級

[記者評価] 電動工具で世界的。海外売上比率は8割超と高く、欧州で強い。「充電製品の総合サプライヤー」を標榜しリチウムイオン電池式工具に傾注、22年にはエンジン製品の生産を終了。草刈り機など園芸工具も強化。充電式ライトなどはアウトドアや災害向けにも展開。

平均勤続年数	男性育休取得率	3年後離職率	平均年収(平均42歳)
14.0年	25.2→49.5%	9.0→14.0%	[総]754万円

●採用・配属情報●

【男女・文理別採用実績】※25年:24年7月30日時点

	大卒男	大卒女	修士男	修士女
23年	73(文 55 理 18)	9(文 9 理 0)	63(文 2 理 61)	2(文 1 理 1)
24年	55(文 44 理 11)	10(文 8 理 2)	52(文 0 理 52)	0(文 0 理 0)
25年	38(文 29 理 9)	13(文 12 理 1)	44(文 0 理 44)	1(文 0 理 1)

【男女・職種別採用実績】 転換制度:⇒

	総合職	一般職
23年	147(男 136 女 11)	6(男 5 女 1)
24年	116(男 106 女 10)	3(男 3 女 0)
25年	94(男 82 女 12)	4(男 2 女 2)

【職種併願】総合職と一般職で可能

【24年4月入社者の配属勤務地】[総]愛知18 静岡3 大阪3 北海道2 神奈川2 広島2 福岡2 宮城1 山形1 新潟1 茨城1 千葉1 東京1 埼玉1 石川1 富山1 福井1 岐阜1 長野1 滋賀1 兵庫1 香川1 徳島1 愛媛1 熊本1 [技]愛知66

【転勤】あり:[職種]国内営業職 国内営業以外の文系職種・技術職[勤務地]国内営業職:国内 国内営業以外の文系職種・技術職:海外出向

【中途比率】[単年度]21年度15%、22年度13%、23年度6%[全体]19%

●働きやすさ、諸制度●

残業(月) 20.5時間 [総]18.6時間

【勤務時間】8:20〜17:00【有休取得年平均】13.7日【週休】完全2日(土日)【夏期休暇】(本社・岡崎工場)連続5日+連続9日(営業)連続9日【年末年始休暇】連続9日

【離職率】男:3.9%、90名 女:4.6%、21名

【新卒3年後離職率】
[20→23年]9.0%(男9.4%・入社139名、女6.3%・入社16名)
[21→24年]14.0%(男15.1%・入社159名、女0%・入社12名)

【テレワーク】制度なし【勤務制度】時差勤務【住宅補助】社宅・借上社宅(愛知県を中心に全国で約850名が利用 規程の使用料(全国一律)を徴収)

●ライフイベント、女性活躍●

【女性比率】■男 □女

新卒採用 14.3%(14名)

従業員 16.2%(434名)

管理職 1.1%(3名)

【産休】[期間]産前8・産後8週間[給与]法定+有給4日[取得者数]16名

【育休】[期間]1歳半または1歳年度末まで[給与]法定[取得者数]22年度 男26名(対象103名)女23名(対象23名)23年度 男45名(対象91名)女16名(対象16名)[平均取得日数]22年度 男68日 女413日、23年度 男57日 女379日

【従業員】[人数]2,680名(男2,246名、女434名)[平均年齢]39.0歳(男39.0歳、女40.0歳)[平均勤続年数]14.0年(男14.0年、女14.0年)【年齢構成】■男 □女

	男	女
60代〜	1%	0%
50代	20%	3%
40代	17%	5%
30代	21%	5%
〜20代	25%	3%

会社データ (金額は百万円)

【本社】446-8502 愛知県安城市住吉町3-11-8 ☎0566-98-1711 https://www.makita.co.jp/

【業績(IFRS)】	売上高	営業利益	税前利益	純利益
22.3	739,260	91,728	92,483	64,770
23.3	764,702	28,246	23,887	11,705
24.3	741,391	66,169	64,017	43,691

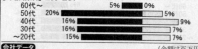

メーカーI

470 **開示 ★★★★★** 短大 **採用あり**

㈱ダイフク

【特色】搬送システム総合メーカーで世界首位級

記者評価 モノを保管、搬送、仕分け・ピッキングする「マテリアルハンドリング(マテハン)」の売上高で世界トップ級。半導体工場のクリーンルームや物流施設、自動車工場などで使われる。空港向けの自動搬送システムなども手がける。滋賀に巨大工場。

平均勤続年数	男性育休取得率	3年後離職率	平均年収(平均41歳)
! 15.3年	45.7 → 64.8%	12.1 → 15.9%	㊋776万円

●採用・配属情報●

【男女・文理別採用実績】

	大卒男	大卒女	修士男	修士女
23年	34(文 10 理 24)	12(文 4 理 8)	40(文 1 理 39)	2(文 1 理 1)
24年	29(文 11 理 18)	4(文 3 理 1)	34(文 0 理 34)	5(文 0 理 5)
25年	32(文 11 理 21)	13(文 7 理 6)	38(文 0 理 38)	5(文 1 理 4)

【男女・職種別採用実績】 転換制度:⇒

	総合職
23年	89(男 75 女 14)
24年	74(男 65 女 9)
25年	94(男 76 女 18)

【24年4月入社者の配属勤務地】㊋大阪3 滋賀4 小牧2 東京5 ㊓大阪13 滋賀36 小牧2 東京9

【転勤】あり:[職種]全社員[勤務地]全国 海外

【中途比率】[単年度]21年度49%、22年度54%、23年度55%[全体]44%

●働きやすさ、諸制度●

残業(月) **19.5時間 ㊋19.5時間**

【勤務時間】8:30〜17:00 営業系9:00〜17:30【有休取得年平均】13.8日【週休】完全2日(土日祝)【夏期休暇】計画的付与として有休で取得【年末年始休暇】12月28日〜1月5日

【離職率】男:3.5%、110名 女:4.1%、19名

【新卒3年後離職率】

[20→23年]12.1%(男9.9%・入社91名、女25.0%・入社16名)

[21→24年]15.9%(男12.2%・入社74名、女50.0%・入社8名)

【テレワーク】制度あり:[場所]自宅 他[対象]全社員(新卒入社1年経過後 中途入社3カ月経過後)[日数]週2日まで[利用率]3.2%

【勤務制度】フレックス【住宅補助】独身寮(自己負担8,000〜10,000円)借上寮(自己負担10,000円)借上社宅(入居期間10年)住宅ローン補助 ※自己負担額は地区・入居年数により異なる

●ライフイベント、女性活躍●

【女性比率】■男 □女

新卒採用 19.1% (18名)

従業員 12.6% (442名)

管理職 4.3% (19名)

【産休】[期間]産前6・産後8週間[給与]会社85%給付[取得者数]18名

【育休】[期間]2歳到達月末まで[給与]法定[取得者数]22年度 男43名(対象94名)女18名(対象7名)23年度 男70名(対象108名)女26名(対象16名)[平均取得日数]22年度 男39日 女145日、23年度 男65日 女330日

【従業員】[人数]3,509名(男3,067名、女442名)[平均年齢]41.3歳(男41.1歳、女42.4歳)[平均勤続年数]15.3年(男15.4年、女14.5年)※海外ナショナルスタッフ含む

【年齢構成】■男 □女

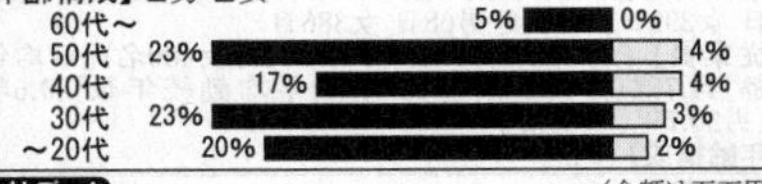

	男	女
60代〜	5%	0%
50代	23%	4%
40代	17%	4%
30代	23%	3%
〜20代	20%	2%

会社データ (金額は百万円)

【本社】555-0012 大阪府大阪市西淀川区御幣島3-2-11 ☎06-6476-2581 https://www.daifuku.com/jp/

【業績(連結)】	売上高	営業利益	経常利益	純利益
22.3	512,268	50,252	51,253	35,877
23.3	601,922	58,854	59,759	41,248
24.3	611,477	62,079	64,207	45,461

1218 **開示 ★★★★**

村田機械㈱

(むらたきかい) くるみん

【特色】総合機械メーカー。中・印・タイなど積極開拓

記者評価 西陣向け繊維機械から発展。現在は工作機械のほか情報機器、物流・FAシステムまで総合展開。「ムラテック」ブランドは内外に浸透。新規事業にも注力。光触媒の空気消臭除菌装置を拡販。海外拠点は米欧亜に34カ所以上。全国都道府県対抗女子駅伝の協賛会社。

平均勤続年数	男性育休取得率	3年後離職率	平均年収(平均42歳)
16.7年	52.1 → 78.6%	! 8.5 → 8.5%	㊋753万円

●採用・配属情報●

【男女・文理別採用実績】

	大卒男	大卒女	修士男	修士女
23年	30(文 14 理 16)	17(文 16 理 1)	31(文 0 理 31)	3(文 0 理 3)
24年	34(文 19 理 15)	15(文 14 理 1)	39(文 0 理 39)	0(文 0 理 0)
25年	19(文 13 理 6)	23(文 20 理 3)	21(文 0 理 21)	2(文 0 理 2)

【男女・職種別採用実績】 転換制度:⇔

	総合職	一般職
23年	106(男 82 女 24)	0(男 0 女 0)
24年	99(男 84 女 15)	0(男 0 女 0)
25年	71(男 46 女 25)	0(男 0 女 0)

【24年4月入社者の配属勤務地】㊋愛知(犬山 豊橋)京都市 東京・中央 大阪市 ㊓愛知・犬山 京都市 石川・加賀

【転勤】あり:[職種]総合職

【中途比率】[単年度]21年度53%、22年度59%、23年度43%[全体]25%

●働きやすさ、諸制度●

残業(月) **24.2時間 ㊋25.2時間**

【勤務時間】8:00〜16:55【有休取得年平均】12.0日【週休】完全2日(土日)【夏期休暇】夏期休暇7月27〜30日 お盆休み8月12〜16日【年末年始休暇】連続6日

【離職率】男:2.4%、76名 女:2.5%、19名

【新卒3年後離職率】

[20→23年]8.5%(男8.2%・入社61名、女9.5%・入社21名)※短大卒除く

[21→24年]8.5%(男6.3%・入社48名、女18.2%・入社11名)

【テレワーク】制度あり:[場所]居住地、または通信環境が整備され、安全・衛生・セキュリティ上問題なく、業務上支障がないと上司が認めた場所[対象]制限なし[日数]業務特性等を勘案し、職場で取得日数の上限を設けることができる[利用率]NA【勤務制度】時間単位有休 裁量労働 時差勤務【住宅補助】独身寮(2,000円〜)社宅(9,500円〜)

●ライフイベント、女性活躍●

【女性比率】■男 □女

新卒採用 35.2% (25名)

従業員 19.5% (755名)

管理職 3.5% (10名)

【産休】[期間]産前6・産後8週間[給与]法定[取得者数]28名

【育休】[期間]1歳になるまで[給与]法定[取得者数]22年度 男50名(対象96名)女25名(対象25名)23年度 男81名(対象103名)女35名(対象35名)[平均取得日数]22年度 男47日 女398日、23年度 男41日 女323日

【従業員】[人数]3,871名(男3,116名、女755名)[平均年齢]41.5歳(男42.3歳、女37.8歳)[平均勤続年数]16.7年(男17.4年、女13.9年)【年齢構成】■男 □女

	男	女
60代〜	8%	0%
50代	20%	4%
40代	17%	4%
30代	19%	5%
〜20代	16%	6%

会社データ (金額は百万円)

【本社】612-8418 京都府京都市伏見区竹田向代町136 ☎075-672-8117 https://www.muratec.jp/

【業績(連結)】	売上高	営業利益	経常利益	純利益
22.3	391,826	60,435	80,730	50,360
23.3	466,133	63,847	81,833	49,271
24.3	497,452	79,135	103,666	67,312

みつびしでんき
三菱電機ビルソリューションズ(株)

【特色】エレベーターの保守・修理で国内最大手

記者評価 三菱電機の完全子会社でビルシステムの中核。エレベーターの開発・製造から保守・管理まで一貫。三菱電機ビルテクノサービスが22年4月に親会社のビルシステム事業を統合し、空調や給排水、セキュリティ設備まで総合化。最先端技術駆使しスマートビル化提案。

平均勤続年数	男性育休取得率	3年後離職率	平均年収(平均39歳)
12.9年	7.5→15.5%	13.6→14.0%	㊎777万円

●採用・配属情報●

【男女・文理別採用実績】※25年:24年7月31日時点

	大卒男	大卒女	修士男	修士女
23年	168(文 34 理134)	17(文 13 理 4)	9(文 0 理 9)	1(文 0 理 1)
24年	137(文 34 理103)	13(文 11 理 2)	9(文 0 理 9)	2(文 1 理 1)
25年	164(文 45 理119)	33(文 29 理 4)	19(文 0 理 19)	3(文 0 理 3)

【男女・職種別採用実績】 転換制度:⇒

	総合職
23年	224(男 203 女 21)
24年	189(男 170 女 19)
25年	243(男 203 女 40)

【24年4月入社者の配属勤務地】㊎北海道2 東北3 首都圏17 東海8 関西10 中国1 九州5 ㊍北海道1 東北5 首都圏74 東海29 関西25 中国4 四国2 九州3

【転勤】あり:[職種]総合職

【中途比率】[単年度]21年度13%、22年度12%、23年度17%[全体]29%

●働きやすさ、諸制度●

残業(月) 24.5時間

【勤務時間】7時間45分(フレックスタイム制、変形労働時間制)【有休取得年平均】17.7日【週休】完全2日(土日祝)【夏期休暇】有休・特別休日で計画取得【年末年始休暇】12月27日～1月5日

【離職率】男:1.5%、165名 女:2.4%、43名(他に男7名転籍)

【新卒3年後離職率】
[20→23年]13.6%(男13.4%・入社239名、女15.8%・入社19名)
[21→24年]14.0%(男13.0%・入社169名、女30.0%・入社10名)

【テレワーク】制度あり:[場所]自宅 親族宅(本人 配偶者のみ)会社施設及び準じる施設 本人留守宅(別居滞在手当支給者のみ)[対象]制限なし[日数]制限なし[利用率]NA【勤務制度】フレックス 時間単位有休 時差勤務【住宅補助】独身寮 社宅

●ライフイベント、女性活躍●

【女性比率】■男 □女

新卒採用 16.5% (40名)　従業員 13.7% (1713名)　管理職 0.9% (8名)

【産休】[期間]産前8・産後8週間[給与]法定+健保1割給付[取得者数]51名

【育休】[期間]1歳半になるまで(2歳到達後の3月末日まで延長可)[給与]法定[取得者数]22年度 男24名(対象320名)女47名(対象49名)23年度 男52名(対象335名)女59名(対象51名)[平均取得日数]22年度 NA、23年度 男86日 女395日

【従業員】[人数]12,497名(男10,784名、女1,713名)[平均年齢]41.9歳(男42.2歳、女40.0歳)[平均勤続年数]12.9年(男13.3年、女10.3年)【年齢構成】■男 □女

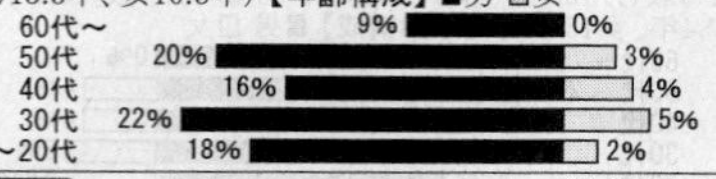

会社データ (金額は百万円)

【本社】100-8335 東京都千代田区丸の内2-7-3 東京ビル ☎03-6206-5000 https://www.meltec.co.jp/

【業績(単独)】	売上高	営業利益	経常利益	純利益
22.3	316,312	9,919	15,337	11,567
23.3	404,939	11,320	17,540	14,037
24.3	416,823	16,667	24,744	36,189

※22.3の業績は三菱電機ビルテクノサービス(株)のもの

グローリー(株)

くるみん

【特色】貨幣処理機の先駆で国内首位、海外も積極展開

記者評価 貨幣処理・決済機器の専門企業。金融機関向け入出金機やスーパー・コンビニ向けつり銭機などで高シェア。金融向けに強く小売店・鉄道・遊技場にも展開。顔認証やロボットSIなど新事業にも注力。25年4月入社者から大卒初任給を243,500円に増額予定。

平均勤続年数	男性育休取得率	3年後離職率	平均年収(平均45歳)
◇20.6年	60.0→56.7%	9.5→5.4%	㊎746万円

●採用・配属情報●

【男女・文理別採用実績】

	大卒男	大卒女	修士男	修士女
23年	21(文 9 理 12)	11(文 10 理 1)	13(文 0 理 13)	1(文 0 理 1)
24年	40(文 19 理 21)	13(文 13 理 0)	8(文 0 理 8)	0(文 0 理 0)
25年	49(文 20 理 29)	10(文 7 理 3)	7(文 0 理 7)	0(文 0 理 0)

【男女・職種別採用実績】

	総合職
23年	48(男 36 女 12)
24年	63(男 50 女 13)
25年	70(男 60 女 10)

【24年4月入社者の配属勤務地】㊎東京(千代田7 文京7)姫路6 大阪4 名古屋2 東北1 さいたま1 広島1 福岡1 ㊍姫路17 東京(文京4 品川3 千代田1 立川1)仙台1 新潟1 高崎1 横浜1 静岡1 名古屋1 大阪1

【転勤】あり:全社員

【中途比率】[単年度]21年度32%、22年度40%、23年度50%[全体]◇20%

●働きやすさ、諸制度●

残業(月) 18.9時間 ㊎18.9時間

【勤務時間】8:30～17:15【有休取得年平均】15.1日【週休】完全2日(土日祝)【夏期休暇】会社指定休日+一部事業所に限り有休の一斉付与【年末年始休暇】会社指定休日+一部事業所に限り有休の一斉付与

【離職率】◇男:4.2%、132名 女:2.4%、12名(早期退職男10名、女3名含む 他に15名転籍)

【新卒3年後離職率】
[20→23年]9.5%(男11.1%・入社45名、女5.6%・入社18名)
[21→24年]5.4%(男4.5%・入社44名、女8.3%・入社12名)

【テレワーク】制度あり:[場所]会社に届け出ている居住地、ただし自宅に準ずる場所[対象]全従業員(一部対象外あり)[日数]毎月1日から月末までの労働日数の50%まで[利用率]NA【勤務制度】フレックス 時間単位有休【住宅補助】独身寮(25歳未満月6,000円、30歳未満月8,500円)社宅(転勤者のみ)住宅手当

●ライフイベント、女性活躍●

【女性比率】■男 □女

新卒採用 14.3% (10名)　従業員 13.9% (489名)　管理職 3% (31名)

【産休】[期間]産前6・産後8週間[給与]会社全額給付[取得者数]29名

【育休】[期間]1歳になるまで[給与]法定[取得者数]22年度 男45名(対象75名)女32名(対象32名)23年度 男38名(対象67名)女29名(対象29名)[平均取得日数]22年度 男28日 女392日、23年度 男68日 女386日

【従業員】◇[人数]3,510名(男3,021名、女489名)[平均年齢]44.7歳(男44.9歳、女43.3歳)[平均勤続年数]20.6年(男20.7年、女20.2年)

【年齢構成】NA

会社データ (金額は百万円)

【本社】670-8567 兵庫県姫路市下手野1-3-1 ☎079-297-3131 https://www.glory.co.jp/

【業績(連結)】	売上高	営業利益	経常利益	純利益
22.3	226,562	10,297	10,507	6,509
23.3	255,857	522	▲2,720	▲9,538
24.3	372,478	51,276	48,438	29,674

メーカーI

1975 開示 ★★★★

ナブテスコ(株)

【特色】減速機等の部品メーカー。高シェア品多数

[記者評価] ともに老舗のティーエスコーポレーション(旧帝人製機)とナブコの事業統合で03年に誕生。主力は産業ロボットの関節向け精密減速機で、世界シェア6割を有する。ほかにも鉄道用ブレーキや自動ドア、包装機など展開。建機向け油圧機器や航空機器も。

平均勤続年数	男性育休取得率	3年後離職率	平均年収(平均43歳)
17.1年	47.0→81.3%	14.7→4.2%	[総]732万円

●採用・配属情報●

【男女・文理別採用実績】

	大卒男	大卒女	修士男	修士女
23年	10(文 3理 7)	6(文 4理 2)	12(文 0理 12)	4(文 1理 3)
24年	13(文 5理 8)	5(文 3理 2)	19(文 0理 19)	2(文 1理 1)
25年	12(文 3理 9)	6(文 4理 2)	12(文 0理 12)	1(文 0理 1)

【男女・職種別採用実績】

	総合職
23年	34(男 24 女 10)
24年	39(男 32 女 7)
25年	32(男 25 女 7)

【24年4月入社者の配属勤務地】[総]東京・千代田4 神戸2 名古屋1 岐阜・不破郡1 三重・津1 [技]京都市2 岐阜・不破郡3 神戸13 三重・津12

【転勤】あり:[職種]総合職(技術系 事務系)※地域限定社員除く[勤務地](技術系)東京 岐阜 三重 兵庫 京都 神奈川(事務系)東京 岐阜 三重 兵庫 京都 神奈川 名古屋 大阪

【中途比率】[単年度]21年度35%、22年度47%、23年度43%[全体]37%

●働きやすさ、諸制度●

残業(月) 24.4時間 [総]24.4時間

【勤務時間】9:00〜17:30【有休取得年平均】16.4日【週休】完全2日(当社カレンダーによる)【夏期休暇】5日(事業所ごとに決定)【年末年始休暇】12月30日〜1月3日

【離職率】男:2.5%、57名 女:2.7%、7名

【新卒3年後離職率】
[20→23年]14.7%(男11.5%・入社26名、女25.0%・入社8名)
[21→24年]4.2%(男4.5%・入社22名、女0%・入社2名)

【テレワーク】制度あり:[場所]自宅 サテライトオフィス[対象]全社員[日数]1カ月あたり15日まで[利用率]6.7%【勤務制度】フレックス 時間単位有休 裁量労働 副業容認【住宅補助】独身寮(自己負担10,000〜16,000円)

●ライフイベント、女性活躍●

【女性比率】■男 □女

新卒採用 21.9% (7名)

従業員 10.2% (249名)

管理職 3.1% (10名)

【産休】[期間]産前6・産後8週間[給与]法定[取得者数]6名

【育休】[期間]1歳になるまで[給与]法定[取得者数]22年度 男31名(対象66名)女8名(対象8名)23年度 男61名(対象75名)女8名(対象8名)[平均取得日数]22年度 男42日 女309日、23年度 男72日 女304日

【従業員】[人数]2,448名(男2,199名、女249名)[平均年齢]43.0歳(男43.1歳、女41.8歳)[平均勤続年数]17.1年(男17.3年、女15.3年)【年齢構成】■男 □女

60代〜 6% 0%
50代 28% 3%
40代 19% 2%
30代 18% 2%
〜20代 19% 2%

[会社データ] (金額は百万円)

【本社】102-0093 東京都千代田区平河町2-7-9 JA共済ビル ☎03-5213-1139 https://www.nabtesco.com/

【業績(IFRS)】	売上高	営業利益	税前利益	純利益
21.12	299,802	30,017	101,966	64,818
22.12	308,691	18,097	15,763	9,464
23.12	333,631	17,376	25,629	14,554

466 開示 ★★★

(株)椿本チエイン

(つばきもと)

【特色】産業用チェーン世界首位。自動車用でも最大手

[記者評価] 1917年自転車チェーン製造会社として創業。産業用スチールチェーン、自動車エンジン用チェーンで世界首位。自動車塗装ライン用、物流や新聞システム用の搬送装置も手がける。北米、欧州、アジアなど海外工場を保有し海外売上高比率は6割強。

平均勤続年数	男性育休取得率	3年後離職率	平均年収(平均43歳)
◇16.5年	27.1→41.1%	4.9→2.9%	[総]700万円

●採用・配属情報●

【男女・文理別採用実績】

	大卒男	大卒女	修士男	修士女
23年	12(文 6理 6)	11(文 8理 3)	15(文 0理 15)	3(文 2理 1)
24年	26(文 7理 19)	10(文 7理 3)	13(文 0理 13)	0(文 0理 0)
25年	19(文 8理 11)	8(文 5理 3)	9(文 0理 9)	3(文 0理 3)

【男女・職種別採用実績】

	総合職
23年	46(男 31 女 15)
24年	53(男 41 女 12)
25年	41(男 29 女 12)

【24年4月入社者の配属勤務地】[総]東京・品川3 京都・京田辺7 大阪市4 [技]埼玉・飯能15 京都(長岡京7 京田辺15)岡山・津山2

【転勤】あり:[職種]基幹職

【中途比率】[単年度]21年度59%、22年度68%、23年度64%[全体]◇45%

●働きやすさ、諸制度●

残業(月) 7.6時間 [総]9.4時間

【勤務時間】9:00〜17:30【有休取得年平均】15.6日【週休】完全2日(土日)【夏期休暇】(工場)連続6〜10日(本社・支社)連続5日【年末年始休暇】連続7〜10日

【離職率】◇男:2.2%、61名 女:3.8%、11名(早期退職男5名含む)

【新卒3年後離職率】
[20→23年]4.9%(男5.9%・入社34名、女0%・入社7名)
[21→24年]2.9%(男3.4%・入社29名、女0%・入社5名)

【テレワーク】制度あり:[場所]自宅[対象]NA[日数]NA[利用率]NA【勤務制度】フレックス 裁量労働【住宅補助】独身寮(大阪・大東 埼玉・飯能)社宅(埼玉・所沢)借上の地区もあり

●ライフイベント、女性活躍●

【女性比率】■男 □女

新卒採用 29.3% (12名)

従業員 9.4% (278名)

管理職 2.6% (10名)

【産休】[期間]産前6・産後8週間[給与]法定[取得者数]8名

【育休】[期間]1歳になるまで[給与]法定[取得者数]22年度 男29名(対象107名)女3名(対象5名)23年度 男37名(対象90名)女9名(対象9名)[平均取得日数]22年度 男53日 女202日、23年度 男50日 女256日

【従業員】◇[人数]2,947名(男2,669名、女278名)[平均年齢]42.4歳(男42.4歳、女42.5歳)[平均勤続年数]16.5年(男17.0年、女12.0年)

【年齢構成】■男 □女

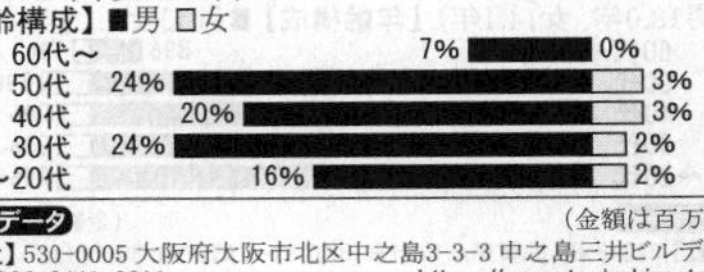

60代〜 7% 0%
50代 24% 3%
40代 20% 3%
30代 24% 2%
〜20代 16% 2%

[会社データ] (金額は百万円)

【本社】530-0005 大阪府大阪市北区中之島3-3-3 中之島三井ビルディング ☎06-6441-0011 https://www.tsubakimoto.jp/

【業績(連結)】	売上高	営業利益	経常利益	純利益
22.3	215,879	17,842	20,045	14,543
23.3	251,574	18,985	20,958	13,742
24.3	266,812	21,262	23,450	18,551

メーカーⅠ

フジテック(株)

【特色】昇降機専業メーカー。東アジアの比重大

記者評価 エレベーター、エスカレーター専業。国内4位で唯一の非総合電機系として独自色。関西地盤だが首都圏での存在感も高い。中国などを中心に海外売上比率は約6割。国内は滋賀県の工場に本社機能集約。モノ言う株主の提案を踏まえた経営改善が続く。

平均勤続年数	男性育休取得率	3年後離職率	平均年収(平均41歳)
◇17.6年	8.6 → 32.4%	18.2 → 9.4%	㊗681万円

●採用・配属情報●

【男女・文理別採用実績】

	大卒男	大卒女	修士男	修士女
23年	39(文 9理 30)	2(文 1理 1)	9(文 0理 9)	2(文 1理 1)
24年	53(文 11理 42)	10(文 6理 4)	6(文 0理 6)	0(文 0理 0)
25年	53(文 6理 47)	3(文 1理 2)	6(文 0理 6)	0(文 0理 0)

【男女・職種別採用実績】※短大・高専を除く

	総合職(修士・大学)
23年	52(男 48 女 4)
24年	69(男 59 女 10)
25年	62(男 59 女 3)

【24年4月入社者の配属勤務地】㊗大阪(大阪6 茨木1)東京・港6 広島2 北海道1 名古屋1 ㊕滋賀・彦根22 東京(港12 大田2 江東1 台東1 荒川1 豊島1 西東京1 立川1)大阪(大阪6 西区5 茨木4)兵庫(豊岡5 神戸3)横浜2 京都2 広島2 仙台2 香川1 埼玉1 静岡1 石川1 富山1 福岡1 北海道1 名古屋1
【転勤】あり:正社員(勤務地限定正社員を除く)
【中途比率】[単年度]21年度37%、22年度38%、23年度56%[全体]NA

●働きやすさ、諸制度●

残業(月) 23.4時間

【勤務時間】8:40〜17:25 支社等8:30〜17:15【有休取得年平均】13.1日【週休】2日(職種により異なる)【夏期休暇】連続5〜7日(計画年休3日+土日祝)【年末年始休暇】連続4〜7日(土日祝含む)
【離職率】◇男:3.6%、115名 女:5.5%、19名(早期退職男8名含む)
【新卒3年後離職率】
[20→23年]18.2%(男17.9%・入社39名、女20.0%・入社5名)
[21→24年]9.4%(男8.3%・入社48名、女20.0%・入社5名)
【テレワーク】制度あり:[場所]ホテル テレワークスペースなど[対象]テレワークに適する職種(システムエンジニアなど)[日数]週2日まで[利用率]NA【勤務制度】フレックス 時間単位有休 裁量労働 副業容認
【住宅補助】独身寮(自己負担月4,000〜8,500円、35歳まで、水道光熱費を除く)住宅手当 ※地域や条件により自己負担額が異なる

●ライフイベント、女性活躍●

【女性比率】■男 □女

新卒採用 4.8%(3名)　従業員 9.7%(329名)　管理職 1.4%(5名)

【産休】[期間]産前6・産後8週間[給与]法定[取得者数]5名
【育休】[期間]1歳になるまで[給与]法定[取得者数]22年度 男8名(対象93名)女6名(対象6名)23年度 男33名(対象102名)女9名(対象9名)[平均取得日数]22年度 男72日 女388日、23年度 男29日 女446日
【従業員】◇[人数]3,385名(男3,056名、女329名)[平均年齢]41.0歳(男41.1歳、女40.4歳)[平均勤続年数]17.6年(男18.0年、女14.1年)【年齢構成】■男 □女

	男	女
60代〜	3%	1%
50代	25%	3%
40代	20%	2%
30代	23%	2%
〜20代	20%	2%

会社データ (金額は百万円)

【本社】522-8588 滋賀県彦根市宮田町591-1 ☎0749-30-7111
https://www.fujitec.co.jp/

【業績(連結)】	売上高	営業利益	経常利益	純利益
22.3	187,018	13,777	15,713	10,835
23.3	207,589	11,619	13,332	8,433
24.3	229,401	14,571	18,717	17,830

オーエスジー(株)

【特色】切削工具総合メーカー。海外戦略で業績安定基盤

記者評価 精密切削工具大手。タップ、ドリル、エンドミル、転造工具など生産し、いずれも高シェア。自動車関連向け多い。1968年に米国に現法を開設したのを皮切りに、現在では世界33カ国に拠点網。海外売上比率は約7割。微細精密加工用工具を戦略的に強化中。

平均勤続年数	男性育休取得率	3年後離職率	平均年収(平均44歳)
18.4年	18.9 → 50.0%	9.4 → 18.9%	㊗725万円

●採用・配属情報●

【男女・文理別採用実績】

	大卒男	大卒女	修士男	修士女
23年	14(文 9理 5)	0(文 0理 0)	9(文 0理 9)	0(文 0理 0)
24年	19(文 15理 4)	0(文 0理 0)	5(文 0理 5)	1(文 0理 1)
25年	7(文 4理 3)	3(文 2理 1)	5(文 0理 5)	0(文 0理 0)

【男女・職種別採用実績】

	総合職
23年	23(男 23 女 0)
24年	25(男 24 女 1)
25年	16(男 13 女 3)

【24年4月入社者の配属勤務地】㊗東京2 愛知2 群馬1 岐阜1 大阪1 兵庫1 ㊕愛知17
【転勤】あり:[職種]技術系を除く全社員[勤務地]全国
【中途比率】[単年度]21年度9%、22年度9%、23年度12%[全体]35%

●働きやすさ、諸制度●

残業(月) 15.0時間 ㊗15.0時間

【勤務時間】8:30〜17:20【有休取得年平均】15.7日【週休】完全2日(土日)【夏期休暇】連続9〜10日程度(週休4日含む)【年末年始休暇】連続9〜10日程度(週休4日含む)
【離職率】男:3.8%、31名 女:1.4%、3名
【新卒3年後離職率】
[20→23年]9.4%(男11.5%・入社26名、女0%・入社6名)
[21→24年]18.9%(男21.4%・入社28名、女11.1%・入社9名)
【テレワーク】制度あり:[場所]自宅[対象]開発部門 間接部門[日数]制限なし[利用率]4.4%【勤務制度】フレックス 時間単位有休【住宅補助】借上社宅(営業部門:固定家賃3,000円程度 技術職:家賃41,000円以下は固定家賃3,000円、41,000円以上は会社が38,000円負担)

●ライフイベント、女性活躍●

【女性比率】■男 □女

新卒採用 18.8%(3名)　従業員 20.9%(207名)　管理職 4.6%(8名)

【産休】[期間]産前6・産後8週間[給与]法定[取得者数]4名
【育休】[期間]2歳になるまで[給与]法定[取得者数]22年度 男7名(対象37名)女6名(対象6名)23年度 男18名(対象36名)女4名(対象4名)[平均取得日数]22年度 男21日 女525日、23年度 男51日 女308日
【従業員】[人数]992名(男785名、女207名)[平均年齢]43.3歳(男43.6歳、女42.1歳)[平均勤続年数]18.4年(男19.1年、女15.8年)
【年齢構成】■男 □女

	男	女
60代〜	7%	1%
50代	23%	5%
40代	19%	7%
30代	15%	4%
〜20代	15%	4%

会社データ (金額は百万円)

【本社】442-8543 愛知県豊川市本野ケ原3-22 ☎0533-82-1111
https://www.osg.co.jp/

【業績(連結)】	売上高	営業利益	経常利益	純利益
21.11	126,156	16,105	16,141	10,989
22.11	142,525	21,898	23,648	16,534
23.11	147,703	19,800	21,350	14,307

㈱ミツトヨ

【特色】精密測定機器で世界首位級。世界約30カ国に拠点

[記者評価] 高精度3次元測定機が柱の精密測定機器総合メーカー。ノギス、マイクロメーターの国内シェアは約9割。川崎、札幌、宮崎に研究開発拠点を置く。海外でもシェア高く、約30カ国・地域に拠点。熟練技能者の技と経験を伝承する「匠マイスター制度」も。

平均勤続年数	男性育休取得率	3年後離職率	平均年収(平均41歳)
◇16.3年	26.9→27.5%	14.3→0%	◇720万円

●採用・配属情報●

【男女・文理別採用実績】

	大卒男	大卒女	修士男	修士女
23年	9(文 2理 7)	2(文 2理 0)	11(文 0理 11)	0(文 0理 0)
24年	7(文 6理 1)	7(文 6理 1)	13(文 0理 13)	3(文 0理 3)
25年	9(文 5理 4)	4(文 3理 1)	6(文 0理 6)	3(文 0理 3)

【男女・職種別採用実績】 転換制度:⇔

	総合職
23年	23(男 21 女 2)
24年	32(男 22 女 10)
25年	23(男 16 女 7)

【24年4月入社者の配属勤務地】[総]川崎13 [技]川崎8 栃木・宇都宮5 広島4 岐阜・中津川1 高知1

【転勤】あり:全社員

【中途比率】[単年度]21年度NA、22年度NA、23年度NA[全体]◇39%

●働きやすさ、諸制度●

残業(月) 20.0時間 [総]20.0時間

【勤務時間】8:30〜17:15【有休取得年平均】11.0日【週休】完全2日(土日祝)【夏期休暇】連続5日【年末年始休暇】12月29日〜1月3日

【離職率】◇男:1.5%、36名 女:1.0%、4名

【新卒3年後離職率】

[20→23年]14.3%(男15.8%・入社19名、女0%・入社2名)

[21→24年]0%(男0%・入社12名、女0%・入社4名)

【テレワーク】制度あり:[場所]自宅[対象]NA[日数]NA[利用率]NA【勤務制度】フレックス 時間単位有休 裁量労働

【住宅補助】独身寮 世帯用社宅(各事業所の近く)

●ライフイベント、女性活躍●

【女性比率】■男 □女

新卒採用 30.4%(7名)

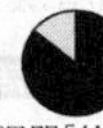

従業員 14.4%(399名)

管理職 2.8%(12名)

【産休】[期間]産前6・産後8週間[給与]法定[取得者数]12名

【育休】[期間]1歳になるまで[給与]法定[取得者数]22年度 男18名(対象67名)女6名(対象6名)23年度 男19名(対象69名)女12名(対象12名)[平均取得日数]22年度 NA、23年度 男30日 女378日

【従業員】◇[人数]2,768名(男2,369名、女399名)[平均年齢]41.4歳(男41.4歳、女41.4歳)[平均勤続年数]16.3年(男16.3年、女16.3年)

【年齢構成】■男 □女

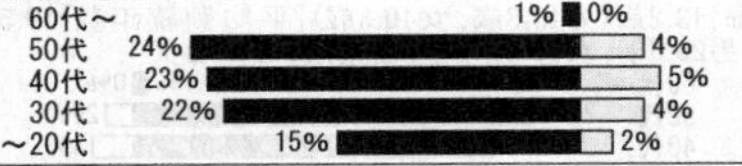

	男	女
60代〜	1%	0%
50代	24%	4%
40代	23%	5%
30代	22%	4%
〜20代	15%	2%

[会社データ] (金額は百万円)

【本社】213-8533 神奈川県川崎市高津区坂戸1-20-1 ☎044-813-8201 https://www.mitutoyo.co.jp/

【業績(連結)】	売上高	営業利益	経常利益	純利益
21.12	117,029	11,002	11,246	8,027
22.12	134,445	10,595	10,936	6,889
23.12	144,456	11,147	11,917	9,626

サトーホールディングス㈱

【特色】バーコードプリンタの世界大手。RFIDにも注力

[記者評価] バーコード等の自動認識システムを手がけ、関連ソフトやプリンタ機器、サプライ品まで総合展開。顧客は製造業や小売、物流、医療など幅広い。RFID端末にも注力。海外事業が成長中。社員が情報・提案を3行にまとめて経営陣に直接報告する「三行提報」制度も。

平均勤続年数	男性育休取得率	3年後離職率	平均年収(平均45歳)
16.6年	2.9→94.1%	10.3→18.2%	[総]830万円

●採用・配属情報●

【男女・文理別採用実績】※25年:予定数

	大卒男	大卒女	修士男	修士女
23年	17(文 13理 4)	4(文 4理 0)	1(文 0理 1)	0(文 0理 0)
24年	28(文 22理 6)	13(文 11理 2)	0(文 0理 0)	0(文 0理 0)
25年	26(文 18理 8)	15(文 14理 1)	1(文 0理 1)	1(文 1理 0)

【男女・職種別採用実績】 転換制度:⇔

	総合職
23年	23(男 19 女 4)
24年	42(男 28 女 14)
25年	43(男 27 女 16)

【24年4月入社者の配属勤務地】[総]東京10 八王子1 大阪3 名古屋2 福岡2 新潟1 宮城1 神奈川1 千葉1 埼玉1 広島1 石川1 静岡1 [技]東京4 八王子1 大阪2 名古屋1 福岡1 埼玉3 岩手2 宮城1 静岡1

【転勤】あり:[職種]全社員[勤務地]札幌 仙台 盛岡 郡山 東京 横浜 大宮 佐野 千葉 水戸 八王子 厚木 新潟 静岡 浜松 名古屋 金沢 松本 吹田 京都 兵庫 広島 岡山 米子 山口 高松 松山 福岡 熊本 鹿児島 那覇

【中途比率】[単年度]21年度72%、22年度63%、23年度79%[全体]63%

●働きやすさ、諸制度●

残業(月) 18.4時間 [総]18.4時間

【勤務時間】8:50〜17:45【有休取得年平均】12.9日【週休】完全2日(土日祝)【夏期休暇】年間126日に対し調整

【年末年始休暇】年間126日に対し調整

【離職率】男:2.5%、38名 女:1.9%、9名(早期退職18名含む)

【新卒3年後離職率】

[20→23年]10.3%(男7.7%・入社26名、女33.3%・入社3名)

[21→24年]18.2%(男21.1%・入社19名、女0%・入社3名)

【テレワーク】制度あり:[場所]事業所 サテライトオフィス 自宅[対象]テレワークでも支障なく業務を遂行できる職種または部署[日数]原則として月所定労働日数の2分の1まで。業務上必要な場合は5分の4まで[利用率]22.9%【勤務制度】フレックス 時間単位有休 副業容認【住宅補助】独身寮(埼玉・戸田通勤2時間以上の場合自己負担20,000円)借上社宅(通勤2時間以上の場合自己負担20,000円〜)住宅手当(地域に応じて3,000〜30,000円)

●ライフイベント、女性活躍●

【女性比率】■男 □女

新卒採用 37.2%(16名)

従業員 24.1%(476名)

管理職 7.5%(48名)

【産休】[期間]産前6・産後8週間[給与]法定[取得者数]50名

【育休】[期間]3歳になるまで[給与]法定[取得者数]22年度 男1名(対象35名)女18名(対象18名)23年度 男32名(対象34名)女16名(対象16名)[平均取得日数]22年度 NA、23年度 男20日 女80日

【従業員】[人数]1,978名(男1,502名、女476名)[平均年齢]44.0歳(男44.7歳、女41.4歳)[平均勤続年数]16.6年(男NA、女NA)【年齢構成】■男 □女

	男	女
60代〜	6%	0%
50代	22%	5%
40代	26%	8%
30代	14%	7%
〜20代	9%	3%

[会社データ] (金額は百万円)

【本社】108-0023 東京都港区芝浦3-1-1 田町ステーションタワーN ☎03-6628-2400 https://www.sato.co.jp/

【業績(連結)】	売上高	営業利益	経常利益	純利益
22.3	124,783	6,404	6,057	3,794
23.3	142,824	8,841	9,068	4,184
24.3	143,446	10,383	8,961	3,565

メーカーI

シーケーディ CKD(株)

[くるみん]

【特色】空気圧機器、自動機械装置の総合メーカー

[記者評価] 航空機用電装品メーカーとして名古屋で創業。省力・自動機械などの大手メーカーへと発展。管球製造装置、薬品薬液制御機器などで高シェア。23年度にインドで新工場が稼働。24年末にはマレーシアの流体制御機器工場も操業開始。宮城・東北工場も増強へ。

平均勤続年数	男性育休取得率	3年後離職率	平均年収(平均42歳)
◇17.0年	54.4→57.4%	13.1→13.7%	[総]756万円

●採用・配属情報●

【男女・文理別採用実績】

	大卒男	大卒女	修士男	修士女
23年	15(文 9理 6)	15(文 14理 1)	5(文 1理 4)	3(文 1理 2)
24年	23(文 13理 10)	10(文 9理 1)	10(文 0理 10)	0(文 0理 0)
25年	37(文 20理 17)	19(文 15理 4)	7(文 0理 7)	0(文 0理 0)

【男女・職種別採用実績】 転換制度:⇔

	総合職	一般職	技能職
23年	39(男 22 女 17)	1(男 0 女 1)	0(男 0 女 0)
24年	44(男 34 女 10)	0(男 0 女 0)	0(男 0 女 0)
25年	64(男 45 女 19)	0(男 0 女 0)	0(男 0 女 0)

【24年4月入社者の配属勤務地】[総]<営業職>愛知・小牧2 神奈川2 静岡1 京都1 大阪1 滋賀1 埼玉1 熊本1 広島1 三重1 群馬1 <事務職>愛知(小牧3 春日井3 犬山1)三重1 石川1 [技]愛知(小牧11 春日井7)石川2 三重1 宮城1

【転勤】あり:[職種]総合職[勤務地]本社 各生産拠点 各販売拠点

【中途比率】[単年度]21年度20%、22年度31%、23年度71%[全体]◇35%

●働きやすさ、諸制度●

残業(月) 14.5時間 [総]14.5時間

【勤務時間】8:30〜17:15【有休取得年平均】13.8日【週休】完全2日(土日祝)【夏期休暇】連続9日(うち1日は有休利用)【年末年始休暇】連続9日

【離職率】◇男:1.8%、36名 女:3.1%、13名(早期退職1名含む)

【新卒3年後離職率】
[20→23年]13.1%(男19.5%・入社41名、女0%・入社20名)
[21→24年]13.7%(男13.5%・入社37名、女14.3%・入社14名)

【テレワーク】制度あり:[場所]自宅 サテライトオフィス[対象]全社員[日数]制限なし[利用率]NA【勤務制度】フレックス 時間単位有休 時差勤務【住宅補助】借上社宅 家賃住宅補給金(住宅補助)

●ライフイベント、女性活躍●

【女性比率】■男 □女

新卒採用 29.7% (19名)

従業員 16.8% (405名)

管理職 4.7% (15名)

【産休】[期間]産前6・産後8週間[給与]法定[取得者数]14名

【育休】[期間]1歳になるまで[給与]法定[取得者数]22年度 男31名(対象57名)女11名(対象11名)23年度 男35名(対象61名)女15名(対象15名)[平均取得日数]22年度 NA、23年度 NA

【従業員】◇[人数]2,407名(男2,002名、女405名)[平均年齢]41.8歳(男42.3歳、女39.3歳)[平均勤続年数]17.0年(男17.4年、女14.8年)【年齢構成】■男 □女

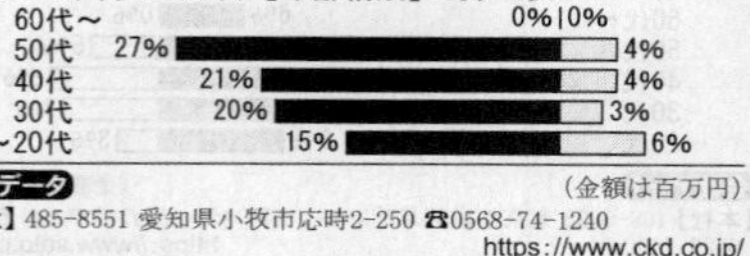
60代〜 0% 0%
50代 27% 4%
40代 21% 4%
30代 20% 3%
〜20代 15% 6%

会社データ (金額は百万円)

【本社】485-8551 愛知県小牧市応時2-250 ☎0568-74-1240
https://www.ckd.co.jp/

【業績(連結)】	売上高	営業利益	経常利益	純利益
22.3	142,199	17,879	18,043	12,567
23.3	159,457	21,170	21,181	14,788
24.3	134,425	13,113	13,048	8,338

フジ (株)FUJI

[くるみん]

【特色】電子部品の自動装着装置首位級。高速機に強い

[記者評価] 収益柱は電子部品を基板に装着する実装ロボット。小さな面積に多くの部品を装着できる高速機に強く、スマホなどの小型部品に使用される。海外売上比率は9割、なかでも中国向け比率が高い。近年は車載部品向けが拡大中。工作機械にも注力。

平均勤続年数	男性育休取得率	3年後離職率	平均年収(平均41歳)
◇19.5年	40.5→64.3%	7.3→2.6%	[総]824万円

●採用・配属情報●

【男女・文理別採用実績】

	大卒男	大卒女	修士男	修士女
23年	10(文 3理 7)	6(文 3理 3)	13(文 0理 13)	1(文 0理 1)
24年	8(文 2理 6)	7(文 4理 3)	11(文 0理 11)	1(文 1理 0)
25年	12(文 3理 9)	3(文 3理 0)	15(文 1理 14)	1(文 1理 0)

【男女・職種別採用実績】 転換制度:⇔

	総合職	一般職(事務)	技能職
23年	29(男 24 女 5)	2(男 0 女 2)	1(男 1 女 0)
24年	27(男 20 女 7)	2(男 0 女 2)	2(男 2 女 0)
25年	31(男 27 女 4)	2(男 0 女 2)	2(男 2 女 0)

【24年4月入社者の配属勤務地】[総](23年)愛知・知立4 [技](23年)愛知・知立25

【転勤】あり:[職種]総合職[勤務地]東京支店 大阪支店

【中途比率】[単年度]21年度24%、22年度24%、23年度59%[全体]◇26%

●働きやすさ、諸制度●

残業(月) 17.3時間 [総]19.4時間

【勤務時間】7時間45分(フレックスタイム制 コアタイム 10:30〜15:00)【有休取得年平均】17.7日【週休】完全2日(土日)【夏期休暇】連続約9日(土日・有休2日含む)【年末年始休暇】連続約9日(土日含む)

【離職率】◇男:1.1%、16名 女:0.4%、1名

【新卒3年後離職率】
[20→23年]7.3%(男5.6%・入社36名、女20.0%・入社5名)
[21→24年]2.6%(男3.0%・入社33名、女0%・入社5名)

【テレワーク】制度あり:[場所]自宅[対象]テレワークでも在宅勤務と同等の生産性が認められる者[日数]制限なし[利用率]NA【勤務制度】フレックス 裁量労働 副業容認【住宅補助】独身寮(愛知県内3つの事業所近くに設置)借上社宅(転勤者のみ)住宅手当(最大月20,000円、35歳まで、その他条件有)

●ライフイベント、女性活躍●

【女性比率】■男 □女

新卒採用 17.1% (6名)

従業員 13.5% (232名)

管理職 3.4% (6名)

【産休】[期間]産前6・産後8週間[給与]法定[取得者数]9名

【育休】[期間]1歳になるまで[給与]法定[取得者数]22年度 男17名(対象42名)女12名(対象12名)23年度 男18名(対象28名)女9名(対象9名)[平均取得日数]22年度 男43日 女506日、23年度 男38日 女524日

【従業員】◇[人数]1,716名(男1,484名、女232名)[平均年齢]43.2歳(男43.8歳、女40.3歳)[平均勤続年数]19.5年(男20.0年、女16.8年)【年齢構成】■男 □女

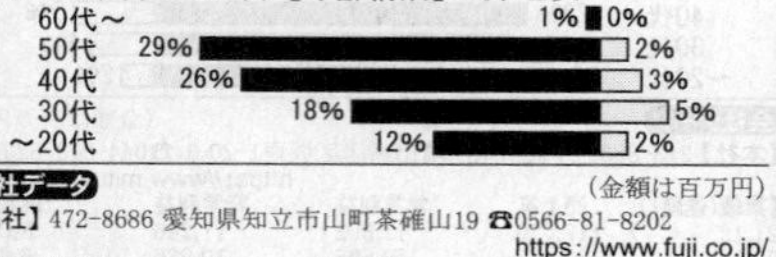
60代〜 1% 0%
50代 29% 2%
40代 26% 3%
30代 18% 5%
〜20代 12% 2%

会社データ (金額は百万円)

【本社】472-8686 愛知県知立市山町茶碓山19 ☎0566-81-8202
https://www.fuji.co.jp/

【業績(連結)】	売上高	営業利益	経常利益	純利益
22.3	148,128	28,472	29,943	21,188
23.3	153,326	27,108	29,016	20,454
24.3	127,059	13,421	15,010	10,438

メーカーI

新東工業(株)

しんとうこうぎょう

【特色】鋳造機械製造で国内首位。表面処理事業も柱

記者評価 鋳造機と表面処理が両輪。鋳造は自動車向けが主体。表面処理は造船、建機など幅広い。中子造型機の評価が高く、同機で世界首位の独レンペに資本参加。集塵・粉体処理の環境分野育成。ロボット関連も注力。24年4月にフランスの表面処理製品メーカーを買収。

平均勤続年数	男性育休取得率	3年後離職率	平均年収(平均45歳)
◇17.3年	55.3→76.5%	8.2→11.5%	総701万円

●採用・配属情報●

【男女・文理別採用実績】

	大卒男	大卒女	修士男	修士女
23年	14(文 4理 10)	9(文 8理 1)	6(文 1理 5)	0(文 0理 0)
24年	23(文 11理 12)	5(文 5理 0)	1(文 0理 1)	0(文 0理 0)
25年	23(文 10理 13)	6(文 6理 0)	1(文 0理 1)	0(文 0理 0)

※25年:24年7月時点

【男女・職種別採用実績】

	総合職	一般職	技能職
23年	21(男 20 女 1)	9(男 0 女 9)	0(男 0 女 0)
24年	24(男 24 女 0)	6(男 0 女 6)	0(男 0 女 0)
25年	26(男 24 女 2)	4(男 0 女 4)	0(男 0 女 0)

【24年4月入社者の配属勤務地】総(23年)愛知・豊川5 技(23年)愛知(豊川11 大治2 幸田2 新城1)

【転勤】あり:[職種]総合職

【中途比率】[単年度]21年度32%、22年度27%、23年度38%[全体]◇27%

●働きやすさ、諸制度●

残業(月) 22.4時間

【勤務時間】8:30〜17:15東京・大阪支店9:00〜17:45【有休取得年平均】13.8日【週休】完全2日(土日)【夏期休暇】連続5日【年末年始休暇】連続7日

【離職率】◇男:5.4%、81名 女:5.1%、14名

【新卒3年後離職率】
[20→23年]8.2%(男8.6%・入社35名、女7.1%・入社14名)
[21→24年]11.5%(男14.3%・入社21名、女0%・入社5名)

【テレワーク】制度なし【勤務制度】時間単位有休 時差勤務

【住宅補助】愛知県豊川地区独身寮(男性のみ・自己負担10,000円)豊川地区単身者ハウス(女性入居可・自己負担15,000円)愛知県外は借上社宅(対象者は規定有り)

●ライフイベント、女性活躍●

【女性比率】■男 □女

新卒採用 20% (6名)

従業員 15.4% (259名)

管理職 2.8% (6名)
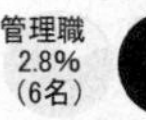

【産休】[期間]産前6・産後8週間[給与]法定[取得者数]14名

【育休】[期間]2歳になるまで[給与]法定[取得者数]22年度男21名(対象38名)女9名(対象9名)23年度 男26名(対象34名)女14名(対象14名)[平均取得日数]22年度 男28日女447日、23年度 男57日 女516日

【従業員】◇[人数]1,683名(男1,424名、女259名)[平均年齢]41.1歳(男41.9歳、女37.7歳)[平均勤続年数]17.3年(男17.9年、女13.7年)

【年齢構成】■男 □女

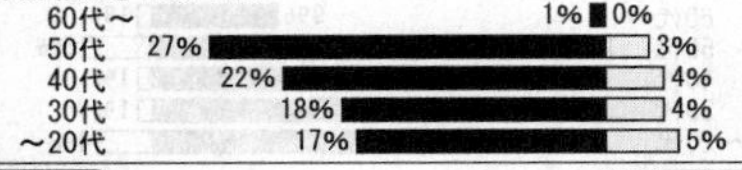

会社データ (金額は百万円)

【本社】450-6424 愛知県名古屋市中村区名駅3-28-12 大名古屋ビル24階 ☎052-582-9211 https://www.sinto.co.jp/

【業績(連結)】	売上高	営業利益	経常利益	純利益
22.3	99,247	2,606	4,478	2,835
23.3	106,381	2,242	3,951	6,187
24.3	115,495	5,409	7,510	8,706

(株)小森コーポレーション

こもり

くるみん

【特色】印刷機専業で国内首位。海外売上比率は約7割

記者評価 オフセット枚葉印刷機で世界首位級。輪転機にも強い。輸出比率約7割と高く、欧米で高シェア。独ハイデルベルク社がライバル。国内唯一の紙幣印刷機メーカーとしても存在感示しドイツ、ナイジェリア、インド等で採用実績。アジアでは紙幣印刷機受注に意欲的。

平均勤続年数	男性育休取得率	3年後離職率	平均年収(平均45歳)
◇18.9年	41.7→45.0%	6.3→0%	総724万円

●採用・配属情報●

【男女・文理別採用実績】

	大卒男	大卒女	修士男	修士女
23年	7(文 2理 5)	5(文 4理 1)	4(文 0理 4)	2(文 0理 2)
24年	4(文 3理 1)	5(文 3理 2)	8(文 0理 8)	1(文 0理 1)
25年	8(文 2理 6)	5(文 4理 1)	3(文 1理 2)	0(文 0理 0)

【男女・職種別採用実績】 転換制度:⇔

	総合職
23年	18(男 11 女 7)
24年	18(男 12 女 6)
25年	16(男 11 女 5)

【24年4月入社者の配属勤務地】総東京・墨田4 茨城・つくば1 技茨城・つくば13

【転勤】あり:全社員

【中途比率】[単年度]21年度26%、22年度36%、23年度33%[全体]◇27%

●働きやすさ、諸制度●

残業(月) 14.3時間 総15.6時間

【勤務時間】本社8:30〜17:30 工場8:20〜17:20【有休取得年平均】11.5日【週休】完全2日(土日祝)【夏期休暇】連続9日(有休1日、週休2日含む)【年末年始休暇】連続9日(週休2日含む)

【離職率】◇男:1.1%、10名 女:0.6%、1名

【新卒3年後離職率】
[20→23年]6.3%(男0%・入社10名、女16.7%・入社6名)
[21→24年]0%(男0%・入社12名、女0%・入社5名)

【テレワーク】制度あり:[場所]自宅[対象]本社・サービスおよびつくばプラント・営業拠点に勤務する者[日数]週3日まで[利用率]10.5%【勤務制度】時間単位有休 時差勤務

【住宅補助】独身寮(茨城・牛久 千葉・柏)社宅(茨城・牛久)借上社宅 住宅手当

●ライフイベント、女性活躍●

【女性比率】■男 □女

新卒採用 31.3% (5名)

従業員 14.8% (156名)
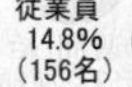
管理職 1.7% (4名)

【産休】[期間]産前6・産後8週間[給与]法定[取得者数]4名

【育休】[期間]1歳になるまで[給与]法定[取得者数]22年度男5名(対象12名)女2名(対象2名)23年度 男9名(対象20名)女3名(対象3名)[平均取得日数]22年度 NA、23年度男85日 女165日

【従業員】◇[人数]1,052名(男896名、女156名)[平均年齢]44.7歳(男45.5歳、女37.4歳)[平均勤続年数]18.9年(男19.4年、女16.0年)

【年齢構成】■男 □女

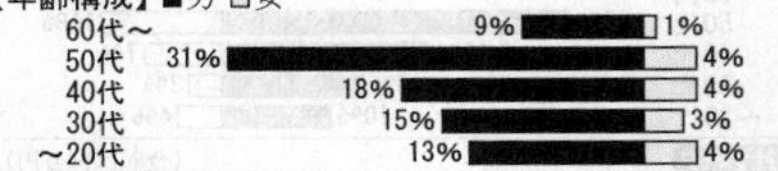

会社データ (金額は百万円)

【本社】130-8666 東京都墨田区吾妻橋3-11-1 ☎03-5608-7802 https://www.komori.com/

【業績(連結)】	売上高	営業利益	経常利益	純利益
22.3	87,623	2,267	3,408	6,158
23.3	97,914	5,719	6,611	5,716
24.3	104,278	4,898	6,797	4,641

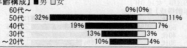

ジューキ
JUKI(株)

【特色】アパレル向け工業用ミシン世界首位。家庭用3位

[記者評価] 東京都の機械業者が出資し1938年東京重機製造工業組合として発足。家庭用ミシンから始動し工業用へ。自動車内装など非アパレル強化。海外売上比率は8割。電子基板生産の表面実装装置が第2の柱。米・中・アジアで拠点の統合や工場売却など構造改革中。

平均勤続年数	男性育休取得率	3年後離職率	平均年収(平均45歳)
◇19.5年	46.2 → 58.3%	13.0 → —	[総]587万円

●採用・配属情報●

【男女・文理別採用実績】

	大卒男	大卒女	修士男	修士女
23年	10(文 4理 6)	3(文 3理 0)	1(文 0理 1)	2(文 2理 0)
24年	15(文 4理 11)	2(文 2理 0)	1(文 0理 1)	0(文 0理 0)
25年	5(文 2理 3)	2(文 2理 0)	1(文 0理 1)	1(文 0理 1)

※25年:継続中

【男女・職種別採用実績】 転換制度:⇔

	総合職
23年	18(男 12 女 6)
24年	19(男 16 女 3)
25年	12(男 9 女 3)

【24年4月入社者の配属勤務地】[総]東京6 栃木1 [技]東京12

【転勤】あり:[職種]全域型コース

【中途比率】[単年度]21年度100%、22年度68%、23年度60%[全体]NA

●働きやすさ、諸制度●

残業(月) 9.0時間 [総]9.0時間

【勤務時間】9:00～17:45【有休取得年平均】13.2日【週休】2日(年数回土曜営業あり)【夏期休暇】3日程度(別途2日有休で取得)【年末年始休暇】5日程度

【離職率】◇男:4.2%、23名 女:4.2%、8名

【新卒3年後離職率】
[20→23年]13.0%(男13.3%・入社15名、女12.5%・入社8名)
[21→24年]—(男—・入社0名、女—・入社0名)

【テレワーク】制度あり:[場所]自宅[対象]本社勤務者[日数]制限なし[利用率]20.8%【勤務制度】時間単位有休 週休3日 時差勤務 勤務間インターバル 副業容認【住宅補助】独身寮 社宅(条件あり)住宅手当(全社員)

●ライフイベント、女性活躍●

【女性比率】■男 □女

新卒採用 25% (3名)

従業員 25.6% (182名)

【産休】[期間]産前6・産後10週間[給与]給与・賞与給付(70日まで4割減額、71～112日7割減額)[取得者数]13名

【育休】[期間]1歳3カ月になるまで[給与]法定+賞与(全額給付)[取得者数]22年度 男6名(対象13名)女2名(対象2名)23年度 男7名(対象12名)女6名(対象6名)[平均取得日数]22年度 NA、23年度 NA

【従業員】◇[人数]711名(男529名、女182名)[平均年齢]45.0歳(男45.0歳、女44.8歳)[平均勤続年数]19.5年(男19.6年、女19.1年)

【年齢構成】■男 □女
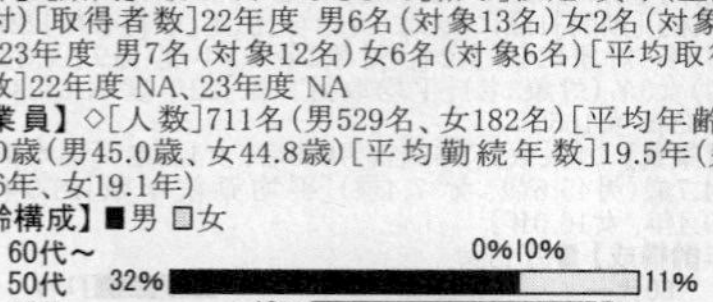
60代～ 0% 0%
50代 32% 11%
40代 19% 7%
30代 13% 3%
～20代 10% 4%

会社データ

(金額は百万円)

【本社】206-8551 東京都多摩市鶴牧2-11-1 ☎042-357-2211
https://www.juki.co.jp/

【業績(連結)】	売上高	営業利益	経常利益	純利益
21.12	101,292	3,868	3,439	2,154
22.12	117,454	2,858	1,163	▲78
23.12	94,750	▲2,699	▲3,684	▲7,035

ホソカワミクロン(株)

【特色】粉体関連機械の世界的大手。欧州でも強い

[記者評価] 粉体の粉砕・分級・混合・乾燥装置の世界大手。ドイツ企業の買収により欧州にも地盤を持つ。プラスチックフィルムの製造装置も手がける。医薬品、食品、化学のほか、2次電池の電子材料など、顧客は広範にわたる。子会社で化粧品事業を運営。

平均勤続年数	男性育休取得率	3年後離職率	平均年収(平均43歳)
◇19.4年	50.0 → 75.0%	27.8 → 14.3%	[総]672万円

●採用・配属情報●

【男女・文理別採用実績】

	大卒男	大卒女	修士男	修士女
23年	9(文 6理 3)	1(文 1理 0)	6(文 0理 6)	0(文 0理 0)
24年	6(文 2理 4)	6(文 3理 3)	2(文 0理 2)	0(文 0理 0)
25年	6(文 3理 3)	2(文 2理 0)	2(文 0理 2)	0(文 0理 0)

【男女・職種別採用実績】

	総合職
23年	19(男 18 女 1)
24年	18(男 11 女 7)
25年	10(男 8 女 2)

【24年4月入社者の配属勤務地】[総]大阪・枚方3 千葉・柏1 [技]大阪・枚方8 千葉・柏6

【転勤】あり:全社員

【中途比率】[単年度]21年度5%、22年度41%、23年度31%[全体]◇20%

●働きやすさ、諸制度●

残業(月) 13.1時間 [総]13.1時間

【勤務時間】8:30～17:00【有休取得年平均】15.3日【週休】完全2日(土日祝)【夏期休暇】連続6日(休日含む)【年末年始休暇】連続6日(休日含む)

【離職率】◇男:3.5%、13名 女:3.8%、2名

【新卒3年後離職率】
[20→23年]27.8%(男25.0%・入社16名、女50.0%・入社2名)
[21→24年]14.3%(男10.5%・入社19名、女50.0%・入社2名)

【テレワーク】制度あり:[場所]自宅に準じる場所[対象]全社員[日数]短期:年間12日 長期:1カ月ごとに更新[利用率]NA【勤務制度】フレックス 時間単位有休 裁量労働 時差勤務【住宅補助】独身者用借上マンション(遠方者のみ)住宅手当

●ライフイベント、女性活躍●

【女性比率】■男 □女

新卒採用 20% (2名)

従業員 12.3% (51名)

管理職 6.1% (6名)

【産休】[期間]産前6・産後8週間[給与]法定[取得者数]1名

【育休】[期間]1歳になるまで[給与]法定[取得者数]22年度 男6名(対象12名)女0名(対象0名)23年度 男3名(対象4名)女1名(対象1名)[平均取得日数]22年度 男37日 女—、23年度 男43日 女504日

【従業員】◇[人数]414名(男363名、女51名)[平均年齢]43.4歳(男43.3歳、女44.1歳)[平均勤続年数]19.4年(男19.5年、女18.7年)

【年齢構成】■男 □女
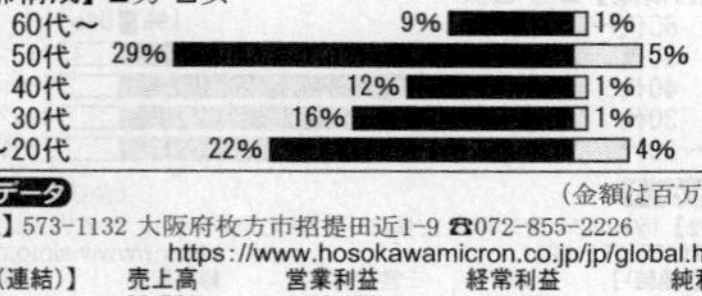
60代～ 9% 1%
50代 29% 5%
40代 12% 1%
30代 16% 1%
～20代 22% 4%

会社データ

(金額は百万円)

【本社】573-1132 大阪府枚方市招提田近1-9 ☎072-855-2226
https://www.hosokawamicron.co.jp/jp/global.html

【業績(連結)】	売上高	営業利益	経常利益	純利益
21.9	60,754	6,370	6,574	4,699
22.9	66,916	5,513	5,773	4,007
23.9	79,531	7,961	8,349	5,968

メーカーI

サノヤスホールディングス(株)

【特色】設備関連のニッチ事業など展開。祖業の造船は売却

[記者評価] 1911年創業。旧住友系。岡山・水島でサノヤス造船を展開してきたが、21年新来島どっくに売却。化粧品原料の撹拌装置や制御盤、機械式駐車装置などニッチ・高シェア製品の複合企業として再出発。遊園地の遊戯機械を製販するほか遊園地の運営受託も。

平均勤続年数	男性育休取得率	3年後離職率	平均年収(平均41歳)
◇12.2年	57.1→50.0%	20.0→0%	[総]592万円

●採用・配属情報●

【男女・文理別採用実績】

	大卒男	大卒女	修士男	修士女
23年	5(文 1理 4)	2(文 1理 1)	4(文 0理 4)	0(文 0理 0)
24年	7(文 3理 4)	2(文 1理 1)	1(文 0理 1)	0(文 0理 0)
25年	4(文 1理 3)	3(文 2理 1)	1(文 0理 1)	0(文 0理 0)

【男女・職種別採用実績】

	総合職
23年	11(男 9 女 2)
24年	11(男 8 女 3)
25年	10(男 6 女 4)

【24年4月入社者の配属勤務地】[総]大阪4 東京1 [技]大阪6
【転勤】あり:全社員
【中途比率】[単年度]21年度NA、22年度NA、23年度NA[全体]◇63%

●働きやすさ、諸制度●

残業(月) 15.4時間 [総]15.7時間

【勤務時間】8:30〜17:30【有休取得年平均】18.3日【週休】完全2日【夏期休暇】連続9日(公休含む)【年末年始休暇】連続9日(公休含む)
【離職率】◇男:6.4%、26名 女:6.0%、4名
【新卒3年後離職率】
[20→23年]20.0%(男23.1%・入社13名、女0%・入社2名)
[21→24年]0%(男0%・入社4名、女0%・入社1名)
【テレワーク】制度あり:[場所]NA[対象]介護・育児等で通勤が困難な人[日数]制限なし[利用率]NA【勤務制度】時間単位有休【住宅補助】独身寮(自己負担4,000円)社宅(18,000円)賃貸住宅家賃補助(婚姻による世帯形成者)

●ライフイベント、女性活躍●

【女性比率】■男 □女

新卒採用 40% (4名)

従業員 14.2% (63名)

管理職 1.9% (3名)

【産休】[期間]産前6・産後8週間[給与]法定[取得者数]1名
【育休】[期間]1歳になるまで[給与]法定[取得者数]22年度男4名(対象7名)女2名(対象2名)23年度 男4名(対象8名)女1名(対象1名)[平均取得日数]22年度 男69日 女213日、23年度 男35日 女308日
【従業員】◇[人数]444名(男381名、女63名)[平均年齢]45.3歳(男45.4歳、女44.4歳)[平均勤続年数]12.2年(男12.3年、女11.5年)
【年齢構成】■男 □女

	男	女
60代〜	13%	0%
50代	22%	5%
40代	20%	5%
30代	16%	2%
〜20代	15%	2%

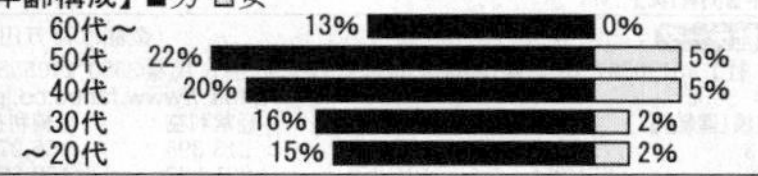

[会社データ] (金額は百万円)
【本社】530-6109 大阪府大阪市北区中之島3-3-23 ☎06-4803-6161
https://www.sanoyas.co.jp/

【業績(連結)】	売上高	営業利益	経常利益	純利益
22.3	19,148	222	205	434
23.3	20,145	95	395	425
24.3	23,352	509	636	459

※注記のないデータはグループ6社のもの

富士精工(株)

ふじせいこう

【特色】超硬工具メーカー中堅。トヨタ系との取引大きい

[記者評価] 愛知の町工場から興した精密工具メーカー。エンジン部品の切削・研削工程で使う超硬工具・治具が柱で、トヨタGとの取引が過半。EV用工具の開発強化。自動化困難な切削工具の省人化に進める。海外売上比率は約6割。入社後、約1カ月の現場実習。

平均勤続年数	男性育休取得率	3年後離職率	平均年収(平均43歳)
◇21.3年	14.3→50.0%	8.3→20.0%	◇575万円

●採用・配属情報●

【男女・文理別採用実績】

	大卒男	大卒女	修士男	修士女
23年	2(文 2理 0)	2(文 2理 0)	0(文 0理 0)	0(文 0理 0)
24年	4(文 2理 2)	2(文 1理 1)	1(文 0理 1)	0(文 0理 0)
25年	3(文 1理 2)	1(文 0理 1)	0(文 0理 0)	0(文 0理 0)

【男女・職種別採用実績】

	総合職	一般職
23年	2(男 2 女 0)	2(男 0 女 2)
24年	6(男 5 女 1)	2(男 1 女 1)
25年	4(男 3 女 1)	0(男 0 女 0)

【24年4月入社者の配属勤務地】[総]愛知・豊田2 [技]愛知・豊田4
【転勤】あり:[職種]総合職 [勤務地]国内および海外拠点
【中途比率】[単年度]21年度0%、22年度13%、23年度18%[全体]NA

●働きやすさ、諸制度●

残業(月) 20.1時間

【勤務時間】8:00〜17:00【有休取得年平均】13.0日【週休】完全2日(土日)【夏期休暇】連続8〜10日(週休含む)【年末年始休暇】連続8〜10日(週休含む)
【離職率】◇男:6.3%、22名 女:4.4%、4名
【新卒3年後離職率】
[20→23年]8.3%(男12.5%・入社8名、女0%・入社4名)
[21→24年]20.0%(男22.2%・入社9名、女0%・入社1名)
【テレワーク】制度なし【勤務制度】フレックス【住宅補助】独身寮(本社敷地内)社宅

●ライフイベント、女性活躍●

【女性比率】■男 □女

新卒採用 25% (1名)

従業員 21% (87名)

【産休】[期間]産前6・産後8週間[給与]法定[取得者数]4名
【育休】[期間]1歳になるまで[給与]法定[取得者数]22年度男1名(対象7名)女1名(対象4名)23年度 男4名(対象8名)女4名(対象4名)[平均取得日数]22年度 NA、23年度 NA
【従業員】◇[人数]415名(男328名、女87名)[平均年齢]43.4歳(男43.4歳、女43.4歳)[平均勤続年数]21.3年(男21.5年、女20.5年)
【年齢構成】■男 □女

	男	女
60代〜	0%	0%
50代	30%	8%
40代	21%	5%
30代	27%	8%
〜20代	1%	0%

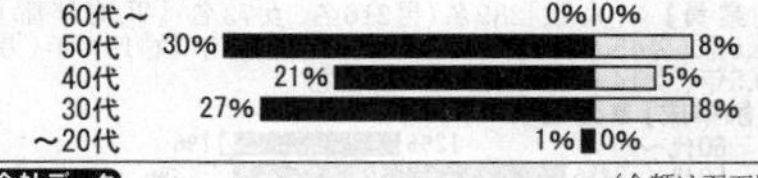

[会社データ] (金額は百万円)
【本社】473-8511 愛知県豊田市吉原町平子26 ☎0565-53-6611
https://www.c-max.co.jp/

【業績(連結)】	売上高	営業利益	経常利益	純利益
22.2	20,100	359	823	665
23.2	19,747	59	671	188
24.2	21,424	431	924	174

メーカーI

1858 **開示** ★★★★☆ **専門** **採用あり**

三木プーリ(株)

みき

【特色】産業機械向け伝動機器で世界屈指。海外展開活発

記者評価 ベルト式無段変速機メーカーとして創業。カップリング(軸継手)、電磁クラッチ・ブレーキ、無段変速機などは世界で高シェア。23年3月マレーシアに駐在員事務所開設。最後まで一人で作る「屋台制」製造ラインに特徴。創業家によるオーナー経営。

平均勤続年数	男性育休取得率	3年後離職率	平均年収(平均45歳)
◇①19.0年	25.0→42.9%	10.0→0%	㊓632万円

●採用・配属情報●

【男女・文理別採用実績】

	大卒男	大卒女	修士男	修士女
23年	3(文 1理 2)	1(文 0理 1)	0(文 0理 0)	1(文 0理 1)
24年	8(文 5理 3)	1(文 0理 1)	1(文 0理 1)	0(文 0理 0)
25年	5(文 1理 4)	0(文 0理 0)	0(文 0理 0)	0(文 0理 0)

※25年:24年7月時点

【男女・職種別採用実績】

	総合職
23年	6(男 4 女 2)
24年	10(男 9 女 1)
25年	5(男 5 女 0)

【24年4月入社者の配属勤務地】㊓(23年)神奈川・座間2 ㊑(23年)神奈川・座間4

【転勤】あり:[職種]全社員[勤務地]神奈川 大阪 愛知 群馬 福岡 石川 海外 他

【中途比率】[単年度]21年度25%、22年度36%、23年度40%[全体]◇25%

●働きやすさ、諸制度●

残業(月) 13.6時間 ㊓13.6時間

【勤務時間】8:30～17:30【有休取得年平均】13.5日【週休】完全2日(土日祝)【夏期休暇】8月9～14日+有休取得推奨日2日【年末年始休暇】12月28日～1月5日

【離職率】男:4.0%、9名 女:6.4%、5名

【新卒3年後離職率】

[20→23年]10.0%(男0%・入社8名、女50.0%・入社2名)

[21→24年]0%(男0%・入社2名、女0%・入社1名)

【テレワーク】制度あり:[場所]自宅[対象]全従業員[日数]制限なし[利用率]NA【勤務制度】時間単位有休 時差勤務 勤務間インターバル【住宅補助】独身寮(36部屋 自己負担1～1.5万円)社宅(29部屋 自己負担3～5万円)

●ライフイベント、女性活躍●

【女性比率】■男 □女

新卒採用 0% (0名)

従業員 25.3% (73名)

管理職 3.6% (2名)

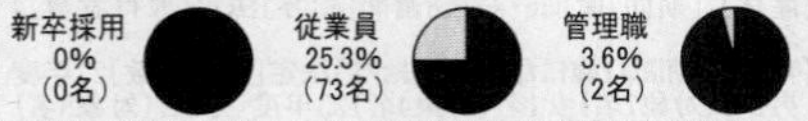

【産休】[期間]産前6・産後8週間[給与]法定[取得者数]1名

【育休】[期間]1歳になるまで[給与]法定[取得者数]22年度 男1名(対象4名)女4名(対象4名)23年度 男3名(対象7名)女1名(対象1名)[平均取得日数]22年度 男7日 女222日、23年度 男21日 女368日

【従業員】◇[人数]289名(男216名、女73名)[平均年齢]44.6歳(男45.8歳、女41.1歳)[平均勤続年数]19.0年(男20.5年、女14.4年)※再雇用者含む

【年齢構成】■男 □女

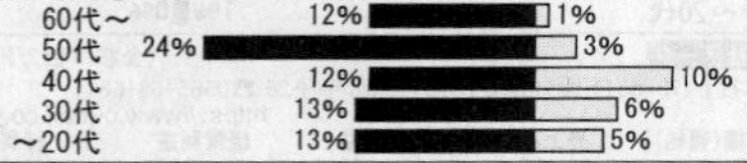

会社データ (金額は百万円)

【本社】211-0064 神奈川県川崎市中原区今井南町10-41 ☎044-733-5151 https://www.mikipulley.co.jp/JP/

【業績(連結)】	売上高	営業利益	経常利益	純利益
22.3	18,747	1,157	1,834	1,678
23.3	22,111	1,095	1,469	1,067
24.3	17,285	▲244	568	70

575 **開示** ★★★☆☆ **短大** **採用あり**

ファナック(株)

【特色】工作機械用NC装置で世界首位。産業用ロボットも

記者評価 工作機械を制御するNC(数値制御)装置で世界首位。産業用ロボットや小型工作機械も手がける。1972年富士通から独立し創業。高収益で無借金。富士山麓の黄色い本社工場群と黄色いロボット製品が特徴。海外売上比率は8割超だが、生産は国内主義。

平均勤続年数	男性育休取得率	3年後離職率	平均年収(平均42歳)
◇14.1年	NA→90.8%	2.9→2.0%	㊓1,502万円

●採用・配属情報●

【男女・文理別採用実績】

	大卒男	大卒女	修士男	修士女
23年	22(文 3理 19)	3(文 2理 1)	58(文 0理 58)	2(文 0理 2)
24年	21(文 3理 18)	2(文 1理 1)	61(文 0理 61)	1(文 0理 1)
25年	9(文 3理 6)	2(文 0理 2)	39(文 0理 39)	2(文 0理 2)

【男女・職種別採用実績】

	総合職
23年	105(男 97 女 8)
24年	111(男 106 女 5)
25年	70(男 64 女 6)

【24年4月入社者の配属勤務地】㊓山梨2 ㊑山梨98 茨城4 愛知4 栃木3

【転勤】あり:全社員

【中途比率】[単年度]21年度20%、22年度41%、23年度14%(現業職含む)[全体]◇28%

●働きやすさ、諸制度●

残業(月) 38.0時間

【勤務時間】8:40～17:10【有休取得年平均】17.2日【週休】完全2日(土日祝)【夏期休暇】7日(有休3日、週休2日含む)【年末年始休暇】7日(週休2日含む)

【離職率】◇男:1.3%、57名 女:0.6%、2名

【新卒3年後離職率】

[20→23年]2.9%(男3.0%・入社101名、女0%・入社1名)

[21→24年]2.0%(男2.1%・入社94名、女0%・入社7名)

【テレワーク】制度あり:[場所]自宅[対象]NA[日数]NA[利用率]NA【勤務制度】時間単位有休【住宅補助】独身寮 社宅(自社)家賃補助

●ライフイベント、女性活躍●

【女性比率】■男 □女

新卒採用 8.6% (6名)

従業員 7.5% (352名)

【産休】[期間]産前8・産後8週間[給与]法定期間は健保8割、法定期間超は無給[取得者数]11名

【育休】[期間]1歳になるまで[給与]法定[取得者数]22年度 男19名(対象NA)女11名(対象11名)23年度 男168名(対象185名)女13名(対象13名)[平均取得日数]22年度 NA、23年度 男NA 女293日

【従業員】◇[人数]4,689名(男4,337名、女352名)[平均年齢]40.0歳(男39.9歳、女40.3歳)[平均勤続年数]14.1年(男14.2年、女13.2年)

【年齢構成】NA

会社データ (金額は百万円)

【本社】401-0597 山梨県南都留郡忍野村忍草字古馬場3580 ☎0555-84-5555 https://www.fanuc.co.jp/

【業績(連結)】	売上高	営業利益	経常利益	純利益
22.3	733,008	183,240	213,395	155,273
23.3	851,956	191,359	231,327	170,587
24.3	795,274	141,919	181,755	133,159

メーカーI

ディーエムジーもりせいき
ＤＭＧ森精機(株)

くるみん

【特色】工作機械世界首位級。TOBで欧州最大手DMGを連結

記者評価 工作機械総合メーカー。NC旋盤、マシニングセンタで最大手級。欧州最大手の旧ギルデマイスター社と統合、欧州でも強い。顧客は航空・宇宙、医療、EV関連など幅広い。5軸・複合加工機、自動化システムが得意で、高級路線をひた走る。有休100%取得を推進。

平均勤続年数	男性育休取得率	3年後離職率	平均年収(平均43歳)
◇17.3年	106.9 → 90.5%	15.6 → 16.7%	㊗892万円

●採用・配属情報●

【男女・文理別採用実績】※23・24年:10月入社含む

	大卒男	大卒女	修士男	修士女
23年	1(文 1理 0)	4(文 4理 0)	12(文 1理 11)	2(文 1理 1)
24年	16(文 5理 11)	14(文 13理 1)	23(文 0理 23)	2(文 1理 1)
25年	12(文 7理 5)	4(文 3理 1)	15(文 0理 15)	4(文 1理 3)

【男女・職種別採用実績】

	総合職
23年	33(男 27 女 6)
24年	74(男 54 女 20)
25年	56(男 45 女 11)

【24年4月入社者の配属勤務地】㊗東京・江東4 奈良市3 三重・伊賀10 ㊋東京都・江東1 東京都・渋谷4 三重・伊賀52

【転勤】あり:全社員

【中途比率】[単年度]21年度41%、22年度70%、23年度61%[全体]◇30%

●働きやすさ、諸制度●

残業(月) 21.8時間 ㊗21.8時間

【勤務時間】8:30〜17:30【有休取得年平均】18.1日【週休】完全2日(土日)【夏期休暇】8月10〜18日【年末年始休暇】12月25日〜1月5日

【離職率】◇男:2.3%、53名 女:5.5%、23名(早期退職男3名含む)

【新卒3年後離職率】
[20→23年]15.6%(男21.2%・入社33名、女0%・入社12名)
[21→24年]16.7%(男16.7%・入社18名、女16.7%・入社6名)

【テレワーク】制度あり:[場所]自宅 他[対象]製造を除く[日数]制限なし[利用率]4.5%【勤務制度】フレックス 時間単位有休 裁量労働 時差勤務 勤務間インターバル【住宅補助】社宅(三重)借上社宅 独身寮(名古屋 三重 奈良 東京)住宅手当

●ライフイベント、女性活躍●

【女性比率】■男 □女

新卒採用 19.6% (11名)
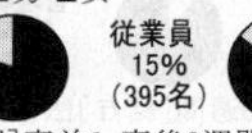
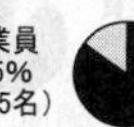
従業員 15% (395名)
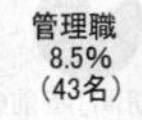
管理職 8.5% (43名)

【産休】[期間]産前6・産後8週間[給与]法定+健保2割給付[取得者数]19名

【育休】[期間]2歳になるまで[給与]法定+月5万円給付 産後パパ育休も含め2回まで、1回につき連続10日以上取得した場合、20日を上限として有給[取得者数]22年度 男77名(対象72名)女25名(対象25名)23年度 男76名(対象84名)女16名(対象16名)[平均取得日数]22年度 男21日 女524日、23年度 男27日 女466日

【従業員】◇[人数]2,630名(男2,235名、女395名)[平均年齢]43.1歳(男43.7歳、女39.4歳)[平均勤続年数]17.3年(男18.4年、女10.9年)【年齢構成】■男 □女

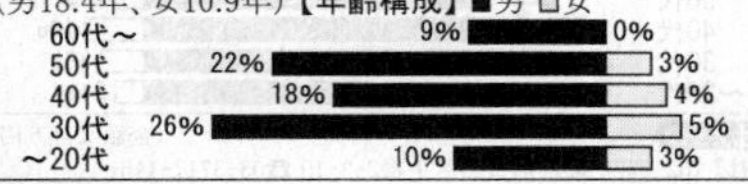

会社データ (金額は百万円)

【本社】135-0052 東京都江東区潮見2-3-23 ☎03-6758-5900
https://www.dmgmori.co.jp/

【業績(IFRS)】	売上高	営業利益	税前利益	純利益
21.12	396,011	23,067	19,609	13,460
22.12	474,771	41,213	36,528	25,406
23.12	539,450	54,150	47,927	33,944

(株)アマダ

くるみん

【特色】大手機械メーカー。板金加工機械で国内首位

記者評価 金属板を曲げたり切ったりする板金機械の国内最大手。中でも省電力が特徴のファイバーレーザ加工機が成長柱。ロボット技術や周辺装置と組み合わせた自動化、AI技術の活用、独自のIoTシステムの開発に注力。23年に大型ショールームを刷新、顧客と新技術共創。

平均勤続年数	男性育休取得率	3年後離職率	平均年収(平均44歳)
17.6年	74.5 → 78.8%	3.1 → 12.5%	㊗770万円

●採用・配属情報●

【男女・文理別採用実績】

	大卒男	大卒女	修士男	修士女
23年	26(文 14理 12)	15(文 14理 1)	11(文 0理 11)	3(文 0理 3)
24年	9(文 3理 6)	9(文 8理 1)	8(文 0理 8)	0(文 0理 0)
25年	20(文 6理 14)	10(文 9理 1)	7(文 0理 7)	0(文 0理 0)

【男女・職種別採用実績】 転換制度:⇔

	開発系エンジニア	サービス系エンジニア	営業	経営企画	製造間接
23年	29(男24女 5)	6(男 5女 1)	14(男14女 0)	12(男 2女10)	4(男 0女 4)
24年	15(男14女 1)	2(男 2女 0)	1(男 1女 0)	9(男 2女 7)	1(男 0女 1)
25年	16(男15女 1)	5(男 5女 0)	4(男 4女 0)	10(男 3女 7)	2(男 0女 2)

【24年4月入社者の配属勤務地】㊗(23年)神奈川・伊勢原10 静岡・富士宮4 大阪・東大阪2 群馬・高崎2 茨城・水戸2 石川・金沢1 長野・松本1 神戸1 新潟市1 静岡市1 ㊋(23年)神奈川・伊勢原25 静岡・富士宮12 岐阜・土岐2

【転勤】あり:[職種]総合職

【中途比率】[単年度]21年度51%、22年度58%、23年度37%[全体]NA

●働きやすさ、諸制度●

残業(月) 14.9時間 ㊗15.1時間

【勤務時間】8:30〜17:15【有休取得年平均】13.7日【週休】完全2日【夏期休暇】連続9日【年末年始休暇】連続9日

【離職率】男:2.8%、50名 女:5.1%、12名

【新卒3年後離職率】
[20→23年]3.1%(男2.3%・入社44名、女4.8%・入社21名)
[21→24年]12.5%(男16.7%・入社24名、女0%・入社8名)

【テレワーク】制度なし【勤務制度】フレックス 時間単位有休 勤務間インターバル【住宅補助】社宅・独身寮(神奈川・伊勢原2カ所 大磯1カ所 東海大学前1カ所 他)

●ライフイベント、女性活躍●

【女性比率】■男 □女

新卒採用 27% (10名)
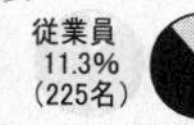
従業員 11.3% (225名)

管理職 2.3% (6名)

【産休】[期間]産前6・産後8週間[給与]法定[取得者数]8名

【育休】[期間]1歳になるまで[給与]法定[取得者数]22年度 男38名(対象51名)女5名(対象5名)23年度 男52名(対象66名)女8名(対象8名)[平均取得日数]22年度 男34日 女287日、23年度 男37日 女280日

【従業員】[人数]1,986名(男1,761名、女225名)[平均年齢]43.7歳(男44.6歳、女36.8歳)[平均勤続年数]17.6年(男18.6年、女10.2年)

【年齢構成】■男 □女

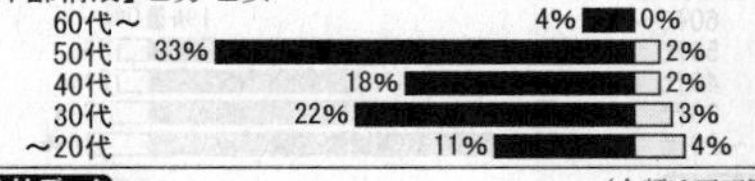

会社データ (金額は百万円)

【本社】259-1196 神奈川県伊勢原市石田200 ☎0463-96-1111
https://www.amada.co.jp/

【業績(IFRS)】	売上高	営業利益	税前利益	純利益
22.3	312,658	38,538	40,496	27,769
23.3	365,687	49,867	49,608	34,158
24.3	403,500	56,507	58,066	40,638

オークマ(株)

【特色】工作機械大手。自社製NC装置に強み。好財務体質

記者評価 1898年に製麺機で創業した老舗。中小型から大型の旋盤やマシニングセンタまで幅広く扱い、中核部品のNC(数値制御)装置も内製。19年中国・常州工場が稼働。海外売上比率は約7割。省エネ技術搭載製品が強い。生産ラインを丸ごと受注し自動化する戦略を推進。

平均勤続年数	男性育休取得率	3年後離職率	平均年収(平均39歳)
◇17.6年	42.0→74.3%	13.4→9.1%	㊓736万円

●採用・配属情報●

【男女・文理別採用実績】

	大卒男	大卒女	修士男	修士女
23年	17(文 9理 8)	9(文 8理 1)	18(文 0理 18)	1(文 0理 1)
24年	19(文 7理 12)	11(文 9理 2)	27(文 0理 27)	0(文 0理 0)
25年	30(文 12理 18)	29(文 26理 3)	10(文 0理 10)	1(文 0理 1)

※25年:継続中

【男女・職種別採用実績】 転換制度:⇔

	総合職	一般職
23年	53(男 43 女 10)	0(男 0 女 0)
24年	62(男 50 女 12)	0(男 0 女 0)
25年	78(男 47 女 31)	0(男 0 女 0)

【24年4月入社者の配属勤務地】㊓(23年)愛知16 埼玉1 ㊗(23年)愛知30 岐阜6

【転勤】あり:[職種]総合職

【中途比率】[単年度]21年度11%、22年度11%、23年度36%[全体]◇7%

●働きやすさ、諸制度●

残業(月) (組合員・含現業)22.4時間

【勤務時間】8:20～17:05【有休取得年平均】14.2日【週休】完全2日(土日)【夏期休暇】連続5日(週休2日含む)×2回【年末年始休暇】連続7.5～9.5日(週休2日含む)

【離職率】◇男:2.3%、48名 女:2.4%、6名

【新卒3年後離職率】

[20→23年]13.4%(男16.7%・入社54名、女0%・入社13名)

[21→24年]9.1%(男8.5%・入社47名、女12.5%・入社8名)

【テレワーク】制度あり:[場所]自宅[対象]NA[日数]制限なし[利用率]NA【勤務制度】時間単位有休【住宅補助】独身男子寮(愛知3棟 岐阜1棟)女性用借上寮(愛知、4,500円)※借上寮入寮者には、食事補助13,000円支給

●ライフイベント、女性活躍●

【女性比率】■男 □女

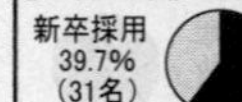
新卒採用 39.7%(31名)

従業員 11%(249名)
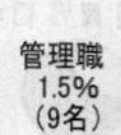
管理職 1.5%(9名)

【産休】[期間]産前6・産後8週間[給与]会社85%給付[取得者数]12名

【育休】[期間]1歳になるまで[給与]法定[取得者数]22年度 男34名(対象81名)女10名(対象14名)23年度 男52名(対象70名)女9名(対象12名)[平均取得日数]22年度 NA、23年度 男62日 女264日

【従業員】◇[人数]2,268名(男2,019名、女249名)[平均年齢]40.5歳(男40.8歳、女38.4歳)[平均勤続年数]17.6年(男18.2年、女13.3年)

【年齢構成】■男 □女

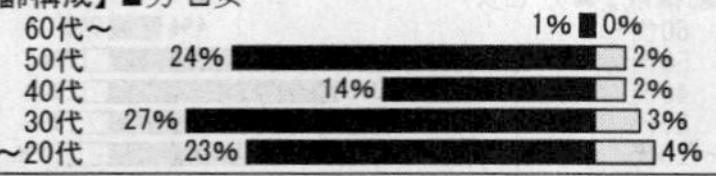

会社データ (金額は百万円)

【本社】480-0193 愛知県丹羽郡大口町下小口5-25-1 ☎0587-95-7819 https://www.okuma.co.jp/

【業績(連結)】	売上高	営業利益	経常利益	純利益
22.3	172,809	14,462	15,577	11,579
23.3	227,636	24,804	26,446	19,195
24.3	227,994	25,364	25,557	19,381

(株)牧野(まきの)フライス製作所(せいさくしょ)

【特色】大手工作機械メーカー。先端志向の技術に強み

記者評価 工作機械大手の一角。高精度・高速・大型のマシニングセンタ(MC)と呼ばれる機械が柱。主に自動車や航空機産業で使用される。半導体製造装置向けも得意。海外売上比率8割超。特に中国をはじめとするアジアに強い。インドやベトナムを開拓。

平均勤続年数	男性育休取得率	3年後離職率	平均年収(平均40歳)
◇17.0年	43.5→56.0%	2.6→12.9%	㊓722万円

●採用・配属情報●

【男女・文理別採用実績】

	大卒男	大卒女	修士男	修士女
23年	5(文 1理 4)	4(文 4理 0)	11(文 0理 11)	0(文 0理 0)
24年	16(文 4理 12)	1(文 0理 1)	10(文 0理 10)	0(文 0理 0)
25年	10(文 1理 9)	2(文 1理 1)	6(文 0理 6)	0(文 0理 0)

【男女・職種別採用実績】

	総合職
23年	24(男 19 女 5)
24年	35(男 33 女 2)
25年	27(男 23 女 4)

【職種併願】NA

【24年4月入社者の配属勤務地】㊓神奈川・厚木4 ㊗神奈川・厚木31

【転勤】あり:[職種]配属先による

【中途比率】[単年度]21年度23%、22年度30%、23年度29%[全体]◇21%

●働きやすさ、諸制度●

残業(月) 26.4時間 ㊓26.4時間

【勤務時間】8:00～16:45【有休取得年平均】14.1日【週休】完全2日(土日祝)【夏期休暇】連続5～9日【年末年始休暇】連続5～9日

【離職率】◇男:2.5%、29名 女:4.1%、6名

【新卒3年後離職率】

[20→23年]2.6%(男2.9%・入社34名、女0%・入社4名)

[21→24年]12.9%(男10.7%・入社28名、女33.3%・入社3名)

【テレワーク】制度なし【勤務制度】フレックス 時間単位有休 裁量労働【住宅補助】独身寮 社宅

●ライフイベント、女性活躍●

【女性比率】■男 □女

新卒採用 14.8%(4名) 従業員 11.1%(139名) 管理職 3.6%(6名)

【産休】[期間]産前6・産後8週間[給与]法定[取得者数]4名

【育休】[期間]1歳6カ月になるまで(最大で2歳)[給与]法定[取得者数]22年度 男10名(対象23名)女7名(対象7名)23年度 男14名(対象25名)女4名(対象4名)[平均取得日数]22年度 男59日 女300日、23年度 男31日 女115日

【従業員】◇[人数]1,252名(男1,113名、女139名)[平均年齢]40.6歳(男40.8歳、女39.3歳)[平均勤続年数]17.0年(男17.2年、女14.9年)

【年齢構成】■男 □女

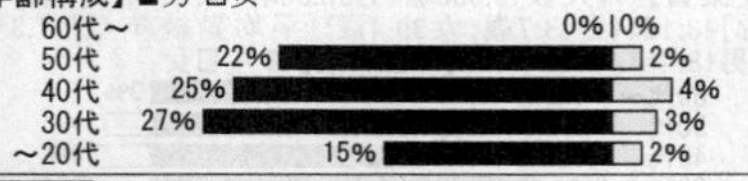

会社データ (金額は百万円)

【本社】152-8578 東京都目黒区中根2-3-19 ☎03-3717-1151 https://www.makino.co.jp/

【業績(連結)】	売上高	営業利益	経常利益	純利益
22.3	186,591	11,300	14,274	12,042
23.3	227,985	17,492	19,906	16,073
24.3	225,360	16,372	18,918	15,981

メーカーI

440 開示 ★★☆☆☆ 短大 専門 採用あり

芝浦機械㈱

しばうらきかい

くるみん

【特色】成形機が主柱。工作機械やロボットなども展開

記者評価 1938年芝浦製作所(現東芝)から独立。プラスチック製品をつくる射出成形機や、ダイカストマシン、大型の工作機械、産業用ロボットなどを手がける。17年東芝の持分会社から離脱、20年東芝機械から現社名に。EV用電池の製造工程で使う機械が柱に成長。

平均勤続年数	男性育休取得率	3年後離職率	平均年収(平均44歳)
◇19.3年	58.8→68.6%	17.2→10.5%	㊕648万円

●採用・配属情報●

【男女・文理別採用実績】

	大卒男	大卒女	修士男	修士女
23年	23(文 9理 14)	1(文 0理 1)	10(文 0理 10)	0(文 0理 0)
24年	11(文 3理 8)	1(文 0理 1)	9(文 1理 8)	1(文 1理 0)
25年	18(文 5理 13)	7(文 7理 0)	9(文 0理 9)	0(文 0理 0)

※25年:継続中

【男女・職種別採用実績】

	総合職	一般職
23年	35(男 34 女 1)	1(男 1 女 0)
24年	23(男 20 女 3)	1(男 1 女 0)
25年	34(男 27 女 7)	3(男 3 女 0)

【職種併願】○

【24年4月入社者の配属勤務地】㊕東京・千代田3 静岡・沼津2 ㊍静岡・沼津13 神奈川・座間3 静岡・御殿場2

【転勤】あり:全社員

【中途比率】[単年度]21年度23%、22年度18%、23年度26%(現業を含む)[全体]◇20%

●働きやすさ、諸制度●

残業(月) 16.8時間

【勤務時間】(沼津)8:00～16:45(東京)8:45～17:30【有休取得年平均】17.6日【週休】完全2日(土日祝)【夏期休暇】4日+一斉有休1日【年末年始休暇】12月27日～1月3日+一斉有休1日

【離職率】◇男:2.4%、37名 女:1.1%、2名

【新卒3年後離職率】

[20→23年]17.2%(男13.7%・入社51名、女42.9%・入社7名)

[21→24年]10.5%(男11.1%・入社18名、女0%・入社1名)

【テレワーク】制度あり:[場所]自宅 サテライトオフィス[対象]NA[日数]年間6カ月以内[利用率]NA【勤務制度】フレックス【住宅補助】独身寮(沼津3)借上社宅(沼津 一部個人負担)

●ライフイベント、女性活躍●

【女性比率】■男 □女

新卒採用 18.9%(7名)　従業員 11.1%(185名)　管理職 3%(11名)

【産休】[期間]産前6・産後8週間[給与]法定[取得者数]1名

【育休】[期間]2歳になるまで[給与]法定[取得者数]22年度 男20名(対象34名)女4名(対象4名)23年度 男24名(対象35名)女1名(対象1名)[平均取得日数]22年度 NA、23年度 NA

【従業員】◇[人数]1,663名(男1,478名、女185名)[平均年齢]43.6歳(男43.2歳、女46.6歳)[平均勤続年数]19.3年(男19.2年、女20.5年)

【年齢構成】■男 □女

	男	女
60代～	6%	1%
50代	26%	6%
40代	21%	2%
30代	18%	1%
～20代	18%	1%

会社データ (金額は百万円)

【本社】100-8503 東京都千代田区内幸町2-2-2 富国生命ビル ☎03-3509-0200 https://www.shibaura-machine.co.jp/

【業績(連結)】	売上高	営業利益	経常利益	純利益
22.3	107,777	4,236	4,544	3,725
23.3	123,197	5,765	5,279	6,441
24.3	160,653	13,614	14,604	17,920

461 開示 ★★★☆☆

㈱荏原製作所

えばらせいさくしょ

えるぼし ★★★

【特色】ポンプ国内最大手、半導体研磨装置も世界有数

記者評価 祖業のポンプとコンプレッサー・タービンが主力。半導体製造用の研磨装置や真空ポンプも収益柱。顧客別のセグメントに区分を変え、収益力向上に取り組む。伝統企業ながら積極的なガバナンス改革にも挑戦。ベンチャー投資に注力。給与水準が上昇傾向。

平均勤続年数	男性育休取得率	3年後離職率	平均年収(平均43歳)
◇15.8年	22.3→91.4%	7.7→16.2%	㊕908万円

●採用・配属情報●

【男女・文理別採用実績】

	大卒男	大卒女	修士男	修士女
23年	42(文 12理 30)	11(文 7理 4)	41(文 2理 39)	5(文 2理 3)
24年	45(文 25理 20)	14(文 12理 2)	27(文 3理 24)	2(文 0理 2)
25年	68(文 29理 39)	26(文 17理 9)	71(文 2理 69)	14(文 6理 8)

※25年:24年8月6日時点

【男女・職種別採用実績】

	総合職	地域総合職
23年	102(男 86 女 16)	0(男 0 女 0)
24年	90(男 74 女 16)	0(男 0 女 0)
25年	185(男144 女 41)	1(男 1 女 0)

【24年4月入社者の配属勤務地】㊕東京(羽田16 西東京2) 神奈川・藤沢4 千葉・袖ケ浦1 札幌1 仙台1 大阪市1 福岡市1 熊本・南関町2 ㊍東京・羽田25 神奈川・藤沢32 千葉・富津1 熊本・南関町3

【転勤】あり:全社員

【中途比率】[単年度]21年度54%、22年度74%、23年度72%[全体]◇45%

●働きやすさ、諸制度●

残業(月) 26.7時間 ㊕28.3時間

【勤務時間】8:45～17:15【有休取得年平均】17.0日【週休】完全2日(土日祝)【夏期休暇】連続5日(最低3日以上)【年末年始休暇】連続7日(週休含む)

【離職率】◇男:2.7%、101名 女:2.2%、22名

【新卒3年後離職率】

[20→23年]7.7%(男5.9%・入社85名、女12.5%・入社32名)

[21→24年]16.2%(男14.3%・入社91名、女25.0%・入社20名)

【テレワーク】制度あり:[場所]自宅[対象]総合職[日数]制限なし[利用率]NA【勤務制度】時間単位有休 時差勤務

【住宅補助】独身寮 社有社宅 住宅手当

●ライフイベント、女性活躍●

【女性比率】■男 □女

新卒採用 22%(41名)　従業員 21.2%(992名)　管理職 6.9%(42名)

【産休】[期間]産前8・産後8週間[給与]法定[取得者数]18名

【育休】[期間]1歳半または1歳4月末までの長い方[給与]法定[取得者数]22年度 男23名(対象103名)女17名(対象17名)23年度 男85名(対象93名)女18名(対象18名)[平均取得日数]22年度 NA、23年度 男34日 女468日

【従業員】◇[人数]4,688名(男3,696名、女992名)[平均年齢]43.6歳(男43.3歳、女44.6歳)[平均勤続年数]15.8年(男15.0年、女18.9年)

【年齢構成】■男 □女

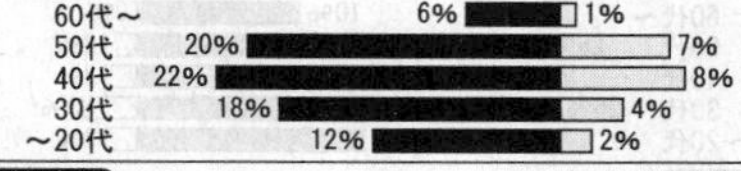

	男	女
60代～	6%	1%
50代	20%	7%
40代	22%	8%
30代	18%	4%
～20代	12%	2%

会社データ (金額は百万円)

【本社】144-8510 東京都大田区羽田旭町11-1 ☎03-3743-6111 https://www.ebara.co.jp/

【業績(IFRS)】	売上高	営業利益	税前利益	純利益
21.12	603,213	61,372	60,302	43,616
22.12	680,870	70,572	69,481	50,488
23.12	759,328	86,025	84,733	60,283

メーカーI

カナデビア(株)

【特色】造船を源流に環境・プラントが主力。旧日立造船

記者評価 1881年に英国人実業家が創業した大阪鉄工所が母体。国内造船業の先駆として成長したが、2002年に造船事業を分離。現在はゴミ焼却発電プラントが主力、スイス同業の買収で世界首位級に。風力発電など脱炭素化分野に本腰。24年10月、日立造船から現社名に変更。

平均勤続年数	男性育休取得率	3年後離職率	平均年収(平均43歳)
◇16.3年	52.3→69.4%	8.3→8.8%	総 699万円

●採用・配属情報●

【男女・文理別採用実績】

	大卒男	大卒女	修士男	修士女
23年	31(文 15 理 16)	9(文 5 理 4)	38(文 0 理 38)	5(文 0 理 5)
24年	49(文 18 理 31)	19(文 18 理 1)	32(文 0 理 32)	4(文 0 理 4)
25年	30(文 14 理 16)	19(文 18 理 1)	25(文 0 理 25)	5(文 0 理 5)

※25年:24年9月9日時点

【男女・職種別採用実績】 転換制度:⇔

	総合職
23年	89(男 74 女 15)
24年	106(男 83 女 23)
25年	85(男 58 女 27)

【24年4月入社者の配属勤務地】総東京・品川13 大阪(大阪17 堺1)広島・尾道2 熊本・玉名郡3 技東京・品川4 大阪(大阪61 堺1)広島・尾道1 熊本・玉名郡4 京都・舞鶴1

【転勤】あり:全社員

【中途比率】[単年度]21年度26%、22年度43%、23年度62%[全体]NA

●働きやすさ、諸制度●

残業(月) 21.4時間 総 21.4時間

【勤務時間】8:45～17:35(フレックスタイム制 コアタイムなし)【有休取得年平均】19.8日【週休】完全2日(土日祝)【夏期休暇】最大連続10日(有休・週休含む)【年末年始休暇】最大連続7日(有休・週休含む)

【離職率】◇男:2.6%、93名 女:4.9%、17名

【新卒3年後離職率】
[20→23年]8.3%(男7.2%・入社97名、女12.5%・入社24名)
[21→24年]8.8%(男8.7%・入社92名、女9.1%・入社22名)

【テレワーク】制度あり:[場所]自宅[対象]全社員[日数]週4日まで[利用率]NA【勤務制度】フレックス 時間単位有休

【住宅補助】独身寮・社宅(各事業所)

●ライフイベント、女性活躍●

【女性比率】■男 □女

新卒採用 31.8%(27名)

従業員 8.8%(333名)

管理職 3%(38名)

【産休】[期間]産前6・産後8週間[給与]法定[取得者数]17名

【育休】[期間]1歳半になるまで[給与]法定[取得者数]22年度 男56名(対象107名)女12名(対象12名)23年度 男86名(対象124名)女17名(対象17名)[平均取得日数]22年度 男44日 女388日、23年度 男53日 女388日

【従業員】◇[人数]3,792名(男3,459名、女333名)[平均年齢]43.2歳(男43.5歳、女40.0歳)[平均勤続年数]16.3年(男16.6年、女13.5年)

【年齢構成】■男 □女

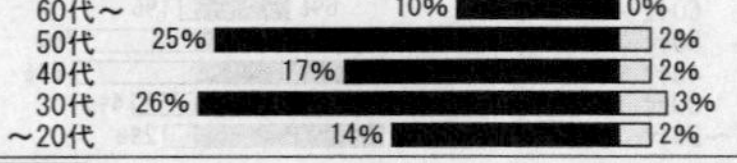

会社データ (金額は百万円)

【本社】559-8559 大阪府大阪市住之江区南港北1-7-89 ☎06-6569-0019 https://www.hitachizosen.co.jp/

【業績(連結)】	売上高	営業利益	経常利益	純利益
22.3	441,797	15,541	11,783	7,899
23.3	492,692	20,056	17,834	15,577
24.3	555,844	24,323	25,646	18,999

栗田工業(株)

くりたこうぎょう

えるぼし★★★ くるみん

【特色】総合水処理最大手。超純水供給が安定収益源

記者評価 産業用水処理で国内首位。装置・薬品の2本柱。特に半導体・液晶などの電子産業向けに強い。客先に自社設備を設置して超純水自体を販売する超純水供給事業が安定収益源。独、仏の水処理会社を買収するなど海外戦略の強化続く。海外売上比率約5割。堅実経営。

平均勤続年数	男性育休取得率	3年後離職率	平均年収(平均43歳)
17.4年	68.1→80.0%	9.5→6.7%	総 958万円

●採用・配属情報●

【男女・文理別採用実績】

	大卒男	大卒女	修士男	修士女
23年	9(文 5 理 4)	6(文 4 理 2)	14(文 0 理 14)	7(文 0 理 7)
24年	4(文 3 理 1)	3(文 2 理 1)	16(文 0 理 16)	6(文 0 理 6)
25年	5(文 0 理 5)	4(文 3 理 1)	12(文 0 理 12)	4(文 0 理 4)

【男女・職種別採用実績】 転換制度:⇒

	総合職	担当職
23年	37(男 23 女 14)	0(男 0 女 0)
24年	31(男 22 女 9)	0(男 0 女 0)
25年	28(男 20 女 8)	0(男 0 女 0)

【24年4月入社者の配属勤務地】総東京(中野2 昭島1)技東京(中野1 三鷹6 昭島15)岩手1 千葉1 長野1 兵庫1 大阪1 岡山1

【転勤】あり:全社員

【中途比率】[単年度]21年度22%、22年度25%、23年度62%[全体]19%

●働きやすさ、諸制度●

残業(月) 26.3時間 総 27.7時間

【勤務時間】8:45～17:15(フレックスタイム制 コアタイム10:00～15:00)【有休取得年平均】12.7日【週休】完全2日(土日祝)【夏期休暇】7日(有休で取得)【年末年始休暇】連続5日

【離職率】男:1.7%、23名 女:0.7%、2名

【新卒3年後離職率】
[20→23年]9.5%(男10.7%・入社28名、女7.1%・入社14名)
[21→24年]6.7%(男9.4%・入社32名、女0%・入社13名)

【テレワーク】制度あり:[場所]自宅 サテライトオフィス[対象]全社員[日数]週4日まで(最低週1回は出社)[利用率]NA

【勤務制度】フレックス 勤務間インターバル【住宅補助】借上独身寮(自己負担8,000円)借上社宅 住居費用補助手当

●ライフイベント、女性活躍●

【女性比率】■男 □女

新卒採用 28.6%(8名)　従業員 17.3%(281名)　管理職 3.7%(12名)

【産休】[期間]産前6・産後8週間[給与]産前6週間および産後6週間は有給、産後7～8週間は法定通り[取得者数]14名

【育休】[期間]最大で2歳に達した後の最初の4月の保育所等入所日まで延長可[給与]法定+賃金の25%[取得者数]22年度 男32名(対象47名)女7名(対象7名)23年度 男36名(対象45名)女13名(対象13名)[平均取得日数]22年度NA、23年度 男38日 女473日

【従業員】[人数]1,625名(男1,344名、女281名)[平均年齢]43.1歳(男43.8歳、女39.3歳)[平均勤続年数]17.4年(男17.8年、女15.2年)【年齢構成】■男 □女

	男	女
60代～	1%	0%
50代	25%	4%
40代	24%	4%
30代	21%	4%
～20代	11%	5%

会社データ (金額は百万円)

【本社】164-0001 東京都中野区中野4-10-1 ☎03-6743-5000 https://www.kurita.co.jp/

【業績(IFRS)】	売上高	営業利益	税前利益	純利益
22.3	288,207	35,734	30,079	18,471
23.3	344,608	29,058	30,151	20,134
24.3	384,825	41,232	41,686	29,189

メタウォーター(株)

[えるぼし ★★★] [くるみん]

【特色】日本ガイシと富士電機の水環境事業が統合

[記者評価] 上下水設備トップ級。セラミック膜ろ過システムなど機械技術の日本ガイシと、受変電設備など電気技術に強い富士電機の水環境事業が08年統合して発足。官需9割超。AI活用で設計品質を一段向上。PPP事業の拡大図るほか、東南ア、アフリカなど海外で受注深掘り。

平均勤続年数	男性育休取得率	3年後離職率	平均年収(平均43歳)
17.1年	25.0→38.8%	5.5→1.8%	[総]836万円

●採用・配属情報●

【男女・文理別採用実績】

	大卒男	大卒女	修士男	修士女
23年	8(文 6理 2)	5(文 4理 1)	14(文 1理 13)	3(文 0理 3)
24年	11(文 5理 6)	7(文 5理 2)	15(文 1理 14)	4(文 0理 4)
25年	18(文 7理 11)	5(文 4理 1)	16(文 0理 16)	3(文 0理 3)

【男女・職種別採用実績】

	総合職
23年	50(男 39 女 11)
24年	61(男 46 女 15)
25年	63(男 49 女 14)

【24年4月入社者の配属勤務地】[総]東京・千代田7 さいたま2 横浜1 名古屋1 大阪1 広島1 [技]東京・千代田18 日野17 千葉1 名古屋4 大阪7 熊本1
【転勤】あり:全社員
【中途比率】[単年度]21年度41%、22年度44%、23年度43%[全体]NA

●働きやすさ、諸制度●

残業(月) 17.5時間 [総]17.5時間

【勤務時間】9:00〜17:00【有休取得年平均】13.6日【週休】完全2日(土日祝)【夏期休暇】8月10〜16日【年末年始休暇】12月29日〜1月3日
【離職率】男:1.8%、30名 女:2.5%、6名
【新卒3年後離職率】
[20→23年]5.5%(男2.6%・入社38名、女11.8%・入社17名)
[21→24年]1.8%(男2.3%・入社44名、女0%・入社11名)
【テレワーク】制度あり:[場所]制限なし[対象]全社員[日数]制限なし[利用率]NA【勤務制度】フレックス 時間単位有休 週休3日 副業容認【住宅補助】住宅支援制度(入社3年以内は9割 3年目以降30歳まで8割補助 支給規定有)

●ライフイベント、女性活躍●

【女性比率】■男 □女

新卒採用 22.2% (14名)

従業員 12.6% (232名)

【産休】[期間]産前8・産後8週間[給与]法定[取得者数]8名
【育休】[期間]2歳到達前日まで[給与]法定[取得者数]22年度 男11名(対象44名)女3名(対象4名)23年度 男19名(対象49名)女5名(対象5名)[平均取得日数]22年度 男53日 女179日、23年度 男84日 女142日
【従業員】[人数]1,843名(男1,611名、女232名)[平均年齢]42.7歳(男43.3歳、女38.9歳)[平均勤続年数]17.1年(男17.4年、女15.1年)
【年齢構成】NA

[会社データ] (金額は百万円)

【本社】101-0041 東京都千代田区神田須田町1-25 JR神田万世橋ビル ☎03-6853-7300 https://www.metawater.co.jp/

【業績(連結)】	売上高	営業利益	経常利益	純利益
22.3	135,557	8,146	8,751	6,245
23.3	150,716	8,688	9,068	6,252
24.3	165,561	9,903	10,490	6,875

三浦工業(株)

(みうらこうぎょう)

[えるぼし ★★★] [くるみん]

【特色】産業用小型貫流ボイラー国内首位。海外積極開拓

[記者評価] 松山市本拠。工場や商業施設に不可欠な産業用小型ボイラーで高シェア。メンテ事業が安定的な収益源。空気圧縮機や水処理機器、冷熱機器や同薬品、ランドリー機器も展開。中国の食品・製薬会社向け注力。ダイキンと資本業務提携、共同で省エネ訴求。財務良好。

平均勤続年数	男性育休取得率	3年後離職率	平均年収(平均40歳)
14.1年	46.0→76.1%	31.6→13.8%	[総]792万円

●採用・配属情報●

【男女・文理別採用実績】

	大卒男	大卒女	修士男	修士女
23年	69(文 38理 31)	9(文 8理 1)	6(文 0理 6)	1(文 0理 1)
24年	75(文 43理 32)	15(文 11理 4)	18(文 0理 18)	2(文 0理 2)
25年	72(文 50理 22)	20(文 14理 6)	11(文 0理 11)	4(文 2理 2)

【男女・職種別採用実績】 転換制度:⇒

	総合職	一般職
23年	78(男 76 女 2)	8(男 0 女 8)
24年	108(男 99 女 9)	10(男 0 女 10)
25年	105(男 88 女 17)	7(男 0 女 7)

【職種併願】技術職とフィールドエンジニア・営業・スタッフ職で可能
【24年4月入社者の配属勤務地】[総]北海道 青森 神奈川 埼玉 茨城 群馬 東京 岐阜 富山 石川 愛知 静岡 京都 滋賀 大阪 三重 兵庫 山口 広島 岡山 愛媛 徳島 福岡 大分 熊本 鹿児島 沖縄 他 [技]愛媛・松山24
【転勤】あり:[職種]総合職Aコース
【中途比率】[単年度]21年度28%、22年度32%、23年度58%[全体]33%

●働きやすさ、諸制度●

残業(月) 24.5時間 [総]28.5時間

【勤務時間】8:30〜17:30【有休取得年平均】13.7日【週休】完全2日(土日祝)【夏期休暇】連続9日(有休含む)【年末年始休暇】連続9日(有休含む)
【離職率】男:3.5%、84名 女:4.5%、37名
【新卒3年後離職率】
[20→23年]31.6%(男32.6%・入社89名、女16.7%・入社6名)
[21→24年]13.8%(男14.1%・入社85名、女11.1%・入社9名)
【テレワーク】制度なし【勤務制度】フレックス 時間単位有休 時差勤務 勤務間インターバル 副業容認【住宅補助】社有・借上寮(全国事業所の勤務圏内)社宅 住宅手当

●ライフイベント、女性活躍●

【女性比率】■男 □女

新卒採用 21.4% (24名)

従業員 25.2% (791名)

管理職 3.5% (22名)

【産休】[期間]産前6・産後8週間[給与]法定[取得者数]51名
【育休】[期間]1歳になるまで[給与]初日有給、以降法定 配偶者出産休暇3日[取得者数]22年度 男46名(対象100名)女43名(対象43名)23年度 男83名(対象109名)女54名(対象54名)[平均取得日数]22年度 男6日 女348日、23年度 男7日 女379日
【従業員】[人数]3,141名(男2,350名、女791名)[平均年齢]39.1歳(男39.9歳、女36.5歳)[平均勤続年数]14.1年(男15.0年、女11.6年)【年齢構成】■男 □女

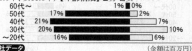

	男	女
60代〜	1%	0%
50代	17%	2%
40代	21%	7%
30代	20%	10%
〜20代	16%	6%

[会社データ] (金額は百万円)

【本社】799-2696 愛媛県松山市堀江町7 ☎089-979-7014 https://www.miuraz.co.jp/

【業績(IFRS)】	売上高	営業利益	税前利益	純利益
22.3	143,543	19,441	20,421	14,415
23.3	158,377	21,928	23,467	16,876
24.3	159,695	23,061	26,789	19,368

メーカーI

4464 開示 ★★★★

オルガノ(株)

えるぼし ★★★

【特色】水処理装置大手。電子向け純水製造装置が主軸

記者評価 東ソー系の水処理大手。半導体・電子関連の超純水・純水装置が柱。水処理薬品も扱う。台湾TSMCとの関係が深く、台湾半導体市場で存在感。TSMC進出に伴い米国を強化。TSMC熊本関連も受注。中国、東南アにも展開。バイオ医薬やリチウムイオン電池向けも本腰。

平均勤続年数	男性育休取得率	3年後離職率	平均年収(平均43歳)
16.6年	55.3→76.5%	8.8→6.1%	(総)936万円

●採用・配属情報●

【男女・文理別採用実績】

	大卒男	大卒女	修士男	修士女
23年	6(文 1理 5)	3(文 0理 3)	11(文 0理 11)	3(文 0理 3)
24年	5(文 2理 3)	1(文 1理 0)	13(文 0理 13)	7(文 0理 7)
25年	10(文 4理 6)	6(文 1理 5)	21(文 0理 21)	9(文 1理 8)

【男女・職種別採用実績】 転換制度:⇔

	総合職
23年	23(男 17 女 6)
24年	26(男 18 女 8)
25年	46(男 31 女 15)

【24年4月入社者の配属勤務地】(総)(23年)東京・江東6 (技)(23年)東京・江東11 相模原5 三重・四日市1

【転勤】あり:[職種]総合職[勤務地]全国及び海外拠点

【中途比率】[単年度]21年度34%、22年度50%、23年度67%[全体]21%

●働きやすさ、諸制度●

残業(月) 24.7時間 (総)28.6時間

【勤務時間】9:00～17:15【有休取得年平均】11.7日【週休】完全2日(土日祝)【夏期休暇】3日(有休2日と合わせて連続5日取得可)【年末年始休暇】12月30日～1月4日

【離職率】男:2.6%、28名 女:2.1%、5名

【新卒3年後離職率】

[20→23年]8.8%(男4.8%・入社21名、女15.4%・入社13名)

[21→24年]6.1%(男4.8%・入社21名、女8.3%・入社12名)

【テレワーク】制度あり:[場所]自宅[対象]全社員(試用期間中の社員は除く)[日数]月10日まで[利用率]8.0%【勤務制度】フレックス 時差勤務 勤務間インターバル 副業容認【住宅補助】独身者用借上社宅(自己負担5,000円 親元から勤務地までの通勤時間が1時間以上かかる30歳未満の人)転勤者用借上社宅(自己負担6,000～8,000円)

●ライフイベント、女性活躍●

【女性比率】■男 □女

新卒採用 32.6% (15名)

従業員 18.1% (229名)

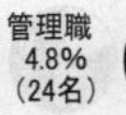

管理職 4.8% (24名)

【産休】[期間]産前6・産後8週間[給与]会社全額給付+賞与(日割)[取得者数]6名

【育休】[期間]1歳になるまで[給与]法定[取得者数]22年度 男21名(対象38名)女3名(対象3名)23年度 男26名(対象34名)女6名(対象6名)[平均取得日数]22年度 男29日 女420日、23年度 男33日 女114日

【従業員】[人数]1,263名(男1,034名、女229名)[平均年齢]43.9歳(男44.2歳、女42.5歳)[平均勤続年数]16.6年(男17.0年、女14.6年)【年齢構成】■男 □女

	男	女
60代～	4%	1%
50代	25%	5%
40代	23%	3%
30代	19%	5%
～20代	11%	4%

会社データ (金額は百万円)

【本社】136-8631 東京都江東区新砂1-2-8 ☎03-5635-5100 https://www.organo.co.jp/

【業績(連結)】	売上高	営業利益	経常利益	純利益
22.3	112,069	10,850	11,545	9,210
23.3	132,426	15,212	16,020	11,730
24.3	150,356	22,544	23,425	17,310

2648 開示 ★★★★

(株)タクマ

【特色】ボイラー製造大手。ゴミ焼却炉や水処理装置も

記者評価 1912年、田熊常吉が「タクマ式汽罐」で創業。各種ボイラーを基盤にゴミ焼却や水処理、エネルギーなどのプラントに展開。バイオマス発電プラントで高シェア。海外は東南アジアが軸。プラント排ガスのCO2固体化など技術開発を推進。播磨新工場が23年1月稼働。

平均勤続年数	男性育休取得率	3年後離職率	平均年収(平均42歳)
14.6年	32.4→48.1%	12.5→12.0%	(総)905万円

●採用・配属情報●

【男女・文理別採用実績】

	大卒男	大卒女	修士男	修士女
23年	7(文 4理 3)	3(文 1理 2)	12(文 0理 12)	0(文 0理 0)
24年	12(文 4理 8)	2(文 0理 2)	8(文 0理 8)	1(文 1理 0)
25年	10(文 4理 6)	3(文 2理 1)	6(文 0理 6)	2(文 0理 2)

【男女・職種別採用実績】 転換制度:⇒

	総合職
23年	25(男 22 女 3)
24年	26(男 23 女 3)
25年	24(男 18 女 6)

【24年4月入社者の配属勤務地】(総)兵庫4 東京1 (技)兵庫19 東京2

【転勤】あり:全社員

【中途比率】[単年度]21年度67%、22年度59%、23年度58%[全体]41%

●働きやすさ、諸制度●

残業(月) 29.0時間 (総)30.9時間

【勤務時間】8:30～17:00【有休取得年平均】10.5日【週休】完全2日(土日祝)【夏期休暇】連続最大10日(週休4日含む)【年末年始休暇】連続最大9日(週休4日含む)

【離職率】男:1.8%、16名 女:2.4%、2名

【新卒3年後離職率】

[20→23年]12.5%(男9.5%・入社21名、女33.3%・入社3名)

[21→24年]12.0%(男13.0%・入社23名、女0%・入社2名)

【テレワーク】制度あり:[場所]自宅[対象]全社員[日数]週2回[利用率]3.8%【勤務制度】フレックス 裁量労働 時差勤務【住宅補助】借上寮 住宅手当(11,400～26,000円)

●ライフイベント、女性活躍●

【女性比率】■男 □女

新卒採用 25% (6名)

従業員 8.9% (83名)

管理職 2.2% (11名)

【産休】[期間]産前6・産後8週間[給与]法定+付加給付13%[取得者数]2名

【育休】[期間]1歳になるまで[給与]法定[取得者数]22年度 男11名(対象34名)女1名(対象1名)23年度 男26名(対象54名)女2名(対象2名)[平均取得日数]22年度 男72日 女304日、23年度 男64日 女309日

【従業員】[人数]935名(男852名、女83名)[平均年齢]42.2歳(男42.1歳、女43.0歳)[平均勤続年数]14.6年(男14.3年、女18.1年)

【年齢構成】■男 □女

	男	女
60代～	1%	0%
50代	30%	1%
40代	20%	0%
30代	28%	2%
～20代	16%	2%

会社データ (金額は百万円)

【本社】660-0806 兵庫県尼崎市金楽寺町2-2-33 ☎06-6483-2609 https://www.takuma.co.jp/

【業績(連結)】	売上高	営業利益	経常利益	純利益
22.3	134,092	9,928	10,647	7,434
23.3	142,651	13,813	14,684	9,621
24.3	149,166	10,229	11,166	8,754

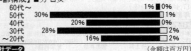

しんこうかんきょう
㈱神鋼環境ソリューション

プラチナくるみん

【特色】環境装置メーカー。神戸製鋼傘下。水処理に強い

記者評価 03年に神鋼本体の環境部門を統合。18年にはIHIの廃棄物関連事業を統合して業容拡大。廃棄物処理と水処理をトータルで手がける。化学プロセス機器に注力。水素発生装置やミドリムシ、バイオマス発電など新規事業も。21年10月神戸製鋼が株式交換で完全子会社化。

平均勤続年数	男性育休取得率	3年後離職率	平均年収(平均44歳)
◇15.6年	57.5→61.1%	11.1→0%	㊚862万円

●採用・配属情報●

【男女・文理別採用実績】

	大卒男	大卒女	修士男	修士女
23年	11(文 5理 6)	1(文 1理 0)	8(文 0理 8)	2(文 0理 2)
24年	6(文 4理 2)	2(文 1理 1)	7(文 0理 7)	0(文 0理 0)
25年	4(文 2理 2)	0(文 0理 0)	14(文 0理 14)	1(文 0理 1)

【男女・職種別採用実績】

	総合職
23年	23(男 20 女 3)
24年	15(男 13 女 2)
25年	19(男 18 女 1)

【24年4月入社者の配属勤務地】㊚兵庫・加古郡1 大阪2 東京2 ㊔兵庫(神戸9 加古郡1)
【転勤】あり:[職種]全社員[勤務地]兵庫(神戸・播磨)東京 大阪 札幌 仙台 名古屋 福岡 福井 長崎 他
【中途比率】[単年度]21年度42%、22年度45%、23年度45%[全体]◇47%

●働きやすさ、諸制度●

残業(月) 19.3時間 ㊚22.3時間

【勤務時間】9:00～17:30【有休取得年平均】17.1日【週休】完全2日(土日祝)【夏期休暇】連続7日(有休、週休含む)【年末年始休暇】連続7日(週休含む)
【離職率】◇男:3.0%、37名 女:2.8%、4名
【新卒3年後離職率】
[20→23年]11.1%(男13.0%・入社23名、女0%・入社4名)
[21→24年]0%(男0%・入社21名、女0%・入社2名)
【テレワーク】制度あり:[場所]業務に専念できる就業環境が維持できる場所[対象]全従業員(ただし新卒採用で勤続1年未満の者、キャリア採用で勤続半年未満の者を除く)[日数]週2日[利用率]NA【勤務制度】フレックス【住宅補助】独身寮 社宅

●ライフイベント、女性活躍●

【女性比率】■男 □女

新卒採用 5.3%(1名)　従業員 10.5%(141名)　管理職 1.5%(7名)

【産休】[期間]産前6・産後8週間[給与]法定[取得者数]5名
【育休】[期間]3歳になるまで[給与]法定[取得者数]22年度 男23名(対象40名)女4名(対象4名)23年度 男22名(対象36名)女4名(対象5名)[平均取得日数]22年度 NA、23年度 NA
【従業員】◇[人数]1,343名(男1,202名、女141名)[平均年齢]44.6歳(男44.6歳、女44.6歳)[平均勤続年数]15.6年(男15.8年、女13.9年)
【年齢構成】■男 □女

	男	女
60代～	8%	0%
50代	28%	3%
40代	21%	4%
30代	19%	2%
～20代	13%	1%

会社データ　(金額は百万円)

【本社】651-0072 兵庫県神戸市中央区脇浜町1-4-78 ☎078-232-8018
https://www.kobelco-eco.co.jp/

【業績(連結)】	売上高	営業利益	経常利益	純利益
22.3	102,535	NA	6,656	NA
23.3	107,933	NA	5,528	NA
24.3	108,617	NA	6,550	NA

メーカーI

メーカー
（素材・身の回り品）

食品・水産　農林　印刷・紙パルプ
化粧品・トイレタリー　医薬品　化学
衣料・繊維　ガラス・土石　金属製品
鉄鋼　非鉄　その他メーカー

加工食品

価格転嫁による利益貢献は２０２４年度中におおむね一巡。さらなる成長には販売量の拡大が求められる

医薬品

国内では不採算品の薬価引き上げが行われるなど向かい風がやや弱まる。高額薬の登場もあり医薬品市場の成長は続く

化粧品

マスク着用緩和でメイク品の需要回復。が、中国市場の成長鈍化で大手が軒並み苦戦。インバウンドも先行き不透明

化学

低調な需要が響いた２０２３年度より増益基調だが、石化は構造的に苦しい。半導体関連など上向きだが本格回復遠い

鉄鋼

国内は数量減継続も、大口顧客向け中心に価格の見直し進み採算向上。中国勢は景気低迷に伴う鋼材余り発生で厳しい

非鉄金属

銅価格が上昇に転じるなど、金属価格が底打ち。自動車や電子部品業界向けの需要回復も追い風になる

（天気図は24年度後半⇒25年度、続きは東洋経済『会社四季報業界地図 2025年版』で）

1744 開示 ★★★☆☆

サントリーホールディングス(株)

えるぼし ★★★ / プラチナくるみん

【特色】事業子会社で酒類、飲料、食品、外食などを展開

記者評価 サントリー食品インターナショナル、サントリーフーズ、サントリーなどの事業会社が傘下。創業者・鳥井信治郎のチャレンジ精神「やってみなはれ」の伝統が息づく。「プレミアムモルツ」「金麦」軸に国内ビール類3位。飲料は「BOSS」「伊右衛門」堅調。

平均勤続年数	男性育休取得率	3年後離職率	平均年収(平均*43歳)
18.2年	56.2→87.2%	8.0→4.5%	㊗1,133万円

●採用・配属情報●

【男女・文理別採用実績】

	大卒男	大卒女	修士男	修士女
23年	62(文 60 理 2)	61(文 56 理 5)	23(文 1 理 22)	22(文 5 理 17)
24年	69(文 62 理 7)	82(文 80 理 2)	48(文 5 理 43)	26(文 2 理 24)
25年	43(文 41 理 2)	51(文 46 理 5)	43(文 4 理 39)	33(文 3 理 30)

※サントリー食品インターナショナル(株)と合同採用

【男女・職種別採用実績】

	総合職
23年	168(男 85 女 83)
24年	226(男 118 女 108)
25年	171(男 86 女 85)

【24年4月入社者の配属勤務地】㊗東京70 大阪20 仙台10 北海道7 名古屋10 他64 ㊕京都18 神奈川8 東京5 大阪5 他9

【転勤】あり:全社員

【中途比率】[単年度]21年度NA、22年度39%、23年度NA [全体]18%

●働きやすさ、諸制度●

残業(月) 19.2時間 ㊗19.2時間

【勤務時間】9:00～17:30【有休取得年平均】17.7日【週休】2日【夏期休暇】有休で取得【年末年始休暇】12月31日～1月3日

【離職率】男:0.8%、30名 女:1.5%、22名

【新卒3年後離職率】

[20→23年]8.0%(男7.7%・入社65名、女8.5%・入社47名)

[21→24年]4.5%(男5.8%・入社69名、女2.4%・入社42名)

【テレワーク】制度あり:[場所]オフィスと同等の就業環境が担保できる場所[対象](以下要件を全て満たす者)業務上支障がないと会社が認めた者 相当程度の裁量権を持ち自己を律し業務を行える者 会社と同等の就業環境が整備できる者[日数]制限なし[利用率]NA【勤務制度】フレックス 時間単位有休 裁量労働 時差勤務 副業容認【住宅補助】住宅手当 他

●ライフイベント、女性活躍●

【女性比率】■男 □女

新卒採用 49.7% (85名)

従業員 27% (1411名)

管理職 13.1% (169名)

【産休】[期間]産前6・産後8週間[給与]法定[取得者数]73名

【育休】[期間]3歳になるまで[給与]最初5日間有給、以降給付金[取得者数]22年度 男114名(対象203名)女67名(対象67名)23年度 男143名(対象164名)女73名(対象74名)[平均取得日数]22年度 NA、23年度 NA

【従業員】[人数]5,218名(男3,807名、女1,411名)[平均年齢]43.1歳(男44.3歳、女40.0歳)[平均勤続年数]18.2年(男19.6年、女14.6年)【年齢構成】■男 □女

	男	女
60代～	6%	1%
50代	18%	4%
40代	22%	5%
30代	22%	7%
～20代	11%	5%

会社データ (金額は百万円)

【本社】530-8203 大阪府大阪市北区堂島浜2-1-40 ☎06-6346-1131 https://www.suntory.co.jp/

【業績(IFRS)】	売上高	営業利益	税前利益	純利益
21.12	2,285,676	247,479	237,447	NA
22.12	2,658,781	276,468	261,818	NA
23.12	2,952,095	317,198	297,426	NA

2234 開示 ★★★☆☆

アサヒビール(株)

プラチナくるみん

【特色】ビール類国内首位級。「スーパードライ」が大黒柱

記者評価 アサヒグループホールディングスの中核企業。ビール「スーパードライ」が主力。「スマートドリンキング」をうたい、アルコール度数8%以上の「ストロング系」缶チューハイは新たに発売しない方針を発表。近年のM&Aで海外が国内と並ぶ収益柱に成長。

平均勤続年数	男性育休取得率	3年後離職率	平均年収(平均44歳)
◇19.0年	19.0→95.1%	6.7→10.2%	㊗950万円

●採用・配属情報●

【男女・文理別採用実績】

	大卒男	大卒女	修士男	修士女
23年	17(文 17 理 0)	22(文 21 理 1)	9(文 1 理 8)	7(文 1 理 6)
24年	32(文 28 理 4)	22(文 20 理 2)	8(文 0 理 8)	5(文 0 理 5)
25年	35(文 33 理 2)	32(文 29 理 3)	12(文 0 理 12)	9(文 0 理 9)

【男女・職種別採用実績】 転換制度:⇔

	総合職	技能職
23年	55(男 26 女 29)	2(男 2 女 0)
24年	67(男 40 女 27)	2(男 1 女 1)
25年	90(男 49 女 41)	2(男 1 女 1)

【24年4月入社者の配属勤務地】㊗北海道3 宮城4 東京8 神奈川1 千葉1 栃木1 埼玉3 石川2 新潟1 愛知5 大阪8 京都2 広島6 香川3 福岡3 鹿児島1 ㊕福島2 茨城8 愛知2 大阪2 福岡3

【転勤】あり:[職種]Nコース(全国転勤あり)

【中途比率】[単年度]21年度15%、22年度36%、23年度33%[全体]◇19%

●働きやすさ、諸制度●

残業(月) 23.9時間 ㊗23.9時間

【勤務時間】本・支店9:00～17:30【有休取得年平均】9.2日【週休】完全2日(土日)【夏期休暇】8月12～20日の間に1日+年休1～4日【年末年始休暇】12月31日～1月3日

【離職率】◇男:2.2%、53名 女:2.0%、11名

【新卒3年後離職率】

[20→23年]6.7%(男7.0%・入社71名、女5.3%・入社19名)

[21→24年]10.2%(男7.7%・入社39名、女15.0%・入社20名)

【テレワーク】制度あり:[場所]自宅 自宅に準ずる場所[対象]全社員[日数]制限なし[利用率]NA【勤務制度】フレックス 勤務間インターバル 副業容認【住宅補助】自己選択型 社宅・寮(借上)

●ライフイベント、女性活躍●

【女性比率】■男 □女

新卒採用 45.7% (42名)

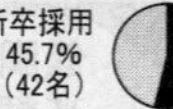

従業員 18.8% (538名)

管理職 7.7% (84名)

【産休】[期間]産前6・産後8週間[給与]健保8割[取得者数]35名

【育休】[期間]2歳になるまで[給与]法定[取得者数]22年度 男16名(対象84名)女27名(対象27名)23年度 男116名(対象122名)女35名(対象35名)[平均取得日数]22年度 NA、23年度 男16日 女429日

【従業員】◇[人数]2,863名(男2,325名、女538名)[平均年齢]43.7歳(男43.8歳、女43.3歳)[平均勤続年数]19.0年(男19.3年、女18.1年)【年齢構成】■男 □女

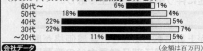

	男	女
60代～	0%	0%
50代	31%	8%
40代	22%	3%
30代	17%	3%
～20代	10%	4%

会社データ (金額は百万円)

【本社】130-8602 東京都墨田区吾妻橋1-23-1 ☎03-5608-5131 https://www.asahibeer.co.jp/

【業績(IFRS)】	売上高	営業利益	税前利益	純利益
21.12	2,236,076	211,900	199,826	153,500
22.12	2,511,108	217,048	205,992	151,555
23.12	2,769,091	244,999	241,871	166,031

※業績はアサヒグループホールディングス(株)のもの

キリンホールディングス(株)

【特色】ビール類シェア国内首位級。清涼飲料も展開

記者評価 傘下にキリンビール、キリンビバレッジなど。ビールの主力は「一番搾り」。24年に17年ぶり新ブランド「晴れ風」を発売し話題に。新ジャンル「本麒麟」も展開。免疫機能の維持をうたう独自素材「プラズマ乳酸菌」を含んだサプリメントや飲料の販売にも力。

平均勤続年数	男性育休取得率	3年後離職率	平均年収(平均33歳)
13.3年	72.8→71.3%	5.8→24.8%	総 749万円

●採用・配属情報●

【男女・文理別採用実績】

	大卒男	大卒女	修士男	修士女
23年	22(文 21理 1)	29(文 26理 3)	31(文 0理 31)	22(文 1理 21)
24年	28(文 26理 2)	32(文 27理 5)	26(文 1理 25)	22(文 4理 18)
25年	34(文 33理 1)	41(文 33理 8)	28(文 0理 28)	18(文 3理 15)

【男女・職種別採用実績】

	総合職
23年	107(男 56 女 51)
24年	113(男 59 女 54)
25年	126(男 64 女 62)

【職種併願】エリア限定職(障害者採用)と総合職で可能

【24年4月入社者の配属勤務地】総北海道2 東北3 関信越3 首都圏36 中部圏6 近畿圏12 中四国3 九州4 技北海道2 東北2 関信越1 首都圏21 中部圏3 近畿圏5 中四国8 九州2

【転勤】あり:[職種]シニア経営職 経営職 総合職[勤務地]海外含む全拠点

【中途比率】[単年度]21年度27%、22年度27%、23年度45%[全体]NA

●働きやすさ、諸制度●

残業(月) 28.0時間 総29.8時間

【勤務時間】9:00～17:30【有休取得年平均】11.0日【週休】完全2日(土日祝)【夏期休暇】有休で取得【年末年始休暇】4日以上

【離職率】男:3.8%、84名 女:2.3%、20名(早期退職男16名含む)

【新卒3年後離職率】

[20→23年]5.8%(男10.2%・入社59名、女0%・入社44名)

[21→24年]24.8%(男20.8%・入社72名、女29.2%・入社65名)

【テレワーク】制度あり:[場所]集中ができる場所[対象]職場で認めればだれでも利用可[日数]制限なし[利用率]24.2%【勤務制度】フレックス 裁量労働 勤務間インターバル 副業容認【住宅補助】独身寮 社有・借上社宅 住宅手当

●ライフイベント、女性活躍●

【女性比率】■男 □女

新卒採用 49.2%(62名)
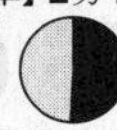
従業員 28.2%(840名)

管理職 13.6%(155名)

【産休】[期間]産前6・産後8週間[給与]法定+健保付加15%給付[取得者数]41名

【育休】[期間]2年間[給与]法定[取得者数]22年度 男67名(対象92名)女40名(対象40名)23年度 男67名(対象94名)女41名(対象41名)[平均取得日数]22年度 NA、23年度 NA

【従業員】[人数]2,984名(男2,144名、女840名)[平均年齢]38.5歳(男40.3歳、女33.9歳)[平均勤続年数]13.3年(男14.8年、女9.0年)【年齢構成】■男 □女

	男	女
60代～	0%	0%
50代	16%	1%
40代	19%	4%
30代	25%	13%
～20代	12%	10%

会社データ (金額は百万円)

【本社】164-0001 東京都中野区中野4-10-2 中野セントラルパークサウス ☎03-6837-7000 https://www.kirinholdings.com/jp/

【業績(IFRS)】	売上高	営業利益	税前利益	純利益
21.12	1,821,570	68,084	99,617	59,790
22.12	1,989,468	116,019	191,387	111,007
23.12	2,134,393	150,294	197,049	112,697

サッポロビール(株)

プラチナくるみん

【特色】サッポロHDの中核子会社。ビール類国内4位

記者評価 ビール「エビス」「黒ラベル」が看板商品。近年は「濃いめのレモンサワー」などチューハイにも注力。アメリカでは「サッポロプレミアムビール」がアジアビールの中で販売トップ。親会社の傘下に酒類、食品・飲料、外食、不動産子会社を持つ。

平均勤続年数	男性育休取得率	3年後離職率	平均年収(平均44歳)
18.0年	81.2→114.0%	17.1→20.8%	総 882万円

●採用・配属情報●

【男女・文理別採用実績】

	大卒男	大卒女	修士男	修士女
23年	11(文 11理 0)	16(文 16理 0)	8(文 2理 6)	5(文 1理 4)
24年	13(文 13理 0)	20(文 19理 1)	5(文 1理 4)	7(文 5理 2)
25年	7(文 6理 1)	6(文 5理 1)	7(文 0理 7)	3(文 0理 3)

【男女・職種別採用実績】 転換制度:⇔

	総合職
23年	40(男 19 女 21)
24年	45(男 18 女 27)
25年	23(男 14 女 9)

【24年4月入社者の配属勤務地】総東京13 大阪6 札幌3 仙台3 金沢2 埼玉1 名古屋2 新潟1 広島2 福岡2 静岡1 神奈川2 技北海道1 千葉3 静岡2 群馬1

【転勤】あり:詳細NA

【中途比率】[単年度]21年度NA、22年度NA、23年度NA[全体]32%

●働きやすさ、諸制度●

残業(月) 17.0時間 総17.0時間

【勤務時間】9:00～17:30(フレックス制)【有休取得年平均】15.0日【週休】2日(土日、会社カレンダーによる)【夏期休暇】なし【年末年始休暇】12月30日～1月4日

【離職率】男:3.1%、53名 女:2.2%、11名

【新卒3年後離職率】

[20→23年]17.1%(男22.7%・入社22名、女10.5%・入社19名)

[21→24年]20.8%(男28.6%・入社14名、女10.0%・入社10名)

【テレワーク】制度あり:[場所]業務に集中できる場所(ただし出勤時と同等の環境を前提)他[対象]制限なし[日数]制限なし[利用率]13.2%【勤務制度】フレックス 時間単位有休 時差勤務 勤務間インターバル 副業容認

【住宅補助】家族社宅・単身社宅・独身社宅(経営職社員、一般社員(総合コース)対象、賃料が上限を超過する場合、超過分は個人負担)

●ライフイベント、女性活躍●

【女性比率】■男 □女

新卒採用 39.1%(9名)

従業員 22.4%(483名)

管理職 6.9%(36名)

【産休】[期間]産前6・産後8週間[給与]法定+健保付加給付3%[取得者数]27名

【育休】[期間]1歳になるまで[給与]開始7日間有給、以降法定[取得者数]22年度 男56名(対象69名)女26名(対象26名)23年度 男57名(対象50名)女27名(対象27名)[平均取得日数]22年度 男19日 女321日、23年度 男32日 女296日

【従業員】[人数]2,157名(男1,674名、女483名)[平均年齢]42.5歳(男43.9歳、女38.5歳)[平均勤続年数]18.0年(男19.0年、女13.2年)

【年齢構成】■男 □女 ※サッポロビール原籍者のみ

	男	女
60代～	0%	0%
50代	34%	7%
40代	26%	5%
30代	20%	7%
～20代	0%	0%

会社データ (金額は百万円)

【本社】150-8522 東京都渋谷区恵比寿4-20-1 ☎03-5423-2070(採用専用) https://www.sapporobeer.jp/

【業績(IFRS)】	売上高	営業利益	経常利益	純利益
21.12	437,159	22,029	21,185	12,331
22.12	478,422	10,106	11,367	5,450
23.12	518,632	11,820	12,144	8,724

※業績はサッポロビールホールディングス(株)のもの

メーカーII

2746 開示 ★★★★

宝(たから)ホールディングス(株)

【特色】酒類製造大手。焼酎・みりんで国内首位

記者評価 傘下に宝酒造、タカラバイオなどを擁する。1842年京都で創業、1925年株式会社化。焼酎・みりんで国内最大手。日本酒「昴」や「澪」、チューハイ「焼酎ハイボール」などに力点。M&Aを積極的に進める日本食材卸事業など、海外事業が大きく成長中。

平均勤続年数	男性育休取得率	3年後離職率	平均年収(平均49歳)
①22.5年	27.3→84.2%	①9.1→①7.1%	㊓743万円

●採用・配属情報●

【男女・文理別採用実績】

	大卒男	大卒女	修士男	修士女
23年	5(文 5理 0)	13(文 12理 1)	10(文 1理 9)	5(文 1理 4)
24年	11(文 11理 0)	9(文 9理 0)	6(文 1理 5)	6(文 0理 6)
25年	15(文 15理 0)	12(文 12理 0)	8(文 0理 8)	10(文 2理 8)

【男女・職種別採用実績】

	事務系	技術系
23年	19(男 6 女 13)	14(男 9 女 5)
24年	21(男 12 女 9)	11(男 5 女 6)
25年	29(男 15 女 14)	16(男 8 女 8)

【24年4月入社者の配属勤務地】㊓東京6 京都3 宮城2 神奈川2 愛知2 大阪2 福岡2 群馬1 三重1 ㊔京都7 千葉1 三重1 兵庫1 宮崎1

【転勤】あり:全社員(地域限定社員を除く)

【中途比率】[単年度]21年度41%、22年度32%、23年度38%(宝ホールディングス 宝酒造 宝酒造インターナショナル3社計(正社員、現業含む)[全体]6%

●働きやすさ、諸制度●

残業(月) 11.1時間 ㊓11.1時間

【勤務時間】9:00〜17:30【有休取得年平均】12.5日【週休】完全2日(土日祝)【夏期休暇】3日(うち1日は一斉休暇)【年末年始休暇】12月30日〜1月4日

【離職率】男:1.4%、10名 女:2.6%、5名

【新卒3年後離職率】

[20→23年]9.1%(男0%・入社17名、女18.8%・入社16名)※3社計

[21→24年]7.1%(男0%・入社7名、女14.3%・入社7名)※3社計

【テレワーク】制度あり:[場所]<在宅勤務>自宅 要介護状態の家族の自宅<その他>サテライトオフィス 他[対象]<在宅勤務>事業場長が認めた者[日数]<在宅勤務>原則週1日は出社必須<その他>制限なし[利用率]NA【勤務制度】フレックス 時間単位有休 時差勤務 副業容認【住宅補助】寮(借上)社宅(社有 借上)住宅手当

●ライフイベント、女性活躍●

【女性比率】■男 □女

新卒採用 48.9% (22名)

従業員 20.3% (184名)

管理職 6.9% (28名)

【産休】[期間]産前6・産後8週間[給与]月額賃金支給[取得者数]3名

【育休】[期間]1歳になるまで[給与]育児休職期間(子が1歳までになる日の属する月を上限)の間、育児休職支援金を支給する[取得者数]22年度 男6名(対象22名)女4名(対象4名)23年度 男16名(対象19名)女4名(対象4名)[平均取得日数]22年度 男18日 女450日、23年度 男34日 女407日

【従業員】[人数]907名(男723名、女184名)[平均年齢]47.0歳(男48.8歳、女40.1歳)[平均勤続年数]22.5年(男24.2年、女15.8年) ※3社計【年齢構成】■男 □女

	男	女
60代〜	0%	0%
50代	49%	7%
40代	16%	3%
30代	7%	3%
〜20代	7%	7%

会社データ (金額は百万円)

【本社】600-8688 京都府京都市下京区四条通烏丸東入長刀鉾町20 ☎075-241-5130 https://www.takara.co.jp/

【業績(連結)】	売上高	営業利益	経常利益	純利益
22.3	300,918	43,354	43,230	20,769
23.3	350,665	37,945	38,706	21,206
24.3	339,372	22,242	23,336	16,176

2131 開示 ★★★

コカ・コーラ ボトラーズジャパン(株)

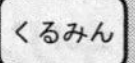

【特色】国内コカ・ボトラー最大手。17年4月経営統合

記者評価 コカ・コーラ ボトラーズジャパンHDの中核事業会社。コカ・コーラ製品の製造販売を担う。国内コカ・ボトラー最大手で、アジアでも最大級。17年コカ・コーライーストジャパンとコカ・コーラウエストが経営統合して現体制。約70万台ある自動販売機の拡充に注力。

平均勤続年数	男性育休取得率	3年後離職率	平均年収(平均45歳)
◇19.3年	10.1→33.3%	26.8→42.9%	㊓630万円

●採用・配属情報●

【男女・文理別採用実績】

	大卒男	大卒女	修士男	修士女
23年	21(文 16理 5)	21(文 18理 3)	2(文 1理 1)	3(文 1理 2)
24年	41(文 35理 6)	32(文 31理 1)	6(文 0理 6)	3(文 1理 2)
25年	37(文 32理 5)	46(文 38理 8)	2(文 0理 2)	2(文 0理 2)

【男女・職種別採用実績】 転換制度:⇔

	Commercial総合職	SCM総合職/SCMFM	IT総合職	Finance総合職	HR
23年	27(男14女13)	8(男 5女 3)	6(男 3女 3)	1(男 1女 0)	1(男 0女 1)
24年	51(男20女31)	29(男26女 3)	0(男 0女 0)	0(男 0女 0)	0(男 0女 0)
25年	69(男32女37)	12(男 5女 7)	0(男 0女 0)	1(男 0女 1)	0(男 0女 0)

※23年:他にカンパニースポーツ3、調達1 24年:他にカンパニースポーツ2 25年:他にカンパニースポーツ4、サステナビリティ1

【24年4月入社者の配属勤務地】㊓愛知4 京都4 広島2 埼玉2 滋賀1 鹿児島1 神奈川6 千葉2 大阪10 東京14 福岡3 兵庫4 ㊔愛知4 宮崎2 宮城1 京都1 熊本1 広島1 佐賀3 埼玉6 山梨1 神奈川4 鳥取2 東京1 兵庫2

【転勤】あり:[職種]SCM製造職 Commercial営業職 [勤務地]営業エリア内1都2府35県 ※上司面談や本人希望と相談

【中途比率】[単年度]21年度43%、22年度49%、23年度59%[全体]◇43%

●働きやすさ、諸制度●

残業(月) 13.3時間

【勤務時間】9:00〜17:45【有休取得年平均】12.8日【週休】2日【夏期休暇】有休で取得【年末年始休暇】12月29日〜1月4日

【離職率】◇男:6.1%、400名 女:7.1%、86名

【新卒3年後離職率】

[20→23年]26.8%(男24.7%・入社150名、女30.2%・入社96名)

[21→24年]42.9%(男46.2%・入社104名、女39.1%・入社92名)

【テレワーク】制度あり:[場所]自宅 サテライトオフィス[対象]コーポレート部門 一部本社部門[日数]制限なし[利用率]70.3%【勤務制度】フレックス 時間単位有休 時差勤務 勤務間インターバル 副業容認【住宅補助】寮 社宅

●ライフイベント、女性活躍●

【女性比率】■男 □女

新卒採用 54.9% (45名)

従業員 15.4% (1118名)

管理職 7.2% (88名)

【産休】[期間]産前6・産後8週間[給与]法定[取得者数]45名

【育休】[期間]1歳になるまで[給与]法定[取得者数]22年度 男13名(対象129名)女94名(対象94名)23年度 男34名(対象102名)女43名(対象43名)[平均取得日数]22年度 NA、23年度 男30日 女113日

【従業員】◇[人数]7,254名(男6,136名、女1,118名)[平均年齢]44.4歳(男45.5歳、女38.9歳)[平均勤続年数]19.3年(男20.4年、女13.3年)【年齢構成】■男 □女

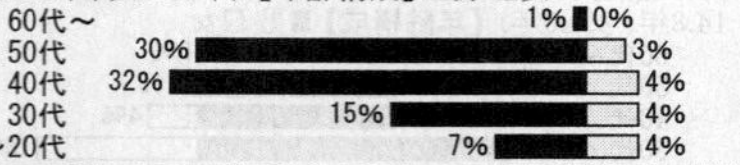

	男	女
60代〜	1%	0%
50代	30%	3%
40代	32%	4%
30代	15%	4%
〜20代	7%	4%

会社データ (金額は百万円)

【本社】107-6211 東京都港区赤坂9-7-1 ミッドタウン・タワー ☎NA https://www.ccbji.co.jp/

【業績(IFRS)】	売上高	営業利益	税前利益	純利益
21.12	785,837	▲20,971	▲21,683	▲2,503
22.12	807,430	▲11,513	▲12,491	▲8,070
23.12	868,581	3,441	3,224	1,871

※業績はコカ・コーラ ボトラーズジャパンホールディングス(株)のもの

㈱ヤクルト本社（ほんしゃ）

えるぼし ★★★　プラチナくるみん

【特色】乳酸菌飲料を主力に医薬品等も。幅広く海外展開

記者評価 「ヤクルトレディ」による乳飲料の訪問販売が特長。約40の国・地域で製造販売し、売上の4割超が海外。主力のアジアは中国とインドネシアが柱。米州も開拓進む。日本では高単価製品「ヤクルト1000」シリーズが大ヒット。化粧品やプロ野球事業も行う。

平均勤続年数	男性育休取得率	3年後離職率	平均年収(平均43歳)
◇18.3年	95.7→95.5%	8.4→9.2%	㊍1,030万円

●採用・配属情報●

【男女・文理別採用実績】※本店採用分

	大卒男	大卒女	修士男	修士女
23年	20(文 17理 3)	10(文 8理 2)	13(文 0理 13)	5(文 0理 5)
24年	26(文 18理 8)	25(文 19理 6)	22(文 0理 22)	7(文 0理 7)
25年	31(文 20理 11)	28(文 28理 0)	22(文 0理 22)	9(文 0理 9)

【男女・職種別採用実績】 転換制度:⇔

	総合職(事務系・技術系)	研究職	MR職	一般職	美容職
23年	45(男31女14)	4(男 2女 2)	0(男 0女 0)	2(男 2女 0)	0(男 0女 0)
24年	66(男43女23)	5(男 2女 3)	0(男 0女 0)	9(男 3女 6)	0(男 0女 0)
25年	69(男49女20)	7(男 4女 3)	0(男 0女 0)	17(男 2女15)	0(男 0女 0)

【24年4月入社者の配属勤務地】㊍東京19 北海道2 大阪2 福岡2 茨城1 静岡1 佐賀1 ㊋東京10 福島5 茨城9 静岡9 兵庫6 佐賀4
【転勤】あり:[職種]総合職(理系 文系)研究職
【中途比率】[単年度]21年度9%、22年度38%、23年度30% [全体]◇21%

●働きやすさ、諸制度●

残業(月) 10.8時間 ㊍14.0時間

【勤務時間】9:00～17:30【有休取得年平均】16.0日【週休】完全2日(土日祝)【夏期休暇】有休で2～5日程度取得【年末年始休暇】12月31日～1月3日
【離職率】◇男:1.8%、37名 女:3.3%、26名
【新卒3年後離職率】
[20→23年]8.4%(男6.3%・入社48名、女11.4%・入社35名)
[21→24年]9.2%(男11.1%・入社45名、女5.0%・入社20名)
【テレワーク】制度あり:[場所]自宅[対象]入社または異動後3カ月が経過していない社員、業務上在宅での勤務が難しい社員は対象外[日数]週1日目安[利用率]4.9%【勤務制度】時間単位有休 週休3日 時差勤務 副業容認【住宅補助】借上寮・社宅(自己負担 5,000円～月給の約9% 入居条件あり)住宅手当(月3,000～40,000円)

●ライフイベント、女性活躍●

【女性比率】■男 □女

新卒採用 40.9% (38名)

従業員 26.8% (753名)
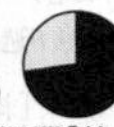
管理職 9.2% (22名)

【産休】[期間]産前6・産後8週間[給与]一部手当を除き会社から全額支給[取得者数]28名
【育休】[期間]1歳になるまで[給与]配偶者の出産に伴う育児休業については、積立休暇を使用した場合は有給(一部手当を除き会社から全額支給)、その他は給付金[取得者数]22年度 男67名(対象70名)女27名(対象27名)23年度 男63名(対象66名)女30名(対象30名)[平均取得日数]22年度 男25日 女335日、23年度 男28日 女368日
【従業員】◇[人数]2,810名(男2,057名、女753名)[平均年齢]42.4歳(男43.2歳、女40.3歳)[平均勤続年数]18.3年(男19.3年、女16.0年)【年齢構成】■男 □女

	男	女
60代～	5%	1%
50代	21%	6%
40代	16%	7%
30代	19%	7%
～20代	12%	7%

会社データ (金額は百万円)

【本社】105-8660 東京都港区海岸1-10-30 ☎03-6625-8960
https://www.yakult.co.jp/

【業績(連結)】	売上高	営業利益	経常利益	純利益
22.3	415,116	53,202	68,549	44,917
23.3	483,071	66,068	77,970	50,641
24.3	503,079	63,399	79,300	51,006

㈱伊藤園（いとうえん）

くるみん

【特色】飲料大手。緑茶が柱。子会社にタリーズなど

記者評価 緑茶飲料の国内シェア1位。主力は「お～いお茶」。小売店へ直接訪問販売するルートセールス方式での営業力に強み。海外は北米軸に伸長中。大谷翔平選手を広告起用でグローバル展開に一層注力。傘下にタリーズコーヒーや乳製品メーカーのチチヤス。

平均勤続年数	男性育休取得率	3年後離職率	平均年収(平均42歳)
◇17.7年	32.3→43.1%	28.9→37.8%	㊍654万円

●採用・配属情報●

【男女・文理別採用実績】

	大卒男	大卒女	修士男	修士女
23年	140(文117理 23)	24(文 21理 3)	19(文 3理 16)	13(文 1理 12)
24年	122(文114理 8)	31(文 28理 3)	4(文 0理 4)	8(文 0理 8)
25年	-(文 -理 -)	-(文 -理 -)	-(文 -理 -)	-(文 -理 -)

【男女・職種別採用実績】

	総合職
23年	197(男160 女 37)
24年	166(男127 女 39)
25年	-(男 - 女 -)

【24年4月入社者の配属勤務地】㊍東京38 神奈川19 静岡13 埼玉12 千葉9 愛知8 長野6 大阪5 栃木5 福岡5 広島4 三重3 茨城2 岐阜2 熊本2 群馬2 山梨2 鹿児島2 宮城2 石川1 青森1 和歌山1 宮崎1 京都1 長崎1 福島1 岡山1 滋賀1 島根1 ㊋静岡15
【転勤】あり:自宅から通える範囲での異動を希望する社員以外
【中途比率】[単年度]21年度12%、22年度16%、23年度8% [全体]◇23%

●働きやすさ、諸制度●

残業(月) 30.4時間 ㊍30.4時間

【勤務時間】8:30～17:00【有休取得年平均】11.1日【週休】2日【夏期休暇】計画有休により取得【年末年始休暇】12月31日～1月3日+計画年休(12月30日、1月4日)
【離職率】◇男:2.7%、127名 女:3.5%、23名(他に男2名転籍)
【新卒3年後離職率】
[20→23年]28.9%(男33.1%・入社148名、女12.8%・入社39名)
[21→24年]37.8%(男42.5%・入社80名、女0%・入社10名)
【テレワーク】制度あり:[場所]自宅 自宅から通勤可能な最寄事業場[対象]妊娠 育児 病気 介護 トラブル対応 BCP(災害時のリスク対策等)業務効率を理由とする場合[日数]週3日以上本来の勤務地へ出社[利用率]NA【勤務制度】フレックス 時間単位有休 週休3日 裁量労働 時差勤務 副業容認【住宅補助】社宅(全国)住宅手当(4,000～41,000円)

●ライフイベント、女性活躍●

【女性比率】■男 □女

従業員 12.1% (633名)

管理職 3.6% (38名)

【産休】[期間]産前6・産後8週間[給与]法定[取得者数]26名
【育休】[期間]1歳になるまで[給与]一部積立有給休暇にて対応、他法定[取得者数]22年度 男42名(対象130名)女29名(対象29名)23年度 男47名(対象109名)女28名(対象28名)[平均取得日数]22年度 男34日 女476日、23年度 男29日 女478日
【従業員】◇[人数]5,226名(男4,593名、女633名)[平均年齢]41.5歳(男42.2歳、女36.9歳)[平均勤続年数]17.7年(男18.5年、女12.3年)【年齢構成】■男 □女

	男	女
60代～	2%	0%
50代	21%	1%
40代	33%	3%
30代	17%	4%
～20代	16%	4%

会社データ (金額は百万円)

【本社】151-8550 東京都渋谷区本町3-47-10 ☎03-5371-7208
https://www.itoen.co.jp/

【業績(連結)】	売上高	営業利益	経常利益	純利益
22.4	400,769	18,794	19,971	12,928
23.4	431,674	19,588	20,341	12,888
24.4	453,899	25,023	26,681	15,650

1664 開示 ★★☆☆☆

アサヒ飲料(株)

いんりょう

【特色】国内清涼飲料のシェア3位。カルピスを統合

[記者評価] アサヒグループHD傘下。16年にカルピスを統合。「十六茶」「三ツ矢サイダー」ほか炭酸水「ウィルキンソン」、コーヒー「ワンダ」などがロングセラー商品。トクホ飲料にも注力。新充填技術によるボトル軽量化で先駆。ほぼすべての自販機に省エネ機能を搭載。

平均勤続年数	男性育休取得率	3年後離職率	平均年収(平均46歳)
19.0年	40.0 → 76.4%	7.3 → 0%	[総] 869万円

●採用・配属情報●

【男女・文理別採用実績】

	大卒男	大卒女	修士男	修士女
23年	17(文 16 理 1)	14(文 14 理 0)	10(文 2 理 8)	5(文 0 理 5)
24年	12(文 12 理 0)	17(文 17 理 0)	8(文 0 理 8)	6(文 0 理 6)
25年	13(文 13 理 0)	14(文 13 理 1)	10(文 0 理 10)	11(文 3 理 8)

※25年:24年8月1日時点

【男女・職種別採用実績】　転換制度:NA

	総合職
23年	46(男 27 女 19)
24年	43(男 20 女 23)
25年	48(男 23 女 25)

【職種併願】NA

【24年4月入社者の配属勤務地】[総]札幌2 盛岡1 仙台2 東京(墨田2 渋谷3) 千葉1 横浜1 さいたま3 静岡1 名古屋2 京都1 大阪3 神戸1 広島2 岡山1 福岡3 [技]東京・渋谷1 群馬・館林4 茨城・守谷3 静岡・富士宮2 兵庫・明石2 岡山・総社2

【転勤】あり:地方限定職以外の社員

【中途比率】[単年度]21年度NA、22年度NA、23年度NA[全体]17%

●働きやすさ、諸制度●

残業(月) 28.8時間

【勤務時間】9:00～17:30【有休取得年平均】11.6日【週休】2日(土日祝、当社カレンダーによる)【夏期休暇】年により異なる【年末年始休暇】12月31日～1月3日

【離職率】男:0.9%、22名 女:1.3%、5名

【新卒3年後離職率】

[20→23年]7.3%(男8.3%・入社24名、女5.9%・入社17名)

[21→24年]0%(男0%・入社27名、女0%・入社16名)

【テレワーク】制度あり:[場所]自宅 当社規定の外部シェアオフィス[対象]NA[日数]NA[利用率]NA【勤務制度】フレックス 時間単位有休【住宅補助】借上社宅寮 住宅手当(持家所持者のみ)

●ライフイベント、女性活躍●

【女性比率】■男 □女

新卒採用 52.1%(25名)

従業員 14.1%(385名)

【産休】[期間]産前6・産後8週間[給与]法定[取得者数]13名

【育休】[期間]2歳になるまで[給与]法定[取得者数]22年度 男30名(対象75名)女24名(対象24名)23年度 男55名(対象72名)女13名(対象13名)[平均取得日数]22年度 男50日 女421日、23年度 男60日 女328日

【従業員】[人数]2,724名(男2,339名、女385名)[平均年齢]42.9歳(男43.6歳、女38.2歳)[平均勤続年数]19.0年(男19.4年、女14.8年)

【年齢構成】NA

会社データ　(金額は百万円)

【本社】130-8602 東京都墨田区吾妻橋1-23-1 アサヒグループ本社ビル ☎0570-005112 https://www.asahiinryo.co.jp/

【業績(連結)】	売上高	営業利益	経常利益	純利益
21.12	357,800	NA	NA	NA
22.12	367,300	NA	NA	NA
23.12	382,200	NA	NA	NA

2697 開示 ★★★☆☆

ダイドードリンコ(株)

えるぼし ★★

【特色】ダイドーHDの中核。販路の約9割が自販機

[記者評価] 縮小傾向の自販機市場においても台数を積極的に増やす。AI活用などを通じて自販機補充作業の効率化にも注力し、労働人口減少へ対応。23年1月にアサヒ飲料と合同会社を設立し、両社の直販自販機約20万台を一体的に運営。トルコやポーランドなどに現法。

平均勤続年数	男性育休取得率	3年後離職率	平均年収(平均45歳)
20.3年	25.0 → 25.0%	0 → 15.8%	[総] 710万円

●採用・配属情報●

【男女・文理別採用実績】

	大卒男	大卒女	修士男	修士女
23年	4(文 3 理 1)	6(文 6 理 0)	0(文 0 理 0)	0(文 0 理 0)
24年	3(文 3 理 0)	3(文 3 理 0)	0(文 0 理 0)	0(文 0 理 0)
25年	4(文 4 理 0)	2(文 2 理 0)	0(文 0 理 0)	0(文 0 理 0)

【男女・職種別採用実績】

	総合職
23年	10(男 4 女 6)
24年	6(男 3 女 3)
25年	6(男 4 女 2)

【24年4月入社者の配属勤務地】[総]研修中のため未定

【転勤】あり:[職種]総合職[勤務地]全国

【中途比率】[単年度]21年度37%、22年度52%、23年度33%[全体]57%

●働きやすさ、諸制度●

残業(月) 26.4時間 [総]27.2時間

【勤務時間】7.5時間【有休取得年平均】11.2日【週休】完全2日【夏期休暇】3日【年末年始休暇】7日

【離職率】男:3.8%、23名 女:3.2%、5名

【新卒3年後離職率】

[20→23年]0%(男0%・入社7名、女0%・入社3名)

[21→24年]15.8%(男15.4%・入社13名、女16.7%・入社6名)

【テレワーク】制度あり:[場所]自宅[対象]全社員[日数]週4日まで[利用率]NA【勤務制度】フレックス 時間単位有休 裁量労働 時差勤務 副業容認【住宅補助】社宅 借家補助手当

●ライフイベント、女性活躍●

【女性比率】■男 □女

新卒採用 33.3%(2名)

従業員 20.2%(149名)

管理職 9.7%(19名)

【産休】[期間]産前6・産後8週間[給与]法定[取得者数]8名

【育休】[期間]1歳になるまで[給与]法定[取得者数]22年度 男2名(対象8名)女9名(対象9名)23年度 男4名(対象16名)女8名(対象8名)[平均取得日数]22年度 男25日 女360日、23年度 男58日 女405日

【従業員】[人数]736名(男587名、女149名)[平均年齢]44.8歳(男44.9歳、女44.5歳)[平均勤続年数]20.3年(男20.4年、女19.9年)

【年齢構成】■男 □女

	男	女
60代～	10%	0%
50代	27%	5%
40代	21%	5%
30代	14%	5%
～20代	8%	4%

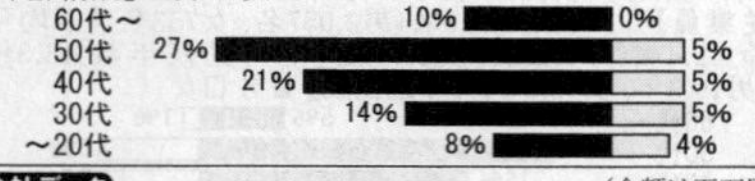

会社データ　(金額は百万円)

【本社】530-0005 大阪府大阪市北区中之島2-2-7 中之島セントラルタワー ☎06-6222-2611 https://www.dydo.co.jp/

【業績(単独)】	売上高	営業利益	経常利益	純利益
22.1	118,080	6,267	NA	NA
23.1	109,770	2,758	NA	NA
24.1	153,623	4,255	NA	NA

メーカーII

味の素ＡＧＦ(株)（あじのもとエージーエフ）

プラチナくるみん

【特色】味の素の完全子会社。コーヒー・粉末飲料専業

記者評価 味の素と米ゼネラルフーヅ社(当時)の合弁会社として設立。現在は味の素の完全子会社。インスタント、レギュラー、リキッドを網羅するコーヒーメーカー。独自焙煎技術による日本人好みの味で差別化。コーヒー産地支援や森林・水資源保全にも熱心。

平均勤続年数	男性育休取得率	3年後離職率	平均年収(平均42歳)
16.6年	46.7→100%	18.2→12.5%	㊔834万円

●採用・配属情報●

【男女・文理別採用実績】

	大卒男	大卒女	修士男	修士女
23年	6(文 5理 1)	6(文 6理 0)	2(文 0理 2)	1(文 0理 1)
24年	6(文 6理 0)	6(文 6理 0)	3(文 0理 3)	2(文 0理 2)
25年	8(文 7理 1)	4(文 4理 0)	1(文 1理 0)	7(文 2理 5)

【男女・職種別採用実績】

	総合職
23年	15(男 8女 7)
24年	17(男 9女 8)
25年	20(男 9女 11)

【24年4月入社者の配属勤務地】㊔東京2 埼玉1 仙台1 名古屋2 大阪3 広島1 福岡2 ㊫川崎3 三重・鈴鹿1 群馬・太田1

【転勤】あり:全社員(一定の条件にて地域勤務制度あり)

【中途比率】[単年度]21年度0%、22年度13%、23年度48%[全体]20%

●働きやすさ、諸制度●

残業(月) 31.9時間 ㊔31.9時間

【勤務時間】8:15～16:15(フレックスタイム制 コアタイムあり)【有休取得年平均】14.6日【週休】2日(土日祝)※年間に数日の土曜出勤日あり【夏期休暇】有休で取得【年末年始休暇】12月31日～1月3日

【離職率】男:3.1%、13名 女:4.0%、7名

【新卒3年後離職率】

[20→23年]18.2%(男9.1%・入社11名、女27.3%・入社11名)

[21→24年]12.5%(男0%・入社7名、女22.2%・入社9名)

【テレワーク】制度あり:[場所]自宅 単身赴任者の留守宅 帰省先(実家等)サテライトオフィス 他[対象]全社員[日数]制限なし[利用率]63.0%【勤務制度】フレックス 時間単位有休【住宅補助】社宅(7～8割を会社負担 条件あり)住宅手当(13,000～21,000円)

●ライフイベント、女性活躍●

【女性比率】■男 □女

新卒採用 55% (11名)

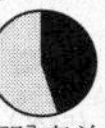

従業員 28.9% (168名)

管理職 9.6% (12名)

【産休】[期間]産前6・産後8週間[給与]法定[取得者数]8名

【育休】[期間]2歳になるまで[給与]最初5日間有給、以降法定[取得者数]22年度 男7名(対象15名)女7名(対象8名)23年度 男7名(対象7名)女11名(対象11名)[平均取得日数]22年度 男4日 女432日、23年度 男28日 女372日

【従業員】[人数]581名(男413名、女168名)[平均年齢]41.7歳(男43.6歳、女36.9歳)[平均勤続年数]16.6年(男18.5年、女11.8年)

【年齢構成】■男 □女

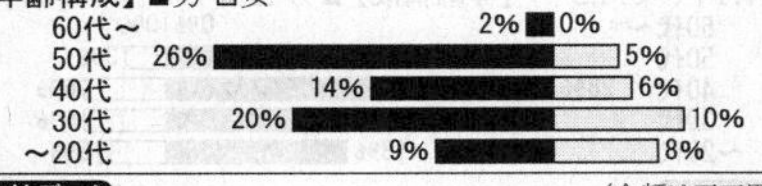

会社データ (金額は百万円)

【本社】151-8551 東京都渋谷区初台1-46-3 ☎03-5365-8900
https://www.agf.co.jp/

【業績(単独)】	売上高	営業利益	経常利益	純利益
22.3	85,263	5,790	5,735	3,884
23.3	83,556	2,328	2,383	1,627
24.3	87,868	1,772	1,868	973

キーコーヒー(株)

【特色】レギュラーコーヒーの大手メーカー。業務用が柱

記者評価 レギュラーコーヒー大手。1920年横浜で創業。喫茶店、レストラン向け主力。旗艦はトアルコトラジャ。紅茶リプトンも。伊illyブランドのコーヒーを国内独占販売。石光商事と資本業務提携、シナジー拡大。海外展開にも注力。傘下のイタリアントマトは売却方針。

平均勤続年数	男性育休取得率	3年後離職率	平均年収(平均43歳)
20.7年	100→100%	30.0→16.7%	㊔550万円

●採用・配属情報●

【男女・文理別採用実績】

	大卒男	大卒女	修士男	修士女
23年	16(文 14理 2)	8(文 7理 1)	1(文 0理 1)	1(文 0理 1)
24年	22(文 15理 7)	12(文 9理 3)	2(文 0理 2)	0(文 0理 0)
25年	9(文 6理 3)	12(文 12理 0)	2(文 0理 2)	0(文 0理 0)

【男女・職種別採用実績】　転換制度:⇔

	総合職	エリア職
23年	26(男 17女 9)	0(男 0女 0)
24年	36(男 24女 12)	0(男 0女 0)
25年	23(男 11女 12)	0(男 0女 0)

【24年4月入社者の配属勤務地】㊔東京(港6 荒川2 中央1)名古屋3 福岡3 大阪2 仙台2 さいたま2 横浜1 栃木・宇都宮1 群馬・前橋1 千葉1 京都1 広島1 ㊫千葉・船橋5 佐賀・鳥栖2 愛知・春日井1 仙台1

【転勤】あり:[職種]総合職 エリア職[勤務地]総合職:全国 エリア職:地域を限定した中で転勤可能性あり

【中途比率】[単年度]21年度82%、22年度50%、23年度33%[全体]56%

●働きやすさ、諸制度●

残業(月) 13.1時間 ㊔13.1時間

【勤務時間】8時間(フレックスタイム制 コアタイムなし)【有休取得年平均】10.3日【週休】完全2日(土日祝)【夏期休暇】連続約7日奨励(有休で取得)【年末年始休暇】12月31日～1月3日

【離職率】男:5.0%、28名 女:6.1%、8名

【新卒3年後離職率】

[20→23年]30.0%(男33.3%・入社9名、女0%・入社1名)

[21→24年]16.7%(男20.0%・入社5名、女0%・入社1名)

【テレワーク】制度あり:[場所]自宅 セキュリティが担保できる場所[対象]出社時と同等の成果が得られること 所属長が必要と判断していること[日数]制限なし[利用率]NA【勤務制度】フレックス 時間単位有休 時差勤務 勤務間インターバル 副業容認【住宅補助】独身寮制度(東京23区 大阪市内 最大65,000円補助、その他の地域55,000円補助)住宅手当(地域・扶養家族の状況に応じて13,000～38,000円支給)社宅制度(45,000～50,000円補助)

●ライフイベント、女性活躍●

【女性比率】■男 □女

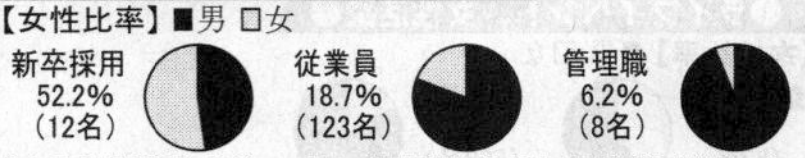

新卒採用 52.2% (12名)

従業員 18.7% (123名)

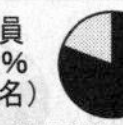

管理職 6.2% (8名)

【産休】[期間]産前6・産後8週間[給与]法定[取得者数]2名

【育休】[期間]1歳になるまで[給与]法定[取得者数]22年度 男2名(対象2名)女6名(対象6名)23年度 男2名(対象2名)女0名(対象0名)[平均取得日数]22年度 男94日 女428日、23年度 男54日 女-

【従業員】[人数]659名(男536名、女123名)[平均年齢]45.3歳(男45.4歳、女45.2歳)[平均勤続年数]20.7年(男20.7年、女20.5年)【年齢構成】■男 □女

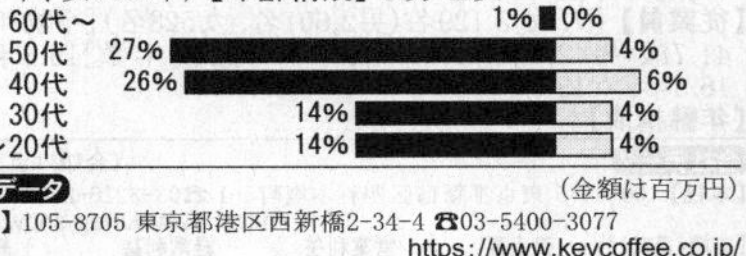

	男	女
60代～	1%	0%
50代	27%	4%
40代	26%	6%
30代	14%	4%
～20代	14%	4%

会社データ (金額は百万円)

【本社】105-8705 東京都港区西新橋2-34-4 ☎03-5400-3077
https://www.keycoffee.co.jp/

【業績(連結)】	売上高	営業利益	経常利益	純利益
22.3	55,680	405	1,022	742
23.3	63,298	244	349	173
24.3	73,800	764	867	180

メーカーⅡ

2231 開示 ★★★ 専門 採用あり

雪印メグミルク(株)

ゆきじるし

プラチナくるみん

【特色】チーズなど乳製品の国内大手。海外展開を推進

記者評価 農協が筆頭株主。ナチュラルチーズ「さけるチーズ」の伸長続く。バター、マーガリンは国内シェアトップ。エンドウ豆使用のプラントベースフードへも本格参入。25年度に虎ノ門へ本社移転予定。25年度入社者から大卒初任給を24万円に増額予定。

平均勤続年数	男性育休取得率	3年後離職率	平均年収(平均42歳)
15.8年	90.7 → 112.6%	10.7 → 12.5%	㊗736万円

●採用・配属情報●

【男女・文理別採用実績】

	大卒男	大卒女	修士男	修士女
23年	18(文 9理 9)	18(文 12理 6)	9(文 0理 9)	3(文 0理 3)
24年	27(文 17理 10)	26(文 16理 10)	14(文 0理 14)	1(文 0理 1)
25年	48(文 23理 25)	42(文 25理 17)	23(文 0理 23)	13(文 0理 13)

【男女・職種別採用実績】

	総合職
23年	64(男 37 女 27)
24年	85(男 50 女 35)
25年	137(男 80 女 57)

【24年4月入社者の配属勤務地】㊗北海道(札幌3 広尾1 川上1 標津1 野付1)仙台2 茨城・稲敷2 群馬・大泉1 千葉・野田1 埼玉・川越1 東京・四ツ谷10 神奈川・海老名1 愛知(名古屋3 豊川1)大阪・吹田3 京都・南丹1 広島市1 福岡市3 ㊕北海道(広尾11 川上3 標津2 野付4 天塩3 札幌1 紋別1)茨城・稲敷5 群馬・大泉1 千葉・野田2 埼玉・川越5 神奈川・海老名2 愛知・豊川3 京都・南丹3 神戸1 福岡市1

【転勤】あり:全社員(地域限定社員制度利用者を除く)

【中途比率】[単年度]21年度NA、22年度NA、23年度NA[全体]NA

●働きやすさ、諸制度●

残業(月) 16.7時間

【勤務時間】9:00～17:30【有休取得年平均】15.9日【週休】完全2日(土日祝)(部署により異なる)【夏期休暇】有休で取得【年末年始休暇】12月29日～1月3日

【離職率】男:2.2%、59名 女:2.9%、16名

【新卒3年後離職率】

[20→23年]10.7%(男8.2%・入社49名、女15.4%・入社26名)

[21→24年]12.5%(男10.6%・入社47名、女16.0%・入社25名)

【テレワーク】制度あり:[場所]NA[対象]NA[日数]NA[利用率]NA【勤務制度】フレックス 裁量労働 副業容認【住宅補助】独身寮 社宅(借上社宅の手配と社宅料徴収)住宅手当

●ライフイベント、女性活躍●

【女性比率】■男 □女

新卒採用 41.6% (57名)

従業員 16.9% (528名)

【産休】[期間]産前7・産後8週間[給与]会社全額給付[取得者数]40名

【育休】[期間]3歳になるまで[給与]10日有給、以降給付金[取得者数]22年度 男88名(対象97名)女26名(対象26名)23年度 男98名(対象87名)女34名(対象34名)[平均取得日数]22年度 NA、23年度 NA

【従業員】[人数]3,129名(男2,601名、女528名)[平均年齢]41.7歳(男42.4歳、女38.0歳)[平均勤続年数]15.8年(男16.3年、女13.6年)

【年齢構成】NA

会社データ (金額は百万円)

【本社】160-8575 東京都新宿区四谷本塩町5-1 ☎03-3226-2263
https://www.meg-snow.com/

【業績(連結)】	売上高	営業利益	経常利益	純利益
22.3	558,403	18,059	19,987	12,068
23.3	584,308	13,054	14,480	9,129
24.3	605,424	18,460	19,888	19,430

84 開示 ★★★★ 短大 専門 採用あり

森永乳業(株)

もりながにゅうぎょう

プラチナくるみん

【特色】乳業の国内大手。機能性食品や流動食も手がける

記者評価 乳業大手。ヨーグルト「パルテノ」、アイス「パルム」など基幹ブランド強化中。BtoBの「シールド乳酸菌」は採用多数。「ビヒダスヨーグルト 便通改善」など、ビフィズス菌用いた機能性表示食品の展開も加速。海外は子会社がドイツで粉ミルク原料を製造販売。

平均勤続年数	男性育休取得率	3年後離職率	平均年収(平均40歳)
16.7年	90.5 → 95.8%	9.0 → 10.8%	㊗782万円

●採用・配属情報●

【男女・文理別採用実績】※25年:24年7月下旬時点

	大卒男	大卒女	修士男	修士女
23年	22(文 9理 13)	15(文 12理 3)	25(文 1理 24)	10(文 0理 10)
24年	35(文 19理 16)	17(文 13理 4)	19(文 0理 19)	10(文 0理 10)
25年	56(文 20理 36)	31(文 16理 15)	35(文 0理 35)	18(文 0理 18)

【男女・職種別採用実績】

	総合職
23年	93(男 59 女 34)
24年	94(男 63 女 31)
25年	154(男100 女 54)

【24年4月入社者の配属勤務地】㊗東京(港7 東大和3 目黒1)愛知(名古屋5 江南1)大阪3 神戸3 広島3 神奈川・座間2 仙台2 群馬2 ㊕神奈川・座間20 東京(東大和10 港2)神戸12 茨城・常総8 北海道(別海1 佐呂間2)岩手・盛岡2 静岡・富士2 愛知・江南1 福島1 長野・松本1

【転勤】あり:[職種]ナショナル社員[勤務地]国内外全事業所

【中途比率】[単年度]21年度16%、22年度33%、23年度30%[全体]11%

●働きやすさ、諸制度●

残業(月) 16.1時間 ㊗16.1時間

【勤務時間】フレックスタイム制(コアタイム11:00～14:00)【有休取得年平均】14.9日【週休】会社暦2日(事業所により異なる)【夏期休暇】有休で取得【年末年始休暇】12月30日～1月3日

【離職率】男:3.1%、84名 女:3.5%、25名

【新卒3年後離職率】

[20→23年]9.0%(男7.4%・入社68名、女12.5%・入社32名)

[21→24年]10.8%(男12.7%・入社55名、女7.1%・入社28名)

【テレワーク】制度あり:[場所]自宅 サテライトオフィス 単身赴任者は帰省先の自宅[対象]工場など出社が必須の部門は除く[日数]毎週1回以上出社[利用率]NA【勤務制度】フレックス 時間単位有休 時差勤務 勤務間インターバル【住宅補助】社宅・独身寮(一部事業所)若年者自立支援住宅手当(33歳到達後最初の3月まで、家賃等の8割を支給 支給上限有)転勤者住宅手当(転居を伴う異動から10年間、家賃相当の8割を支給 支給上限有)

●ライフイベント、女性活躍●

【女性比率】■男 □女

新卒採用 35.1% (54名)

従業員 20.7% (682名)

管理職 6.3% (51名)

【産休】[期間]産前6・産後8週間[給与]会社全額給付[取得者数]32名

【育休】[期間]2歳到達後最初の4月まで[給与]出生時育児休業の最大4週間有給、以降給付金[取得者数]22年度 男86名(対象95名)女25名(対象25名)23年度 男91名(対象95名)女31名(対象31名)[平均取得日数]22年度 NA、23年度 男26日 女696日

【従業員】[人数]3,302名(男2,620名、女682名)[平均年齢]40.1歳(男40.7歳、女37.6歳)[平均勤続年数]16.7年(男17.4年、女14.2年)【年齢構成】■男 □女

	男	女
60代～	0%	0%
50代	17%	3%
40代	28%	6%
30代	21%	6%
～20代	13%	5%

会社データ (金額は百万円)

【本社】105-7122 東京都港区東新橋1-5-2 ☎03-6281-4671
https://www.morinagamilk.co.jp/

【業績(連結)】	売上高	営業利益	経常利益	純利益
22.3	503,354	29,792	31,127	33,782
23.3	525,603	23,939	25,218	16,875
24.3	547,059	27,839	28,104	61,307

JT（ジェイティ）

[プラチナくるみん]

【特色】たばこ市場で世界大手。積極的にM&Aを進める

[記者評価] 国内外でたばこ事業を展開する。国内ではシェア約4割強。「メビウス」「セブンスター」などが主力。M&Aを積極的に進め、海外でも高シェア。各国で継続的な値上げを進める。火を使わず煙が出ない加熱式たばこ「プルーム」シリーズに注力、海外でも本格展開。

平均勤続年数	男性育休取得率	3年後離職率	平均年収（平均41歳）
◇15.2年	85.3→84.4%	8.2→4.9%	[総]927万円

●採用・配属情報●

【男女・文理別採用実績】

	大卒男	大卒女	修士男	修士女
23年	36(文NA理NA)	30(文NA理NA)	26(文NA理NA)	9(文NA理NA)
24年	47(文NA理NA)	27(文NA理NA)	20(文NA理NA)	16(文NA理NA)
25年	-(文 -理 -)	-(文 -理 -)	-(文 -理 -)	-(文 -理 -)

※23・24年：第2新卒者含む 高専に短大・高卒含む 25年：前年と同程度採用予定

【男女・職種別採用実績】

	総合職	医薬事業
23年	100(男 66 女 34)	14(男 7 女 7)
24年	116(男 76 女 40)	15(男 9 女 6)
25年	-(男 - 女 -)	-(男 - 女 -)

【24年4月入社者の配属勤務地】[総]本社及び国内のJTグループ各拠点事業所・国内の各研究所 [技]本社及び国内のJTグループ各拠点事業所・国内の各研究所

【転勤】あり：全社員

【中途比率】［単年度］21年度30%、22年度51%、23年度69%［全体］NA

●働きやすさ、諸制度●

残業(月) 22.2時間 [総]22.2時間

【勤務時間】標準労働時間帯9:00～17:40 ※フレックスタイム制度あり【有休取得年平均】17.3日【週休】2日（土日祝）※シフト勤務者は異なる【夏期休暇】5日【年末年始休暇】5日

【離職率】◇男：6.1%、309名 女：4.8%、60名（早期退職217名含む）

【新卒3年後離職率】

［20→23年］8.2%（男9.4%・入社96名、女5.3%・入社38名）

［21→24年］4.9%（男4.9%・入社82名、女4.9%・入社41名）

【テレワーク】制度あり：［場所］自宅 他［対象］工場にて交代勤務に従事する社員等を除き、業務上支障がないと認めた社員［日数］制限なし［利用率］78.0%【勤務制度】フレックス 裁量労働 副業容認【住宅補助】借上社宅

●ライフイベント、女性活躍●

【女性比率】■男 □女

従業員 20.2%（1198名）

管理職 8.4%（81名）

【産休】［期間］産前6・産後8週間［給与］会社全額給付［取得者数］83名

【育休】［期間］最長3歳になるまでの希望期間［給与］法定［取得者数］22年度 男174名（対象204名）女53名（対象56名）23年度 男178名（対象211名）女79名（対象79名）［平均取得日数］22年度 男68日 女343日、23年度 男59日 女345日

【従業員】◇［人数］5,940名（男4,742名、女1,198名）［平均年齢］41.4歳（男42.4歳、女37.3歳）［平均勤続年数］15.2年（男16.3年、女11.3年）【年齢構成】■男 □女

	男	女
60代～	2%	0%
50代	20%	2%
40代	26%	5%
30代	25%	8%
～20代	8%	4%

会社データ （金額は百万円）

【本社】105-6927 東京都港区虎ノ門4-1-1 神谷町トラストタワー ☎03-6636-2914 https://www.jti.co.jp/

【業績(IFRS)】	売上高	営業利益	税前利益	純利益
21.12	2,324,838	499,021	472,390	338,490
22.12	2,657,832	653,575	593,450	442,716
23.12	2,841,077	672,410	621,601	482,288

味の素㈱（あじのもと）

[くるみん]

【特色】調味料国内最大手。半導体向け絶縁材料も

[記者評価] 1925年創立。アミノ酸技術に強み。主力は「味の素」など風味調味料や「クックドゥ」など合わせ調味料。ギョーザをはじめとする冷凍食品やコーヒーなどの加工食品でもロングセラー商品が多い。アミノ酸の技術を応用した医薬品製造受託や、半導体絶縁材料も展開。

平均勤続年数	男性育休取得率	3年後離職率	平均年収（平均45歳）
19.9年	90.5→89.8%	2.1→3.4%	◇1,072万円

●採用・配属情報●

【男女・文理別採用実績】

	大卒男	大卒女	修士男	修士女
23年	22(文 19理 3)	23(文 21理 2)	43(文 1理 42)	29(文 2理 27)
24年	20(文 18理 2)	23(文 19理 4)	47(文 0理 47)	25(文 0理 25)
25年	34(文 27理 7)	28(文 23理 5)	49(文 3理 46)	26(文 1理 25)

【男女・職種別採用実績】 転換制度：⇔

	Sales／Business	R&D, 生産	財務・経理,法務,新事業開発,他職種など
23年	47(男 23 女 24)	65(男 42 女 23)	8(男 3 女 5)
24年	38(男 18 女 20)	94(男 67 女 27)	8(男 3 女 5)
25年	53(男 28 女 25)	86(男 59 女 27)	13(男 8 女 5)

【職種併願】Sales（エリア型）以外の全職種で可能

【24年4月入社者の配属勤務地】[総]東京19 大阪6 福岡5 名古屋3 広島3 さいたま3 他 [技]川崎60 四日市25 佐賀9

【転勤】あり：雇用形態がグローバル型の全社員

【中途比率】［単年度］21年度39%、22年度NA、23年度NA［全体］16%

●働きやすさ、諸制度●

残業(月) 25.3時間

【勤務時間】8:15～16:30【有休取得年平均】15.3日【週休】完全2日（土日祝）【夏期休暇】有休で取得【年末年始休暇】12月31日～1月3日

【離職率】男：1.3%、30名 女：0.6%、7名

【新卒3年後離職率】

［20→23年］2.1%（男3.4%・入社29名、女0%・入社18名）

［21→24年］3.4%（男5.7%・入社35名、女0%・入社24名）

【テレワーク】制度あり：［場所］自宅 サテライトオフィス 他［対象］NA［日数］NA［利用率］NA【勤務制度】フレックス 時間単位有休 副業容認【住宅補助】借上社宅（全国事業所の通勤圏内）

●ライフイベント、女性活躍●

【女性比率】■男 □女

新卒採用 37.5%（57名）

従業員 32.4%（1127名）

管理職 13.7%（153名）

【産休】［期間］産前6・産後8週間［給与］本給から欠勤減額5%他控除額を給付［取得者数］57名

【育休】［期間］1歳の4月末まで［給与］法定［取得者数］22年度 男67名（対象74名）女49名（対象49名）23年度 男79名（対象88名）女57名（対象57名）［平均取得日数］22年度 男14日 女361日、23年度 男16日 女345日

【従業員】［人数］3,480名（男2,353名、女1,127名）［平均年齢］44.5歳（男45.3歳、女42.7歳）［平均勤続年数］19.9年（男20.6年、女18.3年）

【年齢構成】■男 □女

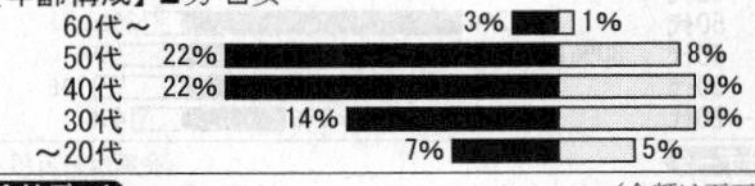

	男	女
60代～	3%	1%
50代	22%	8%
40代	22%	9%
30代	14%	9%
～20代	7%	5%

会社データ （金額は百万円）

【本社】104-8315 東京都中央区京橋1-15-1 ☎03-5250-8111 https://www.ajinomoto.com/jp/

【業績(IFRS)】	売上高	営業利益	税前利益	純利益
22.3	1,149,370	124,572	122,472	75,725
23.3	1,359,115	148,928	140,033	94,065
24.3	1,439,231	146,682	142,043	87,121

メーカーⅡ

㈱明治（めいじ）

えるぼし ★★ くるみん

【特色】菓子・乳製品で国内トップクラス。明治HDの中核

記者評価 09年に統合した明治製菓と明治乳業が源流。菓子は「きのこの山」「アーモンドチョコ」をはじめ、有名商品多数。チョコレート、ヨーグルトなどで国内トップシェア。プロテイン「ザバス」は健康志向の高まりで人気。高齢化で流動食「メイバランス」も好調。

平均勤続年数	男性育休取得率	3年後離職率	平均年収(平均42歳)
◇19.5年	82.7→86.0%	①12.2→①14.3%	◇773万円

●採用・配属情報●

【男女・文理別採用実績】※総合職のみ

	大卒男	大卒女	修士男	修士女
23年	7(文 3理 4)	7(文 3理 4)	7(文 0理 7)	8(文 0理 8)
24年	9(文 3理 6)	5(文 2理 3)	7(文 0理 7)	8(文 0理 8)
25年	11(文 5理 6)	10(文 7理 3)	9(文 0理 9)	8(文 0理 8)

【男女・職種別採用実績】 転換制度:⇒

	総合職
23年	29(男 14 女 15)
24年	29(男 16 女 13)
25年	39(男 21 女 18)

【職種併願】○

【24年4月入社者の配属勤務地】㊕福岡2 愛知2 北海道1 東京1 大阪1 仙台1 ㊙東京6 埼玉5 愛知2 大阪4 茨城2 京都2

【転勤】あり:正社員

【中途比率】[単年度]21年度9%、22年度29%、23年度29%[全体]◇13%

●働きやすさ、諸制度●

残業(月) 12.4時間

【勤務時間】本社・支社・研究所9:00〜17:40 工場8:00〜16:00(基本)【有休取得年平均】16.3日【週休】完全2日(事業所によって異なる)【夏期休暇】なし【年末年始休暇】連続5日

【離職率】NA

【新卒3年後離職率】

[20→23年]12.2%(男18.8%・入社32名、女0%・入社17名)※総合職のみ

[21→24年]14.3%(男14.3%・入社21名、女14.3%・入社7名)※総合職のみ

【テレワーク】制度あり:[場所]自宅 出張先の任意の場所 会社指定のサテライトオフィス[対象]会社規定に基づき、利用可能かどうか決定[日数]制限なし[利用率]42.1%【勤務制度】フレックス【住宅補助】社有・借上社宅

●ライフイベント、女性活躍●

【女性比率】■男 □女

新卒採用 46.2%(18名)　従業員 20.6%(1156名)　管理職 4.5%(44名)

【産休】[期間]産前45・産後56日 ※他に無給の産前休職制度有り[給与]会社全額給付[取得者数]61名

【育休】[期間]2歳になるまで[給与]法定[取得者数]22年度 男134名(対象162名)女76名(対象79名)23年度 男129名(対象150名)女60名(対象61名)[平均取得日数]22年度 男27日 女411日、23年度 男40日 女NA

【従業員】◇[人数]5,606名(男4,450名、女1,156名)[平均年齢]42.3歳(男43.2歳、女39.1歳)[平均勤続年数]19.5年(男20.3年、女16.5年)【年齢構成】■男 □女

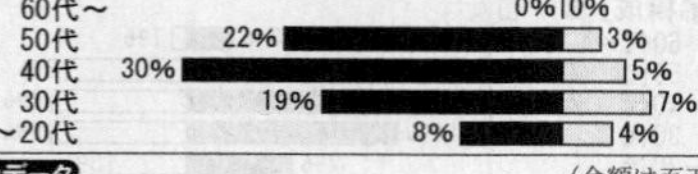

会社データ (金額は百万円)

【本社】104-8306 東京都中央区京橋2-2-1 京橋エドグラン ☎03-5653-0301 https://www.meiji.co.jp/

【業績(連結)】	売上高	営業利益	経常利益	純利益
22.3	1,013,092	92,922	93,985	87,497
23.3	1,062,157	75,433	74,160	69,424
24.3	1,105,494	84,322	76,020	50,675

※業績は明治ホールディングス㈱のもの

ニチレイグループ

(㈱ニチレイ、㈱ニチレイフーズ、㈱ニチレイロジグループ本社、㈱ニチレイフレッシュ、㈱ニチレイバイオサイエンス)

えるぼし ★★★ くるみん

【特色】業務・家庭用冷食大手。低温物流と冷食が収益柱

記者評価 冷凍食品メーカー大手。「本格炒め炒飯」や「本格焼きおにぎり」などの米飯類、冷凍唐揚げ「特から」などチキン類が主力製品。業務用も手がける。低温物流も強く、冷蔵倉庫では国内首位。3PL(物流の一括受託)事業や保管サービスを展開している。

平均勤続年数	男性育休取得率	3年後離職率	平均年収(平均42歳)
17.1年	70.8→80.6%	23.7→11.1%	㊕740万円

●採用・配属情報●

【男女・文理別採用実績】

	大卒男	大卒女	修士男	修士女
23年	17(文 12理 5)	17(文 10理 7)	10(文 0理 10)	6(文 0理 6)
24年	34(文 23理 11)	21(文 11理 10)	14(文 0理 14)	15(文 0理 15)
25年	26(文 20理 6)	25(文 15理 10)	17(文 1理 16)	16(文 3理 13)

【男女・職種別採用実績】 転換制度:⇔

	総合職(基幹職)
23年	50(男 27 女 23)
24年	84(男 48 女 36)
25年	84(男 43 女 41)

【職種併願】○

【24年4月入社者の配属勤務地】㊕埼玉5 大阪12 東京17 神奈川3 福岡2 山形3 千葉20 広島2 愛知1 宮城7 福島1 ㊙東京3 千葉2 大阪1

【転勤】あり:[職種]総合職[勤務地]全国

【中途比率】[単年度]21年度21%、22年度26%、23年度30%[全体]27%

●働きやすさ、諸制度●

残業(月) NA

【勤務時間】8:30〜17:00【有休取得年平均】13.9日【週休】2日(土日祝、一部土曜出勤あり)【夏期休暇】任意の3日【年末年始休暇】定められた連続5日

【離職率】男:—、52名 女:—、44名(総合職のみ)

【新卒3年後離職率】

[20→23年]23.7%(男NA、女NA)

[21→24年]11.1%(男NA、女NA)

【テレワーク】制度あり:[場所]自宅 サテライトオフィス[対象]全社員[日数]制限なし[利用率]NA【勤務制度】フレックス 時間単位有休 時差勤務 副業容認【住宅補助】独身寮 借上社宅(家賃の75%を会社負担)住宅手当(要件を満たした場合月25,000円)

●ライフイベント、女性活躍●

【女性比率】■男 □女

新卒採用 48.8%(41名) 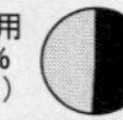 従業員 32%(740名)  管理職 10%(28名) 

【産休】[期間]産前6・産後8週間[給与]法定[取得者数]42名

【育休】[期間]3歳になるまでの1年半[給与]給付金+育休支援金(毎月一定額)[取得者数]22年度 男34名(対象48名)女22名(対象22名)23年度 男29名(対象36名)女13名(対象13名)[平均取得日数]22年度 NA、23年度 NA

【従業員】[人数]2,314名(男1,574名、女740名)[平均年齢]41.9歳(男42.6歳、女40.5歳)[平均勤続年数]17.1年(男17.9年、女15.5年)【年齢構成】■男 □女

	男	女
60代〜	0%	0%
50代	22%	9%
40代	20%	10%
30代	15%	6%
〜20代	10%	7%

会社データ (金額は百万円)

【本社】104-8402 東京都中央区築地6-19-20 ☎03-3248-2101 https://www.nichirei.co.jp/

【業績(連結)】	売上高	営業利益	経常利益	純利益
22.3	602,696	31,410	31,667	23,382
23.3	662,204	32,935	33,448	21,568
24.3	680,091	36,911	38,255	24,495

※資本金・業績・会社データは㈱ニチレイのもの

1991 開示★★★ 短大 採用あり

不二製油(株)

ふじせいゆ

プラチナくるみん

【特色】製菓・製パン向け油脂大手。健康関連原料も注力

記者評価 伊藤忠系の油脂大手。植物性油脂を中心に、業務用チョコレート、コンビニパン向けクリームなども手がける。乳化・発酵素材、大豆加工素材など展開。19年に買収した米業務用チョコ大手のブラマー社の構造改革急ぐ。25年4月に親会社と合併、事業持株会社制に移行へ。

平均勤続年数	男性育休取得率	3年後離職率	平均年収(平均43歳)
17.9年	59.3→72.3%	0→0%	㊝822万円

●採用・配属情報●

【男女・文理別採用実績】

	大卒男	大卒女	修士男	修士女
23年	5(文 4理 1)	7(文 6理 1)	7(文 0理 7)	7(文 0理 7)
24年	6(文 5理 1)	7(文 7理 0)	9(文 1理 8)	11(文 0理 11)
25年	8(文 4理 4)	8(文 8理 0)	6(文 0理 6)	12(文 0理 12)

【男女・職種別採用実績】

	総合職
23年	26(男 12 女 14)
24年	37(男 19 女 18)
25年	39(男 19 女 20)

【24年4月入社者の配属勤務地】㊝東京5 大阪7 ㊵大阪19 茨城6
【転勤】あり:全社員
【中途比率】[単年度]21年度NA、22年度NA、23年度NA[全体]NA

●働きやすさ、諸制度●

残業(月) 20.8時間 ㊝20.4時間

【勤務時間】8:30～17:10【有休取得年平均】14.3日【週休】完全2日(土日祝)【夏期休暇】8月14～16日【年末年始休暇】12月30日～1月3日
【離職率】男:1.6%、17名 女:2.9%、7名
【新卒3年後離職率】
[20→23年]0%(男0%・入社9名、女0%・入社9名)
[21→24年]0%(男0%・入社12名、女0%・入社9名)
【テレワーク】制度あり:[場所]自宅 サテライトオフィス[対象]NA[日数]制限なし[利用率]NA【勤務制度】フレックス【住宅補助】寮 借上社宅 住宅手当 カフェテリアプラン(選択型福利厚生制度)

●ライフイベント、女性活躍●

【女性比率】■男 □女

新卒採用 51.3% (20名)

従業員 18.5% (233名)

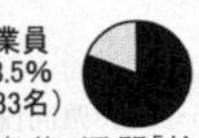

【産休】[期間]産前6・産後8週間[給与]法定以上(詳細NA)[取得者数]8名
【育休】[期間]法定以上(詳細NA)[給与]法定以上(詳細NA)[取得者数]22年度 男32名(対象54名)女8名(対象8名)23年度 男34名(対象47名)女7名(対象7名)[平均取得日数]22年度 NA、23年度 男27日 女371日
【従業員】[人数]1,260名(男1,027名、女233名)[平均年齢]42.1歳(男42.7歳、女39.8歳)[平均勤続年数]17.9年(男18.2年、女16.2年)
【年齢構成】NA

会社データ (金額は百万円)

【本社】598-8540 大阪府泉佐野市住吉町1 ☎072-463-1040
https://www.fujioil.co.jp/

【業績(連結)】	売上高	営業利益	経常利益	純利益
22.3	433,831	15,008	14,360	11,504
23.3	557,410	10,940	9,690	6,126
24.3	564,087	18,213	16,791	6,524

※業績は不二製油グループ本社(株)のもの

1665 開示★★★★ 短大 採用あり

日清オイリオグループ(株)

にっしん

えるぼし★★ プラチナくるみん

【特色】家庭用油で国内トップ。加工油脂で海外販売拡大

記者評価 02年に日清、リノール、ニッコーの製油3社が統合し発足。食用油は家庭・業務用とも国内首位級。チョコ、製菓用の加工油脂では海外展開を加速。化粧品原料などファインケミカルも拡大。J-オイルミルズと西日本の搾油工場を統合し23年10月合弁会社設立。

平均勤続年数	男性育休取得率	3年後離職率	平均年収(平均44歳)
18.7年	70.0→84.0%	10.5→8.6%	㊝893万円

●採用・配属情報●

【男女・文理別採用実績】

	大卒男	大卒女	修士男	修士女
23年	11(文 9理 2)	10(文 5理 5)	12(文 0理 12)	5(文 0理 5)
24年	13(文 10理 3)	12(文 6理 6)	9(文 0理 9)	4(文 0理 4)
25年	13(文 8理 5)	16(文 9理 7)	10(文 0理 10)	5(文 0理 5)

【男女・職種別採用実績】 転換制度:⇔

	総合職	専任職
23年	34(男 23 女 11)	6(男 1 女 5)
24年	38(男 22 女 16)	1(男 1 女 0)
25年	34(男 21 女 13)	13(男 3 女 10)

【24年4月入社者の配属勤務地】㊝東京13 横浜1 群馬・高崎1 大阪市3 名古屋2 福岡1 ㊵東京1 横浜16
【転勤】あり:[職種]総合職[勤務地]全国
【中途比率】[単年度]21年度9%、22年度27%、23年度33%[全体]15%

●働きやすさ、諸制度●

残業(月) 22.6時間 ㊝24.7時間

【勤務時間】9:00～17:30【有休取得年平均】13.7日【週休】完全2日(土日祝)(工場部門は一部)【夏期休暇】3日+有休2日取得を奨励【年末年始休暇】12月31日～1月3日+有休取得奨励
【離職率】男:1.9%、13名 女:1.6%、4名
【新卒3年後離職率】
[20→23年]10.5%(男13.0%・入社23名、女6.7%・入社15名)
[21→24年]8.6%(男9.1%・入社22名、女7.7%・入社13名)
【テレワーク】制度あり:[場所]自宅 サテライトオフィス[対象]会社が認めた者[日数]週3日まで[利用率]5.4%【勤務制度】フレックス 時間単位有休 時差勤務【住宅補助】独身寮 社宅 住宅手当(条件あり)

●ライフイベント、女性活躍●

【女性比率】■男 □女

新卒採用 48.9% (23名)

従業員 26.2% (239名)

管理職 6.4% (18名)

【産休】[期間]産前6・産後8週間[給与]産前・産後6週は全額給付、産後7週以降は法定[取得者数]15名
【育休】[期間]小学校に入学するまで[給与]最初5日全額給付、以降法定[取得者数]22年度 男14名(対象20名)女8名(対象8名)23年度 男21名(対象25名)女13名(対象13名)[平均取得日数]22年度 男17日 女479日、23年度 男16日 女684日
【従業員】[人数]911名(男672名、女239名)[平均年齢]43.8歳(男44.7歳、女41.3歳)[平均勤続年数]18.7年(男19.3年、女16.8年)【年齢構成】■男 □女

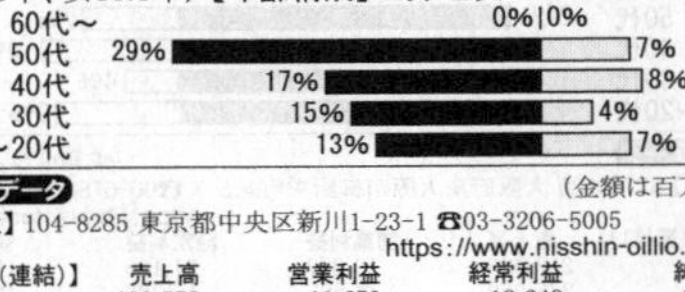

	男	女
60代～	0%	0%
50代	29%	7%
40代	17%	8%
30代	15%	4%
～20代	13%	7%

会社データ (金額は百万円)

【本社】104-8285 東京都中央区新川1-23-1 ☎03-3206-5005
https://www.nisshin-oillio.com/

【業績(連結)】	売上高	営業利益	経常利益	純利益
22.3	432,778	11,670	12,648	8,595
23.3	556,565	16,186	16,242	11,157
24.3	513,541	20,840	20,033	15,148

しょくひん ハウス食品㈱(ハウス食品グループ)

プラチナくるみん

【特色】カレー、シチューのルウで首位。健康食品も強い

[記者評価]「バーモントカレー」などのルウ製品やレトルト食品、スパイスなど幅広く展開。海外は米国での豆腐事業や中国でのカレー事業など多様で、グループの海外売上高比率は2割超。傘下にスパイス販売のハウスギャバンや「カレーハウスCoCo壱番屋」展開する壱番屋も。

平均勤続年数	男性育休取得率	3年後離職率	平均年収(平均41歳)
◇18.8年	65.9 → 75.8%	4.5 → 5.9%	[総]813万円

●採用・配属情報●

【男女・文理別採用実績】

	大卒男	大卒女	修士男	修士女
23年	15(文 10理 5)	17(文 11理 6)	18(文 3理 15)	15(文 0理 15)
24年	17(文 16理 1)	9(文 7理 2)	14(文 0理 14)	13(文 0理 13)
25年	11(文 9理 2)	12(文 11理 1)	13(文 1理 12)	12(文 1理 11)

【男女・職種別採用実績】 転換制度:⇔

	総合職
23年	65(男 33 女 32)
24年	53(男 31 女 22)
25年	48(男 24 女 24)

【職種併願】専門職スタート採用のみで可能

【24年4月入社者の配属勤務地】[総]札幌3 仙台3 東京(千代田5 港2)さいたま2 千葉・四街道1 名古屋2 金沢1 大阪(淀屋橋1 東大阪1)岡山1 広島2 福岡3 [技]千葉・四街道15 栃木・佐野2 静岡・袋井2 奈良・大和郡山3 福岡4

【転勤】あり:[職種]総合職 [勤務地]国内全事業所および海外全事業所

【中途比率】[単年度]21年度26%、22年度41%、23年度37%[全体]◇14%

●働きやすさ、諸制度●

残業(月) 13.2時間 [総]21.2時間

【勤務時間】8:30〜17:00【有休取得年平均】11.9日【週休】完全2日(土日祝)【夏期休暇】2日【年末年始休暇】12月30日〜1月4日

【離職率】◇男:2.4%、27名 女:2.4%、12名(早期退職男3名、女1名含む)

【新卒3年後離職率】

[20→23年]4.5%(男4.0%・入社50名、女5.1%・入社39名)

[21→24年]5.9%(男6.0%・入社67名、女5.7%・入社35名)

【テレワーク】制度あり:[場所]ネットワーク環境等所定の要件を満たせる場所(自宅 サテライトオフィス等)[対象]原則生産職を除く※例外あり[日数]最低2週間に1日は出社[利用率]36.5%【勤務制度】フレックス 時間単位有休 副業容認【住宅補助】独身寮(17,000円 31歳以降〜40歳まで34,000円)借上社宅(条件あり)

●ライフイベント、女性活躍●

【女性比率】■男 □女

新卒採用 50% (24名)

従業員 30.2% (484名)

管理職 12.2% (55名)

【産休】[期間]法定+出産準備休暇(10日)[給与]法定+出産準備休暇(積立休暇で有給)[取得者数]20名

【育休】[期間]2歳になるまで[給与]給付金+育児支援金(基準内賃金16%)会社給付[取得者数]22年度 男29名(対象44名)女17名(対象18名)23年度 男47名(対象62名)女20名(対象20名)[平均取得日数]22年度 男26日 女319日、23年度 男35日 女316日

【従業員】◇[人数]1,603名(男1,119名、女484名)[平均年齢]41.4歳(男41.9歳、女40.3歳)[平均勤続年数]18.8年(男19.5年、女17.1年)【年齢構成】■男 □女

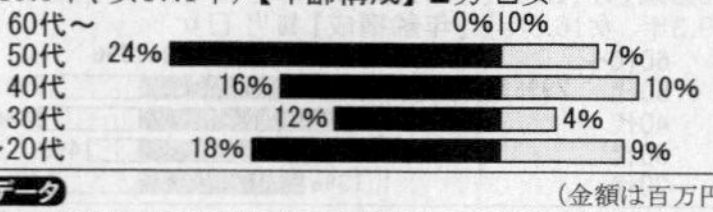

60代〜 0% 0%
50代 24% 7%
40代 16% 10%
30代 12% 4%
〜20代 18% 9%

会社データ (金額は百万円)

【本社】577-8520 大阪府東大阪市御厨栄町1-5-7 ☎06-6788-1231
https://housefoods.jp/

【業績(連結)】	売上高	営業利益	経常利益	純利益
22.3	253,386	19,227	21,125	13,956
23.3	275,060	16,686	18,300	13,672
24.3	299,600	19,470	21,085	17,580

※業績はハウス食品グループ本社㈱のもの

ジェイ ㈱J-オイルミルズ

えるぼし★★ くるみん

【特色】業務用油で国内シェア4割。アジア展開にも本腰

[記者評価]ホーネンと味の素製油、吉原製油が2003年に合併。製油、油脂加工品が売上高の9割を占める。オリーブ油や外・中食向けで長期使用できる油など高付加価値品を展開。植物由来のチーズも手がける。日清オイリオグループと合弁会社を設立、搾油工程を共通化。

平均勤続年数	男性育休取得率	3年後離職率	平均年収(平均44歳)
◇17.7年	31.0 → 54.5%	11.1 → 5.6%	[総]762万円

●採用・配属情報●

【男女・文理別採用実績】

	大卒男	大卒女	修士男	修士女
23年	1(文 1理 0)	3(文 2理 1)	2(文 0理 2)	4(文 1理 3)
24年	2(文 2理 0)	5(文 4理 1)	3(文 0理 3)	2(文 0理 2)
25年	2(文 2理 0)	3(文 3理 0)	4(文 0理 4)	4(文 0理 4)

【男女・職種別採用実績】

	総合職
23年	10(男 3 女 7)
24年	12(男 5 女 7)
25年	13(男 6 女 7)

【職種併願】○

【24年4月入社者の配属勤務地】[総]横浜6 東京1 仙台1 大阪2 名古屋1 福岡1 [技]なし

【転勤】あり:全社員

【中途比率】[単年度]21年度NA、22年度NA、23年度NA[全体]NA

●働きやすさ、諸制度●

残業(月) 21.0時間 [総]21.0時間

【勤務時間】9:00〜17:35【有休取得年平均】12.9日【週休】2日【夏期休暇】有休で取得【年末年始休暇】あり

【離職率】NA

【新卒3年後離職率】

[20→23年]11.1%(男25.0%・入社8名、女0%・入社10名)

[21→24年]5.6%(男12.5%・入社8名、女0%・入社10名)

【テレワーク】制度あり:[場所]自宅 サテライトオフィス[対象]NA[日数]NA[利用率]NA【勤務制度】フレックス 時間単位有休 副業容認【住宅補助】借上社宅

●ライフイベント、女性活躍●

【女性比率】■男 □女

新卒採用 53.8% (7名)

【産休】[期間]産前6・産後8週間[給与]会社全額給付[取得者数]11名

【育休】[期間]1歳の4月末日まで[給与]法定[取得者数]22年度 男9名(対象29名)女8名(対象8名)23年度 男12名(対象22名)女11名(対象11名)[平均取得日数]22年度 NA、23年度 NA

【従業員】◇[人数]1,275名(男NA、女NA)[平均年齢]44.0歳(男NA、女NA)[平均勤続年数]17.7年(男NA、女NA)

【年齢構成】NA

会社データ (金額は百万円)

【本社】104-0044 東京都中央区明石町8-1 ☎03-5148-7100
https://www.j-oil.com/

【業績(連結)】	売上高	営業利益	経常利益	純利益
22.3	201,551	▲21	596	1,953
23.3	260,410	734	1,436	986
24.3	244,319	7,243	9,043	6,792

メーカーII

162 開示 ★★★★

カゴメ(株)

くるみん

【特色】トマト加工品の国内最大手。野菜飲料が主力

記者評価 「野菜生活100」シリーズ、「野菜一日これ一本」などの飲料、トマト調味料などの食品が柱。トマトジュースは健康・美容需要を取り込み伸長が続く。トマトケチャップは国内トップシェア。野菜飲料やサプリの通販も行う。米国や欧州など、海外展開にも力。

平均勤続年数	男性育休取得率	3年後離職率	平均年収(平均42歳)
◇16.7年	52.8→65.9%	15.6→4.3%	総956万円

●採用・配属情報●

【男女・文理別採用実績】

	大卒男	大卒女	修士男	修士女
23年	8(文 5理 3)	11(文 5理 6)	8(文 0理 8)	8(文 0理 8)
24年	6(文 4理 2)	11(文 7理 4)	5(文 0理 5)	6(文 0理 6)
25年	11(文 7理 4)	13(文 8理 5)	7(文 1理 6)	5(文 0理 5)

【男女・職種別採用実績】 転換制度:⇔

	総合職	業務職	技能職
23年	33(男 15 女 18)	1(男 0 女 1)	4(男 1 女 3)
24年	26(男 10 女 16)	1(男 0 女 1)	6(男 6 女 0)
25年	32(男 17 女 15)	0(男 0 女 0)	7(男 3 女 4)

【24年4月入社者の配属勤務地】総仙台1 東京2 埼玉2 愛知3 石川1 大阪4 岡山1 技栃木7 茨城2 長野2 愛知1
【転勤】あり:[職種]総合職
【中途比率】[単年度]21年度32%、22年度42%、23年度30%(社員登用含む)[全体]◇18%

●働きやすさ、諸制度●

残業(月) 12.0時間 総11.2時間

【勤務時間】フレックスタイム制(フレキシブルタイム5:00〜22:00 標準7時間45分 コアタイムなし)【有休取得年平均】14.2日【週休】完全2日(土日祝)(部署により異なる)【夏期休暇】有休で取得【年末年始休暇】12月31日〜1月3日
【離職率】◇男:2.0%、24名 女:2.5%、14名
【新卒3年後離職率】
[20→23年]15.6%(男18.8%・入社16名、女13.8%・入社29名)
[21→24年]4.3%(男5.0%・入社20名、女3.8%・入社26名)
【テレワーク】制度あり:[場所]自宅 サテライトオフィス 他[対象]工場所属者を除く[日数]週4日まで[利用率]52.0%【勤務制度】フレックス 時差勤務 副業容認【住宅補助】住宅手当(配属地域によって異なる)技能職住宅手当(支給基準有)

●ライフイベント、女性活躍●

【女性比率】■男 □女

新卒採用 48.7%(19名) 従業員 32%(548名) 管理職 10.2%(38名)

【産休】[期間]産前6・産後8週間[給与]法定[取得者数]26名
【育休】[期間]1年11カ月[給与]法定[取得者数]22年度 男28名(対象53名)女24名(対象24名)23年度 男29名(対象44名)女27名(対象27名)[平均取得日数]22年度 男32日 女157日、23年度 男18日 女189日
【従業員】◇[人数]1,710名(男1,162名、女548名)[平均年齢]41.3歳(男43.3歳、女36.9歳)[平均勤続年数]16.7年(男18.7年、女12.5年)
【年齢構成】■男 □女

	男	女
60代〜	1%	0%
50代	22%	5%
40代	22%	8%
30代	15%	8%
〜20代	9%	11%

会社データ (金額は百万円)

【本社】460-0003 愛知県名古屋市中区錦3-14-15 ☎052-951-3573 https://www.kagome.co.jp/

【業績(IFRS)】	売上高	営業利益	税前利益	純利益
21.12	189,652	14,010	13,880	9,763
22.12	205,618	12,757	12,557	9,116
23.12	224,730	17,472	16,489	10,432

2699 開示 ★★★

アサヒグループ食品(しょくひん)(株)

【特色】アサヒグループHD傘下。国内食品事業の中核

記者評価 アサヒグループHDの食品事業3社合併で16年に事業開始。指定医薬部外品「エビオス」、国産初の育児用粉ミルク、具材一体型フリーズドライ味噌汁などロングセラー商品多数。菓子、サプリなども扱う。24年9月に完全子会社の和光食品工業と日本エフディを吸収合併。

平均勤続年数	男性育休取得率	3年後離職率	平均年収(平均42歳)
16.0年	52.2→100%	0→4.0%	総778万円

●採用・配属情報●

【男女・文理別採用実績】

	大卒男	大卒女	修士男	修士女
23年	8(文 8理 0)	7(文 7理 0)	6(文 0理 6)	7(文 0理 7)
24年	9(文 8理 1)	4(文 4理 0)	6(文 0理 6)	6(文 0理 6)
25年	8(文 8理 0)	6(文 6理 0)	7(文 0理 7)	8(文 0理 8)

【男女・職種別採用実績】

	総合職
23年	28(男 14 女 14)
24年	25(男 15 女 10)
25年	30(男 16 女 14)

【24年4月入社者の配属勤務地】総東京(浅草3 恵比寿2 仙川1)名古屋2 札幌1 仙台1 大阪1 福岡1 栃木・さくら1 技東京(浅草2 仙川4 勝どき2)茨城(守谷2 茨城1)栃木・さくら1
【転勤】あり:全社員(ライフサポートエリア勤務申請者は除く)
【中途比率】[単年度]21年度0%、22年度17%、23年度24%[全体]NA

●働きやすさ、諸制度●

残業(月) 18.6時間 総18.6時間

【勤務時間】7時間30分(フレックス制 コアタイムなし)【有休取得年平均】12.6日【週休】完全2日(土日祝)【夏期休暇】有休で取得【年末年始休暇】12月30日〜1月4日
【離職率】男:2.3%、12名 女:0.4%、1名
【新卒3年後離職率】
[20→23年]0%(男0%・入社12名、女0%・入社9名)
[21→24年]4.0%(男0%・入社13名、女8.3%・入社12名)
【テレワーク】制度あり:[場所]自宅(実家及び単身赴任者の留守家族宅を含む)他[対象]工場製造部門を除く[日数]制限なし[利用率]42.2%【勤務制度】フレックス【住宅補助】借上の独身寮 社宅 単身寮

●ライフイベント、女性活躍●

【女性比率】■男 □女

新卒採用 46.7%(14名) 従業員 35.1%(272名) 管理職 15.2%(5名)

【産休】[期間]産前6・産後8週間[給与]法定[取得者数]23名
【育休】[期間]3歳になるまで[給与]法定[取得者数]22年度 男12名(対象23名)女21名(対象21名)23年度 男24名(対象24名)女23名(対象23名)[平均取得日数]22年度 男41日 女464日、23年度 男14日 女435日
【従業員】[人数]775名(男503名、女272名)[平均年齢]42.0歳(男43.7歳、女38.7歳)[平均勤続年数]16.0年(男17.0年、女14.0年)
【年齢構成】■男 □女

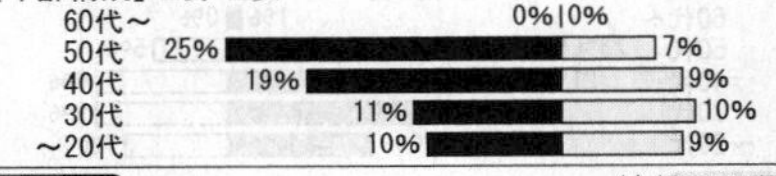

会社データ (金額は百万円)

【本社】130-0001 東京都墨田区吾妻橋1-23-1 ☎0570-00-5112 https://www.asahi-gf.co.jp/

【業績(単独)】	売上高	営業利益	経常利益	純利益
21.12	125,500	11,300	NA	NA
22.12	127,422	9,889	NA	NA
23.12	131,908	10,376	NA	NA

テーブルマーク(株)

[くるみん]

【特色】JT完全子会社の加工食品メーカー。麺・米飯が軸

[記者評価] 前身は冷凍食品メーカーの旧加ト吉。00年JTと提携後、08年にJTが完全子会社化。JTの加工食品・調味料事業も統合。冷凍麺、常温米飯、焼成冷凍パンなどステープル(主食)を軸に展開。家庭用に強く、業務用も扱う。味にこだわった制限食「ビヨンドフリー」が成長。

平均勤続年数	男性育休取得率	3年後離職率	平均年収(平均43歳)
13.5年	47.6→57.1%	17.6→25.0%	[総]762万円

●採用・配属情報●

【男女・文理別採用実績】※25年:24年7月末時点

	大卒男	大卒女	修士男	修士女
23年	4(文 3理 1)	6(文 4理 2)	0(文 0理 0)	2(文 0理 2)
24年	5(文 3理 2)	11(文 8理 3)	3(文 0理 3)	1(文 0理 1)
25年	15(文 5理 10)	22(文 17理 5)	1(文 0理 1)	4(文 1理 3)

【男女・職種別採用実績】 転換制度:⇔

	総合職(営業職)	総合職(技術職)	総合職(企画・事務職)
23年	5(男 2女 3)	6(男 1女 5)	1(男 1女 0)
24年	9(男 2女 7)	13(男 6女 7)	1(男 0女 1)
25年	19(男 4女 15)	21(男 12女 9)	3(男 1女 2)

【24年4月入社者の配属勤務地】[総]東京5 北関東1 名古屋1 北陸1 大阪1 九州1 [技]東京3 新潟4 香川6

【転勤】あり:全社員

【中途比率】[単年度]21年度47%、22年度62%、23年度60%[全体]49%

●働きやすさ、諸制度●

残業(月) 16.1時間

【勤務時間】標準時間9:00〜18:00のスーパーフレックスタイム制(5:00〜22:00で勤務可能)【有休取得年平均】13.0日【週休】完全2日(土日祝)※工場勤務者は工場カレンダーによる【夏期休暇】リフレッシュ休暇1日+特別休日4日(工場除く)※夏に限らず取得可 工場は工場カレンダーに則る【年末年始休暇】12月30日〜1月4日

【離職率】男:3.1%、24名 女:3.5%、12名

【新卒3年後離職率】
[20→23年]17.6%(男30.0%・入社10名、女0%・入社7名)
[21→24年]25.0%(男40.0%・入社5名、女0%・入社3名)

【テレワーク】制度あり:[場所]自宅 自宅に準ずる場所[対象]工場勤務 製造技術職以外[日数]原則週2日 他[利用率]NA【勤務制度】フレックス【住宅補助】借上社宅(エリアごとの上限有 就業コース全国型の場合に限る入社時、家賃の7割を会社負担)

●ライフイベント、女性活躍●

【女性比率】■男 □女

新卒採用 60.5%(26名)
従業員 30.8%(329名)
管理職 7.5%(8名)
【産休】[期間]産前6・産後8週間[給与]法定[取得者数]13名

【育休】[期間]1歳になるまで[給与]法定[取得者数]22年度 男10名(対象21名)女12名(対象12名)23年度 男8名(対象14名)女13名(対象13名)[平均取得日数]22年度 NA、23年度NA

【従業員】[人数]1,068名(男739名、女329名)[平均年齢]42.0歳(男43.4歳、女38.8歳)[平均勤続年数]13.5年(男14.5年、女11.3年)【年齢構成】■男 □女

	男	女
60代〜	1%	0%
50代	23%	5%
40代	21%	9%
30代	14%	9%
〜20代	10%	7%

会社データ (金額は百万円)

【本社】104-0045 東京都中央区築地6-4-10 ☎03-3546-6800
https://www.tablemark.co.jp/

【業績(連結)】	売上収益	営業利益	税前利益	純利益
21.12	NA	NA	NA	NA
22.12	122,900	NA	NA	NA
23.12	129,700	NA	NA	NA

味の素冷凍食品(株)

(あじのもとれいとうしょくひん)

[えるぼし★★★] [くるみん]

【特色】味の素傘下の冷凍食品メーカー。海外展開を加速

[記者評価] 味の素の完全子会社。中華や唐揚げ、デザートなど各種冷凍食品を製造。ロングセラーのギョーザは冷食単品で売上トップ続く。冷凍機の脱フロン化、自然冷媒への転換など環境対応で先駆。群馬、香川、佐賀、岐阜、千葉、埼玉の国内6工場体制。

平均勤続年数	男性育休取得率	3年後離職率	平均年収(平均43歳)
16.0年	95.0→71.4%	5.3→22.2%	805万円

●採用・配属情報●

【男女・文理別採用実績】

	大卒男	大卒女	修士男	修士女
23年	3(文 3理 0)	4(文 3理 1)	3(文 0理 3)	0(文 0理 0)
24年	7(文 6理 1)	9(文 6理 3)	3(文 0理 3)	2(文 0理 2)
25年	10(文 4理 6)	11(文 7理 4)	4(文 0理 4)	4(文 0理 4)

【男女・職種別採用実績】 転換制度:⇔

	総合職
23年	10(男 6女 4)
24年	21(男 10女 11)
25年	29(男 14女 15)

【24年4月入社者の配属勤務地】[総]東京(銀座2 品川2)仙台1 大阪3 福岡2 名古屋1 埼玉2 岡山1 [技]千葉1 川崎4 群馬2

【転勤】あり:[職種]総合職

【中途比率】[単年度]21年度NA、22年度NA、23年度NA[全体]NA

●働きやすさ、諸制度●

残業(月) [総]21.2時間

【勤務時間】8:30〜17:15【有休取得年平均】13.5日【週休】完全2日(土日祝)【夏期休暇】2日(有休で取得)【年末年始休暇】12月31日〜1月3日

【離職率】男:1.9%、11名 女:5.6%、11名

【新卒3年後離職率】
[20→23年]5.3%(男11.1%・入社9名、女0%・入社10名)
[21→24年]22.2%(男0%・入社11名、女57.1%・入社7名)

【テレワーク】制度あり:[場所]自宅 カフェ サテライトオフィス他[対象]ライン従事者以外(ラインのリーダー サブリーダーは対象)[日数]週4日まで[利用率]NA【勤務制度】フレックス 時差勤務 副業容認【住宅補助】借上社宅 家賃補助

●ライフイベント、女性活躍●

【女性比率】■男 □女

新卒採用 51.7%(15名)
従業員 25.2%(187名)
【産休】[期間]法定+つわり休暇10日[給与]産前産後休暇期間は50%欠勤として給与を支給[取得者数]7名

【育休】[期間]1歳の4月末まで、2歳6カ月になる日まで延長可[給与]連続15日有給、以降法定[取得者数]22年度 男19名(対象20名)女13名(対象13名)23年度 男20名(対象28名)女7名(対象7名)[平均取得日数]22年度 男32日 女406日、23年度 男75日 女406日

【従業員】[人数]741名(男554名、女187名)[平均年齢]42.7歳(男43.1歳、女39.0歳)[平均勤続年数]16.0年(男17.1年、女13.0年)

【年齢構成】■男 □女

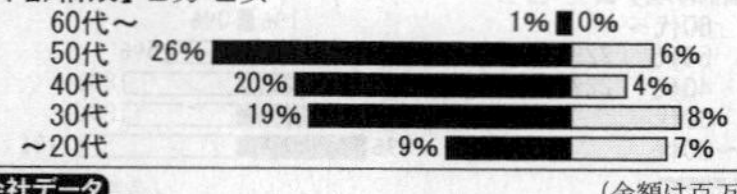

	男	女
60代〜	1%	0%
50代	26%	6%
40代	20%	4%
30代	19%	8%
〜20代	9%	7%

会社データ (金額は百万円)

【本社】104-0061 東京都中央区銀座7-14-13 日土地銀座ビル ☎03-6367-8602
https://www.ffa.ajinomoto.com/

【業績(単独)】	売上高	営業利益	経常利益	純利益
22.3	89,709	4,343	5,352	2,700
23.3	90,221	3,388	4,705	6,586
24.3	87,613	4,080	5,874	4,403

メーカーII

1964 開示 ★★★☆☆ [専門] 採用あり

ホクト(株)

[くるみん]

【特色】キノコの生産で大手。北米、台湾等に進出

[記者評価] ブナシメジ、エリンギ、マイタケ、霜降りひらたけ、シイタケを専用培地で生産。米国、台湾、マレーシアに工場。うまみや効能を訴求する販促がコロナ禍で制約受け業績悪化に陥ったが、投資会社の資本支援などで復調。包装・農業資材や加工食品など多角化推進。

平均勤続年数	男性育休取得率	3年後離職率	平均年収(平均40歳)
◇13.6年	90.5→83.7%	22.2→42.3%	◇532万円

●採用・配属情報●

【男女・文理別採用実績】

	大卒男	大卒女	修士男	修士女
23年	8(文 0 理 8)	7(文 3 理 4)	3(文 0 理 3)	0(文 0 理 0)
24年	3(文 0 理 3)	3(文 2 理 1)	1(文 0 理 1)	1(文 0 理 1)
25年	5(文 1 理 4)	3(文 1 理 2)	1(文 0 理 1)	1(文 0 理 1)

【男女・職種別採用実績】 転換制度:⇔

	総合職	一般職
23年	16(男 11 女 5)	2(男 0 女 2)
24年	8(男 5 女 3)	1(男 0 女 1)
25年	9(男 6 女 3)	1(男 0 女 1)

【24年4月入社者の配属勤務地】[総]名古屋1 長野1 [技]長野5 静岡1

【転勤】あり:[職種]基幹職

【中途比率】[単年度]21年度69%、22年度66%、23年度68%[全体]◇62%

●働きやすさ、諸制度●

残業(月) 15.6時間

【勤務時間】8:30〜17:30【有休取得年平均】15.0日【週休】完全2日(土日祝)【夏期休暇】8月13〜16日【年末年始休暇】12月30日〜1月3日

【離職率】◇男:7.3%、72名 女:3.9%、5名

【新卒3年後離職率】

[20→23年]22.2%(男25.0%・入社12名、女16.7%・入社6名)

[21→24年]42.3%(男47.4%・入社19名、女28.6%・入社7名)

【テレワーク】制度あり:[場所]自宅 他[対象]会社が必要と認めた社員[日数]制限なし[利用率]NA【勤務制度】フレックス 時間単位有休 時差勤務 副業容認【住宅補助】社員寮 会社契約によるアパート等 転勤住宅手当

●ライフイベント、女性活躍●

【女性比率】■男 □女

新卒採用 40% (4名)

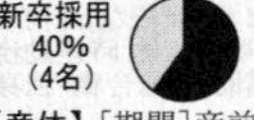

従業員 11.7% (122名)

管理職 0% (0名)

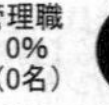

【産休】[期間]産前6・産後8週間[給与]法定[取得者数]23名

【育休】[期間]1歳になるまで[給与]法定[取得者数]22年度 男38名(対象42名)女19名(対象19名)23年度 男36名(対象43名)女21名(対象21名)[平均取得日数]22年度 男10日 女NA、23年度 男23日 女NA

【従業員】◇[人数]1,041名(男919名、女122名)[平均年齢]39.6歳(男40.0歳、女35.9歳)[平均勤続年数]13.6年(男14.4年、女8.0年)

【年齢構成】■男 □女

	男	女
60代〜	2%	0%
50代	12%	1%
40代	32%	3%
30代	29%	4%
〜20代	13%	3%

[会社データ] (金額は百万円)

【本社】381-8533 長野県長野市南堀138-1 ☎026-243-3111
https://www.hokto-kinoko.co.jp/

【業績(連結)】	売上高	営業利益	経常利益	純利益
22.3	70,932	2,014	3,658	2,530
23.3	72,980	▲2,948	▲1,854	▲2,037
24.3	79,426	3,180	4,715	3,525

1196 開示 ★★☆☆☆

ミツカングループ
((株)Mizkan J plus Holdings)

[くるみん]

【特色】食酢で国内首位。1804年(文化元年)創業の老舗

[記者評価] 酒粕酢醸造で創業。東京にヘッドオフィス。食酢やみりん等調味料を軸に加工食品、納豆など手がける。ロングセラー商品「味ぽん」が著名。「ZENB」ブランド浸透に注力。海外売上比率6割超。未来ビジョンに「おいしさと健康の一致」を掲げる。子育て支援充実。

平均勤続年数	男性育休取得率	3年後離職率	平均年収(平均45歳)
19.5年	64.0→64.9%	4.2→15.6%	[総]860万円

●採用・配属情報●

【男女・文理別採用実績】

	大卒男	大卒女	修士男	修士女
23年	3(文 2 理 1)	13(文 11 理 2)	13(文 2 理 11)	11(文 0 理 11)
24年	3(文 0 理 3)	26(文 23 理 3)	7(文 0 理 7)	12(文 0 理 12)
25年	13(文 12 理 1)	17(文 12 理 5)	10(文 0 理 10)	3(文 0 理 3)

【男女・職種別採用実績】 転換制度:NA

	総合職
23年	40(男 16 女 24)
24年	48(男 10 女 38)
25年	43(男 23 女 20)

【24年4月入社者の配属勤務地】[総]愛知(半田8 名古屋2)東京8 大阪4 埼玉1 福岡1 宮城1 [技]愛知(半田12 名古屋1)東京3 群馬3 大阪2 兵庫2

【転勤】あり:[職種]総合職[勤務地]半田本社 東京ヘッドオフィス その他全国8支店 4営業所 8工場

【中途比率】[単年度]21年度31%、22年度42%、23年度37%[全体]NA

●働きやすさ、諸制度●

残業(月) 21.3時間 [総]22.6時間

【勤務時間】9:00〜17:30【有休取得年平均】12.1日【週休】原則2日【夏期休暇】連続5日(土日含む)【年末年始休暇】連続6日(土日含む)

【離職率】NA

【新卒3年後離職率】

[20→23年]4.2%(男0%・入社21名、女7.4%・入社27名)

[21→24年]15.6%(男30.0%・入社20名、女4.0%・入社25名)

【テレワーク】制度あり:[場所]自宅 サテライトオフィス カフェ 他[対象]全社員[日数]制限なし[利用率]NA【勤務制度】フレックス 時間単位有休 副業容認【住宅補助】借上社宅 住宅手当あり

●ライフイベント、女性活躍●

【女性比率】■男 □女

新卒採用 46.5% (20名)

従業員 31.4% (486名)

【産休】[期間]産前6・産後8週間[給与]法定[取得者数]17名

【育休】[期間]1歳になるまで[給与]最初5日間有給、以降1歳超えまで給付金+基準内賃金×(85%-法定支給率)、以後無給[取得者数]22年度 男16名(対象25名)女8名(対象8名)23年度 男24名(対象37名)女17名(対象18名)[平均取得日数]22年度 NA、23年度 NA

【従業員】[人数]1,549名(男1,063名、女486名)[平均年齢]44.3歳(男46.8歳、女38.5歳)[平均勤続年数]19.5年(男22.0年、女13.7年)【年齢構成】■男 □女

	男	女
60代〜	1%	0%
50代	34%	7%
40代	14%	5%
30代	11%	7%
〜20代	8%	12%

[会社データ] (金額は百万円)

【本社】475-8585 愛知県半田市中村町2-6 ☎0569-21-3331
http://www.mizkan.co.jp/

【業績(連結)】	売上高	営業利益	経常利益	純利益
22.2	235,500	NA	7,200	NA
23.2	270,000	NA	4,600	NA
24.2	300,100	NA	12,000	NA

※業績はグループ合計のもの

メーカーII

エスビー食品(株)

(しょくひん)

えるぼし ★★　プラチナくるみん

【特色】スパイスで国内首位。カレー、シチューも有力

[記者評価] スパイスの国内シェアは約6割。「ゴールデンカレー」などのルウ、チューブ入りわさびなどの調味料を展開。レトルトカレーなどのインスタント食品も。パウダールウなど時短・簡便な製品に注力。22年度に7%だった海外売上高比率は2043年に40%超を目指す。

平均勤続年数	男性育休取得率	3年後離職率	平均年収(平均39歳)
13.6年	84.8 → 71.1%	20.8 → 21.4%	[総] 800万円

●採用・配属情報●

【男女・文理別採用実績】

	大卒男	大卒女	修士男	修士女
23年	9(文 8 理 1)	7(文 6 理 1)	5(文 0 理 5)	2(文 0 理 2)
24年	10(文 9 理 1)	8(文 4 理 4)	4(文 0 理 4)	2(文 0 理 2)
25年	10(文 10 理 0)	7(文 6 理 1)	5(文 0 理 5)	3(文 0 理 3)

【男女・職種別採用実績】　転換制度:⇔

	総合職
23年	23(男 14 女 9)
24年	24(男 14 女 10)
25年	25(男 15 女 10)

【24年4月入社者の配属勤務地】[総]東京2 北海道2 岩手1 埼玉1 千葉1 長野1 石川1 静岡1 愛知1 神奈川1 広島1 香川1 福岡1 [技]長野・上田3 埼玉・東松山3 宮城2 静岡1

【転勤】あり:詳細NA

【中途比率】[単年度]21年度47%、22年度58%、23年度50%[全体]32%

●働きやすさ、諸制度●

残業(月) 22.7時間

【勤務時間】8:50〜17:30(フレックスタイム制コアタイム無し)【有休取得年平均】15.2日【週休】完全2日(土日祝)【夏期休暇】最大9連休(有休取得推奨日あり)【年末年始休暇】12月28日〜1月5日

【離職率】男:2.6%、15名 女:5.4%、16名

【新卒3年後離職率】

[20→23年]20.8%(男26.7%・入社15名、女11.1%・入社9名)

[21→24年]21.4%(男18.8%・入社16名、女25.0%・入社12名)

【テレワーク】制度あり:[場所]NA[対象]制限なし(原則入社1年未満は対象外)[日数]制限なし[利用率]NA【勤務制度】フレックス 時間単位有休 勤務間インターバル【住宅補助】借上社宅(家賃の7割を会社負担)住宅手当

●ライフイベント、女性活躍●

【女性比率】■男 □女

新卒採用 40% (10名)

従業員 33.3% (278名)

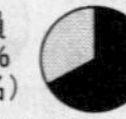

管理職 11.1% (8名)

【産休】[期間]産前6・産後8週間[給与]法定[取得者数]17名

【育休】[期間]1歳になるまで[給与]法定[取得者数]22年度 男28名(対象33名)女18名(対象18名)23年度 男27名(対象38名)女16名(対象18名)[平均取得日数]22年度 男15日 女342日、23年度 男38日 女346日

【従業員】[人数]836名(男558名、女278名)[平均年齢]40.7歳(男41.7歳、女38.6歳)[平均勤続年数]13.6年(男14.8年、女11.8年)

【年齢構成】■男 □女

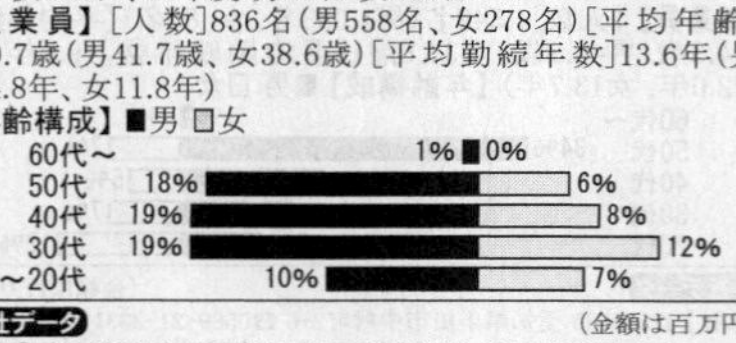

会社データ　(金額は百万円)

【本社】103-0026 東京都中央区日本橋兜町18-6 ☎03-3668-0551

https://www.sbfoods.co.jp/

【業績(連結)】	売上高	営業利益	経常利益	純利益
22.3	118,046	8,617	8,709	6,225
23.3	120,651	5,399	5,465	4,080
24.3	126,443	7,778	8,079	6,717

キッコーマン(株)

プラチナくるみん

【特色】国内しょうゆシェア3割超で首位。海外が収益柱

[記者評価] 千葉・野田市発祥のしょうゆ・調味料大手。密封ボトルの「いつでも新鮮」シリーズが成長。「デルモンテ」ブランドでケチャップも展開する。利益に占める海外比率は約9割に拡大し、北米が稼ぎ頭に。日本・アジア食材の卸売り(他社製品含む)事業も成長中。

平均勤続年数	男性育休取得率	3年後離職率	平均年収(平均*44歳)
14.1年	37.5 → 80.0%	[!] 7.5 → [!] 23.8%	[総] 905万円

●採用・配属情報●

【男女・文理別採用実績】

	大卒男	大卒女	修士男	修士女
23年	6(文 5 理 1)	4(文 4 理 0)	7(文 0 理 7)	4(文 0 理 4)
24年	12(文 11 理 1)	7(文 7 理 0)	9(文 0 理 9)	3(文 0 理 3)
25年	15(文 13 理 2)	8(文 8 理 0)	11(文 0 理 11)	6(文 2 理 4)

【男女・職種別採用実績】　転換制度:⇔

	Cコース
23年	21(男 13 女 8)
24年	31(男 21 女 10)
25年	41(男 26 女 15)

【24年4月入社者の配属勤務地】[総]東京12 大阪2 千葉1 福岡1 愛知1 広島1 [技]千葉13

【転勤】あり:全社員

【中途比率】[単年度]21年度40%、22年度34%、23年度34%(キッコーマン食品(株)含む)[全体]40%

●働きやすさ、諸制度●

残業(月) 16.9時間

【勤務時間】野田本社・生産拠点8:00〜16:35 東京本社・営業拠点9:00〜17:35(フレックスタイム制あり※病院・生産拠点以外)【有休取得年平均】13.7日【週休】完全2日(土日祝)【夏期休暇】8月13〜15日【年末年始休暇】12月30日〜1月4日

【離職率】男:—、12名 女:—、7名(在籍出向者含む、キッコーマン総合病院を除く)

【新卒3年後離職率】

[20→23年]7.5%(男4.0%・入社25名、女13.3%・入社15名)※総合職のみ、在籍出向者含む

[21→24年]23.8%(男33.3%・入社12名、女11.1%・入社9名)※総合職のみ、在籍出向者含む

【テレワーク】制度あり:[場所]社員の自宅※東京本社勤務の場合シェアオフィスも利用可[対象]正社員 嘱託社員 パート社員※他社への出向者は除く[日数]制限なし[利用率]32.8%【勤務制度】フレックス 時間単位有休 時差勤務 勤務間インターバル 副業容認【住宅補助】<総合職>独身寮 社有・借上社宅(全国)

●ライフイベント、女性活躍●

【女性比率】■男 □女

新卒採用 36.6% (15名)

従業員 53.1% (313名)

管理職 16.2% (22名)

【産休】[期間]産前6・産後8週間[給与]法定＋健保付加金で85%[取得者数]5名

【育休】[期間]1歳半到達後最初の4月末まで[給与]法定[取得者数]22年度 男3名(対象8名)女5名(対象5名)23年度 男8名(対象10名)女4名(対象4名)[平均取得日数]22年度 男14日 女322日、23年度 男15日 女326日

【従業員】[人数]590名(男277名、女313名)[平均年齢]43.6歳(男45.7歳、女41.8歳)[平均勤続年数]14.1年(男16.8年、女11.6年)【年齢構成】NA

会社データ　(金額は百万円)

【本社】105-8428 東京都港区西新橋2-1-1 ☎03-5521-5029

https://www.kikkoman.com/jp/

【業績(IFRS)】	売上高	営業利益	税前利益	純利益
22.3	516,440	50,682	54,231	38,903
23.3	618,899	55,370	60,797	43,733
24.3	660,835	66,733	75,605	56,441

メーカーII

キユーピー(株)

プラチナくるみん

【特色】マヨネーズ、ドレッシングで国内首位

[記者評価] 1919年創業。マヨネーズ、ドレッシングに加えてカット野菜やタマゴサラダなどの総菜、液卵などの卵加工品を展開する。傘下にジャムやフルーツ加工品のアヲハタを擁する。海外売上高比率は約17%(23年度)で、中国、東南アジア、北米、欧州で製造・販売。

平均勤続年数	男性育休取得率	3年後離職率	平均年収(平均46歳)
◇16.2年	124.2→127.1%	15.1→16.7%	[総]847万円

●採用・配属情報●

【男女・文理別採用実績】

	大卒男	大卒女	修士男	修士女
23年	11(文 7理 4)	10(文 4理 6)	10(文 0理 10)	3(文 0理 3)
24年	18(文 14理 4)	12(文 7理 5)	8(文 0理 8)	8(文 0理 8)
25年	17(文 15理 2)	12(文 8理 4)	10(文 0理 10)	13(文 0理 13)

【男女・職種別採用実績】 転換制度:⇒

	総合職
23年	34(男 21 女 13)
24年	46(男 26 女 20)
25年	52(男 27 女 25)

【24年4月入社者の配属勤務地】[総]札幌2 栃木・宇都宮2 東京・渋谷9 名古屋3 兵庫・伊丹3 広島市2 福岡市3 [技]茨城・五霞6 東京(調布9 府中3)大阪・泉佐野3 佐賀・鳥栖1
【転勤】あり:[職種]総合職
【中途比率】[単年度]21年度20%、22年度45%、23年度42%[全体]◇4%

●働きやすさ、諸制度●

残業(月) 16.9時間 [総]22.1時間

【勤務時間】7時間45分(フレックスタイム制 コアタイムなし)【有休取得年平均】14.4日【週休】完全2日(土日祝)【夏期休暇】連続3日(計画有休取得により連続最大10日)【年末年始休暇】連続4日(計画有休取得により連続最大7日)
【離職率】◇男:4.8%、62名 女:4.1%、47名
【新卒3年後離職率】
[20→23年]15.1%(男11.4%・入社35名、女22.2%・入社18名)
[21→24年]16.7%(男15.4%・入社13名、女18.2%・入社11名)
【テレワーク】制度あり:[場所]自宅 サテライトオフィス[対象]全社員(工場を除く)[日数]制限なし[利用率]NA【勤務制度】フレックス 時間単位有休 副業容認【住宅補助】独身寮 借上社宅(全国 会社補助あり 転勤者のみ)住宅手当(転勤者26,300~132,500円 転勤者以外30,000円)

●ライフイベント、女性活躍●

【女性比率】■男 □女

新卒採用 48.1% (25名)
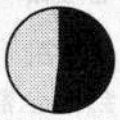
従業員 47.2% (1100名)

管理職 14.7% (97名)

【産休】[期間]産前10・産後8週間+マタニティ休暇10日[給与]マタニティ休暇10日は有給、他法定[取得者数]69名
【育休】[期間]2歳になるまで[給与]法定+10日間有給[取得者数]22年度 男77名(対象62名)女73名(対象74名)23年度 男61名(対象48名)女57名(対象57名)[平均取得日数]22年度 NA、23年度 男15日 女193日
【従業員】◇[人数]2,332名(男1,232名、女1,100名)[平均年齢]42.0歳(男44.2歳、女39.5歳)[平均勤続年数]16.2年(男18.4年、女13.7年)【年齢構成】■男 □女

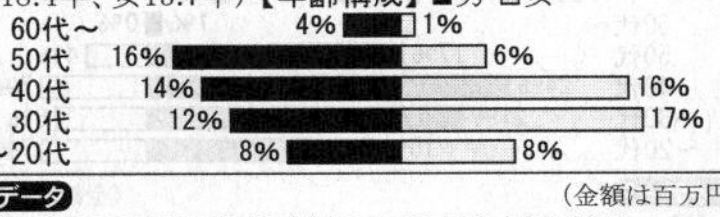
60代～ 4% 1%
50代 16% 6%
40代 14% 16%
30代 12% 17%
～20代 8% 8%

会社データ (金額は百万円)

【本社】150-0002 東京都渋谷区渋谷1-4-13 ☎03-3486-3090
https://www.kewpie.com/

【業績(連結)】	売上高	営業利益	経常利益	純利益
21.11	407,039	27,972	29,698	18,014
22.11	430,304	25,433	27,249	16,033
23.11	455,086	19,694	20,490	13,174

日本食研ホールディングス(株)

(にほんしょっけん)

くるみん

【特色】調味料大手の日本食研などを傘下に擁す持株会社

[記者評価] 日本食研、日本食研製造が中核の持株会社。愛媛、千葉2本社制。たれ出荷量は国内首位で、唐揚げ粉も強い。売上の約9割が業務用でPB含め9000種超の商品。海外戦略を加速。海外6カ所目となるタイの新工場が25年1月から稼働予定、東南アジアへの供給を拡大。

平均勤続年数	男性育休取得率	3年後離職率	平均年収(平均42歳)
◇16.8年	85.0→94.7%	25.8→20.0%	[総]629万円

●採用・配属情報●

【男女・文理別採用実績】

	大卒男	大卒女	修士男	修士女
23年	89(文 78理 11)	68(文 52理 16)	6(文 0理 6)	4(文 1理 3)
24年	59(文 45理 14)	47(文 34理 13)	11(文 0理 11)	5(文 0理 5)
25年	41(文 35理 6)	50(文 37理 13)	8(文 0理 8)	4(文 0理 4)

【男女・職種別採用実績】 転換制度:⇔

	総合職	専門職	専門職(一般職)
23年	163(男 95 女 68)	4(男 0 女 4)	NA(男 NA 女 NA)
24年	121(男 70 女 51)	2(男 0 女 2)	NA(男 NA 女 NA)
25年	89(男 42 女 47)	14(男 8 女 6)	1(男 0 女 1)

【24年4月入社者の配属勤務地】[総]中部33 関東18 九州・沖縄14 関西11 中国7 東北6 四国4 北海道4 [技]関東10 四国14
【転勤】あり:[職種]総合職 但し、希望勤務地と転勤の範囲を選べる制度あり
【中途比率】[単年度]21年度5%、22年度14%、23年度7%[全体]◇18%

●働きやすさ、諸制度●

残業(月) 2.8時間 [総]2.7時間

【勤務時間】8:30～17:30【有休取得年平均】16.7日【週休】2日(土日祝)(8月・12月は土曜一部出勤)【夏期休暇】連続5日【年末年始休暇】連続7日
【離職率】◇男:3.0%、92名 女:8.3%、74名
【新卒3年後離職率】
[20→23年]25.8%(男19.0%・入社100名、女38.2%・入社55名)
[21→24年]20.0%(男12.5%・入社16名、女33.3%・入社9名)
【テレワーク】制度なし【勤務制度】時間単位有休 時差勤務【住宅補助】独身寮(愛媛 千葉)既婚者社宅(愛媛 千葉)借上社宅または住宅手当

●ライフイベント、女性活躍●

【女性比率】■男 □女

新卒採用 51.9% (54名)

従業員 21.7% (819名)

管理職 0.8% (4名)

【産休】[期間]産前6・産後8週間[給与]法定[取得者数]43名
【育休】[期間]保育所に入社できない等、会社が認めた場合に限り、3歳まで延長可[給与]法定[取得者数]22年度 男96名(対象113名)女51名(対象51名)23年度 男89名(対象94名)女54名(対象54名)[平均取得日数]22年度 男20日 女355日、23年度 男26日 女356日
【従業員】◇[人数]3,770名(男2,951名、女819名)[平均年齢]39.7歳(男41.4歳、女33.6歳)[平均勤続年数]16.8年(男18.4年、女10.9年)【年齢構成】■男 □女

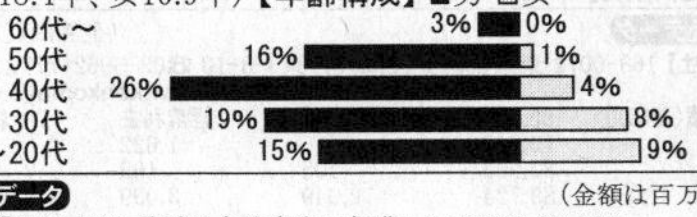
60代～ 3% 0%
50代 16% 1%
40代 26% 4%
30代 19% 8%
～20代 15% 9%

会社データ (金額は百万円)

【本社】799-1582 愛媛県今治市富田新港1-3 ☎0898-24-1881
http://www.nihonshokken.co.jp/

【業績(連結)】	売上高	営業利益	経常利益	純利益
21.9	114,998	5,220	5,521	NA
22.9	125,212	6,043	7,428	NA
23.9	137,736	6,818	7,528	NA

メーカーII

171 開示 ★★★☆☆ 短大 専門 採用あり

ケンコーマヨネーズ(株)

くるみん

【特色】マヨネーズ大手、業務用中心。サラダに強い

記者評価 業務用マヨネーズやドレッシング、サラダ・総菜のほか、卵加工品も扱う。とくに長期保存できるサラダに強い。外食やコンビニ、量販店などが大手取引先でメニュー提案に強み。全国に工場を持つ。一般消費者向けの小型製品にも注力。米国向けなど輸出拡大狙う。

平均勤続年数	男性育休取得率	3年後離職率	平均年収(平均40歳)
◇13.7年	37.5→100%	28.6→22.2%	総661万円

●採用・配属情報●

【男女・文理別採用実績】

	大卒男	大卒女	修士男	修士女
23年	10(文 7理 3)	24(文 6理 18)	2(文 0理 2)	3(文 0理 3)
24年	14(文 6理 8)	11(文 7理 4)	2(文 0理 2)	2(文 0理 2)
25年	5(文 2理 3)	13(文 5理 8)	1(文 0理 1)	2(文 0理 2)

※25年:24年7月末時点

【男女・職種別採用実績】 転換制度:⇒

	全国職	エリア職
23年	39(男 12 女 27)	0(男 0 女 0)
24年	32(男 16 女 16)	7(男 4 女 3)
25年	21(男 6 女 15)	4(男 4 女 0)

【24年4月入社者の配属勤務地】総東京15 大阪2 技神奈川3 東京9 山梨1 静岡4 京都3 兵庫2

【転勤】あり:[職種]全国職[勤務地]東京本社 北海道 宮城 群馬 千葉 神奈川 静岡 山梨 愛知 大阪 兵庫 京都 広島 岡山 香川 福岡 鹿児島

【中途比率】[単年度]21年度19%、22年度23%、23年度10%[全体]NA

●働きやすさ、諸制度●

残業(月) 20.9時間

【勤務時間】8:30〜17:50【有休取得年平均】10.3日【週休】原則2日(年125日)※部署により異なる【夏期休暇】8月13〜15日【年末年始休暇】12月30日〜1月3日

【離職率】NA

【新卒3年後離職率】

[20→23年]28.6%(男40.0%・入社20名、女18.2%・入社22名)

[21→24年]22.2%(男42.9%・入社7名、女9.1%・入社11名)

【テレワーク】制度なし【勤務制度】時差勤務【住宅補助】住宅手当(東京都40,000円 その他30,000円、世帯主対象)

●ライフイベント、女性活躍●

【女性比率】■男 □女

新卒採用 60% (15名)

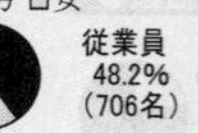

従業員 48.2% (706名)

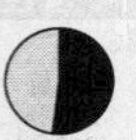

管理職 17.4% (38名)

【産休】[期間]産前6・産後8週間[給与]法定[取得者数]13名

【育休】[期間]1歳になるまで[給与]法定[取得者数]22年度 男3名(対象8名)女18名(対象12名)23年度 男4名(対象4名)女17名(対象13名)[平均取得日数]22年度 NA、23年度 NA

【従業員】◇[人数]1,466名(男760名、女706名)[平均年齢]38.1歳(男41.8歳、女32.5歳)[平均勤続年数]13.7年(男16.8年、女9.1年)

【年齢構成】NA

会社データ (金額は百万円)

【本社】168-0072 東京都杉並区高井戸東3-8-13 ☎03-5962-7777 https://www.kenkomayo.co.jp/

【業績(連結)】	売上高	営業利益	経常利益	純利益
22.3	75,647	1,616	1,622	1,211
23.3	82,363	105	169	485
24.3	88,724	2,949	3,099	2,735

276 開示 ★★★★☆ 短大 専門 採用あり

理研(りけん)ビタミン(株)

プラチナくるみん

【特色】食品・化成品改良剤、ドレッシング、わかめ展開

記者評価 理化学研究所にルーツ。収益柱は食品、化成品に用いる品質改良剤で、業務用食品原料にも強み。海藻の陸上養殖を事業化。食の西欧化進む中国、東南アで顧客深耕。米国のラーメン需要増に対応しオクラホマ州のポークエキス生産設備を増強。24年7月にベースアップ実施。

平均勤続年数	男性育休取得率	3年後離職率	平均年収(平均40歳)
◇16.0年	110.5→80.6%	0→9.1%	総772万円

●採用・配属情報●

【男女・文理別採用実績】

	大卒男	大卒女	修士男	修士女
23年	11(文 2理 9)	5(文 4理 1)	6(文 0理 6)	5(文 0理 5)
24年	15(文 6理 9)	6(文 1理 5)	5(文 0理 5)	4(文 0理 4)
25年	14(文 7理 7)	6(文 3理 3)	7(文 0理 7)	5(文 0理 5)

【男女・職種別採用実績】

	総合職
23年	34(男 23 女 11)
24年	32(男 20 女 12)
25年	36(男 23 女 13)

【24年4月入社者の配属勤務地】総東京・四ツ谷13 大阪市1 技千葉市7 大阪・枚方6 埼玉・草加5

【転勤】あり:全社員

【中途比率】[単年度]21年度27%、22年度48%、23年度29%[全体]◇15%

●働きやすさ、諸制度●

残業(月) 8.4時間 総8.4時間

【勤務時間】9:00〜17:30【有休取得年平均】14.9日【週休】完全2日(土日祝)【夏期休暇】連続3日【年末年始休暇】12月29日〜1月3日

【離職率】◇男:4.7%、38名 女:3.0%、7名

【新卒3年後離職率】

[20→23年]0%(男0%・入社21名、女0%・入社9名)

[21→24年]9.1%(男10.5%・入社19名、女7.1%・入社14名)

【テレワーク】制度あり:[場所]自宅[対象]入社1年に満たない社員および製造部門を除く社員[日数]週2日まで[利用率]10.0%【勤務制度】フレックス 時差勤務 副業容認【住宅補助】住宅手当(2,800〜27,000円)厚生用借上寮(実家から通勤が困難な場合入社後7年または30歳に到達するいずれか遅い時まで入居可、なお6年目までは自己負担1割、以降は退去まで2割自己負担)

●ライフイベント、女性活躍●

【女性比率】■男 □女

新卒採用 36.1% (13名)

従業員 22.9% (227名)

管理職 7.8% (20名)

【産休】[期間]産前6・産後8週間[給与]会社全額給付[取得者数]6名

【育休】[期間]1歳になるまで[給与]短期間の取得に限り最大5日間有給、以降法定[取得者数]22年度 男21名(対象19名)女9名(対象9名)23年度 男29名(対象36名)女5名(対象6名)[平均取得日数]22年度 男18日 女383日、23年度 男27日 女377日

【従業員】◇[人数]993名(男766名、女227名)[平均年齢]39.7歳(男40.3歳、女37.6歳)[平均勤続年数]16.0年(男16.5年、女14.7年)【年齢構成】■男 □女

	男	女
60代〜	1%	0%
50代	17%	4%
40代	24%	7%
30代	21%	6%
〜20代	15%	7%

会社データ (金額は百万円)

【本社】160-0004 東京都新宿区四谷1-6-1 ☎03-5362-1311 https://www.rikenvitamin.jp/

【業績(連結)】	売上高	営業利益	経常利益	純利益
22.3	79,231	5,840	6,182	21,582
23.3	88,750	7,158	7,723	6,414
24.3	91,484	9,371	10,296	8,755

日清食品(株)

にっしんしょくひん

プラチナくるみん

【特色】カップラーメン国内最大手、袋麺も首位級

記者評価 1948年に大阪で創業。58年に即席袋麺の「チキンラーメン」を開発。71年に発売した「カップヌードル」が主力商品。高たんぱく＆低糖質など付加価値タイプの開発にも注力。「日清のどん兵衛」も主力ブランド。生成AIを活用したマーケなどデジタル投資も重点。

平均勤続年数	男性育休取得率	3年後離職率	平均年収(平均39歳)
NA	90.5 → 109.0%	11.1 → 17.8%	(総)797万円

●採用・配属情報●

【男女・文理別採用実績】

	大卒男	大卒女	修士男	修士女
23年	21(文 18理 3)	18(文 15理 3)	23(文 0理 23)	14(文 0理 14)
24年	31(文 23理 8)	24(文 18理 6)	29(文 1理 28)	15(文 0理 15)
25年	28(文 17理 11)	21(文 12理 9)	17(文 1理 16)	20(文 1理 19)

【男女・職種別採用実績】 転換制度:⇒

	総合職
23年	76(男 44 女 32)
24年	99(男 60 女 39)
25年	87(男 46 女 41)

【24年4月入社者の配属勤務地】(総)東京・新宿25 札幌3 名古屋3 大阪6 広島3 福岡4 (技)東京・八王子24 茨城6 静岡9 滋賀13 下関3

【転勤】あり:全社員

【中途比率】[単年度]21年度NA、22年度NA、23年度NA[全体]56%

●働きやすさ、諸制度●

残業(月) 21.6時間

【勤務時間】9:00～17:40 工場部門 8:00～16:40【有休取得年平均】15.6日【週休】完全2日(土日祝)【夏期休暇】有休利用【年末年始休暇】12月30日～1月4日

【離職率】NA

【新卒3年後離職率】

[20→23年]11.1%(男14.8%・入社27名、女0%・入社9名)

[21→24年]17.8%(男21.9%・入社32名、女7.7%・入社13名)

【テレワーク】制度あり:[場所]自宅 コワーキングスペース[対象]工場および研究所を除く全部門[日数]制限なし[利用率]NA【勤務制度】フレックス 副業容認【住宅補助】独身寮(静岡・滋賀)借上社宅 住宅手当

●ライフイベント、女性活躍●

【女性比率】■男 □女

新卒採用 47.1% (41名)

従業員 23.9% (614名)

管理職 8.2% (34名)

【産休】[期間]産前・産後2カ月[給与]法定[取得者数]26名

【育休】[期間]1歳になるまで[給与]法定[取得者数]22年度 男86名(対象95名)女21名(対象21名)23年度 男85名(対象78名)女19名(対象19名)[平均取得日数]22年度 男38日 女350日、23年度 男47日 女351日

【従業員】[人数]2,570名(男1,956名、女614名)[平均年齢]38.7歳(男39.5歳、女36.3歳)[平均勤続年数]NA

【年齢構成】■男 □女

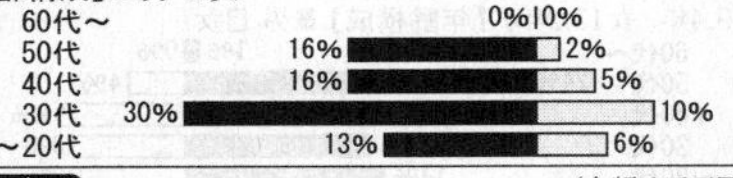

	男	女
60代～	0%	0%
50代	16%	2%
40代	16%	5%
30代	30%	10%
～20代	13%	6%

会社データ (金額は百万円)

【本社】160-8524 東京都新宿区新宿6-28-1 ☎03-3205-5111

https://www.nissin.com/

【業績(IFRS)】	売上高	営業利益	税前利益	純利益
22.3	569,722	46,614	49,182	35,412
23.3	669,248	55,636	57,950	44,760
24.3	732,933	73,361	76,915	54,170

※資本金・業績は日清食品ホールディングス(株)のもの

東洋水産(株)

とうようすいさん

【特色】即席麺国内2位、米国・メキシコで高シェア

記者評価 「マルちゃん」ブランドで有名。ロングセラーの「赤いきつね」、「緑のたぬき」など和風麺が主力。袋麺「マルちゃん正麺」やカップ麺「QTTA」も展開。海外は米国、メキシコで強く、利益柱に。40～50セントの安い商品が中心で、1ドル近辺の高価格帯も拡販へ。

平均勤続年数	男性育休取得率	3年後離職率	平均年収(平均44歳)
21.4年	8.9 → 23.9%	0 → 10.5%	(総)857万円

●採用・配属情報●

【男女・文理別採用実績】

	大卒男	大卒女	修士男	修士女
23年	11(文 11理 0)	2(文 1理 1)	5(文 0理 5)	0(文 0理 0)
24年	12(文 10理 2)	5(文 3理 2)	4(文 0理 4)	0(文 0理 0)
25年	8(文 8理 0)	6(文 2理 4)	4(文 0理 4)	0(文 0理 0)

【男女・職種別採用実績】

	総合職
23年	19(男 17 女 2)
24年	22(男 17 女 5)
25年	18(男 12 女 6)

【24年4月入社者の配属勤務地】(総)東京・港5 北海道・小樽1 仙台1 栃木・宇都宮1 新潟1 静岡・焼津1 名古屋1 神戸1 広島・安芸1 福岡1 (技)北海道・小樽1 千葉・銚子1 埼玉・日高1 群馬・舘林3 静岡・焼津1 神戸1

【転勤】あり:全社員(地域社員を除く)

【中途比率】[単年度]21年度0%、22年度18%、23年度0%[全体]8%

●働きやすさ、諸制度●

残業(月) 25.0時間 (総)25.0時間

【勤務時間】8:30～17:30【有休取得年平均】12.5日【週休】完全2日(土日祝)【夏期休暇】2日【年末年始休暇】連続5日

【離職率】男:3.1%、32名 女:1.6%、4名(早期退職6名含む)

【新卒3年後離職率】

[20→23年]0%(男0%・入社17名、女0%・入社8名)

[21→24年]10.5%(男14.3%・入社14名、女0%・入社5名)

【テレワーク】制度なし【勤務制度】フレックス 時差勤務【住宅補助】独身寮(自社／借上 自己負担5,000～10,000円)社宅(自社／借上 自己負担家賃の3割)住宅手当(寮・社宅入居者除く4,000～27,000円)

●ライフイベント、女性活躍●

【女性比率】■男 □女

新卒採用 33.3% (6名)

従業員 20% (253名)

管理職 6.7% (16名)

【産休】[期間]産前6・産後8週間[給与]法定[取得者数]9名

【育休】[期間]1歳になるまで[給与]法定[取得者数]22年度 男4名(対象45名)女13名(対象13名)23年度 男11名(対象46名)女9名(対象9名)[平均取得日数]22年度 男54日 女329日、23年度 男43日 女307日

【従業員】[人数]1,266名(男1,013名、女253名)[平均年齢]43.9歳(男44.4歳、女41.8歳)[平均勤続年数]21.4年(男22.0年、女19.0年)【年齢構成】■男 □女

	男	女
60代～	6%	0%
50代	26%	5%
40代	20%	6%
30代	20%	5%
～20代	9%	4%

会社データ (金額は百万円)

【本社】108-8501 東京都港区港南2-13-40 ☎03-3458-5111

https://www.maruchan.co.jp/

【業績(連結)】	売上高	営業利益	経常利益	純利益
22.3	361,495	29,737	31,834	22,414
23.3	435,786	40,330	43,724	33,126
24.3	489,013	66,696	74,889	55,653

日本ハム(株)（にっぽん）

【特色】食肉で国内首位。生産から加工、販売まで一貫

記者評価 食肉国内首位。生産から販売まで一貫体制に特徴。食肉生産・卸売りが収益柱。加工品ではウインナー「シャウエッセン」やチルドピザなど。米国、豪州、アジアなど海外展開に積極的。球団運営も。アレルギー対応や機能性表示製品など新分野の開拓注力。

平均勤続年数	男性育休取得率	3年後離職率	平均年収(平均42歳)
18.0年	68.9→97.1%	9.8→4.9%	(総)823万円

●採用・配属情報●

【男女・文理別採用実績】

	大卒男	大卒女	修士男	修士女
23年	22(文 16理 6)	19(文 13理 6)	6(文 0理 6)	2(文 0理 2)
24年	32(文 25理 7)	14(文 11理 3)	7(文 0理 7)	6(文 2理 4)
25年	22(文 14理 8)	22(文 13理 9)	7(文 0理 7)	3(文 1理 2)

【男女・職種別採用実績】

	総合職(全国)	研究職(全国)
23年	44(男 25 女 19)	5(男 3 女 2)
24年	53(男 36 女 17)	6(男 3 女 3)
25年	49(男 25 女 24)	5(男 4 女 1)

【24年4月入社者の配属勤務地】(総)東京28 大阪12 長崎8 茨城5 (技)茨城6
【転勤】あり:全国転勤型正規従業員
【中途比率】[単年度]21年度9%、22年度13%、23年度9%[全体]17%

●働きやすさ、諸制度●

残業(月) 18.7時間 (総)20.4時間

【勤務時間】8:45～17:30(部署により異なる)【有休取得年平均】12.8日【週休】原則2日(日、週休日)【夏期休暇】連続3日【年末年始休暇】12月30日～1月3日
【離職率】男:5.0%、59名 女:2.2%、10名
【新卒3年後離職率】
[20→23年]9.8%(男11.4%・入社35名、女6.3%・入社16名)
[21→24年]4.9%(男0%・入社25名、女12.5%・入社16名)
【テレワーク】制度あり:[場所]自宅 家族居宅 他[対象]全従業員[日数]月10日[利用率]NA【勤務制度】フレックス 時差勤務 勤務間インターバル【住宅補助】社宅

●ライフイベント、女性活躍●

【女性比率】■男 □女

新卒採用 46.3%(25名)　従業員 28.1%(438名)　管理職 10.8%(44名)

【産休】[期間]産前6・産後8週間[給与]法定+共済基金18%[取得者数]38名
【育休】[期間]3歳になるまで[給与]法定[取得者数]22年度 男31名(対象45名)女35名(対象35名)23年度 男33名(対象34名)女36名(対象36名)[平均取得日数]22年度 男16日 女383日、23年度 男22日 女388日
【従業員】[人数]1,557名(男1,119名、女438名)[平均年齢]41.9歳(男43.6歳、女37.3歳)[平均勤続年数]18.0年(男20.0年、女13.0年)
【年齢構成】■男 □女

	男	女
60代～	0%	0%
50代	28%	3%
40代	19%	8%
30代	12%	8%
～20代	13%	9%

会社データ (金額は百万円)

【本社】530-0001 大阪府大阪市北区梅田2-4-9 ブリーゼタワー ☎06-7525-3026 https://www.nipponham.co.jp/

【業績(IFRS)】	売上高	営業利益	税前利益	純利益
22.3	1,174,389	44,133	51,366	48,049
23.3	1,259,792	17,859	22,162	16,637
24.3	1,303,432	40,232	40,599	28,078

伊藤ハム米久ホールディングス(株)（いとうよねきゅう）

くるみん

【特色】国内食肉大手。伊藤ハムと米久が経営統合して設立

記者評価 2016年に伊藤ハムと米久の統合で誕生した持株会社。筆頭株主は三菱商事。伊藤ハムは看板製品「グランドアルトバイエルン」などハム・ソーセージで首位級。大豆ミートも強化中。ニュージーランドに食肉子会社。調達や営業、生産などの統合を進めている。

平均勤続年数	男性育休取得率	3年後離職率	平均年収(平均40歳)
◇17.6年	NA→43.8%	11.6→12.7%	(総)747万円

●採用・配属情報●

【男女・文理別採用実績】

	大卒男	大卒女	修士男	修士女
23年	37(文 25理 12)	13(文 10理 3)	14(文 0理 14)	3(文 0理 3)
24年	36(文 28理 8)	16(文 8理 8)	13(文 0理 13)	4(文 1理 3)
25年	46(文 30理 16)	15(文 9理 6)	10(文 1理 9)	1(文 0理 1)

【男女・職種別採用実績】 転換制度:⇔

	総合職
23年	68(男 52 女 16)
24年	69(男 49 女 20)
25年	72(男 56 女 16)

【24年4月入社者の配属勤務地】(総)東京・目黒25 兵庫・西宮15 埼玉・越谷3 群馬・高崎1 佐賀・鳥栖1 青森・十和田1 (技)兵庫(西宮5 神戸3)千葉・柏6 茨城(取手3 守谷1)愛知・豊橋3 富山・小矢部2
【転勤】あり:全社員
【中途比率】[単年度]21年度NA、22年度NA、23年度NA[全体]◇2%

●働きやすさ、諸制度●

残業(月) 25.6時間 (総)26.1時間

【勤務時間】9:00～17:45【有休取得年平均】11.2日【週休】会社暦2日(主に土日または水日)【夏期休暇】連続4日(週休2日含む)【年末年始休暇】連続6日(週休2日含む)
【離職率】◇男:0.6%、3名 女:2.2%、5名
【新卒3年後離職率】
[20→23年]11.6%(男10.9%・入社46名、女13.0%・入社23名)
[21→24年]12.7%(男12.8%・入社47名、女12.5%・入社24名)
【テレワーク】制度あり:[場所]自宅[対象]制限なし[日数]制限なし[利用率]NA【勤務制度】フレックス 時差勤務 勤務間インターバル 副業容認【住宅補助】借上社宅(独身 転勤 単身)

●ライフイベント、女性活躍●

【女性比率】■男 □女

新卒採用 22.2%(16名)　従業員 29.6%(221名)　管理職 4.8%(7名)

【産休】[期間]産前8・産後8週間[給与]法定[取得者数]8名
【育休】[期間]1歳になるまで[給与]法定[取得者数]22年度NA 23年度 男7名(対象16名)女11名(対象5名)[平均取得日数]22年度 NA、23年度 男46日 女355日
【従業員】◇[人数]747名(男526名、女221名)[平均年齢]41.3歳(男42.7歳、女37.9歳)[平均勤続年数]17.6年(男19.4年、女13.2年)【年齢構成】■男 □女

	男	女
60代～	1%	0%
50代	24%	4%
40代	19%	9%
30代	13%	8%
～20代	14%	8%

会社データ (金額は百万円)

【本社】153-0062 東京都目黒区三田1-6-21 アルト伊藤ビル ☎03-5723-8619 https://www.itoham-yonekyu-holdings.com/

【業績(連結)】	売上高	営業利益	経常利益	純利益
22.3	854,374	24,611	28,596	19,118
23.3	922,682	22,994	26,044	16,975
24.3	955,580	22,336	26,036	15,553

※採用情報は伊藤ハム米久ホールディングス(株)と伊藤ハム(株)の合算

2582 開示 ★★★

プリマハム(株)

[くるみん]

【特色】食肉大手、伊藤忠が筆頭株主。セブン向け総菜も

[記者評価] 加工食品に強く、ハム・ソーセージの国内シェア上位。看板製品のウインナー「香薫」は近年シェア拡大が続く。食肉事業では国内で養豚を強化中。子会社のプライムデリカを通じ、コンビニ大手へ総菜などを供給するベンダー事業も手がける。

平均勤続年数	男性育休取得率	3年後離職率	平均年収(平均42歳)
17.4年	22.7 → 60.0%	17.1 → 15.9%	[総] 768万円

●採用・配属情報●

【男女・文理別採用実績】

	大卒男	大卒女	修士男	修士女
23年	26(文 19理 7)	12(文 9理 3)	4(文 0理 4)	2(文 0理 2)
24年	17(文 13理 4)	18(文 14理 4)	3(文 0理 3)	2(文 0理 2)
25年	24(文 18理 6)	16(文 12理 4)	6(文 0理 6)	1(文 0理 1)

※25年:24年7月19日時点

【男女・職種別採用実績】 転換制度:⇔

	総合職
23年	44(男 30 女 14)
24年	40(男 20 女 20)
25年	47(男 30 女 17)

【24年4月入社者の配属勤務地】[総]東京・品川13 大阪2 名古屋2 仙台2 千葉1 京都1 福岡1 香川・高松1 三重1 鹿児島1 広島1 [技]三重6 茨城4 埼玉1 鹿児島1 東京・品川1 北海道1

【転勤】あり:管理職及び全国社員(一般職)海外を含む全国

【中途比率】[単年度]21年度11%、22年度14%、23年度14%[全体]27%

●働きやすさ、諸制度●

残業(月) 24.6時間 [総]24.6時間

【勤務時間】8:45～17:30【有休取得年平均】12.2日【週休】2日【夏期休暇】3日【年末年始休暇】6日

【離職率】男:2.5%、24名 女:4.0%、9名

【新卒3年後離職率】

[20→23年]17.1%(男14.3%・入社21名、女20.0%・入社20名)

[21→24年]15.9%(男10.5%・入社38名、女50.0%・入社6名)

【テレワーク】制度あり:[場所]原則 自宅[対象]部署ごとの判断による(原則、工場は対象外)[日数]原則 週1(育児・介護等事由により特例あり)[利用率]6.5%【勤務制度】フレックス 時間単位有休 時差勤務 勤務間インターバル【住宅補助】独身寮 社宅 住宅手当

●ライフイベント、女性活躍●

【女性比率】■男 □女

新卒採用
36.2%
(17名)
従業員
18.5%
(217名)
管理職
4.7%
(15名)

【産休】[期間]産前8・産後8週間[給与]法定[取得者数]32名

【育休】[期間]1歳になるまで[給与]法定[取得者数]22年度 男5名(対象22名)女17名(対象17名)23年度 男18名(対象30名)女14名(対象14名)[平均取得日数]22年度 NA、23年度NA

【従業員】[人数]1,172名(男955名、女217名)[平均年齢]41.9歳(男43.1歳、女36.2歳)[平均勤続年数]17.4年(男19.0年、女10.7年)【年齢構成】■男 □女

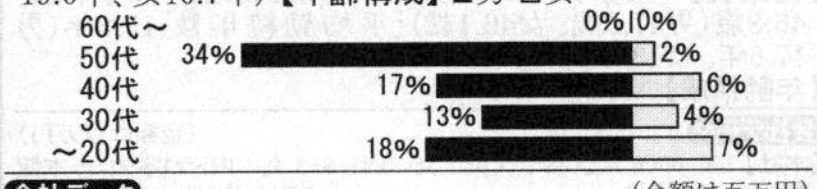

60代～ 0%|0%
50代 34% 2%
40代 17% 6%
30代 13% 4%
～20代 18% 7%

[会社データ] (金額は百万円)

【本社】140-8529 東京都品川区東品川4-12-2 品川シーサイドウエストタワー ☎03-6386-1800 https://www.primaham.co.jp/

【業績(連結)】	売上高	営業利益	経常利益	純利益
22.3	419,591	12,966	14,883	9,718
23.3	430,740	9,725	10,510	4,505
24.3	448,429	11,820	12,884	7,489

88 開示 ★★★

丸大食品(株)

まるだいしょくひん

[くるみん]

【特色】ハム・ソーセージなど食肉加工食品大手の一角

[記者評価] ハム・ソーセージをはじめ総菜、ピザ、レトルト食品などの加工食品が主力。看板製品はソーセージ「燻製屋」。スンドゥブなど韓国料理にも強い。食肉卸や、子会社で手がけるタピオカ飲料やデザートが成長中。大豆肉製品も。開発や営業の改革推進。

平均勤続年数	男性育休取得率	3年後離職率	平均年収(平均45歳)
22.4年	29.4 → 44.4%	19.4 → 31.8%	[総] 618万円

●採用・配属情報●

【男女・文理別採用実績】

	大卒男	大卒女	修士男	修士女
23年	16(文 4理 12)	20(文 7理 13)	3(文 0理 3)	3(文 0理 3)
24年	15(文 4理 11)	15(文 3理 12)	4(文 0理 4)	3(文 0理 3)
25年	16(文 8理 8)	23(文 13理 10)	8(文 1理 7)	7(文 0理 7)

【男女・職種別採用実績】 転換制度:⇔

	総合職
23年	42(男 19 女 23)
24年	37(男 19 女 18)
25年	54(男 24 女 30)

【24年4月入社者の配属勤務地】[総]東京7 大阪・高槻4 名古屋1 仙台1 [技]大阪・高槻11 栃木7 佐賀・唐津3 茨城1 岡山1 静岡1

【転勤】あり:全社員 ※勤務地限定社員除く

【中途比率】[単年度]21年度52%、22年度57%、23年度21%[全体]NA

●働きやすさ、諸制度●

残業(月) 26.1時間 [総]26.1時間

【勤務時間】8:30～17:30【有休取得年平均】10.8日【週休】2日(土日または水日)【夏期休暇】8月13～15日【年末年始休暇】12月31日～1月3日

【離職率】男:3.6%、29名 女:4.8%、8名

【新卒3年後離職率】

[20→23年]19.4%(男21.1%・入社19名、女16.7%・入社12名)

[21→24年]31.8%(男42.9%・入社14名、女12.5%・入社8名)

【テレワーク】制度あり:[場所]自宅[対象]認可された者のみ[日数](営業)週4日(その他)週3日[利用率]NA【勤務制度】フレックス 時差勤務 勤務間インターバル【住宅補助】独身寮(自己負担22,000～25,000円 35歳まで)住宅手当(35歳までの独身者:2,400～53,500円、既婚者:19,000～53,500円)借上社宅(40歳未満の既婚者:基本使用料10,000円+家賃限度額超過分 40歳以上の既婚者:敷金・礼金・更新手数料等を会社負担)

●ライフイベント、女性活躍●

【女性比率】■男 □女

新卒採用
55.6%
(30名)
従業員
17.2%
(159名)
管理職
5.1%
(10名)

【産休】[期間]産前6・産後8週間[給与]法定+共済会1.5割給付[取得者数]6名

【育休】[期間]1歳になるまで[給与]法定+共済会月4万給付[取得者数]22年度 男5名(対象17名)女4名(対象4名)23年度 男4名(対象9名)女6名(対象6名)[平均取得日数]22年度 男94日 女275日、23年度 男53日 女283日

【従業員】[人数]926名(男767名、女159名)[平均年齢]45.2歳(男47.1歳、女36.3歳)[平均勤続年数]22.4年(男24.2年、女13.9年)【年齢構成】■男 □女

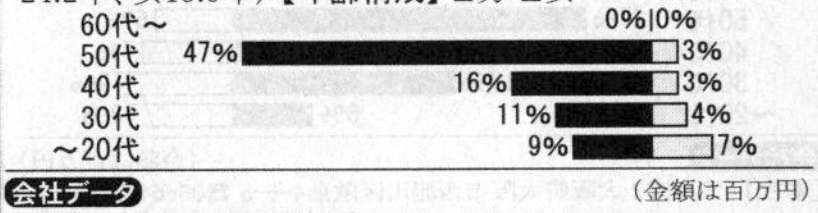

60代～ 0%|0%
50代 47% 3%
40代 16% 3%
30代 11% 4%
～20代 9% 7%

[会社データ] (金額は百万円)

【本社】569-8577 大阪府高槻市緑町21-3 ☎072-661-2524 http://www.marudai.jp/

【業績(連結)】	売上高	営業利益	経常利益	純利益
22.3	218,610	▲865	▲380	▲376
23.3	221,979	▲1,400	▲897	▲4,987
24.3	228,808	3,117	3,639	▲9,414

江崎グリコ(株)

えざき

くるみん

【特色】菓子の国内大手。アイス、カレー、乳製品も展開

記者評価 「ポッキー」「プリッツ」で有名な菓子メーカー。「パピコ」「アイスの実」などアイスも有名。糖質を抑えた商品やアーモンド飲料など健康関連も注力。品質管理や商品開発でのAI活用模索。24年4月のシステム障害で一部商品が一時的に出荷停止に。再発防止に全力。

平均勤続年数	男性育休取得率	3年後離職率	平均年収(平均44歳)
16.9年	100 → 97.0%	3.8 → 3.8%	㊗841万円

●採用・配属情報●

【男女・文理別採用実績】

	大卒男	大卒女	修士男	修士女
23年	4(文 3理 1)	7(文 7理 0)	4(文 0理 4)	5(文 1理 4)
24年	0(文 0理 0)	13(文 12理 1)	2(文 0理 2)	7(文 1理 6)
25年	5(文 4理 1)	12(文 10理 2)	7(文 0理 7)	6(文 1理 5)

【男女・職種別採用実績】

	総合職
23年	20(男 8 女 12)
24年	22(男 2 女 20)
25年	30(男 12 女 18)

【24年4月入社者の配属勤務地】㊗大阪8 名古屋2 宮城2 広島1 群馬1 東京1 福岡1 ㊕大阪6

【転勤】あり:[職種]総合職[勤務地]国内・海外の各事業所

【中途比率】[単年度]21年度63%、22年度63%、23年度80%[全体]33%

●働きやすさ、諸制度●

残業(月) 25.7時間

【勤務時間】8:45〜17:30【有休取得年平均】14.3日【週休】完全2日(土日祝)【夏期休暇】連続5日【年末年始休暇】12月30日〜1月3日+1日

【離職率】NA

【新卒3年後離職率】
[20→23年]3.8%(男0%・入社16名、女10.0%・入社10名)
[21→24年]3.8%(男7.1%・入社14名、女0%・入社12名)

【テレワーク】制度あり:[場所]自宅 カフェ サテライトオフィスなど[対象]正社員[日数]月100時間まで[利用率]NA【勤務制度】フレックス 時間単位有休 勤務間インターバル【住宅補助】借上社宅 住宅手当

●ライフイベント、女性活躍●

【女性比率】■男 □女

新卒採用 60% (18名)

従業員 29.4% (410名)
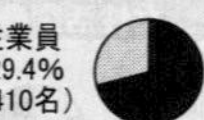

管理職 9.6% (28名)

【産休】[期間]産前6・産後8週間[給与]会社全額給付[取得者数]25名

【育休】[期間]最長2年2カ月まで[給与]法定[取得者数]22年度 男31名(対象31名)女18名(対象18名)23年度 男32名(対象33名)女25名(対象25名)[平均取得日数]22年度 NA、23年度 NA

【従業員】[人数]1,393名(男983名、女410名)[平均年齢]43.8歳(男45.5歳、女39.5歳)[平均勤続年数]16.9年(男18.9年、女11.5年)

【年齢構成】■男 □女

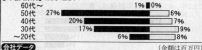

	男	女
60代〜	1%	0%
50代	27%	6%
40代	20%	7%
30代	17%	9%
〜20代	6%	8%

会社データ (金額は百万円)

【本社】555-8502 大阪府大阪市西淀川区歌島4-6-5 ☎06-6477-8364 https://www.glico.com/jp/

【業績(連結)】	売上高	営業利益	経常利益	純利益
21.12	338,571	19,307	21,708	13,519
22.12	303,921	12,845	13,646	8,099
23.12	332,590	18,622	21,285	14,133

カルビー(株)

えるぼし ★★★

【特色】スナック菓子の国内最大手。海外も展開

記者評価 スナックは「ポテトチップス」「かっぱえびせん」「じゃがりこ」などヒット商品多数。海外は米国や中国、英国、インドネシアで展開。社長や経営陣とのスモールミーティング、社員の成長のための上司との面談など、社内コミュニケーションや人事改革に熱心。

平均勤続年数	男性育休取得率	3年後離職率	平均年収(平均*47歳)
15.5年	36.7 → 27.7%	16.7 → 10.9%	㊗828万円

●採用・配属情報●

【男女・文理別採用実績】

	大卒男	大卒女	修士男	修士女
23年	2(文 2理 0)	9(文 5理 4)	9(文 0理 9)	9(文 0理 9)
24年	12(文 7理 5)	25(文 18理 7)	5(文 0理 5)	18(文 3理 15)
25年	13(文 6理 7)	22(文 15理 7)	13(文 0理 13)	5(文 1理 4)

※25年:継続中

【男女・職種別採用実績】

	総合職
23年	29(男 11 女 18)
24年	60(男 18 女 42)
25年	53(男 26 女 27)

【24年4月入社者の配属勤務地】㊗東京9 栃木4 広島2 大阪2 名古屋2 福岡2 北海道2 茨城1 岐阜1 宮城1 埼玉1 滋賀1 鹿児島1 ㊕北海道3 茨城2 岐阜1 栃木7 滋賀6 京都1 広島11

【転勤】あり:全社員(無期転換者を除く)※ただし転勤の希望有無に関する社内申告あり

【中途比率】[単年度]21年度49%、22年度55%、23年度51%[全体]61%

●働きやすさ、諸制度●

残業(月) NA

【勤務時間】8:30〜17:00【有休取得年平均】NA【週休】完全2日(土日祝)【夏期休暇】8月13〜15日【年末年始休暇】12月30日〜1月3日

【離職率】男:2.3%、14名 女:2.0%、12名

【新卒3年後離職率】
[20→23年]16.7%(男28.6%・入社7名、女9.1%・入社11名)
[21→24年]10.9%(男13.3%・入社30名、女6.3%・入社16名)

【テレワーク】制度あり:[場所]自宅 サテライトオフィス 他[対象]当社モバイルワーク規程に基づく対象者[日数]制限なし[利用率]NA【勤務制度】フレックス 副業容認【住宅補助】独身寮 社宅

●ライフイベント、女性活躍●

【女性比率】■男 □女

新卒採用 50.9% (27名)

従業員 50% (593名)

管理職 20.6% (73名)

【産休】[期間]産前6・産後8週間[給与]法定[取得者数]28名

【育休】[期間]2歳になるまで[給与]法定[取得者数]22年度 男18名(対象49名)女38名(対象38名)23年度 男13名(対象47名)女28名(対象28名)[平均取得日数]22年度 男9日 女455日、23年度 男41日 女381日

【従業員】[人数]1,185名(男592名、女593名)[平均年齢]46.8歳(男47.6歳、女46.1歳)[平均勤続年数]15.5年(男17.6年、女13.4年)

【年齢構成】NA

会社データ (金額は百万円)

【本社】100-0005 東京都千代田区丸の内1-8-3 丸の内トラストタワー本館 ☎03-5220-6222 https://www.calbee.co.jp/

【業績(連結)】	売上高	営業利益	経常利益	純利益
22.3	245,419	25,135	26,938	18,053
23.3	279,315	22,233	23,460	14,772
24.3	303,027	27,304	31,155	19,886

メーカーⅡ

もりながせいか 森永製菓㈱

プラチナくるみん

【特色】菓子の国内大手。アイス、健康領域に注力

記者評価 日本で初めてチョコレートの一貫製造を開始したパイオニア。アイスの「チョコモナカジャンボ」、「ハイチュウ」、「inゼリー」などロングセラー多数。ハイチュウを米国で拡販。27年1月稼働メドに新現地工場建設も。職種別の採用で人材幅広い。

平均勤続年数	男性育休取得率	3年後離職率	平均年収(平均45歳)
19.2年	63.0→73.7%	10.0→2.6%	㊗760万円

●採用・配属情報●

【男女・文理別採用実績】

	大卒男	大卒女	修士男	修士女
23年	14(文 11理 3)	6(文 6理 0)	7(文 1理 6)	3(文 0理 3)
24年	19(文 17理 2)	12(文 11理 1)	9(文 0理 9)	8(文 1理 7)
25年	16(文 11理 5)	15(文 11理 4)	8(文 0理 8)	7(文 0理 7)

【男女・職種別採用実績】

	総合職
23年	31(男 22 女 9)
24年	50(男 30 女 20)
25年	49(男 26 女 23)

【24年4月入社者の配属勤務地】㊗北海道1 仙台1 埼玉2 神奈川2 東京7 静岡1 石川1 愛知2 香川1 岡山1 広島2 福岡2 大阪5 群馬1 ㊕神奈川14 愛知2 静岡1 栃木3 群馬1
【転勤】あり:[職種]全社員[勤務地]全国(海外含む)
【中途比率】[単年度]21年度25%、22年度37%、23年度33%[全体]19%

●働きやすさ、諸制度●

残業(月) 14.1時間 ㊗14.1時間

【勤務時間】9:00～17:30(フレックスタイム制 コアタイムなし)【有休取得年平均】14.4日【週休】完全2日(土日祝)【夏期休暇】有休で取得【年末年始休暇】あり
【離職率】男:2.1%、24名 女:1.6%、6名
【新卒3年後離職率】
[20→23年]10.0%(男10.0%・入社20名、女10.0%・入社20名)
[21→24年]2.6%(男4.2%・入社24名、女0%・入社14名)
【テレワーク】制度あり:[場所]制限なし[対象]現場作業者を除く全社員[日数]終日テレワークの場合は、月8回まで[利用率]NA【勤務制度】フレックス 勤務間インターバル 副業容認【住宅補助】借上社宅 住宅手当 他

●ライフイベント、女性活躍●

【女性比率】■男 □女

新卒採用 46.9% (23名)

従業員 24.3% (366名)

管理職 10.6% (24名)
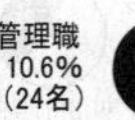

【産休】[期間]産前6・産後8週間[給与]会社全額給付[取得者数]12名
【育休】[期間]2歳または2歳半まで[給与]法定[取得者数]22年度 男17名(対象27名)女9名(対象9名)23年度 男14名(対象19名)女9名(対象9名)[平均取得日数]22年度 NA、23年度NA
【従業員】[人数]1,504名(男1,138名、女366名)[平均年齢]44.5歳(男44.6歳、女40.3歳)[平均勤続年数]19.2年(男20.2年、女16.2年)
【年齢構成】■男 □女

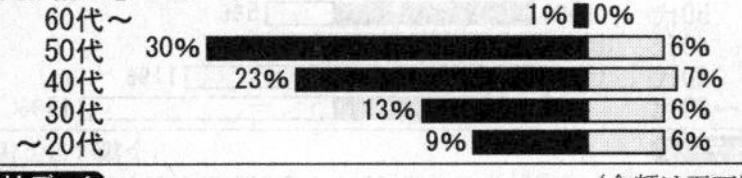

会社データ (金額は百万円)

【本社】105-0023 東京都港区芝浦1-13-16 森永芝浦ビル ☎NA
https://morinaga.co.jp/

【業績(連結)】	売上高	営業利益	経常利益	純利益
22.3	181,251	17,685	18,247	27,773
23.3	194,373	15,235	15,757	10,059
24.3	213,368	20,273	21,039	15,154

㈱ロッテ(㈱ロッテホールディングス)

くるみん

【特色】国内ロッテグループの中核。総合菓子トップ

記者評価 チョコ、ガム、冷菓など総合菓子首位。キャッチコピー「お口の恋人 ロッテ」で消費者の好感度つかみ成長。「キシリトールガム」など先駆的な開発力に強み。「雪見だいふく」は訪日客に人気。携帯カイロも扱う。関連会社にロッテ球団、銀座コージーコーナー。

平均勤続年数	男性育休取得率	3年後離職率	平均年収(平均42歳)
18.3年	107.4→100%	11.1→17.3%	㊗792万円

●採用・配属情報●

【男女・文理別採用実績】

	大卒男	大卒女	修士男	修士女
23年	16(文 16理 0)	12(文 7理 5)	8(文 0理 8)	4(文 0理 4)
24年	25(文 21理 4)	23(文 16理 7)	9(文 0理 9)	7(文 0理 7)
25年	25(文 22理 3)	22(文 17理 5)	8(文 0理 8)	7(文 0理 7)

【男女・職種別採用実績】

	総合職
23年	42(男 26 女 16)
24年	68(男 36 女 32)
25年	64(男 34 女 30)

【24年4月入社者の配属勤務地】㊗東京15 大阪7 福岡6 愛知5 埼玉4 宮城3 北海3 群馬2 神奈川2 広島2 岡山1 千葉1 新潟1 ㊕埼玉14 滋賀2
【転勤】あり:[職種]全社員[勤務地]国内
【中途比率】[単年度]21年度NA、22年度NA、23年度NA[全体]NA

●働きやすさ、諸制度●

残業(月) 15.4時間 ㊗15.4時間

【勤務時間】8:45～17:30 工場・研究所8:30～17:15【有休取得年平均】17.0日【週休】完全2日(土日祝)【夏期休暇】連続3日【年末年始休暇】連続4日
【離職率】男:2.2%、19名 女:3.7%、15名
【新卒3年後離職率】
[20→23年]11.1%(男10.0%・入社50名、女12.9%・入社31名)
[21→24年]17.3%(男15.2%・入社46名、女20.0%・入社35名)
【テレワーク】制度あり:[場所]自宅 当社専用施設[対象]テレワークが可能な部門から部門長が承認した従業員[日数]条件を満たす従業員は週4を上限に可[利用率]9.6%【勤務制度】時差勤務 勤務間インターバル 副業容認【住宅補助】住宅手当

●ライフイベント、女性活躍●

【女性比率】■男 □女

新卒採用 46.9% (30名)
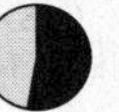
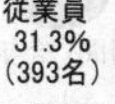
従業員 31.3% (393名)

【産休】[期間]産前7・産後8週間[給与]法定+産前産後各1週間は会社が基本給60%給付[取得者数]16名
【育休】[期間]1歳になるまで[給与]基本給付金、配偶者が産後8週以内の社員の育休に5日賃金給付[取得者数]22年度 男29名(対象27名)女26名(対象26名)23年度 男24名(対象24名)女18名(対象18名)[平均取得日数]22年度NA、23年度 男43日 女359日
【従業員】[人数]1,257名(男864名、女393名)[平均年齢]42.3歳(男43.4歳、女39.7歳)[平均勤続年数]18.3年(男19.3年、女16.3年)
【年齢構成】NA

会社データ (金額は百万円)

【本社】160-0023 東京都新宿区西新宿3-20-1 ☎03-5388-5604
https://www.lotte.co.jp/

【業績(単独)】	売上高	営業利益	経常利益	純利益
22.3	187,561	19,426	20,813	17,141
23.3	192,720	19,483	21,821	15,453
24.3	207,902	20,549	22,978	17,645

※採用情報は㈱ロッテ・㈱ロッテホールディングス合算のもの、その他のデータは㈱ロッテのもの

亀田製菓(株)（かめだせいか）

[えるぼし ★★★] [プラチナ くるみん]

【特色】あられ・せんべい軸に米菓国内首位。海外強化

[記者評価]「亀田の柿の種」「ハッピーターン」が主力で、米菓の国内シェアは3割以上。19年玄米加工会社、21年米粉パン事業をそれぞれ買収し食品事業を強化。保存食の新工場を宮城県に建設中、25年秋稼働へ。海外で米菓需要深耕、米国、ベトナム、タイ、中国で展開。

平均勤続年数	男性育休取得率	3年後離職率	平均年収(平均43歳)
15.0年	51.7→62.1%	0→11.8%	[総]653万円

●採用・配属情報●

【男女・文理別採用実績】

	大卒男	大卒女	修士男	修士女
23年	5(文 5 理 0)	6(文 4 理 2)	3(文 0 理 3)	3(文 2 理 1)
24年	6(文 5 理 1)	4(文 2 理 2)	4(文 0 理 4)	1(文 0 理 1)
25年	5(文 4 理 1)	9(文 9 理 0)	1(文 0 理 1)	5(文 2 理 3)

【男女・職種別採用実績】

	総合職
23年	17(男 8 女 9)
24年	15(男 10 女 5)
25年	20(男 6 女 14)

【24年4月入社者の配属勤務地】[総]仙台1 さいたま1 東京1 名古屋1 大阪2 福岡1 [技]新潟8

【転勤】あり:[職種]総合職[勤務地]全国

【中途比率】[単年度]21年度48%、22年度72%、23年度69%[全体]39%

●働きやすさ、諸制度●

残業(月) 15.1時間 [総]15.1時間

【勤務時間】8:50〜17:30(フレックスタイム制 コアタイムなし)【有休取得年平均】12.4日【週休】完全2日(土日祝)【夏期休暇】あり【年末年始休暇】あり

【離職率】NA

【新卒3年後離職率】

[20→23年]0%(男0%・入社15名、女0%・入社12名)

[21→24年]11.8%(男9.1%・入社11名、女16.7%・入社6名)

【テレワーク】制度あり:[場所]自宅[対象]製造職(工場勤務者)フィールドスタッフ除く[日数]月5日[利用率]NA【勤務制度】フレックス【住宅補助】住宅手当(8割会社負担、限度額あり)

●ライフイベント、女性活躍●

【女性比率】■男 □女

新卒採用 70% (14名)

従業員 30.6% (168名)

管理職 15.9% (18名)

【産休】[期間]産前6・産後8週間[給与]法定[取得者数]14名

【育休】[期間]1歳になるまで[給与]法定[取得者数]22年度 男15名(対象29名)女16名(対象16名)23年度 男18名(対象29名)女14名(対象14名)[平均取得日数]22年度 NA、23年度 男28日 女NA

【従業員】[人数]549名(男381名、女168名)[平均年齢]41.0歳(男42.8歳、女36.8歳)[平均勤続年数]15.0年(男16.3年、女12.0年)

【年齢構成】NA

[会社データ] (金額は百万円)

【本社】950-0198 新潟県新潟市江南区亀田工業団地3-1-1 ☎025-382-2111 https://www.kamedaseika.co.jp/

【業績(連結)】	売上高	営業利益	経常利益	純利益
22.3	85,163	4,863	6,099	4,428
23.3	94,992	3,564	5,215	1,892
24.3	95,534	4,467	6,798	2,257

井村屋グループ(株)（いむらや）

[くるみん]

【特色】「あずきバー」や中華まん主力。BtoB向け拡大中

[記者評価]売上高の約7割があずき由来製品の中堅菓子メーカー。「あずきバー」含む冷菓と、中華まんなど点心が柱。レトルト食品の受託生産などBtoB事業が拡大中。日本酒など新事業に意欲的。海外は中国、米国、マレーシアで展開。冷凍和菓子需要対応で本社工場を増強。

平均勤続年数	男性育休取得率	3年後離職率	平均年収(平均38歳)
13.3年	70.0→38.5%	36.0→13.6%	[総]572万円

●採用・配属情報●

【男女・文理別採用実績】

	大卒男	大卒女	修士男	修士女
23年	7(文 5 理 2)	6(文 2 理 4)	1(文 0 理 1)	0(文 0 理 0)
24年	6(文 2 理 4)	8(文 5 理 3)	3(文 0 理 3)	2(文 1 理 1)
25年	7(文 5 理 2)	13(文 9 理 4)	1(文 0 理 1)	0(文 0 理 0)

【男女・職種別採用実績】

	総合職
23年	16(男 9 女 7)
24年	19(男 9 女 10)
25年	22(男 8 女 14)

【24年4月入社者の配属勤務地】[総]東京・文京4 大阪市1 福岡市1 三重・津1 [技]三重・津10 愛知・豊橋2

【転勤】あり:全社員

【中途比率】[単年度]21年度11%、22年度22%、23年度16%[全体]NA

●働きやすさ、諸制度●

残業(月) 18.2時間 [総]18.2時間

【勤務時間】8:00〜17:00【有休取得年平均】12.6日【週休】会社暦2日【夏期休暇】連続6日【年末年始休暇】連続6日

【離職率】男:2.7%、7名 女:3.9%、7名

【新卒3年後離職率】

[20→23年]36.0%(男25.0%・入社12名、女46.2%・入社13名)

[21→24年]13.6%(男18.2%・入社11名、女9.1%・入社11名)

【テレワーク】制度あり:[場所]自宅[対象]テレワークが可能な職種のみ[日数]制限なし(基本は出社)[利用率]NA【勤務制度】時差勤務【住宅補助】社宅 住宅手当(39歳まで自己負担額7,000〜10,000円(名古屋勤務))

●ライフイベント、女性活躍●

【女性比率】■男 □女

新卒採用 63.6% (14名)

従業員 40.6% (172名)

管理職 16.4% (25名)

【産休】[期間]産前6・産後8週間[給与]法定[取得者数]13名

【育休】[期間]2歳になるまで[給与]法定[取得者数]22年度 男7名(対象10名)女8名(対象8名)23年度 男5名(対象13名)女12名(対象12名)[平均取得日数]22年度 NA、23年度 NA

【従業員】[人数]424名(男252名、女172名)[平均年齢]37.5歳(男40.1歳、女33.7歳)[平均勤続年数]13.3年(男15.3年、女10.4年)

【年齢構成】■男 □女

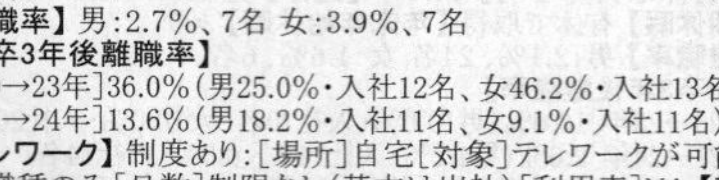
60代〜 0% 0%
50代 15% 5%
40代 16% 6%
30代 16% 11%
〜20代 13% 19%

[会社データ] (金額は百万円)

【本社】514-8530 三重県津市高茶屋7-1-1 ☎059-234-2131 https://www.imuraya-group.com/

【業績(連結)】	売上高	営業利益	経常利益	純利益
22.3	42,151	1,704	2,075	1,473
23.3	44,685	1,992	2,284	1,611
24.3	48,222	2,537	2,904	1,930

にっしんせいふん
日清製粉グループ
㈱日清製粉グループ本社、及び主な事業会社 計8社

【特色】製粉シェア約4割。パスタ、冷食等食品も大手級

[記者評価] 国内製粉業界でトップ。少子高齢化を見据え、中食・総菜の強化と、海外展開に力を入れる。祖業である製粉を起点に、家庭用パスタ、中食・総菜、冷凍食品、エンジニアリング事業に事業を拡大。北米や豪州の製粉会社買収など海外でのM&Aに積極的。

平均勤続年数	男性育休取得率	3年後離職率	平均年収(平均42歳)
15.5年	100→81.8%	0→0%	869万円

●採用・配属情報●

【男女・文理別採用実績】※25年:24年7月31日時点

	大卒男	大卒女	修士男	修士女
23年	19(文 12理 7)	13(文 8理 5)	25(文 0理 25)	8(文 0理 8)
24年	21(文 17理 4)	20(文 13理 7)	35(文 1理 34)	19(文 1理 18)
25年	22(文 18理 4)	23(文 13理 10)	38(文 0理 38)	32(文 0理 32)

【男女・職種別採用実績】 転換制度:⇒

	総合職
23年	67(男 46 女 21)
24年	97(男 56 女 41)
25年	120(男 63 女 57)

【職種併願】食品化学系職種と工学系職種で可能
【24年4月入社者の配属勤務地】[総]大阪3 東京30 福岡1 名古屋4 山梨1 [技]茨城2 群馬2 千葉2 東京39 兵庫2 名古屋4 山梨3 埼玉1 滋賀3
【転勤】あり:全社員
【中途比率】[単年度]21年度39%、22年度43%、23年度59%[全体]36%

●働きやすさ、諸制度●

残業(月) NA

【勤務時間】9:00~17:30 7時間45分(フレックスタイム制 コアタイムなし)【有休取得年平均】15.5日【週休】完全2日(土日祝)【夏期休暇】有休で取得【年末年始休暇】12月30日~1月3日
【離職率】NA
【新卒3年後離職率】
[20→23年]0%(男0%・入社2名、女0%・入社6名)
[21→24年]0%(男0%・入社4名、女0%・入社3名)
【テレワーク】制度あり:[場所]自宅または自宅に準ずる場所(サテライトオフィス 実家等)[対象]NA[日数]原則月8回まで 他[利用率]NA【勤務制度】フレックス 時間単位有休 勤務間インターバル【住宅補助】会社規程により寮・社宅の利用が可能

●ライフイベント、女性活躍●

【女性比率】■男 □女

新卒採用 47.5% (57名)

従業員 29.7% (102名)

【産休】[期間]産前45・産後56日間[給与]産前産後各45日まで会社全額給付、産後46~56日間は法定[取得者数]5名
【育休】[期間]2歳になるまで[給与]法定[取得者数]22年度 男13名(対象13名)女3名(対象3名)23年度 男9名(対象11名)女5名(対象5名)[平均取得日数]22年度 NA、23年度 NA
【従業員】[人数]344名(男242名、女102名)[平均年齢]41.8歳(男42.1歳、女41.2歳)[平均勤続年数]15.5年(男14.9年、女16.8年)
【年齢構成】■男 □女

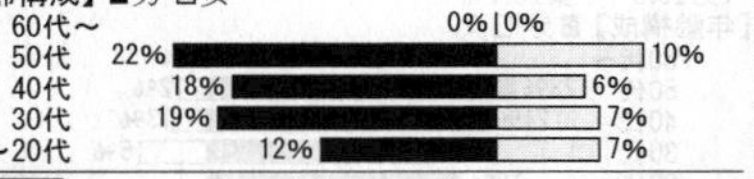

[会社データ] (金額は百万円)
【本社】101-8441 東京都千代田区神田錦町1-25 ☎03-5282-6607
https://www.nisshin.com/

【業績(連結)】	売上高	営業利益	経常利益	純利益
22.3	679,736	29,430	32,626	17,509
23.3	798,681	32,831	33,051	▲10,381
24.3	858,248	47,791	49,992	31,743

※採用はグループ全体、その他データは㈱日清製粉グループ本社のもの

㈱ニップン
[くるみん]

【特色】製粉業界最古参で国内2位。加工食品・総菜強化

[記者評価] 1896年創業、国内初の機械式製粉会社。シェアは日清製粉に次いで第2位。パスタや冷凍食品などの加工食品に加え、健康関連製品など高付加価値品の開発にも力を入れる。21年に社名を「日本製粉」から変更し、製粉を軸とした総合食品企業を指向している。

平均勤続年数	男性育休取得率	3年後離職率	平均年収(平均37歳)
15.2年	44.4→83.3%	11.1→8.6%	[総]791万円

●採用・配属情報●

【男女・文理別採用実績】

	大卒男	大卒女	修士男	修士女
23年	18(文 17理 1)	8(文 6理 2)	9(文 0理 9)	4(文 0理 4)
24年	17(文 13理 4)	15(文 12理 3)	12(文 1理 11)	7(文 0理 7)
25年	24(文 17理 7)	16(文 13理 3)	13(文 0理 13)	14(文 2理 12)

【男女・職種別採用実績】 転換制度:⇒

	総合職
23年	39(男 27 女 12)
24年	51(男 29 女 22)
25年	67(男 37 女 30)

【24年4月入社者の配属勤務地】[総]東京20 宮城2 愛知1 大阪2 広島2 福岡3 [技]東京3 茨城3 群馬2 千葉2 神奈川5 愛知1 兵庫4 福岡1
【転勤】あり:[職種]管理職 総合職
【中途比率】[単年度]21年度0%、22年度10%、23年度29%(総合職を対象)[全体]13%

●働きやすさ、諸制度●

残業(月) 17.0時間

【勤務時間】9:00~17:40【有休取得年平均】13.3日【週休】完全2日(土日祝)【夏期休暇】有休で取得【年末年始休暇】12月30日~1月3日
【離職率】男:2.9%、25名 女:1.4%、5名
【新卒3年後離職率】
[20→23年]11.1%(男13.1%・入社61名、女5.0%・入社20名)
[21→24年]8.6%(男13.6%・入社44名、女0%・入社26名)
【テレワーク】制度あり:[場所]自宅[対象]全社員[日数]月4回[利用率]NA【勤務制度】フレックス 時間単位有休 時差勤務【住宅補助】借上社宅(全国)

●ライフイベント、女性活躍●

【女性比率】■男 □女

新卒採用 44.8% (30名)

従業員 29.2% (342名)

【産休】[期間]産前6・産後8週間[給与]産前・産後通算12週会社全額給付[取得者数]14名
【育休】[期間]1歳になるまで[給与]最初5日間有給、以降法定[取得者数]22年度 男12名(対象27名)女13名(対象15名)23年度 男30名(対象36名)女11名(対象13名)[平均取得日数]22年度 NA、23年度 NA
【従業員】[人数]1,173名(男831名、女342名)[平均年齢]39.8歳(男40.0歳、女39.2歳)[平均勤続年数]15.2年(男15.8年、女14.0年)
【年齢構成】■男 □女

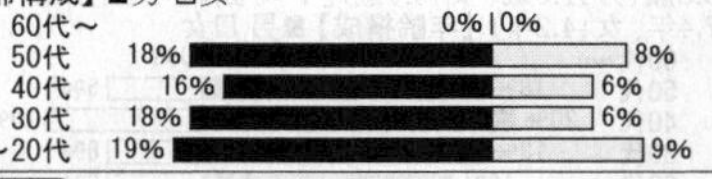

[会社データ] (金額は百万円)
【本社】102-0083 東京都千代田区麹町4-8 ☎03-3511-5301
https://www.nippn.co.jp/

【業績(連結)】	売上高	営業利益	経常利益	純利益
22.3	321,317	11,282	14,270	9,327
23.3	365,525	12,288	14,816	10,260
24.3	400,514	20,340	23,280	26,367

メーカーII

しょうわさんぎょう 昭和産業(株)

えるぼし★★　くるみん

【特色】製粉、油脂が2本柱。食品、糖化品など多角展開

記者評価 国内製粉大手の一角。家庭向け製品「昭和天ぷら粉」の知名度が高い。食用油も大手級で、外食産業向けに製粉と油脂を組み合わせた総合的な提案に力を入れる。油はコメ油、オリーブオイルなど高付加価値品を強化している。糖質、加工食品、飼料などにも展開。

平均勤続年数	男性育休取得率	3年後離職率	平均年収(平均41歳)
◇16.5年	95.7→61.3%	5.9→10.8%	㊙797万円

●採用・配属情報●

【男女・文理別採用実績】※25年:24年7月時点

	大卒男	大卒女	修士男	修士女
23年	16(文 12理 4)	7(文 5理 2)	6(文 0理 6)	11(文 0理 11)
24年	12(文 7理 5)	11(文 8理 3)	7(文 0理 7)	5(文 0理 5)
25年	8(文 7理 1)	10(文 9理 1)	10(文 0理 10)	4(文 0理 4)

【男女・職種別採用実績】　転換制度:⇒

	総合職	一般職
23年	32(男 14 女 18)	8(男 8 女 0)
24年	29(男 14 女 15)	6(男 5 女 1)
25年	32(男 18 女 14)	0(男 0 女 0)

【職種併願】総合職と地域限定職で可能
【24年4月入社者の配属勤務地】㊙東京・千代田14 大阪1 ㊕東京・千代田2 茨城3 千葉9
【転勤】あり:[職種]総合職
【中途比率】[単年度]21年度23%、22年度31%、23年度20%[全体]◇22%

●働きやすさ、諸制度●

残業(月) 10.4時間 ㊙10.3時間

【勤務時間】9:00～17:45【有休取得年平均】12.3日【週休】完全2日(土日祝)【夏期休暇】4日【年末年始休暇】連続5日
【離職率】◇男:2.5%、23名 女:4.0%、15名
【新卒3年後離職率】
[20→23年]5.9%(男4.8%・入社21名、女7.7%・入社13名)
[21→24年]10.8%(男4.2%・入社24名、女23.1%・入社13名)
【テレワーク】制度あり:[場所]自宅 他[対象]育児介護短時間勤務者 傷病により通勤困難者 テレワークに利用できる情報端末を配布している社員[日数]週2回[利用率]NA【勤務制度】時間単位有休 時差勤務【住宅補助】住宅施設(借上社宅 独身社宅)カフェテリアプラン(カフェテリアプランのポイントを住宅補助として使用可能)

●ライフイベント、女性活躍●

【女性比率】■男 □女

新卒採用 43.8%(14名)　従業員 28.2%(358名)　管理職 10%(25名)

【産休】[期間]産前6・産後8週間[給与]会社全額給付[取得者数]15名
【育休】[期間]3歳到達後の4月末まで[給与]5日有給、以降給付金[取得者数]22年度 男22名(対象23名)女18名(対象18名)23年度 男19名(対象31名)女19名(対象19名)[平均取得日数]22年度 男74日 女445日、23年度 男23日 女306日
【従業員】◇[人数]1,270名(男912名、女358名)[平均年齢]40.8歳(男41.0歳、女40.4歳)[平均勤続年数]16.5年(男17.4年、女14.2年)【年齢構成】■男 □女

	男	女
60代～	0%	0%
50代	18%	6%
40代	20%	10%
30代	18%	6%
～20代	16%	6%

会社データ　(金額は百万円)

【本社】101-8521 東京都千代田区内神田2-2-1 ☎03-3257-2023
https://www.showa-sangyo.co.jp/

【業績(連結)】	売上高	営業利益	経常利益	純利益
22.3	287,635	5,564	6,576	4,006
23.3	335,053	4,184	6,525	7,776
24.3	346,358	13,146	16,558	12,358

やまざきせい 山崎製パン(株)

【特色】製パン首位、菓子パン主力。子会社に不二家など

記者評価 食パン「ロイヤルブレッド」、菓子・総菜パン「ランチパック」などロングセラー商品多数。業務用パンやコンビニスイーツも展開。コンビニ「デイリーヤマザキ」事業は立て直しを進めている。神戸屋の包装パンとデリカ食品の製造販売事業を譲受。

平均勤続年数	男性育休取得率	3年後離職率	平均年収(平均39歳)
◇15.3年	11.8→28.0%	28.2→29.4%	㊙706万円

●採用・配属情報●

【男女・文理別採用実績】

	大卒男	大卒女	修士男	修士女
23年	169(文105理 64)	86(文 39理 47)	11(文 0理 11)	4(文 0理 4)
24年	207(文125理 82)	144(文 85理 59)	11(文 0理 11)	9(文 0理 9)
25年	174(文 92理 82)	151(文101理 50)	16(文 0理 16)	10(文 1理 9)

【男女・職種別採用実績】

	総合職
23年	291(男194 女 97)
24年	391(男229 女162)
25年	375(男206 女169)

【24年4月入社者の配属勤務地】㊙東京61 神奈川15 千葉22 埼玉5 茨城10 大阪21 京都8 兵庫3 愛知18 北海道5 宮城5 新潟4 岡山8 広島7 福岡5 熊本4 ㊕東京36 神奈川11 千葉30 埼玉6 茨城8 群馬3 大阪23 京都10 兵庫6 愛知23 北海道2 青森3 宮城5 新潟6 岡山7 広島5 福岡4 熊本2
【転勤】あり:地域社員を除く社員
【中途比率】[単年度]21年度22%、22年度17%、23年度32%[全体]◇33%

●働きやすさ、諸制度●

残業(月) 21.1時間 ㊙21.1時間

【勤務時間】8:15～17:15【有休取得年平均】13.4日【週休】会社暦2日(月9日)【夏期休暇】有休等で取得【年末年始休暇】有休等で取得
【離職率】◇男:4.5%、732名 女:12.0%、559名
【新卒3年後離職率】
[20→23年]28.2%(男25.6%・入社227名、女34.0%・入社106名)
[21→24年]29.4%(男29.8%・入社245名、女28.4%・入社95名)
【テレワーク】制度なし【勤務制度】時差勤務【住宅補助】独身寮(各事業所)社有社宅・借上社宅 住宅手当

●ライフイベント、女性活躍●

【女性比率】■男 □女

新卒採用 45.1%(169名)　従業員 21%(4083名)　管理職 2.7%(28名)

【産休】[期間]産前6・産後8週間[給与]産前6・産後6週間は有給、以降産後8週までは法定[取得者数]190名
【育休】[期間]1歳になるまで[給与]法定[取得者数]22年度 男45名(対象380名)女171名(対象171名)23年度 男98名(対象350名)女161名(対象161名)[平均取得日数]22年度 男30日 女357日、23年度 男34日 女385日
【従業員】◇[人数]19,446名(男15,363名、女4,083名)[平均年齢]39.0歳(男41.0歳、女31.3歳)[平均勤続年数]15.3年(男10.3年、女16.7年)
【年齢構成】■男 □女

会社データ　(金額は百万円)

【本社】101-8585 東京都千代田区岩本町3-10-1 ☎03-5821-2255
https://www.yamazakipan.co.jp/

【業績(連結)】	売上高	営業利益	経常利益	純利益
21.12	1,052,972	18,359	21,382	10,378
22.12	1,077,009	22,032	26,127	12,368
23.12	1,175,562	41,962	45,526	30,168

敷島製パン㈱

しきしませい

えるぼし ★★　くるみん

【特色】製パン業界の老舗。「Pasco」ブランドが浸透

記者評価 製パン国内大手。「Pasco」ブランドで商品展開。食パンでシェアトップ級の「超熟」などロングセラー品多数。国産小麦を使用した商品開発を推進。名古屋銘菓「なごやん」など和菓子も。ベーカリー、外食向けに冷凍生地も手がける。国内12工場、40事業所体制。

平均勤続年数	男性育休取得率	3年後離職率	平均年収(平均40歳)
17.9年	29.0→30.8%	25.0→24.2%	㊕565万円

●採用・配属情報●

【男女・文理別採用実績】

	大卒男	大卒女	修士男	修士女
23年	16(文 3理 13)	27(文 7理 20)	3(文 0理 3)	1(文 0理 1)
24年	13(文 6理 7)	15(文 6理 9)	0(文 0理 0)	1(文 0理 1)
25年	29(文 13理 16)	27(文 18理 9)	2(文 0理 2)	2(文 0理 2)

【男女・職種別採用実績】

	営業職	生産職	設備職
23年	16(男 4女 12)	29(男 13女 16)	2(男 2女 0)
24年	13(男 4女 9)	13(男 6女 7)	5(男 5女 0)
25年	31(男 12女 19)	25(男 16女 9)	4(男 3女 1)

※23年:専門を除く

【24年4月入社者の配属勤務地】㊕東京4 神奈川4 千葉2 愛知7 兵庫3 大阪3 京都1 岡山2 ㊎神奈川1 愛知2 大阪1 千葉1

【転勤】あり:全社員(人事区分が転勤可能に属する人)

【中途比率】[単年度]21年度4%、22年度8%、23年度21% [全体]NA

●働きやすさ、諸制度●

残業(月) 23.0時間 ㊕23.0時間

【勤務時間】8:30〜17:30【有休取得年平均】12.8日【週休】完全2日【夏期休暇】3日(連続休暇制度)【年末年始休暇】年間10日の特別休暇・有休で取得

【離職率】男:2.7%、77名 女:7.4%、77名

【新卒3年後離職率】

[20→23年]25.0%(男25.7%・入社35名、女24.4%・入社41名)

[21→24年]24.2%(男14.3%・入社35名、女35.5%・入社31名)

【テレワーク】制度あり:[場所]自宅 他[対象]業務上在宅勤務が可能な人[日数]週2日まで やむを得ない事由がある場合3日以上可[利用率]NA【勤務制度】時間単位有休 時差勤務【住宅補助】独身寮 社宅(社有・借上)

●ライフイベント、女性活躍●

【女性比率】■男 □女

新卒採用 48.3% (29名)

従業員 25.9% (968名)

【産休】[期間]産前6・産後8週間[給与]法定[取得者数]36名

【育休】[期間]2歳になるまで[給与]法定[取得者数]22年度 男18名(対象62名)女33名(対象33名)23年度 男12名(対象39名)女35名(対象36名)[平均取得日数]22年度 男22日 女402日、23年度 男25日 女382日

【従業員】[人数]3,732名(男2,764名、女968名)[平均年齢]39.6歳(男41.7歳、女33.7歳)[平均勤続年数]17.9年(男19.8年、女12.4年)

【年齢構成】■男 □女

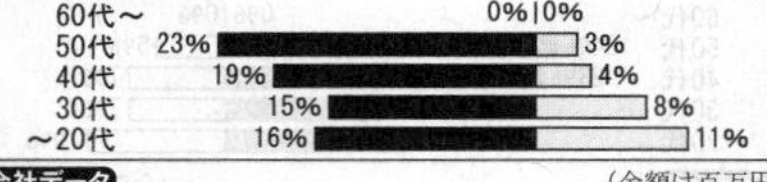

	男	女
60代〜	0%	0%
50代	23%	3%
40代	19%	4%
30代	15%	8%
〜20代	16%	11%

会社データ (金額は百万円)

【本社】461-8721 愛知県名古屋市東区白壁5-3 ☎052-933-2111 https://www.pasconet.co.jp/

【業績(単独)】	売上高	営業利益	経常利益	純利益
21.8	154,327	1,612	2,516	1,092
22.8	148,436	1,984	3,021	2,075
23.8	161,704	4,538	6,108	4,279

㈱YKベーキングカンパニー

ワイケイ

くるみん

【特色】神戸屋の包装パン事業が分離、山崎製パン傘下に

記者評価 食パン、菓子パン、調理パンなど、スーパーやコンビニで売られる包装パンの製販を手がける。ケーキなど洋菓子も。「ハムマヨ」「ミルクフランス」などがロングセラー。23年2月に神戸屋の包装パン事業を分離して発足、同3月から山崎製パングループに。

平均勤続年数	男性育休取得率	3年後離職率	平均年収(平均44歳)
21.7年	50.0→71.4%	ND	㊕601万円

●採用・配属情報●

【男女・文理別採用実績】

	大卒男	大卒女	修士男	修士女
23年	5(文 2理 3)	4(文 4理 0)	0(文 0理 0)	0(文 0理 0)
24年	9(文 7理 2)	12(文 11理 1)	0(文 0理 0)	0(文 0理 0)
25年	9(文 5理 4)	15(文 9理 6)	1(文 0理 1)	2(文 0理 2)

※25年:24年8月時点

【男女・職種別採用実績】 転換制度:⇔

	総合職
23年	9(男 5女 4)
24年	21(男 9女 12)
25年	27(男 10女 17)

【24年4月入社者の配属勤務地】㊕大阪(大阪7 寝屋川3)埼玉・戸田3 神奈川・海老名2 ㊎大阪(大阪1 寝屋川2)埼玉・戸田2 神奈川・海老名1

【転勤】あり:[職種]総合職[勤務地]埼玉 神奈川 大阪 岡山 福井 三重(入社後、エリア限定の準総合職へ切替え制度あり)

【中途比率】[単年度]21年度−、22年度−、23年度46%[全体]17%

●働きやすさ、諸制度●

残業(月) 30.7時間

【勤務時間】8:30〜17:30【有休取得年平均】8.9日【週休】2日【夏期休暇】なし【年末年始休暇】なし

【離職率】男:5.1%、26名 女:7.5%、10名

【新卒3年後離職率】

[20→23年]ND

[21→24年]ND

【テレワーク】制度あり:[場所]原則自宅[対象]全社員[日数]制限なし[利用率]NA【勤務制度】副業容認【住宅補助】住宅手当(8,000〜22,400円)若手社員の住宅補助(入社5年目まで家賃の30〜65%を補助)

●ライフイベント、女性活躍●

【女性比率】■男 □女

新卒採用 63% (17名)

従業員 20.2% (123名)

管理職 1.8% (2名)

【産休】[期間]産前6・産後8週間[給与]法定[取得者数]4名

【育休】[期間]2歳になるまで[給与]法定[取得者数]22年度 男3名(対象6名)女4名(対象4名)23年度 男5名(対象7名)女6名(対象6名)[平均取得日数]22年度 NA、23年度 男126日 女429日

【従業員】[人数]610名(男487名、女123名)[平均年齢]43.9歳(男46.8歳、女32.4歳)[平均勤続年数]21.7年(男24.5年、女10.6年)

【年齢構成】■男 □女

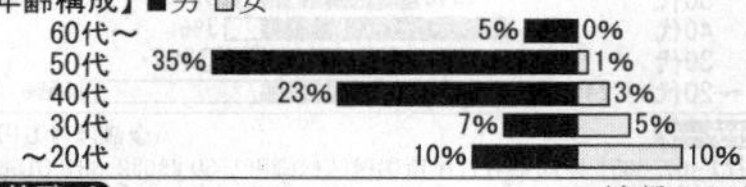

	男	女
60代〜	5%	0%
50代	35%	1%
40代	23%	3%
30代	7%	5%
〜20代	10%	10%

会社データ (金額は百万円)

【本社】533-0014 大阪府大阪市東淀川区豊新2-16-14 ☎06-6321-7202 https://www.ykbaking.co.jp/

【業績(単独)】	売上高	営業利益	経常利益	純利益
23.12変	29,779	241	299	204

メーカーII

フジパングループ本社(株)

【特色】製パン大手の持株会社。マクドナルド向けに強み

記者評価 1922年和洋菓子製造で創業。製パン業界上位。「本仕込食パン」を主力に、「ネオバターロール」「スナックサンド」「ぶどうパン」など売れ筋。国内8工場体制。アレルゲン管理で高付加価値化。物流、弁当・総菜、麺製造、パン製造直売店の経営コンサルも行う。

平均勤続年数	男性育休取得率	3年後離職率	平均年収(平均36歳)
◇13.4年	15.9→13.9%	30.8→0%	総550万円

●採用・配属情報●

【男女・文理別採用実績】

	大卒男	大卒女	修士男	修士女
23年	98(文 59 理 39)	32(文 16 理 16)	9(文 0 理 9)	4(文 0 理 4)
24年	89(文 45 理 44)	37(文 19 理 18)	5(文 0 理 5)	5(文 0 理 5)
25年	94(文 47 理 47)	74(文 55 理 19)	4(文 0 理 4)	4(文 0 理 4)

※25年:見込数

【男女・職種別採用実績】

	総合職
23年	146(男 109 女 37)
24年	137(男 94 女 43)
25年	179(男 99 女 80)

【24年4月入社者の配属勤務地】総(23年)仙台1 埼玉(八潮14 入間10)東京3 横浜9 千葉4 茨城10 愛知(豊明13 西春7 名古屋13)大阪8 神戸2 他

【転勤】あり:[職種]全社員(地域限定社員を除く)[勤務地]全国工場・事業所

【中途比率】[単年度]21年度10%、22年度21%、23年度34%[全体]◇19%

●働きやすさ、諸制度●

残業(月) 総31.7時間

【勤務時間】8:30〜17:30【有休取得年平均】7.6日【週休】会社暦2日【夏期休暇】5日程度(年間休日に含む)【年末年始休暇】5日程度(年間休日に含む)

【離職率】◇男:7.5%、255名 女:11.0%、124名

【新卒3年後離職率】
[20→23年]30.8%(男0%・入社2名、女36.4%・入社11名)
[21→24年]0%(男0%・入社4名、女0%・入社2名)

【テレワーク】制度なし【勤務制度】なし【住宅補助】独身寮(全事業所にあり、30歳まで、寮費約10,000円)地域手当(賃貸契約をした場合)

●ライフイベント、女性活躍●

【女性比率】■男 □女

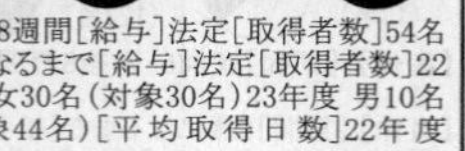

新卒採用 44.7%(80名) 従業員 24.3%(1005名) 管理職 11.9%(160名)

【産休】[期間]産前6・産後8週間[給与]法定[取得者数]54名

【育休】[期間]最長3歳になるまで[給与]法定[取得者数]22年度 男10名(対象63名)女30名(対象30名)23年度 男10名(対象72名)女44名(対象44名)[平均取得日数]22年度 NA、23年度 NA

【従業員】◇[人数]4,144名(男3,139名、女1,005名)[平均年齢]35.8歳(男37.6歳、女30.4歳)[平均勤続年数]13.4年(男14.9年、女8.6年)

【年齢構成】■男 □女

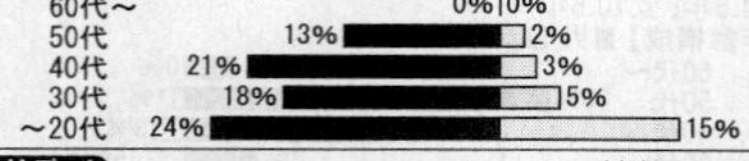

会社データ (金額は百万円)

【本社】467-8651 愛知県名古屋市瑞穂区松園町1-50 ☎052-831-5152
https://www.fujipan.co.jp/

【業績(連結)】	売上高	営業利益	経常利益	純利益
22.6	268,923	4,714	5,133	1,806
23.6	288,165	2,828	3,338	1,878
24.6	300,783	7,851	8,195	3,219

マルハニチロ(株)

えるぼし★★ くるみん

【特色】水産業界の最大手。冷凍食品でも首位級

記者評価 07年にマルハグループ本社とニチロが経営統合、水産業界で首位。水産物の漁獲・養殖、買い付け、販売を一貫で行う。国内首位級の冷凍食品や缶詰、レトルト食品など食品も強い。民間初のクロマグロ完全養殖に成功。畜産のほか、タイでペットフード事業も。

平均勤続年数	男性育休取得率	3年後離職率	平均年収(平均42歳)
16.2年	38.6→69.7%	10.7→8.6%	総759万円

●採用・配属情報●

【男女・文理別採用実績】

	大卒男	大卒女	修士男	修士女
23年	28(文 20 理 8)	35(文 27 理 8)	13(文 0 理 13)	10(文 2 理 8)
24年	28(文 19 理 9)	33(文 28 理 5)	12(文 0 理 12)	7(文 1 理 6)
25年	36(文 31 理 5)	41(文 34 理 7)	14(文 1 理 13)	10(文 3 理 7)

【男女・職種別採用実績】 転換制度:⇔

	総合職	エリア職
23年	83(男 41 女 42)	3(男 0 女 3)
24年	75(男 39 女 36)	5(男 1 女 4)
25年	99(男 50 女 49)	2(男 0 女 2)

【職種併願】総合職と工場地域職で可能

【24年4月入社者の配属勤務地】総東京・江東55 大阪2 名古屋2 広島3 福岡4 北海道2 下関1 技東京・江東7 宇都宮2 茨城・つくば2

【転勤】あり:全社員(エリア職 工場地域職を除く)

【中途比率】[単年度]21年度30%、22年度45%、23年度31%[全体]NA

●働きやすさ、諸制度●

残業(月) 18.4時間 総18.8時間

【勤務時間】7時間40分(フレックスタイム制 コアタイムなし)【有休取得年平均】14.0日【週休】完全2日(土日祝)【夏期休暇】2日【年末年始休暇】12月28日〜1月5日

【離職率】男:3.2%、45名 女:2.9%、17名

【新卒3年後離職率】
[20→23年]10.7%(男14.9%・入社47名、女3.6%・入社28名)
[21→24年]8.6%(男11.4%・入社35名、女4.3%・入社23名)

【テレワーク】制度あり:[場所]実家 残留家族宅[対象]全社員[日数]制限なし[利用率]13.8%【勤務制度】フレックス【住宅補助】独身寮 社宅 住宅費一部補助(入社3年目まで)

●ライフイベント、女性活躍●

【女性比率】■男 □女

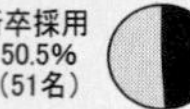

新卒採用 50.5%(51名) 従業員 29.3%(568名) 管理職 7.7%(59名)

【産休】[期間]産前6・産後8週間[給与]会社全額給付[取得者数]24名

【育休】[期間]2歳になるまで[給与]法定[取得者数]22年度 男17名(対象44名)女23名(対象23名)23年度 男23名(対象33名)女29名(対象29名)[平均取得日数]22年度 NA、23年度 男51日 女417日

【従業員】[人数]1,938名(男1,370名、女568名)[平均年齢]41.2歳(男43.2歳、女36.5歳)[平均勤続年数]16.2年(男18.2年、女11.1年)

【年齢構成】■男 □女

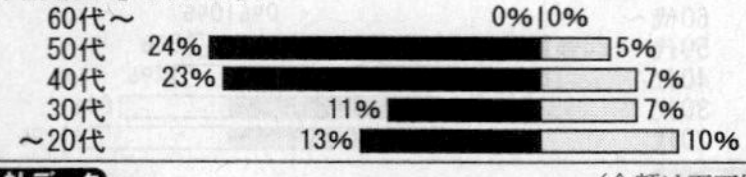

会社データ (金額は百万円)

【本社】135-8608 東京都江東区豊洲3-2-20 豊洲フロント ☎03-6833-0696
https://www.maruha-nichiro.co.jp/

【業績(連結)】	売上高	営業利益	経常利益	純利益
22.3	866,702	23,819	27,596	16,898
23.3	1,020,456	29,575	33,500	18,596
24.3	1,030,674	26,534	31,106	20,853

メーカーII

(株)ニッスイ

[くるみん]

【特色】水産業界2位。漁業・養殖、加工食品などを展開

[記者評価] 水産業界大手。水産品の漁獲から加工、販売まで一貫して展開。ブリやサーモンなどの養殖事業にも強みを持つ。冷凍食品など食品事業の比重が大きい。EPAを軸に水産資源由来の化成品を育成中。ヨーロッパなど成長余地が大きい海外での市場開拓にも邁進。

平均勤続年数	男性育休取得率	3年後離職率	平均年収(平均43歳)
15.9年	78.9→90.9%	12.5→11.1%	[総]766万円

●採用・配属情報●

【男女・文理別採用実績】

	大卒男	大卒女	修士男	修士女
23年	5(文 5 理 0)	5(文 2 理 3)	11(文 0 理 11)	7(文 0 理 7)
24年	7(文 6 理 1)	9(文 7 理 2)	8(文 0 理 8)	11(文 0 理 11)
25年	11(文 9 理 2)	6(文 3 理 3)	10(文 1 理 9)	6(文 0 理 6)

【男女・職種別採用実績】 転換制度:⇔

	総合職
23年	29(男 17 女 12)
24年	35(男 15 女 20)
25年	34(男 21 女 13)

【職種併願】○

【24年4月入社者の配属勤務地】[総]東京(新橋17 八王子1)広島市2 福岡市1 [技]東京(新橋3 八王子7)愛知・安城1 兵庫・姫路2 大分・佐伯1

【転勤】あり:[職種]総合職

【中途比率】[単年度]21年度33%、22年度40%、23年度42%[全体]NA

●働きやすさ、諸制度●

残業(月) 19.0時間 [総]19.0時間

【勤務時間】フレックスタイム制(コアタイムなし)【有休取得年平均】16.3日【週休】完全2日(部署により異なる)【夏期休暇】有休で取得(連続5日以上、土日祝を組み合わせ9連休取得を推奨)【年末年始休暇】12月30日〜1月4日

【離職率】男:2.6%、29名 女:2.1%、9名

【新卒3年後離職率】

[20→23年]12.5%(男20.0%・入社15名、女0%・入社9名)

[21→24年]11.1%(男12.5%・入社24名、女8.3%・入社12名)

【テレワーク】制度あり:[場所]自宅 サテライトオフィス[対象]NA[日数]週3日まで[利用率]NA【勤務制度】フレックス 時間単位有休【住宅補助】単身赴任者借上社宅 住宅補助

●ライフイベント、女性活躍●

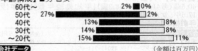

【女性比率】■男 □女

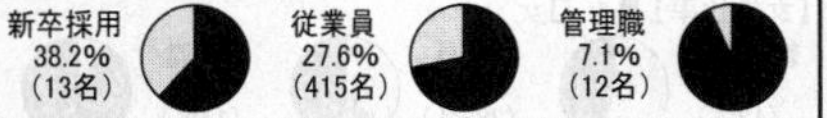
新卒採用
38.2%
(13名)
従業員
27.6%
(415名)
管理職
7.1%
(12名)

【産休】[期間]産前6・産後8週間[給与]会社全額給付[取得者数]17名

【育休】[期間]3歳年度末までの間で2年間[給与]開始5日間有給、以降法定[取得者数]22年度 男30名(対象38名)女12名(対象12名)23年度 男30名(対象33名)女17名(対象17名)[平均取得日数]22年度 NA、23年度 男15日 女NA

【従業員】[人数]1,504名(男1,089名、女415名)[平均年齢]43.1歳(男43.2歳、女42.7歳)[平均勤続年数]15.9年(男16.8年、女13.4年)【年齢構成】■男 □女

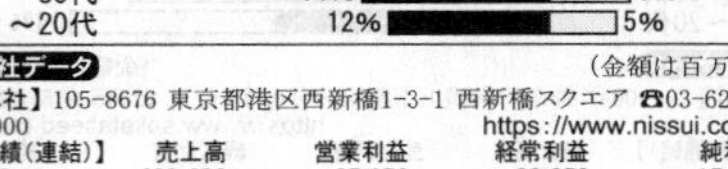
60代〜
0%
0%
50代
26%
9%
40代
20%
8%
30代
14%
6%
〜20代
12%
5%

会社データ (金額は百万円)

【本社】105-8676 東京都港区西新橋1-3-1 西新橋スクエア ☎03-6206-7000 https://www.nissui.co.jp/

【業績(連結)】	売上高	営業利益	経常利益	純利益
22.3	693,682	27,076	32,372	17,275
23.3	768,181	24,488	27,776	21,233
24.3	831,375	29,663	31,963	23,850

(株)極洋(きょくよう)

[えるぼし★★] [くるみん]

【特色】水産物の調達・加工・販売が主力。寿司ネタ強い

[記者評価] 捕鯨ビジネスから出発。水産品の貿易、加工、買い付けが主力。加工食品は業務用が中心で海外加工比率が高い。近年は寿司ネタに加え、白身フライなど冷凍食品や魚の缶詰など常温食品にも注力。欧米や東南アジアを軸に海外事業の拡大を図る。

平均勤続年数	男性育休取得率	3年後離職率	平均年収(平均42歳)
16.6年	10.0→13.3%	6.7→22.6%	[総]936万円

●採用・配属情報●

【男女・文理別採用実績】

	大卒男	大卒女	修士男	修士女
23年	12(文 10 理 2)	12(文 11 理 1)	6(文 1 理 5)	4(文 0 理 4)
24年	9(文 6 理 3)	17(文 9 理 8)	10(文 0 理 10)	0(文 0 理 0)
25年	17(文 8 理 9)	20(文 13 理 7)	17(文 0 理 17)	0(文 0 理 0)

【男女・職種別採用実績】 転換制度:⇔

	総合職	一般職
23年	27(男 18 女 9)	7(男 0 女 7)
24年	26(男 19 女 7)	10(男 0 女 10)
25年	46(男 34 女 12)	8(男 0 女 8)

【24年4月入社者の配属勤務地】[総](23年)東京・赤坂18 大阪4 静岡・焼津1 名古屋1 福岡1 [技](23年)宮城・塩釜2

【転勤】あり:[職種]総合職[勤務地]国内外各地

【中途比率】[単年度]21年度3%、22年度20%、23年度17%[全体]9%

●働きやすさ、諸制度●

残業(月) 14.1時間

【勤務時間】9:00〜17:45【有休取得年平均】11.7日【週休】完全2日(土日祝)【夏期休暇】連続2日【年末年始休暇】連続5日

【離職率】男:4.5%、24名 女:5.5%、12名

【新卒3年後離職率】

[20→23年]6.7%(男10.5%・入社19名、女0%・入社11名)

[21→24年]22.6%(男21.1%・入社19名、女25.0%・入社12名)

【テレワーク】制度なし【勤務制度】時差勤務【住宅補助】地域手当(7,500〜25,000円)単身赴任手当(30,000円)

●ライフイベント、女性活躍●

【女性比率】■男 □女

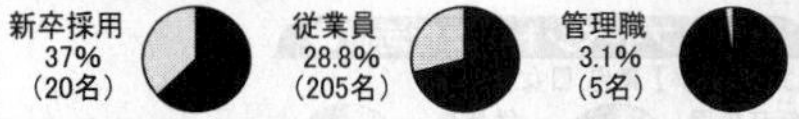
新卒採用
37%
(20名)
従業員
28.8%
(205名)
管理職
3.1%
(5名)

【産休】[期間]産前6・産後8週間[給与]会社全額給付[取得者数]5名

【育休】[期間]産休満了日の翌日または出生日から1年[給与]法定[取得者数]22年度 男2名(対象20名)女8名(対象8名)23年度 男2名(対象15名)女4名(対象4名)[平均取得日数]22年度 NA、23年度 男26日 女326日

【従業員】[人数]711名(男506名、女205名)[平均年齢]41.3歳(男43.3歳、女35.8歳)[平均勤続年数]16.6年(男19.0年、女10.6年)

【年齢構成】■男 □女

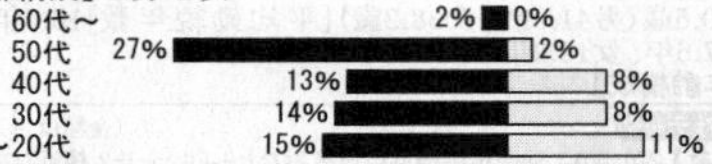
60代〜
2%
0%
50代
27%
2%
40代
13%
8%
30代
14%
8%
〜20代
15%
11%

会社データ (金額は百万円)

【本社】107-0052 東京都港区赤坂3-3-5 ☎03-5545-0704 https://www.kyokuyo.co.jp/

【業績(連結)】	売上高	営業利益	経常利益	純利益
22.3	253,575	6,392	6,904	4,634
23.3	272,167	8,105	8,182	5,782
24.3	261,604	8,806	8,856	5,936

メーカーII

フィード・ワン(株)

[えるぼし ★★] [くるみん]

【特色】三井物産系の飼料メーカー。クロマグロの養殖も

[記者評価] 協同飼料と日本配合飼料が設立した持株会社フィード・ワンHDが15年、両社を吸収合併し現体制に。畜産、水産などの配合飼料が主力。食品も扱う。畜産飼料は業界トップ級。北海道で子牛用粉ミルク設備新設など牛用飼料を強化。海外はベトナム、インドに拠点。

平均勤続年数	男性育休取得率	3年後離職率	平均年収(平均41歳)
16.6年	29.2→84.6%	17.6→16.7%	643万円

●採用・配属情報●

【男女・文理別採用実績】

	大卒男	大卒女	修士男	修士女
23年	11(文 5理 6)	9(文 2理 7)	1(文 0理 1)	0(文 0理 0)
24年	12(文 4理 8)	6(文 2理 4)	6(文 0理 6)	2(文 0理 2)
25年	13(文 3理 10)	2(文 0理 2)	7(文 0理 7)	5(文 0理 5)

【男女・職種別採用実績】

	総合職
23年	21(男 12 女 9)
24年	26(男 18 女 8)
25年	27(男 20 女 7)

【24年4月入社者の配属勤務地】[総]北海道・苫小牧2 青森・八戸2 宮城(仙台2 石巻2)茨城・神栖3 愛知(名古屋2 知多3)北九州8 鹿児島・志布志2

【転勤】あり:[職種]総合職

【中途比率】[単年度]21年度0%、22年度13%、23年度12% [全体]NA

●働きやすさ、諸制度●

残業(月) 6.9時間 [総]8.3時間

【勤務時間】8:30～17:20【有休取得年平均】13.6日【週休】完全2日(土日祝)【夏期休暇】6月1日～10月31日の期間で3日【年末年始休暇】12月30日～1月4日

【離職率】男:2.9%、13名 女:4.2%、5名

【新卒3年後離職率】

[20→23年]17.6%(男21.4%・入社14名、女0%・入社3名)

[21→24年]16.7%(男18.8%・入社16名、女12.5%・入社8名)

【テレワーク】制度あり:[場所]自宅[対象]部門長が認めた正社員[日数]部門長が認めた日数[利用率]NA【勤務制度】時間単位有休 時差勤務【住宅補助】借上社宅 住宅手当

●ライフイベント、女性活躍●

【女性比率】■男 □女

新卒採用 25.9% (7名)

従業員 20.5% (114名)

【産休】[期間]産前6・産後8週間[給与]法定[取得者数]7名

【育休】[期間]1歳になるまで[給与]法定[取得者数]22年度 男7名(対象24名)女3名(対象3名)23年度 男11名(対象13名)女7名(対象7名)[平均取得日数]22年度 男19日 女322日、23年度 男30日 女273日

【従業員】[人数]556名(男442名、女114名)[平均年齢]40.6歳(男41.3歳、女38.2歳)[平均勤続年数]16.6年(男17.6年、女13.0年)

【年齢構成】NA

会社データ (金額は百万円)

【本社】220-0012 神奈川県横浜市西区みなとみらい5-1-2 横浜シンフォステージ ウエストタワー11階 ☎045-211-6524

https://www.feed-one.co.jp/

【業績(連結)】	売上高	営業利益	経常利益	純利益
22.3	243,202	4,293	5,067	3,659
23.3	307,911	1,422	1,711	1,030
24.3	313,875	7,748	7,737	5,084

(株)サカタのタネ

[くるみん]

【特色】種苗首位級。世界各地の自社農場で開発、卸売

[記者評価] 横浜の有力企業。ブロッコリー、カボチャ、ニンジンなど野菜種子、トルコギキョウ、パンジーなど花種子が代表格。ペッパー軸に新興国拡大し、海外比率は7割強。多角化は農業資材が貢献も、造園緑化や家庭園芸は低採算。管理部門除く最終学歴は農業系が目立つ。

平均勤続年数	男性育休取得率	3年後離職率	平均年収(平均43歳)
13.9年	42.1→81.0%	11.1→9.1%	[総]741万円

●採用・配属情報●

【男女・文理別採用実績】

	大卒男	大卒女	修士男	修士女
23年	5(文 2理 3)	3(文 1理 2)	3(文 0理 3)	5(文 0理 5)
24年	5(文 3理 2)	7(文 4理 3)	4(文 0理 4)	6(文 0理 6)
25年	4(文 3理 1)	4(文 2理 2)	4(文 0理 4)	5(文 0理 5)

【男女・職種別採用実績】

	総合職
23年	27(男 10 女 17)
24年	28(男 11 女 17)
25年	22(男 10 女 12)

【24年4月入社者の配属勤務地】[総]横浜12 千葉市1 [技]横浜11 静岡・掛川3 長野・安曇野1

【転勤】あり:全社員

【中途比率】[単年度]21年度29%、22年度18%、23年度18%[全体]10%

●働きやすさ、諸制度●

残業(月) 9.3時間 [総]9.3時間

【勤務時間】9:00～17:35【有休取得年平均】15.1日【週休】完全2日(土日祝)【夏期休暇】年により異なる【年末年始休暇】12月29日～1月3日

【離職率】男:2.6%、12名 女:3.4%、10名

【新卒3年後離職率】

[20→23年]11.1%(男7.7%・入社13名、女14.3%・入社14名)

[21→24年]9.1%(男7.1%・入社14名、女12.5%・入社8名)

【テレワーク】制度あり:[場所]自宅(単身赴任先含む)育児・介護等のために会社が認めた場所[対象]業務に支障が生じないと認められる勤続1年以上の社員または嘱託(育児・介護者 在宅勤務が業務遂行上有効と認められる者他)[日数]NA[利用率]NA【勤務制度】時間単位有休 時差勤務【住宅補助】社有寮(横浜 各地農場)借上寮(全国)住宅手当

●ライフイベント、女性活躍●

【女性比率】■男 □女

新卒採用 54.5% (12名)

従業員 38.3% (282名)

管理職 8.7% (14名)

【産休】[期間]産前6・産後8週間[給与]法定[取得者数]12名

【育休】[期間]1歳になるまで[給与]法定[取得者数]22年度 男8名(対象19名)女10名(対象6名)23年度 男17名(対象21名)女11名(対象11名)[平均取得日数]22年度 NA、23年度 男41日 女413日

【従業員】[人数]737名(男455名、女282名)[平均年齢]39.4歳(男41.5歳、女36.2歳)[平均勤続年数]13.9年(男16.7年、女13.5年)【年齢構成】■男 □女

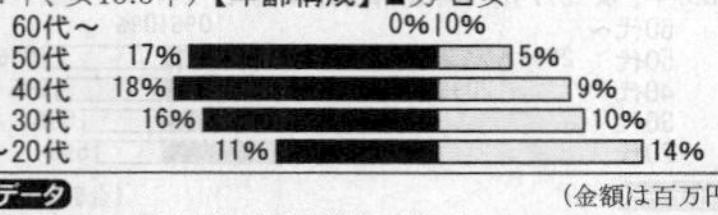
60代～ 0% 0%
50代 17% 5%
40代 18% 9%
30代 16% 10%
～20代 11% 14%

会社データ (金額は百万円)

【本社】224-0041 神奈川県横浜市都筑区仲町台2-7-1 ☎045-945-8800

https://www.sakataseed.co.jp/

【業績(連結)】	売上高	営業利益	経常利益	純利益
22.5	73,049	11,181	12,114	12,256
23.5	77,263	10,918	12,304	9,489
24.5	88,677	10,495	11,124	16,162

メーカーII

カネコ種苗(株)

しゅびょう

【特色】野菜種子など国内種苗大手。農薬や農業資材も販売

[記者評価] 1895年創業。種苗は野菜や花きに強み。農業資材も全国の支店網活用し拡販。「ハイテクと国際化」が経営方針。タイやフィリピンの子会社も活用し野菜・飼料作物種子の新品種開発に注力。センサーやAIによる監視システムを使った養液栽培プラントの開発も。

平均勤続年数	男性育休取得率	3年後離職率	平均年収(平均41歳)
12.7年	25.0→50.0%	23.3→14.3%	609万円

●採用・配属情報●

【男女・文理別採用実績】

	大卒男	大卒女	修士男	修士女
23年	16(文 8理 8)	7(文 3理 4)	9(文 0理 9)	2(文 0理 2)
24年	28(文 11理 17)	4(文 2理 2)	2(文 0理 2)	1(文 0理 1)
25年	16(文 9理 7)	3(文 2理 1)	5(文 0理 5)	0(文 0理 0)

【男女・職種別採用実績】

	総合職	一般職(地域限定)
23年	34(男 25 女 9)	4(男 1 女 3)
24年	35(男 31 女 4)	7(男 4 女 3)
25年	24(男 21 女 3)	2(男 2 女 0)

【24年4月入社者の配属勤務地】[総]群馬12 栃木3 愛知2 福島2 広島2 北海道2 宮城2 宮崎2 熊本1 岩手1 山形1 千葉1 [技]群馬(伊勢崎2 前橋2)

【転勤】あり:[職種]総合職(主に営業職)

【中途比率】[単年度]21年度0%、22年度8%、23年度3% [全体]1%

●働きやすさ、諸制度●

残業(月) 9.0時間

【勤務時間】8:45〜17:30【有休取得年平均】11.6日【週休】完全2日(土日祝)【夏期休暇】連続2日【年末年始休暇】連続5日

【離職率】男:4.7%、26名 女:3.1%、4名

【新卒3年後離職率】
[20→23年]23.3%(男23.1%・入社26名、女25.0%・入社4名)
[21→24年]14.3%(男12.5%・入社16名、女20.0%・入社5名)

【テレワーク】制度なし【勤務制度】時間単位有休【住宅補助】社員寮(群馬県内2カ所)借上社宅(出身地以外の支店に勤務の場合、3割程度の個人負担)住宅手当(地域により変動)

●ライフイベント、女性活躍●

【女性比率】■男 □女

新卒採用 11.5% (3名)

従業員 19.1% (123名)

管理職 5.2% (9名)

【産休】[期間]産前6・産後8週間[給与]法定[取得者数]5名

【育休】[期間]1歳になるまで[給与]法定[取得者数]22年度 男3名(対象12名)女3名(対象3名)23年度 男9名(対象18名)女5名(対象5名)[平均取得日数]22年度 男22日 女307日、23年度 男29日 女272日

【従業員】[人数]645名(男522名、女123名)[平均年齢]41.3歳(男NA、女NA)[平均勤続年数]12.7年(男NA、女NA)

【年齢構成】■男 □女

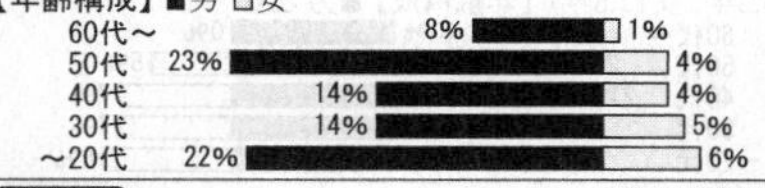

	男	女
60代〜	8%	1%
50代	23%	4%
40代	14%	4%
30代	14%	5%
〜20代	22%	6%

[会社データ] (金額は百万円)

【本社】371-8503 群馬県前橋市古市町1-50-12 ☎027-251-1614
https://www.kanekoseeds.jp/

【業績(連結)】	売上高	営業利益	経常利益	純利益
22.5	60,691	1,835	1,909	1,302
23.5	62,179	1,785	1,913	1,426
24.5	61,598	1,478	1,570	1,177

TOPPANホールディングス(株)

トッパン

[えるぼし★★] [くるみん]

【特色】印刷業界2強。産業資材や電子部材も展開

[記者評価] 商業・出版印刷から、ICカードなど紙以外の印刷、さらに産業資材や半導体関連部材などに事業を多角化。産業資材では、印刷技術を応用したフィルム包装材などを展開。半導体用フォトマスクや液晶などエレクトロニクス分野が収益を支える。23年10月持ち株会社制に移行。

平均勤続年数	男性育休取得率	3年後離職率	平均年収(平均43歳)
17.8年	72.9→88.6%	[!]13.1→[!]14.6%	[総]756万円

●採用・配属情報●

【男女・文理別採用実績】※25年:24年7月2日時点

	大卒男	大卒女	修士男	修士女
23年	120(文 80理 40)	120(文115理 5)	120(文 10理110)	60(文 2理 58)
24年	147(文 93理 54)	150(文123理 27)	134(文 3理131)	54(文 4理 50)
25年	99(文 62理 37)	88(文 75理 13)	115(文 0理115)	49(文 4理 45)

【男女・職種別採用実績】

	総合職
23年	431(男251 女180)
24年	491(男286 女205)
25年	358(男221 女137)

【24年4月入社者の配属勤務地】[総]東京(秋葉原 小石川 他)埼玉・朝霞 大阪 名古屋 福岡 札幌 仙台 他 [技]東京(秋葉原 小石川 他)埼玉(杉戸 朝霞 他)大阪 名古屋 福岡 札幌 仙台 他

【転勤】あり:全社員

【中途比率】[単年度]21年度29%、22年度29%、23年度35%[全体]15%

●働きやすさ、諸制度●

残業(月) NA

【勤務時間】9:00〜18:00【有休取得年平均】11.7日【週休】完全2日(土日祝)【夏期休暇】連続9日【年末年始休暇】連続6日

【離職率】男:4.9%、66名 女:6.3%、26名(早期退職男18名、女6名含む)

【新卒3年後離職率】
[20→23年]13.1%(男16.1%・入社223名、女9.4%・入社181名)※TOPPAN(株)の数値
[21→24年]14.6%(男15.3%・入社236名、女13.9%・入社202名)※TOPPAN(株)の数値

【テレワーク】制度あり:[場所]自宅 シェアオフィス 他[対象]全社員[日数]勤務形態により使用上の制約あり[利用率]20.2%【勤務制度】フレックス 時間単位有休 週休3日 裁量労働 時差勤務 勤務間インターバル 副業容認【住宅補助】独身寮(東京 埼玉 他全国)

●ライフイベント、女性活躍●

【女性比率】■男 □女

新卒採用 38.3% (137名)

従業員 22.9% (384名)

管理職 11.4% (53名)

【産休】[期間]産前6・産後8週間[給与]法定[取得者数]86名

【育休】[期間]1歳になるまで[給与]最初の5日は会社全額給付、以降給付金+育休手当15%(会社)+育児休業援助金日額1000円(共済会)[取得者数]22年度 男151名(対象207名)女87名(対象88名)23年度 男156名(対象176名)女75名(対象75名)[平均取得日数]22年度 男37日 女406日、23年度 男35日 女386日

【従業員】[人数]1,676名(男1,292名、女384名)[平均年齢]43.0歳(男44.6歳、女37.5歳)[平均勤続年数]17.8年(男19.3年、女12.7年)【年齢構成】■男 □女

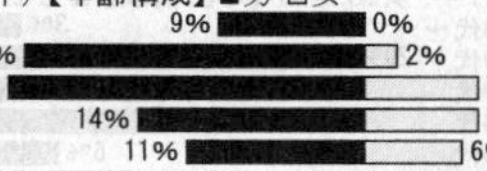

	男	女
60代〜	9%	0%
50代	21%	2%
40代	22%	7%
30代	14%	7%
〜20代	11%	6%

[会社データ] (金額は百万円)

【本社】112-8531 東京都文京区水道1-3-3 ☎03-3835-5111
https://www.holdings.toppan.com/ja/

【業績(連結)】	売上高	営業利益	経常利益	純利益
22.3	1,547,533	73,505	76,318	123,182
23.3	1,638,833	76,636	81,172	60,866
24.3	1,678,249	74,286	82,812	74,395

メーカーⅡ

721 開示 ★★★★☆

だいにっぽんいんさつ
大日本印刷(株)

[くるみん]

【特色】印刷業界2強。産業資材や電子部材などにも展開

[記者評価] 商業印刷、出版印刷に加え、大型書店や電子書籍関連など出版業界への関与が深い。また、印刷技術を応用した包装材、住宅資材、リチウムイオン電池部材などの産業資材事業と液晶・有機EL、半導体関連部材のエレクトロニクス事業も拡大を続けている。

平均勤続年数	男性育休取得率	3年後離職率	平均年収(平均44歳)
◇20.3年	60.3→98.7%	7.3→9.2%	[総]804万円

●採用・配属情報●

【男女・文理別採用実績】

	大卒男	大卒女	修士男	修士女
23年	45(文 33理 12)	44(文 36理 8)	65(文 1理 64)	23(文 1理 22)
24年	45(文 36理 9)	40(文 34理 6)	74(文 1理 73)	19(文 5理 14)
25年	-(文 -理 -)	-(文 -理 -)	-(文 -理 -)	-(文 -理 -)

【男女・職種別採用実績】

	総合職
23年	177(男110 女 67)
24年	181(男122 女 59)
25年	-(男 - 女 -)

【24年4月入社者の配属勤務地】[総]東京 大阪 他 [技]東京 福島 茨城 埼玉 千葉 神奈川 京都 大阪 岡山 広島 福岡 他
【転勤】あり:[職種]全社員(地域限定採用制度の適用者を除く)[勤務地]全国
【中途比率】[単年度]21年度15%、22年度21%、23年度27%[全体]◇16%

●働きやすさ、諸制度●

残業(月) [総]13.0時間

【勤務時間】フレックスタイム制【有休取得年平均】10.5日【週休】完全2日(土日祝)【夏期休暇】連続9日【年末年始休暇】連続9日
【離職率】◇男:1.8%、131名 女:2.0%、45名
【新卒3年後離職率】
[20→23年]7.3%(男8.9%・入社124名、女4.4%・入社68名)
[21→24年]9.2%(男8.7%・入社126名、女10.1%・入社69名)
【テレワーク】制度あり:[場所]自宅 サテライトオフィス 他[対象]会社が業務上必要と判断し、情報通信機器を貸与した者[日数]制限なし※フルテレワークではない[利用率]32.7%【勤務制度】フレックス 時間単位有休 週休3日 裁量労働 時差勤務 勤務間インターバル 副業容認【住宅補助】独身寮(現在約200名が利用)借上社宅(全国で約1,400名が利用)

●ライフイベント、女性活躍●

【女性比率】■男 □女

従業員 23.3% (2237名)

管理職 9.4% (347名)

【産休】[期間]産前8・産後8週間[給与]法定[取得者数]57名
【育休】[期間]2歳1カ月になるまで[給与]給付金+5日間有給+ライフサポート特別休暇(最大40日間有給)[取得者数]22年度 男114名(対象189名)女77名(対象77名)23年度 男154名(対象156名)女77名(対象77名)[平均取得日数]22年度 男32日 女412日、23年度 男40日 女404日
【従業員】◇[人数]9,589名(男7,352名、女2,237名)[平均年齢]44.2歳(男45.8歳、女38.9歳)[平均勤続年数]20.3年(男21.7年、女16.0年)【年齢構成】■男 □女

	男	女
60代～	3%	0%
50代	29%	4%
40代	24%	7%
30代	14%	8%
～20代	6%	5%

会社データ (金額は百万円)
【本社】162-8001 東京都新宿区市谷加賀町1-1-1 ☎03-3266-2111 https://www.dnp.co.jp/

【業績(連結)】	売上高	営業利益	経常利益	純利益
22.3	1,344,147	66,788	81,249	97,182
23.3	1,373,209	61,233	83,661	85,692
24.3	1,424,822	75,450	98,702	110,929

714 開示 ★★★★☆

トッパン
TOPPANエッジ(株)

[えるぼし ★★★] [くるみん]

【特色】データプリントサービス大手。TOPPANグループ

[記者評価] 23年4月トッパン・フォームズと凸版印刷セキュア事業部が統合して現体制。企業の顧客データ管理から請求書などの印刷、発送まで代行するデータプリントサービス(DPS)で実績。DPSを核として、顧客の業務全般を請け負うBPO(業務請負)が主力事業。

平均勤続年数	男性育休取得率	3年後離職率	平均年収(平均44歳)
18.2年	87.5→67.6%	12.3→7.5%	[総]685万円

●採用・配属情報●

【男女・文理別採用実績】

	大卒男	大卒女	修士男	修士女
23年	21(文 13理 8)	20(文 16理 4)	9(文 1理 8)	2(文 0理 2)
24年	24(文 18理 6)	38(文 34理 4)	6(文 0理 6)	3(文 0理 3)
25年	21(文 13理 8)	23(文 19理 4)	2(文 0理 2)	1(文 0理 1)

【男女・職種別採用実績】

	総合職
23年	52(男 30 女 22)
24年	71(男 30 女 41)
25年	47(男 23 女 24)

【24年4月入社者の配属勤務地】[総]東京(汐留34 区内1)札幌2 仙台2 さいたま2 名古屋3 大阪5 広島2 福岡1 [技]東京(汐留11 八王子5 豊洲1 他区内1)大阪1
【転勤】あり:全社員
【中途比率】[単年度]21年度35%、22年度53%、23年度50%[全体]20%

●働きやすさ、諸制度●

残業(月) 18.7時間 [総]18.7時間

【勤務時間】9:00～18:00【有休取得年平均】12.5日【週休】完全2日(土日祝)【夏期休暇】連続9～10日(有休2日、土日祝含む)【年末年始休暇】12月29日～1月3日
【離職率】男:6.7%、106名 女:7.0%、42名(早期退職男70名、女20名含む 他に男8名グループ間の移籍)
【新卒3年後離職率】
[20→23年]12.3%(男14.7%・入社34名、女8.7%・入社23名)
[21→24年]7.5%(男10.7%・入社28名、女4.0%・入社25名)
【テレワーク】制度あり:[場所]自宅 サテライトオフィス モバイル勤務[対象]テレワーク可能機器が貸与されている者[日数]週1日以上は出社[利用率]17.5%【勤務制度】フレックス 時間単位有休 裁量労働 時差勤務 勤務間インターバル【住宅補助】独身寮(都内)

●ライフイベント、女性活躍●

【女性比率】■男 □女

新卒採用 51.1% (24名)

従業員 27.5% (559名)

管理職 8.4% (34名)

【産休】[期間]産前6・産後8週間[給与]法定[取得者数]32名
【育休】[期間]原則1歳になるまで、保育施設入所不可の場合等は延長可[給与]法定[取得者数]22年度 男35名(対象40名)女18名(対象13名)23年度 男25名(対象37名)女27名(対象32名)[平均取得日数]22年度 男18日 女228日、23年度 男18日 女197日
【従業員】[人数]2,030名(男1,471名、女559名)[平均年齢]43.9歳(男46.1歳、女38.1歳)[平均勤続年数]18.2年(男20.3年、女12.8年)【年齢構成】■男 □女

	男	女
60代～	10%	0%
50代	20%	5%
40代	21%	7%
30代	13%	7%
～20代	8%	8%

会社データ (金額は百万円)
【本社】105-8311 東京都港区東新橋1-7-3 TOPPANエッジビル ☎03-6253-6000 https://www.edge.toppan.com/

【業績(単独)】	売上高	営業利益	経常利益	純利益
22.3	181,634	2,674	6,000	3,315
23.3	176,883	1,956	5,398	3,391
24.3	258,651	1,847	5,423	4,414

きょうどういんさつ
共同印刷(株)

えるぼし★★★　くるみん

【特色】国内印刷3位。情報セキュリティや生活資材も

[記者評価] 1897年創業の老舗で総合印刷3位。出版は伝統的にコミック誌が強かったが、現在ではICカード印刷やデータプリントサービスが主力に。ラミネートチューブや紙容器といった生活資材への印刷も重要な収益源。顧客の販促・業務DX化支援など事業領域拡大に注力。

平均勤続年数	男性育休取得率	3年後離職率	平均年収(平均44歳)
◇16.2年	55.6→100%	11.1→0%	[総]627万円

●採用・配属情報●

【男女・文理別採用実績】

	大卒男	大卒女	修士男	修士女
23年	8(文 5理 3)	12(文 9理 3)	2(文 0理 2)	2(文 0理 2)
24年	9(文 7理 2)	11(文 10理 1)	0(文 0理 0)	4(文 2理 2)
25年	10(文 4理 6)	19(文 16理 3)	4(文 1理 3)	0(文 0理 0)

【男女・職種別採用実績】

	総合職
23年	24(男 10 女 14)
24年	24(男 9 女 15)
25年	33(男 14 女 19)

【24年4月入社者の配属勤務地】[総]東京本社17 名古屋1 [技]東京本社5 茨城・守谷1
【転勤】あり:全社員
【中途比率】[単年度]21年度23%、22年度33%、23年度32%[全体]◇42%

●働きやすさ、諸制度●

残業(月) 18.2時間 [総]18.2時間

【勤務時間】9:00～18:00(スーパーフレックスタイム制)【有休取得年平均】12.4日【週休】完全2日(土日祝)【夏期休暇】3日【年末年始休暇】連続7日
【離職率】◇男:2.9%、41名 女:3.0%、15名
【新卒3年後離職率】
[20→23年]11.1%(男11.1%・入社9名、女11.1%・入社9名)
[21→24年]0%(男0%・入社10名、女0%・入社7名)
【テレワーク】制度あり:[場所]自宅 サテライト型シェアオフィス 他[対象]テレワーク勤務ができる業務に従事するもの[日数]制限なし[利用率]NA【勤務制度】フレックス 時間単位有休 勤務間インターバル 副業容認【住宅補助】住宅手当 社宅利用者は家賃の3割を会社が負担 対象者 30歳未満 自宅から勤務地まで2時間以上

●ライフイベント、女性活躍●

【女性比率】■男 □女

新卒採用 57.6% (19名)
従業員 25.7% (481名)
管理職 9.4% (35名)
【産休】[期間]産前6・産後8週間[給与]法定[取得者数]13名
【育休】[期間]2歳になるまで[給与]法定[取得者数]22年度 男30名(対象54名)女16名(対象16名)23年度 男33名(対象33名)女15名(対象15名)[平均取得日数]22年度 NA、23年度 NA
【従業員】◇[人数]1,872名(男1,391名、女481名)[平均年齢]44.4歳(男46.0歳、女39.9歳)[平均勤続年数]16.2年(男18.1年、女10.8年)
【年齢構成】■男 □女
[会社データ] (金額は百万円)
【本社】112-8501 東京都文京区小石川4-14-12 ☎03-3817-2072
https://www.kyodoprinting.co.jp/

【業績(連結)】	売上高	営業利益	経常利益	純利益
22.3	88,416	756	1,298	683
23.3	93,363	775	1,289	1,253
24.3	96,992	1,577	2,083	1,495

トッパン
TOPPANクロレ(株)

【特色】凸版印刷子会社。印刷から教育関連等に展開

[記者評価] 19年親会社の凸版印刷が株式交換で完全子会社化。出版印刷が中心だったが、事業環境変化に伴い周辺分野に進出。現在は出版印刷・マーケティングの情報デザインと、語学学習・研修などの教育ソリューションが2本柱。24年7月、図書印刷から現社名に変更。

平均勤続年数	男性育休取得率	3年後離職率	平均年収(平均47歳)
◇23.9年	73.3→80.0%	28.6→18.2%	NA

●採用・配属情報●

【男女・文理別採用実績】

	大卒男	大卒女	修士男	修士女
23年	6(文 6理 0)	4(文 3理 1)	1(文 1理 0)	0(文 0理 0)
24年	3(文 3理 0)	2(文 2理 0)	0(文 0理 0)	0(文 0理 0)
25年	0(文 0理 0)	0(文 0理 0)	0(文 0理 0)	0(文 0理 0)

【男女・職種別採用実績】

	総合職	専門職
23年	11(男 7 女 4)	3(男 1 女 2)
24年	5(男 3 女 2)	0(男 0 女 0)
25年	0(男 0 女 0)	0(男 0 女 0)

【24年4月入社者の配属勤務地】[総]東京・東十条5
【転勤】あり:全社員
【中途比率】[単年度]21年度NA、22年度NA、23年度NA[全体]NA

●働きやすさ、諸制度●

残業(月) NA

【勤務時間】本社・営業所9:00～18:00【有休取得年平均】14.8日【週休】完全2日(土日祝)【夏期休暇】6日(有休3日含む)【年末年始休暇】連続6日(有休1日含む)
【離職率】◇男:5.9%、51名 女:9.2%、12名(早期退職男14名、女3名含む)
【新卒3年後離職率】
[20→23年]28.6%(男44.4%・入社9名、女0%・入社5名)
[21→24年]18.2%(男14.3%・入社7名、女25.0%・入社4名)
【テレワーク】制度あり:[場所]自宅[対象]会社が認めた者[日数]週2日[利用率]NA【勤務制度】フレックス 時間単位有休 時差勤務【住宅補助】住宅補助 独身寮(高卒・専門卒)

●ライフイベント、女性活躍●

【女性比率】■男 □女

従業員 12.6% (118名)
【産休】[期間]産前45・産後56日間[給与]法定[取得者数]3名
【育休】[期間]最大2歳になるまで、または1歳6カ月到達後最初の3月31日までのいずれか長い期間で延長可[給与]会社給(1割)+福祉会(1日千円)+給付金[取得者数]22年度 男11名(対象15名)女3名(対象3名)23年度 男8名(対象10名)女2名(対象2名)[平均取得日数]22年度 男14日 女376日、23年度 男15日 女463日
【従業員】◇[人数]936名(男818名、女118名)[平均年齢]47.0歳(男47.3歳、女40.2歳)[平均勤続年数]23.9年(男24.5年、女17.0年)
【年齢構成】■男 □女
[会社データ] (金額は百万円)
【本社】114-0001 東京都北区東十条3-10-36 ☎03-5843-9700
https://www.toppan-colorer.co.jp/

【業績(単独)】	売上高	営業利益	経常利益	純利益
22.3	36,683	75	437	▲586
23.3	35,303	▲304	▲140	▲747
24.3	36,148	617	807	91

※採用情報は24年実績

メーカーII

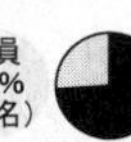

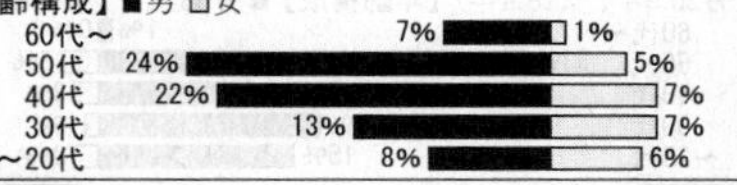

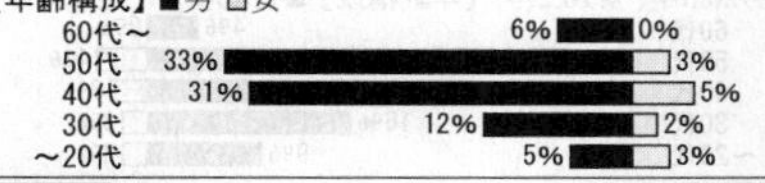

王子ホールディングス(株)（おうじ）

えるぼし ★★★

【特色】製紙国内首位の持株会社。板紙1位、紙2位

[記者評価] 1873年創立の旧王子製紙の戦後分割3社のうち苫小牧製紙と本州製紙を継承。2012年から持ち株会社体制。パルプ・紙の国内最大手、世界でも有力。段ボール原紙など板紙は国内首位。家庭紙「ネピア」ブランドで展開。24年4月に欧州の包装資材加工会社を買収。

平均勤続年数	男性育休取得率	3年後離職率	平均年収(平均47歳)
◇20.0年	98.5→92.0%	0→12.2%	[総]843万円

●採用・配属情報●

【男女・文理別採用実績】※25年:計画数

	大卒男	大卒女	修士男	修士女
23年	11(文 9理 2)	8(文 7理 1)	22(文 1理 21)	12(文 1理 11)
24年	23(文 11理 12)	17(文 15理 2)	18(文 0理 18)	11(文 0理 11)
25年	27(文 14理 13)	15(文 13理 2)	26(文 0理 26)	15(文 0理 15)

【男女・職種別採用実績】 転換制度:⇒

	総合職
23年	53(男 33 女 20)
24年	69(男 41 女 28)
25年	83(男 53 女 30)

【24年4月入社者の配属勤務地】[総]東京10 静岡3 兵庫2 佐賀2 北海道1 福島1 神奈川1 愛知1 長野1 岐阜1 滋賀1 大阪1 広島1 大分1 宮崎1 [技]東京20 愛知5 滋賀3 栃木2 兵庫2 宮崎2 北海道1 福島1 長野1 静岡1 滋賀1 徳島1 大分1

【転勤】あり:全職員

【中途比率】[単年度]21年度17%、22年度22%、23年度48%[全体]NA

●働きやすさ、諸制度●

残業(月) 17.2時間 [総]17.1時間

【勤務時間】9:00～17:30【有休取得年平均】15.5日【週休】完全2日(土日祝)【夏期休暇】有休で取得【年末年始休暇】12月30日～1月3日

【離職率】◇男:3.3%、246名 女:2.3%、21名

【新卒3年後離職率】
[20→23年]0%(男0%・入社34名、女0%・入社15名)
[21→24年]12.2%(男11.4%・入社35名、女14.3%・入社14名)

【テレワーク】制度あり:[場所]自宅[対象]制限なし[日数]原則月5回まで(短時間勤務者は月10回まで)[利用率]NA【勤務制度】フレックス 時間単位有休 裁量労働 時差勤務 勤務間インターバル 副業容認【住宅補助】寮・社宅(全事業場)住宅費補助 ※半期 第一地区 無家族 121,500円 有家族 162,000円 第二地区 無家族 90,000円 有家族 120,000円

●ライフイベント、女性活躍●

【女性比率】■男 □女

新卒採用 36.1% (30名)

従業員 11.2% (893名)

管理職 4.5% (77名)

【産休】[期間]産前6・産後8週間[給与]会社8割給付[取得者数]13名

【育休】[期間]1歳になるまで[給与]法定[取得者数]22年度 男128名(対象130名)女21名(対象21名)23年度 男126名(対象137名)女18名(対象18名)[平均取得日数]22年度 男NA 女322日、23年度 男13日 女330日

【従業員】◇[人数]8,002名(男7,109名、女893名)[平均年齢]45.1歳(男45.2歳、女44.3歳)[平均勤続年数]20.0年(男20.5年、女16.2年)【年齢構成】■男 □女

	男	女
60代～	4%	0%
50代	33%	4%
40代	26%	3%
30代	16%	2%
～20代	9%	2%

会社データ

(金額は百万円)

【本社】104-0061 東京都中央区銀座4-7-5 ☎03-3563-4400 https://www.ojiholdings.co.jp/

【業績(連結)】	売上高	営業利益	経常利益	純利益
22.3	1,470,161	120,119	135,100	87,509
23.3	1,706,641	84,818	95,008	56,483
24.3	1,696,268	72,600	85,987	50,812

※注記のないデータは傘下9社を含む主要10社のもの

日本製紙(株)（にっぽんせいし）

えるぼし ★★ くるみん

【特色】製紙で王子HDと国内2強。製紙、板紙ともに有数

[記者評価] 製紙国内2強の一角。旧王子製紙の戦後分割3社のうち十條製紙を継承、1993年山陽国策パルプ、2001年大昭和製紙と統合。家庭紙は「クリネックス」「スコッティ」ブランド。需要減続く新聞・印刷用紙は一部抄紙機停機など再編。バイオマス発電や紙容器など強化。

平均勤続年数	男性育休取得率	3年後離職率	平均年収(平均*43歳)
◇20.7年	14.9→34.3%	10.4→14.0%	[総]748万円

●採用・配属情報●

【男女・文理別採用実績】

	大卒男	大卒女	修士男	修士女
23年	11(文 8理 3)	10(文 7理 3)	11(文 0理 11)	11(文 0理 11)
24年	23(文 14理 9)	17(文 14理 3)	16(文 0理 16)	5(文 0理 5)
25年	8(文 4理 4)	15(文 11理 4)	15(文 0理 15)	11(文 1理 10)

【男女・職種別採用実績】

	総合職
23年	43(男 22 女 21)
24年	63(男 40 女 23)
25年	49(男 23 女 26)

【24年4月入社者の配属勤務地】[総]北海道(旭川1 白老1)秋田市1 宮城(石巻6 勿来2)埼玉・草加2 東京・御茶ノ水13 静岡・富士1 山口・岩国3 熊本・八代2 [技]宮城・石巻4 栃木・足利2 埼玉・東松山2 東京・王子6 静岡・富士12 広島・大竹1 山口・岩国3 熊本・八代1

【転勤】あり:[職種]総合職

【中途比率】[単年度]21年度32%、22年度25%、23年度56%[全体]◇21%

●働きやすさ、諸制度●

残業(月) 11.1時間 [総]12.7時間

【勤務時間】9:00～17:30【有休取得年平均】15.9日【週休】完全2日(土日祝)【夏期休暇】有休で取得【年末年始休暇】12月29日～1月3日

【離職率】◇男:4.7%、213名 女:5.5%、24名

【新卒3年後離職率】
[20→23年]10.4%(男9.7%・入社31名、女11.8%・入社17名)
[21→24年]14.0%(男20.0%・入社30名、女0%・入社13名)

【テレワーク】制度あり:[場所]自宅 被介護者宅[対象]NA[日数]月10日まで[利用率]NA【勤務制度】フレックス 時間単位有休 時差勤務【住宅補助】寮・社宅完備 住宅手当

●ライフイベント、女性活躍●

【女性比率】■男 □女

新卒採用 53.1% (26名)

従業員 8.6% (409名)

管理職 2.9% (32名)

【産休】[期間]産前6・産後8週間[給与]会社全額給付[取得者数]25名

【育休】[期間]2歳になるまで[給与]法定[取得者数]22年度 男17名(対象114名)女8名(対象8名)23年度 男37名(対象108名)女4名(対象4名)[平均取得日数]22年度 男27日 女273日、23年度 男44日 女312日

【従業員】◇[人数]4,745名(男4,336名、女409名)[平均年齢]43.3歳(男43.4歳、女42.2歳)[平均勤続年数]20.7年(男20.9年、女18.4年)【年齢構成】■男 □女

	男	女
60代～	1%	0%
50代	33%	3%
40代	25%	2%
30代	17%	1%
～20代	15%	2%

会社データ

(金額は百万円)

【本社】101-0062 東京都千代田区神田駿河台4-6 御茶ノ水ソラシティ ☎03-6665-1111 https://www.nipponpapergroup.com/

【業績(連結)】	売上高	営業利益	経常利益	純利益
22.3	1,045,086	12,090	14,490	1,990
23.3	1,152,645	▲26,855	▲24,530	▲50,406
24.3	1,167,314	17,266	14,550	22,747

レンゴー(株)

えるぼし ★★★ ／ プラチナくるみん

【特色】製紙3位。板紙専業最大手で樹脂包装も併営

記者評価 段ボール原紙の板紙生産から段ボール製品の最終加工まで一貫。食品用フィルムなど樹脂系軟包装や重量物の包装、自動包装機械まで手がける。総合包装メーカーを志向。M&Aも意欲的で欧米の段ボールメーカーや包装資材メーカーを買収。大興製紙の経営再建支援。

平均勤続年数	男性育休取得率	3年後離職率	平均年収(平均42歳)
◇16.9年	97.6→106.3%	18.9→19.0%	◇751万円

●採用・配属情報●

【男女・文理別採用実績】

	大卒男	大卒女	修士男	修士女
23年	25(文 13理 12)	16(文 13理 3)	15(文 1理 14)	3(文 0理 3)
24年	28(文 19理 9)	15(文 10理 5)	12(文 0理 12)	6(文 0理 6)
25年	28(文 20理 8)	16(文 9理 7)	14(文 0理 14)	5(文 1理 4)

【男女・職種別採用実績】 転換制度:⇔

	総合職
23年	59(男 40 女 19)
24年	61(男 40 女 21)
25年	64(男 43 女 21)

【24年4月入社者の配属勤務地】㊕大阪市7 東京(葛飾2 品川1)小山2 川口2 名古屋2 岡山2 仙台1 利根川1 前橋1 千葉1 湘南1 清水1 豊橋1 滋賀1 尼崎1 広島1 愛媛1 ㊍大阪市13 埼玉(川口3 八潮2)東京(葛飾2 品川2)福井3 小山1 利根川1 清水1 豊橋1 京都1 三田1 尼崎1

【転勤】あり:[職種]総合職[勤務地]全国

【中途比率】[単年度]21年度51%、22年度55%、23年度52%(現業職含む)[全体]◇48%

●働きやすさ、諸制度●

残業(月) 17.2時間

【勤務時間】9:00～17:15【有休取得年平均】15.3日【週休】完全2日(土日祝)※本社関係事業所【夏期休暇】2日【年末年始休暇】12月30日～1月4日

【離職率】◇男:2.7%、107名 女:2.9%、18名

【新卒3年後離職率】
[20→23年]18.9%(男18.2%・入社99名、女21.4%・入社28名)
[21→24年]19.0%(男22.0%・入社82名、女8.7%・入社23名)

【テレワーク】制度あり:[場所]自宅[対象]生産現場や営業活動に関わる工場や部門は対象外 勤続3年以上[日数]週1日[利用率]2.7%【勤務制度】フレックス 時間単位有休 時差勤務 勤務間インターバル【住宅補助】社有・借上独身寮(全国)転勤者用に社有・借上社宅 有家族者に家賃補助・住宅手当

●ライフイベント、女性活躍●

【女性比率】■男 □女

新卒採用 32.8%(21名)　従業員 13.4%(605名)　管理職 3.2%(11名)

【産休】[期間]産前6・産後8週間[給与]完全月給者は会社全額給付[取得者数]17名

【育休】[期間]1歳2カ月になるまで[給与]開始7日間有給、以降給付金[取得者数]22年度 男123名(対象126名)女15名(対象16名)23年度 男118名(対象111名)女20名(対象20名)[平均取得日数]22年度 男9日 女321日、23年度 男17日 女353日

【従業員】◇[人数]4,523名(男3,918名、女605名)[平均年齢]42.2歳(男42.9歳、女37.6歳)[平均勤続年数]16.9年(男17.8年、女11.7年)【年齢構成】■男 □女

	男	女
60代～	5%	0%
50代	22%	2%
40代	24%	3%
30代	21%	3%
～20代	14%	5%

会社データ (金額は百万円)

【本社】530-0005 大阪府大阪市北区中之島2-2-7 中之島セントラルタワー ☎06-6223-2371 https://www.rengo.co.jp/

【業績(連結)】	売上高	営業利益	経常利益	純利益
22.3	746,926	33,279	36,641	28,188
23.3	846,080	25,957	28,682	20,425
24.3	900,791	48,855	47,984	33,025

大王製紙(株)

だいおうせいし

くるみん

【特色】製紙4位。四国に大規模工場擁し、家庭紙首位級

記者評価 新聞、印刷・情報用紙と板紙を生産。トイレ紙、ティッシュや紙おむつなど「エリエール」はブランド力抜群。四国中央市に国内最大級の製紙工場。23年に三菱自動車の岐阜・加茂郡工場建屋を取得、衛生紙等の製造拠点に。筆頭株主の北越コーポレーションと戦略提携。

平均勤続年数	男性育休取得率	3年後離職率	平均年収(平均38歳)
19.3年	80.0→90.9%	16.4→11.1%	㊕689万円

●採用・配属情報●

【男女・文理別採用実績】※25年:24年8月1日時点

	大卒男	大卒女	修士男	修士女
23年	21(文 8理 13)	8(文 6理 2)	7(文 0理 7)	6(文 0理 6)
24年	7(文 2理 5)	4(文 2理 2)	6(文 0理 6)	1(文 0理 1)
25年	12(文 8理 4)	19(文 18理 1)	3(文 0理 3)	2(文 0理 2)

【男女・職種別採用実績】 転換制度:⇒

	総合職
23年	42(男 28 女 14)
24年	18(男 13 女 5)
25年	36(男 15 女 21)

【24年4月入社者の配属勤務地】㊕東京1 仙台1 愛媛1 福岡1 ㊍愛媛8 岐阜3 栃木2 静岡1

【転勤】あり:[職種]総合職(事務系 技術系)[勤務地](事務系)北海道 岩手 宮城 東京 石川 愛知 大阪 愛媛 広島 福岡 鹿児島 海外等(技術系)福島 栃木 東京 岐阜 静岡 愛媛 海外等

【中途比率】[単年度]21年度52%、22年度23%、23年度41%[全体]27%

●働きやすさ、諸制度●

残業(月) 22.2時間 ㊕24.4時間

【勤務時間】9:00～17:30(東京本社)※フレックスタイム制【有休取得年平均】15.5日【週休】完全2日(土日祝)【夏期休暇】年次休5日【年末年始休暇】12月29日～1月3日

【離職率】男:3.3%、65名 女:5.2%、21名

【新卒3年後離職率】
[20→23年]16.4%(男17.1%・入社41名、女14.3%・入社14名)
[21→24年]11.1%(男5.0%・入社20名、女28.6%・入社7名)

【テレワーク】制度あり:[場所]自宅 カフェ等[対象]全社員(交替勤務者を除く)[日数]1カ月につき10日まで[利用率]16.4%【勤務制度】フレックス 時間単位有休 時差勤務【住宅補助】独身寮(愛媛 岐阜 自己負担8,000円)住宅補助(独身者最大64,000円会社負担)

●ライフイベント、女性活躍●

【女性比率】■男 □女

新卒採用 58.3%(21名) 　従業員 16.8%(384名)　管理職 2.7%(11名)

【産休】[期間]産前6・産後8週間[給与]法定[取得者数]20名

【育休】[期間]1歳になるまで[給与]法定[取得者数]22年度 男44名(対象55名)女15名(対象15名)23年度 男30名(対象33名)女21名(対象21名)[平均取得日数]22年度 男25日 女473日、23年度 男59日 女403日

【従業員】[人数]2,288名(男1,904名、女384名)[平均年齢]43.3歳(男44.5歳、女38.0歳)[平均勤続年数]19.3年(男21.0年、女10.1年)【年齢構成】■男 □女

	男	女
60代～	6%	0%
50代	27%	2%
40代	21%	5%
30代	17%	6%
～20代	12%	4%

会社データ (金額は百万円)

【本社】102-0071 東京都千代田区富士見2-10-2 飯田橋グラン・ブルーム ☎03-6856-7505 https://www.daio-paper.co.jp/

【業績(連結)】	売上高	営業利益	経常利益	純利益
22.3	612,314	37,569	37,696	23,721
23.3	646,213	▲21,441	▲24,050	▲34,705
24.3	671,688	14,367	9,622	4,507

(株)資生堂（しせいどう）

[くるみん]

【特色】化粧品国内首位。高収益のスキンケアに集中

[記者評価] 化粧品国内首位。世界でも大手。中国が日本に並ぶ売り上げの柱。女性や外部人材の登用に積極的。コロナ禍で構造改革を進め、「ベアミネラル」などメイク化粧品や、「TSUBAKI」「uno」など日用品事業から撤退。25年1月藤原憲太郎新社長が就任予定。

平均勤続年数	男性育休取得率	3年後離職率	平均年収(平均40歳)
◇13.5年	50.0→53.4%	16.6→12.5%	[総]739万円

●採用・配属情報●

【男女・文理別採用実績】※総合職のみ

	大卒男	大卒女	修士男	修士女
23年	3(文 1理 2)	7(文 6理 1)	10(文 0理 10)	12(文 0理 12)
24年	8(文 5理 3)	25(文 24理 1)	8(文 1理 7)	9(文 1理 8)
25年	6(文 5理 1)	20(文 19理 1)	10(文 2理 8)	13(文 1理 12)

【男女・職種別採用実績】 転換制度:⇔

	総合職
23年	36(男 14 女 22)
24年	52(男 16 女 36)
25年	51(男 17 女 34)

【職種併願】○
【24年4月入社者の配属勤務地】[総]東京20 大阪3 仙台2 広島2 福岡2 [技]東京5 神奈川8 栃木3 大阪3 静岡2 福岡2
【転勤】あり:[職種]管理職 総合職(全国コース)
【中途比率】[単年度]21年度64%、22年度82%、23年度70%(現業職含む)[全体]◇28%

●働きやすさ、諸制度●

残業(月) 16.6時間 [総]18.9時間

【勤務時間】8:30〜17:15(スーパーフレックスタイム制 コアタイムなし)【有休取得年平均】14.4日【週休】完全2日(土日祝)【夏期休暇】連続9日(週休含む)【年末年始休暇】12月30日〜1月4日
【離職率】◇男:4.4%、139名 女:4.9%、152名(他に男260名、女192名転籍)
【新卒3年後離職率】
[20→23年]16.6%(男13.2%・入社114名、女19.2%・入社151名)
[21→24年]12.5%(男8.9%・入社56名、女15.0%・入社80名)
【テレワーク】制度あり:[場所]自宅 オフィス[対象]美容職 工場勤務を除く[日数]出社／在宅比率が50%となることを目安としたハイブリッドワークスタイルを推奨[利用率]NA【勤務制度】フレックス 裁量労働 副業容認【住宅補助】独身寮／世帯用社宅／住宅手当(対象者のみ、左記のうち1種類のみ適用 会社負担／手当支給金額の条件あり)選択型福利厚生(カフェテリア制度等)

●ライフイベント、女性活躍●

【女性比率】■男 □女

新卒採用 66.7% (34名)

従業員 49.5% (2938名)

管理職 24.2% (232名)

【産休】[期間]産前6・産後8週間[給与]産前6・産後6週間は会社全額給付、以降法定[取得者数]106名
【育休】[期間]3年(上限5年)[給与]通常の育休、産後パパ育休は法定、他に特別休暇として有給の育児休暇(最大2週間)あり[取得者数]22年度 男64名(対象128名)女113名(対象113名)23年度 男71名(対象133名)女105名(対象106名)[平均取得日数]22年度 男32日 女183日、23年度 男48日 女127日
【従業員】◇[人数]5,937名(男2,999名、女2,938名)[平均年齢]40.4歳(男41.4歳、女39.4歳)[平均勤続年数]13.5年(男14.8年、女12.2年)【年齢構成】■男 □女

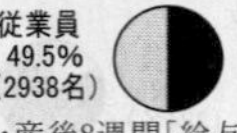

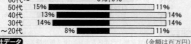

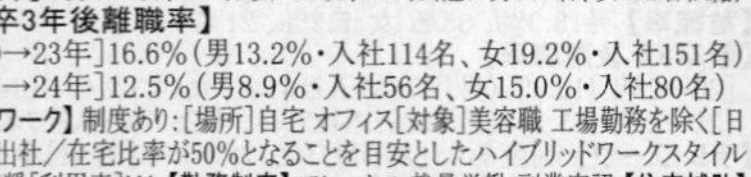
60代〜
0%|0%
50代 15%
11%
40代 13%
14%
30代 14%
14%
〜20代 8%
11%

会社データ (金額は百万円)

【本社】104-0061 東京都中央区銀座7-5-5 ☎03-3572-5111
https://www.shiseidogroup.jp/

【業績(IFRS)】	売上高	営業利益	税前利益	純利益
22.12	1,067,355	46,572	50,428	34,202
23.12	973,038	28,133	31,037	21,749

(株)コーセー

[くるみん]

【特色】化粧品大手。低価格帯から高級化粧品まで幅広い

[記者評価] 創業家経営で現社長は4代目。「アルビオン」など百貨店で販売する高級ブランドから「ヴィセ」といったドラッグストア向けまで幅広く展開。米国は「タルト」が人気。「コスメデコルテ」の美容液が大ヒット、23年に大谷翔平を起用した広告で拍車をかける。

平均勤続年数	男性育休取得率	3年後離職率	平均年収(平均42歳)
!17.1年	92.0→93.3%	11.3→16.7%	[総]806万円

●採用・配属情報●

【男女・文理別採用実績】

	大卒男	大卒女	修士男	修士女
23年	2(文 2理 0)	10(文 8理 2)	5(文 0理 5)	8(文 0理 8)
24年	5(文 5理 0)	11(文 11理 0)	8(文 0理 8)	7(文 1理 6)
25年	9(文 7理 2)	21(文 17理 4)	10(文 1理 9)	15(文 2理 13)

※25年:24年8月1日時点

【男女・職種別採用実績】 転換制度:⇒

	総合職
23年	25(男 7 女 18)
24年	31(男 13 女 18)
25年	55(男 19 女 36)

【職種併願】○
【24年4月入社者の配属勤務地】[総]NA [技]NA
【転勤】あり:[職種]総合職[勤務地]全国
【中途比率】[単年度]21年度NA、22年度NA、23年度NA[全体]NA

●働きやすさ、諸制度●

残業(月) 17.7時間 [総]17.7時間

【勤務時間】7時間50分(スーパーフレックスタイム(コアなし)適用部署多数)【有休取得年平均】11.8日【週休】完全2日(土日祝)【夏期休暇】連続5日(週休含む)【年末年始休暇】連続5日(週休含む)
【離職率】男:2.4%、21名 女:2.8%、18名(早期退職男1名含む)
【新卒3年後離職率】
[20→23年]11.3%(男18.2%・入社22名、女6.5%・入社31名)
[21→24年]16.7%(男27.3%・入社11名、女12.0%・入社25名)
【テレワーク】制度あり:[場所]自宅[対象]全社員(支店美容スタッフを除く)[日数]制限なし[利用率]20.0%【勤務制度】フレックス 時間単位有休【住宅補助】社有寮(都内1棟・千葉1棟)借上独身寮 転勤者借上住宅援助

●ライフイベント、女性活躍●

【女性比率】■男 □女

新卒採用 65.5% (36名)

従業員 42.2% (625名)

【産休】[期間]産前6・産後8週間[給与]健保給付(法定+20%)[取得者数]38名
【育休】[期間]1歳になるまで[給与]男性は配偶者の産後8週以内に連続5日以上育休取得した場合、最大5日の給与保障、手当金給付[取得者数]22年度 男23名(対象25名)女30名(対象30名)23年度 男14名(対象15名)女43名(対象43名)[平均取得日数]22年度 男8日 女408日、23年度 男36日 女1日
【従業員】[人数]1,480名(男855名、女625名)[平均年齢]42.3歳(男44.5歳、女39.4歳)[平均勤続年数]17.1年(男19.5年、女13.7年)※総合職のみ(美容スタッフは除く)
【年齢構成】NA

会社データ (金額は百万円)

【本社】103-8251 東京都中央区日本橋3-6-2 ☎03-3273-1511
https://corp.kose.co.jp/ja/

【業績(連結)】	売上高	営業利益	経常利益	純利益
21.12変	224,983	18,852	22,371	13,341
22.12	289,136	22,120	28,394	18,771
23.12	300,406	15,985	20,252	11,663

㈱ファンケル

[えるぼし ★★] [くるみん]

【特色】無添加化粧品が主力のメーカー。サプリも強い

[記者評価] 無添加化粧品「マイルドクレンジングオイル」などロングセラー多数。通信販売が主力。サプリは「カロリミット」など生活習慣関連が強い。海外は中国などが中心。24年に資本業務提携先のキリンHDによるTOBが成立、年内メドに上場廃止、完全子会社へ。

平均勤続年数	男性育休取得率	3年後離職率	平均年収(平均41歳)
13.0年	66.7→100%	23.5→18.2%	647万円

●採用・配属情報●

【男女・文理別採用実績】※25卒:予定数

	大卒男	大卒女	修士男	修士女
23年	9(文 8理 1)	19(文 17理 2)	3(文 0理 3)	5(文 2理 3)
24年	7(文 7理 0)	26(文 23理 3)	4(文 0理 4)	10(文 2理 8)
25年	7(文 6理 1)	42(文 37理 5)	9(文 1理 8)	13(文 0理 13)

【男女・職種別採用実績】 転換制度:⇔

	総合職	研究職	販売職	事務職	生産技術職
23年	20(男 7女13)	4(男 2女 2)	19(男 2女17)	1(男 0女 1)	3(男 1女 2)
24年	24(男 7女17)	5(男 1女 4)	36(男 2女34)	1(男 0女 1)	5(男 1女 4)
25年	29(男 9女20)	15(男 5女10)	82(男 2女80)	1(男 0女 1)	5(男 1女 4)

【24年4月入社者の配属勤務地】[総](23年)神奈川20
【転勤】あり:[職種]生産技術・生産管理職[勤務地]横浜 千葉 群馬 静岡 滋賀
【中途比率】[単年度]21年度29%、22年度39%、23年度35%[全体]51%

●働きやすさ、諸制度●

残業(月) 5.1時間

【勤務時間】9:00〜17:30【有休取得年平均】17.8日【週休】完全2日(概ね土日祝)※部署により一部シフト制、販売職はシフト制【夏期休暇】5日【年末年始休暇】12月30日〜1月3日
【離職率】NA
【新卒3年後離職率】
[20→23年]23.5%(男33.3%・入社3名、女21.4%・入社14名)
[21→24年]18.2%(男12.5%・入社16名、女21.4%・入社28名)
【テレワーク】制度あり:[場所]自宅[対象]主に総合職・研究職 ※生産技術・生産管理職は業務内容に応じて可[日数]制限なし[利用率]NA【勤務制度】フレックス 裁量労働 時差勤務 副業容認【住宅補助】従業員寮・借り上げ社宅(最大7年間、自己負担25,000〜40,000円)

●ライフイベント、女性活躍●

【女性比率】■男 □女

新卒採用 87.1% (115名)

従業員 62.1% (545名)

管理職 48.5% (116名)

【産休】[期間]産前6・産後8週間[給与]法定[取得者数]19名
【育休】[期間]1歳になるまで[給与]法定[取得者数]22年度 男8名(対象12名)女21名(対象21名)23年度 男11名(対象11名)女17名(対象17名)[平均取得日数]22年度 男17日 女387日、23年度 男16日 女297日
【従業員】[人数]877名(男332名、女545名)[平均年齢]41.2歳(男41.7歳、女40.8歳)[平均勤続年数]13.0年(男13.3年、女12.8年)
【年齢構成】■男 □女

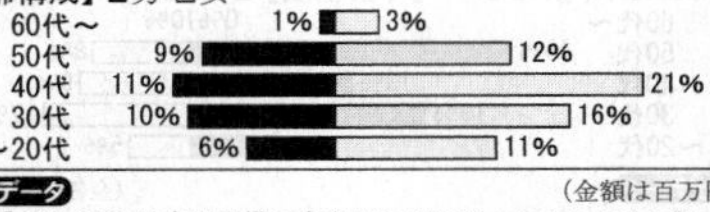

会社データ (金額は百万円)

【本社】231-8528 神奈川県横浜市中区山下町89-1 ☎045-226-1200
https://www.fancl.jp/

【業績(連結)】	売上高	営業利益	経常利益	純利益
22.3	103,992	9,771	10,401	7,421
23.3	103,595	7,843	8,557	4,970
24.3	110,881	12,570	12,940	8,833

㈱ポーラ

[えるぼし ★★★] [くるみん]

【特色】化粧品訪問販売業界トップ、エステ併設店も

[記者評価] ポーラ・オルビスHD中核。グループで化粧品業界4位。販売員による訪問販売が発祥、近年はエステなどが複合した店舗での委託販売やEC販売に注力。高価格のエイジングケア化粧品「B.A」や「リンクルショット」に強み。24年7月に一律15,000円のベースアップを実施。

平均勤続年数	男性育休取得率	3年後離職率	平均年収(平均40歳)
12.4年	59.3→75.0%	23.5→25.0%	[総]588万円

●採用・配属情報●

【男女・文理別採用実績】

	大卒男	大卒女	修士男	修士女
23年	2(文 2理 0)	17(文 16理 1)	2(文 1理 1)	1(文 0理 1)
24年	5(文 3理 2)	8(文 8理 0)	2(文 1理 1)	0(文 0理 0)
25年	8(文 7理 1)	19(文 15理 4)	1(文 0理 1)	0(文 0理 0)

※技術系はポーラ化成工業で採用

【男女・職種別採用実績】 転換制度:⇔

	総合コース	地域総合コース	販売職	販売職	一般職
23年	15(男 4女11)	0(男 0女 0)	0(男 0女 0)	8(男 0女 8)	0(男 0女 0)
24年	8(男 6女 2)	0(男 0女 0)	0(男 0女 0)	10(男 2女 8)	0(男 0女 0)
25年	16(男 8女 8)	0(男 0女 0)	1(男 0女 1)	12(男 1女11)	1(男 0女 1)

【職種併願】○
【24年4月入社者の配属勤務地】[総]東京・五反田8
【転勤】あり:[職種]総合職(一部の部署)
【中途比率】[単年度]21年度23%、22年度22%、23年度43%[全体]NA

●働きやすさ、諸制度●

残業(月) 7.4時間

【勤務時間】7時間55分(フルフレックス制 コアタイム無し)【有休取得年平均】14.1日【週休】2日【夏期休暇】連続3〜8日【年末年始休暇】連続5〜6日
【離職率】NA
【新卒3年後離職率】
[20→23年]23.5%(男0%・入社6名、女28.6%・入社28名)
[21→24年]25.0%(男42.9%・入社7名、女17.6%・入社17名)
【テレワーク】制度あり:[場所]制限なし[対象]全社員[日数]制限なし[利用率]NA【勤務制度】フレックス 時間単位有休 時差勤務 副業容認【住宅補助】住宅制度基準に基づき手当あり

●ライフイベント、女性活躍●

【女性比率】■男 □女

新卒採用 70% (21名)

従業員 73.9% (698名)

【産休】[期間]産前6・産後8週間[給与]法定[取得者数]31名
【育休】[期間]2歳の誕生日の前日が属する月の月末まで[給与]法定[取得者数]22年度 男16名(対象27名)女32名(対象32名)23年度 男9名(対象12名)女30名(対象30名)[平均取得日数]22年度 男107日 女374日、23年度 男29日 女451日
【従業員】[人数]944名(男246名、女698名)[平均年齢]41.5歳(男43.8歳、女40.7歳)[平均勤続年数]12.4年(男14.6年、女11.6年)
【年齢構成】NA

会社データ (金額は百万円)

【本社】141-8523 東京都品川区西五反田2-2-3 ☎03-3494-7111
https://www.pola.co.jp/

【業績(単独)】	売上高	営業利益	経常利益	純利益
21.12	105,168	13,440	13,630	9,332
22.12	88,683	11,030	11,177	7,031
23.12	88,994	10,505	10,672	6,125

メーカーII

㈱ミルボン

【特色】美容室向け業務用ヘア化粧品首位。海外も注力

記者評価 「オージュア」と「グローバルミルボン」が2大柱。ヘアケア、染毛剤、パーマ剤を展開。自社商品の販売に加え、美容技術提供など美容室に課題解決策の提案も行い、関係性を深める。コーセーやパナソニックとの協業商品も。海外は米国、中国などに進出。

平均勤続年数	男性育休取得率	3年後離職率	平均年収(平均36歳)
12.5年	12.0→25.7%	13.0→17.1%	㊍831万円

●採用・配属情報●

【男女・文理別採用実績】

	大卒男	大卒女	修士男	修士女
23年	16(文 12理 4)	13(文 13理 0)	3(文 0理 3)	5(文 0理 5)
24年	12(文 10理 2)	30(文 23理 7)	6(文 0理 6)	4(文 0理 4)
25年	14(文 11理 3)	22(文 19理 3)	2(文 0理 2)	2(文 0理 2)

【男女・職種別採用実績】

	総合職	研究職	生産技術職
23年	28(男 15女 13)	7(男 2女 5)	2(男 2女 0)
24年	45(男 15女 30)	7(男 3女 4)	2(男 1女 1)
25年	35(男 14女 21)	4(男 2女 2)	5(男 2女 3)

【24年4月入社者の配属勤務地】㊍東京(青山7 銀座8)埼玉5 名古屋6 京都6 大阪7 広島3 福岡2 ㊕大阪7 三重2

【転勤】あり:全社員

【中途比率】[単年度]21年度20%、22年度32%、23年度24%[全体]16%

●働きやすさ、諸制度●

残業(月) 26.5時間 ㊍26.5時間

【勤務時間】8:35〜17:30【有休取得年平均】11.5日【週休】完全2日(土日祝)【夏期休暇】8月13〜15日(週休含む)【年末年始休暇】12月30日〜1月4日

【離職率】男:4.1%、20名 女:3.2%、12名

【新卒3年後離職率】
[20→23年]13.0%(男10.0%・入社20名、女14.7%・入社34名)
[21→24年]17.1%(男14.3%・入社14名、女18.5%・入社27名)

【テレワーク】制度あり:[場所]自宅 所属事業所以外の事業所 他[対象]全社員[日数]週2日まで[利用率]1.9%【勤務制度】フレックス 時間単位有休 時差勤務【住宅補助】住宅手当 単身赴任手当 単身赴任寮 研修生寮

●ライフイベント、女性活躍●

【女性比率】■男 □女

新卒採用 59.1%(26名)

従業員 43.7%(361名)

管理職 12.2%(18名)

【産休】[期間]産前6・産後8週間[給与]法定[取得者数]23名

【育休】[期間]5年間[給与]法定[取得者数]22年度 男3名(対象25名)女13名(対象13名)23年度 男9名(対象35名)女22名(対象22名)[平均取得日数]22年度 男25日 女322日、23年度 男40日 女447日

【従業員】[人数]826名(男465名、女361名)[平均年齢]35.5歳(男37.2歳、女33.0歳)[平均勤続年数]12.5年(男14.6年、女9.5年)

【年齢構成】■男 □女

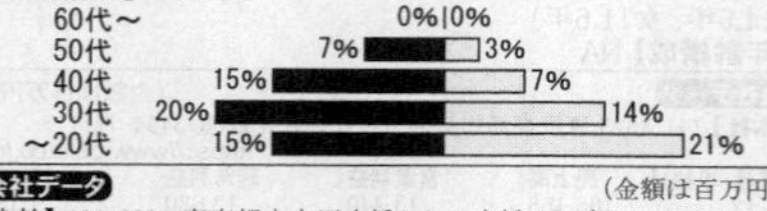

会社データ (金額は百万円)

【本社】104-0031 東京都中央区京橋2-2-1 京橋エドグラン ☎03-3517-3915 https://www.milbon.com/

【業績(連結)】	売上高	営業利益	経常利益	純利益
21.12	41,582	7,817	7,158	5,109
22.12	45,238	7,551	7,829	5,577
23.12	47,762	5,525	5,586	4,001

花王㈱

プラチナくるみん

【特色】日用品首位。傘下に06年買収のカネボウ化粧品

記者評価 日用品メーカーの国内圧倒的首位、世界でも大手。研究開発に強みを持ち、原材料の加工から最終製品まで一貫生産。衣料用洗剤「アタック」をはじめ、シェア首位級のブランド多数。化粧品は06年にカネボウ化粧品を買収。花王「ソフィーナ」と合わせて国内首位級に。

平均勤続年数	男性育休取得率	3年後離職率	平均年収(平均43歳)
17.7年	111.3→103.2%	5.0→2.5%	㊍866万円

●採用・配属情報●

【男女・文理別採用実績】※25年:修士1名性別未回答

	大卒男	大卒女	修士男	修士女
23年	10(文 7理 3)	17(文 11理 6)	32(文 1理 31)	23(文 1理 22)
24年	10(文 7理 3)	21(文 16理 5)	38(文 2理 36)	22(文 0理 22)
25年	15(文 11理 4)	31(文 20理 11)	57(文 1理 56)	40(文 0理 40)

【男女・職種別採用実績】

	総合職
23年	82(男 42女 40)
24年	94(男 50女 44)
25年	143(男 72女 71)

※23年・24年・25年:高専・短大・専門除く

【職種併願】技術系と事務系で可能

【24年4月入社者の配属勤務地】㊍東京(茅場町23 墨田15)茨城・鹿島1 神奈川(小田原1 川崎1)愛知・豊橋1 ㊕東京・墨田14 茨城・鹿島1 神奈川・小田原6 栃木12 和歌山19

【転勤】あり:正規社員

【中途比率】[単年度]21年度17%、22年度42%、23年度45%[全体]16%

●働きやすさ、諸制度●

残業(月) 11.9時間 ㊍11.9時間

【勤務時間】8:30〜17:00【有休取得年平均】16.0日【週休】完全2日(土日祝)【夏期休暇】連続2日【年末年始休暇】連続6日

【離職率】男:4.0%、167名 女:2.7%、59名(早期退職男54名、女16名含む)

【新卒3年後離職率】
[20→23年]5.0%(男5.7%・入社175名、女3.6%・入社84名)
[21→24年]2.5%(男3.2%・入社157名、女1.2%・入社86名)

【テレワーク】制度あり:[場所]自宅 自宅に準ずる場所 事業場・オフィスに準ずる場所[対象]全社員[日数]部門ごとに異なる[利用率]NA

【勤務制度】フレックス 時間単位有休 裁量労働 時差勤務 副業容認

【住宅補助】独身寮 転勤者用社宅 住宅基本手当 住宅加算手当

●ライフイベント、女性活躍●

【女性比率】■男 □女

新卒採用 49.7%(71名)

従業員 35.2%(2155名)

管理職 25%(751名)

【産休】[期間]産前8・産後8週間[給与]健保85%給付[取得者数]110名

【育休】[期間]1歳の4月末日まで[給与]10日有給、以降法定[取得者数]22年度 男177名(対象159名)女100名(対象100名)23年度 男191名(対象185名)女123名(対象123名)[平均取得日数]22年度NA、23年度NA

【従業員】[人数]6,126名(男3,971名、女2,155名)[平均年齢]42.8歳(男43.9歳、女40.7歳)[平均勤続年数]17.7年(男19.1年、女15.0年)【年齢構成】■男 □女

	男	女
60代〜	0%	0%
50代	26%	8%
40代	13%	9%
30代	19%	12%
〜20代	7%	5%

会社データ (金額は百万円)

【本社】103-8210 東京都中央区日本橋茅場町1-14-10 ☎03-3660-7111 https://www.kao.com/jp/

【業績(IFRS)】	売上高	営業利益	税前利益	純利益
21.12	1,418,768	143,510	150,002	109,636
22.12	1,551,059	110,071	115,848	86,038
23.12	1,532,579	60,035	63,842	43,870

メーカーII

780 **開示 ★★☆☆☆**

ユニ・チャーム(株)

えるぼし★★ ／ くるみん

【特色】生理用品・紙おむつで国内首位級。新興国も開拓

記者評価 紙おむつ、生理用品で国内首位級。1961年、建材メーカーとして愛媛で創業。63年発売の生理用ナプキンを軸に発展。マスク、掃除用品やペット用品も展開。市場拡大中の大人用紙おむつも強化。現地の特性に合わせた商品づくりが奏功し、海外売上高比率は6割強。

平均勤続年数	男性育休取得率	3年後離職率	平均年収(平均*41歳)
16.3年	98.2→97.7%	7.3→13.0%	㊑855万円

●採用・配属情報●

【男女・文理別採用実績】

	大卒男	大卒女	修士男	修士女
23年	32(文 27理 5)	14(文 10理 4)	10(文 0理 10)	4(文 0理 4)
24年	24(文 22理 2)	16(文 15理 1)	15(文 0理 15)	3(文 0理 3)
25年	31(文 30理 1)	18(文 16理 2)	7(文 0理 7)	6(文 0理 6)

【男女・職種別採用実績】

	総合職
23年	60(男 42 女 18)
24年	58(男 39 女 19)
25年	62(男 38 女 24)

【24年4月入社者の配属勤務地】㊑東京21 名古屋4 大阪4 福岡4 札幌2 仙台2 岡山2 ㊕香川14 伊丹4 三重1

【転勤】あり:全社員

【中途比率】[単年度]21年度NA、22年度NA、23年度NA[全体]NA

●働きやすさ、諸制度●

残業(月) 14.7時間 ㊑14.7時間

【勤務時間】8:00〜16:50【有休取得年平均】NA【週休】2日(一部3交替勤務)【夏期休暇】連続9日(有休、週休含む)【年末年始休暇】連続7日

【離職率】男:7.5%、80名 女:3.5%、17名

【新卒3年後離職率】
[20→23年]7.3%(男8.1%・入社37名、女5.6%・入社18名)
[21→24年]13.0%(男16.1%・入社31名、女8.7%・入社23名)

【テレワーク】制度あり:[場所]NA[対象]NA[日数]NA[利用率]NA【勤務制度】フレックス 時間単位有休 勤務間インターバル 副業容認【住宅補助】借上社宅

●ライフイベント、女性活躍●

【女性比率】■男 □女

新卒採用 38.7%(24名)

従業員 31.8%(464名)

【産休】[期間]産前6・産後8週間[給与]会社全額給付[取得者数]75名

【育休】[期間]2年間[給与]給付金+一部全額給付(積立保存休暇分)[取得者数]22年度 男54名(対象55名)女12名(対象12名)23年度 男42名(対象43名)女33名(対象33名)[平均取得日数]22年度 NA、23年度 NA

【従業員】[人数]1,457名(男993名、女464名)[平均年齢]40.6歳(男41.1歳、女38.2歳)[平均勤続年数]16.3年(男17.5年、女12.6年)

【年齢構成】NA

会社データ (金額は百万円)

【本社】108-8575 東京都港区三田3-5-19 東京三田ガーデンタワー ☎03-6722-1029 https://www.unicharm.co.jp/

【業績(IFRS)】	売上高	営業利益	税前利益	純利益
21.12	782,723	118,272	121,977	72,745
22.12	898,022	115,223	115,708	67,608
23.12	941,790	130,709	132,308	86,053

369 **開示 ★★★★☆**

ライオン(株)

プラチナくるみん

【特色】洗剤や口腔ケア分野に強い。国内日用品3位

記者評価 歯磨き「クリニカ」、解熱鎮痛剤「バファリン」やハンドソープ「キレイキレイ」など有名ブランドが多い。好採算の歯科製品でトップシェア。洗濯用洗剤・柔軟剤は22年から大型新製品を投入し、挽回を狙う。海外は中国で口腔ケア展開に注力。新規国開拓も。

平均勤続年数	男性育休取得率	3年後離職率	平均年収(平均36歳)
◇16.5年	71.2→76.7%	3.9→8.0%	㊑735万円

●採用・配属情報●

【男女・文理別採用実績】

	大卒男	大卒女	修士男	修士女
23年	10(文 8理 2)	11(文 7理 4)	20(文 0理 20)	16(文 0理 16)
24年	6(文 6理 0)	12(文 9理 3)	10(文 0理 10)	24(文 1理 23)
25年	13(文 11理 2)	15(文 13理 2)	21(文 1理 20)	16(文 1理 15)

【男女・職種別採用実績】

	総合職
23年	60(男 31 女 29)
24年	54(男 18 女 36)
25年	69(男 36 女 33)

【24年4月入社者の配属勤務地】㊑札幌1 仙台1 東京11 名古屋2 大阪1 福岡1 ㊕東京27 小田原8 千葉1 大阪1

【転勤】あり:全社員(地域限定社員を除く)

【中途比率】[単年度]21年度53%、22年度42%、23年度49%[全体]◇28%

●働きやすさ、諸制度●

残業(月) 12.6時間

【勤務時間】8:30〜17:15【有休取得年平均】13.8日【週休】完全2日(土日祝)【夏期休暇】連続6日(有休、週休含む)【年末年始休暇】連続6日(週休、祝日含む)

【離職率】◇男:2.5%、49名 女:1.5%、18名(選択定年退職男2名、女1名含む)

【新卒3年後離職率】
[20→23年]3.9%(男7.1%・入社42名、女0%・入社34名)
[21→24年]8.0%(男7.4%・入社54名、女9.1%・入社33名)

【テレワーク】制度あり:[場所]従業員本人が希望し上長が認めた場所[対象]全国事業所社員(工場勤務者除く)[日数]制限なし[利用率]54.9%【勤務制度】フレックス 勤務間インターバル 副業容認【住宅補助】借上独身寮 借上社宅(転勤時の単身者・家族向け)

●ライフイベント、女性活躍●

【女性比率】■男 □女

新卒採用 47.8%(33名)

従業員 38.8%(1221名)

管理職 18.2%(79名)

【産休】[期間]計画出産(帝王切開・無痛分娩等)で出産予定日が早まる場合は、早まった予定日を基準に産前休業を開始できる[給与]会社全額給付[取得者数]46名

【育休】[期間]2歳になるまで[給与]最初2週間有給、以降法定[取得者数]22年度 男52名(対象73名)女42名(対象41名)23年度 男56名(対象73名)女46名(対象44名)[平均取得日数]22年度 男17日 女361日、23年度 男23日 女350日

【従業員】◇[人数]3,147名(男1,926名、女1,221名)[平均年齢]43.9歳(男44.6歳、女42.8歳)[平均勤続年数]16.5年(男18.1年、女14.0年)

【年齢構成】■男 □女

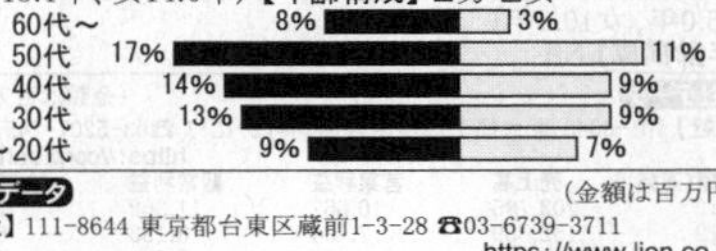

	男	女
60代〜	8%	3%
50代	17%	11%
40代	14%	9%
30代	13%	9%
〜20代	9%	7%

会社データ (金額は百万円)

【本社】111-8644 東京都台東区蔵前1-3-28 ☎03-6739-3711 https://www.lion.co.jp/

【業績(IFRS)】	売上高	営業利益	税前利益	純利益
21.12	366,234	31,178	34,089	23,759
22.12	389,869	28,843	31,292	21,939
23.12	402,767	20,505	22,375	14,624

メーカーII

377 開示 ★★★

アース製薬(株)

くるみん

【特色】殺虫剤首位。日用品も展開。大塚製薬グループ。

記者評価 殺虫剤は国内シェア5割強で首位。「アースジェット」や「ごきぶりホイホイ」などロングセラー商品が多い。入浴剤「バスロマン」や洗口剤「モンダミン」など日用品でも高シェア。海外進出に積極的で、ベトナム、タイ、中国を軸にアジアで展開。

平均勤続年数	男性育休取得率	3年後離職率	平均年収(平均42歳)
◇13.8年	78.3→100%	6.3→13.5%	(総)795万円

●採用・配属情報●

【男女・文理別採用実績】

	大卒男	大卒女	修士男	修士女
23年	22(文 19 理 3)	9(文 7 理 2)	6(文 0 理 6)	3(文 0 理 3)
24年	20(文 18 理 2)	14(文 11 理 3)	10(文 0 理 10)	5(文 0 理 5)
25年	8(文 5 理 3)	4(文 2 理 2)	8(文 0 理 8)	8(文 0 理 8)

【男女・職種別採用実績】

	総合職
23年	40(男 28 女 12)
24年	49(男 30 女 19)
25年	28(男 16 女 12)

【職種併願】研究開発職と品質保証職で可能

【24年4月入社者の配属勤務地】(総)東京11 大阪4 名古屋4 広島3 仙台2 札幌1 岡山1 福岡1 鹿児島1 沖縄1 (技)兵庫・赤穂20

【転勤】あり:[職種]総合職

【中途比率】[単年度]21年度52%、22年度53%、23年度49%[全体]◇51%

●働きやすさ、諸制度●

残業(月) 12.0時間 (総)12.0時間

【勤務時間】9:00〜17:20【有休取得年平均】14.6日【週休】完全2日(土日祝)【夏期休暇】5日(有休で取得)【年末年始休暇】12月29日〜1月4日

【離職率】◇男:4.9%、42名 女:3.9%、22名(早期退職2名含む)

【新卒3年後離職率】
[20→23年]6.3%(男4.2%・入社24名、女12.5%・入社8名)
[21→24年]13.5%(男20.0%・入社35名、女0%・入社17名)

【テレワーク】制度あり:[場所]自宅 実家[対象]全社員[日数]上限月10回まで[利用率]NA【勤務制度】時間単位有休 裁量労働 時差勤務 副業容認【住宅補助】借上社宅 住宅手当

●ライフイベント、女性活躍●

【女性比率】■男 □女

新卒採用 42.9% (12名)

従業員 40.3% (547名)

管理職 11.6% (35名)

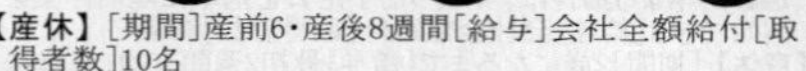

【産休】[期間]産前6・産後8週間[給与]会社全額給付[取得者数]10名

【育休】[期間]1歳になるまで[給与]開始28日間会社全額、以降法定[取得者数]22年度 男18名(対象23名)女9名(対象9名)23年度 男30名(対象30名)女10名(対象10名)[平均取得日数]22年度 NA、23年度 NA

【従業員】◇[人数]1,358名(男811名、女547名)[平均年齢]42.2歳(男42.6歳、女41.6歳)[平均勤続年数]13.8年(男16.0年、女10.5年)

【年齢構成】NA

会社データ (金額は百万円)

【本社】101-0048 東京都千代田区神田司町2-12-1 ☎03-5207-7451
https://corp.earth.jp/

【業績(連結)】	売上高	営業利益	経常利益	純利益
21.12	203,785	10,667	11,362	7,142
22.12	152,339	7,434	8,133	5,303
23.12	158,344	6,370	6,791	4,102

269 開示 ★★★

田辺三菱製薬(株)

えるぼし★★★ プラチナくるみん

【特色】国内製薬準大手。三菱ケミカルHDの傘下

記者評価 三菱ウェルファーマと田辺製薬の合併で07年誕生。中枢神経、免疫炎症、糖尿病・腎をコア領域として医療用医薬品を開発・製造・販売するほか、胃腸薬などのOTC医薬品も扱う。ALS治療薬のラジカヴァは北米軸に海外でも展開、経口懸濁剤も投入し強化。

平均勤続年数	男性育休取得率	3年後離職率	平均年収(平均※48歳)
22.3年	90.0→82.6%	0→5.0%	(総)881万円

●採用・配属情報●

【男女・文理別採用実績】※25年:24年7月末時点

	大卒男	大卒女	修士男	修士女
23年	1(文 1 理 0)	3(文 3 理 0)	3(文 0 理 3)	3(文 0 理 3)
24年	10(文 3 理 7)	7(文 0 理 7)	7(文 0 理 7)	8(文 0 理 8)
25年	8(文 3 理 5)	9(文 2 理 7)	5(文 0 理 5)	9(文 0 理 9)

【男女・職種別採用実績】 転換制度:NA

	総合職
23年	17(男 8 女 9)
24年	33(男 18 女 15)
25年	32(男 14 女 18)

【24年4月入社者の配属勤務地】(総)<営業>全国各地13<スタッフ>大阪1 (技)神奈川(横浜5 藤沢3)山口・山陽小野田6 東京・丸の内4 大阪1

【転勤】あり:[職種]営業職

【中途比率】[単年度]21年度66%、22年度46%、23年度55%[全体]7%

●働きやすさ、諸制度●

残業(月) NA

【勤務時間】9:00〜17:30【有休取得年平均】16.1日【週休】完全2日(土日祝)【夏期休暇】2日+有休1日【年末年始休暇】12月29日〜1月4日

【離職率】男:3.8%、92名 女:3.5%、28名(早期退職33名、女5名含む)

【新卒3年後離職率】
[20→23年]0%(男0%・入社8名、女0%・入社12名)
[21→24年]5.0%(男0%・入社8名、女8.3%・入社12名)

【テレワーク】制度あり:[場所]自宅 サテライトオフィス 他[対象]全社員[日数]NA[利用率]NA【勤務制度】フレックス 裁量労働 勤務間インターバル 副業容認【住宅補助】社宅 借家補助 持家補助

●ライフイベント、女性活躍●

【女性比率】■男 □女

新卒採用 56.3% (18名)　従業員 24.8% (763名)　管理職 11% (43名)

【産休】[期間]産前6・産後8週間[給与]法定+出産手当金付加金20%給付[取得者数]29名

【育休】[期間]3歳到達月末まで[給与]法定[取得者数]22年度 男72名(対象80名)女37名(対象37名)23年度 男57名(対象69名)女35名(対象35名)[平均取得日数]22年度 男26日 女403日、23年度 男56日 女479日

【従業員】[人数]3,075名(男2,312名、女763名)[平均年齢]47.6歳(男48.7歳、女44.4歳)[平均勤続年数]22.3年(男23.3年、女19.2年)【年齢構成】■男 □女

	男	女
60代〜	4%	1%
50代	35%	7%
40代	22%	8%
30代	12%	6%
〜20代	1%	2%

会社データ (金額は百万円)

【本社】541-8505 大阪府大阪市中央区道修町3-2-10 ☎06-6205-5032
https://www.mt-pharma.co.jp/

【業績(IFRS)】	売上高	営業利益	税前利益	純利益
22.3	299,800	10,500	▲148	6,100
23.3	4,634,532	182,718	167,964	96,066
24.3	4,387,218	261,831	240,547	119,596

※23.3および24.3の業績は(株)三菱ケミカルグループのもの

266 開示★★★☆☆

アステラス製薬(株)

プラチナくるみん

【特色】国内製薬2位。前立腺がん、泌尿器に強み

記者評価 山之内製薬と藤沢薬品が05年統合。泌尿器、免疫・神経が得意。大型薬に育った前立腺がん薬「イクスタンジ」が売上高の約4割占めるが、この特許切れ後を補う薬の開発が課題。技術の買収などを通じて眼科領域など新分野開拓に積極的。国内MRは大幅削減。

平均勤続年数	男性育休取得率	3年後離職率	平均年収(平均43歳)
16.5年	32.5→96.9%	0→5.7%	(総)1,110万円

●採用・配属情報●

【男女・文理別採用実績】

	大卒男	大卒女	修士男	修士女
23年	2(文NA理NA)	4(文NA理NA)	37(文NA理NA)	35(文NA理NA)
24年	6(文NA理NA)	6(文NA理NA)	16(文NA理NA)	17(文NA理NA)
25年	1(文NA理NA)	1(文NA理NA)	14(文NA理NA)	16(文NA理NA)

【男女・職種別採用実績】

	総合職
23年	92(男 51 女 41)
24年	61(男 31 女 30)
25年	48(男 22 女 26)

【職種併願】一部職種間で可能

【24年4月入社者の配属勤務地】(総)全国各営業基点 東京・日本橋 (技)茨城(つくば 高萩)静岡・焼津 富山(富山 高岡)

【転勤】あり:全社員

【中途比率】[単年度]21年度60%、22年度70%、23年度66%[全体]NA

●働きやすさ、諸制度●

残業(月) 6.8時間 (総)6.8時間

【勤務時間】8:45～17:45(金曜日のみ～16:00)【有休取得年平均】16.6日【週休】完全2日(土日祝)【夏期休暇】選択4日(職種により異なる)【年末年始休暇】12月29日～1月4日

【離職率】男:15.3%、598名 女:10.7%、180名(早期退職を含む)

【新卒3年後離職率】

[20→23年]0%(男0%・入社39名、女0%・入社21名)

[21→24年]5.7%(男2.6%・入社38名、女9.4%・入社32名)

【テレワーク】制度あり:[場所]自宅[対象]NA[日数]NA[利用率]NA【勤務制度】フレックス 裁量労働 副業容認【住宅補助】社宅 住宅手当

●ライフイベント、女性活躍●

【女性比率】■男 □女

新卒採用 54.2% (26名)

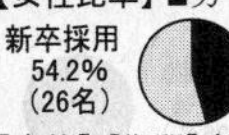

従業員 31.1% (1497名)

【産休】[期間]産前6・産後8週間[給与]法定[取得者数]80名

【育休】[期間]3年間[給与]法定[取得者数]22年度 男40名(対象123名)女76名(対象77名)23年度 男126名(対象130名)女84名(対象84名)[平均取得日数]22年度 NA、23年度 NA

【従業員】[人数]4,806名(男3,309名、女1,497名)[平均年齢]42.7歳(男43.9歳、女40.0歳)[平均勤続年数]16.5年(男17.8年、女13.8年)

【年齢構成】NA

会社データ (金額は百万円)

【本社】103-8411 東京都中央区日本橋本町2-5-1 ☎03-3244-3000 https://www.astellas.com/jp/ja/

【業績(IFRS)】	売上高	営業利益	税前利益	純利益
22.3	1,296,163	155,686	156,886	124,086
23.3	1,518,619	133,029	132,361	98,714
24.3	1,603,672	25,518	24,969	17,045

273 開示★★★☆☆

中外製薬(株)

えるぼし★★★ プラチナくるみん

【特色】医療用医薬品準大手。がん国内首位。ロシュ傘下

記者評価 がん治療薬は国内首位。2002年からスイス・ロシュ傘下。創薬研究から初期までの開発にフォーカスする独自の経営モデルで、戦略的提携の下に独立経営を維持。自社創製の抗体改変技術に強み。自社創製の血友病薬などが成長牽引。研究所は戸塚に集約。

平均勤続年数	男性育休取得率	3年後離職率	平均年収(平均43歳)
15.8年	84.9→87.6%	4.1→2.8%	(総)1,198万円

●採用・配属情報●

【男女・文理別採用実績】

	大卒男	大卒女	修士男	修士女
23年	17(文 3理 14)	22(文 2理 20)	33(文 0理 33)	31(文 0理 31)
24年	14(文 0理 14)	18(文 0理 18)	41(文 0理 41)	45(文 0理 45)
25年	22(文 5理 17)	20(文 2理 18)	55(文 0理 55)	26(文 0理 26)

【男女・職種別採用実績】

	総合職
23年	143(男 80 女 63)
24年	158(男 85 女 73)
25年	165(男106 女 59)

【24年4月入社者の配属勤務地】(総)仙台5 埼玉3 東京・大崎1 名古屋4 大阪1 広島2 福岡2 (技)横浜62 浮間43 東京本社35

【転勤】あり:全社員

【中途比率】[単年度]21年度NA、22年度38%、23年度48%[全体]23%

●働きやすさ、諸制度●

残業(月) 20.0時間 (総)20.0時間

【勤務時間】8:45～17:30【有休取得年平均】14.4日【週休】完全2日(土日祝)【夏期休暇】時期関係なく4日付与【年末年始休暇】12月30日～1月4日

【離職率】男:9.8%、363名 女:6.1%、102名(早期退職374名含む)

【新卒3年後離職率】

[20→23年]4.1%(男3.7%・入社54名、女4.5%・入社44名)

[21→24年]2.8%(男4.8%・入社83名、女0%・入社61名)

【テレワーク】制度あり:[場所]自宅 サテライトオフィス[対象]NA[日数]制限なし[利用率]NA【勤務制度】フレックス 時間単位有休 週休3日 裁量労働 副業容認【住宅補助】独身寮 社宅

●ライフイベント、女性活躍●

【女性比率】■男 □女

新卒採用 35.8% (59名)

従業員 32% (1571名)

管理職 17.5% (293名)

【産休】[期間]産前6・産後8週間[給与]基準内賃金全額給付[取得者数]76名

【育休】[期間]1歳2カ月になるまで[給与]最初2週間有給、以降給付金[取得者数]22年度 男118名(対象139名)女88名(対象88名)23年度 男113名(対象129名)女81名(対象81名)[平均取得日数]22年度 NA、23年度 男21日 女331日

【従業員】[人数]4,903名(男3,332名、女1,571名)[平均年齢]42.7歳(男44.0歳、女39.6歳)[平均勤続年数]15.8年(男17.3年、女12.9年)

【年齢構成】■男 □女

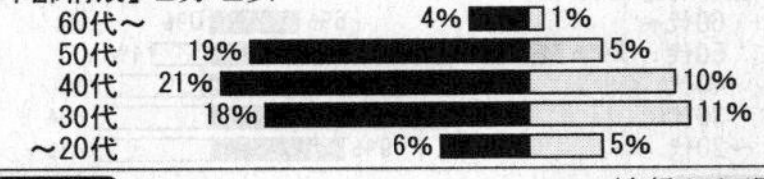

会社データ (金額は百万円)

【本社】103-8324 東京都中央区日本橋室町2-1-1 ☎03-3281-6611 https://www.chugai-pharm.co.jp/

【業績(IFRS)】	売上高	営業利益	税前利益	純利益
21.12	999,759	421,897	419,385	302,995
22.12	1,259,946	533,309	531,166	374,429
23.12	1,111,367	439,174	443,821	325,472

エーザイ(株)

プラチナくるみん

【特色】国内製薬大手。オーナー色。中枢神経系に強い

[記者評価] 1999年発売の「アリセプト」で一世風靡の認知症薬では米バイオジェンと提携。足元では「レケンビ」の育成進める。抗がん剤では米メルクと18年に戦略提携し「レンビマ」成長。全社員に就業時間の1%を患者と過ごすことを推奨するなど「hhc活動」展開。

平均勤続年数	男性育休取得率	3年後離職率	平均年収(平均44歳)
18.5年	91.2→96.1%	3.1→9.1%	[総]1,053万円

●採用・配属情報●

【男女・文理別採用実績】

	大卒男	大卒女	修士男	修士女
23年	8(文 3理 5)	11(文 5理 6)	12(文 0理 12)	5(文 0理 5)
24年	6(文 5理 1)	7(文 4理 3)	32(文 0理 32)	19(文 0理 19)
25年	12(文 11理 1)	25(文 22理 3)	35(文 0理 35)	31(文 0理 31)

【男女・職種別採用実績】

	総合職
23年	51(男 30 女 21)
24年	68(男 41 女 27)
25年	113(男 53 女 60)

【24年4月入社者の配属勤務地】[総]NA [技]NA

【転勤】あり:全社員(勤務地限定を希望する一般社員を除く)

【中途比率】[単年度]21年度23%、22年度40%、23年度32%[全体]NA

●働きやすさ、諸制度●

残業(月) 7.7時間

【勤務時間】8:30～17:10【有休取得年平均】12.1日【週休】完全2日(土日祝)【夏期休暇】連続2日【年末年始休暇】12月30日～1月3日

【離職率】男:3.5%、77名 女:3.7%、32名

【新卒3年後離職率】
[20→23年]3.1%(男3.0%・入社67名、女3.2%・入社63名)
[21→24年]9.1%(男7.5%・入社93名、女10.6%・入社104名)

【テレワーク】制度あり:[場所]父母宅 要介護の家族宅[対象]上長承認のもと、全社員が対象[日数]制限なし[利用率]44.1%【勤務制度】フレックス 裁量労働 勤務間インターバル 副業容認【住宅補助】住宅手当 社宅 単身赴任帰宅旅費補助

●ライフイベント、女性活躍●

【女性比率】■男 □女

新卒採用 53.1% (60名)　従業員 27.9% (832名)　管理職 12.8% (158名)

【産休】[期間]産前6・産後8週間[給与]法定[取得者数]30名

【育休】[期間]3歳になるまで[給与]法定[取得者数]22年度 男62名(対象68名)女29名(対象30名)23年度 男73名(対象76名)女32名(対象29名)[平均取得日数]22年度 男15日 女503日、23年度 男40日 女404日

【従業員】[人数]2,984名(男2,152名、女832名)[平均年齢]44.2歳(男46.2歳、女39.0歳)[平均勤続年数]18.5年(男20.3年、女13.8年)

【年齢構成】■男 □女

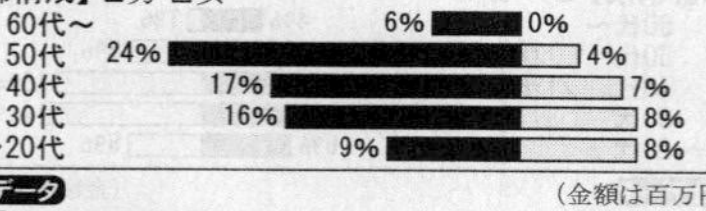
60代～ 6% 0%
50代 24% 4%
40代 17% 7%
30代 16% 8%
～20代 9% 8%

会社データ (金額は百万円)

【本社】112-8088 東京都文京区小石川4-6-10 ☎03-3817-3700
https://www.eisai.co.jp/

【業績(IFRS)】	売上高	営業利益	税前利益	純利益
22.3	756,226	53,750	54,458	47,954
23.3	744,402	40,040	45,012	55,432
24.3	741,751	53,408	61,823	42,406

小野薬品工業(株)

(おのやくひんこうぎょう)

プラチナくるみん

【特色】製薬中堅。「オプジーボ」でがん免疫薬をリード

[記者評価] 医療用医薬品専業。自社創製の「オプジーボ」はがん免疫治療薬の先駆けで、本庶佑氏のノーベル賞受賞で脚光を浴びる。米社などと組み、様々ながん種への適応拡大を進める。水無瀬、筑波の両研究所が創薬研究拠点。欧米での自販体制の構築を推進。

平均勤続年数	男性育休取得率	3年後離職率	平均年収(平均43歳)
16.7年	65.2→65.4%	8.3→11.0%	987万円

●採用・配属情報●

【男女・文理別採用実績】

	大卒男	大卒女	修士男	修士女
23年	11(文 3理 8)	14(文 1理 13)	19(文 0理 19)	12(文 0理 12)
24年	10(文 1理 9)	9(文 0理 9)	17(文 0理 17)	12(文 0理 12)
25年	5(文 0理 5)	11(文 2理 9)	19(文 0理 19)	13(文 0理 13)

【男女・職種別採用実績】 転換制度:⇒

	総合職	一般職
23年	71(男 42 女 29)	0(男 0 女 0)
24年	67(男 43 女 24)	0(男 0 女 0)
25年	67(男 40 女 27)	0(男 0 女 0)

【職種併願】○

【24年4月入社者の配属勤務地】[総]全国営業本部・各支店10 [技]大阪44 茨城9 東京2 山口2

【転勤】あり:全社員

【中途比率】[単年度]21年度37%、22年度47%、23年度60%[全体]18%

●働きやすさ、諸制度●

残業(月) 16.2時間

【勤務時間】8:45～17:20【有休取得年平均】13.4日【週休】会社暦2日【夏期休暇】連続5日以上(土日含む)【年末年始休暇】12月30日～1月4日

【離職率】男:1.7%、47名 女:3.7%、27名

【新卒3年後離職率】
[20→23年]8.3%(男9.3%・入社43名、女6.9%・入社29名)
[21→24年]11.0%(男12.2%・入社49名、女9.1%・入社33名)

【テレワーク】制度あり:[場所]自宅 実家 要介護者の住む住居等[対象]全社員(業務の特性上在宅勤務の利用が適さない者を除く)[日数]部門別に設定[利用率]47.2%【勤務制度】フレックス 時間単位有休 裁量労働 時差勤務 勤務間インターバル 副業容認【住宅補助】独身寮 借上社宅 カフェテリアプラン

●ライフイベント、女性活躍●

【女性比率】■男 □女

新卒採用 40.3% (27名)　従業員 20.3% (698名)　管理職 5.9% (35名)

【産休】[期間]産前6・産後8週間[給与]法定[取得者数]47名

【育休】[期間]3歳到達月末まで[給与]法定[取得者数]22年度 男73名(対象112名)女37名(対象37名)23年度 男85名(対象130名)女47名(対象47名)[平均取得日数]22年度 男32日 女432日、23年度 男46日 女392日

【従業員】[人数]3,437名(男2,739名、女698名)[平均年齢]43.4歳(男44.5歳、女39.0歳)[平均勤続年数]16.7年(男17.8年、女12.2年)【年齢構成】■男 □女

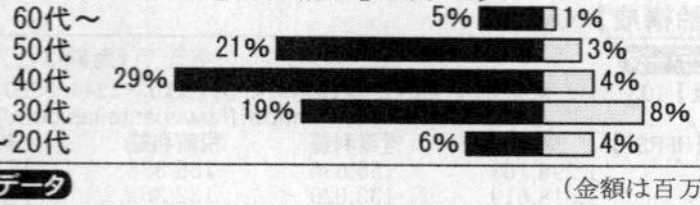
60代～ 5% 1%
50代 21% 3%
40代 29% 4%
30代 19% 8%
～20代 6% 4%

会社データ (金額は百万円)

【本社】541-8564 大阪府大阪市中央区久太郎町1-8-2 ☎06-6263-5670
https://www.ono-pharma.com/

【業績(IFRS)】	売上高	営業利益	税前利益	純利益
22.3	361,361	103,195	105,025	80,519
23.3	447,187	141,963	143,532	112,723
24.3	502,672	159,935	163,734	127,977

しおのぎせいやく
塩野義製薬(株)

[えるぼし ★★★] [くるみん]

【特色】製薬準大手。感染症、疼痛・中枢神経領域に強み

[記者評価] 大阪・道修町本拠の製薬名門。準大手の一角。英ViiV社と連携する抗HIV薬が成長、ロイヤルティ収入が収益柱に。新薬開発力の高さに定評。得意の感染症分野ではインフルエンザ薬「ゾフルーザ」、新型コロナ薬「ゾコーバ」を自社創製。抗生剤なども。

平均勤続年数	男性育休取得率	3年後離職率	平均年収(平均41歳)
15.1年	NA	7.5 → 8.5%	[総] 964万円

●採用・配属情報●

【男女・文理別採用実績】

	大卒男	大卒女	修士男	修士女
23年	9(文 1理 8)	7(文 3理 4)	22(文 0理 22)	5(文 1理 4)
24年	8(文 4理 4)	7(文 2理 5)	19(文 0理 19)	14(文 1理 13)
25年	13(文 7理 6)	11(文 6理 5)	32(文 0理 32)	10(文 0理 10)

【男女・職種別採用実績】

	総合職
23年	61(男 45 女 16)
24年	60(男 39 女 21)
25年	81(男 58 女 23)

【24年4月入社者の配属勤務地】[総]<営業職>全国10<営業職以外>大阪7 [技]大阪33 兵庫10

【転勤】あり:全社員

【中途比率】[単年度]21年度NA、22年度NA、23年度NA[全体]NA

●働きやすさ、諸制度●

残業(月) NA

【勤務時間】9:00〜17:00【有休取得年平均】13.7日【週休】完全2日(土日祝)【夏期休暇】連続3日【年末年始休暇】12月30日〜1月4日

【離職率】NA

【新卒3年後離職率】
[20→23年]7.5%(男3.6%・入社55名、女13.2%・入社38名)
[21→24年]8.5%(男8.1%・入社37名、女8.8%・入社34名)

【テレワーク】制度あり:[場所]自宅[対象]全社員[日数]NA[利用率]NA【勤務制度】フレックス 時間単位有休 週休3日 勤務間インターバル 副業容認【住宅補助】社宅 単身アパート 独身アパート

●ライフイベント、女性活躍●

【女性比率】■男 □女

新卒採用 28.4% (23名)

従業員 26.4% (559名)

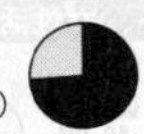

【産休】[期間]産前6・産後8週間[給与]会社全額給付[取得者数]39名

【育休】[期間]3歳になるまで[給与]法定[取得者数]22年度 男58名(対象NA)女34名(対象NA)23年度 男51名(対象NA)女36名(対象NA)[平均取得日数]22年度 NA、23年度 NA

【従業員】[人数]2,117名(男1,558名、女559名)[平均年齢]40.9歳(男41.3歳、女39.7歳)[平均勤続年数]15.1年(男15.2年、女14.8年)

【年齢構成】NA

会社データ

(金額は百万円)

【本社】541-0045 大阪府大阪市中央区道修町3-1-8 ☎06-6202-2161
https://www.shionogi.com/

【業績(IFRS)】	売上高	営業利益	税前利益	純利益
22.3	335,138	110,312	126,268	114,185
23.3	426,684	149,003	220,332	184,965
24.3	435,081	153,310	198,283	162,030

すみとも
住友ファーマ(株)

[プラチナ えるぼし] [プラチナ くるみん]

【特色】製薬準大手。精神神経に強み、再生医療で先行

[記者評価] 05年大日本製薬と住友製薬が合併し誕生。住友化学子会社。北米で販売の抗精神病薬「ラツーダ」が売上高の約4割を占める大黒柱だったが、23年の特許切れで業績急悪化。23年に過去最大規模の人員削減を発表するなど、経営建て直しを進める。

平均勤続年数	男性育休取得率	3年後離職率	平均年収(平均44歳)
18.7年	120.0 → 110.6%	13.6 → 18.8%	867万円

●採用・配属情報●

【男女・文理別採用実績】

	大卒男	大卒女	修士男	修士女
23年	8(文 2理 6)	8(文 4理 4)	11(文 0理 11)	5(文 1理 4)
24年	4(文 0理 4)	5(文 2理 3)	7(文 0理 7)	5(文 0理 5)
25年	0(文 0理 0)	0(文 0理 0)	0(文 0理 0)	0(文 0理 0)

【男女・職種別採用実績】

	総合職	一般職(製造スタッフ)
23年	43(男 27 女 16)	2(男 2 女 0)
24年	36(男 20 女 16)	1(男 0 女 1)
25年	7(男 6 女 1)	3(男 2 女 1)

【24年4月入社者の配属勤務地】[総]全国各地6 東京5 [技]大阪21 神戸2 三重2

【転勤】あり:全社員

【中途比率】[単年度]21年度31%、22年度36%、23年度33%[全体]NA

●働きやすさ、諸制度●

残業(月) NA

【勤務時間】9:00〜17:50【有休取得年平均】14.8日【週休】完全2日(土日祝)【夏期休暇】連続約5日【年末年始休暇】連続約7日

【離職率】NA

【新卒3年後離職率】
[20→23年]13.6%(男11.4%・入社35名、女16.1%・入社31名)
[21→24年]18.8%(男13.3%・入社30名、女23.5%・入社34名)

【テレワーク】制度あり:[場所]NA[対象]NA[日数]NA[利用率]NA【勤務制度】時間単位有休 裁量労働 時差勤務 勤務間インターバル 副業容認【住宅補助】社宅制度 住宅手当

●ライフイベント、女性活躍●

【女性比率】■男 □女

新卒採用 20% (2名)

【産休】[期間]産前6・産後8週間[給与]会社10割(賃金控除なし)[取得者数]35名

【育休】[期間]1歳半または1歳超えた4月末まで[給与]最初の10営業日会社10割(賃金控除なし)以降は法定通り(育休給付金 最初180日まで67%、以降50%)[取得者数]22年度 男96名(対象80名)女31名(対象31名)23年度 男73名(対象66名)女39名(対象39名)[平均取得日数]22年度 男30日 女399日、23年度 男43日 女410日

【従業員】[人数]2,908名(男NA、女NA)[平均年齢]44.3歳(男NA、女NA)[平均勤続年数]18.7年(男NA、女NA)

【年齢構成】NA

会社データ

(金額は百万円)

【本社】541-0045 大阪府大阪市中央区道修町2-6-8 ☎06-6203-5305
https://www.sumitomo-pharma.co.jp/

【業績(IFRS)】	売上高	営業利益	税前利益	純利益
22.3	560,035	60,234	82,961	56,413
23.3	555,544	▲76,979	▲47,920	▲74,512
24.3	314,558	▲354,859	▲323,114	▲314,969

メーカーII

さんてんせいやく
参天製薬(株)

【特色】眼科用医薬品に特化し国内首位。市販品も著名

[記者評価] 売上高は医療用が9割。市販用は「サンテ」が有名。加齢黄斑変性治療薬や医療用ドライアイ薬などが強い。眼科のスペシャリティ・カンパニーを目指し、米メルクの眼科製品や緑内障用デバイス開発企業を買収。失明や視覚障がいへの理解向上に注力。

平均勤続年数	男性育休取得率	3年後離職率	平均年収(平均44歳)
◇16.8年	87.5→80.6%	0→37.5%	◇873万円

●採用・配属情報●

【男女・文理別採用実績】

	大卒男	大卒女	修士男	修士女
23年	0(文 0理 0)	5(文 3理 2)	4(文 0理 4)	0(文 0理 0)
24年	1(文 1理 0)	1(文 1理 0)	1(文 0理 1)	1(文 0理 1)
25年	5(文 4理 1)	12(文 8理 4)	4(文 0理 4)	4(文 0理 4)

【男女・職種別採用実績】 転換制度:NA

	総合職
23年	10(男 5 女 5)
24年	4(男 2 女 2)
25年	25(男 9 女 16)

【24年4月入社者の配属勤務地】[総](23年)愛知1 千葉1 東京1 熊本1 [技](24年)石川1 滋賀1

【転勤】あり:[職種]工場勤務者(製造オペレーター 品質管理職 生産技術職 設備管理職)営業職 他 [勤務地]大阪本社 滋賀 能登 奈良 東京 他

【中途比率】[単年度]21年度13%、22年度45%、23年度17%[全体]◇52%

●働きやすさ、諸制度●

残業(月) 10.8時間

【勤務時間】8:30〜17:15【有休取得年平均】12.9日【週休】完全2日(土日祝)【夏期休暇】なし【年末年始休暇】12月29日〜1月3日

【離職率】NA

【新卒3年後離職率】
[20→23年]0%(男0%・入社6名、女0%・入社9名)
[21→24年]37.5%(男0%・入社3名、女60.0%・入社5名)

【テレワーク】制度あり:[場所]自宅 サテライトオフィス[対象]製造系職種以外[日数]制限なし[利用率]NA【勤務制度】フレックス 時間単位有休 裁量労働 勤務間インターバル 副業容認【住宅補助】社宅

●ライフイベント、女性活躍●

【女性比率】■男 □女

新卒採用 64% (16名)

従業員 27.3% (455名)

管理職 16.1% (44名)

【産休】[期間]産前6・産後8週間[給与]会社全額給付[取得者数]12名

【育休】[期間]1歳6カ月になるまで[給与]法定[取得者数]22年度 男35名(対象40名)女18名(対象18名)23年度 男25名(対象31名)女11名(対象18名)[平均取得日数]22年度 男21日 女377日、23年度 男17日 女294日

【従業員】◇[人数]1,669名(男1,214名、女455名)[平均年齢]43.8歳(男44.3歳、女42.3歳)[平均勤続年数]16.8年(男17.5年、女14.9年)【年齢構成】■男 □女

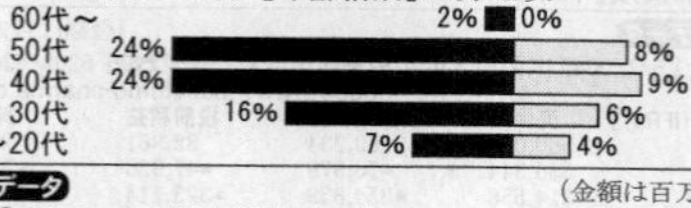
60代〜 2% 0%
50代 24% 8%
40代 24% 9%
30代 16% 6%
〜20代 7% 4%

[会社データ] (金額は百万円)

【本社】530-8552 大阪府大阪市北区大深町4-20 グランフロント大阪タワーA ☎06-7664-8621
https://www.santen.com/ja/

【業績(IFRS)】	売上高	営業利益	税前利益	純利益
22.3	266,257	35,886	35,616	27,218
23.3	279,037	▲3,090	▲5,799	▲14,948
24.3	301,965	38,541	29,874	26,642

せいやく
ロート製薬(株)

[くるみん]

【特色】一般用目薬で国内首位。基礎化粧品、医療用も

[記者評価] 一般用目薬で国内首位だが、売上の柱は88年に米メンソレータム社の買収で開始したスキンケア事業。「肌ラボ」や高額品「オバジ」など成長が続く。再生医療テコに医療用に参入。健康経営のため従業員の喫煙率ゼロを目標に掲げる。会長は創業家4代目。

平均勤続年数	男性育休取得率	3年後離職率	平均年収(平均42歳)
15.8年	26.5→46.4%	0→3.8%	[総]947万円

●採用・配属情報●

【男女・文理別採用実績】

	大卒男	大卒女	修士男	修士女
23年	6(文 2理 4)	10(文 8理 2)	4(文 0理 4)	5(文 0理 5)
24年	7(文 1理 6)	7(文 6理 1)	7(文 0理 7)	13(文 1理 12)
25年	11(文 5理 6)	11(文 6理 5)	5(文 0理 5)	8(文 3理 5)

【男女・職種別採用実績】 転換制度:⇔

	総合職	専門職
23年	32(男 16 女 16)	1(男 0 女 1)
24年	36(男 18 女 18)	11(男 3 女 8)
25年	36(男 19 女 17)	13(男 4 女 9)

【24年4月入社者の配属勤務地】[総](23年)大阪5 東京5 札幌1 広島1 福岡1 [技](23年)大阪6 京都8 三重4 東京1

【転勤】あり:[職種]業務内容に制限のない総合職

【中途比率】[単年度]21年度35%、22年度46%、23年度62%[全体]45%

●働きやすさ、諸制度●

残業(月) 13.3時間 [総]13.3時間

【勤務時間】8:20〜17:00【有休取得年平均】14.4日【週休】完全2日(土日祝)【夏期休暇】連続5日【年末年始休暇】連続7日

【離職率】男:1.2%、7名 女:2.3%、13名

【新卒3年後離職率】
[20→23年]0%(男0%・入社14名、女0%・入社12名)
[21→24年]3.8%(男10.0%・入社10名、女0%・入社16名)

【テレワーク】制度あり:[場所]自宅[対象]工場勤務などの製造関連以外の部門[日数]制限なし[利用率]4.7%【勤務制度】フレックス 裁量労働 副業容認【住宅補助】独身寮(自己負担18,000円〜)社宅(地域ごとの規定額内の物件で、7割会社負担)住宅手当(世帯主32,000〜50,000円 準世帯主16,000〜25,000円※地域による)

●ライフイベント、女性活躍●

【女性比率】■男 □女

新卒採用 53.1% (26名)

従業員 48.7% (557名)

管理職 31.6% (105名)

【産休】[期間]産前6・産後8週間[給与]1カ月会社全額給付、以降法定[取得者数]43名

【育休】[期間]原則として1歳6カ月に達するまで[給与]法定[取得者数]22年度 男9名(対象34名)女44名(対象45名)23年度 男13名(対象28名)女43名(対象43名)[平均取得日数]22年度 男26日 女370日、23年度 男49日 女379日

【従業員】[人数]1,144名(男587名、女557名)[平均年齢]42.0歳(男43.0歳、女40.8歳)[平均勤続年数]15.8年(男16.3年、女15.2年)【年齢構成】■男 □女

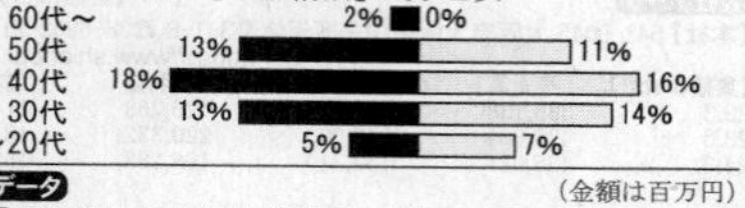
60代〜 2% 0%
50代 13% 11%
40代 18% 16%
30代 13% 14%
〜20代 5% 7%

[会社データ] (金額は百万円)

【本社】544-8666 大阪府大阪市生野区巽西1-8-1 ☎06-6758-1231
https://www.rohto.co.jp/

【業績(連結)】	売上高	営業利益	経常利益	純利益
22.3	199,646	29,349	29,084	21,018
23.3	238,664	33,959	35,568	26,377
24.3	270,840	40,048	42,434	30,936

メーカーII

とうわやくひん

東和薬品(株)

くるみん

【特色】後発医薬品大手。直販主体だが卸ルートを開拓中

記者評価 ジェネリック薬で国内首位。ビタミン剤や胃腸薬の製造販売から出発。循環器系に強み。営業所展開による直販体制で、開業医向けが強い。大阪、岡山、山形に工場を置く。後発薬業界で他社の不正が相次いだことを受け、当社の販売量が急増中。

平均勤続年数	男性育休取得率	3年後離職率	平均年収(平均37歳)
◇10.6年	23.6→33.3%	11.5→3.8%	775万円

●採用・配属情報●

【男女・文理別採用実績】

	大卒男	大卒女	修士男	修士女
23年	15(文 12理 3)	15(文 9理 6)	16(文 0理 16)	19(文 0理 19)
24年	1(文 0理 1)	10(文 3理 7)	4(文 0理 4)	6(文 0理 6)
25年	2(文 1理 1)	7(文 1理 6)	12(文 0理 12)	8(文 0理 8)

【男女・職種別採用実績】 転換制度:⇔

	総合職	エリア職
23年	67(男 33 女 34)	19(男 16 女 3)
24年	21(男 5 女 16)	5(男 3 女 2)
25年	31(男 16 女 15)	1(男 1 女 0)

【24年4月入社者の配属勤務地】㊔山梨1 東京1 愛知1 京都1 福岡1 ㊋大坂10 京都1 兵庫2 山形2 岡山1

【転勤】あり:[職種]総合職[勤務地]本社および会社の定める全ての事業所

【中途比率】[単年度]21年度NA、22年度NA、23年度NA[全体]NA

●働きやすさ、諸制度●

残業(月) 17.8時間

【勤務時間】8:40～17:40【有休取得年平均】12.8日【週休】完全2日(土日祝)【夏期休暇】3日【年末年始休暇】あり

【離職率】◇男:4.0%、74名 女:3.7%、35名

【新卒3年後離職率】

[20→23年]11.5%(男14.3%・入社28名、女8.3%・入社24名)

[21→24年]3.8%(男3.1%・入社32名、女4.8%・入社21名)

【テレワーク】制度あり:[場所]自宅等[対象]全従業員※営業職・製造職を除く[日数]週2日[利用率]NA【勤務制度】フレックス 時間単位有休 裁量労働 時差勤務 勤務間インターバル【住宅補助】借上げ社宅(家賃の7割を負担)住宅手当(16,000～20,000円)

●ライフイベント、女性活躍●

【女性比率】■男 □女

新卒採用 46.9% (15名)　従業員 33.8% (906名)　管理職 12.7% (52名)

【産休】[期間]産前6・産後8週間[給与]法定[取得者数]66名

【育休】[期間]3歳になるまで[給与]最初5日有給、以降給付金[取得者数]22年度 男21名(対象89名)女78名(対象78名)23年度 男30名(対象90名)女60名(対象69名)[平均取得日数]22年度 NA、23年度 NA

【従業員】◇[人数]2,684名(男1,778名、女906名)[平均年齢]36.9歳(男37.0歳、女36.6歳)[平均勤続年数]10.6年(男11.0年、女9.8年)

【年齢構成】■男 □女

	男	女
60代～	1%	0%
50代	9%	4%
40代	15%	10%
30代	21%	10%
～20代	20%	10%

会社データ (金額は百万円)

【本社】571-8580 大阪府門真市新橋町2-11 ☎06-6900-9100 https://www.towayakuhin.co.jp/

【業績(連結)】	売上高	営業利益	経常利益	純利益
22.3	165,615	19,205	22,739	15,914
23.3	208,859	5,514	5,141	2,201
24.3	227,934	17,647	24,477	16,173

メイジ セイカ

Meiji Seika ファルマ(株)

くるみん

【特色】明治HDの医薬品子会社。ワクチン開発も

記者評価 ペニシリン製造でスタートした旧明治製菓の薬品事業が源流。ペニシリン系抗菌薬で高シェア。感染症を軸に血液、免疫炎症も重点領域。抗菌薬の国内安定供給のため、岐阜工場での原薬製造に着手。米バイオ企業開発の新型コロナワクチンの供給販売権を取得。

平均勤続年数	男性育休取得率	3年後離職率	平均年収(平均43歳)
16.9年	78.2→80.9%	NA	878万円

●採用・配属情報●

【男女・文理別採用実績】

	大卒男	大卒女	修士男	修士女
23年	7(文 5理 2)	5(文 2理 3)	3(文 0理 3)	0(文 0理 0)
24年	18(文 6理 12)	18(文 11理 7)	6(文 0理 6)	4(文 0理 4)
25年	11(文 7理 4)	24(文 15理 9)	9(文 1理 8)	2(文 0理 2)

【男女・職種別採用実績】 転換制度:⇒

	総合職
23年	15(男 10 女 5)
24年	46(男 24 女 22)
25年	46(男 20 女 26)

※基幹職は事業所単位で採用

【24年4月入社者の配属勤務地】㊔北海道1 宮城1 岩手1 福島1 東京4 千葉2 神奈川2 埼玉2 栃木1 茨城1 山梨1 愛知2 静岡1 富山1 京都2 大阪2 兵庫2 広島1 岡山1 徳島1 福岡2 鹿児島1 ㊋東京5 神奈川6 岐阜2

【転勤】あり:全社員

【中途比率】[単年度]21年度28%、22年度58%、23年度72%[全体]NA

●働きやすさ、諸制度●

残業(月) (組合員)7.9時間 ㊔(組合員)8.3時間

【勤務時間】9:00～17:40(フレックスタイム制 コアタイム11:00～14:00)【有休取得年平均】11.3日【週休】完全2日(土日祝)【夏期休暇】8月13～14日(会社カレンダーに準ずる)【年末年始休暇】12月30日～1月3日(会社カレンダーに準ずる)

【離職率】NA

【新卒3年後離職率】[20→23年]NA [21→24年]NA

【テレワーク】制度あり:[場所]自宅[対象]全従業員※営業職 製造従事者除く[日数]月10回[利用率]NA【勤務制度】フレックス 裁量労働 時差勤務【住宅補助】借上社宅 社有社宅

●ライフイベント、女性活躍●

【女性比率】■男 □女

新卒採用 56.5% (26名)

従業員 33.2% (659名)

【産休】[期間]産前45・産後56日間※他に無給の産前休職制度あり[給与]会社全額給付[取得者数]31名

【育休】[期間]保育所等入所できなかった場合3歳の誕生日の月末まで[給与]法定[取得者数]22年度 男43名(対象55名)女52名(対象52名)23年度 男38名(対象47名)女40名(対象40名)[平均取得日数]22年度 NA、23年度 NA

【従業員】[人数]1,982名(男1,323名、女659名)[平均年齢]42.7歳(男44.1歳、女40.0歳)[平均勤続年数]16.9年(男18.2年、女14.3年)

【年齢構成】NA

会社データ (金額は百万円)

【本社】104-8002 東京都中央区京橋2-4-16 ☎03-3273-6030 https://www.meiji-seika-pharma.co.jp/

【業績(単独)】	売上高	営業利益	経常利益	純利益
22.3	131,469	782	1,073	24,795
23.3	126,289	7,153	9,499	14,787
24.3	206,100	22,700	23,100	10,000

※24.3の業績は明治グループの医薬品セグメントのもの

281 開示 ★☆☆☆☆

たいしょうせいやく

大正製薬㈱

えるぼし ★★★　くるみん

【特色】大衆薬国内首位。医療用医薬品も。オーナー経営

[記者評価] ドリンク剤「リポビタンD」、風邪薬「パブロン」、育毛剤「リアップ」が大衆薬3本柱。医療用医薬品も展開。19年米ブリストル・マイヤーズ欧州子会社を買収。23年には米バイオリンク社とグルコールセンサーで独占ライセンス契約。ベトナムなどアジア事業強化。

平均勤続年数	男性育休取得率	3年後離職率	平均年収(平均45歳)
NA	NA	NA	NA

●採用・配属情報●

【男女・文理別採用実績】

	大卒男	大卒女	修士男	修士女
23年	14(文 8理 6)	10(文 5理 5)	18(文 0理 18)	9(文 0理 9)
24年	2(文 2理 0)	1(文 1理 0)	3(文 0理 3)	3(文 0理 3)
25年	0(文 0理 0)	0(文 0理 0)	3(文 0理 3)	4(文 0理 4)

【男女・職種別採用実績】　転換制度:⇔

	総合職
23年	53(男 33 女 20)
24年	13(男 6 女 7)
25年	8(男 3 女 5)

【24年4月入社者の配属勤務地】[技]NA
【転勤】あり:[職種]全社員
【中途比率】[単年度]21年度NA、22年度NA、23年度NA[全体]NA

●働きやすさ、諸制度●

残業(月)　NA

【勤務時間】8:30～17:05【有休取得年平均】NA【週休】完全2日(土日祝)【夏期休暇】連続約5日【年末年始休暇】連続約5日
【離職率】NA
【新卒3年後離職率】
[20→23年]NA
[21→24年]NA
【テレワーク】制度なし【勤務制度】フレックス 時間単位有休 裁量労働【住宅補助】独身寮 借上社宅 住宅手当

●ライフイベント、女性活躍●

【女性比率】■男 □女

新卒採用 62.5% (5名)

【産休】[期間]産前6・産後8週間[給与]法定[取得者数]NA
【育休】[期間]1歳になるまで[給与]法定[取得者数]22年度NA 23年度 NA[平均取得日数]22年度 NA、23年度 NA
【従業員】[人数]2,811名(男NA、女NA)[平均年齢]44.5歳(男NA、女NA)[平均勤続年数]NA
【年齢構成】NA

会社データ　(金額は百万円)

【本社】170-8633 東京都豊島区高田3-24-1 ☎03-3985-1111
https://www.taisho.co.jp/

【業績(単独)】	売上高	営業利益	経常利益	純利益
22.3	172,302	9,404	17,972	8,165
23.3	179,994	16,680	29,746	23,280
24.3	186,841	14,461	18,896	11,100

286 開示 ★★★★☆

㈱ツムラ

えるぼし ★★　プラチナくるみん

【特色】医療用漢方薬でシェア8割超。中国事業を育成

[記者評価] 1893年に婦人用生薬製剤「中将湯」で創業。医療用漢方薬に集中。高齢者、女性、がん支持療法の3領域に注力し、重点的に医師へ情報を提供。処方数増、医療用医薬品としての知名度向上のため医学部でも啓蒙活動。中国事業の基盤構築を推進中。

平均勤続年数	男性育休取得率	3年後離職率	平均年収(平均*43歳)
17.2年	52.1→57.3%	2.1→7.7%	[総]806万円

●採用・配属情報●

【男女・文理別採用実績】

	大卒男	大卒女	修士男	修士女
23年	8(文 2理 6)	15(文 8理 7)	13(文 0理 13)	6(文 0理 6)
24年	8(文 2理 6)	23(文 8理 15)	8(文 0理 8)	9(文 0理 9)
25年	14(文 10理 4)	15(文 3理 12)	9(文 0理 9)	9(文 1理 8)

【男女・職種別採用実績】　転換制度:⇔

	総合職
23年	42(男 21 女 21)
24年	48(男 16 女 32)
25年	47(男 23 女 24)

【24年4月入社者の配属勤務地】[総]全国15 東京本社2 茨城1 [技]茨城20 石岡1 静岡6 本社3
【転勤】あり:[職種]グローバル職
【中途比率】[単年度]21年度56%、22年度78%、23年度72%[全体]40%

●働きやすさ、諸制度●

残業(月)　12.0時間 [総]10.5時間

【勤務時間】9:00～17:45【有休取得年平均】14.0日【週休】完全2日(土日祝)【夏期休暇】連続4日【年末年始休暇】連続6日
【離職率】男:2.5%、51名 女:3.4%、24名(早期退職男7名、女1名含む)
【新卒3年後離職率】
[20→23年]2.1%(男0%・入社22名、女3.8%・入社26名)
[21→24年]7.7%(男0%・入社21名、女16.7%・入社18名)
【テレワーク】制度あり:[場所]自宅および自宅に準ずる場所[対象]営業外勤者 生産業務従事者を除く当社社員(出向者除く)[日数]月最大12日まで[利用率]5.0%【勤務制度】フレックス 勤務間インターバル
【住宅補助】借上社宅(原則40歳まで適用 家賃の50～75%を会社負担)住宅手当(単身・世帯 および地域により異なる5,500～30,000円)

●ライフイベント、女性活躍●

【女性比率】■男 □女

新卒採用 51.1% (24名)

従業員 25.3% (684名)

管理職 8.4% (43名)

【産休】[期間]産前希望日・産後8週間[給与]法定[取得者数]26名
【育休】[期間]2歳になるまで[給与]法定[取得者数]22年度 男25名(対象48名)女17名(対象17名)23年度 男43名(対象75名)女26名(対象26名)[平均取得日数]22年度 男25日 女232日、23年度 男42日 女232日
【従業員】[人数]2,704名(男2,020名、女684名)[平均年齢]43.0歳(男44.2歳、女39.5歳)[平均勤続年数]17.2年(男18.5年、女13.4年)【年齢構成】■男 □女

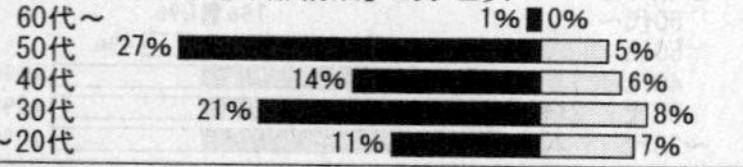
60代～
1%
0%
50代
27%
5%
40代
14%
6%
30代
21%
8%
～20代
11%
7%

会社データ　(金額は百万円)

【本社】107-8521 東京都港区赤坂2-17-11 ☎03-6361-7114
https://www.tsumura.co.jp/

【業績(連結)】	売上高	営業利益	経常利益	純利益
22.3	129,546	22,376	25,904	18,836
23.3	140,043	20,916	23,453	16,482
24.3	150,845	20,017	23,493	16,707

にっぽんしんやく
日本新薬(株)

[えるぼし ★★★] [くるみん]

【特色】医療用医薬品中堅。泌尿器、血液内科に強み

[記者評価] 排尿障害改善剤など泌尿器系や血液内科主軸。肺動脈性肺高血圧症治療薬は機序の違う3種を持ち対応範囲が広い。難病・希少疾患や耳鼻科などニッチ分野にも強み。核酸医薬にも強く、筋ジストロフィー薬は国産の核酸医薬として初承認。機能食品にも注力。

平均勤続年数	男性育休取得率	3年後離職率	平均年収(平均42歳)
17.4年	69.3→70.8%	6.0→3.5%	[総]798万円

●採用・配属情報●

【男女・文理別採用実績】

	大卒男	大卒女	修士男	修士女
23年	12(文 4理 8)	15(文 5理 10)	20(文 1理 19)	11(文 1理 10)
24年	16(文 5理 11)	13(文 5理 8)	24(文 0理 24)	13(文 0理 13)
25年	13(文 3理 10)	14(文 4理 10)	19(文 0理 19)	11(文 1理 10)

【男女・職種別採用実績】

	総合職
23年	68(男 41 女 27)
24年	74(男 45 女 29)
25年	63(男 38 女 25)

【24年4月入社者の配属勤務地】[総]〈メディカル総合職(MR職)〉全国6 〈学術職〉京都4〈スタッフ職〉京都5 [技]〈医薬品研究職〉京都26 茨城・つくば7〈臨床開発職〉京都3〈MA職〉京都3〈信頼性保証職〉京都10〈生産技術職〉神奈川・小田原8〈食品研究職〉京都2

【転勤】あり:全社員

【中途比率】[単年度]21年度15%、22年度27%、23年度11%[全体]4%

●働きやすさ、諸制度●

残業(月) 9.9時間 [総]9.9時間

【勤務時間】フレックスタイム制(本社・支店・事業所・研究所)【有休取得年平均】13.8日【週休】完全2日(土日祝)【夏期休暇】時季指定年休【年末年始休暇】連続6日

【離職率】男:1.6%、21名 女:1.4%、8名

【新卒3年後離職率】
[20→23年]6.0%(男11.1%・入社36名、女0%・入社31名)
[21→24年]3.5%(男6.9%・入社29名、女0%・入社28名)

【テレワーク】制度あり:[場所]所蔵事業場以外の希望する場所[対象]全従業員[日数]週3日まで(全労働時間をテレワークとすることが可能な回数)[利用率]19.4%【勤務制度】フレックス 時間単位有休 時差勤務 副業容認【住宅補助】社宅

●ライフイベント、女性活躍●

【女性比率】■男 □女

新卒採用 39.7% (25名)

従業員 31.2% (582名)

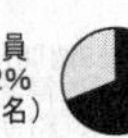

管理職 13.4% (42名)

【産休】[期間]産前6・産後8週間[給与]法定[取得者数]28名

【育休】[期間]1歳になるまで[給与]法定[取得者数]22年度 男61名(対象88名)女25名(対象25名)23年度 男51名(対象72名)女28名(対象28名)[平均取得日数]22年度 NA、23年度 NA

【従業員】[人数]1,865名(男1,283名、女582名)[平均年齢]41.5歳(男42.2歳、女39.8歳)[平均勤続年数]17.4年(男17.9年、女16.4年)【年齢構成】■男 □女

	男	女
60代〜	5%	1%
50代	16%	7%
40代	15%	6%
30代	24%	10%
〜20代	10%	7%

会社データ (金額は百万円)

【本社】601-8550 京都府京都市南区吉祥院西ノ庄門口町14 ☎075-321-1111 https://www.nippon-shinyaku.co.jp/

【業績(IFRS)】	売上高	営業利益	税前利益	純利益
22.3	137,484	32,948	33,301	24,986
23.3	144,175	30,049	30,489	22,812
24.3	148,255	33,295	33,616	25,851

きょうりんせいやく
杏林製薬(株)

[くるみん]

【特色】医療用医薬品中堅。抗菌剤、呼吸器、泌尿器が軸

[記者評価] キョーリン製薬グループの中核。新薬主体。世界初のニューキノロン系合成抗菌剤が有名。呼吸器、泌尿器、耳鼻が重点領域。過活動膀胱薬が成長中。国内外の製薬企業と開発案件拡充。23年に早期退職を実施も今後の新薬比率増を見据えMRは除外。

平均勤続年数	男性育休取得率	3年後離職率	平均年収(平均45歳)
17.8年	28.6→28.2%	NA	[総]858万円

●採用・配属情報●

【男女・文理別採用実績】

	大卒男	大卒女	修士男	修士女
23年	16(文 6理 10)	4(文 4理 0)	8(文 0理 8)	0(文 0理 0)
24年	4(文 4理 0)	4(文 3理 1)	8(文 0理 8)	5(文 0理 5)
25年	10(文 7理 3)	5(文 3理 2)	6(文 0理 6)	4(文 0理 4)

【男女・職種別採用実績】

	総合職
23年	30(男 26 女 4)
24年	21(男 12 女 9)
25年	26(男 17 女 9)

【24年4月入社者の配属勤務地】[総]北海道1 東北1 関越1 首都圏2 東京2 東海北陸2 関西3 中国四国2 九州2 本社1 [技]栃木3 本社1

【転勤】あり:正社員

【中途比率】[単年度]21年度14%、22年度26%、23年度14%[全体]NA

●働きやすさ、諸制度●

残業(月) 5.0時間

【勤務時間】8:30〜17:10【有休取得年平均】14.0日【週休】完全2日(土日祝)【夏期休暇】計画年休5日を7〜9月で取得【年末年始休暇】12月29日〜1月4日

【離職率】NA

【新卒3年後離職率】
[20→23年]NA(男NA・入社13名、女NA・入社8名)
[21→24年]NA(男NA・入社21名、女NA・入社11名)

【テレワーク】制度あり:[場所]自宅[対象]NA[日数]週2日[利用率]NA【勤務制度】フレックス 時間単位有休 裁量労働 時差勤務【住宅補助】社宅貸与 住宅支援金

●ライフイベント、女性活躍●

【女性比率】■男 □女

新卒採用 34.6% (9名)

従業員 22.6% (283名)

【産休】[期間]産前6・産後8週間[給与]法定[取得者数]14名

【育休】[期間]1歳半または1歳到達後の4月末まで[給与]法定[取得者数]22年度 男12名(対象42名)女21名(対象21名)23年度 男11名(対象39名)女17名(対象17名)[平均取得日数]22年度 男42日 女375日、23年度 男105日 女404日

【従業員】[人数]1,250名(男967名、女283名)[平均年齢]42.4歳(男43.2歳、女39.8歳)[平均勤続年数]17.8年(男18.3年、女16.2年)

【年齢構成】NA

会社データ (金額は百万円)

【本社】100-0004 東京都千代田区大手町1-3-7 日本経済新聞社東京本社ビル ☎03-6374-9701 https://www.kyorin-pharm.co.jp/

【業績(連結)】	売上高	営業利益	経常利益	純利益
22.3	105,534	5,007	5,569	3,932
23.3	113,270	5,123	5,827	4,723
24.3	119,532	6,013	6,602	5,322

280 開示 ★★★☆☆

もちだ せいやく
持田製薬(株)

[くるみん]

【特色】医薬品中堅。消化器、循環器、婦人科系が軸

[記者評価] 高脂血薬「エパデール」特許切れも、循環器、産婦人科、皮膚、精神科に加え、潰瘍性大腸炎など消化器系に注力。慢性便秘薬は作用機序が異なる2製品を販売。皮膚科学を生かすスキンケア製品も特長。研究機関や大学とのオープンイノベーションを推進。

平均勤続年数	男性育休取得率	3年後離職率	平均年収(平均43歳)
16.9年	64.9→75.7%	7.1→13.2%	822万円

●採用・配属情報●

【男女・文理別採用実績】

	大卒男	大卒女	修士男	修士女
23年	8(文 3理 5)	13(文 2理 11)	7(文 0理 7)	5(文 0理 5)
24年	9(文 7理 2)	10(文 4理 6)	9(文 0理 9)	6(文 1理 5)
25年	9(文 6理 3)	19(文 9理 10)	7(文 0理 7)	2(文 0理 2)

【男女・職種別採用実績】 転換制度:⇔

	総合職	エリア総合職
23年	34(男 16 女 18)	0(男 0 女 0)
24年	33(男 17 女 16)	1(男 1 女 0)
25年	37(男 16 女 21)	1(男 0 女 1)

【24年4月入社者の配属勤務地】[総]青森1 郡山1 松本1 土浦1 東京(市ヶ谷2 四谷1 多摩2)神奈川・厚木1 名古屋1 金沢1 京都1 神戸1 岡山1 山口1 香川・高松1 北九州1 熊本1 [技]静岡(御殿場4 藤枝3)東京・四谷8

【転勤】あり:[職種]総合職(原則)

【中途比率】[単年度]21年度36%、22年度35%、23年度49%[全体]NA

●働きやすさ、諸制度●

残業(月) NA

【勤務時間】9:00~17:40【有休取得年平均】12.8日【週休】完全2日(土日祝)【夏期休暇】8月13~16日(計画年休4日一斉取得)【年末年始休暇】12月30日~1月3日

【離職率】男:2.8%、25名 女:3.8%、15名(早期退職男1名含む)

【新卒3年後離職率】

[20→23年]7.1%(男0%・入社15名、女11.1%・入社27名)

[21→24年]13.2%(男0%・入社14名、女20.8%・入社24名)

【テレワーク】制度あり:[場所]自宅 自宅に準じる場所(会社に申請し承認を受けた場所に限る)[対象]勤続年数が1年以上の社員[日数]週1日~週4日の間で申請理由・業務内容等に応じて設定[利用率]NA【勤務制度】フレックス 時間単位有休 裁量労働【住宅補助】借上住宅 独身寮 住宅手当

●ライフイベント、女性活躍●

【女性比率】■男 □女

新卒採用 57.9% (22名)

従業員 30.9% (385名)

【産休】[期間]産前6・産後8週間[給与]健保3分の2+会社3分の1給付[取得者数]19名

【育休】[期間]1歳になるまで[給与]5日有給、以降給付金[取得者数]22年度 男24名(対象37名)女12名(対象12名)23年度 男28名(対象37名)女20名(対象20名)[平均取得日数]22年度 男9日 女362日、23年度 男27日 女408日

【従業員】[人数]1,247名(男862名、女385名)[平均年齢]42.8歳(男44.1歳、女39.9歳)[平均勤続年数]16.9年(男17.8年、女15.0年)【年齢構成】■男 □女

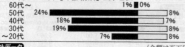

	男	女
60代~	1%	0%
50代	24%	8%
40代	18%	7%
30代	19%	8%
~20代	7%	8%

会社データ (金額は百万円)

【本社】160-8515 東京都新宿区四谷1-7 ☎03-3358-7211
https://www.mochida.co.jp/

【業績(連結)】	売上高	営業利益	経常利益	純利益
22.3	110,179	14,392	14,799	10,569
23.3	103,261	8,507	9,085	6,649
24.3	102,885	5,802	6,037	4,547

292 開示 ★★☆☆☆

しんやくこうぎょう
ゼリア新薬工業(株)

【特色】医薬品中堅メーカー。医療用薬と市販薬が2本柱

[記者評価] 医療用は消化器系が得意で、潰瘍性大腸炎薬「アサコール」は欧州を中心に販売国数の拡大が続く。スイスの医薬メーカー買収で海外事業を強化し、近年海外売上高比率が急速に拡大している。国内の市販用では「ヘパリーゼ」の品ぞろえが強力。

平均勤続年数	男性育休取得率	3年後離職率	平均年収(平均45歳)
17.3年	6.7→34.8%	44.0→14.8%	[総]768万円

●採用・配属情報●

【男女・文理別採用実績】

	大卒男	大卒女	修士男	修士女
23年	10(文 7理 3)	6(文 3理 3)	2(文 0理 2)	3(文 0理 3)
24年	8(文 7理 1)	6(文 4理 2)	6(文 0理 6)	2(文 0理 2)
25年	-(文 -理 -)	-(文 -理 -)	-(文 -理 -)	-(文 -理 -)

【男女・職種別採用実績】

	総合職
23年	21(男 12 女 9)
24年	22(男 14 女 8)
25年	-(男 - 女 -)

【24年4月入社者の配属勤務地】[総]札幌1 東京8 名古屋2 大阪2 福岡1 [技]東京1 埼玉・熊谷6 茨城・牛久1

【転勤】あり:全社員

【中途比率】[単年度]21年度NA、22年度NA、23年度NA[全体]NA

●働きやすさ、諸制度●

残業(月) NA

【勤務時間】7時間45分(フレックスタイム制 コアタイム10:00~15:00)【有休取得年平均】10.5日【週休】完全2日(土日祝)【夏期休暇】2日【年末年始休暇】12月30日~1月4日

【離職率】NA

【新卒3年後離職率】

[20→23年]44.0%(男41.2%・入社17名、女50.0%・入社8名)

[21→24年]14.8%(男17.6%・入社17名、女10.0%・入社10名)

【テレワーク】制度あり:[場所]自宅 他[対象]営業職および工場・物流センター勤務者を除く[日数]週2日まで[利用率]NA【勤務制度】フレックス【住宅補助】借上社宅

●ライフイベント、女性活躍●

【女性比率】■男 □女

従業員 20.4% (168名)

【産休】[期間]産前6・産後8週間[給与]産前・産後6週間は会社全額給付、以降法定[取得者数]15名

【育休】[期間]1歳になるまで[給与]法定[取得者数]22年度 男1名(対象15名)女5名(対象5名)23年度 男8名(対象23名)女15名(対象15名)[平均取得日数]22年度 NA、23年度 NA

【従業員】[人数]823名(男655名、女168名)[平均年齢]44.5歳(男45.3歳、女41.2歳)[平均勤続年数]17.3年(男18.0年、女14.6年)

【年齢構成】NA

会社データ (金額は百万円)

【本社】103-8351 東京都中央区日本橋小舟町10-11 ☎03-3661-0275
https://www.zeria.co.jp/

【業績(連結)】	売上高	営業利益	経常利益	純利益
22.3	59,532	6,366	5,935	3,961
23.3	68,383	9,014	7,579	6,195
24.3	75,725	9,621	8,513	7,731

284 開示 ★★★

ふそうやくひんこうぎょう
扶桑薬品工業(株)

【特色】中堅医薬品メーカー。人工腎臓透析液・補液が柱

記者評価 独立系。1937年ブドウ糖販売で創業、同注射液など医薬品製造へ進出。人工腎臓透析液・補液で業界大手。腎・透析領域を重点領域に位置づけ。生理食塩製剤も強い。透析器など関連医療機器も手がける。資本効率改善のため、保有固定資産は売却方針。

平均勤続年数	男性育休取得率	3年後離職率	平均年収(平均42歳)
◇19.6年	50.0→36.8%	28.6→23.9%	◇565万円

●採用・配属情報●

【男女・文理別採用実績】

	大卒男	大卒女	修士男	修士女
23年	10(文 5理 5)	4(文 2理 2)	7(文 0理 7)	2(文 0理 2)
24年	9(文 5理 4)	6(文 2理 4)	7(文 0理 7)	3(文 0理 3)
25年	6(文 2理 4)	7(文 3理 4)	3(文 0理 3)	4(文 0理 4)

【男女・職種別採用実績】 転換制度:⇔

	総務	研究開発	営業(MR)	生産技術	信頼性保証
23年	3(男 1女 2)	3(男 2女 1)	11(男 10女 1)	4(男 4女 0)	2(男 0女 2)
24年	2(男 2女 0)	7(男 4女 3)	10(男 6女 4)	6(男 4女 2)	0(男 0女 0)
25年	1(男 0女 1)	6(男 3女 3)	9(男 4女 5)	4(男 2女 2)	0(男 0女 0)

【24年4月入社者の配属勤務地】㊦大阪2 ㊚札幌1 仙台1 茨城2 東京1 埼玉1 神奈川1 名古屋1 大阪11 岡山2 広島1 福岡1

【転勤】あり:[職種] 地域限定職以外 [勤務地]営業:全国 工場:大阪 岡山 茨城

【中途比率】[単年度]21年度59%、22年度74%、23年度52%[全体]◇5%

●働きやすさ、諸制度●

残業(月) 6.7時間

【勤務時間】8:30～17:30【有休取得年平均】13.4日【週休】完全2日(土日祝)【夏期休暇】連続2日【年末年始休暇】12月30日～1月3日

【離職率】◇男:3.3%、25名 女:3.8%、22名

【新卒3年後離職率】
[20→23年]28.6%(男28.6%・入社7名、女28.6%・入社7名)
[21→24年]23.9%(男26.1%・入社23名、女21.7%・入社23名)

【テレワーク】制度なし【勤務制度】時間単位有休 裁量労働 時差勤務【住宅補助】単身寮(5,000円自己負担)住宅手当(東京41,000円、大阪32,000円、その他31,000円)

●ライフイベント、女性活躍●

【女性比率】■男 □女

新卒採用 55% (11名)

従業員 43.2% (564名)

管理職 5.7% (13名)
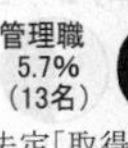

【産休】[期間]産前6・産後8週間[給与]法定[取得者数]32名

【育休】[期間]2歳になるまで[給与]法定[取得者数]22年度 男14名(対象28名)女44名(対象44名)23年度 男7名(対象19名)女25名(対象25名)[平均取得日数]22年度 男52日 女465日、23年度 男69日 女443日

【従業員】◇[人数]1,307名(男743名、女564名)[平均年齢]41.7歳(男43.0歳、女40.0歳)[平均勤続年数]19.6年(男20.4年、女18.6年)

【年齢構成】■男 □女

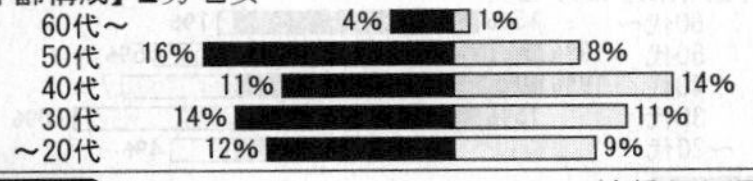

会社データ (金額は百万円)

【本社】536-8523 大阪府大阪市城東区森之宮2-3-11 ☎06-6969-1131 https://www.fuso-pharm.co.jp/

【業績(単独)】	売上高	営業利益	経常利益	純利益
22.3	49,632	1,924	1,996	1,483
23.3	51,015	2,206	2,215	1,605
24.3	55,407	1,964	1,868	1,377

289 開示 ★★

とりいやくひん
鳥居薬品(株)

くるみん

【特色】JT傘下の製薬中堅。抗アレルギー薬開発等に強み

記者評価 1872年に洋薬輸入商で創業。1998年にJTの傘下入り。主力は透析患者向け経口そう痒症改善剤。米ギリアドの抗HIV薬の国内独占販売契約は18年末に終了。人員削減や工場売却、研究開発もJTに一任。花粉症やダニなどの抗アレルギー薬、皮膚科領域の薬を育成中。

平均勤続年数	男性育休取得率	3年後離職率	平均年収(平均41歳)
14.5年	32.0→NA	—→8.3%	827万円

●採用・配属情報●

【男女・文理別採用実績】

	大卒男	大卒女	修士男	修士女
23年	4(文 0理 4)	5(文 2理 3)	0(文 0理 0)	0(文 0理 0)
24年	7(文 2理 5)	3(文 2理 1)	2(文 0理 2)	0(文 0理 0)
25年	3(文 2理 1)	6(文 3理 3)	0(文 0理 0)	1(文 0理 1)

【男女・職種別採用実績】

	MR職	医薬品技術職
23年	9(男 4 女 5)	0(男 0 女 0)
24年	12(男 9 女 3)	0(男 0 女 0)
25年	9(男 3 女 6)	1(男 0 女 1)

【24年4月入社者の配属勤務地】㊦宮城1 埼玉1 千葉1 東京3 石川1 大阪2 兵庫1 広島1 福岡1 ㊚NA

【転勤】あり:全社員

【中途比率】[単年度]21年度43%、22年度42%、23年度73%[全体]NA

●働きやすさ、諸制度●

残業(月) 15.2時間

【勤務時間】8:50～17:30【有休取得年平均】16.4日【週休】完全2日(土日祝)【夏期休暇】1日【年末年始休暇】12月30日～1月4日

【離職率】NA

【新卒3年後離職率】
[20→23年]—(男—・入社0名、女—・入社0名)
[21→24年]8.3%(男12.5%・入社8名、女0%・入社4名)

【テレワーク】制度あり:[場所]自宅[対象]全社員[日数]週3日まで[利用率]NA【勤務制度】時間単位有休 裁量労働 時差勤務 副業容認【住宅補助】借上社宅 他

●ライフイベント、女性活躍●

【女性比率】■男 □女

新卒採用 70% (7名)

従業員 23.7% (138名)
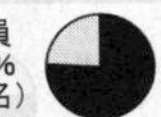

【産休】[期間]産前6・産後8週間[給与]会社全額給付[取得者数]NA

【育休】[期間]1歳になるまで[給与]法定[取得者数]22年度 男8名(対象25名)女4名(対象3名)23年度 NA[平均取得日数]22年度 NA、23年度 NA

【従業員】[人数]583名(男445名、女138名)[平均年齢]41.0歳(男41.8歳、女38.1歳)[平均勤続年数]14.5年(男15.4年、女11.3年)

【年齢構成】NA

会社データ (金額は百万円)

【本社】103-8439 東京都中央区日本橋本町3-4-1 トリイ日本橋ビル ☎03-3231-6811 https://www.torii.co.jp/

【業績(単独)】	売上高	営業利益	経常利益	純利益
21.12	46,987	4,656	4,847	3,374
22.12	48,896	5,540	5,537	3,944
23.12	54,638	5,035	5,307	4,119

メーカーⅡ

2153 開示 ★★☆☆☆

さとうせいやく 佐藤製薬(株)

【特色】大衆薬主体の中堅製薬会社。「ユンケル」で著名

記者評価 1915年創業。滋養強壮剤「ユンケル」、かぜ薬「ストナ」、歯周病薬「アセス」などを扱う大衆薬メーカー。皮膚科領域が中心の医療用医薬品や化粧品も展開。八王子工場を基幹に国内2工場、台湾でも現地生産。海外はアジア中心に欧米にも拠点を置く。

平均勤続年数	男性育休取得率	3年後離職率	平均年収(平均44歳)
◇17.3年	29.4→20.0%	18.2→22.2%	◇735万円

●採用・配属情報●

【男女・文理別採用実績】

	大卒男	大卒女	修士男	修士女
23年	5(文 1理 4)	4(文 2理 2)	11(文 0理 11)	4(文 0理 4)
24年	2(文 0理 2)	2(文 1理 1)	12(文 0理 12)	6(文 0理 6)
25年	4(文 2理 2)	2(文 2理 0)	7(文 0理 7)	7(文 0理 7)

【男女・職種別採用実績】

	総合職
23年	24(男 16 女 8)
24年	24(男 16 女 8)
25年	20(男 11 女 9)

【職種併願】○

【24年4月入社者の配属勤務地】㊙東京・港4 大阪市1 ㊕東京(港4 品川9 八王子6)

【転勤】あり:[職種]総合職(営業部門)

【中途比率】[単年度]21年度NA、22年度NA、23年度NA[全体]NA

●働きやすさ、諸制度●

残業(月) 11.0時間 ㊙11.0時間

【勤務時間】8:30～17:00【有休取得年平均】11.6日【週休】2日【夏期休暇】4日【年末年始休暇】12月30日～1月3日

【離職率】◇男:5.9%、37名 女:5.6%、10名(早期退職男8名含む)

【新卒3年後離職率】

[20→23年]18.2%(男5.9%・入社17名、女60.0%・入社5名)

[21→24年]22.2%(男27.3%・入社11名、女14.3%・入社7名)

【テレワーク】制度なし【勤務制度】時差勤務【住宅補助】NA

●ライフイベント、女性活躍●

【女性比率】■男 □女

新卒採用 45% (9名)

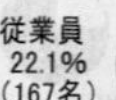

従業員 22.1% (167名)

【産休】[期間]産前6・産後8週間[給与]法定[取得者数]10名

【育休】[期間]1歳になるまで[給与]法定[取得者数]22年度 男5名(対象17名)女5名(対象5名)23年度 男4名(対象20名)女6名(対象6名)[平均取得日数]22年度 NA、23年度NA

【従業員】◇[人数]757名(男590名、女167名)[平均年齢]44.3歳(男45.7歳、女39.1歳)[平均勤続年数]17.3年(男18.8年、女12.1年)

【年齢構成】NA

会社データ (金額は百万円)

【本社】107-0051 東京都港区元赤坂1-5-27 ☎03-5412-7310
https://www.sato-seiyaku.co.jp/

【業績(連結)】	売上高	営業利益	経常利益	純利益
21.7	43,151	695	755	547
22.7	44,492	956	1,068	743
23.7	47,915	2,837	2,936	1,965

285 開示 ★★★☆☆

にっぽん 日本ケミファ(株)

【特色】後発品業界中堅。新薬メーカー出発で先発品も

記者評価 2000年から軸足を移した後発医薬品が現在の主事業で売上の約8割を占める。臨床検査薬事業では、短時間で行えるアレルギー検査薬の販売に力点。国内営業拠点の再編・統廃合を推進。肺がん治療薬候補の国内権利獲得。23年6月富士フイルムメディカルと販売提携。

平均勤続年数	男性育休取得率	3年後離職率	平均年収(平均46歳)
15.5年	100→100%	0→6.3%	㊙621万円

●採用・配属情報●

【男女・文理別採用実績】

	大卒男	大卒女	修士男	修士女
23年	1(文 0理 1)	0(文 0理 0)	6(文 0理 6)	5(文 0理 5)
24年	0(文 0理 0)	0(文 0理 0)	0(文 0理 0)	0(文 0理 0)
25年	0(文 0理 0)	0(文 0理 0)	1(文 0理 1)	1(文 0理 1)

【男女・職種別採用実績】 転換制度:⇔

	総合職
23年	13(男 8 女 5)
24年	0(男 0 女 0)
25年	4(男 2 女 2)

【24年4月入社者の配属勤務地】㊙なし ㊕なし

【転勤】あり:[職種]全社員[勤務地]東京 北海道 宮城 埼玉 愛知 大阪 広島 福岡

【中途比率】[単年度]21年度75%、22年度80%、23年度68%[全体]41%

●働きやすさ、諸制度●

残業(月) 5.0時間 ㊙5.0時間

【勤務時間】8:45～17:30(実働8時間)営業所8:30～17:30 研究所8:30～17:15【有休取得年平均】11.6日【週休】完全2日(土日祝)【夏期休暇】会社が指定する日【年末年始休暇】12月30日～1月3日

【離職率】男:4.0%、14名 女:7.2%、10名

【新卒3年後離職率】

[20→23年]0%(男0%・入社5名、女0%・入社1名)

[21→24年]6.3%(男0%・入社11名、女20.0%・入社5名)

【テレワーク】制度あり:[場所]自宅 カフェ サテライトオフィス[対象]全社員[日数]制限なし[利用率]NA【勤務制度】フレックス 時間単位有休 裁量労働 副業容認【住宅補助】借上社宅(全国)住宅手当

●ライフイベント、女性活躍●

【女性比率】■男 □女

新卒採用 50% (2名)

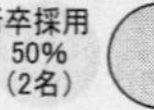

従業員 27.4% (128名)

管理職 10.3% (14名)

【産休】[期間]産前6・産後8週間[給与]法定[取得者数]4名

【育休】[期間]1歳になるまで[給与]法定+産休または育休の最初5日間有給[取得者数]22年度 男11名(対象11名)女12名(対象12名)23年度 男6名(対象6名)女4名(対象4名)[平均取得日数]22年度 NA、23年度 NA

【従業員】[人数]468名(男340名、女128名)[平均年齢]46.1歳(男48.4歳、女40.0歳)[平均勤続年数]15.5年(男17.6年、女9.7年)

【年齢構成】■男 □女

	男	女
60代～	15%	1%
50代	19%	5%
40代	19%	7%
30代	15%	10%
～20代	5%	4%

会社データ (金額は百万円)

【本社】101-0032 東京都千代田区岩本町2-2-3 ☎03-3863-1214
https://www.chemiphar.co.jp/

【業績(連結)】	売上高	営業利益	経常利益	純利益
22.3	32,506	825	1,022	700
23.3	31,559	▲241	58	339
24.3	30,748	▲494	▲219	▲180

193 開示★★★

三菱ケミカル(株)（みつびし）

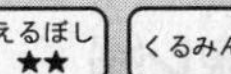

【特色】三菱ケミカルグループ中核の総合化学大手

記者評価 三菱化学、三菱レイヨン、三菱樹脂が17年4月に合併し発足。国内最大級の総合化学会社。石油化学基礎品からアクリル樹脂原料、炭素繊維、エンプラ、高機能樹脂、各種フィルムなど幅広く展開するが、近年は事業の取捨選択に踏み出す。人材配置は原則公募制。

平均勤続年数	男性育休取得率	3年後離職率	平均年収(平均45歳)
◇19.7年	58.1→75.6%	10.2→10.2%	㊣851万円

●採用・配属情報●

【男女・文理別採用実績】※25年:24年7月上旬時点

	大卒男	大卒女	修士男	修士女
23年	12(文 9理 3)	11(文 6理 5)	47(文 0理 47)	18(文 2理 16)
24年	20(文 11理 9)	1(文 1理 0)	48(文 0理 48)	8(文 0理 8)
25年	13(文 8理 5)	13(文 8理 5)	49(文 0理 49)	13(文 1理 12)

【男女・職種別採用実績】　転換制度:NA

	総合職
23年	97(男 66 女 31)
24年	84(男 74 女 10)
25年	98(男 71 女 27)

【24年4月入社者の配属勤務地】㊣東京16 茨城1 大阪1 福岡2 ㊕神奈川2 茨城15 岐阜4 愛知2 三重9 滋賀5 岡山10 広島6 香川4 福岡7

【転勤】あり:[職種]総合職

【中途比率】[単年度]21年度48%、22年度36%、23年度54%[全体]◇35%

●働きやすさ、諸制度●

残業(月) 19.4時間

【勤務時間】9:00～17:45【有休取得年平均】17.5日【週休】完全2日(土日祝)【夏期休暇】8月15日【年末年始休暇】12月30日～1月3日

【離職率】◇男:2.9%、408名 女:2.6%、63名

【新卒3年後離職率】
[20→23年]10.2%(男10.2%・入社333名、女10.2%・入社49名)
[21→24年]10.2%(男10.0%・入社271名、女11.0%・入社73名)

【テレワーク】制度あり:[場所]自宅 サテライトオフィス[対象]在宅勤務可能職種[日数]制限なし[利用率]NA【勤務制度】フレックス 時間単位有休 時差勤務 勤務間インターバル 副業容認【住宅補助】独身寮 転貸寮 ※カフェテリアプランのポイントを家賃へ利用可能

●ライフイベント、女性活躍●

【女性比率】■男 □女

新卒採用 27.6%(27名)　従業員 14.6%(2349名)　管理職 9.3%(408名)

【産休】[期間]産前6・産後8週間[給与]法定[取得者数]73名

【育休】[期間]1歳になるまで[給与]法定[取得者数]22年度 男252名(対象434名)女44名(対象48名)23年度 男303名(対象401名)女79名(対象80名)[平均取得日数]22年度NA、23年度 NA

【従業員】◇[人数]16,109名(男13,760名、女2,349名)[平均年齢]45.6歳(男45.7歳、女45.0歳)[平均勤続年数]19.7年(男19.8年、女19.3年)【年齢構成】■男 □女

	男	女
60代～	11%	1%
50代	24%	5%
40代	21%	4%
30代	18%	3%
～20代	11%	2%

会社データ　(金額は百万円)

【本社】100-8251 東京都千代田区丸の内1-1-1 パレスビル ☎03-4405-3072　https://www.m-chemical.co.jp/

【業績(IFRS)】	売上高	営業利益	税前利益	純利益
22.3	3,976,948	303,194	290,370	177,162
23.3	4,634,532	182,718	167,964	96,066
24.3	4,387,218	261,831	240,547	119,596

※業績は㈱三菱ケミカルグループのもの

366 開示★★★

富士フイルム(株)（ふじ）

くるみん

【特色】写真フィルムから多角化、医療や半導体材料展開

記者評価 収益源だった写真フィルムがデジカメの普及に伴い激減し業態転換を断行。医療機器や半導体材料などBtoBビジネスに重点を移した。X線画像診断や内視鏡、創薬など医療分野に参入。バイオ医薬品分野にも注力。インスタントカメラ「チェキ」は世界で人気。

平均勤続年数	男性育休取得率	3年後離職率	平均年収(平均43歳)
17.5年	52.0→66.7%	7.1→5.6%	㊣974万円

●採用・配属情報●

【男女・文理別採用実績】※大卒に修士・博士を含む

	大卒男	大卒女	修士男	修士女
23年	93(文 38理 55)	29(文 14理 15)	0(文 0理 0)	0(文 0理 0)
24年	120(文 44理 76)	40(文 25理 15)	0(文 0理 0)	0(文 0理 0)
25年	116(文 33理 83)	62(文 21理 41)	0(文 0理 0)	0(文 0理 0)

【男女・職種別採用実績】

	総合職	一般職
23年	131(男 98 女 33)	0(男 0 女 0)
24年	172(男 126 女 46)	0(男 0 女 0)
25年	191(男 124 女 67)	0(男 0 女 0)

【24年4月入社者の配属勤務地】㊣東京 神奈川 埼玉 静岡 愛知 大阪 ㊕東京 神奈川 埼玉 静岡

【転勤】あり:全社員

【中途比率】[単年度]21年度13%、22年度29%、23年度33%[全体]12%

●働きやすさ、諸制度●

残業(月) 19.8時間 ㊣26.8時間

【勤務時間】9:00～17:40 フレックス制あり(コアタイム10:30～15:10)【有休取得年平均】12.7日【週休】完全2日(土日祝)【夏期休暇】9日(週休含む)【年末年始休暇】5～7日(週休含む)※カレンダー・勤務地により変動

【離職率】男:1.1%、43名 女:1.6%、16名

【新卒3年後離職率】
[20→23年]7.1%(男6.0%・入社83名、女10.0%・入社30名)
[21→24年]5.6%(男6.0%・入社83名、女4.2%・入社24名)

【テレワーク】制度あり:[場所]自宅[対象]全社員[日数]月8日[利用率]15.0%【勤務制度】フレックス 時間単位有休 裁量労働【住宅補助】独身寮 借り上げ社宅 社宅 世帯手当

●ライフイベント、女性活躍●

【女性比率】■男 □女

新卒採用 35.1%(67名)　従業員 19.3%(960名)　管理職 6.2%(77名)

【産休】[期間]産前7・産後8週間[給与]共済会より本給相当額給付(産前産後、期間あり)[取得者数]27名

【育休】[期間]3歳になるまでの間で2年間。育児目的の特別休暇を男女ともに20日間付与[給与]法定[取得者数]22年度 男66名(対象127名)女48名(対象48名)23年度 男84名(対象126名)女31名(対象31名)[平均取得日数]22年度 男21日 女289日、23年度 男29日 女306日

【従業員】[人数]4,982名(男4,022名、女960名)[平均年齢]42.6歳(男43.2歳、女40.3歳)[平均勤続年数]17.5年(男17.8年、女16.3年)【年齢構成】■男 □女

	男	女
60代～	0%	0%
50代	23%	5%
40代	30%	5%
30代	18%	5%
～20代	10%	4%

会社データ　(金額は百万円)

【本社】107-0052 東京都港区赤坂9-7-3 東京ミッドタウン ☎03-6271-3111　https://www.fujifilm.com/jp/ja

【業績(SEC)】	売上高	営業利益	税前利益	純利益
22.3	2,525,773	229,702	260,446	211,180
23.3	2,859,041	273,079	282,224	219,422
24.3	2,969,916	276,725	317,288	243,509

※業績は富士フイルムホールディングス㈱のもの

195 開示 ★★★★★

旭化成グループ

（あさひ かせい）

[プラチナくるみん]

【特色】大手総合化学メーカー。住宅、医療、電子部品も

[記者評価] 総合化学メーカーとして石油化学製品や高機能樹脂、合成繊維を手がけるほか、住宅、建材、医薬、医療機器、電子部品などをグループで展開。攻めの経営姿勢で、海外の医薬や医療など複数企業を買収。EV需要をにらみカナダでセパレーター工場建設にも踏み出す。

平均勤続年数	男性育休取得率	3年後離職率	平均年収(平均43歳)
17.4年	80.2→98.5%	10.9→13.9%	[総]904万円

●採用・配属情報●

【男女・文理別採用実績】

	大卒男	大卒女	修士男	修士女
23年	27(文 22 理 5)	22(文 19 理 3)	97(文 1 理 96)	11(文 2 理 9)
24年	25(文 25 理 0)	19(文 17 理 2)	101(文 1 理 100)	33(文 0 理 33)
25年	18(文 14 理 4)	12(文 10 理 2)	75(文 1 理 74)	25(文 0 理 25)

【男女・職種別採用実績】 転換制度：⇒

	総合職	基幹職
23年	181(男 144 女 37)	NA(男 NA 女 NA)
24年	204(男 148 女 56)	NA(男 NA 女 NA)
25年	139(男 102 女 37)	NA(男 NA 女 NA)

【職種併願】○

【24年4月入社者の配属勤務地】[総]東京 大阪市 他 [技]東京 千葉・袖ケ浦 神奈川(川崎 厚木)静岡(富士 伊豆の国)三重・鈴鹿 滋賀・守山 岡山・水島 大分 宮崎・延岡

【転勤】あり：全社員

【中途比率】［単年度］21年度43%、22年度52%、23年度51%［全体］22%

●働きやすさ、諸制度●

残業(月) 14.4時間 [総]22.1時間

【勤務時間】東京・大阪9:00～17:45(地域ごとに決定)【有休取得年平均】15.9日【週休】完全2日(土日祝)【夏期休暇】有休で取得【年末年始休暇】連続4～6日(地域により異なる)

【離職率】男：2.8%、217名 女：3.4%、35名

【新卒3年後離職率】

［20→23年］10.9%(男9.8%・入社285名、女15.4%・入社65名)

［21→24年］13.9%(男15.2%・入社224名、女9.9%・入社71名)

【テレワーク】制度あり：［場所］自宅 サテライトオフィス 他［対象］全社員［日数］制限なし［利用率］19.3%【勤務制度】フレックス 時間単位有休 裁量労働 勤務間インターバル 副業容認【住宅補助】独身寮 社宅施設 持家手当 住宅手当

●ライフイベント、女性活躍●

【女性比率】■男 □女

従業員 11.9% (1007名)

管理職 6.7% (271名)

【産休】［期間］法定+14日［給与］法定［取得者数］48名

【育休】［期間］3歳到達後の4月1日まで［給与］5日間会社全額給付、以降給付金［取得者数］22年度 男264名(対象329名)女42名(対象42名)23年度 男269名(対象273名)女44名(対象48名)［平均取得日数］22年度 男17日 女364日、23年度 男33日 女453日

【従業員】［人数］8,446名(男7,439名、女1,007名)［平均年齢］42.8歳(男43.3歳、女39.7歳)［平均勤続年数］17.4年(男17.8年、女14.6年)【年齢構成】■男 □女

	男	女
60代～	2%	0%
50代	28%	3%
40代	21%	3%
30代	27%	4%
～20代	9%	2%

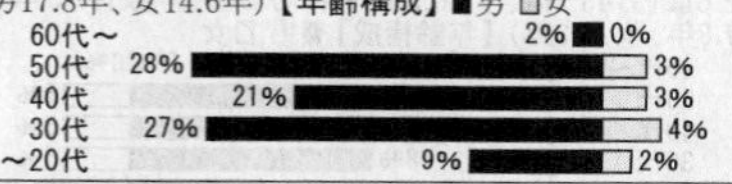

[会社データ] （金額は百万円）

【本社】100-0006 東京都千代田区有楽町1-1-2 日比谷三井タワー ☎03-6699-3000 https://www.asahi-kasei.com/

【業績(連結)】	売上高	営業利益	経常利益	純利益
22.3	2,461,317	202,647	212,052	161,880
23.3	2,726,485	128,352	121,535	▲91,312
24.3	2,784,878	140,746	90,118	43,806

※会社データは旭化成㈱のもの

※グループ5社(旭化成、旭化成エレクトロニクス、旭化成ファーマ、旭化成メディカル、旭化成建材)のデータ

192 開示 ★★★

東レ㈱

（とう）

[くるみん]

【特色】化学繊維で国内最大手。炭素繊維は世界首位

[記者評価] 三井系のレーヨン製造会社として発祥。化学繊維はじめ高機能樹脂、フィルム、電子材料、水処理膜、医薬品など事業領域は幅広い。化繊は原糸から生地、縫製に至るまで一貫して手がける。「ユニクロ」ヒートテックでも知られ、技術開発力の先進性にも強み。

平均勤続年数	男性育休取得率	3年後離職率	平均年収(平均43歳)
18.3年	25.9→34.9%	14.2→11.9%	[総]975万円

●採用・配属情報●

【男女・文理別採用実績】

	大卒男	大卒女	修士男	修士女
23年	42(文 39 理 3)	15(文 13 理 2)	72(文 1 理 71)	11(文 0 理 11)
24年	47(文 44 理 3)	19(文 17 理 2)	100(文 1 理 99)	25(文 1 理 24)
25年	28(文 26 理 2)	24(文 23 理 1)	77(文 1 理 76)	36(文 1 理 35)

※文系は事務系職種、理系は技術系職種の数値

【男女・職種別採用実績】 転換制度：⇔

	Gコース	Sコース
23年	148(男 121 女 27)	0(男 0 女 0)
24年	203(男 160 女 43)	1(男 0 女 1)
25年	177(男 115 女 62)	0(男 0 女 0)

※高専・短大・専門除く

【24年4月入社者の配属勤務地】[総]東京34 大阪16 滋賀6 静岡4 石川1 愛知1 [技]滋賀53 愛知26 愛媛21 東京12 静岡10 神奈川9 岐阜5 石川3 茨城2

【転勤】あり：［職種］総合職

【中途比率】［単年度］21年度8%、22年度37%、23年度44%(総合職のみ)［全体］13%

●働きやすさ、諸制度●

残業(月) 15.2時間 [総]21.0時間

【勤務時間】9:00～17:30【有休取得年平均】18.7日【週休】完全2日(土日祝)【夏期休暇】連続4～6日【年末年始休暇】連続4日

【離職率】NA

【新卒3年後離職率】

［20→23年］14.2%(男14.7%・入社109名、女12.0%・入社25名)

［21→24年］11.9%(男12.4%・入社105名、女10.0%・入社30名)

【テレワーク】制度あり：［場所］原則自宅［対象］NA［日数］月10日以内 週3日以内［利用率］21.3%【勤務制度】フレックス 時間単位有休 裁量労働 時差勤務 勤務間インターバル

【住宅補助】独身寮 借上社宅

●ライフイベント、女性活躍●

【女性比率】■男 □女

新卒採用 35% (62名)

従業員 11.5% (561名)

管理職 6% (138名)

【産休】［期間］産前8・産後8週間［給与］法定［取得者数］47名

【育休】［期間］2年間［給与］法定［取得者数］22年度 男82名(対象316名)女46名(対象46名)23年度 男95名(対象272名)女47名(対象47名)［平均取得日数］22年度 男63日 女194日、23年度 男70日 女134日

【従業員】［人数］4,885名(男4,324名、女561名)［平均年齢］42.7歳(男43.2歳、女39.0歳)［平均勤続年数］18.3年(男18.8年、女14.5年)【年齢構成】■男 □女

	男	女
60代～	3%	0%
50代	26%	2%
40代	28%	3%
30代	21%	4%
～20代	11%	2%

[会社データ] （金額は百万円）

【本社】103-8666 東京都中央区日本橋室町2-1-1 日本橋三井タワー ☎03-3245-5111 https://www.toray.co.jp/

【業績(IFRS)】	売上高	営業利益	税前利益	純利益
22.3	2,228,523	100,565	120,315	84,235
23.3	2,489,330	109,001	111,870	72,823
24.3	2,464,596	57,651	59,567	21,897

209 開示 ★★★★

住友化学(株)

すみともかがく

くるみん

【特色】総合化学メーカー大手。傘下に住友ファーマ

記者評価 石油化学品や農薬、電子材料、医薬品等を手がける。サウジの石化合弁は経営難で出資比率引き下げ。シンガポールや国内の石化やファーマも苦戦。一方、半導体材料など成長分野も持つ。農薬は国内最大手で海外も開拓。現任含む経団連会長を輩出する財界名門。

平均勤続年数	男性育休取得率	3年後離職率	平均年収(平均42歳)
◇15.7年	77.4→95.1%	7.7→11.5%	㊓982万円

●採用・配属情報●

【男女・文理別採用実績】

	大卒男	大卒女	修士男	修士女
23年	43(文 32 理 11)	23(文 15 理 8)	72(文 1 理 71)	23(文 0 理 23)
24年	25(文 19 理 6)	19(文 16 理 3)	66(文 0 理 66)	21(文 1 理 20)
25年	19(文 12 理 7)	9(文 7 理 2)	15(文 1 理 14)	7(文 0 理 7)

【男女・職種別採用実績】

	総合職	プロフェッショナルスタッフ職
23年	177(男 135 女 42)	22(男 13 女 9)
24年	145(男 108 女 37)	17(男 7 女 10)
25年	58(男 43 女 15)	8(男 5 女 3)

【24年4月入社者の配属勤務地】㊓東京・中央20 愛媛・新居浜7 千葉・市原5 大阪市4 大分市3 ㊔大阪市40 愛媛・新居浜33 兵庫・宝塚20 千葉(袖ヶ浦10 市原6)大分市7 茨城(つくば5 日立1)東京・中央1

【転勤】あり:全社員

【中途比率】[単年度]21年度8%、22年度17%、23年度5% [全体]◇27%

●働きやすさ、諸制度●

残業(月) 19.4時間 ㊓21.5時間

【勤務時間】フレックスタイム制(コアタイムなし)【有休取得年平均】16.8日【週休】完全2日(土日祝)【夏期休暇】本社:連続5日(2日は有休の計画的付与日)【年末年始休暇】本社:連続5日

【離職率】◇男:2.1%、122名 女:2.7%、29名

【新卒3年後離職率】

[20→23年]7.7%(男6.0%・入社168名、女13.0%・入社54名)

[21→24年]11.5%(男9.8%・入社153名、女17.9%・入社39名)

【テレワーク】制度あり:[場所]自宅[対象]在宅での業務遂行が可能で、在宅勤務により生産性向上が見込まれるもの、育児・介護等の事由[日数]週2日[利用率]10.4%【勤務制度】フレックス 裁量労働【住宅補助】社有寮・社宅(転勤者用、各事業所通勤圏内)

●ライフイベント、女性活躍●

【女性比率】■男 □女

新卒採用 27.3% (18名)

従業員 15.7% (1053名)

管理職 9.8% (147名)

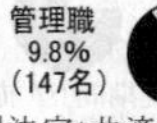

【産休】[期間]産前6・産後8週間[給与]法定+共済会15%給付[取得者数]36名

【育休】[期間]3歳到達後最初の4月末日まで[給与]給付金+一部有給(最大28日)[取得者数]22年度 男164名(対象212名)女36名(対象36名)23年度 男195名(対象205名)女40名(対象40名)[平均取得日数]22年度 男16日 女300日、23年度 男19日 女446日

【従業員】◇[人数]6,706名(男5,653名、女1,053名)[平均年齢]41.6歳(男41.9歳、女39.8歳)[平均勤続年数]15.7年(男16.0年、女14.1年)【年齢構成】■男 □女

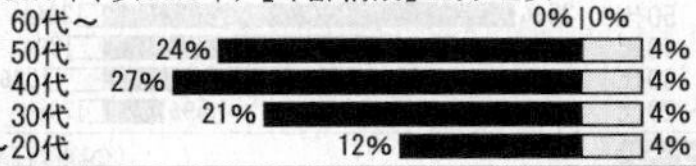

	男	女
60代〜	0%	0%
50代	24%	4%
40代	27%	4%
30代	21%	4%
〜20代	12%	4%

会社データ (金額は百万円)

【本社】103-6020 東京都中央区日本橋2-7-1 東京日本橋タワー ☎03-5201-0200 https://www.sumitomo-chem.co.jp/

【業績(IFRS)】	売上高	営業利益	税前利益	純利益
22.3	2,765,321	215,003	251,136	162,130
23.3	2,895,283	▲30,984	231	6,987
24.3	2,446,893	▲488,826	▲462,792	▲311,838

218 開示 ★★

信越化学工業(株)

しんえつかがくこうぎょう

【特色】塩ビ樹脂や半導体ウエハの世界的メーカー

記者評価 日本の化学業界を代表する高収益企業。米国子会社シンテックを中核とする塩ビ樹脂、半導体用シリコンウエハはそれぞれ世界トップ。半導体用フォトレジストやレアアース磁石、各種シリコーンなどの事業でも大手。海外売上比率約8割。超キャッシュリッチ企業。

平均勤続年数	男性育休取得率	3年後離職率	平均年収(平均42歳)
◇20.1年	87.3→87.2%	8.9→4.7%	◇886万円

●採用・配属情報●

【男女・文理別採用実績】

	大卒男	大卒女	修士男	修士女
23年	8(文 8 理 0)	6(文 6 理 0)	67(文 1 理 66)	5(文 0 理 5)
24年	10(文 8 理 2)	5(文 5 理 0)	58(文 1 理 57)	7(文 0 理 7)
25年	13(文 9 理 4)	9(文 9 理 0)	70(文 0 理 70)	9(文 0 理 9)

【男女・職種別採用実績】

	総合職	一般職
23年	89(男 82 女 7)	4(男 0 女 4)
24年	83(男 74 女 9)	3(男 0 女 3)
25年	107(男 92 女 15)	4(男 0 女 4)

【24年4月入社者の配属勤務地】㊓群馬・安中3 福井・越前3 茨城・神栖2 新潟・上越2 福島・新白河2 ㊔群馬・安中20 新潟・上越20 福島・新白河12 茨城・神栖10 福井・越前6 東京2 堺1

【転勤】あり:[職種]総合職

【中途比率】[単年度]21年度19%、22年度26%、23年度34%[全体]NA

●働きやすさ、諸制度●

残業(月) 17.9時間

【勤務時間】9:00〜17:40(フレックスタイム制適用部門多数)【有休取得年平均】16.2日【週休】完全2日(土日祝)【夏期休暇】連続3日(週休含む)【年末年始休暇】連続6日(週休含む)

【離職率】◇男:0.8%、28名 女:1.1%、4名

【新卒3年後離職率】

[20→23年]8.9%(男8.6%・入社70名、女11.1%・入社9名)

[21→24年]4.7%(男5.2%・入社77名、女0%・入社9名)

【テレワーク】制度あり:[場所]NA[対象]NA[日数]NA[利用率]NA【勤務制度】フレックス【住宅補助】社宅(各事業所)住宅手当

●ライフイベント、女性活躍●

【女性比率】■男 □女

新卒採用 17.1% (19名)

従業員 9.4% (345名)

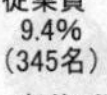

【産休】[期間]産前6・産後8週間[給与]法定[取得者数]13名

【育休】[期間]3歳になるまで[給与]法定[取得者数]22年度 男137名(対象157名)女13名(対象13名)23年度 男95名(対象109名)女7名(対象7名)[平均取得日数]22年度 NA、23年度 NA

【従業員】◇[人数]3,680名(男3,335名、女345名)[平均年齢]41.9歳(男42.2歳、女39.2歳)[平均勤続年数]20.1年(男20.4年、女17.7年)

【年齢構成】NA

会社データ (金額は百万円)

【本社】100-0005 東京都千代田区丸の内1-4-1 丸の内永楽ビルディング ☎03-6812-2320 https://www.shinetsu.co.jp/jp/

【業績(連結)】	売上高	営業利益	経常利益	純利益
22.3	2,074,428	676,322	694,434	500,117
23.3	2,808,824	998,202	1,020,211	708,238
24.3	2,414,937	701,038	787,228	520,140

三井化学(株)
（みついかがく）

【特色】総合化学国内大手。機能性材料を強化中

[記者評価] 国内総合化学メーカー大手。エチレン生産で首位だが付加価値高い機能性材料に経営資源集中。自動車部材用の高機能コンパウンド、リチウムイオン電池用電解液、食品包装用の高機能フィルムなどが柱。メガネレンズ材や歯科材など医療系やICT関連の育成にも注力。

平均勤続年数	男性育休取得率	3年後離職率	平均年収(平均45歳)
◇16.2年	83.9→90.0%	6.3→9.0%	[総]1,068万円

●採用・配属情報●

【男女・文理別採用実績】

	大卒男	大卒女	修士男	修士女
23年	11(文 11 理 0)	8(文 7 理 1)	67(文 1 理 66)	19(文 0 理 19)
24年	9(文 9 理 0)	9(文 9 理 0)	61(文 0 理 61)	38(文 0 理 38)
25年	11(文 9 理 2)	7(文 6 理 1)	57(文 0 理 57)	36(文 1 理 35)

【男女・職種別採用実績】 転換制度:⇒

	総合職
23年	116(男 87 女 29)
24年	126(男 78 女 48)
25年	121(男 77 女 44)

【24年4月入社者の配属勤務地】[総]東京・八重洲12 大阪・高石4 千葉(市原2 袖ケ浦1) 山口・玖珂郡3 福岡・大牟田1 [技]千葉(市原18 袖ヶ浦51 茂原4) 山口・玖珂郡12 福岡・大牟田9 名古屋5 大阪・高石4

【転勤】あり:全社員

【中途比率】[単年度]21年度54%、22年度60%、23年度60%[全体]◇24%

●働きやすさ、諸制度●

残業(月) 20.2時間 [総]19.0時間

【勤務時間】9:00～17:40【有休取得年平均】17.3日【週休】完全2日(土日祝)【夏期休暇】なし【年末年始休暇】12月30日～1月3日

【離職率】◇男:2.2%、102名 女:2.3%、17名

【新卒3年後離職率】
[20→23年]6.3%(男6.3%・入社63名、女5.9%・入社17名)
[21→24年]9.0%(男6.9%・入社58名、女15.0%・入社20名)

【テレワーク】制度あり:[場所]業務遂行に必要となる情報通信機器を使用できる場所[対象]常に事業場内勤務が必要でない者、かつ自主管理ができると会社が判断した者[日数]月4日以上出社[利用率]12.5%【勤務制度】フレックス 裁量労働 副業容認【住宅補助】独身寮 社宅

●ライフイベント、女性活躍●

【女性比率】■男 □女

新卒採用 36.4% (44名)

従業員 14% (730名)

管理職 10.7% (242名)

【産休】[期間]産前6・産後8週間[給与]法定[取得者数]24名

【育休】[期間]3歳年度末まで[給与]給付金+共済会10%[取得者数]22年度 男141名(対象168名)女27名(対象27名)23年度 男199名(対象221名)女24名(対象24名)[平均取得日数]22年度 男27日 女220日、23年度 男31日 女336日

【従業員】◇[人数]5,199名(男4,469名、女730名)[平均年齢]40.2歳(男40.0歳、女40.9歳)[平均勤続年数]16.2年(男16.3年、女15.9年)【年齢構成】■男 □女

	男	女
60代～	0%	0%
50代	26%	5%
40代	18%	2%
30代	20%	3%
～20代	22%	4%

[会社データ] (金額は百万円)

【本社】104-0028 東京都中央区八重洲2-2-1 八重洲セントラルタワー ☎03-6253-2278 https://jp.mitsuichemicals.com/jp/

【業績(IFRS)】	売上高	営業利益	税前利益	純利益
22.3	1,612,688	147,310	141,274	109,990
23.3	1,879,547	128,998	117,278	82,936
24.3	1,749,743	74,124	73,331	49,999

(株)レゾナック

えるぼし ★★

【特色】半導体材料が主力の化学大手、黒鉛電極も

[記者評価] 高純度ガスや研磨材料、感光性フィルムなどの半導体材料が主力。後工程材料に強い。自動車部材や石油化学、黒鉛電極など事業領域は幅広い。2023年1月、昭和電工と昭和電工マテリアルズ(旧日立化成)が統合して現体制に。半導体・電子材料事業への投資加速。

平均勤続年数	男性育休取得率	3年後離職率	平均年収(平均42歳)
19.5年	93.5→100%	7.7→11.3%	[総]959万円

●採用・配属情報●

【男女・文理別採用実績】

	大卒男	大卒女	修士男	修士女
23年	16(文 14 理 2)	14(文 11 理 3)	79(文 0 理 79)	13(文 1 理 12)
24年	10(文 10 理 0)	17(文 16 理 1)	87(文 4 理 83)	21(文 2 理 19)
25年	3(文 3 理 0)	12(文 12 理 0)	63(文 0 理 63)	6(文 0 理 6)

【男女・職種別採用実績】 転換制度:⇔

	総合職
23年	138(男 109 女 29)
24年	153(男 113 女 40)
25年	94(男 74 女 20)

【職種併願】○

【24年4月入社者の配属勤務地】[総]東京15 神奈川6 千葉3 埼玉1 茨城1 名古屋1 長野1 大分4 [技]東京6 埼玉6 千葉24 神奈川26 茨城42 大分6 滋賀3 富山2 山口1 長野1 徳島1 栃木1 福島1 兵庫1

【転勤】あり:詳細NA

【中途比率】[単年度]21年度42%、22年度54%、23年度58%[全体]15%

●働きやすさ、諸制度●

残業(月) 22.2時間 [総]22.2時間

【勤務時間】7時間45分(フレックスタイム制コアタイムなし)【有休取得年平均】18.2日【週休】完全2日【夏期休暇】あり【年末年始休暇】あり

【離職率】男:1.9%、77名 女:2.9%、16名

【新卒3年後離職率】
[20→23年]7.7%(男7.5%・入社93名、女8.3%・入社24名)
[21→24年]11.3%(男12.2%・入社49名、女9.1%・入社22名)

【テレワーク】制度あり:[場所]自宅 サテライトオフィス 他[対象]全社員[日数]制限なし[利用率]NA【勤務制度】フレックス 裁量労働 時差勤務 副業容認【住宅補助】独身寮 社宅 家賃補助(勤務地域により異なる)

●ライフイベント、女性活躍●

【女性比率】■男 □女

新卒採用 21.3% (20名)

従業員 12% (533名)

管理職 5.3% (45名)

【産休】[期間]産前6・産後8週間[給与]基準内賃金80%給付[取得者数]NA

【育休】[期間]2歳の誕生日の前日まで。会社が認めた場合は小学校入学まで通算3年を限度に取得可[給与]最初5日間有給、以降法定[取得者数]22年度 男172名(対象184名)女126名(対象126名)23年度 男165名(対象165名)女96名(対象96名)[平均取得日数]22年度 NA、23年度 NA

【従業員】[人数]4,436名(男3,903名、女533名)[平均年齢]45.0歳(男45.6歳、女39.9歳)[平均勤続年数]19.5年(男20.5年、女12.8年)【年齢構成】■男 □女

	男	女
60代～	0%	0%
50代	35%	2%
40代	25%	3%
30代	22%	5%
～20代	5%	2%

[会社データ] (金額は百万円)

【本社】105-7325 東京都港区東新橋1-9-1 東京汐留ビルディング ☎03-6263-8000 https://www.resonac.com/jp/

【業績(連結)】	売上高	営業利益	経常利益	純利益
21.12	1,419,635	87,198	86,861	▲12,094
22.12	1,392,621	59,371	59,367	30,793
23.12	1,288,869	▲3,764	▲14,773	▲18,955

※資本金・業績は(株)レゾナック・ホールディングスのもの

メーカーⅡ

せきすいかがくこうぎょう

積水化学工業(株)

えるぼし ★★　くるみん

【特色】化学大手。住宅、環境関連、高機能樹脂等多角化

[記者評価] 樹脂加工が祖業、現在は住宅、環境・ライフライン、高機能樹脂へ多角的に展開。積水ハウスの母体だが、自社でも工場生産住宅「セキスイハイム」を販売。自動車用中間膜など高機能樹脂が業績牽引。液晶用微粒子などでも高シェア。医療事業を育成中。

平均勤続年数	男性育休取得率	3年後離職率	平均年収(平均45歳)
◇16.2年	68.1→69.8%	10.7→11.1%	◇913万円

●採用・配属情報●

【男女・文理別採用実績】

	大卒男	大卒女	修士男	修士女
23年	33(文 30 理 3)	20(文 17 理 3)	46(文 1 理 45)	13(文 1 理 12)
24年	36(文 29 理 7)	14(文 11 理 3)	51(文 1 理 50)	21(文 1 理 20)
25年	31(文 25 理 6)	13(文 11 理 2)	50(文 0 理 50)	19(文 2 理 17)

【男女・職種別採用実績】　転換制度：⇔

	ビジネスキャリアコース	エキスパートコース
23年	111(男 83 女 28)	6(男 0 女 6)
24年	124(男 89 女 35)	2(男 2 女 0)
25年	117(男 82 女 35)	1(男 0 女 1)

【職種併願】総合職と事務系一般職で可能

【24年4月入社者の配属勤務地】[総]東京・港31 大阪3 仙台5 埼玉・蓮田1 名古屋2 滋賀・甲賀1 岡山5 福岡1 [技]東京・港23 大阪・三島16 岩手・久慈1 茨城・つくば9 埼玉・蓮田6 愛知(名古屋1 蒲郡1) 滋賀(犬上5 甲賀7) 京都5 岡山1

【転勤】あり：全社員(総合職 一般職コース)

【中途比率】[単年度]21年度24%、22年度44%、23年度48%[全体]◇17%

●働きやすさ、諸制度●

残業(月)　18.7時間

【勤務時間】9:00〜17:30(事業所により異なる)【有休取得年平均】14.1日【週休】2日【夏期休暇】連続5日(週休2日含む)【年末年始休暇】6日

【離職率】◇男：1.6%、51名 女：2.3%、16名

【新卒3年後離職率】

[20→23年]10.7%(男9.6%・入社83名、女12.8%・入社39名)

[21→24年]11.1%(男11.1%・入社63名、女11.1%・入社18名)

【テレワーク】制度あり：[場所]自宅 サテライトオフィス[対象]全従業員[日数]2日(3日以上は上長の許可が必要)[利用率]17.8%【勤務制度】フレックス 時間単位有休 時差勤務 副業容認【住宅補助】独身寮 単身赴任寮 社宅 住宅手当 新婚家賃補助 持家管理費支給

●ライフイベント、女性活躍●

【女性比率】■男 □女

新卒採用 30.5% (36名)

従業員 17.6% (668名)

管理職 4.9% (71名)

【産休】[期間]産前6・産後8週間[給与]1カ月会社全額給付、以降法定[取得者数]37名

【育休】[期間]3歳到達月末まで[給与]5日有給、以降法定+育児補助手当[取得者数]22年度 男64名(対象94名)女25名(対象25名)23年度 男88名(対象126名)女34名(対象34名)[平均取得日数]22年度 男29日 女358日、23年度 男47日 女372日

【従業員】◇[人数]3,787名(男3,119名、女668名)[平均年齢]44.7歳(男45.7歳、女40.2歳)[平均勤続年数]16.2年(男17.1年、女12.2年)【年齢構成】■男 □女

	男	女
60代〜	5%	1%
50代	31%	4%
40代	18%	3%
30代	17%	5%
〜20代	10%	4%

[会社データ]　(金額は百万円)

【本社】530-8565 大阪府大阪市北区西天満2-4-4 堂島関電ビル ☎06-6365-4045　https://www.sekisui.co.jp/

【業績(連結)】	売上高	営業利益	経常利益	純利益
22.3	1,157,945	88,879	97,001	37,067
23.3	1,242,521	91,666	104,241	69,263
24.3	1,256,538	94,399	105,921	77,930

ていじん

帝人(株)

えるぼし ★★　くるみん

【特色】合成繊維大手、炭素繊維世界2位級。医薬関連も

[記者評価] アラミド繊維や先端軽量素材の炭素繊維など工業用の高機能繊維・複合材料をはじめ、ポリカーボネート樹脂、衣料繊維、医薬品など幅広く展開。グループの米国企業を通じ自動車部品製造も。研究開発力が強くまじめな社風、新規の次世代分野にも意欲的。

平均勤続年数	男性育休取得率	3年後離職率	平均年収(平均38歳)
22.9年	53.3→9.9%	9.8→7.8%	[総]888万円

●採用・配属情報●

【男女・文理別採用実績】

	大卒男	大卒女	修士男	修士女
23年	6(文 4 理 2)	7(文 4 理 3)	19(文 0 理 19)	5(文 0 理 5)
24年	9(文 8 理 1)	7(文 6 理 1)	17(文 1 理 16)	3(文 0 理 3)
25年	17(文 16 理 1)	14(文 11 理 3)	14(文 0 理 14)	5(文 0 理 5)

【男女・職種別採用実績】　転換制度：⇒

	総合職
23年	38(男 26 女 12)
24年	36(男 26 女 10)
25年	50(男 31 女 19)

【24年4月入社者の配属勤務地】[総]東京 千葉 静岡 大阪 愛媛 山口 全国各都道府県の営業所 [技]東京 千葉 静岡 大阪 愛媛 山口 全国各都道府県の営業所

【転勤】あり：[勤務地]本社(東京 大阪)事業所(岐阜 三原 岩国 松山 三島)研究所(日野 千葉 岩国 松山)全国各地の支店・営業所

【中途比率】[単年度]21年度NA、22年度NA、23年度NA[全体]NA

●働きやすさ、諸制度●

残業(月)　18.3時間 [総]18.3時間

【勤務時間】9:00〜17:45【有休取得年平均】15.1日【週休】完全2日(土日祝)【夏期休暇】なし【年末年始休暇】連続4日

【離職率】男：2.7%、118名 女：1.7%、18名

【新卒3年後離職率】

[20→23年]9.8%(男9.6%・入社73名、女10.5%・入社19名)

[21→24年]7.8%(男8.6%・入社35名、女6.3%・入社16名)

【テレワーク】制度あり：[場所]自宅 サテライトオフィス等[対象]適用部署のみ[日数]原則月70時間まで[利用率]NA【勤務制度】フレックス 時間単位有休 勤務間インターバル【住宅補助】独身寮 社宅(借上含む)住宅手当 持家支援制度

●ライフイベント、女性活躍●

【女性比率】■男 □女

新卒採用 38% (19名)

従業員 19.8% (1057名)

管理職 7.4% (149名)

【産休】[期間]産前8・産後8週間[給与]2カ月3日会社全額給付、以降法定[取得者数]25名

【育休】[期間]2歳になるまで[給与]2日会社全額給付、以降給付金+賞与35%給付[取得者数]22年度 男49名(対象92名)女25名(対象32名)23年度 男9名(対象91名)女20名(対象25名)[平均取得日数]22年度 NA、23年度 男25日 女338日

【従業員】[人数]5,349名(男4,292名、女1,057名)[平均年齢]46.3歳(男46.6歳、女44.7歳)[平均勤続年数]22.9年(男23.3年、女21.3年)【年齢構成】■男 □女

	男	女
60代〜	4%	1%
50代	31%	6%
40代	25%	7%
30代	13%	4%
〜20代	7%	2%

[会社データ]　(金額は百万円)

【本社】100-8585 東京都千代田区霞が関3-2-1 霞が関コモンゲート西館 ☎03-3506-4529　https://www.teijin.co.jp/

【業績(連結)】	売上高	営業利益	経常利益	純利益
22.3	926,054	44,208	49,692	23,158
23.3	1,018,751	12,863	9,100	▲17,695
24.3	1,032,773	13,542	15,564	10,599

メーカーII

東(とう)ソー(株)

プラチナくるみん

【特色】総合化学の一角。塩ビ・苛性ソーダでは大手

記者評価 塩ビ・苛性ソーダはアジアでも規模上位。石油化学も手がけ、四日市でエチレンなど基礎化学品生産。排ガス触媒や歯科材料、バイオサイエンス事業も展開。研究開発はライフサイエンス、電子材料、環境エネルギーに重点。汎用品から高機能領域へシフト。

平均勤続年数	男性育休取得率	3年後離職率	平均年収(平均39歳)
◇14.3年	85.5→70.4%	2.5→⚠7.1%	㊗925万円

●採用・配属情報●

【男女・文理別採用実績】

	大卒男	大卒女	修士男	修士女
23年	16(文 16 理 0)	9(文 9 理 0)	55(文 3 理 52)	20(文 3 理 17)
24年	15(文 15 理 0)	13(文 13 理 0)	53(文 3 理 50)	13(文 0 理 13)
25年	11(文 10 理 1)	16(文 16 理 0)	37(文 2 理 35)	20(文 2 理 18)

【男女・職種別採用実績】 転換制度:⇒

	総合職	一般職事務職
23年	99(男 75 女 24)	7(男 0 女 7)
24年	89(男 71 女 18)	8(男 0 女 8)
25年	84(男 56 女 28)	9(男 0 女 9)

【24年4月入社者の配属勤務地】㊗東京・中央7 山口・周南8 三重・四日市4 神奈川・綾瀬2 大阪2 ㊕山口・周南34 三重・四日市14 神奈川・綾瀬18
【転勤】あり:[職種]総合職
【中途比率】[単年度]21年度NA、22年度NA、23年度NA[全体]◇6%

●働きやすさ、諸制度●

残業(月) 18.8時間 ㊗19.8時間

【勤務時間】9:00〜17:35【有休取得年平均】17.4日【週休】完全2日(土日祝)【夏期休暇】1日【年末年始休暇】5日
【離職率】◇男:1.5%、62名 女:2.3%、13名
【新卒3年後離職率】
[20→23年]2.5%(男1.1%・入社94名、女7.7%・入社26名)
[21→24年]7.1%(男8.3%・入社96名、女0%・入社17名)※総合職のみ
【テレワーク】制度あり:[場所]自宅[対象]原則勤続1年以上のフレックス勤務者[日数]週2日までかつ月6回まで[利用率]NA【勤務制度】フレックス 副業容認【住宅補助】社宅・独身寮(本社 各支店・事業所)住居費補助 住宅手当

●ライフイベント、女性活躍●

【女性比率】■男 □女

新卒採用 39.8%(37名)

従業員 11.4%(543名)

管理職 1.5%(14名)

【産休】[期間]産前6・産後8週間[給与]会社全額給付[取得者数]22名
【育休】[期間]2歳になるまで[給与]開始7日間有給、以降法定[取得者数]22年度 男141名(対象165名)女18名(対象18名)23年度 男131名(対象186名)女22名(対象19名)[平均取得日数]22年度 NA、23年度 男30日 女346日
【従業員】◇[人数]4,748名(男4,205名、女543名)[平均年齢]39.0歳(男39.0歳、女39.1歳)[平均勤続年数]14.3年(男14.4年、女13.7年)
【年齢構成】■男 □女

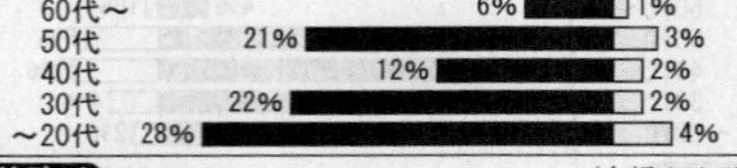

会社データ (金額は百万円)

【本社】104-8467 東京都中央区八重洲2-2-1 八重洲セントラルタワー ☎03-6636-3700 https://www.tosoh.co.jp/

【業績(連結)】	売上高	営業利益	経常利益	純利益
22.3	918,580	144,045	160,467	107,938
23.3	1,064,376	74,606	89,983	50,335
24.3	1,005,640	79,845	95,920	57,324

三菱(みつびし)ガス化学(かがく)(株)

くるみん

【特色】芳香族化学品等を生産。海外で生産合弁事業

記者評価 新潟産天然ガス利用から発祥。天然ガス系化学品、機能化学品、特殊機能材等を手がける。サウジアラビア、ブルネイなどガス資源国でメタノールの生産プロジェクトに参画。M&Aでなく自前志向が強く、医・食など幅広いターゲットで新製品開発に注力。

平均勤続年数	男性育休取得率	3年後離職率	平均年収(平均41歳)
◇17.4年	51.1→73.5%	9.6→5.1%	㊗989万円

●採用・配属情報●

【男女・文理別採用実績】

	大卒男	大卒女	修士男	修士女
23年	9(文 9 理 0)	5(文 4 理 1)	35(文 0 理 35)	10(文 0 理 10)
24年	11(文 11 理 0)	6(文 5 理 1)	40(文 0 理 40)	4(文 0 理 4)
25年	9(文 7 理 2)	9(文 9 理 0)	31(文 0 理 31)	10(文 0 理 10)

【男女・職種別採用実績】 転換制度:⇔

	総合職
23年	62(男 47 女 15)
24年	69(男 57 女 12)
25年	69(男 47 女 22)

※高専・専門除く
【24年4月入社者の配属勤務地】㊗東京・千代田9 新潟3 茨城・鹿島2 神奈川・山北1 岡山・水島1 ㊕東京(千代田7 葛飾15)新潟16 三重・四日市5 神奈川・平塚4 茨城・鹿島3 岡山・水島2 神奈川・山北1
【転勤】あり:全社員
【中途比率】[単年度]21年度22%、22年度21%、23年度33%[全体]◇27%

●働きやすさ、諸制度●

残業(月) 14.4時間

【勤務時間】本社・支店9:00〜17:30【有休取得年平均】18.2日【週休】完全2日(土日祝)【夏期休暇】有休で取得【年末年始休暇】12月29日〜1月4日
【離職率】◇男:1.6%、36名 女:1.3%、4名
【新卒3年後離職率】
[20→23年]9.6%(男9.3%・入社43名、女11.1%・入社9名)
[21→24年]5.1%(男3.9%・入社51名、女12.5%・入社8名)
【テレワーク】制度あり:[場所]自宅[対象]NA[日数]週3日まで[利用率]NA【勤務制度】フレックス【住宅補助】寮 社宅 住宅補助金

●ライフイベント、女性活躍●

【女性比率】■男 □女

新卒採用 31.9%(22名)　従業員 11.9%(297名)　管理職 4.2%(40名)

【産休】[期間]産前6・産後8週間[給与]健保85%給付[取得者数]18名
【育休】[期間]1歳になるまで[給与]法定[取得者数]22年度 男48名(対象94名)女11名(対象11名)23年度 男75名(対象102名)女18名(対象18名)[平均取得日数]22年度 男31日 女359日、23年度 男57日 女296日
【従業員】◇[人数]2,486名(男2,189名、女297名)[平均年齢]40.8歳(男41.3歳、女37.0歳)[平均勤続年数]17.4年(男18.0年、女12.9年)【年齢構成】■男 □女

	男	女
60代〜	4%	1%
50代	24%	2%
40代	23%	2%
30代	22%	5%
〜20代	15%	3%

会社データ (金額は百万円)

【本社】100-8324 東京都千代田区丸の内2-5-2 三菱ビル ☎03-3283-5073 https://www.mgc.co.jp/

【業績(連結)】	売上高	営業利益	経常利益	純利益
22.3	705,656	55,360	74,152	48,295
23.3	781,211	49,030	69,764	49,085
24.3	813,417	47,337	46,040	38,818

㈱クラレ

【特色】化学準大手。各種フィルムや高機能樹脂が主力

[記者評価] 高機能フィルムや機能性樹脂「ポバール」「エバール」が柱。液晶用偏光フィルム、ジェルボール洗剤に使用される水溶性フィルムで高シェア。人工皮革「クラリーノ」を展開、活性炭なども育成中。海外比率高いが、国内製造拠点多く現場に強み。まじめな社風。

平均勤続年数	男性育休取得率	3年後離職率	平均年収(平均40歳)
17.9年	51.4 → 89.8%	6.7 → 0%	[総]1,048万円

●採用・配属情報●

【男女・文理別採用実績】※総合職のみ

	大卒男	大卒女	修士男	修士女
23年	4(文 4理 0)	15(文 15理 0)	38(文 0理 38)	7(文 0理 7)
24年	10(文 9理 1)	12(文 11理 1)	34(文 0理 34)	6(文 1理 5)
25年	10(文 9理 1)	11(文 11理 0)	42(文 0理 42)	14(文 1理 13)

【男女・職種別採用実績】 転換制度:⇔

	総合職
23年	66(男 44 女 22)
24年	64(男 46 女 18)
25年	80(男 54 女 26)

※一般職は事業所ごとに採用

【職種併願】総合職と一般職(技術系)で可能

【24年4月入社者の配属勤務地】[総]東京・千代田15 大阪市7 岡山市1 [技]岡山(倉敷18 岡山6 備前2)茨城(つくば4 神栖2)新潟・胎内4 愛媛・西条2 東京・千代田2 愛知・みよし1

【転勤】あり:[職種]総合職

【中途比率】[単年度]21年度50%、22年度62%、23年度62%[全体]NA

●働きやすさ、諸制度●

残業(月) 13.8時間

【勤務時間】9:00〜17:45【有休取得年平均】17.3日【週休】完全2日(土日祝)【夏期休暇】有休で取得【年末年始休暇】12月31日〜1月3日

【離職率】男:1.7%、64名 女:1.1%、7名

【新卒3年後離職率】

[20→23年]6.7%(男2.4%・入社42名、女16.7%・入社18名)

[21→24年]0%(男0%・入社35名、女0%・入社15名)

【テレワーク】制度あり:[場所]自宅[対象]制限なし[日数]月12日まで[利用率]NA【勤務制度】フレックス 時間単位有休 週休3日 裁量労働 時差勤務 勤務間インターバル 副業容認【住宅補助】独身寮 社宅 転勤者等住宅支援手当

●ライフイベント、女性活躍●

【女性比率】■男 □女

新卒採用 32.5% (26名)

従業員 14% (618名)

管理職 5.7% (38名)

【産休】[期間]産前8・産後8週間[給与]法定[取得者数]12名

【育休】[期間]1歳になるまで[給与]法定[取得者数]22年度 男73名(対象142名)女10名(対象10名)23年度 男115名(対象128名)女12名(対象12名)[平均取得日数]22年度NA、23年度NA

【従業員】[人数]4,427名(男3,809名、女618名)[平均年齢]41.9歳(男41.9歳、女41.8歳)[平均勤続年数]17.9年(男18.2年、女15.9年)【年齢構成】■男 □女

	男	女
60代〜	5%	0%
50代	23%	4%
40代	19%	4%
30代	23%	3%
〜20代	16%	3%

[会社データ] (金額は百万円)

【本社】100-0004 東京都千代田区大手町2-6-4 常盤橋タワー ☎03-6701-1171 https://www.kuraray.co.jp/

【業績(連結)】	売上高	営業利益	経常利益	純利益
21.12	629,370	72,256	68,765	37,262
22.12	756,376	87,139	84,060	54,307
23.12	780,938	75,475	69,025	42,446

㈱カネカ

[くるみん]

【特色】塩ビを中心に医療機器、食品など事業が多彩

[記者評価] 創立時の社名は鐘淵化学工業。塩化ビニル樹脂を筆頭に、サプリ「コエンザイムQ10」をはじめ食品や電子材料など、豊富な製品を手がける。血液浄化システムなどの医療機器、植物油等を原料とする生分解性バイオポリマーなどの環境対応製品にも注力。

平均勤続年数	男性育休取得率	3年後離職率	平均年収(平均42歳)
◇17.3年	44.9 → 42.2%	1.3 → 11.6%	[総]855万円

●採用・配属情報●

【男女・文理別採用実績】

	大卒男	大卒女	修士男	修士女
23年	10(文 8理 2)	7(文 7理 0)	22(文 0理 22)	7(文 0理 7)
24年	12(文 7理 5)	9(文 8理 1)	20(文 0理 20)	8(文 0理 8)
25年	10(文 5理 5)	11(文 9理 2)	25(文 0理 25)	13(文 0理 13)

【男女・職種別採用実績】

	総合職
23年	64(男 43 女 21)
24年	72(男 45 女 27)
25年	79(男 44 女 35)

【24年4月入社者の配属勤務地】[総]東京・港20 兵庫・高砂2 大阪・摂津1 [技]兵庫・高砂26 大阪(摂津14・大阪2)兵庫・豊岡3 茨城・鹿島3 北海道・苫東1

【転勤】あり:全社員

【中途比率】[単年度]21年度38%、22年度49%、23年度47%[全体]◇23%

●働きやすさ、諸制度●

残業(月) 20.0時間 [総]20.0時間

【勤務時間】9:00〜17:40【有休取得年平均】14.7日【週休】完全2日(土日祝)【夏期休暇】有休で取得【年末年始休暇】4日

【離職率】◇男:3.7%、111名 女:3.2%、17名

【新卒3年後離職率】

[20→23年]1.3%(男2.0%・入社49名、女0%・入社28名)

[21→24年]11.6%(男16.7%・入社30名、女0%・入社13名)

【テレワーク】制度あり:[場所]自宅[対象]全社員(新入社員を除く)[日数]制限なし[利用率]7.2%【勤務制度】フレックス 時間単位有休 裁量労働 時差勤務【住宅補助】独身寮 社宅 持家手当 家賃補助 他

●ライフイベント、女性活躍●

【女性比率】■男 □女

新卒採用 44.3% (35名)

従業員 15.1% (512名)

管理職 6.2% (42名)

【産休】[期間]産前6・産後8週間[給与]法定[取得者数]17名

【育休】[期間]2歳半になるまで[給与]法定[取得者数]22年度 男53名(対象118名)女15名(対象15名)23年度 男57名(対象135名)女16名(対象16名)[平均取得日数]22年度男47日 女391日、23年度 男56日 女152日

【従業員】◇[人数]3,390名(男2,878名、女512名)[平均年齢]41.5歳(男41.8歳、女39.8歳)[平均勤続年数]17.3年(男18.1年、女13.3年)

【年齢構成】■男 □女

	男	女
60代〜	1%	0%
50代	25%	4%
40代	23%	4%
30代	21%	4%
〜20代	16%	4%

[会社データ] (金額は百万円)

【本社】530-8288 大阪府大阪市北区中之島2-3-18 中之島フェスティバルタワー ☎06-6226-5027 https://www.kaneka.co.jp/

【業績(連結)】	売上高	営業利益	経常利益	純利益
22.3	691,530	43,562	40,816	26,487
23.3	755,821	35,087	32,411	23,008
24.3	762,302	32,579	29,222	23,220

メーカーⅡ

㈱ダイセル

【特色】高機能樹脂やエアバッグ部品を展開する中堅化学

記者評価 創立時の社名は大日本セルロイド。稼ぎ頭は、自動車部品などで金属の代わりに使われる高機能樹脂のエンジニアリングプラスチック(エンプラ)。液晶材料やたばこフィルター材料を手がけるほか、エアバッグを膨らませるガス発生器(インフレータ)も有力。

平均勤続年数	男性育休取得率	3年後離職率	平均年収(平均42歳)
◇16.1年	97.9→89.8%	6.3→3.3%	㊟814万円

●採用・配属情報●

【男女・文理別採用実績】※25年:24年7月22日時点

	大卒男	大卒女	修士男	修士女
23年	4(文 3理 1)	5(文 2理 3)	12(文 0理 12)	7(文 0理 7)
24年	7(文 4理 3)	5(文 5理 0)	10(文 1理 9)	6(文 0理 6)
25年	4(文 3理 1)	3(文 3理 0)	24(文 1理 23)	4(文 0理 4)

【男女・職種別採用実績】 転換制度:⇔

	総合職
23年	32(男 18 女 14)
24年	33(男 22 女 11)
25年	37(男 30 女 7)

【24年4月入社者の配属勤務地】㊟(24年)大阪市3 兵庫(姫路2 たつの2)東京・港2 広島・大竹1 ㊕(23年)兵庫(姫路14 たつの3)新潟・妙高2 広島・大竹6 石川・金沢1

【転勤】あり:全社員(地域限定社員は転居を伴わない範囲で異動可能性あり)

【中途比率】[単年度]21年度60%、22年度56%、23年度57%[全体]◇38%

●働きやすさ、諸制度●

残業(月) 20.1時間 ㊟20.1時間

【勤務時間】9:15〜17:30(フレックスタイム制)【有休取得年平均】16.3日【週休】完全2日(土日祝)【夏期休暇】事業場で個別に社定休、有休奨励日を設定【年末年始休暇】連続5日(12月30日〜1月3日)

【離職率】◇男:1.8%、39名 女:1.7%、6名

【新卒3年後離職率】
[20→23年]6.3%(男0%・入社22名、女20.0%・入社10名)
[21→24年]3.3%(男0%・入社21名、女11.1%・入社9名)

【テレワーク】制度あり:[場所]自宅 サテライトオフィス 在籍以外の事業場 セキュリティ環境が確保できる環境[対象]一部の業務上テレワークが不可能な職種を除く[日数]制限なし[利用率]NA【勤務制度】フレックス 時間単位有休 副業容認【住宅補助】住宅手当(自分名義の住宅を持つ人)自己借上補助(会社都合により自分名義の借家を持つ人)住居二重コストサポート 寮・借上社宅(新卒新入社員)

●ライフイベント、女性活躍●

【女性比率】■男 □女

新卒採用 18.9% (7名)

従業員 14.1% (353名)

管理職 6.7% (40名)

【産休】[期間]産前6・産後8週間[給与]法定[取得者数]8名

【育休】[期間]2歳になるまで[給与]5日間有給、以降法定[取得者数]22年度 男93名(対象95名)女10名(対象9名)23年度 男79名(対象88名)女8名(対象8名)[平均取得日数]22年度 男18日 女373日、23年度 男25日 女332日

【従業員】◇[人数]2,510名(男2,157名、女353名)[平均年齢]42.4歳(男42.4歳、女42.5歳)[平均勤続年数]16.1年(男16.3年、女14.6年)【年齢構成】■男 □女

	男	女
60代〜	1%	0%
50代	27%	5%
40代	20%	3%
30代	23%	4%
〜20代	14%	3%

会社データ (金額は百万円)

【本社】530-0011 大阪府大阪市北区大深町3-1 グランフロント大阪タワーB ☎06-7639-7209 https://www.daicel.com/

【業績(連結)】	売上高	営業利益	経常利益	純利益
22.3	467,937	50,697	57,291	31,254
23.3	538,026	47,508	52,035	40,682
24.3	558,056	62,393	68,396	55,834

UBE㈱

ユービーイー

くるみん

【特色】中堅化学。産業機械も展開。旧社名は宇部興産

記者評価 樹脂・化成品が主力事業。食品包装フィルムや、自動車部材に使われるナイロン樹脂、電子機器に用いるポリイミドなど製品は多種多様。自動車メーカー向け射出成形機といった産業機械も手がける。22年にセメント事業を三菱マテリアルとの合弁会社に移管。

平均勤続年数	男性育休取得率	3年後離職率	平均年収(平均32歳)
◇16.0年	97.3→100%	9.3→6.1%	㊟952万円

●採用・配属情報●

【男女・文理別採用実績】

	大卒男	大卒女	修士男	修士女
23年	2(文 2理 0)	4(文 4理 0)	19(文 1理 18)	6(文 0理 6)
24年	4(文 3理 1)	3(文 2理 1)	9(文 0理 9)	2(文 0理 2)
25年	7(文 4理 3)	6(文 6理 0)	19(文 1理 18)	4(文 0理 4)

【男女・職種別採用実績】 転換制度:⇔

	総合職
23年	33(男 21 女 12)
24年	19(男 14 女 5)
25年	40(男 28 女 12)

【24年4月入社者の配属勤務地】㊟山口・宇部3 堺2 千葉・市原1 ㊕山口・宇部10 堺1 千葉・市原2

【転勤】あり:[職種]全社員[勤務地]東京 千葉 大阪 名古屋 山口

【中途比率】[単年度]21年度32%、22年度37%、23年度36%(総合職のみ)[全体]◇11%

●働きやすさ、諸制度●

残業(月) 16.0時間 ㊟18.5時間

【勤務時間】9:00〜17:45【有休取得年平均】17.4日【週休】完全2日(土日祝)【夏期休暇】連続2日【年末年始休暇】連続4日

【離職率】◇男:1.1%、23名 女:2.4%、6名

【新卒3年後離職率】
[20→23年]9.3%(男9.4%・入社32名、女9.1%・入社11名)
[21→24年]6.1%(男4.2%・入社24名、女11.1%・入社9名)

【テレワーク】制度あり:[場所]自宅 実家 サテライトオフィス[対象]常昼勤務者 他[日数]原則週4日まで[利用率]19.8%【勤務制度】フレックス 時間単位有休【住宅補助】寮 社宅 借上社宅 住宅手当

●ライフイベント、女性活躍●

【女性比率】■男 □女

新卒採用 30% (12名)

従業員 10.7% (239名)

管理職 4.8% (27名)

【産休】[期間]産前6・産後8週間[給与]法定[取得者数]7名

【育休】[期間]1歳になるまで[給与]法定[取得者数]22年度 男71名(対象73名)女10名(対象10名)23年度 男74名(対象74名)女7名(対象7名)[平均取得日数]22年度 男10日 女142日、23年度 男12日 女151日

【従業員】◇[人数]2,243名(男2,004名、女239名)[平均年齢]42.8歳(男43.2歳、女39.7歳)[平均勤続年数]16.0年(男16.4年、女13.2年)

【年齢構成】■男 □女

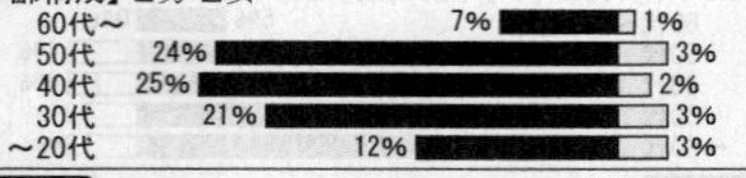

	男	女
60代〜	7%	1%
50代	24%	3%
40代	25%	2%
30代	21%	3%
〜20代	12%	3%

会社データ (金額は百万円)

【本社】105-8449 東京都港区芝浦1-2-1 シーバンスN館 ☎03-5419-6141 https://www.ube.co.jp/

【業績(連結)】	売上高	営業利益	経常利益	純利益
22.3	655,265	44,038	41,549	24,500
23.3	494,738	16,290	▲8,689	▲7,006
24.3	468,237	22,456	36,333	28,981

とうようぼう
東洋紡(株)

えるぼし ★★ | プラチナくるみん

【特色】液晶など向けのフィルムが柱、診断薬関連も

記者評価 食品包装用フィルムや自動車部品向け機能樹脂、エアバッグ用基布、水処理膜など幅広く取り扱う。液晶の光をより自然光に近い状態へ変換する偏光子保護フィルムは、液晶テレビ市場で高いシェアを持つ。診断試薬をはじめヘルスケア関連にも力を注ぐ。

平均勤続年数	男性育休取得率	3年後離職率	平均年収(平均40歳)
◇(!)13.4年	104.3→97.7%	7.8→12.3%	(総)643万円

●採用・配属情報●

【男女・文理別採用実績】

	大卒男	大卒女	修士男	修士女
23年	18(文 12理 6)	17(文 9理 8)	46(文 0理 46)	16(文 0理 16)
24年	7(文 3理 4)	10(文 8理 2)	39(文 0理 39)	20(文 0理 20)
25年	10(文 7理 3)	10(文 7理 3)	31(文 0理 31)	13(文 0理 13)

【男女・職種別採用実績】

	総合職	一般職
23年	97(男 64 女 33)	16(男 0 女 16)
24年	75(男 47 女 28)	12(男 0 女 12)
25年	65(男 41 女 24)	5(男 0 女 5)

【24年4月入社者の配属勤務地】(総)大阪市8 東京・中央2 愛知・犬山2 福井・敦賀1 山口・岩国1 (技)福井・敦賀19 滋賀・大津16 愛知・犬山10 栃木・宇都宮7 兵庫・高砂4 富山・射水3 山口・岩国2

【転勤】あり:全社員

【中途比率】[単年度]21年度62%、22年度60%、23年度30%[全体]◇42%

●働きやすさ、諸制度●

残業(月) 10.2時間

【勤務時間】標準8:45～17:30 事業所ごとに設定【有休取得年平均】15.1日【週休】完全2日(土日)(事業所により異なる)【夏期休暇】連続4日以上(事業所により異なる)【年末年始休暇】連続4～5日(事業所により異なる)

【離職率】男:2.2%、51名 女:3.2%、27名

【新卒3年後離職率】
[20→23年]7.8%(男9.8%・入社41名、女4.3%・入社23名)
[21→24年]12.3%(男12.7%・入社55名、女11.5%・入社26名)

【テレワーク】制度あり:[場所]原則自宅[対象]現業職除く[日数]月6日まで[利用率]8.2%【勤務制度】フレックス【住宅補助】寮・社宅(全事業所近隣、大阪・東京地区は借上社宅)住宅手当

●ライフイベント、女性活躍●

【女性比率】■男 □女

新卒採用 41.4% (29名)

従業員 26.4% (809名)
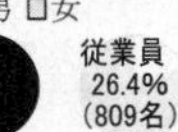
管理職 6.6% (19名)

【産休】[期間]産前8・産後8週間[給与]会社全額給付[取得者数]33名

【育休】[期間]1歳になるまで[給与]法定[取得者数]22年度 男98名(対象94名)女39名(対象39名)23年度 男85名(対象87名)女33名(対象33名)[平均取得日数]22年度 男15日 女352日、23年度 男19日 女359日

【従業員】◇[人数]3,063名(男2,254名、女809名)[平均年齢]40.1歳(男40.4歳、女39.3歳)[平均勤続年数]13.4年(男13.3年、女13.6年) ※社外出向者除く

【年齢構成】■男 □女

会社データ (金額は百万円)

【本社】530-0001 大阪府大阪市北区梅田1-13-1 大阪梅田ツインタワーズ・サウス ☎06-6348-3111 https://www.toyobo.co.jp/

【業績(連結)】	売上高	営業利益	経常利益	純利益
22.3	375,720	28,430	23,092	12,865
23.3	399,921	10,063	6,590	▲655
24.3	414,265	8,995	6,962	2,455

ジェイエスアール
JSR(株)

えるぼし ★★ | プラチナくるみん

【特色】半導体用フォトレジストで世界トップ

記者評価 半導体用フォトレジストなどデジタルソリューション事業が全社利益の大半を稼ぐ。医薬品受託製造などのライフサイエンス事業も育成。構造改革で祖業の合成ゴム事業は22年4月売却。19年初の外国人CEOが就任。政府系ファンドによるTOBに賛同、24年6月上場廃止。

平均勤続年数	男性育休取得率	3年後離職率	平均年収(平均41歳)
◇14.5年	81.3→89.2%	6.7→0%	◇823万円

●採用・配属情報●

【男女・文理別採用実績】※23年:第二新卒を含む

	大卒男	大卒女	修士男	修士女
23年	3(文 2理 1)	1(文 0理 1)	23(文 0理 23)	3(文 0理 3)
24年	1(文 1理 0)	3(文 3理 0)	26(文 0理 26)	6(文 0理 6)
25年	0(文 0理 0)	0(文 0理 0)	37(文 0理 37)	11(文 0理 11)

【男女・職種別採用実績】 転換制度:⇒

	総合職
23年	42(男 36 女 6)
24年	41(男 32 女 9)
25年	53(男 42 女 11)

【24年4月入社者の配属勤務地】(総)東京・汐留4 (技)三重・四日市37

【転勤】あり:[職種]全社員(一般職を除く)[勤務地]本社:東京 研究所:四日市 筑波 東京 川崎 工場:四日市 千葉 海外:米国 ベルギー 中国 韓国 台湾 他

【中途比率】[単年度]21年度40%、22年度30%、23年度20%[全体]◇21%

●働きやすさ、諸制度●

残業(月) 16.6時間

【勤務時間】9:00～17:45【有休取得年平均】18.3日【週休】完全2日(土日祝)【夏期休暇】なし【年末年始休暇】12月29日(指定年休)12月30日～1月3日 1月4日(指定年休)

【離職率】◇男:2.6%、46名 女:2.2%、9名

【新卒3年後離職率】
[20→23年]6.7%(男7.3%・入社41名、女5.3%・入社19名)
[21→24年]0%(男0%・入社14名、女0%・入社9名)

【テレワーク】制度あり:[場所]自宅 本人及び配偶者の実家[対象]勤続3カ月以上の社員[日数]制限なし※本社では月4日以上の出社推奨[利用率]NA【勤務制度】フレックス 時間単位有休 裁量労働 勤務間インターバル 副業容認【住宅補助】寮・社宅(本社・工場・事業所・研究所等各地区、一部事業所では借上)住宅手当

●ライフイベント、女性活躍●

【女性比率】■男 □女

新卒採用 20.8% (11名)

従業員 18.4% (394名)
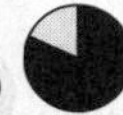

【産休】[期間]産前6・産後8週間[給与]法定[取得者数]13名

【育休】[期間]1歳半になるまで[給与]法定+最初5日間共済会50%給付[取得者数]22年度 男87名(対象107名)女13名(対象13名)23年度 男66名(対象74名)女16名(対象13名)[平均取得日数]22年度 男21日 女364日、23年度 男34日 女317日

【従業員】◇[人数]2,139名(男1,745名、女394名)[平均年齢]41.0歳(男41.0歳、女41.0歳)[平均勤続年数]14.5年(男14.3年、女15.2年)【年齢構成】■男 □女

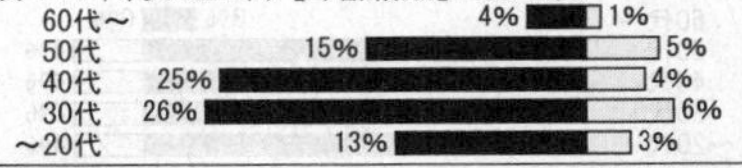

会社データ (金額は百万円)

【本社】105-8640 東京都港区東新橋1-9-2 汐留住友ビル ☎03-6218-3500 https://www.jsr.co.jp/

【業績(IFRS)】	売上高	営業利益	税前利益	純利益
22.3	340,997	43,760	45,521	37,303
23.3	408,880	29,370	29,846	15,784
24.3	404,631	3,649	▲124	▲5,551

メーカーII

261 開示 ★★★ **専門** 採用あり

㈱ADEKA（アデカ）

くるみん

【特色】半導体・車向けに強い化学中堅。子会社で農薬も

記者評価 化学品事業が主力。自動車や建築材料に使われる塩ビ用安定剤やプラスチック用添加剤などを展開する。先端半導体メモリー向け高誘電材料は世界で高シェア。マーガリンをはじめ、加工油脂や加工食品も手がける。子会社の日本農薬も上場している。

平均勤続年数	男性育休取得率	3年後離職率	平均年収(平均40歳)
◇16.8年	49.1 → 57.4%	16.3 → 8.6%	㊗719万円

●採用・配属情報●

【男女・文理別採用実績】

	大卒男	大卒女	修士男	修士女
23年	7(文 5理 2)	4(文 4理 0)	21(文 0理 21)	8(文 0理 8)
24年	8(文 6理 2)	4(文 4理 0)	21(文 0理 21)	13(文 1理 12)
25年	6(文 4理 2)	9(文 7理 2)	28(文 0理 28)	10(文 0理 10)

【男女・職種別採用実績】

	総合職
23年	41(男 29 女 12)
24年	48(男 31 女 17)
25年	56(男 36 女 20)

【24年4月入社者の配属勤務地】㊗東京・荒川11 ㊕東京・荒川11 埼玉(浦和3 久喜5)茨城(鹿島・神栖9)三重・員弁郡2 千葉・袖ヶ浦2 福島・相馬1 静岡・富士2 兵庫・加古郡2
【転勤】あり:全社員
【中途比率】[単年度]21年度30%、22年度38%、23年度23%[全体]◇18%

●働きやすさ、諸制度●

残業(月) 13.4時間 ㊗13.4時間

【勤務時間】8:40〜17:15【有休取得年平均】13.7日【週休】完全2日(土日祝)【夏期休暇】5日(有休で取得)【年末年始休暇】連続6日
【離職率】◇男:3.4%、53名 女:5.1%、16名(早期退職男5名、女2名含む 他に男2名転籍)
【新卒3年後離職率】
[20→23年]16.3%(男15.2%・入社33名、女18.8%・入社16名)
[21→24年]8.6%(男13.0%・入社23名、女0%・入社12名)
【テレワーク】制度あり:[場所]自宅 サテライトオフィス[対象]テレワーク勤務を行える環境が整っている者 他[日数]〈裁量労働制適用者 営業職〉制限なし〈フレックスタイム適用者〉月8回[利用率]7.6%【勤務制度】フレックス 裁量労働 時差勤務 勤務間インターバル【住宅補助】寮・社宅(事業箇所通勤圏内)住宅手当(一人暮らし、実家から通勤する場合)

●ライフイベント、女性活躍●

【女性比率】■男 □女

新卒採用 35.7%(20名)

従業員 16.3%(296名)

管理職 5.3%(23名)

【産休】[期間]産前6・産後8週間[給与]会社全額給付[取得者数]8名
【育休】[期間]1歳になるまで[給与]法定[取得者数]22年度 男26名(対象53名)女15名(対象15名)23年度 男31名(対象54名)女8名(対象8名)[平均取得日数]22年度 NA、23年度 NA
【従業員】◇[人数]1,815名(男1,519名、女296名)[平均年齢]39.9歳(男40.2歳、女38.1歳)[平均勤続年数]16.8年(男17.3年、女14.3年)【年齢構成】■男 □女

	男	女
60代〜	3%	0%
50代	23%	4%
40代	21%	4%
30代	20%	4%
〜20代	18%	4%

会社データ (金額は百万円)

【本社】116-8554 東京都荒川区東尾久7-2-35 ☎03-4455-2811
https://www.adeka.co.jp/

【業績(連結)】	売上高	営業利益	経常利益	純利益
22.3	363,034	34,927	35,770	23,744
23.3	403,343	32,369	32,579	16,778
24.3	399,770	35,428	35,763	22,977

216 開示 ★★★

デンカ㈱

くるみん

【特色】合成ゴム、機能性樹脂、スチレンなどを生産

記者評価 1915年に三井系資本で発祥。半導体封止材向け溶融シリカは世界首位。炭化カルシウムも強い。半導体向け高機能フィルムや車両電動化関連も展開。コロナ・インフルエンザ検査試薬やワクチンなども製造。特殊合成ゴムのクロロプレンゴムは再編へ。まじめな社風。

平均勤続年数	男性育休取得率	3年後離職率	平均年収(平均41歳)
16.1年	46.1 → 52.7%	10.2 → 7.1%	㊗935万円

●採用・配属情報●

【男女・文理別採用実績】

	大卒男	大卒女	修士男	修士女
23年	14(文 11理 3)	8(文 8理 0)	37(文 1理 36)	10(文 0理 10)
24年	11(文 8理 3)	7(文 5理 2)	36(文 0理 36)	14(文 0理 14)
25年	4(文 3理 1)	2(文 1理 1)	14(文 0理 14)	12(文 2理 10)

【男女・職種別採用実績】 転換制度:⇒

	総合職
23年	73(男 54 女 19)
24年	75(男 52 女 23)
25年	35(男 21 女 14)

【24年4月入社者の配属勤務地】㊗東京・中央14 福岡・大牟田2 ㊕東京・町田11 新潟(青海6 五泉21)福岡・大牟田6 千葉・市原6 群馬(渋川4 伊勢崎5)
【転勤】あり:[職種]総合職
【中途比率】[単年度]21年度29%、22年度49%、23年度53%[全体]22%

●働きやすさ、諸制度●

残業(月) 11.5時間 ㊗12.6時間

【勤務時間】全社8:30〜17:20【有休取得年平均】14.3日【週休】完全2日(土日祝)【夏期休暇】有休で取得【年末年始休暇】12月31日〜1月3日
【離職率】男:1.0%、34名 女:1.6%、14名
【新卒3年後離職率】
[20→23年]10.2%(男13.9%・入社36名、女4.3%・入社23名)
[21→24年]7.1%(男3.3%・入社30名、女16.7%・入社12名)
【テレワーク】制度あり:[場所]自宅[対象]NA[日数]NA[利用率]NA【勤務制度】時間単位有休 時差勤務【住宅補助】借上社宅(本社・支店周辺)社有社宅(工場周辺)独身寮(自己負担5,000円程度)住宅手当

●ライフイベント、女性活躍●

【女性比率】■男 □女

新卒採用 40%(14名)

従業員 19.4%(841名)

管理職 5.2%(24名)

【産休】[期間]産前6・産後8週間[給与]法定[取得者数]110名
【育休】[期間]1歳になるまで[給与]法定[取得者数]22年度 男47名(対象102名)女23名(対象25名)23年度 男58名(対象110名)女33名(対象28名)[平均取得日数]22年度 NA、23年度 NA
【従業員】[人数]4,330名(男3,489名、女841名)[平均年齢]40.7歳(男41.2歳、女38.7歳)[平均勤続年数]16.1年(男17.6年、女10.0年)
【年齢構成】■男 □女

	男	女
60代〜	2%	0%
50代	23%	4%
40代	20%	4%
30代	20%	6%
〜20代	16%	5%

会社データ (金額は百万円)

【本社】103-8338 東京都中央区日本橋室町2-1-1 日本橋三井タワー ☎03-5290-5533
https://www.denka.co.jp/

【業績(連結)】	売上高	営業利益	経常利益	純利益
22.3	384,849	40,123	36,474	26,012
23.3	407,559	32,324	28,025	12,768
24.3	389,263	13,376	5,474	11,947

メーカーⅡ

日本ゼオン(株)

にっぽん

くるみん

【特色】古河系で合成ゴム大手。高機能樹脂・材料も

記者評価 柱の自動車タイヤ用では低燃費タイヤ用の高機能ゴム(S-SBR)が主力。中期的にディスプレイ用フィルム、リチウムイオン電池部材等の高機能材料への投資を拡大・育成。子会社で医療機器も。医療・生命科学分野はM&Aなどで強化図る。堅実な社風。

平均勤続年数	男性育休取得率	3年後離職率	平均年収(平均42歳)
◇13.4年	51.3→46.5%	4.3→13.5%	㊀930万円

●採用・配属情報●

【男女・文理別採用実績】

	大卒男	大卒女	修士男	修士女
23年	3(文 3理 0)	6(文 5理 1)	25(文 1理 24)	10(文 0理 10)
24年	7(文 4理 3)	3(文 3理 0)	20(文 0理 20)	8(文 0理 8)
25年	4(文 2理 2)	4(文 4理 0)	12(文 2理 10)	9(文 0理 9)

【男女・職種別採用実績】 転換制度:⇒

	総合職
23年	46(男 29 女 17)
24年	41(男 29 女 12)
25年	32(男 19 女 13)

【24年4月入社者の配属勤務地】㊀東京・丸の内2 川崎1 高岡1 徳山1 水島1 氷見二上1 ㊁川崎18 水島4 徳山4 高岡2 氷見二上3 敦賀1 京都1 鶴見1

【転勤】あり:[職種]一般職(一般コース 総合コース)幹部職

【中途比率】[単年度]21年度59%、22年度70%、23年度47%[全体]◇32%

●働きやすさ、諸制度●

残業(月) 16.4時間

【勤務時間】8:30～17:10(コアタイムを定めるフレックスタイム制)【有休取得年平均】14.3日【週休】2日(年間休日数調整のため土曜出勤の場合あり)【夏期休暇】連続3日(土日含む)【年末年始休暇】連続5日(土日含む)

【離職率】◇男:2.2%、51名 女:2.8%、10名

【新卒3年後離職率】
[20→23年]4.3%(男8.3%・入社12名、女0%・入社11名)
[21→24年]13.5%(男8.0%・入社25名、女25.0%・入社12名)

【テレワーク】制度あり:[場所]自宅 サテライトオフィス[対象]本社 研究所[日数]制限なし[利用率]70.5%【勤務制度】フレックス 時間単位有休 副業容認【住宅補助】寮 社宅 家賃補助(最大80,000円)

●ライフイベント、女性活躍●

【女性比率】■男 □女

新卒採用 40.6%(13名)　従業員 13.5%(346名)　管理職 5%(28名)

【産休】[期間]産前8・産後8週間[給与]法定[取得者数]13名

【育休】[期間]最大2歳6カ月になるまで[給与]最大5日間を有給、それ以外1歳になるまでは法定+給与無給期間は月2万円を支給[取得者数]22年度 男40名(対象78名)女13名(対象13名)23年度 男40名(対象86名)女12名(対象10名)[平均取得日数]22年度 NA、23年度 NA

【従業員】◇[人数]2,562名(男2,216名、女346名)[平均年齢]39.2歳(男39.6歳、女36.6歳)[平均勤続年数]13.4年(男13.9年、女10.2年)【年齢構成】■男 □女

	男	女
60代～	0%	0%
50代	18%	2%
40代	25%	3%
30代	23%	4%
～20代	21%	5%

会社データ (金額は百万円)

【本社】100-8246 東京都千代田区丸の内1-6-2 新丸の内センタービル
☎03-3216-1795 https://www.zeon.co.jp/

【業績(連結)】	売上高	営業利益	経常利益	純利益
22.3	361,730	44,432	49,468	33,413
23.3	388,614	27,179	31,393	10,569
24.3	382,279	20,500	26,906	31,101

(株)トクヤマ

プラチナくるみん

【特色】化学準大手。半導体用シリコンは世界有数

記者評価 山口県の名門企業。大半の製品は同県の徳山製造所で生産。半導体用の多結晶シリコンは世界大手の一角。塩ビ・苛性ソーダ、セメントなども製造。レンズ関連材料、歯科器材、医療診断システムを育成中。電子工業用高純度薬液や半導体装置向けに放熱材も展開。

平均勤続年数	男性育休取得率	3年後離職率	平均年収(平均39歳)
◇17.0年	159.0→135.0%	2.0→6.8%	㊀790万円

●採用・配属情報●

【男女・文理別採用実績】

	大卒男	大卒女	修士男	修士女
23年	10(文 7理 3)	2(文 1理 1)	20(文 0理 20)	8(文 0理 8)
24年	8(文 5理 3)	4(文 3理 1)	29(文 0理 29)	5(文 0理 5)
25年	8(文 7理 1)	3(文 3理 0)	22(文 1理 21)	5(文 0理 5)

【男女・職種別採用実績】

	グローバル職
23年	47(男 35 女 12)
24年	58(男 46 女 12)
25年	45(男 35 女 10)

【24年4月入社者の配属勤務地】㊀山口6 東京3 ㊁山口38 茨城11

【転勤】あり:[職種]グローバル職(総合職)[勤務地]東京 山口 茨城 愛知 大阪 広島 香川 福岡 米国ドイツ イタリア シンガポール 中国 台湾 韓国 ニューカレドニア 他

【中途比率】[単年度]21年度44%、22年度42%、23年度41%[全体]◇17%

●働きやすさ、諸制度●

残業(月) 11.4時間 ㊀15.5時間

【勤務時間】本支店9:00～17:45 製造所8:30～17:15【有休取得年平均】15.9日【週休】完全2日(土日祝)【夏期休暇】連続5日(有休1日含む)【年末年始休暇】連続7日(有休2日含む)

【離職率】◇男:1.4%、30名 女:2.9%、10名(早期退職1名含む)

【新卒3年後離職率】
[20→23年]2.0%(男2.5%・入社40名、女0%・入社9名)
[21→24年]6.8%(男6.3%・入社32名、女8.3%・入社12名)

【テレワーク】制度あり:[場所]自宅 サテライトオフィス[対象]フレックスタイム勤務者[日数]週2日[利用率]9.2%【勤務制度】フレックス 勤務間インターバル【住宅補助】独身寮(周南 その他借上)社宅(周南4棟 その他借上)住宅手当

●ライフイベント、女性活躍●

【女性比率】■男 □女

新卒採用 22.2%(10名)　従業員 13.1%(329名)　管理職 3.4%(12名)

【産休】[期間]産前6・産後8週間[給与]会社全額給付[取得者数]8名

【育休】[期間]2年間[給与]法定[取得者数]22年度 男132名(対象83名)女14名(対象10名)23年度 男108名(対象80名)女8名(対象8名)[平均取得日数]22年度 NA、23年度 NA

【従業員】◇[人数]2,520名(男2,191名、女329名)[平均年齢]41.4歳(男41.6歳、女40.0歳)[平均勤続年数]17.0年(男17.6年、女12.3年)

【年齢構成】■男 □女 ※有期雇用者を含む

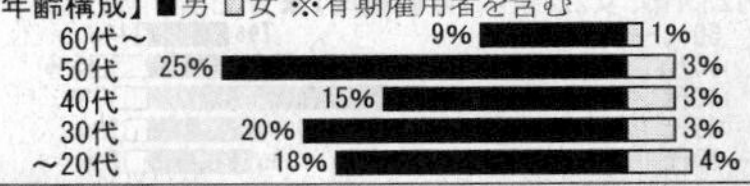

会社データ (金額は百万円)

【本社】101-8618 東京都千代田区外神田1-7-5 フロントプレイス秋葉原
☎03-5207-2500 https://www.tokuyama.co.jp/

【業績(連結)】	売上高	営業利益	経常利益	純利益
22.3	293,830	24,539	25,855	28,000
23.3	351,790	14,336	14,783	9,364
24.3	341,990	25,637	26,292	17,751

すみとも

住友ベークライト(株)

[くるみん＋]

【特色】住化系の樹脂加工大手。半導体封止材で世界首位

[記者評価] 住友化学系の樹脂加工大手。国内で初めてプラスチックを製造した企業。半導体封止用のエポキシ樹脂成形材料で世界トップ。フェノール樹脂成形材料など高機能プラスチックや医薬品の包装フィルムシートなども手がける。次世代半導体材料の開発を推進。

平均勤続年数	男性育休取得率	3年後離職率	平均年収(平均47歳)
◇23.3年	25.9→65.5%	13.3→0%	[総]911万円

●採用・配属情報●

【男女・文理別採用実績】

	大卒男	大卒女	修士男	修士女
23年	10(文 10 理 0)	3(文 3 理 0)	17(文 0 理 17)	5(文 0 理 5)
24年	9(文 8 理 1)	6(文 6 理 0)	12(文 0 理 12)	4(文 0 理 4)
25年	6(文 6 理 0)	5(文 5 理 0)	17(文 0 理 17)	4(文 0 理 4)

【男女・職種別採用実績】 転換制度:⇒

	総合職
23年	35(男 27 女 8)
24年	31(男 21 女 10)
25年	32(男 23 女 9)

【24年4月入社者の配属勤務地】[総]東京・品川12 静岡・藤枝1 福岡・直方1 [技]静岡・藤枝11 福岡・直方3 栃木・宇都宮1 兵庫(尼崎1 神戸1)

【転勤】あり:[職種]総合職[勤務地]国内外の全拠点

【中途比率】[単年度]21年度25%、22年度17%、23年度27%[全体]NA

●働きやすさ、諸制度●

残業(月) 本文参照

【残業(月)】(管理職除く)8.5時間 [総](管理職除く)12.0時間【勤務時間】本社・研究所9:00〜17:40 工場8:00〜16:40【有休取得年平均】(管理職除く)14.7日【週休】会社暦2日【夏期休暇】連続6日+連続2日(有休利用推奨)【年末年始休暇】連続5日

【離職率】◇男:2.1%、41名 女:2.3%、6名

【新卒3年後離職率】

[20→23年]13.3%(男7.7%・入社26名、女50.0%・入社4名)

[21→24年]0%(男0%・入社25名、女0%・入社6名)

【テレワーク】制度あり:[場所]自宅[対象]常昼勤務者 自宅で行うことが可能な業務を担当している上長の承認を得た者[日数]1カ月につき8日まで[利用率]6.3%【勤務制度】フレックス 時間単位有休 時差勤務【住宅補助】独身寮(全国各事業所)社有社宅 住友連系社宅 賃貸社宅 住宅手当

●ライフイベント、女性活躍●

【女性比率】■男 □女

新卒採用 28.1% (9名)

従業員 11.7% (256名)

管理職 3.7% (37名)

【産休】[期間]産前6・産後8週間[給与]法定[取得者数]4名

【育休】[期間]2歳になるまで[給与]給付金+賞与(減額)給付[取得者数]22年度 男7名(対象27名)女2名(対象2名)23年度 男19名(対象29名)女4名(対象4名)[平均取得日数]22年度 男8日 女470日、23年度 男19日 女406日

【従業員】◇[人数]2,186名(男1,930名、女256名)[平均年齢]47.3歳(男47.6歳、女45.3歳)[平均勤続年数]23.3年(男23.4年、女22.1年)【年齢構成】■男 □女

60代〜
7%
1%
50代
36%
5%
40代
27%
3%
30代
10%
2%
〜20代
9%
2%

会社データ (金額は百万円)

【本社】140-0002 東京都品川区東品川2-5-8 ☎03-5462-4111

https://www.sumibe.co.jp/

【業績(IFRS)】	売上高	営業利益	税前利益	純利益
22.3	263,114	24,887	25,880	18,299
23.3	284,939	24,823	26,736	20,289
24.3	287,267	27,200	31,489	21,831

リンテック(株)

【特色】粘接着素材で最大級。半導体・光学関連が強い

[記者評価] 祖業はガムテープ製造。粘接着・剥離技術を生かした多彩な製品を有し、創業以来黒字を維持。海外売上比率6割強。半導体、積層セラミックコンデンサー向けが収益柱。EUV露光機用CNTペリクル量産体制の確立急ぐ。アジアに加え、北米でもM&Aを進め事業拡大図る。

平均勤続年数	男性育休取得率	3年後離職率	平均年収(平均43歳)
◇19.8年	59.7→86.8%	4.3→17.1%	[総]793万円

●採用・配属情報●

【男女・文理別採用実績】

	大卒男	大卒女	修士男	修士女
23年	8(文 6 理 2)	4(文 2 理 2)	13(文 0 理 13)	4(文 0 理 4)
24年	11(文 8 理 3)	4(文 4 理 0)	10(文 0 理 10)	5(文 0 理 5)
25年	12(文 6 理 6)	7(文 4 理 3)	20(文 0 理 20)	7(文 0 理 7)

【男女・職種別採用実績】 転換制度:⇔

	グローバル型コース	エリア型コース
23年	29(男 21 女 8)	8(男 2 女 6)
24年	30(男 21 女 9)	7(男 0 女 7)
25年	46(男 32 女 14)	5(男 0 女 5)

【24年4月入社者の配属勤務地】[総]東京(文京9 板橋3) [技]東京・板橋1 埼玉(蕨14 熊谷1 北足立郡1)愛媛・四国中央1

【転勤】あり:[職種]全社員(エリア型(一般職)は原則転居を伴う転勤なし)

【中途比率】[単年度]21年度31%、22年度37%、23年度15%[全体]◇19%

●働きやすさ、諸制度●

残業(月) 13.0時間 [総]17.1時間

【勤務時間】9:00〜17:30【有休取得年平均】15.0日【週休】完全2日(土日祝)※一部工場を除く【夏期休暇】連続3日(土日に連続して)【年末年始休暇】連続4日

【離職率】◇男:3.5%、82名 女:4.0%、16名

【新卒3年後離職率】

[20→23年]4.3%(男3.7%・入社27名、女5.3%・入社19名)

[21→24年]17.1%(男12.5%・入社24名、女27.3%・入社11名)

【テレワーク】制度あり:[場所]自宅 サテライトオフィス 他[対象]現業職を除く[日数]週2日[利用率]NA【勤務制度】フレックス 時間単位有休 裁量労働 時差勤務 勤務間インターバル 副業容認【住宅補助】独身寮 社有社宅 借上社宅 住宅手当(3,200〜24,300円)

●ライフイベント、女性活躍●

【女性比率】■男 □女

新卒採用 37.3% (19名)

従業員 14.6% (381名)

管理職 4.3% (14名)

【産休】[期間]産前6・産後8週間[給与]法定[取得者数]19名

【育休】[期間]1歳になるまで[給与]産後パパ育休は休業開始から5日間は有給、それ以外は法定[取得者数]22年度 男37名(対象62名)女11名(対象11名)23年度 男59名(対象68名)女17名(対象17名)[平均取得日数]22年度 男26日 女299日、23年度 男28日 女456日

【従業員】◇[人数]2,618名(男2,237名、女381名)[平均年齢]42.3歳(男42.8歳、女39.4歳)[平均勤続年数]19.8年(男20.3年、女16.8年)【年齢構成】■男 □女

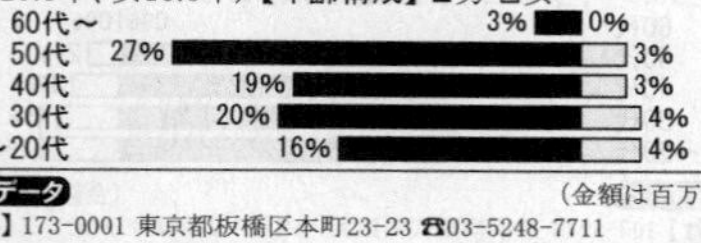
60代〜
3%
0%
50代
27%
3%
40代
19%
3%
30代
20%
4%
〜20代
16%
4%

会社データ (金額は百万円)

【本社】173-0001 東京都板橋区本町23-23 ☎03-5248-7711

https://www.lintec.co.jp/

【業績(連結)】	売上高	営業利益	経常利益	純利益
22.3	256,836	21,584	22,698	16,641
23.3	284,603	13,796	15,602	11,512
24.3	276,321	10,628	11,537	5,243

アイカ工業(株)（こうぎょう）

[くるみん]

【特色】住宅建材のメラミン化粧板、樹脂、接着剤を製販

[記者評価] メラミン化粧板で国内首位、接着剤も大手。自動車、電子部品向け機能材料にも注力。国内住宅着工が伸び悩む中、中国、東南アジアで積極的に事業買収、海外売上比率は約5割。中国の生産拠点を強化中。社会課題解決型の商品群では抗ウイルス建材が好調。堅実な社風。

平均勤続年数	男性育休取得率	3年後離職率	平均年収(平均41歳)
◇16.8年	53.1→59.1%	29.6→9.5%	[総]785万円

●採用・配属情報●

【男女・文理別採用実績】

	大卒男	大卒女	修士男	修士女
23年	8(文 4理 4)	6(文 4理 2)	7(文 0理 7)	5(文 0理 5)
24年	9(文 0理 9)	4(文 3理 1)	10(文 0理 10)	3(文 0理 3)
25年	13(文 12理 1)	6(文 4理 2)	10(文 0理 10)	7(文 0理 7)

【男女・職種別採用実績】

	総合職	一般職
23年	26(男 15 女 11)	0(男 0 女 0)
24年	26(男 19 女 7)	0(男 0 女 0)
25年	36(男 23 女 13)	0(男 0 女 0)

【24年4月入社者の配属勤務地】[総]北海道2 東京(練馬1 大手町2)横浜1 石川・金沢1 大阪3 名古屋2 広島1 [技]愛知(清須8 甚目寺2)福島1 群馬・伊勢崎1 兵庫・丹波1

【転勤】あり:[職種]総合職[勤務地]営業職:営業拠点 研究・技術職:研究開発拠点

【中途比率】[単年度]21年度46%、22年度52%、23年度35%[全体]NA

●働きやすさ、諸制度●

残業(月) 10.6時間

【勤務時間】<営業>9:00〜17:45<生産>8:00〜16:45<開発>フレックスタイム制 コアタイム10:00〜15:00【有休取得年平均】13.8日【週休】2日【夏期休暇】連続6日(土日、有休2日含む)【年末年始休暇】連続7日(土日、有休2日含む)

【離職率】◇男:3.1%、32名 女:3.6%、8名

【新卒3年後離職率】
[20→23年]29.6%(男21.1%・入社19名、女50.0%・入社8名)
[21→24年]9.5%(男5.6%・入社18名、女33.3%・入社3名)

【テレワーク】制度なし【勤務制度】フレックス 時差勤務【住宅補助】独身寮 借上社宅 住宅手当

●ライフイベント、女性活躍●

【女性比率】■男 □女

新卒採用 36.1% (13名)

従業員 17.8% (217名)

【産休】[期間]産前6・産後8週間[給与]法定[取得者数]7名

【育休】[期間]2歳または1歳に達する日の翌年度の4月15日まで[給与]法定[取得者数]22年度 男17名(対象32名)女7名(対象7名)23年度 男26名(対象44名)女7名(対象7名)[平均取得日数]22年度 NA、23年度 NA

【従業員】◇[人数]1,216名(男999名、女217名)[平均年齢]41.1歳(男41.5歳、女39.9歳)[平均勤続年数]16.8年(男17.1年、女14.8年)

【年齢構成】■男 □女

	男	女
60代〜	0%	0%
50代	20%	3%
40代	26%	7%
30代	20%	4%
〜20代	15%	4%

会社データ (金額は百万円)

【本社】450-6326 愛知県名古屋市中村区名駅1-1-1 JPタワー名古屋 ☎052-533-3134
https://www.aica.co.jp/

【業績(連結)】	売上高	営業利益	経常利益	純利益
22.3	214,514	20,348	21,840	13,117
23.3	242,055	20,557	22,088	10,059
24.3	236,625	25,286	26,135	15,135

(株)エフピコ

[えるぼし ★★] [くるみん]

【特色】食品トレー、弁当・総菜容器の最大手

[記者評価] 食品トレー、弁当容器最大手。SCMシステム導入し生産から物流、販売まで一元管理するなど総合力で圧倒。全国に自社物流網を備える。食品トレーのリサイクルでも先行。容器の軽量化や環境対応、作業効率に貢献する新製品など開発力に定評。営業も強い。

平均勤続年数	男性育休取得率	3年後離職率	平均年収(平均42歳)
16.0年	9.5→21.7%	21.2→8.8%	[総]802万円

●採用・配属情報●

【男女・文理別採用実績】

	大卒男	大卒女	修士男	修士女
23年	17(文 11理 6)	11(文 10理 1)	2(文 0理 2)	1(文 1理 0)
24年	17(文 12理 5)	20(文 19理 1)	2(文 0理 2)	0(文 0理 0)
25年	18(文 12理 6)	23(文 21理 2)	3(文 0理 3)	1(文 0理 1)

【男女・職種別採用実績】 転換制度:⇔

	総合職	スペシャリスト職
23年	25(男 19 女 6)	6(男 0 女 6)
24年	29(男 20 女 9)	11(男 0 女 11)
25年	34(男 22 女 12)	13(男 0 女 13)

【職種併願】○

【24年4月入社者の配属勤務地】[総]東京・新宿16 大阪5 広島・福山4 [技]広島・福山3 岐阜1

【転勤】あり:全社員

【中途比率】[単年度]21年度15%、22年度16%、23年度26%[全体]19%

●働きやすさ、諸制度●

残業(月) 7.5時間 [総]10.0時間

【勤務時間】本社・東京本社・支店・営業所9:00〜17:45 工場8:30〜17:15【有休取得年平均】11.7日【週休】完全2日(土日祝)【夏期休暇】連続5日【年末年始休暇】連続6日以上

【離職率】男:2.2%、15名 女:4.4%、15名

【新卒3年後離職率】
[20→23年]21.2%(男46.2%・入社13名、女5.0%・入社20名)
[21→24年]8.8%(男11.8%・入社17名、女5.9%・入社17名)

【テレワーク】制度なし【勤務制度】フレックス 時間単位有休 時差勤務【住宅補助】借上社宅(総合職のみ)住宅手当 独身寮(工場勤務者)

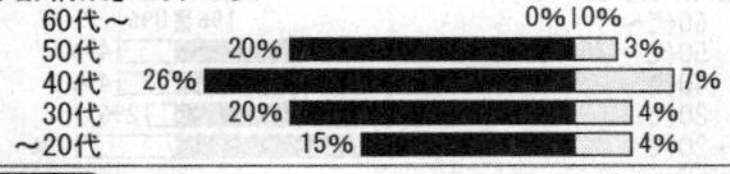

●ライフイベント、女性活躍●

【女性比率】■男 □女

新卒採用 53.2% (25名)

従業員 33.2% (327名)

管理職 12% (12名)

【産休】[期間]産前6・産後8週間[給与]法定[取得者数]18名

【育休】[期間]1歳になるまで[給与]法定[取得者数]22年度 男2名(対象21名)女18名(対象18名)23年度 男5名(対象23名)女15名(対象15名)[平均取得日数]22年度 NA、23年度 NA

【従業員】[人数]984名(男657名、女327名)[平均年齢]41.8歳(男44.8歳、女35.7歳)[平均勤続年数]16.0年(男18.0年、女12.0年)

【年齢構成】■男 □女

	男	女
60代〜	7%	1%
50代	19%	2%
40代	17%	10%
30代	13%	9%
〜20代	11%	12%

会社データ (金額は百万円)

【本社】721-8607 広島県福山市曙町1-13-15 ☎084-953-1145
https://www.fpco.jp/

【業績(連結)】	売上高	営業利益	経常利益	純利益
22.3	195,700	15,884	16,703	11,206
23.3	211,285	16,703	17,328	11,529
24.3	222,100	16,429	16,780	11,724

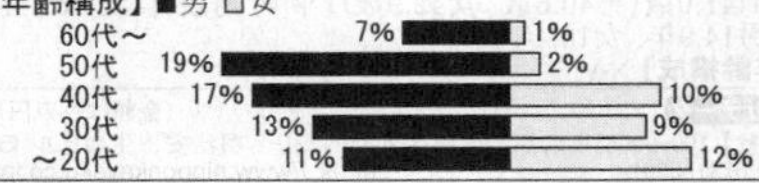

日本化薬(株)

にほんかやく

[くるみん]

【特色】中堅の化学・医薬企業。ニッチで高シェア品多い

[記者評価] 産業用火薬が起源で機能化学品、医薬品、自動車安全部品が3本柱。機能化学品は半導体封止材が主力。半導体向けエポキシ樹脂工場を順次増強。医薬品は後発品主体で、抗がん剤に強み。自動車安全部品は海外生産強化。農薬も手がける。若手に挑戦機会多い。

平均勤続年数	男性育休取得率	3年後離職率	平均年収(平均41歳)
◇15.1年	69.7→78.6%	6.9→9.7%	[総]749万円

●採用・配属情報●

【男女・文理別採用実績】

	大卒男	大卒女	修士男	修士女
23年	2(文 2理 0)	3(文 0理 3)	18(文 0理 18)	7(文 0理 7)
24年	12(文 8理 4)	3(文 2理 1)	26(文 0理 26)	7(文 0理 7)
25年	7(文 4理 3)	5(文 2理 3)	22(文 0理 22)	7(文 0理 7)

【男女・職種別採用実績】

	総合職
23年	30(男 20 女 10)
24年	50(男 40 女 10)
25年	41(男 29 女 12)

【24年4月入社者の配属勤務地】[総]東京5 兵庫3 神奈川2 宮城1 福岡1 [技]東京18 兵庫7 群馬4 広島3 山口3 茨城3
【転勤】あり:[職種]全社員[勤務地]全国
【中途比率】[単年度]21年度45%、22年度56%、23年度50%[全体]NA

●働きやすさ、諸制度●

残業(月) 11.2時間 [総]11.2時間

【勤務時間】本社・支社9:00～17:30【有休取得年平均】13.3日【週休】完全2日(土日祝)【夏期休暇】連続3日 有休取得奨励日および土日を合わせて連続9日【年末年始休暇】12月28日～1月3日
【離職率】◇男:2.4%、44名 女:2.0%、7名
【新卒3年後離職率】
[20→23年]6.9%(男7.7%・入社26名、女0%・入社3名)
[21→24年]9.7%(男4.2%・入社24名、女28.6%・入社7名)
【テレワーク】制度あり:[場所]自宅 自宅に準ずる場所 他[対象]本社(本社所属以外の医薬部門も含む)および研究所勤務者[日数]原則週2日まで[利用率]12.7%【勤務制度】フレックス 時間単位有休 時差勤務【住宅補助】独身寮 社宅 借上社宅(借上げ社宅は家賃の9割を会社負担 ただし上限あり)

●ライフイベント、女性活躍●

【女性比率】■男 □女

新卒採用 29.3%(12名)

従業員 16.2%(343名)

管理職 8.7%(46名)

【産休】[期間]産前6・産後8週間[給与]産前産後6週は会社8割給付、以降2週は法定[取得者数]21名
【育休】[期間]1歳になるまで[給与]法定[取得者数]22年度 男62名(対象89名)女22名(対象22名)23年度 男66名(対象84名)女16名(対象16名)[平均取得日数]22年度 男24日 女368日、23年度 男48日 女320日
【従業員】◇[人数]2,113名(男1,770名、女343名)[平均年齢]41.0歳(男40.6歳、女42.9歳)[平均勤続年数]15.1年(男14.9年、女16.4年)
【年齢構成】NA

会社データ (金額は百万円)

【本社】100-0005 東京都千代田区丸の内2-1-1 明治安田生命ビル ☎03-6731-5801 https://www.nipponkayaku.co.jp/

【業績(連結)】	売上高	営業利益	経常利益	純利益
22.3	184,805	21,050	23,154	17,181
23.3	198,380	21,505	23,025	14,984
24.3	201,791	7,337	12,562	4,113

(株)イノアックコーポレーション

【特色】ウレタンフォームの草分け。グローバル展開

[記者評価] ウレタン、ゴム、プラスチック、複合材を手がける化学メーカー。ウレタンフォームを日本で初めて量産化した。自動車部品、情報通信機器、産業資材、生活用品向けなどに供給。植物由来原料を使用したポリウレタンフォームなど環境対応製品の開発にも注力。

平均勤続年数	男性育休取得率	3年後離職率	平均年収(平均41歳)
◇16.1年	0→19.6%	13.0→13.0%	[総]710万円

●採用・配属情報●

【男女・文理別採用実績】

	大卒男	大卒女	修士男	修士女
23年	12(文 5理 7)	6(文 5理 1)	8(文 0理 8)	3(文 1理 2)
24年	13(文 5理 8)	6(文 5理 1)	17(文 0理 17)	0(文 0理 0)
25年	8(文 4理 4)	11(文 9理 2)	2(文 0理 2)	0(文 0理 0)

【男女・職種別採用実績】 転換制度:⇔

	総合職	エリア総合職
23年	29(男 20 女 9)	0(男 0 女 0)
24年	43(男 36 女 7)	0(男 0 女 0)
25年	21(男 10 女 11)	0(男 0 女 0)

【24年4月入社者の配属勤務地】[総]愛知(名古屋9 安城3) [技]愛知(安城13 新城6 名古屋5 武豊3)神奈川・秦野3 岐阜・垂井1
【転勤】あり:[職種]選択コースによる
【中途比率】[単年度]21年度47%、22年度54%、23年度60%[全体]◇38%

●働きやすさ、諸制度●

残業(月) 20.3時間

【勤務時間】8:45～17:45(フレックスタイム制 スーパーフレックス)【有休取得年平均】12.9日【週休】完全2日(土日)【夏期休暇】連続9日(土日含む)【年末年始休暇】12月28日～1月5日
【離職率】◇男:2.8%、46名 女:3.1%、10名
【新卒3年後離職率】
[20→23年]13.0%(男13.3%・入社15名、女12.5%・入社8名)
[21→24年]13.0%(男13.3%・入社15名、女12.5%・入社8名)
【テレワーク】制度あり:[場所]自宅[対象]NA[日数]NA[利用率]NA【勤務制度】フレックス 裁量労働 時差勤務【住宅補助】単身寮・社宅有(自社物件または一般賃貸の借上)

●ライフイベント、女性活躍●

【女性比率】■男 □女

新卒採用 52.4%(11名)

従業員 16.7%(316名)

管理職 4.1%(12名)

【産休】[期間]産前6・産後8週間[給与]法定[取得者数]6名
【育休】[期間]1歳になるまで[給与]法定[取得者数]22年度 男0名(対象30名)女6名(対象6名)23年度 男11名(対象56名)女6名(対象6名)[平均取得日数]22年度 NA、23年度 NA
【従業員】◇[人数]1,897名(男1,581名、女316名)[平均年齢]41.2歳(男41.9歳、女37.7歳)[平均勤続年数]16.1年(男16.7年、女13.4年)
【年齢構成】■男 □女

	男	女
60代～	1%	0%
50代	26%	4%
40代	21%	4%
30代	20%	2%
～20代	16%	7%

会社データ (金額は百万円)

【本社】450-0003 愛知県名古屋市中村区名駅南2-13-4 ☎052-581-1086 https://www.inoac.co.jp/

【業績(単独)】	売上高	営業利益	経常利益	純利益
21.12	176,398	1,367	10,106	7,820
22.12	163,259	466	10,971	5,740
23.12	197,814	3,806	14,794	10,525

東京応化工業(株)

とうきょうおうかこうぎょう

くるみん

【特色】半導体用フォトレジストの世界大手で首位級

記者評価 半導体、液晶の製造工程で使用されるフォトレジスト(感光剤)メーカー。半導体用では世界首位級。海外売上比率は約8割。最先端のEUV(極端紫外線)露光向けも。洗浄液など化学薬品も手がける。活発な半導体増産投資を背景に、熊本や米アリゾナで拠点開設。

平均勤続年数	男性育休取得率	3年後離職率	平均年収(平均43歳)
◇17.5年	52.4→55.6%	2.6→10.6%	㊗994万円

●採用・配属情報●

【男女・文理別採用実績】

	大卒男	大卒女	修士男	修士女
23年	11(文 7理 4)	3(文 2理 1)	21(文 0理 21)	3(文 1理 2)
24年	3(文 1理 2)	3(文 0理 3)	20(文 0理 20)	8(文 0理 8)
25年	4(文 1理 3)	5(文 4理 1)	18(文 0理 18)	6(文 0理 6)

【男女・職種別採用実績】 転換制度:⇔

	総合職	一般職
23年	39(男 33 女 6)	0(男 0 女 0)
24年	35(男 24 女 11)	0(男 0 女 0)
25年	34(男 23 女 11)	1(男 1 女 0)

【24年4月入社者の配属勤務地】㊗川崎2 ㊕神奈川(川崎2 寒川町29)静岡・御殿場1 福島・郡山1

【転勤】あり:[職種]総合職

【中途比率】[単年度]21年度36%、22年度61%、23年度51%[全体]◇25%

●働きやすさ、諸制度●

残業(月) 17.1時間 ㊗22.6時間

【勤務時間】8:45〜17:30【有休取得年平均】15.1日【週休】完全2日(土日祝)【夏期休暇】8月11〜15日【年末年始休暇】12月30日〜1月4日

【離職率】◇男:2.3%、27名 女:3.3%、7名

【新卒3年後離職率】
[20→23年]2.6%(男4.2%・入社24名、女0%・入社15名)
[21→24年]10.6%(男10.3%・入社39名、女12.5%・入社8名)

【テレワーク】制度あり:[場所]自宅 他[対象]妊婦・育児支援利用者 Web研修受講時[日数]月上限8日[利用率]NA

【勤務制度】フレックス 勤務間インターバル【住宅補助】独身寮 社宅・借上社宅(本社 各工場)住宅購入・賃貸住宅に対する援助金

●ライフイベント、女性活躍●

【女性比率】■男 □女

新卒採用 31.4% (11名)
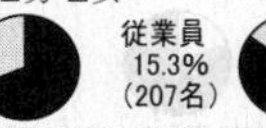
従業員 15.3% (207名)

管理職 4.5% (10名)
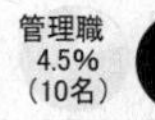
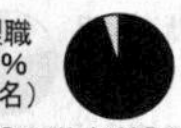

【産休】[期間]産前8・産後8週間[給与]法定[取得者数]26名

【育休】[期間]2歳になるまで+保育所入所後1カ月間[給与]法定[取得者数]22年度 男11名(対象21名)女10名(対象10名)23年度 男20名(対象36名)女6名(対象6名)[平均取得日数]22年度 男74日 女427日、23年度 男36日 女296日

【従業員】◇[人数]1,355名(男1,148名、女207名)[平均年齢]41.1歳(男42.3歳、女35.0歳)[平均勤続年数]17.5年(男18.7年、女10.8年)

【年齢構成】■男 □女

	男	女
60代〜	0%	0%
50代	28%	2%
40代	22%	3%
30代	17%	5%
〜20代	18%	6%

会社データ (金額は百万円)

【本社】211-0012 神奈川県川崎市中原区中丸子150 ☎044-435-3000
https://www.tok.co.jp/

【業績(連結)】	売上高	営業利益	経常利益	純利益
21.12	140,055	20,707	21,664	17,748
22.12	175,434	30,181	30,966	19,693
23.12	162,270	22,706	24,260	12,712

クミアイ化学工業(株)

かがくこうぎょう

【特色】全農系農薬メーカー。化成品は収益強化が課題

記者評価 全農系の大手農薬メーカー。環境負荷が低い畑作用除草剤「アクシーブ」が主力製品。水稲用除草剤でも高シェア。樹脂原料や樹脂硬化剤など化成品も手がける。研究拠点は静岡・清水に集約。原体製造のイハラケミカル工業を吸収合併。海外売上高比率は6割。

平均勤続年数	男性育休取得率	3年後離職率	平均年収(平均40歳)
◇14.3年	24.1→62.5%	3.6→0%	◇780万円

●採用・配属情報●

【男女・文理別採用実績】

	大卒男	大卒女	修士男	修士女
23年	0(文 0理 0)	1(文 1理 0)	6(文 0理 6)	2(文 0理 2)
24年	5(文 2理 3)	4(文 3理 1)	3(文 0理 3)	6(文 0理 6)
25年	5(文 3理 2)	4(文 1理 3)	9(文 0理 9)	5(文 0理 5)

【男女・職種別採用実績】

	総合職
23年	9(男 6 女 3)
24年	18(男 8 女 10)
25年	24(男 15 女 9)

【24年4月入社者の配属勤務地】㊗静岡9 東京3 北海道1 青森1 群馬1 石川1 兵庫1 香川1

【転勤】あり:[職種]全社員[勤務地]全国

【中途比率】[単年度]21年度NA、22年度NA、23年度NA[全体]NA

●働きやすさ、諸制度●

残業(月) 13.6時間 ㊗13.6時間

【勤務時間】7時間40分【有休取得年平均】10.6日【週休】2日【夏期休暇】年間休日(本社125日工場117日)の中で休暇取得【年末年始休暇】12月30日〜1月3日

【離職率】NA

【新卒3年後離職率】
[20→23年]3.6%(男NA、女NA)
[21→24年]0%(男NA、女NA)

【テレワーク】制度あり:[場所]自宅 サテライトオフィス[対象]支店外勤者 研究所(工場勤務者を除く)[日数]週3日 月12日まで[利用率]NA【勤務制度】時差勤務【住宅補助】独身寮 社宅 借上社宅 住宅手当(個人で住宅を契約する場合 家族世帯35,000円)

●ライフイベント、女性活躍●

【女性比率】■男 □女

新卒採用 37.5% (9名)
従業員 17.3% (132名)
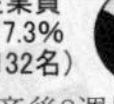

【産休】[期間]産前6・産後8週間[給与]法定[取得者数]5名

【育休】[期間]1歳になるまで[給与]法定[取得者数]22年度 男7名(対象29名)女2名(対象2名)23年度 男20名(対象32名)女5名(対象5名)[平均取得日数]22年度 NA、23年度 NA

【従業員】◇[人数]761名(男629名、女132名)[平均年齢]39.9歳(男39.2歳、女43.5歳)[平均勤続年数]14.3年(男14.4年、女13.5年)

【年齢構成】NA

会社データ (金額は百万円)

【本社】110-8782 東京都台東区池之端1-4-26 ☎03-3822-5036
https://www.kumiai-chem.co.jp/

【業績(連結)】	売上高	営業利益	経常利益	純利益
21.10	118,176	8,456	12,829	9,023
22.10	145,302	12,673	23,570	16,329
23.10	161,002	14,089	24,115	18,024

三洋化成工業(株)

さんようかせいこうぎょう

えるぼし ★★★ / プラチナくるみん

【特色】界面制御技術に強みを持つ化学中堅。車向けが柱

[記者評価] 自動車向けの内装・外装材料が主力。半導体関連材料も。全社員の20%超が研究開発に携わる。紙おむつ原料となる高吸水性樹脂事業は、中国メーカーの安値攻勢などを受けて撤退決定。育成中の機能性タンパク質「シルクエラスチン」に経営資源を集中。

平均勤続年数	男性育休取得率	3年後離職率	平均年収(平均42歳)
◇17.8年	96.6→92.4%	8.8→19.6%	[総]750万円

●採用・配属情報●

【男女・文理別採用実績】

	大卒男	大卒女	修士男	修士女
23年	0(文 0理 0)	1(文 1理 0)	7(文 0理 7)	7(文 0理 7)
24年	1(文 1理 0)	1(文 1理 0)	2(文 0理 2)	5(文 0理 5)
25年	2(文 1理 1)	2(文 1理 1)	5(文 0理 5)	1(文 0理 1)

※6年制薬学部は修士に含む、11月入社含む

【男女・職種別採用実績】

	総合職	専任職
23年	25(男 14 女 11)	0(男 0 女 0)
24年	22(男 13 女 9)	0(男 0 女 0)
25年	19(男 15 女 4)	0(男 0 女 0)

【24年4月入社者の配属勤務地】[総]東京2 [技]京都7 愛知12 神奈川1

【転勤】あり:[職種]全社員 [勤務地]全国

【中途比率】[単年度]21年度17%、22年度34%、23年度13%[全体]◇18%

●働きやすさ、諸制度●

残業(月) 5.5時間 [総]5.5時間

【勤務時間】8:45〜17:30【有休取得年平均】13.5日【週休】完全2日(土日祝)【夏期休暇】連続9日(土日祝含む)【年末年始休暇】12月28日〜1月5日

【離職率】◇男:4.5%、61名 女:4.5%、16名

【新卒3年後離職率】

[20→23年]8.8%(男12.0%・入社25名、女0%・入社9名)

[21→24年]19.6%(男29.0%・入社31名、女0%・入社15名)

【テレワーク】制度あり:[場所]自宅 他[対象]試用期間を除く全社員[日数]制限なし[利用率]5.9%【勤務制度】フレックス 時間単位有休 時差勤務【住宅補助】寮制度(自己負担1.1万円)家賃補助制度(東京地区の単身者4.5万円 複身者8.0万円 その他地区の単身者3.2万円 複身者5.7万円)住宅手当(1.5万円※寮 家賃補助の制度を利用していない人)

●ライフイベント、女性活躍●

【女性比率】■男 □女

新卒採用 21.1% (4名)

従業員 20.9% (342名)

管理職 4.9% (16名)

【産休】[期間]産前6・産後8週間[給与]法定[取得者数]10名

【育休】[期間]3歳になるまで[給与]開始28日有給、以降給付金[取得者数]22年度 男56名(対象58名)女19名(対象19名)23年度 男61名(対象66名)女10名(対象10名)[平均取得日数]22年度 男16日 女350日、23年度 男29日 女330日

【従業員】◇[人数]1,637名(男1,295名、女342名)[平均年齢]42.2歳(男42.7歳、女40.4歳)[平均勤続年数]17.8年(男18.7年、女14.7年)【年齢構成】■男 □女

	男	女
60代〜	6%	0%
50代	17%	3%
40代	24%	8%
30代	25%	5%
〜20代	9%	4%

[会社データ] (金額は百万円)

【本社】605-0995 京都府京都市東山区一橋野本町11-1 ☎075-541-4322

https://www.sanyo-chemical.co.jp/

【業績(連結)】	売上高	営業利益	経常利益	純利益
22.3	162,526	11,868	12,771	6,699
23.3	174,973	8,405	9,918	5,684
24.3	159,510	4,886	8,186	▲8,501

タキロンシーアイ(株)

プラチナくるみん

【特色】総合プラスチック加工大手。伊藤忠商事系

[記者評価] 1919年創業のタキロンがシート・フィルムメーカーのシーアイ化成と合併。塩ビ製波板のトップメーカーで、雨どいや配管材などの住宅用製品、大型建築物向けの屋根材、マンション共用部分用床材などが主力。伊藤忠商事によるTOBに賛同、完全子会社となる予定。

平均勤続年数	男性育休取得率	3年後離職率	平均年収(平均45歳)
◇19.7年	104.3→100%	0→0%	[総]732万円

●採用・配属情報●

【男女・文理別採用実績】

	大卒男	大卒女	修士男	修士女
23年	4(文 1理 3)	6(文 4理 2)	0(文 0理 0)	1(文 0理 1)
24年	5(文 4理 1)	5(文 5理 0)	8(文 1理 7)	5(文 0理 5)
25年	5(文 3理 2)	1(文 1理 0)	6(文 1理 5)	2(文 0理 2)

※25年:24年7月時点

【男女・職種別採用実績】 転換制度:⇔

	総合職
23年	11(男 4 女 7)
24年	23(男 13 女 10)
25年	14(男 11 女 3)

【24年4月入社者の配属勤務地】[総]東京11 [技]茨城2 滋賀4 兵庫4 岡山2

【転勤】あり:[職種]総合職(地域総合職を除く)

【中途比率】[単年度]21年度58%、22年度65%、23年度59%[全体]NA

●働きやすさ、諸制度●

残業(月) 6.8時間 [総]10.1時間

【勤務時間】8:50〜17:35【有休取得年平均】16.7日【週休】2日【夏期休暇】連続5日(土日祝含む)【年末年始休暇】連続5日(土日祝含む)

【離職率】◇男:4.1%、37名 女:3.8%、8名

【新卒3年後離職率】

[20→23年]0%(男0%・入社5名、女0%・入社6名)

[21→24年]0%(男0%・入社9名、女0%・入社4名)

【テレワーク】制度あり:[場所]自宅 サテライトオフィス[対象]NA[日数]週2日まで[利用率]NA【勤務制度】時間単位有休 時差勤務【住宅補助】借上社宅(新入社員は自己負担7,000円+限度額超過分)寮

●ライフイベント、女性活躍●

【女性比率】■男 □女

新卒採用 21.4% (3名)

従業員 18.8% (201名)

【産休】[期間]産前6・産後8週間[給与]法定[取得者数]9名

【育休】[期間]1歳になるまで[給与]法定[取得者数]22年度 男24名(対象23名)女3名(対象3名)23年度 男26名(対象26名)女8名(対象9名)[平均取得日数]22年度 NA、23年度 NA

【従業員】◇[人数]1,067名(男866名、女201名)[平均年齢]44.7歳(男45.4歳、女41.4歳)[平均勤続年数]19.7年(男20.9年、女14.3年)

【年齢構成】■男 □女

	男	女
60代〜	1%	0%
50代	32%	5%
40代	25%	5%
30代	15%	4%
〜20代	8%	4%

[会社データ] (金額は百万円)

【本社】530-0001 大阪府大阪市北区梅田3-1-3 ☎06-6453-3700

https://www.takiron-ci.co.jp/

【業績(連結)】	売上高	営業利益	経常利益	純利益
22.3	141,936	8,651	9,084	6,660
23.3	145,725	5,791	5,923	2,460
24.3	137,581	6,228	6,501	5,102

メーカーII

725 開示★★★

ザクロス
ZACROS(株)

【特色】フィルム包装材大手。電子機器・日用品向け等

[記者評価] 樹脂包装材の大手メーカー。食品、医薬品向け包装材などのライフサイエンスと、保護フィルムなどの電子情報が両輪。偏光板用保護フィルムは世界シェア50%超で首位。26年度下期完了メドに161億円投じ偏光板用の能力増強推進。24年10月に藤森工業から社名変更。

平均勤続年数	男性育休取得率	3年後離職率	平均年収(平均42歳)
◇15.9年	26.3→40.0%	26.3→14.3%	[総]611万円

●採用・配属情報●

【男女・文理別採用実績】

	大卒男	大卒女	修士男	修士女
23年	2(文 1理 1)	8(文 6理 2)	6(文 0理 6)	3(文 0理 3)
24年	0(文 0理 0)	5(文 4理 1)	4(文 0理 4)	0(文 0理 0)
25年	3(文 3理 0)	4(文 4理 0)	6(文 0理 6)	1(文 0理 1)

【男女・職種別採用実績】

	総合職
23年	20(男 8 女 12)
24年	12(男 6 女 6)
25年	14(男 9 女 5)

【24年4月入社者の配属勤務地】[総]東京・文京5 [技]横浜1 群馬(昭和2 沼田1)静岡1 三重(三重1 名張1)

【転勤】あり:入社10年目までのローテーション制度 その他適宜人事異動

【中途比率】[単年度]21年度67%、22年度51%、23年度65%[全体]◇36%

●働きやすさ、諸制度●

残業(月) 22.9時間

【勤務時間】9:00〜17:45【有休取得年平均】12.9日【週休】2日(土日祝)【夏期休暇】有休利用【年末年始休暇】あり

【離職率】◇男:3.3%、38名 女:3.7%、8名(早期退職男1名含む)

【新卒3年後離職率】
[20→23年]26.3%(男16.7%・入社12名、女42.9%・入社7名)
[21→24年]14.3%(男6.7%・入社15名、女33.3%・入社6名)

【テレワーク】制度あり:[場所]自宅[対象]部署ごとの申請による[日数]週1〜2回[利用率]10.5%【勤務制度】フレックス 時間単位有休 時差勤務【住宅補助】独身寮 社宅(ともに借上)

●ライフイベント、女性活躍●

【女性比率】■男 □女

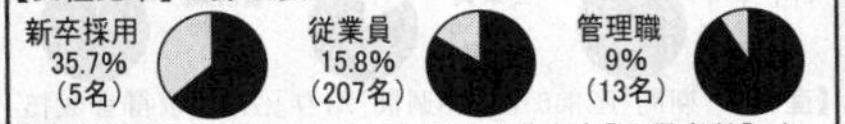
新卒採用
35.7%
(5名)
従業員
15.8%
(207名)
管理職
9%
(13名)

【産休】[期間]産前6・産後8週間[給与]法定[取得者数]7名

【育休】[期間]1歳になるまで[給与]法定[取得者数]22年度 男5名(対象19名)女5名(対象5名)23年度 男12名(対象30名)女7名(対象7名)[平均取得日数]22年度 男9日 女97日、23年度 男44日 女95日

【従業員】◇[人数]1,312名(男1,105名、女207名)[平均年齢]41.5歳(男42.4歳、女37.0歳)[平均勤続年数]15.9年(男16.7年、女11.7年)

【年齢構成】■男 □女

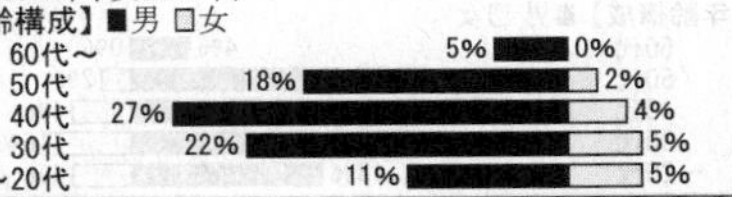
60代〜 5% 0%
50代 18% 2%
40代 27% 4%
30代 22% 5%
〜20代 11% 5%

会社データ (金額は百万円)

【本社】112-0002 東京都文京区小石川1-1-1 文京ガーデンゲートタワー ☎03-6381-4211 https://www.zacros.co.jp/

【業績(連結)】	売上高	営業利益	経常利益	純利益
22.3	127,819	10,341	11,102	7,693
23.3	129,364	5,882	6,828	4,854
24.3	136,155	8,344	8,910	4,532

175 開示★★★ [短大]採用あり

ユニチカ(株)

[くるみん]

【特色】高分子素材が柱。繊維事業の構造改革が進展

[記者評価] 1889年創業の尼崎紡績が前身の名門繊維メーカー。14年取引銀行に金融支援要請し、繊維事業の構造改革断行。食品包装用ナイロンフィルム、樹脂などの高分子事業を核に再成長に挑戦。22年5月から重縮合ポリマーの開発・製造受託事業展開。フィルム生産能力増強。

平均勤続年数	男性育休取得率	3年後離職率	平均年収(平均42歳)
20.0年	52.8→71.9%	20.0→24.0%	[総]675万円

●採用・配属情報●

【男女・文理別採用実績】

	大卒男	大卒女	修士男	修士女
23年	5(文 3理 2)	4(文 4理 0)	9(文 0理 9)	5(文 0理 5)
24年	3(文 3理 0)	0(文 0理 0)	3(文 0理 3)	2(文 0理 2)
25年	0(文 0理 0)	0(文 0理 0)	0(文 0理 0)	0(文 0理 0)

【男女・職種別採用実績】

	総合職	一般職
23年	26(男 17 女 9)	1(男 0 女 1)
24年	15(男 9 女 6)	0(男 0 女 0)
25年	3(男 2 女 1)	0(男 0 女 0)

【24年4月入社者の配属勤務地】[総]大阪市3 [技]京都・宇治10 愛知・岡崎1 岐阜・垂井1

【転勤】あり:[職種]総合職 [勤務地]大阪 東京 京都 愛知 岐阜 海外

【中途比率】[単年度]21年度14%、22年度14%、23年度7%[全体]NA

●働きやすさ、諸制度●

残業(月) [総]8.2時間

【勤務時間】9:00〜18:00【有休取得年平均】14.4日【週休】完全2日(土日祝)【夏期休暇】有休で取得【年末年始休暇】連続5日

【離職率】男:8.2%、92名 女:5.4%、17名

【新卒3年後離職率】
[20→23年]20.0%(男16.7%・入社24名、女33.3%・入社6名)
[21→24年]24.0%(男28.6%・入社21名、女0%・入社4名)

【テレワーク】制度あり:[場所]自宅 単身赴任先 自己または配偶者の実家 サテライトオフィス(宇治事業所内)[対象]大阪本社、東京本社の勤務地 各事業所(業務特性を勘案して認める)[日数]週2日まで[利用率]19.0%【勤務制度】フレックス 時差勤務【住宅補助】独身寮(35歳未満)社宅(41歳未満)

●ライフイベント、女性活躍●

【女性比率】■男 □女

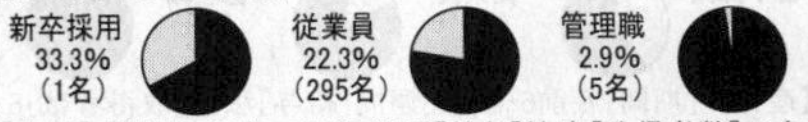
新卒採用
33.3%
(1名)
従業員
22.3%
(295名)
管理職
2.9%
(5名)

【産休】[期間]産前8・産後8週間[給与]法定[取得者数]11名

【育休】[期間]1歳になるまで[給与]法定[取得者数]22年度 男19名(対象36名)女8名(対象12名)23年度 男23名(対象32名)女14名(対象11名)[平均取得日数]22年度 男48日 女416日、23年度 男38日 女312日

【従業員】[人数]1,324名(男1,029名、女295名)[平均年齢]42.1歳(男41.4歳、女44.2歳)[平均勤続年数]20.0年(男19.4年、女23.1年)【年齢構成】■男 □女

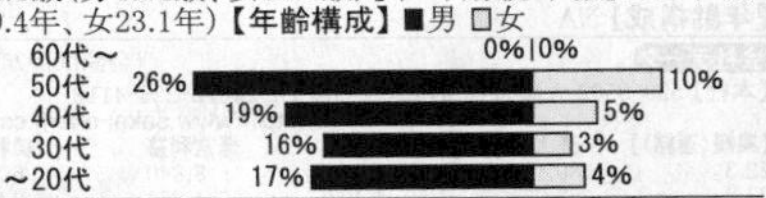
60代〜 0% 0%
50代 26% 10%
40代 19% 5%
30代 16% 3%
〜20代 17% 4%

会社データ (金額は百万円)

【本社】541-8566 大阪府大阪市中央区久太郎町4-1-3 ☎06-6281-5624 https://www.unitika.co.jp/

【業績(連結)】	売上高	営業利益	経常利益	純利益
22.3	114,713	6,005	6,399	2,223
23.3	117,942	1,327	1,069	102
24.3	118,341	▲2,475	▲1,014	▲5,443

1938 開示 ★★★☆☆

堺化学工業(株)

さかいかがくこうぎょう

くるみん

【特色】酸化チタン大手。電子材料や医薬品へ多角化

記者評価 無機材料、樹脂添加剤、触媒などを手がける化学メーカー。微粒子・高純度・粒子形状制御などが基盤技術。酸化チタンは石原産業と双璧。積層セラミックコンデンサ向け誘導体も強い。造影剤用バリウムで国内首位。子会社に風邪薬「改源」のカイゲンファーマ。

平均勤続年数	男性育休取得率	3年後離職率	平均年収(平均40歳)
◇15.2年	NA	0→12.5%	㊓740万円

●採用・配属情報●

【男女・文理別採用実績】

	大卒男	大卒女	修士男	修士女
23年	1(文 1理 0)	2(文 1理 1)	4(文 0理 4)	2(文 0理 2)
24年	3(文 1理 2)	3(文 2理 1)	4(文 0理 4)	4(文 0理 4)
25年	3(文 1理 2)	1(文 1理 0)	0(文 0理 0)	1(文 0理 1)

【男女・職種別採用実績】

	総合職
23年	9(男 5 女 4)
24年	14(男 7 女 7)
25年	5(男 3 女 2)

【24年4月入社者の配属勤務地】㊓大阪・堺2 東京1 福島・いわき1 ㊕大阪・堺5 福島・いわき5

【転勤】あり:[職種]グローバル勤務選択者(エリア勤務制度あり)

【中途比率】[単年度]21年度35%、22年度54%、23年度64%[全体]◇40%

●働きやすさ、諸制度●

残業(月) 11.8時間 ㊓11.8時間

【勤務時間】9:00〜17:40【有休取得年平均】17.0日【週休】完全2日(土日祝)(祝日週は年3回土曜営業あり)【夏期休暇】連続2日【年末年始休暇】連続6日

【離職率】◇男:4.7%、33名 女:2.8%、4名

【新卒3年後離職率】

[20→23年]0%(男0%・入社7名、女0%・入社3名)

[21→24年]12.5%(男14.3%・入社7名、女0%・入社1名)

【テレワーク】制度あり:[場所]自宅[対象]定時勤務者のみ[日数]週2回まで[利用率]NA【勤務制度】時間単位有休 時差勤務【住宅補助】独身寮(3,000円)家族社宅(21,000〜25,000円)※寮・家族社宅が無い拠点に関しては借上物件で家賃8割会社負担(家賃上限有)

●ライフイベント、女性活躍●

【女性比率】■男 □女

新卒採用 40% (2名)

従業員 17.4% (140名)

管理職 2.8% (4名)

【産休】[期間]産前6・産後8週間[給与]法定[取得者数]5名

【育休】[期間]1歳になるまで[給与]法定[取得者数]22年度 男9名(対象NA)女4名(対象NA)23年度 男9名(対象NA)女5名(対象NA)[平均取得日数]22年度 NA、23年度 NA

【従業員】◇[人数]805名(男665名、女140名)[平均年齢]41.7歳(男42.2歳、女39.6歳)[平均勤続年数]15.2年(男15.8年、女12.2年)

【年齢構成】NA

会社データ (金額は百万円)

【本社】590-8502 大阪府堺市堺区戎島町5-2 ☎072-223-4112 http://www.sakai-chem.co.jp/

【業績(連結)】	売上高	営業利益	経常利益	純利益
22.3	80,135	7,494	8,840	6,747
23.3	83,861	4,407	4,854	2,344
24.3	82,105	2,942	3,066	▲7,092

1815 開示 ★★★☆☆

藤倉化成(株)

ふじくらかせい

【特色】フジクラ系。アクリル樹脂派生製品が事業の柱

記者評価 フジクラ系の塗料メーカー。1938年に藤倉コンポジット、フジクラの化学部門が分離して設立された。自動車向けプラスチック用コーティング材、建築用塗料、電子材料、機能材料の4事業が柱。自動車向けは日米欧の大手自動車メーカーが顧客。

平均勤続年数	男性育休取得率	3年後離職率	平均年収(平均41歳)
◇16.6年	33.3→50.0%	14.3→16.7%	㊓678万円

●採用・配属情報●

【男女・文理別採用実績】

	大卒男	大卒女	修士男	修士女
23年	1(文 1理 0)	0(文 0理 0)	3(文 0理 3)	0(文 0理 0)
24年	1(文 1理 0)	0(文 0理 0)	2(文 0理 2)	0(文 0理 0)
25年	0(文 0理 0)	0(文 0理 0)	2(文 0理 2)	0(文 0理 0)

※25年:継続中

【男女・職種別採用実績】

	総合職
23年	4(男 4 女 0)
24年	3(男 3 女 0)
25年	2(男 2 女 0)

【24年4月入社者の配属勤務地】㊓東京・浜松町1 ㊕埼玉・久喜2

【転勤】あり:全社員

【中途比率】[単年度]21年度55%、22年度35%、23年度44%(現業職含む)[全体]◇38%

●働きやすさ、諸制度●

残業(月) 12.9時間 ㊓12.9時間

【勤務時間】8:50〜17:35【有休取得年平均】16.3日【週休】2日(土日祝)【夏期休暇】連続3日【年末年始休暇】連続5日

【離職率】◇男:2.4%、9名 女:2.7%、2名

【新卒3年後離職率】

[20→23年]14.3%(男0%・入社5名、女50.0%・入社2名)

[21→24年]16.7%(男16.7%・入社6名、女ー・入社0名)

【テレワーク】制度あり:[場所]自宅[対象]現業職以外[日数]月8日[利用率]NA【勤務制度】フレックス【住宅補助】独身寮(さいたま市 基本寮費3,000円)借上社宅(本人負担30%)住宅手当

●ライフイベント、女性活躍●

【女性比率】■男 □女

新卒採用 0% (0名)

従業員 16.2% (71名)

管理職 4.7% (5名)

【産休】[期間]産前6・産後8週間[給与]法定[取得者数]5名

【育休】[期間]2歳到達後最初の4月末まで[給与]法定[取得者数]22年度 男4名(対象12名)女4名(対象4名)23年度 男5名(対象10名)女0名(対象0名)[平均取得日数]22年度 NA、23年度 男83日 女339日

【従業員】◇[人数]437名(男366名、女71名)[平均年齢]41.2歳(男41.9歳、女38.0歳)[平均勤続年数]16.6年(男17.5年、女11.8年)

【年齢構成】■男 □女

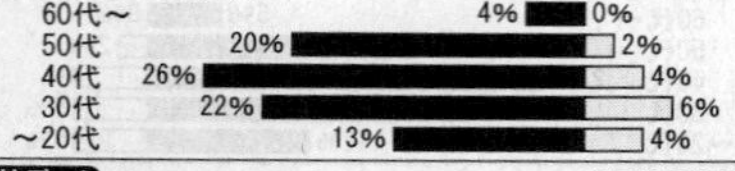

会社データ (金額は百万円)

【本社】105-0011 東京都港区芝公園2-6-15 黒龍芝公園ビル ☎03-3436-1101 https://www.fkkasei.co.jp/

【業績(連結)】	売上高	営業利益	経常利益	純利益
22.3	48,214	1,229	1,449	741
23.3	50,843	350	533	9
24.3	52,611	1,299	1,846	1,074

235 開示 ★★★★

ニチバン(株)

【特色】「セロテープ」が著名。絆創膏など医療用も

記者評価 「セロテープ」の登録商標を持つテープ大手。文具・産業用と医療用の2分野で展開。鎮痛消炎剤や絆創膏など医療用が成長分野。筆頭株主の大鵬薬品工業との共同開発も推進。愛知・安城市の医薬品工場に研究拠点を移転集約。25年夏に千代田区に本社移転予定。

平均勤続年数	男性育休取得率	3年後離職率	平均年収(平均43歳)
◇16.8年	80.0→90.5%	20.0→0%	(総)688万円

●採用・配属情報●

【男女・文理別採用実績】

	大卒男	大卒女	修士男	修士女
23年	7(文 4理 3)	6(文 4理 2)	8(文 0理 8)	4(文 1理 3)
24年	5(文 3理 2)	3(文 1理 2)	2(文 0理 2)	7(文 0理 7)
25年	3(文 3理 0)	4(文 4理 0)	4(文 0理 4)	4(文 0理 4)

【男女・職種別採用実績】

	総合職
23年	25(男 15 女 10)
24年	17(男 7 女 10)
25年	15(男 7 女 8)

【24年4月入社者の配属勤務地】(総)東京(本社2 飯田橋1)大阪2 名古屋1 仙台1 福岡1 (技)愛知・安城5 埼玉・日高4

【転勤】あり:全社員

【中途比率】[単年度]21年度44%、22年度62%、23年度31%[全体]◇13%

●働きやすさ、諸制度●

残業(月) 6.7時間 (総)6.7時間

【勤務時間】9:00〜17:30【有休取得年平均】12.6日【週休】完全2日(土日祝)【夏期休暇】連続3日【年末年始休暇】連続5日

【離職率】◇男:2.2%、13名 女:2.8%、6名

【新卒3年後離職率】
[20→23年]20.0%(男28.6%・入社7名、女0%・入社3名)
[21→24年]0%(男0%・入社6名、女0%・入社3名)

【テレワーク】制度あり:[場所]自宅[対象]全社員(製造現場従事者除く)[日数]週3回 月8回まで[利用率]10.0%

【勤務制度】時間単位有休 時差勤務【住宅補助】借上社宅(月家賃の2〜3割本人負担)住宅手当

●ライフイベント、女性活躍●

【女性比率】■男 □女

新卒採用 53.3%(8名)

従業員 26.3%(206名)

管理職 9.6%(20名)

【産休】[期間]産前8・産後8週間[給与]基本給90%給付[取得者数]13名

【育休】[期間]2年間[給与]法定[取得者数]22年度 男16名(対象20名)女11名(対象11名)23年度 男19名(対象21名)女10名(対象10名)[平均取得日数]22年度 男29日 女366日、23年度 男40日 女352日

【従業員】◇[人数]783名(男577名、女206名)[平均年齢]42.4歳(男42.9歳、女41.1歳)[平均勤続年数]16.8年(男17.6年、女14.4年)

【年齢構成】■男 □女

	男	女
60代〜	3%	1%
50代	24%	6%
40代	15%	7%
30代	21%	6%
〜20代	11%	6%

会社データ (金額は百万円)

【本社】112-8663 東京都文京区関口2-3-3 ☎03-5978-5621
https://www.nichiban.co.jp/

【業績(連結)】	売上高	営業利益	経常利益	純利益
22.3	43,134	2,450	2,561	1,809
23.3	45,560	1,609	1,748	2,371
24.3	46,859	2,073	2,201	1,827

2787 開示 ★★★★

大陽日酸(株)(日本酸素HDグループ)

たいようにっさん

えるぼし ★★

【特色】産業ガス国内首位。海外事業をM&Aで拡大中

記者評価 大陽酸素と東洋酸素が合併しさらに日本酸素と統合。生産工程で使用する産業ガスで国内最大手。日本酸素HDの日本事業の位置づけ。14年から三菱ケミカルグループ傘下。HDとして米欧でM&Aを行い現地での産業ガス事業拡大。子会社にマグボトルのサーモス事業。

平均勤続年数	男性育休取得率	3年後離職率	平均年収(平均42歳)
17.6年	33.3→49.1%	6.6→6.4%	(総)862万円

●採用・配属情報●

【男女・文理別採用実績】

	大卒男	大卒女	修士男	修士女
23年	15(文 12理 3)	11(文 11理 0)	17(文 0理 17)	3(文 0理 3)
24年	14(文 13理 1)	10(文 8理 2)	25(文 1理 24)	1(文 0理 1)
25年	15(文 12理 3)	10(文 7理 3)	19(文 1理 18)	6(文 0理 6)

【男女・職種別採用実績】 転換制度:⇒

	総合職
23年	47(男 33 女 14)
24年	55(男 43 女 12)
25年	57(男 39 女 18)

【24年4月入社者の配属勤務地】(総)東京7 福岡3 神奈川3 宮城2 名古屋2 埼玉1 新潟1 群馬1 愛媛1 三重1 千葉1 広島1 福島1 大阪1 (技)神奈川4 茨城・つくば4 山梨4 東京4 広島3 大阪2 三重1 宮城1 埼玉1 千葉1 山口1 岩手1 名古屋1 福岡1

【転勤】あり:[職種]総合職・技能職の地域選択者以外

【中途比率】[単年度]21年度NA、22年度NA、23年度NA[全体]17%

●働きやすさ、諸制度●

残業(月) 17.0時間 (総)18.5時間

【勤務時間】9:00〜17:40【有休取得年平均】13.8日【週休】完全2日(土日祝)【夏期休暇】なし【年末年始休暇】12月30日〜1月4日

【離職率】男:3.3%、39名 女:2.1%、7名

【新卒3年後離職率】
[20→23年]6.6%(男9.8%・入社41名、女0%・入社20名)
[21→24年]6.4%(男6.1%・入社33名、女7.1%・入社14名)

【テレワーク】制度あり:[場所]カフェ 他[対象]勤続1年以上の日勤者[日数]月10日まで(育児・不妊治療・介護・看護の事由や業務遂行上の必要性などを勘案し、月10日の上限を超えて利用できる)[利用率]13.5%【勤務制度】フレックス 時間単位有休【住宅補助】転勤社宅 独身寮 住宅手当(家賃補助 持家補助)

●ライフイベント、女性活躍●

【女性比率】■男 □女

新卒採用 31.6%(18名)

従業員 21.9%(319名)

管理職 2.6%(10名)

【産休】[期間]産前6・産後8週間[給与]法定[取得者数]8名

【育休】[期間]1歳になるまで[給与]法定[取得者数]22年度 男20名(対象60名)女10名(対象10名)23年度 男27名(対象55名)女9名(対象9名)[平均取得日数]22年度 男75日 女319日、23年度 男63日 女175日

【従業員】[人数]1,454名(男1,135名、女319名)[平均年齢]42.8歳(男43.4歳、女40.6歳)[平均勤続年数]17.6年(男19.0年、女13.3年)【年齢構成】■男 □女

	男	女
60代〜	3%	1%
50代	27%	6%
40代	17%	5%
30代	17%	4%
〜20代	14%	7%

会社データ (金額は百万円)

【本社】142-0062 東京都品川区小山1-3-26 ☎03-5788-8100
https://www.tn-sanso.co.jp/jp/

【業績(IFRS)】	売上高	営業利益	税前利益	純利益
22.3	957,169	101,183	91,611	64,103
23.3	1,186,683	119,524	105,503	73,080
24.3	1,255,081	172,041	150,720	105,901

※資本金・業績は日本酸素ホールディングス(株)のもの

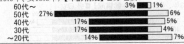

開示 ★★★★★

エア・ウォーター(株)

プラチナくるみん

【特色】産業ガス2位。M&Aで事業の多角化を図る

記者評価 ほくさん、大同酸素の合併会社に共同酸素が統合し誕生。酸素、窒素など生産工程で使う産業ガスの大手。半導体など向け特殊ガスやLPG・LNG、医療用ガス・医療機器から防災設備、食品・農産品、物流、塩まで幅広く手掛ける。北米やインド、豪州にも展開。

平均勤続年数	男性育休取得率	3年後離職率	平均年収(平均43歳)
11.9年	38.1→100%	22.7→14.3%	㊗877万円

●採用・配属情報●

【男女・文理別採用実績】

	大卒男	大卒女	修士男	修士女
23年	1(文 1理 0)	2(文 2理 0)	6(文 0理 6)	4(文 0理 4)
24年	13(文 10理 3)	12(文 12理 0)	11(文 0理 11)	2(文 0理 2)
25年	15(文 12理 3)	22(文 17理 5)	28(文 0理 28)	23(文 3理 20)

※25年:継続中

【男女・職種別採用実績】 転換制度:⇔

	総合職
23年	13(男 7 女 6)
24年	40(男 26 女 14)
25年	88(男 43 女 45)

【24年4月入社者の配属勤務地】㊗研修後決定予定 ㊕研修後決定予定

【転勤】あり:[職種]総合職[勤務地]国内:大阪 東京 札幌 松本 堺 和歌山 鹿嶋ほか全国各地、海外:インド ベトナム シンガポール アメリカ オランダ 他

【中途比率】[単年度]21年度48%、22年度63%、23年度65%[全体]26%

●働きやすさ、諸制度●

残業(月) 12.8時間 ㊗14.8時間

【勤務時間】9:00〜17:40【有休取得年平均】12.1日【週休】完全2日(土日祝)【夏期休暇】8月15日+有休で取得【年末年始休暇】12月29日〜1月4日

【離職率】男:9.7%、45名 女:8.5%、14名

【新卒3年後離職率】
[20→23年]22.7%(男27.3%・入社11名、女18.2%・入社11名)
[21→24年]14.3%(男11.1%・入社9名、女16.7%・入社12名)

【テレワーク】制度あり:[場所]自宅[対象]原則全社員[日数]制限なし※各部門で設定しているケースもあり[利用率]18.7%【勤務制度】フレックス 時間単位有休 時差勤務【住宅補助】住宅手当 独身寮(自己負担10,000円)

●ライフイベント、女性活躍●

【女性比率】■男 □女

新卒採用 51.1% (45名)
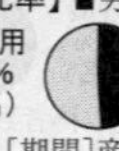
従業員 26.3% (150名)

管理職 6.6% (24名)

【産休】[期間]産前6・産後8週間[給与]法定[取得者数]5名

【育休】[期間]1歳になるまで[給与]法定[取得者数]22年度 男8名(対象21名)女6名(対象6名)23年度 男10名(対象10名)女6名(対象6名)[平均取得日数]22年度 男30日 女368日、23年度 男22日 女291日

【従業員】[人数]571名(男421名、女150名)[平均年齢]45.2歳(男47.6歳、女38.9歳)[平均勤続年数]11.9年(男12.3年、女9.8年)【年齢構成】■男 □女

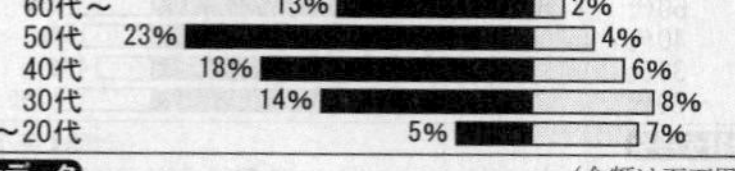

会社データ (金額は百万円)

【本社】542-0081 大阪府大阪市中央区南船場2-12-8 エア・ウォータービル ☎06-6252-5411 https://www.awi.co.jp/ja/

【業績(IFRS)】	売上高	営業利益	税前利益	純利益
22.3	888,668	65,174	64,230	43,214
23.3	1,004,914	62,181	60,978	40,137
24.3	1,024,540	68,272	66,712	44,360

開示 ★★★

(株)日本触媒

にっぽんしょくばい

くるみん

【特色】アクリル酸や高吸水性樹脂の世界上位メーカー

記者評価 中堅化学企業。基礎化学品のアクリル酸は世界シェア2位。主に紙おむつに使われる高吸水性樹脂では世界シェア首位。建築物などの塗料に使われるアクリル酸エステル、界面活性剤などに用いられる酸化エチレン、リチウムイオン電池の電解質も展開する。

平均勤続年数	男性育休取得率	3年後離職率	平均年収(平均39歳)
◇16.5年	51.1→92.0%	8.6→12.9%	◇817万円

●採用・配属情報●

【男女・文理別採用実績】

	大卒男	大卒女	修士男	修士女
23年	5(文 4理 1)	4(文 4理 0)	24(文 0理 24)	8(文 0理 8)
24年	6(文 6理 0)	4(文 4理 0)	21(文 1理 20)	12(文 0理 12)
25年	5(文 4理 1)	4(文 4理 0)	28(文 0理 28)	8(文 0理 8)

【男女・職種別採用実績】

	大卒以上	高専・短大
23年	44(男 31 女 13)	6(男 4 女 2)
24年	46(男 28 女 18)	8(男 5 女 3)
25年	51(男 38 女 13)	8(男 5 女 3)

【24年4月入社者の配属勤務地】㊗大阪市5 東京・千代田3 兵庫・姫路2 大阪・吹田1 川崎1 ㊕兵庫・姫路19 大阪・吹田17 川崎6

【転勤】あり:全社員(勤務地継続制度申請者を除く)

【中途比率】[単年度]21年度13%、22年度34%、23年度35%[全体]◇9%

●働きやすさ、諸制度●

残業(月) 15.0時間

【勤務時間】9:00〜17:30【有休取得年平均】17.2日【週休】完全2日(土日祝)【夏期休暇】有休で取得【年末年始休暇】連続6日

【離職率】◇男:2.3%、52名 女:2.8%、7名(早期退職男4名、女1名含む)

【新卒3年後離職率】
[20→23年]8.6%(男8.3%・入社48名、女10.0%・入社10名)
[21→24年]12.9%(男12.2%・入社49名、女15.4%・入社13名)

【テレワーク】制度あり:[場所]自宅 自宅に準ずる場所[対象]全社員(交替勤務者を除く)[日数]月に10日まで[利用率]6.8%【勤務制度】フレックス 時間単位有休 時差勤務【住宅補助】独身寮 社宅 家賃補助

●ライフイベント、女性活躍●

【女性比率】■男 □女

新卒採用 27.1% (16名)
従業員 9.9% (247名)
管理職 5.3% (30名)

【産休】[期間]産前6・産後8週間[給与]法定+通算15日会社全額給付[取得者数]81名

【育休】[期間]3歳になるまで[給与]法定+出生時育児休業は通算15日会社全額給付[取得者数]22年度 男45名(対象88名)女5名(対象5名)23年度 男80名(対象87名)女1名(対象1名)[平均取得日数]22年度 男39日 女507日、23年度 男43日 女309日

【従業員】◇[人数]2,491名(男2,244名、女247名)[平均年齢]39.0歳(男38.9歳、女40.0歳)[平均勤続年数]16.5年(男16.8年、女13.8年)【年齢構成】■男 □女

	男	女
60代〜	5%	0%
50代	18%	2%
40代	18%	2%
30代	27%	3%
〜20代	23%	2%

会社データ (金額は百万円)

【本社】541-0043 大阪府大阪市中央区高麗橋4-1-1 興銀ビル ☎06-6223-9128 https://www.shokubai.co.jp/

【業績(IFRS)】	売上高	営業利益	税前利益	純利益
22.3	369,293	29,062	33,675	23,720
23.3	419,568	23,528	26,175	19,392
24.3	392,009	16,562	15,744	11,008

日産化学(株)

にっさんかがく

[くるみん]

【特色】高収益の中堅化学。液晶向け材料や農薬が主力

[記者評価] 1887年に化学肥料製造企業として創業。農薬や液晶・半導体向け材料を中心に、ペット用寄生虫薬の原薬、医薬品などを手がける。国内での農薬販売額はトップクラス。中堅規模の化学メーカーだが、機能品にいち早くシフトしたことで高収益を誇る。

平均勤続年数	男性育休取得率	3年後離職率	平均年収(平均40歳)
◇15.7年	41.4→52.8%	2.5→7.5%	[総]1,010万円

●採用・配属情報●

【男女・文理別採用実績】

	大卒男	大卒女	修士男	修士女
23年	3(文 2理 1)	2(文 2理 0)	20(文 0理 20)	10(文 0理 10)
24年	3(文 3理 0)	0(文 0理 0)	36(文 0理 36)	13(文 0理 13)
25年	5(文 2理 3)	6(文 3理 3)	20(文 0理 20)	10(文 0理 10)

【男女・職種別採用実績】 転換制度:⇒

	総合職
23年	38(男 25 女 13)
24年	52(男 39 女 13)
25年	42(男 26 女 16)

【24年4月入社者の配属勤務地】[総]東京1 富山2 [技]千葉(船橋30 市原2)埼玉・白岡9 富山5 山口・小野田3

【転勤】あり:全社員

【中途比率】[単年度]21年度44%、22年度38%、23年度46%[全体]◇11%

●働きやすさ、諸制度●

残業(月) 16.5時間 [総]19.4時間

【勤務時間】本支店・研究所9:00～17:40 工場8:00～16:40 【有休取得年平均】16.2日【週休】完全2日(土日祝)【夏期休暇】有休で取得【年末年始休暇】12月29日～1月3日

【離職率】◇男:2.4%、43名 女:2.2%、6名

【新卒3年後離職率】

[20→23年]2.5%(男0%・入社30名、女10.0%・入社10名)

[21→24年]7.5%(男3.3%・入社30名、女20.0%・入社10名)

【テレワーク】制度あり:[場所]自宅[対象]全社員(学校を卒業後直ちに入社した勤続1年未満の者および交替勤務者を除く)[日数](本社 オフィス勤務者)月8日まで(研究所 工場勤務者)月4日まで[利用率]18.6%【勤務制度】フレックス 時間単位有休【住宅補助】独身寮・社宅(千葉・船橋5棟 千葉・市原3棟 富山2棟 山口・小野田2棟 他東京含む全国約25棟(約400名が利用))住宅手当

●ライフイベント、女性活躍●

【女性比率】■男 □女

新卒採用 38.1% (16名)

従業員 13% (261名)

管理職 11.8% (134名)

【産休】[期間]産前6・産後8週間[給与]法定(休業期間も賞与の出勤率に算定)[取得者数]13名

【育休】[期間]2歳または1歳を超えた最初の4月20日まで[給与]法定+賞与約5割[取得者数]22年度 男24名(対象58名)女11名(対象11名)23年度 男38名(対象72名)女11名(対象11名)[平均取得日数]22年度 男40日 女350日、23年度 男38日 女352日

【従業員】◇[人数]2,011名(男1,750名、女261名)[平均年齢]40.4歳(男40.7歳、女38.6歳)[平均勤続年数]15.7年(男16.0年、女13.7年)【年齢構成】■男 □女

60代～ 1% 0%
50代 22% 3%
40代 23% 2%
30代 26% 4%
～20代 15% 3%

[会社データ] (金額は百万円)

【本社】103-6119 東京都中央区日本橋2-5-1 日本橋高島屋三井ビルディング ☎03-4463-8111 https://www.nissanchem.co.jp/

【業績(連結)】	売上高	営業利益	経常利益	純利益
22.3	207,972	50,959	53,690	38,776
23.3	228,065	52,283	55,793	41,087
24.3	226,705	48,201	51,629	38,033

日油(株)

にちゆ

[くるみん]

【特色】中堅化学メーカー。医薬や化薬事業も手がける

[記者評価] シャンプーなどに使われる界面活性剤や、自動車部品の防錆処理剤など機能化学品が主力。狙った患部に薬物を届けるDDS医薬用製剤原料で世界高シェア。宇宙ロケット用固体推進薬といった化薬事業も。24年5月にベア実施、大卒初任給を257,300円に増額。

平均勤続年数	男性育休取得率	3年後離職率	平均年収(平均43歳)
◇18.4年	95.2→97.4%	8.8→8.6%	[総]983万円

●採用・配属情報●

【男女・文理別採用実績】

	大卒男	大卒女	修士男	修士女
23年	1(文 1理 0)	7(文 6理 1)	32(文 0理 32)	11(文 0理 11)
24年	1(文 1理 0)	3(文 2理 1)	29(文 0理 29)	16(文 0理 16)
25年	0(文 0理 0)	4(文 2理 2)	28(文 0理 28)	14(文 0理 14)

【男女・職種別採用実績】 転換制度:⇔

	総合職	一般職
23年	49(男 33 女 16)	2(男 0 女 2)
24年	51(男 32 女 19)	0(男 0 女 0)
25年	47(男 29 女 18)	1(男 1 女 0)

【24年4月入社者の配属勤務地】[総]東京・恵比寿2 川崎2 [技]川崎22 愛知・武豊町12 兵庫・尼崎9 茨城・つくば4

【転勤】あり:[職種]総合職

【中途比率】[単年度]21年度30%、22年度29%、23年度39%(総合職のみ)[全体]NA

●働きやすさ、諸制度●

残業(月) 13.4時間

【勤務時間】9:00～17:30【有休取得年平均】15.5日【週休】<本社>完全2日(土日祝)<工場>2日(土日祝)【夏期休暇】あり【年末年始休暇】あり

【離職率】◇男:2.8%、44名 女:3.8%、10名

【新卒3年後離職率】

[20→23年]8.8%(男0%・入社22名、女25.0%・入社12名)

[21→24年]8.6%(男5.0%・入社20名、女13.3%・入社15名)

【テレワーク】制度あり:[場所]NA[対象]NA[日数]NA[利用率]NA【勤務制度】フレックス 裁量労働 勤務間インターバル【住宅補助】独身寮 社宅 住宅手当

●ライフイベント、女性活躍●

【女性比率】■男 □女

新卒採用 37.5% (18名)

従業員 13.9% (250名)

【産休】[期間]産前6・産後8週間[給与]健保6割+共済会2割給付[取得者数]15名

【育休】[期間]1歳になるまで[給与]一部有給[取得者数]22年度 男40名(対象42名)女8名(対象8名)23年度 男37名(対象38名)女15名(対象15名)[平均取得日数]22年度NA、23年度 NA

【従業員】◇[人数]1,794名(男1,544名、女250名)[平均年齢]43.4歳(男44.0歳、女39.6歳)[平均勤続年数]18.4年(男19.2年、女13.7年)

【年齢構成】NA

[会社データ] (金額は百万円)

【本社】150-6012 東京都渋谷区恵比寿4-20-3 恵比寿ガーデンプレイスタワー ☎03-5424-6631 http://www.nof.co.jp/

【業績(連結)】	売上高	営業利益	経常利益	純利益
22.3	192,642	35,595	37,624	26,690
23.3	217,709	40,624	43,183	33,973
24.3	222,252	42,142	45,577	33,990

メーカーⅡ

たかさごこうりょうこうぎょう

高砂香料工業(株)

【特色】香料で国内最大手。世界でも大手の一角占める

[記者評価] 食品・飲料用フレーバー、香水・トイレタリー用フレグランスを製造・販売。1983年不斉合成法によるL-メントールの工業化に成功。同発明でノーベル賞の野依良治氏は社外取締役。この技術を医薬品などファインケミカルに展開。海外売上比率65%。穏やかな社風。

平均勤続年数	男性育休取得率	3年後離職率	平均年収(平均41歳)
◇17.5年	59.1→84.4%	9.4→10.5%	[総]824万円

●採用・配属情報●

【男女・文理別採用実績】

	大卒男	大卒女	修士男	修士女
23年	12(文 5理 7)	5(文 4理 1)	7(文 0理 7)	9(文 0理 9)
24年	9(文 5理 4)	4(文 2理 2)	8(文 0理 8)	7(文 1理 6)
25年	7(文 6理 1)	7(文 3理 4)	5(文 0理 5)	8(文 0理 8)

【男女・職種別採用実績】

	総合職
23年	35(男 20 女 15)
24年	30(男 19 女 11)
25年	28(男 13 女 15)

【24年4月入社者の配属勤務地】[総]東京・蒲田13 [技]神奈川・平塚10 静岡・磐田3 茨城・鹿島2 広島・三原2
【転勤】あり:全社員
【中途比率】[単年度]21年度16%、22年度17%、23年度40%[全体]◇15%

●働きやすさ、諸制度●

残業(月) 9.4時間

【勤務時間】9:00～17:30【有休取得年平均】16.0日【週休】完全2日(土日祝)【夏期休暇】(工場)連続5日(その他)有休で取得【年末年始休暇】連続7日
【離職率】◇男:3.0%、24名 女:2.5%、7名
【新卒3年後離職率】
[20→23年]9.4%(男13.6%・入社22名、女0%・入社10名)
[21→24年]10.5%(男7.7%・入社26名、女16.7%・入社12名)
【テレワーク】制度あり:[場所]自宅[対象]本社勤務者[日数]週1回[利用率]9.0%【勤務制度】時間単位有休 時差勤務【住宅補助】独身寮 社宅 住宅手当 家賃補助

●ライフイベント、女性活躍●

【女性比率】■男 □女

新卒採用
53.6%
(15名)
従業員
25.5%
(269名)
管理職
17.7%
(88名)

【産休】[期間]産前6・産後8週間[給与]会社全額給付[取得者数]10名
【育休】[期間]1歳半になるまで[給与]法定[取得者数]22年度 男13名(対象22名)女13名(対象13名)23年度 男27名(対象32名)女10名(対象10名)[平均取得日数]22年度 男38日 女339日、23年度 男54日 女324日
【従業員】◇[人数]1,055名(男786名、女269名)[平均年齢]41.4歳(男42.1歳、女40.4歳)[平均勤続年数]17.5年(男18.0年、女16.2年)
【年齢構成】■男 □女

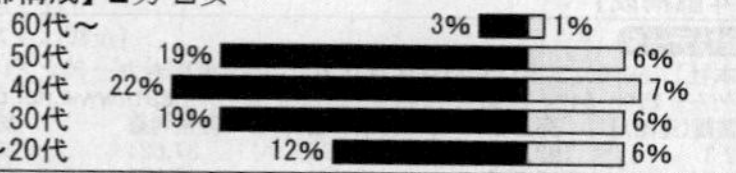
60代～ 3% 1%
50代 19% 6%
40代 22% 7%
30代 19% 6%
～20代 12% 6%

会社データ (金額は百万円)

【本社】144-8721 東京都大田区蒲田5-37-1 ☎03-5744-0511
https://www.takasago.com/

【業績(連結)】	売上高	営業利益	経常利益	純利益
22.3	162,440	8,812	10,165	8,909
23.3	186,792	5,947	7,958	7,393
24.3	195,940	2,316	4,707	2,698

(株)クレハ

くるみん

【特色】工業薬品・肥料が発祥。ファイン分野を深耕

[記者評価] 呉羽紡績の化学品部門として塩素化学で出発。クレラップで有名。「ナケレバ、ツクレバ」の開発精神で有機合成・高分子分野の新素材開発。生分解性PGA樹脂、電池部材に強み。農薬や腎不全薬などの医薬品も展開。車載電池用バインダー向けPVDFにも力を入れる。

平均勤続年数	男性育休取得率	3年後離職率	平均年収(平均43歳)
19.6年	60.0→76.2%	10.0→12.9%	[総]907万円

●採用・配属情報●

【男女・文理別採用実績】

	大卒男	大卒女	修士男	修士女
23年	2(文 1理 1)	2(文 2理 0)	20(文 0理 20)	4(文 0理 4)
24年	6(文 4理 2)	2(文 2理 0)	16(文 1理 15)	5(文 0理 5)
25年	4(文 4理 0)	2(文 2理 0)	8(文 0理 8)	8(文 1理 7)

※25年:24年7月24日時点

【男女・職種別採用実績】 転換制度:⇔

	総合職	一般職
23年	29(男 22 女 7)	6(男 6 女 0)
24年	29(男 22 女 7)	7(男 6 女 1)
25年	25(男 13 女 12)	6(男 5 女 1)

【24年4月入社者の配属勤務地】[総]福島・いわき5 茨城・小美玉2 [技]福島・いわき17 茨城・小美玉5
【転勤】あり:全社員
【中途比率】[単年度]21年度24%、22年度33%、23年度41%[全体]12%

●働きやすさ、諸制度●

残業(月) 11.8時間 [総]13.6時間

【勤務時間】9:00～17:30(フレックスタイム制あり)【有休取得年平均】16.1日【週休】2日(土日祝)【夏期休暇】8月15日【年末年始休暇】12月29日～1月3日
【離職率】男:3.1%、25名 女:1.1%、3名(他に男性8名転籍)
【新卒3年後離職率】
[20→23年]10.0%(男8.0%・入社25名、女20.0%・入社5名)
[21→24年]12.9%(男17.4%・入社23名、女0%・入社8名)
【テレワーク】制度あり:[場所]自宅 自宅に準ずる場所 他[対象]本社・営業所地区の日勤者[日数]月8回まで[利用率]21.9%【勤務制度】フレックス 時間単位有休【住宅補助】独身寮(福島・いわき 茨城・小美玉 9,000～10,000円自己負担)借上寮 借上社宅 家賃補助

●ライフイベント、女性活躍●

【女性比率】■男 □女

新卒採用
41.9%
(13名)
従業員
26.5%
(281名)
管理職
8.5%
(14名)

【産休】[期間]産前6・産後8週間[給与]産前6・産後6週間は会社全額給付[取得者数]6名
【育休】[期間]2歳になるまで[給与]法定[取得者数]22年度 男18名(対象30名)女10名(対象10名)23年度 男16名(対象21名)女5名(対象5名)[平均取得日数]22年度 男9日 女362日、23年度 男10日 女415日
【従業員】[人数]1,062名(男781名、女281名)[平均年齢]43.7歳(男43.6歳、女43.7歳)[平均勤続年数]19.6年(男19.2年、女20.7年)【年齢構成】■男 □女

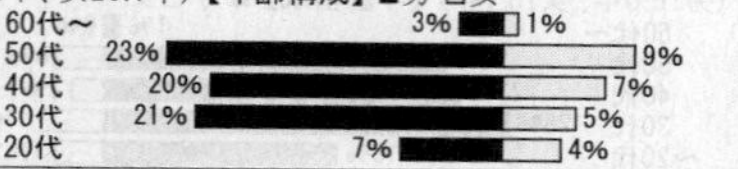
60代～ 3% 1%
50代 23% 9%
40代 20% 7%
30代 21% 5%
～20代 7% 4%

会社データ (金額は百万円)

【本社】103-8552 東京都中央区日本橋浜町3-3-2 ☎03-3249-4661
https://www.kureha.co.jp/

【業績(IFRS)】	売上高	営業利益	税前利益	純利益
22.3	168,341	20,142	20,398	14,164
23.3	191,277	22,350	22,992	16,868
24.3	177,973	12,800	13,913	9,734

とうあごうせい 東亞合成(株)

えるぼし ★★　くるみん

【特色】アクリル酸エステルの先駆。「アロンアルフア」も

[記者評価] 塗料や接着剤の原料となるアクリル酸エステルの先駆。液晶パネルのコーティングなどで使われる光硬化型樹脂をはじめ、独自開発のアクリルポリマー製品を持つ。家庭用瞬間接着剤「アロンアルフア」は国内トップシェア。半導体向け高純度液化塩化水素も強い。

平均勤続年数	男性育休取得率	3年後離職率	平均年収(平均43歳)
◇19.8年	47.4→35.5%	3.4→0%	[総]810万円

●採用・配属情報●

【男女・文理別採用実績】

	大卒男	大卒女	修士男	修士女
23年	7(文 5理 2)	4(文 2理 2)	23(文 0理 23)	5(文 0理 5)
24年	6(文 5理 1)	4(文 3理 1)	17(文 0理 17)	9(文 0理 9)
25年	3(文 3理 0)	6(文 4理 2)	19(文 0理 19)	6(文 0理 6)

【男女・職種別採用実績】　転換制度:⇒

	総合職
23年	40(男 31 女 9)
24年	37(男 24 女 13)
25年	35(男 23 女 12)

【24年4月入社者の配属勤務地】[総]名古屋4 横浜2 富山・高岡2 徳島2 香川・坂出1 福島・広野 1 [技]名古屋9 横浜3 富山・高岡4 徳島3 香川・坂出2 福島・広野 2 大分2

【転勤】あり:[職種]総合職

【中途比率】[単年度]21年度19%、22年度21%、23年度37%[全体]◇17%

●働きやすさ、諸制度●

残業(月) 10.7時間 [総]16.7時間

【勤務時間】9:00～17:15【有休取得年平均】19.0日【週休】完全2日(土日祝)【夏期休暇】連続9日(計画年休3日、週休4日含む)【年末年始休暇】12月29日～1月3日(計画年休1日含む)

【離職率】◇男:1.5%、21名 女:3.7%、9名

【新卒3年後離職率】
[20→23年]3.4%(男5.0%・入社20名、女0%・入社9名)
[21→24年]0%(男0%・入社26名、女0%・入社9名)

【テレワーク】制度あり:[場所]自宅 カフェ 空港ラウンジ 単身赴任者留守宅[対象]NA[日数]月10回まで[利用率]NA【勤務制度】フレックス 時間単位有休 裁量労働 勤務間インターバル【住宅補助】寮 社宅(各事業所 借上含む)住宅補助(世帯主かどうかで判断)

●ライフイベント、女性活躍●

【女性比率】■男 □女

新卒採用 34.3% (12名)

従業員 14.7% (235名)

管理職 4% (10名)

【産休】[期間]産前6・産後8週間[給与]法定[取得者数]10名

【育休】[期間]3歳になるまで延長可[給与]法定[取得者数]22年度 男9名(対象19名)女6名(対象6名)23年度 男11名(対象31名)女10名(対象10名)[平均取得日数]22年度 男27日 女235日、23年度 男17日 女227日

【従業員】◇[人数]1,600名(男1,365名、女235名)[平均年齢]44.1歳(男44.8歳、女39.3歳)[平均勤続年数]19.8年(男20.6年、女14.5年)【年齢構成】■男 □女

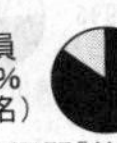

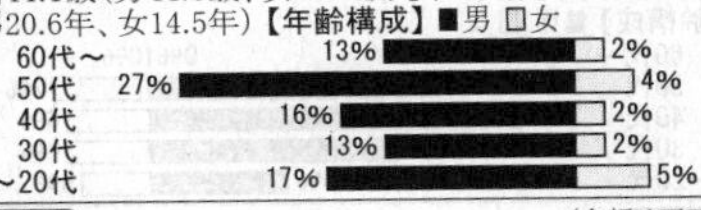

	男	女
60代～	13%	2%
50代	27%	4%
40代	16%	2%
30代	13%	2%
～20代	17%	5%

[会社データ]　(金額は百万円)

【本社】105-8419 東京都港区西新橋1-14-1 ☎03-3597-7215
https://www.toagosei.co.jp/

【業績(連結)】	売上高	営業利益	経常利益	純利益
21.12	156,313	17,676	18,983	13,771
22.12	160,825	14,382	16,446	12,494
23.12	159,371	12,499	14,503	12,179

にほんそーだ 日本曹達(株)

えるぼし ★★　くるみん

【特色】農薬が柱の中堅化学。半導体材料も有力

[記者評価] 農薬事業は殺虫剤「モスピラン」や殺菌剤「トップジン」などロングセラー品を擁する。新製品の開発にも積極的。需要が旺盛な半導体のフォトレジスト材料や、医薬品を錠剤にする際に用いる添加剤「HPC」も業績を牽引。HPCは国内シェア首位級、海外でも拡販。

平均勤続年数	男性育休取得率	3年後離職率	平均年収(平均44歳)
◇20.0年	57.1→80.0%	5.0→0%	[総]1,086万円

●採用・配属情報●

【男女・文理別採用実績】

	大卒男	大卒女	修士男	修士女
23年	0(文 0理 0)	0(文 0理 0)	7(文 0理 7)	5(文 0理 5)
24年	2(文 1理 1)	1(文 1理 0)	5(文 0理 5)	9(文 0理 9)
25年	2(文 2理 0)	2(文 2理 0)	8(文 0理 8)	7(文 0理 7)

【男女・職種別採用実績】　転換制度:⇒

	総合職
23年	12(男 7 女 5)
24年	18(男 7 女 11)
25年	19(男 10 女 9)

【24年4月入社者の配属勤務地】[総]富山・高岡2 新潟・上越2 千葉・市原1 [技]神奈川・小田原4 静岡・牧之原3 富山・高岡3 新潟・上越2 千葉・市原1

【転勤】あり:[職種]管理系基幹職・専門系基幹職[勤務地]全事業所

【中途比率】[単年度]21年度17%、22年度44%、23年度40%[全体]◇19%

●働きやすさ、諸制度●

残業(月) 8.5時間 [総]10.8時間

【勤務時間】本社地区9:00～17:30【有休取得年平均】16.6日【週休】完全2日(土日祝)【夏期休暇】3日(6～9月)【年末年始休暇】12月29日～1月3日

【離職率】◇男:1.6%、19名 女:3.2%、6名

【新卒3年後離職率】
[20→23年]5.0%(男0%・入社12名、女12.5%・入社8名)
[21→24年]0%(男0%・入社11名、女0%・入社8名)

【テレワーク】制度あり:[場所]自宅 帰省先[対象]本社・営業所勤務者[日数]原則週2日まで[利用率]25.5%【勤務制度】時間単位有休 時差勤務【住宅補助】借上社宅(家賃上限8万円、自己負担3.3㎡あたり600円)・独身寮(一部工場のみ、自己負担5,000円光熱費込み)

●ライフイベント、女性活躍●

【女性比率】■男 □女

新卒採用 47.4% (9名)

従業員 13.5% (180名)

管理職 6.1% (17名)

【産休】[期間]産前6・産後8週間[給与]会社全額給付[取得者数]7名

【育休】[期間]1歳になるまで[給与]産休未取得の社員が出生後8週間以内に取得する場合最初の5日間有給[取得者数]22年度 男16名(対象28名)女2名(対象2名)23年度 男28名(対象35名)女7名(対象7名)[平均取得日数]22年度 男22日 女333日、23年度 男22日 女275日

【従業員】◇[人数]1,336名(男1,156名、女180名)[平均年齢]44.0歳(男43.4歳、女48.1歳)[平均勤続年数]20.0年(男19.7年、女21.9年)【年齢構成】■男 □女

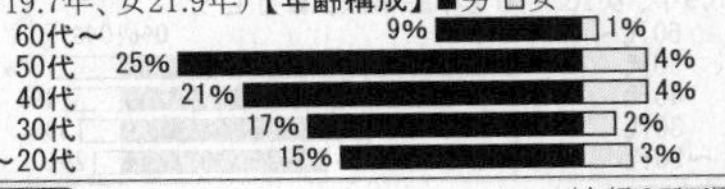

	男	女
60代～	9%	1%
50代	25%	4%
40代	21%	4%
30代	17%	2%
～20代	15%	3%

[会社データ]　(金額は百万円)

【本社】100-7010 東京都千代田区丸の内2-7-2 JPタワー ☎03-4212-9630
https://www.nippon-soda.co.jp/

【業績(連結)】	売上高	営業利益	経常利益	純利益
22.3	152,536	11,930	16,512	12,683
23.3	172,811	16,893	26,456	16,692
24.3	154,429	13,872	23,297	16,612

メーカーII

日本パーカライジング(株)

【特色】金属表面処理で国内トップ。加工も手がける

[記者評価] 表面処理薬剤の製造、表面処理の受託加工が柱。自動車と鉄鋼が主要客だがライフサイエンスなど新規分野開拓に注力。国内46拠点、アジア・欧米など世界12カ国地域に51拠点、自動車メーカーの海外シフトに対応。25年メドに平塚市に総合研究所を拡張。

平均勤続年数	男性育休取得率	3年後離職率	平均年収(平均42歳)
◇16.8年	3.7→37.0%	6.7→20.0%	[総]749万円

●採用・配属情報●

【男女・文理別採用実績】

	大卒男	大卒女	修士男	修士女
23年	4(文 4理 0)	1(文 1理 0)	4(文 0理 4)	2(文 1理 1)
24年	12(文 7理 5)	1(文 1理 0)	7(文 0理 7)	1(文 0理 1)
25年	8(文 5理 3)	1(文 0理 1)	8(文 0理 8)	3(文 1理 2)

【男女・職種別採用実績】 転換制度:⇔

	総合職
23年	11(男 8 女 3)
24年	22(男 20 女 2)
25年	20(男 16 女 4)

【24年4月入社者の配属勤務地】[総]東京・日本橋1 埼玉・所沢1 愛知・半田1 岡山・倉敷1 神奈川・平塚2 栃木・宇都宮1 名古屋1 [技]神奈川・平塚10 名古屋1 岡山・倉敷1 栃木・宇都宮2

【転勤】あり:[職種]総合職[勤務地]全国

【中途比率】[単年度]21年度31%、22年度12%、23年度43%[全体]◇38%

●働きやすさ、諸制度●

残業(月) 11.8時間 [総]12.5時間

【勤務時間】工場以外8:30〜17:15【有休取得年平均】13.0日【週休】完全2日(土日祝)※工場以外【夏期休暇】なし【年末年始休暇】12月29日〜1月4日

【離職率】◇男:4.7%、38名 女:7.1%、10名(早期退職男2名含む)

【新卒3年後離職率】
[20→23年]6.7%(男0%・入社11名、女25.0%・入社4名)
[21→24年]20.0%(男18.8%・入社16名、女25.0%・入社4名)

【テレワーク】制度あり:[場所]自宅 サテライトオフィス[対象]全社員[日数]制限なし[利用率]5.3%【勤務制度】フレックス 時間単位有休 時差勤務 副業容認【住宅補助】借上寮 住宅手当(自宅通勤のみ)

●ライフイベント、女性活躍●

【女性比率】■男 □女

新卒採用
20%
(4名)
従業員
14.3%
(130名)
管理職
2%
(4名)

【産休】[期間]産前6・産後8週間[給与]法定[取得者数]2名

【育休】[期間]1歳になるまで[給与]3日間は有休、それ以外は給付金[取得者数]22年度 男1名(対象27名)女2名(対象2名)23年度 男10名(対象27名)女2名(対象2名)[平均取得日数]22年度 男26日 女355日、23年度 男27日 女399日

【従業員】◇[人数]909名(男779名、女130名)[平均年齢]42.5歳(男42.5歳、女42.6歳)[平均勤続年数]16.8年(男16.9年、女16.1年)【年齢構成】■男 □女

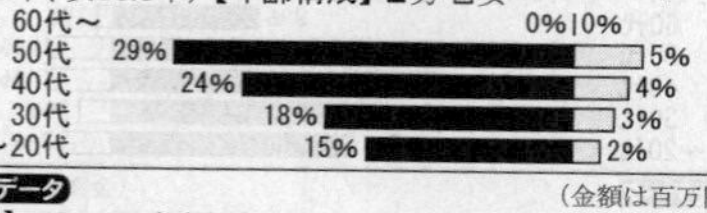
60代〜 0% 0%
50代 29% 5%
40代 24% 4%
30代 18% 3%
〜20代 15% 2%

会社データ (金額は百万円)

【本社】103-0027 東京都中央区日本橋1-15-1 パーカービル ☎03-3278-4318 https://www.parker.co.jp/

【業績(連結)】	売上高	営業利益	経常利益	純利益
22.3	117,752	13,370	17,003	9,046
23.3	119,177	12,668	16,625	9,973
24.3	125,085	15,258	19,945	13,194

日本農薬(株)

【特色】農薬専業国内大手。海外はインド、ブラジル深耕

[記者評価] 高機能化学品のADEKA子会社だが経営は独自色。農薬が売上の95%占める。水稲用殺菌・殺虫剤、園芸用殺虫剤と品数は多彩。シロアリや爪白癬用も収益源。海外比重7割強で、インドやブラジルとその周辺国開拓を強化。農薬散布を効率化する独自スマホアプリ普及。

平均勤続年数	男性育休取得率	3年後離職率	平均年収(平均42歳)
15.0年	50.0→90.0%	0→0%	[総]774万円

●採用・配属情報●

【男女・文理別採用実績】

	大卒男	大卒女	修士男	修士女
23年	2(文 2理 0)	3(文 1理 2)	5(文 0理 5)	1(文 0理 1)
24年	2(文 1理 1)	2(文 1理 1)	9(文 0理 9)	4(文 0理 4)
25年	4(文 1理 3)	0(文 0理 0)	8(文 0理 8)	3(文 0理 3)

【男女・職種別採用実績】

	総合職
23年	11(男 7 女 4)
24年	19(男 12 女 7)
25年	16(男 12 女 4)

【24年4月入社者の配属勤務地】[総]札幌1 仙台1 東京3 福岡2 [技]大阪・河内長野12

【転勤】あり:[職種]全社員[勤務地]全国事業所(札幌 仙台 東京 大阪 福岡 他)

【中途比率】[単年度]21年度10%、22年度18%、23年度27%[全体]28%

●働きやすさ、諸制度●

残業(月) 13.6時間 [総]13.6時間

【勤務時間】9:00〜17:25(フレックス制 コアタイム11:00〜12:00及び12:45〜14:45)【有休取得年平均】12.8日【週休】完全2日(土日祝)【夏期休暇】原則連続5日【年末年始休暇】12月29日〜1月3日(休日)

【離職率】男:1.0%、3名 女:1.1%、1名

【新卒3年後離職率】
[20→23年]0%(男0%・入社8名、女0%・入社6名)
[21→24年]0%(男0%・入社10名、女0%・入社9名)

【テレワーク】制度あり:[場所]自宅 単身赴任帰省先[対象]制限なし[日数]制限なし[利用率]18.7%【勤務制度】フレックス 裁量労働 時差勤務【住宅補助】転勤者借上社宅(全国)

●ライフイベント、女性活躍●

【女性比率】■男 □女

新卒採用
25%
(4名)
従業員
23.9%
(91名)
管理職
10.1%
(15名)

【産休】[期間]産前6・産後8週間[給与]会社全額給付[取得者数]1名

【育休】[期間]1歳になるまで[給与]法定[取得者数]22年度 男5名(対象10名)女3名(対象3名)23年度 男9名(対象10名)女0名(対象0名)[平均取得日数]22年度 男100日 女478日、23年度 男38日 女−

【従業員】[人数]381名(男290名、女91名)[平均年齢]41.8歳(男42.2歳、女40.5歳)[平均勤続年数]15.0年(男15.1年、女15.0年)

【年齢構成】■男 □女

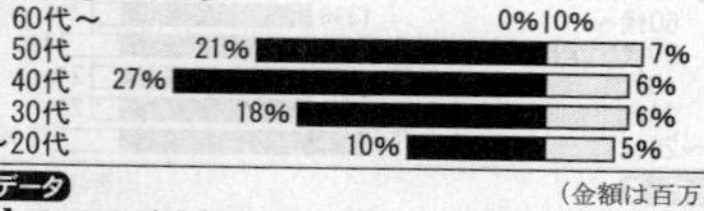
60代〜 0% 0%
50代 21% 7%
40代 27% 6%
30代 18% 6%
〜20代 10% 5%

会社データ (金額は百万円)

【本社】104-8386 東京都中央区京橋1-19-8 京橋OMビル ☎0570-09-1177 https://www.nichino.co.jp/

【業績(連結)】	売上高	営業利益	経常利益	純利益
22.3	81,910	6,642	5,768	4,502
23.3	102,090	8,739	7,779	4,488
24.3	103,033	7,438	5,932	4,777

<ruby>荒川化学工業㈱</ruby>

あらかわかがくこうぎょう

荒川化学工業㈱

くるみん

【特色】製紙用薬品や印刷インキ用樹脂で大手の一角

記者評価 紙力増強剤など製紙用薬品、印刷インキや塗料用樹脂で有力。5G向け光硬化型樹脂や超淡色ロジンなどハイテク分野が育つ。光硬化型樹脂やHDD用精密研磨剤の生産能力増強が23年度完了。半導体関連先端材料用ファインケミカルの設備増強も24年12月完了へ。

平均勤続年数	男性育休取得率	3年後離職率	平均年収(平均44歳)
◇18.0年	92.3→66.7%	0→13.3%	㊝752万円

●採用・配属情報●

【男女・文理別採用実績】

	大卒男	大卒女	修士男	修士女
23年	3(文 2理 1)	1(文 0理 1)	6(文 0理 6)	4(文 0理 4)
24年	1(文 1理 0)	0(文 0理 0)	6(文 0理 6)	3(文 0理 3)
25年	2(文 2理 0)	1(文 0理 1)	7(文 0理 7)	1(文 0理 1)

【男女・職種別採用実績】 転換制度:⇔

	総合職	一般職
23年	14(男 9 女 5)	0(男 0 女 0)
24年	10(男 7 女 3)	0(男 0 女 0)
25年	11(男 9 女 2)	0(男 0 女 0)

【24年4月入社者の配属勤務地】㊝大阪1 ㊕大阪9
【転勤】あり:モバイルコース選択の社員
【中途比率】[単年度]21年度53%、22年度60%、23年度26%[全体]◇32%

●働きやすさ、諸制度●

残業(月) 12.9時間 ㊝9.6時間

【勤務時間】9:00～17:30【有休取得年平均】16.7日【週休】完全2日(土日祝)【夏期休暇】連続5日(有休2日含む)【年末年始休暇】12月28日～1月5日
【離職率】◇男:2.2%、16名 女:2.8%、3名
【新卒3年後離職率】
[20→23年]0%(男0%・入社10名、女0%・入社7名)
[21→24年]13.3%(男18.2%・入社11名、女0%・入社4名)
【テレワーク】制度あり:[場所]自宅[対象]現場製造およびそれに準ずる作業に関わるためオペレーター職以外の従業員[日数]週2回まで[利用率]5.4%【勤務制度】時間単位有休 時差勤務 副業容認【住宅補助】独身寮(自己負担15,000円)借上社宅 住宅手当(近畿20,000円、居住地により増減)

●ライフイベント、女性活躍●

【女性比率】■男 □女

新卒採用 18.2% (2名)

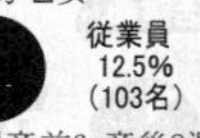

従業員 12.5% (103名)

管理職 2.4% (6名)

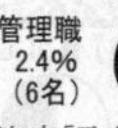

【産休】[期間]産前6・産後8週間[給与]法定[取得者数]0名
【育休】[期間]1歳になるまで[給与]法定[取得者数]22年度 男24名(対象26名)女3名(対象3名)23年度 男12名(対象18名)女0名(対象0名)[平均取得日数]22年度 男31日 女308日、23年度 男35日 女251日
【従業員】◇[人数]822名(男719名、女103名)[平均年齢]43.2歳(男43.6歳、女40.1歳)[平均勤続年数]18.0年(男18.9年、女12.1年)
【年齢構成】■男 □女

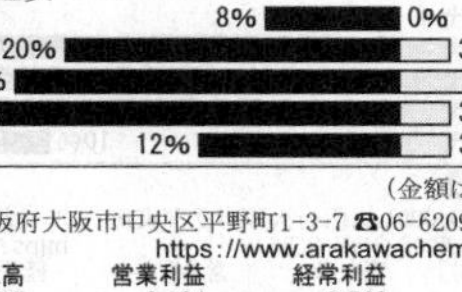

	男	女
60代～	8%	0%
50代	20%	3%
40代	23%	4%
30代	24%	3%
～20代	12%	3%

会社データ (金額は百万円)

【本社】541-0046 大阪府大阪市中央区平野町1-3-7 ☎06-6209-8500
https://www.arakawachem.co.jp/jp/

【業績(連結)】	売上高	営業利益	経常利益	純利益
22.3	80,515	3,304	3,566	1,502
23.3	79,431	▲2,907	▲2,687	▲4,941
24.3	72,222	▲2,617	▲2,412	▲1,042

にっぽん

日本ペイントグループ

日本ペイントコーポレートソリューションズ㈱、日本ペイント㈱、日本ペイント・オートモーティブコーティングス㈱、日本ペイント・サーフケミカルズ㈱、他4社

【特色】塗料世界4位、国内首位級。M&Aで国際展開に積極

記者評価 国産塗料の草分け、国内は関西ペイントと双璧。自動車用と中国の建築用が主力。塗料周辺分野で世界的にM&Aを推進。グループとして海外売上比率9割弱。国際展開の過程で親会社はシンガポール資本に。理系学生も営業・事務系職種として採用の実績あり。

平均勤続年数	男性育休取得率	3年後離職率	平均年収(平均43歳)
9.3年	NA	①4.0→①7.4%	㊝842万円

●採用・配属情報●

【男女・文理別採用実績】

	大卒男	大卒女	修士男	修士女
23年	0(文 0理 0)	0(文 0理 0)	0(文 0理 0)	0(文 0理 0)
24年	1(文 1理 0)	2(文 2理 0)	0(文 0理 0)	0(文 0理 0)
25年	5(文 5理 0)	4(文 2理 2)	15(文 0理 15)	2(文 0理 2)

※24年:グループ全体での採用数
【男女・職種別採用実績】

	総合職	一般職
23年	0(男 0 女 0)	0(男 0 女 0)
24年	3(男 1 女 2)	0(男 0 女 0)
25年	27(男 21 女 6)	0(男 0 女 0)

【24年4月入社者の配属勤務地】㊝東京1 大阪2 ㊕なし
【転勤】あり:全社員
【中途比率】[単年度]21年度NA、22年度NA、23年度NA[全体]NA

●働きやすさ、諸制度●

残業(月) 20.5時間 ㊝20.5時間

【勤務時間】8:30～17:00【有休取得年平均】13.1日【週休】完全2日(土日祝)【夏期休暇】あり【年末年始休暇】あり
【離職率】男:3.9%、81名 女:5.2%、28名
【新卒3年後離職率】
[20→23年]4.0%(男3.4%・入社58名、女5.9%・入社17名)※中核グループ会社を含む
[21→24年]7.4%(男5.1%・入社78名、女13.3%・入社30名)※中核グループ会社を含む
【テレワーク】制度あり:[場所]自宅 他[対象]全社員(要上司承認)[日数]制限なし[利用率]NA【勤務制度】フレックス 時間単位有休 時差勤務 勤務間インターバル【住宅補助】単身者・転勤者向け借上社宅 住宅手当

●ライフイベント、女性活躍●

【女性比率】■男 □女

新卒採用 22.2% (6名)

従業員 20.5% (515名)

管理職 4.9% (26名)

【産休】[期間]産前8・産後8週間[給与]法定[取得者数]NA
【育休】[期間]1歳になるまで[給与]法定[取得者数]22年度 男24名(対象NA)女38名(対象NA)23年度 NA[平均取得日数]22年度 NA、23年度 NA
【従業員】[人数]2,509名(男1,994名、女515名)[平均年齢]42.5歳(男42.9歳、女40.8歳)[平均勤続年数]9.3年(男9.6年、女8.3年)
【年齢構成】■男 □女

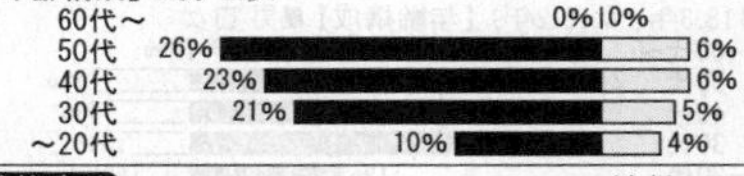

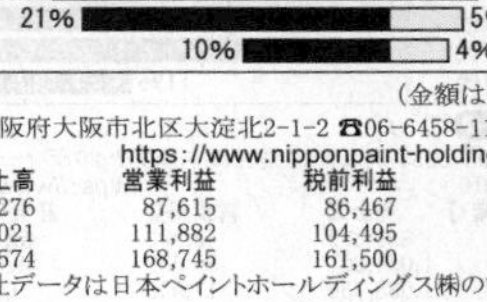

会社データ (金額は百万円)

【本社】531-8511 大阪府大阪市北区大淀北2-1-2 ☎06-6458-1111
https://www.nipponpaint-holdings.com/

【業績(IFRS)】	売上高	営業利益	税前利益	純利益
21.12	998,276	87,615	86,467	67,569
22.12	1,309,021	111,882	104,495	79,418
23.12	1,442,574	168,745	161,500	118,476

※資本金・業績・会社データは日本ペイントホールディングス㈱のもの

298 開示 ★★★★★

ディーアイシー
ＤＩＣ(株)

[くるみん]

【特色】インキで世界首位。樹脂、機能素材などに展開

[記者評価] 印刷インキメーカーとして国内2位、米国子会社の貢献で世界首位だが、売上に占めるインキ事業の割合は約半分。インキ以外でエポキシ樹脂など電子関連向けに強み。機能性顔料、天然色素にも展開。インキ生産体制の再構築など構造改革推進。海外売上比率7割強。

平均勤続年数	男性育休取得率	3年後離職率	平均年収(平均42歳)
◇18.5年	25.9 → 33.6%	13.2 → 7.7%	[総]865万円

●採用・配属情報●

【男女・文理別採用実績】

	大卒男	大卒女	修士男	修士女
23年	7(文 6 理 1)	10(文 9 理 1)	28(文 0 理 28)	12(文 0 理 12)
24年	9(文 7 理 2)	6(文 4 理 2)	34(文 1 理 33)	14(文 0 理 14)
25年	4(文 2 理 2)	7(文 7 理 0)	13(文 0 理 13)	7(文 0 理 7)

【男女・職種別採用実績】

	全国勤務コース
23年	75(男 45 女 30)
24年	84(男 59 女 25)
25年	47(男 28 女 19)

【24年4月入社者の配属勤務地】[総]東京・日本橋17 大阪市2 千葉・市原1 鹿島・神栖1 [技]千葉(市原14 佐倉10)大阪・高石12 埼玉・上尾9 鹿島・神栖11 東京(板橋4 日本橋1)石川・白山2

【転勤】あり:[職種]総合職N(転勤あり)コース※入社時はNコース。A(転勤なし)コースへの転換も可能

【中途比率】[単年度]21年度61%、22年度66%、23年度87%[全体]◇31%

●働きやすさ、諸制度●

残業(月) 13.4時間 [総]13.4時間

【勤務時間】本社・研究所8:45～17:15 工場8:30～17:00【有休取得年平均】12.8日【週休】完全2日(土日祝)【夏期休暇】あり【年末年始休暇】あり

【離職率】◇男:2.0%、57名 女:1.7%、13名

【新卒3年後離職率】
[20→23年]13.2%(男6.3%・入社32名、女23.8%・入社21名)
[21→24年]7.7%(男4.5%・入社22名、女11.8%・入社17名)

【テレワーク】制度あり:[場所]自宅 サテライトオフィス[対象]全社員[日数]月の所定就業日数の50%程度までが目安[利用率]29.4%【勤務制度】フレックス 時間単位有休 裁量労働 時差勤務 副業容認【住宅補助】独身寮 保有・借上社宅 約860名が利用 住宅手当(一般社員のみ)

●ライフイベント、女性活躍●

【女性比率】■男 □女

新卒採用 40.4% (19名)

従業員 21.3% (759名)

管理職 7.5% (71名)

【産休】[期間]産前6・産後8週間[給与]法定[取得者数]24名

【育休】[期間]保育園に入所できない等の場合、最長で子の2歳半到達月末まで[給与]法定＋賞与50%貸与(1歳6カ月になるまで)復職後勤続1年で返済免除[取得者数]22年度 男28名(対象108名)女27名(対象27名)23年度 男40名(対象119名)女21名(対象21名)[平均取得日数]22年度 男37日 女400日、23年度 男50日 女346日

【従業員】◇[人数]3,557名(男2,798名、女759名)[平均年齢]42.3歳(男42.4歳、女42.2歳)[平均勤続年数]18.5年(男18.3年、女19.2年)【年齢構成】■男 □女

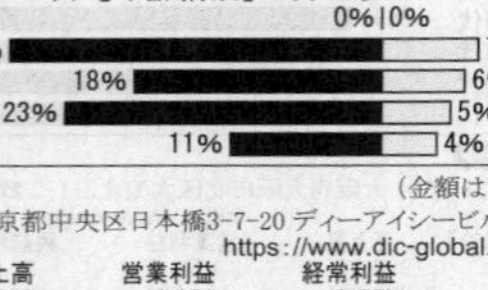

	男	女
60代～	0%	0%
50代	27%	7%
40代	18%	6%
30代	23%	5%
～20代	11%	4%

会社データ (金額は百万円)

【本社】103-8233 東京都中央区日本橋3-7-20 ディーアイシービル ☎03-6733-3010 https://www.dic-global.com/ja/

【業績(連結)】	売上高	営業利益	経常利益	純利益
21.12	855,379	42,893	43,758	4,365
22.12	1,054,201	39,682	39,946	17,610
23.12	1,038,736	17,943	9,216	▲39,857

296 開示 ★★★

かんさい
関西ペイント(株)

[えるぼし ★★] [プラチナ くるみん]

【特色】国内は日ペと2強。BtoBに強み。世界9位

[記者評価] 総合塗装の国内2強の一角。国内は自動車用が主力、海外は牽引役のインドで自動車用、建築用とも強い。欧州で積極的に小規模M&Aを実施。アフリカ事業は売却予定だったが独禁当局の認可が得られず再度強化。人事制度は年功から実力主義色高める。

平均勤続年数	男性育休取得率	3年後離職率	平均年収(平均43歳)
◇20.0年	31.3 → 74.2%	14.3 → 0%	[総]778万円

●採用・配属情報●

【男女・文理別採用実績】

	大卒男	大卒女	修士男	修士女
23年	12(文 12 理 0)	5(文 5 理 0)	7(文 0 理 7)	4(文 0 理 4)
24年	7(文 7 理 0)	8(文 8 理 0)	6(文 0 理 6)	6(文 0 理 6)
25年	11(文 10 理 1)	8(文 8 理 0)	12(文 0 理 12)	8(文 0 理 8)

【男女・職種別採用実績】

	総合職
23年	28(男 19 女 9)
24年	27(男 13 女 14)
25年	39(男 23 女 16)

【24年4月入社者の配属勤務地】[総](24年)大阪市9 東京・大田1 栃木・鹿沼1 愛知・みよし1 兵庫・尼崎1 広島市1 福岡市1 [技](23年)神奈川・平塚9 愛知・みよし2

【転勤】あり:[職種]全社員 [勤務地]大阪 東京 平塚 名古屋 尼崎ほか全国の営業所・事業所・研究所・技術センター 海外事業所

【中途比率】[単年度]21年度44%、22年度57%、23年度62%[全体]◇18%

●働きやすさ、諸制度●

残業(月) 8.0時間 [総]8.0時間

【勤務時間】8:30～17:00【有休取得年平均】15.1日【週休】完全2日(土日祝)【夏期休暇】8月14～18日【年末年始休暇】12月28日～1月5日

【離職率】◇男:1.8%、30名 女:2.3%、5名

【新卒3年後離職率】
[20→23年]14.3%(男12.5%・入社16名、女20.0%・入社5名)
[21→24年]0%(男0%・入社21名、女0%・入社4名)

【テレワーク】制度あり:[場所]自宅[対象]在宅勤務を希望する者[日数]制限なし[利用率]NA【勤務制度】フレックス 時間単位有休 時差勤務 勤務間インターバル【住宅補助】寮(兵庫・尼崎 愛知・みよし 神奈川・平塚)借上社宅 住宅手当 賃貸家賃補助 持家奨励金 持家ローン利子補給

●ライフイベント、女性活躍●

【女性比率】■男 □女

新卒採用 41% (16名)

従業員 11.6% (213名)

管理職 3.4% (18名)

【産休】[期間]産前6・産後8週間[給与]法定[取得者数]4名

【育休】[期間]1歳になるまで[給与]法定[取得者数]22年度 男15名(対象48名)女4名(対象4名)23年度 男23名(対象31名)女2名(対象2名)[平均取得日数]22年度 NA、23年度 男26日 女351日

【従業員】◇[人数]1,832名(男1,619名、女213名)[平均年齢]43.4歳(男43.6歳、女41.7歳)[平均勤続年数]20.0年(男20.5年、女16.7年)【年齢構成】■男 □女

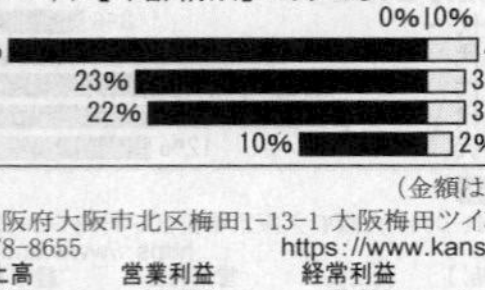

	男	女
60代～	0%	0%
50代	33%	4%
40代	23%	3%
30代	22%	3%
～20代	10%	2%

会社データ (金額は百万円)

【本社】530-0001 大阪府大阪市北区梅田1-13-1 大阪梅田ツインタワーズ・サウス ☎06-7178-8655 https://www.kansai.co.jp/

【業績(連結)】	売上高	営業利益	経常利益	純利益
22.3	419,190	30,096	37,611	26,525
23.3	509,070	32,077	40,216	25,195
24.3	562,277	51,595	57,685	67,109

300 開示 ★★★

アーティエンス
artience(株)

えるぼし★★ / プラチナくるみん

【特色】インキ国内首位、世界3位。凸版印刷系列

[記者評価] 印刷インキで国内首位。同事業は低収益性が難点で、構造改革進める。液晶パネル用着色剤、電機向け塗工材料や粘接着剤などが収益源。海外売上比率は5割強。リチウムイオン電池材料は中国EVの活況背景に珠海工場(広東省)生産能力増強。24年1月現社名に変更。

平均勤続年数	男性育休取得率	3年後離職率	平均年収(平均46歳)
21.5年	92.7 → 102.0%	13.7 → 8.2%	[総] 777万円

●採用・配属情報●

【男女・文理別採用実績】

	大卒男	大卒女	修士男	修士女
23年	6(文 3理 3)	3(文 2理 1)	15(文 0理 15)	8(文 0理 8)
24年	5(文 3理 2)	3(文 2理 1)	15(文 0理 15)	9(文 0理 9)
25年	3(文 2理 1)	4(文 4理 0)	16(文 0理 16)	9(文 0理 9)

【男女・職種別採用実績】

	総合職
23年	46(男 29 女 17)
24年	40(男 23 女 17)
25年	40(男 21 女 19)

【24年4月入社者の配属勤務地】[総]東京8 埼玉4 静岡2 滋賀2 [技]埼玉16 静岡7 滋賀1

【転勤】あり:[職種]総合職[勤務地]営業・スタッフ系:東京 大阪 愛知 埼玉 静岡 滋賀 情報・システム系:東京 技術系:埼玉 千葉 静岡 滋賀 兵庫 生産系:埼玉 千葉 静岡 滋賀 兵庫 岡山

【中途比率】[単年度]21年度NA、22年度NA、23年度NA[全体]23%

●働きやすさ、諸制度●

残業(月) 7.9時間

【勤務時間】9:00～17:30【有休取得年平均】13.6日【週休】完全2日(土日祝)【夏期休暇】連続2日【年末年始休暇】12月30日～1月4日

【離職率】男:4.3%、84名 女:3.5%、12名(早期退職男41名、女8名含む)

【新卒3年後離職率】

[20→23年]13.7%(男11.1%・入社36名、女20.0%・入社15名)

[21→24年]8.2%(男9.1%・入社33名、女6.3%・入社16名)

【テレワーク】制度あり:[場所]自宅(営業はサテライトオフィスも可)[対象]全社員[日数]制限なし[利用率]NA【勤務制度】フレックス 裁量労働 時差勤務 勤務間インターバル【住宅補助】借上独身寮(自己負担1万円)借上社宅(家賃の8割会社負担)家賃補助手当(家賃の4割補助上限28,000～45,000円 37歳まで)

●ライフイベント、女性活躍●

【女性比率】■男 □女

新卒採用 47.5% (19名)
従業員 15.2% (335名)
管理職 4.3% (19名)
【産休】[期間]産前6・産後8週間[給与]法定[取得者数]9名

【育休】[期間]2歳になるまで[給与]法定[取得者数]22年度 男38名(対象41名)女7名(対象7名)23年度 男52名(対象51名)女10名(対象10名)[平均取得日数]22年度 NA、23年度 NA

【従業員】[人数]2,208名(男1,873名、女335名)[平均年齢]45.6歳(男46.5歳、女40.6歳)[平均勤続年数]21.5年(男22.4年、女16.5年)【年齢構成】■男 □女

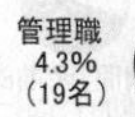

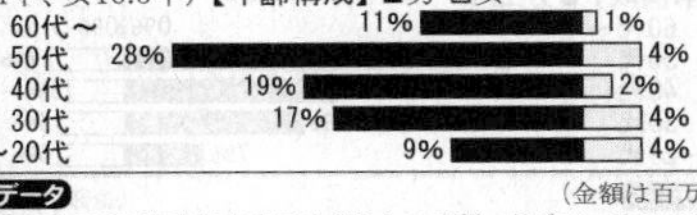

	男	女
60代～	11%	1%
50代	28%	4%
40代	19%	2%
30代	17%	4%
～20代	9%	4%

会社データ (金額は百万円)

【本社】104-8377 東京都中央区京橋2-2-1 京橋エドグラン ☎03-3272-6955 https://www.artiencegroup.com/

【業績(連結)】	売上高	営業利益	経常利益	純利益
21.12	287,989	13,005	15,442	9,492
22.12	315,927	6,865	7,906	9,308
23.12	322,122	13,372	12,880	9,737

299 開示 ★★★★

サカタインクス(株)

【特色】印刷インキ国内3位。米・アジアの海外展開で先行

[記者評価] 祖業の新聞用・包装用インキに強み。印刷機材販売も手がける。植物由来の環境配慮型インキで先駆。海外進出は1960年と比較的早い。海外売上比率は7割強。同業よりインキ比重が高く、環境、電子等の非インキ事業育成。印刷関連廃棄物の再資源化にも取り組む。

平均勤続年数	男性育休取得率	3年後離職率	平均年収(平均43歳)
◇18.5年	56.0 → 68.4%	5.9 → 8.7%	[総] 784万円

●採用・配属情報●

【男女・文理別採用実績】

	大卒男	大卒女	修士男	修士女
23年	1(文 1理 0)	8(文 6理 2)	3(文 0理 3)	0(文 0理 0)
24年	6(文 3理 3)	3(文 3理 0)	7(文 0理 7)	5(文 0理 5)
25年	2(文 2理 0)	6(文 6理 0)	7(文 1理 6)	4(文 0理 4)

【男女・職種別採用実績】 転換制度:⇔

	総合職	一般職
23年	11(男 4 女 7)	1(男 0 女 1)
24年	21(男 13 女 8)	0(男 0 女 0)
25年	19(男 9 女 10)	0(男 0 女 0)

【24年4月入社者の配属勤務地】[総]大阪市3 東京・飯田橋1 千葉・野田2 [技]兵庫・伊丹10 千葉・野田5

【転勤】あり:[職種]総合職

【中途比率】[単年度]21年度26%、22年度42%、23年度56%(現業含む)[全体]◇15%

●働きやすさ、諸制度●

残業(月) 9.5時間 [総]18.3時間

【勤務時間】9:00～17:30【有休取得年平均】12.3日【週休】完全2日(土日祝)【夏期休暇】連続5～6日【年末年始休暇】連続6～9日

【離職率】◇男:3.0%、23名 女:2.6%、4名(早期退職男2名、女2名含む)

【新卒3年後離職率】

[20→23年]5.9%(男0%・入社15名、女50.0%・入社2名)

[21→24年]8.7%(男9.5%・入社21名、女0%・入社2名)

【テレワーク】制度あり:[場所]自宅または自宅に準ずる場所 サテライトオフィス 他[対象]全社員[日数]制限なし[利用率]23.7%【勤務制度】フレックス 裁量労働【住宅補助】借上寮 借上社宅 住宅手当

●ライフイベント、女性活躍●

【女性比率】■男 □女

新卒採用 52.6% (10名)
従業員 16.9% (151名)
管理職 3.2% (9名)
【産休】[期間]産前6・産後8週間[給与]法定[取得者数]4名

【育休】[期間]1歳になるまで[給与]法定[取得者数]22年度 男14名(対象25名)女7名(対象7名)23年度 男13名(対象19名)女4名(対象4名)[平均取得日数]22年度 男17日 女360日、23年度 男19日 女334日

【従業員】◇[人数]894名(男743名、女151名)[平均年齢]44.6歳(男45.0歳、女42.3歳)[平均勤続年数]18.5年(男19.0年、女16.3年)

【年齢構成】■男 □女

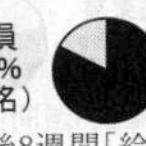

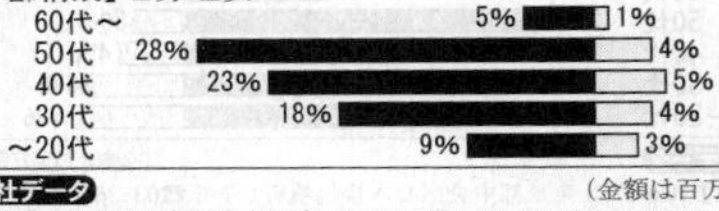

	男	女
60代～	5%	1%
50代	28%	4%
40代	23%	5%
30代	18%	4%
～20代	9%	3%

会社データ (金額は百万円)

【本社】550-0002 大阪府大阪市西区江戸堀1-23-37 ☎06-6447-5810 https://www.inx.co.jp/

【業績(連結)】	売上高	営業利益	経常利益	純利益
21.12	181,487	7,414	8,506	4,933
22.12	215,531	4,125	4,961	4,555
23.12	228,311	11,398	13,634	7,466

メーカーⅡ

1961 開示★★★

大日精化工業(株)

だいにちせいかこうぎょう

【特色】顔料の国産化目指し創業した色彩の総合メーカー

記者評価 プラスチック向け着色剤で国内首位。顔料合成、分散加工、樹脂合成の3つがコア技術。繊維や食品包装などの日用品向けから、産業用資材や情報関連素材まで、幅広い品ぞろえ。海外での成長を志向し、インドを重点地域と位置づけ。グループ保険代理事業を再編。

平均勤続年数	男性育休取得率	3年後離職率	平均年収(平均41歳)
◇17.4年	70.3→71.8%	5.1→4.8%	㊗706万円

●採用・配属情報●

【男女・文理別採用実績】

	大卒男	大卒女	修士男	修士女
23年	12(文 11 理 1)	8(文 4 理 4)	17(文 0 理 17)	4(文 0 理 4)
24年	6(文 6 理 0)	2(文 2 理 0)	12(文 0 理 12)	3(文 0 理 3)
25年	6(文 3 理 3)	8(文 7 理 1)	9(文 0 理 9)	5(文 1 理 4)

【男女・職種別採用実績】 転換制度:⇔

	総合職
23年	67(男 42 女 25)
24年	46(男 26 女 20)
25年	40(男 21 女 19)

【24年4月入社者の配属勤務地】㊗東京・日本橋9 ㊕東京・足立14 埼玉・加須4 千葉(佐倉5 成田2) 茨城・坂東3 静岡・磐田5 愛知・東郷2 大阪・交野2

【転勤】あり:全社員

【中途比率】[単年度]21年度22%、22年度24%、23年度34%[全体]◇25%

●働きやすさ、諸制度●

残業(月) 5.0時間 ㊗5.0時間

【勤務時間】本社・支社関係9:00～17:30 製造事業所8:30～17:00【有休取得年平均】13.5日【週休】完全2日(土日祝)【夏期休暇】事業所により異なる【年末年始休暇】事業所により異なる

【離職率】◇男:4.0%、48名 女:4.3%、13名

【新卒3年後離職率】

[20→23年]5.1%(男7.1%・入社42名、女0%・入社17名)

[21→24年]4.8%(男5.0%・入社40名、女4.5%・入社22名)

【テレワーク】NA【勤務制度】フレックス 時差勤務【住宅補助】独身寮 借上げ寮

●ライフイベント、女性活躍●

【女性比率】■男 □女

新卒採用 47.5% (19名)

従業員 20.3% (292名)

管理職 2.2% (7名)

【産休】[期間]産前6・産後8週間[給与]法定[取得者数]12名

【育休】[期間]1歳になるまで[給与]法定[取得者数]22年度 男26名(対象37名)女9名(対象9名)23年度 男28名(対象39名)女11名(対象11名)[平均取得日数]22年度 男46日 女303日、23年度 男56日 女392日

【従業員】◇[人数]1,437名(男1,145名、女292名)[平均年齢]41.3歳(男42.6歳、女36.3歳)[平均勤続年数]17.4年(男18.7年、女12.5年)

【年齢構成】■男 □女

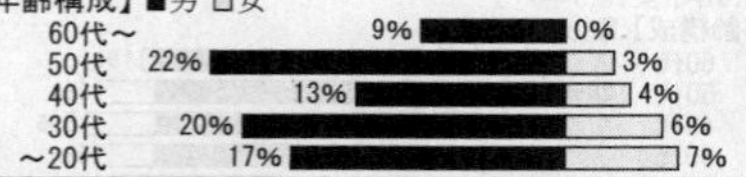

会社データ (金額は百万円)

【本社】103-8383 東京都中央区日本橋馬喰町1-7-6 ☎03-3662-7111 https://www.daicolor.co.jp/

【業績(連結)】	売上高	営業利益	経常利益	純利益
22.3	121,933	7,446	8,315	6,166
23.3	122,005	2,635	3,373	2,007
24.3	119,824	4,550	5,003	3,660

177 開示★★★★

クラボウ(倉敷紡績(株))

くらしきぼうせき

くるみん

【特色】綿紡大手。繊維と化成品を軸にバイオなど多角化

記者評価 1888年創業。カジュアル衣料素材などの繊維と、自動車用硬質ウレタンや住宅用断熱材、半導体製造装置向け樹脂加工品などの化成品が柱。計測機器、排ガス処理設備、バイオ関連も展開。倉敷の旧本社工場はホテルとして活用。半導体・エネルギー関連分野に注力。

平均勤続年数	男性育休取得率	3年後離職率	平均年収(平均44歳)
19.1年	39.1→57.9%	16.7→10.0%	㊗705万円

●採用・配属情報●

【男女・文理別採用実績】

	大卒男	大卒女	修士男	修士女
23年	7(文 3 理 4)	7(文 5 理 2)	4(文 0 理 4)	1(文 0 理 1)
24年	4(文 3 理 1)	2(文 2 理 0)	5(文 0 理 5)	4(文 2 理 2)
25年	5(文 1 理 4)	3(文 3 理 0)	9(文 0 理 9)	2(文 0 理 2)

【男女・職種別採用実績】

	総合職
23年	20(男 11 女 9)
24年	16(男 10 女 6)
25年	20(男 14 女 6)

【24年4月入社者の配属勤務地】㊗大阪6 東京1 熊本1 ㊕大阪・寝屋川4 熊本2 徳島1 三重1

【転勤】あり:全社員

【中途比率】[単年度]21年度41%、22年度70%、23年度56%[全体]NA

●働きやすさ、諸制度●

残業(月) 10.9時間 ㊗11.9時間

【勤務時間】8時間(フレックスタイム制 コアタイム11:00～16:00)【有休取得年平均】14.6日【週休】完全2日(土日祝)【夏期休暇】連続5日程度【年末年始休暇】連続5日程度

【離職率】男:4.9%、28名 女:3.3%、6名

【新卒3年後離職率】

[20→23年]16.7%(男20.0%・入社10名、女12.5%・入社8名)

[21→24年]10.0%(男14.3%・入社7名、女0%・入社3名)

【テレワーク】制度あり:[場所]ネットワーク環境がある場所[対象]出勤時とおおむね同等の業務効率の維持や、業務に関するコミュニケーションの確保ができる者[日数]週16時間まで[利用率]9.0%【勤務制度】フレックス 時間単位有休 副業容認【住宅補助】独身寮 有扶養世帯主向け社有住宅 借上社宅 住宅手当(持家・借家)

●ライフイベント、女性活躍●

【女性比率】■男 □女

新卒採用 30% (6名)

従業員 24.2% (175名)

管理職 2.3% (4名)

【産休】[期間]産前8・産後8週間[給与]法定[取得者数]4名

【育休】[期間]1歳になるまで[給与]法定[取得者数]22年度 男9名(対象23名)女6名(対象6名)23年度 男11名(対象19名)女4名(対象4名)[平均取得日数]22年度 男49日 女301日、23年度 男25日 女302日

【従業員】[人数]724名(男549名、女175名)[平均年齢]44.2歳(男45.5歳、女40.2歳)[平均勤続年数]19.1年(男20.5年、女14.6年)

【年齢構成】■男 □女

60代～ 0%|0%
50代 35% 7%
40代 19% 5%
30代 16% 6%
～20代 7% 6%

会社データ (金額は百万円)

【本社】541-8581 大阪府大阪市中央区久太郎町2-4-31 ☎06-6266-5093 https://www.kurabo.co.jp/

【業績(連結)】	売上高	営業利益	経常利益	純利益
22.3	132,215	7,528	8,783	5,602
23.3	153,522	8,676	10,024	5,516
24.3	151,314	9,186	10,191	6,738

198 開示 ★★★★☆ 短大 専門 採用あり

セーレン(株)

【特色】繊維が発祥、自動車用シートも。車両資材が柱

記者評価 絹の精練が祖業。1980年代末から川田達男現会長が改革を推進、05年にカネボウの繊維事業を継承。現在は自動車用シート材やエアバッグが収益柱。衣料品はIoTを活用した生産システムを展開。エレクトロニクス、化粧品、医療・介護関連資材など多角化。

平均勤続年数	男性育休取得率	3年後離職率	平均年収(平均44歳)
◇18.7年	16.7→24.4%	19.4→25.0%	㊕662万円

●採用・配属情報●

【男女・文理別採用実績】

	大卒男	大卒女	修士男	修士女
23年	14(文 2理 12)	4(文 3理 1)	10(文 1理 9)	2(文 0理 2)
24年	19(文 10理 9)	9(文 3理 6)	12(文 0理 12)	2(文 1理 1)
25年	24(文 11理 13)	9(文 7理 2)	12(文 1理 11)	0(文 0理 0)

【男女・職種別採用実績】 転換制度:⇔

	総合職
23年	34(男 26 女 8)
24年	45(男 32 女 13)
25年	48(男 36 女 12)

【職種併願】総合職種間(地域限定の有無)で可能
【24年4月入社者の配属勤務地】㊕福井15 ㊊福井30
【転勤】あり:[職種]総合職 グローバルコース
【中途比率】[単年度]21年度14%、22年度22%、23年度23%[全体]NA

●働きやすさ、諸制度●

残業(月) 1.7時間 ㊕1.7時間

【勤務時間】9:00～18:00【有休取得年平均】10.3日【週休】会社暦2日(原則土日)【夏期休暇】(本社)連続5日【年末年始休暇】(本社)連続7日
【離職率】◇男:2.0%、27名 女:2.5%、12名
【新卒3年後離職率】
[20→23年]19.4%(男20.8%・入社24名、女16.7%・入社12名)
[21→24年]25.0%(男27.3%・入社22名、女0%・入社2名)
【テレワーク】制度なし【勤務制度】フレックス 時差勤務【住宅補助】社宅 寮(福井 東京 大阪)

●ライフイベント、女性活躍●

【女性比率】■男 □女

新卒採用 25% (12名)

従業員 26.6% (477名)

管理職 3.1% (8名)

【産休】[期間]産前6・産後8週間[給与]法定[取得者数]5名
【育休】[期間]1歳になるまで[給与]法定[取得者数]22年度 男7名(対象42名)女7名(対象7名)23年度 男10名(対象41名)女5名(対象5名)[平均取得日数]22年度 男11日 女292日、23年度 男58日 女326日
【従業員】◇[人数]1,791名(男1,314名、女477名)[平均年齢]44.4歳(男43.9歳、女45.8歳)[平均勤続年数]18.7年(男18.2年、女20.0年)
【年齢構成】■男 □女

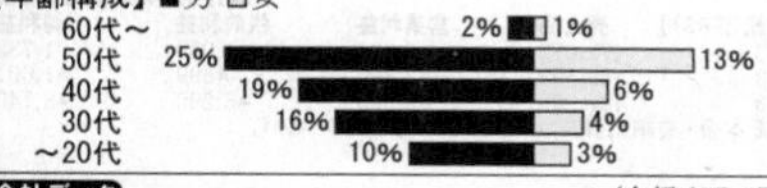

会社データ (金額は百万円)

【本社】918-8560 福井県福井市毛矢1-10-1 ☎0776-35-2111
https://www.seiren.com/

【業績(連結)】	売上高	営業利益	経常利益	純利益
22.3	109,771	10,901	11,927	8,553
23.3	132,364	12,831	15,345	11,023
24.3	141,915	14,068	16,214	12,156

172 開示 ★★★☆☆

グンゼ(株)

くるみん

【特色】肌着老舗、紳士肌着首位。機能性材料など多角化

記者評価 1896年創業。生糸輸出で外貨獲得に貢献。現在は肌着やストッキングなどアパレルと、プラスチックフィルムなど機能材料が柱。生体吸収性縫合糸が軸の医療分野は、京都・綾部第三工場整備や開発施設増強を推進。子会社での商業施設開発やスポーツクラブ運営も。

平均勤続年数	男性育休取得率	3年後離職率	平均年収(平均45歳)
❗19.9年	36.0→42.1%	11.8→18.8%	㊕740万円

●採用・配属情報●

【男女・文理別採用実績】

	大卒男	大卒女	修士男	修士女
23年	10(文 2理 8)	8(文 8理 0)	6(文 0理 6)	5(文 1理 4)
24年	13(文 8理 5)	11(文 9理 2)	5(文 0理 5)	5(文 0理 5)
25年	12(文 8理 4)	11(文 9理 2)	8(文 1理 7)	4(文 1理 3)

【男女・職種別採用実績】 転換制度:⇔

	総合職
23年	29(男 16 女 13)
24年	36(男 19 女 17)
25年	38(男 22 女 16)

【24年4月入社者の配属勤務地】㊕大阪・梅田9 東京・汐留4 滋賀・守山2 愛知・江南1 兵庫・尼崎1 京都・綾部1 茨城・阿見1 ㊊滋賀・守山5 京都(綾部4 宮津3)愛知・江南3 岡山・津山2
【転勤】あり:[職種]総合職
【中途比率】[単年度]21年度10%、22年度39%、23年度35%(総合職のみ)[全体]NA

●働きやすさ、諸制度●

残業(月) 6.0時間

【勤務時間】9:00～17:59【有休取得年平均】14.9日【週休】年116日または123日【夏期休暇】3日【年末年始休暇】3日
【離職率】男:2.5%、24名 女:4.7%、7名
【新卒3年後離職率】
[20→23年]11.8%(男13.3%・入社30名、女0%・入社4名)
[21→24年]18.8%(男14.3%・入社21名、女27.3%・入社11名)
【テレワーク】制度あり:[場所]自宅 サテライトオフィス[対象]NA[日数]週3日まで 月12日まで[利用率]NA【勤務制度】フレックス 時間単位有休【住宅補助】独身寮 社宅 借上社宅 住宅手当(独身者 有家族者の持ち家 賃貸住宅13,000～35,000円)

●ライフイベント、女性活躍●

【女性比率】■男 □女

新卒採用 42.1% (16名)

従業員 13% (142名)

【産休】[期間]産前8・産後8週間[給与]法定[取得者数]12名
【育休】[期間]2歳になるまで[給与]法定[取得者数]22年度 男9名(対象25名)女8名(対象8名)23年度 男8名(対象19名)女12名(対象12名)[平均取得日数]22年度 男77日 女366日、23年度 男41日 女468日
【従業員】[人数]1,092名(男950名、女142名)[平均年齢]44.5歳(男45.8歳、女35.7歳)[平均勤続年数]19.9年(男21.5年、女9.5年) ※総合職のみ
【年齢構成】■男 □女

60代～ 0% 0%
50代 44% 2%
40代 20% 2%
30代 13% 4%
～20代 10% 5%

会社データ (金額は百万円)

【本社】530-0001 大阪府大阪市北区梅田2-5-25 ハービスOSAKAオフィスタワー ☎06-6348-1313
https://www.gunze.co.jp/

【業績(連結)】	売上高	営業利益	経常利益	純利益
22.3	124,314	4,880	5,399	2,939
23.3	136,030	5,812	6,021	4,501
24.3	132,885	6,777	6,774	5,109

2166 開示 ★★★

おかもと
岡本㈱

【特色】靴下専業メーカー。靴下製造卸で国内首位

[記者評価] 奈良県で創業。紳士・婦人用からスポーツ用まで多種多様のレッグウェアを製販、業界シェアは首位。主力ブランドは吸放湿性と消臭効果に優れた「SUPER SOX」。「脱げないココピタ」シリーズもロングセラーに。海外は中国、タイ、米国に生産・販売拠点。

平均勤続年数	男性育休取得率	3年後離職率	平均年収(平均42歳)
[!] 14.8年	27.3 → 0%	40.0 → 22.2%	[総] 534万円

●採用・配属情報●

【男女・文理別採用実績】

	大卒男	大卒女	修士男	修士女
23年	5(文 4理 1)	4(文 2理 2)	0(文 0理 0)	2(文 0理 2)
24年	4(文 4理 0)	6(文 6理 0)	1(文 1理 0)	0(文 0理 0)
25年	4(文 3理 1)	13(文 13理 0)	0(文 0理 0)	0(文 0理 0)

【男女・職種別採用実績】

	総合職
23年	11(男 5 女 6)
24年	11(男 5 女 6)
25年	17(男 4 女 13)

【24年4月入社者の配属勤務地】[総]大阪5 千葉5 福岡1
【転勤】あり:[職種]全社員[勤務地]大阪 東京 千葉 奈良 福岡 北海道 愛知 埼玉 海外(中国 米国 タイ)
【中途比率】[単年度]21年度53%、22年度22%、23年度52%[全体]36%

●働きやすさ、諸制度●

残業(月) 9.6時間 [総]9.6時間

【勤務時間】9:00〜17:45【有休取得年平均】12.0日【週休】完全2日(土日)【夏期休暇】5日(フレックス休暇制度)【年末年始休暇】連続9日
【離職率】男:6.6%、19名 女:6.6%、15名
【新卒3年後離職率】
[20→23年]40.0%(男50.0%・入社2名、女37.5%・入社8名)
[21→24年]22.2%(男33.3%・入社3名、女16.7%・入社6名)
【テレワーク】制度あり:[場所]自宅 サテライトオフィス 業務の機密性を保て業務に適した環境がある場所[対象]勤続6カ月以上の社員(工場等の在宅勤務が不可な職種を除く)[日数]週3日まで[利用率]NA【勤務制度】時間単位有休 時差勤務【住宅補助】独身寮(自己負担5,000〜5,500円 入社5年目まで)社宅(地区・入居期間により負担額変動 転勤9年目まで)住宅手当(月8,000〜30,000円)

●ライフイベント、女性活躍●

【女性比率】■男 □女

新卒採用 76.5% (13名)

従業員 43.9% (211名)

管理職 5% (5名)

【産休】[期間]産前6・産後8週間[給与]法定[取得者数]9名
【育休】[期間]1歳になるまで[給与]法定[取得者数]22年度 男3名(対象11名)女4名(対象4名)23年度 男0名(対象3名)女6名(対象6名)[平均取得日数]22年度 NA、23年度 男85日 女451日
【従業員】[人数]481名(男270名、女211名)[平均年齢]42.4歳(男46.4歳、女37.4歳)[平均勤続年数]14.8年(男19.2年、女9.3年) ※契約社員含む【年齢構成】■男 □女
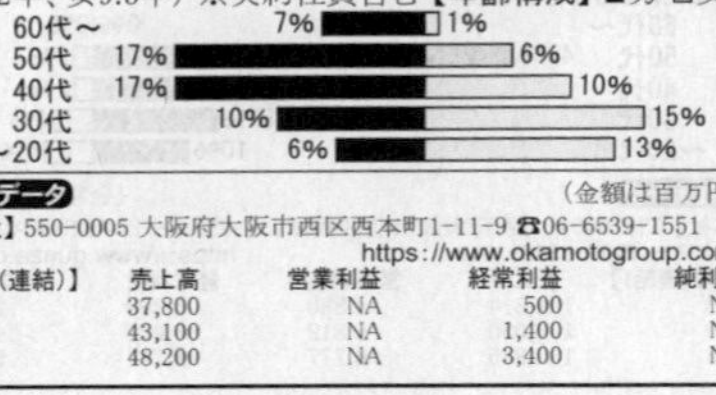

60代〜 7% 1%
50代 17% 6%
40代 17% 10%
30代 10% 15%
〜20代 6% 13%

[会社データ] (金額は百万円)
【本社】550-0005 大阪府大阪市西区西本町1-11-9 ☎06-6539-1551
https://www.okamotogroup.com/

【業績(連結)】	売上高	営業利益	経常利益	純利益
22.3	37,800	NA	500	NA
23.3	43,100	NA	1,400	NA
24.3	48,200	NA	3,400	NA

1931 開示 ★

㈱ワコール

えるぼし ★★★　プラチナくるみん

【特色】女性下着メーカー国内首位。海外展開も加速

[記者評価]「ワコール」「ウイング」など百貨店・量販店への卸販売が柱。実店舗と連携したECや3次元の自動採寸システム開発などDX推進。国内は百貨店離れのあおりで苦戦。中国や欧米など海外でも展開。ジョブローテーション、定期社内公募などキャリア形成を促進。

平均勤続年数	男性育休取得率	3年後離職率	平均年収(平均44歳)
NA	NA	20.7 → 17.4%	NA

●採用・配属情報●

【男女・文理別採用実績】

	大卒男	大卒女	修士男	修士女
23年	1(文 1理 0)	9(文 9理 0)	1(文 1理 0)	2(文 0理 2)
24年	5(文 5理 0)	10(文 9理 1)	1(文 0理 1)	2(文 2理 0)
25年	4(文 4理 0)	7(文 7理 0)	0(文 0理 0)	1(文 0理 1)

【男女・職種別採用実績】 転換制度:NA

	総合職
23年	13(男 2 女 11)
24年	18(男 6 女 12)
25年	12(男 4 女 8)

【職種併願】総合職と販売職で可能
【24年4月入社者の配属勤務地】[総]NA
【転勤】NA
【中途比率】[単年度]21年度NA、22年度NA、23年度NA[全体]NA

●働きやすさ、諸制度●

残業(月) 5.7時間

【勤務時間】9:00〜17:30【有休取得年平均】NA【週休】完全2日【夏期休暇】5日(有休で取得)【年末年始休暇】あり
【離職率】NA
【新卒3年後離職率】
[20→23年]20.7%(男15.4%・入社13名、女25.0%・入社16名)
[21→24年]17.4%(男14.3%・入社7名、女18.8%・入社16名)
【テレワーク】制度あり:[場所]NA[対象]NA[日数]NA[利用率]NA【勤務制度】フレックス 時差勤務 副業容認【住宅補助】NA

●ライフイベント、女性活躍●

【女性比率】■男 □女

新卒採用 66.7% (8名)

【産休】[期間]産前6・産後8週間[給与]法定[取得者数]NA
【育休】[期間]子が1歳に達した日(1歳の誕生日の前日)の属する月の末日までを限度[給与]法定[取得者数]22年度 NA 23年度 NA[平均取得日数]22年度 NA、23年度 NA
【従業員】[人数]3,830名(男NA、女NA)[平均年齢]44.4歳(男NA、女NA)[平均勤続年数]NA
【年齢構成】NA

[会社データ] (金額は百万円)
【本社】601-8530 京都府京都市南区吉祥院中島町29 ☎075-682-5111
https://www.wacoal.jp/

【業績(IFRS)】	売上高	営業利益	税前利益	純利益
22.3	172,072	3,291	4,083	1,732
23.3	188,592	▲3,490	▲699	▲1,601
24.3	187,208	▲9,503	▲8,290	▲8,743

※資本金・業績は㈱ワコールホールディングスのもの

㈱オンワード樫山（かしやま）

くるみん

【特色】アパレル大手。「23区」「自由区」などを展開

記者評価 「23区」「自由区」などの人気ブランドを多数擁し、百貨店やSCで展開。商品取り寄せサービスの「クリック＆トライ」に注力し、店舗とEC両軸での成長を志向する。アパレルの他、バレエ用品「チャコット」やペット用雑貨「ペットパラダイス」も展開する。

平均勤続年数	男性育休取得率	3年後離職率	平均年収(平均42歳)
! 18.9年	28.6 → 37.5%	! 22.7 → ! 0%	総 736万円

●採用・配属情報●

【男女・文理別採用実績】

	大卒男	大卒女	修士男	修士女
23年	7(文 7 理 0)	20(文 20 理 0)	0(文 0 理 0)	0(文 0 理 0)
24年	5(文 5 理 0)	22(文 22 理 0)	0(文 0 理 0)	0(文 0 理 0)
25年	−(文 − 理 −)	−(文 − 理 −)	−(文 − 理 −)	−(文 − 理 −)

【男女・職種別採用実績】 転換制度：⇒

	総合職	専門職
23年	10(男 4 女 6)	36(男 7 女 29)
24年	10(男 5 女 5)	64(男 7 女 57)
25年	−(男 − 女 −)	−(男 − 女 −)

【職種併願】○
【24年4月入社者の配属勤務地】総(23年)東京10
【転勤】あり：[職種]総合職
【中途比率】[単年度]21年度NA、22年度NA、23年度NA[全体]NA

●働きやすさ、諸制度●

残業(月) 10.4時間 総 12.4時間

【勤務時間】9:00〜17:40 他【有休取得年平均】11.7日【週休】平均2〜3日(1年間の変形労働時間制)【夏期休暇】8月11〜15日(原則)【年末年始休暇】12月29日〜1月3日(原則)
【離職率】NA
【新卒3年後離職率】
[20→23年]22.7%(男25.0%・入社8名、女21.4%・入社14名)※総合職のみ
[21→24年]0%(男0%・入社4名、女0%・入社7名)※総合職のみ
【テレワーク】制度あり：[場所]自宅[対象]制限なし[日数]制限なし[利用率]NA【勤務制度】時間単位有休 勤務間インターバル 副業容認【住宅補助】なし

●ライフイベント、女性活躍●

【女性比率】■男 □女
従業員 39.8% (144名)

【産休】[期間]産前6・産後8週間[給与]健保出産手当金3／2＋健保付加給付1／10[取得者数]62名
【育休】[期間]最大3歳の4月末まで延長可[給与]法定[取得者数]22年度 男2名(対象7名)女63名(対象63名)23年度 男3名(対象8名)女63名(対象63名)[平均取得日数]22年度NA、23年度 男14日 女470日
【従業員】[人数]362名(男218名、女144名)[平均年齢]41.7歳(男45.8歳、女36.3歳)[平均勤続年数]18.9年(男21.5年、女13.5年) ※専門職除く
【年齢構成】NA

会社データ (金額は百万円)
【本社】103-8239 東京都中央区日本橋3-10-5 オンワードパークビルディング ☎03-4512-1040 https://www.onward.co.jp/

【業績(単独)】	売上高	営業利益	経常利益	純利益
22.2	90,128	▲3,713	▲3,276	4,155
23.2	99,636	2,534	1,178	928
24.2	107,601	6,725	6,051	4,252

㈱三陽商会（さんようしょうかい）

【特色】アパレルメーカー大手。コートが主力商品

記者評価 1942年創業の老舗アパレル。主な販路は百貨店で、アッパーミドルの価格帯が中心。国内販売の柱だった英国「バーバリー」のライセンス契約が15年に終了。その後は後継ブランド「マッキントッシュ ロンドン」はじめ自社ブランドを育成。ネット通販を強化中。

平均勤続年数	男性育休取得率	3年後離職率	平均年収(平均45歳)
16.7年	0 → 25.0%	20.0 → —	総 766万円

●採用・配属情報●

【男女・文理別採用実績】

	大卒男	大卒女	修士男	修士女
23年	2(文 2 理 0)	4(文 4 理 0)	0(文 0 理 0)	0(文 0 理 0)
24年	3(文 3 理 0)	9(文 9 理 0)	0(文 0 理 0)	1(文 1 理 0)
25年	2(文 2 理 0)	5(文 5 理 0)	0(文 0 理 0)	0(文 0 理 0)

【男女・職種別採用実績】 転換制度：⇔

	総合職
23年	7(男 3 女 4)
24年	13(男 3 女 10)
25年	7(男 2 女 5)

【職種併願】○
【24年4月入社者の配属勤務地】総東京13
【転勤】NA
【中途比率】[単年度]21年度100%、22年度100%、23年度75%[全体]45%

●働きやすさ、諸制度●

残業(月) 12.4時間 総 16.7時間

【勤務時間】10:00〜18:00【有休取得年平均】12.2日【週休】完全2日【夏期休暇】連続5日(有休で取得)【年末年始休暇】連続5日
【離職率】男:3.7%、12名 女:5.9%、17名
【新卒3年後離職率】
[20→23年]20.0%(男50.0%・入社2名、女12.5%・入社8名)
[21→24年]—(男—・入社0名、女—・入社0名)
【テレワーク】NA【勤務制度】フレックス 副業容認【住宅補助】借上社宅(転勤者のみ)

●ライフイベント、女性活躍●

【女性比率】■男 □女
新卒採用 71.4% (5名)　従業員 46.7% (273名)　管理職 8.7% (10名)

【産休】[期間]産前8・産後8週間[給与]法定[取得者数]19名
【育休】[期間]1歳半になるまで[給与]法定[取得者数]22年度 男0名(対象5名)女5名(対象NA)23年度 男1名(対象4名)女16名(対象16名)[平均取得日数]22年度 NA、23年度 男5日 女430日
【従業員】[人数]585名(男312名、女273名)[平均年齢]44.9歳(男46.0歳、女43.7歳)[平均勤続年数]16.7年(男18.8年、女14.4年)
【年齢構成】■男 □女

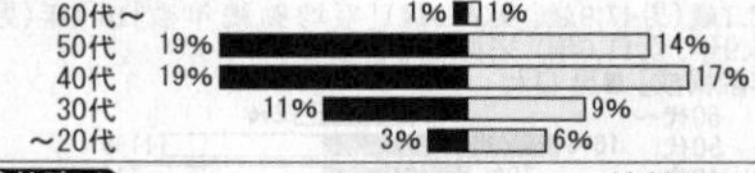

	男	女
60代〜	1%	1%
50代	19%	14%
40代	19%	17%
30代	11%	9%
〜20代	3%	6%

会社データ (金額は百万円)
【本社】160-0003 東京都新宿区四谷本塩町6-14 ☎03-3357-4111 https://www.sanyo-shokai.co.jp/

【業績(連結)】	売上高	営業利益	経常利益	純利益
22.2	38,642	▲1,058	▲735	661
23.2	58,273	2,235	2,437	2,155
24.2	61,353	3,047	3,184	2,787

メーカーII

クロスプラス(株)

【特色】婦人服主体の製造卸大手。名古屋が地盤

記者評価 量販店向け婦人服卸で首位級。イオンやしまむらといった総合スーパー・専門店向けが主力。「ジュンコシマダ」などのブランド衣料のSPA事業も。ASEANでの生産を拡大。子会社で紳士服や婦人用帽子も手がける。季節雑貨やコスメなどの非衣料品やECを強化中。

平均勤続年数	男性育休取得率	3年後離職率	平均年収(平均43歳)
! 16.1年	75.0 → 66.7%	25.0 → 28.6%	総 540万円

●採用・配属情報●

【男女・文理別採用実績】

	大卒男	大卒女	修士男	修士女
23年	7(文 7理 0)	4(文 4理 0)	0(文 0理 0)	0(文 0理 0)
24年	15(文 15理 0)	10(文 10理 0)	0(文 0理 0)	0(文 0理 0)
25年	10(文 10理 0)	16(文 15理 1)	0(文 0理 0)	0(文 0理 0)

【男女・職種別採用実績】 転換制度:⇔

	総合職	専門職	一般職
23年	10(男 7女 3)	10(男 0女 10)	0(男 0女 0)
24年	22(男 15女 7)	14(男 0女 14)	0(男 0女 0)
25年	20(男 10女 10)	12(男 0女 12)	4(男 0女 4)

【職種併願】総合職と一般職で可能

【24年4月入社者の配属勤務地】㊕名古屋21 東京・中央15

【転勤】あり:[職種]総合職 専門職[勤務地]名古屋 東京・中央

【中途比率】[単年度]21年度1%、22年度2%、23年度5% [全体]NA

●働きやすさ、諸制度●

残業(月) 5.2時間 ㊕5.9時間

【勤務時間】9:20～18:00【有休取得年平均】12.0日【週休】完全2日(土日)【夏期休暇】5日(選択制)【年末年始休暇】連続9日(有休4日含む)

【離職率】男:4.4%、12名 女:2.9%、10名

【新卒3年後離職率】
[20→23年]25.0%(男33.3%・入社6名、女21.4%・入社14名)
[21→24年]28.6%(男66.7%・入社3名、女18.2%・入社11名)

【テレワーク】制度あり:[場所]自宅 サテライトオフィス 他[対象]全社員(現業除く)[日数]制限なし[利用率]NA【勤務制度】時差勤務【住宅補助】住宅手当(月10,000～40,000円 条件による)

●ライフイベント、女性活躍●

【女性比率】■男 □女

新卒採用 72.2%(26名)

従業員 55.9%(330名)

管理職 28.4%(29名)

【産休】[期間]産前6・産後8週間[給与]法定[取得者数]12名

【育休】[期間]1歳になるまで[給与]法定[取得者数]22年度 男6名(対象8名)女16名(対象18名)23年度 男2名(対象3名)女13名(対象27名)[平均取得日数]22年度 男2日 女308日、23年度 男2日 女440日

【従業員】[人数]590名(男260名、女330名)[平均年齢]43.1歳(男47.9歳、女39.3歳)[平均勤続年数]16.1年(男21.9年、女11.6年)※再雇用含む

【年齢構成】■男 □女

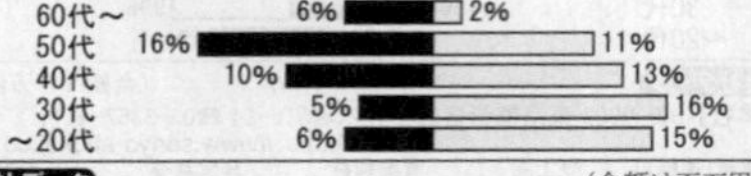

会社データ (金額は百万円)

【本社】451-8560 愛知県名古屋市西区花の木3-9-13 ☎052-532-2227 https://www.crossplus.co.jp/

【業績(連結)】	売上高	営業利益	経常利益	純利益
22.1	59,120	▲1,560	▲1,296	▲1,666
23.1	57,056	183	413	455
24.1	60,190	1,797	1,974	2,064

エイジーシー

AGC(株)

くるみん

【特色】三菱系。硝子世界首位級、化学、電子の3本柱

記者評価 旧旭硝子。世界首位級の建築・自動車用ガラスは構造改革急ぐ。液晶パネル用など情報電子品は世界上位。近年は苛性ソーダや塩ビ樹脂など化学品が利益面を牽引。電子部材やライフサイエンスも戦略強化事業として注力。医薬品製造受託も。30年まで賃上げ継続。

平均勤続年数	男性育休取得率	3年後離職率	平均年収(平均45歳)
15.5年	42.8 → 40.0%	3.0 → 5.5%	総 1,127万円

●採用・配属情報●

【男女・文理別採用実績】

	大卒男	大卒女	修士男	修士女
23年	12(文 11理 1)	9(文 6理 3)	74(文 1理 73)	31(文 0理 31)
24年	16(文 14理 2)	9(文 9理 0)	82(文 0理 82)	41(文 1理 40)
25年	12(文 11理 1)	10(文 6理 4)	66(文 3理 63)	29(文 1理 28)

【男女・職種別採用実績】 転換制度:⇔

	総合職
23年	139(男 99女 40)
24年	154(男 103女 51)
25年	132(男 91女 41)

【24年4月入社者の配属勤務地】㊕東京(丸の内3)神奈川(鶴見1 相模1)兵庫・高砂1 千葉・市原5 愛知・武豊5 茨城・神栖7 福島・郡山2 山形・米沢1 ㊋東京(丸の内3)神奈川(鶴見18 相模5)兵庫(高砂7 尼崎4)千葉・市原32 愛知・武豊17 茨城・神栖13 福岡(福岡1 若松1)静岡・御殿場1 山形・米沢7 福島(郡山11 本宮8)

【転勤】あり:全社員

【中途比率】[単年度]21年度52%、22年度58%、23年度58%[全体]33%

●働きやすさ、諸制度●

残業(月) 22.9時間 ㊕28.3時間

【勤務時間】本社・支店・研究所9:00～17:45 工場8:30～17:15【有休取得年平均】19.8日【週休】完全2日(土日祝)【夏期休暇】有休で取得【年末年始休暇】連続7日以上

【離職率】NA

【新卒3年後離職率】
[20→23年]3.0%(男2.6%・入社77名、女4.2%・入社24名)
[21→24年]5.5%(男5.3%・入社94名、女6.3%・入社16名)

【テレワーク】制度あり:[場所]会社基準[対象]会社基準[日数]制限なし[利用率]NA【勤務制度】フレックス時間単位有休 副業容認【住宅補助】寮 社宅(希望により外部借上可 家賃の5割を会社負担、最大75,000円)

●ライフイベント、女性活躍●

【女性比率】■男 □女

新卒採用 31.1%(41名)

従業員 20.9%(1000名)

管理職 7.9%(243名)

【産休】[期間]産前6・産後8週間[給与]法定[取得者数]33名

【育休】[期間]2歳になるまで[給与]法定[取得者数]22年度 男71名(対象166名)女39名(対象39名)23年度 男62名(対象155名)女31名(対象33名)[平均取得日数]22年度 NA、23年度 男27日 女96日

【従業員】[人数]4,785名(男3,785名、女1,000名)[平均年齢]42.9歳(男42.9歳、女42.9歳)[平均勤続年数]15.5年(男15.6年、女15.1年)【年齢構成】■男 □女

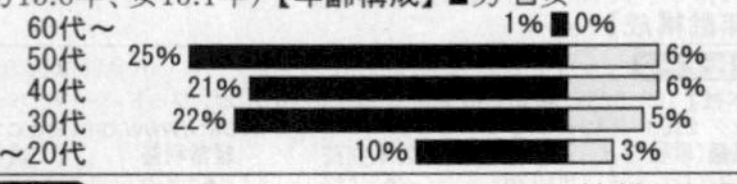

会社データ (金額は百万円)

【本社】100-8405 東京都千代田区丸の内1-5-1 新丸の内ビルディング ☎03-3218-5741 https://www.agc.com/

【業績(IFRS)】	売上高	営業利益	税前利益	純利益
21.12	1,697,383	210,247	210,045	123,840
22.12	2,035,874	57,206	58,512	▲3,152
23.12	2,019,254	128,277	122,775	65,798

メーカーII

391 開示 ★★★

日本板硝子(株)

にほんいたがらす

プラチナくるみん

【特色】傘下に英国ピルキントン、板ガラスで世界首位級

[記者評価] 住友系名門で国内唯一のガラス専業。自動車用と建築用を展開。06年に当時売上高2倍のピルキントンを子会社化。海外は欧州の比率が高い。世界各地に製造拠点を持ち、100カ国以上で製品を販売。太陽電池パネル用ガラスなど高付加価値事業の拡大に注力している。

平均勤続年数	男性育休取得率	3年後離職率	平均年収(平均46歳)
18.5年	24.4→38.1%	20.0→14.3%	◇743万円

●採用・配属情報●

【男女・文理別採用実績】

	大卒男	大卒女	修士男	修士女
23年	0(文 0理 0)	0(文 0理 0)	1(文 0理 1)	0(文 0理 0)
24年	1(文 0理 1)	1(文 0理 1)	8(文 0理 8)	2(文 0理 2)
25年	3(文 3理 0)	3(文 2理 1)	16(文 0理 16)	3(文 1理 2)

【男女・職種別採用実績】 転換制度:⇔

	総合職
23年	1(男 1 女 0)
24年	13(男 10 女 3)
25年	25(男 19 女 6)

【24年4月入社者の配属勤務地】[総]なし [技]兵庫・伊丹2 千葉2 相模原3 三重・津1 京都・舞鶴4 東京1

【転勤】あり:[職種]総合職

【中途比率】[単年度]21年度50%、22年度100%、23年度98%[全体]29%

●働きやすさ、諸制度●

残業(月) [総]14.9時間

【勤務時間】9:00～17:45【有休取得年平均】15.4日【週休】完全2日(土日祝)【夏期休暇】3日【年末年始休暇】4日

【離職率】男:2.3%、14名 女:1.9%、1名

【新卒3年後離職率】

[20→23年]20.0%(男21.4%・入社14名、女0%・入社1名)

[21→24年]14.3%(男0%・入社5名、女50.0%・入社2名)

【テレワーク】制度あり:[場所]自宅[対象]管理職 総合職 一般職[日数]制限なし[利用率]NA【勤務制度】フレックス 時差勤務 副業容認【住宅補助】寮 社宅 住宅融資利息補助

●ライフイベント、女性活躍●

【女性比率】■男 □女

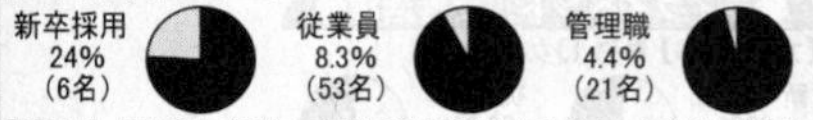
新卒採用
24%
(6名)
従業員
8.3%
(53名)
管理職
4.4%
(21名)

【産休】[期間]産前6・産後8週間[給与]会社全額給付[取得者数]1名

【育休】[期間]1歳になるまで[給与]開始日から5日間有給、以降給付金+賞与6割[取得者数]22年度 男10名(対象41名)女2名(対象2名)23年度 男16名(対象42名)女1名(対象1名)[平均取得日数]22年度 男7日 女281日、23年度 男45日 女NA

【従業員】[人数]639名(男586名、女53名)[平均年齢]46.1歳(男46.7歳、女37.4歳)[平均勤続年数]18.5年(男19.4年、女8.7年)

【年齢構成】■男 □女

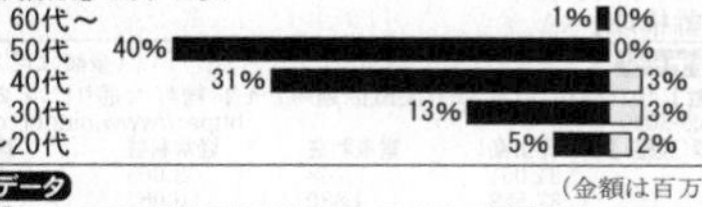
60代～ 1% 0%
50代 40% 0%
40代 31% 3%
30代 13% 3%
～20代 5% 2%

会社データ

(金額は百万円)

【本社】108-6321 東京都港区三田3-5-27 住友不動産東京三田サウスタワー ☎03-5443-9522 https://www.nsg.co.jp/

【業績(IFRS)】	売上高	営業利益	税前利益	純利益
22.3	600,568	23,626	11,859	4,134
23.3	763,521	▲10,342	▲21,933	▲33,761
24.3	832,537	35,950	17,597	10,633

393 開示 ★★★

日本電気硝子(株)

にっぽんでんきがらす

プラチナくるみん

【特色】液晶パネル用ガラス大手。自動車用にも注力

[記者評価] 主力は薄型パネルディスプレイ(FPD)用ガラスで、韓国LGディスプレイが主要顧客。テレビ市況に左右されやすいが、韓国子会社解散などで構造改革。自動車や風車ブレード用のガラスファイバーを安定収益源として強化中。海外で事業買収を行い展開を加速。

平均勤続年数	男性育休取得率	3年後離職率	平均年収(平均43歳)
◇22.2年	57.5→86.1%	3.0→8.0%	[総]882万円

●採用・配属情報●

【男女・文理別採用実績】

	大卒男	大卒女	修士男	修士女
23年	9(文 4理 5)	10(文 10理 0)	28(文 0理 28)	4(文 0理 4)
24年	4(文 4理 0)	6(文 6理 0)	17(文 0理 17)	5(文 1理 4)
25年	2(文 1理 1)	6(文 6理 0)	19(文 0理 19)	3(文 1理 2)

【男女・職種別採用実績】 転換制度:⇒

	総合職	一般職
23年	51(男 38 女 13)	2(男 0 女 2)
24年	35(男 25 女 10)	1(男 0 女 1)
25年	32(男 23 女 9)	0(男 0 女 0)

【24年4月入社者の配属勤務地】[総](23年)滋賀・大津9 大阪5 [技](23年)滋賀(大津24 草津1 能登川7 高月5)

【転勤】あり:[職種]総合職[勤務地]滋賀(大津 高月 能登川 草津)東京 大阪 海外

【中途比率】[単年度]21年度39%、22年度53%、23年度24%[全体]◇21%

●働きやすさ、諸制度●

残業(月) 14.4時間

【勤務時間】8:30～17:00【有休取得年平均】18.8日【週休】完全2日(土日祝)【夏期休暇】3日【年末年始休暇】12月30日～1月3日

【離職率】◇男:1.9%、30名 女:2.3%、4名

【新卒3年後離職率】

[20→23年]3.0%(男0%・入社27名、女16.7%・入社6名)

[21→24年]8.0%(男5.3%・入社19名、女16.7%・入社6名)

【テレワーク】制度あり:[場所]自宅 他[対象](1)本社事務スタッフ部門 営業部門(2)全部門(3)全部門[日数](1)週2日まで(2)業務上必要な日数(3)原則、週4日まで[利用率]NA【勤務制度】フレックス【住宅補助】独身寮・社宅

●ライフイベント、女性活躍●

【女性比率】■男 □女

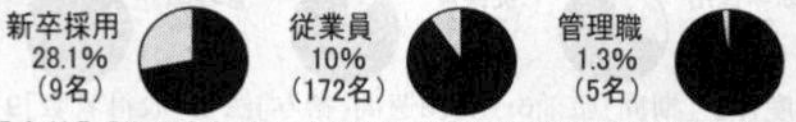
新卒採用
28.1%
(9名)
従業員
10%
(172名)
管理職
1.3%
(5名)

【産休】[期間]産前8・産後8週間[給与]健保8割給付、法定超の期間は会社6割給付[取得者数]2名

【育休】[期間]産後パパ育休を2歳まで取得可、最初の7日間有給[給与]法定[取得者数]22年度 男23名(対象40名)女4名(対象4名)23年度 男31名(対象36名)女2名(対象2名)[平均取得日数]22年度 男15日 女399日、23年度 男29日 女343日

【従業員】◇[人数]1,713名(男1,541名、女172名)[平均年齢]44.5歳(男44.9歳、女40.4歳)[平均勤続年数]22.2年(男22.9年、女16.2年)【年齢構成】■男 □女

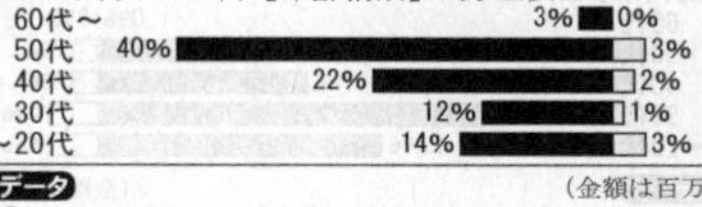
60代～ 3% 0%
50代 40% 3%
40代 22% 2%
30代 12% 1%
～20代 14% 3%

会社データ

(金額は百万円)

【本社】520-8639 滋賀県大津市晴嵐2-7-1 ☎077-537-1700 https://www.neg.co.jp/

【業績(連結)】	売上高	営業利益	経常利益	純利益
21.12	292,033	32,779	44,979	27,904
22.12	324,634	26,184	34,058	28,167
23.12	279,974	▲10,420	▲9,480	▲26,188

メーカーII

セントラル硝子(株)

(がらす)

【特色】板ガラス国内3位。麻酔剤で世界首位級薬を保有

[記者評価] 板ガラスで国内大手だが、売上高に占めるガラス事業の比率は4割未満。残りを占める化成品事業では肥料や半導体向け洗浄剤、麻酔剤など展開。伸び盛りのリチウムイオン電池関連では、EV向けを軸にPHVや産業用蓄電池向けなどの需要を開拓。

平均勤続年数	男性育休取得率	3年後離職率	平均年収(平均*36.4歳)
◇14.5年	32.9 → 70.8%	22.9 → 4.3%	[総] 771万円

●採用・配属情報●

【男女・文理別採用実績】

	大卒男	大卒女	修士男	修士女
23年	3(文 0理 3)	7(文 7理 0)	15(文 0理 15)	1(文 0理 1)
24年	7(文 4理 3)	4(文 4理 0)	21(文 0理 21)	8(文 0理 8)
25年	5(文 4理 1)	2(文 2理 0)	13(文 0理 13)	6(文 2理 4)

【男女・職種別採用実績】 転換制度:⇒

	総合職	専門職
23年	27(男 18 女 9)	1(男 0 女 1)
24年	44(男 31 女 13)	0(男 0 女 0)
25年	28(男 20 女 8)	0(男 0 女 0)

【24年4月入社者の配属勤務地】[総]東京8 [技]山口11 埼玉13 三重7 神奈川5

【転勤】あり:原則全社員、一般職は転居を伴う転勤はなし

【中途比率】[単年度]21年度9%、22年度25%、23年度35% [全体]◇10%

●働きやすさ、諸制度●

残業(月) 7.7時間

【勤務時間】9:00~17:30(フレックスタイム制あり)【有休取得年平均】13.0日【週休】完全2日(土日祝)【夏期休暇】5日【年末年始休暇】12月30日~1月3日

【離職率】◇男:2.5%、30名 女:2.9%、5名

【新卒3年後離職率】

[20→23年]22.9%(男21.4%・入社28名、女28.6%・入社7名)

[21→24年]4.3%(男5.3%・入社19名、女0%・入社4名)

【テレワーク】制度あり:[場所]自宅のみ[対象]NA[日数]NA[利用率]NA【勤務制度】フレックス【住宅補助】社有・借上寮 社有・借上社宅 住宅手当(持家保有者に対して16,000円)

●ライフイベント、女性活躍●

【女性比率】■男 □女

新卒採用 28.6% (8名)

従業員 12.5% (168名)

管理職 2.3% (5名)

【産休】[期間]産前6・産後8週間[給与]法定[取得者数]9名

【育休】[期間]1歳になるまで[給与]所定労働日5日分は有給、それ以外法定+次世代育成支援金月3万円[取得者数]22年度 男24名(対象73名)女6名(対象6名)23年度 男34名(対象48名)女9名(対象9名)[平均取得日数]22年度 男29日 女244日、23年度 男30日 女275日

【従業員】◇[人数]1,345名(男1,177名、女168名)[平均年齢]36.4歳(男NA、女NA)[平均勤続年数]14.5年(男NA、女NA)

【年齢構成】■男 □女

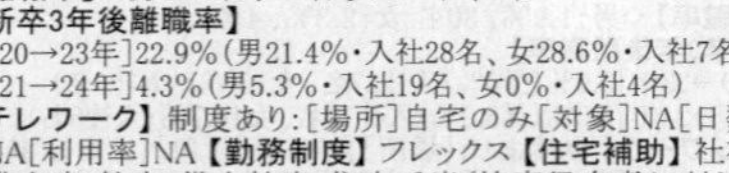

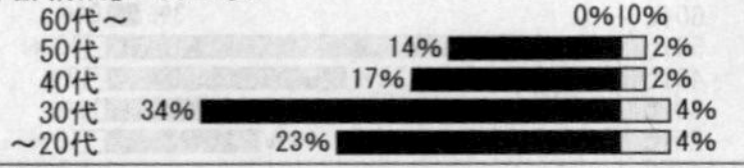

会社データ (金額は百万円)

【本社】101-0054 東京都千代田区神田錦町3-7-1 興和一橋ビル ☎0120-259-077 https://www.cgco.co.jp/

【業績(連結)】	売上高	営業利益	経常利益	純利益
22.3	206,184	7,262	11,936	▲39,844
23.3	169,309	16,757	19,637	42,494
24.3	160,339	14,526	16,269	12,478

日東紡

(にっとうぼう)

[くるみん]

【特色】ガラス繊維大手。子会社で体外診断用医薬品も

[記者評価] 自動車部品やスマホ筐体などに使用されるガラス繊維(グラスファイバー)の製造・販売が中核事業。高機能ガラスはデータセンターや半導体向けの需要が絶好調。体外診断用医薬品を育成中。ほかにも住宅用の断熱材や衣料副資材の接着芯地を手がける。

平均勤続年数	男性育休取得率	3年後離職率	平均年収(平均43歳)
◇18.0年	47.1 → 73.9%	3.7 → 22.2%	[総] 672万円

●採用・配属情報●

【男女・文理別採用実績】

	大卒男	大卒女	修士男	修士女
23年	1(文 0理 1)	5(文 5理 0)	11(文 0理 11)	3(文 0理 3)
24年	4(文 2理 2)	3(文 3理 0)	13(文 0理 13)	4(文 1理 3)
25年	9(文 7理 2)	5(文 4理 1)	12(文 0理 12)	4(文 0理 4)

【男女・職種別採用実績】

	総合職
23年	20(男 12 女 8)
24年	25(男 18 女 7)
25年	30(男 21 女 9)

【24年4月入社者の配属勤務地】[総]東京・千代田6 [技]福島(福島2 郡山17)

【転勤】あり:[職種]全社員[勤務地]東京 大阪 名古屋 福島 栃木 群馬 他

【中途比率】[単年度]21年度33%、22年度48%、23年度51%[全体]NA

●働きやすさ、諸制度●

残業(月) 7.2時間

【勤務時間】7時間40分(コアレスフレックスタイム制)【有休取得年平均】12.1日【週休】<本社>完全2日(土日祝)<工場>会社暦2日【夏期休暇】連続5日【年末年始休暇】連続5日

【離職率】◇男:3.9%、25名 女:3.8%、7名

【新卒3年後離職率】

[20→23年]3.7%(男5.6%・入社18名、女0%・入社9名)

[21→24年]22.2%(男25.0%・入社12名、女16.7%・入社6名)

【テレワーク】制度あり:[場所]自宅[対象]一部職種[日数]月10日まで[利用率]NA【勤務制度】フレックス 時間単位有休 時差勤務【住宅補助】独身寮 社宅 住宅手当

●ライフイベント、女性活躍●

【女性比率】■男 □女

新卒採用 30% (9名)

従業員 22.6% (179名)

【産休】[期間]産前8・産後8週間[給与]会社全額給付[取得者数]6名

【育休】[期間]1歳になるまで[給与]法定[取得者数]22年度 男8名(対象17名)女2名(対象2名)23年度 男17名(対象23名)女6名(対象6名)[平均取得日数]22年度 NA、23年度 NA

【従業員】◇[人数]793名(男614名、女179名)[平均年齢]43.0歳(男43.2歳、女42.2歳)[平均勤続年数]18.0年(男18.0年、女17.0年)

【年齢構成】NA

会社データ (金額は百万円)

【本社】102-8489 東京都千代田区麹町2-4-1 麹町大通りビル ☎03-4582-5040 https://www.nittobo.co.jp/

【業績(連結)】	売上高	営業利益	経常利益	純利益
22.3	84,051	7,268	8,065	6,519
23.3	87,529	4,880	6,067	2,772
24.3	93,253	8,387	9,752	7,296

メーカーII

たいへいよう
太平洋セメント(株)

プラチナくるみん

【特色】セメント国内販売シェア首位。海外展開多彩

記者評価 セメント販売で国内シェア3割強。廃棄物リサイクルも収益源。国内は国土強靱化やリニア関連などあるが中長期的に減退傾向。海外はインドネシアはじめ東南アジアの事業拡大を推進。26年1月の稼働を目指しフィリピンでセメントターミナルを新設中。米国にも注力。

平均勤続年数	男性育休取得率	3年後離職率	平均年収(平均40歳)
◇17.3年	60.7→54.5%	13.4→7.5%	(総)868万円

●採用・配属情報●

【男女・文理別採用実績】

	大卒男	大卒女	修士男	修士女
23年	27(文 15 理 12)	11(文 6 理 5)	21(文 0 理 21)	3(文 0 理 3)
24年	21(文 17 理 4)	6(文 4 理 2)	21(文 0 理 21)	5(文 0 理 5)
25年	24(文 14 理 10)	13(文 10 理 3)	23(文 1 理 22)	5(文 1 理 4)

【男女・職種別採用実績】 転換制度:⇔

	総合職
23年	62(男 48 女 14)
24年	56(男 44 女 12)
25年	68(男 49 女 19)

【24年4月入社者の配属勤務地】(総)東京(文京3 港1)北海道(北斗2 札幌1)仙台1 埼玉(熊谷1 日高1)群馬・高崎1 名古屋2 三重・いなべ1 大阪市1 広島市3 福岡市1 大分・津久見1 (技)東京・文京2 北海道・北斗3 岩手・大船渡1 仙台1 新潟・糸魚川1 埼玉(熊谷1 日高3)千葉・佐倉14 三重・いなべ2 大阪市1 広島市1 高知市1 福岡(福岡市1 田川1)大分・津久見3

【転勤】あり:[職種]全国転勤型総合職

【中途比率】[単年度]21年度8%、22年度12%、23年度18%(現業職含む)[全体]NA

●働きやすさ、諸制度●

残業(月) 17.9時間

【勤務時間】9:00〜17:40【有休取得年平均】15.8日【週休】完全2日(土日祝)【夏期休暇】連続2日【年末年始休暇】12月31日〜1月3日

【離職率】◇男:1.4%、23名 女:4.0%、9名

【新卒3年後離職率】
[20→23年]13.4%(男13.2%・入社53名、女14.3%・入社14名)
[21→24年]7.5%(男9.1%・入社55名、女0%・入社12名)

【テレワーク】制度あり:[場所]自宅 サテライトオフィス[対象]全従業員[日数]週2日まで 他[利用率]NA【勤務制度】フレックス 副業容認【住宅補助】独身寮・既婚者用社宅(全国各地)住宅手当

●ライフイベント、女性活躍●

【女性比率】■男 □女

新卒採用 27.9%(19名) 従業員 11.8%(214名) 管理職 0.4%(1名)

【産休】[期間]産前6・産後8週間[給与]健保+共済会で基準内賃金全額給付[取得者数]7名

【育休】[期間]1歳になるまで[給与]最初5日間有給、以降給付金[取得者数]22年度 男34名(対象56名)女11名(対象11名)23年度 男24名(対象44名)女10名(対象10名)[平均取得日数]22年度 男29日 女326日、23年度 男27日 女306日

【従業員】◇[人数]1,821名(男1,607名、女214名)[平均年齢]39.7歳(男40.0歳、女37.8歳)[平均勤続年数]17.3年(男17.8年、女13.3年)【年齢構成】■男 □女

	男	女
60代〜	0%	0%
50代	29%	3%
40代	13%	1%
30代	18%	3%
〜20代	27%	4%

会社データ (金額は百万円)

【本社】112-8503 東京都文京区小石川1-1-1 文京ガーデン ゲートタワー ☎03-5801-0333 https://www.taiheiyo-cement.co.jp/

【業績(連結)】	売上高	営業利益	経常利益	純利益
22.3	708,201	46,701	50,193	28,971
23.3	809,542	4,456	1,015	▲33,206
24.3	886,275	56,470	59,472	43,272

ユービーイーみつびし
ＵＢＥ三菱セメント(株)

【特色】セメント国内大手。UBEと三菱マテリアルの合弁

記者評価 22年4月に三菱マテリアルと宇部興産(現UBE)のセメント事業が統合して発足。両社が50%ずつ出資。九州工場のセメント生産能力は国内最大規模を誇る。グループで石灰石鉱山を保有し、採掘や関連製品の販売も手がける。海外はアジア、北中米などに9拠点。

平均勤続年数	男性育休取得率	3年後離職率	平均年収(平均33歳)
19.2年	46.4→62.7%	ND	(総)767万円

●採用・配属情報●

【男女・文理別採用実績】

	大卒男	大卒女	修士男	修士女
23年	2(文 1 理 1)	2(文 2 理 0)	4(文 0 理 4)	2(文 0 理 2)
24年	5(文 5 理 0)	2(文 2 理 0)	2(文 0 理 2)	2(文 0 理 2)
25年	7(文 5 理 2)	3(文 3 理 0)	7(文 0 理 7)	3(文 1 理 2)

※25年:24年8月末時点

【男女・職種別採用実績】 転換制度:⇒

	総合職
23年	12(男 8 女 4)
24年	11(男 7 女 4)
25年	23(男 17 女 6)

【24年4月入社者の配属勤務地】(総)福岡・苅田町4 東京・千代田2 大阪市1 (技)福岡・苅田町1 山口(宇部1 美祢2)

【転勤】あり:[職種]総合職[勤務地]全事業所

【中途比率】[単年度]21年度-、22年度-、23年度42%[全体]1%

●働きやすさ、諸制度●

残業(月) (総)19.7時間

【勤務時間】9:00〜17:45(フレックスタイム制 コアタイムなし)【有休取得年平均】18.0日【週休】完全2日(土日祝)【夏期休暇】有休取得奨励日を設定【年末年始休暇】12月31日〜1月3日、別途有休取得奨励日を設定

【離職率】男:3.4%、56名 女:2.7%、5名

【新卒3年後離職率】[20→23年]ND [21→24年]ND

【テレワーク】制度あり:[場所]実家 単身赴任元 サテライトオフィス 他[対象]一定要件を満たす者[日数]週2日を上限[利用率]NA【勤務制度】フレックス 時間単位有休【住宅補助】住宅手当(23,000〜26,000円 寮社宅利用者以外)社有寮社宅(自己負担平均8,000円)借上寮社宅(家賃上限額の2割を個人負担 年齢によって変動)

●ライフイベント、女性活躍●

【女性比率】■男 □女

新卒採用 26.1%(6名) 従業員 9.9%(178名) 管理職 1.4%(7名)

【産休】[期間]産前6・産後8週間[給与]産後8週間は全額給付、他は法定[取得者数]3名

【育休】[期間]1歳になるまで[給与]開始日の7日間は有給、以降法定[取得者数]22年度 男26名(対象56名)女4名(対象4名)23年度 男32名(対象51名)女3名(対象3名)[平均取得日数]22年度 NA、23年度 NA

【従業員】[人数]1,789名(男1,611名、女178名)[平均年齢]42.1歳(男42.3歳、女40.9歳)[平均勤続年数]19.2年(男19.5年、女16.1年)

【年齢構成】■男 □女

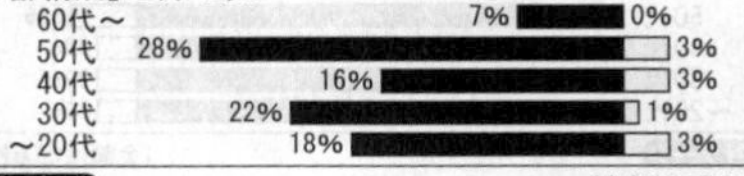

会社データ (金額は百万円)

【本社】100-8521 東京都千代田区内幸町2-1-1 飯野ビルディング ☎03-6275-0330 https://www.mu-cc.com/

【業績(連結)】	売上高	営業利益	経常利益	純利益
23.3	576,304	▲28,366	▲25,757	▲47,332
24.3	585,298	45,687	47,666	24,585

メーカーII

394 **開示 ★★★★**

すみともおおさか
住友大阪セメント(株)
[くるみん]

【特色】セメント販売で国内3位。光電子や新材料で多角化

[記者評価] セメント国内シェアは約2割。廃材など廃棄物リサイクルやバイオマス発電で先行。セメント輸出拡大に向け、豪州にセメントターミナル。脱炭素策も推進。新材料の半導体製造装置向け静電チャックは設備増強中、25年度の竣工後は生産能力が約2倍に。

平均勤続年数	男性育休取得率	3年後離職率	平均年収(平均44歳)
◇18.5年	33.3→38.7%	0→6.5%	[総]807万円

●採用・配属情報●

【男女・文理別採用実績】

	大卒男	大卒女	修士男	修士女
23年	14(文 8理 6)	3(文 2理 1)	17(文 0理 17)	0(文 0理 0)
24年	18(文 11理 7)	7(文 5理 2)	21(文 0理 21)	3(文 0理 3)
25年	14(文 9理 5)	9(文 7理 2)	30(文 0理 30)	2(文 0理 2)

【男女・職種別採用実績】 転換制度:⇔

	総合職	一般職
23年	34(男 31 女 3)	0(男 0 女 0)
24年	48(男 39 女 9)	1(男 0 女 1)
25年	55(男 44 女 11)	0(男 0 女 0)

【24年4月入社者の配属勤務地】[総]東京5 栃木2 兵庫・赤穂2 高知2 岐阜1 千葉1 名古屋1 広島1 [技]東京4 千葉17 名古屋1 大阪1 仙台1 岐阜3 兵庫・赤穂4 高知2
【転勤】あり:[職種]総合職 [勤務地]全国
【中途比率】[単年度]21年度37%、22年度29%、23年度47%[全体]◇14%

●働きやすさ、諸制度●

残業(月) 9.4時間 [総]12.1時間

【勤務時間】9:00~17:45【有休取得年平均】17.3日【週休】完全2日(土日祝)【夏期休暇】連続7日(計画年休2日含む)の取得を推奨【年末年始休暇】連続7日(計画年休1日、年休1日を含む)の取得を推奨
【離職率】◇男:2.5%、27名 女:3.1%、5名
【新卒3年後離職率】
[20→23年]0%(男0%・入社17名、女0%・入社6名)
[21→24年]6.5%(男8.0%・入社25名、女0%・入社6名)
【テレワーク】制度あり:[場所]自宅(寮・社宅・実家)社員の父母の居宅[対象]全社員[日数]週2日 月8日まで[利用率]NA【勤務制度】フレックス【住宅補助】社宅(社有・借上)手当 住宅手当

●ライフイベント、女性活躍●

【女性比率】■男 □女

新卒採用 20% (11名)

従業員 13.1% (157名)

管理職 2.2% (9名)

【産休】[期間]産前43日以内・産後8週間[給与]法定[取得者数]4名
【育休】[期間]最長で子が2歳まで延長可[給与]育休給付金+共済会(月2万)[取得者数]22年度 男11名(対象33名)女4名(対象4名)23年度 男12名(対象31名)女4名(対象4名)[平均取得日数]22年度 男102日 女503日、23年度男40日 女243日
【従業員】◇[人数]1,197名(男1,040名、女157名)[平均年齢]42.2歳(男42.2歳、女42.0歳)[平均勤続年数]18.5年(男19.0年、女15.5年)【年齢構成】■男 □女

	男	女
60代~	0%	0%
50代	31%	5%
40代	20%	3%
30代	20%	3%
~20代	16%	3%

会社データ (金額は百万円)

【本社】105-8641 東京都港区東新橋1-9-2 汐留住友ビル ☎03-6370-2704
https://www.soc.co.jp/

【業績(連結)】	売上高	営業利益	経常利益	純利益
22.3	184,209	6,878	9,834	9,674
23.3	204,705	▲8,555	▲7,849	▲5,719
24.3	222,502	7,251	8,476	15,339

399 **開示 ★★★★★★**

にっぽんとくしゅとうぎょう
日本特殊陶業(株)
[えるぼし ★★] [くるみん]

【特色】自動車用プラグ、排気系センサーで世界一

[記者評価] 森村グループ。自動車部品で群を抜く高収益である一方、エンジン関連事業の比率が高いことが長期課題。M&Aや新規事業に集中投資。電子部品や医療関連、全固体電池など新規事業の育成に注力。同時にプラグ・センサー事業を買収(予定)など現実路線も。

平均勤続年数	男性育休取得率	3年後離職率	平均年収(平均42歳)
17.5年	52.9→62.2%	27.3→13.1%	[総]902万円

●採用・配属情報●

【男女・文理別採用実績】

	大卒男	大卒女	修士男	修士女
23年	13(文 9理 4)	7(文 6理 1)	16(文 0理 16)	5(文 0理 5)
24年	5(文 4理 1)	20(文 17理 3)	22(文 2理 20)	8(文 0理 8)
25年	10(文 5理 5)	3(文 1理 2)	13(文 0理 13)	4(文 1理 3)

【男女・職種別採用実績】 転換制度:⇔

	総合職	一般職
23年	43(男 30 女 13)	0(男 0 女 0)
24年	55(男 27 女 28)	0(男 0 女 0)
25年	31(男 24 女 7)	0(男 0 女 0)

【24年4月入社者の配属勤務地】[総]愛知(名古屋12 小牧8) 東京2 大阪1 [技]愛知(名古屋2 小牧30)
【転勤】あり:全社員(一部管理職を除き、入社3年以上は選択制)
【中途比率】[単年度]21年度35%、22年度54%、23年度55%[全体]22%

●働きやすさ、諸制度●

残業(月) 16.5時間 [総]19.0時間

【勤務時間】8:30~17:15【有休取得年平均】16.4日【週休】会社暦2日【夏期休暇】連続5日(7月)連続9日(8月)【年末年始休暇】連続10日
【離職率】男:2.9%、80名 女:3.7%、23名
【新卒3年後離職率】
[20→23年]27.3%(男27.4%・入社84名、女26.9%・入社26名)
[21→24年]13.1%(男12.5%・入社40名、女14.3%・入社21名)
【テレワーク】制度あり:[場所]自宅 会社サテライトオフィス[対象]認められた者(交替勤務者を除く)[日数]月60%まで[利用率]34.2%【勤務制度】フレックス 時間単位有休 時差勤務 勤務間インターバル 副業容認【住宅補助】研修寮 独身寮・借上げ社宅(自己負担4,000~7,000円)転勤者用社宅

●ライフイベント、女性活躍●

【女性比率】■男 □女

新卒採用 22.6% (7名)

従業員 18.2% (598名)

管理職 4.9% (35名)

【産休】[期間]産前17・産後8週間[給与]法定[取得者数]26名
【育休】[期間]1歳になるまで[給与]法定[取得者数]22年度 男55名(対象104名)女25名(対象25名)23年度 男69名(対象111名)女24名(対象24名)[平均取得日数]22年度 男42日 女426日、23年度 男73日 女551日
【従業員】[人数]3,289名(男2,691名、女598名)[平均年齢]41.8歳(男42.3歳、女40.0歳)[平均勤続年数]17.5年(男17.7年、女16.5年)
【年齢構成】■男 □女

	男	女
60代~	1%	0%
50代	22%	3%
40代	27%	6%
30代	22%	5%
~20代	10%	3%

会社データ (金額は百万円)

【本社】461-0005 愛知県名古屋市東区東桜1-1-1 アーバンネット名古屋ネクスタ ☎052-218-6312
https://www.ngkntk.co.jp/

【業績(IFRS)】	売上高	営業利益	税前利益	純利益
22.3	491,733	75,512	83,642	60,200
23.3	562,559	89,219	93,384	66,293
24.3	614,486	107,591	117,184	82,646

398　開示 ★★★★★

日本ガイシ(株)（にっぽん）

えるぼし★★★　プラチナくるみん

【特色】電力用ガイシ世界一。排ガス浄化装置が主力

記者評価 森村グループ。祖業は電力用ガイシだが、セラミックス技術を応用した自動車向け排ガス浄化用フィルターが現在の収益柱。EV時代を見据え半導体関連や産業炉など育成。再エネ普及に欠かせないとしてNAS電池に注力。仮想発電所事業なども。海外売上比率は7割強。

平均勤続年数	男性育休取得率	3年後離職率	平均年収(平均43歳)
15.0年	91.6→98.4%	13.3→3.7%	㊓892万円

●採用・配属情報●

【男女・文理別採用実績】

	大卒男	大卒女	修士男	修士女
23年	14(文 11 理 3)	13(文 11 理 2)	82(文 0 理 82)	15(文 0 理 15)
24年	18(文 14 理 4)	11(文 10 理 1)	81(文 0 理 81)	13(文 0 理 13)
25年	19(文 17 理 2)	14(文 13 理 1)	78(文 0 理 78)	16(文 1 理 15)

【男女・職種別採用実績】

	総合職
23年	124(男 96 女 28)
24年	123(男 99 女 24)
25年	128(男 98 女 30)

【24年4月入社者の配属勤務地】㊓愛知(名古屋18 知多2) 大阪1 東京3 ㊕愛知(名古屋67 知多16 小牧15)石川1
【転勤】あり:[職種]全社員[勤務地]東京 大阪 石川
【中途比率】[単年度]21年度34%、22年度47%、23年度45%[全体]25%

●働きやすさ、諸制度●

残業(月) 20.8時間 ㊓21.6時間

【勤務時間】8:30〜17:15 支社・営業所8:50〜17:35【有休取得年平均】14.1日【週休】完全2日(土日祝)【夏期休暇】(技術部門の一部・製造部門)連続9日(事務・営業・技術部門の一部)なし【年末年始休暇】連続11日
【離職率】男:1.9%、61名 女:3.1%、20名
【新卒3年後離職率】
[20→23年]13.3%(男11.9%・入社59名、女16.1%・入社31名)
[21→24年]3.7%(男4.5%・入社67名、女0%・入社14名)
【テレワーク】制度あり:[場所]自宅 サテライトオフィス 他[対象]勤続2年経過者(現業系を除く)[日数]月8日まで[利用率]7.2%【勤務制度】フレックス 時間単位有休 勤務間インターバル【住宅補助】独身寮(名古屋 愛知・小牧愛知・半田 その他地区は借上)社宅(名古屋 愛知・半田 東京 その他は家賃補助)

●ライフイベント、女性活躍●

【女性比率】■男 □女
新卒採用 23.4%(30名)　従業員 16.5%(617名) 　管理職 3.7%(40名)

【産休】[期間]産前6・産後8週間[給与]会社全額給付[取得者数]30名
【育休】[期間]1歳到達月末まで[給与]法定[取得者数]22年度 男208名(対象227名)女30名(対象30名)23年度 男190名(対象193名)女29名(対象32名)[平均取得日数]22年度 男16日 女114日、23年度 男22日 女165日
【従業員】[人数]3,742名(男3,125名、女617名)[平均年齢]40.2歳(男40.3歳、女39.5歳)[平均勤続年数]15.0年(男15.1年、女14.6年)【年齢構成】■男 □女

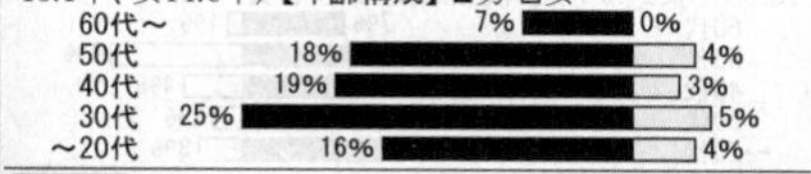

	男	女
60代〜	7%	0%
50代	18%	4%
40代	19%	3%
30代	25%	5%
〜20代	16%	4%

会社データ　(金額は百万円)
【本社】467-8530 愛知県名古屋市瑞穂区須田町2-56 ☎0120-34-7331 https://www.ngk.co.jp/

【業績(連結)】	売上高	営業利益	経常利益	純利益
22.3	510,439	83,527	86,248	70,851
23.3	559,240	66,761	65,887	55,048
24.3	578,913	66,397	63,042	40,562

2658　開示 ★★★

東海カーボン(株)（とうかい）

くるみん

【特色】炭素製品大手。電炉用電極や半導体用素材も

記者評価 1918年に東海電極製造として発足。タイヤ向けカーボンブラックでは国内首位級で、タイ、中国などで日系タイヤメーカー向けに材料を供給。電炉向け黒鉛電極でも業界大手だが、25年7月までに日欧の生産能力削減へ。半導体向けのファインカーボンが成長事業。

平均勤続年数	男性育休取得率	3年後離職率	平均年収(平均43歳)
15.6年	61.5→90.5%	4.2→0%	793万円

●採用・配属情報●

【男女・文理別採用実績】※25年:継続中

	大卒男	大卒女	修士男	修士女
23年	1(文 0 理 1)	1(文 1 理 0)	5(文 0 理 5)	2(文 0 理 2)
24年	4(文 3 理 1)	1(文 0 理 1)	2(文 0 理 2)	2(文 0 理 2)
25年	3(文 2 理 1)	1(文 1 理 0)	1(文 0 理 1)	0(文 0 理 0)

【男女・職種別採用実績】　転換制度:⇒

	総合職
23年	10(男 6 女 4)
24年	9(男 6 女 3)
25年	5(男 4 女 1)

【24年4月入社者の配属勤務地】㊓東京・港2 愛知・知多1 ㊕静岡・御殿場2 愛知・知多2 山口・防府1 熊本・田ノ浦1
【転勤】あり:[職種]総合職[勤務地]宮城 神奈川 東京 愛知 大阪 滋賀 山口 福岡 熊本 海外 他
【中途比率】[単年度]21年度50%、22年度50%、23年度55%[全体]NA

●働きやすさ、諸制度●

残業(月) 10.4時間 ㊓12.6時間

【勤務時間】9:00〜17:35※事業所により異なる【有休取得年平均】13.4日【週休】完全2日【夏期休暇】あり【年末年始休暇】あり
【離職率】男:3.0%、22名 女:2.7%、2名
【新卒3年後離職率】
[20→23年]4.2%(男5.3%・入社19名、女0%・入社5名)
[21→24年]0%(男0%・入社2名、女0%・入社1名)
【テレワーク】制度あり:[場所]自宅[対象]本社・支店勤務者[日数]週に1回程度[利用率]NA【勤務制度】フレックス
【住宅補助】住宅手当 独身寮 社宅

●ライフイベント、女性活躍●

【女性比率】■男 □女
新卒採用 20%(1名)　従業員 9.2%(72名)

【産休】[期間]産前6・産後8週間[給与]産前は2時間分／日を減額、産後は1時間分／日を減額した額を会社支給[取得者数]1名
【育休】[期間]1歳までの育児休業は1歳到達の翌日以降の4月1日まで[給与]法定[取得者数]22年度 男16名(対象26名)女4名(対象4名)23年度 男19名(対象21名)女3名(対象3名)[平均取得日数]22年度 男23日 女278日、23年度 男31日 女277日
【従業員】[人数]779名(男707名、女72名)[平均年齢]42.5歳(男42.6歳、女41.1歳)[平均勤続年数]15.6年(男16.0年、女11.2年)【年齢構成】■男 □女

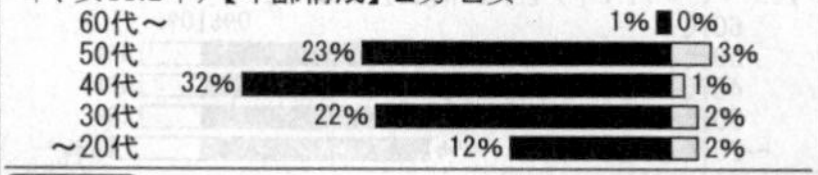

	男	女
60代〜	1%	0%
50代	23%	3%
40代	32%	1%
30代	22%	2%
〜20代	12%	2%

会社データ　(金額は百万円)
【本社】107-8636 東京都港区北青山1-2-3 青山ビル ☎03-3746-5100 https://www.tokaicarbon.co.jp/

【業績(連結)】	売上高	営業利益	経常利益	純利益
21.12	258,874	24,647	24,770	16,105
22.12	340,371	40,588	42,521	22,418
23.12	363,946	38,728	41,607	25,468

メーカーII

ニチアス(株)

【特色】中堅化学メーカー。プラント向け工事も有力

記者評価 シール材・断熱材メーカーとして創立。旧社名は日本アスベスト。音や熱、振動、漏れを「断つ・保つ」独自技術が強み。半導体製造装置関連や自動車部品、建築材料を手がける。石油精製・火力発電所など、プラント向け工事の売上高比率も高い。現預金豊富。

平均勤続年数	男性育休取得率	3年後離職率	平均年収(平均40歳)
14.2年	36.1→47.5%	14.3→20.7%	総 823万円

●採用・配属情報●

【男女・文理別採用実績】

	大卒男	大卒女	修士男	修士女
23年	9(文 6理 3)	4(文 2理 2)	17(文 0理 17)	7(文 0理 7)
24年	13(文 8理 5)	6(文 4理 2)	17(文 0理 17)	7(文 0理 7)
25年	17(文 15理 2)	7(文 5理 2)	26(文 0理 26)	4(文 0理 4)

【男女・職種別採用実績】 転換制度:⇔

	総合職	エリア総合職
23年	37(男 26 女 11)	0(男 0 女 0)
24年	43(男 30 女 13)	0(男 0 女 0)
25年	54(男 43 女 11)	0(男 0 女 0)

【24年4月入社者の配属勤務地】総東京・中央6 神奈川・大和1 大阪市1 名古屋市3 浜松1 福岡市1 熊本・菊地1 技東京・中央5 神奈川・鶴見8 浜松12 岐阜・羽島1 奈良・王寺2 熊本・菊地1

【転勤】あり:[職種]総合職

【中途比率】[単年度]21年度3%、22年度22%、23年度30% [全体]38%

●働きやすさ、諸制度●

残業(月) 13.6時間 総 14.9時間

【勤務時間】8:30〜17:30【有休取得年平均】14.9日【週休】2日(原則土日祝)【夏期休暇】連続5日【年末年始休暇】連続6日

【離職率】男:2.0%、31名 女:3.9%、14名

【新卒3年後離職率】
[20→23年]14.3%(男13.2%・入社38名、女16.7%・入社18名)
[21→24年]20.7%(男20.0%・入社20名、女22.2%・入社9名)

【テレワーク】制度あり:[場所]自宅[対象]工場勤務者 工事現場勤務者を除く[日数]週2日まで[利用率]23.9%【勤務制度】フレックス 時間単位有休 時差勤務【住宅補助】寮 社宅(首都圏・研究所・工場周辺)借上社宅 住宅手当(必要に応じて)

●ライフイベント、女性活躍●

【女性比率】■男 □女

新卒採用 20.4%(11名)　従業員 18.8%(343名)　管理職 1.2%(4名)

【産休】[期間]産前6・産後8週間[給与]法定[取得者数]14名

【育休】[期間]1歳半になるまで[給与]法定[取得者数]22年度 男13名(対象36名)女10名(対象11名)23年度 男19名(対象40名)女14名(対象14名)[平均取得日数]22年度 男43日 女289日、23年度 男32日 女274日

【従業員】[人数]1,829名(男1,486名、女343名)[平均年齢]41.0歳(男41.8歳、女37.6歳)[平均勤続年数]14.2年(男14.8年、女11.7年)【年齢構成】■男 □女

	男	女
60代〜	0%	0%
50代	25%	4%
40代	23%	4%
30代	18%	4%
〜20代	15%	6%

会社データ (金額は百万円)

【本社】104-8555 東京都中央区八丁堀1-6-1 ☎03-4413-1111 https://www.nichias.co.jp/

【業績(連結)】	売上高	営業利益	経常利益	純利益
22.3	216,236	26,264	30,572	22,034
23.3	238,116	29,954	33,082	21,398
24.3	249,391	35,208	38,974	26,961

黒崎播磨(株)

くろさきはりま

【特色】日本製鉄系。高炉向けなど総合耐火物で大手

記者評価 2000年に黒崎窯業とハリマセラミックが合併して誕生。柱は高炉向け耐火れんがで、溶かした鉄の通り道や受け皿に使われる。半導体・電子部品・断熱材等の成長分野と併せ環境関連強化。海外はインド、東南アに重点。欧米はパートナー企業との連携で拡販。

平均勤続年数	男性育休取得率	3年後離職率	平均年収(平均44歳)
16.2年	22.0→34.2%	11.8→5.6%	総 823万円

●採用・配属情報●

【男女・文理別採用実績】※25年:21名採用予定

	大卒男	大卒女	修士男	修士女
23年	4(文 3理 1)	1(文 1理 0)	5(文 0理 5)	0(文 0理 0)
24年	6(文 4理 2)	2(文 1理 1)	6(文 0理 6)	3(文 0理 3)
25年	5(文 2理 3)	2(文 2理 0)	10(文 0理 10)	1(文 0理 1)

【男女・職種別採用実績】 転換制度:⇒

	総合職
23年	13(男 12 女 1)
24年	17(男 12 女 5)
25年	18(男 15 女 3)

【24年4月入社者の配属勤務地】総北九州2 千葉・君津1 大分市1 名古屋1 技北九州7 兵庫・赤穂2 岡山・備前1 兵庫・高砂1 千葉・木更津1

【転勤】あり:[職種]総合職[勤務地]大分 岡山 兵庫 大阪 愛知 東京 千葉 茨城 北海道 海外 他

【中途比率】[単年度]21年度33%、22年度47%、23年度59%(総合職)[全体]22%

●働きやすさ、諸制度●

残業(月) 16.3時間 総 24.4時間

【勤務時間】8:00〜17:00 フレックスタイム制度あり(コアタイムなし)【有休取得年平均】14.5日【週休】完全2日(原則土日祝)【夏期休暇】あり【年末年始休暇】あり

【離職率】男:2.5%、18名 女:3.3%、6名(早期退職男1名含む)

【新卒3年後離職率】
[20→23年]11.8%(男15.4%・入社13名、女0%・入社4名)
[21→24年]5.6%(男6.7%・入社15名、女0%・入社3名)

【テレワーク】制度あり:[場所]自宅[対象]NA[日数]月8日まで[利用率]NA【勤務制度】フレックス 時差勤務 勤務間インターバル【住宅補助】独身寮(10,000円/月)借上寮・借上社宅制度あり(会社負担上限額:東京120,000円 北九州50,000円)

●ライフイベント、女性活躍●

【女性比率】■男 □女

新卒採用 16.7%(3名)　従業員 20.1%(178名)　管理職 3.9%(21名)

【産休】[期間]産前6・産後8週間[給与]法定[取得者数]3名

【育休】[期間]1歳になるまで[給与]法定[取得者数]22年度 男13名(対象59名)女6名(対象6名)23年度 男25名(対象73名)女3名(対象3名)[平均取得日数]22年度 NA、23年度 NA

【従業員】[人数]885名(男707名、女178名)[平均年齢]44.3歳(男43.9歳、女46.0歳)[平均勤続年数]16.2年(男16.6年、女14.6年)【年齢構成】■男 □女

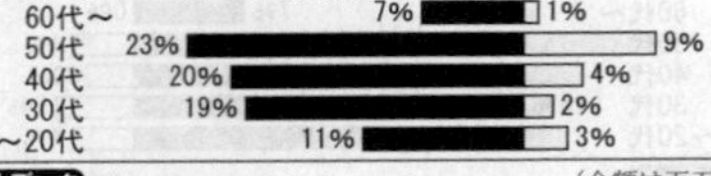

会社データ (金額は百万円)

【本社】806-8586 福岡県北九州市八幡西区東浜町1-1 ☎093-622-7225 https://www.krosaki.co.jp/

【業績(連結)】	売上高	営業利益	経常利益	純利益
22.3	133,778	7,566	8,679	5,490
23.3	165,202	11,173	12,083	8,282
24.3	177,029	14,692	16,389	12,416

メーカーII

1215 吉野石膏(株)（よしのせっこう）

【特色】焼石膏と石膏耐火建材の老舗。石膏ボード首位

記者評価 1901年創業、石膏製品の老舗。「タイガー」ブランド。超高層ビルから一般住宅まで利用される耐火建材石膏ボードで国内シェア約8割。土壌改良材やセラミックスなど歯科・医療用製品にも展開。太陽光発電導入など脱炭素化追求。石膏リサイクルにも意欲。

平均勤続年数	男性育休取得率	3年後離職率	平均年収(平均43歳)
16.3年	7.7→19.0%	13.0→33.3%	㊕854万円

●採用・配属情報●

【男女・文理別採用実績】

	大卒男	大卒女	修士男	修士女
23年	12(文 8 理 4)	20(文 19 理 1)	2(文 0 理 2)	0(文 0 理 0)
24年	14(文 10 理 4)	4(文 4 理 0)	1(文 0 理 1)	2(文 0 理 2)
25年	9(文 6 理 3)	3(文 3 理 0)	1(文 0 理 1)	0(文 0 理 0)

【男女・職種別採用実績】

	総合職	一般職
23年	18(男 14 女 4)	18(男 0 女 18)
24年	17(男 15 女 2)	5(男 0 女 5)
25年	11(男 10 女 1)	4(男 0 女 4)

【職種併願】○

【24年4月入社者の配属勤務地】㊕東京・丸の内3 大阪2 仙台1 千葉1 横浜1 広島1 福岡1 ㊔東京・足立7

【転勤】あり:[職種]総合職(事務系・技術系)[勤務地]東京・大阪など全国の各事業所

【中途比率】[単年度]21年度17%、22年度12%、23年度20%[全体]11%

●働きやすさ、諸制度●

残業(月) 13.4時間 ㊕19.6時間

【勤務時間】本社・支店8:20～17:15 工場8:30～17:10【有休取得年平均】11.2日【週休】完全2日(土日祝)【夏期休暇】連続5日【年末年始休暇】連続5日

【離職率】男:2.0%、10名 女:4.2%、11名

【新卒3年後離職率】
[20→23年]13.0%(男8.3%・入社12名、女18.2%・入社11名)
[21→24年]33.3%(男31.8%・入社22名、女37.5%・入社8名)

【テレワーク】制度なし【勤務制度】なし【住宅補助】独身寮(自己負担10,000円前後)社宅(自己負担額10,000～20,000円)住宅手当(10,000～35,000円/月)

●ライフイベント、女性活躍●

【女性比率】■男 □女

新卒採用 33.3% (5名)

従業員 34.6% (254名)
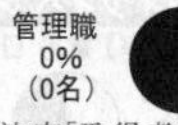
管理職 0% (0名)

【産休】[期間]産前6・産後8週間[給与]法定[取得者数]12名

【育休】[期間]1歳になるまで[給与]法定[取得者数]22年度 男1名(対象13名)女7名(対象7名)23年度 男4名(対象21名)女8名(対象8名)[平均取得日数]22年度 NA、23年度 NA

【従業員】[人数]734名(男480名、女254名)[平均年齢]40.8歳(男43.3歳、女36.2歳)[平均勤続年数]16.3年(男18.1年、女12.9年)

【年齢構成】■男 □女

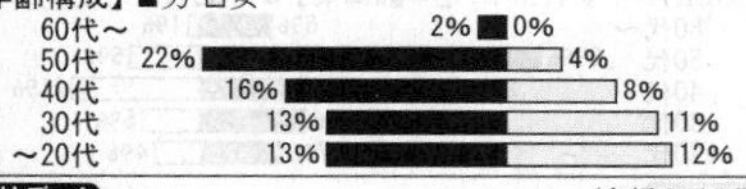

会社データ (金額は百万円)

【本社】100-0005 東京都千代田区丸の内3-3-1 新東京ビル ☎03-3216-0951
https://yoshino-gypsum.com/

【業績(単独)】	売上高	営業利益	経常利益	純利益
21.12	113,860	7,168	15,267	NA
22.12	130,527	12,353	19,082	NA
23.12	150,581	24,924	32,425	NA

396 ノリタケ(株)

【特色】高級食器が祖業。工業用研削砥石や電子材料が柱

記者評価 日本ガイシ、TOTOを生んだ森村グループの中核。祖業は高級陶磁器食器「ノリタケ」だが、現在の主力は工業用研削砥石や電子部品用セラミックス材料、工業炉(リチウムイオン電池向け)。高級食器は再建中。24年4月に人事評価制度刷新、若手社員の登用狙う。

平均勤続年数	男性育休取得率	3年後離職率	平均年収(平均45歳)
◇21.4年	63.6→85.3%	8.1→17.8%	㊕788万円

●採用・配属情報●

【男女・文理別採用実績】※25年:24年7月末時点

	大卒男	大卒女	修士男	修士女
23年	2(文 2 理 0)	2(文 1 理 1)	11(文 0 理 11)	5(文 0 理 5)
24年	6(文 6 理 0)	7(文 5 理 2)	11(文 0 理 11)	5(文 0 理 5)
25年	5(文 4 理 1)	7(文 5 理 2)	9(文 0 理 9)	3(文 0 理 3)

【男女・職種別採用実績】 転換制度:⇔

	総合職	一般職
23年	20(男 13 女 7)	0(男 0 女 0)
24年	29(男 17 女 12)	0(男 0 女 0)
25年	24(男 14 女 10)	0(男 0 女 0)

【24年4月入社者の配属勤務地】㊕愛知(名古屋8 三好1)横浜1 大阪1 ㊔愛知(名古屋7 三好5 小牧1)未確定5

【転勤】あり:[職種]総合職[勤務地]技術系:愛知、福岡など 技術系以外:愛知、東京、大阪、全国営業拠点など ※海外含む

【中途比率】[単年度]21年度17%、22年度28%、23年度35%[全体]◇13%

●働きやすさ、諸制度●

残業(月) 14.7時間 ㊕16.7時間

【勤務時間】8:30～17:15【有休取得年平均】13.4日【週休】完全2日(土日祝)【夏期休暇】連続5日(週休2日含む)【年末年始休暇】連続7日(週休2日含む)

【離職率】NA

【新卒3年後離職率】
[20→23年]8.1%(男7.5%・入社53名、女11.1%・入社9名)
[21→24年]17.8%(男18.8%・入社32名、女15.4%・入社13名)

【テレワーク】制度あり:[場所]自宅 自宅に準ずる場所[対象]全従業員[日数]月8回まで 他[利用率]4.4%【勤務制度】フレックス 時間単位有休【住宅補助】独身社宅(本社含め愛知県内に2カ所)各地に借入社宅

●ライフイベント、女性活躍●

【女性比率】■男 □女

新卒採用 41.7% (10名)

従業員 21.3% (399名)

管理職 5.6% (23名)

【産休】[期間]産前8・産後8週間[給与]会社75%給付[取得者数]13名

【育休】[期間]1歳になるまで。家庭の事情により2歳を迎える年の年度末まで延長可[給与]給付金+給与の5%給付[取得者数]22年度 男21名(対象33名)女18名(対象18名)23年度 男29名(対象34名)女13名(対象13名)[平均取得日数]22年度 男24日 女382日、23年度 男38日 女422日

【従業員】◇[人数]1,875名(男1,476名、女399名)[平均年齢]44.7歳(男45.0歳、女43.6歳)[平均勤続年数]21.4年(男22.1年、女18.9年)【年齢構成】■男 □女

	男	女
60代～	0%	0%
50代	37%	8%
40代	19%	7%
30代	12%	3%
～20代	11%	3%

会社データ (金額は百万円)

【本社】451-8501 愛知県名古屋市西区則武新町3-1-36 ☎052-561-7126
https://www.noritake.co.jp/

【業績(連結)】	売上高	営業利益	経常利益	純利益
22.3	127,641	9,353	12,509	9,068
23.3	139,494	8,969	12,405	10,024
24.3	137,912	10,709	14,643	11,480

2532 開示 ★★★

ふりがな: にほん こうぎょう

日本コークス工業(株)

【特色】製鉄用コークス製造大手。旧社名は三井鉱山

記者評価 日本製鉄、住友商事が大株主。1997年まで三池炭鉱を運営。石炭を蒸し焼きにしたコークスの製造が主力。鉄鋼生産に使用され、日本製鉄などに販売。化学・電子部品業界向け粉体化工機の開発・販売も事業の柱。発電所向け一般炭の販売も手がける。

平均勤続年数	男性育休取得率	3年後離職率	平均年収(平均44歳)
◇16.7年	35.7→58.3%	20.0→33.3%	㊓685万円

●採用・配属情報●

【男女・文理別採用実績】

	大卒男	大卒女	修士男	修士女
23年	2(文 1理 1)	2(文 1理 1)	2(文 0理 2)	0(文 0理 0)
24年	3(文 3理 0)	1(文 1理 0)	2(文 0理 2)	0(文 0理 0)
25年	3(文 3理 0)	4(文 2理 2)	2(文 0理 2)	0(文 0理 0)

【男女・職種別採用実績】

	総合職
23年	6(男 4 女 2)
24年	7(男 6 女 1)
25年	9(男 5 女 4)

【24年4月入社者の配属勤務地】㊓東京・江東2 大阪・吹田1 ㊕栃木2 北九州2

【転勤】あり:[職種]事務系総合職・技術系総合職 [勤務地] 事務系:東京 栃木 北九州 技術系(コークス事業):北九州 技術系(化工機):栃木 東京

【中途比率】[単年度]21年度31%、22年度40%、23年度36%[全体]◇25%

●働きやすさ、諸制度●

残業(月) ㊓11.3時間

【勤務時間】フレックスタイム制(コアタイム10:00〜16:00)【有休取得年平均】15.2日【週休】完全2日(土日祝)【夏期休暇】有休で取得【年末年始休暇】あり

【離職率】◇男:5.2%、25名 女:0%、0名

【新卒3年後離職率】

[20→23年]20.0%(男25.0%・入社4名、女0%・入社1名)

[21→24年]33.3%(男25.0%・入社4名、女50.0%・入社2名)

【テレワーク】制度あり:[場所]自宅[対象]本店勤務者[日数]制限なし[利用率]NA【勤務制度】フレックス【住宅補助】独身寮 社有社宅(北九州)借上社宅(東京・栃木)自家取得補助 借家補助

●ライフイベント、女性活躍●

【女性比率】■男 □女

新卒採用 44.4% (4名)

従業員 9.3% (47名)

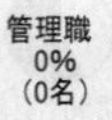

管理職 0% (0名)

【産休】[期間]産前6・産後8週間[給与]法定[取得者数]1名

【育休】[期間]1歳になるまで[給与]法定[取得者数]22年度 男5名(対象14名)女1名(対象1名)23年度 男7名(対象12名)女0名(対象0名)[平均取得日数]22年度 男51日 女173日、23年度 男88日 女213日

【従業員】◇[人数]503名(男456名、女47名)[平均年齢]40.7歳(男40.8歳、女39.8歳)[平均勤続年数]16.7年(男17.0年、女16.4年)

【年齢構成】■男 □女

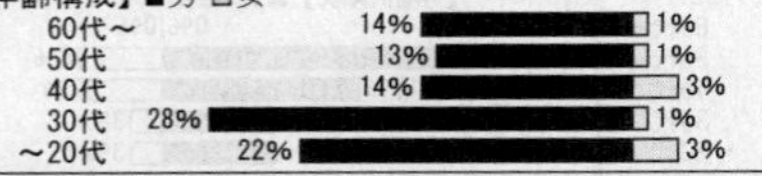

会社データ (金額は百万円)

【本社】135-6007 東京都江東区豊洲3-3-3 豊洲センタービル ☎03-5560-1311 https://www.n-coke.com/

【業績(連結)】	売上高	営業利益	経常利益	純利益
22.3	124,711	12,253	11,454	7,380
23.3	174,062	▲397	▲752	▲1,075
24.3	135,152	4,390	3,640	1,898

2789 開示 ★★★

ふりがな: リクシル

(株)LIXIL

【特色】住宅設備機器の国内最大手。20年事業会社体制に

記者評価 住宅設備最大手。11年に窓サッシのトステムと水回りのINAXほか3社が統合して、持株会社のLIXILグループが誕生。20年12月に合併し事業会社に一本化。「グローエ」「アメリカンスタンダード」など欧米有力ブランドを保有。リモート勤務が定着。

平均勤続年数	男性育休取得率	3年後離職率	平均年収(平均46歳)
20.6年	16.8→24.1%	6.8→8.4%	◇686万円

●採用・配属情報●

【男女・文理別採用実績】

	大卒男	大卒女	修士男	修士女
23年	48(文 18理 30)	27(文 14理 13)	37(文 1理 36)	16(文 0理 16)
24年	51(文 30理 21)	63(文 38理 25)	45(文 3理 42)	15(文 3理 12)
25年	48(文 25理 23)	69(文 39理 30)	37(文 0理 37)	21(文 4理 17)

【男女・職種別採用実績】

	総合職	エリア総合職
23年	129(男 85 女 44)	47(男 41 女 6)
24年	174(男 96 女 78)	63(男 44 女 19)
25年	175(男 85 女 90)	60(男 42 女 18)

【24年4月入社者の配属勤務地】㊓東京33 愛知4 茨城1 宮城1 京都2 熊本2 広島2 香川2 埼玉2 三重2 神奈川2 静岡1 石川1 千葉4 大阪8 長野2 栃木1 福岡1 兵庫1 北海道2 ㊕東京10 愛知18 茨城21 岡山2 岩手5 岐阜5 熊本4 群馬5 広島1 埼玉4 三重10 富山6 福島5 北海道4 全国各生産拠点63

【転勤】あり:[職種]全管理職 地域限定社員以外の一般社員

【中途比率】[単年度]21年度28%、22年度41%、23年度44%[全体]26%

●働きやすさ、諸制度●

残業(月) 17.1時間 ㊓17.1時間

【勤務時間】8:30〜17:20【有休取得年平均】11.1日【週休】完全2日(土日祝)【夏期休暇】連続5日(週休含む)【年末年始休暇】12月30日〜1月4日

【離職率】男:2.9%、356名 女:2.3%、101名(早期退職男135名、女19名含む)

【新卒3年後離職率】

[20→23年]6.8%(男6.8%・入社132名、女6.9%・入社58名)

[21→24年]8.4%(男8.1%・入社62名、女8.8%・入社57名)

【テレワーク】制度あり:[場所]自宅 サテライトオフィス 他[対象]正社員 嘱託社員 パート社員[日数]制限なし[利用率]61.1%【勤務制度】フレックス 時間単位有休【住宅補助】代用社宅 独身寮 住宅手当

●ライフイベント、女性活躍●

【女性比率】■男 □女

新卒採用 46% (108名)

従業員 26.7% (4286名)

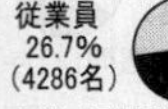

管理職 6.9% (209名)

【産休】[期間]産前6・産後8週間[給与]法定[取得者数]142名

【育休】[期間]3歳になるまで[給与]法定[取得者数]22年度 男42名(対象250名)女103名(対象122名)23年度 男60名(対象249名)女121名(対象142名)[平均取得日数]22年度 男50日 女413日、23年度 男68日 女338日

【従業員】[人数]16,053名(男11,767名、女4,286名)[平均年齢]45.8歳(男47.0歳、女42.7歳)[平均勤続年数]20.6年(男21.7年、女17.5年)【年齢構成】■男 □女

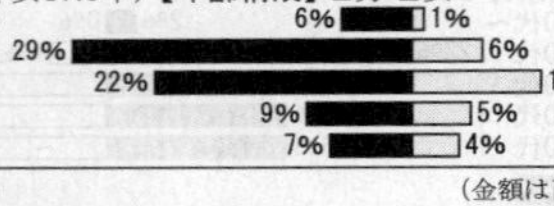

60代〜 6% 1%
50代 29% 6%
40代 22% 11%
30代 9% 5%
〜20代 7% 4%

会社データ (金額は百万円)

【本社】141-0033 東京都品川区西品川1-1-1 大崎ガーデンタワー ☎050-17905765 https://www.lixil.com/jp/

【業績(IFRS)】	売上高	営業利益	税前利益	純利益
22.3	1,428,578	69,471	67,262	48,603
23.3	1,495,987	24,903	19,759	15,991
24.3	1,483,224	16,351	6,664	▲13,908

東洋製罐グループホールディングス(株)

とうようせいかん

【特色】缶、PETボトルなど包装容器関連のシェア絶大

記者評価 缶、PETボトルの飲料容器で世界有数。国内市場は頭打ちの一方、海外展開を加速。製缶設備や飲料充填も手がけ、バリューチェーン全体のシステム提案を中期的に推進。飲料充填はタイ新ライン稼働、マレーシア同業も買収し強化。車載用2次電池部材にも積極投資。

平均勤続年数	男性育休取得率	3年後離職率	平均年収(平均42歳)
◇!17.8年	60.0→98.5%	!13.8→!13.6%	総727万円

●採用・配属情報●

【男女・文理別採用実績】※25年:24年8月9日時点

	大卒男	大卒女	修士男	修士女
23年	28(文 17 理 11)	16(文 9 理 7)	16(文 0 理 16)	4(文 0 理 4)
24年	36(文 22 理 14)	16(文 15 理 1)	21(文 2 理 19)	6(文 0 理 6)
25年	28(文 16 理 12)	20(文 18 理 2)	30(文 2 理 28)	11(文 1 理 10)

【男女・職種別採用実績】

	総合職
23年	66(男 46 女 20)
24年	81(男 57 女 24)
25年	95(男 63 女 32)

【24年4月入社者の配属勤務地】総大阪(泉佐野2 茨木3 大阪1) 山口・下松3 愛知(豊橋3 小牧4)東京・大崎12 佐賀・基山2 埼玉・久喜2 仙台4 滋賀1 広島1 技神奈川(横浜9 平塚2 川崎1)大阪(泉佐野3 茨木1)埼玉(久喜2 埼玉1)静岡・御殿場5 山口・下松8 佐賀・基山2 広島1 滋賀2 茨城・石岡3 仙台1 愛知・豊橋2
【転勤】あり:全社員
【中途比率】[単年度]21年度0%、22年度11%、23年度18% [全体]NA

●働きやすさ、諸制度●

残業(月) 18.6時間

【勤務時間】8:30〜17:15【有休取得年平均】13.8日【週休】会社暦2日【夏期休暇】配属先により異なる【年末年始休暇】12月29日〜1月4日
【離職率】男:―、203名 女:―、51名(自己都合退職者のみ)
【新卒3年後離職率】
[20→23年]13.8%(男14.6%・入社41名、女12.5%・入社24名)※7社データ
[21→24年]13.6%(男16.3%・入社43名、女8.7%・入社23名)※7社データ
【テレワーク】制度あり:[場所]自宅 親族居宅 サテライトオフィス 他[対象]配属先により異なる[日数]週2日 月10日を目安とする 他[利用率]NA【勤務制度】フレックス 副業容認【住宅補助】独身寮(自己負担10,000〜15,000円、35歳まで、条件あり)社宅(自己負担20,000〜35,000円、同居の配偶者or子ありの場合、45歳まで)

●ライフイベント、女性活躍●

【女性比率】■男 □女

新卒採用 33.7% (32名)

従業員 14.9% (1189名)

管理職 4.4% (47名)
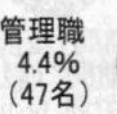

【産休】[期間]産前6・産後8週間[給与]法定[取得者数]43名
【育休】[期間]1歳になるまで[給与]法定[取得者数]22年度 男102名(対象170名)女31名(対象29名)23年度 男198名(対象201名)女50名(対象41名)[平均取得日数]22年度 NA、23年度 男16日 女NA
【従業員】◇[人数]7,982名(男6,793名、女1,189名)[平均年齢]39.2歳(男39.6歳、女36.6歳)[平均勤続年数]17.8年(男18.3年、女15.1年) ※7社データ【年齢構成】■男 □女

	男	女
60代〜	0%	0%
50代	20%	2%
40代	23%	4%
30代	20%	4%
〜20代	21%	5%

会社データ (金額は百万円)

【本社】141-8627 東京都品川区東五反田2-18-1 大崎フォレストビルディング ☎03-4514-2008 https://www.tskg-hd.com/

【業績(連結)】	売上高	営業利益	経常利益	純利益
22.3	821,565	34,114	45,712	44,422
23.3	906,025	7,396	13,770	10,363
24.3	950,663	33,850	38,740	23,083

ＹＫＫ(株)

ワイケイケイ

えるぼし ★★　プラチナくるみん

【特色】ファスナー世界大手。子会社でアルミ建材

記者評価 スライドファスナー、面ファスナーなどファスナー製品の世界的大手メーカー。バックルなど樹脂製品や繊維テープ、スナップボタンも製造。約70の国・地域でグローバル展開、中国・アジア地域に重点投資。富山・黒部事業所周辺で社有寮を整備。

平均勤続年数	男性育休取得率	3年後離職率	平均年収(平均41歳)
◇18.0年	NA	9.3→14.3%	総800万円

●採用・配属情報●

【男女・文理別採用実績】

	大卒男	大卒女	修士男	修士女
23年	15(文 9 理 6)	13(文 9 理 4)	27(文 1 理 26)	3(文 1 理 2)
24年	28(文 15 理 13)	13(文 9 理 4)	21(文 2 理 19)	7(文 2 理 5)
25年	35(文 17 理 18)	14(文 10 理 4)	28(文 2 理 26)	7(文 0 理 7)

【男女・職種別採用実績】 転換制度:⇔

	総合職
23年	59(男 43 女 16)
24年	69(男 49 女 20)
25年	84(男 63 女 21)

【24年4月入社者の配属勤務地】総(23年)東京・秋葉原8 富山・黒部7 埼玉・上尾3 大阪市2 技(23年)富山・黒部38 埼玉・上尾1
【転勤】あり:[職種]総合職[勤務地]国内外
【中途比率】[単年度]21年度42%、22年度51%、23年度43%[全体]◇31%

●働きやすさ、諸制度●

残業(月) 12.2時間 総16.9時間

【勤務時間】本社9:00〜17:40 工場8:00〜16:45【有休取得年平均】16.1日【週休】完全2日(年123日)【夏期休暇】連続9日(事業所により異なる、週休含む)【年末年始休暇】連続8日(事業所により異なる、週休含む)
【離職率】◇男:4.2%、121名 女:4.7%、70名(早期退職男42名、女28名含む)
【新卒3年後離職率】
[20→23年]9.3%(男9.7%・入社62名、女7.7%・入社13名)
[21→24年]14.3%(男13.2%・入社53名、女20.0%・入社10名)
【テレワーク】制度あり:[場所]自宅 サテライトオフィス 他[対象]本人が希望し所属長が承認した場合[日数]制限なし(ガイドライン:月間5割以上の出社)[利用率]NA【勤務制度】フレックス 時間単位有休 時差勤務 副業容認【住宅補助】社有・借上施設(グループ社有 計13施設 入居率約66%)

●ライフイベント、女性活躍●

【女性比率】■男 □女

新卒採用 25% (21名)

従業員 33.9% (1431名)

管理職 16% (285名)

【産休】[期間]産前6・産後8週間[給与]法定[取得者数]50名
【育休】[期間]1歳になるまで[給与]法定[取得者数]22年度 男60名(対象NA)女45名(対象NA)23年度 男76名(対象NA)女53名(対象NA)[平均取得日数]22年度 NA、23年度 NA
【従業員】◇[人数]4,225名(男2,794名、女1,431名)[平均年齢]41.9歳(男42.0歳、女41.7歳)[平均勤続年数]18.0年(男17.8年、女18.3年)【年齢構成】■男 □女

	男	女
60代〜	8%	2%
50代	13%	8%
40代	15%	9%
30代	17%	7%
〜20代	14%	7%

会社データ (金額は百万円)

【本社】101-8642 東京都千代田区神田和泉町1 ☎0120-011-367 https://www.ykk.co.jp/

【業績(連結)】	売上高	営業利益	経常利益	純利益
22.3	797,019	60,161	63,964	44,097
23.3	893,226	55,962	60,689	37,929
24.3	920,234	55,241	60,824	42,365

メーカーⅡ

ワイケイケイ エーピー
ＹＫＫ ＡＰ(株)

【特色】窓・サッシ等アルミ建材メーカー。YKKの子会社

[記者評価] YKKグループの建材メーカー。アルミサッシはLIXILに次ぎ国内2位。サッシとガラスを組み合わせた窓事業に注力。海外は北米、中国、アジアを中心に展開。23年埼玉美里町に新工場、24年には米ジョージア州にも。関電工と共同で建材一体型の太陽光発電設備を開発。

平均勤続年数	男性育休取得率	3年後離職率	平均年収(平均44歳)
◇19.8年	69.2→67.7%	8.7→16.3%	[総]872万円

●採用・配属情報●

【男女・文理別採用実績】

	大卒男	大卒女	修士男	修士女
23年	34(文 25 理 9)	19(文 14 理 5)	27(文 2 理 25)	7(文 0 理 7)
24年	55(文 32 理 23)	60(文 46 理 14)	17(文 0 理 17)	2(文 0 理 2)
25年	66(文 39 理 27)	62(文 45 理 17)	16(文 0 理 16)	8(文 0 理 8)

【男女・職種別採用実績】 転換制度：⇔

	総合職
23年	88(男 62 女 26)
24年	134(男 72 女 62)
25年	152(男 82 女 70)

【職種併願】総合職とエリア職で可能
【24年4月入社者の配属勤務地】[総](23年)北海道 岩手 福島 東京 千葉 埼玉 横浜 富山 長野 愛知 静岡 大阪 兵庫 広島 福岡 [技](23年)北海道 福島 東京 埼玉 富山 愛知 大阪 香川 熊本
【転勤】あり：[職種]専門専任職[勤務地]日本国内全国 海外拠点
【中途比率】[単年度]21年度35%、22年度45%、23年度58%[全体]◇27%

●働きやすさ、諸制度●

残業(月) 18.5時間 [総]21.9時間

【勤務時間】9:00～17:40【有休取得年平均】14.7日【週休】完全2日(当社就業カレンダーに基づく)【夏期休暇】稼働カレンダーに基づく連続5日程度【年末年始休暇】稼働カレンダーに基づく連続6日程度
【離職率】◇男：3.6%、350名 女：3.0%、107名
【新卒3年後離職率】
[20→23年]8.7%(男10.3%・入社78名、女0%・入社14名)
[21→24年]16.3%(男19.1%・入社68名、女5.6%・入社18名)
【テレワーク】制度あり：[場所]自宅 サテライトオフィス 他[対象]事務職 技術職[日数]制限なし[利用率]NA【勤務制度】フレックス 時間単位有休 時差勤務【住宅補助】社宅・寮(勤務地を特定せず採用された者、遠隔地採用者、転勤者)社有社宅・寮(富山・千葉・香川・宮城他)借上社宅・寮(社有物件がない地域)

●ライフイベント、女性活躍●

【女性比率】■男 □女

新卒採用 46.1% (70名)

従業員 27% (3508名)

管理職 6% (133名)

【産休】[期間]産前6・産後8週間[給与]法定[取得者数]72名
【育休】[期間]最長3歳の誕生日まで[給与]法定[取得者数]22年度 男166名(対象240名)女90名(対象91名)23年度 男157名(対象232名)女72名(対象74名)[平均取得日数]22年度 NA、23年度 NA
【従業員】◇[人数]12,991名(男9,483名、女3,508名)[平均年齢]43.1歳(男44.3歳、女42.0歳)[平均勤続年数]19.8年(男20.9年、女18.6年)【年齢構成】■男 □女

	■男	□女
60代～	8%	1%
50代	22%	7%
40代	17%	8%
30代	13%	5%
～20代	13%	5%

会社データ (金額は百万円)
【本社】101-0024 東京都千代田区神田和泉町1 YKK80ビル ☎0120-011-367 https://www.ykkapglobal.com/ja/

【業績(連結)】	売上高	営業利益	経常利益	純利益
22.3	446,300	17,300	18,600	11,100
23.3	508,600	17,800	21,300	15,200
24.3	538,100	25,600	28,300	18,800

(株)SUMCO

【特色】半導体シリコンウエハ大手で世界トップ級

[記者評価] 半導体の基板材料となるシリコンウエハ専業メーカー。信越化学工業と双璧をなす世界トップ級。ウエハの平坦性や均一性で半導体の進化を支える。経済産業省が佐賀県のウエハ新工場に助成金を出すなど経済安全保障上の重要性も増している。

平均勤続年数	男性育休取得率	3年後離職率	平均年収(平均43歳)
[!]13.7年	21.3→41.5%	3.6→3.4%	[総]873万円

●採用・配属情報●

【男女・文理別採用実績】

	大卒男	大卒女	修士男	修士女
23年	3(文 3 理 0)	5(文 5 理 0)	20(文 0 理 20)	4(文 0 理 4)
24年	7(文 5 理 2)	2(文 2 理 0)	15(文 0 理 15)	2(文 0 理 2)
25年	4(文 3 理 1)	5(文 4 理 1)	21(文 0 理 21)	1(文 0 理 1)

【男女・職種別採用実績】 転換制度：⇔

	総合職	一般職
23年	34(男 25 女 9)	0(男 0 女 0)
24年	30(男 25 女 5)	0(男 0 女 0)
25年	35(男 29 女 6)	0(男 0 女 0)

【職種併願】総合職と一般職で可能
【24年4月入社者の配属勤務地】[総]東京・港5 佐賀(伊万里1 江北町1) [技]佐賀・伊万里19 長崎・大村3 山形・米沢1
【転勤】あり：[職種]総合職
【中途比率】[単年度]21年度35%、22年度53%、23年度43%[全体]NA

●働きやすさ、諸制度●

残業(月) 11.1時間 [総]13.9時間

【勤務時間】9:00～17:45【有休取得年平均】16.1日【週休】完全2日(土日祝)【夏期休暇】4日【年末年始休暇】5日
【離職率】男：1.2%、13名 女：2.0%、2名
【新卒3年後離職率】
[20→23年]3.6%(男0%・入社21名、女14.3%・入社7名)
[21→24年]3.4%(男4.2%・入社24名、女0%・入社5名)
【テレワーク】制度あり：[場所]自宅[対象]東京本社 大阪営業所 福岡営業所の勤務者のみ[日数]NA[利用率]NA【勤務制度】フレックス 時間単位有休 時差勤務【住宅補助】独身寮 社宅(借上含む)

●ライフイベント、女性活躍●

【女性比率】■男 □女

新卒採用 17.1% (6名)

従業員 8.2% (97名)

管理職 1.9% (9名)

【産休】[期間]産前6・産後8週間[給与]法定[取得者数]5名
【育休】[期間]1歳6カ月になるまで。特別な理由がある場合は3歳まで延長可[給与]法定[取得者数]22年度 男23名(対象108名)女7名(対象7名)23年度 男49名(対象118名)女15名(対象15名)[平均取得日数]22年度 NA、23年度 男76日 女303日
【従業員】[人数]1,186名(男1,089名、女97名)[平均年齢]43.3歳(男44.2歳、女33.1歳)[平均勤続年数]13.7年(男14.4年、女5.9年) ※総合職のみ
【年齢構成】■男 □女

	■男	□女
60代～	1%	0%
50代	38%	0%
40代	21%	1%
30代	20%	2%
～20代	12%	4%

会社データ (金額は百万円)
【本社】105-8634 東京都港区芝浦1-2-1 シーバンスN館 ☎03-5444-3943 https://www.sumcosi.com/

【業績(連結)】	売上高	営業利益	経常利益	純利益
21.12	335,674	51,543	51,107	41,120
22.12	441,083	109,683	111,339	70,205
23.12	425,941	73,080	72,627	63,884

メーカーII

三協立山(株)
さんきょうたてやま

くるみん

【特色】サッシ国内3位級。アルミ建材も大手。富山地盤

[記者評価] 主力はビル・住宅用アルミ建材。アルミ加工技術を生かし産業用形材も手がける。ショーケースなど店舗什器類も。自動車のEV化に対応してアルミ形材を成長分野と位置づけ、新ラインへの投資を続ける。欧州、アジアに展開する国際事業のテコ入れを推進中。

平均勤続年数	男性育休取得率	3年後離職率	平均年収(平均47歳)
◇22.5年	54.4→77.6%	7.1→22.9%	[総]587万円

●採用・配属情報●

【男女・文理別採用実績】

	大卒男	大卒女	修士男	修士女
23年	53(文 39理 14)	21(文 18理 3)	3(文 1理 2)	1(文 0理 1)
24年	57(文 48理 9)	20(文 14理 6)	4(文 0理 4)	0(文 0理 0)
25年	40(文 34理 6)	21(文 17理 4)	2(文 0理 2)	1(文 0理 1)

【男女・職種別採用実績】 転換制度:⇔

	総合職	技能職	一般職
23年	78(男 56 女 22)	0(男 0 女 0)	0(男 0 女 0)
24年	78(男 59 女 19)	1(男 1 女 0)	2(男 1 女 1)
25年	64(男 42 女 22)	0(男 0 女 0)	0(男 0 女 0)

【職種併願】総合職と技能職で可能
【24年4月入社者の配属勤務地】[総]富山25 東京5 埼玉2 千葉1 大阪4 愛知4 広島2 静岡1 宮城1 [技]富山32 大阪1
【転勤】あり:[職種]総合職
【中途比率】[単年度]21年度NA、22年度NA、23年度40% [全体]◇27%

●働きやすさ、諸制度●

残業(月) 16.0時間 [総]16.0時間

【勤務時間】本社・支店8:30～17:20【有休取得年平均】12.4日【週休】完全2日(土日祝)【夏期休暇】連続6日(週休含む)【年末年始休暇】連続6日(週休含む)
【離職率】◇男:2.5%、92名 女:2.7%、32名
【新卒3年後離職率】
[20→23年]7.1%(男5.0%・入社20名、女9.1%・入社22名)
[21→24年]22.9%(男16.0%・入社25名、女40.0%・入社10名)
【テレワーク】制度あり:[場所]自宅[対象]育児・介護・病気などの事情がある社員[日数]週4日まで[利用率]NA【勤務制度】時差勤務【住宅補助】独身寮・社宅(全国 約1,300人利用)

●ライフイベント、女性活躍●

【女性比率】■男 □女

新卒採用 34.4% (22名)

従業員 23.7% (1132名)

管理職 2.5% (23名)

【産休】[期間]産前6・産後8週間[給与]法定[取得者数]14名
【育休】[期間]1歳になるまで[給与]法定[取得者数]22年度 男31名(対象57名)女18名(対象18名)23年度 男45名(対象58名)女16名(対象16名)[平均取得日数]22年度 NA、23年度 男27日 女277日
【従業員】◇[人数]4,782名(男3,650名、女1,132名)[平均年齢]46.2歳(男46.9歳、女43.7歳)[平均勤続年数]22.5年(男23.4年、女19.6年)
【年齢構成】■男 □女

	男	女
60代～	0%	0%
50代	42%	9%
40代	15%	6%
30代	11%	4%
～20代	9%	4%

会社データ (金額は百万円)
【本社】933-8610 富山県高岡市早川70 ☎0766-20-2101
https://www.st-grp.co.jp/

【業績(連結)】	売上高	営業利益	経常利益	純利益
22.5	340,553	3,782	4,198	395
23.5	370,385	2,669	3,419	1,630
24.5	353,027	3,807	3,880	▲1,019

三和シヤッター工業(株)
さんわこうぎょう

【特色】シャッターで国内首位、海外展開強化中

[記者評価] 三和HDの中核会社。商業施設やビル、倉庫などの重量・軽量シャッターでは国内シェアが断トツで利益率も高い。ドアやステンレス建材なども扱う。緊急修理やメンテに24時間・365日対応するサービスで先駆。グループでは北米での事業が高収益。

平均勤続年数	男性育休取得率	3年後離職率	平均年収(平均41歳)
[!]14.0年	17.0→29.9%	17.3→17.3%	[総]778万円

●採用・配属情報●

【男女・文理別採用実績】※25年:計画数

	大卒男	大卒女	修士男	修士女
23年	50(文 42理 8)	18(文 14理 4)	3(文 0理 3)	0(文 0理 0)
24年	50(文 42理 8)	20(文 17理 3)	2(文 1理 1)	0(文 0理 0)
25年	50(文 42理 8)	20(文 17理 3)	2(文 1理 1)	0(文 0理 0)

【男女・職種別採用実績】 転換制度:⇔

	総合職
23年	72(男 54 女 18)
24年	72(男 52 女 20)
25年	72(男 52 女 20)

【24年4月入社者の配属勤務地】[総]北海道2 宮城2 栃木4 東京27 静岡1 愛知4 京都1 大阪9 兵庫1 島根2 福岡6 熊本1 [技]東京8 大阪1 香川1 福岡2
【転勤】あり:全社員(職群により範囲は異なる)
【中途比率】[単年度]21年度61%、22年度56%、23年度63%[全体]56%

●働きやすさ、諸制度●

残業(月) 37.2時間 [総]37.2時間

【勤務時間】8:30～17:15【有休取得年平均】9.3日【週休】完全2日(土日祝)【夏期休暇】3日(8月10日より週休祝日含め連続6日)【年末年始休暇】12月28日～1月5日
【離職率】男:3.2%、77名 女:4.4%、9名
【新卒3年後離職率】
[20→23年]17.3%(男19.5%・入社41名、女9.1%・入社11名)
[21→24年]17.3%(男20.5%・入社39名、女7.7%・入社13名)
【テレワーク】制度あり:[場所]自宅 会社指定の場所[対象]テレワーク勤務に適性のある業務を担当する社員[日数]週1日[利用率]0.6%【勤務制度】フレックス 時間単位有休
【住宅補助】借上住宅(家賃の5～7割会社負担)

●ライフイベント、女性活躍●

【女性比率】■男 □女

新卒採用 27.8% (20名)

従業員 7.7% (196名)

管理職 1.2% (8名)

【産休】[期間]産前6・産後8週間[給与]法定+共済会より4分の1給付[取得者数]6名
【育休】[期間]1歳になるまで[給与]法定[取得者数]22年度 男17名(対象100名)女7名(対象9名)23年度 男26名(対象87名)女8名(対象8名)[平均取得日数]22年度 男32日 女294日、23年度 男34日 女319日
【従業員】[人数]2,534名(男2,338名、女196名)[平均年齢]40.8歳(男41.4歳、女32.8歳)[平均勤続年数]14.0年(男14.5年、女7.8年)※エリア総合職除く
【年齢構成】■男 □女

	男	女
60代～	0%	0%
50代	28%	1%
40代	23%	1%
30代	24%	2%
～20代	18%	4%

会社データ (金額は百万円)
【本社】175-0081 東京都板橋区新河岸2-3-5 ☎03-5998-9111
https://www.sanwa-ss.co.jp/

【業績(単独)】	売上高	営業利益	経常利益	純利益
22.3	206,035	21,036	21,268	14,492
23.3	223,021	21,749	21,956	15,369
24.3	230,937	23,965	24,325	17,006

メーカーII

文化シヤッター(株)

ぶんか

【特色】シャッター2位。防減災、IoTなど製品開発に熱心

[記者評価] 1955年創業の老舗。店舗・住宅用の軽量品が柱。ビルや倉庫向け重量シャッターも扱い、防減災製品やドア開発など製品拡充中。海外は豪州やニュージーランド強い。資本効率を意識した事業再編推進。定年年齢を23年度から2年ごとに1歳ずつ切り上げ31年度65歳へ。

平均勤続年数	男性育休取得率	3年後離職率	平均年収(平均43歳)
◇16.1年	22.9 → 32.7%	21.9 → 7.4%	[総] 717万円

●採用・配属情報●

【男女・文理別採用実績】※25年:継続中

	大卒男	大卒女	修士男	修士女
23年	32(文 27 理 5)	16(文 14 理 2)	0(文 0 理 0)	0(文 0 理 0)
24年	43(文 34 理 9)	7(文 5 理 2)	0(文 0 理 0)	0(文 0 理 0)
25年	31(文 25 理 6)	6(文 6 理 0)	1(文 0 理 1)	0(文 0 理 0)

【男女・職種別採用実績】

	総合職	一般職
23年	50(男 34 女 16)	0(男 0 女 0)
24年	52(男 45 女 7)	0(男 0 女 0)
25年	38(男 32 女 6)	0(男 0 女 0)

【職種併願】○

【24年4月入社者の配属勤務地】[総]東京(文京10 西多摩郡1) 北海道(北見1 苫小牧1) 仙台1 山形市1 長野・松本1 茨城・つくば1 群馬・高崎1 さいたま1 横浜2 千葉市1 石川・金沢1 富山市1 愛知(名古屋3 岡崎1) 静岡市1 大阪(大阪6 高槻1) 兵庫・姫路1 岡山市1 福岡市1 大分市1 宮崎・延岡1 [技]東京・文京4 栃木・小山3 大阪市2 静岡(静岡1 掛川1)

【転勤】あり:[職種]総合職[勤務地]全国

【中途比率】[単年度]21年度59%、22年度82%、23年度62%[全体]◇5%

●働きやすさ、諸制度●

残業(月) 22.6時間 [総]22.8時間

【勤務時間】8:45~17:30【有休取得年平均】12.8日【週休】完全2日(土日祝)【夏期休暇】連続3日【年末年始休暇】連続3日

【離職率】◇男:2.3%、45名 女:2.7%、7名

【新卒3年後離職率】
[20→23年]21.9%(男25.0%・入社28名、女0%・入社4名)
[21→24年]7.4%(男10.5%・入社19名、女0%・入社8名)

【テレワーク】制度あり:[場所]自宅 サテライトオフィス 出張先のホテル等[対象]全従業員[日数]週2日[利用率]3.3%【勤務制度】フレックス 時差勤務 勤務間インターバル【住宅補助】借上住宅 住宅手当

●ライフイベント、女性活躍●

【女性比率】■男 □女

新卒採用 15.8% (6名)

従業員 11.6% (253名)

管理職 3.8% (18名)

【産休】[期間]産前8週・産後8週[給与]法定[取得者数]8名

【育休】[期間]3歳になるまで[給与]最初5日間を有給、以降法定[取得者数]22年度 男16名(対象70名)女8名(対象8名)23年度 男18名(対象55名)女8名(対象8名)[平均取得日数]22年度 男22日 女297日、23年度 男55日 女241日

【従業員】◇[人数]2,173名(男1,920名、女253名)[平均年齢]43.0歳(男43.4歳、女40.0歳)[平均勤続年数]16.1年(男16.3年、女14.6年)【年齢構成】■男 □女

	男	女
60代~	3%	0%
50代	33%	3%
40代	16%	3%
30代	20%	2%
~20代	15%	3%

[会社データ] (金額は百万円)

【本社】113-8535 東京都文京区西片1-17-3 ☎03-5844-7160
https://www.bunka-s.co.jp/

【業績(連結)】	売上高	営業利益	経常利益	純利益
22.3	182,313	9,105	9,081	6,706
23.3	199,179	9,685	9,992	7,899
24.3	221,076	14,472	15,941	10,582

アルインコ(株)

【特色】建設用仮設材の販売・リース大手。住宅機器も

[記者評価] 足場などの建設用仮設機材メーカー。仮設機材の販売・リースのほかDIY・エクステリア製品、無線機、フィットネス用品と多角化。阪・東2本社制。中国、タイ、インドネシア等に展開。21年に東電子工業を買収、プリント配線基板がAI関連需要で成長期待。

平均勤続年数	男性育休取得率	3年後離職率	平均年収(平均41歳)
◇14.0年	8.0 → 41.2%	25.8 → 7.1%	[総] 711万円

●採用・配属情報●

【男女・文理別採用実績】

	大卒男	大卒女	修士男	修士女
23年	14(文 9 理 5)	6(文 5 理 1)	1(文 0 理 1)	0(文 0 理 0)
24年	10(文 8 理 2)	4(文 2 理 2)	1(文 0 理 1)	0(文 0 理 0)
25年	12(文 8 理 4)	5(文 4 理 1)	0(文 0 理 0)	0(文 0 理 0)

※25年:予定数

【男女・職種別採用実績】 転換制度:⇔

	総合職	一般職
23年	17(男 15 女 2)	4(男 0 女 4)
24年	13(男 11 女 2)	2(男 0 女 2)
25年	15(男 12 女 3)	2(男 0 女 2)

【24年4月入社者の配属勤務地】[総]大阪4 東京3 [技]大阪4 兵庫2

【転勤】あり:[職種]総合職

【中途比率】[単年度]21年度64%、22年度49%、23年度46%[全体]◇49%

●働きやすさ、諸制度●

残業(月) 12.5時間 [総]14.8時間

【勤務時間】本社・支店・営業所9:00~17:30 工場8:30~17:00【有休取得年平均】10.5日【週休】完全2日(土日祝)【夏期休暇】お盆3日【年末年始休暇】連続7日

【離職率】◇男:3.7%、22名 女:4.3%、10名

【新卒3年後離職率】
[20→23年]25.8%(男33.3%・入社21名、女10.0%・入社10名)
[21→24年]7.1%(男11.1%・入社9名、女0%・入社5名)

【テレワーク】制度なし【勤務制度】時間単位有休 時差勤務

【住宅補助】独身寮(借上)住宅補助

●ライフイベント、女性活躍●

【女性比率】■男 □女

新卒採用 29.4% (5名)

従業員 28% (221名)

管理職 4.8% (8名)

【産休】[期間]産前6・産後8週間[給与]法定[取得者数]5名

【育休】[期間]最長3歳到達まで[給与]法定[取得者数]22年度 男2名(対象25名)女3名(対象3名)23年度 男7名(対象17名)女2名(対象2名)[平均取得日数]22年度 男14日 女414日、23年度 男29日 女352日

【従業員】◇[人数]790名(男569名、女221名)[平均年齢]40.5歳(男41.0歳、女39.1歳)[平均勤続年数]14.0年(男14.9年、女11.7年)

【年齢構成】■男 □女

	男	女
60代~	0%	0%
50代	21%	6%
40代	17%	8%
30代	21%	8%
~20代	13%	6%

[会社データ] (金額は百万円)

【本社】541-0043 大阪府大阪市中央区高麗橋4-4-9 淀屋橋ダイビル ☎06-7636-2222
https://www.alinco.co.jp/

【業績(連結)】	売上高	営業利益	経常利益	純利益
22.3	55,255	1,119	1,126	451
23.3	60,717	2,420	3,568	1,546
24.3	57,876	1,781	2,879	1,988

メーカーII

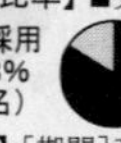

にっぽんせいてつ

日本製鉄(株)

【特色】国内首位、世界4位の名門鉄鋼(高炉)メーカー

記者評価 官営八幡製鉄所を起源に持つ新日本製鐵が住友金属工業と12年に合併、19年から現社名に。名門意識強く、財界での存在感は健在。粗鋼生産量は国内首位、世界4位。超ハイテンや電磁鋼板など高級鋼の技術力高い。国内の過剰生産能力削減、値上げで収益性高まる。

平均勤続年数	男性育休取得率	3年後離職率	平均年収(平均*40歳)
◇17.6年	56.5 → 66.1%	16.4 → 12.8%	㊗1,251万円

●採用・配属情報●

【男女・文理別採用実績】

	大卒男	大卒女	修士男	修士女
23年	38(文 29理 9)	19(文 13理 6)	75(文 0理 75)	16(文 1理 15)
24年	34(文 33理 1)	25(文 22理 3)	77(文 0理 77)	13(文 0理 13)
25年	42(文 38理 4)	31(文 30理 1)	131(文 0理131)	22(文 1理 21)

【男女・職種別採用実績】 転換制度:⇔

	総合職
23年	149(男114 女 35)
24年	150(男112 女 38)
25年	233(男176 女 57)

【24年4月入社者の配属勤務地】㊗北海道 茨城 千葉 東京 愛知 和歌山 大阪 兵庫 福岡 大分 ㊕北海道 茨城 千葉 新潟 愛知 和歌山 大阪 兵庫 山口 福岡 大分

【転勤】あり:[職種]総合職[勤務地]北海道 岩手 宮城 茨城 千葉 東京 新潟 愛知 大阪 兵庫 和歌山 広島 山口 愛媛 福岡 大分

【中途比率】[単年度]21年度NA、22年度NA、23年度9%[全体]NA

●働きやすさ、諸制度●

残業(月) 20.7時間 ㊗30.8時間

【勤務時間】9:00〜17:20【有休取得年平均】17.2日【週休】完全2日(土日祝)【夏期休暇】有休で取得【年末年始休暇】連続5日

【離職率】NA

【新卒3年後離職率】
[20→23年]16.4%(男16.1%・入社1,059名、女17.8%・入社225名)
[21→24年]12.8%(男12.5%・入社336名、女15.2%・入社46名)

【テレワーク】制度あり:[場所]サテライトオフィス 他[対象]フレックスタイム勤務者 育児・介護短時間勤務者[日数]週1日以上出社[利用率]NA【勤務制度】フレックス【住宅補助】独身寮・社宅(全国)持家融資(限度5,000万円)住宅財形貯蓄制度

●ライフイベント、女性活躍●

【女性比率】■男 □女

新卒採用 24.5% (57名)

従業員 9.9% (2822名)

【産休】[期間]産前6・産後8週間[給与]法定[取得者数]163名

【育休】[期間]1歳6カ月になるまで[給与]法定[取得者数]22年度 男612名(対象1,083名)女146名(対象146名)23年度 男675名(対象1,021名)女176名(対象176名)[平均取得日数]22年度 NA、23年度 男39日 女253日

【従業員】◇[人数]28,543名(男25,721名、女2,822名)[平均年齢]39.9歳(男40.3歳、女35.6歳)[平均勤続年数]17.6年(男18.0年、女13.5年)【年齢構成】■男 □女

	男	女
60代〜	4%	0%
50代	18%	2%
40代	22%	1%
30代	27%	3%
〜20代	19%	4%

会社データ (金額は百万円)

【本社】100-8071 東京都千代田区丸の内2-6-1 丸の内パークビルディング ☎03-6867-4111 https://www.nipponsteel.com/

【業績(IFRS)】	売上高	営業利益	税前利益	純利益
22.3	6,808,890	840,901	816,583	637,321
23.3	7,975,586	883,646	866,849	694,016
24.3	8,868,097	778,662	763,972	549,372

ジェイエフイー

JFEスチール(株)

【特色】国内2位の鉄鋼メーカー。JFEHDの中核事業会社

記者評価 02年に川崎製鉄とNKKが統合して発足した持株会社JFEHD傘下の鉄鋼メーカー。粗鋼生産量は国内2位、世界では13位(23年)。国内生産は東日本(千葉)と西日本(福山・倉敷)の2拠点体制。川崎の高炉を23年に休止。電磁鋼板など高級鋼に注力。

平均勤続年数	男性育休取得率	3年後離職率	平均年収(平均*42歳)
18.0年	68.0 → 67.1%	15.0 → 10.2%	㊗1,070万円

●採用・配属情報●

【男女・文理別採用実績】

	大卒男	大卒女	修士男	修士女
23年	26(文 21理 5)	8(文 7理 1)	73(文 3理 70)	5(文 1理 4)
24年	48(文 29理 19)	18(文 17理 1)	91(文 1理 90)	14(文 2理 12)
25年	35(文 28理 7)	39(文 37理 2)	120(文 2理118)	15(文 1理 14)

【男女・職種別採用実績】 転換制度:⇒

	総合職
23年	113(男100 女 13)
24年	172(男140 女 32)
25年	210(男155 女 55)

【24年4月入社者の配属勤務地】㊗東京6 千葉8 川崎7 知多4 倉敷11 福山13 ㊕千葉22 川崎10 知多2 倉敷41 福山46 仙台2

【転勤】あり:[職種]総合職

【中途比率】[単年度]21年度6%、22年度23%、23年度26%[全体]10%

●働きやすさ、諸制度●

残業(月) 25.8時間 ㊗28.5時間

【勤務時間】9:00〜17:30【有休取得年平均】18.2日【週休】完全2日(土日祝)【夏期休暇】あり【年末年始休暇】12月29日〜1月3日

【離職率】男:3.4%、115名 女:3.4%、33名

【新卒3年後離職率】
[20→23年]15.0%(男14.3%・入社196名、女19.4%・入社31名)
[21→24年]10.2%(男9.7%・入社113名、女13.3%・入社15名)

【テレワーク】制度あり:[場所]自宅 他[対象]業務上差支えないと会社が認めた社員[日数]制限なし[利用率]54.8%

【勤務制度】フレックス 裁量労働【住宅補助】独身寮(各勤務地)借上社宅(賃借料75%を会社補助、最大100,000円)

●ライフイベント、女性活躍●

【女性比率】■男 □女

新卒採用 26.2% (55名)

従業員 21.8% (926名)

【産休】[期間]産前6・産後8週間[給与]法定+賞与全額給付[取得者数]19名

【育休】[期間]1歳半になるまで(保育所入所日に応じ延長可)[給与]法定[取得者数]22年度 男115名(対象169名)女22名(対象22名)23年度 男163名(対象243名)女22名(対象22名)[平均取得日数]22年度 NA、23年度 男27日 女216日

【従業員】[人数]4,238名(男3,312名、女926名)[平均年齢]42.2歳(男41.0歳、女46.7歳)[平均勤続年数]18.0年(男16.6年、女23.3年)【年齢構成】■男 □女

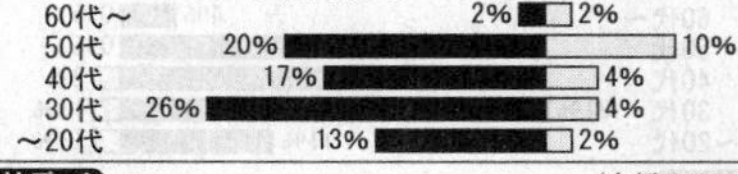

会社データ (金額は百万円)

【本社】100-0011 東京都千代田区内幸町2-2-3 日比谷国際ビル ☎03-3597-3111 https://www.jfe-steel.co.jp/

【業績(IFRS)】	売上高	営業利益	税前利益	純利益
22.3	3,173,475	NA	NA	NA
23.3	3,881,139	NA	NA	NA
24.3	3,716,057	NA	NA	NA

メーカーII

㈱神戸製鋼所
こうべせいこうしょ

プラチナくるみん

【特色】鉄鋼・アルミなど素材を軸に建機や発電を展開

記者評価 国内3位の鉄鋼メーカーだが上位2社とは差。鉄鋼は自動車向け比率高い。鉄、アルミ・銅などの素材、建設機械、電力(電力会社へ卸売り)が3本柱。鉄事業の収益力改善進む。低炭素化で有利とされる直接還元製鉄技術を持つ。ラグビーが会社のアイデンティティ。

平均勤続年数	男性育休取得率	3年後離職率	平均年収(平均42歳)
①15.8年	32.0→31.6%	①11.3→①10.7%	㊕988万円

●採用・配属情報●

【男女・文理別採用実績】

	大卒男	大卒女	修士男	修士女
23年	29(文 16 理 13)	17(文 14 理 3)	44(文 2 理 42)	4(文 1 理 3)
24年	37(文 25 理 12)	21(文 20 理 1)	59(文 0 理 59)	10(文 0 理 10)
25年	34(文 25 理 9)	20(文 18 理 2)	64(文 0 理 64)	8(文 3 理 5)

【男女・職種別採用実績】 転換制度:⇔

	総合職
23年	96(男 75 女 21)
24年	128(男 97 女 31)
25年	129(男 101 女 28)

【24年4月入社者の配属勤務地】㊕兵庫19 東京・大崎11 栃木・真岡6 大阪4 三重・大安2 名古屋1 京都・福知山1 山口・長府1 ㊔兵庫66 栃木・真岡9 神奈川・藤沢3 山口・長府3 三重・大安2

【転勤】あり:[職種]総合職

【中途比率】[単年度]21年度6%、22年度43%、23年度55%(総合職のみ)[全体]26%

●働きやすさ、諸制度●

残業(月) 16.1時間 ㊕18.9時間

【勤務時間】9:00〜17:30【有休取得年平均】16.5日【週休】完全2日(土日祝)【夏期休暇】連続5日(週休2日含む)+年休奨励2日【年末年始休暇】連続5日以上

【離職率】男:1.5%、56名 女:3.5%、11名

【新卒3年後離職率】
[20→23年]11.3%(男11.9%・入社134名、女5.9%・入社17名)※総合職のみ
[21→24年]10.7%(男10.1%・入社69名、女13.3%・入社15名)※総合職のみ

【テレワーク】制度あり:[場所]業務に専念できる就業環境が維持できる場所[対象]全従業員(交替勤務に従事する者 24 時間隔日勤務に従事する者を除く)[日数]月10回まで 他[利用率]9.6%【勤務制度】フレックス 裁量労働【住宅補助】寮・社宅:兵庫(神戸 加古川)東京 他

●ライフイベント、女性活躍●

【女性比率】■男 □女

新卒採用 21.7% (28名)

従業員 7.6% (302名)

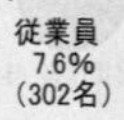

管理職 3.2% (63名)

【産休】[期間]産前6・産後8週間[給与]法定[取得者数]30名

【育休】[期間]3歳になるまで[給与]法定[取得者数]22年度 男142名(対象444名)女31名(対象30名)23年度 男137名(対象433名)女30名(対象30名)[平均取得日数]22年度 NA、23年度 男63日 女386日

【従業員】[人数]3,953名(男3,651名、女302名)[平均年齢]42.0歳(男42.6歳、女35.0歳)[平均勤続年数]15.8年(男16.4年、女8.7年)※総合職のみ【年齢構成】■男 □女

	男	女
60代〜	4%	0%
50代	22%	0%
40代	25%	2%
30代	31%	3%
〜20代	11%	3%

会社データ (金額は百万円)

【本社】651-8585 兵庫県神戸市中央区脇浜海岸通2-2-4 ☎078-261-4310 https://www.kobelco.co.jp/

【業績(連結)】	売上高	営業利益	経常利益	純利益
22.3	2,082,582	87,622	93,233	60,083
23.3	2,472,508	86,365	106,837	72,566
24.3	2,543,142	186,628	160,923	109,552

合同製鐵㈱
ごうどうせいてつ

【特色】日本製鉄系の電炉大手。建設用鋼材に強み

記者評価 日本製鉄系の電炉メーカー大手。鉄筋用棒鋼や線材、形鋼など建設用の比重が大きい。建機向け構造用鋼や形鋼も手がける。独自の機械式継ぎ手・定着板を投入するなど付加価値製品開発に力を入れる。子会社の朝日工業とは関西・関東で製品補完。

平均勤続年数	男性育休取得率	3年後離職率	平均年収(平均42歳)
17.4年	13.0→50.0%	0→14.3%	831万円

●採用・配属情報●

【男女・文理別採用実績】

	大卒男	大卒女	修士男	修士女
23年	5(文 2 理 3)	2(文 2 理 0)	0(文 0 理 0)	0(文 0 理 0)
24年	5(文 2 理 3)	2(文 2 理 0)	1(文 0 理 1)	0(文 0 理 0)
25年	1(文 1 理 0)	2(文 2 理 0)	1(文 0 理 1)	0(文 0 理 0)

【男女・職種別採用実績】

	総合職	一般職
23年	7(男 5 女 2)	0(男 0 女 0)
24年	7(男 6 女 1)	1(男 0 女 1)
25年	4(男 2 女 2)	0(男 0 女 0)

【24年4月入社者の配属勤務地】㊕大阪市1 兵庫・姫路2 千葉・船橋1 ㊔大阪市2 兵庫・姫路1 千葉・船橋1

【転勤】あり:[職種]総合職[勤務地]東京 千葉 大阪 兵庫

【中途比率】[単年度]21年度14%、22年度20%、23年度11%[全体]NA

●働きやすさ、諸制度●

残業(月) 15.4時間 ㊕21.3時間

【勤務時間】8:50〜17:35【有休取得年平均】14.0日【週休】2日(土日祝、年7日土曜出勤)【夏期休暇】お盆3日【年末年始休暇】12月30日〜1月3日

【離職率】男:1.3%、2名 女:4.7%、2名(他に3名転籍)

【新卒3年後離職率】
[20→23年]0%(男0%・入社3名、女—・入社0名)
[21→24年]14.3%(男0%・入社4名、女33.3%・入社3名)

【テレワーク】制度あり:[場所]自宅[対象]入社後間もない社員を除く 職務内容がテレワークに適さない社員を除く[日数]最大週4日まで[利用率]1.7%【勤務制度】時差勤務

【住宅補助】独身寮(月8,000〜10,000円、大阪・姫路・船橋)社宅(月19,700円、大阪・姫路・船橋)

●ライフイベント、女性活躍●

【女性比率】■男 □女

新卒採用 50% (2名)

従業員 21.8% (41名)

【産休】[期間]産前6・産後8週間[給与]会社全額給付[取得者数]4名

【育休】[期間]1歳になるまで[給与]法定[取得者数]22年度 男3名(対象23名)女2名(対象2名)23年度 男5名(対象10名)女4名(対象4名)[平均取得日数]22年度 男53日 女589日、23年度 男36日 女243日

【従業員】[人数]188名(男147名、女41名)[平均年齢]41.8歳(男42.4歳、女40.0歳)[平均勤続年数]17.4年(男17.5年、女15.7年)

【年齢構成】■男 □女

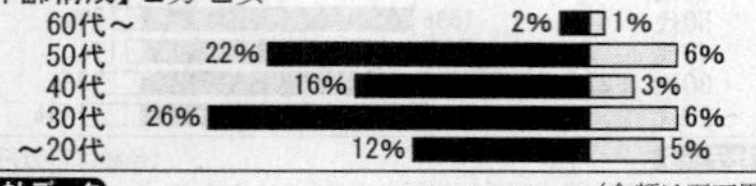

	男	女
60代〜	2%	1%
50代	22%	6%
40代	16%	3%
30代	26%	6%
〜20代	12%	5%

会社データ (金額は百万円)

【本社】530-0004 大阪府大阪市北区堂島浜2-2-8 ☎06-6343-7600 https://www.godo-steel.co.jp/

【業績(連結)】	売上高	営業利益	経常利益	純利益
22.3	204,201	▲2,697	▲1,252	▲1,112
23.3	235,387	13,907	15,867	12,508
24.3	222,850	17,850	20,301	15,193

(株)プロテリアル

えるぼし ★★★

【特色】特殊鋼やネオジム磁石で高シェア。旧日立金属

記者評価 金型や特殊鋼、自動車電動化で需要増のネオジム磁石など磁性材料、自動車用鋳物など素形材製品を生産。13年に日立電線と統合し、電線材料も。22年10月にベインキャピタルによるTOBが成立、日立製作所が持分売却し上場廃止、23年1月から現社名。

平均勤続年数	男性育休取得率	3年後離職率	平均年収(平均46歳)
◇19.9年	12.5→16.9%	14.1→7.8%	(総)903万円

●採用・配属情報●

【男女・文理別採用実績】

	大卒男	大卒女	修士男	修士女
23年	16(文 10理 6)	6(文 4理 2)	19(文 0理 19)	2(文 0理 2)
24年	13(文 9理 4)	3(文 3理 0)	31(文 2理 29)	3(文 3理 0)
25年	2(文 0理 2)	0(文 0理 0)	15(文 0理 15)	2(文 0理 2)

【男女・職種別採用実績】 転換制度:⇒

	総合職
23年	43(男 35 女 8)
24年	52(男 46 女 6)
25年	21(男 19 女 2)

【24年4月入社者の配属勤務地】(総)茨城4 埼玉3 島根3 鳥取1 福岡2 東京2 大阪1 (技)島根10 茨城10 埼玉8 大阪4 鳥取3 福岡1

【転勤】あり:全社員(業務上の都合により必要ある場合)

【中途比率】[単年度]21年度73%、22年度56%、23年度50%[全体]◇28%

●働きやすさ、諸制度●

残業(月) 16.2時間 (総)22.6時間

【勤務時間】8:45〜17:35【有休取得年平均】15.4日【週休】完全2日(土日祝)【夏期休暇】(本社)連続7日(週休3日、一斉有休3日含む)【年末年始休暇】(本社)連続8日

【離職率】NA

【新卒3年後離職率】

[20→23年]14.1%(男14.5%・入社55名、女11.1%・入社9名)

[21→24年]7.8%(男7.0%・入社43名、女12.5%・入社8名)

【テレワーク】制度あり:[場所]自宅 サテライトオフィス モバイルオフィス[対象]会社が必要と認めたもの[日数]制限なし[利用率]NA【勤務制度】フレックス【住宅補助】独身寮 社宅 住宅手当

●ライフイベント、女性活躍●

【女性比率】■男 □女

新卒採用 9.5% (2名)　従業員 14.4% (828名)　管理職 2.4% (28名)

【産休】[期間]産前6・産後8週間[給与]法定[取得者数]13名

【育休】[期間]小学校1年修了までのうち3年間[給与]法定[取得者数]22年度 男19名(対象152名)女14名(対象14名)23年度 男24名(対象142名)女13名(対象13名)[平均取得日数]22年度 男26日 女118日、23年度 男33日 女233日

【従業員】◇[人数]5,759名(男4,931名、女828名)[平均年齢]45.3歳(男45.3歳、女45.0歳)[平均勤続年数]19.9年(男20.3年、女17.3年)

【年齢構成】■男 □女

	男	女
60代〜	0%	0%
50代	36%	6%
40代	25%	5%
30代	15%	2%
〜20代	9%	2%

会社データ (金額は百万円)

【本社】135-0061 東京都江東区豊洲5-6-36 豊洲プライムスクエア ☎0120-603-303 https://www.proterial.com/

【業績(IFRS)】	売上高	営業利益	税前利益	純利益
22.3	942,701	26,695	32,740	12,030
23.3	1,118,910	38,816	43,338	23,285
24.3	1,033,200	NA	NA	NA

大同特殊鋼(株)

だいどうとくしゅこう

くるみん

【特色】特殊鋼では世界最大規模。自動車向けが中心

記者評価 特殊鋼大手。鉄スクラップを電炉で溶かし、合金を加え製造。主力は自動車向けで、エンジン関連が多いが、モーター用磁石やセンサーなど電動化領域も強化。半導体製造装置用ステンレスは世界有数で成長期待。企業学校として高卒者対象の技術学園を持つ。

平均勤続年数	男性育休取得率	3年後離職率	平均年収(平均41歳)
16.8年	21.0→36.4%	7.5→18.9%	(総)934万円

●採用・配属情報●

【男女・文理別採用実績】

	大卒男	大卒女	修士男	修士女
23年	6(文 6理 0)	5(文 5理 0)	15(文 0理 15)	2(文 1理 1)
24年	12(文 7理 5)	6(文 6理 0)	15(文 1理 14)	1(文 0理 1)
25年	11(文 10理 1)	5(文 4理 1)	17(文 1理 16)	3(文 1理 2)

【男女・職種別採用実績】 転換制度:⇔

	総合職
23年	28(男 21 女 7)
24年	34(男 27 女 7)
25年	36(男 28 女 8)

【24年4月入社者の配属勤務地】(総)愛知(東海6 名古屋5)群馬・渋川3 (技)愛知(東海7 名古屋7)群馬・渋川4 岐阜・中津川2

【転勤】あり:[職種]総合職

【中途比率】[単年度]21年度19%、22年度17%、23年度34%[全体]11%

●働きやすさ、諸制度●

残業(月) 25.2時間 (総)27.7時間

【勤務時間】9:00〜18:00【有休取得年平均】13.5日【週休】2日【夏期休暇】連続9日(一部事業場除く)【年末年始休暇】連続9日(一部事業場除く)

【離職率】男:2.2%、25名 女:1.4%、4名

【新卒3年後離職率】

[20→23年]7.5%(男10.0%・入社40名、女0%・入社13名)

[21→24年]18.9%(男20.0%・入社35名、女0%・入社2名)

【テレワーク】制度あり:[場所]自宅 サテライトオフィス[対象]総合職[日数]月4日まで 育児介護事由あれば月10日まで[利用率]NA【勤務制度】フレックス【住宅補助】独身寮(各事業場周辺地区に約1,090室)社宅(各事業場周辺地区に約680室)

●ライフイベント、女性活躍●

【女性比率】■男 □女

新卒採用 22.2% (8名)

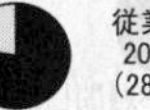

従業員 20.4% (281名)

管理職 2.6% (17名)

【産休】[期間]産前6・産後8週間[給与]前後6週間は特別休暇(有給)、以降法定[取得者数]9名

【育休】[期間]1歳になるまで[給与]法定[取得者数]22年度 男29名(対象138名)女7名(対象7名)23年度 男48名(対象132名)女8名(対象9名)[平均取得日数]22年度 NA、23年度 男40日 女363日

【従業員】[人数]1,376名(男1,095名、女281名)[平均年齢]42.1歳(男41.6歳、女43.8歳)[平均勤続年数]16.8年(男16.5年、女18.0年)

【年齢構成】■男 □女

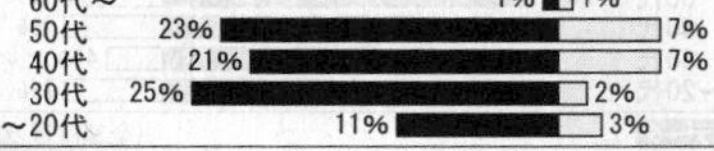

会社データ (金額は百万円)

【本社】461-8581 愛知県名古屋市東区東桜1-1-10 アーバンネット名古屋ビル ☎052-963-7501 https://www.daido.co.jp/

【業績(IFRS)】	売上高	営業利益	税前利益	純利益
24.3	578,564	42,250	45,068	30,555

メーカーII

1780 開示★★★

さんようとくしゅせいこう
山陽特殊製鋼(株)

【特色】特殊鋼専業で軸受け鋼に強み。日本製鉄子会社

[記者評価] 自動車や産業機械向け軸受け鋼で国内首位。姫路市に本社工場。タイ、インドネシア、米国、中国、メキシコなどに子会社。インドのマヒンドラ社やスウェーデンのオバコ社を買収するなど海外展開を強化。オバコは低炭素が特徴。トップ含め経営陣は日本製鉄から。

平均勤続年数	男性育休取得率	3年後離職率	平均年収(平均42歳)
19.8年	74.4→88.2%	17.9→19.0%	[総]890万円

●採用・配属情報●

【男女・文理別採用実績】

	大卒男	大卒女	修士男	修士女
23年	7(文 6理 1)	8(文 8理 0)	4(文 0理 4)	2(文 0理 2)
24年	7(文 6理 1)	4(文 4理 0)	12(文 1理 11)	0(文 0理 0)
25年	7(文 5理 2)	2(文 2理 0)	8(文 0理 8)	1(文 1理 0)

【男女・職種別採用実績】 転換制度:⇔

	総合職	一般職
23年	15(男 10 女 5)	7(男 2 女 5)
24年	19(男 18 女 1)	4(男 1 女 3)
25年	18(男 15 女 3)	-(男 - 女 -)

【24年4月入社者の配属勤務地】[総]兵庫・姫路4 東京・日本橋2 大阪市1 [技]兵庫・姫路12

【転勤】あり:[職種]総合職[勤務地]姫路 東京 大阪 名古屋 広島 福岡

【中途比率】[単年度]21年度7%、22年度16%、23年度12% [全体]5%

●働きやすさ、諸制度●

残業(月) 13.2時間 [総]16.7時間

【勤務時間】7時間45分(フレックスタイム制、コアタイムなし)【有休取得年平均】15.1日【週休】2日【夏期休暇】5〜10月で任意の有休5日【年末年始休暇】12月30日〜1月4日

【離職率】男:1.8%、8名 女:4.5%、7名(早期退職男1名含む)

【新卒3年後離職率】

[20→23年]17.9%(男18.2%・入社22名、女16.7%・入社6名)

[21→24年]19.0%(男13.3%・入社15名、女33.3%・入社6名)

【テレワーク】制度あり:[場所]自宅[対象]正社員(総合職 一般職)[日数]原則月6日まで[利用率]NA【勤務制度】フレックス 時間単位有休【住宅補助】独身寮(兵庫・姫路)契約物件(東京 大阪 名古屋 広島 福岡)

●ライフイベント、女性活躍●

【女性比率】■男 □女

従業員 25.4% (149名)

管理職 4.4% (13名)

【産休】[期間]妊娠初期から・産後8週間[給与]法定[取得者数]7名

【育休】[期間]3歳到達年度末まで[給与]法定[取得者数]22年度 男29名(対象39名)女11名(対象11名)23年度 男30名(対象34名)女9名(対象7名)[平均取得日数]22年度 NA、23年度 NA

【従業員】[人数]587名(男438名、女149名)[平均年齢]43.3歳(男44.1歳、女41.1歳)[平均勤続年数]19.8年(男20.6年、女17.6年)

【年齢構成】■男 □女

	男	女
60代〜	4%	1%
50代	26%	6%
40代	18%	7%
30代	15%	4%
〜20代	12%	7%

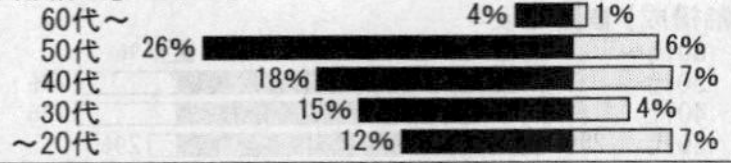

[会社データ] (金額は百万円)

【本社】672-8677 兵庫県姫路市飾磨区中島3007 ☎079-244-9491 http://www.sanyo-steel.co.jp/

【業績(連結)】	売上高	営業利益	経常利益	純利益
22.3	363,278	21,416	21,664	15,267
23.3	393,843	28,492	28,856	20,743
24.3	353,810	11,366	12,119	9,056

410 開示★★★★★

あいちせいこう
愛知製鋼(株)

くるみん

【特色】自動車向け特殊鋼大手でトヨタ系。磁石など育成

[記者評価] 豊田自動織機の製鋼部として誕生。自動車のエンジンや駆動系に使われる特殊鋼鋼材と鍛造品が2本柱。トヨタ以外に、日本製鉄も大株主。電磁品を育成中。磁気センサーを用いた自動運転支援技術や小型・軽量で省資源の電動車向け駆動装置の実用化にも注力。

平均勤続年数	男性育休取得率	3年後離職率	平均年収(平均42歳)
◇18.2年	33.3→69.7%	0→6.5%	[総]800万円

●採用・配属情報●

【男女・文理別採用実績】

	大卒男	大卒女	修士男	修士女
23年	3(文 2理 1)	4(文 3理 1)	10(文 0理 10)	1(文 0理 1)
24年	6(文 5理 1)	4(文 3理 1)	11(文 0理 11)	0(文 0理 0)
25年	5(文 3理 2)	1(文 1理 0)	10(文 0理 10)	1(文 0理 1)

【男女・職種別採用実績】 転換制度:⇒

	総合職	業務職
23年	19(男 14 女 5)	0(男 0 女 0)
24年	20(男 17 女 3)	1(男 0 女 1)
25年	17(男 15 女 2)	0(男 0 女 0)

【24年4月入社者の配属勤務地】[総]愛知・東海7 [技]愛知・東海12 岐阜1

【転勤】あり:[職種]総合事技職[勤務地]東京 大阪 福岡 岐阜 海外拠点

【中途比率】[単年度]21年度18%、22年度42%、23年度39%[全体]◇14%

●働きやすさ、諸制度●

残業(月) 9.4時間 [総]14.1時間

【勤務時間】8:30〜17:30【有休取得年平均】15.8日【週休】完全2日(土日)【夏期休暇】連続8〜11日【年末年始休暇】連続8〜11日

【離職率】◇男:2.1%、52名 女:3.8%、10名(早期退職5名含む、他に3名転籍)

【新卒3年後離職率】

[20→23年]0%(男0%・入社22名、女0%・入社5名)

[21→24年]6.5%(男4.3%・入社23名、女12.5%・入社8名)

【テレワーク】制度あり:[場所]自宅[対象]管理職 総合事技職 業務職 技能職(一部職能等級かつフレックス対象者のみ)一部嘱託社員[日数]職能等級別に週1〜2日[利用率]7.3%【勤務制度】フレックス 副業容認【住宅補助】独身寮 カフェテリアプラン(家賃補助・住宅ローン補助)

●ライフイベント、女性活躍●

【女性比率】■男 □女

新卒採用 11.8% (2名)

従業員 9.3% (254名)

管理職 1.4% (5名)

【産休】[期間]産前6・産後8週間[給与]法定[取得者数]8名

【育休】[期間]1歳になるまで[給与]法定[取得者数]22年度 男22名(対象66名)女11名(対象12名)23年度 男53名(対象76名)女10名(対象8名)[平均取得日数]22年度 男39日 女393日、23年度 男54日 女421日

【従業員】◇[人数]2,721名(男2,467名、女254名)[平均年齢]40.9歳(男41.2歳、女37.6歳)[平均勤続年数]18.2年(男18.6年、女14.1年)【年齢構成】■男 □女

	男	女
60代〜	2%	0%
50代	27%	2%
40代	21%	2%
30代	21%	2%
〜20代	20%	3%

[会社データ] (金額は百万円)

【本社】476-8666 愛知県東海市荒尾町ワノ割1 ☎052-604-1111 https://www.aichi-steel.co.jp/

【業績(IFRS)】	売上高	営業利益	税前利益	純利益
22.3	260,117	2,139	2,895	1,089
23.3	285,141	3,260	4,099	1,610
24.3	296,516	10,372	10,947	6,593

メーカーⅡ

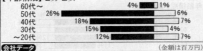

1798 開示 ★★★★

三菱製鋼(株)
みつびしせいこう

[くるみん]

【特色】三菱グループの特殊鋼・鋳鍛造品メーカー

[記者評価] 1964年、三菱鋼材と三菱製鋼の合併で発足。工業用ばねの一貫メーカーとして需要先は幅広い。建機向け太巻きばねでは世界トップシェアを誇る。特殊鋼は建機や産機、ばねは自動車や建機を中心に供給。原料調達で日本製鉄と親密。アジア・北米に生産拠点。

平均勤続年数	男性育休取得率	3年後離職率	平均年収(平均44歳)
◇20.9年	33.3→50.0%	30.0→18.2%	[総]769万円

●採用・配属情報●

【男女・文理別採用実績】

	大卒男	大卒女	修士男	修士女
23年	4(文 2理 2)	1(文 1理 0)	6(文 0理 6)	1(文 1理 0)
24年	10(文 6理 4)	0(文 0理 0)	2(文 0理 2)	0(文 0理 0)
25年	11(文 6理 5)	4(文 3理 1)	1(文 0理 1)	1(文 0理 1)

【男女・職種別採用実績】

	総合職
23年	12(男 10 女 2)
24年	12(男 12 女 0)
25年	17(男 12 女 5)

【24年4月入社者の配属勤務地】[総]東京4 千葉(市原1 市川1) [技]北海道・室蘭2 千葉(市原3 市川1)

【転勤】あり:全社員

【中途比率】[単年度]21年度65%、22年度57%、23年度25%[全体]◇34%

●働きやすさ、諸制度●

残業(月) 14.6時間 [総]14.6時間

【勤務時間】9:00〜17:40【有休取得年平均】15.0日【週休】完全2日(土日祝)【夏期休暇】8月10〜18日(うち4日有休)【年末年始休暇】12月27日〜1月5日(うち1日有休)

【離職率】◇男:1.4%、8名 女:4.2%、4名

【新卒3年後離職率】

[20→23年]30.0%(男37.5%・入社8名、女0%・入社2名)

[21→24年]18.2%(男11.1%・入社9名、女50.0%・入社2名)

【テレワーク】制度あり:[場所]自宅 自宅に準ずる場所[対象]全社員[日数]制限なし[利用率]NA【勤務制度】フレックス 時差勤務 勤務間インターバル【住宅補助】独身寮(自己負担9,000円 35歳まで)社宅手当(独身寮がない地域は社宅手当月37,000〜82,000円)他

●ライフイベント、女性活躍●

【女性比率】■男 □女

新卒採用 29.4% (5名)

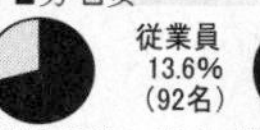

従業員 13.6% (92名)

管理職 3.9% (5名)

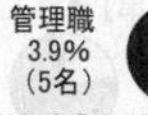

【産休】[期間]産前6・産後8週間[給与]法定[取得者数]6名

【育休】[期間]1歳になるまで[給与]法定[取得者数]22年度 男2名(対象6名)女1名(対象1名)23年度 男4名(対象8名)女5名(対象5名)[平均取得日数]22年度 男293日 女300日、23年度 男41日 女−

【従業員】◇[人数]676名(男584名、女92名)[平均年齢]43.5歳(男44.2歳、女38.9歳)[平均勤続年数]20.9年(男21.9年、女14.3年)

【年齢構成】■男 □女

60代〜 8% 1%
50代 31% 3%
40代 23% 3%
30代 14% 4%
〜20代 10% 3%

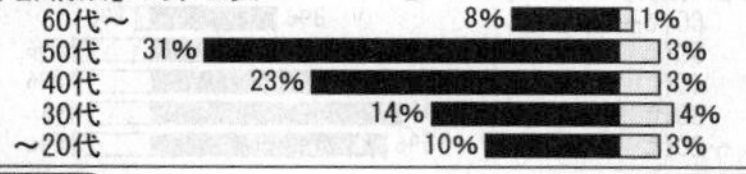

[会社データ] (金額は百万円)

【本社】104-8550 東京都中央区月島4-16-13 Daiwa月島ビル ☎03-3536-3111 https://www.mitsubishisteel.co.jp/

【業績(連結)】	売上高	営業利益	経常利益	純利益
22.3	146,292	6,270	5,780	4,068
23.3	170,537	5,547	3,743	2,190
24.3	169,943	4,808	1,949	▲969

408 開示 ★★★

(株)淀川製鋼所
よどがわせいこうしょ

【特色】圧延専業で表面処理鋼板が主力。家庭用物置も

[記者評価] 独立系圧延メーカー。亜鉛メッキ鋼板など表面処理鋼板が主力。カラー鋼板に強み。建築向けを柱に、家電や住設機器向けにも展開。「ヨドコウ」ブランドで家庭用物置も。エクステリア製品の製造子会社を資本支援。一般消費者向け製品の新ブランド浸透に注力。

平均勤続年数	男性育休取得率	3年後離職率	平均年収(平均42歳)
◇20.3年	15.8→42.3%	5.0→23.5%	[総]750万円

●採用・配属情報●

【男女・文理別採用実績】

	大卒男	大卒女	修士男	修士女
23年	7(文 4理 3)	5(文 4理 1)	4(文 0理 4)	0(文 0理 0)
24年	8(文 6理 2)	3(文 3理 0)	3(文 0理 3)	0(文 0理 0)
25年	7(文 3理 4)	3(文 1理 2)	2(文 0理 2)	0(文 0理 0)

※25年:23名採用予定

【男女・職種別採用実績】 転換制度:⇒

	総合職	一般職
23年	16(男 11 女 5)	0(男 0 女 0)
24年	15(男 12 女 3)	0(男 0 女 0)
25年	12(男 9 女 3)	0(男 0 女 0)

【24年4月入社者の配属勤務地】[総]大阪市6 広島・呉1 名古屋1 札幌1 [技]大阪市1 東京1 広島・呉3 千葉・市川1

【転勤】あり:[職種]総合職[勤務地]大阪本社 東京支社 工場(大阪 呉 市川)営業所(東京 名古屋 大阪 広島 福岡 他)

【中途比率】[単年度]21年度20%、22年度42%、23年度38%(現業職は除く)[全体]◇12%

●働きやすさ、諸制度●

残業(月) 8.5時間 [総]8.5時間

【勤務時間】9:00〜17:30【有休取得年平均】12.8日【週休】2日【夏期休暇】有休で取得可(7〜9月で5日程度)【年末年始休暇】連続6日程度

【離職率】◇男:1.9%、20名 女:3.2%、6名

【新卒3年後離職率】

[20→23年]5.0%(男6.7%・入社15名、女0%・入社5名)

[21→24年]23.5%(男33.3%・入社12名、女0%・入社5名)

【テレワーク】制度なし【勤務制度】時差勤務【住宅補助】独身寮・社宅(各事業所 大阪 東京 千葉 広島 他)独身寮(自己負担5,000〜7,500円)住宅手当(3,000〜10,000円)

●ライフイベント、女性活躍●

【女性比率】■男 □女

新卒採用 25% (3名)

従業員 14.7% (179名)

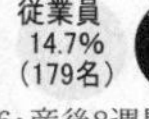

管理職 2.1% (3名)

【産休】[期間]産前6・産後8週間[給与]法定[取得者数]18名

【育休】[期間]2年間[給与]法定[取得者数]22年度 男3名(対象19名)女6名(対象6名)23年度 男11名(対象26名)女16名(対象16名)[平均取得日数]22年度 NA、23年度 NA

【従業員】◇[人数]1,217名(男1,038名、女179名)[平均年齢]41.8歳(男42.7歳、女36.6歳)[平均勤続年数]20.3年(男21.5年、女13.1年)

【年齢構成】■男 □女

60代〜 3% 0%
50代 27% 2%
40代 23% 3%
30代 14% 4%
〜20代 18% 5%

[会社データ] (金額は百万円)

【本社】541-0054 大阪府大阪市中央区南本町4-1-1 ☎06-6245-1111 https://www.yodoko.co.jp/

【業績(連結)】	売上高	営業利益	経常利益	純利益
22.3	201,655	14,349	17,916	9,789
23.3	220,314	12,665	17,686	10,593
24.3	203,957	12,017	15,202	4,456

メーカーII

㈱栗本鐵工所（くりもとてっこうしょ）

プラチナくるみん

【特色】鋳鉄管で2位。産業機械やエンジニアリングも主力

記者評価 独立系機械メーカー。鉄管・バルブなどのパイプシステムが中核事業。産機や給排気用スパイラルダクトなどの設備製品も。鍛圧機など機械システム軸に海外展開。上下水道管路設計・施工などの子会社擁す。不燃性ガラス繊維強化プラスチック複合材の水平展開推進。

平均勤続年数	男性育休取得率	3年後離職率	平均年収(平均44歳)
◇21.1年	75.0→96.0%	10.0→13.8%	㊗891万円

●採用・配属情報●

【男女・文理別採用実績】

	大卒男	大卒女	修士男	修士女
23年	7(文 3 理 4)	2(文 2 理 0)	6(文 0 理 6)	1(文 0 理 1)
24年	14(文 8 理 6)	3(文 3 理 0)	6(文 0 理 6)	0(文 0 理 0)
25年	11(文 4 理 7)	4(文 4 理 0)	6(文 0 理 6)	1(文 0 理 1)

【男女・職種別採用実績】 転換制度:⇔

	総合職	事務職
23年	16(男 13 女 3)	1(男 0 女 1)
24年	22(男 19 女 3)	1(男 1 女 0)
25年	22(男 17 女 5)	0(男 0 女 0)

【24年4月入社者の配属勤務地】㊗大阪市7 東京・港3 ㊕大阪(大阪市10 交野1)東京・港1

【転勤】あり:全社員

【中途比率】[単年度]21年度47%、22年度52%、23年度53%[全体]◇31%

●働きやすさ、諸制度●

残業(月) 15.9時間 ㊗15.9時間

【勤務時間】8:30〜17:15【有休取得年平均】15.9日【週休】完全2日(土日祝)【夏期休暇】連続6日【年末年始休暇】連続6日

【離職率】◇男:1.6%、20名 女:1.9%、2名(早期退職男2名含む)

【新卒3年後離職率】

[20→23年]10.0%(男8.0%・入社25名、女20.0%・入社5名)

[21→24年]13.8%(男12.0%・入社25名、女25.0%・入社4名)

【テレワーク】制度あり:[場所]自宅[対象]全社員[日数]週2回まで[利用率]5.0%【勤務制度】フレックス 時差勤務 勤務間インターバル 副業容認【住宅補助】独身者用借上社宅 転勤者用借上社宅(家賃の6〜8割を会社負担)

●ライフイベント、女性活躍●

【女性比率】■男 □女

新卒採用 22.7%(5名)

従業員 8.1%(106名)

管理職 0.4%(1名)

【産休】[期間]産前6・産後8週間[給与]法定[取得者数]1名

【育休】[期間]1歳になるまで[給与]法定[取得者数]22年度 男21名(対象28名)女2名(対象2名)23年度 男24名(対象25名)女1名(対象1名)[平均取得日数]22年度 男30日 女375日、23年度 男32日 女309日

【従業員】◇[人数]1,316名(男1,210名、女106名)[平均年齢]45.5歳(男45.6歳、女44.2歳)[平均勤続年数]21.1年(男21.4年、女17.1年)

【年齢構成】■男 □女

	男	女
60代〜	1%	0%
50代	40%	3%
40代	27%	2%
30代	14%	1%
〜20代	10%	2%

会社データ (金額は百万円)

【本社】550-8580 大阪府大阪市西区北堀江1-12-19 ☎06-6538-7602 http://www.kurimoto.co.jp/

【業績(連結)】	売上高	営業利益	経常利益	純利益
22.3	105,954	4,172	4,179	2,917
23.3	124,827	6,840	6,868	4,727
24.3	125,925	7,460	7,816	5,470

住友電気工業㈱（すみともでんきこうぎょう）

えるぼし★★★ プラチナくるみん

【特色】電力ケーブルや自動車用ワイヤーハーネスで大手

記者評価 国内電線首位級で旧電線御三家。自動車用ワイヤハーネスでは世界大手で、光ファイバーなど通信インフラも展開。自動車関連が売上の柱だが、送電線等に使用される電力ケーブル、情報通信分野も安定的な収益を稼ぐ。自動車用焼結部品などの産業素材も手がける。

平均勤続年数	男性育休取得率	3年後離職率	平均年収(平均*43歳)
17.5年	72.9→98.8%	10.8→10.4%	㊗974万円

●採用・配属情報●

【男女・文理別採用実績】

	大卒男	大卒女	修士男	修士女
23年	48(文 41 理 7)	33(文 28 理 5)	114(文 1 理113)	10(文 0 理 10)
24年	59(文 49 理 10)	36(文 33 理 3)	109(文 2 理107)	20(文 1 理 19)
25年	60(文 44 理 16)	34(文 30 理 4)	117(文 1 理116)	16(文 0 理 16)

【男女・職種別採用実績】 転換制度:⇒

	総合職
23年	211(男 168 女 43)
24年	239(男 182 女 57)
25年	238(男 186 女 52)

【24年4月入社者の配属勤務地】㊗大阪(大阪 熊取)22 東京(赤坂 目白 汐留)22 名古屋16 兵庫・伊丹6 滋賀(信楽 水口)4 栃木・鹿沼3 茨城・日立2 横浜2 岡山・高梁2 山梨・昭和町1 ㊕大阪(大阪 西島 土佐堀)61 兵庫・伊丹19 神奈川(横浜 茅ヶ崎)17 山梨・昭和町14 三重(四日市 塩浜)13 茨城(日高 みなと 豊浦)9 滋賀(信楽 水口)9 栃木(鹿沼 宇都宮)7 東京(赤坂 汐留 品川 羽田)6 岡山・高梁2 名古屋1 富山・射水1

【転勤】あり:[職種]総合職

【中途比率】[単年度]21年度33%、22年度41%、23年度41%(総合職のみ)[全体]23%

●働きやすさ、諸制度●

残業(月) 16.9時間 ㊗20.6時間

【勤務時間】8:30〜17:15【有休取得年平均】19.2日【週休】完全2日(土日)【夏期休暇】(工場部門)連続9日【年末年始休暇】(工場部門)連続7日

【離職率】男:NA、229名 女:NA、39名

【新卒3年後離職率】

[20→23年]10.8%(男9.8%・入社163名、女13.0%・入社69名)

[21→24年]10.4%(男8.6%・入社151名、女17.1%・入社41名)

【テレワーク】制度あり:[場所]NA[対象]NA[日数]NA[利用率]NA【勤務制度】フレックス 時間単位有休 裁量労働 時差勤務 勤務間インターバル【住宅補助】家賃補助手当 独身寮 社宅(全国各支店・製作所付近)

●ライフイベント、女性活躍●

【女性比率】■男 □女

新卒採用 21.8%(52名)

【産休】[期間]法定、ただし希望すれば産前8・産後8週間[給与]法定+1割加算[取得者数]46名

【育休】[期間]3歳になるまで[給与]最初5日間有給、以降法定[取得者数]22年度 男186名(対象255名)女35名(対象35名)23年度 男246名(対象249名)女42名(対象42名)[平均取得日数]22年度 NA、23年度 NA

【従業員】[人数]6,995名(男NA、女NA)[平均年齢]43.2歳(男NA、女NA)[平均勤続年数]17.5年(男NA、女NA)

【年齢構成】■男 □女

	男	女
60代〜	8%	1%
50代	25%	5%
40代	16%	5%
30代	16%	4%
〜20代	15%	5%

会社データ (金額は百万円)

【本社】541-0041 大阪府大阪市中央区北浜4-5-33 住友ビル ☎06-6220-4134 https://sumitomoelectric.com/jp/

【業績(連結)】	売上高	営業利益	経常利益	純利益
22.3	3,367,863	122,195	138,160	96,306
23.3	4,005,561	177,443	173,348	112,654
24.3	4,402,814	226,618	215,341	149,723

メーカーII

ふるかわでんきこうぎょう
古河電気工業(株)

えるぼし ★★★　くるみん

【特色】古河グループ中核。光ファイバーで世界有数

記者評価 かつての「電線御三家」の一角。世界で初めて光ファイバーを製造し、技術力に定評。米州の光ファイバーなどでの情報通信インフラのほか電力インフラとワイヤハーネスなど自動車部品が主力事業。データセンター向けの冷却装置もAIブームで急成長中。

平均勤続年数	男性育休取得率	3年後離職率	平均年収(平均42歳)
◇19.7年	60.0→103.0%	10.7→9.6%	総781万円

●採用・配属情報●

【男女・文理別採用実績】

	大卒男	大卒女	修士男	修士女
23年	28(文 11 理 17)	17(文 12 理 5)	41(文 0 理 41)	15(文 0 理 15)
24年	23(文 13 理 10)	19(文 15 理 4)	58(文 0 理 58)	11(文 0 理 11)
25年	30(文 18 理 12)	14(文 13 理 1)	67(文 0 理 67)	12(文 0 理 12)

【男女・職種別採用実績】　転換制度:⇒

	総合職	一般職	特務職
23年	96(男 71 女 25)	6(男 0 女 6)	2(男 0 女 2)
24年	107(男 83 女 24)	4(男 0 女 4)	3(男 0 女 3)
25年	119(男 100 女 19)	6(男 0 女 6)	1(男 0 女 1)

【24年4月入社者の配属勤務地】㊕千葉・市原5 東京(千代田4 羽田1)三重・亀山4 神奈川(平塚3 横浜1)栃木・日光2 大阪2 福岡1 ㊔千葉・市原27 神奈川(横浜9 平塚18)東京(千代田1 羽田8)三重・亀山8 栃木(日光5 今市1)滋賀4 愛知3

【転勤】あり:[職種]総合職

【中途比率】[単年度]21年度34%、22年度45%、23年度49%[全体]◇28%

●働きやすさ、諸制度●

残業(月) 22.8時間 総23.7時間

【勤務時間】9:00～17:45(事業所により異なる)【有休取得年平均】14.7日【週休】完全2日(土日祝)【夏期休暇】(工場部門)連続5日程度【年末年始休暇】12月30日～1月3日

【離職率】◇男:3.6%、137名 女:2.7%、15名

【新卒3年後離職率】
[20→23年]10.7%(男8.3%・入社84名、女17.9%・入社28名)
[21→24年]9.6%(男11.7%・入社94名、女0%・入社21名)

【テレワーク】制度あり:[場所]自宅 カフェ サテライトオフィス 社内サテライトオフィス(勤務地外の所支店)[対象]会社が許可した部署[日数]制限なし[利用率]24.8%【勤務制度】フレックス 時間単位有休 時差勤務 勤務間インターバル 副業容認

【住宅補助】独身寮 借上寮 社宅(本社 支社 各事業所 他)

●ライフイベント、女性活躍●

【女性比率】■男 □女

新卒採用 20.6%(26名)　従業員 12.9%(540名)　管理職 3.9%(20名)

【産休】[期間]産前6・産後9週間[給与]法定+14%給付[取得者数]16名

【育休】[期間]3年間[給与]法定[取得者数]22年度 男45名(対象75名)女10名(対象10名)23年度 男68名(対象66名)女15名(対象14名)[平均取得日数]22年度 男38日 女417日、23年度 男25日 女345日

【従業員】◇[人数]4,172名(男3,632名、女540名)[平均年齢]43.8歳(男44.3歳、女40.2歳)[平均勤続年数]19.7年(男20.3年、女16.2年)【年齢構成】■男 □女

	男	女
60代～	5%	0%
50代	30%	4%
40代	22%	3%
30代	15%	2%
～20代	15%	4%

会社データ　(金額は百万円)

【本社】100-8322 東京都千代田区大手町2-6-4 常盤橋タワー ☎03-6281-8515
https://www.furukawa.co.jp/

【業績(連結)】	売上高	営業利益	経常利益	純利益
22.3	930,496	11,428	19,666	10,093
23.3	1,066,326	15,441	19,639	17,911
24.3	1,056,528	11,171	10,267	6,508

(株)フジクラ

えるぼし ★★★

【特色】旧電線御三家の一角で独立系。改革の効果発現中

記者評価 1885年創業の旧電線御三家の一角、独立系。光ファイバーでは高付加価値品を軸に海外向けに注力、米国などの大手IT企業向けにデータセンター用途で事業成長中。フレキシブルプリント基板(FPC)も世界有数規模。東京・木場にある深川ギャザリアの大家。

平均勤続年数	男性育休取得率	3年後離職率	平均年収(平均44歳)
◇17.2年	56.1→73.3%	20.3→6.7%	◇845万円

●採用・配属情報●

【男女・文理別採用実績】※25年:24年7月時点

	大卒男	大卒女	修士男	修士女
23年	6(文 1 理 5)	3(文 3 理 0)	6(文 0 理 6)	2(文 0 理 2)
24年	11(文 6 理 5)	8(文 8 理 0)	14(文 0 理 14)	3(文 1 理 2)
25年	20(文 3 理 17)	7(文 6 理 1)	25(文 0 理 25)	1(文 0 理 1)

【男女・職種別採用実績】　転換制度:⇔

	総合職
23年	17(男 12 女 5)
24年	36(男 25 女 11)
25年	53(男 45 女 8)

【24年4月入社者の配属勤務地】㊕東京・木場12 千葉・佐倉2 群馬・太田1 ㊔東京・木場4 千葉・佐倉17

【転勤】あり:[職種]総合職 管理職[勤務地]グループの各拠点

【中途比率】[単年度]21年度14%、22年度55%、23年度65%[全体]NA

●働きやすさ、諸制度●

残業(月) 総25.9時間

【勤務時間】9:00～17:45【有休取得年平均】13.9日【週休】完全2日(土日)【夏期休暇】事業所は4日 ※本社は7～9月の間に3日間を目安として有休取得を奨励【年末年始休暇】12月30日～1月4日

【離職率】◇男:2.1%、37名 女:1.0%、3名

【新卒3年後離職率】
[20→23年]20.3%(男22.6%・入社53名、女9.1%・入社11名)
[21→24年]6.7%(男8.3%・入社24名、女0%・入社6名)

【テレワーク】制度あり:[場所]自宅[対象]テレワーク勤務適用者[日数]制限なし(目安として週1回以上の出社を推奨)[利用率]NA【勤務制度】フレックス 時間単位有休 時差勤務 副業容認【住宅補助】独身寮(本社・佐倉、入寮条件あり)借上社宅

●ライフイベント、女性活躍●

【女性比率】■男 □女

新卒採用 15.1%(8名)　従業員 15%(310名)　管理職 4.5%(39名)

【産休】[期間]産前6・産後8週間[給与]法定[取得者数]8名

【育休】[期間]3歳になる前日まで[給与]法定[取得者数]22年度 男32名(対象57名)女7名(対象7名)23年度 男33名(対象45名)女8名(対象8名)[平均取得日数]22年度 NA、23年度 男51日 女NA

【従業員】◇[人数]2,068名(男1,758名、女310名)[平均年齢]43.9歳(男44.1歳、女42.5歳)[平均勤続年数]17.2年(男17.4年、女16.0年)【年齢構成】■男 □女

	男	女
60代～	0%	0%
50代	29%	5%
40代	25%	5%
30代	20%	3%
～20代	12%	3%

会社データ　(金額は百万円)

【本社】135-8512 東京都江東区木場1-5-1 ☎03-5606-1033
https://www.fujikura.co.jp/

【業績(連結)】	売上高	営業利益	経常利益	純利益
22.3	670,350	38,288	34,089	39,101
23.3	806,453	70,163	67,897	40,891
24.3	799,760	69,483	69,733	51,011

422 開示 ★★★☆☆

エスダブリューシーシー
ＳＷＣＣ(株)

[えるぼし ★★★] [くるみん]

【特色】総合電線・ケーブルメーカー。車載を強化中

[記者評価] 東芝発祥。電力ケーブル、巻線など重電系が得意。11年中国の富通集団と資本提携したが、現在は資本関係を大幅解消、業務提携を続ける。電力インフラではケーブル・機器・工事・保守を一貫して手がける。自動車関連製品を強化。経営改革で収益が大幅に改善。

平均勤続年数	男性育休取得率	3年後離職率	平均年収(平均44歳)
16.8年	24.1→28.6%	11.8→0%	[総]716万円

●採用・配属情報●

【男女・文理別採用実績】※25年:予定数

	大卒男	大卒女	修士男	修士女
23年	4(文 2理 2)	1(文 1理 0)	4(文 0理 4)	1(文 0理 1)
24年	4(文 3理 1)	4(文 2理 2)	4(文 0理 4)	2(文 2理 0)
25年	2(文 2理 0)	2(文 2理 0)	7(文 0理 7)	4(文 0理 4)

【男女・職種別採用実績】　転換制度:⇔

	総合職
23年	10(男 8 女 2)
24年	15(男 9 女 6)
25年	15(男 9 女 6)

【職種併願】総合職とエリア総合職で可能

【24年4月入社者の配属勤務地】[総]川崎7 [技]神奈川・相模原5 三重2 愛知1

【転勤】あり:[職種]総合職(技術系・事務系)

【中途比率】[単年度]21年度71%、22年度61%、23年度72%[全体]62%

●働きやすさ、諸制度●

残業(月) 17.0時間

【勤務時間】8:30～17:15【有休取得年平均】15.5日【週休】2日(土日)(拠点により祝日出勤あり)【夏期休暇】(事業所)連続8～9日(本社)有休で取得【年末年始休暇】12月29日～1月4日

【離職率】男:0.5%、6名 女:1.0%、2名

【新卒3年後離職率】
[20→23年]11.8%(男0%・入社12名、女40.0%・入社5名)
[21→24年]0%(男0%・入社6名、女0%・入社4名)

【テレワーク】制度あり:[場所]原則自宅[対象]技術 研究・開発 製造 生産技術 品質保証 営業 間接等 労使協定で定められた各部門所属者[日数]月の稼働日数の半分を上限とする[利用率]NA【勤務制度】フレックス【住宅補助】寮(三重事業所、愛知工場の近郊)その他の地区は賃貸費用の50%負担(上限30,000円)※地域により上限金額の設定あり、支給要件に該当した場合のみ

●ライフイベント、女性活躍●

【女性比率】■男 □女

新卒採用 40% (6名)

従業員 13.4% (193名)

管理職 4.2% (6名)

【産休】[期間]産前6・産後10週間[給与]法定[取得者数]13名

【育休】[期間]1歳到達月末まで[給与]給付金+会社給与2.5割給付[取得者数]22年度 男7名(対象29名)女4名(対象4名)23年度 男8名(対象28名)女5名(対象5名)[平均取得日数]22年度 男40日 女383日、23年度 男47日 女312日

【従業員】[人数]1,437名(男1,244名、女193名)[平均年齢]44.4歳(男44.3歳、女45.3歳)[平均勤続年数]16.8年(男16.7年、女17.2年)【年齢構成】■男 □女

	男	女
60代～	9%	1%
50代	27%	4%
40代	20%	4%
30代	18%	2%
～20代	13%	2%

[会社データ]　(金額は百万円)

【本社】210-0024 神奈川県川崎市川崎区日進町1-14 JMFビル川崎01 ☎044-223-0530　https://www.swcc.co.jp/jpn/

【業績(連結)】	売上高	営業利益	経常利益	純利益
22.3	199,194	10,039	9,882	9,353
23.3	209,111	10,474	10,393	9,410
24.3	213,904	12,824	12,213	8,838

415 開示 ★★★☆☆

みつびし
三菱マテリアル(株)

[えるぼし ★★] [くるみん]

【特色】非鉄総合首位級。セメントや電子材料なども展開

[記者評価] 1871年設立の九十九商会が前身。銅加工や超硬工具などの自動車関連、半導体関連の電子材料、銅を中心に非鉄金属の製錬などを総合展開。海外で鉱山投資を継続するほか、再生可能エネルギーで地熱発電も。22年宇部興産とセメント事業統合し分離。

平均勤続年数	男性育休取得率	3年後離職率	平均年収(平均44歳)
◇18.2年	61.3→76.9%	13.8→14.3%	[総]875万円

●採用・配属情報●

【男女・文理別採用実績】

	大卒男	大卒女	修士男	修士女
23年	24(文 17理 7)	13(文 8理 5)	40(文 0理 40)	11(文 0理 11)
24年	15(文 10理 5)	15(文 15理 0)	36(文 2理 34)	10(文 0理 10)
25年	26(文 14理 12)	16(文 13理 3)	43(文 1理 42)	7(文 0理 7)

【男女・職種別採用実績】　転換制度:⇔

	総合職
23年	89(男 65 女 24)
24年	76(男 51 女 25)
25年	92(男 69 女 23)

【24年4月入社者の配属勤務地】[総]東京16 茨城1 福島2 岐阜1 大阪2 兵庫2 香川3 [技]東京4 埼玉5 茨城11 秋田5 福島6 岐阜6 静岡1 大阪2 兵庫3 香川6

【転勤】あり:全社員(基幹職除く)

【中途比率】[単年度]21年度33%、22年度31%、23年度41%(現業職含む)[全体]◇26%

●働きやすさ、諸制度●

残業(月) (含現業)18.6時間 [総]18.6時間

【勤務時間】9:00～18:00(フレックスタイム制 コアタイム無)【有休取得年平均】(含現業)17日【週休】完全2日(土日祝)【夏期休暇】(本社)8月10～15日(事業所により異なる)【年末年始休暇】(本社)12月28日～1月3日(事業所により異なる)

【離職率】◇男:2.8%、130名 女:3.5%、30名

【新卒3年後離職率】
[20→23年]13.8%(男14.1%・入社71名、女13.0%・入社23名)
[21→24年]14.3%(男14.9%・入社94名、女12.5%・入社32名)

【テレワーク】制度あり:[場所]自宅 サテライトオフィス[対象]全社制度であるが、適用可否及び細部運用内容については、拠点労使間で協議の上決定[日数]制限なし[利用率]NA【勤務制度】フレックス 時間単位有休 副業容認【住宅補助】社宅 独身寮制度(原則45歳まで)社宅以外の居住者には住宅手当(限度26,000円／月)

●ライフイベント、女性活躍●

【女性比率】■男 □女

新卒採用 25% (23名)

従業員 15.3% (826名)

管理職 3.2% (56名)

【産休】[期間]産前6・産後8週間[給与]産前は法定、産後は会社全額給付[取得者数]17名

【育休】[期間]1歳になるまで[給与]法定[取得者数]22年度 男84名(対象137名)女19名(対象19名)23年度 男83名(対象108名)女16名(対象14名)[平均取得日数]22年度 男40日 女341日、23年度 男62日 女322日

【従業員】◇[人数]5,408名(男4,582名、女826名)[平均年齢]42.6歳(男43.0歳、女39.5歳)[平均勤続年数]18.2年(男18.8年、女14.2年)

【年齢構成】NA

[会社データ]　(金額は百万円)

【本社】100-8117 東京都千代田区丸の内3-2-3 丸の内二重橋ビル ☎03-5252-5200　https://www.mmc.co.jp/

【業績(連結)】	売上高	営業利益	経常利益	純利益
22.3	1,811,759	52,708	76,080	45,015
23.3	1,625,933	50,076	25,306	20,330
24.3	1,540,642	23,276	54,102	29,793

メーカーII

ジェイエックスきんぞく

ＪＸ金属(株)

くるみん

【特色】非鉄金属の国内大手。銅精錬技術に強み

記者評価 エネオスHD傘下の非鉄金属国内大手。南米チリで銅鉱山権益を持つ。銅中心に金属資源開発、製錬、薄膜材料などの加工を手がける。圧延銅箔などニッチ製品で世界シェア1位。電材加工や機能材料などに注力。24年8月タツタ電線をTOBで買収、完全子会社化へ。

平均勤続年数	男性育休取得率	3年後離職率	平均年収(平均39歳)
◇12.4年	NA	10.0→13.5%	㊈936万円

●採用・配属情報●

【男女・文理別採用実績】

	大卒男	大卒女	修士男	修士女
23年	27(文 21 理 6)	7(文 7 理 0)	51(文 0 理 51)	4(文 0 理 4)
24年	23(文 21 理 2)	14(文 13 理 1)	46(文 0 理 46)	5(文 0 理 5)
25年	16(文 15 理 1)	13(文 12 理 1)	29(文 1 理 28)	3(文 0 理 3)

【男女・職種別採用実績】 転換制度:⇒

	総合職
23年	94(男 83 女 11)
24年	90(男 69 女 21)
25年	63(男 45 女 18)

【24年4月入社者の配属勤務地】㊈東京・港10 神奈川・高座郡9 茨城(北茨城11 日立2)大分市2 ㊋東京・港6 神奈川・高座郡8 茨城(北茨城23 日立14)大分市6 北海道1 秋田1

【転勤】あり:[職種]全社員[勤務地]東京 神奈川 茨城 大分 海外 他

【中途比率】[単年度]21年度NA、22年度NA、23年度NA[全体]◇48%

●働きやすさ、諸制度●

残業(月) 13.1時間

【勤務時間】9:00～17:50(フレックスタイム制、コアタイムなし)【有休取得年平均】18.5日【週休】完全2日(土日)【夏期休暇】事業所により異なる【年末年始休暇】事業所により異なる

【離職率】NA

【新卒3年後離職率】
[20→23年]10.0%(男12.5%・入社40名、女0%・入社10名)
[21→24年]13.5%(男11.4%・入社44名、女25.0%・入社8名)

【テレワーク】制度あり:[場所]自宅[対象]NA[日数]NA[利用率]NA【勤務制度】フレックス 時間単位有休【住宅補助】社宅寮(全事業所)住宅手当(地域差あり)

●ライフイベント、女性活躍●

【女性比率】■男 □女

新卒採用 28.6%(18名)　従業員 12.1%(512名)　管理職 3.2%(23名)

【産休】[期間]産前6・産後8週間[給与]法定+JX健保付加金給付[取得者数]20名

【育休】[期間]1歳になるまで[給与]法定[取得者数]22年度 男22名(対象NA)女9名(対象9名)23年度 男11名(対象NA)女9名(対象9名)[平均取得日数]22年度 男NA 女122日、23年度 男NA 女122日

【従業員】◇[人数]4,237名(男3,725名、女512名)[平均年齢]39.8歳(男40.1歳、女37.6歳)[平均勤続年数]12.4年(男12.9年、女8.7年)【年齢構成】■男 □女

	男	女
60代～	4%	0%
50代	18%	2%
40代	23%	3%
30代	26%	3%
～20代	18%	4%

会社データ (金額は百万円)

【本社】105-8417 東京都港区虎ノ門2-10-4 オークラ プレステージタワー ☎03-6433-6000 https://www.jx-nmm.com/

【業績(IFRS)】	売上高	営業利益	税前利益	純利益
22.3	1,293,000	158,200	NA	93,100
23.3	1,637,800	68,700	NA	36,500
24.3	1,513,100	81,100	NA	139,397

すみともきんぞくこうざん

住友金属鉱山(株)

くるみん

【特色】非鉄大手。鉱山開発、製錬、材料と3事業を通貫

記者評価 別子銅山がルーツで住友グループの源流企業。鉱山開発から製錬、材料まで一貫体制に特徴。海外鉱山に積極投資の方針。ニッケル製錬で独自のHPAL法を展開のほか、ニッケル権益獲得を強化。EV向け電池正極材料はパナソニック(テスラ向け)などに供給する。

平均勤続年数	男性育休取得率	3年後離職率	平均年収(平均42歳)
◇①17.0年	95.6→100%	①7.1→①8.5%	㊈1,084万円

●採用・配属情報●

【男女・文理別採用実績】※本社採用のみ

	大卒男	大卒女	修士男	修士女
23年	8(文 6 理 2)	12(文 10 理 2)	37(文 0 理 37)	3(文 0 理 3)
24年	14(文 11 理 3)	12(文 10 理 2)	49(文 2 理 47)	7(文 1 理 6)
25年	11(文 9 理 2)	10(文 10 理 0)	40(文 0 理 40)	4(文 1 理 3)

【男女・職種別採用実績】 転換制度:⇔

	総合職	一般職
23年	60(男 50 女 10)	7(男 2 女 5)
24年	75(男 64 女 11)	9(男 1 女 8)
25年	65(男 53 女 12)	2(男 0 女 2)

【24年4月入社者の配属勤務地】㊈(23年)東京3 愛媛5 兵庫2 宮崎1 ㊋(23年)東京8 愛媛28 千葉6 鹿児島4 福島1 北海道1 宮崎1

【転勤】あり:[職種]総合職(技術系・事務系)

【中途比率】[単年度]21年度44%、22年度55%、23年度45%[全体]◇30%

●働きやすさ、諸制度●

残業(月) 16.3時間 ㊈20.0時間

【勤務時間】8:00～17:00(選択時差出勤 フレックスタイム制あり)【有休取得年平均】17.0日【週休】完全2日(土日祝)【夏期休暇】各事業所により異なる【年末年始休暇】各事業所により異なる

【離職率】男:2.5%、64名 女:2.8%、12名(早期退職男20名含む)

【新卒3年後離職率】
[20→23年]7.1%(男8.0%・入社25名、女5.9%・入社17名)※本社採用のみ
[21→24年]8.5%(男11.4%・入社44名、女0%・入社15名)※本社採用のみ

【テレワーク】制度あり:[場所]自宅 サテライトオフィス[対象]本社地区の社員[日数]制限なし[利用率]NA【勤務制度】フレックス 時間単位有休 時差勤務【住宅補助】独身寮・社宅(原則60歳の誕生日月末日まで)住宅手当(27,000～53,000円、勤務地により変動)

●ライフイベント、女性活躍●

【女性比率】■男 □女

新卒採用 20.9%(14名)　従業員 14.7%(424名)　管理職 3.8%(21名)

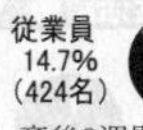

【産休】[期間]産前8・産後8週間[給与]法定+3.34%相当額[取得者数]16名

【育休】[期間]1歳到達翌年度の4月末、または1歳半に達する日まで[給与]法定[取得者数]22年度 男87名(対象91名)女17名(対象17名)23年度 男91名(対象91名)女11名(対象11名)[平均取得日数]22年度 男44日 女364日、23年度 男45日 女390日

【従業員】◇[人数]2,892名(男2,468名、女424名)[平均年齢]40.7歳(男41.1歳、女37.9歳)[平均勤続年数]17.0年(男17.7年、女13.0年)※出向者除く【年齢構成】■男 □女

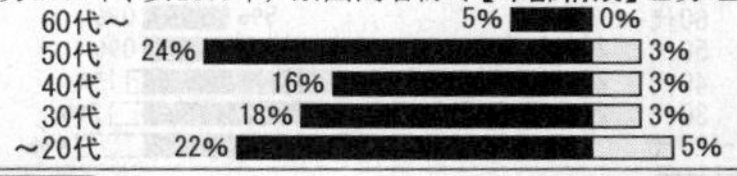

	男	女
60代～	5%	0%
50代	24%	3%
40代	16%	3%
30代	18%	3%
～20代	22%	5%

会社データ (金額は百万円)

【本社】105-8716 東京都港区新橋5-11-3 新橋住友ビル ☎03-3436-7821 https://www.smm.co.jp/

【業績(IFRS)】	売上高	営業利益	税前利益	純利益
22.3	1,259,091	270,982	357,434	281,037
23.3	1,422,989	172,581	229,910	160,585
24.3	1,445,388	62,154	95,795	58,601

メーカーII

DOWAホールディングス(株)

ドウワ

【特色】非鉄大手。貴金属回収、リサイクルに強み

[記者評価] 秋田県の小坂鉱山が発祥。現在は銅・亜鉛などの製錬を中心に、廃棄物処理・リサイクル、電子材料、金属加工、熱処理と幅広い事業の展開に特徴。貴金属回収に強く、産廃処理を東南アジアなど海外でも展開。箱根小涌園などを手がける藤田観光の筆頭株主。

平均勤続年数	男性育休取得率	3年後離職率	平均年収(平均41歳)
15.8年	36.0→94.9%	17.4→6.1%	[総]918万円

●採用・配属情報●

【男女・文理別採用実績】

	大卒男	大卒女	修士男	修士女
23年	12(文 10理 2)	9(文 7理 2)	28(文 0理 28)	9(文 0理 9)
24年	10(文 10理 0)	7(文 6理 1)	24(文 0理 24)	7(文 0理 7)
25年	16(文 14理 2)	6(文 5理 1)	35(文 0理 35)	11(文 0理 11)

【男女・職種別採用実績】 転換制度:⇔

	総合職
23年	59(男 40 女 19)
24年	49(男 35 女 14)
25年	69(男 51 女 18)

【24年4月入社者の配属勤務地】[総]秋田5 東京3 千葉1 埼玉1 愛知1 静岡1 岡山3 [技]秋田12 岡山7 静岡6 埼玉5 千葉1 愛知1 滋賀1 長野1

【転勤】あり:[職種]総合職

【中途比率】[単年度]21年度9%、22年度9%、23年度9% [全体]NA

●働きやすさ、諸制度●

残業(月) 19.4時間 [総]19.4時間

【勤務時間】9:00〜17:35【有休取得年平均】16.1日【週休】完全2日(土日祝)【夏期休暇】事業所により異なる【年末年始休暇】事業所により異なる

【離職率】男:3.5%、42名 女:5.8%、6名

【新卒3年後離職率】
[20→23年]17.4%(男17.1%・入社41名、女20.0%・入社5名)
[21→24年]6.1%(男2.6%・入社38名、女18.2%・入社11名)

【テレワーク】制度あり:[場所]自宅 サテライトオフィス等[対象]事業所により異なる[日数]事業所により異なる[利用率]NA【勤務制度】フレックス 時差勤務【住宅補助】単身寮 家族社宅(全拠点利用可 資格等級・年齢区分により変動 年齢による入居制限なし)例:新卒入社時の単身寮(借上)の自己負担月5,000〜7,000円 例:新卒入社時の家族社宅(借上)の自己負担月17,500〜24,000円・住宅手当(月15,000〜25,000円 持家・借家対象)

●ライフイベント、女性活躍●

【女性比率】■男 □女

新卒採用 26.1% (18名)

従業員 7.8% (97名)

【産休】[期間]産前6・産後8週間[給与]法定[取得者数]3名

【育休】[期間]1歳になるまで[給与]産後パパ育休期間の内3日間を有給、それ以外は法定[取得者数]22年度 男18名(対象50名) 女5名(対象5名)23年度 男37名(対象39名)女3名(対象3名)[平均取得日数]22年度 男35日 女405日、23年度 男14日 女281日

【従業員】[人数]1,242名(男1,145名、女97名)[平均年齢]41.1歳(男41.9歳、女31.5歳)[平均勤続年数]15.8年(男16.5年、女6.6年)【年齢構成】■男 □女

	男	女
60代〜	5%	0%
50代	24%	0%
40代	24%	1%
30代	24%	2%
〜20代	16%	4%

[会社データ] (金額は百万円)

【本社】101-0021 東京都千代田区外神田4-14-1 秋葉原UDXビル22階 ☎03-6847-1102 https://hd.dowa.co.jp/

【業績(連結)】	売上高	営業利益	経常利益	純利益
22.3	831,794	63,824	76,073	51,012
23.3	780,060	44,610	55,501	25,041
24.3	717,194	30,003	44,745	27,853

三井金属

みついきんぞく

[えるぼし ★★]

【特色】三井系の非鉄大手。極薄銅箔など機能材料に注力

[記者評価] 非鉄金属大手。鉱山開発などの川上よりも電子機器や自動車に使われる材料、部品など川下展開に軸。半導体パッケージ基板向け極薄銅箔が世界シェア9割と圧倒的なほか2輪用触媒でもシェア5割。亜鉛や銅などの製錬も手がける。全固体電池材料にも注力。

平均勤続年数	男性育休取得率	3年後離職率	平均年収(平均42歳)
◇14.4年	8.5→42.3%	8.0→23.1%	[総]983万円

●採用・配属情報●

【男女・文理別採用実績】※25年:24年7月時点

	大卒男	大卒女	修士男	修士女
23年	9(文 8理 1)	2(文 2理 0)	25(文 0理 25)	1(文 0理 1)
24年	4(文 3理 1)	6(文 6理 0)	22(文 1理 21)	4(文 1理 3)
25年	7(文 5理 2)	3(文 3理 0)	28(文 1理 27)	5(文 1理 4)

【男女・職種別採用実績】 転換制度:⇔

	本社採用(大卒以上)	事業所採用(本社部門)
23年	38(男 35 女 3)	0(男 0 女 0)
24年	37(男 27 女 10)	4(男 2 女 2)
25年	44(男 36 女 8)	1(男 0 女 1)

【24年4月入社者の配属勤務地】[総]東京・大崎4 横浜2 埼玉・上尾2 福岡・三池2 広島・竹原1 岐阜・神岡1 [技]埼玉・上尾19 広島・竹原2 岐阜・神岡2 岡山・日比1 青森・八戸1

【転勤】あり:[職種]社員・会社側双方の合意に基づき、全社員可能性あり

【中途比率】[単年度]21年度44%、22年度69%、23年度54%[全体]◇52%

●働きやすさ、諸制度●

残業(月) 15.4時間 [総]18.6時間

【勤務時間】9:00〜18:00【有休取得年平均】15.1日【週休】完全2日(本社)【夏期休暇】連続9日(土日、年休3日含む、事業所による)【年末年始休暇】連続9日(土日、事業所による)

【離職率】◇男:1.8%、46名 女:1.0%、3名(他に男9名転籍)

【新卒3年後離職率】
[20→23年]8.0%(男9.5%・入社42名、女0%・入社8名)
[21→24年]23.1%(男21.7%・入社23名、女33.3%・入社3名)

【テレワーク】制度あり:[場所]自宅 サテライトオフィス 他[対象]事業所により異なる 他[日数]事業所により異なる 他[利用率]56.3%【勤務制度】フレックス 副業容認【住宅補助】独身寮 社宅 住宅手当 住宅補助金 ※勤務地により異なる

●ライフイベント、女性活躍●

【女性比率】■男 □女

新卒採用 20% (9名)

従業員 11.1% (310名)

管理職 3.7% (29名)

【産休】[期間]産前6・産後8週間[給与]法定[取得者数]10名

【育休】[期間]2歳到達後の翌年4月まで[給与]法定[取得者数]22年度 男6名(対象71名)女15名(対象15名)23年度 男30名(対象71名)女12名(対象12名)[平均取得日数]22年度 NA、23年度 男24日 女192日

【従業員】◇[人数]2,791名(男2,481名、女310名)[平均年齢]42.5歳(男43.0歳、女37.9歳)[平均勤続年数]14.4年(男15.2年、女7.7年)【年齢構成】■男 □女

	男	女
60代〜	4%	0%
50代	24%	2%
40代	28%	3%
30代	20%	4%
〜20代	12%	3%

[会社データ] (金額は百万円)

【本社】141-8584 東京都品川区大崎1-11-1 ゲートシティ大崎ウエストタワー20階 ☎03-5437-8035 https://www.mitsui-kinzoku.com/

【業績(連結)】	売上高	営業利益	経常利益	純利益
22.3	633,346	60,737	65,990	52,088
23.3	651,965	12,528	19,886	8,511
24.3	646,697	31,694	44,513	25,989

メーカーⅡ

たなかききんぞく
田中貴金属グループ

[くるみん]

【特色】貴金属取扱量で国内トップ級。海外展開に積極的

[記者評価] 1885年に両替商・田中商店として創業。TANAKAホールディングス傘下に基幹4社。産業用貴金属製品を手がける田中貴金属工業が中核。半導体用ボンディングワイヤ、燃料電池用触媒などで世界首位級。24年4月、創業の地である日本橋茅場町に本社移転。

平均勤続年数	男性育休取得率	3年後離職率	平均年収(平均42歳)
◇15.4年	42.9→80.7%	8.5→4.2%	[総]867万円

採用・配属情報

【男女・文理別採用実績】

	大卒男	大卒女	修士男	修士女
23年	7(文 3理 4)	8(文 7理 1)	8(文 0理 8)	2(文 0理 2)
24年	9(文 4理 5)	5(文 5理 0)	11(文 1理 10)	3(文 0理 3)
25年	10(文 5理 5)	6(文 6理 0)	16(文 0理 16)	3(文 0理 3)

【男女・職種別採用実績】 転換制度:⇔

	総合職
23年	33(男 20 女 13)
24年	33(男 24 女 9)
25年	48(男 33 女 15)

【24年4月入社者の配属勤務地】[総]東京(茅場町10 銀座2) [技]神奈川(平塚9 伊勢原3) 千葉・市川3 筑波・つくば4 群馬・富岡1 佐賀・吉野ヶ里1

【転勤】あり:[職種]総合職※エリア総合職は本人承諾による

【中途比率】[単年度]21年度63%、22年度53%、23年度54%[全体]NA

働きやすさ、諸制度

残業(月) NA

【勤務時間】8:30〜17:15【有休取得年平均】NA【週休】会社暦2日【夏期休暇】あり【年末年始休暇】あり

【離職率】◇男:1.7%、31名 女:1.1%、6名

【新卒3年後離職率】
[20→23年]8.5%(男6.8%・入社44名、女13.3%・入社15名)
[21→24年]4.2%(男5.7%・入社35名、女0%・入社13名)

【テレワーク】制度あり:[場所]NA[対象]NA[日数]NA[利用率]NA【勤務制度】時差勤務 副業容認【住宅補助】独身寮(平塚2 つくば1 富岡1)

ライフイベント、女性活躍

【女性比率】■男 □女

新卒採用 31.3% (15名)

従業員 22.4% (524名)

【産休】[期間]産前6・産後8週間[給与]法定[取得者数]20名

【育休】[期間]1歳半になるまで[給与]法定[取得者数]22年度 男24名(対象56名)女20名(対象20名)23年度 男46名(対象57名)女20名(対象20名)[平均取得日数]22年度NA、23年度NA

【従業員】◇[人数]2,341名(男1,817名、女524名)[平均年齢]41.1歳(男41.3歳、女40.9歳)[平均勤続年数]15.4年(男15.1年、女15.6年)

【年齢構成】NA

会社データ

(金額は百万円)

【本社】103-0025 東京都中央区日本橋茅場町2-6-6 田中貴金属ビルディング ☎03-6311-5511 https://www.tanaka.co.jp/

【業績(連結)】	売上高	営業利益	経常利益	純利益
22.3	787,728	NA	NA	37,757
23.3	680,036	NA	NA	35,436
23.12変	611,128	NA	NA	22,683

※会社データはTANAKAホールディングス(株)のもの

にってつこうぎょう
日鉄鉱業(株)

【特色】日本製鉄系。石灰石やチリ・銅事業を推進

[記者評価] 高知県の鳥形山で日本製鉄向けやセメント用の石灰石を採掘するほかチリ・アタカマ鉱山の銅精鉱など製錬事業も。近年は水処理材や太陽光発電所など再生可能エネルギー事業も手がける。国内外の鉱山で新規投資や開発を継続する。石灰石は販路をアジアに拡大中。

平均勤続年数	男性育休取得率	3年後離職率	平均年収(平均41歳)
◇17.1年	25.0→91.7%	16.7→20.0%	[総]949万円

採用・配属情報

【男女・文理別採用実績】

	大卒男	大卒女	修士男	修士女
23年	10(文 5理 5)	3(文 3理 0)	5(文 0理 5)	0(文 0理 0)
24年	4(文 2理 2)	6(文 5理 1)	6(文 0理 6)	2(文 1理 1)
25年	8(文 6理 2)	3(文 3理 0)	6(文 0理 6)	2(文 0理 2)

【男女・職種別採用実績】

	総合職	一般職
23年	17(男 14 女 3)	5(男 4 女 1)
24年	18(男 10 女 8)	2(男 0 女 2)
25年	20(男 14 女 6)	3(男 1 女 2)

【24年4月入社者の配属勤務地】[総]東京2 高知2 大阪1 青森1 大分1 栃木1 [技]東京5 青森2 岡山2 大分1

【転勤】あり:[職種]一部の総合職

【中途比率】[単年度]21年度44%、22年度30%、23年度34%[全体]◇8%

働きやすさ、諸制度

残業(月) 9.2時間 [総]9.3時間

【勤務時間】9:00〜17:15【有休取得年平均】12.7日【週休】2日【夏期休暇】なし【年末年始休暇】連続6日

【離職率】◇男:2.5%、16名 女:1.6%、2名

【新卒3年後離職率】
[20→23年]16.7%(男18.2%・入社22名、女0%・入社2名)
[21→24年]20.0%(男17.6%・入社17名、女25.0%・入社8名)

【テレワーク】制度あり:[場所]自宅[対象]本社 支店勤務者のみ[日数]月6日まで[利用率]NA【勤務制度】フレックス 時差勤務【住宅補助】社宅 独身寮 自宅居住手当

ライフイベント、女性活躍

【女性比率】■男 □女

新卒採用 34.8% (8名)

従業員 16.7% (123名)

管理職 1.1% (1名)

【産休】[期間]産前6・産後8週間[給与]法定[取得者数]3名

【育休】[期間]1歳になるまで[給与]法定[取得者数]22年度 男3名(対象12名)女4名(対象4名)23年度 男11名(対象12名)女3名(対象3名)[平均取得日数]22年度 NA、23年度NA

【従業員】◇[人数]736名(男613名、女123名)[平均年齢]41.9歳(男42.4歳、女39.6歳)[平均勤続年数]17.1年(男18.0年、女12.8年)

【年齢構成】NA

会社データ

(金額は百万円)

【本社】100-8377 東京都千代田区丸の内2-3-2 ☎03-3284-0516 https://www.nittetsukou.co.jp/

【業績(連結)】	売上高	営業利益	経常利益	純利益
22.3	149,082	15,715	16,605	9,279
23.3	164,020	13,632	13,204	9,780
24.3	166,884	11,177	12,056	6,602

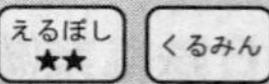

くるみん

東邦亜鉛(株)（とうほうあえん）

【特色】亜鉛・鉛の製錬大手。収益体質への脱皮図る

記者評価 1937年安中精錬所の電気亜鉛製錬で創業。亜鉛・鉛の精錬が柱。ポートフォリオ再編で収益体質化に取り組む。苦戦続いた豪州ラプス鉱山は24年9月に閉山・売却。鉛・亜鉛はリサイクル原料比率引き上げ。世界トップシェアの電解鉄、電子部材などに経営資源シフト。

平均勤続年数	男性育休取得率	3年後離職率	平均年収(平均44歳)
◇19.3年	28.6→33.3%	17.4→18.2%	◇572万円

●採用・配属情報●

【男女・文理別採用実績】

	大卒男	大卒女	修士男	修士女
23年	3(文 0理 3)	1(文 1理 0)	3(文 0理 3)	0(文 0理 0)
24年	0(文 0理 0)	1(文 1理 0)	3(文 0理 3)	0(文 0理 0)
25年	0(文 0理 0)	0(文 0理 0)	0(文 0理 0)	0(文 0理 0)

【男女・職種別採用実績】 転換制度:⇒

	総合職	一般職
23年	7(男 6 女 1)	0(男 0 女 0)
24年	4(男 3 女 1)	0(男 0 女 0)
25年	0(男 0 女 0)	0(男 0 女 0)

【職種併願】NA
【24年4月入社者の配属勤務地】㊗東京・丸の内1 ㊕群馬(安中1 藤岡1)広島1
【転勤】あり:全社員(一部一般職除く)
【中途比率】[単年度]21年度54%、22年度57%、23年度52%(21年度は東邦契島製錬(株)含む)[全体]◇36%

●働きやすさ、諸制度●

残業(月) 10.4時間

【勤務時間】8:50〜17:40【有休取得年平均】13.7日【週休】完全2日【夏期休暇】有休を利用 ※事業所による【年末年始休暇】12月29日〜1月3日
【離職率】◇男:3.3%、16名 女:7.0%、5名
【新卒3年後離職率】
[20→23年]17.4%(男21.1%・入社19名、女0%・入社4名)
[21→24年]18.2%(男0%・入社6名、女40.0%・入社5名)
【テレワーク】制度あり:[場所]サテライトオフィス[対象]勤続1年以上の社員 他[日数]原則週2日[利用率]0.5%【勤務制度】なし【住宅補助】独身寮・社宅(本社 事業所)

●ライフイベント、女性活躍●

【女性比率】■男 □女

従業員 12.2% (66名)

管理職 5.6% (5名)

【産休】[期間]産前6・産後8週間[給与]法定[取得者数]1名
【育休】[期間]1歳になるまで[給与]1日は有給、そのほかは法定通り[取得者数]22年度 男2名(対象7名)女0名(対象0名)23年度 男3名(対象9名)女2名(対象2名)[平均取得日数]22年度 男NA 女−、23年度 男24日 女558日
【従業員】◇[人数]539名(男473名、女66名)[平均年齢]43.9歳(男44.4歳、女40.1歳)[平均勤続年数]19.3年(男19.5年、女16.8年)
【年齢構成】■男 □女

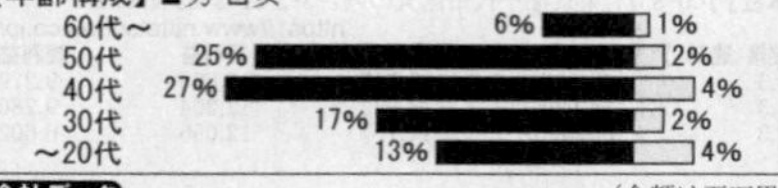

会社データ (金額は百万円)

【本社】105-0001 東京都港区虎ノ門3-18-19 UD神谷町ビル ☎03-4334-7313
https://www.toho-zinc.co.jp/

【業績(連結)】	売上高	営業利益	経常利益	純利益
22.3	124,279	10,509	9,353	7,922
23.3	145,764	4,049	3,137	794
24.3	130,803	▲690	▲10,727	▲46,452

※採用情報は24年実績

くるみん

(株)フルヤ金属（きんぞく）

【特色】工業用貴金属製造。レアメタル精製、改鋳に強み

記者評価 イリジウムなどプラチナ系レアメタルの溶解・加工技術に世界的な評価。LED基板の酸化物単結晶製造用ルツボで著名。半導体やFDP、HD用ターゲット材の薄膜など深掘り。海外売上比率約5割。半導体製造の温度センサーに用いる石英製品工場を北海道に建設、26年稼働へ。

平均勤続年数	男性育休取得率	3年後離職率	平均年収(平均35歳)
◇8.4年	70.0→87.5%	33.3→16.7%	◇660万円

●採用・配属情報●

【男女・文理別採用実績】

	大卒男	大卒女	修士男	修士女
23年	11(文 5理 6)	6(文 4理 2)	5(文 0理 5)	0(文 0理 0)
24年	6(文 5理 1)	2(文 2理 0)	4(文 0理 4)	1(文 0理 1)
25年	3(文 1理 2)	3(文 3理 0)	1(文 0理 1)	1(文 0理 1)

【男女・職種別採用実績】 転換制度:⇔

	総合職
23年	26(男 17 女 9)
24年	15(男 12 女 3)
25年	8(男 4 女 4)

【24年4月入社者の配属勤務地】㊗東京・豊島8 ㊕茨城(筑西4 土浦3)
【転勤】あり:正社員
【中途比率】[単年度]21年度40%、22年度44%、23年度43%[全体]◇37%

●働きやすさ、諸制度●

残業(月) 27.7時間

【勤務時間】本社・営業所8:45〜17:45【有休取得年平均】10.4日【週休】会社暦2日【夏期休暇】連続4日(有休利用2日)【年末年始休暇】連続7日
【離職率】◇男:4.4%、15名 女:3.6%、3名
【新卒3年後離職率】
[20→23年]33.3%(男28.6%・入社14名、女50.0%・入社4名)
[21→24年]16.7%(男13.3%・入社15名、女22.2%・入社9名)
【テレワーク】制度なし【勤務制度】時間単位有休 時差勤務
【住宅補助】独身寮 住宅補助手当

●ライフイベント、女性活躍●

【女性比率】■男 □女

新卒採用 50% (4名)

従業員 20% (81名)

管理職 2.7% (2名)

【産休】[期間]産前6・産後8週間[給与]法定[取得者数]7名
【育休】[期間]1歳になるまで[給与]開始5日間有給、以降法定[取得者数]22年度 男7名(対象10名)女4名(対象4名)23年度 男7名(対象8名)女0名(対象0名)[平均取得日数]22年度 NA、23年度 男24日 女−
【従業員】◇[人数]404名(男323名、女81名)[平均年齢]35.0歳(男35.4歳、女33.5歳)[平均勤続年数]8.4年(男8.4年、女8.3年)
【年齢構成】■男 □女

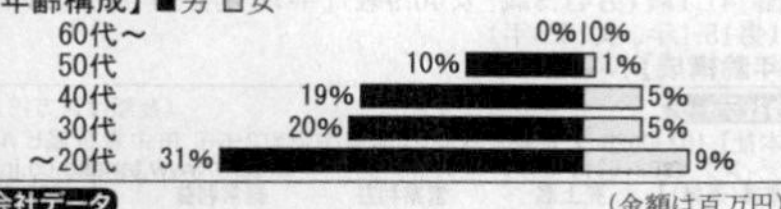

会社データ (金額は百万円)

【本社】170-0005 東京都豊島区南大塚2-37-5 ☎03-5977-3388
https://www.furuyametals.co.jp/

【業績(連結)】	売上高	営業利益	経常利益	純利益
22.6	45,321	13,055	13,297	9,142
23.6	48,115	11,485	12,383	9,406
24.6	47,527	9,813	10,690	7,410

ユーエーシージェー
(株)UACJ

[えるぼし ★★★] [くるみん]

【特色】アルミニウム圧延で国内首位。世界でも大手

[記者評価] 13年に古河スカイと住友軽金属が合併、アルミ圧延の生産能力で世界第3位、国内シェア約5割。海外売上比率6割で、生産は日・米・タイの3極体制。自動車関連の比重高く、EV向け部材開発にも注力。海外では缶材に強く、環境負荷低減に向けた飲料の缶化は商機。

平均勤続年数	男性育休取得率	3年後離職率	平均年収(平均43歳)
◇16.3年	69.1→74.0%	8.1→8.3%	[総]882万円

●採用・配属情報●

【男女・文理別採用実績】

	大卒男	大卒女	修士男	修士女
23年	11(文 5理 6)	5(文 5理 0)	24(文 1理 23)	0(文 0理 0)
24年	7(文 6理 1)	4(文 4理 0)	22(文 1理 21)	1(文 0理 1)
25年	10(文 6理 4)	6(文 6理 0)	26(文 0理 26)	6(文 1理 5)

【男女・職種別採用実績】　転換制度:⇒

	総合職
23年	40(男 35 女 5)
24年	36(男 30 女 6)
25年	49(男 37 女 12)

【24年4月入社者の配属勤務地】[総]東京・大手町5 名古屋3 栃木・小山2 埼玉・深谷1 [技]名古屋20 福井・坂井3 埼玉・深谷1 東京・大手町1

【転勤】あり:[職種]総合職

【中途比率】[単年度]21年度31%、22年度53%、23年度50%[全体]◇46%

●働きやすさ、諸制度●

残業(月) 21.0時間

【勤務時間】9:00〜17:45【有休取得年平均】16.4日【週休】2日【夏期休暇】日数は拠点により異なる【年末年始休暇】日数は拠点により異なる

【離職率】◇男:3.7%、103名 女:4.2%、13名

【新卒3年後離職率】
[20→23年]8.1%(男9.7%・入社31名、女0%・入社6名)
[21→24年]8.3%(男5.3%・入社19名、女20.0%・入社5名)

【テレワーク】制度あり:[場所]自宅 他[対象]NA[日数]出社上限50%目標(本社・支社)[利用率]NA【勤務制度】フレックス 時間単位有休 裁量労働 副業容認【住宅補助】独身・単身赴任寮 社宅(各製造所 本社・支社、借上含む)

●ライフイベント、女性活躍●

【女性比率】■男 □女

新卒採用 24.5% (12名)

従業員 9.8% (293名)

管理職 3.8% (9名)

【産休】[期間]産前6・産後8週間[給与]法定[取得者数]7名

【育休】[期間]2歳の4月末まで[給与]給付金+会社賞与7割給付[取得者数]22年度 男56名(対象81名)女10名(対象10名)23年度 男57名(対象77名)女8名(対象8名)[平均取得日数]22年度 男18日 女469日、23年度 男29日 女379日

【従業員】◇[人数]2,993名(男2,700名、女293名)[平均年齢]41.0歳(男41.2歳、女40.7歳)[平均勤続年数]16.3年(男16.5年、女14.2年)

【年齢構成】■男 □女

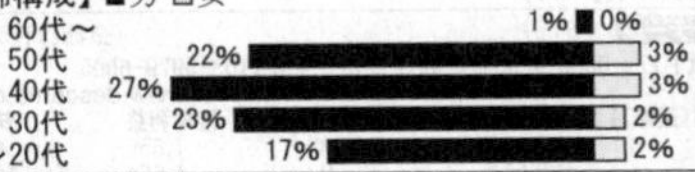

会社データ　(金額は百万円)

【本社】100-0004 東京都千代田区大手町1-7-2 東京サンケイビル ☎03-6202-2600 https://www.uacj.co.jp/

【業績(IFRS)】	売上高	営業利益	税前利益	純利益
24.3	892,781	31,378	21,969	13,858

にっぽんけいきんぞく
日本軽金属(株)

[くるみん]

【特色】板・化成品・パネルなどアルミ総合メーカー

[記者評価] 1903年創業。2012年に持株会社設立、電子・光学材料のアルミナ、自動車や半導体製造装置向けアルミ材、トラック架装、クリーンルームの断熱パネルなど幅広く手がける。箔事業は官民ファンドのもとUACJの同事業と統合で事業再編を推進。海外展開は比較的慎重。

平均勤続年数	男性育休取得率	3年後離職率	平均年収(平均40歳)
◇15.8年	50.0→67.4%	10.7→11.4%	[総]725万円

●採用・配属情報●

【男女・文理別採用実績】

	大卒男	大卒女	修士男	修士女
23年	12(文 8理 4)	6(文 5理 1)	9(文 0理 9)	1(文 0理 1)
24年	16(文 9理 7)	5(文 5理 0)	15(文 1理 14)	1(文 1理 0)
25年	12(文 4理 8)	12(文 12理 0)	16(文 0理 16)	2(文 0理 2)

【男女・職種別採用実績】　転換制度:⇒

	総合職	一般職
23年	26(男 21 女 5)	3(男 0 女 3)
24年	38(男 33 女 5)	2(男 0 女 2)
25年	39(男 28 女 11)	4(男 0 女 4)

【24年4月入社者の配属勤務地】[総]東京・新橋8 愛知4 静岡1 千葉1 [技]静岡18 名古屋2 千葉2 長野2

【転勤】あり:[職種]総合職

【中途比率】[単年度]21年度40%、22年度49%、23年度55%[全体]◇27%

●働きやすさ、諸制度●

残業(月) 17.0時間 [総]20.7時間

【勤務時間】9:00〜17:30(フレックスタイム制)【有休取得年平均】15.4日【週休】2日(本店・工場により異なる)【夏期休暇】本店・工場により異なる【年末年始休暇】12月30日〜1月3日

【離職率】◇男:8.3%、79名 女:4.1%、11名

【新卒3年後離職率】
[20→23年]10.7%(男10.7%・入社28名、女—・入社0名)
[21→24年]11.4%(男11.1%・入社27名、女12.5%・入社8名)

【テレワーク】制度あり:[場所]自宅[対象]オフィス業務に従事する社員[日数]月8回まで[利用率]NA【勤務制度】フレックス 時間単位有休【住宅補助】独身寮 社宅 住宅手当

●ライフイベント、女性活躍●

【女性比率】■男 □女

新卒採用 34.9% (15名)

従業員 23% (260名)

管理職 3.6% (15名)

【産休】[期間]産前6・産後8週間[給与]法定[取得者数]4名

【育休】[期間]3歳になるまで[給与]法定[取得者数]22年度 男34名(対象68名)女10名(対象10名)23年度 男31名(対象46名)女4名(対象4名)[平均取得日数]22年度 男15日 女184日、23年度 男16日 女230日

【従業員】◇[人数]1,130名(男870名、女260名)[平均年齢]41.1歳(男42.2歳、女40.6歳)[平均勤続年数]15.8年(男16.0年、女15.0年)

【年齢構成】■男 □女

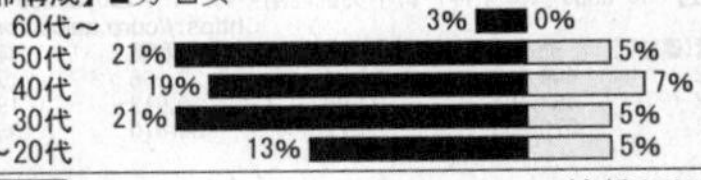

会社データ　(金額は百万円)

【本社】105-0004 東京都港区新橋1-1-13 アーバンネット内幸町ビル ☎03-6810-7101 https://www.nikkeikin.co.jp/

【業績(連結)】	売上高	営業利益	経常利益	純利益
22.3	486,579	22,198	22,928	16,759
23.3	516,954	7,539	8,859	7,203
24.3	523,715	18,189	19,033	9,037

※業績は日本軽金属ホールディングス(株)のもの

メーカーⅡ

㈱アシックス

【特色】ランニングシューズの世界大手。海外比率高い

記者評価 ランニングを核とするスポーツシューズメーカー。欧米豪など海外のマラソン大会でも着用率が高い。テニスなど各種競技用も手がける。レトロスニーカー「オニツカ」は中国、東南アジアで大人気。テック系のスニーカーも欧米で人気に。近年は業績絶好調。

平均勤続年数	男性育休取得率	3年後離職率	平均年収(平均41歳)
! 13.8年	60.5 → 76.9%	8.3 → 8.7%	総 898万円

●採用・配属情報●

【男女・文理別採用実績】

	大卒男	大卒女	修士男	修士女
23年	12(文 12理 0)	12(文 12理 0)	3(文 1理 2)	4(文 1理 3)
24年	12(文 11理 1)	11(文 11理 0)	8(文 0理 8)	4(文 1理 3)
25年	11(文 11理 0)	13(文 12理 1)	10(文 3理 7)	2(文 0理 2)

【男女・職種別採用実績】 転換制度:⇔

	総合職	デザイン職	研究職
23年	22(男 12 女 10)	4(男 1 女 3)	5(男 2 女 3)
24年	28(男 14 女 14)	2(男 1 女 1)	6(男 5 女 1)
25年	26(男 14 女 12)	3(男 2 女 1)	7(男 5 女 2)

【24年4月入社者の配属勤務地】総神戸19 東京10 技神戸7

【転勤】あり:[職種]コア職

【中途比率】[単年度]21年度NA、22年度NA、23年度NA[全体]NA

●働きやすさ、諸制度●

残業(月) 17.2時間 総 17.2時間

【勤務時間】9:00～17:40【有休取得年平均】12.4日【週休】2日【夏期休暇】なし【年末年始休暇】連続4日

【離職率】NA

【新卒3年後離職率】
[20→23年]8.3%(男7.1%・入社14名、女10.0%・入社10名)
[21→24年]8.7%(男14.3%・入社14名、女0%・入社9名)

【テレワーク】制度あり:[場所]自宅[対象]NA[日数]NA[利用率]NA【勤務制度】フレックス 時間単位有休【住宅補助】社宅(家賃の7割を会社負担 入居日より6年)

●ライフイベント、女性活躍●

【女性比率】■男 □女

新卒採用 41.7% (15名)

【産休】[期間]産前6・産後8週間[給与]法定[取得者数]12名

【育休】[期間]2年間[給与]法定[取得者数]22年度 男23名(対象38名)女20名(対象20名)23年度 男20名(対象26名)女11名(対象30名)[平均取得日数]22年度 NA、23年度 男25日 女344日

【従業員】[人数]8,927名(男NA、女NA)[平均年齢]41.3歳(男NA、女NA)[平均勤続年数]13.8年(男NA、女NA) ※従業員数はグローバル含めた連結

【年齢構成】NA

会社データ (金額は百万円)

【本社】650-8555 兵庫県神戸市中央区港島中町7-1-1 ☎078-303-6888 https://corp.asics.com/jp/

【業績(連結)】	売上高	営業利益	経常利益	純利益
21.12	404,082	21,945	22,166	9,402
22.12	484,601	34,002	30,913	19,887
23.12	570,463	54,215	50,670	35,272

デサントジャパン㈱

【特色】衣料中心のスポーツ用品大手。ブランド多数

記者評価 社名の「デサント」のほか、「ルコックスポルティフ」「アリーナ」など海外ブランド事業も展開。デサントは韓国、中国で高級スポーツ系ファッションとして人気で、国内でもリブランディングに取り組む。伊藤忠商事によるTOBに賛同、同社の完全子会社へ。

平均勤続年数	男性育休取得率	3年後離職率	平均年収(平均40歳)
14.4年	47.6 → 100%	12.5 → 0%	総 830万円

●採用・配属情報●

【男女・文理別採用実績】

	大卒男	大卒女	修士男	修士女
23年	1(文 1理 0)	6(文 6理 0)	2(文 2理 0)	0(文 0理 0)
24年	7(文 6理 1)	9(文 8理 1)	2(文 1理 1)	0(文 0理 0)
25年	6(文 6理 0)	9(文 9理 0)	3(文 1理 2)	0(文 0理 0)

【男女・職種別採用実績】

	総合職(グローバル)	総合職(エリア)
23年	9(男 3 女 6)	0(男 0 女 0)
24年	18(男 9 女 9)	0(男 0 女 0)
25年	18(男 9 女 9)	0(男 0 女 0)

【24年4月入社者の配属勤務地】総東京・目白16 大阪市2

【転勤】あり:[職種]総合職 クリエイティブ職[勤務地]東京 大阪 海外

【中途比率】[単年度]21年度38%、22年度48%、23年度47%(総合職・クリエイティブ職合算の数値)[全体]19%

●働きやすさ、諸制度●

残業(月) 14.2時間 総 12.0時間

【勤務時間】9:00～17:30【有休取得年平均】9.9日【週休】完全2日(土日祝)【夏期休暇】有休の連続取得を推奨【年末年始休暇】当社のビジネスカレンダーに準ずる

【離職率】男:4.4%、12名 女:4.5%、10名

【新卒3年後離職率】
[20→23年]12.5%(男20.0%・入社10名、女7.1%・入社14名)
[21→24年]0%(男0%・入社5名、女0%・入社3名)

【テレワーク】制度あり:[場所]自宅 それに準ずる場所[対象]勤続6カ月未満の者を除く[日数]月8日まで[利用率]NA【勤務制度】フレックス 時間単位有休 裁量労働 時差勤務【住宅補助】男子独身寮(東京)借上社宅(転勤者 独身女性 独身男性(大阪))

●ライフイベント、女性活躍●

【女性比率】■男 □女

新卒採用 50% (9名)　従業員 44.8% (211名)　管理職 14.4% (18名)

【産休】[期間]産前6・産後8週間[給与]法定[取得者数]8名

【育休】[期間]2歳を超えた最初の4月末まで[給与]法定[取得者数]22年度 男10名(対象21名)女11名(対象11名)23年度 男9名(対象9名)女6名(対象6名)[平均取得日数]22年度 NA、23年度 NA

【従業員】[人数]471名(男260名、女211名)[平均年齢]39.9歳(男41.4歳、女38.0歳)[平均勤続年数]14.4年(男15.1年、女13.5年)

【年齢構成】NA

会社データ (金額は百万円)

【本社】171-8580 東京都豊島区目白1-4-8 ☎03-5979-6006 https://www.descente.co.jp/

【業績(連結)】	売上高	営業利益	経常利益	純利益
22.3	108,892	5,138	7,556	6,229
23.3	120,614	7,793	11,664	10,550
24.3	126,989	8,740	15,729	12,014

※業績は㈱デサントのもの

ヨネックス(株)

【特色】バドミントン用品の世界大手。オーナー系企業

記者評価 バドミントン用品の世界首位。高価格帯品は国内で生産。21年に中国代表チームの公式サプライヤーに返り咲いたのを機に現地販売が激増し、業績も急拡大。第2の柱としてテニス用品の強化にも取り組む。創業家のアリサ・ヨネヤマ氏が30代の若さで22年社長就任。

平均勤続年数	男性育休取得率	3年後離職率	平均年収(平均40歳)
13.4年	12.5→48.1%	12.5→0%	572万円

●採用・配属情報●

【男女・文理別採用実績】

	大卒男	大卒女	修士男	修士女
23年	9(文 6理 3)	13(文 10理 3)	4(文 1理 3)	2(文 1理 1)
24年	11(文 6理 5)	15(文 14理 1)	4(文 2理 2)	1(文 0理 1)
25年	7(文 5理 2)	6(文 5理 1)	7(文 0理 7)	1(文 1理 0)

【男女・職種別採用実績】 転換制度:⇔

	総合職	一般職
23年	29(男 14 女 15)	0(男 0 女 0)
24年	35(男 17 女 18)	0(男 0 女 0)
25年	21(男 14 女 7)	0(男 0 女 0)

【24年4月入社者の配属勤務地】㊓東京18 埼玉4 新潟1 (技)東京2 埼玉1 新潟9
【転勤】あり:[職種]総合職[勤務地]東京 埼玉 新潟 大阪 名古屋 札幌 仙台 福岡
【中途比率】[単年度]21年度77%、22年度80%、23年度51%[全体]41%

●働きやすさ、諸制度●

残業(月) 13.3時間

【勤務時間】9:00～17:30【有休取得年平均】NA【週休】完全2日(土日祝)【夏期休暇】連続3日以上の有休を6～10月の期間にて取得可【年末年始休暇】12月29日～1月3日
【離職率】男:4.3%、17名 女:5.6%、17名
【新卒3年後離職率】
[20→23年]12.5%(男16.7%・入社18名、女0%・入社6名)
[21→24年]0%(男0%・入社3名、女0%・入社2名)
【テレワーク】制度あり:[場所]自宅[対象]製造・物流部門を除く[日数]週1日まで[利用率]NA【勤務制度】時間単位有休 時差勤務 副業容認【住宅補助】独身寮(借上住宅)住宅手当

●ライフイベント、女性活躍●

【女性比率】■男 □女

新卒採用 33.3% (7名)

従業員 43% (286名)

管理職 27% (40名)

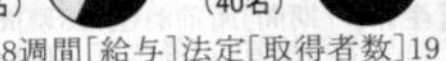

【産休】[期間]産前6・産後8週間[給与]法定[取得者数]19名
【育休】[期間]1歳になるまで[給与]法定[取得者数]22年度 男4名(対象32名)女25名(対象25名)23年度 男13名(対象27名)女15名(対象19名)[平均取得日数]22年度 NA、23年度 NA
【従業員】[人数]665名(男379名、女286名)[平均年齢]39.6歳(男41.7歳、女36.8歳)[平均勤続年数]13.4年(男15.3年、女11.0年)
【年齢構成】■男 □女

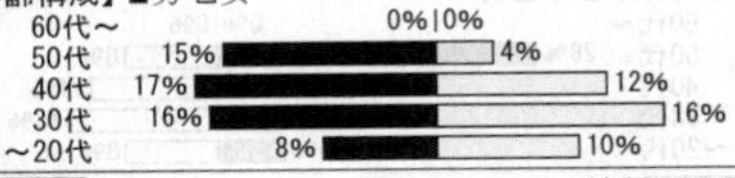

会社データ (金額は百万円)

【本社】113-8543 東京都文京区湯島3-23-13 ☎03-3836-1221
https://www.yonex.co.jp/

【業績(連結)】	売上高	営業利益	経常利益	純利益
22.3	74,485	6,738	7,246	5,780
23.3	107,019	10,063	9,961	7,331
24.3	116,442	11,611	12,195	8,859

(株)タカラトミー

えるぼし ★★★　くるみん

【特色】玩具大手。06年3月トミーがタカラを吸収合併

記者評価 1924年創業。「プラレール」「トミカ」「リカちゃん」など定番商品に強み。「ベイブレード」や「黒ひげ危機一発」、カードゲームも人気。海外はアジアが拡大。欧米では20年10月に米国の玩具会社を買収。24年7月から大卒初任給を24.2万円に引き上げ。

平均勤続年数	男性育休取得率	3年後離職率	平均年収(平均44歳)
12.0年	NA	6.9→12.5%	◇801万円

●採用・配属情報●

【男女・文理別採用実績】

	大卒男	大卒女	修士男	修士女
23年	15(文 8理 7)	11(文 10理 1)	5(文 1理 4)	1(文 1理 0)
24年	10(文 8理 2)	20(文 19理 1)	3(文 0理 3)	2(文 2理 0)
25年	13(文 12理 1)	19(文 16理 3)	2(文 0理 2)	1(文 1理 0)

【男女・職種別採用実績】

	セールス&マーケティング職	技術職	コーポレート職	企画職
23年	15(男 9 女 6)	9(男 9 女 0)	4(男 2 女 2)	5(男 1 女 4)
24年	22(男 8 女 14)	6(男 5 女 1)	3(男 1 女 2)	8(男 2 女 6)
25年	17(男 8 女 9)	6(男 4 女 2)	3(男 0 女 3)	10(男 4 女 6)

※25年採用より職種名変更
【24年4月入社者の配属勤務地】㊓東京・葛飾33 (技)東京・葛飾5 栃木1
【転勤】NA
【中途比率】[単年度]21年度NA、22年度NA、23年度NA[全体]NA

●働きやすさ、諸制度●

残業(月) NA

【勤務時間】9:00～17:30(フレックスタイム制 フレキシブルタイム5:00～22:00 コアタイム無し)【有休取得年平均】NA【週休】2日(年数回土曜祝日出勤)【夏期休暇】8月10～18日【年末年始休暇】12月28日～1月5日
【離職率】NA
【新卒3年後離職率】
[20→23年]6.9%(男5.6%・入社18名、女9.1%・入社11名)
[21→24年]12.5%(男18.8%・入社16名、女0%・入社8名)
【テレワーク】制度あり:[場所]NA[対象]制限なし[日数]週3日まで[利用率]NA【勤務制度】フレックス 裁量労働 副業容認【住宅補助】借上社宅(新卒入社者対象※条件あり)

●ライフイベント、女性活躍●

【女性比率】■男 □女

新卒採用 55.6% (20名)

【産休】[期間]産前6・産後8週間[給与]法定[取得者数]NA
【育休】[期間]1歳になるまで[給与]法定+基本給の20%給付[取得者数]22年度 NA 23年度 NA[平均取得日数]22年度 NA、23年度 NA
【従業員】[人数]562名(男NA、女NA)[平均年齢]44.0歳(男NA、女NA)[平均勤続年数]12.0年(男NA、女NA)
【年齢構成】NA

会社データ (金額は百万円)

【本社】124-8511 東京都葛飾区立石7-9-10 ☎03-5654-1223
https://www.takaratomy.co.jp/

【業績(連結)】	売上高	営業利益	経常利益	純利益
22.3	165,448	12,344	12,666	9,114
23.3	187,297	13,119	12,043	8,314
24.3	208,326	18,818	17,807	9,808

※採用情報はタカラトミーグループ合同のもの

メーカーII

1578 開示 ★★★

㈱バンダイ

えるぼし ★★★ ／ くるみん

【特色】バンダイナムコHD傘下。強力キャラクター多数

[記者評価] バンダイナムコグループのトイホビー事業統括会社。「仮面ライダー」「ワンピース」などテレビ番組や出版、映画と連動したキャラクターの商品化ビジネスに強み。食玩や雑貨も手がける。カプセルトイの「ガシャポン」も好調。BANDAI SPIRITS社も一括採用。

平均勤続年数	男性育休取得率	3年後離職率	平均年収(平均39歳)
11.0年	26.1 → 85.0%	3.6 → 0%	NA

●採用・配属情報●

【男女・文理別採用実績】

	大卒男	大卒女	修士男	修士女
23年	27(文 19理 8)	30(文 29理 1)	6(文 0理 6)	1(文 0理 1)
24年	33(文 24理 9)	27(文 25理 2)	4(文 0理 4)	1(文 0理 1)
25年	19(文 17理 2)	20(文 17理 3)	7(文 0理 7)	1(文 0理 1)

【男女・職種別採用実績】

	総合職1	総合職2
23年	52(男 23 女 29)	12(男 10 女 2)
24年	54(男 26 女 28)	11(男 11 女 0)
25年	37(男 17 女 20)	10(男 9 女 1)

【職種併願】○

【24年4月入社者の配属勤務地】[総]東京54 [技]東京5 静岡6

【転勤】あり:全社員

【中途比率】[単年度]21年度37%、22年度38%、23年度48%[全体]23%

●働きやすさ、諸制度●

残業(月) 21.5時間 [総]21.5時間

【勤務時間】9:00～17:30【有休取得年平均】13.3日【週休】完全2日(土日祝)【夏期休暇】連続7日(週休祝日、有休含む)【年末年始休暇】連続7日(週休祝日含む)

【離職率】NA

【新卒3年後離職率】

[20→23年]3.6%(男3.1%・入社32名、女4.2%・入社24名)

[21→24年]0%(男0%・入社34名、女0%・入社29名)

【テレワーク】制度あり:[場所]自宅[対象]全社員[日数]週1日[利用率]NA【勤務制度】フレックス 勤務間インターバル【住宅補助】NA

●ライフイベント、女性活躍●

【女性比率】■男 □女

新卒採用 44.7% (21名)

従業員 37% (609名)

管理職 23.1% (132名)

【産休】[期間]産前6・産後8週間[給与]法定[取得者数]22名

【育休】[期間]1歳半年度末まで[給与]法定[取得者数]22年度 男12名(対象46名)女15名(対象15名)23年度 男34名(対象40名)女22名(対象22名)[平均取得日数]22年度NA、23年度 男31日 女385日

【従業員】[人数]1,647名(男1,038名、女609名)[平均年齢]38.5歳(男40.0歳、女36.1歳)[平均勤続年数]11.0年(男12.2年、女9.1年)

【年齢構成】NA

会社データ

(金額は百万円)

【本社】111-8081 東京都台東区駒形1-4-8 ☎03-3847-3751

https://www.bandai.co.jp/

【業績(単独)】	売上高	営業利益	経常利益	純利益
22.3	131,017	11,263	12,299	8,854
23.3	149,155	12,241	13,446	9,947
24.3	190,631	28,550	30,139	21,620

※採用・従業員に関するデータは㈱バンダイ、㈱BANDAI SPIRITSの合算

1795 開示 ★★★★★

ピジョン㈱

えるぼし ★★★ ／ プラチナくるみん

【特色】育児用品メーカー。哺乳瓶は世界シェア首位

[記者評価] 世界シェア1位の哺乳瓶など日用小物が強く、スキンケアにも注力。国内では少子化に対応するため、ベビーカーなど取り扱い品目拡大や高付加価値化を進める。中国では「安心・安全」への訴求が当たり急成長。ASEANや北米、欧州でも展開。海外売上比率は6割超。

平均勤続年数	男性育休取得率	3年後離職率	平均年収(平均43歳)
[!]15.5年	87.5 → 100%	0 → 12.5%	[総]807万円

●採用・配属情報●

【男女・文理別採用実績】

	大卒男	大卒女	修士男	修士女
23年	3(文 2理 1)	5(文 5理 0)	1(文 0理 1)	1(文 0理 1)
24年	3(文 3理 0)	6(文 4理 2)	2(文 0理 2)	2(文 0理 2)
25年	1(文 1理 0)	9(文 9理 0)	0(文 0理 0)	1(文 0理 1)

【男女・職種別採用実績】

	総合職
23年	10(男 4 女 6)
24年	13(男 5 女 8)
25年	11(男 1 女 10)

【24年4月入社者の配属勤務地】[総]東京8 宮城1 愛知1 福岡1 [技]茨城2

【転勤】あり:全社員

【中途比率】[単年度]21年度39%、22年度63%、23年度29%[全体]46%

●働きやすさ、諸制度●

残業(月) 5.3時間 [総]5.3時間

【勤務時間】9:00～17:15(フレックスタイム制あり)【有休取得年平均】14.8日【週休】完全2日(土日祝)【夏期休暇】8月11～15日(就業日程表による)【年末年始休暇】12月29日～1月4日

【離職率】男:6.2%、13名 女:3.5%、5名

【新卒3年後離職率】

[20→23年]0%(男0%・入社6名、女0%・入社4名)

[21→24年]12.5%(男100%・入社1名、女0%・入社7名)

【テレワーク】制度あり:[場所]自宅[対象]全社員[日数]週2日まで(特例あり)[利用率]19.4%【勤務制度】フレックス 時間単位有休 時差勤務 副業容認【住宅補助】借上社宅(社命転勤 新卒入社・転居を伴う中途入社 地域別家賃基準額の70%を会社負担 最大7年間)

●ライフイベント、女性活躍●

【女性比率】■男 □女

新卒採用 90.9% (10名)

従業員 40.7% (136名)

管理職 26.8% (19名)

【産休】[期間]産前8・産後8週間[給与]産後5日間は会社給与全額補償、以降法定[取得者数]10名

【育休】[期間]1歳半到達翌月15日まで[給与]半月は会社規定により有給・半月は希望により積立休暇利用で満額給付、以降法定[取得者数]22年度 男7名(対象8名)女5名(対象5名)23年度 男9名(対象9名)女9名(対象9名)[平均取得日数]22年度 男31日 女363日、23年度 男38日 女402日

【従業員】[人数]334名(男198名、女136名)[平均年齢]43.2歳(男45.4歳、女40.0歳)[平均勤続年数]15.5年(男17.6年、女12.4年) ※出向者除く、受入出向者含む

【年齢構成】■男 □女

	男	女
60代～	0%	0%
50代	28%	8%
40代	12%	11%
30代	13%	13%
～20代	6%	8%

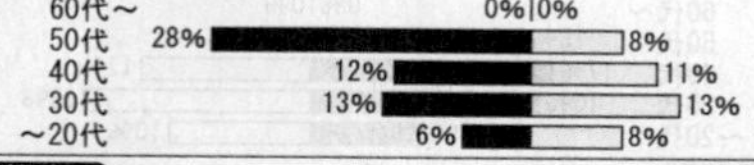

会社データ

(金額は百万円)

【本社】103-8480 東京都中央区日本橋久松町4-4 ☎03-3661-4200

https://www.pigeon.co.jp/

【業績(連結)】	売上高	営業利益	経常利益	純利益
21.12	93,080	13,336	14,648	8,785
22.12	94,921	12,195	13,465	8,581
23.12	94,461	10,726	11,522	7,423

ヤマハ(株)

プラチナえるぼし　プラチナくるみん

【特色】楽器の世界的盟主。ピアノや電子楽器を展開

記者評価 世界唯一の総合楽器メーカー。ピアノや電子楽器、ギター、管楽器などの楽器に加え、音響機器、自動車用内装部品も展開。アジア新興国が成長柱。海外売上比率は7割強。車載オーディオがEVの普及進む中国で高評価。24年、横浜みなとみらいに研究開発拠点を新設。

平均勤続年数	男性育休取得率	3年後離職率	平均年収(平均44歳)
19.4年	83.5 → NA	2.8 → NA	◇893万円

●採用・配属情報●

【男女・文理別採用実績】

	大卒男	大卒女	修士男	修士女
23年	4(文 1理 3)	5(文 3理 2)	30(文 1理 29)	8(文 2理 6)
24年	6(文 3理 3)	11(文 7理 4)	39(文 0理 39)	7(文 0理 7)
25年	10(文 5理 5)	8(文 7理 1)	30(文 0理 30)	14(文 2理 12)

【男女・職種別採用実績】

	総合職
23年	51(男 37 女 14)
24年	64(男 46 女 18)
25年	62(男 40 女 22)

【24年4月入社者の配属勤務地】㊗浜松(本社)13 ㊕浜松(本社)49

【転勤】あり:全社員

【中途比率】[単年度]21年度NA、22年度NA、23年度NA[全体]NA

●働きやすさ、諸制度●

残業(月) 18.6時間

【勤務時間】フレックスタイム制(本社コアタイム10:15～15:00)【有休取得年平均】15.8日【週休】完全2日(土日祝)【夏期休暇】原則連続9日(有休の計画的取得日3日と、前後の土日を含む)【年末年始休暇】12月30日～1月4日(6日)

【離職率】NA

【新卒3年後離職率】
[20→23年]2.8%(男NA、女NA)
[21→24年]NA

【テレワーク】制度あり:[場所]自宅 自宅に準ずる場所 情報セキュリティの確保された場所[対象]NA[日数]NA[利用率]NA【勤務制度】フレックス 副業容認【住宅補助】社有独身寮(浜松)借上独身寮 他

●ライフイベント、女性活躍●

【女性比率】■男 □女

新卒採用 35.5% (22名)

【産休】[期間]産前8・産後8週間[給与]法定+共済会15%給付(産前43・産後56日以内について給付)[取得者数]80名

【育休】[期間]2歳になるまで(4月生まれの場合は2歳到達後4月末まで)[給与]法定+共済会15%(最大産後1年まで給付)[取得者数]22年度 男71名(対象85名)女24名(対象24名)23年度 NA[平均取得日数]22年度 NA、23年度 NA

【従業員】[人数]2,341名(男NA、女NA)[平均年齢]44.3歳(男45.3歳 女43.4歳)[平均勤続年数]19.4年(男19.2年、女19.5年)

【年齢構成】NA

会社データ (金額は百万円)

【本社】430-8650 静岡県浜松市中央区中沢町10-1 ☎053-460-1111(代) https://www.yamaha.com/ja/

【業績(IFRS)】	売上高	営業利益	税前利益	純利益
22.3	408,197	49,320	53,010	37,255
23.3	451,410	46,484	50,552	38,183
24.3	462,866	28,999	37,629	29,642

ローランド(株)

えるぼし★★★　くるみん

【特色】電子楽器の大手。ソフト、音源技術に強み

記者評価 電子楽器大手。日本で初めてシンセサイザーを商品化した。ピアノ、ドラムなど電子楽器で先駆。メディア制作機器、業務用音響も手がける。ギターアンプ「BOSS」で有名。ソフトウェア音源のクラウドサービスを展開。22年にドラム大手の米・DW社を買収。

平均勤続年数	男性育休取得率	3年後離職率	平均年収(平均44歳)
17.6年	15.8 → 19.0%	17.4 → 12.5%	㊗739万円

●採用・配属情報●

【男女・文理別採用実績】

	大卒男	大卒女	修士男	修士女
23年	1(文 0理 1)	1(文 1理 0)	6(文 0理 6)	1(文 0理 1)
24年	0(文 0理 0)	1(文 1理 0)	6(文 0理 6)	3(文 1理 2)
25年	2(文 1理 1)	1(文 1理 0)	11(文 1理 10)	2(文 1理 1)

【男女・職種別採用実績】 転換制度:⇔

	総合職
23年	10(男 8 女 2)
24年	11(男 7 女 4)
25年	16(男 13 女 3)

【24年4月入社者の配属勤務地】㊗東京2 ㊕浜松9

【転勤】あり:[職種]総合職

【中途比率】[単年度]21年度57%、22年度65%、23年度28%[全体]32%

●働きやすさ、諸制度●

残業(月) 15.4時間 ㊗17.8時間

【勤務時間】8:30～17:15【有休取得年平均】13.8日【週休】完全2日(土日祝)【夏期休暇】5日【年末年始休暇】連続7日(有休2日含む)

【離職率】男:1.7%、10名 女:3.1%、5名

【新卒3年後離職率】
[20→23年]17.4%(男16.7%・入社18名、女20.0%・入社5名)
[21→24年]12.5%(男22.2%・入社9名、女0%・入社7名)

【テレワーク】制度あり:[場所]自宅 実家[対象]全社員[日数]制限なし[利用率]33.3%【勤務制度】フレックス 副業容認【住宅補助】独身寮 社有・借上社宅 住宅費補助

●ライフイベント、女性活躍●

【女性比率】■男 □女

新卒採用 18.8% (3名)

従業員 21.3% (158名)

管理職 5% (7名)

【産休】[期間]産前6・産後8週間[給与]法定+会社補填で産休前給与の9割を支給[取得者数]5名

【育休】[期間]1歳半まで[給与]法定[取得者数]22年度 男3名(対象19名)女5名(対象5名)23年度 男4名(対象21名)女5名(対象5名)[平均取得日数]22年度 男38日 女445日、23年度 男22日 女351日

【従業員】[人数]741名(男583名、女158名)[平均年齢]44.3歳(男45.1歳、女41.3歳)[平均勤続年数]17.6年(男18.6年、女14.3年)

【年齢構成】■男 □女

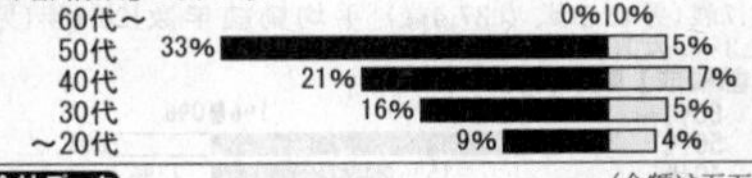

会社データ (金額は百万円)

【本社】431-1304 静岡県浜松市浜名区細江町中川2036-1 ☎053-523-0230 https://www.roland.com/jp/

【業績(連結)】	売上高	営業利益	経常利益	純利益
21.12	80,032	11,093	10,102	8,586
22.12	95,840	10,751	10,250	8,938
23.12	102,445	11,871	11,154	8,151

(株)河合楽器製作所（かわいがっきせいさくしょ）

[えるぼし ★★]

【特色】ピアノ世界首位級。音楽教室や素材加工も展開

[記者評価] 1927年創業、浜松に本社を置く老舗楽器メーカー。ピアノが柱。電子ピアノも製造する。最高級モデル「Shigeru Kawai」シリーズを拡販。ブランド浸透に国際コンクール開催。音楽・体育教室はオンライン開催も実施。木材など素材加工も展開。海外開拓強化。

平均勤続年数	男性育休取得率	3年後離職率	平均年収(平均43歳)
◇20.1年	34.5→41.7%	19.5→22.2%	[総]790万円

●採用・配属情報●

【男女・文理別採用実績】

	大卒男	大卒女	修士男	修士女
23年	7(文 4理 3)	12(文 11理 1)	2(文 0理 2)	3(文 1理 2)
24年	13(文 10理 3)	11(文 9理 2)	5(文 1理 4)	1(文 0理 1)
25年	15(文 13理 2)	20(文 18理 2)	5(文 1理 4)	2(文 1理 1)

※25年:暫定数

【男女・職種別採用実績】 転換制度:⇔

	総合職	一般職
23年	30(男 10 女 20)	8(男 4 女 4)
24年	38(男 25 女 13)	5(男 0 女 5)
25年	43(男 20 女 23)	0(男 0 女 0)

【24年4月入社者の配属勤務地】[総](24年)東京4 神奈川2 埼玉1 栃木1 群馬1 宮城2 新潟(新潟1 長岡1)長野1 静岡(静岡2 浜松5)岐阜1 石川1 大阪1 広島1 京都1 兵庫1 福岡1 [技](23年)浜松7

【転勤】あり:[職種]総合職 体育講師[勤務地]全国の拠点

【中途比率】[単年度]21年度42%、22年度20%、23年度27%[全体]◇16%

●働きやすさ、諸制度●

残業(月) 8.2時間

【勤務時間】8:00～17:00【有休取得年平均】10.4日【週休】完全2日(土日)【夏期休暇】連続9日(週休4日含む)【年末年始休暇】連続9日(週休4日含む)

【離職率】◇男:1.8%、15名 女:3.8%、12名

【新卒3年後離職率】

[20→23年]19.5%(男14.3%・入社21名、女25.0%・入社20名)

[21→24年]22.2%(男27.3%・入社11名、女14.3%・入社7名)

【テレワーク】制度なし【勤務制度】時間単位有休 時差勤務 副業容認【住宅補助】独身寮 社宅 住宅手当

●ライフイベント、女性活躍●

【女性比率】■男 □女

新卒採用
53.5%
(23名)
従業員
27.1%
(306名)
管理職
4.8%
(11名)

【産休】[期間]産前6・産後8週間[給与]法定[取得者数]6名

【育休】[期間]2歳になるまで[給与]法定[取得者数]22年度 男10名(対象29名)女18名(対象18名)23年度 男5名(対象12名)女6名(対象6名)[平均取得日数]22年度 男20日 女152日、23年度 男12日 女134日

【従業員】◇[人数]1,131名(男825名、女306名)[平均年齢]41.7歳(男43.2歳、女37.4歳)[平均勤続年数]20.1年(男21.3年、女16.6年)

【年齢構成】■男 □女

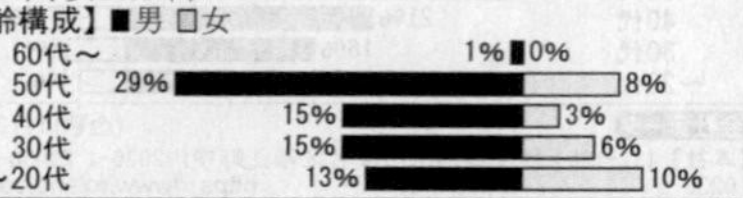
60代～ 1% 0%
50代 29% 8%
40代 15% 3%
30代 15% 6%
～20代 13% 10%

[会社データ] (金額は百万円)

【本社】430-8665 静岡県浜松市中央区寺島町200 ☎053-457-1233 https://www.kawai.co.jp/

【業績(連結)】	売上高	営業利益	経常利益	純利益
22.3	85,703	6,696	7,304	5,046
23.3	87,771	5,045	5,639	3,672
24.3	80,192	3,255	4,201	2,782

パラマウントベッド(株)

【特色】医療・介護ベッド大手。在宅介護のレンタル卸も

[記者評価] 病院や介護施設向けのベッド国内最大手。医療や在宅介護向け福祉用具レンタルが利益を牽引する。家庭用も好調。睡眠状態をモニタリングできるセンサー付きベッドで介護業界のDXを推進。中国、インドネシア、ベトナムに生産拠点を置き、海外での販売本格化。

平均勤続年数	男性育休取得率	3年後離職率	平均年収(平均41歳)
◇18.2年	27.6→50.0%	30.0→10.0%	[総]815万円

●採用・配属情報●

【男女・文理別採用実績】

	大卒男	大卒女	修士男	修士女
23年	11(文 9理 2)	11(文 10理 1)	5(文 0理 5)	1(文 0理 1)
24年	11(文 9理 2)	9(文 8理 1)	9(文 0理 9)	3(文 1理 2)
25年	12(文 10理 2)	14(文 12理 2)	5(文 0理 5)	3(文 0理 3)

【男女・職種別採用実績】 転換制度:⇔

	営業職	技術職	事務職
23年	19(男 9 女 10)	9(男 7 女 2)	0(男 0 女 0)
24年	17(男 9 女 8)	15(男 11 女 4)	0(男 0 女 0)
25年	22(男 10 女 12)	12(男 7 女 5)	0(男 0 女 0)

【24年4月入社者の配属勤務地】[総]札幌1 仙台1 さいたま1 東京(江東3 町田1)名古屋3 大阪3 広島2 福岡2 [技]東京・江東13 千葉・山武2

【転勤】あり:[職種]総合職 専任職

【中途比率】[単年度]21年度82%、22年度59%、23年度64%[全体]◇20%

●働きやすさ、諸制度●

残業(月) 18.7時間

【勤務時間】本・支店9:00～17:20 工場8:00～17:00【有休取得年平均】10.4日【週休】完全2日(土日祝)【夏期休暇】6日【年末年始休暇】12月28日～1月5日

【離職率】◇男:4.1%、33名 女:6.3%、15名

【新卒3年後離職率】

[20→23年]30.0%(男35.7%・入社14名、女16.7%・入社6名)

[21→24年]10.0%(男14.3%・入社14名、女0%・入社6名)

【テレワーク】制度あり:[場所]自宅 サテライトオフィス 他[対象]勤続1年以上の社員(正社員 契約社員)[日数]週1回は申請不要 週2回以上は要申請 最大週5日[利用率]NA【勤務制度】時間単位有休 時差勤務 副業容認【住宅補助】独身寮・社宅 住宅手当

●ライフイベント、女性活躍●

【女性比率】■男 □女

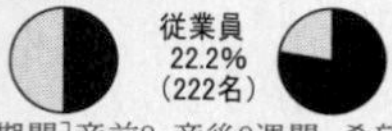
新卒採用
50%
(17名)
従業員
22.2%
(222名)

【産休】[期間]産前8・産後8週間、希望者は産前10週間前から可[給与]法定[取得者数]7名

【育休】[期間]1歳になるまで[給与]法定[取得者数]22年度 男8名(対象29名)女8名(対象8名)23年度 男10名(対象20名)女7名(対象7名)[平均取得日数]22年度 男35日 女NA、23年度 男27日 女NA

【従業員】◇[人数]1,000名(男778名、女222名)[平均年齢]42.7歳(男43.4歳、女40.5歳)[平均勤続年数]18.2年(男19.5年、女13.8年)【年齢構成】■男 □女

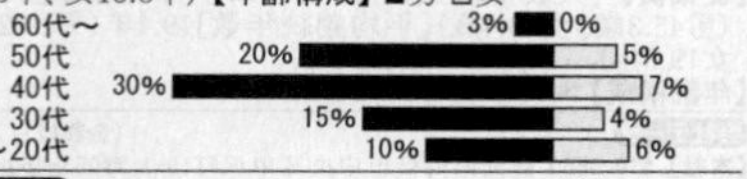
60代～ 3% 0%
50代 20% 5%
40代 30% 7%
30代 15% 4%
～20代 10% 6%

[会社データ] (金額は百万円)

【本社】136-8670 東京都江東区東砂2-14-5 ☎03-3648-1111 http://www.paramount.co.jp/

【業績(連結)】	売上高	営業利益	経常利益	純利益
22.3	90,352	12,340	13,543	9,092
23.3	99,009	13,452	14,139	9,215
24.3	106,016	13,818	15,920	10,622

※業績はパラマウントベッドホールディングス(株)のもの

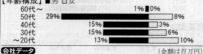

1561 開示 ★★★★ [専門] 採用あり

フランスベッド(株)

【特色】高級ベッド製造・販売。在宅介護用のレンタルも

[記者評価] フランスベッドHDの事業子会社。家庭用ベッドの大手。医療・介護施設向けも販売。医療より介護の比重大。レンタルが利益を牽引する。家庭用のベッドも高単価商品に絞ることで、採算性が改善。インバウンドに沸く宿泊業界など法人営業を強化。

平均勤続年数	男性育休取得率	3年後離職率	平均年収(平均42歳)
15.9年	21.1→22.2%	21.1→6.1%	[総]664万円

●採用・配属情報●

【男女・文理別採用実績】

	大卒男	大卒女	修士男	修士女
23年	15(文 13理 2)	12(文 11理 1)	0(文 0理 0)	0(文 0理 0)
24年	25(文 24理 1)	13(文 13理 0)	1(文 0理 1)	1(文 1理 0)
25年	33(文 31理 2)	22(文 21理 1)	0(文 0理 0)	0(文 0理 0)

【男女・職種別採用実績】

	−
23年	27(男 15 女 12)
24年	41(男 26 女 15)
25年	55(男 33 女 22)

【24年4月入社者の配属勤務地】[総]入社後半年は研修配置〈研修先〉東京12 さいたま4 愛知6 千葉4 神奈川3 大阪6 福岡2 三重1 [技]東京・昭島3

【転勤】あり:全社員(地域限定勤務制度あり)

【中途比率】[単年度]21年度48%、22年度25%、23年度45%[全体]31%

●働きやすさ、諸制度●

残業(月) 13.9時間 [総]13.9時間

【勤務時間】9:00～17:45【有休取得年平均】8.1日【週休】2日(土日祝)【夏期休暇】連続7日(休暇付与3日、計画有休1日、土日祝含む)【年末年始休暇】連続7日(休暇付与4日、土日祝含む)

【離職率】男:2.3%、25名 女:2.9%、9名

【新卒3年後離職率】
[20→23年]21.1%(男21.1%・入社19名、女21.1%・入社19名)
[21→24年]6.1%(男8.0%・入社25名、女0%・入社8名)

【テレワーク】制度あり:[場所]自宅 他[対象]勤続3年以上の正社員[日数]月16日迄[利用率]0.4%【勤務制度】フレックス 時間単位有休 時差勤務 勤務間インターバル【住宅補助】独身寮 借上社宅 会社指定住宅(補助額30,000～100,000円)

●ライフイベント、女性活躍●

【女性比率】■男 □女

新卒採用 40%(22名)

従業員 21.8%(298名)

管理職 5%(8名)

【産休】[期間]産前6・産後8週間[給与]法定[取得者数]4名

【育休】[期間]2歳到達月末まで[給与]法定[取得者数]22年度 男8名(対象38名)女10名(対象10名)23年度 男6名(対象27名)女3名(対象3名)[平均取得日数]22年度 男82日 女400日、23年度 男51日 女507日

【従業員】[人数]1,367名(男1,069名、女298名)[平均年齢]41.6歳(男42.2歳、女39.2歳)[平均勤続年数]15.9年(男16.6年、女13.4年)【年齢構成】■男 □女

	男	女
60代～	0%	10%
50代	23%	5%
40代	23%	6%
30代	16%	4%
～20代	16%	7%

会社データ (金額は百万円)

【本社】163-1105 東京都新宿区西新宿6-22-1 新宿スクエアタワー ☎03-6741-5555 https://www.francebed.co.jp/

【業績(単独)】	売上高	営業利益	経常利益	純利益
22.3	49,673	3,770	3,906	2,622
23.3	52,295	4,268	4,364	2,984
24.3	52,782	4,215	4,321	3,093

718 開示 ★★★★

大建工業(株)

だいけんこうぎょう

[くるみん]

【特色】住宅資材の総合大手。エコ素材合板代替材に強み

[記者評価] 繊維板や床材・内装材、ドアなどが主力。建築音響製品も。開発から施工・工事まで一貫体制。未利用資源を活用したエコ素材で高評価。公共・商業建築、住宅リフォーム、海外市場開拓に注力。伊藤忠によるTOBが成立し23年12月上場廃止、同社の完全子会社に。

平均勤続年数	男性育休取得率	3年後離職率	平均年収(平均42歳)
◇18.6年	68.2→72.2%	18.2→20.7%	[総]730万円

●採用・配属情報●

【男女・文理別採用実績】

	大卒男	大卒女	修士男	修士女
23年	14(文 12理 2)	14(文 13理 1)	3(文 0理 3)	5(文 1理 4)
24年	15(文 13理 2)	14(文 8理 6)	2(文 0理 2)	1(文 0理 1)
25年	17(文 13理 4)	21(文 16理 5)	3(文 0理 3)	3(文 1理 2)

【男女・職種別採用実績】 転換制度:⇔

	全国コース	地域限定コース
23年	36(男 17 女 19)	1(男 1 女 0)
24年	33(男 17 女 16)	0(男 0 女 0)
25年	43(男 20 女 23)	1(男 0 女 1)

【24年4月入社者の配属勤務地】[総]東京9 大阪3 横浜1 岡山1 石川・金沢1 熊本1 福島1 広島1 埼玉1 新潟1 札幌1 静岡1 福岡1 名古屋1 [技]岡山4 東京3 三重1 茨城1

【転勤】あり:[職種]総合職[勤務地]全国 海外

【中途比率】[単年度]21年度46%、22年度40%、23年度45%[全体]◇23%

●働きやすさ、諸制度●

残業(月) 9.9時間 [総]11.2時間

【勤務時間】9:00～17:45【有休取得年平均】12.2日【週休】完全2日(土日祝)【夏期休暇】有休で取得【年末年始休暇】連続5日

【離職率】◇男:3.4%、46名 女:2.6%、9名

【新卒3年後離職率】
[20→23年]18.2%(男15.8%・入社19名、女21.4%・入社14名)
[21→24年]20.7%(男20.0%・入社15名、女21.4%・入社14名)

【テレワーク】制度あり:[場所]自宅 サテライトオフィス[対象]入社3年以上の者(定期入社者)[日数]週4日まで[利用率]10.5%【勤務制度】時間単位有休 時差勤務 副業容認【住宅補助】借上寮(自己負担8,000～10,000円 独身者29歳まで)社宅家賃補助 生活支援手当 他

●ライフイベント、女性活躍●

【女性比率】■男 □女

新卒採用 54.5%(24名)

従業員 20.9%(341名)

管理職 1.8%(5名)

【産休】[期間]産前6・産後8週間[給与]法定[取得者数]16名

【育休】[期間]1歳になるまで[給与]最大10日間有給、以降法定[取得者数]22年度 男15名(対象22名)女13名(対象12名)23年度 男26名(対象36名)女14名(対象14名)[平均取得日数]22年度 男15日 女380日、23年度 男11日 女312日

【従業員】◇[人数]1,633名(男1,292名、女341名)[平均年齢]42.3歳(男43.3歳、女38.7歳)[平均勤続年数]18.6年(男20.0年、女13.3年)【年齢構成】■男 □女

	男	女
60代～	4%	0%
50代	26%	4%
40代	19%	6%
30代	15%	5%
～20代	14%	6%

会社データ (金額は百万円)

【本社】530-8210 大阪府大阪市北区中之島3-2-4 中之島フェスティバルタワー・W ☎06-6205-7151 https://www.daiken.jp/

【業績(連結)】	売上高	営業利益	経常利益	純利益
22.3	223,377	17,361	18,725	7,872
23.3	228,826	9,856	13,008	10,325
24.3	210,642	5,938	9,314	3,970

メーカーII

㈱ウッドワン

【特色】建材大手メーカー。ニュージーランドで造林経営

記者評価 床材(フローリング材など)、建具(室内ドアなど)、木質住宅設備機器(システムキッチンなど)を原木から一貫生産。ニュージーランドで造林しアジアで加工。無垢材を使用した高付加価値製品が得意。リフォーム、商環境用などの市場開拓。バイオマス発電も。

平均勤続年数	男性育休取得率	3年後離職率	平均年収(平均43歳)
16.4年	57.1→83.3%	18.8→26.9%	㊍548万円

●採用・配属情報●

【男女・文理別採用実績】

	大卒男	大卒女	修士男	修士女
23年	14(文 9理 5)	21(文 18理 3)	1(文 0理 1)	0(文 0理 0)
24年	11(文 7理 4)	10(文 7理 3)	0(文 0理 0)	1(文 0理 1)
25年	11(文 7理 4)	11(文 10理 1)	0(文 0理 0)	0(文 0理 0)

【男女・職種別採用実績】 転換制度:⇔

	キャリア職	オペレート職
23年	35(男 15 女 20)	2(男 0 女 2)
24年	22(男 11 女 11)	1(男 0 女 1)
25年	22(男 11 女 11)	1(男 0 女 1)

【24年4月入社者の配属勤務地】㊍札幌1 仙台2 栃木・宇都宮1 埼玉・大宮1 千葉・柏1 東京・多摩1 石川・金沢1 愛知(豊橋1 岡崎1)大阪3 滋賀1 山口1 広島2 ㊎広島4 愛知・豊橋1

【転勤】あり:[職種]キャリア職

【中途比率】[単年度]21年度36%、22年度18%、23年度22%[全体]30%

●働きやすさ、諸制度●

残業(月) 16.7時間 ㊍19.6時間

【勤務時間】事務8:30~17:15 技術・生産8:00~17:00 営業9:00~17:45【有休取得年平均】11.4日【週休】会社暦2日(日曜 月3~4日の土曜を含む会社指定休日)【夏期休暇】連続6日【年末年始休暇】連続9日

【離職率】男:6.0%、30名 女:6.1%、17名

【新卒3年後離職率】
[20→23年]18.8%(男14.3%・入社14名、女22.2%・入社18名)
[21→24年]26.9%(男21.1%・入社19名、女42.9%・入社7名)

【テレワーク】制度なし【勤務制度】なし【住宅補助】独身寮(広島 大阪 豊橋)その他拠点は借上社宅

●ライフイベント、女性活躍●

【女性比率】■男 □女

新卒採用 52.2% (12名)　従業員 35.8% (262名)　　管理職 2.3% (4名)

【産休】[期間]産前6・産後8週間[給与]法定[取得者数]6名

【育休】[期間]3歳になるまで[給与]法定[取得者数]22年度 男8名(対象14名)女10名(対象12名)23年度 男10名(対象12名)女9名(対象7名)[平均取得日数]22年度 男35日 女534日、23年度 男20日 女623日

【従業員】[人数]732名(男470名、女262名)[平均年齢]42.3歳(男44.5歳、女38.3歳)[平均勤続年数]16.4年(男18.9年、女11.9年)

【年齢構成】■男 □女

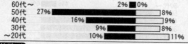

	男	女
60代~	2%	0%
50代	27%	8%
40代	16%	9%
30代	9%	8%
~20代	10%	11%

会社データ (金額は百万円)

【本社】738-8502 広島県廿日市市木材港南1-1 ☎0829-32-3333
https://www.woodone.co.jp/

【業績(連結)】	売上高	営業利益	経常利益	純利益
22.3	66,582	2,351	2,147	1,308
23.3	65,829	766	668	365
24.3	64,779	▲939	▲1,286	▲2,315

㈱パロマ

【特色】コンロや給湯器などのガス器具大手。北米に強い

記者評価 1911年創業。ガステーブルなどのガス調理機器、ガス温水機器などを手がける。家庭用が主軸。炊飯器やフライヤーなど業務用も展開。24年3月持株会社体制に移行、持株会社傘下で当社が日本事業、米リーム社が海外事業をそれぞれ統括・運営する体制に。

平均勤続年数	男性育休取得率	3年後離職率	平均年収(平均39歳)
16.3年	23.8→16.7%	20.7→15.4%	㊍750万円

●採用・配属情報●

【男女・文理別採用実績】

	大卒男	大卒女	修士男	修士女
23年	4(文 3理 1)	1(文 1理 0)	2(文 0理 2)	1(文 0理 1)
24年	4(文 3理 1)	1(文 0理 1)	3(文 0理 3)	1(文 0理 1)
25年	7(文 7理 0)	1(文 0理 1)	0(文 0理 0)	0(文 0理 0)

【男女・職種別採用実績】

	総合職
23年	8(男 6 女 2)
24年	9(男 7 女 2)
25年	8(男 7 女 1)

【24年4月入社者の配属勤務地】㊍東京2 群馬1 大阪1 ㊎愛知5

【転勤】あり:[職種]総合職

【中途比率】[単年度]21年度2%、22年度1%、23年度1%[全体]48%

●働きやすさ、諸制度●

残業(月) 6.9時間 ㊍6.9時間

【勤務時間】8:00~16:50【有休取得年平均】14.0日【週休】会社暦2日【夏期休暇】連続6日【年末年始休暇】連続8日

【離職率】男:4.2%、31名 女:3.0%、7名

【新卒3年後離職率】
[20→23年]20.7%(男18.2%・入社22名、女28.6%・入社7名)
[21→24年]15.4%(男20.0%・入社10名、女0%・入社3名)

【テレワーク】制度なし【勤務制度】裁量労働【住宅補助】社宅(人事異動により転勤する場合は家賃補助あり)社宅(寮)(30歳未満まで出身地が勤務地と異なる場合)

●ライフイベント、女性活躍●

【女性比率】■男 □女

新卒採用 12.5% (1名)　従業員 24.3% (229名)　管理職 3.7% (8名)　

【産休】[期間]産前6・産後8週間[給与]法定[取得者数]36名

【育休】[期間]1歳になるまで[給与]法定[取得者数]22年度 男5名(対象21名)女11名(対象11名)23年度 男3名(対象18名)女33名(対象33名)[平均取得日数]22年度 NA、23年度 NA

【従業員】[人数]943名(男714名、女229名)[平均年齢]43.1歳(男43.8歳、女40.6歳)[平均勤続年数]16.3年(男16.8年、女15.0年)

【年齢構成】■男 □女

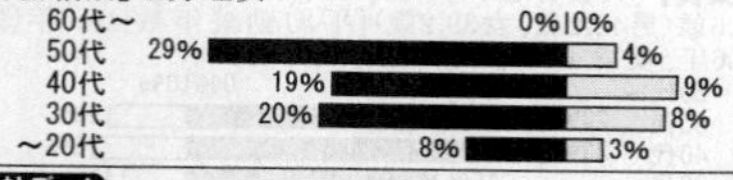

	男	女
60代~	0%	0%
50代	29%	4%
40代	19%	9%
30代	20%	8%
~20代	8%	3%

会社データ (金額は百万円)

【本社】467-8585 愛知県名古屋市瑞穂区桃園町6-23 ☎052-824-5111
https://www.paloma.co.jp/

【業績(連結)】	売上高	営業利益	経常利益	純利益
21.12	674,928	80,020	101,763	NA
22.12	907,414	113,461	131,899	NA
23.12	904,574	107,006	119,762	NA

郵便はがき

料金受取人払郵便

にほんばし
蔵前局承認

1477

差出有効期間
2026年10月
31日まで
（切手不要）

103-8790

919

（受取人）
東京都中央区日本橋本石町1-2-1
東洋経済新報社
『就職四季報 働きやすさ・女性活躍版 2026-2027』読者カード 係

おところ □□□-□□□□ 都道府県

メールアドレス

おなまえ（ふりがな）　男・女　生年（西暦）　年

□大学院生 □大学生 □短大生 □高専生 □高校生 □専門・専修学校
□進路指導の先生 □人事担当者 □社会人 □その他（　　　）

学校名　学部（研究科）

学科（専攻）　卒業予定　年　月

●『就職四季報』シリーズのアンケートにお答えいただいた方の中から抽選で20名様に図書カードをプレゼントいたします。

※スマホ・webでもご回答いただけます。
https://fm.toyokeizai.net/sk26
（はがきとスマホ・webの重複回答はできません）

詳細はこちら

『就職四季報 働きやすさ・女性活躍版2026 - 2027』

アンケートにご協力ください

①本書のことはどこで知りましたか。（複数回答可）

1. 書店　2. 生協　3. 新聞広告　4. 雑誌・書籍　5. 友人
6. 先輩　7. 大学就職課　8. Webサイト（サイト名:　　　　　　　　）
9. SNS（　　　　　　）　10. その他（　　　　　　　　）

②本書をいつ購入しましたか。

（　　　　　）年　（　　　）月ごろ

③志望企業を選択する際、どこに主眼をおいて考えますか。
3つをウエイトの高い順に番号で答えて下さい。

1. 業界・業種　2. 安定性　3. 将来性・成長性　4. 給与・待遇
5. 仕事内容　6. 勤務地　7. 知名度　8. インターンシップ
（　　　　）→（　　　　）→（　　　　）

④本書を購入した理由は何ですか。（複数回答可）

1. 客観的な会社情報だから　2. 他では入手できない情報が載っているから
3. 学校（先生）から推薦されたから　4. 友人が使っていたから
5. 先輩が使っていたから　6. 両親が薦めたから
7. その他（　　　　　　　　）

⑤本書で役立った情報、不要と思う情報はどれですか。

役立つ（　　　　　　　　）
不　要（　　　　　　　　）

⑥「会社研究」編に載せてほしい会社をご記入下さい。

［　　　　　　　　］

⑦本書に載せてほしい情報やご感想・ご要望をご記入下さい。

［　　　　　　　　］

ご協力ありがとうございました

上記のコメントを、個人を特定できない形で当社 SNS 等にて引用可能でしょうか。（一部編集する場合があります）　可 □　不可 □

※今後、ご連絡いただいた住所やメールアドレス等に、小社より各種ご案内（事務連絡・読者調査）をお送りする場合がございます

トートー
TOTO(株)

[プラチナくるみん]

【特色】トイレなど衛生陶器で最大手。海外開拓に重点

[記者評価] 世界シェア6割の衛生陶器メーカー。北九州・小倉発祥で現在も本社を置く。温水洗浄便座「ウォシュレット」のほか、節水、汚れ防止などに独自技術。国内はリフォーム需要を開拓、海外は柱の中国に加え米州、アジア強化。セラミック事業が半導体関連で育つ。

平均勤続年数	男性育休取得率	3年後離職率	平均年収(平均45歳)
18.0年	66.7 → 73.2%	10.2 → 15.4%	[総] 932万円

●採用・配属情報●

【男女・文理別採用実績】

	大卒男	大卒女	修士男	修士女
23年	44(文 38 理 6)	19(文 16 理 3)	31(文 0 理 31)	4(文 0 理 4)
24年	43(文 36 理 7)	22(文 20 理 2)	41(文 2 理 39)	10(文 0 理 10)
25年	46(文 40 理 6)	15(文 11 理 4)	51(文 0 理 51)	10(文 1 理 9)

【男女・職種別採用実績】

	総合職
23年	102(男 78 女 24)
24年	118(男 86 女 32)
25年	126(男 100 女 26)

【24年4月入社者の配属勤務地】[総]北海道 東北 関東 信越 中部 関西 北陸 中国 四国 九州 [技]関東 中部 九州
【転勤】あり:全社員(地域正社員を除く)
【中途比率】[単年度]21年度65%、22年度59%、23年度55%[全体]38%

●働きやすさ、諸制度●

残業(月) 16.7時間 [総] 19.5時間

【勤務時間】8:30～17:10【有休取得年平均】18.6日【週休】完全2日(土日祝)【夏期休暇】あり【年末年始休暇】あり
【離職率】NA
【新卒3年後離職率】
[20→23年]10.2%(男10.2%・入社98名、女10.0%・入社30名)
[21→24年]15.4%(男15.4%・入社91名、女15.4%・入社26名)
【テレワーク】制度あり:[場所]自宅[対象]特定の部署 職種 子育て期 介護期などの特別な事情がある場合[日数]事業特性に応じ、部署ごとに決定[利用率]14.0%【勤務制度】フレックス 時間単位有休 時差勤務 勤務間インターバル
【住宅補助】社宅(会社負担あり)

●ライフイベント、女性活躍●

【女性比率】■男 □女

新卒採用 20.6% (26名) 
従業員 43.2% (2665名) 
管理職 12.2% (93名) 

【産休】[期間]産前6・産後8週間[給与]法定[取得者数]130名
【育休】[期間]2歳になるまで[給与]法定[取得者数]22年度 男96名(対象144名)女135名(対象135名)23年度 男120名(対象164名)女129名(対象129名)[平均取得日数]22年度NA、23年度 男29日 女424日
【従業員】[人数]6,165名(男3,500名、女2,665名)[平均年齢]44.2歳(男44.9歳、女43.2歳)[平均勤続年数]18.0年(男20.5年、女14.7年)
【年齢構成】NA

会社データ (金額は百万円)

【本社】802-8601 福岡県北九州市小倉北区中島2-1-1 ☎093-951-2162 https://jp.toto.com/

【業績(連結)】	売上高	営業利益	経常利益	純利益
22.3	645,273	52,180	56,870	40,131
23.3	701,187	49,121	54,760	38,943
24.3	702,284	42,766	51,515	37,196

リンナイ(株)

[くるみん]

【特色】ガスの厨房・給湯機器で国内首位。海外にも展開

[記者評価] 1920年創業で名古屋地盤に全国展開。社名は創業者の内藤秀次郎と林兼吉の苗字に由来。ガスの厨房・給湯機器で国内首位。ストレス低減や衛生改善など「生活の質向上」を図る製品を強化。業界初の超微細気泡発生装置付き給湯器を発売。米国で現地生産進める。

平均勤続年数	男性育休取得率	3年後離職率	平均年収(平均41歳)
◇18.8年	20.7 → 23.3%	14.9 → 14.3%	[総] 792万円

●採用・配属情報●

【男女・文理別採用実績】

	大卒男	大卒女	修士男	修士女
23年	37(文 34 理 3)	10(文 9 理 1)	19(文 3 理 16)	1(文 0 理 1)
24年	66(文 53 理 13)	11(文 11 理 0)	25(文 0 理 25)	2(文 0 理 2)
25年	59(文 50 理 9)	25(文 21 理 4)	12(文 0 理 12)	2(文 0 理 2)

【男女・職種別採用実績】 転換制度:⇔

	総合職	一般職
23年	67(男 58 女 9)	2(男 0 女 2)
24年	102(男 91 女 11)	2(男 0 女 2)
25年	99(男 73 女 26)	1(男 0 女 1)

【24年4月入社者の配属勤務地】[総]北海道3 宮城2 新潟2 埼玉4 千葉3 東京7 神奈川4 静岡3 岐阜1 愛知16 三重1 滋賀1 京都1 大阪2 兵庫1 香川1 岡山1 広島1 鳥取1 福岡5 佐賀1 長崎1 [技]愛知40
【転勤】あり:[職種]事務営業職[勤務地]全国 [職種]技術職[勤務地]愛知県内 海外(希望者)その他関連子会社
【中途比率】[単年度]21年度12%、22年度13%、23年度16%[全体]◇13%

●働きやすさ、諸制度●

残業(月) 16.1時間 [総] 24.0時間

【勤務時間】8:30～17:20【有休取得年平均】12.4日【週休】会社暦2日【夏期休暇】連続9日(週休含む)【年末始休暇】連続9日(週休含む)
【離職率】◇男:2.4%、61名 女:1.8%、19名
【新卒3年後離職率】
[20→23年]14.9%(男12.1%・入社66名、女20.0%・入社35名)
[21→24年]14.3%(男15.5%・入社71名、女7.7%・入社13名)
【テレワーク】制度あり:[場所]自宅[対象]全社員[日数]就業日すべてを在宅勤務実施は認められない[利用率]NA
【勤務制度】時間単位有休 時差勤務 副業容認【住宅補助】借上社宅・独身寮(全国約400名が利用)

●ライフイベント、女性活躍●

【女性比率】■男 □女

新卒採用 27% (27名) 
従業員 29% (1026名) 
管理職 0.9% (7名) 

【産休】[期間]産前6・産後8週間[給与]法定[取得者数]41名
【育休】[期間]1歳になるまで[給与]法定[取得者数]22年度 男18名(対象87名)女50名(対象50名)23年度 男21名(対象90名)女45名(対象46名)[平均取得日数]22年度 NA、23年度 男74日 女NA
【従業員】◇[人数]3,532名(男2,506名、女1,026名)[平均年齢]40.6歳(男41.7歳、女37.9歳)[平均勤続年数]18.8年(男19.5年、女16.9年)【年齢構成】■男 □女

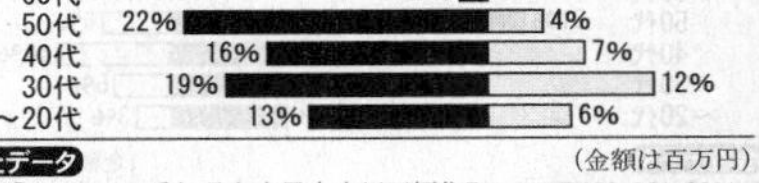

60代～ 2% 0%
50代 22% 4%
40代 16% 7%
30代 19% 12%
～20代 13% 6%

会社データ (金額は百万円)

【本社】454-0802 愛知県名古屋市中川区福住町2-26 ☎052-361-8211 https://www.rinnai.co.jp/

【業績(連結)】	売上高	営業利益	経常利益	純利益
22.3	366,185	35,864	39,060	23,748
23.3	425,229	41,418	44,565	26,096
24.3	430,186	39,362	46,071	26,667

メーカーⅡ

㈱ノーリツ

【特色】ガス風呂釜・給湯器の大手。中国、北米にも展開

記者評価 ガス温水機器でリンナイと双璧。独自の生産方式で少量多品種生産。国内市場の頭打ち受け、海外展開を積極化。柱の中国では高付加価値商品を強みに、ネット販売に加え地方都市の開拓も強化。米国は規模拡大中。他に豪州にも注力。ベトナムは現地企業に出資。

平均勤続年数	男性育休取得率	3年後離職率	平均年収(平均44歳)
18.2年	NA	14.7→25.0%	◇656万円

●採用・配属情報●

【男女・文理別採用実績】

	大卒男	大卒女	修士男	修士女
23年	13(文 11 理 2)	3(文 1 理 2)	4(文 0 理 4)	1(文 0 理 1)
24年	28(文 16 理 12)	9(文 7 理 2)	5(文 0 理 5)	1(文 0 理 1)
25年	23(文 15 理 8)	11(文 9 理 2)	7(文 0 理 7)	0(文 0 理 0)

※25年:24年9月時点

【男女・職種別採用実績】

	総合職
23年	21(男 17 女 4)
24年	44(男 34 女 10)
25年	41(男 30 女 11)

【24年4月入社者の配属勤務地】㊟兵庫6 東京4 千葉3 神奈川2 愛知2 福岡2 大阪1 埼玉1 岡山1 群馬1 ㊕兵庫21
【転勤】あり:全社員(コース選択により諸条件が異なる)
【中途比率】[単年度]21年度11%、22年度40%、23年度71%[全体]NA

●働きやすさ、諸制度●

残業(月) NA

【勤務時間】8:50〜17:50【有休取得年平均】13.0日【週休】完全2日(土日祝)【夏期休暇】連続6日(週休含む)【年末年始休暇】連続7日(週休含む)
【離職率】男:4.8%、85名 女:6.1%、37名(早期退職 男20名、女2名含む)
【新卒3年後離職率】
[20→23年]14.7%(男15.4%・入社26名、女12.5%・入社8名)
[21→24年]25.0%(男26.9%・入社26名、女16.7%・入社6名)
【テレワーク】制度あり:[場所]自宅・自宅に準じる場所 サテライトオフィスなど[対象]NA[日数]NA[利用率]NA【勤務制度】フレックス 時間単位有休 時差勤務【住宅補助】借上社宅 住宅補助手当

●ライフイベント、女性活躍●

【女性比率】■男 □女

新卒採用 26.8% (11名)　従業員 25.1% (568名)

【産休】[期間]産前6・産後8週間[給与]法定[取得者数]26名
【育休】[期間]2歳になるまでを限度[給与]法定[取得者数]22年度 男6名(対象NA)女10名(対象NA)23年度 男12名(対象NA)女14名(対象NA)[平均取得日数]22年度 NA、23年度 NA
【従業員】[人数]2,263名(男1,695名、女568名)[平均年齢]43.8歳(男44.2歳、女42.3歳)[平均勤続年数]18.2年(男18.2年、女18.4年)
【年齢構成】■男 □女

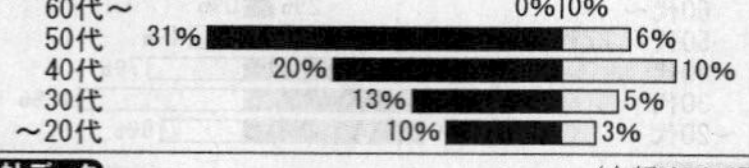

	男	女
60代〜	0%	0%
50代	31%	6%
40代	20%	10%
30代	13%	5%
〜20代	10%	3%

会社データ （金額は百万円）

【本社】650-0033 兵庫県神戸市中央区江戸町93 栄光ビル ☎078-334-2811
https://www.noritz.co.jp/

【業績(連結)】	売上高	営業利益	経常利益	純利益
21.12	178,142	2,500	3,976	5,479
22.12	210,966	6,889	7,900	4,800
23.12	201,891	3,840	1,245	868

タカラスタンダード㈱

くるみん

【特色】システムキッチン首位。ホーロー技術に強み

記者評価 1912年にホーロー鉄器の製造で創業、57年に流し台へ参入。キッチンから洗面、浴槽などに展開。新築マンション向けで高シェア。リフォーム市場も深耕。ホーロー製内外装パネルを育成中。福岡工場でホーロー製品の大幅増産を準備中。愛知でも新工場計画。

平均勤続年数	男性育休取得率	3年後離職率	平均年収(平均41歳)
15.6年	70.7→79.1%	18.8→22.8%	㊟711万円

●採用・配属情報●

【男女・文理別採用実績】

	大卒男	大卒女	修士男	修士女
23年	73(文 55 理 18)	50(文 44 理 6)	5(文 0 理 5)	1(文 0 理 1)
24年	70(文 56 理 14)	55(文 47 理 8)	6(文 0 理 6)	2(文 0 理 2)
25年	55(文 37 理 18)	39(文 36 理 3)	5(文 0 理 5)	2(文 0 理 2)

【男女・職種別採用実績】 転換制度:⇔

	総合職	一般職
23年	132(男 79 女 53)	0(男 0 女 0)
24年	135(男 76 女 59)	0(男 0 女 0)
25年	101(男 60 女 41)	0(男 0 女 0)

【職種併願】事務系総合職とエリア総合職で可能
【24年4月入社者の配属勤務地】㊟東京 大阪 福岡 その他各支店・営業所 他 ㊕千葉 愛知 大阪 福岡 その他支社・支店・工場 他
【転勤】あり:[職種]総合職※総合職エリア限定は採用エリア内に限定した転勤の可能性あり
【中途比率】[単年度]21年度41%、22年度41%、23年度43%[全体]37%

●働きやすさ、諸制度●

残業(月) 8.7時間 ㊟14.3時間

【勤務時間】9:00〜17:50【有休取得年平均】12.5日【週休】完全2日(土日祝)【夏期休暇】9日(計画有休含む)【年末年始休暇】連続6日
【離職率】男:4.0%、98名 女:8.9%、119名
【新卒3年後離職率】
[20→23年]18.8%(男19.0%・入社100名、女18.4%・入社49名)
[21→24年]22.8%(男23.3%・入社86名、女22.2%・入社72名)
【テレワーク】制度あり:[場所]自宅 その他自宅に準じる場所[対象]在宅勤務において通常業務を行うことができる者※勤続満1年以上[日数]月10日まで[利用率]7.6%【勤務制度】時間単位有休 時差勤務 勤務間インターバル【住宅補助】寮 社宅(基準家賃の75%会社負担)※規定による

●ライフイベント、女性活躍●

【女性比率】■男 □女

新卒採用 40.6% (41名)　従業員 34.4% (1223名)　管理職 5.2% (51名)

【産休】[期間]産前6・産後8週間[給与]法定[取得者数]77名
【育休】[期間]1歳になるまで[給与]開始日から稼働7日間は有給、以降法定[取得者数]22年度 男99名(対象140名)女89名(対象89名)23年度 男110名(対象139名)女77名(対象77名)[平均取得日数]22年度 男8日 女338日、23年度 男10日 女351日
【従業員】[人数]3,558名(男2,335名、女1,223名)[平均年齢]41.9歳(男43.7歳、女38.5歳)[平均勤続年数]15.6年(男18.1年、女10.9年)【年齢構成】■男 □女

	男	女
60代〜	3%	0%
50代	20%	5%
40代	20%	11%
30代	15%	12%
〜20代	8%	7%

会社データ （金額は百万円）

【本社】536-8536 大阪府大阪市城東区鴫野東1-2-1 ☎06-6962-1501
https://www.takara-standard.co.jp/

【業績(連結)】	売上高	営業利益	経常利益	純利益
22.3	211,587	14,428	14,856	10,905
23.3	227,423	10,940	11,490	8,417
24.3	234,738	12,427	12,792	9,500

クリナップ(株)

くるみん

【特色】システムキッチン大手。浴槽、洗面化粧台も

記者評価 柱のシステムキッチンはシェア約2割。浴槽や洗面化粧台も手がける。地場工務店経由の販売多い。中高級クラスの「ステディア」を軸に積極販売。全国約100カ所にショールーム。イタリア企業と共同開発した超高級キッチンの日本限定ブランドを発売。

平均勤続年数	男性育休取得率	3年後離職率	平均年収(平均42歳)
◇15.2年	52.2→71.2%	27.7→NA	㊕625万円

●採用・配属情報●

【男女・文理別採用実績】

	大卒男	大卒女	修士男	修士女
23年	43(文 41 理 2)	46(文 41 理 5)	1(文 0 理 1)	0(文 0 理 0)
24年	46(文 43 理 3)	58(文 57 理 1)	0(文 0 理 0)	0(文 0 理 0)
25年	49(文 46 理 3)	38(文 35 理 3)	0(文 0 理 0)	0(文 0 理 0)

【男女・職種別採用実績】 転換制度:⇒

	総合職掌	一般職掌
23年	59(男 44 女 15)	39(男 0 女 39)
24年	63(男 46 女 17)	48(男 2 女 46)
25年	65(男 48 女 17)	30(男 1 女 29)

【24年4月入社者の配属勤務地】㊕北海道1 東北6 関東27 信越1 中部7 近畿7 中国・四国4 九州3 ㊔東京4 福島3

【転勤】あり:[職種]グローバル職(営業職・開発技術職)エリアブロック職(ショールームアドバイザー職)[勤務地]グローバル職:全国 エリアブロック職:希望都道府県内(一部地域は隣県への転勤あり)

【中途比率】[単年度]21年度26%、22年度51%、23年度45%[全体]◇47%

●働きやすさ、諸制度●

残業(月) 21.7時間

【勤務時間】本・支店8:30～17:30 工場8:00～17:00 ショールーム9:00～18:00【有休取得年平均】11.3日【週休】完全2日(土日祝)※一般職はシフト制【夏期休暇】年により異なる(計画有休含む)【年末年始休暇】年により異なる(計画有休含む)

【離職率】◇男:4.6%、95名 女:6.9%、74名(早期退職男4名、女1名含む 他に男11名転籍)

【新卒3年後離職率】

[20→23年]27.7%(男19.2%・入社26名、女31.6%・入社57名)

[21→24年]NA(男NA・入社49名、女NA・入社66名)

【テレワーク】制度あり:[場所]自宅[対象]制限なし[日数]NA[利用率]NA【勤務制度】フレックス 時間単位有休 時差勤務 副業容認【住宅補助】独身寮(自己負担10,000円 32歳未満)社宅 住宅手当 住宅ローン補助手当 家賃補助手当

●ライフイベント、女性活躍●

【女性比率】■男 □女

新卒採用 48.4% (46名)

従業員 33.5% (996名)

管理職 3.2% (9名)

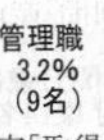

【産休】[期間]産前6・産後8週間[給与]法定[取得者数]28名

【育休】[期間]1歳になるまで[給与]法定[取得者数]22年度 男24名(対象46名)女24名(対象23名)23年度 男37名(対象52名)女45名(対象45名)[平均取得日数]22年度 NA、23年度 NA

【従業員】◇[人数]2,973名(男1,977名、女996名)[平均年齢]40.9歳(男42.5歳、女37.7歳)[平均勤続年数]15.2年(男17.5年、女10.7年)【年齢構成】■男 □女

	男	女
60代～	2%	0%
50代	22%	6%
40代	18%	9%
30代	13%	8%
～20代	13%	11%

会社データ (金額は百万円)

【本社】116-8587 東京都荒川区西日暮里6-22-22 ☎03-3894-4771 https://cleanup.jp/

【業績(連結)】	売上高	営業利益	経常利益	純利益
22.3	113,305	3,795	4,261	3,155
23.3	124,012	3,014	3,562	2,523
24.3	127,982	1,282	1,809	1,468

コクヨ(株)

くるみん

【特色】文具・事務用品の最大手。中国・インドに注力

記者評価 文具・事務用品の総合メーカー。「Campus」ノートはロングセラー。文具はアジア展開を志向。オフィス向け通販「カウネット」も。働き方の変化を受け、オフィス家具販売は空間提案を積極化。試行錯誤を繰り返し価値を創出していく「実験カルチャー」を掲げる。

平均勤続年数	男性育休取得率	3年後離職率	平均年収(平均44歳)
◇17.5年	35.5→63.3%	0→3.0%	㊕756万円

●採用・配属情報●

【男女・文理別採用実績】

	大卒男	大卒女	修士男	修士女
23年	23(文 16 理 7)	22(文 17 理 5)	8(文 0 理 8)	3(文 1 理 2)
24年	30(文 23 理 7)	53(文 50 理 3)	22(文 2 理 20)	7(文 1 理 6)
25年	34(文 24 理 10)	47(文 35 理 12)	17(文 1 理 16)	15(文 1 理 14)

【男女・職種別採用実績】

	総合職
23年	56(男 31 女 25)
24年	113(男 53 女 60)
25年	113(男 51 女 62)

【24年4月入社者の配属勤務地】㊕東京62 千葉2 大阪14 三重2 ㊔東京16 千葉2 大阪12 三重3

【転勤】あり:[職種]総合職

【中途比率】[単年度]21年度45%、22年度38%、23年度65%[全体]◇30%

●働きやすさ、諸制度●

残業(月) 19.8時間

【勤務時間】フレックスタイム制(コアタイムなし)【有休取得年平均】12.0日【週休】完全2日(土日祝)【夏期休暇】旧盆(3日)【年末年始休暇】12月30日～1月4日

【離職率】◇男:2.4%、36名 女:1.9%、13名

【新卒3年後離職率】

[20→23年]0%(男0%・入社26名、女0%・入社34名)

[21→24年]3.0%(男4.8%・入社21名、女0%・入社12名)

【テレワーク】制度あり:[場所]自宅 サテライトオフィス[対象]工場勤務者を除く[日数]制限なし[利用率]NA【勤務制度】フレックス 時間単位有休 副業容認【住宅補助】厚生社宅

●ライフイベント、女性活躍●

【女性比率】■男 □女

新卒採用 54.9% (62名)

従業員 30.9% (662名)

管理職 11.2% (67名)

【産休】[期間]産前6・産後8週間[給与]会社全額給付[取得者数]26名

【育休】[期間]2歳になるまで(4月生まれの場合に限り2歳の4月末日まで)[給与]最初5営業日会社全額給付、以降給付金[取得者数]22年度 男11名(対象31名)女17名(対象18名)23年度 男19名(対象30名)女27名(対象27名)[平均取得日数]22年度 NA、23年度 男56日 女373日

【従業員】◇[人数]2,142名(男1,480名、女662名)[平均年齢]44.1歳(男45.8歳、女40.0歳)[平均勤続年数]17.5年(男18.9年、女14.3年)

【年齢構成】■男 □女

	男	女
60代～	0%	0%
50代	31%	7%
40代	17%	8%
30代	11%	7%
～20代	10%	8%

会社データ (金額は百万円)

【本社】537-8686 大阪府大阪市東成区大今里南6-1-1 ☎06-6976-1221 https://www.kokuyo.co.jp/

【業績(連結)】	売上高	営業利益	経常利益	純利益
21.12	320,170	20,004	16,415	13,703
22.12	300,929	19,321	21,355	18,375
23.12	328,753	23,830	25,989	19,069

(株)パイロットコーポレーション

【特色】筆記具老舗で国内トップ。海外比率が高い

記者評価 1918年国産初の万年筆メーカーとして創業。ボールペン「フリクション」のヒットでシェア拡大。海外に19拠点、世界190以上の国と地域に販売し、海外売上比率は約80%と高水準。現地組み立て工場も多い。セラミックス製品や宝飾製品など非筆記具事業を拡大。

平均勤続年数	男性育休取得率	3年後離職率	平均年収(平均*43歳)
◇18.5年	50.0→50.0%	4.8→7.4%	総706万円

●採用・配属情報●

【男女・文理別採用実績】

	大卒男	大卒女	修士男	修士女
23年	13(文 4理 9)	18(文 9理 9)	8(文 0理 8)	3(文 0理 3)
24年	10(文 7理 3)	18(文 13理 5)	7(文 0理 7)	1(文 0理 1)
25年	8(文 7理 1)	14(文 13理 1)	5(文 0理 5)	4(文 1理 3)

【男女・職種別採用実績】

	総合職(地域限定含む)	デザイン職
23年	42(男 21 女 21)	0(男 0 女 0)
24年	33(男 16 女 17)	4(男 1 女 3)
25年	31(男 13 女 18)	0(男 0 女 0)

【24年4月入社者の配属勤務地】総東京・中央15 大阪市4 名古屋1 静岡市1 福岡市1 技東京・中央1 神奈川・平塚9 群馬・伊勢崎5

【転勤】あり:[職種]全域社員[勤務地]国内営業(東京 大阪 名古屋 福岡 他)海外営業(米国 フランス 中国 他)

【中途比率】[単年度]21年度19%、22年度52%、23年度42%[全体]NA

●働きやすさ、諸制度●

残業(月) NA

【勤務時間】9:00〜17:35【有休取得年平均】13.0日【週休】完全2日(土日祝)【夏期休暇】連続約7日以上(週休及び計画有休5日含む)【年末年始休暇】12月30日〜1月4日

【離職率】男:NA、8名 女:NA、8名

【新卒3年後離職率】
[20→23年]4.8%(男6.7%・入社15名、女0%・入社6名)
[21→24年]7.4%(男14.3%・入社14名、女0%・入社13名)

【テレワーク】制度あり:[場所]自宅[対象]NA[日数]週4日まで[利用率]NA【勤務制度】フレックス 時間単位有休 裁量労働【住宅補助】家賃補助(実家から通えない場合や転勤の場合、会社規定による)

●ライフイベント、女性活躍●

【女性比率】■男 □女

新卒採用 58.1% (18名)

管理職 8.3% (17名)

【産休】[期間]産前6・産後8週間[給与]基本給・賞与給付[取得者数]2名

【育休】[期間]1歳になるまで[給与]法定[取得者数]22年度 男9名(対象18名)女7名(対象7名)23年度 男6名(対象12名)女2名(対象2名)[平均取得日数]22年度 NA、23年度 NA

【従業員】◇[人数]1,056名(男NA、女NA)[平均年齢]42.8歳(男NA、女NA)[平均勤続年数]18.5年(男NA、女NA)

【年齢構成】NA

会社データ (金額は百万円)

【本社】104-8304 東京都中央区京橋2-6-21 ☎03-3538-3700 https://www.pilot.co.jp/

【業績(連結)】	売上高	営業利益	経常利益	純利益
21.12	103,057	19,325	20,362	14,270
22.12	112,850	21,244	22,633	15,773
23.12	118,590	19,003	20,840	13,661

三菱鉛筆(株)

みつびしえんぴつ

【特色】筆記具メーカー2強の一角。ブランドは「uni」

記者評価 明治時代の逓信省局用鉛筆が起源の老舗。筆記具でパイロットと双璧。米国やアジアなど海外での販売に注力。「ジェットストリーム」が主力。欧米で「ポスカ」のアート需要拡大。化粧品OEMも。傘下に独ラミー。旧三菱財閥の流れをくむ三菱グループとは無関係。

平均勤続年数	男性育休取得率	3年後離職率	平均年収(平均42歳)
18.2年	78.6→100%	0→0%	790万円

●採用・配属情報●

【男女・文理別採用実績】

	大卒男	大卒女	修士男	修士女
23年	3(文 3理 0)	1(文 1理 0)	6(文 0理 6)	1(文 0理 1)
24年	5(文 4理 1)	2(文 2理 0)	6(文 1理 5)	2(文 1理 1)
25年	5(文 5理 0)	4(文 4理 0)	6(文 0理 6)	2(文 0理 2)

【男女・職種別採用実績】 転換制度:⇔

	総合職	一般職
23年	11(男 9 女 2)	2(男 0 女 2)
24年	15(男 11 女 4)	0(男 0 女 0)
25年	17(男 11 女 6)	2(男 0 女 2)

【24年4月入社者の配属勤務地】総東京・品川9 技東京・品川3 群馬・藤岡3

【転勤】あり:[職種]企画開発職 研究開発職

【中途比率】[単年度]21年度23%、22年度14%、23年度27%[全体]NA

●働きやすさ、諸制度●

残業(月) 14.7時間 総17.0時間

【勤務時間】8:30〜17:10【有休取得年平均】14.0日【週休】完全2日(土日、年5日程度土曜出勤)【夏期休暇】あり【年末年始休暇】あり

【離職率】男:NA、1名 女:NA、0名

【新卒3年後離職率】
[20→23年]0%(男0%・入社8名、女0%・入社9名)
[21→24年]0%(男0%・入社8名、女0%・入社2名)

【テレワーク】制度あり:[場所]自宅 サテライトオフィス[対象]全社員[日数]週3日まで[利用率]NA【勤務制度】フレックス 裁量労働 時差勤務 副業容認【住宅補助】独身寮 社宅 住宅手当

●ライフイベント、女性活躍●

【女性比率】■男 □女

新卒採用 42.1% (8名)

【産休】[期間]産前6・産後8週間[給与]法定[取得者数]4名

【育休】[期間]1歳になるまで[給与]法定[取得者数]22年度 男11名(対象14名)女12名(対象12名)23年度 男14名(対象14名)女11名(対象11名)[平均取得日数]22年度 NA、23年度 NA

【従業員】[人数]560名(男NA、女NA)[平均年齢]41.8歳(男NA、女NA)[平均勤続年数]18.2年(男NA、女NA)

【年齢構成】NA

会社データ (金額は百万円)

【本社】140-8537 東京都品川区東大井5-23-37 ☎03-3458-6221 https://www.mpuni.co.jp/

【業績(連結)】	売上高	営業利益	経常利益	純利益
21.12	61,894	7,520	8,309	5,658
22.12	68,997	9,243	10,128	6,951
23.12	74,801	11,851	12,889	10,166

744 開示 ★★☆☆☆ [短大][専門]採用あり

㈱オカムラ

[えるぼし ★★] [くるみん]

【特色】オフィス家具首位級。小売店舗用も展開

[記者評価] オフィス家具は、コクヨなどと並び国内最大手級。大規模ビル建設や再開発案件が追い風に。医療施設や自治体、学校などの専門家具にも強い。ドラッグストアなどの冷蔵用什器、物流施設の自動倉庫も手がける。三菱グループと密接。ASEANや中国で海外事業強化。

平均勤続年数	男性育休取得率	3年後離職率	平均年収(平均43歳)
◇17.0年	64.8 → 63.3%	12.6 → 6.6%	737万円

●採用・配属情報●

【男女・文理別採用実績】

	大卒男	大卒女	修士男	修士女
23年	51(文 32 理 19)	42(文 28 理 14)	11(文 1 理 10)	14(文 1 理 13)
24年	68(文 46 理 22)	48(文 37 理 11)	12(文 0 理 12)	9(文 2 理 7)
25年	53(文 38 理 15)	59(文 44 理 15)	14(文 0 理 14)	7(文 1 理 6)

【男女・職種別採用実績】 転換制度:NA

	総合職	一般職	技能職
23年	105(男 60 女 45)	14(男 2 女 12)	8(男 7 女 1)
24年	122(男 79 女 43)	15(男 1 女 14)	7(男 7 女 0)
25年	133(男 67 女 66)	0(男 0 女 0)	7(男 7 女 0)

※採用過程で総合職・一般職に振り分ける

【24年4月入社者の配属勤務地】[総]東京 大阪 愛知 宮城 広島 福岡などの全国事業所 [技]東京 大阪 神奈川 静岡 茨城などの全国事業所

【転勤】あり:全社員(地域限定社員/エリア社員を除く)

【中途比率】[単年度]21年度26%、22年度29%、23年度29%[全体]◇35%

●働きやすさ、諸制度●

残業(月) 21.6時間

【勤務時間】販売・本社8:40～17:20 工場8:00～16:40【有休取得年平均】13.0日【週休】2日(土日祝)【夏期休暇】8月10～13日【年末年始休暇】12月28日～1月5日

【離職率】◇男:2.6%、84名 女:3.2%、28名

【新卒3年後離職率】
[20→23年]12.6%(男14.1%・入社99名、女9.1%・入社44名)
[21→24年]6.6%(男7.2%・入社97名、女4.2%・入社24名)

【テレワーク】制度あり:[場所]他拠点 法人契約レンタルオフィス 自宅 外出先の合理的な場所[対象]業務上問題なければテレワークを認めている[日数]週2日まで[利用率]NA

【勤務制度】フレックス 時間単位有休 週休3日【住宅補助】独身寮(神奈川 千葉 静岡 茨城)借上社宅(その他地域)

●ライフイベント、女性活躍●

【女性比率】■男 □女

新卒採用 47.1% (66名)

従業員 21.6% (852名)

【産休】[期間]産前6・産後8週間[給与]法定[取得者数]25名

【育休】[期間]2歳到達月末前日まで[給与]法定[取得者数]22年度 男35名(対象54名)女29名(対象29名)23年度 男50名(対象79名)女30名(対象30名)[平均取得日数]22年度 男59日 女353日、23年度 男67日 女420日

【従業員】◇[人数]3,940名(男3,088名、女852名)[平均年齢]43.0歳(男NA、女NA)[平均勤続年数]17.0年(男NA、女NA)

【年齢構成】NA

会社データ (金額は百万円)

【本社】220-0004 神奈川県横浜市西区北幸1-4-1 天理ビル ☎045-319-3401 https://www.okamura.co.jp/

【業績(連結)】	売上高	営業利益	経常利益	純利益
22.3	261,175	15,972	17,491	14,992
23.3	277,015	17,372	18,924	15,906
24.3	298,295	24,036	26,227	20,280

737 開示 ★★★★☆

㈱イトーキ

[くるみん]

【特色】オフィス家具の一角。製販一貫体制に強み

[記者評価] 1890年大阪で創業した老舗。オフィス家具でオカムラ、コクヨに次ぐ規模。「働き方改革」に対応した新しいオフィス空間の提案に力を入れる。18年12月の本社移転で、東京地区のオフィスを集約。DX等のシステム投資にも積極的で、幅広い改装ニーズに対応。

平均勤続年数	男性育休取得率	3年後離職率	平均年収(平均41歳)
15.4年	45.7 → 70.0%	20.3 → 17.6%	[総]677万円

●採用・配属情報●

【男女・文理別採用実績】

	大卒男	大卒女	修士男	修士女
23年	22(文 17 理 5)	26(文 17 理 9)	4(文 0 理 4)	4(文 0 理 4)
24年	11(文 8 理 3)	29(文 26 理 3)	3(文 0 理 3)	2(文 0 理 2)
25年	13(文 9 理 4)	32(文 29 理 3)	3(文 0 理 3)	7(文 2 理 5)

【男女・職種別採用実績】

	総合職
23年	57(男 27 女 30)
24年	45(男 14 女 31)
25年	55(男 16 女 39)

【24年4月入社者の配属勤務地】[総]東京32 横浜1 滋賀1 [技]東京5 名古屋1 大阪1 福岡1 滋賀3

【転勤】あり:全社員

【中途比率】[単年度]21年度33%、22年度65%、23年度70%[全体]31%

●働きやすさ、諸制度●

残業(月) 20.6時間 [総]24.5時間

【勤務時間】7時間45分(フレックスタイム制 コアタイム11:00～15:00)【有休取得年平均】11.0日【週休】完全2日(土日祝)【夏期休暇】有休で取得【年末年始休暇】12月29日～1月4日

【離職率】男:2.6%、28名 女:3.3%、22名

【新卒3年後離職率】
[20→23年]20.3%(男13.9%・入社36名、女30.4%・入社23名)
[21→24年]17.6%(男20.0%・入社20名、女14.3%・入社14名)

【テレワーク】制度あり:[場所]自宅 実家 カフェ 旅行先 公共施設 サテライトオフィス等(国内外問わず)[対象]全従業員[日数]制限なし[利用率]28.3%【勤務制度】フレックス 時間単位有休 時差勤務【住宅補助】生活手当(世帯主15,000円)東京住宅手当補正(25,000円)借上社宅 独身寮

●ライフイベント、女性活躍●

【女性比率】■男 □女

新卒採用 70.9% (39名)

従業員 37.5% (641名)

管理職 10.3% (28名)

【産休】[期間]産前6・産後8週間[給与]法定[取得者数]26名

【育休】[期間]産休後2年[給与]法定[取得者数]22年度 男16名(対象35名)女24名(対象24名)23年度 男21名(対象30名)女27名(対象27名)[平均取得日数]22年度 男49日 女421日、23年度 男49日 女445日

【従業員】[人数]1,708名(男1,067名、女641名)[平均年齢]41.3歳(男43.4歳、女37.7歳)[平均勤続年数]15.4年(男16.7年、女11.0年)

【年齢構成】■男 □女

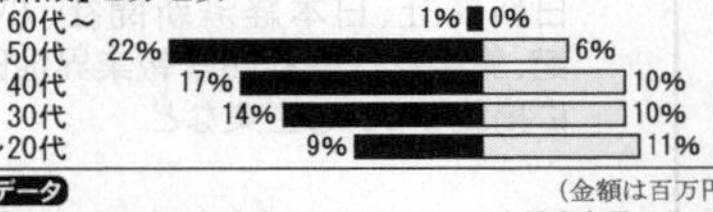
60代～ 1% 0%
50代 22% 6%
40代 17% 10%
30代 14% 10%
～20代 9% 11%

会社データ (金額は百万円)

【本社】103-6113 東京都中央区日本橋2-5-1 日本橋高島屋三井ビルディング ☎03-6910-3950 https://www.itoki.jp/

【業績(連結)】	売上高	営業利益	経常利益	純利益
21.12	115,839	2,536	2,437	1,166
22.12	123,324	4,582	4,177	5,294
23.12	132,985	8,523	8,555	5,905

メーカーⅡ

建設・不動産

建設　住宅・マンション　不動産

建設

建築から土木まで建設需要は旺盛だが、現場監督や専門職人などが不足しているため、工事の進行遅れが懸念される

プラント・エンジニアリング

海外油田開発などは活発。案件豊富な脱炭素関連事業は人手不足が深刻な中、収益確保の工夫が求められる

戸建て住宅

住宅価格の上昇を背景に、注文・分譲住宅ともに需要回復の動きは鈍い。住宅ローン金利の上昇も懸念材料

マンション

供給戸数の抑制と原価上昇を背景に販売価格高騰が続く。金利が上昇していけば、需要が冷え込む懸念も

不動産

機関投資家の需要底堅く価格上昇続く。ホテルや物流施設の開発が盛んだが、金利上昇や資材高などリスクも

（天気図は24年度後半⇒25年度、続きは東洋経済『会社四季報業界地図 2025年版』で）

27 開示 ★★★★☆ [短大][専門]採用あり

鹿島（かじま）

【特色】超大手。超高層ビルに強み。不動産事業を積極化

[記者評価] スーパーゼネコン5社の一角。1840年創業。ダム、トンネル、原子力発電所など大型土木分野で技術力に定評。建築分野でも日本初の超高層ビルである霞が関ビルを手がけたパイオニア。最近は欧米や日本などで物流施設など不動産開発事業を強化している。

平均勤続年数	男性育休取得率	3年後離職率	平均年収（平均44歳）
17.9年	64.3→92.2%	5.8→2.6%	[総]1,256万円

●採用・配属情報●

【男女・文理別採用実績】

	大卒男	大卒女	修士男	修士女
23年	114(文 37 理 77)	44(文 22 理 22)	129(文 1 理128)	37(文 0 理 37)
24年	106(文 34 理 72)	59(文 30 理 29)	131(文 1 理130)	33(文 0 理 33)
25年	124(文 42 理 82)	58(文 36 理 22)	132(文 0 理132)	38(文 1 理 37)

【男女・職種別採用実績】 転換制度：⇒

	総合職	専門職	一般職
23年	304(男240 女 64)	0(男 0 女 0)	28(男 7 女 21)
24年	319(男245 女 74)	63(男 40 女 23)	19(男 1 女 18)
25年	354(男275 女 79)	78(男 59 女 19)	20(男 0 女 20)

【24年4月入社者の配属勤務地】[総]北海道2 東北7 関東5 東京12 横浜5 北陸2 中部4 関西6 中国2 四国2 九州2 [技]北海道8 東北10 関東18 東京153 横浜15 北陸6 中部15 関西22 中国7 四国5 九州11

【転勤】あり：[職種]総合職 他

【中途比率】[単年度]21年度25%、22年度18%、23年度19%[全体]13%

●働きやすさ、諸制度●

残業(月) 35.2時間 [総]40.7時間

【勤務時間】8:30～17:30【有休取得年平均】10.0日【週休】完全2日（土日祝）【夏期休暇】連続6日【年末年始休暇】12月30日～1月3日

【離職率】男：1.1%、72名 女：1.2%、17名（依願退職者のみ）

【新卒3年後離職率】
[20→23年]5.8%（男6.7%・入社209名、女3.0%・入社66名）
[21→24年]2.6%（男3.0%・入社200名、女1.5%・入社66名）

【テレワーク】制度あり：[場所]事業所 他[対象]原則勤続1年以上で環境が在宅勤務に適している者[日数]原則週3日、月8回まで（育児、介護中の場合は制限なし）[利用率]NA【勤務制度】フレックス 時間単位有休 勤務間インターバル【住宅補助】本社、支店所在地に社宅・寮 住宅手当 借家補助手当

●ライフイベント、女性活躍●

【女性比率】■男 □女

新卒採用 26.1%（118名）

従業員 17.5%（1435名）

管理職 2.6%（113名）

【産休】[期間]産前6・産後8週間[給与]法定[取得者数]59名

【育休】[期間]2歳になるまで[給与]法定[取得者数]22年度 男160名（対象249名）女63名（対象63名）23年度 男238名（対象258名）女47名（対象47名）[平均取得日数]22年度 男21日 女333日、23年度 男29日 女329日

【従業員】[人数]8,219名（男6,784名、女1,435名）[平均年齢]43.7歳（男44.8歳、女38.7歳）[平均勤続年数]17.9年（男18.4年、女15.7年）【年齢構成】■男 □女

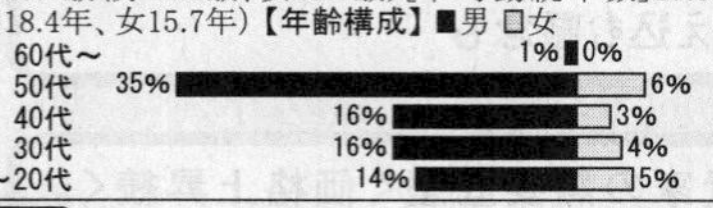
60代～ 1% 0%
50代 35% 6%
40代 16% 3%
30代 16% 4%
～20代 14% 5%

[会社データ] （金額は百万円）

【本社】107-8388 東京都港区元赤坂1-3-1 ☎03-5544-1111
https://www.kajima.co.jp/

【業績（連結）】	売上高	営業利益	経常利益	純利益
22.3	2,079,695	123,382	152,103	103,867
23.3	2,391,579	123,526	156,731	111,789
24.3	2,665,175	136,226	150,112	115,033

22 開示 ★★★☆☆ [短大]採用あり

㈱大林組（おおばやしぐみ）

えるぼし ★★★

【特色】超大手の一角。関西発祥。大型建築や土木に実績

[記者評価] スーパーゼネコン5社の一角。1892年創業。六本木ヒルズや東京スカイツリーなど都心のランドマークを相次ぎ施工。本社がある品川では、リニア新幹線の新駅建設工事を手がける。大分県で地熱由来のグリーン水素製造・供給の実証実験に取り組む。

平均勤続年数	男性育休取得率	3年後離職率	平均年収（平均43歳）
16.7年	81.3→94.8%	5.0→6.9%	[総]1,066万円

●採用・配属情報●

【男女・文理別採用実績】

	大卒男	大卒女	修士男	修士女
23年	128(文 28 理100)	57(文 23 理 34)	115(文 0 理115)	31(文 0 理 31)
24年	148(文 28 理120)	46(文 21 理 25)	113(文 0 理113)	29(文 0 理 29)
25年	162(文 24 理138)	58(文 26 理 32)	140(文 0 理140)	37(文 1 理 36)

【男女・職種別採用実績】 転換制度：⇔

	職員
23年	346(男252 女 94)
24年	353(男273 女 80)
25年	416(男313 女103)

※全国型職員と拠点型職員は一括採用

【24年4月入社者の配属勤務地】[総]東京25 横浜1 大阪10 名古屋4 博多2 仙台3 札幌2 広島2 香川1 新潟1 [技]首都圏144 関西65 東海39 九州17 東北11 札幌6 中国11 四国5 北陸4

【転勤】あり：[職種]全国型職員[勤務地]全国各地（海外含む）[職種]拠点型職員[勤務地]各拠点地域内

【中途比率】[単年度]21年度20%、22年度24%、23年度22%[全体]9%

●働きやすさ、諸制度●

残業(月) 35.0時間 [総]35.0時間

【勤務時間】8:30～17:15【有休取得年平均】11.0日【週休】完全2日（土日祝）【夏期休暇】連続9日（有休1日含む）【年末年始休暇】連続9日（有休含まず）

【離職率】男：1.4%、105名 女：1.4%、23名

【新卒3年後離職率】
[20→23年]5.0%（男5.3%・入社244名、女3.4%・入社58名）
[21→24年]6.9%（男7.5%・入社241名、女4.8%・入社63名）

【テレワーク】制度あり：[場所]自宅 サテライトオフィス[対象]全社員[日数]制限なし[利用率]NA【勤務制度】時間単位有休 時差勤務【住宅補助】独身寮（35歳まで）単身寮 借上社宅 住宅手当（自宅の場合 15,000～23,000円）

●ライフイベント、女性活躍●

【女性比率】■男 □女

新卒採用 24.8%（103名）

従業員 17.4%（1611名）

管理職 5.7%（261名）

【産休】[期間]産前6・産後8週間[給与]会社全額給付[取得者数]61名

【育休】[期間]3歳になるまで[給与]法定[取得者数]22年度 男257名（対象316名）女53名（対象53名）23年度 男293名（対象309名）女45名（対象46名）[平均取得日数]22年度 NA、23年度 NA

【従業員】[人数]9,253名（男7,642名、女1,611名）[平均年齢]42.6歳（男42.6歳、女42.4歳）[平均勤続年数]16.7年（男16.8年、女16.4年）【年齢構成】■男 □女

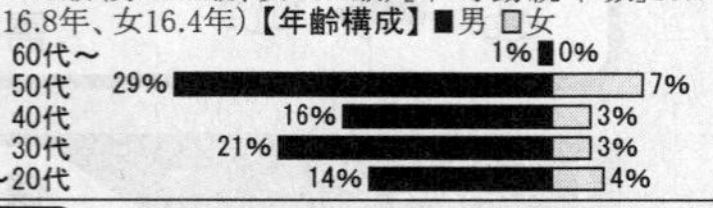
60代～ 1% 0%
50代 29% 7%
40代 16% 3%
30代 21% 3%
～20代 14% 4%

[会社データ] （金額は百万円）

【本社】108-8502 東京都港区港南2-15-2 品川インターシティB棟 ☎03-5769-1241
https://www.obayashi.co.jp/

【業績（連結）】	売上高	営業利益	経常利益	純利益
22.3	1,922,884	41,051	49,844	39,127
23.3	1,983,888	93,800	100,802	77,671
24.3	2,325,162	79,381	91,515	75,059

建設

清水建設(株)

しみずけんせつ

えるぼし ★★

【特色】超大手ゼネコン。宮大工が起源。建築に強み

[記者評価] スーパーゼネコン5社の一角。1804年創業で宮大工が源流。渋沢栄一の経営参画以来、渋沢の経営理念「論語と算盤」を社是に掲げ堅実な社風を貫く。大学・病院など民間建築に強み。都心再開発にも積極的で日本一の高さとなる複合ビル「トーチタワー」を建設中。

平均勤続年数	男性育休取得率	3年後離職率	平均年収(平均43歳)
[!] 15.9年	77.0 → 81.0%	5.5 → 6.8%	[総][!] 1,064万円

●採用・配属情報●

【男女・文理別採用実績】※25年:436名採用計画

	大卒男	大卒女	修士男	修士女
23年	109(文 30 理 79)	68(文 21 理 47)	98(文 0 理 98)	31(文 2 理 29)
24年	140(文 33 理107)	64(文 30 理 34)	106(文 1 理105)	31(文 1 理 30)
25年	-(文 - 理 -)	-(文 - 理 -)	-(文 - 理 -)	-(文 - 理 -)

【男女・職種別採用実績】 転換制度:⇔

	グローバル職	エリア職
23年	291(男208 女 83)	28(男 9 女 19)
24年	311(男235 女 76)	50(男 24 女 26)
25年	367(男 - 女 -)	69(男 - 女 -)

※23年:高卒14名含む、24年:高卒19名含む

【24年4月入社者の配属勤務地】[総]東京43 [技]東京232 北海道5 宮城3 石川7 愛知4 大阪6 広島3 香川4 福岡4

【転勤】あり:[職種]グローバル職

【中途比率】[単年度]21年度18%、22年度19%、23年度33%[全体]10%

●働きやすさ、諸制度●

残業(月) 31.5時間 [総]33.1時間

【平均年収(総合職)】〈グローバル職〉1,064万円【勤務時間】8:30～17:10原則 全内勤者はフレックス勤務コアタイム有(10～15時)を適用【有休取得年平均】12.4日【週休】完全2日(土日祝)【夏期休暇】連続9日(特別休暇1日、計画年休3日含む)【年末年始休暇】連続9日(12月30日～1月3日)

【離職率】男:2.1%、192名 女:1.7%、35名

【新卒3年後離職率】

[20→23年]5.5%(男5.6%・入社249名、女5.2%・入社96名)

[21→24年]6.8%(男8.4%・入社250名、女2.9%・入社104名)

【テレワーク】制度あり:[場所]自宅および自宅に準ずる場所(帰省先 実家等)サテライトオフィス(社有施設 会社契約の外部施設等)[対象]全従業員 他[日数]制限なし[利用率]7.0%【勤務制度】フレックス 時間単位有休 時差勤務 副業容認【住宅補助】独身寮 単身赴任寮 社宅 作業所宿舎

●ライフイベント、女性活躍●

【女性比率】■男 □女

従業員 18.2% (1995名)

管理職 3.9% (167名)

【産休】[期間]産前6・産後8週間[給与]会社全額給付[取得者数]66名

【育休】[期間]2歳になるまで(事情により延長、計4回までの分割取得可能)[給与]産後パパ育休は会社全額給付、それ以外は法定[取得者数]22年度 男238名(対象309名)女68名(対象68名)23年度 男218名(対象269名)女67名(対象67名)[平均取得日数]22年度 男47日 女365日、23年度 男60日 女347日

【従業員】[人数]10,949名(男8,954名、女1,995名)[平均年齢]43.6歳(男44.4歳、女40.3歳)[平均勤続年数]15.9年(男17.5年、女9.2年)※従業員数は契約社員含む【年齢構成】■男 □女

	■男	□女
60代～	9%	1%
50代	26%	4%
40代	16%	3%
30代	18%	5%
～20代	12%	5%

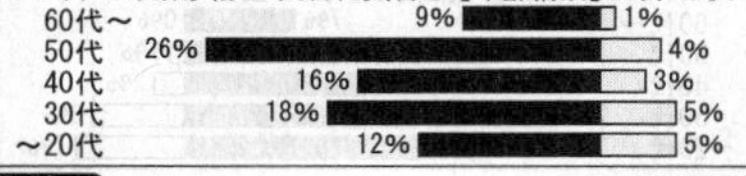

[会社データ] (金額は百万円)

【本社】104-8370 東京都中央区京橋2-16-1 ☎03-3561-1111
https://www.shimz.co.jp/

【業績(連結)】	売上高	営業利益	経常利益	純利益
22.3	1,482,961	45,145	50,419	47,761
23.3	1,933,814	54,647	56,546	49,057
24.3	2,005,518	▲24,685	▲19,834	17,163

大成建設(株)

たいせいけんせつ

くるみん

【特色】超大手ゼネコン。高層ビルや大型土木技術に実績

[記者評価] スーパーゼネコン5社の一角。1873年大倉組商会として創業。旧大倉系の財閥企業だったが1946年に現社名に変更し同族経営を脱却。土木ではボスポラス海峡横断トンネルなど難易度の高い分野で定評。建築では国立競技場を手がける。都心再開発案件も多い。

平均勤続年数	男性育休取得率	3年後離職率	平均年収(平均43歳)
17.9年	56.2 → 88.1%	10.3 → 9.6%	[総] 1,117万円

●採用・配属情報●

【男女・文理別採用実績】

	大卒男	大卒女	修士男	修士女
23年	138(文 29 理109)	45(文 14 理 31)	101(文 0 理101)	21(文 0 理 21)
24年	198(文 40 理158)	72(文 27 理 45)	100(文 1 理 99)	31(文 1 理 30)
25年	196(文 40 理156)	60(文 22 理 38)	116(文 4 理112)	34(文 0 理 34)

【男女・職種別採用実績】 転換制度:⇔

	総合職	専任職
23年	308(男245 女 63)	8(男 1 女 7)
24年	410(男307 女103)	10(男 6 女 4)
25年	422(男327 女 95)	7(男 0 女 7)

【24年4月入社者の配属勤務地】[総]本社63 [技]本社282 支店(東京15 関西12 中部8 九州3 札幌3 東北4 中国1 横浜8 北信越4 四国2 千葉2 関東3)

【転勤】あり:[職種]総合職

【中途比率】[単年度]21年度8%、22年度20%、23年度19%[全体]13%

●働きやすさ、諸制度●

残業(月) 36.5時間 [総]37.2時間

【勤務時間】8:45～17:30【有休取得年平均】14.7日【週休】完全2日(土日祝)【夏期休暇】連続9日(計画年休1日含む)【年末年始休暇】連続10日(計画年休1日含む)

【離職率】男:1.6%、111名 女:1.8%、32名

【新卒3年後離職率】

[20→23年]10.3%(男10.4%・入社270名、女10.2%・入社59名)

[21→24年]9.6%(男10.7%・入社253名、女4.1%・入社49名)

【テレワーク】制度あり:[場所]自宅 サテライトオフィス 会社が契約するオフィス型施設[対象]全従業員[日数]月8日まで[利用率]2.0%【勤務制度】フレックス 時間単位有休 裁量労働 時差勤務【住宅補助】独身寮 社宅 単身赴任寮 女性独身寮(都内3カ所)

●ライフイベント、女性活躍●

【女性比率】■男 □女

新卒採用 23.8% (102名)

従業員 20% (1744名)

管理職 13.7% (767名)

【産休】[期間]産前6・産後8週間[給与]法定[取得者数]50名

【育休】[期間]2歳になるまで[給与]育児休暇は給付金+5日間有給、出生時育児休業最大20日間有給、配属者出産休暇 2日間有給[取得者数]22年度 男154名(対象274名)女48名(対象49名)23年度 男214名(対象243名)女46名(対象48名)[平均取得日数]22年度 男12日 女409日、23年度 男17日 女407日

【従業員】[人数]8,720名(男6,976名、女1,744名)[平均年齢]42.9歳(男43.4歳、女40.9歳)[平均勤続年数]17.9年(男18.6年、女15.2年)【年齢構成】■男 □女

	■男	□女
60代～	0%	0%
50代	33%	7%
40代	16%	3%
30代	17%	4%
～20代	14%	5%

[会社データ] (金額は百万円)

【本社】163-0606 東京都新宿区西新宿1-25-1 新宿センタービル ☎03-3348-1111
https://www.taisei.co.jp/

【業績(連結)】	売上高	営業利益	経常利益	純利益
22.3	1,543,240	96,077	103,247	71,436
23.3	1,642,712	54,740	63,125	47,124
24.3	1,765,023	26,480	38,910	40,272

建設

1186 **開示 ★★★★★**

㈱竹中工務店（たけなかこうむてん）

くるみん＋

【特色】超大手の一角。建築が主体。財務体質健全

[記者評価] スーパーゼネコン5社の一角。創業1610年、織田信長の元家臣・竹中藤兵衛正高にまでさかのぼる大阪の名門。非上場を貫く。建築が主体で、設計から施工まで一貫して手がける。東京タワーやあべのハルカス、東京ミッドタウンなどシンボリックな案件で実績多数。

平均勤続年数	男性育休取得率	3年後離職率	平均年収(平均43歳)
! 18.5年	24.1 → 34.7%	3.6 → 1.6%	[総] 1,077万円

●採用・配属情報●

【男女・文理別採用実績】

	大卒男	大卒女	修士男	修士女
23年	87(文 26 理 61)	22(文 8 理 14)	70(文 0 理 70)	26(文 0 理 26)
24年	91(文 29 理 62)	27(文 10 理 17)	71(文 1 理 70)	28(文 1 理 27)
25年	94(文 22 理 72)	32(文 11 理 21)	79(文 0 理 79)	45(文 0 理 45)

【男女・職種別採用実績】 転換制度:⇔

	総合職(全国)	総合職(地域)
23年	208(男 160 女 48)	2(男 0 女 2)
24年	226(男 168 女 58)	0(男 0 女 0)
25年	260(男 181 女 79)	0(男 0 女 0)

【24年4月入社者の配属勤務地】[総]大阪 神戸 京都 [技]大阪 神戸 京都

【転勤】あり:全社員(従業員区分に応じて転居を伴う異動の地域範囲は異なる)

【中途比率】[単年度]21年度14%、22年度21%、23年度23%[全体]16%

●働きやすさ、諸制度●

残業(月) 24.6時間 [総]31.2時間

【勤務時間】8:30～17:30【有休取得年平均】13.0日【週休】完全2日(土日祝)【夏期休暇】連続9日(週休含む)【年末年始休暇】12月30日～1月3日

【離職率】男:1.6%、108名 女:2.0%、29名

【新卒3年後離職率】
[20→23年]3.6%(男3.2%・入社186名、女4.8%・入社62名)
[21→24年]1.6%(男0%・入社137名、女5.6%・入社54名)

【テレワーク】制度あり:[場所]自宅 会社が定める社内・外のサテライトオフィス[対象]全従業員を対象とし、在宅勤務を要する事由ごとに適用を判定[日数]個別事由や業務特性など在宅勤務を要する事由に応じて適用基準を設定 他[利用率]3.2%【勤務制度】フレックス 時間単位有休 時差勤務【住宅補助】独身寮(全国16)社宅(全国11)住宅補助金

●ライフイベント、女性活躍●

【女性比率】■男 □女

新卒採用 30.4% (79名)

従業員 17.9% (1414名)

管理職 2.2% (28名)

【産休】[期間]産前6・産後8週間[給与]会社全額給付[取得者数]76名

【育休】[期間]1歳になるまで[給与]法定[取得者数]22年度 男63名(対象261名)女62名(対象62名)23年度 男83名(対象239名)女57名(対象57名)[平均取得日数]22年度 男33日 女372日、23年度 男62日 女367日

【従業員】[人数]7,882名(男6,468名、女1,414名)[平均年齢]43.5歳(男44.2歳、女40.1歳)[平均勤続年数]18.5年(男19.0年、女16.2年) ※出向者除く【年齢構成】■男 □女

	男	女
60代～	8%	1%
50代	28%	5%
40代	15%	2%
30代	17%	5%
～20代	14%	5%

会社データ (金額は百万円)

【本社】541-0053 大阪府大阪市中央区本町4-1-13 ☎06-6252-1201
https://www.takenaka.co.jp/

【業績(連結)】	売上高	営業利益	経常利益	純利益
21.12	1,260,430	46,367	57,799	39,346
22.12	1,375,410	28,333	39,392	30,266
23.12	1,612,423	45,676	59,301	37,464

24 **開示 ★★★★★**

㈱長谷工コーポレーション（はせこう）

【特色】マンション専業、用地・設計・施工まで一括受注

[記者評価] マンション建設トップ。首都圏中心に全国展開。板状マンションが得意でタワーマンションなど開拓中。用地仕入れや設計・施工のほか、グループ会社で販売、管理、リフォームまで一気通貫。徹底した施工効率化や品質管理に定評。初任給を大幅アップ。

平均勤続年数	男性育休取得率	3年後離職率	平均年収(平均41歳)
16.8年	41.1 → 44.1%	10.4 → 21.5%	[総] 998万円

●採用・配属情報●

【男女・文理別採用実績】※25年:計画数

	大卒男	大卒女	修士男	修士女
23年	90(文 30 理 60)	24(文 11 理 13)	15(文 0 理 15)	5(文 0 理 5)
24年	95(文 34 理 61)	33(文 18 理 15)	21(文 0 理 21)	3(文 0 理 3)
25年	130(文 81 理 49)	52(文 26 理 26)	34(文 0 理 34)	19(文 0 理 19)

【男女・職種別採用実績】 転換制度:⇔

	総合職	一般職
23年	134(男 105 女 29)	0(男 0 女 0)
24年	152(男 116 女 36)	0(男 0 女 0)
25年	235(男 164 女 71)	0(男 0 女 0)

【24年4月入社者の配属勤務地】[総]首都圏40 関西10 東海2 [技]首都圏71 関西25 東海4

【転勤】あり:[職種]総合職[勤務地]東京 神奈川 千葉 埼玉 栃木 群馬 愛知 大阪 京都 兵庫 岡山 広島 愛媛 福岡 他

【中途比率】[単年度]21年度24%、22年度23%、23年度29%[全体]13%

●働きやすさ、諸制度●

残業(月) 30.5時間 [総]31.4時間

【勤務時間】8:30～17:00【有休取得年平均】13.2日【週休】完全2日(土日祝)【夏期休暇】9連休(うち4日計画年休)【年末年始休暇】9連休(うち2日計画年休)

【離職率】男:3.1%、65名 女:5.2%、22名(選択定年制度利用者男3名含む)

【新卒3年後離職率】
[20→23年]10.4%(男10.0%・入社90名、女11.4%・入社35名)
[21→24年]21.5%(男24.7%・入社77名、女13.3%・入社30名)

【テレワーク】制度あり:[場所]サテライトオフィス[対象]全社員[日数]制限なし[利用率]2.3%【勤務制度】フレックス 時間単位有休 裁量労働 時差勤務【住宅補助】独身寮 住宅資金貸付金利子補給 社宅(転勤者)

●ライフイベント、女性活躍●

【女性比率】■男 □女

新卒採用 30.2% (71名)

従業員 16.3% (399名)

管理職 4.4% (36名)

【産休】[期間]産前6・産後8週間[給与]法定+健保10%給付[取得者数]28名

【育休】[期間]3歳になるまで[給与]法定+5日間は給与日額の50%給付[取得者数]22年度 男37名(対象90名)女33名(対象33名)23年度 男45名(対象102名)女22名(対象22名)[平均取得日数]22年度 男27日 女393日、23年度 男27日 女463日

【従業員】[人数]2,447名(男2,048名、女399名)[平均年齢]40.8歳(男42.0歳、女34.6歳)[平均勤続年数]16.8年(男17.5年、女10.9年)【年齢構成】■男 □女

	男	女
60代～	7%	0%
50代	20%	1%
40代	16%	2%
30代	23%	6%
～20代	19%	7%

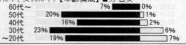

会社データ (金額は百万円)

【本社】105-8507 東京都港区芝2-32-1 ☎03-3456-5428
https://www.haseko.co.jp/hc/

【業績(連結)】	売上高	営業利益	経常利益	純利益
22.3	909,708	82,702	81,871	54,490
23.3	1,027,277	90,162	88,265	59,326
24.3	1,094,421	85,747	83,334	56,038

建設

29 開示 ★★★★ 専門 採用あり

まえだけんせつこうぎょう

前田建設工業㈱

【特色】準大手ゼネコン。土木から大型建築まで展開

記者評価 トンネルや高層ビルに実績。仙台空港や有料道路などインフラ運営事業も積極化。スタジアムなどスポーツ施設も。小売店舗の維持管理を手がける子会社を持つなど先進的な社風。21年10月に前田道路、前田製作所と持株会社インフロニア・ホールディングスを設立。

平均勤続年数	男性育休取得率	3年後離職率	平均年収(平均43歳)
17.4年	6.3→24.5%	5.3→5.4%	総 1,002万円

●採用・配属情報●

【男女・文理別採用実績】

	大卒男	大卒女	修士男	修士女
23年	69(文 8理 61)	13(文 5理 8)	25(文 0理 25)	4(文 0理 4)
24年	68(文 12理 56)	16(文 7理 9)	25(文 0理 25)	7(文 0理 7)
25年	59(文 9理 50)	14(文 5理 9)	19(文 0理 19)	6(文 1理 5)

【男女・職種別採用実績】 転換制度:⇒

	総合職
23年	113(男 96 女 17)
24年	120(男 95 女 25)
25年	102(男 82 女 20)

【24年4月入社者の配属勤務地】総(23年)関東10 中部1 技(23年)北海道3 東北6 関東53 北陸4 中部12 関西10 中国1 九州10

【転勤】あり:[職種]総合職[勤務地]全国 海外(主に北米 東南アジア)

【中途比率】[単年度]21年度30%、22年度30%、23年度27%[全体]11%

●働きやすさ、諸制度●

残業(月) 19.2時間 総 19.2時間

【勤務時間】8:30〜17:30【有休取得年平均】15.0日【週休】完全2日(土日祝)【夏期休暇】8月14〜18日(有休取得奨励日)【年末年始休暇】12月29日〜1月3日(前後2日有休取得奨励日)

【離職率】男:1.8%、54名 女:3.2%、15名

【新卒3年後離職率】
[20→23年]5.3%(男6.4%・入社94名、女0%・入社19名)
[21→24年]5.4%(男4.1%・入社97名、女13.3%・入社15名)

【テレワーク】制度あり:[場所]自宅 会社が定める場所[対象]会社が認めたもの[日数]制限なし[利用率]3.2%【勤務制度】フレックス 時間単位有休【住宅補助】住宅手当(月26,000円、20代から30歳前後の単身赴任者は家賃の9割)社宅(各拠点)

●ライフイベント、女性活躍●

【女性比率】■男 □女

新采用 19.6%(20名)

従業員 13.3%(459名) 管理職 0.8%(6名)

【産休】[期間]産前6・産後8週間[給与]法定[取得者数]37名

【育休】[期間]2歳になるまで[給与]誕生から1年以内に20日有給、それ以外は法定[取得者数]22年度 男6名(対象96名)女24名(対象24名)23年度 男24名(対象98名)女13名(対象14名)[平均取得日数]22年度 男46日 女151日、23年度 男62日 女151日

【従業員】[人数]3,462名(男3,003名、女459名)[平均年齢]43.4歳(男44.0歳、女39.4歳)[平均勤続年数]17.4年(男18.0年、女13.3年)【年齢構成】■男 □女

	男	女
60代〜	9%	0%
50代	31%	3%
40代	14%	3%
30代	17%	4%
〜20代	16%	3%

会社データ (金額は百万円)

【本社】102-8151 東京都千代田区富士見2-10-2 ☎03-3265-5551
https://www.maeda.co.jp/

【業績(連結)】	売上高	営業利益	経常利益	純利益
22.3	682,912	37,489	38,036	26,689
23.3	711,810	44,415	44,739	31,859
24.3	793,264	51,060	49,439	68,198

※業績はインフロニア・ホールディングス㈱のもの

2403 開示 ★★★ 専門 採用あり

㈱フジタ

【特色】ゼネコン準大手。中国やメキシコで不動の強さ

記者評価 大和ハウス傘下のゼネコン準大手。15年に大和小田急建設と合併して現体制。民間建築が主体で、設計段階からの提案営業で本領発揮。区画整理や都市再生でも持ち味。低コストでの建設に強み。海外は中国、メキシコで強く、日系ゼネコンでトップ級の実績。

平均勤続年数	男性育休取得率	3年後離職率	平均年収(平均43歳)
15.4年	25.0→68.5%	16.4→19.4%	総 915万円

●採用・配属情報●

【男女・文理別採用実績】

	大卒男	大卒女	修士男	修士女
23年	51(文 6理 45)	18(文 6理 12)	16(文 0理 16)	5(文 0理 5)
24年	51(文 8理 43)	11(文 4理 7)	31(文 1理 30)	7(文 0理 7)
25年	68(文 7理 61)	22(文 12理 10)	25(文 1理 24)	12(文 0理 12)

【男女・職種別採用実績】 転換制度:⇒

	総合職
23年	97(男 72 女 25)
24年	104(男 85 女 19)
25年	133(男 98 女 35)

【24年4月入社者の配属勤務地】総東京7 名古屋1 大阪2 広島2 九州1 技本社29 東京21 東北5 関東4 横浜4 名古屋8 大阪11 広島5 九州4

【転勤】あり:[職種]全国型総合職[勤務地]国内外の拠点

【中途比率】[単年度]21年度34%、22年度26%、23年度33%[全体]18%

●働きやすさ、諸制度●

残業(月) 35.1時間

【勤務時間】8:30〜17:30【有休取得年平均】15.0日【週休】完全2日(土日祝)【夏期休暇】連続5日(特別休暇・有休で取得)【年末年始休暇】12月29日〜1月3日

【離職率】男:3.2%、86名 女:3.9%、22名

【新卒3年後離職率】
[20→23年]16.4%(男18.6%・入社177名、女8.3%・入社48名)
[21→24年]19.4%(男17.2%・入社64名、女24.1%・入社29名)

【テレワーク】制度あり:[場所]自宅 サテライトオフィス[対象]全社員[日数]NA[利用率]NA【勤務制度】フレックス 時間単位有休【住宅補助】独身寮 独身者借家手当 独身者持家手当 住宅手当(形態 地域 扶養家族数による)

●ライフイベント、女性活躍●

【女性比率】■男 □女

新卒採用 26.3%(35名) 従業員 17.5%(549名) 管理職 2.4%(19名)

【産休】[期間]産前・産後計16週間(産後は8週間以上)[給与]会社全額給付[取得者数]29名

【育休】[期間]1歳半になるまで[給与]法定[取得者数]22年度 男21名(対象84名)女19名(対象17名)23年度 男50名(対象73名)女27名(対象30名)[平均取得日数]22年度 男48日 女371日、23年度 男37日 女372日

【従業員】[人数]3,136名(男2,587名、女549名)[平均年齢]41.9歳(男42.9歳、女37.4歳)[平均勤続年数]15.4年(男17.0年、女7.8年)

【年齢構成】■男 □女

	男	女
60代〜	0%	0%
50代	34%	3%
40代	12%	3%
30代	19%	5%
〜20代	18%	6%

会社データ (金額は百万円)

【本社】151-8570 東京都渋谷区千駄ヶ谷4-25-2 ☎03-3402-1911
https://www.fujita.co.jp/

【業績(連結)】	売上高	営業利益	経常利益	純利益
22.3	472,905	15,470	5,921	1,343
23.3	580,797	18,277	15,803	10,017
24.3	591,112	22,126	20,895	12,300

建設

31 開示 ★★★

戸田建設(株)（とだけんせつ）

[えるぼし ★★★]

【特色】準大手ゼネコン。建築の名門で学校、病院が得意

[記者評価] 1881年創業。民間建築が得意で病院・学校に強い。早稲田大学大隈講堂や慶應義塾図書館旧館など実績豊富。リニア新幹線松川トンネルなど土木にも注力。風力工事も積極化。東京・京橋に耐震性能の高い新本社ビルを建設中(24年秋竣工)。堅実な社風。

平均勤続年数	男性育休取得率	3年後離職率	平均年収(平均41歳)
18.6年	109.3→109.8%	15.2→7.4%	[総]902万円

●採用・配属情報●

【男女・文理別採用実績】※25年:24年7月24日時点

	大卒男	大卒女	修士男	修士女
23年	68(文 11 理 57)	24(文 10 理 14)	25(文 1 理 24)	5(文 1 理 4)
24年	85(文 24 理 61)	26(文 6 理 20)	26(文 3 理 23)	8(文 1 理 7)
25年	103(文 14 理 89)	31(文 5 理 26)	32(文 0 理 32)	11(文 0 理 11)

【男女・職種別採用実績】 転換制度:⇔

	総合職	特定職
23年	132(男 100 女 32)	0(男 0 女 0)
24年	151(男 115 女 36)	0(男 0 女 0)
25年	184(男 141 女 43)	0(男 0 女 0)

【24年4月入社者の配属勤務地】[総]東京(中央5 港5) 千葉市2 さいたま3 横浜2 大阪市4 名古屋3 札幌2 仙台1 広島市2 高松市1 福岡市4 [技]東京(中央5 港29) 千葉市6 さいたま11 横浜8 大阪市17 名古屋11 札幌5 仙台7 広島市8 高松市2 福岡市8
【転勤】あり:[職種]全国型総合職
【中途比率】[単年度]21年度19%、22年度34%、23年度32%[全体]17%

●働きやすさ、諸制度●

残業(月) 17.8時間

【勤務時間】8:30〜17:30(フレキシブルタイム6:00〜19:00コアタイムなし)【有休取得年平均】12.9日【週休】完全2日(土日祝)【夏期休暇】特別休暇3日+有休2日(分散取得可)【年末年始休暇】あり
【離職率】男:3.4%、126名 女:3.0%、22名
【新卒3年後離職率】
[20→23年]15.2%(男20.2%・入社99名、女0%・入社33名)
[21→24年]7.4%(男6.9%・入社101名、女8.8%・入社34名)
【テレワーク】制度あり:[場所]自宅 サテライトオフィス 会社が契約している他社の共有施設[対象]NA[日数]週4日まで[利用率]3.8%【勤務制度】フレックス 時間単位有休【住宅補助】寮・社宅(全国の支店管轄地域)住宅手当

●ライフイベント、女性活躍●

【女性比率】■男 □女

新卒採用 23.4% (43名)

従業員 16.6% (721名)

管理職 4.3% (80名)

【産休】[期間]産前6・産後8週間[給与]会社全額給付[取得者数]29名
【育休】[期間]1歳になるまで[給与]5日間有給、以降法定[取得者数]22年度 男141名(対象129名)女20名(対象20名)23年度 男123名(対象112名)女25名(対象25名)[平均取得日数]22年度 男10日 女288日、23年度 男16日 女308日
【従業員】[人数]4,342名(男3,621名、女721名)[平均年齢]44.2歳(男45.4歳、女38.7歳)[平均勤続年数]18.6年(男19.8年、女12.4年)【年齢構成】■男 □女

	■男	□女
60代〜	14%	1%
50代	24%	3%
40代	13%	3%
30代	20%	4%
〜20代	14%	5%

会社データ (金額は百万円)

【本社】104-0032 東京都中央区八丁堀2-8-5 ☎03-3535-1354
https://www.toda.co.jp/

【業績(連結)】	売上高	営業利益	経常利益	純利益
22.3	501,509	24,385	28,111	18,560
23.3	547,155	14,135	19,039	10,995
24.3	522,434	17,908	25,483	16,101

1771 開示 ★★★★ [専門] 採用あり

三井住友建設(株)（みついすみともけんせつ）

【特色】準大手の一角。橋梁・マンションなどが強い

[記者評価] 明治期創業の三井建設と住友建設が03年に合併して誕生。橋梁建築に強く世界初のバタフライウェブ橋「寺迫ちょうちょ大橋」も手がけた。タワーマンションも展開。東南アジアやインドなど海外強化。環境関連事業として水上太陽光発電所を積極展開する。

平均勤続年数	男性育休取得率	3年後離職率	平均年収(平均43歳)
20.9年	118.4→101.7%	10.1→10.3%	[総]930万円

●採用・配属情報●

【男女・文理別採用実績】

	大卒男	大卒女	修士男	修士女
23年	58(文 14 理 44)	29(文 14 理 15)	14(文 0 理 14)	5(文 0 理 5)
24年	48(文 9 理 39)	18(文 6 理 12)	10(文 0 理 10)	6(文 0 理 6)
25年	51(文 10 理 41)	15(文 6 理 9)	11(文 0 理 11)	6(文 0 理 6)

【男女・職種別採用実績】 転換制度:⇔

	総合職	一般職
23年	106(男 80 女 26)	8(男 0 女 8)
24年	87(男 63 女 24)	0(男 0 女 0)
25年	89(男 67 女 22)	0(男 0 女 0)

【24年4月入社者の配属勤務地】[総]東京6 横浜1 名古屋2 大阪2 広島1 [技]札幌1 仙台1 東京62 横浜4 名古屋2 大阪3 広島1 新居浜1
【転勤】あり:[職種]総合職[勤務地]全国
【中途比率】[単年度]21年度6%、22年度18%、23年度15%[全体]14%

●働きやすさ、諸制度●

残業(月) 21.0時間 [総]23.8時間

【勤務時間】8:45〜17:45【有休取得年平均】11.3日【週休】2日【夏期休暇】夏季休暇3日+有休の一斉付与1日(土日祝と併せて9連休)【年末年始休暇】12月30日〜1月3日+有休の一斉付与1日(土日祝と併せて10連休)
【離職率】男:3.8%、98名 女:2.5%、12名
【新卒3年後離職率】
[20→23年]10.1%(男11.4%・入社105名、女6.1%・入社33名)
[21→24年]10.3%(男12.1%・入社107名、女3.4%・入社29名)
【テレワーク】制度あり:[場所]自宅[対象]全社員(育児・介護の他 会社が認めた者)[日数]制限なし(原則週1日以上は出社)[利用率]NA【勤務制度】フレックス 時間単位有休 時差勤務
【住宅補助】独身寮(自己負担15,000円 35歳まで)社宅(全国代用社宅もあり 45歳まで)住宅手当(最大40,000円 60歳まで)

●ライフイベント、女性活躍●

【女性比率】■男 □女

新卒採用 24.7% (22名)

従業員 15.7% (466名)

管理職 2.7% (35名)

【産休】[期間]産前6・産後8週間[給与]法定[取得者数]11名
【育休】[期間]保育園入所不可の場合3歳になるまで延長可[給与]10営業日有給、以降法定[取得者数]22年度 男58名(対象49名)女10名(対象10名)23年度 男59名(対象58名)女12名(対象12名)[平均取得日数]22年度 男15日 女398日、23年度 男1,287日 女264日
【従業員】[人数]2,963名(男2,497名、女466名)[平均年齢]46.1歳(男47.5歳、女38.5歳)[平均勤続年数]20.9年(男22.3年、女13.4年)【年齢構成】■男 □女

	■男	□女
60代〜	15%	1%
50代	31%	3%
40代	10%	2%
30代	13%	4%
〜20代	15%	6%

会社データ (金額は百万円)

【本社】104-0051 東京都中央区佃2-1-6 ☎03-4582-3000
https://www.smcon.co.jp/

【業績(連結)】	売上高	営業利益	経常利益	純利益
22.3	403,275	▲7,459	▲8,340	▲7,022
23.3	458,622	▲18,759	▲18,483	▲25,702
24.3	479,488	8,500	6,291	4,006

建設

ru: くまがいぐみ
㈱熊谷組

[えるぼし ★★★] [くるみん]

【特色】準大手ゼネコン。大型土木などを得意とする名門

[記者評価] 1898年創業、土木の名門で黒部ダムや青函トンネルなど巨大プロジェクトに実績。17年に住友林業と資本業務提携し同社の持分会社に。目下、協業を進める。阪神タイガースの2軍球場建築を手がけ話題に。25年4月入社者の大卒総合職初任給を28万円に増額予定。

平均勤続年数	男性育休取得率	3年後離職率	平均年収(平均42歳)
18.9年	54.3→57.8%	22.9→15.6%	[総]879万円

●採用・配属情報●

【男女・文理別採用実績】※25年:継続中

	大卒男	大卒女	修士男	修士女
23年	55(文 10理 45)	22(文 15理 7)	9(文 0理 9)	7(文 0理 7)
24年	59(文 10理 49)	21(文 12理 9)	23(文 0理 23)	3(文 0理 3)
25年	55(文 16理 39)	17(文 8理 9)	15(文 1理 14)	6(文 0理 6)

【男女・職種別採用実績】 転換制度:⇔

	総合職	地域総合職	エリア職
23年	97(男 77 女 20)	1(男 1 女 0)	12(男 0 女 12)
24年	110(男 93 女 17)	1(男 1 女 0)	8(男 0 女 8)
25年	94(男 76 女 18)	0(男 0 女 0)	6(男 0 女 6)

※23年、24年:高卒含む

【24年4月入社者の配属勤務地】[総]札幌1 仙台1 東京3 名古屋2 石川・金沢2 大阪2 広島2 福岡1 [技]札幌5 仙台4 東京46 名古屋15 石川・金沢3 大阪14 広島4 福岡5

【転勤】あり:[職種]総合職、地域総合職は同一支店内

【中途比率】[単年度]21年度7%、22年度15%、23年度11% [全体]14%

●働きやすさ、諸制度●

残業(月) 18.5時間 [総]21.5時間

【勤務時間】8:30～17:30【有休取得年平均】11.3日【週休】完全2日(土日祝)【夏期休暇】会社が定める連続4日【年末年始休暇】12月30日～1月3日

【離職率】男:2.1%、47名 女:3.8%、18名(早期退職7名含む、他に男1名転籍)

【新卒3年後離職率】
[20→23年]22.9%(男23.9%・入社88名、女20.0%・入社30名)
[21→24年]15.6%(男15.7%・入社102名、女15.2%・入社33名)

【テレワーク】制度あり:[場所]所属長が承認した場所[対象]全社員[日数]月4日[利用率]1.5%【勤務制度】フレックス 時間単位有休 時差勤務【住宅補助】独身寮(借上寮含め全支店に完備)社宅(都内)

●ライフイベント、女性活躍●

【女性比率】■男 □女

新卒採用 24% (24名)

従業員 17.1% (454名)

管理職 1.6% (11名)

【産休】[期間]産前6・産後8週間[給与]法定[取得者数]17名

【育休】[期間]1歳になるまで[給与]14日間有給、以降法定(配偶者出産時5日間特別有給)分割取得可[取得者数]22年度 男25名(対象46名)女12名(対象12名)23年度 男26名(対象45名)女17名(対象17名)[平均取得日数]22年度 男37日 女395日、23年度 男28日 女381日

【従業員】[人数]2,654名(男2,200名、女454名)[平均年齢]44.1歳(男45.8歳、女36.0歳)[平均勤続年数]18.9年(男20.5年、女11.4年)【年齢構成】■男 □女

	男	女
60代～	16%	0%
50代	26%	3%
40代	10%	3%
30代	10%	4%
～20代	20%	7%

[会社データ] (金額は百万円)

【本社】162-8557 東京都新宿区津久戸町2-1 ☎03-3260-2111
https://www.kumagaigumi.co.jp/

【業績(連結)】	売上高	営業利益	経常利益	純利益
22.3	425,216	22,743	23,732	15,850
23.3	403,502	11,483	12,236	7,973
24.3	443,193	12,649	13,040	8,316

ru: にしまつけんせつ
西松建設㈱

[えるぼし ★★]

【特色】準大手ゼネコン。ダム・トンネル、物流に強い

[記者評価] 1874年創業の老舗。トンネル、ダムなど官公庁土木で成長。65年香港進出、シンガポールにも実績。再生可能エネルギーやインフラ関連サービスに力を注ぐ。大株主の伊藤忠商事と不動産開発や海外事業などで協業。REIT(不動産投資信託)にも参入した。

平均勤続年数	男性育休取得率	3年後離職率	平均年収(平均41歳)
18.1年	55.6→75.8%	13.1→12.1%	[総]914万円

●採用・配属情報●

【男女・文理別採用実績】

	大卒男	大卒女	修士男	修士女
23年	64(文 5理 59)	19(文 7理 12)	20(文 0理 20)	0(文 0理 0)
24年	64(文 7理 57)	14(文 7理 7)	19(文 0理 19)	1(文 0理 1)
25年	75(文 8理 67)	23(文 10理 13)	15(文 0理 15)	3(文 0理 3)

【男女・職種別採用実績】 転換制度:⇒

	総合職	一般職
23年	113(男 94 女 19)	0(男 0 女 0)
24年	100(男 85 女 15)	0(男 0 女 0)
25年	126(男 98 女 28)	0(男 0 女 0)

【24年4月入社者の配属勤務地】[総]東京・港4 仙台3 大阪4 福岡2 [技]東京・港43 仙台11 大阪21 九州12

【転勤】あり:[職種]総合職

【中途比率】[単年度]21年度11%、22年度15%、23年度22%[全体]NA

●働きやすさ、諸制度●

残業(月) 31.5時間

【勤務時間】フレックスタイム制(コアタイムなし)【有休取得年平均】9.9日【週休】完全2日(土日祝)【夏期休暇】3日【年末年始休暇】12月30日～1月3日

【離職率】男:2.4%、60名 女:2.8%、12名

【新卒3年後離職率】
[20→23年]13.1%(男12.8%・入社86名、女14.3%・入社21名)
[21→24年]12.1%(男11.2%・入社98名、女16.7%・入社18名)

【テレワーク】制度あり:[場所]自宅 他[対象]全社員[日数]月6日[利用率]NA【勤務制度】フレックス 時間単位有休【住宅補助】社宅 独身寮 住宅補修手当(22,000円)

●ライフイベント、女性活躍●

【女性比率】■男 □女

新卒採用 22.2% (28名)

従業員 14.2% (410名)

管理職 0.4% (4名)

【産休】[期間]産前6・産後8週間[給与]法定[取得者数]12名

【育休】[期間]2歳になるまで[給与]産後パパ育休期間中に有給の特別休暇を付与、他は法定[取得者数]22年度 男35名(対象63名)女9名(対象9名)23年度 男69名(対象91名)女12名(対象12名)[平均取得日数]22年度 NA、23年度 男26日 女350日

【従業員】[人数]2,892名(男2,482名、女410名)[平均年齢]44.7歳(男45.3歳、女40.8歳)[平均勤続年数]18.1年(男19.3年、女10.0年)

【年齢構成】■男 □女

	男	女
60代～	8%	1%
50代	29%	3%
40代	15%	4%
30代	14%	3%
～20代	20%	4%

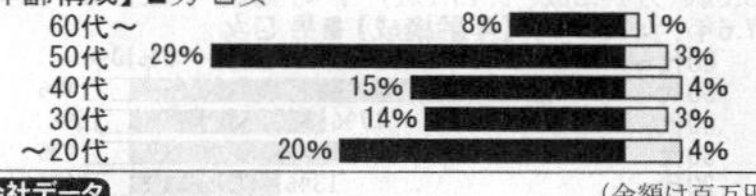

[会社データ] (金額は百万円)

【本社】105-6407 東京都港区虎ノ門1-17-1 虎ノ門ヒルズ ビジネスタワー ☎03-3502-0232
https://www.nishimatsu.co.jp/

【業績(連結)】	売上高	営業利益	経常利益	純利益
22.3	323,754	23,540	23,497	15,103
23.3	339,757	12,615	13,176	9,648
24.3	401,633	18,827	19,578	12,388

建設

あんどう
安藤ハザマ

くるみん

【特色】ダム、トンネルなど土木に強い準大手ゼネコン

記者評価 ダム、トンネルなど土木の名門で官公庁に強いハザマと、オフィスビルやマンションなど民間建築中堅の安藤建設が13年に合併。ZEB(ゼロエネルギービル)開発に注力。山岳トンネル工事は遠隔操作で省人化。25年度から修士・大卒初任給を1万円増額予定。

平均勤続年数	男性育休取得率	3年後離職率	平均年収(平均43歳)
16.9年	26.6 → 46.0%	!20.9 → !15.7%	総1,048万円

●採用・配属情報●

【男女・文理別採用実績】

	大卒男	大卒女	修士男	修士女
23年	27(文 4 理 23)	11(文 5 理 6)	11(文 0 理 11)	4(文 0 理 4)
24年	58(文 7 理 51)	15(文 9 理 6)	13(文 0 理 13)	2(文 0 理 2)
25年	61(文 8 理 53)	14(文 6 理 8)	10(文 0 理 10)	7(文 0 理 7)

【男女・職種別採用実績】 転換制度:⇔

	総合職
23年	63(男 46 女 17)
24年	96(男 79 女 17)
25年	96(男 75 女 21)

【24年4月入社者の配属勤務地】総札幌1 東北1 北陸1 東京6 名古屋2 大阪2 広島1 九州2 技札幌3 東北6 北陸4 東京8 関東6 名古屋6 大阪5 広島1 九州5 未定36

【転勤】あり:[職種]総合職[勤務地]全国

【中途比率】[単年度]21年度16%、22年度39%、23年度50%[全体]21%

●働きやすさ、諸制度●

残業(月) 26.5時間 総28.1時間

【勤務時間】8:30～17:15(フルフレックス)【有休取得年平均】9.9日【週休】完全2日(土日祝)【夏期休暇】3日+特別休暇(有休)3日【年末年始休暇】12月29日～1月3日(他に12月28日に有休一斉付与)

【離職率】男:3.2%、76名 女:1.4%、6名

【新卒3年後離職率】
[20→23年]20.9%(男23.4%・入社77名、女0%・入社9名)※修士・大卒のみ
[21→24年]15.7%(男19.6%・入社56名、女0%・入社14名)※修士・大卒のみ

【テレワーク】制度あり:[場所]自宅 実家 サテライトオフィス[対象]制限なし[日数]制限なし[利用率]9.3%【勤務制度】フレックス 勤務間インターバル【住宅補助】社寮(全国)別居手当(35,000円)別居者帰省手当(往復月3回)独身者帰省旅費(30歳未満 年2回実費)

●ライフイベント、女性活躍●

【女性比率】■男 □女

新卒採用 21.9%(21名)　従業員 14.9%(408名)　管理職 2.9%(38名)

【産休】[期間]産前6・産後8週間[給与]会社全額支給[取得者数]22名

【育休】[期間]1歳2カ月になるまで[給与]開始後20労働日は会社全額支給、以後法定。出生時育休は会社全額支給[取得者数]22年度 男17名(対象64名)女15名(対象15名)23年度 男29名(対象63名)女22名(対象22名)[平均取得日数]22年度 男35日 女348日、23年度 男41日 女335日

【従業員】[人数]2,730名(男2,322名、女408名)[平均年齢]43.6歳(男44.2歳、女40.1歳)[平均勤続年数]16.9年(男17.6年、女13.3年)【年齢構成】■男 □女

	男	女
60代～	0%	0%
50代	37%	4%
40代	17%	3%
30代	18%	4%
～20代	13%	4%

会社データ (金額は百万円)

【本社】105-7360 東京都港区東新橋1-9-1 ☎03-3575-6001 https://www.ad-hzm.co.jp/

【業績(連結)】	売上高	営業利益	経常利益	純利益
22.3	340,293	26,600	25,838	17,671
23.3	372,146	19,853	19,608	15,187
24.3	394,128	18,591	18,545	13,878

おくむらぐみ
㈱奥村組

えるぼし ★★★

【特色】関西地盤の中堅ゼネコン。免震技術などに定評

記者評価 日本初の実用免震ビル建設など免震技術で先鞭。土木は効率的なトンネル掘削技術に強み。海外事業や子会社での不動産賃貸など事業領域拡大を推進。北海道・石狩新港バイオマス発電所は23年3月運転開始。埼玉・川口に木造ハイブリッド構造の社員寮を建設中。

平均勤続年数	男性育休取得率	3年後離職率	平均年収(平均41歳)
15.8年	137.5 → 96.9%	16.7 → 19.3%	総983万円

●採用・配属情報●

【男女・文理別採用実績】

	大卒男	大卒女	修士男	修士女
23年	71(文 15 理 56)	17(文 6 理 11)	13(文 0 理 13)	4(文 0 理 4)
24年	95(文 13 理 82)	18(文 7 理 11)	17(文 0 理 17)	4(文 0 理 4)
25年	93(文 17 理 76)	23(文 14 理 9)	17(文 0 理 17)	4(文 0 理 4)

【男女・職種別採用実績】 転換制度:⇔

	全国職・地域職
23年	112(男 90 女 22)
24年	137(男115 女 22)
25年	139(男111 女 28)

【24年4月入社者の配属勤務地】総東京11 大阪9 技札幌7 東北6 東京42 名古屋13 大阪33 広島4 四国4 九州8

【転勤】あり:[職種]全国職全社員

【中途比率】[単年度]21年度12%、22年度23%、23年度30%[全体]19%

●働きやすさ、諸制度●

残業(月) 24.1時間 総26.1時間

【勤務時間】内勤8:30～17:15 外勤8:00～17:00【有休取得年平均】9.9日【週休】完全2日(土日祝)【夏期休暇】連続5日【年末年始休暇】12月29日～1月3日

【離職率】男:2.7%、56名 女:2.9%、7名

【新卒3年後離職率】
[20→23年]16.7%(男18.4%・入社87名、女9.5%・入社21名)
[21→24年]19.3%(男20.4%・入社93名、女12.5%・入社16名)

【テレワーク】制度あり:[場所]自宅 寮 サテライトオフィス[対象]全社員[日数]制限なし[利用率]3.2%【勤務制度】フレックス 時間単位有休 勤務間インターバル【住宅補助】寮・社宅(各拠点 社有・借上 寮460名、社宅284名が利用)

●ライフイベント、女性活躍●

【女性比率】■男 □女

新卒採用 20.1%(28名)　従業員 10.4%(236名)　管理職 4%(50名)

【産休】[期間]産前6・産後8週間[給与]法定[取得者数]4名

【育休】[期間]1歳になるまで[給与]法定[取得者数]22年度 男66名(対象48名)女7名(対象7名)23年度 男62名(対象64名)女3名(対象3名)[平均取得日数]22年度 男7日 女490日、23年度 男13日 女486日

【従業員】[人数]2,265名(男2,029名、女236名)[平均年齢]42.4歳(男43.1歳、女36.7歳)[平均勤続年数]15.8年(男16.3年、女12.1年)

【年齢構成】■男 □女

	男	女
60代～	7%	0%
50代	29%	2%
40代	17%	2%
30代	19%	2%
～20代	19%	4%

会社データ (金額は百万円)

【本社】545-8555 大阪府大阪市阿倍野区松崎町2-2-2 ☎06-6621-1101 https://www.okumuragumi.co.jp/

【業績(連結)】	売上高	営業利益	経常利益	純利益
22.3	242,458	12,647	14,012	12,541
23.3	249,442	11,847	12,908	11,261
24.3	288,146	13,708	14,878	12,493

18 開示 ★★★★★ 専門 採用あり

とうきゅうけんせつ
東急建設㈱

【特色】東急系準大手ゼネコン、建築と鉄道関連工事が柱

記者評価 準大手ゼネコンの一角で首都圏に強み。東急や東急不動産などグループ関連の受注は約1～2割。グループの地盤である渋谷駅周辺や東急沿線など都市開発案件で実績豊富。北海道新幹線トンネルなど鉄道工事にも強みを持つ。環境配慮型ビルの展開も注力する。

平均勤続年数	男性育休取得率	3年後離職率	平均年収(平均43歳)
18.7年	41.9→56.3%	12.3→7.5%	㊔852万円

●採用・配属情報●

【男女・文理別採用実績】

	大卒男	大卒女	修士男	修士女
23年	50(文 5 理 45)	13(文 3 理 10)	23(文 0 理 23)	7(文 0 理 7)
24年	47(文 6 理 41)	12(文 7 理 5)	18(文 0 理 18)	6(文 0 理 6)
25年	54(文 7 理 47)	12(文 3 理 9)	20(文 0 理 20)	5(文 0 理 5)

【男女・職種別採用実績】 転換制度:⇒

	総合職	一般職
23年	97(男 76 女 21)	0(男 0 女 0)
24年	89(男 71 女 18)	0(男 0 女 0)
25年	108(男 91 女 17)	0(男 0 女 0)

【24年4月入社者の配属勤務地】㊔東京・渋谷9 大阪市2 福岡市2 名古屋1 札幌1 ㊕東京・渋谷74

【転勤】あり:[職種]全社員[勤務地]全国事業所

【中途比率】[単年度]21年度25%、22年度25%、23年度39%[全体]17%

●働きやすさ、諸制度●

残業(月) 27.3時間 ㊔29.6時間

【勤務時間】本部・支店9:00～18:00(フレックスタイム制)【有休取得年平均】11.6日【週休】完全2日(土日祝)【夏期休暇】連続5日【年末年始休暇】連続5日

【離職率】男:4.8%、109名 女:5.3%、18名

【新卒3年後離職率】
[20→23年]12.3%(男13.7%・入社95名、女5.3%・入社19名)
[21→24年]7.5%(男9.2%・入社76名、女0%・入社17名)

【テレワーク】制度あり:[場所]自宅 サテライトオフィス 他[対象]全社員[日数]週2日まで(育児・介護等事情がある場合は人事部の許可があれば制限解除)[利用率]8.2%【勤務制度】フレックス 時間単位有休 裁量労働 勤務間インターバル【住宅補助】独身寮(神奈川 千葉)独身者用施設(全国)独身者住宅手当(15,000円)既婚者住宅手当(15,000～60,000円)

●ライフイベント、女性活躍●

【女性比率】■男 □女

新卒採用 15.7% (17名)

従業員 12.9% (319名)

管理職 0.7% (4名)

【産休】[期間]産前6・産後8週間[給与]法定[取得者数]7名

【育休】[期間]2歳に達する日または1歳6カ月後の最初に到来する4月30日のいずれか遅い方[給与]法定[取得者数]22年度 男26名(対象62名)女11名(対象11名)23年度 男27名(対象48名)女7名(対象6名)[平均取得日数]22年度 男26日 女426日、23年度 男56日 女365日

【従業員】[人数]2,471名(男2,152名、女319名)[平均年齢]43.9歳(男44.5歳、女37.0歳)[平均勤続年数]18.7年(男19.7年、女11.9年)【年齢構成】■男 □女

	男	女
60代～	10%	0%
50代	32%	2%
40代	13%	2%
30代	15%	4%
～20代	18%	5%

会社データ (金額は百万円)

【本社】150-8340 東京都渋谷区渋谷1-16-14 渋谷地下鉄ビル ☎03-5466-5020 https://www.tokyu-cnst.co.jp/

【業績(連結)】	売上高	営業利益	経常利益	純利益
22.3	258,083	▲6,078	▲5,132	▲7,459
23.3	288,867	5,107	5,020	5,245
24.3	285,681	8,155	9,736	7,266

1634 開示 ★★★★★ 専門 採用あり

こうのいけぐみ
㈱鴻池組

くるみん

【特色】大阪地盤の老舗中堅ゼネコン。積水ハウス子会社

記者評価 1871年(明治4年)鴻池忠治郎氏による個人経営の建設・運輸会社として創業。運輸業は1945年に分離独立し、建設業専門に。道路・鉄道などのインフラや、オフィスビル、文化施設など実績は幅広い。海外はタイ、ベトナムなどアジアに加え、アフリカにも拠点。

平均勤続年数	男性育休取得率	3年後離職率	平均年収(平均43歳)
18.7年	51.9→59.5%	17.3→14.7%	㊔915万円

●採用・配属情報●

【男女・文理別採用実績】

	大卒男	大卒女	修士男	修士女
23年	57(文 5 理 52)	9(文 6 理 3)	12(文 0 理 12)	3(文 0 理 3)
24年	44(文 10 理 34)	21(文 13 理 8)	7(文 0 理 7)	7(文 1 理 6)
25年	69(文 8 理 61)	9(文 4 理 5)	11(文 1 理 10)	3(文 0 理 3)

【男女・職種別採用実績】 転換制度:⇒

	総合職	一般職
23年	85(男 74 女 11)	2(男 0 女 2)
24年	76(男 55 女 21)	7(男 0 女 7)
25年	95(男 81 女 14)	0(男 0 女 0)

【24年4月入社者の配属勤務地】㊔大阪10 東京5 名古屋2 ㊕大阪22 東京26 名古屋4 広島1 九州4 東北2

【転勤】あり:[職種]総合職[勤務地]全国 海外

【中途比率】[単年度]21年度6%、22年度10%、23年度25%[全体]7%

●働きやすさ、諸制度●

残業(月) 29.9時間 ㊔31.7時間

【勤務時間】店内8:45～17:45 現場8:00～17:00【有休取得年平均】13.6日【週休】完全2日(土日祝)【夏期休暇】連続10日(週休4日、祝日4日、計画年休2日)【年末年始休暇】連続7日(週休2日、祝日4日、計画年休1日)

【離職率】男:3.2%、57名 女:4.5%、11名

【新卒3年後離職率】
[20→23年]17.3%(男17.6%・入社85名、女16.0%・入社25名)
[21→24年]14.7%(男12.9%・入社70名、女20.0%・入社25名)

【テレワーク】制度あり:[場所]自宅 他[対象]制限なし[日数]週2日まで[利用率]NA【勤務制度】フレックス 勤務間インターバル【住宅補助】独身寮(各本支店)借上社宅 住宅補助金(世帯主かつ配偶者有の賃貸物件入居者)

●ライフイベント、女性活躍●

【女性比率】■男 □女

新卒採用 14.7% (14名)

従業員 12.1% (234名)

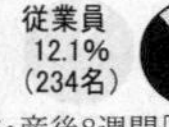

管理職 0.2% (2名)

【産休】[期間]産前6・産後8週間[給与]法定[取得者数]6名

【育休】[期間]法定の他、育児休暇31日を付与[給与]育児休暇31日は有給(会社支給)、他法定[取得者数]22年度 男27名(対象52名)女6名(対象6名)23年度 男22名(対象37名)女7名(対象7名)[平均取得日数]22年度 男5日 女281日、23年度 男21日 女372日

【従業員】[人数]1,932名(男1,698名、女234名)[平均年齢]42.8歳(男43.7歳、女36.0歳)[平均勤続年数]18.7年(男19.8年、女10.8年)

【年齢構成】■男 □女

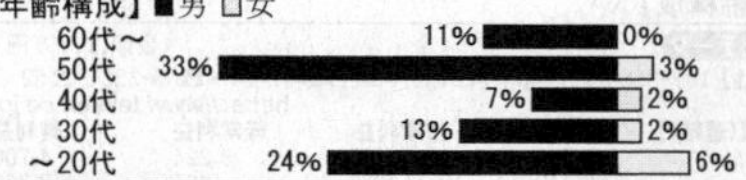

	男	女
60代～	11%	0%
50代	33%	3%
40代	7%	2%
30代	13%	2%
～20代	24%	6%

会社データ (金額は百万円)

【本社】541-0057 大阪府大阪市中央区北久宝寺町3-6-1 本町南ガーデンシティ ☎06-6245-6500 https://www.konoike.co.jp/

【業績(単独)】	売上高	営業利益	経常利益	純利益
21.12変	205,201	11,817	12,081	8,518
22.12	241,529	8,989	9,852	6,616
23.12	248,508	10,308	10,881	7,904

建設

1960 開示 ★★☆☆☆ [短大][専門]採用あり

鉄建建設(株)

てっけんけんせつ

[えるぼし★★★] [くるみん]

【特色】JR東日本系の中堅ゼネコン。鉄道工事に強み

[記者評価] 戦時中に陸運輸送力の確保・増強のための国策会社として設立。現在は駅舎整備や橋梁など鉄道関連工事や、マンションなど民間や公共工事をバランスよく手がける。海外は東南アジアを中心にODA関連工事に実績。DX推進の専門部隊を軸に現場改革を加速。

平均勤続年数	男性育休取得率	3年後離職率	平均年収(平均42歳)
16.0年	65.6→NA	23.5→NA	[総]857万円

●採用・配属情報●

【男女・文理別採用実績】

	大卒男	大卒女	修士男	修士女
23年	50(文 8理 42)	4(文 2理 2)	7(文 0理 7)	0(文 0理 0)
24年	26(文 6理 20)	5(文 4理 1)	3(文 0理 3)	1(文 0理 1)
25年	31(文 5理 26)	9(文 5理 4)	6(文 0理 6)	2(文 0理 2)

【男女・職種別採用実績】 転換制度:⇒

	総合職
23年	68(男 62 女 6)
24年	39(男 33 女 6)
25年	53(男 42 女 11)

【24年4月入社者の配属勤務地】[総]札幌1 東北1 関越1 東京3 名古屋1 大阪2 九州1 [技]札幌3 東北2 関越1 東京16 名古屋2 大阪4 九州1

【転勤】あり:[職種]総合職

【中途比率】[単年度]21年度14%、22年度8%、23年度13% [全体]NA

●働きやすさ、諸制度●

残業(月) 27.0時間 [総]27.0時間

【勤務時間】8:30～17:15(フレックスタイム制あり)【有休取得年平均】NA【週休】完全2日(土日祝)【夏期休暇】3日(8月10～20日の間で)【年末年始休暇】12月29日～1月3日

【離職率】NA

【新卒3年後離職率】
[20→23年]23.5%(男24.3%・入社74名、女18.2%・入社11名)
[21→24年]NA

【テレワーク】制度あり:[場所]自宅 サテライトオフィス[対象]NA[日数]NA[利用率]NA【勤務制度】フレックス【住宅補助】寮(全国)アパート等借り上げ

●ライフイベント、女性活躍●

【女性比率】■男 □女

新卒採用 20.8% (11名)

従業員 11.4% (201名)

【産休】[期間]産前6・産後8週間[給与]会社全額給付[取得者数]NA

【育休】[期間]2歳になるまで分割して取得可(1歳まで2回、1.5歳・2歳各1回取得可)[給与]開始1カ月会社全額給付、以降法定[取得者数]22年度 男21名(対象32名)女3名(対象2名)23年度 NA[平均取得日数]22年度 NA、23年度 NA

【従業員】[人数]1,766名(男1,565名、女201名)[平均年齢]41.6歳(男42.3歳、女35.3歳)[平均勤続年数]16.0年(男16.6年、女10.6年)

【年齢構成】NA

会社データ

(金額は百万円)

【本社】101-8366 東京都千代田区神田三崎町2-5-3 ☎03-3221-2152 https://www.tekken.co.jp/

【業績(連結)】	売上高	営業利益	経常利益	純利益
22.3	151,551	5,247	6,224	4,706
23.3	160,743	1,233	965	2,360
24.3	183,586	958	2,278	4,260

2522 開示 ★★★☆☆ [専門]採用あり

(株)福田組

ふくだぐみ

[えるぼし★★]

【特色】新潟最大のゼネコン。土木から大型商業施設へ

[記者評価] 1902年創業。新潟県内土木で地歩を固め、道路・鉄道・港湾・エネルギー関連工事で成長。業界中堅。道路損傷の画像診断システムを武器に公共工事深耕。近年は民間案件も多い。物流団地造成を首都圏・九州で展開。関西、東北への領域拡大も進む。タイに現法。

平均勤続年数	男性育休取得率	3年後離職率	平均年収(平均44歳)
◇18.0年	11.8→41.2%	27.3→15.6%	[総]713万円

●採用・配属情報●

【男女・文理別採用実績】

	大卒男	大卒女	修士男	修士女
23年	8(文 2理 6)	3(文 0理 3)	1(文 0理 1)	0(文 0理 0)
24年	21(文 5理 16)	1(文 0理 1)	3(文 0理 3)	0(文 0理 0)
25年	10(文 3理 7)	6(文 3理 3)	1(文 0理 1)	1(文 0理 1)

※25年:24年7月時点

【男女・職種別採用実績】 転換制度:⇒

	総合職	一般職
23年	15(男 12 女 3)	0(男 0 女 0)
24年	29(男 26 女 3)	0(男 0 女 0)
25年	22(男 15 女 7)	0(男 0 女 0)

【24年4月入社者の配属勤務地】[総]東北1 新潟1 東京1 大阪1 九州1 [技]東北2 新潟8 東京9 大阪2 九州1 名古屋2

【転勤】あり:[職種]総合職

【中途比率】[単年度]21年度13%、22年度7%、23年度23% [全体]◇21%

●働きやすさ、諸制度●

残業(月) 31.7時間 [総]34.6時間

【勤務時間】8:30～17:30【有休取得年平均】9.8日【週休】2日(土日祝)【夏期休暇】連続3日【年末年始休暇】連続4日

【離職率】◇男:3.9%、31名 女:2.0%、2名

【新卒3年後離職率】
[20→23年]27.3%(男27.8%・入社36名、女25.0%・入社8名)
[21→24年]15.6%(男14.3%・入社28名、女25.0%・入社4名)

【テレワーク】制度あり:[場所]自宅[対象]全社員[日数]制限なし[利用率]NA【勤務制度】時間単位有休 時差勤務【住宅補助】独身者用の寮・宿舎(自己負担5,000円まで)借上社宅家賃補助

●ライフイベント、女性活躍●

【女性比率】■男 □女

新卒採用 31.8% (7名)

従業員 11.3% (97名)

管理職 0.3% (1名)

【産休】[期間]産前6・産後8週間[給与]法定[取得者数]1名

【育休】[期間]1歳になるまで[給与]法定[取得者数]22年度 男2名(対象17名)女0名(対象0名)23年度 男7名(対象17名)女1名(対象1名)[平均取得日数]22年度 男2日 女-、23年度 男29日 女308日

【従業員】◇[人数]861名(男764名、女97名)[平均年齢]44.4歳(男45.2歳、女18.4歳)[平均勤続年数]18.0年(男38.3年、女15.5年)

【年齢構成】■男 □女

	男	女
60代～	16%	0%
50代	29%	3%
40代	10%	3%
30代	11%	2%
～20代	22%	5%

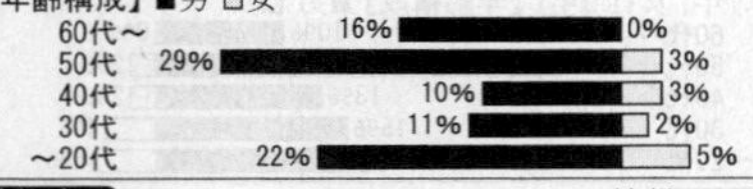

会社データ

(金額は百万円)

【本社】951-8668 新潟県新潟市中央区一番堀通町3-10 ☎025-266-9111 https://www.fkd.co.jp/

【業績(連結)】	売上高	営業利益	経常利益	純利益
21.12	179,846	8,891	9,147	5,864
22.12	154,358	5,208	5,451	3,650
23.12	162,243	5,205	5,478	3,386

建設

2800 開示 ★★★★ 専門 採用あり

佐藤工業(株)

（さとうこうぎょう）

えるぼし★★　くるみん

【特色】1862年創業のゼネコン。歴史的大規模工事に実績

記者評価 江戸末期の1862年、佐藤助九郎が富山で創業した大手ゼネコン。黒部ダムや東北新幹線八甲田トンネルなど大型プロジェクトの実績が多い。土木はトンネル・シールド工事、建築は医療・教育施設等に強み。シンガポールに支店、マレーシアとミャンマーに営業所。

平均勤続年数	男性育休取得率	3年後離職率	平均年収(平均40歳)
16.5年	61.9 → 47.6%	25.5 → 20.3%	総 860万円

●採用・配属情報●

【男女・文理別採用実績】※25年：24年7月31日時点

	大卒男	大卒女	修士男	修士女
23年	17(文 5理 12)	5(文 3理 2)	4(文 0理 4)	2(文 1理 1)
24年	32(文 8理 24)	7(文 1理 6)	6(文 0理 6)	4(文 1理 3)
25年	22(文 5理 17)	12(文 5理 7)	5(文 0理 5)	3(文 0理 3)

【男女・職種別採用実績】

	総合職
23年	31(男 24 女 7)
24年	53(男 41 女 12)
25年	46(男 31 女 15)

【24年4月入社者の配属勤務地】㊢東京・日本橋4 茨城・つくば2 富山市2 名古屋1 大阪市1 ㊕東京・日本橋16 札幌4 仙台5 富山市5 名古屋5 大阪市5 福岡市3

【転勤】あり：[職種]総合職

【中途比率】[単年度]21年度5%、22年度9%、23年度14% [全体]16%

●働きやすさ、諸制度●

残業(月) 27.6時間 ㊢28.7時間

【勤務時間】8:30～17:30【有休取得年平均】11.4日【週休】完全2日(土日祝)【夏期休暇】5日(作業所勤務者は+3日のリフレッシュ休暇あり)【年末年始休暇】12月29日～1月3日(作業所勤務者は+3日のリフレッシュ休暇あり)

【離職率】男：3.5%、31名 女：2.5%、4名

【新卒3年後離職率】
[20→23年]25.5%(男25.0%・入社32名、女26.7%・入社15名)
[21→24年]20.3%(男19.6%・入社51名、女23.1%・入社13名)

【テレワーク】制度あり：[場所]自宅[対象]全社員[日数]制限なし[利用率]NA【勤務制度】フレックス 時間単位有休 時差勤務【住宅補助】独身寮 借上社宅 住宅手当

●ライフイベント、女性活躍●

【女性比率】■男 □女

新卒採用 32.6%(15名)　従業員 15.5%(156名)　管理職 1%(3名)

【産休】[期間]産前6・産後8週間[給与]会社全額給付[取得者数]3名

【育休】[期間]1歳になるまで[給与]法定[取得者数]22年度 男13名(対象21名)女3名(対象3名)23年度 男10名(対象21名)女2名(対象2名)[平均取得日数]22年度 男387日 女6日、23年度 男23日 女129日

【従業員】[人数]1,005名(男849名、女156名)[平均年齢]41.5歳(男42.2歳、女37.8歳)[平均勤続年数]16.5年(男17.3年、女12.2年)

【年齢構成】■男 □女

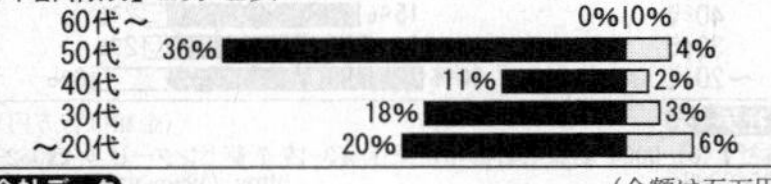

会社データ (金額は百万円)

【本社】103-8639 東京都中央区日本橋本町4-12-19 ☎03-3661-0502 https://www.satokogyo.co.jp/

【業績(連結)】	売上高	営業利益	経常利益	純利益
22.6	121,643	▲479	1,764	1,296
23.6	157,390	1,119	2,240	1,424
24.6	161,745	2,469	4,685	2,927

2134 開示 ★★★★

ピーエス・コンストラクション(株)

【特色】大成建設傘下。PC橋梁草分けでトップ級

記者評価 02年に三菱建設と三菱重工業七尾造船所の流れを汲むピー・エスが合併して誕生。PC橋梁工事を中心に、土木、建築工事を国内外で広く展開。海外はインドネシアに強み。23年12月に大成建設の子会社化。24年7月にピーエス三菱から現社名に社名変更。

平均勤続年数	男性育休取得率	3年後離職率	平均年収(平均44歳)
18.8年	16.7 → 28.6%	8.3 → 22.6%	総 939万円

●採用・配属情報●

【男女・文理別採用実績】

	大卒男	大卒女	修士男	修士女
23年	20(文 2理 18)	10(文 4理 6)	5(文 0理 5)	0(文 0理 0)
24年	22(文 3理 19)	10(文 4理 6)	5(文 0理 5)	1(文 0理 1)
25年	36(文 4理 32)	9(文 3理 6)	0(文 0理 0)	0(文 0理 0)

【男女・職種別採用実績】 転換制度：⇔

	総合職	一般職
23年	39(男 28 女 11)	2(男 0 女 2)
24年	41(男 30 女 11)	0(男 0 女 0)
25年	45(男 36 女 9)	0(男 0 女 0)

【24年4月入社者の配属勤務地】㊢東京3 仙台1 名古屋1 大阪1 福岡1 ㊕東京15 札幌1 仙台3 名古屋4 大阪5 広島1 福岡5

【転勤】あり：[職種]総合職

【中途比率】[単年度]21年度17%、22年度18%、23年度54%[全体]15%

●働きやすさ、諸制度●

残業(月) 22.2時間 ㊢27.0時間

【勤務時間】8:30～17:30【有休取得年平均】12.1日【週休】完全2日(土日祝)【夏期休暇】連続9日(計画年休・有休含む)【年末年始休暇】12月29日～1月3日

【離職率】男：2.3%、23名 女：5.7%、10名

【新卒3年後離職率】
[20→23年]8.3%(男10.7%・入社28名、女0%・入社8名)
[21→24年]22.6%(男24.0%・入社25名、女16.7%・入社6名)

【テレワーク】制度あり：[場所]自宅[対象]全従業員[日数]週2日[利用率]0.8%【勤務制度】フレックス 時間単位有休【住宅補助】社宅・独身寮 家賃補助 住宅手当

●ライフイベント、女性活躍●

【女性比率】■男 □女

新卒採用 20%(9名)　従業員 14.4%(165名) 　管理職 0.9%(5名)

【産休】[期間]産前6・産後8週間[給与]法定[取得者数]4名

【育休】[期間]1歳になるまで[給与]法定[取得者数]22年度 男3名(対象18名)女1名(対象1名)23年度 男6名(対象21名)女4名(対象4名)[平均取得日数]22年度 男42日 女-、23年度 男14日 女-

【従業員】[人数]1,144名(男979名、女165名)[平均年齢]44.7歳(男45.6歳、女38.5歳)[平均勤続年数]18.8年(男20.2年、女10.7年)

【年齢構成】■男 □女

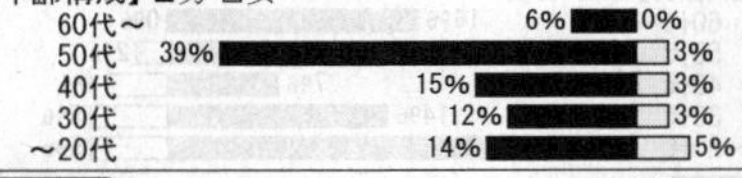

会社データ (金額は百万円)

【本社】105-7318 東京都港区東新橋1-9-1 東京汐留ビルディング ☎03-6385-9111 https://www.psc.co.jp/

【業績(連結)】	売上高	営業利益	経常利益	純利益
22.3	109,639	6,618	6,647	4,539
23.3	109,327	5,715	5,629	3,790
24.3	129,294	7,827	7,743	5,054

建設

㈱銭高組（ぜにたかぐみ）

[えるぼし ★]

【特色】1705年創業の中堅ゼネコン。関西本拠に全国展開

[記者評価] 銭高家の資産管理会社が筆頭株主で、歴代経営トップは銭高家から。橋梁と文化施設に実績を持ち、旧大阪市庁舎や東京・勝鬨橋施工を手がけてきた。官民比率は3対7でマンション1割。作業所に自販機を導入するなど作業環境改善にも前向き。豊富な技術力に定評。

平均勤続年数	男性育休取得率	3年後離職率	平均年収(平均44歳)
16.5年	0 → 23.5%	27.3 → 31.4%	[総] 825万円

●採用・配属情報●

【男女・文理別採用実績】

	大卒男	大卒女	修士男	修士女
23年	25(文 3 理 22)	2(文 0 理 2)	7(文 0 理 7)	0(文 0 理 0)
24年	21(文 3 理 18)	2(文 0 理 2)	5(文 1 理 4)	2(文 0 理 2)
25年	10(文 2 理 8)	7(文 2 理 5)	5(文 0 理 5)	1(文 0 理 1)

【男女・職種別採用実績】 転換制度：⇒

	総合職
23年	35(男 33 女 2)
24年	30(男 26 女 4)
25年	23(男 15 女 8)

【24年4月入社者の配属勤務地】[総]東京・千代田2 大阪市2 [技]東京・千代田8 大阪市7 名古屋3 福岡市4 広島市1 仙台2 札幌1

【転勤】あり：[職種]総合職 [勤務地]国内外事業所 又は工事作業所

【中途比率】[単年度]21年度35%、22年度34%、23年度52%[全体]22%

●働きやすさ、諸制度●

残業(月) 28.7時間 [総]31.3時間

【勤務時間】8:45〜17:30【有休取得年平均】12.0日【週休】完全2日（土日祝）【夏期休暇】連続5日（有休で取得）【年末年始休暇】12月29日〜1月3日（曜日により変わる）

【離職率】男：8.0%、67名 女：3.9%、6名

【新卒3年後離職率】
[20→23年]27.3%（男27.0%・入社37名、女28.6%・入社7名）
[21→24年]31.4%（男32.4%・入社34名、女0%・入社1名）

【テレワーク】制度なし【勤務制度】なし【住宅補助】独身寮 社宅（社有 借上）

●ライフイベント、女性活躍●

【女性比率】■男 □女

新卒採用 34.8%（8名）

従業員 16.2%（149名）

管理職 0.4%（1名）

【産休】[期間]産前6・産後8週間[給与]法定[取得者数]5名

【育休】[期間]1歳になるまで[給与]法定[取得者数]22年度 男0名（対象19名）女7名（対象7名）23年度 男4名（対象17名）女5名（対象5名）[平均取得日数]22年度 男－ 女370日、23年度 男58日 女336日

【従業員】[人数]920名（男771名、女149名）[平均年齢]43.9歳（男45.1歳、女37.8歳）[平均勤続年数]16.5年（男17.0年、女13.0年）

【年齢構成】■男 □女

	男	女
60代〜	16%	0%
50代	25%	2%
40代	7%	4%
30代	14%	5%
〜20代	22%	5%

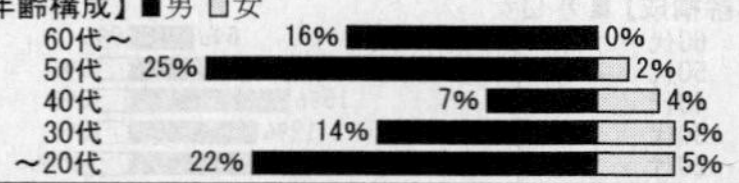

会社データ （金額は百万円）

【本社】102-8678 東京都千代田区一番町31 ☎03-3265-4611
https://www.zenitaka.co.jp/

【業績(連結)】	売上高	営業利益	経常利益	純利益
22.3	101,903	2,247	3,425	1,812
23.3	107,635	1,526	2,873	2,245
24.3	120,977	3,321	4,986	2,737

矢作建設工業㈱（やはぎけんせつこうぎょう）

[えるぼし ★★] [くるみん]

【特色】愛知県地盤の中堅ゼネコン。名鉄が筆頭株主

[記者評価] 民間建築が核。名鉄と密接。独自の完全外付け耐震補強技術「ピタコラム」高評価。同技術は韓国でも技術認定取得。分譲マンション販売は年200戸以上のペースが続く。リニア中央新幹線の中央アルプストンネル工事を共同受注。名鉄沿線駅舎新築などの案件も豊富。

平均勤続年数	男性育休取得率	3年後離職率	平均年収(平均42歳)
◇18.4年	31.8 → 60.0%	20.0 → 19.1%	[総] 822万円

●採用・配属情報●

【男女・文理別採用実績】

	大卒男	大卒女	修士男	修士女
23年	36(文 8 理 28)	11(文 4 理 7)	4(文 0 理 4)	2(文 0 理 2)
24年	54(文 9 理 45)	18(文 10 理 8)	2(文 0 理 2)	0(文 0 理 0)
25年	35(文 2 理 33)	7(文 4 理 3)	0(文 0 理 0)	1(文 0 理 1)

【男女・職種別採用実績】

	総合職	一般職
23年	51(男 40 女 11)	2(男 0 女 2)
24年	71(男 56 女 15)	3(男 0 女 3)
25年	47(男 39 女 8)	0(男 0 女 0)

【24年4月入社者の配属勤務地】[総]愛知15 [技]愛知49 東京4 三重1 福井1 和歌山1

【転勤】あり：[職種]総合職

【中途比率】[単年度]21年度16%、22年度24%、23年度30%[全体]◇12%

●働きやすさ、諸制度●

残業(月) 25.9時間 [総]27.3時間

【勤務時間】8:30〜17:00【有休取得年平均】13.4日【週休】完全2日（土日祝）【夏期休暇】8月12〜16日【年末年始休暇】12月30日〜1月3日

【離職率】◇男：4.7%、40名 女：5.5%、6名

【新卒3年後離職率】
[20→23年]20.0%（男23.3%・入社43名、女0%・入社7名）
[21→24年]19.1%（男18.4%・入社38名、女22.2%・入社9名）

【テレワーク】制度なし【勤務制度】時差勤務 勤務間インターバル【住宅補助】社宅（名古屋2棟42世帯）借上寮 借上社宅（全国各地）

●ライフイベント、女性活躍●

【女性比率】■男 □女

新卒採用 17%（8名）

従業員 11.2%（103名）

管理職 1.1%（3名）

【産休】[期間]産前6・産後8週間[給与]産前2・産後6週は会社全額給付、以降法定[取得者数]5名

【育休】[期間]3歳になるまで[給与]法定[取得者数]22年度 男7名（対象22名）女1名（対象1名）23年度 男15名（対象25名）女2名（対象2名）[平均取得日数]22年度 男13日 女873日、23年度 男23日 女302日

【従業員】◇[人数]921名（男818名、女103名）[平均年齢]42.4歳（男43.4歳、女34.2歳）[平均勤続年数]18.4年（男19.3年、女11.6年）

【年齢構成】■男 □女

	男	女
60代〜	7%	0%
50代	31%	1%
40代	15%	2%
30代	16%	2%
〜20代	20%	6%

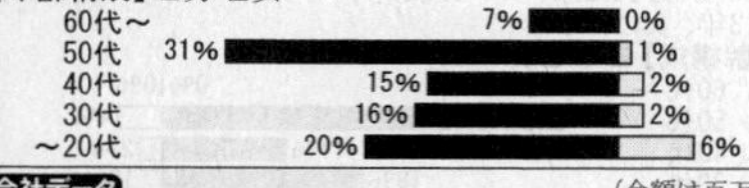

会社データ （金額は百万円）

【本社】461-0004 愛知県名古屋市東区葵3-19-7 葵センタービル ☎052-935-2393
https://www.yahagi.co.jp/

【業績(連結)】	売上高	営業利益	経常利益	純利益
22.3	93,090	6,169	6,174	4,842
23.3	111,110	7,212	7,259	4,508
24.3	119,824	9,514	9,588	6,462

25 開示 ★★★★ 短大 専門 採用あり

松井建設(株)（まつい けんせつ）

えるぼし ★★

【特色】社寺建築の豊富な実績に定評、民間建築が中心

記者評価 1586年の加賀藩越中守山城普請が起源。上場建設会社で最古参。創業家色強い。東京築地本願寺、名古屋城本丸御殿の復元など歴史的建築物や文化財の修復に実績多い。「質素・堅実・地道」の工匠精神貫く。VR災害模擬体験など安全教育に余念ない。財務状況健全。

平均勤続年数	男性育休取得率	3年後離職率	平均年収(平均45歳)
19.3年	9.1 → 20.0%	32.1 → 13.8%	総 831万円

●採用・配属情報●

【男女・文理別採用実績】

	大卒男	大卒女	修士男	修士女
23年	20(文 3理 17)	3(文 2理 1)	0(文 0理 0)	0(文 0理 0)
24年	14(文 3理 11)	8(文 3理 5)	0(文 0理 0)	0(文 0理 0)
25年	18(文 3理 15)	6(文 2理 4)	1(文 0理 1)	1(文 0理 1)

※25年：予定数

【男女・職種別採用実績】 転換制度：⇔

	総合職
23年	26(男 22 女 4)
24年	22(男 14 女 8)
25年	30(男 22 女 8)

【24年4月入社者の配属勤務地】㊇東京・中央5 福岡市1 ㊕東京・中央12 大阪市1 金沢1 仙台1 福岡市1

【転勤】あり：全職種(エリア職を除く)

【中途比率】[単年度]21年度29%、22年度20%、23年度35%[全体]19%

●働きやすさ、諸制度●

残業(月) 20.4時間 ㊇24.0時間

【勤務時間】8:30～17:30【有休取得年平均】10.5日【週休】完全2日(土日祝)【夏期休暇】連続4日(計画有休)【年末年始休暇】12月28日～1月5日(今年は計画有休なし)

【離職率】男：4.0%、27名 女：2.0%、2名(早期退職男1名含む)

【新卒3年後離職率】
[20→23年]32.1%(男36.0%・入社25名、女0%・入社3名)
[21→24年]13.8%(男13.0%・入社23名、女16.7%・入社6名)

【テレワーク】制度あり：[場所]あり[対象]傷病等特別な事情のある人等[日数]週4日まで 最長6カ月まで[利用率]NA

【勤務制度】時差勤務【住宅補助】独身寮(千葉2 神奈川1 大阪1 名古屋1 金沢1 仙台1)社宅(大阪1 金沢1 仙台1)自己負担10,000円程度

●ライフイベント、女性活躍●

【女性比率】■男 □女

新卒採用 26.7% (8名)　従業員 13.1% (97名)　管理職 1.2% (3名)

【産休】[期間]産前6・産後8週間[給与]法定[取得者数]5名

【育休】[期間]1歳になるまで[給与]法定[取得者数]22年度 男1名(対象11名)女3名(対象3名)23年度 男1名(対象5名)女8名(対象4名)[平均取得日数]22年度 男28日 女953日、23年度 男26日 女876日

【従業員】[人数]741名(男644名、女97名)[平均年齢]44.5歳(男45.3歳、女36.9歳)[平均勤続年数]19.3年(男19.9年、女13.4年)【年齢構成】■男 □女

	男	女
60代～	13%	1%
50代	26%	3%
40代	18%	3%
30代	15%	2%
～20代	15%	3%

会社データ (金額は百万円)

【本社】104-8281 東京都中央区新川1-17-22 ☎03-3553-1157
https://www.matsui-ken.co.jp/

【業績(連結)】	売上高	営業利益	経常利益	純利益
22.3	82,468	2,415	2,779	1,792
23.3	88,664	2,268	2,702	1,702
24.3	96,969	264	767	1,161

40 開示 ★★★★ 専門 採用あり

五洋建設(株)（ごよう けんせつ）

えるぼし ★★

【特色】海洋土木の最大手。大型港湾工事が得意領域

記者評価 1896年創業。マリコン(海洋土木)の最大手で土木・建築に実績。海外では香港やシンガポールでの大型建設の実績多数。大型SEP船(多目的起重機船)を複数保有、洋上風力関連事業に本腰。22年10月竣工の北海道・室蘭の新工場はゼロエネルギービル化を図る。

平均勤続年数	男性育休取得率	3年後離職率	平均年収(平均38歳)
17.0年	116.0 → 99.0%	16.2 → 12.7%	総 932万円

●採用・配属情報●

【男女・文理別採用実績】

	大卒男	大卒女	修士男	修士女
23年	108(文 14理 94)	28(文 5理 23)	26(文 0理 26)	8(文 0理 8)
24年	100(文 19理 81)	27(文 9理 18)	20(文 0理 20)	4(文 0理 4)
25年	117(文 13理 104)	37(文 13理 24)	30(文 2理 28)	4(文 1理 3)

【男女・職種別採用実績】 転換制度：⇒

	総合職	一般職
23年	184(男 146 女 38)	4(男 0 女 4)
24年	162(男 134 女 28)	7(男 0 女 7)
25年	207(男 168 女 39)	6(男 0 女 6)

【24年4月入社者の配属勤務地】㊇東京(研修中)23 ㊕札幌5 東北3 北陸2 東京100 名古屋5 大阪7 中国4 四国3 九州10

【転勤】あり：[職種]総合職(技術系・技術系以外)

【中途比率】[単年度]21年度12%、22年度15%、23年度9%[全体]10%

●働きやすさ、諸制度●

残業(月) 14.5時間 ㊇15.5時間

【勤務時間】9:00～18:00【有休取得年平均】11.7日【週休】完全2日(土日祝)【夏期休暇】平日休暇付与3日+有休利用1日【年末年始休暇】平日休暇付与3日+有休利用1日

【離職率】男：2.8%、82名 女：4.2%、18名

【新卒3年後離職率】
[20→23年]16.2%(男13.5%・入社163名、女29.4%・入社34名)
[21→24年]12.7%(男13.2%・入社167名、女10.0%・入社30名)

【テレワーク】制度あり：[場所]自宅 サテライトオフィス(会社指定の場所)[対象]全社員[日数]週1回以上 月50%を目途[利用率]NA【勤務制度】フレックス 時間単位有休 裁量労働【住宅補助】〈総合職〉独身寮 社有社宅 借上社宅 住宅手当

●ライフイベント、女性活躍●

【女性比率】■男 □女

新卒採用 21.1% (45名)

従業員 12.7% (415名)　管理職 2.3% (26名)

【産休】[期間]産前6・産後8週間[給与]法定[取得者数]14名

【育休】[期間]1歳到達月末まで[給与]法定[取得者数]22年度 男94名(対象81名)女15名(対象15名)23年度 男100名(対象101名)女13名(対象13名)[平均取得日数]22年度 男9日 女430日、23年度 男17日 女376日

【従業員】[人数]3,274名(男2,859名、女415名)[平均年齢]41.4歳(男42.0歳、女37.2歳)[平均勤続年数]17.0年(男17.5年、女13.6年)【年齢構成】■男 □女

	男	女
60代～	10%	0%
50代	24%	3%
40代	10%	2%
30代	18%	2%
～20代	25%	5%

会社データ (金額は百万円)

【本社】112-8576 東京都文京区後楽2-2-8 ☎03-3816-7111
https://www.penta-ocean.co.jp/

【業績(連結)】	売上高	営業利益	経常利益	純利益
22.3	458,231	15,939	15,659	10,753
23.3	502,206	4,119	1,415	684
24.3	617,708	29,152	27,221	17,875

建設

東亜建設工業(株)
とうあけんせつこうぎょう

えるぼし ★★

【特色】旧浅野系の海洋土木大手。倉庫等の民間建築も

記者評価 浅野財閥の東京湾埋立事業が起源。京浜地区の国際貨物ターミナル整備で先導的役割を担ってきた。建築は倉庫・物流、住宅、福祉、PFI案件が得意。海外はODAの土木案件のほか、建築分野強化のためインドネシアに現法設立。24年度に社長直轄の技術戦略室を創設。

平均勤続年数	男性育休取得率	3年後離職率	平均年収(平均45歳)
18.8年	45.5→90.2%	18.0→15.1%	総920万円

●採用・配属情報●

【男女・文理別採用実績】

	大卒男	大卒女	修士男	修士女
23年	49(文 7理 42)	9(文 2理 7)	10(文 2理 8)	2(文 0理 2)
24年	48(文 7理 41)	7(文 3理 4)	6(文 0理 6)	0(文 0理 0)
25年	56(文 8理 48)	8(文 4理 4)	9(文 1理 8)	1(文 0理 1)

【男女・職種別採用実績】 転換制度:⇒

	総合職	一般職
23年	82(男 71 女 11)	1(男 0 女 1)
24年	75(男 65 女 10)	1(男 0 女 1)
25年	83(男 73 女 10)	0(男 0 女 0)

【職種併願】総合職とエリア総合職で可能
【24年4月入社者の配属勤務地】㊣東京5 大阪2 神奈川1 沖縄1 ㊕北海道2 岩手1 秋田1 茨城2 千葉2 東京18 神奈川11 新潟1 富山1 愛知2 大阪3 兵庫4 広島2 岡山1 香川1 高知1 山口2 福岡4 大分1 長崎1 鹿児島3 沖縄2
【転勤】あり:[職種]総合職[勤務地]全国
【中途比率】[単年度]21年度11%、22年度29%、23年度25%[全体]17%

●働きやすさ、諸制度●

残業(月) 29.9時間 総31.5時間

【勤務時間】9:00～18:00【有休取得年平均】10.2日【週休】完全2日(土日祝)【夏期休暇】3日【年末年始休暇】12月29日～1月3日
【離職率】男:1.6%、25名 女:3.0%、6名
【新卒3年後離職率】
[20→23年]18.0%(男19.1%・入社47名、女0%・入社3名)
[21→24年]15.1%(男15.3%・入社59名、女14.3%・入社14名)
【テレワーク】制度あり:[場所]自宅 サテライトオフィス[対象]全社員[日数]週2日まで[利用率]3.1%【勤務制度】フレックス【住宅補助】独身寮(自己負担最大11,000円)借上社宅(家賃の約7割を会社負担)住宅補助(22,000円)

●ライフイベント、女性活躍●

【女性比率】■男 □女

新卒採用 12%(10名) 従業員 11.4%(192名)  管理職 1.1%(4名)

【産休】[期間]産前6・産後8週間[給与]法定[取得者数]5名
【育休】[期間]1歳になるまで[給与]開始日から1カ月間は有給、以降法定[取得者数]22年度 男10名(対象22名)女5名(対象5名)23年度 男37名(対象41名)女5名(対象5名)[平均取得日数]22年度 男31日 女293日、23年度 男35日 女NA
【従業員】[人数]1,685名(男1,493名、女192名)[平均年齢]44.7歳(男45.4歳、女39.9歳)[平均勤続年数]18.8年(男19.5年、女13.4年)【年齢構成】■男 □女

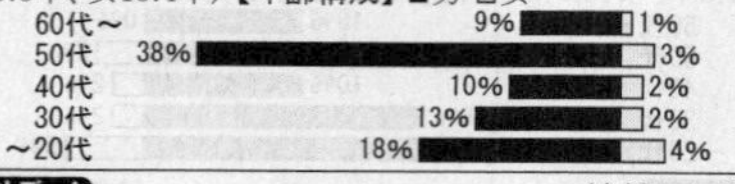

	男	女
60代～	9%	1%
50代	38%	3%
40代	10%	2%
30代	13%	2%
～20代	18%	4%

会社データ (金額は百万円)

【本社】163-1031 東京都新宿区西新宿3-7-1 新宿パークタワー ☎03-6757-3804 https://www.toa-const.co.jp/

【業績(連結)】	売上高	営業利益	経常利益	純利益
22.3	219,814	9,874	10,138	7,385
23.3	213,569	6,555	6,614	4,835
24.3	283,852	17,231	16,630	10,517

東洋建設(株)
とうようけんせつ

えるぼし ★★

【特色】海洋土木大手。任天堂創業家資産運用会社が出資

記者評価 南満州鉄道と山下汽船の共同出資で設立した阪神築港が前身。海上に加え陸上土木や倉庫・住宅など民間建築に展開。海外はフィリピン、ベトナムからアフリカまで大型工事の実績多い。大株主である任天堂創業家の資産運用会社が提案した取締役が過半を占める。

平均勤続年数	男性育休取得率	3年後離職率	平均年収(平均41歳)
17.9年	22.9→50.0%	24.1→22.8%	総877万円

●採用・配属情報●

【男女・文理別採用実績】※25年:継続中

	大卒男	大卒女	修士男	修士女
23年	53(文 3理 50)	11(文 5理 6)	4(文 0理 4)	0(文 0理 0)
24年	48(文 1理 47)	22(文 12理 10)	7(文 0理 7)	2(文 0理 2)
25年	55(文 8理 47)	18(文 10理 8)	8(文 0理 8)	3(文 0理 3)

【男女・職種別採用実績】 転換制度:⇒

	総合職	一般職
23年	69(男 61 女 8)	3(男 0 女 3)
24年	75(男 56 女 19)	6(男 0 女 6)
25年	81(男 65 女 16)	5(男 0 女 5)

【24年4月入社者の配属勤務地】㊣東京・千代田2 仙台1 金沢1 大阪1 広島1 福岡1 ㊕東京・千代田24 茨城・土浦1 仙台4 金沢2 名古屋6 大阪9 兵庫・西宮3 広島4 高松3 福岡12
【転勤】あり:[職種]総合職[勤務地]全国 海外(入社当初からの海外勤務はなし)[職種]地域限定総合職[勤務地]定められた地域内
【中途比率】[単年度]21年度NA、22年度NA、23年度NA[全体]21%

●働きやすさ、諸制度●

残業(月) 26.1時間 総31.0時間

【勤務時間】8:30～17:30【有休取得年平均】9.5日【週休】完全2日(土日祝)【夏期休暇】3日(8月中)【年末年始休暇】12月29日～1月3日
【離職率】男:2.5%、29名 女:3.7%、7名
【新卒3年後離職率】
[20→23年]24.1%(男25.0%・入社60名、女21.1%・入社19名)
[21→24年]22.8%(男20.9%・入社43名、女28.6%・入社14名)
【テレワーク】制度なし【勤務制度】時間単位有休 時差勤務
【住宅補助】独身・単身寮(総合職 自己負担0～40,000円)社宅(同居家族有の総合職 自己負担30,000円)住宅手当(寮・社宅入社者以外 11,000～30,000円)

●ライフイベント、女性活躍●

【女性比率】■男 □女

新卒採用 24.4%(21名) 従業員 13.8%(181名) 管理職 0%(0名)

【産休】[期間]産前6・産後8週間[給与]法定[取得者数]7名
【育休】[期間]1歳になるまで[給与]取得開始日より7日間は有給、以降は法定[取得者数]22年度 男8名(対象35名)女6名(対象6名)23年度 男16名(対象32名)女7名(対象7名)[平均取得日数]22年度 男24日 女430日、23年度 男22日 女458日
【従業員】[人数]1,311名(男1,130名、女181名)[平均年齢]43.3歳(男44.5歳、女35.6歳)[平均勤続年数]17.9年(男18.9年、女11.8年)【年齢構成】■男 □女

	男	女
60代～	12%	0%
50代	32%	2%
40代	8%	3%
30代	13%	3%
～20代	21%	6%

会社データ (金額は百万円)

【本社】101-0051 東京都千代田区神田神保町1-105 神保町三井ビルディング ☎03-6361-5450 https://www.toyo-const.co.jp/

【業績(連結)】	売上高	営業利益	経常利益	純利益
22.3	152,524	9,616	9,139	5,863
23.3	168,351	8,995	8,551	5,656
24.3	186,781	10,887	10,057	7,016

よこがわ
(株)横河ブリッジホールディングス

【特色】鋼製橋梁の最大手。システム建築事業が拡大中

[記者評価] 橋梁中心に鋼構造物の設計製作、施工、保全が柱。液晶製造装置用のフレーム、海洋構造物も手がける。橋梁の総合保全体制確立。システム建築に注力し、千葉の専用工場を増強。トンネルなど土木関連や海外事業育成。工事、倉庫の生産性、安全性向上狙いDX推進。

平均勤続年数	男性育休取得率	3年後離職率	平均年収(平均41歳)
15.5年	41.2 → 84.4%	9.5 → 9.2%	[総]924万円

●採用・配属情報●

【男女・文理別採用実績】

	大卒男	大卒女	修士男	修士女
23年	19(文 4 理 15)	13(文 5 理 8)	13(文 0 理 13)	4(文 0 理 4)
24年	14(文 4 理 10)	12(文 5 理 7)	13(文 0 理 13)	2(文 1 理 1)
25年	23(文 12 理 11)	13(文 6 理 7)	17(文 0 理 17)	5(文 0 理 5)

【男女・職種別採用実績】　転換制度:⇔

	総合職
23年	56(男 39 女 17)
24年	48(男 33 女 15)
25年	70(男 47 女 23)

【24年4月入社者の配属勤務地】[総]東京2 千葉5 大阪3 [技]東京4 千葉20 大阪13 茨城1

【転勤】あり:[職種]総合職

【中途比率】[単年度]21年度23%、22年度36%、23年度21%[全体]20%

●働きやすさ、諸制度●

残業(月) 18.0時間 [総]21.8時間

【勤務時間】8:30〜17:30【有休取得年平均】11.8日【週休】完全2日(土日祝)【夏期休暇】3日(8月)【年末年始休暇】12月30日〜1月4日

【離職率】男:1.2%、15名 女:3.8%、6名

【新卒3年後離職率】
[20→23年]9.5%(男9.4%・入社32名、女10.0%・入社10名)
[21→24年]9.2%(男11.3%・入社53名、女0%・入社12名)

【テレワーク】制度あり:[場所]自宅[対象]制限なし[日数]制限なし[利用率]NA【勤務制度】フレックス 時差勤務【住宅補助】社宅手当(30,000〜40,000円)独身寮(自己負担12,000〜15,000円)転居を伴う転勤者向け借上社宅手当(自己負担35,000〜100,000円の20%)

●ライフイベント、女性活躍●

【女性比率】■男 □女

新卒採用 32.9%(23名)　従業員 10.7%(150名)　管理職 1.7%(10名)

【産休】[期間]産前45日・産後8週間[給与]法定[取得者数]2名

【育休】[期間]1歳到達月の末日まで[給与]開始日から10日間は有給、それ以降は法定[取得者数]22年度 男21名(対象51名)女2名(対象2名)23年度 男27名(対象32名)女2名(対象2名)[平均取得日数]22年度 男30日 女298日、23年度 男33日 女318日

【従業員】[人数]1,397名(男1,247名、女150名)[平均年齢]41.3歳(男42.1歳、女35.2歳)[平均勤続年数]15.5年(男16.5年、女6.9年)【年齢構成】■男 □女

	男	女
60代〜	1%	0%
50代	31%	2%
40代	20%	1%
30代	18%	1%
〜20代	19%	6%

会社データ　(金額は百万円)

【本社】108-0023 東京都港区芝浦4-4-44 ☎03-3453-4111
https://www.ybhd.co.jp/

【業績(連結)】	売上高	営業利益	経常利益	純利益
22.3	136,931	14,752	14,995	11,043
23.3	164,968	15,218	15,452	11,243
24.3	164,076	15,946	15,857	11,854

とびしまけんせつ
飛島建設(株)

[えるぼし ★]

【特色】土木主体の老舗。トンネルで実績、耐震補強も

[記者評価] 大型土木が源流の中堅ゼネコン。青函トンネルや本州四国連絡橋、東京湾アクアライン、飛騨トンネルを手がけた。トンネル工事の実績多い。トグル制振構法で後付け制震に強み。24年10月、持ち株会社体制に移行。24年7月から大卒総合職の初任給を28万円に増額。

平均勤続年数	男性育休取得率	3年後離職率	平均年収(平均45歳)
18.7年	NA	12.2 → 18.4%	842万円

●採用・配属情報●

【男女・文理別採用実績】

	大卒男	大卒女	修士男	修士女
23年	27(文 2 理 25)	9(文 2 理 7)	1(文 0 理 1)	2(文 0 理 2)
24年	27(文 3 理 24)	6(文 3 理 3)	0(文 0 理 0)	1(文 0 理 1)
25年	29(文 2 理 27)	4(文 2 理 2)	2(文 0 理 2)	0(文 0 理 0)

【男女・職種別採用実績】　転換制度:⇔

	総合職	地域職
23年	42(男 29 女 13)	0(男 0 女 0)
24年	37(男 30 女 7)	1(男 0 女 1)
25年	39(男 34 女 5)	4(男 2 女 2)

【24年4月入社者の配属勤務地】[総]北海道1 東京・港1 愛知1 大阪1 福岡1 [技]北海道3 秋田1 宮城1 茨城1 埼玉1 東京(文京1 練馬1 大田1 千代田1 港2 青梅1)千葉1 神奈川4 岐阜1 長野1 福井1 愛知2 大阪1 広島3 徳島1 福岡2 鹿児島1

【転勤】あり:[職種]総合職

【中途比率】[単年度]21年度8%、22年度14%、23年度7%[全体]NA

●働きやすさ、諸制度●

残業(月) 27.8時間

【勤務時間】8:30〜17:30(フレックスコアタイム11:00〜15:00)【有休取得年平均】10.9日【週休】完全2日(土日祝)【夏期休暇】連続11日(有休取得推進日1日、計画取得2日含む)【年末年始休暇】連続7日(有休取得推進日1日含む)

【離職率】男:3.3%、34名 女:2.9%、4名

【新卒3年後離職率】
[20→23年]12.2%(男11.6%・入社43名、女16.7%・入社6名)
[21→24年]18.4%(男10.5%・入社38名、女45.5%・入社11名)

【テレワーク】制度あり:[場所]NA[対象]NA[日数]NA[利用率]NA【勤務制度】フレックス 勤務間インターバル【住宅補助】独身寮(社有・借上)自己選択借上寮 借上社宅 持家住宅手当

●ライフイベント、女性活躍●

【女性比率】■男 □女

新卒採用 16.3%(7名)　従業員 11.8%(135名)

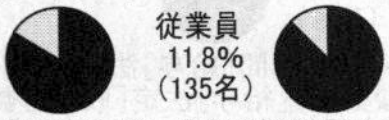

【産休】[期間]産前6・産後8週間[給与]会社全額給付[取得者数]4名

【育休】[期間]1歳になるまで[給与]法定に加え共済会より支援金給付[取得者数]22年度 男17名(対象NA)女4名(対象NA)23年度 男17名(対象NA)女4名(対象NA)[平均取得日数]22年度 NA、23年度 NA

【従業員】[人数]1,142名(男1,007名、女135名)[平均年齢]44.9歳(男45.9歳、女37.2歳)[平均勤続年数]18.7年(男19.6年、女12.1年)【年齢構成】■男 □女

	男	女
60代〜	16%	0%
50代	29%	3%
40代	12%	1%
30代	14%	3%
〜20代	17%	5%

会社データ　(金額は百万円)

【本社】108-0075 東京都港区港南1-8-15 Wビル ☎03-6455-8300
https://www.tobishima.co.jp/

【業績(連結)】	売上高	営業利益	経常利益	純利益
22.3	117,665	4,575	4,212	3,219
23.3	125,941	4,146	3,677	3,038
24.3	132,049	5,252	4,775	3,403

[建設]

ライト工業(株)

(こうぎょう)

【特色】法面工事や地盤改良など特殊土木工事に強い

[記者評価] 秋田のトンネル防水事業で創業。法面工事や軟弱地盤強化の地盤改良など特殊土木が得意。省人化・機械化の新工法開発でも実績。法面対策工事の全自動吹き付けシステムなど技術力に定評。米国、シンガポール、ベトナムに拠点。アンゴラではLNG石油基地建設も。

平均勤続年数	男性育休取得率	3年後離職率	平均年収(平均44歳)
◇17.8年	38.5 → NA	24.4 → 30.6%	916万円

●採用・配属情報●

【男女・文理別採用実績】

	大卒男	大卒女	修士男	修士女
23年	25(文 2理 23)	3(文 2理 1)	4(文 1理 3)	0(文 0理 0)
24年	24(文 10理 14)	8(文 6理 2)	2(文 0理 2)	0(文 0理 0)
25年	45(文 14理 31)	10(文 4理 6)	1(文 0理 1)	0(文 0理 0)

【男女・職種別採用実績】 転換制度:⇔

	総合職	エリア総合職	一般職
23年	30(男 29 女 1)	0(男 0 女 0)	2(男 0 女 2)
24年	28(男 26 女 2)	0(男 0 女 0)	6(男 0 女 6)
25年	55(男 47 女 8)	0(男 0 女 0)	3(男 0 女 3)

【職種併願】○

【24年4月入社者の配属勤務地】[総]東京2 愛知1 広島1 [技]北海道1 東北1 東京14 愛知2 大阪4 広島2

【転勤】あり:[職種]総合職[勤務地]北海道 宮城 東京 愛知 大阪 広島 福岡

【中途比率】[単年度]21年度NA、22年度NA、23年度NA[全体]NA

●働きやすさ、諸制度●

残業(月) NA

【勤務時間】8:45〜17:15【有休取得年平均】12.0日【週休】完全2日(土日)【夏期休暇】8月13〜16日【年末年始休暇】12月30日〜1月3日

【離職率】◇男:1.7%、15名 女:3.8%、3名

【新卒3年後離職率】
[20→23年]24.4%(男24.4%・入社41名、女25.0%・入社4名)
[21→24年]30.6%(男30.3%・入社33名、女33.3%・入社3名)

【テレワーク】制度なし【勤務制度】時間単位有休 時差勤務

【住宅補助】独身寮 借上社宅

●ライフイベント、女性活躍●

【女性比率】■男 □女

新卒採用 19% (11名)

従業員 7.8% (75名)

【産休】[期間]産前6・産後8週間[給与]法定[取得者数]NA

【育休】[期間]1歳になるまで[給与]法定[取得者数]22年度 男10名(対象26名)女0名(対象0名)23年度 NA[平均取得日数]22年度 NA、23年度 NA

【従業員】◇[人数]967名(男892名、女75名)[平均年齢]44.0歳(男44.8歳、女43.2歳)[平均勤続年数]17.8年(男18.0年、女14.7年)

【年齢構成】NA

会社データ (金額は百万円)

【本社】102-8236 東京都千代田区九段北4-2-35 ☎03-3265-2551 https://www.raito.co.jp/

【業績(連結)】	売上高	営業利益	経常利益	純利益
22.3	109,504	13,236	13,976	8,930
23.3	114,974	12,785	13,310	9,489
24.3	117,324	11,245	11,609	8,181

(株)NIPPO

(ニッポ)

【特色】ENEOS・HD系で道路舗装の最大手。民間建築も

[記者評価] 旧日本石油と浅野物産の道路部が合併し1934年設立。全国150カ所超に舗装資材の供給拠点を配する。道路や空港滑走路などの舗装土木が主力。スポーツ施設建設も手がける。海外はアジアでのアスファルト合材製販や、自動車テストコース工事などを展開。

平均勤続年数	男性育休取得率	3年後離職率	平均年収(平均43歳)
17.7年	10.4 → 30.9%	17.0 → 15.9%	[総]988万円

●採用・配属情報●

【男女・文理別採用実績】

	大卒男	大卒女	修士男	修士女
23年	54(文 12理 42)	6(文 4理 2)	2(文 0理 2)	0(文 0理 0)
24年	42(文 7理 35)	8(文 4理 4)	7(文 0理 7)	0(文 0理 0)
25年	42(文 12理 30)	13(文 10理 3)	4(文 0理 4)	0(文 0理 0)

【男女・職種別採用実績】 転換制度:⇔

	総合職	エリア総合職
23年	67(男 62 女 5)	2(男 0 女 2)
24年	59(男 51 女 8)	1(男 1 女 0)
25年	60(男 47 女 13)	2(男 1 女 1)

【24年4月入社者の配属勤務地】[総]東京1 札幌1 仙台1 福島1 栃木1 横浜1 新潟市1 名古屋1 広島1 山口市1 香川1 福岡市1 熊本市1 [技]東京(江戸川1 台東5 東大和1 品川1)北海道(苫小牧1 北見1)青森市1 仙台1 福島・郡山1 茨城(つくば1 古河1)栃木・宇都宮1 群馬・太田1 埼玉(さいたま1 川口1)千葉(千葉1 船橋1)神奈川(横浜1 厚木1)新潟(新潟1 上越1)山梨・笛吹1 静岡市3 愛知・豊田1 三重・四日市1 滋賀・大津2 神戸1 鳥取・米子1 島根(益田1 出雲1)岡山市1 広島市1 徳島市1 高知・南国1 福岡市2 宮崎(宮崎2 児湯1)

【転勤】あり:[職種]総合職(全国)エリア総合職(地域内限定)[勤務地](地域内限定)北海道・東北・関東・北信越・中部・関西・四国 他

【中途比率】[単年度]21年度7%、22年度6%、23年度11%[全体]15%

●働きやすさ、諸制度●

残業(月) 25.7時間 [総]28.8時間

【勤務時間】9:00〜17:50【有休取得年平均】13.3日【週休】完全2日(土日祝)【夏期休暇】連続9日(特別休暇3日+計画年休2日+週休4日)【年末年始休暇】連続7日(特別休暇4日+週休3日)

【離職率】男:3.0%、46名 女:6.6%、8名

【新卒3年後離職率】
[20→23年]17.0%(男17.4%・入社46名、女14.3%・入社7名)
[21→24年]15.9%(男18.0%・入社50名、女7.7%・入社13名)

【テレワーク】制度なし【勤務制度】時差勤務【住宅補助】独身社宅・家族用集合社宅(首都圏3)他地域は借上社宅(全国約800)住宅手当

●ライフイベント、女性活躍●

【女性比率】■男 □女

新卒採用 22.6% (14名)

従業員 7% (114名)

管理職 0.2% (1名)

【産休】[期間]産前6・産後8週間[給与]法定[取得者数]11名

【育休】[期間]1歳になるまで[給与]法定[取得者数]22年度 男7名(対象67名)女6名(対象6名)23年度 男17名(対象55名)女11名(対象11名)[平均取得日数]22年度 男79日 女346日、23年度 男50日 女307日

【従業員】[人数]1,620名(男1,506名、女114名)[平均年齢]42.7歳(男43.2歳、女36.2歳)[平均勤続年数]17.7年(男18.0年、女13.2年)【年齢構成】■男 □女

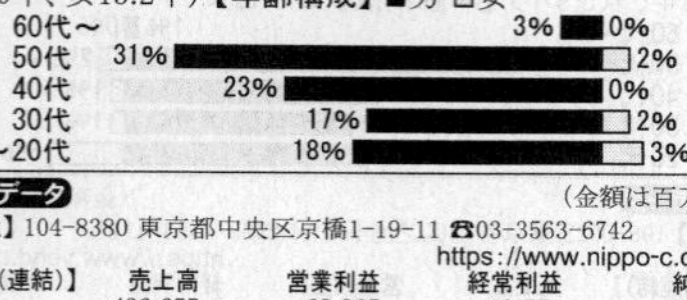
60代〜 3% 0%
50代 31% 2%
40代 23% 0%
30代 17% 2%
〜20代 18% 3%

会社データ (金額は百万円)

【本社】104-8380 東京都中央区京橋1-19-11 ☎03-3563-6742 https://www.nippo-c.co.jp/

【業績(連結)】	売上高	営業利益	経常利益	純利益
22.3	436,655	38,865	40,771	26,451
23.3	437,521	33,202	33,973	21,359
24.3	442,629	35,072	36,410	32,333

建設

前田道路(株)

まえだどうろ

えるぼし ★★

【特色】道路舗装の大手。インフロニアHDの傘下に

記者評価 前身の高野組を前田建設工業が再建支援し68年に現社名に。民間小口の開拓で先行。アスファルト合材製造販売も展開する。都市圏に強み。経営は自主独立志向だったが20年3月に前田建設によるTOBが成立して子会社化。21年10月に共同持株会社体制に移行した。

平均勤続年数	男性育休取得率	3年後離職率	平均年収(平均42歳)
17.1年	16.1 → 36.5%	18.4 → 18.0%	㊙1,013万円

●採用・配属情報●

【男女・文理別採用実績】※25年:24年7月31日時点

	大卒男	大卒女	修士男	修士女
23年	60(文 15 理 45)	6(文 5 理 1)	4(文 0 理 4)	0(文 0 理 0)
24年	57(文 10 理 47)	4(文 1 理 3)	3(文 0 理 3)	1(文 0 理 1)
25年	45(文 11 理 34)	6(文 0 理 6)	3(文 0 理 3)	0(文 0 理 0)

【男女・職種別採用実績】 転換制度:⇔

	総合職	一般職
23年	73(男 67 女 6)	1(男 0 女 1)
24年	67(男 62 女 5)	2(男 1 女 1)
25年	57(男 51 女 6)	0(男 0 女 0)

【職種併願】総合職と地域限定総合職で可能

【24年4月入社者の配属勤務地】㊙(24年)札幌1 仙台1 さいたま1 東京(大崎1 目黒2)横浜1 名古屋1 大阪1 広島1 博多1 ㊕(23年)北海道(旭川1 帯広1 札幌4 苫小牧1 函館1)岩手1 福島・郡山1 茨城5 群馬・館林1 埼玉(さいたま2 朝霞1 三郷1)東京(武蔵野1 大崎2 西多摩1 江東1 足立1 世田谷1 八王子1)千葉(君津1 千葉2 船橋1)神奈川(横浜2 湘南1 川崎1)長野1 三重・四日市1 静岡(浜松1 富士1)名古屋2 大阪2 滋賀1 神戸1 広島(広島1 福山2)岡山・倉敷1 香川・丸亀1 愛媛・西条1 福岡(大野城1 福岡1)

【転勤】あり:[職種]総合職[勤務地]全国 [職種]地域限定総合職[勤務地]北海道支店 東北支店 北関東支店 東京支店 西関東支店 北陸支店 中部支店 関西支店 中国支店 九州支店

【中途比率】[単年度]21年度37%、22年度28%、23年度29%[全体]33%

●働きやすさ、諸制度●

残業(月) 26.6時間 ㊙32.2時間

【勤務時間】8:30～17:00【有休取得年平均】11.1日【週休】完全2日(土日祝)【夏期休暇】連続9日(有休2日、週休4日含む)【年末年始休暇】連続9日(週休2日含む)

【離職率】男:3.5%、71名 女:4.1%、21名(早期退職男4名含む)

【新卒3年後離職率】
[20→23年]18.4%(男15.6%・入社45名、女50.0%・入社4名)
[21→24年]18.0%(男17.5%・入社57名、女25.0%・入社4名)

【テレワーク】制度なし【勤務制度】なし【住宅補助】独身寮(自己負担3,000～9,000円)借上社宅手当(～90,000円)住宅手当(5,000～42,000円)

●ライフイベント、女性活躍●

【女性比率】■男 □女

新卒採用 10.5% (6名)

従業員 20.1% (489名)

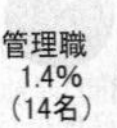

管理職 1.4% (14名)

【産休】[期間]産前6・産後8週間[給与]法定[取得者数]13名

【育休】[期間]1歳になるまで[給与]法定[取得者数]22年度 男9名(対象56名)女13名(対象13名)23年度 男19名(対象52名)女13名(対象13名)[平均取得日数]22年度 男16日 女NA、23年度 男19日 女NA

【従業員】[人数]2,435名(男1,946名、女489名)[平均年齢]42.8歳(男43.0歳、女41.9歳)[平均勤続年数]17.1年(男18.5年、女11.5年)【年齢構成】■男 □女

	男	女
60代～	9%	1%
50代	21%	5%
40代	15%	6%
30代	17%	6%
～20代	17%	3%

会社データ (金額は百万円)

【本社】141-8665 東京都品川区大崎1-11-3 ☎03-5487-0011
https://ssl.maedaroad.co.jp/

【業績(単独)】	売上高	営業利益	経常利益	純利益
22.3	235,600	11,682	12,160	9,698
23.3	248,662	11,485	11,935	9,496
24.3	256,031	16,209	16,608	11,387

日本道路(株)

にっぽんどうろ

【特色】道路舗装大手、清水建設系。建築土木など多角化

記者評価 道路舗装大手の一角。創業1929年の老舗。清水建設系だが社長は歴代生え抜き。高速道路整備を軸に業容拡大。公園のランナー舗装などスポーツ関連も実績豊富。22年に清水建設が追加出資し同社子会社に。清水建設と共同での営業や脱炭素関連の技術開発を推進。

平均勤続年数	男性育休取得率	3年後離職率	平均年収(平均41歳)
◇14.4年	19.5 → 41.0%	14.3 → 30.0%	㊙847万円

●採用・配属情報●

【男女・文理別採用実績】

	大卒男	大卒女	修士男	修士女
23年	20(文 10 理 10)	3(文 2 理 1)	2(文 1 理 1)	0(文 0 理 0)
24年	27(文 12 理 15)	5(文 1 理 4)	2(文 0 理 2)	0(文 0 理 0)
25年	24(文 14 理 10)	5(文 3 理 2)	0(文 0 理 0)	0(文 0 理 0)

【男女・職種別採用実績】 転換制度:⇒

	総合職	一般職
23年	28(男 26 女 2)	2(男 0 女 2)
24年	36(男 31 女 5)	0(男 0 女 0)
25年	29(男 24 女 5)	0(男 0 女 0)

【24年4月入社者の配属勤務地】㊙東京(浜松町7 蒲田1)さいたま1 愛知1 福岡市1 新潟市1 仙台1 ㊕茨城・土浦23

【転勤】あり:全国社員

【中途比率】[単年度]21年度26%、22年度17%、23年度24%[全体]◇36%

●働きやすさ、諸制度●

残業(月) 30.1時間 ㊙27.2時間

【勤務時間】8:30～17:30【有休取得年平均】13.2日【週休】完全2日(土日祝)【夏期休暇】連続4日【年末年始休暇】12月30日～1月3日

【離職率】◇男:6.0%、85名 女:4.9%、15名

【新卒3年後離職率】
[20→23年]14.3%(男15.8%・入社19名、女0%・入社2名)
[21→24年]30.0%(男28.9%・入社38名、女50.0%・入社2名)

【テレワーク】制度あり:[場所]自宅[対象]全社員[日数]原則週2回まで[利用率]NA【勤務制度】なし【住宅補助】借上社宅 独身寮 他は住宅手当(独身者・既婚者)

●ライフイベント、女性活躍●

【女性比率】■男 □女

新卒採用 17.2% (5名)

従業員 18.1% (293名)

管理職 0.7% (3名)

【産休】[期間]産前6・産後8週間[給与]法定[取得者数]6名

【育休】[期間]1歳になるまで[給与]法定[取得者数]22年度 男8名(対象41名)女4名(対象4名)23年度 男16名(対象39名)女8名(対象8名)[平均取得日数]22年度 男27日 女323日、23年度 男30日 女317日

【従業員】◇[人数]1,622名(男1,329名、女293名)[平均年齢]41.4歳(男41.1歳、女42.8歳)[平均勤続年数]14.4年(男15.0年、女12.0年)

【年齢構成】■男 □女

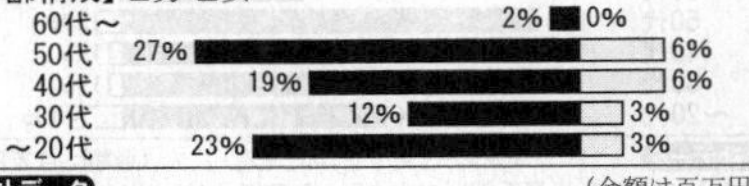

	男	女
60代～	2%	0%
50代	27%	6%
40代	19%	6%
30代	12%	3%
～20代	23%	3%

会社データ (金額は百万円)

【本社】105-0023 東京都港区芝浦1-2-3 シーバンスS館7階 ☎03-4477-4041
https://www.nipponroad.co.jp/

【業績(連結)】	売上高	営業利益	経常利益	純利益
22.3	156,379	8,202	8,582	5,667
23.3	155,353	5,695	5,920	5,704
24.3	160,519	7,833	7,994	5,053

建設

38 開示 ★★★ [専門] 採用あり

とうあどうろこうぎょう
東亜道路工業(株)

【特色】独立系道路舗装大手。アスファルト乳剤で最大手

[記者評価] 道路舗装業界内でも合材・乳剤など舗装材製造部門に強みを持ち、アスファルト乳剤で高シェア。日本サッカー協会とグラウンド舗装などでパートナー契約。太陽光発電舗装に注力するなど環境対応も強化。2020年に経団連入会と、独立系としての矜持打ち出す。

平均勤続年数	男性育休取得率	3年後離職率	平均年収(平均44歳)
19.3年	NA	15.0→26.2%	[総]809万円

●採用・配属情報●

【男女・文理別採用実績】

	大卒男	大卒女	修士男	修士女
23年	28(文 18 理 10)	6(文 4 理 2)	1(文 0 理 1)	0(文 0 理 0)
24年	24(文 9 理 15)	7(文 6 理 1)	1(文 0 理 1)	3(文 1 理 2)
25年	16(文 9 理 7)	3(文 3 理 0)	1(文 0 理 1)	0(文 0 理 0)

【男女・職種別採用実績】 転換制度:⇔

	総合職	エリア職
23年	31(男 27 女 4)	5(男 3 女 2)
24年	29(男 20 女 9)	6(男 5 女 1)
25年	17(男 15 女 2)	3(男 2 女 1)

【24年4月入社者の配属勤務地】[総]東北3 関東6 中部2 九州2 [技]北海道2 東北3 関東8 関西2 中部4 中四国2 九州1

【転勤】あり:全社員(一般職を除く)

【中途比率】[単年度]21年度NA、22年度10%、23年度29%[全体]NA

●働きやすさ、諸制度●

残業(月) 25.0時間

【勤務時間】8:30〜17:30【有休取得年平均】11.0日【週休】4週8休【夏期休暇】連続4日【年末年始休暇】連続5日

【離職率】男:5.6%、60名 女:5.4%、5名

【新卒3年後離職率】
[20→23年]15.0%(男16.7%・入社18名、女0%・入社2名)
[21→24年]26.2%(男27.0%・入社37名、女20.0%・入社5名)

【テレワーク】制度なし【勤務制度】時差勤務【住宅補助】寮 借上社宅 住宅手当

●ライフイベント、女性活躍●

【女性比率】■男 □女

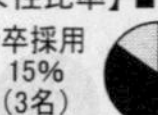

新卒採用 15% (3名)

従業員 8% (87名)

管理職 0.5% (2名)

【産休】[期間]産前6・産後8週間[給与]会社7割給付[取得者数]3名

【育休】[期間]1歳半になるまで[給与]法定[取得者数]22年度 男3名(対象NA)女1名(対象NA)23年度 男2名(対象NA)女2名(対象NA)[平均取得日数]22年度 NA、23年度 男25日 女199日

【従業員】[人数]1,093名(男1,006名、女87名)[平均年齢]44.0歳(男NA、女NA)[平均勤続年数]19.3年(男NA、女NA)

【年齢構成】■男 □女

	男	女
60代〜	13%	0%
50代	30%	2%
40代	16%	1%
30代	14%	1%
〜20代	19%	4%

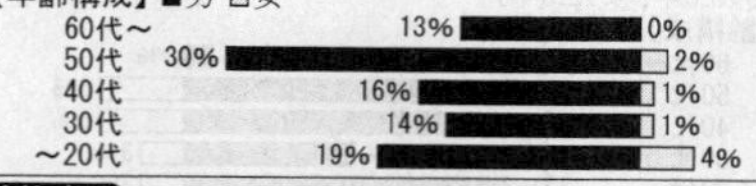

[会社データ] (金額は百万円)

【本社】106-0032 東京都港区六本木7-3-7 ☎03-3405-1811
https://www.toadoro.co.jp/

【業績(連結)】	売上高	営業利益	経常利益	純利益
22.3	112,118	5,516	5,590	3,714
23.3	118,721	4,736	4,957	3,160
24.3	118,060	5,473	5,707	3,793

41 開示 ★★★★ [専門] 採用あり

たいせい
大成ロテック(株)

【特色】大成建設の完全子会社で、道路舗装大手の一角

[記者評価] 大成建設グループの道路舗装会社。土木、建築工事も手がける。建設資材リサイクル、再エネに熱心。海外は中国、ベトナムでも実績多い。京大の経営管理大学院に出光興産などと「インフラ物性産学共同講座」を開設。25年度から大卒初任給を2万円増額予定。

平均勤続年数	男性育休取得率	3年後離職率	平均年収(平均42歳)
17.0年	92.3→95.0%	10.8→13.2%	[総]873万円

●採用・配属情報●

【男女・文理別採用実績】

	大卒男	大卒女	修士男	修士女
23年	26(文 18 理 8)	11(文 8 理 3)	1(文 0 理 1)	0(文 0 理 0)
24年	20(文 12 理 8)	13(文 6 理 7)	1(文 0 理 1)	1(文 0 理 1)
25年	35(文 15 理 20)	5(文 4 理 1)	0(文 0 理 0)	0(文 0 理 0)

【男女・職種別採用実績】 転換制度:⇔

	総合職	総合職(エリア)	一般職
23年	36(男 28 女 8)	0(男 0 女 0)	3(男 0 女 3)
24年	32(男 18 女 14)	4(男 4 女 0)	0(男 0 女 0)
25年	40(男 35 女 5)	0(男 0 女 0)	0(男 0 女 0)

【24年4月入社者の配属勤務地】[総]福島・須賀川1 千葉・船橋1 埼玉・川越1 東京・江東1 浜松1 京都・福知山1 熊本・菊池1 [技]千葉(成田5 柏1)埼玉(さいたま3 鴻巣2)東京・江東5 愛知(名古屋5 小牧1)大阪市5 山口・防府1 福岡・糟屋1

【転勤】あり:[職種]総合職 総合職エリア 専門職[勤務地]全国※総合職エリア社員は勤務エリアのみ

【中途比率】[単年度]21年度41%、22年度28%、23年度43%[全体]29%

●働きやすさ、諸制度●

残業(月) 35.8時間 [総]41.5時間

【勤務時間】〈3パターンから選択〉8:00〜17:00/8:30〜17:30/9:00〜18:00【有休取得年平均】10.0日【週休】完全2日(土日祝)【夏期休暇】週休5日+特別休4日+計画休1日【年末年始休暇】週休5日+特別休4日+計画休1日

【離職率】男:4.5%、47名 女:1.0%、2名

【新卒3年後離職率】
[20→23年]10.8%(男7.1%・入社28名、女22.2%・入社9名)
[21→24年]13.2%(男19.2%・入社26名、女0%・入社12名)

【テレワーク】制度なし【勤務制度】時間単位有休 時差勤務【住宅補助】独身寮(水道光熱費込 自己負担4,000円)社有社宅(自己負担13,000〜19,000円)借上社宅(家賃補助50,000〜100,000円)持ち家等(地域手当6,000〜45,000円)

●ライフイベント、女性活躍●

【女性比率】■男 □女

新卒採用 12.5% (5名)

従業員 16.5% (200名)

管理職 1.2% (4名)

【産休】[期間]産前6・産後8週間[給与]法定+5日間有給、配偶者の出産前後1週間の内2日間有給付与[取得者数]1名

【育休】[期間]1歳になるまで[給与]法定+5日間有給、それ以降は法定[取得者数]22年度 男24名(対象26名)女2名(対象1名)23年度 男19名(対象20名)女1名(対象1名)[平均取得日数]22年度 男5日 女218日、23年度 男6日 女309日

【従業員】[人数]1,209名(男1,009名、女200名)[平均年齢]43.0歳(男42.9歳、女43.5歳)[平均勤続年数]17.0年(男17.5年、女14.8年)【年齢構成】■男 □女

	男	女
60代〜	1%	1%
50代	33%	4%
40代	18%	5%
30代	11%	3%
〜20代	21%	3%

[会社データ] (金額は百万円)

【本社】160-6112 東京都新宿区西新宿8-17-1 住友不動産新宿グランドタワー ☎03-5925-9431 https://www.taiseirotec.co.jp/

【業績(単独)】	売上高	営業利益	経常利益	純利益
22.3	117,324	2,962	3,120	1,999
23.3	112,360	677	818	467
24.3	115,987	3,994	4,175	2,429

大林道路(株)
おおばやしどうろ

【特色】大林組の完全子会社。道路、土木工事が事業柱

[記者評価] 1933年創業の道路工事大手。大林グループ舗装専業の東洋舗装が前身。得意の道路舗装(空港の滑走路含む)と土木工事を両輪に建築、太陽光発電など再エネ関連へと業容拡大。スポーツ施設整備や景観工事にも取り組む。条件を満たせば月2回の帰省旅費を支給。

平均勤続年数	男性育休取得率	3年後離職率	平均年収(平均43歳)
◇18.1年	32.0→37.5%	12.1→22.6%	[総]842万円

●採用・配属情報●

【男女・文理別採用実績】

	大卒男	大卒女	修士男	修士女
23年	30(文 9理 21)	5(文 4理 1)	2(文 0理 2)	0(文 0理 0)
24年	28(文 10理 18)	8(文 4理 4)	1(文 0理 1)	1(文 0理 1)
25年	31(文 15理 16)	10(文 6理 4)	2(文 0理 2)	0(文 0理 0)

【男女・職種別採用実績】 転換制度:⇔

	総合職(技術系)	総合職(事務系)
23年	36(男 32 女 4)	6(男 5 女 1)
24年	36(男 29 女 7)	7(男 5 女 2)
25年	35(男 30 女 5)	12(男 6 女 6)

【24年4月入社者の配属勤務地】[総]東京3 宮城1 大阪1 広島1 福岡1 [技]埼玉7 神奈川3 静岡3 兵庫3 愛知2 岐阜2 宮城2 山口2 滋賀2 大阪2 福島2 茨城1 群馬1 香川1 千葉1 東京1 栃木1

【転勤】あり:[職種]全国勤務コース

【中途比率】[単年度]21年度15%、22年度8%、23年度18% [全体]◇33%

●働きやすさ、諸制度●

残業(月) 27.1時間 [総]27.1時間

【勤務時間】8:30〜17:30【有休取得年平均】12.4日【週休】完全2日【夏期休暇】連続9日(土日祝、特別休暇含む)【年末年始休暇】連続9日(土日祝、特別休暇含む)

【離職率】◇男:4.1%、47名 女:5.4%、11名

【新卒3年後離職率】
[20→23年]12.1%(男13.8%・入社29名、女0%・入社4名)
[21→24年]22.6%(男20.0%・入社25名、女33.3%・入社6名)

【テレワーク】制度なし【勤務制度】時間単位有休【住宅補助】単身寮 借上社宅 住宅手当

●ライフイベント、女性活躍●

【女性比率】■男 □女

新卒採用 23.4% (11名) 
従業員 14.9% (191名) 
管理職 1.9% (8名) 

【産休】[期間]産前6・産後8週間[給与]法定[取得者数]7名

【育休】[期間]2歳になるまで[給与]法定[取得者数]22年度 男8名(対象25名)女6名(対象6名)23年度 男9名(対象24名)女3名(対象3名)[平均取得日数]22年度 男26日 女605日、23年度 男6日 女506日

【従業員】◇[人数]1,286名(男1,095名、女191名)[平均年齢]44.7歳(男44.8歳、女43.7歳)[平均勤続年数]18.1年(男19.0年、女13.3年)

【年齢構成】■男 □女

	男	女
60代〜	10%	1%
50代	29%	5%
40代	15%	4%
30代	12%	2%
〜20代	18%	3%

会社データ (金額は百万円)

【本社】101-8228 東京都千代田区神田猿楽町2-8-8 住友不動産猿楽町ビル ☎03-3295-8860 https://www.obayashi-road.co.jp/

【業績(単独)】	売上高	営業利益	経常利益	純利益
22.3	106,708	4,825	4,917	4,822
23.3	98,471	2,233	2,324	2,147
24.3	102,677	4,364	4,445	4,130

世紀東急工業(株)
せいきとうきゅうこうぎょう

【特色】道路舗装大手の一角。東急系。景観など技術多彩

[記者評価] 1982年に世紀建設が東急道路と合併し誕生。東日本が地盤。道路舗装が事業の柱で、高速道路や空港向けの舗装に実績。道路舗装に使用するアスファルト合材の製造販売も手がける。景観舗装やスポーツ施設建設など事業領域の拡大にも力を入れる。

平均勤続年数	男性育休取得率	3年後離職率	平均年収(平均38歳)
◇13.6年	14.3→55.6%	[!]16.7→[!]19.5%	[総]840万円

●採用・配属情報●

【男女・文理別採用実績】※25年:計画数

	大卒男	大卒女	修士男	修士女
23年	11(文 3理 8)	2(文 2理 0)	1(文 0理 1)	0(文 0理 0)
24年	11(文 3理 8)	6(文 0理 6)	2(文 0理 2)	1(文 0理 1)
25年	21(文 2理 19)	9(文 3理 6)	1(文 0理 1)	1(文 0理 1)

【男女・職種別採用実績】 転換制度:⇒

	総合職	業務職(一般職)
23年	15(男 13 女 2)	0(男 0 女 0)
24年	24(男 17 女 7)	0(男 0 女 0)
25年	31(男 22 女 9)	1(男 0 女 1)

【職種併願】総合職と一般職で可能

【24年4月入社者の配属勤務地】[総]福岡1 [技]北海道1 青森1 岩手1 富山1 埼玉3 千葉2 東京3 神奈川3 愛知1 三重3 大阪1 山口1 福岡1 熊本1

【転勤】あり:[職種]総合職[勤務地]本社 支店 営業所 混合所 機材センター 技術研究所 試験所

【中途比率】[単年度]21年度16%、22年度24%、23年度28%(現業を含む、総合職のみ)[全体]◇35%

●働きやすさ、諸制度●

残業(月) 12.4時間 [総]33.4時間

【勤務時間】本社・支店9:00〜18:00【有休取得年平均】14.0日【週休】完全2日(土日祝)【夏期休暇】連続9日(休暇付与1日、土日祝5日、有休推奨3日)【年末年始休暇】連続9日(休暇付与2日、土日祝5日、有休推奨2日)12月28日〜1月5日

【離職率】◇男:3.5%、31名 女:2.6%、4名

【新卒3年後離職率】
[20→23年]16.7%(男18.8%・入社16名、女0%・入社2名)※現業含む
[21→24年]19.5%(男25.0%・入社32名、女0%・入社9名)※現業含む

【テレワーク】制度あり:[場所]自宅[対象]全従業員[日数]制限なし[利用率]NA【勤務制度】時差勤務【住宅補助】社員寮(独身者・単身赴任者 5,000円)借上社宅(世帯者のみ、家賃の6割を会社負担(上限額あり))住宅手当(寮・借上社宅入居者以外の家賃・ローン支払いのある独身者・世帯者24,000〜49,000円)一般職は一部異なる

●ライフイベント、女性活躍●

【女性比率】■男 □女

新卒採用 31.3% (10名) 
従業員 15% (149名) 
管理職 1.7% (4名) 

【産休】[期間]産前6・産後8週間[給与]法定[取得者数]2名

【育休】[期間]1歳になるまで[給与]法定[取得者数]22年度 男6名(対象42名)女7名(対象7名)23年度 男15名(対象27名)女2名(対象2名)[平均取得日数]22年度 男24日 女287日、23年度 男33日 女351日

【従業員】◇[人数]995名(男846名、女149名)[平均年齢]40.1歳(男41.1歳、女37.1歳)[平均勤続年数]13.6年(男15.1年、女7.1年)【年齢構成】■男 □女

	男	女
60代〜	2%	0%
50代	26%	3%
40代	17%	3%
30代	16%	3%
〜20代	23%	6%

会社データ (金額は百万円)

【本社】105-8509 東京都港区芝公園2-9-3 ☎03-6770-4014 https://www.seikitokyu.co.jp/

【業績(連結)】	売上高	営業利益	経常利益	純利益
22.3	85,132	4,418	4,358	3,304
23.3	92,414	2,669	2,647	1,127
24.3	88,037	4,091	4,078	2,740

建設

日揮ホールディングス(株)

にっき

くるみん

【特色】国内首位、世界屈指の総合エンジニアリング企業

記者評価 独立系のプラントエンジニアリング企業。大規模プラント設計・資材調達・建設(EPC)を一括請負。高い技術を要するLNG(液化天然ガス)プラント建設でも実績。イラク製油所設備、サウジ油ガス処理プラントなどが牽引。24年7月にベースアップを実施。

平均勤続年数	男性育休取得率	3年後離職率	平均年収(平均43歳)
14.6年	61.6→61.3%	11.7→5.1%	総 ! 1,162万円

採用・配属情報

【男女・文理別採用実績】

	大卒男	大卒女	修士男	修士女
23年	22(文 12 理 10)	13(文 9 理 4)	73(文 0 理 73)	13(文 0 理 13)
24年	20(文 8 理 12)	12(文 8 理 4)	93(文 0 理 93)	21(文 0 理 21)
25年	20(文 14 理 6)	10(文 8 理 2)	86(文 0 理 86)	17(文 0 理 17)

※日揮ホールディングス(株)、日揮グローバル(株)、日揮(株)合同採用

【男女・職種別採用実績】 転換制度:⇔

	総合職	準総合職
23年	124(男 97 女 27)	0(男 0 女 0)
24年	148(男 117 女 31)	5(男 0 女 5)
25年	138(男 106 女 32)	0(男 0 女 0)

【職種併願】技術系以外の職種で可能
【24年4月入社者の配属勤務地】総横浜13 技横浜135
【転勤】あり:[職種]メンテナンス職[勤務地]全国
【中途比率】[単年度]21年度37%、22年度50%、23年度52%[全体]NA

働きやすさ、諸制度

残業(月) 27.0時間

【平均年収(総合職)】(3社)1,162万円【勤務時間】標準9:00～18:00【有休取得年平均】14.8日【週休】完全2日(土日祝)【夏期休暇】有休で取得【年末年始休暇】12月30日～1月4日
【離職率】男:4.7%、134名 女:2.9%、15名
【新卒3年後離職率】
[20→23年]11.7%(男12.9%・入社101名、女5.3%・入社19名)
[21→24年]5.1%(男4.9%・入社122名、女7.1%・入社14名)
【テレワーク】制度あり:[場所]自宅[対象]必ずしも集う必要がない業務や場所の制約を受けない業務[日数]各部 各プロジェクトにて設定[利用率]NA【勤務制度】フレックス【住宅補助】独身寮2棟(横浜市内)住宅補助金

ライフイベント、女性活躍

【女性比率】■男 □女

新卒採用 23.2% (32名)

従業員 15.4% (497名)

【産休】[期間]産前6・産後8週間[給与]会社全額給付[取得者数]10名
【育休】[期間]2歳になるまで[給与]法定[取得者数]22年度 男61名(対象99名)女15名(対象15名)23年度 男57名(対象93名)女16名(対象16名)[平均取得日数]22年度 男87日 女452日、23年度 男81日 女406日
【従業員】[人数]3,237名(男2,740名、女497名)[平均年齢]43.1歳(男43.4歳、女41.1歳)[平均勤続年数]14.6年(男14.9年、女13.2年)
【年齢構成】NA

会社データ

(金額は百万円)

【本社】220-6001 神奈川県横浜市西区みなとみらい2-3-1 ☎045-682-1111 https://www.jgc.com/

【業績(連結)】	売上高	営業利益	経常利益	純利益
22.3	428,401	20,688	30,028	▲35,551
23.3	606,890	36,699	50,560	30,665
24.3	832,595	▲18,995	358	▲7,830

ＪＦＥエンジニアリング(株)

ジェイエフイー

くるみん

【特色】JFEグループ系列の総合エンジニアリング会社

記者評価 旧NKKと旧川崎製鉄のエンジ部門統合で発足。鉄鋼、造船関連が源流。現在は都市整備やエネ関連を核に各種プラント、水処理施設の比重大。バイオマス発電、太陽光発電など再エネ注力。途上国インフラ建設も積極的。独身寮は本社まで30分の通勤圏内に4棟完備。

平均勤続年数	男性育休取得率	3年後離職率	平均年収(平均43歳)
15.8年	48.9→57.7%	13.9→4.0%	総 1,040万円

採用・配属情報

【男女・文理別採用実績】

	大卒男	大卒女	修士男	修士女
23年	18(文 10 理 8)	9(文 8 理 1)	43(文 0 理 43)	11(文 1 理 10)
24年	19(文 8 理 11)	13(文 10 理 3)	44(文 1 理 43)	7(文 1 理 6)
25年	33(文 19 理 14)	13(文 10 理 3)	57(文 0 理 57)	6(文 0 理 6)

【男女・職種別採用実績】

	総合職
23年	81(男 61 女 20)
24年	85(男 65 女 20)
25年	111(男 92 女 19)

【24年4月入社者の配属勤務地】総横浜・鶴見20 東京1 三重1 技横浜・鶴見61 東京1 三重1
【転勤】あり:[職種]総合職
【中途比率】[単年度]21年度49%、22年度45%、23年度45%[全体]35%

働きやすさ、諸制度

残業(月) 26.4時間 総 26.4時間

【勤務時間】8:00～16:45【有休取得年平均】19.4日【週休】完全2日(土日祝)【夏期休暇】連続5日取得を奨励【年末年始休暇】連続6日
【離職率】男:2.8%、88名 女:2.8%、16名(早期退職7名含む)
【新卒3年後離職率】
[20→23年]13.9%(男12.9%・入社62名、女20.0%・入社10名)
[21→24年]4.0%(男3.2%・入社62名、女7.7%・入社13名)
【テレワーク】制度あり:[場所]自宅 提携シェアオフィス[対象]オフィス勤務者[日数]制限なし[利用率]48.3%【勤務制度】フレックス 時間単位有休【住宅補助】独身寮 借上寮・借上社宅 住宅財形貯蓄 住宅融資

ライフイベント、女性活躍

【女性比率】■男 □女

新卒採用 17.1% (19名)

従業員 15.1% (552名)

管理職 6.9% (152名)

【産休】[期間]産前6・産後8週間[給与]法定[取得者数]8名
【育休】[期間]2歳になるまで[給与]法定[取得者数]22年度 男67名(対象137名)女20名(対象20名)23年度 男64名(対象111名)女11名(対象11名)[平均取得日数]22年度 男43日 女356日、23年度 男74日 女430日
【従業員】[人数]3,646名(男3,094名、女552名)[平均年齢]44.8歳(男45.0歳、女43.3歳)[平均勤続年数]15.8年(男15.8年、女15.4年)
【年齢構成】■男 □女

	男	女
60代～	8%	1%
50代	25%	4%
40代	20%	4%
30代	22%	3%
～20代	10%	3%

会社データ

(金額は百万円)

【本社】100-0011 東京都千代田区内幸町2-2-3 日比谷国際ビル ☎03-3539-7250 https://www.jfe-eng.co.jp/

【業績(IFRS)】	売上高	営業利益	税前利益	純利益
22.3	508,215	NA	26,005	NA
23.3	512,500	NA	13,481	NA
24.3	539,975	NA	24,383	NA

462 **開示 ★★★**

ちよだかこうけんせつ
千代田化工建設(株)

くるみん

【特色】総合エンジ国内2位。三菱商事が経営支援

記者評価 プラントエンジニアリング国内2位でLNGプラントに強み。米LNGプラントでの損失で一時債務超過に陥ったが三菱商事が筆頭株主となり経営支援。研究開発してきた水素関連技術を生かした事業展開を目指す。ライフサイエンスなどを育成。蓄電関連で実績重ねる。

平均勤続年数	男性育休取得率	3年後離職率	平均年収(平均41歳)
13.2年	75.0 → 65.2%	8.3 → 9.1%	㊍1,025万円

●採用・配属情報●

【男女・文理別採用実績】

	大卒男	大卒女	修士男	修士女
23年	12(文 6理 6)	4(文 4理 0)	29(文 1理 28)	6(文 0理 6)
24年	15(文 2理 13)	12(文 5理 7)	13(文 0理 13)	4(文 1理 3)
25年	9(文 6理 3)	6(文 4理 2)	38(文 0理 38)	4(文 0理 4)

【男女・職種別採用実績】 転換制度:⇒

	総合職	専任職
23年	55(男 44 女 11)	0(男 0 女 0)
24年	46(男 30 女 16)	0(男 0 女 0)
25年	59(男 48 女 11)	0(男 0 女 0)

【24年4月入社者の配属勤務地】㊍横浜9 ㊕横浜37
【転勤】あり:[職種]総合職
【中途比率】[単年度]21年度64%、22年度70%、23年度52%[全体]31%

●働きやすさ、諸制度●

残業(月) 38.2時間 ㊍39.1時間

【勤務時間】8:00～16:36(フレックスタイム制 コアタイム10:00～15:00)【有休取得年平均】14.3日【週休】完全2日(土日祝)【夏期休暇】なし【年末年始休暇】12月29日～1月3日
【離職率】男:4.6%、65名 女:6.6%、19名
【新卒3年後離職率】
[20→23年]8.3%(男12.0%・入社25名、女0%・入社11名)
[21→24年]9.1%(男11.5%・入社26名、女0%・入社7名)
【テレワーク】制度あり:[場所]自宅[対象]本社勤務[日数]所属ごとのルールにより実施[利用率]23.9%【勤務制度】フレックス 時間単位有休 時差勤務【住宅補助】家賃補助(独身者および既婚者向け 総合職のみ 独身者向けは専任職も)独身寮(横浜市保土ヶ谷区、都筑区)

●ライフイベント、女性活躍●

【女性比率】■男 □女

新卒採用 18.6% (11名)

従業員 16.5% (267名)

【産休】[期間]産前6・産後8週間[給与]法定[取得者数]8名
【育休】[期間]1歳になるまで[給与]法定[取得者数]22年度 男54名(対象72名)女13名(対象14名)23年度 男45名(対象69名)女12名(対象10名)[平均取得日数]22年度 男43日 女NA、23年度 NA
【従業員】[人数]1,622名(男1,355名、女267名)[平均年齢]41.6歳(男42.2歳、女38.7歳)[平均勤続年数]13.2年(男14.0年、女9.4年)
【年齢構成】■男 □女

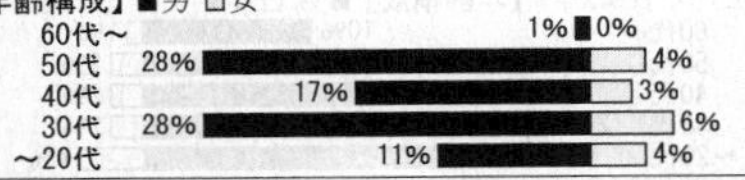

会社データ (金額は百万円)

【本社】220-8765 神奈川県横浜市西区みなとみらい4-6-2 みなとみらいグランドCタワー ☎045-225-7738 https://www.chiyodacorp.com/

【業績(連結)】	売上高	営業利益	経常利益	純利益
22.3	311,115	10,545	11,431	▲12,629
23.3	430,163	18,116	20,322	15,187
24.3	505,981	▲15,006	▲5,461	▲15,831

2191 **開示 ★★★**

にってつ
日鉄エンジニアリング(株)

えるぼし★★ くるみん

【特色】日本製鉄のエンジニアリング部門。海外開発強化

記者評価 日本製鉄の完全子会社で、グループのエンジ部門担う。環境・エネルギー、都市インフラ、製鉄プラントを戦略セクターに設定。バイオマスエタノール、大規模沖合養殖システムにも取り組む。フィリピン、ベトナムなどに支店。AIやIoT活用し次世代技術の実用化推進。

平均勤続年数	男性育休取得率	3年後離職率	平均年収(平均43歳)
17.0年	53.1 → 50.0%	6.5 → 3.6%	㊍1,167万円

●採用・配属情報●

【男女・文理別採用実績】

	大卒男	大卒女	修士男	修士女
23年	4(文 4理 0)	7(文 7理 0)	33(文 0理 33)	1(文 0理 1)
24年	7(文 3理 4)	9(文 9理 0)	36(文 4理 32)	4(文 0理 4)
25年	3(文 2理 1)	15(文 15理 0)	38(文 0理 38)	9(文 1理 8)

【男女・職種別採用実績】 転換制度:⇔

	グローバルスタッフ	エキスパートスタッフ
23年	46(男 38 女 8)	4(男 0 女 4)
24年	53(男 44 女 9)	6(男 0 女 6)
25年	63(男 46 女 17)	8(男 0 女 8)

【職種併願】○
【24年4月入社者の配属勤務地】㊍東京・大崎8 北九州1 ㊕東京・大崎20 北九州24
【転勤】あり:[職種]グローバルスタッフ
【中途比率】[単年度]21年度NA、22年度NA、23年度NA[全体]30%

●働きやすさ、諸制度●

残業(月) 24.1時間 ㊍26.1時間

【勤務時間】9:00～17:20【有休取得年平均】17.2日【週休】完全2日(土日祝)【夏期休暇】連続5日奨励(有休で取得)【年末年始休暇】12月29日～1月3日+有休取得奨励
【離職率】男:1.9%、24名 女:3.0%、7名
【新卒3年後離職率】
[20→23年]6.5%(男2.9%・入社35名、女18.2%・入社11名)
[21→24年]3.6%(男2.2%・入社45名、女9.1%・入社11名)
【テレワーク】制度あり:[場所]自宅 実家 サテライトオフィス他[対象]全社員[日数]1カ月の所定労働日のうち6割以上出社[利用率]13.5%【勤務制度】フレックス 時間単位有休 副業容認【住宅補助】社宅(会社負担140,000円、45歳まで)独身寮(自己負担13,000円、35歳まで)

●ライフイベント、女性活躍●

【女性比率】■男 □女

新卒採用 35.2% (25名)

従業員 15.4% (224名)

管理職 1.5% (8名)

【産休】[期間]産前6・産後8週間[給与]法定[取得者数]13名
【育休】[期間]1歳半になるまで[給与]開始10日間有給、以降給付金[取得者数]22年度 男34名(対象64名)女14名(対象15名)23年度 男23名(対象46名)女13名(対象13名)[平均取得日数]22年度 NA、23年度 男38日 女414日
【従業員】[人数]1,453名(男1,229名、女224名)[平均年齢]43.3歳(男441.0歳、女38.9歳)[平均勤続年数]17.0年(男17.5年、女13.9年)
【年齢構成】■男 □女

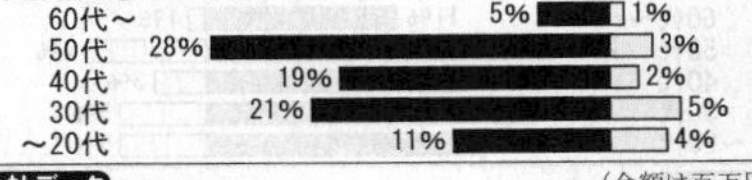

会社データ (金額は百万円)

【本社】141-8604 東京都品川区大崎1-5-1 大崎センタービル ☎03-6665-2000 https://www.eng.nipponsteel.com/

【業績(IFRS)】	売上高	営業利益	税前利益	純利益
22.3	279,260	NA	6,302	NA
23.3	352,231	NA	11,674	NA
24.3	409,233	NA	▲1,340	NA

建設

とうよう
東洋エンジニアリング(株)

えるぼし ★★

【特色】三井化学の工務部門が発祥。肥料プラントに強み

記者評価 総合エンジニアリング国内3位。三井物産の関連会社。肥料系プラントの実績は世界有数。再エネ関連設備がコア事業。燃料アンモニア関連事業に意欲。次世代航空燃料プラントで日揮と協業も。インドで国営電力公社とe-メタノール製造の事業性検証を進める。

平均勤続年数	男性育休取得率	3年後離職率	平均年収(平均40歳)
15.9年	43.8 → 38.2%	15.6 → 7.1%	総 1,032万円

●採用・配属情報●

【男女・文理別採用実績】

	大卒男	大卒女	修士男	修士女
23年	5(文 4理 1)	6(文 6理 0)	38(文 2理 36)	4(文 0理 4)
24年	5(文 3理 2)	11(文 10理 1)	32(文 0理 32)	7(文 0理 7)
25年	5(文 3理 2)	8(文 7理 1)	41(文 0理 41)	5(文 1理 4)

【男女・職種別採用実績】 転換制度:⇒

	総合職	一般職
23年	52(男 43 女 9)	5(男 2 女 3)
24年	52(男 37 女 15)	5(男 2 女 3)
25年	58(男 48 女 10)	3(男 0 女 3)

【職種併願】○

【24年4月入社者の配属勤務地】総千葉・習志野10 技千葉・習志野42

【転勤】なし

【中途比率】[単年度]21年度48%、22年度40%、23年度33%[全体]20%

●働きやすさ、諸制度●

残業(月) 12.6時間 総19.8時間

【勤務時間】9:00～17:30(フレックスタイム制 コアタイム10:00～15:00)【有休取得年平均】12.5日【週休】完全2日(土日祝)【夏期休暇】5日(有休利用、連続取得奨励)【年末年始休暇】連続6日

【離職率】男:7.5%、63名 女:4.6%、9名

【新卒3年後離職率】

[20→23年]15.6%(男18.4%・入社38名、女0%・入社7名)

[21→24年]7.1%(男5.9%・入社34名、女12.5%・入社8名)

【テレワーク】制度あり:[場所]自宅もしくはその他自宅に代替する場所 他[対象]本社勤務の従業員のみ(見習・試用・臨時雇用者は原則対象外)[日数]制限なし[利用率]26.2%【勤務制度】フレックス 副業容認【住宅補助】独身寮(自己負担10,000円 30歳まで)借上社宅(既婚者 自己負担9,350円 年俸制は除く)住宅補給金(自己負担6,000～53,000円 年俸制は除く)

●ライフイベント、女性活躍●

【女性比率】■男 □女

新卒採用 21.3% (13名)

従業員 19.4% (188名)

管理職 6.1% (26名)

【産休】[期間]産前6・産後8週間[給与]会社全額給付[取得者数]9名

【育休】[期間]1歳半になるまで[給与]法定[取得者数]22年度 男14名(対象32名)女5名(対象5名)23年度 男13名(対象34名)女7名(対象7名)[平均取得日数]22年度 男60日 女467日、23年度 男164日 女315日

【従業員】[人数]968名(男780名、女188名)[平均年齢]43.1歳(男43.6歳、女41.1歳)[平均勤続年数]15.9年(男16.0年、女15.2年)【年齢構成】■男 □女

	男	女
60代～	11%	1%
50代	20%	7%
40代	15%	3%
30代	19%	5%
～20代	16%	5%

会社データ (金額は百万円)

【本社】275-0024 千葉県習志野市茜浜2-8-1 ☎047-454-1519 https://www.toyo-eng.com/jp/ja/

【業績(連結)】	売上高	営業利益	経常利益	純利益
22.3	202,986	2,963	3,126	1,620
23.3	192,908	4,764	3,888	1,647
24.3	260,825	6,712	6,995	9,821

レイズネクスト(株)

【特色】製油所などのプラントメンテ大手。定修が利益柱

記者評価 新興プランテックとJXエンジが19年統合し現体制。製油所や石化プラントなどの客先に常駐し保全、修理からプラントの改修、エンジニアリングまで担う。DX活用で熟練工の技術共有化。ENEOS向けが売上の約4割を占める。グリーンアンモニアなど脱炭素化に取り込む。

平均勤続年数	男性育休取得率	3年後離職率	平均年収(平均42歳)
15.6年	64.4 → 80.6%	8.3 → 9.1%	総 803万円

●採用・配属情報●

【男女・文理別採用実績】

	大卒男	大卒女	修士男	修士女
23年	30(文 5理 25)	9(文 6理 3)	9(文 0理 9)	3(文 1理 2)
24年	20(文 5理 15)	14(文 8理 6)	3(文 0理 3)	2(文 0理 2)
25年	29(文 7理 22)	6(文 4理 2)	6(文 0理 6)	0(文 0理 0)

※25年:24年8月上旬時点

【男女・職種別採用実績】

	総合職
23年	54(男 41 女 13)
24年	46(男 30 女 16)
25年	45(男 38 女 7)

【24年4月入社者の配属勤務地】総横浜13 技神奈川(横浜17 川崎4)仙台1 千葉2 鹿島2 岡山2 名古屋1 和歌山1 山口(徳山1 岩国1)大阪1

【転勤】あり:全社員

【中途比率】[単年度]21年度NA、22年度NA、23年度NA[全体]NA

●働きやすさ、諸制度●

残業(月) 総15.4時間

【勤務時間】9:00～17:50【有休取得年平均】18.1日【週休】完全2日(土日祝)【夏期休暇】5日程度(有休利用)【年末年始休暇】12月29日～1月3日

【離職率】男:2.6%、39名 女:2.2%、4名

【新卒3年後離職率】

[20→23年]8.3%(男7.3%・入社41名、女14.3%・入社7名)

[21→24年]9.1%(男9.5%・入社42名、女7.7%・入社13名)

【テレワーク】制度あり:[場所]自宅または通勤圏内で勤務に集中できる環境が整えられており情報セキュリティを保つことができる場所[対象]全社員[日数]少なくとも1週あたり1日は出社[利用率]NA【勤務制度】フレックス【住宅補助】独身寮(7,000円)家賃補助(47,000～93,000円)住宅手当(20,000～25,000円)

●ライフイベント、女性活躍●

【女性比率】■男 □女

新卒採用 15.6% (7名)

従業員 10.6% (174名)

【産休】[期間]産前6・産後8週間[給与]法定[取得者数]6名

【育休】[期間]2歳になるまで[給与]法定[取得者数]22年度 男29名(対象45名)女5名(対象5名)23年度 男50名(対象62名)女6名(対象6名)[平均取得日数]22年度 NA、23年度 NA

【従業員】[人数]1,641名(男1,467名、女174名)[平均年齢]42.0歳(男42.0歳、女38.0歳)[平均勤続年数]15.6年(男16.3年、女9.2年)【年齢構成】■男 □女

	男	女
60代～	10%	1%
50代	23%	2%
40代	13%	2%
30代	24%	2%
～20代	19%	4%

会社データ (金額は百万円)

【本社】231-0062 神奈川県横浜市中区桜木町1-1-8 日石横浜ビル ☎045-415-1110 https://www.raiznext.co.jp/

【業績(連結)】	売上高	営業利益	経常利益	純利益
22.3	129,832	10,982	11,270	7,748
23.3	140,061	10,918	11,243	7,741
24.3	140,366	9,968	10,261	7,249

64 開示 ★★★★★ [専門] 採用あり

たいへいでんぎょう
太平電業(株)

【特色】プラント工事会社。海外は東南アジアに展開

[記者評価] 火力・原子力発電所のプラント工事が主体。石油化学の基幹装置や環境装置にも強み。関西、中部の原発に実績。バイオマス発電所は広島の自社施設に続き、東北電力等と共同で秋田に2カ所建設中。24年6月シンガポールのプラント保守会社を子会社化し海外を強化。

平均勤続年数	男性育休取得率	3年後離職率	平均年収(平均39歳)
◇16.2年	20.6→31.7%	23.3→37.5%	[総]823万円

●採用・配属情報●

【男女・文理別採用実績】

	大卒男	大卒女	修士男	修士女
23年	23(文 2理 21)	9(文 9理 0)	2(文 0理 2)	0(文 0理 0)
24年	38(文 8理 30)	16(文 14理 2)	0(文 0理 0)	1(文 0理 1)
25年	39(文 10理 29)	17(文 15理 2)	2(文 0理 2)	0(文 0理 0)

【男女・職種別採用実績】 転換制度:⇔

	総合職	技術職	一般職
23年	34(男 26 女 8)	0(男 0 女 0)	1(男 0 女 1)
24年	59(男 41 女 18)	0(男 0 女 0)	0(男 0 女 0)
25年	59(男 43 女 16)	0(男 0 女 0)	1(男 0 女 1)

【24年4月入社者の配属勤務地】[総]東京・千代田7 札幌1 宮城(仙台2 多賀城1)福島・いわき2 東海2 名古屋1 富山市1 福井・敦賀1 大阪市2 広島市2 北九州1 [技]千葉・木更津9 埼玉・久喜8 宮城・多賀城3 福島・いわき3 千葉市1 川崎1 茨城・神栖1 東海1 横浜1 静岡・御前崎1 福井・敦賀1 兵庫(姫路2 加古川1 神戸1)岡山・倉敷1 島根1
【転勤】あり:全社員(一般職、傭員を除く)
【中途比率】[単年度]21年度18%、22年度33%、23年度44%[全体]◇18%

●働きやすさ、諸制度●

残業(月) 30.4時間 [総]33.5時間

【勤務時間】8:30〜17:30 8時間(休憩60分)【有休取得年平均】11.7日【週休】完全2日(土日祝)【夏期休暇】1日+年次有休一斉使用日3日(連続7日以上)【年末年始休暇】会社指定休日2日+年次有休一斉使用日2日(連続7日以上)
【離職率】◇男:3.1%、37名 女:5.8%、10名
【新卒3年後離職率】
[20→23年]23.3%(男27.9%・入社43名、女11.8%・入社17名)
[21→24年]37.5%(男40.0%・入社50名、女28.6%・入社14名)
【テレワーク】制度なし【勤務制度】なし【住宅補助】独身寮(自己負担1,000〜2,000円程度)住宅手当(自己名義の住居(賃借含む)を持つ者15,000〜20,000円支給)社宅(社有社宅 借上社宅 55歳まで)

●ライフイベント、女性活躍●

【女性比率】■男 □女

新卒採用 28.3% (17名)

従業員 12.2% (161名)

管理職 2.4% (5名)

【産休】[期間]産前6・産後8週間[給与]法定[取得者数]3名
【育休】[期間]1歳になるまで[給与]法定[取得者数]22年度 男7名(対象34名)女3名(対象3名)23年度 男13名(対象41名)女5名(対象5名)[平均取得日数]22年度 男34日 女395日、23年度 男38日 女468日
【従業員】◇[人数]1,317名(男1,156名、女161名)[平均年齢]39.7歳(男40.2歳、女36.7歳)[平均勤続年数]16.2年(男17.0年、女10.8年)【年齢構成】■男 □女

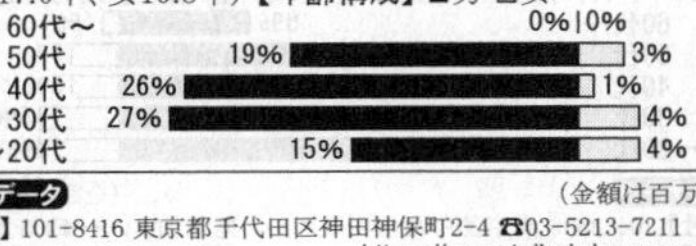

60代〜 0% 0%
50代 19% 3%
40代 26% 1%
30代 27% 4%
〜20代 15% 4%

会社データ (金額は百万円)

【本社】101-8416 東京都千代田区神田神保町2-4 ☎03-5213-7211
https://www.taihei-dengyo.co.jp/

【業績(連結)】	売上高	営業利益	経常利益	純利益
22.3	126,908	10,457	13,125	8,406
23.3	125,774	14,345	15,092	10,619
24.3	129,363	10,049	11,512	8,395

1462 開示 ★★★ [専門] 採用あり

エヌティティ
(株)NTTファシリティーズ

[プラチナくるみん]

【特色】NTT系エンジニアリング会社。省エネ関連が得意

[記者評価] NTTグループの一角。通信施設などの企画・設計監理・CM(コンストラクションマネジメント)・維持管理等のエンジニアリングサービスを提供。大規模データセンターの設計・構築・運用に実績。街づくりにもグループ連携で取り組む。ZEBの設計・コンサルに注力。

平均勤続年数	男性育休取得率	3年後離職率	平均年収(平均*40歳)
15.0年	37.7→46.7%	13.0→[!]40.9%	[総]872万円

●採用・配属情報●

【男女・文理別採用実績】※25年:70名採用予定

	大卒男	大卒女	修士男	修士女
23年	30(文 3理 27)	15(文 4理 11)	30(文 0理 30)	11(文 0理 11)
24年	7(文 2理 5)	5(文 1理 4)	26(文 0理 26)	12(文 0理 12)
25年	-(文 -理 -)	-(文 -理 -)	-(文 -理 -)	-(文 -理 -)

【男女・職種別採用実績】

	総合職
23年	104(男 74 女 30)
24年	52(男 35 女 17)
25年	70(男 - 女 -)

【24年4月入社者の配属勤務地】[総]東京3 [技]東京33 神奈川1 名古屋1 大阪14
【転勤】あり:全社員
【中途比率】[単年度]21年度41%、22年度52%、23年度58%[全体]8%

●働きやすさ、諸制度●

残業(月) 31.8時間 [総]31.8時間

【勤務時間】9:00〜17:30 フレックスタイム制 コアタイムなしのスーパーフレックス勤務制【有休取得年平均】18.6日
【週休】完全2日(土日祝)【夏期休暇】5日【年末年始休暇】12月29日〜1月3日
【離職率】男:2.2%、84名 女:2.6%、19名
【新卒3年後離職率】
[20→23年]13.0%(男12.2%・入社74名、女16.7%・入社18名)
[21→24年]40.9%(男53.4%・入社58名、女16.7%・入社30名)
※事業承継による転籍男27名、女4名含む
【テレワーク】制度あり:[場所]自宅 単身赴任者の帰郷地 サテライトオフィス 他[対象]全社員[日数]制限なし[利用率]30.6%【勤務制度】フレックス 時間単位有休 時差勤務 勤務間インターバル 副業容認【住宅補助】社宅(条件あり)住宅補助費(地域により異なる)

●ライフイベント、女性活躍●

【女性比率】■男 □女

従業員 15.8% (713名)

管理職 2.8% (13名)

【産休】[期間]産前6・産後8週間[給与]会社全額給付[取得者数]30名
【育休】[期間]3歳になるまで[給与]法定[取得者数]22年度 男55名(対象146名)女20名(対象20名)23年度 男43名(対象92名)女33名(対象33名)[平均取得日数]22年度 男61日 女461日、23年度 男73日 女440日
【従業員】[人数]4,526名(男3,813名、女713名)[平均年齢]39.9歳(男40.9歳、女35.0歳)[平均勤続年数]15.0年(男15.9年、女10.2年)【年齢構成】■男 □女

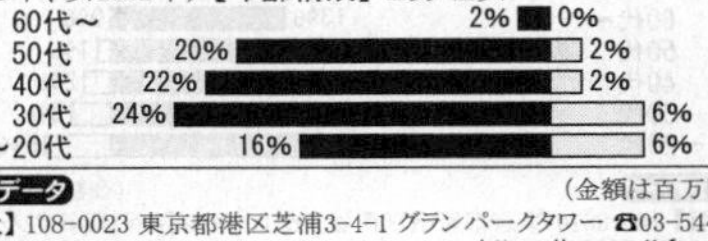

60代〜 2% 0%
50代 20% 2%
40代 22% 2%
30代 24% 6%
〜20代 16% 6%

会社データ (金額は百万円)

【本社】108-0023 東京都港区芝浦3-4-1 グランパークタワー ☎03-5444-5114
https://www.ntt-f.co.jp/

【業績(単独)】	売上高	営業利益	経常利益	純利益
22.3	226,722	6,823	11,242	11,835
23.3	124,519	▲424	3,290	4,871
24.3	123,885	2,406	6,303	6,345

建設

1185 開示 ★★★★ 専門 採用あり

しんりょうれいねつこうぎょう

新菱冷熱工業(株)

えるぼし ★★

【特色】空調・衛生・電気等総合設備工事最大手。三菱系

記者評価 三菱重工系の総合設備工事最大手。大型地域冷暖房やクリーンルームに強い。海外はシンガポールや香港での地下鉄空気空調工事などアジアや中東を中心に実績。オフィスビル、工場などに省エネ提案営業を推進。スマート養蚕システムを導入し、新蚕業に挑戦中。

平均勤続年数	男性育休取得率	3年後離職率	平均年収(平均44歳)
! 18.7年	16.3 → 38.3%	19.0 → 11.1%	総 1,007万円

●採用・配属情報●

【男女・文理別採用実績】※25年:継続中

	大卒男	大卒女	修士男	修士女
23年	41(文 12 理 29)	16(文 3 理 13)	6(文 0 理 6)	4(文 0 理 4)
24年	44(文 10 理 34)	19(文 7 理 12)	4(文 0 理 4)	1(文 0 理 1)
25年	48(文 13 理 35)	22(文 6 理 16)	3(文 0 理 3)	5(文 0 理 5)

【男女・職種別採用実績】 転換制度:⇔

	総合職
23年	69(男 48 女 21)
24年	68(男 48 女 20)
25年	82(男 53 女 29)

【24年4月入社者の配属勤務地】㊟(23年)仙台1 東京・四谷11 さいたま1 大阪2 ㊕(23年)札幌1 仙台2 つくば2 東京(四ツ谷25 西新宿2 丸の内2)横浜5 名古屋4 大阪5 神戸1 広島2 福岡3
【転勤】あり:[職種]総合職
【中途比率】[単年度]21年度21%、22年度15%、23年度NA((20年度)17%)[全体]14%

●働きやすさ、諸制度●

残業(月) 33.6時間 総 33.6時間

【勤務時間】8:30〜17:30【有休取得年平均】17.6日【週休】完全2日(土日祝)【夏期休暇】連続11日(有休6日含む)【年末年始休暇】連続6日(有休2日含む)
【離職率】男:2.6%、55名 女:3.8%、9名
【新卒3年後離職率】
[20→23年]19.0%(男15.6%・入社64名、女30.0%・入社20名)
[21→24年]11.1%(男10.5%・入社57名、女12.5%・入社24名)
【テレワーク】制度あり:[場所]自宅 サテライトオフィス[対象]育児(妊娠中を含む)介護 従業員自身の傷病により、出勤が困難と認められる者[日数]制限なし[利用率]1.2%【勤務制度】時差勤務 副業容認【住宅補助】研修寮 独身寮 借上社宅(転勤者)

●ライフイベント、女性活躍●

【女性比率】■男 □女

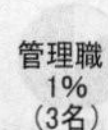

新卒採用 35.4% (29名) 従業員 10.1% (228名) 管理職 1% (3名)

【産休】[期間]産前6・産後8週間[給与]法定[取得者数]5名
【育休】[期間]1歳になるまで[給与]法定[取得者数]22年度 男7名(対象43名)女5名(対象5名)23年度 男18名(対象47名)女3名(対象3名)[平均取得日数]22年度 男45日 女456日、23年度 男35日 女394日
【従業員】[人数]2,262名(男2,034名、女228名)[平均年齢]44.5歳(男45.5歳、女35.2歳)[平均勤続年数]18.7年(男20.0年、女7.0年)※契約社員含む【年齢構成】■男 □女

	男	女
60代〜	13%	0%
50代	30%	1%
40代	13%	2%
30代	17%	3%
〜20代	17%	5%

会社データ (金額は百万円)

【本社】160-8510 東京都新宿区四谷1-6-1 コモレ四谷・四谷タワー ☎03-3357-3108 https://www.shinryo.com/

【業績(連結)】	売上高	営業利益	経常利益	純利益
21.9	233,297	15,448	17,251	5,626
22.9	259,072	16,670	24,817	13,135
23.9	272,982	19,525	21,425	13,229

62 開示 ★★★★★ 短大 専門 採用あり

さんきこうぎょう

三機工業(株)

くるみん

【特色】三井系の総合設備工事大手。プラント設備も

記者評価 空調・衛生・電気など総合設備工事大手。自動車、電機向け産業空調に強い。商業施設などの一般空調・給排水設備、オフィスのICTコンサル、上下水処理場、搬送システム含むプラント設備も展開。退職事由条件を大幅緩和したキャリアリターン制度を導入。

平均勤続年数	男性育休取得率	3年後離職率	平均年収(平均41歳)
◇! 17.9年	44.6 → 90.0%	10.3 → 17.4%	総 967万円

●採用・配属情報●

【男女・文理別採用実績】※25年:24年8月2日時点

	大卒男	大卒女	修士男	修士女
23年	59(文 13 理 46)	7(文 4 理 3)	14(文 1 理 13)	1(文 0 理 1)
24年	27(文 8 理 19)	8(文 4 理 4)	8(文 0 理 8)	1(文 0 理 1)
25年	57(文 9 理 48)	13(文 5 理 8)	9(文 0 理 9)	2(文 0 理 2)

【男女・職種別採用実績】 転換制度:⇔

	総合職	業務職
23年	82(男 79 女 3)	5(男 0 女 5)
24年	48(男 39 女 9)	2(男 0 女 2)
25年	90(男 73 女 17)	0(男 0 女 0)

【24年4月入社者の配属勤務地】㊟(23年)東京10 大阪1 京都1 愛知2 宮城1 ㊕(23年)東京20 神奈川18 埼玉2 千葉1 茨城1 大阪6 京都1 兵庫1 香川1 愛知5 静岡1 福岡2 北海道2 広島3 宮城1 富山2
【転勤】あり:[職種]総合職
【中途比率】[単年度]21年度10%、22年度7%、23年度8%[全体]◇14%

●働きやすさ、諸制度●

残業(月) 28.4時間 総 32.6時間

【勤務時間】9:00〜17:30【有休取得年平均】12.7日【週休】完全2日(土日祝)【夏期休暇】3日+有休利用(3日)推奨【年末年始休暇】12月29日〜1月3日
【離職率】男:1.7%、30名 女:3.3%、11名
【新卒3年後離職率】
[20→23年]10.3%(男11.4%・入社70名、女5.9%・入社17名)
[21→24年]17.4%(男17.8%・入社73名、女15.8%・入社19名)
【テレワーク】制度あり:[場所]自宅 サテライトオフィス 他[対象]全社員[日数]制限なし[利用率]2.6%【勤務制度】時間単位有休 時差勤務【住宅補助】寮・社宅(家賃の15%〜40%を自己負担 入寮条件有)住宅手当(最大30,000円 既婚者かつ世帯主のみ)

●ライフイベント、女性活躍●

【女性比率】■男 □女

新卒採用 18.9% (17名) 従業員 15.1% (318名) 管理職 1.3% (5名)

【産休】[期間]産前6・産後8週間[給与]健保8割給付[取得者数]12名
【育休】[期間]法定以外に育児介護特別休暇20日[給与]育児介護特別休暇は有給、他法定[取得者数]22年度 男25名(対象56名)女13名(対象13名)23年度 男45名(対象50名)女12名(対象13名)[平均取得日数]22年度 男21日 女355日、23年度 男15日 女343日
【従業員】◇[人数]2,100名(男1,782名、女318名)[平均年齢]42.3歳(男42.9歳、女39.3歳)[平均勤続年数]17.9年(男18.3年、女15.5年)※再雇用含む【年齢構成】■男 □女

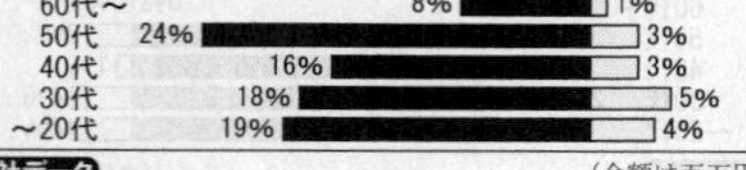

	男	女
60代〜	8%	1%
50代	24%	3%
40代	16%	3%
30代	18%	5%
〜20代	19%	4%

会社データ (金額は百万円)

【本社】104-8506 東京都中央区明石町8-1 聖路加タワー ☎03-6367-7080 https://www.sanki.co.jp/

【業績(連結)】	売上高	営業利益	経常利益	純利益
22.3	193,189	9,112	9,817	6,489
23.3	190,865	5,409	6,247	4,750
24.3	221,920	11,586	12,750	8,951

建設

とうしば 東芝プラントシステム(株)

[くるみん]

【特色】東芝完全子会社。発電設備の据え付け工事が主力

[記者評価] 04年東芝プラント建設と東芝エンジニアリングの合併で発足。発電システムや社会インフラ設備の企画、設計から施工、保守まで一貫。発電システムは国内外の事業用火力発電で豊富な実績を持つ。社会インフラは上下水道設備や官公庁関連、鉄道関連など幅広く展開。

平均勤続年数	男性育休取得率	3年後離職率	平均年収(平均48歳)
22.4年	51.9 → 59.4%	18.8 → 4.8%	NA

●採用・配属情報●

【男女・文理別採用実績】

	大卒男	大卒女	修士男	修士女
23年	37(文 9理 28)	4(文 4理 0)	17(文 0理 17)	0(文 0理 0)
24年	29(文 7理 22)	2(文 2理 0)	12(文 0理 12)	2(文 0理 2)
25年	31(文 12理 19)	6(文 4理 2)	3(文 0理 3)	2(文 0理 2)

【男女・職種別採用実績】

	総合職
23年	65(男 61 女 4)
24年	48(男 44 女 4)
25年	45(男 36 女 9)

【24年4月入社者の配属勤務地】[総]川崎6 磯子2 関西1 [技]川崎18 磯子10 府中9 浜川崎1 中部1

【転勤】あり:全社員

【中途比率】[単年度]21年度11%、22年度24%、23年度24%[全体]NA

●働きやすさ、諸制度●

残業(月) 18.6時間 [総]18.6時間

【勤務時間】8:30～17:15(フレックスタイム制)【有休取得年平均】16.9日【週休】完全2日(土日祝)【夏期休暇】連続6日(うち1日は有休利用、週休4日含む)【年末年始休暇】12月29日～1月4日

【離職率】男:1.7%、51名 女:0.7%、2名

【新卒3年後離職率】
[20→23年]18.8%(男16.3%・入社43名、女40.0%・入社5名)
[21→24年]4.8%(男5.1%・入社39名、女0%・入社3名)

【テレワーク】制度あり:[場所]自宅 サテライトオフィス[対象]全社員[日数]制限なし[利用率]NA【勤務制度】フレックス 時間単位有休 副業容認【住宅補助】独身寮(神奈川に複数)住宅費補助・家賃補助(組合員)

●ライフイベント、女性活躍●

【女性比率】■男 □女

新卒採用 20%(9名)

従業員 8.6%(276名)

管理職 2.1%(17名)

【産休】[期間]産前8・産後8週間[給与]法定[取得者数]1名

【育休】[期間]3歳到達月末まで[給与]法定[取得者数]22年度 男27名(対象52名)女3名(対象3名)23年度 男38名(対象64名)女1名(対象1名)[平均取得日数]22年度 NA、23年度 NA

【従業員】[人数]3,199名(男2,923名、女276名)[平均年齢]48.0歳(男48.2歳、女45.9歳)[平均勤続年数]22.4年(男22.7年、女18.9年)

【年齢構成】NA

会社データ (金額は百万円)

【本社】212-8585 神奈川県川崎市幸区堀川町72-34 ☎044-578-6001 https://www.toshiba-tpsc.co.jp/

【業績(単独)】	売上高	営業利益	経常利益	純利益
22.3	180,660	16,016	17,385	10,163
23.3	232,975	15,808	14,749	4,883
24.3	215,068	15,570	18,570	11,859

さんけんせつびこうぎょう 三建設備工業(株)

【特色】空調・衛生・電気の総合エンジニアリング会社

[記者評価] 空調・給排水衛生・電気の各設備を手がける総合エンジニアリング会社。設計・施工・保守まで一貫。医療施設やクリーンルーム等に実績。ゼロエネルギービル(ZEB)に注力。茨城・つくばみらい市の技術センターや札幌支社ビルなど自社施設のZEB化を進める。

平均勤続年数	男性育休取得率	3年後離職率	平均年収(平均39歳)
[!]17.3年	14.3 → 33.3%	16.2 → 23.6%	[総]836万円

●採用・配属情報●

【男女・文理別採用実績】

	大卒男	大卒女	修士男	修士女
23年	32(文 5理 27)	5(文 3理 2)	3(文 0理 3)	2(文 0理 2)
24年	38(文 2理 36)	4(文 0理 4)	0(文 0理 0)	1(文 0理 1)
25年	29(文 1理 28)	8(文 2理 6)	2(文 0理 2)	0(文 0理 0)

【男女・職種別採用実績】 転換制度:⇒

	総合職
23年	46(男 39 女 7)
24年	46(男 41 女 5)
25年	46(男 38 女 8)

【24年4月入社者の配属勤務地】[総]東京・茅場町1 福岡市1 [技]東京・茅場町9 千葉市5 さいたま3 横浜5 札幌3 仙台2 名古屋5 大阪市2 広島市4 福岡市6

【転勤】あり:[職種]総合職

【中途比率】[単年度]21年度38%、22年度32%、23年度39%[全体]27%

●働きやすさ、諸制度●

残業(月) 25.6時間 [総]28.3時間

【勤務時間】8:30～17:30【有休取得年平均】12.0日【週休】完全2日(土日祝)【夏期休暇】時季指定の有休で4日取得【年末年始休暇】12月30日～1月3日

【離職率】男:3.3%、36名 女:1.7%、4名

【新卒3年後離職率】
[20→23年]16.2%(男17.5%・入社63名、女0%・入社5名)
[21→24年]23.6%(男25.0%・入社48名、女14.3%・入社7名)

【テレワーク】制度あり:[場所]自宅 サテライトオフィス[対象]全社員[日数]制限なし[利用率]3.2%【勤務制度】時間単位有休 時差勤務【住宅補助】独身寮(自己負担 家賃の10%(1,000円未満切上))

●ライフイベント、女性活躍●

【女性比率】■男 □女

新卒採用 17.4%(8名)

従業員 17.7%(225名)

管理職 1.7%(4名)

【産休】[期間]産前6・産後8週間[給与]法定[取得者数]5名

【育休】[期間]3歳まで延長可[給与]法定[取得者数]22年度 男5名(対象35名)女5名(対象5名)23年度 男8名(対象24名)女9名(対象10名)[平均取得日数]22年度 男32日 女471日、23年度 男25日 女286日

【従業員】[人数]1,270名(男1,045名、女225名)[平均年齢]43.9歳(男45.1歳、女38.7歳)[平均勤続年数]17.3年(男18.6年、女11.3年)※契約社員を含む

【年齢構成】■男 □女

	男	女
60代～	14%	0%
50代	22%	3%
40代	13%	4%
30代	15%	5%
～20代	19%	5%

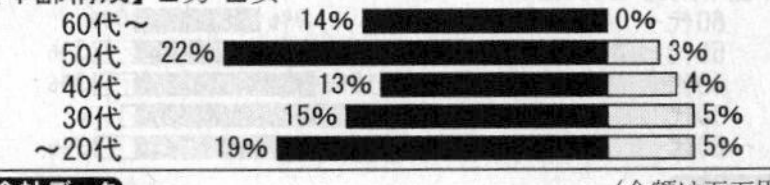

会社データ (金額は百万円)

【本社】104-0033 東京都中央区新川1-17-21 茅場町ファーストビル2階 ☎03-6280-2561 https://skk.jp/

【業績(単独)】	売上高	営業利益	経常利益	純利益
22.3	75,096	2,992	1,991	1,104
23.3	82,718	2,091	1,634	1,875
24.3	92,915	▲2,112	964	774

建設

あさひこうぎょうしゃ
㈱朝日工業社

【特色】空調・衛生工事の専業大手。半導体関連に強み

記者評価 1925年に温湿度調整や真空防塵など発明技術の事業化を目的に大阪で創業。空調・衛生設備の設計・施工、環境制御機器の製販が核。「空気・水・熱」の専門集団を自負。現場の3Dスキャナー計測で施工支援も。建設中のつくば新研究所は25年秋に完成予定。

平均勤続年数	男性育休取得率	3年後離職率	平均年収(平均44歳)
19.7年	31.8→40.0%	16.3→15.6%	㊚1,035万円

●採用・配属情報●

【男女・文理別採用実績】

	大卒男	大卒女	修士男	修士女
23年	21(文 5理 16)	2(文 0理 2)	0(文 0理 0)	0(文 0理 0)
24年	19(文 6理 13)	8(文 7理 1)	0(文 0理 0)	0(文 0理 0)
25年	36(文 11理 25)	4(文 2理 2)	1(文 0理 1)	0(文 0理 0)

※25年:継続中

【男女・職種別採用実績】 転換制度:⇔

	総合職
23年	35(男 33 女 2)
24年	32(男 24 女 8)
25年	47(男 40 女 7)

【24年4月入社者の配属勤務地】㊚(23年)東京・港4 大阪1 名古屋1 ㊕(23年)東京・港5 大阪9 名古屋7 札幌1 仙台1 さいたま2 千葉(千葉2 船橋1)横浜1

【転勤】あり:[職種]総合職[勤務地]全国事業所

【中途比率】[単年度]21年度11%、22年度16%、23年度13%[全体]19%

●働きやすさ、諸制度●

残業(月) 33.5時間 ㊚36.0時間

【勤務時間】8:45～17:30【有休取得年平均】12.1日【週休】完全2日(土日祝)【夏期休暇】連続3～4日(有休で取得)【年末年始休暇】12月29日～1月3日

【離職率】男:3.1%、27名 女:3.8%、4名

【新卒3年後離職率】
[20→23年]16.3%(男17.5%・入社40名、女0%・入社3名)
[21→24年]15.6%(男18.5%・入社27名、女0%・入社5名)

【テレワーク】制度なし【勤務制度】時間単位有休【住宅補助】独身寮(自己負担3,000円 30歳まで)

●ライフイベント、女性活躍●

【女性比率】■男 □女

新卒採用 14.9%(7名)　従業員 10.7%(100名)　管理職 1%(2名)

【産休】[期間]産前6・産後8週間[給与]有給[取得者数]0名

【育休】[期間]1歳になるまで[給与]出生時育休中(パパ育休中)は有給、それ以外は法定[取得者数]22年度 男7名(対象22名)女1名(対象1名)23年度 男6名(対象15名)女0名(対象0名)[平均取得日数]22年度 NA、23年度 男22日 女–

【従業員】[人数]935名(男835名、女100名)[平均年齢]44.6歳(男44.8歳、女43.5歳)[平均勤続年数]19.7年(男19.7年、女19.6年)

【年齢構成】■男 □女

	男	女
60代～	9%	0%
50代	31%	3%
40代	13%	3%
30代	17%	1%
～20代	19%	3%

会社データ (金額は百万円)

【本社】105-8543 東京都港区浜松町1-25-7 ☎03-6452-8181
https://www.asahikogyosha.co.jp/

【業績(連結)】	売上高	営業利益	経常利益	純利益
22.3	68,820	2,287	2,596	1,860
23.3	80,171	2,697	3,127	2,480
24.3	91,676	4,568	4,896	3,712

たかさごねつがくこうぎょう
高砂熱学工業㈱

【特色】空調工事の最大手。大規模物件の施工で高シェア

記者評価 一般空調が主力でビル空調工事最大手。大型案件に強み。独自技術による環境負荷低減に熱心。海外事業は中国、ASEANが軸。AI・IoT活用した省エネ支援など育成。大型水素製造装置は24年度から受注活動を開始。月面で水素と酸素を生成する水電解装置も開発。

平均勤続年数	男性育休取得率	3年後離職率	平均年収(平均42歳)
15.5年	74.6→98.1%	11.5→7.1%	㊚1,028万円

●採用・配属情報●

【男女・文理別採用実績】※25年:予定数

	大卒男	大卒女	修士男	修士女
23年	35(文 10理 25)	26(文 14理 12)	7(文 1理 6)	3(文 0理 3)
24年	79(文 22理 57)	39(文 33理 6)	9(文 0理 9)	2(文 0理 2)
25年	73(文 25理 48)	29(文 14理 15)	20(文 2理 18)	4(文 1理 3)

【男女・職種別採用実績】 転換制度:⇔

	グローバル職
23年	74(男 44 女 30)
24年	134(男 93 女 41)
25年	134(男 99 女 35)

【24年4月入社者の配属勤務地】㊚東京24 名古屋5 関西5 札幌3 東北3 関信越3 横浜3 中四国3 九州3 ㊕東京28 関信越12 名古屋8 関西8 横浜6 札幌5 東北5 中四国5 九州5

【転勤】あり:[職種]グローバル職 準グローバル職[勤務地]グローバル職:国内外全事業所 準グローバル職:支店内等の限定範囲

【中途比率】[単年度]21年度11%、22年度20%、23年度45%[全体]19%

●働きやすさ、諸制度●

残業(月) 37.2時間 ㊚37.2時間

【勤務時間】8:45～17:30【有休取得年平均】13.2日【週休】完全2日(土日祝)【夏期休暇】3日(7～9月)【年末年始休暇】12月29日～1月3日

【離職率】男:2.3%、43名 女:2.7%、12名

【新卒3年後離職率】
[20→23年]11.5%(男3.9%・入社51名、女25.9%・入社27名)
[21→24年]7.1%(男6.3%・入社63名、女9.1%・入社22名)

【テレワーク】制度あり:[場所]自宅 サテライト事務所 他[対象]全社員[日数]原則週3日以内[利用率]4.4%【勤務制度】時間単位有休 裁量労働 時差勤務【住宅補助】借上独身寮 借上社宅 住宅手当(17,000～24,000円)

●ライフイベント、女性活躍●

【女性比率】■男 □女

新卒採用 26.1%(35名)　従業員 19.4%(432名)　管理職 2.3%(11名)

【産休】[期間]産前6・産後8週間[給与]法定[取得者数]16名

【育休】[期間]2歳到達年度末まで[給与]開始日から通算28日間有給、以降2歳まで法定通り、2歳到達後の育休は育児支援金(会社支給)[取得者数]22年度 男50名(対象67名)女15名(対象15名)23年度 男51名(対象52名)女13名(対象13名)[平均取得日数]22年度 NA、23年度 男18日 女491日

【従業員】[人数]2,230名(男1,798名、女432名)[平均年齢]42.2歳(男43.6歳、女37.0歳)[平均勤続年数]15.5年(男16.4年、女11.5年)【年齢構成】■男 □女

	男	女
60代～	9%	1%
50代	24%	3%
40代	12%	3%
30代	21%	6%
～20代	15%	7%

会社データ (金額は百万円)

【本社】160-0022 東京都新宿区新宿6-27-30 新宿イーストサイドスクエア ☎03-6369-8217
https://www.tte-net.com/

【業績(連結)】	売上高	営業利益	経常利益	純利益
22.3	302,746	14,383	15,639	11,535
23.3	338,831	15,326	16,685	12,227
24.3	363,366	24,192	26,150	19,612

たいきしゃ
(株)大気社

【特色】空調関連工事と自動車塗装システムの両輪経営

[記者評価] 一般ビル・産業空調と、自動車塗装システム(国内首位、世界2位)を展開する業界で異色の存在。自動車塗装はトヨタ、ホンダはじめ、国内外メーカー向けに実績。鉄道・航空機向けも展開。海外進出は1970年代と他社に先行。24年7月から新卒入社者の給与引き上げ。

平均勤続年数	男性育休取得率	3年後離職率	平均年収(平均43歳)
15.9年	36.4→58.3%	18.8→14.9%	[総]1,068万円

●採用・配属情報●

【男女・文理別採用実績】※25年:継続中

	大卒男	大卒女	修士男	修士女
23年	47(文 7 理 40)	4(文 4 理 0)	17(文 0 理 17)	0(文 0 理 0)
24年	60(文 8 理 52)	17(文 5 理 12)	8(文 0 理 8)	3(文 1 理 2)
25年	71(文 10 理 61)	13(文 7 理 6)	13(文 0 理 13)	3(文 1 理 2)

【男女・職種別採用実績】

	総合職
23年	75(男 69 女 6)
24年	90(男 70 女 20)
25年	106(男 89 女 17)

【24年4月入社者の配属勤務地】[総]研修中 [技]東京32 大阪22 名古屋13 福岡5 仙台4

【転勤】あり:全社員

【中途比率】[単年度]21年度8%、22年度8%、23年度14% [全体]22%

●働きやすさ、諸制度●

残業(月) 22.2時間 [総]22.2時間

【勤務時間】本店・支店等9:00〜17:45【有休取得年平均】12.2日【週休】完全2日(土日祝)【夏期休暇】有休で取得【年末年始休暇】12月28日午後〜1月3日

【離職率】男:3.1%、45名 女:3.4%、8名(早期退職男1名含む)

【新卒3年後離職率】
[20→23年]18.8%(男18.5%・入社92名、女22.2%・入社9名)
[21→24年]14.9%(男15.5%・入社71名、女12.5%・入社16名)

【テレワーク】制度あり:[場所]自宅 サテライトオフィス[対象]制限なし[日数]月8日まで[利用率]3.3%【勤務制度】時間単位有休 勤務間インターバル 副業容認【住宅補助】借上寮(自己負担11,000円)住宅手当(上限月23,000円 45歳まで)

●ライフイベント、女性活躍●

【女性比率】■男 □女

新卒採用 16% (17名)

従業員 13.8% (228名)

管理職 3.2% (10名)

【産休】[期間]産前6・産後8週間[給与]法定[取得者数]5名

【育休】[期間]希望すれば1歳到達月末まで可[給与]法定[取得者数]22年度 男16名(対象44名)女4名(対象4名)23年度 男28名(対象48名)女3名(対象3名)[平均取得日数]22年度 男71日 女466日、23年度 男20日 女366日

【従業員】[人数]1,654名(男1,426名、女228名)[平均年齢]42.5歳(男42.3歳、女43.5歳)[平均勤続年数]15.9年(男16.0年、女15.0年)

【年齢構成】■男 □女

	男	女
60代〜	7%	2%
50代	24%	4%
40代	17%	3%
30代	17%	2%
〜20代	22%	3%

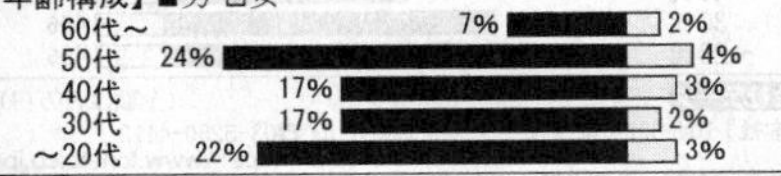

[会社データ] (金額は百万円)

【本社】160-6129 東京都新宿区西新宿8-17-1 住友不動産新宿グランドタワー ☎03-3365-5320 https://www.taikisha.co.jp/

【業績(連結)】	売上高	営業利益	経常利益	純利益
22.3	209,261	9,428	10,818	7,248
23.3	214,793	11,556	13,001	7,917
24.3	293,556	18,270	19,852	15,602

ダイダン(株)

えるぼし ★★

【特色】明治期からの総合設備老舗。関西地盤に首都圏も

[記者評価] 関西が地盤の総合設備工事会社。空調に加え、電気、給排水設備など設備工事全般を扱う。官公庁向けや医療向けに強い。支店ビルをネット・ゼロ・エネルギー・ビル(ZEB)化して知見を蓄積。細胞製造環境施設が軸の再生医療は、細胞製剤受託製造にも展開。

平均勤続年数	男性育休取得率	3年後離職率	平均年収(平均42歳)
16.9年	20.9→26.8%	17.5→19.8%	[総]905万円

●採用・配属情報●

【男女・文理別採用実績】

	大卒男	大卒女	修士男	修士女
23年	73(文 8 理 65)	9(文 3 理 6)	4(文 0 理 4)	2(文 0 理 2)
24年	63(文 11 理 52)	9(文 4 理 5)	2(文 0 理 2)	0(文 0 理 0)
25年	77(文 19 理 58)	23(文 11 理 12)	4(文 1 理 3)	2(文 1 理 1)

【男女・職種別採用実績】 転換制度:NA

	総合職
23年	91(男 79 女 12)
24年	86(男 73 女 13)
25年	113(男 85 女 28)

【24年4月入社者の配属勤務地】[総](23年)東京・千代田5 名古屋3 大阪3 [技](23年)東京・千代田21 横浜5 埼玉(大宮5 入間2)大阪29 愛知(豊田5 名古屋13)

【転勤】あり:[職種]コースA(総合職)

【中途比率】[単年度]21年度11%、22年度20%、23年度22%[全体]14%

●働きやすさ、諸制度●

残業(月) 30.2時間 [総]30.1時間

【勤務時間】8:30〜17:15【有休取得年平均】10.0日【週休】完全2日(土日祝)【夏期休暇】3日【年末年始休暇】連続6日

【離職率】男:3.2%、48名 女:3.1%、8名

【新卒3年後離職率】
[20→23年]17.5%(男15.5%・入社58名、女22.7%・入社22名)
[21→24年]19.8%(男19.7%・入社76名、女20.0%・入社25名)

【テレワーク】制度あり:[場所]自宅 サテライトオフィス[対象]全従業員[日数]制限なし[利用率]NA【勤務制度】時間単位有休 時差勤務 勤務間インターバル【住宅補助】独身寮 社宅 特別住宅手当(関東地区勤務者)

●ライフイベント、女性活躍●

【女性比率】■男 □女

新卒採用 24.8% (28名)

従業員 14.8% (250名)

管理職 2.3% (6名)

【産休】[期間]産前6・産後8週間[給与]法定[取得者数]9名

【育休】[期間]2歳到達月末まで[給与]法定[取得者数]22年度 男9名(対象43名)女9名(対象9名)23年度 男11名(対象41名)女9名(対象9名)[平均取得日数]22年度 NA、23年度 NA

【従業員】[人数]1,687名(男1,437名、女250名)[平均年齢]41.9歳(男42.8歳、女36.6歳)[平均勤続年数]16.9年(男17.8年、女12.2年)

【年齢構成】■男 □女

	男	女
60代〜	8%	0%
50代	25%	2%
40代	13%	3%
30代	17%	4%
〜20代	21%	6%

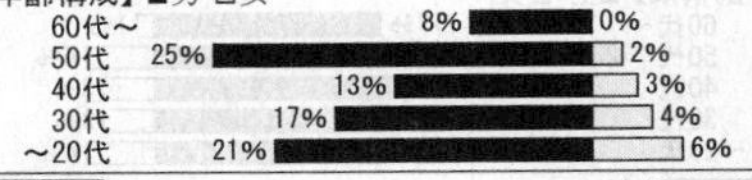

[会社データ] (金額は百万円)

【本社】550-8520 大阪府大阪市西区江戸堀1-9-25 ☎0120-418-231 https://www.daidan.co.jp/

【業績(連結)】	売上高	営業利益	経常利益	純利益
22.3	162,929	7,584	8,095	5,778
23.3	185,961	8,428	9,288	6,626
24.3	197,431	10,877	11,918	9,087

建設

しんにっぽんくうちょう
新日本空調(株)

【特色】三井系の空調設備工事会社。原子力空調も

記者評価 生活空間に対する保健空調と、半導体のクリーンルームなどの産業空調や原子力空調も展開。独自開発の微粒子可視化システムに優位性。グローバル企業とのネットワーク構築。22年4月太陽光発電事業参入。CO2ガスの回収・固定化技術で東北大などと共同展開。

平均勤続年数	男性育休取得率	3年後離職率	平均年収(平均40歳)
16.4年	46.9→66.7%	11.4→13.6%	㊗993万円

●採用・配属情報●

【男女・文理別採用実績】

	大卒男	大卒女	修士男	修士女
23年	36(文 12理 24)	16(文 6理 10)	2(文 0理 2)	0(文 0理 0)
24年	37(文 12理 25)	15(文 8理 7)	5(文 0理 5)	0(文 0理 0)
25年	36(文 8理 28)	6(文 5理 1)	5(文 1理 4)	0(文 0理 0)

【男女・職種別採用実績】 転換制度:⇔

	総合職
23年	55(男 39 女 16)
24年	57(男 42 女 15)
25年	48(男 41 女 7)

【24年4月入社者の配属勤務地】㊗東京・日本橋9 横浜1 名古屋1 ㊕東京・日本橋21 仙台3 長野・茅野1 千葉市4 横浜2 名古屋7 大阪市4 広島市2 福岡2

【転勤】あり:[職種]専門職[勤務地]全国 [職種]部門限定専門職[勤務地]仙台・首都圏・名古屋・大阪・広島・福岡

【中途比率】[単年度]21年度14%、22年度20%、23年度21%[全体]28%

●働きやすさ、諸制度●

残業(月) 30.7時間 ㊗35.0時間

【勤務時間】9:00～17:30【有休取得年平均】12.8日【週休】完全2日(土日祝)【夏期休暇】8月13～17日【年末年始休暇】12月30日～1月3日

【離職率】男:2.6%、27名 女:2.8%、5名

【新卒3年後離職率】

[20→23年]11.4%(男12.9%・入社31名、女0%・入社4名)

[21→24年]13.6%(男15.4%・入社39名、女0%・入社5名)

【テレワーク】制度あり:[場所]自宅 サテライトオフィス[対象]全社員[日数]上長判断[利用率]4.5%【勤務制度】時間単位有休 時差勤務 勤務間インターバル【住宅補助】借上独身寮(5,000円自己負担)借上げ社宅 住宅手当

●ライフイベント、女性活躍●

【女性比率】■男 □女

新卒採用 14.6% (7名)

従業員 14.7% (172名)

管理職 4.1% (7名)

【産休】[期間]産前6・産後8週間[給与]法定[取得者数]8名

【育休】[期間]1歳になるまで[給与]法定[取得者数]22年度 男15名(対象32名)女6名(対象6名)23年度 男16名(対象24名)女8名(対象8名)[平均取得日数]22年度 NA、23年度 NA

【従業員】[人数]1,167名(男995名、女172名)[平均年齢]43.8歳(男44.3歳、女41.1歳)[平均勤続年数]16.4年(男17.0年、女12.8年)

【年齢構成】■男 □女

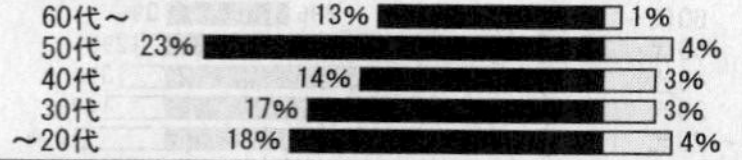

会社データ (金額は百万円)

【本社】103-0007 東京都中央区日本橋浜町2-31-1 浜町センタービル ☎03-3639-2700
https://www.snk.co.jp/

【業績(連結)】	売上高	営業利益	経常利益	純利益
22.3	106,718	6,881	7,366	5,403
23.3	112,234	7,124	7,914	5,597
24.3	127,978	9,235	9,725	7,168

とうようねつこうぎょう
東洋熱工業(株)

【特色】空調衛生設備の設計・施工大手。技術力に定評

記者評価 空調設備、給排水衛生設備の設計・施工・メンテが主柱。東京スカイツリータウンや成田空港第1旅客ターミナルなどに実績。自前開発の熱源最適制御と置換換気空調は省エネ効果に定評。新築・保守・新エネなど提案営業。グアム、マニラ、ミャンマーに海外現法。

平均勤続年数	男性育休取得率	3年後離職率	平均年収(平均40歳)
18.4年	38.5→23.5%	33.3→22.7%	㊗877万円

●採用・配属情報●

【男女・文理別採用実績】

	大卒男	大卒女	修士男	修士女
23年	37(文 4理 33)	6(文 3理 3)	0(文 0理 0)	0(文 0理 0)
24年	24(文 3理 21)	13(文 5理 8)	1(文 0理 1)	0(文 0理 0)
25年	36(文 2理 34)	13(文 11理 2)	1(文 0理 1)	0(文 0理 0)

【男女・職種別採用実績】 転換制度:⇔

	総合職	一般職
23年	43(男 37 女 6)	0(男 0 女 0)
24年	38(男 25 女 13)	0(男 0 女 0)
25年	50(男 37 女 13)	0(男 0 女 0)

【24年4月入社者の配属勤務地】㊗東京8 ㊕東京16 大阪2 名古屋2 福岡2 横浜2 広島1 仙台2 千葉2 札幌1

【転勤】あり:[職種]総合職[勤務地]全国

【中途比率】[単年度]21年度2%、22年度0%、23年度6%[全体]12%

●働きやすさ、諸制度●

残業(月) 24.5時間 ㊗26.1時間

【勤務時間】8:30～17:30【有休取得年平均】15.6日【週休】完全2日(土日祝)【夏期休暇】連続3日(8月中旬)【年末年始休暇】12月29日～1月3日

【離職率】男:3.3%、25名 女:3.3%、4名

【新卒3年後離職率】

[20→23年]33.3%(男34.6%・入社26名、女0%・入社1名)

[21→24年]22.7%(男22.0%・入社41名、女33.3%・入社3名)

【テレワーク】制度なし【勤務制度】時間単位有休 時差勤務【住宅補助】独身寮 社宅

●ライフイベント、女性活躍●

【女性比率】■男 □女

新卒採用 26% (13名)
従業員 13.9% (117名)
管理職 1% (1名)

【産休】[期間]産前6・産後8週間[給与]法定[取得者数]3名

【育休】[期間]2歳になるまで[給与]法定[取得者数]22年度 男5名(対象13名)女4名(対象4名)23年度 男4名(対象17名)女3名(対象3名)[平均取得日数]22年度 男63日 女371日、23年度 男20日 女317日

【従業員】[人数]840名(男723名、女117名)[平均年齢]43.5歳(男44.0歳、女40.6歳)[平均勤続年数]18.4年(男18.9年、女14.9年)

【年齢構成】■男 □女

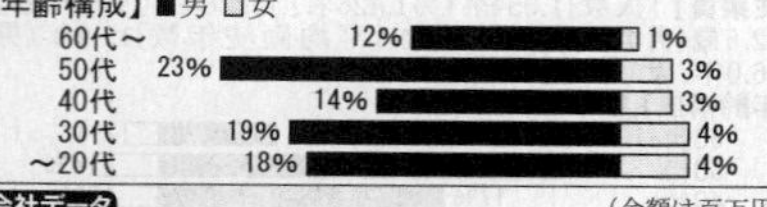

会社データ (金額は百万円)

【本社】104-8324 東京都中央区京橋2-5-12 ☎03-5250-4112
https://www.tonets.co.jp/

【業績(単独)】	売上高	営業利益	経常利益	純利益
22.3	66,680	5,180	5,445	3,667
23.3	68,978	5,032	5,472	3,567
24.3	72,818	4,860	5,384	3,078

建設

エクシオグループ㈱

[えるぼし ★★★] [くるみん]

【特色】電気通信工事大手。情報システムや再エネに注力

[記者評価] 電気通信工事大手。NTT向け光ケーブル工事、設備保守や携帯電話の基地局建設が主力。同業のM&Aで業容を拡大してきた。データセンターや再生可能エネルギー関連などの都市インフラ整備事業が成長中。システム構築も展開。21年10月協和エクシオから社名変更。

平均勤続年数	男性育休取得率	3年後離職率	平均年収(平均44歳)
18.3年	17.5 → 32.9%	13.2 → 6.7%	[総] 745万円

●採用・配属情報●

【男女・文理別採用実績】※25年：24年7月30日時点

	大卒男	大卒女	修士男	修士女
23年	45(文 8理 37)	16(文 11理 5)	5(文 0理 5)	2(文 0理 2)
24年	34(文 5理 29)	11(文 8理 3)	2(文 0理 2)	0(文 0理 0)
25年	28(文 12理 16)	7(文 7理 0)	1(文 0理 1)	1(文 0理 1)

【男女・職種別採用実績】　転換制度：⇔

	総合職	エリア基幹職
23年	72(男 54 女 18)	2(男 1 女 1)
24年	57(男 46 女 11)	0(男 0 女 0)
25年	40(男 31 女 9)	0(男 0 女 0)

【24年4月入社者の配属勤務地】[総]東京10 北海道1 [技]東京43 大阪3

【転勤】あり：[職種]総合職

【中途比率】[単年度]21年度25%、22年度26%、23年度24%[全体]23%

●働きやすさ、諸制度●

残業(月)　29.5時間

【勤務時間】9:00～17:30【有休取得年平均】15.8日【週休】完全2日(土日祝)【夏期休暇】8月13～16日【年末年始休暇】12月29日～1月3日

【離職率】男：1.7%、60名 女：3.1%、9名

【新卒3年後離職率】

[20→23年]13.2%(男12.2%・入社139名、女20.0%・入社20名)

[21→24年]6.7%(男8.0%・入社75名、女0%・入社14名)

【テレワーク】制度あり：[場所]サテライトオフィス 他[対象]制限なし[日数]制限なし[利用率]26.6%【勤務制度】フレックス 時間単位有休 時差勤務 勤務間インターバル 副業容認【住宅補助】独身寮(30歳未満 自己負担10,000円～)単身赴任者借上住宅(家賃の9割を会社負担)若年層住宅補填手当(35歳未満で既婚もしくは扶養する子を有する者 年齢に応じ20,000～40,000円)

●ライフイベント、女性活躍●

【女性比率】■男 □女

新卒採用 22.5%(9名)

従業員 7.5%(283名)

管理職 2.7%(35名)

【産休】[期間]産前8・産後8週間[給与]会社全額給付[取得者数]16名

【育休】[期間]1歳になるまで[給与]法定[取得者数]22年度 男14名(対象80名)女9名(対象9名)23年度 男24名(対象73名)女16名(対象16名)[平均取得日数]22年度 男55日 女342日、23年度 男49日 女357日

【従業員】[人数]3,766名(男3,483名、女283名)[平均年齢]44.2歳(男44.8歳、女37.9歳)[平均勤続年数]18.3年(男18.7年、女14.5年)【年齢構成】■男 □女

	男	女
60代～	9%	0%
50代	28%	2%
40代	26%	1%
30代	16%	2%
～20代	13%	2%

会社データ　(金額は百万円)

【本社】150-0002 東京都渋谷区渋谷3-29-20 ☎03-5778-1122
https://www.exeo.co.jp/

【業績(連結)】	売上高	営業利益	経常利益	純利益
22.3	594,840	42,380	45,217	27,766
23.3	627,607	32,552	33,771	22,233
24.3	614,095	34,121	36,922	20,058

㈱ミライト・ワン

【特色】電気通信工事大手。建設など非通信にも注力中

[記者評価] 電気通信工事大手。光回線や携帯基地局工事を手がける。ICTソリューション分野に注力。ローカル5G導入支援事業も展開。22年に建設大手の西武建設、23年に測量大手の国際航業を買収。22年7月に持株会社と事業会社が合併し、当社に集約。海外展開にも積極的。

平均勤続年数	男性育休取得率	3年後離職率	平均年収(平均44歳)
16.9年	78.2 → 87.5%	11.4 → 11.0%	[総] 720万円

●採用・配属情報●

【男女・文理別採用実績】

	大卒男	大卒女	修士男	修士女
23年	55(文 18理 37)	20(文 19理 1)	5(文 0理 5)	0(文 0理 0)
24年	30(文 16理 14)	14(文 12理 2)	1(文 1理 0)	1(文 1理 0)
25年	84(文 50理 34)	30(文 29理 1)	2(文 1理 1)	0(文 0理 0)

【男女・職種別採用実績】

	技術職	事務職	営業
23年	75(男 66 女 9)	5(男 0 女 5)	13(男 6 女 7)
24年	44(男 35 女 9)	5(男 2 女 3)	8(男 3 女 5)
25年	111(男 88 女 23)	4(男 2 女 2)	10(男 5 女 5)

【24年4月入社者の配属勤務地】[総]東京4 大阪1 [技]東京35 大阪14 愛知2 福岡1

【転勤】あり：全社員

【中途比率】[単年度]21年度32%、22年度32%、23年度40%[全体]12%

●働きやすさ、諸制度●

残業(月)　20.1時間 [総]20.1時間

【勤務時間】9:00～17:30【有休取得年平均】14.2日【週休】完全2日(土日祝)【夏期休暇】連続3日【年末年始休暇】連続6日

【離職率】男：2.6%、87名 女：3.7%、15名

【新卒3年後離職率】

[20→23年]11.4%(男10.0%・入社90名、女15.2%・入社33名)

[21→24年]11.0%(男11.5%・入社131名、女9.5%・入社42名)

【テレワーク】制度あり：[場所]自宅 単身赴任の場合家族の居住地 要介護家族の居住地 帰省先[対象]従業員(試用社員は除く)パートナー(雇用開始後6カ月以下の者を除く)※業務上の支障等を上長が判断[日数]制限なし[利用率]20.1%【勤務制度】フレックス 時間単位有休 時差勤務 副業容認【住宅補助】独身寮(32歳まで)

●ライフイベント、女性活躍●

【女性比率】■男 □女

新卒採用 24%(30名)

従業員 10.7%(387名)

管理職 4.3%(63名)

【産休】[期間]産前6・産後8週間[給与]産前6・産後6週間は有給、産後6週を超える部分は法定[取得者数]13名

【育休】[期間]3歳になるまで[給与]法定[取得者数]22年度 男68名(対象87名)女9名(対象9名)23年度 男56名(対象64名)女11名(対象11名)[平均取得日数]22年度 男63日 女424日、23年度 男57日 女420日

【従業員】[人数]3,622名(男3,235名、女387名)[平均年齢]43.2歳(男43.9歳、女37.1歳)[平均勤続年数]16.9年(男17.4年、女12.6年)【年齢構成】■男 □女

	男	女
60代～	8%	0%
50代	29%	2%
40代	23%	2%
30代	17%	2%
～20代	13%	4%

会社データ　(金額は百万円)

【本社】135-0061 東京都江東区豊洲5-6-36 ☎03-6807-3111
https://www.mirait-one.com/

【業績(連結)】	売上高	営業利益	経常利益	純利益
22.3	470,385	32,804	34,152	25,163
23.3	483,987	21,803	22,384	14,781
24.3	518,384	17,830	18,690	12,535

にっぽん
日本コムシス(株)

えるぼし★★★ くるみん

【特色】通信工事大手。NTT、携帯キャリアに強い

記者評価 電気通信工事大手。コムシスホールディングスの中核企業。光回線や携帯基地局の工事が中心。NTT向けの売り上げが多く、経営陣もNTT出身者が多い。企業や官公庁・自治体を顧客とするICTソリューション事業、電気関連工事も手がける。データセンター構築が成長。

平均勤続年数	男性育休取得率	3年後離職率	平均年収(平均44歳)
16.8年	74.5→68.3%	14.4→15.7%	総733万円

●採用・配属情報●

【男女・文理別採用実績】

	大卒男	大卒女	修士男	修士女
23年	43(文 10理 33)	24(文 20理 4)	5(文 0理 5)	0(文 0理 0)
24年	45(文 16理 29)	20(文 16理 4)	7(文 0理 7)	0(文 0理 0)
25年	56(文 14理 42)	18(文 16理 2)	4(文 1理 3)	0(文 0理 0)

【男女・職種別採用実績】

	総合職
23年	72(男 48 女 24)
24年	74(男 52 女 22)
25年	80(男 61 女 19)

【24年4月入社者の配属勤務地】総東京・大崎6 技東京・大崎62 大阪6

【転勤】あり:[職種]総合職

【中途比率】[単年度]21年度31%、22年度28%、23年度27%[全体]23%

●働きやすさ、諸制度●

残業(月) 27.5時間 総27.5時間

【勤務時間】8:30～17:00(部門による)9:00～17:30【有休取得年平均】14.3日【週休】完全2日(土日祝)【夏期休暇】連続4日【年末年始休暇】連続6日

【離職率】男:2.8%、72名 女:3.9%、9名(他に男51名転籍)

【新卒3年後離職率】
[20→23年]14.4%(男12.8%・入社78名、女21.1%・入社19名)
[21→24年]15.7%(男16.4%・入社67名、女12.5%・入社16名)

【テレワーク】制度あり:[場所]自宅 サテライトオフィス[対象]従業員 派遣労働者[日数]制限なし[利用率]23.8%【勤務制度】フレックス 時間単位有休 時差勤務 勤務間インターバル【住宅補助】自社独身寮および社宅(首都圏各地と大阪府内)

●ライフイベント、女性活躍●

【女性比率】■男 □女

新卒採用 23.8% (19名)

従業員 8.3% (223名)

管理職 3% (28名)

【産休】[期間]産前6・産後8週間[給与]会社全額給付[取得者数]3名

【育休】[期間]1歳になるまで[給与]法定[取得者数]22年度 男35名(対象47名)女0名(対象0名)23年度 男43名(対象63名)女4名(対象4名)[平均取得日数]22年度 男18日 女468日、23年度 男56日 女453日

【従業員】[人数]2,686名(男2,463名、女223名)[平均年齢]45.1歳(男45.8歳、女37.8歳)[平均勤続年数]16.8年(男17.2年、女12.0年)

【年齢構成】■男 □女

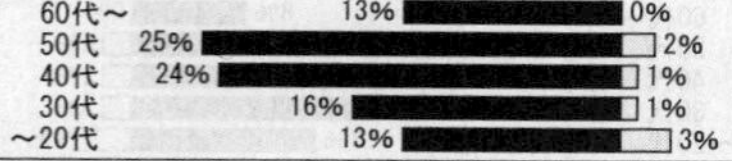

	男	女
60代～	13%	0%
50代	25%	2%
40代	24%	1%
30代	16%	1%
～20代	13%	3%

会社データ (金額は百万円)

【本社】141-8647 東京都品川区東五反田2-17-1 ☎03-3448-7030
https://www.comsys.co.jp/

【業績(単独)】	売上高	営業利益	経常利益	純利益
22.3	224,672	13,914	16,993	12,018
23.3	185,482	5,106	5,701	3,758
24.3	180,347	11,756	13,697	10,601

にっぽんでんせつこうぎょう
日本電設工業(株)

【特色】JR東日本向け中心に鉄道電気工事首位。総合化志向

記者評価 JR・官庁関連の電気・信号工事が主力。鉄道電気工事が5割超。鉄道電気では駅改良・新設工事や整備新幹線関連にも実績。一般電気工事のほか、携帯事業各社の基地局新設工事など情報通信工事も手がける。ZEB(ネット・ゼロ・エネルギービル)化事業を推進。

平均勤続年数	男性育休取得率	3年後離職率	平均年収(平均43歳)
15.0年	22.2→51.7%	12.6→8.4%	総836万円

●採用・配属情報●

【男女・文理別採用実績】

	大卒男	大卒女	修士男	修士女
23年	66(文 4理 62)	3(文 3理 0)	2(文 0理 2)	0(文 0理 0)
24年	65(文 14理 51)	7(文 5理 2)	0(文 0理 0)	0(文 0理 0)
25年	104(文 9理 95)	6(文 4理 2)	0(文 0理 0)	0(文 0理 0)

※25年:計画数(大卒に院・高専・短大・専門含む)

【男女・職種別採用実績】

	事務職・営業職	技術職
23年	9(男 6 女 3)	81(男 81 女 0)
24年	15(男 10 女 5)	78(男 76 女 2)
25年	13(男 9 女 4)	97(男 95 女 2)

【24年4月入社者の配属勤務地】総東京(上野12 王子1 西六郷2) 技千葉・柏(研修所)78

【転勤】あり:全社員

【中途比率】[単年度]21年度6%、22年度6%、23年度8%[全体]13%

●働きやすさ、諸制度●

残業(月) 20.1時間 総20.1時間

【勤務時間】8:30～17:30【有休取得年平均】13.3日【週休】完全2日(土日祝)【夏期休暇】6日【年末年始休暇】12月29日～1月3日

【離職率】男:2.3%、56名 女:2.5%、4名

【新卒3年後離職率】
[20→23年]12.6%(男13.4%・入社82名、女0%・入社5名)
[21→24年]8.4%(男8.9%・入社101名、女0%・入社6名)

【テレワーク】制度あり:[場所]自宅[対象]介護・看護・育児・傷病等の理由により通勤して就労することが困難な者[日数]制限なし[利用率]NA【勤務制度】時差勤務 勤務間インターバル【住宅補助】会社提供住居 持家・賃貸に対する住宅手当

●ライフイベント、女性活躍●

【女性比率】■男 □女

新卒採用 5.5% (6名)

従業員 6.1% (155名)

管理職 1.3% (10名)

【産休】[期間]産前6・産後8週間[給与]法定[取得者数]4名

【育休】[期間]1歳になるまで[給与]法定[取得者数]22年度 男12名(対象54名)女4名(対象4名)23年度 男30名(対象58名)女4名(対象4名)[平均取得日数]22年度 NA、23年度 男44日 女278日

【従業員】[人数]2,546名(男2,391名、女155名)[平均年齢]42.6歳(男42.6歳、女42.2歳)[平均勤続年数]15.0年(男17.1年、女13.6年)

【年齢構成】■男 □女

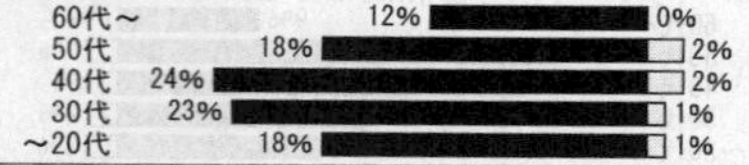

	男	女
60代～	12%	0%
50代	18%	2%
40代	24%	2%
30代	23%	1%
～20代	18%	1%

会社データ (金額は百万円)

【本社】110-8706 東京都台東区池之端1-2-23 ☎03-3822-8811
https://www.densetsuko.co.jp/

【業績(連結)】	売上高	営業利益	経常利益	純利益
22.3	173,569	7,454	8,703	5,222
23.3	172,100	9,658	10,903	7,171
24.3	194,031	13,448	14,900	10,042

建設

1807 開示 ★★★ 専門 採用あり

すみともでんせつ
住友電設(株)

えるぼし ★★

【特色】住友電工系。一般電気や空調など設備工事を展開

記者評価 住友電工の連結子会社。ビル・工場の内線工事を主力に、情報通信、空調など設備工事を手がける。系統連系など高難度の電力工事に強い。5G向け通信基地局敷設の増勢が続く。提案営業を強化し、風力発電など再エネ案件を深掘り。新技術・新工法にも積極的。

平均勤続年数	男性育休取得率	3年後離職率	平均年収(平均44歳)
◇17.4年	23.3→70.7%	9.3→16.1%	総 913万円

●採用・配属情報●

【男女・文理別採用実績】

	大卒男	大卒女	修士男	修士女
23年	47(文 3理 44)	3(文 2理 1)	1(文 0理 1)	0(文 0理 0)
24年	38(文 3理 35)	3(文 1理 2)	0(文 0理 0)	0(文 0理 0)
25年	43(文 2理 41)	4(文 4理 0)	1(文 0理 1)	1(文 1理 0)

【男女・職種別採用実績】 転換制度:⇒

	総合職	一般職
23年	57(男 52 女 5)	0(男 0 女 0)
24年	48(男 45 女 3)	0(男 0 女 0)
25年	55(男 50 女 5)	0(男 0 女 0)

【24年4月入社者の配属勤務地】総 東京21 大阪22 愛知1 技 東京1 大阪3

【転勤】あり:[職種]総合職

【中途比率】[単年度]21年度44%、22年度36%、23年度36%[全体]◇2%

●働きやすさ、諸制度●

残業(月) 38.8時間 総 40.8時間

【勤務時間】8:45～17:30【有休取得年平均】14.0日【週休】完全2日【夏期休暇】連続9日(有休4日、週休4日、祝日1日)【年末年始休暇】12月28日～1月5日

【離職率】◇男:2.0%、31名 女:1.9%、5名

【新卒3年後離職率】

[20→23年]9.3%(男6.8%・入社44名、女20.0%・入社10名)

[21→24年]16.1%(男18.0%・入社50名、女0%・入社6名)

【テレワーク】制度あり:[場所]自宅 サテライトオフィス 顧客事業所 出張先の宿泊施設 移動時の公共交通機関や自動車の車内等[対象]勤続1年以上の者[日数]一給与計算月に10回まで[利用率]2.0%【勤務制度】フレックス 時間単位有休【住宅補助】独身寮(神奈川・大阪にそれぞれ1カ所)住宅手当(世帯主)借上社宅(転勤時)家賃補助(社内規程による)

●ライフイベント、女性活躍●

【女性比率】■男 □女

新卒採用 9.1% (5名)　従業員 14.4% (253名)

【産休】[期間]産前6・産後8週間[給与]法定[取得者数]0名

【育休】[期間]1歳になるまで[給与]最初の就業日5日目まで有給、以降法定[取得者数]22年度 男10名(対象43名)女5名(対象5名)23年度 男29名(対象41名)女5名(対象5名)[平均取得日数]22年度 NA、23年度 男18日 女353日

【従業員】◇[人数]1,753名(男1,500名、女253名)[平均年齢]44.2歳(男44.4歳、女43.2歳)[平均勤続年数]17.4年(男17.6年、女16.3年)【年齢構成】■男 □女

	男	女
60代～	9%	1%
50代	30%	5%
40代	14%	4%
30代	14%	2%
～20代	18%	3%

会社データ (金額は百万円)

【本社】550-8550 大阪府大阪市西区阿波座2-1-4 ☎06-6537-3400
https://www.sem.co.jp/

【業績(連結)】	売上高	営業利益	経常利益	純利益
22.3	167,594	13,005	13,900	9,140
23.3	175,120	13,461	14,394	9,384
24.3	185,524	12,548	13,502	10,060

1929 開示 ★★★★ 専門 採用あり

とうこうでんきこうじ
東光電気工事(株)

【特色】電気工事大手。独立系。太陽光など再エネも強化

記者評価 1923年関東大震災の電灯復旧を目的に創業。内・外線、再エネ、空調などの工事が柱。業界大手の一角。洋上風力、メガソーラーにも実績多い。太陽光と風力を組み合わせたクロス発電に新機軸。つくばに技能開発センター。タイ、ベトナム、ミャンマーに海外拠点。

平均勤続年数	男性育休取得率	3年後離職率	平均年収(平均42歳)
16.9年	2.9→100%	26.6→21.6%	総 968万円

●採用・配属情報●

【男女・文理別採用実績】

	大卒男	大卒女	修士男	修士女
23年	18(文 2理 16)	1(文 1理 0)	0(文 0理 0)	0(文 0理 0)
24年	38(文 8理 30)	4(文 3理 1)	0(文 0理 0)	0(文 0理 0)
25年	34(文 9理 25)	5(文 5理 0)	0(文 0理 0)	0(文 0理 0)

【男女・職種別採用実績】

	総合職	一般職
23年	21(男 19 女 2)	0(男 0 女 0)
24年	48(男 44 女 4)	0(男 0 女 0)
25年	45(男 40 女 5)	0(男 0 女 0)

【24年4月入社者の配属勤務地】総(24年)東京(千代田4 中央1) 技(23年)東京(千代田区2 中央3 新宿2)茨城1 千葉1 神奈川2 中部1 関西1 九州1 北海道2

【転勤】あり:[職種]全社員[勤務地]全国(本拠地選択制度あり)

【中途比率】[単年度]21年度39%、22年度42%、23年度59%[全体]25%

●働きやすさ、諸制度●

残業(月) 23.8時間 総 28.1時間

【勤務時間】8:45～17:45【有休取得年平均】11.4日【週休】完全2日(土日祝)【夏期休暇】連続2日【年末年始休暇】連続5日

【離職率】男:1.8%、19名 女:1.6%、3名

【新卒3年後離職率】

[20→23年]26.6%(男26.7%・入社60名、女25.0%・入社4名)

[21→24年]21.6%(男22.7%・入社44名、女14.3%・入社7名)

【テレワーク】制度あり:[場所]自宅 サテライトオフィス[対象]全社員[日数]制限なし[利用率]NA【勤務制度】なし【住宅補助】28歳未満で自宅から通勤が困難な場合(社有寮自己負担15,000円 借上社宅自己負担15,000円)転勤者で本拠地エリア外で働く場合(社有寮自己負担10,000～15,000円 借上社宅自己負担・家賃の10～40%)

●ライフイベント、女性活躍●

【女性比率】■男 □女

新卒採用 11.1% (5名)　従業員 14.5% (180名)　管理職 4.4% (9名)

【産休】[期間]産前6・産後8週間[給与]法定[取得者数]5名

【育休】[期間]2歳になるまで[給与]法定[取得者数]22年度 男1名(対象34名)女4名(対象4名)23年度 男1名(対象1名)女4名(対象4名)[平均取得日数]22年度 男- 女10日、23年度 男12日 女9日

【従業員】[人数]1,239名(男1,059名、女180名)[平均年齢]43.5歳(男43.8歳、女41.5歳)[平均勤続年数]16.9年(男17.3年、女14.8年)【年齢構成】■男 □女

	男	女
60代～	10%	1%
50代	25%	3%
40代	14%	3%
30代	17%	4%
～20代	18%	3%

会社データ (金額は百万円)

【本社】101-8350 東京都千代田区西神田1-4-5 ☎03-3292-2111
https://www.tokodenko.co.jp/

【業績(連結)】	売上高	営業利益	経常利益	純利益
22.3	103,289	2,218	2,601	1,544
23.3	100,578	3,156	3,345	1,794
24.3	108,298	5,623	5,968	3,797

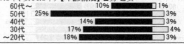

建設

2840 開示 ★★★★☆ [短大] [専門] 採用あり

㈱HEXEL Works（ヘクセル ワークス） [くるみん]

【特色】独立系の内線電設工事専門会社。業界上位

[記者評価] 旧六興電気。電気設備工事の準大手。官庁工事が主力だったが、現在はマンション工事の比率が高い。医療施設、宿泊施設などの工事も手がける。03年に参入した米軍関連工事では国内首位級の実績を誇る。入社4年目以降の社員を対象に副業を奨励する取り組みを実施。

平均勤続年数	男性育休取得率	3年後離職率	平均年収(平均42歳)
◇15.1年	10.5→16.1%	22.6→21.1%	[総]786万円

●採用・配属情報●

【男女・文理別採用実績】

	大卒男	大卒女	修士男	修士女
23年	28(文 2理 26)	2(文 2理 0)	0(文 0理 0)	0(文 0理 0)
24年	21(文 6理 15)	2(文 2理 0)	0(文 0理 0)	0(文 0理 0)
25年	15(文 0理 15)	1(文 0理 1)	0(文 0理 0)	0(文 0理 0)

【男女・職種別採用実績】

	総合職
23年	32(男 29 女 3)
24年	25(男 22 女 3)
25年	18(男 17 女 1)

【24年4月入社者の配属勤務地】[総]東京1 宮城2 兵庫1 [技]東京5 茨城1 埼玉1 北海道1 宮城3 新潟1 静岡2 愛知2 大阪1 兵庫1 広島1 福岡1 沖縄1
【転勤】あり:[職種]管理職
【中途比率】[単年度]21年度41%、22年度42%、23年度49%[全体]◇33%

●働きやすさ、諸制度●

残業(月) 35.2時間 [総]35.2時間

【勤務時間】8:30〜17:30【有休取得年平均】10.5日【週休】2日(現場により異なる)【夏期休暇】連続3日【年末年始休暇】連続6日
【離職率】◇男:4.6%、38名 女:6.6%、8名
【新卒3年後離職率】
[20→23年]22.6%(男22.2%・入社27名、女25.0%・入社4名)
[21→24年]21.1%(男23.5%・入社17名、女0%・入社2名)
【テレワーク】制度あり:[場所]自宅[対象]上長に認められたもの[日数]制限なし[利用率]NA【勤務制度】フレックス 時差勤務 副業容認【住宅補助】独身寮(南浦和 新川崎 自己負担8,400円＋食費・電気代 原則5年間 実家を離れた首都圏勤務者のみ)借上社宅(自己負担8,400円＋食費・電気代 実家を離れた地方勤務者のみ)

●ライフイベント、女性活躍●

【女性比率】■男 □女

新卒採用 5.6% (1名)

従業員 12.6% (113名)

管理職 8.7% (23名)

【産休】[期間]産前6・産後8週間[給与]法定[取得者数]2名
【育休】[期間]1歳になるまで[給与]法定[取得者数]22年度 男2名(対象19名)女4名(対象4名)23年度 男5名(対象31名)女2名(対象2名)[平均取得日数]22年度 男22日 女308日、23年度 男30日 女386日
【従業員】◇[人数]897名(男784名、女113名)[平均年齢]41.5歳(男41.8歳、女39.7歳)[平均勤続年数]15.1年(男15.7年、女11.1年)【年齢構成】■男 □女

	男	女
60代〜	10%	1%
50代	17%	1%
40代	18%	4%
30代	22%	3%
〜20代	21%	3%

[会社データ] (金額は百万円)

【本社】105-0012 東京都港区芝大門1-1-30 ☎03-3459-3366
https://www.hexel.co.jp/

【業績(単独)】	売上高	営業利益	経常利益	純利益
21.9	39,014	2,805	2,984	1,949
22.9	44,303	2,147	2,931	2,104
23.12変	34,879	▲1,151	▲911	▲717

54 開示 ★★★☆☆ [短大] [専門] 採用あり

㈱きんでん

【特色】関西電力系で電設工事首位級。関電依存度は2割弱

[記者評価] 関電系。電気設備工事を柱に情報通信設備、空調・衛生設備、計装設備、内装設備など総合設備エンジニアリングを展開。全国に営業網。海外はASEAN中心に約10カ国に拠点。太陽光発電設備やVPP(バーチャル・パワープラント)構築実証事業などに注力。

平均勤続年数	男性育休取得率	3年後離職率	平均年収(平均42歳)
◇20.2年	8.9→14.0%	11.0→11.7%	◇848万円

●採用・配属情報●

【男女・文理別採用実績】※25年:192名採用予定

	大卒男	大卒女	修士男	修士女
23年	158(文 23理135)	13(文 8理 5)	4(文 0理 4)	1(文 0理 1)
24年	151(文 24理127)	16(文 8理 8)	4(文 0理 4)	0(文 0理 0)
25年	−(文 −理 −)	−(文 −理 −)	−(文 −理 −)	−(文 −理 −)

【男女・職種別採用実績】 転換制度:⇔

	総合職
23年	190(男176 女 14)
24年	178(男162 女 16)
25年	192(男 − 女 −)

【24年4月入社者の配属勤務地】[総](23年)北海道1 東京6 神奈川1 愛知2 滋賀1 京都2 大阪10 兵庫3 奈良1 和歌山1 広島1 福岡1 [技](23年)北海道2 宮城5 埼玉3 千葉5 東京28 神奈川5 愛知13 滋賀4 京都9 大阪46 兵庫14 奈良3 和歌山3 広島8 香川4 福岡4
【転勤】あり:全社員
【中途比率】[単年度]21年度10%、22年度11%、23年度13%[全体]◇14%

●働きやすさ、諸制度●

残業(月) 24.5時間 [総]27.5時間

【勤務時間】8:30〜17:30(3月16日〜9月15日)8:30〜17:15(9月16日〜3月15日)【有休取得年平均】10.5日【週休】完全2日(土日祝)【夏期休暇】4日【年末年始休暇】連続7日
【離職率】◇男:2.7%、218名 女:0.9%、6名(早期退職男1名含む)
【新卒3年後離職率】
[20→23年]11.0%(男11.3%・入社150名、女0%・入社5名)
[21→24年]11.7%(男11.7%・入社171名、女12.5%・入社8名)
【テレワーク】制度あり:[場所]自宅 サテライトオフィス等[対象]全社員[日数]制限なし[利用率]0.3%【勤務制度】時差勤務 勤務間インターバル【住宅補助】独身・単身寮 社宅

●ライフイベント、女性活躍●

【女性比率】■男 □女

従業員 8.2% (699名)

管理職 0.2% (4名)

【産休】[期間]産前6・産後8週間[給与]法定[取得者数]17名
【育休】[期間]1歳6カ月になるまで[給与]法定[取得者数]22年度 男23名(対象258名)女12名(対象12名)23年度 男31名(対象221名)女16名(対象16名)[平均取得日数]22年度 男55日 女422日、23年度 男52日 女397日
【従業員】◇[人数]8,493名(男7,794名、女699名)[平均年齢]42.0歳(男41.9歳、女43.1歳)[平均勤続年数]20.2年(男20.5年、女16.6年)【年齢構成】■男 □女

	男	女
60代〜	7%	0%
50代	27%	3%
40代	16%	2%
30代	17%	2%
〜20代	24%	1%

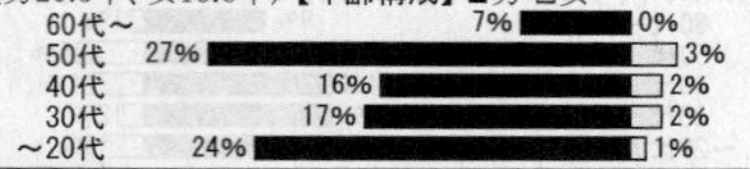

[会社データ] (金額は百万円)

【本社】531-8550 大阪府大阪市北区本庄東2-3-41 ☎06-6375-6000
https://www.kinden.co.jp/

【業績(連結)】	売上高	営業利益	経常利益	純利益
22.3	566,794	37,087	39,977	26,366
23.3	609,132	37,430	40,243	28,722
24.3	654,516	42,677	45,982	33,553

建設

52 開示 ★★★ 短大 専門 採用あり

㈱関電工（かんでんこう）

くるみん

【特色】東京電力系列の電気工事大手。再生エネ事業も

記者評価 ビルや工場などの屋内線工事が主力。配電線工事など東電向けは売上高の3割程度。情報通信工事や再生エネルギー発電事業も推進。業務のデジタル化に力を入れる。社長は東電出身が続いていたが、3代続けて生え抜きに。新卒・中途とも積極採用を継続。

平均勤続年数	男性育休取得率	3年後離職率	平均年収(平均43歳)
◇19.6年	10.9→31.4%	10.4→8.2%	㊓834万円

●採用・配属情報●

【男女・文理別採用実績】

	大卒男	大卒女	修士男	修士女
23年	71(文 18理 53)	12(文 8理 4)	4(文 1理 3)	0(文 0理 0)
24年	68(文 25理 43)	12(文 9理 3)	5(文 1理 4)	0(文 0理 0)
25年	85(文 30理 55)	12(文 7理 5)	4(文 0理 4)	1(文 0理 1)

【男女・職種別採用実績】

	総合職(事務)	総合職(技術)
23年	28(男 19 女 9)	74(男 70 女 4)
24年	31(男 22 女 9)	61(男 57 女 4)
25年	21(男 13 女 8)	90(男 84 女 6)

【24年4月入社者の配属勤務地】㊓東京18 埼玉3 千葉3 神奈川4 大阪3 ㊕東京39 埼玉6 千葉4 神奈川8 新潟1 大阪2 福島1

【転勤】あり:全社員

【中途比率】[単年度]21年度21%、22年度19%、23年度22%[全体]◇19%

●働きやすさ、諸制度●

残業(月) 27.9時間 ㊓27.2時間

【勤務時間】8:30〜17:30【有休取得年平均】16.8日【週休】完全2日(土日祝)【夏期休暇】連続6日(有休3日 週休2日 祝日1日)【年末年始休暇】12月29日〜1月4日

【離職率】◇男:3.9%、305名 女:1.9%、10名(早期退職男24名、女2名含む)

【新卒3年後離職率】
[20→23年]10.4%(男9.7%・入社103名、女16.7%・入社12名)
[21→24年]8.2%(男9.2%・入社87名、女0%・入社11名)

【テレワーク】制度あり:[場所]自宅 サテライトオフィス[対象]全従業員[日数]週2日まで[利用率]NA【勤務制度】時差勤務【住宅補助】独身社宅(マンションタイプ)借上社宅 ※通勤困難者に限る

●ライフイベント、女性活躍●

【女性比率】■男 □女

新卒採用 12.6% (14名)

従業員 6.6% (528名)

管理職 1.6% (34名)

【産休】[期間]産前6・産後8週間[給与]法定+付加給付20%[取得者数]13名

【育休】[期間]2歳になるまで※やむを得ない事情がある場合2歳〜小学校6年生まで(通算36カ月)[給与]1カ月分賃金給付、以降法定[取得者数]22年度 男18名(対象165名)女15名(対象15名)23年度 男48名(対象153名)女13名(対象13名)[平均取得日数]22年度 NA、23年度 男35日 女360日

【従業員】◇[人数]7,957名(男7,429名、女528名)[平均年齢]42.3歳(男42.2歳、女43.4歳)[平均勤続年数]19.6年(男19.7年、女17.3年)【年齢構成】■男 □女

	男	女
60代〜	7%	0%
50代	31%	2%
40代	18%	1%
30代	14%	1%
〜20代	24%	1%

会社データ (金額は百万円)

【本社】108-8533 東京都港区芝浦4-8-33 ☎03-5476-2111
https://www.kandenko.co.jp/

【業績(連結)】	売上高	営業利益	経常利益	純利益
22.3	495,567	30,643	31,754	20,315
23.3	541,579	32,748	34,059	21,167
24.3	598,427	40,934	42,648	27,345

61 開示 ★★★ 短大 専門 採用あり

㈱九電工（きゅうでんこう）

【特色】九州電力系の電気工事会社。太陽光発電に注力

記者評価 電気設備工事大手3社の一角。九州電力向けは売上高の1割と低く、民間向け屋内電気工事が主力。首都圏や東南アジアにも積極展開。太陽光発電は、顧客施設に発電設備を無償設置し発電された電力を当該顧客に販売するPPAモデルや、メガソーラーに重点。

平均勤続年数	男性育休取得率	3年後離職率	平均年収(平均38歳)
17.3年	6.6→19.6%	23.6→24.2%	㊓772万円

●採用・配属情報●

【男女・文理別採用実績】※25年:継続中

	大卒男	大卒女	修士男	修士女
23年	74(文 19理 55)	14(文 10理 4)	4(文 0理 4)	0(文 0理 0)
24年	97(文 41理 56)	19(文 13理 6)	3(文 0理 3)	0(文 0理 0)
25年	115(文 48理 67)	19(文 16理 3)	2(文 0理 2)	1(文 0理 1)

【男女・職種別採用実績】

	総合職
23年	98(男 84 女 14)
24年	125(男 105 女 20)
25年	141(男 120 女 21)

【24年4月入社者の配属勤務地】㊓本社8 福岡6 北九州6 大分1 宮崎1 鹿児島1 熊本1 長崎1 佐賀1 東京2 沖縄1 ㊕本社4 福岡19 北九州10 大分5 宮崎4 鹿児島8 熊本10 長崎5 佐賀6 東京17 関西5 沖縄3

【転勤】あり:全社員

【中途比率】[単年度]21年度9%、22年度9%、23年度21%(嘱託社員含む)[全体]18%

●働きやすさ、諸制度●

残業(月) 29.0時間 ㊓29.9時間

【勤務時間】8:30〜17:30(11〜2月)8:30〜17:00【有休取得年平均】12.4日【週休】完全2日(土日祝)【夏期休暇】8月12〜16日【年末年始休暇】12月29日〜1月3日

【離職率】男:4.8%、204名 女:3.2%、19名

【新卒3年後離職率】
[20→23年]23.6%(男23.2%・入社203名、女30.8%・入社13名)
[21→24年]24.2%(男26.1%・入社142名、女0%・入社11名)

【テレワーク】制度あり:[場所]自宅または自宅に準ずる場所 他[対象]規則に定める者[日数]毎月10日以内[利用率]0.2%【勤務制度】フレックス 時間単位有休 時差勤務 勤務間インターバル【住宅補助】独身寮(男性のみ、自己負担7,000円(水道光熱費込))借上社宅(家賃の45%を会社負担、30歳未満かつ独身者には手当として40,000円を追加支給)社有社宅(立地・広さ等から負担額を決定)

●ライフイベント、女性活躍●

【女性比率】■男 □女

新卒採用 14.9% (21名)

従業員 12.5% (576名)

【産休】[期間]産前6・産後8週間[給与]法定[取得者数]20名

【育休】[期間]3歳になるまで[給与]法定[取得者数]22年度 男16名(対象243名)女10名(対象10名)23年度 男44名(対象224名)女17名(対象20名)[平均取得日数]22年度 NA、23年度 男15日 女107日

【従業員】[人数]4,590名(男4,014名、女576名)[平均年齢]41.3歳(男41.0歳、女43.4歳)[平均勤続年数]17.3年(男17.5年、女16.2年)【年齢構成】■男 □女

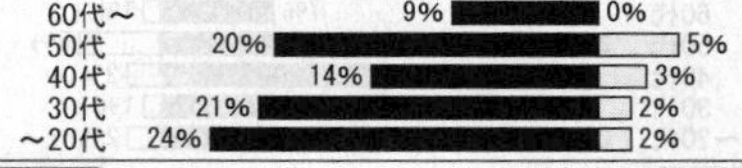

	男	女
60代〜	9%	0%
50代	20%	5%
40代	14%	3%
30代	21%	2%
〜20代	24%	2%

会社データ (金額は百万円)

【本社】815-0081 福岡県福岡市南区那の川1-23-35 ☎092-523-1691
https://www.kyudenko.co.jp/

【業績(連結)】	売上高	営業利益	経常利益	純利益
22.3	376,563	33,137	36,828	26,216
23.3	395,783	32,083	35,462	26,349
24.3	469,057	38,016	42,362	28,017

建設

開示 ★★★★☆　専門 採用あり

㈱トーエネック

【特色】中部電力子会社で電気工事大手。東海地区で最大

記者評価 配電線工事など中部電力向けは売上高の約3割。屋内線や空調管、情報通信工事の総合力で訴求し、オフィスビルや商業施設、工場など一般向けを強化。首都圏・近畿圏の開拓も推進。海外はアジアに注力、23年9月には台湾の電気・空調管工事会社に出資。

平均勤続年数	男性育休取得率	3年後離職率	平均年収(平均42歳)
19.4年	88.6→88.9%	15.0→20.6%	㊇708万円

●採用・配属情報●

【男女・文理別採用実績】※25年:130名採用計画

	大卒男	大卒女	修士男	修士女
23年	63(文 12 理 51)	12(文 10 理 2)	1(文 0 理 1)	0(文 0 理 0)
24年	65(文 21 理 44)	21(文 18 理 3)	4(文 0 理 4)	0(文 0 理 0)
25年	-(文 - 理 -)	-(文 - 理 -)	-(文 - 理 -)	-(文 - 理 -)

【男女・職種別採用実績】

	総合職
23年	84(男 72 女 12)
24年	96(男 75 女 21)
25年	130(男 - 女 -)

【24年4月入社者の配属勤務地】㊇愛知(名古屋17 岡崎2) 静岡2 三重2 岐阜1 長野1 東京3 大阪1 ㊈研修中のため未定67

【転勤】あり:全社員

【中途比率】[単年度]21年度6%、22年度9%、23年度10% [全体]11%

●働きやすさ、諸制度●

残業(月) 20.9時間 ㊇27.8時間

【勤務時間】8:30〜17:15【有休取得年平均】14.4日【週休】完全2日(土日祝)【夏期休暇】年間5日(レインボー休暇:特別休暇)【年末年始休暇】12月29日〜1月3日

【離職率】男:2.9%、129名 女:2.2%、12名(早期退職男2名含む)

【新卒3年後離職率】
[20→23年]15.0%(男14.8%・入社115名、女20.0%・入社5名)
[21→24年]20.6%(男22.8%・入社145名、女0%・入社15名)

【テレワーク】制度あり:[場所]原則自宅 他[対象]全社員[日数]月4日まで 他[利用率]0.6%【勤務制度】フレックス 時間単位有休 時差勤務 副業容認【住宅補助】社員寮(中部地区 東京 大阪 自社9寮 他)借上社宅(98戸)住宅手当

●ライフイベント、女性活躍●

【女性比率】■男 □女

従業員 10.8% (523名)

管理職 2.4% (21名)

【産休】[期間]産前6・産後8週間[給与]法定[取得者数]5名

【育休】[期間]1歳2カ月になるまで[給与]法定[取得者数]22年度 男147名(対象166名)女8名(対象8名)23年度 男120名(対象135名)女5名(対象6名)[平均取得日数]22年度 男12日 女483日、23年度 男26日 女424日

【従業員】[人数]4,844名(男4,321名、女523名)[平均年齢]41.6歳(男41.2歳、女44.9歳)[平均勤続年数]19.4年(男19.3年、女20.2年)

【年齢構成】■男 □女

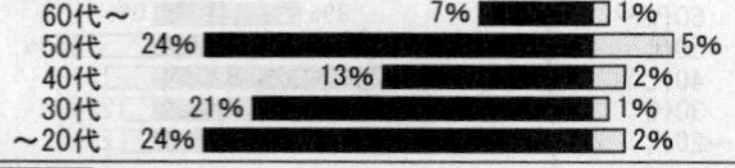

会社データ　(金額は百万円)

【本社】460-8408 愛知県名古屋市中区栄1-20-31 ☎052-221-1111
https://www.toenec.co.jp/

【業績(連結)】	売上高	営業利益	経常利益	純利益
22.3	219,617	14,072	13,394	8,283
23.3	232,053	10,287	8,983	▲5,548
24.3	252,863	15,910	12,679	9,345

開示 ★★★☆☆　短大 専門 採用あり

㈱ユアテック

【特色】東北電力系の電気工事会社。首都圏工事に展開へ

記者評価 配電線工事や屋内配線工事が主力で、東北電力向けが売上の4割超占める。震災復興工事はほぼ一巡。再エネ事業本部新設し、太陽光や風力発電の拡大狙う。首都圏の商業施設にも営業活動強化。経年劣化の更新工事を次の柱に育成。ベトナムなど東南アジアに拠点。

平均勤続年数	男性育休取得率	3年後離職率	平均年収(平均42歳)
19.3年	3.0→6.0%	10.3→12.8%	㊇711万円

●採用・配属情報●

【男女・文理別採用実績】

	大卒男	大卒女	修士男	修士女
23年	61(文 11 理 50)	3(文 1 理 2)	1(文 0 理 1)	0(文 0 理 0)
24年	58(文 12 理 46)	7(文 4 理 3)	0(文 0 理 0)	0(文 0 理 0)
25年	57(文 14 理 43)	7(文 3 理 4)	0(文 0 理 0)	0(文 0 理 0)

【男女・職種別採用実績】　転換制度:NA

	総合職
23年	89(男 85 女 4)
24年	82(男 74 女 8)
25年	77(男 70 女 7)

【24年4月入社者の配属勤務地】㊇宮城4 青森1 岩手3 山形2 福島1 新潟3 東京1 ㊈宮城57 青森2 岩手3 秋田1 福島1 新潟3

【転勤】あり:全社員

【中途比率】[単年度]21年度7%、22年度5%、23年度8% [全体]NA

●働きやすさ、諸制度●

残業(月) 28.2時間 ㊇28.2時間

【勤務時間】(3〜10月)8:30〜17:30(11〜2月)8:30〜17:00【有休取得年平均】12.6日【週休】完全2日(土日祝)【夏期休暇】4日【年末年始休暇】12月29日〜1月3日

【離職率】男:2.2%、77名 女:2.6%、8名(早期退職男1名、女1名含む 他に男12名転籍)

【新卒3年後離職率】
[20→23年]10.3%(男11.3%・入社80名、女0%・入社7名)
[21→24年]12.8%(男13.8%・入社116名、女0%・入社9名)

【テレワーク】制度なし【勤務制度】時間単位有休 時差勤務

【住宅補助】独身単身寮(社有・借上)借上社宅

●ライフイベント、女性活躍●

【女性比率】■男 □女

新卒採用 9.1% (7名)

従業員 8% (303名)

【産休】[期間]産前6・産後8週間[給与]法定+共済会3分の1給付[取得者数]11名

【育休】[期間]1歳になるまで[給与]法定+賞与35%保障[取得者数]22年度 男3名(対象100名)女4名(対象4名)23年度 男6名(対象100名)女10名(対象10名)[平均取得日数]22年度 男166日 女347日、23年度 男45日 女323日

【従業員】[人数]3,796名(男3,493名、女303名)[平均年齢]41.9歳(男42.0歳、女41.0歳)[平均勤続年数]19.3年(男19.3年、女18.6年)

【年齢構成】■男 □女

	男	女
60代〜	6%	1%
50代	25%	2%
40代	19%	2%
30代	19%	1%
〜20代	22%	2%

会社データ　(金額は百万円)

【本社】983-8622 宮城県仙台市宮城野区榴岡4-1-1 ☎022-296-2111
https://www.yurtec.co.jp/

【業績(連結)】	売上高	営業利益	経常利益	純利益
22.3	225,317	9,492	10,040	6,700
23.3	227,366	9,538	10,501	6,561
24.3	243,171	10,523	11,885	7,510

㈱中電工（ちゅうでんこう）

えるぼし ★★

【特色】中国電力系の電気工事会社。親会社依存度は低い

[記者評価] 中国電力向けの売上高比率は25%程度、ビル・工場の屋内電気工事が約半分。太陽光発電設備を顧客先に無償設置し、電力を購入してもらうPPAや、ZEB（ネット・ゼロ・エネルギー・ビル）などの環境関連工事にも注力。シンガポール企業買収など海外も積極展開。

平均勤続年数	男性育休取得率	3年後離職率	平均年収（平均40歳）
18.8年	16.6→23.8%	17.0→25.5%	740万円

●採用・配属情報●

【男女・文理別採用実績】※25年：修士・大卒95名採用予定

	大卒男	大卒女	修士男	修士女
23年	68（文 24 理 44）	6（文 5 理 1）	1（文 0 理 1）	0（文 0 理 0）
24年	58（文 29 理 29）	6（文 5 理 1）	0（文 0 理 0）	0（文 0 理 0）
25年	－（文 － 理 －）	－（文 － 理 －）	－（文 － 理 －）	－（文 － 理 －）

【男女・職種別採用実績】

	総合職
23年	81（男 75 女 6）
24年	75（男 67 女 8）
25年	95（男 － 女 －）

【24年4月入社者の配属勤務地】[総]広島7 岡山2 山口2 島根1 [技]広島30 岡山10 山口5 島根1 鳥取1 東京6 大阪7 愛知3
【転勤】あり：全社員
【中途比率】［単年度］21年度2%、22年度9%、23年度9%［全体］6%

●働きやすさ、諸制度●

残業（月） 30.4時間 [総]30.4時間

【勤務時間】8:30～17:30（10～3月）8:30～17:00【有休取得年平均】12.4日【週休】2日（土日祝）【夏期休暇】計画休日（上期2日、下期2日）で取得【年末年始休暇】12月29日～1月3日
【離職率】男：3.3%、106名 女：1.3%、4名（早期退職男8名含む）
【新卒3年後離職率】
［20→23年］17.0%（男18.1%・入社83名、女9.1%・入社11名）
［21→24年］25.5%（男26.2%・入社84名、女20.0%・入社10名）
【テレワーク】制度あり：［場所］自宅 寮 社宅 要介護者の住居 会社指定施設（現場事務所除く）［対象］全社員（ただし可能な業務に限る）［日数］制限なし［利用率］0.2%【勤務制度】時間単位有休 時差勤務 勤務間インターバル 副業容認【住宅補助】賄付の独身・単身者用社有寮（主要県）借上寮 転勤者用社宅

●ライフイベント、女性活躍●

【女性比率】■男 □女

従業員 8.8%（305名）

管理職 2.1%（11名）

【産休】［期間］産前6・産後8週間［給与］法定［取得者数］6名
【育休】［期間］3歳になるまで［給与］法定［取得者数］22年度 男26名（対象157名）女6名（対象6名）23年度 男25名（対象105名）女4名（対象4名）［平均取得日数］22年度 男31日 女429日、23年度 男36日 女498日
【従業員】［人数］3,454名（男3,149名、女305名）［平均年齢］40.1歳（男39.7歳、女44.1歳）［平均勤続年数］18.8年（男18.4年、女22.9年）
【年齢構成】■男 □女

	男	女
60代～	5%	0%
50代	19%	3%
40代	18%	3%
30代	25%	1%
～20代	24%	2%

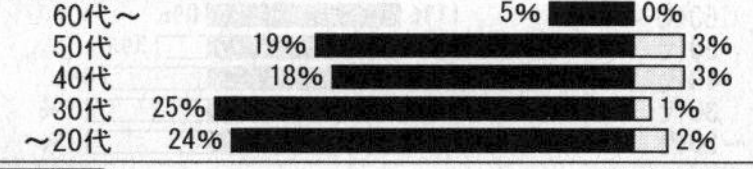

[会社データ] （金額は百万円）

【本社】730-0855 広島県広島市中区小網町6-12 ☎082-291-8945
https://www.chudenko.co.jp/

【業績（連結）】	売上高	営業利益	経常利益	純利益
22.3	190,690	9,762	11,959	6,682
23.3	189,032	8,361	▲1,905	▲6,913
24.3	201,025	11,947	12,742	7,937

大和リース㈱（だいわ）

くるみん

【特色】大和ハウスグループ。システム建築など展開

[記者評価] システム建築、プレハブの施工・販売が柱。庁舎や校舎など公共向けに豊富な実績を持つ。郊外型「フレスポ」、都市型「BiVi」、コミュニティ型「ブランチ」の各ブランドで商業施設の企画・建築・運営も手がける。自動車や公共設備などのリースも展開。

平均勤続年数	男性育休取得率	3年後離職率	平均年収（平均41歳）
16.8年	90.9→87.3%	20.0→19.1%	[総]854万円

●採用・配属情報●

【男女・文理別採用実績】※25年：24年7月22日時点

	大卒男	大卒女	修士男	修士女
23年	37（文 20 理 17）	28（文 15 理 13）	4（文 0 理 4）	2（文 0 理 2）
24年	34（文 17 理 17）	28（文 13 理 15）	1（文 0 理 1）	1（文 0 理 1）
25年	30（文 12 理 18）	22（文 8 理 14）	2（文 0 理 2）	0（文 0 理 0）

【男女・職種別採用実績】

	営業	技術職
23年	40（男 23 女 17）	33（男 19 女 14）
24年	32（男 18 女 14）	35（男 20 女 15）
25年	24（男 14 女 10）	31（男 18 女 13）

【24年4月入社者の配属勤務地】[総]札幌1 仙台4 東京・飯田橋5 横浜3 さいたま1 名古屋4 大阪市7 広島市4 福岡市3 [技]札幌1 仙台4 千葉市1 東京・飯田橋6 さいたま4 名古屋5 大阪市5 岡山市1 広島市3 香川・高松1 福岡市3 沖縄・那覇1
【転勤】あり：全社員
【中途比率】［単年度］21年度24%、22年度18%、23年度32%［全体］28%

●働きやすさ、諸制度●

残業（月） [総]23.4時間

【勤務時間】9:00～18:00【有休取得年平均】15.3日【週休】完全2日（土日祝）【夏期休暇】8月10～18日（13・14・16日は計画年休）【年末年始休暇】12月27日～1月5日（12月27日は計画年休）
【離職率】男：3.3%、59名 女：5.2%、32名
【新卒3年後離職率】
［20→23年］20.0%（男20.6%・入社34名、女19.4%・入社36名）
［21→24年］19.1%（男13.5%・入社37名、女25.8%・入社31名）
【テレワーク】制度あり：［場所］自宅 コワーキングスペース 他［対象］全従業員［日数］制限なし［利用率］NA【勤務制度】時間単位有休 時差勤務 副業容認【住宅補助】社宅 独身寮 単身寮 家賃補助 住宅手当

●ライフイベント、女性活躍●

【女性比率】■男 □女

新卒採用 41.8%（23名）

従業員 25.1%（582名）

管理職 4.7%（24名）

【産休】［期間］産前6・産後8週間［給与］法定［取得者数］28名
【育休】［期間］3歳に達するまで［給与］法定［取得者数］22年度 男50名（対象55名）女17名（対象17名）23年度 男48名（対象55名）女24名（対象24名）［平均取得日数］22年度 男30日 女459日、23年度 男52日 女415日
【従業員】［人数］2,323名（男1,741名、女582名）［平均年齢］42.4歳（男44.1歳、女37.2歳）［平均勤続年数］16.8年（男18.3年、女12.2年）
【年齢構成】■男 □女

	男	女
60代～	5%	1%
50代	24%	3%
40代	18%	7%
30代	16%	7%
～20代	11%	8%

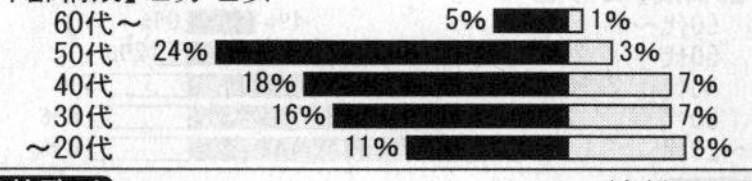

[会社データ] （金額は百万円）

【本社】540-0011 大阪府大阪市中央区農人橋2-1-36 ☎06-6942-8011
https://www.daiwalease.co.jp/

【業績（連結）】	売上高	営業利益	経常利益	純利益
22.3	243,373	26,268	26,492	17,517
23.3	241,311	28,962	28,912	19,778
24.3	248,890	26,098	25,708	17,278

建設

47 開示 ★★★ 専門 採用あり

大和ハウス工業(株)

だいわこうぎょう

くるみん

【特色】大手戸建て住宅メーカー。経営多角化を標榜

記者評価 関西地盤で軽量プレハブ住宅の草分け。戸建てや賃貸住宅のほか、マンション、商業施設、物流施設など全方位に展開。ビジネスホテル運営に加え、データセンターなどインフラ開発や都市再開発にも注力。子会社にゼネコンのフジタ。海外は米国が中心。

平均勤続年数	男性育休取得率	3年後離職率	平均年収(平均40歳)
15.5年	62.2 → 66.5%	22.5 → 23.1%	総 965万円

●採用・配属情報●

【男女・文理別採用実績】※25年 686名採用予定

	大卒男	大卒女	修士男	修士女
23年	423(文249 理174)	152(文 77 理 75)	61(文 6 理 55)	15(文 2 理 13)
24年	362(文214 理148)	143(文 63 理 80)	45(文 5 理 40)	16(文 1 理 15)
25年	-(文 -理 -)	-(文 -理 -)	-(文 -理 -)	-(文 -理 -)

【男女・職種別採用実績】

	総合職
23年	671(男502 女169)
24年	615(男445 女170)
25年	686(男 NA 女 NA)

【24年4月入社者の配属勤務地】総 北海道3 東北12 北陸5 甲信越16 関東101 東海44 近畿61 中国17 四国5 九州19 技 北海道2 東北14 北陸8 甲信越2 関東150 東海32 近畿84 中国15 四国4 九州21

【転勤】あり:[職種]総合職

【中途比率】[単年度]21年度11%、22年度19%、23年度20%[全体]NA

●働きやすさ、諸制度●

残業(月) 15.7時間 総 16.2時間

【勤務時間】フレックスタイム制(コアタイムなし)【有休取得年平均】12.3日【週休】完全2日(職種により異なる)【夏期休暇】(本社)連続6日(計画年休2日含む)【年末年始休暇】(本社)連続9日(計画年休1日含む)

【離職率】男:4.1%、541名 女:4.0%、143名

【新卒3年後離職率】

[20→23年]22.5%(男23.5%・入社621名、女19.5%・入社205名)

[21→24年]23.1%(男21.3%・入社385名、女28.8%・入社118名)

【テレワーク】制度あり:[場所]自宅 サテライトオフィス 他[対象]全従業員[日数]制限なし ※2024年度以降は週の半分未満[利用率]28.2%【勤務制度】フレックス 時間単位有休 時差勤務 勤務間インターバル 副業容認【住宅補助】独身寮・社宅・単身赴任寮(全国社員のみ対象)住宅手当

●ライフイベント、女性活躍●

【女性比率】■男 □女

従業員 21.3% (3432名)

管理職 5.8% (269名)

【産休】[期間]産前6・産後8週間[給与]法定[取得者数]180名

【育休】[期間]3歳になるまで[給与]法定[取得者数]22年度 男324名(対象521名)女135名(対象149名)23年度 男296名(対象445名)女176名(対象162名)[平均取得日数]22年度 NA、23年度 男27日 女521日

【従業員】[人数]16,135名(男12,703名、女3,432名)[平均年齢]40.4歳(男41.4歳、女36.7歳)[平均勤続年数]15.5年(男16.5年、女12.2年)

【年齢構成】■男 □女

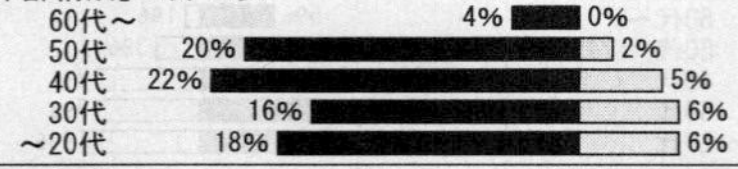

会社データ (金額は百万円)

【本社】530-8241 大阪府大阪市北区梅田3-3-5 ☎06-6342-1383
https://www.daiwahouse.co.jp/

【業績(連結)】	売上高	営業利益	経常利益	純利益
22.3	4,439,536	383,256	376,246	225,272
23.3	4,908,199	465,370	456,012	308,399
24.3	5,202,919	440,210	427,548	298,752

48 開示 ★★★ 短大 採用あり

積水ハウス(株)

せきすい

えるぼし ★★　プラチナくるみん

【特色】戸建て住宅の大手。賃貸住宅、都市再開発も

記者評価 1960年に積水化学工業から分離して発足。戸建て住宅は鉄骨プレハブが中心。営業力、ブランド力に定評があり、高価格帯住宅でシェア拡大。賃貸住宅の建設・借り上げで有力。マンションやホテル開発も展開。24年米国の大手住宅会社を買収、海外事業が成長柱。

平均勤続年数	男性育休取得率	3年後離職率	平均年収(平均42歳)
16.5年	114.8 → 114.8%	13.7 → 12.8%	総 1,023万円

●採用・配属情報●

【男女・文理別採用実績】※25年:565名採用予定

	大卒男	大卒女	修士男	修士女
23年	292(文218 理 74)	182(文120 理 62)	20(文 2 理 18)	9(文 1 理 8)
24年	282(文207 理 75)	188(文114 理 74)	31(文 2 理 29)	19(文 3 理 16)
25年	-(文 -理 -)	-(文 -理 -)	-(文 -理 -)	-(文 -理 -)

【男女・職種別採用実績】 転換制度:⇒

	総合職	一般職
23年	471(男310 女161)	36(男 2 女 34)
24年	494(男313 女181)	27(男 0 女 27)
25年	535(男 - 女 -)	30(男 - 女 -)

【24年4月入社者の配属勤務地】総 北海道2 東北8 関東125 中部58 近畿68 中国15 四国6 九州18 技 東北4 関東72 中部29 近畿61 中国10 四国2 九州16

【転勤】あり:全社員(地域限定職を除く)

【中途比率】[単年度]21年度29%、22年度35%、23年度36%[全体]25%

●働きやすさ、諸制度●

残業(月) 20.7時間 総 25.7時間

【勤務時間】9:00〜18:00【有休取得年平均】15.8日【週休】〈本社・工場〉完全2日〈営業〉2日(火水)【夏期休暇】連続5日【年末年始休暇】連続7日

【離職率】男:3.0%、353名 女:3.3%、129名(早期退職87名含む)

【新卒3年後離職率】

[20→23年]13.7%(男16.2%・入社284名、女9.7%・入社176名)

[21→24年]12.8%(男12.2%・入社278名、女13.8%・入社159名)

【テレワーク】制度あり:[場所]自宅または自宅に準じる場所 会社指定施設(サテライトオフィス)他[対象]全社員(ただし会社が認めた者)[日数]テレワークが月平均8日以上となる場合は、事前に申請書の提出が必要[利用率]4.1%【勤務制度】時間単位有休 週休3日 裁量労働 時差勤務【住宅補助】独身寮(30歳未満 自己負担月5,000円)単身赴任者寮(自己負担月5,000〜10,000円 非入寮者は自己負担と同額の住宅補助と単身赴任者手当)転居先の入退去費を支給(30歳以上で転居を伴う異動がある場合)

●ライフイベント、女性活躍●

【女性比率】■男 □女

従業員 24.5% (3754名)

【産休】[期間]産前6・産後8週間[給与]法定[取得者数]171名

【育休】[期間]3歳になるまで[給与]法定+通常1カ月分有給[取得者数]22年度 男373名(対象325名)女199名(対象199名)23年度 男396名(対象345名)女176名(対象176名)[平均取得日数]22年度 NA、23年度 男23日 女518日

【従業員】[人数]15,327名(男11,573名、女3,754名)[平均年齢]43.8歳(男45.8歳、女37.7歳)[平均勤続年数]16.5年(男17.6年、女13.0年)【年齢構成】■男 □女

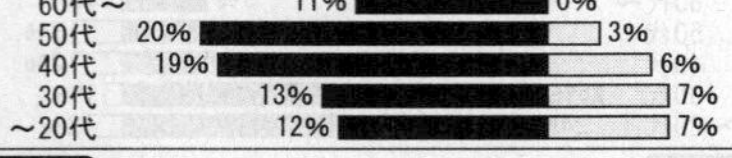

会社データ (金額は百万円)

【本社】531-0076 大阪府大阪市北区大淀中1-1-88 ☎06-6440-3111
https://www.sekisuihouse.co.jp/

【業績(連結)】	売上高	営業利益	経常利益	純利益
22.1	2,589,579	230,160	230,094	153,905
23.1	2,928,835	261,489	257,272	184,520
24.1	3,107,242	270,956	268,248	202,325

建設

すみともりんぎょう
住友林業(株)

【特色】大手注文住宅メーカー。米国事業が収益柱

[記者評価] 別子銅山の植林事業が源流。国内で木造注文住宅事業を展開。中高価格帯が中心。海外事業を成長柱に据え、米国の戸建てや不動産開発で稼ぐ。国内有数規模の山林を所有するほか、木材建材卸は国内最大手。保有・管理林の拡大、住宅の脱炭素標準化などに注力。

平均勤続年数	男性育休取得率	3年後離職率	平均年収(平均45歳)
17.0年	67.5 → 89.3%	16.1 → 18.0%	[総]901万円

●採用・配属情報●

【男女・文理別採用実績】

	大卒男	大卒女	修士男	修士女
23年	92(文 65 理 27)	52(文 34 理 18)	18(文 1 理 17)	6(文 2 理 4)
24年	94(文 63 理 31)	50(文 38 理 12)	21(文 2 理 19)	4(文 2 理 2)
25年	140(文 77 理 63)	82(文 50 理 32)	17(文 2 理 15)	9(文 0 理 9)

【男女・職種別採用実績】　転換制度:⇒

	総合職	一般事務職
23年	157(男 111 女 46)	12(男 0 女 12)
24年	160(男 116 女 44)	10(男 0 女 10)
25年	234(男 157 女 77)	14(男 0 女 14)

【職種併願】総合職と一般職で可能

【24年4月入社者の配属勤務地】[総]東京43 愛知8 大阪6 神奈川5 千葉5 埼玉4 福岡3 兵庫3 長野2 京都2 宮城2 北海道2 静岡2 茨城1 栃木1 滋賀1 富山1 岐阜1 広島1 新潟1 群馬1 奈良1 [技]東京13 大阪6 茨城6 神奈川6 愛知5 兵庫4 福岡3 埼玉3 奈良2 山梨2 静岡2 千葉2 福島1 鹿児島1 和歌山1 宮城1 山口1 大分1 山形1 長野1 広島1 京都1

【転勤】あり:[職種]経営総合職 業務企画職 研究開発職 木建営業職 住宅営業職 住宅設計職 住宅生産職

【中途比率】[単年度]21年度47%、22年度48%、23年度44%[全体]40%

●働きやすさ、諸制度●

残業(月)　39.5時間 [総]42.7時間

【勤務時間】9:15〜17:30【有休取得年平均】13.2日【週休】完全2日(事業所により異なる)【夏期休暇】有休で取得(所定休日を含め、連続5日以上を推奨)【年末年始休暇】12月29日〜1月3日

【離職率】男:2.9%、121名 女:2.7%、36名(他に9名転籍)

【新卒3年後離職率】
[20→23年]16.1%(男16.1%・入社143名、女16.1%・入社62名)
[21→24年]18.0%(男17.6%・入社74名、女19.2%・入社26名)

【テレワーク】制度あり:[場所]自宅 自宅に準ずる場所 サテライトオフィス 外出先(モバイルワーク)[対象]全社員[日数]在宅勤務は週2日まで(モバイルワークは状況に応じて)他[利用率]4.5%【勤務制度】フレックス 時間単位有休 裁量労働 勤務間インターバル【住宅補助】独身寮 社宅(総合職のみ)持家取得補助

●ライフイベント、女性活躍●

【女性比率】■男 □女

新卒採用 36.7% (91名)

従業員 23.8% (1285名)

管理職 3.2% (32名)

【産休】[期間]産前6・産後8週間[給与]法定[取得者数]43名

【育休】[期間]2歳到達後の3月末まで。準備保育の場合更に14日まで延長可能[給与]5日有給(2回取得の場合も同様)、以降給付金[取得者数]22年度 男106名(対象157名)女43名(対象43名)23年度 男125名(対象140名)女35名(対象35名)[平均取得日数]22年度 男12日 女420日、23年度 男13日 女454日

【従業員】[人数]5,392名(男4,107名、女1,285名)[平均年齢]44.0歳(男44.9歳、女41.2歳)[平均勤続年数]17.0年(男17.6年、女12.0年)【年齢構成】■男 □女

	男	女
60代〜	5%	1%
50代	27%	6%
40代	17%	6%
30代	15%	6%
〜20代	12%	5%

[会社データ]　(金額は百万円)

【本社】100-8270 東京都千代田区大手町1-3-2 経団連会館 ☎03-3214-2220　https://sfc.jp/

【業績(連結)】	売上高	営業利益	経常利益	純利益
21.12	1,385,930	113,651	137,751	87,175
22.12	1,669,707	158,253	194,994	108,672
23.12	1,733,169	146,755	159,418	102,479

だいとうけんたく
大東建託グループ

(大東建託(株)、大東建託リーシング(株)、大東建託パートナーズ(株))

[くるみん]

【特色】賃貸アパート建設、一括借り上げの国内最大手

[記者評価] 地主が建設する賃貸アパートを長期一括で借り上げ、入居者に転貸するサブリース方式で急成長。収益柱は建設事業。飛び込み営業が主体の実力主義。支店に建て替えやリフォームの専門要員を置く。技術系の陣容厚い。賃貸住宅の管理戸数は国内首位級。

平均勤続年数	男性育休取得率	3年後離職率	平均年収(平均44歳)
11.6年	119.1 → 113.3%	[!]40.1 → [!]30.7%	[総]838万円

●採用・配属情報●

【男女・文理別採用実績】

	大卒男	大卒女	修士男	修士女
23年	118(文 89 理 29)	75(文 63 理 12)	1(文 0 理 1)	3(文 2 理 1)
24年	159(文114 理 45)	103(文 82 理 21)	3(文 0 理 3)	1(文 0 理 1)
25年	167(文123 理 44)	96(文 78 理 18)	5(文 0 理 5)	1(文 1 理 0)

※25年:24年8月7日時点、グループ3社計423名採用予定

【男女・職種別採用実績】

	総合職	一般職
23年	199(男 127 女 72)	9(男 0 女 9)
24年	278(男 180 女 98)	13(男 0 女 13)
25年	291(男 183 女108)	0(男 0 女 0)

【24年4月入社者の配属勤務地】[総]〈大東建託〉全国支店82〈リーシング〉全国店舗68〈パートナーズ〉本社・全国営業所35 [技]〈大東建託〉本社・全国支店93

【転勤】あり:全社員

【中途比率】[単年度]21年度73%、22年度84%、23年度79%[全体]76%

●働きやすさ、諸制度●

残業(月)　32.4時間 [総]32.4時間

【勤務時間】フレックスタイム制(コアタイム11:30〜15:30)【有休取得年平均】13.9日【週休】完全2日(土日祝)【夏期休暇】連続7日【年末年始休暇】連続7日

【離職率】男:9.6%、736名 女:12.9%、189名

【新卒3年後離職率】
[20→23年]40.1%(男40.2%・入社251名、女39.9%・入社138名)※3社計
[21→24年]30.7%(男33.6%・入社262名、女25.8%・入社155名)※3社計

【テレワーク】制度あり:[場所]自宅 サテライトオフィス 公共交通機関 ホテル[対象]全社員[日数]制限なし[利用率]8.4%【勤務制度】フレックス 時間単位有休 勤務間インターバル【住宅補助】住宅手当 社宅手当 自社物入居者支援制度 特別住宅資金補助金制度 住宅ローンの金利優遇

●ライフイベント、女性活躍●

【女性比率】■男 □女

新卒採用 37.1% (108名)

従業員 15.5% (1272名)

管理職 6% (101名)

【産休】[期間]産前6・産後8週間[給与]法定[取得者数]42名

【育休】[期間]3歳になるまで[給与]最初10営業日有給、以降法定[取得者数]22年度 男206名(対象173名)女42名(対象43名)23年度 男188名(対象166名)女35名(対象34名)[平均取得日数]22年度 男6日 女377日、23年度 男9日 女338日

【従業員】[人数]8,233名(男6,961名、女1,272名)[平均年齢]44.2歳(男45.0歳、女39.5歳)[平均勤続年数]11.6年(男12.1年、女9.0年)【年齢構成】■男 □女

	男	女
60代〜	9%	0%
50代	28%	3%
40代	19%	4%
30代	16%	3%
〜20代	13%	4%

[会社データ]　(金額は百万円)

【本社】108-8211 東京都港区港南2-16-1 品川イーストワンタワー ☎03-6718-9004　https://www.kentaku.co.jp/

【業績(連結)】	売上高	営業利益	経常利益	純利益
22.3	1,583,003	99,594	103,671	69,580
23.3	1,657,626	100,000	103,898	70,361
24.3	1,731,467	104,819	108,720	74,685

※採用関連はグループの、その他は大東建託(株)の情報

建設

1181 **開示 ★★★**

旭化成ホームズ㈱

あさひかせい

【特色】旭化成の住宅部門担う。ロングライフ住宅を訴求

記者評価 旭化成Gの住宅部門。軽量気泡コンクリの戸建て「へーベルハウス」や賃貸住宅「へーベルメゾン」の新築請負が主。持分法適用会社に森組。リフォームや中高層建築を強化。都の健康長寿医療センター研究所と連携、高齢者向け住宅にも注力。豪・米でも事業展開。

平均勤続年数	男性育休取得率	3年後離職率	平均年収(平均42歳)
13.4年	33.3→62.4%	12.8→20.8%	㊑957万円

●採用・配属情報●

【男女・文理別採用実績】

	大卒男	大卒女	修士男	修士女
23年	61(文 42 理 19)	41(文 26 理 15)	11(文 1 理 10)	4(文 0 理 4)
24年	58(文 45 理 13)	36(文 24 理 12)	10(文 0 理 10)	5(文 0 理 5)
25年	59(文 40 理 19)	36(文 21 理 15)	2(文 0 理 2)	6(文 1 理 5)

【男女・職種別採用実績】 転換制度:⇒

	総合職事務系	総合職技術系
23年	69(男 43 女 26)	48(男 29 女 19)
24年	69(男 45 女 24)	40(男 23 女 17)
25年	62(男 40 女 22)	41(男 21 女 20)

【24年4月入社者の配属勤務地】㊑東京9 千葉・茨城9 埼玉・北関東10 神奈川9 中部12 関西・西日本13 他7 ㊕東京6 千葉・茨城5 埼玉・北関東5 神奈川7 中部7 関西・西日本6 他4

【転勤】あり:[職種]総合職(条件付きで転勤除外制度あり)

【中途比率】[単年度]21年度27%、22年度22%、23年度27%[全体]2%

●働きやすさ、諸制度●

残業(月) 34.2時間 ㊑38.9時間

【勤務時間】9:00～18:00(フレックスコアタイム11:00～16:00)【有休取得年平均】12.1日【週休】完全2日【夏期休暇】有休で取得【年末年始休暇】連続10日(有休含む)

【離職率】男:2.1%、120名 女:3.2%、73名

【新卒3年後離職率】

[20→23年]12.8%(男13.1%・入社84名、女12.3%・入社65名)

[21→24年]20.8%(男20.0%・入社70名、女23.1%・入社26名)

【テレワーク】制度あり:[場所]自宅[対象]正社員(新卒は入社3年目以降)再雇用社員 契約社員[日数]週4日まで[利用率]NA【勤務制度】フレックス 時間単位有休 勤務間インターバル【住宅補助】家賃補助(エリアごとの標準家賃の7割を会社負担)持家援助

●ライフイベント、女性活躍●

【女性比率】■男 □女

新卒採用 40.8% (42名)

従業員 29% (2238名)

管理職 2.8% (26名)

【産休】[期間]法定+14日[給与]法定[取得者数]53名

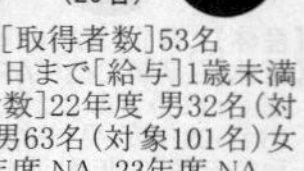

【育休】[期間]3歳到達後最初の4月1日まで[給与]1歳未満の場合最初5日有給、他法定[取得者数]22年度 男32名(対象96名)女58名(対象58名)23年度 男63名(対象101名)女55名(対象55名)[平均取得日数]22年度 NA、23年度 NA

【従業員】[人数]7,716名(男5,478名、女2,238名)[平均年齢]43.2歳(男44.8歳、女39.2歳)[平均勤続年数]13.4年(男14.7年、女10.4年)【年齢構成】■男 □女

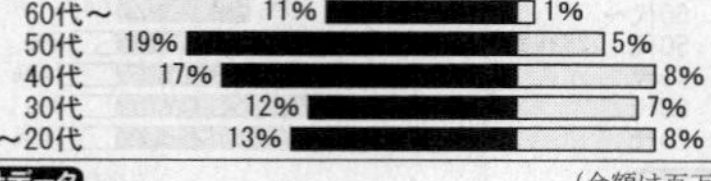

会社データ (金額は百万円)

【本社】101-8101 東京都千代田区神田神保町1-105 神保町三井ビルディング ☎03-6899-3000

https://www.asahi-kasei.co.jp/j-koho/index.html/

【業績(連結)】	売上高	営業利益	経常利益	純利益
22.3	786,500	70,600	NA	NA
23.3	859,200	74,600	NA	NA
24.3	912,900	79,500	NA	NA

1189 **開示 ★★★** **専門** **採用あり**

㈱一条工務店

いちじょうこうむてん

くるみん

【特色】木造注文住宅大手。戸建免震住宅で独壇場

記者評価 戸建て住宅業界2位。沖縄と高知を除く全国約500拠点を展開。19工場体制。高気密・高断熱の省エネ、太陽光による創エネを実現。震災・水害に強い「総合免災住宅」は競合を圧倒し、「家は、性能」を訴求。25年4月から大卒総合職初任給を26万円に引き上げ。

平均勤続年数	男性育休取得率	3年後離職率	平均年収(平均37歳)
NA	31.3→30.3%	18.1→27.9%	735万円

●採用・配属情報●

【男女・文理別採用実績】※25年:24年7月22日時点

	大卒男	大卒女	修士男	修士女
23年	365(文264 理101)	77(文 56 理 21)	1(文 0 理 1)	0(文 0 理 0)
24年	365(文274 理 91)	75(文 41 理 34)	2(文 0 理 2)	0(文 0 理 0)
25年	413(文327 理 86)	60(文 35 理 25)	2(文 0 理 2)	1(文 0 理 1)

【男女・職種別採用実績】 転換制度:⇔

	総合職(全国型)	総合職(ブロック型)
23年	285(男238 女 47)	167(男132 女 35)
24年	270(男226 女 44)	180(男149 女 31)
25年	299(男262 女 37)	186(男160 女 26)

【24年4月入社者の配属勤務地】㊑北海道・東北27 関東・甲信越111 東海・北陸68 関西53 中国・四国20 九州28 ㊕北海道・東北11 関東・甲信越24 東海・北陸85 関西12 中国・四国4 九州7

【転勤】あり:[職種]総合職全国型 ブロック型

【中途比率】[単年度]21年度24%、22年度30%、23年度26%[全体]38%

●働きやすさ、諸制度●

残業(月) 12.3時間

【勤務時間】8:30～17:30【有休取得年平均】7.8日【週休】完全2日(職種により曜日は異なる)【夏期休暇】(営業部門)任意選択制休暇8日(本社管理部門・技術部門)7日【年末年始休暇】(営業部門)5日(本社管理部門・技術部門)8日

【離職率】男:7.3%、391名 女:7.4%、42名

【新卒3年後離職率】

[20→23年]18.1%(男17.3%・入社237名、女22.2%・入社45名)

[21→24年]27.9%(男28.3%・入社445名、女23.8%・入社42名)

【テレワーク】制度あり:[場所]原則自宅[対象]NA[日数]NA[利用率]9.5%【勤務制度】時間単位有休 裁量労働 時差勤務【住宅補助】借上社宅 駐車場手当 特定地域家賃手当(東京 神奈川の一部)

●ライフイベント、女性活躍●

【女性比率】■男 □女

新卒採用 13% (63名)

従業員 9.6% (525名)

【産休】[期間]産前6・産後8週間[給与]法定[取得者数]34名

【育休】[期間]1歳になるまで[給与]一子につき最大5日全額給付 他法定[取得者数]22年度 男63名(対象201名)女36名(対象38名)23年度 男56名(対象185名)女36名(対象36名)[平均取得日数]22年度 NA、23年度 NA

【従業員】[人数]5,482名(男4,957名、女525名)[平均年齢]37.3歳(男37.8歳、女33.2歳)[平均勤続年数]NA

【年齢構成】■男 □女

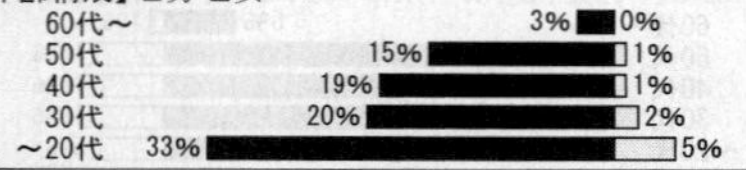

会社データ (金額は百万円)

【本社】135-0042 東京都江東区木場5-10-10 ☎03-5245-0111

https://www.ichijo.co.jp/

【業績(単独)】	売上高	営業利益	経常利益	純利益
22.3	442,866	22,021	33,218	22,513
23.3	487,071	17,933	34,641	23,716
24.3	497,592	6,140	36,432	25,976

建設

1608 開示 ★★★ [専門] 採用あり

ミサワホーム(株)

[えるぼし ★★★] [くるみん]

【特色】プレハブ注文住宅大手。技術とデザイン性に定評

[記者評価] 注文住宅大手で木質系プレハブ工法に強み。トヨタホーム子会社だったが、トヨタ自動車とパナソニックの住宅事業統合で20年1月プライムライフテクノロジーズの完全子会社に。戸建て住宅を軸に、賃貸アパート・マンション、医療・介護施設、再開発などに展開。

平均勤続年数	男性育休取得率	3年後離職率	平均年収(平均46歳)
20.3年	73.5 → 80.3%	30.0 → 25.6%	[総] 833万円

●採用・配属情報●

【男女・文理別採用実績】

	大卒男	大卒女	修士男	修士女
23年	28(文 25 理 3)	15(文 13 理 2)	3(文 1 理 2)	4(文 1 理 3)
24年	42(文 27 理 15)	33(文 26 理 7)	3(文 0 理 3)	1(文 0 理 1)
25年	39(文 27 理 12)	31(文 22 理 9)	1(文 0 理 1)	2(文 0 理 2)

【男女・職種別採用実績】

	総合コース	技術コース
23年	40(男 26 女 14)	10(男 5 女 5)
24年	54(男 33 女 21)	25(男 12 女 13)
25年	47(男 29 女 18)	27(男 11 女 16)

【24年4月入社者の配属勤務地】[総]東京19 神奈川9 埼玉6 群馬1 千葉6 茨城1 岐阜1 三重2 愛知3 静岡2 長野1 [技]東京8 神奈川3 埼玉4 群馬1 千葉2 茨城1 岐阜1 三重2 新潟2 長野1

【転勤】あり:[職種]総合職[勤務地]日本全国 海外(オーストラリア 米国)

【中途比率】[単年度]21年度14%、22年度19%、23年度15%[全体]21%

●働きやすさ、諸制度●

残業(月) 23.5時間 [総]22.4時間

【勤務時間】フレックスタイム制(所定労働時間8時間)【有休取得年平均】8.2日【週休】完全2日【夏期休暇】LQ休暇制度(9連休推奨)【年末年始休暇】連続5日

【離職率】男:2.9%、61名 女:2.4%、14名(他に男7名移籍)

【新卒3年後離職率】
[20→23年]30.0%(男26.8%・入社41名、女34.5%・入社29名)
[21→24年]25.6%(男15.4%・入社26名、女41.2%・入社17名)

【テレワーク】制度あり:[場所]自宅 サテライトオフィス 実家 親戚宅[対象]全社員[日数]新型コロナウイルス感染状況による[利用率]NA【勤務制度】フレックス 時間単位有休

【住宅補助】若手家賃補助(33歳まで、適用条件有)

●ライフイベント、女性活躍●

【女性比率】■男 □女

新卒採用 45.9% (34名)

従業員 21.7% (560名)

管理職 7.5% (45名)

【産休】[期間]産前6・産後8週間[給与]法定[取得者数]21名

【育休】[期間]3歳になるまで[給与]法定[取得者数]22年度 男36名(対象49名)女28名(対象28名)23年度 男49名(対象61名)女27名(対象27名)[平均取得日数]22年度 NA、23年度 男25日 女414日

【従業員】[人数]2,585名(男2,025名、女560名)[平均年齢]45.1歳(男46.4歳、女40.5歳)[平均勤続年数]20.3年(男21.4年、女16.5年)

【年齢構成】■男 □女

	男	女
60代～	0%	0%
50代	37%	5%
40代	22%	6%
30代	12%	5%
～20代	7%	5%

[会社データ] (金額は百万円)

【本社】163-0833 東京都新宿区西新宿2-4-1 新宿NSビル ☎03-3345-1111
https://www.misawa.co.jp/

【業績(連結)】	売上高	営業利益	経常利益	純利益
22.3	398,165	11,635	12,029	5,080
23.3	421,464	16,579	16,522	11,446
24.3	430,285	15,106	14,918	8,731

46 開示 ★★★

パナソニック ホームズ(株)

[くるみん]

【特色】パナソニック系の知名度を活用。エコ住宅に強み

[記者評価] パナソニック、トヨタ自動車が住宅事業を統合し設立したプライム ライフ テクノロジーズ傘下の住宅メーカー。家電や住宅設備などグループの総合力を活かす。街づくり、リフォームの各事業も展開。光触媒の外壁や地震建替保証に定評。海外は台湾、東南アに展開。

平均勤続年数	男性育休取得率	3年後離職率	平均年収(平均46歳)
21.3年	14.6 → 68.1%	12.5 → 8.0%	[総] 795万円

●採用・配属情報●

【男女・文理別採用実績】※25年:24年8月7日時点

	大卒男	大卒女	修士男	修士女
23年	30(文 19 理 11)	13(文 9 理 4)	2(文 0 理 2)	2(文 0 理 2)
24年	35(文 17 理 18)	27(文 12 理 15)	3(文 0 理 3)	1(文 0 理 1)
25年	47(文 25 理 22)	27(文 12 理 15)	4(文 0 理 4)	0(文 0 理 0)

【男女・職種別採用実績】 転換制度:⇒

	総合職
23年	47(男 32 女 15)
24年	66(男 38 女 28)
25年	78(男 51 女 27)

【24年4月入社者の配属勤務地】[総](24年)大阪11 東京7 神奈川3 埼玉2 千葉2 愛知2 岐阜2 富山1 福岡1 [技](23年)大阪6 東京5 宮城1 茨城1 千葉1 愛知1 奈良1 広島1 福岡1

【転勤】あり:[職種]総合職

【中途比率】[単年度]21年度12%、22年度31%、23年度41%[全体]22%

●働きやすさ、諸制度●

残業(月) 23.6時間 [総]23.9時間

【勤務時間】9:00～17:45【有休取得年平均】13.2日【週休】完全2日(一部職種を除く)【夏期休暇】連続10日(週休4日、一斉年休4日含む)【年末年始休暇】連続9日(週休2日)

【離職率】男:2.6%、65名 女:4.0%、31名

【新卒3年後離職率】
[20→23年]12.5%(男20.8%・入社24名、女0%・入社16名)
[21→24年]8.0%(男6.7%・入社30名、女10.0%・入社20名)

【テレワーク】制度あり:[場所]自宅 サテライトオフィス カフェ 他[対象]全従業員(見習い社員除く)※ただし、実施度合いは職種により異なる[日数]月間所定勤務日の半分を超えない日数 他[利用率]NA【勤務制度】フレックス 時間単位有休 裁量労働 勤務間インターバル【住宅補助】転勤社宅 個別寮 転勤者持家管理支援制度 カフェテリアプラン(住宅ローン補助 家賃補助)

●ライフイベント、女性活躍●

【女性比率】■男 □女

新卒採用 34.6% (27名)

従業員 23.3% (744名)

管理職 6.3% (45名)

【産休】[期間]産前8・産後8週間+1日[給与]健保+会社計85%[取得者数]26名

【育休】[期間]出産予定日から小学校就学直後の4月末日までの間で通算730日以内[給与]法定[取得者数]22年度 男6名(対象41名)女34名(対象34名)23年度 男32名(対象47名)女27名(対象27名)[平均取得日数]22年度 男12日 女486日、23年度 男12日 女406日

【従業員】[人数]3,189名(男2,445名、女744名)[平均年齢]45.3歳(男46.7歳、女40.7歳)[平均勤続年数]21.3年(男22.8年、女16.2年)【年齢構成】■男 □女

	男	女
60代～	0%	0%
50代	40%	6%
40代	20%	7%
30代	9%	5%
～20代	8%	5%

[会社データ] (金額は百万円)

【本社】560-8543 大阪府豊中市新千里西町1-1-4 ☎06-6834-4115
https://homes.panasonic.com/

【業績(連結)】	売上高	営業利益	税前利益	純利益
22.3	372,335	NA	NA	NA
23.3	376,116	NA	NA	NA
24.3	360,947	NA	NA	NA

建設

三井ホーム㈱
みつい

くるみん

【特色】三井不動産系。デザイン重視の注文住宅が得意

記者評価 18年10月三井不動産がTOBで完全子会社化。壁面で構造体を組み立てる2×4工法のリーディングカンパニー。デザイン性に加え耐震性能を訴求。ホテルなどの内装リフォームにも強み。首都圏に続き24年2月には大阪市内で関西初の木造マンション(47戸)が竣工。

平均勤続年数	男性育休取得率	3年後離職率	平均年収(平均42歳)
16.2年	56.1→79.5%	NA	㊝706万円

●採用・配属情報●

【男女・文理別採用実績】

	大卒男	大卒女	修士男	修士女
23年	65(文 43 理 22)	27(文 17 理 10)	6(文 0 理 6)	0(文 0 理 0)
24年	52(文 34 理 18)	40(文 25 理 15)	2(文 0 理 2)	1(文 0 理 1)
25年	48(文 32 理 16)	45(文 34 理 11)	0(文 0 理 0)	1(文 0 理 1)

【男女・職種別採用実績】 転換制度:⇒

	総合職	総合職(技術)	事務専任職
23年	67(男 44 女 23)	31(男 27 女 4)	0(男 0 女 0)
24年	62(男 35 女 27)	34(男 19 女 15)	0(男 0 女 0)
25年	56(男 31 女 25)	38(男 17 女 21)	0(男 0 女 0)

【職種併願】総合職と総合職(技術)で可能
【24年4月入社者の配属勤務地】㊝宮城3 埼玉7 千葉7 東京11 神奈川10 愛知9 大阪8 京都2 広島2 福岡3 ㊕東京10 宮城1 埼玉3 千葉4 神奈川5 愛知3 大阪4 広島2 福岡2
【転勤】あり:[職種]総合職
【中途比率】[単年度]21年度27%、22年度40%、23年度48%[全体]19%

●働きやすさ、諸制度●

残業(月) 23.9時間 ㊝27.5時間

【勤務時間】9:00〜18:00(コアタイム・フレキシブルタイムあり)【有休取得年平均】12.7日【週休】完全2日【夏期休暇】有休で取得【年末年始休暇】12月28日〜1月3日
【離職率】NA
【新卒3年後離職率】
[20→23年]NA
[21→24年]NA
【テレワーク】制度あり:[場所]自宅 モデルハウス ショールーム 他[対象]制限なし[日数]週2日まで[利用率]NA【勤務制度】フレックス 時間単位有休【住宅補助】借上社宅(総合職のみ)住宅手当

●ライフイベント、女性活躍●

【女性比率】■男 □女

新卒採用 48.9% (46名)

従業員 33.7% (912名)

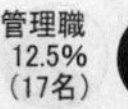

管理職 12.5% (17名)

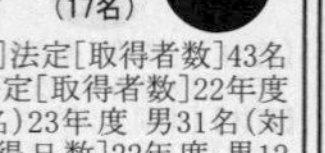

【産休】[期間]産前6・産後8週間[給与]法定[取得者数]43名
【育休】[期間]4歳になるまで[給与]法定[取得者数]22年度 男23名(対象41名)女48名(対象48名)23年度 男31名(対象39名)女43名(対象43名)[平均取得日数]22年度 男12日 女534日、23年度 男12日 女225日
【従業員】[人数]2,704名(男1,792名、女912名)[平均年齢]42.3歳(男43.8歳、女39.4歳)[平均勤続年数]16.2年(男18.0年、女12.7年)
【年齢構成】■男 □女

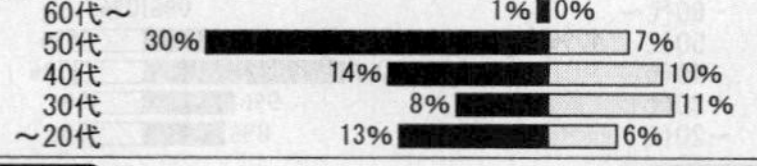

会社データ (金額は百万円)
【本社】136-0082 東京都江東区新木場1-18-6 新木場センタービル ☎03-6757-8631
https://www.mitsuihome.co.jp/

【業績(連結)】	売上高	営業利益	経常利益	純利益
22.3	238,161	NA	NA	NA
23.3	240,918	NA	NA	NA
24.3	236,689	NA	NA	NA

トヨタホーム㈱

【特色】トヨタ自動車の住宅部門が母体。戸建住宅等販売

記者評価 トヨタ創業者豊田喜一郎の発案で発足した住宅部門が母体。20年にトヨタ自動車、パナソニックが住宅事業を統合し設立したプライム ライフ テクノロジーズ傘下。戸建て住宅や分譲マンションのほか、リフォームも手がける。販売は各地の販売会社が担当。

平均勤続年数	男性育休取得率	3年後離職率	平均年収(平均41歳)
9.3年	18.2→66.7%	9.1→21.1%	㊝704万円

●採用・配属情報●

【男女・文理別採用実績】

	大卒男	大卒女	修士男	修士女
23年	5(文 4 理 1)	3(文 2 理 1)	1(文 0 理 1)	0(文 0 理 0)
24年	3(文 2 理 1)	8(文 5 理 3)	2(文 0 理 2)	1(文 0 理 1)
25年	3(文 3 理 0)	3(文 2 理 1)	1(文 0 理 1)	1(文 0 理 1)

【男女・職種別採用実績】 転換制度:⇒

	総合職	営業職
23年	9(男 6 女 3)	0(男 0 女 0)
24年	12(男 5 女 7)	2(男 0 女 2)
25年	8(男 4 女 4)	0(男 0 女 0)

【24年4月入社者の配属勤務地】㊝名古屋5 広島市2 ㊕愛知(名古屋5 春日井2)
【転勤】あり:[職種]総合職[勤務地]拠点および全国の販売店所在地
【中途比率】[単年度]21年度41%、22年度63%、23年度73%[全体]50%

●働きやすさ、諸制度●

残業(月) 19.8時間 ㊝24.0時間

【勤務時間】本社8:45〜17:45【有休取得年平均】18.0日【週休】2日(部署により異なる)【夏期休暇】本社・東京支社:なし 事業所(愛知・春日井市 栃木 山梨):連続9日【年末年始休暇】本社・東京支社:12月30日〜1月3日 事業所(愛知・春日井市 栃木 山梨):12月30日〜1月5日
【離職率】男:6.3%、25名 女:5.9%、12名
【新卒3年後離職率】
[20→23年]9.1%(男20.0%・入社5名、女0%・入社6名)
[21→24年]21.1%(男30.8%・入社13名、女0%・入社6名)
【テレワーク】制度あり:[場所]自宅 他[対象]全社員[日数]制限なし[利用率]38.5%【勤務制度】フレックス【住宅補助】家賃補助(家賃を7割会社負担※対象者のみ 上限あり)持家・リフォーム支援 持家資産形成支援

●ライフイベント、女性活躍●

【女性比率】■男 □女

新卒採用 50% (4名) 従業員 33.8% (191名) 管理職 1.1% (1名)

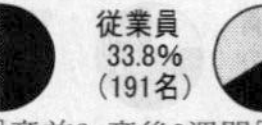

【産休】[期間]産前6・産後8週間[給与]健保8割給付[取得者数]14名
【育休】[期間]2歳になるまで[給与]法定[取得者数]22年度 男2名(対象11名)女12名(対象12名)23年度 男8名(対象12名)女14名(対象14名)[平均取得日数]22年度 男45日 女600日、23年度 男129日 女449日
【従業員】[人数]565名(男374名、女191名)[平均年齢]38.8歳(男40.6歳、女35.4歳)[平均勤続年数]9.3年(男9.7年、女8.6年)
【年齢構成】■男 □女 ※有期雇用含む

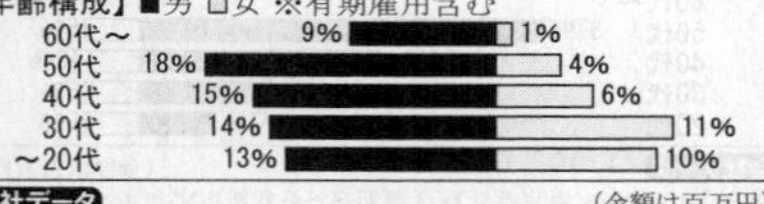

会社データ (金額は百万円)
【本社】461-0001 愛知県名古屋市東区泉1-23-22 ☎052-952-3111
https://www.toyotahome.co.jp/

【業績(単独)】	売上高	営業利益	経常利益	純利益
24.3	84,240	2,490	2,755	1,468

建設

2829 開示 ★★☆☆☆ 短大 専門 採用あり

はじめけんせつ

一建設(株)

【特色】飯田グループHD中核。戸建て分譲住宅が主力

記者評価 飯田グループホールディングス(GHD)傘下の中核事業会社にしてその創業会社。戸建て分譲住宅を主力に年間約1万棟の販売実績。国内約140拠点。インドネシアに現法設立するなど海外展開強化中。13年11月飯田産業や東栄住宅などと経営統合し飯田GHD結成。

平均勤続年数	男性育休取得率	3年後離職率	平均年収(平均38歳)
◇8.4年	NA→33.9%	NA→17.3%	㊓562万円

●採用・配属情報●

【男女・文理別採用実績】

	大卒男	大卒女	修士男	修士女
23年	35(文 20 理 15)	16(文 11 理 5)	0(文 0 理 0)	0(文 0 理 0)
24年	17(文 11 理 6)	12(文 6 理 6)	0(文 0 理 0)	0(文 0 理 0)
25年	20(文 10 理 10)	20(文 10 理 10)	0(文 0 理 0)	0(文 0 理 0)

【男女・職種別採用実績】

	総合職
23年	75(男 53 女 22)
24年	60(男 46 女 14)
25年	80(男 60 女 20)

【職種併願】企画営業職、施工管理職で可能

【24年4月入社者の配属勤務地】㊓宮城1 福島1 茨城1 東京9 神奈川1 埼玉3 千葉1 愛知3 静岡2 岐阜1 大阪3 兵庫2 広島1 ㊕宮城2 新潟1 東京7 神奈川3 埼玉6 千葉2 愛知3 大阪2 奈良1 山口1 福岡2 熊本1

【転勤】あり:[全社員]東北 関東 中部・東海 近畿 中国 四国 九州 沖縄

【中途比率】[単年度]21年度56%、22年度54%、23年度57%[全体]NA

●働きやすさ、諸制度●

残業(月) 20.3時間

【勤務時間】9:00〜18:00【有休取得年平均】11.9日【週休】完全2日(職種によって異なる)【夏期休暇】なし【年末年始休暇】12月30日〜1月3日

【離職率】◇男:9.2%、154名 女:6.8%、30名

【新卒3年後離職率】

[20→23年]NA

[21→24年]17.3%(男NA、女NA)

【テレワーク】制度あり:[場所]NA[対象]設計職のみ[日数]NA[利用率]NA【勤務制度】なし【住宅補助】住宅手当(15,000円 賃貸のみ)

●ライフイベント、女性活躍●

【女性比率】■男 □女

新卒採用 25% (20名)

従業員 21.3% (410名)

管理職 1.2% (4名)

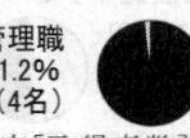

【産休】[期間]産前6・産後8週間[給与]法定[取得者数]20名

【育休】[期間]1歳になるまで[給与]法定[取得者数]22年度 男7名(対象NA)女9名(対象9名)23年度 男19名(対象56名)女20名(対象20名)[平均取得日数]22年度 NA、23年度 NA

【従業員】◇[人数]1,925名(男1,515名、女410名)[平均年齢]38.3歳(男38.3歳、女38.2歳)[平均勤続年数]8.4年(男8.5年、女7.7年)

【年齢構成】NA

会社データ (金額は百万円)

【本社】171-0022 東京都豊島区南池袋2-25-5 藤久ビル東5号館 ☎03-5928-1702 https://www.hajime-kensetsu.co.jp/

【業績(連結)】	売上高	営業利益	経常利益	純利益
22.3	391,309	35,897	NA	NA
23.3	400,548	22,686	NA	NA
24.3	396,080	15,567	NA	NA

1924 開示 ★★☆☆☆

みついふどうさん

三井不動産レジデンシャル(株)

プラチナくるみん

【特色】三井不動産系の住宅分譲事業会社。業界トップ級

記者評価 中高層マンション、戸建て中心に住宅開発・販売。マンション供給戸数は首位級。70年代に日本初の超高層マンションを手がけ、東京湾岸開発事業で先駆。23年度の住宅分譲戸数3700戸。リノベ、シニア向け、学生寮、海外等で業容拡大狙う。住居の脱炭素化に挑む。

平均勤続年数	男性育休取得率	3年後離職率	平均年収(平均NA)
NA	NA	NA	㊓1,219万円

●採用・配属情報●

【男女・文理別採用実績】

	大卒男	大卒女	修士男	修士女
23年	11(文 10 理 1)	16(文 14 理 2)	1(文 0 理 1)	0(文 0 理 0)
24年	15(文 14 理 1)	15(文 14 理 1)	1(文 0 理 1)	1(文 1 理 0)
25年	12(文 12 理 0)	10(文 9 理 1)	1(文 0 理 1)	2(文 0 理 2)

【男女・職種別採用実績】 転換制度:⇒

	総合職	業務職
23年	24(男 12 女 12)	4(男 0 女 4)
24年	27(男 16 女 11)	5(男 0 女 5)
25年	21(男 13 女 8)	4(男 0 女 4)

【24年4月入社者の配属勤務地】㊓東京19 横浜3 千葉3 大阪2

【転勤】あり:[職種]総合職

【中途比率】[単年度]21年度NA、22年度NA、23年度NA[全体]NA

●働きやすさ、諸制度●

残業(月) 8.4時間 ㊓11.6時間

【勤務時間】9:30〜17:30【有休取得年平均】13.5日【週休】完全2日【夏期休暇】連続2日【年末年始休暇】連続約6日

【離職率】NA

【新卒3年後離職率】

[20→23年]NA

[21→24年]NA

【テレワーク】制度あり:[場所]自宅 被介護者の自宅 他[対象]正社員 専門社員 契約社員[日数]週2日以内[利用率]NA【勤務制度】フレックス 副業容認【住宅補助】借上社宅 借家手当 独身寮 不動産購入補助金

●ライフイベント、女性活躍●

【女性比率】■男 □女

新卒採用 48% (12名)

【産休】[期間]産前6・産後8週間[給与]会社全額給付[取得者数]NA

【育休】[期間]2歳になるまで[給与]法定[取得者数]22年度NA 23年度NA[平均取得日数]22年度 NA、23年度 NA

【従業員】[人数]2,050名(男NA、女NA)[平均年齢]NA[平均勤続年数]NA

【年齢構成】NA

会社データ (金額は百万円)

【本社】103-0022 東京都中央区日本橋室町3-2-1 日本橋室町三井タワー ☎03-3246-3600 https://www.mfr.co.jp/

【業績(単独)】	売上高	営業利益	経常利益	純利益
22.3	355,326	41,328	42,114	30,605
23.3	345,077	58,116	59,667	42,617
24.3	368,368	60,654	62,539	44,783

建設

あなぶきこうさん
穴吹興産(株)

【特色】四国首位のマンション分譲会社。事業多角化

[記者評価]「アルファ」ブランドでマンションを開発・分譲。香川地盤で中四国や九州中心に展開。関西や関東にも進出加速。マンション管理や電力、ホテルやスーパーの運営、人材派遣も。高齢者向け住宅など育成中。非上場の穴吹工務店とは同根だが資本関係はない。

平均勤続年数	男性育休取得率	3年後離職率	平均年収(平均37歳)
8.1年	37.5→50.0%	24.1→27.6%	[総]622万円

●採用・配属情報●

【男女・文理別採用実績】

	大卒男	大卒女	修士男	修士女
23年	13(文 13 理 0)	9(文 8 理 1)	0(文 0 理 0)	0(文 0 理 0)
24年	32(文 30 理 2)	11(文 11 理 0)	0(文 0 理 0)	0(文 0 理 0)
25年	19(文 18 理 1)	20(文 20 理 0)	0(文 0 理 0)	0(文 0 理 0)

【男女・職種別採用実績】 転換制度:⇔

	総合職
23年	24(男 14 女 10)
24年	44(男 33 女 11)
25年	39(男 19 女 20)

【24年4月入社者の配属勤務地】[総]香川4 愛媛2 高知2 岡山5 山口2 福岡4 長崎2 鹿児島2 兵庫2 大阪3 滋賀2 三重3 群馬2 埼玉2 東京5 仙台2

【転勤】あり:[職種]総合職[勤務地]全国

【中途比率】[単年度]21年度22%、22年度31%、23年度12%[全体]40%

●働きやすさ、諸制度●

残業(月) 5.7時間 [総]6.7時間

【勤務時間】9:30〜18:30【有休取得年平均】9.6日【週休】完全2日【夏期休暇】(営業系)連続4日【年末年始休暇】(営業系)連続11日

【離職率】男:6.2%、23名 女:8.1%、10名

【新卒3年後離職率】
[20→23年]24.1%(男0%・入社13名、女43.8%・入社16名)
[21→24年]27.6%(男33.3%・入社21名、女12.5%・入社8名)

【テレワーク】制度あり:[場所]自宅[対象]内勤社員[日数]制限なし[利用率]NA【勤務制度】時間単位有休 時差勤務 勤務間インターバル 副業容認【住宅補助】独身寮 社宅(借上社宅家賃月10,000円、エリアによって差あり)

●ライフイベント、女性活躍●

【女性比率】■男 □女

新卒採用 51.3% (20名)

従業員 24.6% (114名)

管理職 2.4% (2名)

【産休】[期間]産前6・産後8週間[給与]法定[取得者数]5名

【育休】[期間]1歳になるまで[給与]法定[取得者数]22年度 男3名(対象8名)女5名(対象5名)23年度 男3名(対象6名)女5名(対象5名)[平均取得日数]22年度 NA、23年度 男66日 女371日

【従業員】[人数]463名(男349名、女114名)[平均年齢]37.9歳(男39.5歳、女32.9歳)[平均勤続年数]8.1年(男8.8年、女5.5年)

【年齢構成】■男 □女

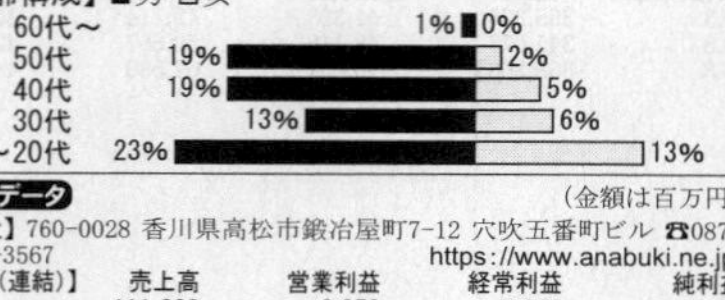
60代〜 1% 0%
50代 19% 2%
40代 19% 5%
30代 13% 6%
〜20代 23% 13%

[会社データ] (金額は百万円)

【本社】760-0028 香川県高松市鍛冶屋町7-12 穴吹五番町ビル ☎087-822-3567
https://www.anabuki.ne.jp/

【業績(連結)】	売上高	営業利益	経常利益	純利益
22.6	111,339	6,970	7,068	4,187
23.6	113,835	6,962	6,478	4,051
24.6	134,499	5,718	7,154	4,843

だいきょう
(株)大京

[くるみん]

【特色】「THE LIONS」ブランドのマンション分譲会社

[記者評価]オリックスの完全子会社。マンション分譲は「THE LIONS」に加え、傘下の穴吹工務店「サーパス」を展開。グループ内で仲介、賃貸、工事も行う総合力が強みで、マンション管理は首位級。企業が保有・利用・賃貸する不動産の活用提案や再開発案件への参画も。

平均勤続年数	男性育休取得率	3年後離職率	平均年収(平均47歳)
[!]21.1年	NA	NA	[総]852万円

●採用・配属情報●

【男女・文理別採用実績】

	大卒男	大卒女	修士男	修士女
23年	5(文 4 理 1)	3(文 3 理 0)	0(文 0 理 0)	0(文 0 理 0)
24年	12(文 8 理 4)	1(文 1 理 0)	1(文 0 理 1)	1(文 0 理 1)
25年	9(文 9 理 0)	10(文 7 理 3)	1(文 0 理 1)	0(文 0 理 0)

※25年:24年7月時点

【男女・職種別採用実績】 転換制度:⇔

	総合職
23年	8(男 5 女 3)
24年	15(男 13 女 2)
25年	20(男 10 女 10)

【24年4月入社者の配属勤務地】[総]札幌4 東京5 埼玉・川口2 千葉・市川2 大阪・茨木2

【転勤】あり:[職種]総合職

【中途比率】[単年度]21年度20%、22年度45%、23年度63%[全体]30%

●働きやすさ、諸制度●

残業(月) NA

【勤務時間】9:00〜17:30(フレックスタイム制 コアタイム有)【有休取得年平均】10.3日【週休】完全2日【夏期休暇】連続5日【年末年始休暇】12月28日〜1月3日

【離職率】NA

【新卒3年後離職率】
[20→23年]NA
[21→24年]NA

【テレワーク】制度あり:[場所]自宅[対象]制限なし[日数]1カ月の所定労働日の半数以下[利用率]NA【勤務制度】フレックス 時間単位有休 時差勤務 勤務間インターバル【住宅補助】採用者社宅(基準額の8割を会社負担 10年間または35歳まで)転勤者社宅(基準額の8割を会社負担 通勤県内に持家、又は持ち家がない者のみ 10年間)

●ライフイベント、女性活躍●

【女性比率】■男 □女

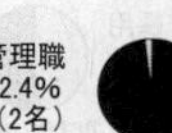

新卒採用 50% (10名)

従業員 27.2% (321名)

【産休】[期間]産前6・産後8週間[給与]会社全額給付[取得者数]NA

【育休】[期間]1歳になるまで[給与]最初5日間有給、以降給付金[取得者数]22年度 NA 23年度 NA[平均取得日数]22年度 NA、23年度 NA

【従業員】[人数]1,180名(男859名、女321名)[平均年齢]47.6歳(男48.1歳、女43.1歳)[平均勤続年数]21.1年(男23.3年、女18.2年)※契約社員含む

【年齢構成】NA

[会社データ] (金額は百万円)

【本社】151-8506 東京都渋谷区千駄ヶ谷4-24-13 ☎03-3475-1111
https://www.daikyo.co.jp/

【業績(単独)】NA

建設

323 開示 ★★★☆☆

(株)東急コミュニティー
とうきゅう

えるぼし ★★★ ／ くるみん

【特色】マンション、ビル管理大手。東急不動産グループ

[記者評価] マンション受託管理戸数約50万戸で業界首位級。オフィスビルや商業施設の管理も行う。教育施設や文化・スポーツ施設などPFIでも実績。ドローン、AIなど省人化投資活発。環境経営とDX推進に重点。技術研修センターの機能強化。国交省認定のPPP協定パートナー。

平均勤続年数	男性育休取得率	3年後離職率	平均年収(平均41歳)
11.8年	92.7 → 89.5%	[!]20.0 → [!]24.5%	[総]628万円

●採用・配属情報●

【男女・文理別採用実績】

	大卒男	大卒女	修士男	修士女
23年	58(文 31 理 27)	48(文 41 理 7)	1(文 0 理 1)	2(文 0 理 2)
24年	61(文 40 理 21)	32(文 29 理 3)	1(文 0 理 1)	0(文 0 理 0)
25年	-(文 - 理 -)	-(文 - 理 -)	-(文 - 理 -)	-(文 - 理 -)

【男女・職種別採用実績】 転換制度:⇔

	営業職	設備職	建築職
23年	73(男 33 女 40)	17(男 17 女 0)	19(男 9 女 10)
24年	70(男 41 女 29)	15(男 13 女 2)	9(男 8 女 1)
25年	74(男 - 女 -)	22(男 - 女 -)	12(男 - 女 -)

【24年4月入社者の配属勤務地】[総]東京37 神奈川6 埼玉6 千葉4 大阪8 兵庫3 京都1 福岡3 北海道2 [技]東京17 神奈川4 大阪2 宮城1

【転勤】あり:[職種]総合職

【中途比率】[単年度]21年度57%、22年度64%、23年度61%[全体]61%

●働きやすさ、諸制度●

残業(月) 17.0時間 [総]17.0時間

【勤務時間】8時間(フレックスタイム制 コアタイム10:30～15:30)【有休取得年平均】12.6日【週休】完全2日(土日祝)【夏期休暇】有休で取得【年末年始休暇】12月30日～1月3日

【離職率】NA

【新卒3年後離職率】

[20→23年]20.0%(男20.0%・入社60名、女20.0%・入社30名)
※合併前の入社者は除く

[21→24年]24.5%(男13.6%・入社66名、女42.5%・入社40名)
※合併前の入社者は除く

【テレワーク】制度あり:[場所]自宅 サテライトオフィス[対象]NA[日数]NA[利用率]10.5%【勤務制度】フレックス 時間単位有休 時差勤務【住宅補助】借上社宅 企業寮(入居条件有)

●ライフイベント、女性活躍●

【女性比率】■男 □女

従業員 18.7% (710名)

管理職 6.5% (34名)

【産休】[期間]産前6・産後8週間[給与]法定[取得者数]48名

【育休】[期間]2歳になるまで[給与]法定、ただし男性は最初5日間有給[取得者数]22年度 男89名(対象96名)女84名(対象64名)23年度 男94名(対象105名)女50名(対象52名)[平均取得日数]22年度 男21日 女406日、23年度 男25日 女398日

【従業員】[人数]3,793名(男3,083名、女710名)[平均年齢]41.1歳(男42.1歳、女36.9歳)[平均勤続年数]11.8年(男12.1年、女9.7年)【年齢構成】■男 □女

	男	女
60代～	2%	0%
50代	20%	3%
40代	24%	4%
30代	21%	6%
～20代	14%	6%

会社データ

(金額は百万円)

【本社】158-8509 東京都世田谷区用賀4-10-1 世田谷ビジネススクエアタワー ☎03-5717-1022 https://www.tokyu-com.co.jp/

【業績(単独)】	売上高	営業利益	経常利益	純利益
22.3	151,368	8,807	8,977	▲1,463
23.3	168,693	9,384	9,519	5,603
24.3	173,529	9,537	9,632	523

2481 開示 ★★★☆☆ [専門] 採用あり

日本総合住生活(株)
にほんそうごうじゅうせいかつ

えるぼし ★★ ／ くるみん

【特色】都市再生機構の関連会社。同社の供給住宅を管理

[記者評価] 都市再生機構(UR)の関連会社。URの賃貸住宅や分譲マンション約90万戸の管理を担う。365日・24時間緊急対応窓口を配備。空室補修工事なども。セブン-イレブンと提携し団地内にコンビニを展開。スーパーマーケット事業やコインランドリー・カフェ運営も。

平均勤続年数	男性育休取得率	3年後離職率	平均年収(平均41歳)
12.1年	60.0 → 74.3%	5.9 → 2.1%	NA

●採用・配属情報●

【男女・文理別採用実績】※25年:予定数

	大卒男	大卒女	修士男	修士女
23年	17(文 4 理 13)	15(文 9 理 6)	2(文 0 理 2)	1(文 0 理 1)
24年	19(文 4 理 15)	11(文 7 理 4)	0(文 0 理 0)	5(文 0 理 5)
25年	12(文 2 理 10)	4(文 2 理 2)	1(文 0 理 1)	1(文 0 理 1)

【男女・職種別採用実績】 転換制度:⇔

	総合職
23年	36(男 20 女 16)
24年	36(男 20 女 16)
25年	18(男 13 女 5)

【24年4月入社者の配属勤務地】[総]東京3 神奈川2 千葉1 大阪3 兵庫1 福岡1 [技]東京6 神奈川4 千葉5 埼玉2 大阪5 京都1 兵庫1 名古屋1

【転勤】あり:[職種]総括職[勤務地]首都圏 関西圏 名古屋 福岡

【中途比率】[単年度]21年度42%、22年度36%、23年度35%[全体]57%

●働きやすさ、諸制度●

残業(月) 17.5時間 [総]17.5時間

【勤務時間】9:00～17:25【有休取得年平均】14.1日【週休】完全2日【夏期休暇】7日【年末年始休暇】12月29日～1月3日

【離職率】男:2.2%、25名 女:3.2%、8名(早期退職2名含む)

【新卒3年後離職率】

[20→23年]5.9%(男5.3%・入社19名、女6.7%・入社15名)

[21→24年]2.1%(男0%・入社23名、女4.0%・入社25名)

【テレワーク】制度あり:[場所]自宅 サテライトオフィス 他[対象]テレワークを申請し認められた者[日数]制限なし[利用率]NA【勤務制度】時間単位有休 時差勤務 副業容認【住宅補助】住宅手当 貸与住宅 家賃補助(条件あり 最長10年最大30,000円)※新入社員は3年間特例あり

●ライフイベント、女性活躍●

【女性比率】■男 □女

新卒採用 27.8% (5名)

従業員 17.5% (240名)

管理職 4.8% (17名)

【産休】[期間]産前6・産後8週間[給与]会社全額給付[取得者数]7名

【育休】[期間]3歳になるまで[給与]法定[取得者数]22年度 男30名(対象50名)女12名(対象12名)23年度 男26名(対象35名)女6名(対象6名)[平均取得日数]22年度 男42日 女416日、23年度 男112日 女346日

【従業員】[人数]1,369名(男1,129名、女240名)[平均年齢]41.3歳(男42.0歳、女37.8歳)[平均勤続年数]12.1年(男11.9年、女13.3年)【年齢構成】■男 □女

	男	女
60代～	0%	0%
50代	22%	5%
40代	26%	2%
30代	21%	4%
～20代	13%	7%

会社データ

(金額は百万円)

【本社】101-0054 東京都千代田区神田錦町1-9 ☎03-3294-3381 https://www.js-net.co.jp/

【業績(単独)】	売上高	営業利益	経常利益	純利益
22.3	146,636	3,682	3,858	1,985
23.3	147,603	4,035	4,256	2,778
24.3	153,851	5,816	6,081	2,929

建設

日本ハウズイング(株)

にほん

【特色】マンション管理大手。大規模修繕工事なども展開

[記者評価] マンション管理で東急コミュニティーと並ぶ首位級。既存物件の管理会社の変更や、大手デベロッパー以外の分譲マンションなどを請け負う。グループで台湾、ベトナム、シンガポールに進出。ゴールドマン・サックス系ファンドと組みMBO実施、24年9月に上場廃止。

平均勤続年数	男性育休取得率	3年後離職率	平均年収(平均38歳)
9.9年	24.2→33.3%	NA	577万円

●採用・配属情報●

【男女・文理別採用実績】

	大卒男	大卒女	修士男	修士女
23年	19(文 11 理 8)	22(文 16 理 6)	0(文 0 理 0)	0(文 0 理 0)
24年	30(文 25 理 5)	14(文 13 理 1)	0(文 0 理 0)	0(文 0 理 0)
25年	23(文 19 理 4)	18(文 18 理 0)	0(文 0 理 0)	0(文 0 理 0)

【男女・職種別採用実績】 転換制度:⇔

	総合職	一般職
23年	35(男 21 女 14)	10(男 0 女 10)
24年	39(男 31 女 8)	7(男 0 女 7)
25年	31(男 24 女 7)	12(男 0 女 12)

【24年4月入社者の配属勤務地】[総]東京・神奈川・千葉・埼玉30 大阪2 [技]東京・神奈川・千葉・埼玉5 大阪2

【転勤】あり:[職種]総合職 [勤務地]全国

【中途比率】[単年度]21年度NA、22年度NA、23年度NA[全体]NA

●働きやすさ、諸制度●

残業(月) 16.2時間

【勤務時間】9:00〜17:30【有休取得年平均】12.2日【週休】完全2日(土日祝)【夏期休暇】4日(7〜9月で取得)【年末年始休暇】12月29日〜1月4日

【離職率】NA

【新卒3年後離職率】
[20→23年]NA
[21→24年]NA

【テレワーク】制度あり:[場所]自宅 当社サテライトオフィス [対象]全社員[日数]制限なし[利用率]NA【勤務制度】時差勤務【住宅補助】独身寮 家族寮 住宅手当

●ライフイベント、女性活躍●

【女性比率】■男 □女

新卒採用 44.2% (19名)

従業員 34.8% (744名)

【産休】[期間]産前6・産後8週間[給与]法定[取得者数]50名

【育休】[期間]1歳になるまで[給与]法定[取得者数]22年度 男15名(対象62名)女48名(対象47名)23年度 男19名(対象57名)女53名(対象54名)[平均取得日数]22年度 NA、23年度 男73日 女394日

【従業員】[人数]2,136名(男1,392名、女744名)[平均年齢]38.0歳(男40.8歳、女34.2歳)[平均勤続年数]9.9年(男10.5年、女9.3年)

【年齢構成】NA

会社データ (金額は百万円)

【本社】160-8410 東京都新宿区新宿1-31-12 ☎03-3341-7211
https://www.housing.co.jp/

【業績(連結)】	売上高	営業利益	経常利益	純利益
22.3	124,686	7,077	7,175	4,771
23.3	140,424	6,799	6,924	4,761
24.3	145,350	3,746	3,992	995

積水ハウス不動産東京(株)

せきすい ふどうさんとうきょう

【特色】積水ハウス系。一括借上住宅の賃貸管理が主力

[記者評価] 積水ハウスの完全子会社。20年に積和不動産関東と合併し現体制。不動産仲介・販売、賃貸経営・サブリース、物件管理、リフォームが核。賃貸住宅「シャーメゾン」一括借上システムを軸に、管理戸数は26.8万戸超。コインパーキング事業も手がける。

平均勤続年数	男性育休取得率	3年後離職率	平均年収(平均NA)
NA	NA	14.7→20.0%	NA

●採用・配属情報●

【男女・文理別採用実績】

	大卒男	大卒女	修士男	修士女
23年	18(文 18 理 0)	7(文 7 理 0)	0(文 0 理 0)	0(文 0 理 0)
24年	12(文 12 理 0)	10(文 10 理 0)	0(文 0 理 0)	0(文 0 理 0)
25年	-(文 - 理 -)	-(文 - 理 -)	-(文 - 理 -)	-(文 - 理 -)

※25年:25名採用予定

【男女・職種別採用実績】 転換制度:⇒

	総合職	一般職
23年	21(男 18 女 3)	4(男 0 女 4)
24年	19(男 11 女 8)	3(男 1 女 2)
25年	-(男 - 女 -)	-(男 - 女 -)

【24年4月入社者の配属勤務地】[総]東京7 神奈川5 埼玉4 千葉3

【転勤】あり:[職種]総合職

【中途比率】[単年度]21年度NA、22年度NA、23年度NA[全体]NA

●働きやすさ、諸制度●

残業(月) 20.2時間

【勤務時間】9:00〜18:00【有休取得年平均】16.1日【週休】完全2日(土日祝または火水祝)【夏期休暇】連続8日(週休、祝日含む)【年末年始休暇】連続8日(元日含む)

【離職率】男:3.7%、26名 女:4.2%、18名(早期退職男6名含む)

【新卒3年後離職率】
[20→23年]14.7%(男19.0%・入社21名、女7.7%・入社13名)
[21→24年]20.0%(男37.5%・入社8名、女0%・入社7名)

【テレワーク】制度なし【勤務制度】時間単位有休【住宅補助】準寮(30歳まで利用可)

●ライフイベント、女性活躍●

【女性比率】■男 □女

従業員 37.8% (410名)

【産休】[期間]産前6・産後8週間[給与]法定[取得者数]NA

【育休】[期間]3歳になるまで[給与]特別育児休暇制度(1カ月)有給、以降法定[取得者数]22年度 NA 23年度 NA[平均取得日数]22年度 NA、23年度 NA

【従業員】[人数]1,086名(男676名、女410名)[平均年齢]NA[平均勤続年数]NA

【年齢構成】NA

会社データ (金額は百万円)

【本社】151-0053 東京都渋谷区代々木2-1-1 新宿マインズタワー ☎03-5350-7037
https://www.sekisuihouse-f-tokyo.co.jp/

【業績(連結)】	売上高	営業利益	経常利益	純利益
22.1	294,369	NA	31,562	21,959
23.1	342,273	NA	35,079	27,666
24.1	376,015	NA	39,647	27,580

建設

975 開示 ★★ [短大] [専門] 採用あり

スターツグループ

[くるみん]

【特色】不動産管理や建設、仲介を軸に多方面に展開

[記者評価] 不動産の管理、建設、仲介が柱。地主向けの土地活用提案や「ピタットハウス」ブランドでの仲介を手がける。国内外に約90のグループ会社を抱え、金融、ホテル、出版、保育など展開。欧米やアジアにも拠点があり、日系企業向け不動産仲介や海外赴任を支援する。

平均勤続年数	男性育休取得率	3年後離職率	平均年収(平均38歳)
10.8年	50.0→56.6%	24.7→29.7%	725万円

●採用・配属情報●

【男女・文理別採用実績】

	大卒男	大卒女	修士男	修士女
23年	77(文 65 理 12)	81(文 74 理 7)	2(文 0 理 2)	2(文 0 理 2)
24年	108(文 86 理 22)	111(文103 理 8)	5(文 0 理 5)	1(文 1 理 0)
25年	105(文 83 理 22)	114(文107 理 7)	8(文 0 理 8)	3(文 0 理 3)

【男女・職種別採用実績】

	総合職(営業系)	総合職(技術系)	総合職(事務系)	総合職(介護職)	総合職(その他)
23年	94(男54女40)	19(男13女 6)	18(男 2女16)	20(男 9女11)	18(男 4女14)
24年	136(男70女66)	36(男28女 8)	25(男 2女23)	17(男10女 7)	19(男 5女14)
25年	151(男78女73)	39(男30女 9)	19(男 1女18)	13(男 3女10)	18(男 4女14)

【24年4月入社者の配属勤務地】[総]東京109 千葉52 神奈川10 埼玉8 愛知7 北海道3 大阪3 沖縄2 静岡1 長野1 京都1 [技]東京34 千葉2

【転勤】あり:[職種]全社員[勤務地]1都3県 他

【中途比率】[単年度]21年度45%、22年度57%、23年度55%[全体]NA

●働きやすさ、諸制度●

残業(月) 20.8時間 [総]20.8時間

【勤務時間】9:00〜18:00(部門により異なる)【有休取得年平均】9.9日【週休】会社暦2日(年120日※閏年は年121日)【夏期休暇】連続8日(祝日1日、週休3日含む)※会社により異なる【年末年始休暇】連続9日(祝日1日、週休4日含む)※会社により異なる

【離職率】NA

【新卒3年後離職率】

[20→23年]24.7%(男25.0%・入社164名、女24.4%・入社135名)

[21→24年]29.7%(男29.8%・入社114名、女29.7%・入社118名)

【テレワーク】制度あり:[場所]NA[対象]NA[日数]NA[利用率]NA【勤務制度】裁量労働【住宅補助】独身寮(自己負担20,000〜40,000円※年次変動)転勤社宅(単身赴任)自己負担15,000円(家族帯同)家賃の4割を会社負担※上限80,000円※期間等その他条件あり

●ライフイベント、女性活躍●

【女性比率】■男 □女

新卒採用 51.7% (124名)

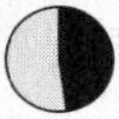

従業員 55.3% (5020名)

【産休】[期間]産前6カ月から取得可能(無給)[給与]法定[取得者数]113名

【育休】[期間]1歳になるまで[給与]法定[取得者数]22年度 男56名(対象112名)女95名(対象95名)23年度 男47名(対象83名)女130名(対象130名)[平均取得日数]22年度 NA、23年度 男24日 女418日

【従業員】[人数]9,070名(男4,050名、女5,020名)[平均年齢]37.5歳(男38.9歳、女35.8歳)[平均勤続年数]10.8年(男12.3年、女8.9年)【年齢構成】NA

[会社データ] (金額は百万円)

【本社】103-0027 東京都中央区日本橋3-4-10 スターツ八重洲中央ビル ☎03-6202-0111 https://www.starts.co.jp/

【業績(連結)】	売上高	営業利益	経常利益	純利益
22.3	196,578	24,182	25,789	16,772
23.3	233,871	28,095	30,002	20,218
24.3	233,408	30,498	33,396	22,095

※会社データはスターツコーポレーション(株)のもの

968 開示 ★★

三井不動産(株)

みついふどうさん

[えるぼし ★★] [くるみん]

【特色】総合不動産首位。大規模再開発に多数実績

[記者評価] 三井グループ中核。総合不動産で国内首位。柱はオフィスビルの開発や賃貸。「三井ビルディング」「ミッドタウン」など超高層ビル開発の実績豊富。商業施設は「三井アウトレットパーク」「ららぽーと」軸。複合開発を米国など海外でも推進。築地再開発に参画。

平均勤続年数	男性育休取得率	3年後離職率	平均年収(平均40歳)
10.6年	122.9→116.7%	1.6→1.6%	1,289万円

●採用・配属情報●

【男女・文理別採用実績】

	大卒男	大卒女	修士男	修士女
23年	16(文 16 理 0)	22(文 20 理 2)	13(文 0 理 13)	6(文 1 理 5)
24年	19(文 17 理 2)	22(文 22 理 0)	14(文 2 理 12)	7(文 1 理 6)
25年	21(文 19 理 2)	31(文 30 理 1)	13(文 0 理 13)	4(文 0 理 4)

【男女・職種別採用実績】 転換制度:⇒

	総合職	業務職	エキスパート職(管理技術系)
23年	49(男 29 女 20)	8(男 0 女 8)	3(男 3 女 0)
24年	52(男 33 女 19)	10(男 0 女 10)	3(男 3 女 0)
25年	56(男 34 女 22)	13(男 0 女 13)	3(男 3 女 0)

【24年4月入社者の配属勤務地】[総]東京48 千葉1 大阪3

【転勤】あり:[職種]総合職掌 エキスパート職掌

【中途比率】[単年度]21年度44%、22年度50%、23年度46%[全体]NA

●働きやすさ、諸制度●

残業(月) NA

【勤務時間】9:00〜17:30(フレックスタイム制 コアタイムなし)【有休取得年平均】16.2日【週休】完全2日(土日祝)【夏期休暇】なし【年末年始休暇】連続5日

【離職率】男:NA、12名 女:NA、4名

【新卒3年後離職率】

[20→23年]1.6%(男2.6%・入社39名、女0%・入社23名)

[21→24年]1.6%(男2.7%・入社37名、女0%・入社25名)

【テレワーク】制度あり:[場所]自宅 サテライトオフィス 他[対象]正社員 契約社員[日数]NA[利用率]NA【勤務制度】フレックス 裁量労働 副業容認【住宅補助】借家手当 独身寮

●ライフイベント、女性活躍●

【女性比率】■男 □女

新卒採用 48.6% (35名)

【産休】[期間]産前6・産後8週間[給与]会社全額給付[取得者数]26名

【育休】[期間]最長3年間[給与]法定[取得者数]22年度 男59名(対象48名)女22名(対象22名)23年度 男63名(対象54名)女25名(対象26名)[平均取得日数]22年度 NA、23年度 NA

【従業員】[人数]2,049名(男NA、女NA)[平均年齢]40.3歳(男NA、女NA)[平均勤続年数]10.6年(男NA、女NA)

【年齢構成】■男 □女

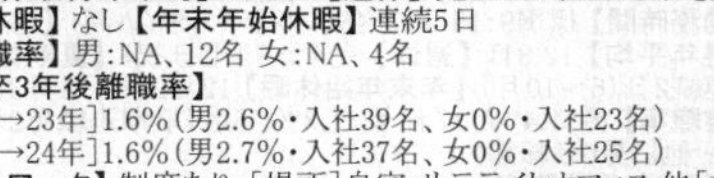

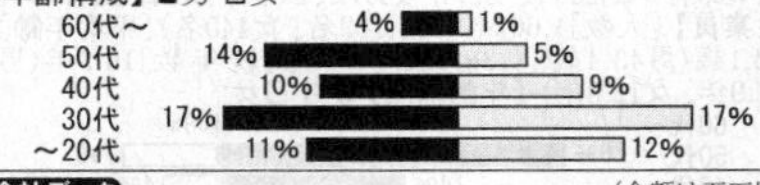

[会社データ] (金額は百万円)

【本社】103-0022 東京都中央区日本橋室町2-1-1 ☎03-3246-3131 https://www.mitsuifudosan.co.jp/

【業績(連結)】	売上高	営業利益	経常利益	純利益
22.3	2,100,870	244,978	224,940	176,986
23.3	2,269,103	305,405	265,358	196,998
24.3	2,383,289	339,690	267,890	224,647

建設

みつびしじしょ
三菱地所(株)

くるみん

【特色】総合不動産首位級。東京・丸の内が地盤

記者評価 三菱グループの中核企業の1社。総合不動産最大手級。オフィスビルの開発・賃貸が主軸。日本最大のビジネス街である丸の内や大手町で多数のビルを保有。商業施設やマンション、物流施設、ホテル開発なども。海外は米・欧州に加え東南アジア・豪州と多角化。

平均勤続年数	男性育休取得率	3年後離職率	平均年収(平均42歳)
16.3年	100→86.5%	0→4.3%	1,273万円

●採用・配属情報●

【男女・文理別採用実績】

	大卒男	大卒女	修士男	修士女
23年	20(文 19理 1)	15(文 14理 1)	17(文 1理 16)	4(文 0理 4)
24年	14(文 12理 2)	18(文 16理 2)	13(文 0理 13)	3(文 2理 1)
25年	15(文 12理 3)	12(文 12理 0)	7(文 0理 7)	9(文 1理 8)

【男女・職種別採用実績】 転換制度:⇒

	総合職
23年	56(男 37 女 19)
24年	48(男 27 女 21)
25年	43(男 22 女 21)

【24年4月入社者の配属勤務地】㊗東京41 札幌1 仙台1 横浜1 名古屋1 大阪1 広島1 福岡1
【転勤】あり:[職種]総合職 専任職[勤務地]国内支店 国内グループ会社 海外現地法人 他
【中途比率】[単年度]21年度49%、22年度55%、23年度51%[全体]25%

●働きやすさ、諸制度●

残業(月) 23.2時間 ㊗22.5時間

【勤務時間】標準9:15～17:45(フレックスタイム制)【有休取得年平均】12.8日【週休】完全2日(土日祝)【夏期休暇】連続2日(6～10月)【年末年始休暇】12月29日～1月3日
【離職率】男:1.4%、17名 女:1.3%、6名(早期退職男2名含む 他に男6名転籍)
【新卒3年後離職率】
[20→23年]0%(男0%・入社28名、女0%・入社17名)
[21→24年]4.3%(男6.9%・入社29名、女0%・入社18名)
【テレワーク】制度あり:[場所]自宅 サテライトオフィス 外出の合間に公共スペースでのテレワークは可[対象]全従業員[日数]制限なし[利用率]NA【勤務制度】フレックス 時間単位有休 勤務間インターバル 副業容認【住宅補助】独身寮 複身者向け社宅 住宅手当

●ライフイベント、女性活躍●

【女性比率】■男 □女

新卒採用 48.8% (21名)

従業員 27.5% (440名)

管理職 7.5% (50名)

【産休】[期間]産前6・産後8週間[給与]会社全額給付[取得者数]20名
【育休】[期間]3歳年度末まで[給与]育休開始日より14日を上限に有給、それに加え出生後8週間以内に産後パパ育休を取得した場合28日を上限に有給、それ以外は法定[取得者数]22年度 男48名(対象48名)女18名(対象18名)23年度 男45名(対象52名)女18名(対象18名)[平均取得日数]22年度 男27日 女334日、23年度 男33日 女317日
【従業員】[人数]1,602名(男1,162名、女440名)[平均年齢]42.1歳(男43.4歳、女38.5歳)[平均勤続年数]16.3年(男17.9年、女12.3年)【年齢構成】■男 □女

	男	女
60代～	0%	0%
50代	26%	7%
40代	14%	4%
30代	22%	9%
～20代	10%	7%

会社データ (金額は百万円)
【本社】100-8133 東京都千代田区大手町1-1-1 大手町パークビル ☎03-3287-5100 https://www.mec.co.jp/

【業績(連結)】	売上高	営業利益	経常利益	純利益
22.3	1,349,489	278,977	253,710	155,171
23.3	1,377,827	296,702	271,819	165,343
24.3	1,504,687	278,627	241,158	168,432

とうきゅうふどうさん
東急不動産(株)

【特色】総合不動産大手。渋谷の再開発中心に多角展開

記者評価 東急不動産HD中核の総合デベロッパー。ビルや商業施設の賃貸のほか、マンション、リゾートなど多角的に事業展開。東急とともに広域渋谷圏(渋谷駅を中心とした半径2.5km圏内)を再開発、スタートアップ支援にも注力。再生エネルギー関連の発電事業を拡大中。

平均勤続年数	男性育休取得率	3年後離職率	平均年収(平均NA)
NA	94.7→NA	3.2→2.7%	NA

●採用・配属情報●

【男女・文理別採用実績】

	大卒男	大卒女	修士男	修士女
23年	16(文 16理 0)	14(文 12理 2)	8(文 0理 8)	6(文 1理 5)
24年	12(文 12理 0)	11(文 9理 2)	8(文 0理 8)	2(文 0理 2)
25年	12(文 10理 2)	9(文 6理 3)	6(文 0理 6)	3(文 0理 3)

【男女・職種別採用実績】 転換制度:NA

	総合職
23年	44(男 24 女 20)
24年	33(男 20 女 13)
25年	30(男 18 女 12)

【24年4月入社者の配属勤務地】㊗東京・渋谷30 大阪・心斎橋3
【転勤】あり:[職種]総合職
【中途比率】[単年度]21年度NA、22年度NA、23年度NA[全体]NA

●働きやすさ、諸制度●

残業(月) 25.5時間 ㊗38.7時間

【勤務時間】9:30～18:00【有休取得年平均】12.8日【週休】完全2日(土日祝)【夏期休暇】なし【年末年始休暇】12月29日～1月3日
【離職率】NA
【新卒3年後離職率】
[20→23年]3.2%(男0%・入社18名、女7.7%・入社13名)
[21→24年]2.7%(男0%・入社19名、女5.6%・入社18名)
【テレワーク】制度あり:[場所]NA[対象]NA[日数]NA[利用率]NA【勤務制度】フレックス 副業容認【住宅補助】NA

●ライフイベント、女性活躍●

【女性比率】■男 □女

新卒採用 40% (12名)

従業員 29.6% (365名)

【産休】[期間]産前6・産後8週間[給与]法定+共済4分の1給付[取得者数]NA
【育休】[期間]2歳になるまで[給与]法定[取得者数]22年度 男36名(対象38名)女18名(対象18名)23年度 NA[平均取得日数]22年度 NA、23年度 NA
【従業員】[人数]1,233名(男868名、女365名)[平均年齢]NA[平均勤続年数]NA
【年齢構成】■男 □女

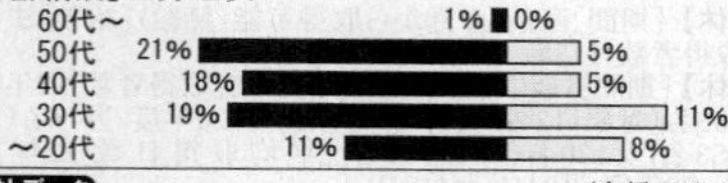

会社データ (金額は百万円)
【本社】150-0043 東京都渋谷区道玄坂1-21-1 渋谷ソラスタ ☎03-6455-2679 https://www.tokyu-land.co.jp/

【業績(連結)】	売上高	営業利益	経常利益	純利益
22.3	989,049	83,817	72,834	35,133
23.3	1,005,836	110,410	99,558	48,227
24.3	1,103,047	120,238	110,391	68,545

※業績は東急不動産ホールディングス(株)のもの

建設

住友不動産(株)

すみともふどうさん

【特色】総合不動産大手。東京都心のビル事業が主力

[記者評価] 収益柱のオフィスビルは都内230棟超を展開し業界首位級。分譲マンション「シティタワー」や住宅リフォーム「新築そっくりさん」も競争力高い。西新宿や六本木などの東京都心再開発、インド・ムンバイ都心のオフィス開発に大規模投資。少数精鋭・実力主義。

平均勤続年数	男性育休取得率	3年後離職率	平均年収(平均45歳)
8.7年	32.9 → 41.8%	NA	[総] 1,412万円

●採用・配属情報●

【男女・文理別採用実績】

	大卒男	大卒女	修士男	修士女
23年	8(文 7理 1)	0(文 0理 0)	4(文 0理 4)	1(文 0理 1)
24年	16(文 11理 5)	3(文 3理 0)	3(文 0理 3)	0(文 0理 0)
25年	16(文 12理 4)	7(文 5理 2)	3(文 0理 3)	0(文 0理 0)

※総合職のみ

【男女・職種別採用実績】　転換制度:⇒

	総合職
23年	13(男 12 女 1)
24年	22(男 19 女 3)
25年	26(男 19 女 7)

【24年4月入社者の配属勤務地】[総]東京・新宿22

【転勤】あり:[職種]総合職

【中途比率】[単年度]21年度NA、22年度NA、23年度NA[全体]85%

●働きやすさ、諸制度●

残業(月) 25.2時間 [総]37.5時間

【勤務時間】NA【有休取得年平均】13.0日【週休】NA【夏期休暇】連続5日(有休で取得)【年末年始休暇】12月29日～1月3日

【離職率】NA

【新卒3年後離職率】
[20→23年]NA
[21→24年]NA(男NA・入社21名、女NA・入社0名)

【テレワーク】制度あり:[場所]自宅[対象]テレワークにて労働生産性が低下する職種・部署については不可[日数]制限なし[利用率]NA【勤務制度】フレックス 時差勤務【住宅補助】独身寮 社宅

●ライフイベント、女性活躍●

【女性比率】■男 □女

新卒採用 26.9% (7名)

従業員 22.4% (989名)

【産休】[期間]産前6・産後8週間[給与]法定[取得者数]33名

【育休】[期間]最大3歳になるまで[給与]法定[取得者数]22年度 男49名(対象149名)女69名(対象70名)23年度 男56名(対象134名)女29名(対象29名)[平均取得日数]22年度NA、23年度 男12日 女345日

【従業員】[人数]4,412名(男3,423名、女989名)[平均年齢]41.7歳(男42.1歳、女40.1歳)[平均勤続年数]8.7年(男9.1年、女7.5年)

【年齢構成】■男 □女
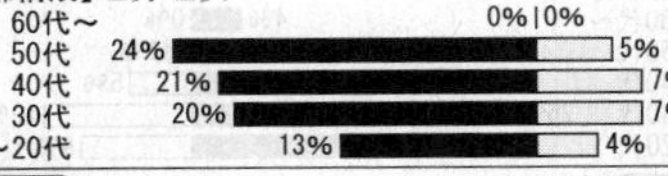

60代～ 0% | 0%
50代 24% 5%
40代 21% 7%
30代 20% 7%
～20代 13% 4%

会社データ　(金額は百万円)

【本社】163-0820 東京都新宿区西新宿2-4-1 新宿NSビル ☎03-3346-1054　https://www.sumitomo-rd.co.jp/

【業績(連結)】	売上高	営業利益	経常利益	純利益
22.3	939,430	233,882	225,115	150,452
23.3	939,904	241,274	236,651	161,925
24.3	967,692	254,666	253,111	177,171

(独法)都市再生機構(UR都市機構)

としさいせいきこう

[くるみん]

【特色】国土交通省所管の独法。UR賃貸住宅管理が主軸

[記者評価] 日本住宅公団母体の旧都市基盤整備公団に、旧地域振興整備公団の地方都市開発整備部門が合流し発足。全国約70万戸の賃貸住宅管理、都市再生、賃貸住宅の供給支援に取り組む。シドニー、バンコク、ジャカルタに事務所を置き、海外での都市開発支援も。

平均勤続年数	男性育休取得率	3年後離職率	平均年収(平均44歳)
16.8年	52.5 → 77.6%	2.2 → 6.6%	[総] 835万円

●採用・配属情報●

【男女・文理別採用実績】

	大卒男	大卒女	修士男	修士女
23年	25(文 16理 9)	23(文 13理 10)	25(文 1理 24)	9(文 0理 9)
24年	31(文 22理 9)	32(文 21理 11)	30(文 1理 29)	3(文 0理 3)
25年	32(文 17理 15)	28(文 19理 9)	26(文 1理 25)	11(文 1理 10)

【男女・職種別採用実績】

	総合職
23年	82(男 50 女 32)
24年	96(男 61 女 35)
25年	97(男 58 女 39)

【24年4月入社者の配属勤務地】[総]東京20 神奈川1 埼玉2 千葉1 愛知5 京都1 大阪8 兵庫1 福岡4 北海道1 [技]東京33 神奈川1 埼玉1 千葉1 愛知4 大阪6 福岡3 福島3

【転勤】あり:全社員

【中途比率】[単年度]21年度44%、22年度36%、23年度NA[全体]NA

●働きやすさ、諸制度●

残業(月) 22.1時間 [総]22.1時間

【勤務時間】9:15～17:40【有休取得年平均】13.7日【週休】完全2日(土日祝)【夏期休暇】7日(7～9月)【年末年始休暇】12月29日～1月3日

【離職率】男:1.2%、29名 女:2.0%、14名

【新卒3年後離職率】
[20→23年]2.2%(男3.4%・入社58名、女0%・入社35名)
[21→24年]6.6%(男7.5%・入社40名、女5.6%・入社36名)

【テレワーク】制度あり:[場所]サテライトオフィス[対象]制限なし[日数]制限なし[利用率]NA【勤務制度】時間単位有休 時差勤務【住宅補助】職員宿舎(人事異動などにより勤務地を変更し転居する場合)住居手当

●ライフイベント、女性活躍●

【女性比率】■男 □女

新卒採用 40.2% (39名)

従業員 22.3% (695名)

【産休】[期間]産前6・産後8週間[給与]会社全額給付[取得者数]27名

【育休】[期間]3歳になるまで[給与]法定[取得者数]22年度 男42名(対象80名)女26名(対象26名)23年度 男59名(対象76名)女30名(対象29名)[平均取得日数]22年度 男70日 女389日、23年度 男79日 女418日

【従業員】[人数]3,111名(男2,416名、女695名)[平均年齢]42.5歳(男43.7歳、女38.1歳)[平均勤続年数]16.8年(男17.6年、女14.1年)

【年齢構成】NA

会社データ　(金額は百万円)

【本社】231-8315 神奈川県横浜市中区本町6-50-1 横浜アイランドタワー ☎045-650-0111　https://www.ur-net.go.jp/

【業績(単独)】	経常収益	経常利益	純利益
22.3	858,662	118,670	23,947
23.3	817,248	141,203	8,251
24.3	846,775	135,652	2,435

建設

野村不動産(株)

のむらふどうさん

【特色】総合不動産大手。分譲マンションに強み

記者評価 野村グループの総合デベロッパー。柱のマンション「プラウド」はブランド力抜群。中規模オフィスビル「PMO」に加え、物流施設やホテルも開発する。東京・浜松町や日本橋などで大型再開発が進行中。25年竣工予定の「BLUE FRONT SHIBAURA」に本社移転予定。

平均勤続年数	男性育休取得率	3年後離職率	平均年収(平均41歳)
12.0年	NA	3.1 → 1.8%	㊋1,185万円

●採用・配属情報●

【男女・文理別採用実績】

	大卒男	大卒女	修士男	修士女
23年	31(文 24 理 7)	21(文 20 理 1)	10(文 0 理 10)	7(文 0 理 7)
24年	24(文 23 理 1)	24(文 20 理 4)	14(文 0 理 14)	6(文 1 理 5)
25年	35(文 31 理 4)	23(文 20 理 3)	12(文 1 理 11)	11(文 0 理 11)

【男女・職種別採用実績】 転換制度:⇔

	総合職
23年	69(男 41 女 28)
24年	68(男 38 女 30)
25年	81(男 47 女 34)

【24年4月入社者の配属勤務地】㊋東京63 大阪4 名古屋1
【転勤】NA
【中途比率】[単年度]21年度NA、22年度NA、23年度NA[全体]NA

●働きやすさ、諸制度●

残業(月) ㊋12.5時間

【勤務時間】9:00~17:40【有休取得年平均】15.1日【週休】完全2日(職種により曜日は異なる)【夏期休暇】連続5日(有休2日含む)【年末年始休暇】連続約6日
【離職率】NA
【新卒3年後離職率】
[20→23年]3.1%(男2.4%・入社42名、女4.3%・入社23名)
[21→24年]1.8%(男2.9%・入社35名、女0%・入社21名)
【テレワーク】制度あり:[場所]NA[対象]NA[日数]NA[利用率]NA【勤務制度】フレックス【住宅補助】住宅費補助 社宅制度 独身寮(地方圏)住宅取得援助

●ライフイベント、女性活躍●

【女性比率】■男 □女

新卒採用 42% (34名)

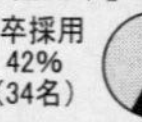

従業員 38.8% (815名)

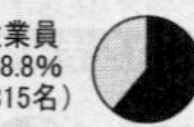

【産休】[期間]産前6・産後8週間[給与]会社給与全額支給[取得者数]NA
【育休】[期間]3歳になるまで[給与]法定[取得者数]22年度NA 23年度 NA[平均取得日数]22年度 NA、23年度 NA
【従業員】[人数]2,100名(男1,285名、女815名)[平均年齢]40.5歳(男41.8歳、女38.5歳)[平均勤続年数]12.0年(男13.3年、女9.9年)
【年齢構成】NA

会社データ (金額は百万円)

【本社】163-0566 東京都新宿区西新宿1-26-2 ☎03-3345-0395
https://www.nomura-re.co.jp/

【業績(連結)】	売上高	営業利益	経常利益	純利益
22.3	645,049	91,210	82,557	55,312
23.3	654,735	99,598	94,121	64,520
24.4	734,715	112,114	98,248	68,164

※業績は野村不動産ホールディングス㈱のもの

ヒューリック(株)

プラチナくるみん

【特色】芙蓉グループの不動産会社。銀座など都心に強み

記者評価 芙蓉グループの一角。銀座・有楽町、渋谷・青山、新宿東口、浅草を中心に中規模オフィスビルを開発する。不動産売買も活発で、「大手町プレイス」等大型取引にも参画。ホテル・旅館や高齢者施設、児童教育施設を開発強化。待遇は業界内でも高水準。少数精鋭。

平均勤続年数	男性育休取得率	3年後離職率	平均年収(平均39歳)
6.4年	80.0 → 100%	12.5 → 0%	㊋1,907万円

●採用・配属情報●

【男女・文理別採用実績】

	大卒男	大卒女	修士男	修士女
23年	5(文 5 理 0)	3(文 3 理 0)	2(文 0 理 2)	2(文 0 理 2)
24年	2(文 2 理 0)	1(文 1 理 0)	4(文 0 理 4)	2(文 0 理 2)
25年	2(文 2 理 0)	2(文 2 理 0)	1(文 0 理 1)	2(文 0 理 2)

【男女・職種別採用実績】

	総合職
23年	12(男 7 女 5)
24年	9(男 6 女 3)
25年	7(男 3 女 4)

【24年4月入社者の配属勤務地】㊋東京本社9
【転勤】なし
【中途比率】[単年度]21年度48%、22年度70%、23年度56%[全体]NA

●働きやすさ、諸制度●

残業(月) 42.1時間 ㊋42.1時間

【勤務時間】9:00~17:15【有休取得年平均】17.7日【週休】完全2日(土日祝)【夏期休暇】連続3営業日と5営業日を、年度内に有休で取得奨励【年末年始休暇】12月29日~1月3日(祝日含む)
【離職率】男:2.5%、4名 女:7.4%、5名
【新卒3年後離職率】
[20→23年]12.5%(男0%・入社4名、女25.0%・入社4名)
[21→24年]0%(男0%・入社8名、女0%・入社4名)
【テレワーク】制度あり:[場所]自宅[対象]特定の従業員(子育て・介護対象等の従業員 他)[日数]週1~2日かつ月8日以内[利用率]NA【勤務制度】時差勤務【住宅補助】独身寮 住宅ローン利子補給制度

●ライフイベント、女性活躍●

【女性比率】■男 □女

新卒採用 57.1% (4名)

従業員 28.4% (63名)

【産休】[期間]産前6・産後8週間[給与]会社全額給付[取得者数]8名
【育休】[期間]4歳になるまで[給与]1カ月有給、以降法定[取得者数]22年度 男8名(対象10名)女5名(対象5名)23年度 男11名(対象11名)女8名(対象8名)[平均取得日数]22年度 NA、23年度 NA
【従業員】[人数]222名(男159名、女63名)[平均年齢]38.7歳(男39.9歳、女35.6歳)[平均勤続年数]6.4年(男6.0年、女7.4年)
【年齢構成】■男 □女

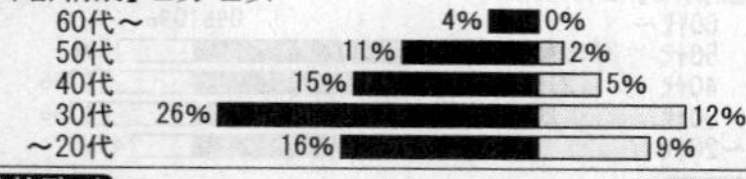

会社データ (金額は百万円)

【本社】103-0011 東京都中央区日本橋大伝馬町7-3 ☎03-5623-8100
https://www.hulic.co.jp/

【業績(連結)】	売上高	営業利益	経常利益	純利益
21.12	447,077	114,507	109,581	69,564
22.12	523,424	126,147	123,222	79,150
23.12	446,383	146,178	137,437	94,625

建設

イオンモール(株)

くるみん

【特色】イオンのSC開発子会社。モール型で国内トップ

記者評価 イオングループのショッピングセンター(SC)の出店・運営を担う。モール型SCの先駆的存在。国内外合わせて約200店舗を展開する。子会社で都市型SCも展開。国内事業は安定期に移り、海外が成長の柱。中国やベトナムなどアジア中心に新規出店を加速中。

平均勤続年数	男性育休取得率	3年後離職率	平均年収(平均41歳)
9.0年	100→100%	16.1→17.0%	(総)655万円

●採用・配属情報●

【男女・文理別採用実績】

	大卒男	大卒女	修士男	修士女
23年	35(文 33理 2)	35(文 30理 5)	1(文 0理 1)	3(文 3理 0)
24年	34(文 27理 7)	44(文 43理 1)	5(文 1理 4)	1(文 1理 0)
25年	54(文 50理 4)	48(文 48理 0)	4(文 1理 3)	0(文 0理 0)

【男女・職種別採用実績】 転換制度:⇔

	総合職
23年	74(男 36 女 38)
24年	84(男 39 女 45)
25年	106(男 58 女 48)

【24年4月入社者の配属勤務地】(総)全国各地のショッピングモール84

【転勤】あり:[職種]総合職[勤務地]全国

【中途比率】[単年度]21年度35%、22年度40%、23年度33%[全体]NA

●働きやすさ、諸制度●

残業(月) 15.1時間 (総)15.1時間

【勤務時間】9:00〜18:00【有休取得年平均】9.6日【週休】年125日【夏期休暇】なし【年末年始休暇】なし

【離職率】男:4.2%、52名 女:7.0%、52名

【新卒3年後離職率】

[20→23年]16.1%(男23.9%・入社46名、女7.3%・入社41名)

[21→24年]17.0%(男4.0%・入社25名、女28.6%・入社28名)

【テレワーク】制度あり:[場所]自宅[対象]モール勤務者除く[日数]NA[利用率]NA【勤務制度】フレックス 時間単位有休 勤務間インターバル【住宅補助】借上社宅(総合職全員対象(例)独身・首都圏勤務、家賃9万円の場合は自己負担1.5万円)

●ライフイベント、女性活躍●

【女性比率】■男 □女

新卒採用 45.3% (48名)

従業員 37% (691名)

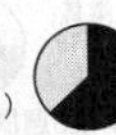

管理職 23.3% (213名)

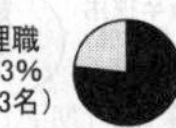

【産休】[期間]産前8・産後8週間[給与]法定[取得者数]53名

【育休】[期間]3歳に達する日を含む勤務月度の最終日(20日)まで[給与]最初90日まで80%、91〜180日まで67%、以降50%[取得者数]22年度 男33名(対象33名)女34名(対象34名)23年度 男32名(対象32名)女19名(対象19名)[平均取得日数]22年度 NA、23年度 NA

【従業員】[人数]1,869名(男1,178名、女691名)[平均年齢]42.2歳(男NA、女NA)[平均勤続年数]9.0年(男NA、女NA)

【年齢構成】■男 □女

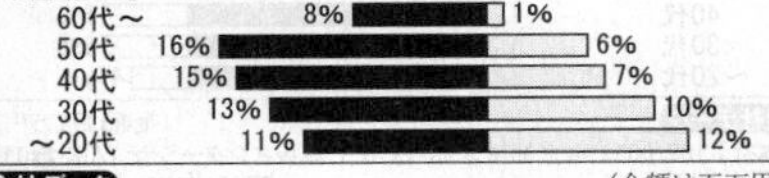

会社データ (金額は百万円)

【本社】261-8539 千葉県千葉市美浜区中瀬1-5-1 イオンタワービル ☎043-212-6450 https://www.aeonmall.com/

【業績(連結)】	売上高	営業利益	経常利益	純利益
22.2	316,813	38,228	32,540	19,278
23.2	398,244	43,979	36,409	12,994
24.2	423,168	46,411	37,086	20,399

東京建物(株)

とうきょうたてもの

えるぼし ★★

くるみん

【特色】総合不動産。東京・八重洲エリアが拠点

記者評価 旧安田財閥系の総合デベロッパー。柱はオフィスビルの開発・賃貸と「ブリリア」ブランドの分譲マンション。本社ビルを含む東京・八重洲や渋谷、京橋で再開発が進行中。ホテルや商業施設、物流施設などアセット拡大。海外は中国、東南アジアで展開。

平均勤続年数	男性育休取得率	3年後離職率	平均年収(平均40歳)
11.3年	NA→81.3%	(!)5.0→(!)3.8%	(総)1,348万円

●採用・配属情報●

【男女・文理別採用実績】

	大卒男	大卒女	修士男	修士女
23年	10(文 9理 1)	12(文 11理 1)	8(文 0理 8)	2(文 0理 2)
24年	8(文 7理 1)	12(文 10理 2)	7(文 0理 7)	4(文 0理 4)
25年	8(文 8理 0)	9(文 9理 0)	7(文 0理 7)	4(文 0理 4)

【男女・職種別採用実績】 転換制度:NA

	総合職	住宅総合職
23年	28(男 16 女 12)	4(男 2 女 2)
24年	27(男 14 女 13)	4(男 1 女 3)
25年	28(男 15 女 13)	0(男 0 女 0)

【24年4月入社者の配属勤務地】(総)東京25 大阪2

【転勤】NA

【中途比率】[単年度]21年度NA、22年度NA、23年度NA[全体]NA

●働きやすさ、諸制度●

残業(月) 6.8時間

【勤務時間】7時間30分(フレックスタイム制)【有休取得年平均】12.5日【週休】完全2日(職種により曜日は異なる)【夏期休暇】3日(7〜9月)【年末年始休暇】12月29日〜1月3日

【離職率】男:2.0%、12名 女:1.7%、4名

【新卒3年後離職率】

[20→23年]5.0%(男6.7%・入社15名、女0%・入社5名)※総合職のみ

[21→24年]3.8%(男5.3%・入社19名、女0%・入社7名)※総合職のみ

【テレワーク】制度あり:[場所]自宅 サテライトオフィス 社外で情報通信機器を利用して業務を行う場所[対象]制限なし[日数]制限なし[利用率]NA【勤務制度】フレックス 勤務間インターバル【住宅補助】借上社宅 住宅融資 財形貯蓄 自社分譲物件の購入時割引

●ライフイベント、女性活躍●

【女性比率】■男 □女

新卒採用 46.4% (13名)

従業員 28.4% (229名)

【産休】[期間]産前6・産後8週間[給与]会社全額給付[取得者数]4名

【育休】[期間]3歳の4月末まで[給与]法定[取得者数]22年度 男9名(対象NA)女11名(対象NA)23年度 男26名(対象32名)女8名(対象8名)[平均取得日数]22年度 男10日 女422日、23年度 男11日 女424日

【従業員】[人数]807名(男578名、女229名)[平均年齢]41.9歳(男42.6歳、女40.3歳)[平均勤続年数]11.3年(男12.5年、女8.9年)【年齢構成】■男 □女

60代〜 0% | 0%
50代 19% 6%
40代 21% 9%
30代 19% 7%
〜20代 13% 7%

会社データ (金額は百万円)

【本社】103-8285 東京都中央区八重洲1-4-16 ☎03-3274-0111 https://www.tatemono.com/

【業績(連結)】	売上高	営業利益	経常利益	純利益
21.12	340,477	58,784	46,270	34,965
22.12	349,940	64,478	63,531	43,062
23.12	375,946	70,508	69,471	45,084

建設

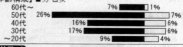

森ビル(株)

（もり）

えるぼし ★★　くるみん

【特色】総合不動産。東京・港区を中心に大型開発で実績

[記者評価] 東京・港区が拠点の総合不動産大手。高層ビルと自然を融合した「立体緑園都市」開発を志向。六本木ヒルズ、表参道ヒルズなど大型開発で実績。23年「虎ノ門ヒルズステーションタワー」、「麻布台ヒルズ」が開業。24年7月から大卒総合職初任給を31万円に増額。

平均勤続年数	男性育休取得率	3年後離職率	平均年収(平均*43歳)
16.0年	90.3 → 92.3%	5.3 → 0%	[総]1,161万円

●採用・配属情報●

【男女・文理別採用実績】

	大卒男	大卒女	修士男	修士女
23年	13(文 10理 3)	12(文 10理 2)	12(文 0理 12)	2(文 0理 2)
24年	11(文 8理 3)	8(文 7理 1)	12(文 0理 12)	2(文 0理 2)
25年	13(文 9理 4)	10(文 8理 2)	21(文 0理 21)	8(文 0理 8)

【男女・職種別採用実績】　転換制度:NA

	総合職	ビルマネジメント職
23年	35(男 22 女 13)	6(男 4 女 2)
24年	29(男 20 女 9)	6(男 4 女 2)
25年	46(男 30 女 16)	6(男 4 女 2)

【24年4月入社者の配属勤務地】[総]東京・港29

【転勤】あり:日本国内なし 一部部署海外転勤あり

【中途比率】[単年度]21年度48%、22年度60%、23年度66%[全体]44%

●働きやすさ、諸制度●

残業(月) 28.3時間 [総]32.2時間

【勤務時間】スーパーフレックス(標準9:00～17:45)【有休取得年平均】13.5日【週休】完全2日(土日祝)【夏期休暇】5日以上の有休取得を奨励【年末年始休暇】12月29日～1月3日

【離職率】男:2.5%、27名 女:2.0%、12名

【新卒3年後離職率】
[20→23年]5.3%(男8.3%・入社24名、女0%・入社14名)
[21→24年]0%(男0%・入社21名、女0%・入社12名)

【テレワーク】制度あり:[場所]情報セキュリティを十分に確保できる場所[対象]全従業員[日数]週1回まで。ただし育児・介護等の事由がある場合は週2回までを目安に柔軟に対応可[利用率]13.9%【勤務制度】フレックス 時間単位有休 時差勤務 副業容認【住宅補助】社宅(六本木 西麻布 元麻布 条件あり)家賃補助(条件あり)

●ライフイベント、女性活躍●

【女性比率】■男 □女

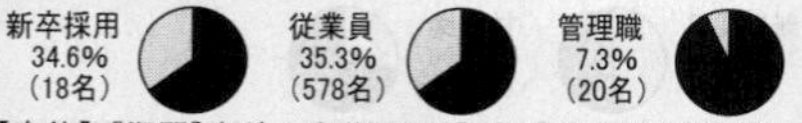
新卒採用
34.6%
(18名)
従業員
35.3%
(578名)
管理職
7.3%
(20名)

【産休】[期間]産前6・産後8週間[給与]基本給全額・賞与支給あり[取得者数]14名

【育休】[期間]3歳になるまで取得可[給与]法定[取得者数]22年度 男28名(対象31名)女18名(対象18名)23年度 男24名(対象26名)女12名(対象12名)[平均取得日数]22年度NA、23年度NA

【従業員】[人数]1,636名(男1,058名、女578名)[平均年齢]43.1歳(男43.1歳、女43.1歳)[平均勤続年数]16.0年(男18.2年、女11.9年)

【年齢構成】NA

会社データ　(金額は百万円)

【本社】106-6155 東京都港区六本木6-10-1 六本木ヒルズ森タワー ☎03-6406-6615
https://www.mori.co.jp/

【業績(連結)】	売上高	営業利益	経常利益	純利益
22.3	245,306	52,759	53,755	42,241
23.3	285,582	63,407	60,531	44,179
24.3	360,485	78,191	71,762	58,970

日鉄興和不動産(株)

（にってつこうわふどうさん）

【特色】日本製鉄・みずほ系の総合不動産デベロッパー

[記者評価] 旧日本興業銀行系の興和不動産と新日鉄都市開発が経営統合して誕生。都心部でのオフィスビルと分譲マンション開発が主軸。外国人向け高級賃貸住宅で先駆。物流施設開発を加速。赤坂や虎ノ門などで大規模再開発を展開。タイで分譲集合住宅の開発に参画。

平均勤続年数	男性育休取得率	3年後離職率	平均年収(平均43歳)
14.3年	71.4 → 88.9%	30.8 → 6.3%	[総]1,333万円

●採用・配属情報●

【男女・文理別採用実績】

	大卒男	大卒女	修士男	修士女
23年	5(文 4理 1)	6(文 5理 1)	2(文 0理 2)	0(文 0理 0)
24年	4(文 4理 0)	5(文 3理 2)	3(文 0理 3)	0(文 0理 0)
25年	5(文 4理 1)	10(文 9理 1)	2(文 0理 2)	0(文 0理 0)

【男女・職種別採用実績】　転換制度:NA

	総合職
23年	13(男 7 女 6)
24年	12(男 7 女 5)
25年	17(男 7 女 10)

【24年4月入社者の配属勤務地】[総]東京・赤坂12

【転勤】あり:[職種]総合職[勤務地]本社(東京)全国各支店 事業所

【中途比率】[単年度]21年度4%、22年度2%、23年度4%[全体]4%

●働きやすさ、諸制度●

残業(月) NA

【勤務時間】9:00～17:30【有休取得年平均】12.9日【週休】完全2日(土日祝)【夏期休暇】有休で取得【年末年始休暇】12月29日～1月3日

【離職率】男:1.6%、7名 女:1.4%、2名

【新卒3年後離職率】
[20→23年]30.8%(男33.3%・入社9名、女25.0%・入社4名)
[21→24年]6.3%(男8.3%・入社12名、女0%・入社4名)

【テレワーク】制度あり:[場所]自宅 サテライトオフィス 他[対象]全社員[日数]制限なし[利用率]NA【勤務制度】フレックス 時差勤務 副業容認【住宅補助】住宅手当あり

●ライフイベント、女性活躍●

【女性比率】■男 □女

新卒採用
58.8%
(10名)
従業員
24.7%
(144名)
管理職
6.3%
(16名)

【産休】[期間]産前6・産後8週間[給与]法定＋教育手当支給[取得者数]5名

【育休】[期間]3歳になるまで[給与]20営業日まで有給 以降法定＋教育手当[取得者数]22年度 男10名(対象14名)女10名(対象6名)23年度 男8名(対象9名)女11名(対象5名)[平均取得日数]22年度 NA、23年度 男12日 女105日

【従業員】[人数]583名(男439名、女144名)[平均年齢]45.4歳(男46.2歳、女42.9歳)[平均勤続年数]14.3年(男14.0年、女15.5年)

【年齢構成】■男 □女

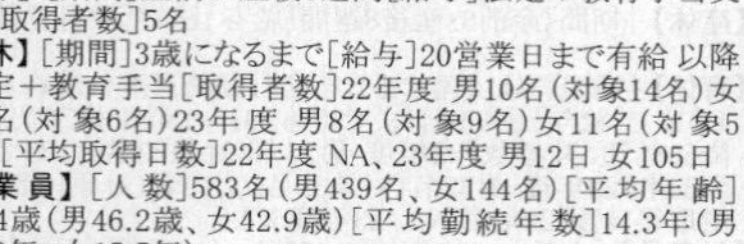
60代～
7%
1%
50代
26%
7%
40代
16%
6%
30代
17%
6%
～20代
9%
4%

会社データ　(金額は百万円)

【本社】107-0052 東京都港区赤坂1-8-1 赤坂インターシティAIR ☎03-6774-8000
https://www.nskre.co.jp/

【業績(連結)】	売上高	営業利益	経常利益	純利益
22.3	226,020	35,200	30,239	19,760
23.3	228,050	41,450	38,042	25,989
24.3	274,029	48,837	43,422	28,343

建設

1325 開示 ★★★

森トラスト(株)

(もり)

プラチナくるみん

【特色】総合不動産。大型複合施設に実績。ホテル開発も

記者評価 不動産、ホテル&リゾート、投資の3事業が核。不動産は「丸の内トラストタワー」など大型複合施設に実績。NTT都市開発と共同開発の「東京ワールドゲート赤坂」は25年完成予定。ホテルは「東京エディション」など高級路線。ホテル客室の分譲事業を推進。

平均勤続年数	男性育休取得率	3年後離職率	平均年収(平均37歳)
12.3年	60.0 → 66.7%	5.6 → 6.7%	㊓1,270万円

●採用・配属情報●

【男女・文理別採用実績】

	大卒男	大卒女	修士男	修士女
23年	5(文 5理 0)	7(文 6理 1)	9(文 0理 9)	3(文 0理 3)
24年	5(文 4理 1)	6(文 5理 1)	10(文 0理 10)	4(文 0理 4)
25年	6(文 5理 1)	5(文 5理 0)	8(文 1理 7)	2(文 0理 2)

※25年:夏選考含まず

【男女・職種別採用実績】

	総合職
23年	24(男 14 女 10)
24年	25(男 15 女 10)
25年	21(男 14 女 7)

【24年4月入社者の配属勤務地】㊓東京25

【転勤】あり:[職種]全社員[勤務地]大阪 仙台

【中途比率】[単年度]21年度42%、22年度63%、23年度53%[全体]27%

●働きやすさ、諸制度●

残業(月) 23.5時間

【勤務時間】9:00~17:45【有休取得年平均】14.7日【週休】完全2日(土日祝)【夏期休暇】連続5日(有休で取得)【年末年始休暇】12月30日~1月3日

【離職率】男:0.8%、3名 女:2.2%、3名

【新卒3年後離職率】

[20→23年]5.6%(男10.0%・入社10名、女0%・入社8名)

[21→24年]6.7%(男0%・入社7名、女12.5%・入社8名)

【テレワーク】制度あり:[場所]自宅[対象]NA[日数]週1.5日[利用率]NA【勤務制度】フレックス 時間単位有休 時差勤務 勤務間インターバル【住宅補助】NA

●ライフイベント、女性活躍●

【女性比率】■男 □女

新卒採用 33.3%(7名)　従業員 27.6%(134名) 　管理職 8%(7名)

【産休】[期間]産前6・産後8週間[給与]法定[取得者数]2名

【育休】[期間]2歳に達する日の翌年度の4月30日まで[給与]法定[取得者数]22年度 男6名(対象10名)女5名(対象5名)23年度 男14名(対象21名)女2名(対象2名)[平均取得日数]22年度 NA、23年度 NA

【従業員】[人数]485名(男351名、女134名)[平均年齢]38.6歳(男39.6歳、女36.0歳)[平均勤続年数]12.3年(男12.7年、女11.0年)

【年齢構成】NA

会社データ (金額は百万円)

【本社】105-6903 東京都港区虎ノ門4-1-1 ☎03-6435-6697
https://www.mori-trust.co.jp/

【業績(連結)】	売上高	営業利益	経常利益	純利益
22.3	258,832	62,827	69,347	40,334
23.3	266,629	65,555	69,340	53,012
24.3	262,903	53,853	58,966	41,387

990 開示 ★★★

NTT都市開発(株)

(エヌティティとしかいはつ)

プラチナくるみん

【特色】オフィスビルの開発・賃貸が主力。NTTグループ

記者評価 NTTグループの総合不動産デベロッパー。電話局跡地など遊休不動産の活用で出発。全国に保有する「アーバンネット」などのオフィスビル賃貸が主力。首都圏中心に分譲マンション「ウェリス」も展開。帝国ホテルなどと東京・日比谷エリアでの大規模再開発を推進。

平均勤続年数	男性育休取得率	3年後離職率	平均年収(平均40歳)
13.2年	66.7 → 90.0%	0 → 0%	㊓1,003万円

●採用・配属情報●

【男女・文理別採用実績】

	大卒男	大卒女	修士男	修士女
23年	13(文 12理 1)	12(文 10理 2)	9(文 0理 9)	6(文 0理 6)
24年	14(文 11理 3)	17(文 11理 6)	11(文 0理 11)	1(文 0理 1)
25年	13(文 12理 1)	16(文 16理 0)	8(文 0理 8)	3(文 0理 3)

【男女・職種別採用実績】

	総合職
23年	40(男 22 女 18)
24年	43(男 25 女 18)
25年	40(男 21 女 19)

【24年4月入社者の配属勤務地】㊓東京(千代田23 港7)大阪市6 札幌1 仙台1 名古屋2 広島1 福岡2

【転勤】あり:全社員

【中途比率】[単年度]21年度42%、22年度40%、23年度41%[全体]25%

●働きやすさ、諸制度●

残業(月) 30.6時間

【勤務時間】7時間30分(スーパーフレックスタイム制)【有休取得年平均】16.3日【週休】完全2日(土日祝)【夏期休暇】5日【年末年始休暇】連続6日

【離職率】男:3.5%、15名 女:5.9%、9名

【新卒3年後離職率】

[20→23年]0%(男0%・入社19名、女0%・入社17名)

[21→24年]0%(男0%・入社10名、女0%・入社20名)

【テレワーク】制度あり:[場所]自宅 シェアオフィス 他[対象]全社員[日数]制限なし[利用率]53.6%【勤務制度】フレックス 時間単位有休 時差勤務 勤務間インターバル 副業容認【住宅補助】借上社宅 住宅補助(単身:月41,000円 単身以外:月70,900円 35歳まで)

●ライフイベント、女性活躍●

【女性比率】■男 □女

新卒採用 47.5%(19名)　従業員 25.9%(144名) 　管理職 12.3%(29名)

【産休】[期間]産前6・産後8週間[給与]会社全額給付[取得者数]6名

【育休】[期間]3歳になるまで[給与]法定[取得者数]22年度 男10名(対象15名)女3名(対象3名)23年度 男18名(対象20名)女6名(対象6名)[平均取得日数]22年度 男17日 女197日、23年度 男41日 女278日

【従業員】[人数]555名(男411名、女144名)[平均年齢]39.5歳(男41.6歳、女33.5歳)[平均勤続年数]13.2年(男15.0年、女8.2年)

【年齢構成】■男 □女

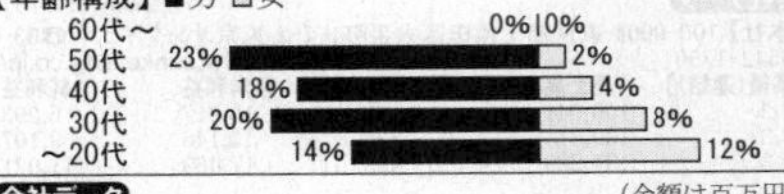

会社データ (金額は百万円)

【本社】101-0021 東京都千代田区外神田4-14-1 秋葉原UDX ☎03-6811-6300
https://www.nttud.co.jp/

【業績(IFRS)】	売上高	営業利益	税前利益	純利益
22.3	141,535	31,224	26,317	18,512
23.3	176,121	35,563	27,798	19,008
24.3	193,337	49,275	37,637	24,003

建設

2794 開示 ★★★

㈱サンケイビル

くるみん

【特色】フジサンケイGの不動産会社。ホテル等の開発も

記者評価 フジ・メディアHD傘下。オフィスビル賃貸から分譲・賃貸住宅まで不動産事業を広く展開。東京・池袋に「Hareza池袋」、大阪に非接触・換気配慮の「本町サンケイビル」など手がける。24年6月神戸・須磨シーワールド、同ホテル開業。米国、東南アにも住宅展開。

平均勤続年数	男性育休取得率	3年後離職率	平均年収(平均44歳)
10.9年	0→NA	0→0%	1,144万円

●採用・配属情報●

【男女・文理別採用実績】

	大卒男	大卒女	修士男	修士女
23年	3(文 3理 0)	3(文 2理 1)	2(文 0理 2)	1(文 0理 1)
24年	3(文 3理 0)	2(文 1理 1)	3(文 0理 3)	0(文 0理 0)
25年	3(文 2理 1)	3(文 3理 0)	4(文 1理 3)	0(文 0理 0)

【男女・職種別採用実績】

	総合職
23年	9(男 5女 4)
24年	8(男 6女 2)
25年	10(男 7女 3)

【24年4月入社者の配属勤務地】㊇東京7 大阪1
【転勤】あり:[職種]総合職
【中途比率】[単年度]21年度NA、22年度NA、23年度NA[全体]55%

●働きやすさ、諸制度●

残業(月) 28.8時間

【勤務時間】9:30～17:45【有休取得年平均】11.6日【週休】完全2日(土日祝)【夏期休暇】有休利用【年末年始休暇】12月26日～1月5日
【離職率】男:2.2%、4名 女:1.8%、1名
【新卒3年後離職率】
[20→23年]0%(男0%・入社7名、女0%・入社1名)
[21→24年]0%(男0%・入社5名、女0%・入社2名)
【テレワーク】制度あり:[場所]自宅 サテライトオフィス[対象]全社員[日数]〈自宅〉週1日まで〈サテライトオフィス〉制限なし[利用率]NA【勤務制度】フレックス 時間単位有休 時差勤務 勤務間インターバル【住宅補助】社宅(転勤者) 家賃補助制度(若手社員)

●ライフイベント、女性活躍●

【女性比率】■男 □女

新卒採用 30% (3名)

従業員 23.9% (56名)

管理職 8.7% (9名)

【産休】[期間]産前6・産後8週間[給与]会社全額給付[取得者数]2名
【育休】[期間]3歳になるまで[給与]開始30日会社全額給付、以降法定[取得者数]22年度 男0名(対象4名)女0名(対象0名)23年度 男5名(対象NA)女2名(対象NA)[平均取得日数]22年度 NA、23年度 男17日 女NA
【従業員】[人数]234名(男178名、女56名)[平均年齢]43.5歳(男44.4歳、女40.1歳)[平均勤続年数]10.9年(男11.1年、女10.7年)
【年齢構成】NA

会社データ (金額は百万円)

【本社】100-0004 東京都千代田区大手町1-7-2 東京サンケイビル ☎03-5542-1300
https://www.sankeibldg.co.jp/

【業績(連結)】	売上高	営業利益	経常利益	純利益
22.3	106,041	10,692	10,917	6,293
23.3	109,813	14,526	13,146	9,107
24.3	134,289	19,433	17,469	11,021

2756 開示 ★★★

大成有楽不動産㈱

(たいせいゆうらくふどうさん)

くるみん

【特色】大成建設の完全子会社。不動産と施設管理が柱

記者評価 大成サービスと有楽土地の合併で誕生。オフィスビルや分譲マンション開発・管理、不動産仲介等を展開。全国主要都市に拠点。分譲マンションは「オーベル」が軸。高級賃貸「ウヌス」も始動。物流施設やホテルの開発も。総合職は不動産・施設管理の事業別採用。

平均勤続年数	男性育休取得率	3年後離職率	平均年収(平均41歳)
14.6年	81.8→61.9%	16.0→11.8%	㊇738万円

●採用・配属情報●

【男女・文理別採用実績】

	大卒男	大卒女	修士男	修士女
23年	15(文 6理 9)	8(文 4理 4)	1(文 0理 1)	1(文 0理 1)
24年	20(文 8理 12)	10(文 7理 3)	0(文 0理 0)	1(文 0理 1)
25年	9(文 6理 3)	14(文 9理 5)	1(文 0理 1)	0(文 0理 0)

※25年:24年7月25日時点

【男女・職種別採用実績】 転換制度:⇔

	不動産	施設管理(全国型)	施設管理(地域限定型)
23年	8(男 6女 2)	15(男 10女 5)	2(男 0女 2)
24年	7(男 4女 3)	22(男 16女 6)	2(男 0女 2)
25年	8(男 4女 4)	13(男 6女 7)	3(男 0女 3)

【24年4月入社者の配属勤務地】㊇東京(京橋10 晴海4)さいたま1 横浜1 名古屋1 ㊫東京(京橋4 晴海4)横浜2 大阪市2 千葉市1 福岡市1
【転勤】NA
【中途比率】[単年度]21年度32%、22年度44%、23年度40%[全体]53%

●働きやすさ、諸制度●

残業(月) 18.7時間 ㊇20.6時間

【勤務時間】8:30～17:30【有休取得年平均】13.7日【週休】〈不動産〉2日(土日祝)〈施設管理〉内勤:2日(土日祝)外勤:変形労働時間制【夏期休暇】連続9日(会社休日3日、有休1日、土日祝含む)【年末年始休暇】12月28日～1月5日
【離職率】男:4.2%、48名 女:3.9%、8名
【新卒3年後離職率】
[20→23年]16.0%(男20.0%・入社20名、女0%・入社5名)
[21→24年]11.8%(男14.3%・入社14名、女0%・入社3名)
【テレワーク】NA【勤務制度】時間単位有休 時差勤務【住宅補助】借上社宅制度(賃料等を一定額負担 物件の選定は任意)

●ライフイベント、女性活躍●

【女性比率】■男 □女

新卒採用 58.3% (14名)

従業員 15.1% (197名) 
管理職 1.4% (3名)

【産休】[期間]産前6・産後8週間[給与]法定[取得者数]8名
【育休】[期間]1歳になるまで[給与]終了前5日間有給、それ以外法定[取得者数]22年度 男18名(対象22名)女2名(対象2名)23年度 男13名(対象21名)女7名(対象7名)[平均取得日数]22年度 NA、23年度 NA
【従業員】[人数]1,305名(男1,108名、女197名)[平均年齢]43.1歳(男43.6歳、女40.7歳)[平均勤続年数]14.6年(男14.7年、女14.3年)
【年齢構成】■男 □女

	男	女
60代～	0%	0%
50代	33%	5%
40代	23%	4%
30代	15%	2%
～20代	14%	4%

会社データ (金額は百万円)

【本社】104-8330 東京都中央区京橋3-13-1 有楽ビル ☎03-3567-9411
https://www.taisei-yuraku.co.jp/

【業績(単独)】	売上高	営業利益	経常利益	純利益
22.3	90,311	9,014	8,921	5,943
23.3	94,409	9,157	9,059	6,142
24.3	95,219	10,432	10,331	7,638

建設

2683 開示 ★★★

㈱アトレ

【特色】JR東日本の連結子会社。駅ビルを開発・運営

記者評価 恵比寿・目黒・吉祥寺などJR東日本の首都圏駅で「アトレ」ブランドの駅ビルの開発・運営・管理を手がける。小規模施設「アトレヴィ」や、茨城・土浦でサイクリング特化施設も展開する。駅や街の特性に合わせた総合演出型の店舗開発・運営に特色。

平均勤続年数	男性育休取得率	3年後離職率	平均年収(平均40歳)
11.0年	60.0 → 33.3%	16.7 → 18.2%	㊝612万円

採用・配属情報

【男女・文理別採用実績】

	大卒男	大卒女	修士男	修士女
23年	2(文 2理 0)	6(文 6理 0)	0(文 0理 0)	1(文 0理 1)
24年	3(文 3理 0)	6(文 6理 0)	1(文 0理 1)	1(文 0理 1)
25年	2(文 2理 0)	8(文 8理 0)	1(文 0理 1)	0(文 0理 0)

【男女・職種別採用実績】

	総合職
23年	9(男 2 女 7)
24年	11(男 4 女 7)
25年	11(男 3 女 8)

【24年4月入社者の配属勤務地】㊝東京(恵比寿2 目黒1 大井町1 大森1 上野1 亀戸1 吉祥寺1)神奈川・川崎1 千葉(松戸1 新浦安1)

【転勤】なし

【中途比率】[単年度]21年度21%、22年度46%、23年度31%[全体]35%

働きやすさ、諸制度

残業(月) 10.5時間 ㊝10.5時間

【勤務時間】フレックスタイム制(コアタイム10:00～16:00)【有休取得年平均】18.7日【週休】年123日【夏期休暇】なし【年末年始休暇】なし

【離職率】男:1.4%、2名 女:2.2%、5名

【新卒3年後離職率】
[20→23年]16.7%(男0%・入社4名、女25.0%・入社8名)
[21→24年]18.2%(男40.0%・入社5名、女0%・入社6名)

【テレワーク】制度あり:[場所]自宅 店舗 本社[対象]本社・各店に所属する社員[日数]月6回[利用率]NA【勤務制度】フレックス 時間単位有休 副業容認【住宅補助】社員寮、住宅援助金(上限5万円)

ライフイベント、女性活躍

【女性比率】■男 □女

新卒採用 72.7% (8名)

従業員 61.2% (221名)

管理職 31.3% (20名)
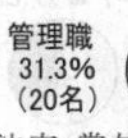

【産休】[期間]産前6・産後8週間[給与]法定+賞与[取得者数]12名

【育休】[期間]2歳になるまで[給与]法定+賞与[取得者数]22年度 男3名(対象5名)女9名(対象9名)23年度 男1名(対象3名)女9名(対象9名)[平均取得日数]22年度 NA、23年度 NA

【従業員】[人数]361名(男140名、女221名)[平均年齢]39.9歳(男39.9歳、女40.0歳)[平均勤続年数]11.0年(男11.0年、女11.0年)

【年齢構成】■男 □女

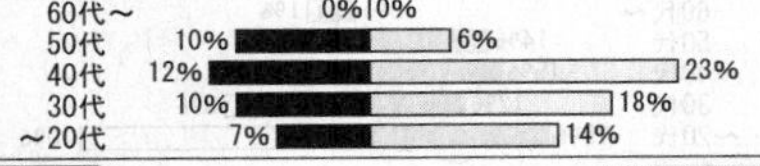

会社データ (金額は百万円)

【本社】150-0013 東京都渋谷区恵比寿4-1-18 恵比寿ネオナート6F ☎03-5475-8300 https://www.atre.co.jp/

【業績(単独)】	営業収益	営業利益	経常利益	純利益
22.3	38,858	1,873	3,377	1,873
23.3	41,866	2,332	2,530	1,377
24.3	43,949	3,846	4,606	183

2676 開示 ★★★ 専門 採用あり

東京都住宅供給公社(JKK東京)

(とうきょうとじゅうたくきょうきゅうこうしゃ)

【特色】東京都出資の地方住宅供給公社。通称JKK東京

記者評価 東京都が全額出資する地方住宅供給公社。1920年設立の東京府住宅協会が前身。自社物件の賃貸や建設、管理に加え、都内公営住宅の管理を受託する。管理戸数は33.8万戸(24年3月末)。月極駐車場の運営や店舗の賃貸も。住戸内のテレワーク環境の整備を推進。

平均勤続年数	男性育休取得率	3年後離職率	平均年収(平均43歳)
❗13.3年	38.5 → 60.0%	16.7 → 13.3%	㊝746万円

採用・配属情報

【男女・文理別採用実績】

	大卒男	大卒女	修士男	修士女
23年	12(文 3理 9)	3(文 3理 0)	3(文 0理 3)	1(文 0理 1)
24年	9(文 3理 6)	5(文 2理 3)	2(文 0理 2)	3(文 0理 3)
25年	12(文 5理 7)	14(文 5理 9)	1(文 0理 1)	2(文 0理 2)

【男女・職種別採用実績】

	総合職
23年	19(男 15 女 4)
24年	20(男 12 女 8)
25年	29(男 13 女 16)

【24年4月入社者の配属勤務地】㊝東京(表参道1 渋谷1 亀戸1 大井町1 目白1) ㊎東京(表参道9 渋谷1 新宿1 新小岩1 大井町1 目白1 小平1)

【転勤】なし

【中途比率】[単年度]21年度6%、22年度45%、23年度53%(総合職のみ、内部登用は除く)[全体]23%

働きやすさ、諸制度

残業(月) 17.9時間 ㊝23.5時間

【勤務時間】7時間45分【有休取得年平均】17.1日【週休】完全2日(土日祝)【夏期休暇】5日(7～9月で取得)【年末年始休暇】12月29日～1月3日

【離職率】男:2.2%、11名 女:1.5%、3名

【新卒3年後離職率】
[20→23年]16.7%(男15.4%・入社13名、女18.2%・入社11名)
[21→24年]13.3%(男18.2%・入社22名、女0%・入社8名)

【テレワーク】制度あり:[場所]自宅[対象]全社員[日数]週2日まで[利用率]NA【勤務制度】時間単位有休 時差勤務 勤務間インターバル【住宅補助】住宅手当(住民票上の世帯主に月8,500円)

ライフイベント、女性活躍

【女性比率】■男 □女

新卒採用 55.2% (16名)

従業員 29.4% (203名)

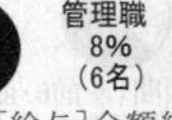
管理職 8% (6名)

【産休】[期間]産前・産後計16週間[給与]全額給付[取得者数]5名

【育休】[期間]3歳になるまで[給与]法定[取得者数]22年度 男5名(対象13名)女4名(対象4名)23年度 男3名(対象5名)女3名(対象3名)[平均取得日数]22年度 NA、23年度 NA

【従業員】[人数]690名(男487名、女203名)[平均年齢]42.9歳(男43.5歳、女41.7歳)[平均勤続年数]13.3年(男14.0年、女11.6年)※総合職のみ

【年齢構成】■男 □女

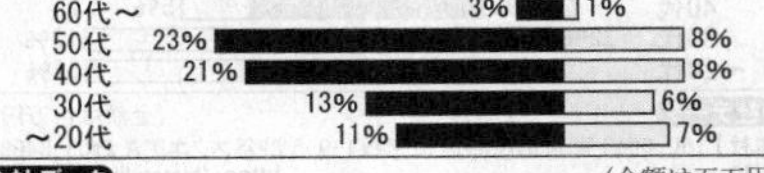

会社データ (金額は百万円)

【本社】150-8322 東京都渋谷区神宮前5-53-67 コスモス青山 ☎03-3409-2244 http://www.to-kousya.or.jp/

【業績(単独)】	売上高	営業利益	経常利益	純利益
22.3	120,688	9,649	9,320	8,460
23.3	126,637	10,817	10,469	7,280
24.3	129,849	9,804	8,651	7,847

建設

984 開示 ★★

<ruby>東急<rt>とうきゅう</rt></ruby>リバブル㈱

[えるぼし ★★] [くるみん]

【特色】不動産仲介で国内大手。東急不動産グループ

[記者評価] 東急不動産グループの不動産売買仲介事業を担う。東急不動産の首都圏営業店を譲り受け業容拡大。売買仲介件数は年間約3万件で業界3位級。仲介営業職の約9割が宅建を保有する。賃貸仲介やマンション販売受託も手がける。台湾、シンガポールに海外拠点。

平均勤続年数	男性育休取得率	3年後離職率	平均年収(平均NA)
NA	39.6 → 86.8%	NA	NA

●採用・配属情報●

【男女・文理別採用実績】

	大卒男	大卒女	修士男	修士女
23年	115(文111 理 4)	95(文 91 理 4)	0(文 0 理 0)	0(文 0 理 0)
24年	132(文127 理 5)	80(文 77 理 3)	0(文 0 理 0)	0(文 0 理 0)
25年	137(文122 理 15)	84(文 84 理 0)	0(文 0 理 0)	0(文 0 理 0)

【男女・職種別採用実績】 転換制度:⇔

	総合職	賃貸職	一般職
23年	185(男113 女 72)	20(男 2 女 18)	5(男 0 女 5)
24年	182(男128 女 54)	21(男 4 女 17)	9(男 0 女 9)
25年	191(男134 女 57)	22(男 3 女 19)	8(男 0 女 8)

【24年4月入社者の配属勤務地】[総]首都圏151 関西35 札幌4 東北4 中部6 福岡3
【転勤】あり:[職種]総合職
【中途比率】[単年度]21年度48%、22年度51%、23年度36%[全体]37%

●働きやすさ、諸制度●

残業(月) 26.3時間 [総]26.0時間

【勤務時間】9:30〜18:00【有休取得年平均】12.2日【週休】2日【夏期休暇】連続7〜10日【年末年始休暇】連続7〜10日
【離職率】NA
【新卒3年後離職率】
[20→23年]NA
[21→24年]NA
【テレワーク】制度あり:[場所]自宅 シェアオフィス[対象]全社員[日数]制限なし[利用率]6.4%【勤務制度】時間単位有休 時差勤務【住宅補助】住宅手当(9,000〜10,000円)※エリアによる

●ライフイベント、女性活躍●

【女性比率】■男 □女

新卒採用 38% (84名)

従業員 30.9% (1186名)

管理職 2.2% (12名)

【産休】[期間]産前6・産後8週間[給与]法定+共済より4分の1給付[取得者数]160名
【育休】[期間]1歳になるまで[給与]法定[取得者数]22年度 男57名(対象144名)女70名(対象70名)23年度 男105名(対象121名)女55名(対象55名)[平均取得日数]22年度 男9日 女394日、23年度 男7日 女432日
【従業員】[人数]3,835名(男2,649名、女1,186名)[平均年齢]NA[平均勤続年数]NA
【年齢構成】■男 □女

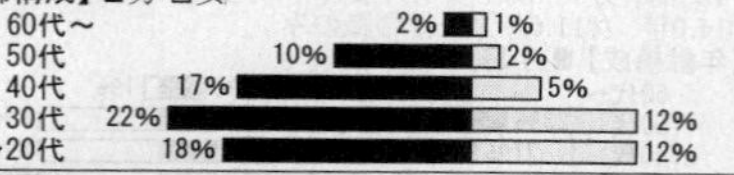

会社データ (金額は百万円)

【本社】150-0043 東京都渋谷区道玄坂1-9-5 渋谷スクエアA ☎03-3463-3711 https://www.livable.co.jp/

【業績(単独)】	売上高	営業利益	経常利益	純利益
22.3	146,246	20,281	19,293	13,542
23.3	163,521	27,113	27,305	19,120
24.3	188,498	33,008	32,766	22,270

1536 開示 ★★★★★

<ruby>三井不動産<rt>みついふどうさん</rt></ruby>リアルティ㈱

【特色】不動産流通首位。駐車場管理、カーシェアリングも

[記者評価]「三井のリハウス」(住宅仲介)、「三井のリパーク」(駐車場)が2本柱。「リハウス」店舗は全国に約290店。23年度住宅仲介3.8万件で38年連続業界首位。時間貸し駐車場は全都道府県に展開。カーシェアリング台数拡大続く。デジタル活用サービスを積極推進。

平均勤続年数	男性育休取得率	3年後離職率	平均年収(平均37歳)
[!]11.4年	9.0 → 65.0%	20.6 → 22.3%	[総]717万円

●採用・配属情報●

【男女・文理別採用実績】

	大卒男	大卒女	修士男	修士女
23年	98(文 95 理 3)	140(文136 理 4)	0(文 0 理 0)	0(文 0 理 0)
24年	100(文 96 理 4)	137(文131 理 6)	0(文 0 理 0)	0(文 0 理 0)
25年	100(文 95 理 5)	140(文135 理 5)	0(文 0 理 0)	0(文 0 理 0)

【男女・職種別採用実績】 転換制度:⇔

	総合職	業務職
23年	168(男 98 女 70)	70(男 0 女 70)
24年	173(男100 女 73)	64(男 0 女 64)
25年	170(男100 女 70)	70(男 0 女 70)

【24年4月入社者の配属勤務地】[総]首都圏(霞が関 他)137 関西圏24 中部圏12
【転勤】あり:[職種]総合職[勤務地]首都圏 関西圏 中部圏(支店・センター)、静岡 金沢 沖縄(リパーク事務所)
【中途比率】[単年度]21年度1%、22年度3%、23年度7%[全体]29%

●働きやすさ、諸制度●

残業(月) 30.1時間 [総]34.3時間

【勤務時間】9:30〜18:00【有休取得年平均】10.1日【週休】完全2日(原則水定休、部門により異なる)【夏期休暇】4〜6日(2024年度、部門により異なる)【年末年始休暇】12月28日〜1月3日(2024年度、部門により異なる)
【離職率】男:4.2%、130名 女:7.0%、128名
【新卒3年後離職率】
[20→23年]20.6%(男16.6%・入社175名、女24.7%・入社170名)
[21→24年]22.3%(男16.4%・入社140名、女27.2%・入社169名)
【テレワーク】制度なし【勤務制度】時間単位有休 時差勤務【住宅補助】独身借上社宅(総合職のみ 対象者について細則有り)

●ライフイベント、女性活躍●

【女性比率】■男 □女

新卒採用 58.3% (140名)

従業員 36.3% (1702名)

管理職 2.4% (13名)

【産休】[期間]産前6・産後8週間[給与]法定[取得者数]78名
【育休】[期間]1歳になるまで[給与]法定[取得者数]22年度 男10名(対象111名)女63名(対象63名)23年度 男67名(対象103名)女78名(対象78名)[平均取得日数]22年度 男24日 女445日、23年度 男24日 女499日
【従業員】[人数]4,689名(男2,987名、女1,702名)[平均年齢]36.2歳(男38.8歳、女30.8歳)[平均勤続年数]11.4年(男13.4年、女6.3年)※平均年齢・平均勤続年数は総合職のみ
【年齢構成】■男 □女

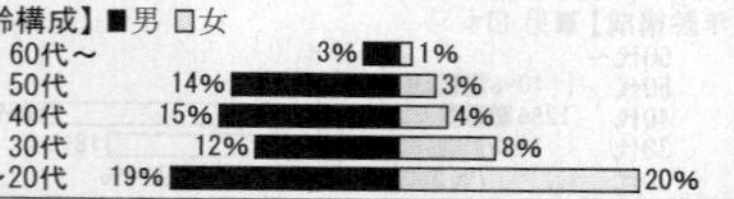

会社データ (金額は百万円)

【本社】100-6019 東京都千代田区霞が関3-2-5 霞が関ビルディング ☎03-6758-4060 https://www.mf-realty.jp/

【業績(単独)】	売上高	営業利益	経常利益	純利益
22.3	155,550	22,754	23,158	15,581
23.3	161,328	24,945	26,152	18,526
24.3	164,455	25,090	27,747	24,409

エネルギー

電力・ガス　石油

電力・ガス

値上げと燃料価格下落で2023年度に業績V字回復。24年度は黒字定着だが円安が重荷。25年度は原発再稼働効果も

石油（国内）

製油所の計画外停止減り稼動率は向上するが、石油製品需要は漸減基調。原油価格の先行きも不透明感を増す

（天気図は24年度後半⇒25年度、続きは東洋経済『会社四季報業界地図 2025年版』で）

ほっかいどうでんりょく
北海道電力㈱(北海道電力ネットワーク㈱)

くるみん

【特色】北海道が地盤。原発と石炭火力発電が主力

記者評価 原発と石炭火力が主力。原発は北海道・泊村に3基を保有。19年に初のLNG火力発電所が稼働。直下型地震で主力の石炭火力が被災し日本初のブラックアウト(全域停電)に直面。原発は安全審査に時間。再エネ導入や送電線強じん化に注力。首都圏でも電力販売。

平均勤続年数	男性育休取得率	3年後離職率	平均年収(平均42歳)
20.9年	24.1→33.6%	5.4→20.7%	◇754万円

●採用・配属情報●

【男女・文理別採用実績】

	大卒男	大卒女	修士男	修士女
23年	38(文 17 理 21)	11(文 10 理 1)	33(文 1 理 32)	0(文 0 理 0)
24年	51(文 25 理 26)	16(文 15 理 1)	33(文 0 理 33)	4(文 0 理 4)
25年	71(文 44 理 27)	33(文 32 理 1)	28(文 0 理 28)	3(文 0 理 3)

※北海道電力・北海道電力ネットワーク合同採用 25年:予定数

【男女・職種別採用実績】

	総合職
23年	82(男 71 女 11)
24年	105(男 85 女 20)
25年	135(男 99 女 36)

【24年4月入社者の配属勤務地】㊗北海道内各地 ㊕北海道内各地

【転勤】あり:正社員(社員 再雇用者)

【中途比率】[単年度]21年度13%、22年度10%、23年度11%[全体]4%

●働きやすさ、諸制度●

残業(月) 25.9時間 ㊗25.9時間

【勤務時間】8:40〜17:20【有休取得年平均】17.4日【週休】2日(土日祝)【夏期休暇】季節休暇3日【年末年始休暇】12月29日〜1月3日

【離職率】NA

【新卒3年後離職率】
[20→23年]5.4%(男5.9%・入社51名、女0%・入社5名)
[21→24年]20.7%(男21.8%・入社78名、女11.1%・入社9名)

【テレワーク】制度あり:[場所]自宅[対象]全従業員[日数]原則週2回まで[利用率]NA【勤務制度】フレックス 時間単位有休 時差勤務 勤務間インターバル【住宅補助】寮・社宅 家賃補助

●ライフイベント、女性活躍●

【女性比率】■男 □女

新卒採用 26.7% (36名)　従業員 8.4% (413名)　管理職 2.3% (15名)

【産休】[期間]産前6・産後8週間[給与]法定[取得者数]17名

【育休】[期間]2歳になるまで[給与]法定+1歳になるまで基準賃金の10%給付[取得者数]22年度 男42名(対象174名)女16名(対象18名)23年度 男47名(対象140名)女16名(対象17名)[平均取得日数]22年度 NA、23年度 NA

【従業員】[人数]4,902名(男4,489名、女413名)[平均年齢]41.8歳(男41.9歳、女40.7歳)[平均勤続年数]20.9年(男21.0年、女19.9年)

【年齢構成】■男 □女

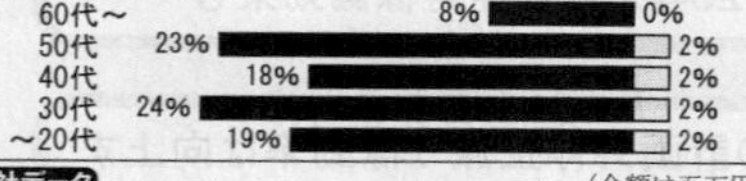

会社データ (金額は百万円)

【本社】060-8677 北海道札幌市中央区大通東1-2 ☎011-251-1111 https://www.hepco.co.jp/

【業績(連結)】	売上高	営業利益	経常利益	純利益
22.3	663,414	24,970	13,830	6,864
23.3	888,874	▲22,530	▲29,251	▲22,193
24.3	953,784	101,155	87,315	66,201

とうほくでんりょく
東北電力㈱(東北電力ネットワーク㈱)

えるぼし★★　くるみん

【特色】販売電力量で業界5位。東北経済界の中心

記者評価 東北6県と新潟県に供給。宮城・女川、青森・東通に原発3基保有。東日本大震災で被災したが、火力発電所は13年4月に復旧。女川原発2号機は24年内にも再稼働へ。首都圏での大口電力販売は撤退し、地元回帰。洋上風力など再エネ開発に本腰。送電網にも積極投資。

平均勤続年数	男性育休取得率	3年後離職率	平均年収(平均43歳)
19.9年	93.2→95.0%	5.5→9.3%	㊗780万円

●採用・配属情報●

【男女・文理別採用実績】

	大卒男	大卒女	修士男	修士女
23年	65(文 30 理 35)	19(文 15 理 4)	40(文 0 理 40)	0(文 0 理 0)
24年	41(文 14 理 27)	6(文 3 理 3)	44(文 0 理 44)	2(文 0 理 2)
25年	70(文 16 理 54)	19(文 11 理 8)	49(文 1 理 48)	3(文 2 理 1)

※23年・24年:東北電力㈱、東北電力ネットワーク㈱合同採用

【男女・職種別採用実績】

	総合職
23年	127(男 107 女 20)
24年	106(男 97 女 9)
25年	158(男 136 女 22)

【24年4月入社者の配属勤務地】㊗青森 岩手 秋田 宮城 福島 山形 新潟 ㊕青森 岩手 秋田 宮城 福島 山形 新潟

【転勤】あり:全社員

【中途比率】[単年度]21年度10%、22年度5%、23年度6%[全体]3%

●働きやすさ、諸制度●

残業(月) 24.2時間 ㊗24.2時間

【勤務時間】7時間40分(フレックスタイム制 コアタイム10:00〜15:30)【有休取得年平均】16.7日【週休】完全2日(土日祝)【夏期休暇】2日【年末年始休暇】12月29日〜1月3日

【離職率】男:1.2%、127名 女:3.1%、30名

【新卒3年後離職率】
[20→23年]5.5%(男6.0%・入社266名、女3.4%・入社59名)
[21→24年]9.3%(男8.5%・入社234名、女12.5%・入社56名)

【テレワーク】制度あり:[場所]自宅 サテライトオフィス 実家(帰省先)※出張・外務時は公共交通機関(新幹線等)カフェ ホテル等[対象]新卒1年目は除く[日数]制限なし[利用率]NA【勤務制度】フレックス 時間単位有休 時差勤務 勤務間インターバル 副業容認【住宅補助】独身寮 社宅 住宅手当

●ライフイベント、女性活躍●

【女性比率】■男 □女

新卒採用 13.9% (22名)　従業員 8.3% (947名)　管理職 2.9% (152名)

【産休】[期間]産前6・産後8週間[給与]会社全額給付[取得者数]34名

【育休】[期間]3歳になるまで[給与]法定[取得者数]22年度 男261名(対象280名)女30名(対象30名)23年度 男285名(対象300名)女34名(対象34名)[平均取得日数]22年度 男NA 女576日、23年度 男NA 女610日

【従業員】[人数]11,399名(男10,452名、女947名)[平均年齢]43.3歳(男43.7歳、女38.9歳)[平均勤続年数]19.9年(男20.4年、女14.1年)【年齢構成】■男 □女

60代〜 5% 0%
50代 32% 2%
40代 19% 2%
30代 20% 2%
〜20代 15% 2%

会社データ (金額は百万円)

【本社】980-8550 宮城県仙台市青葉区本町1-7-1 ☎022-225-2111 https://www.tohoku-epco.co.jp/

【業績(連結)】	売上高	営業利益	経常利益	純利益
22.3	2,104,448	▲28,737	▲49,205	▲108,362
23.3	3,007,204	▲180,054	▲199,277	▲127,562
24.3	2,817,813	322,263	291,940	226,102

エネルギー

とうきょうでんりょく 東京電力ホールディングス(株)

えるぼし ★★★ くるみん

【特色】電力最大手。持株会社下で発電・送電を分離

記者評価 首都圏が地盤の電力最大手。国内供給の3割担う。福島原発事故を起こし、原子力損害賠償・廃炉等支援機構が過半を出資し国有化。16年に持株会社を設立し、火力発電、送配電、販売を分社化。家庭向けガス販売にも参入。脱炭素化を踏まえ、再エネ事業を育成。

平均勤続年数	男性育休取得率	3年後離職率	平均年収(平均46歳)
24.0年	75.3→86.6%	5.2→4.9%	(総)817万円

●採用・配属情報●

【男女・文理別採用実績】※25年:24年7月22日時点

	大卒男	大卒女	修士男	修士女
23年	157(文 54理103)	37(文 27理 10)	142(文 6理136)	17(文 2理 15)
24年	184(文 64理120)	60(文 40理 20)	161(文 0理161)	16(文 1理 15)
25年	212(文 84理128)	58(文 34理 24)	155(文 1理154)	22(文 1理 21)

【男女・職種別採用実績】

	総合職
23年	403(男337 女 66)
24年	469(男376 女 93)
25年	506(男407 女 99)

【24年4月入社者の配属勤務地】(総)東京50 神奈川16 埼玉14 千葉11 茨城9 群馬6 栃木5 静岡5 山梨4 (技)東京97 福島54 新潟43 神奈川35 千葉23 群馬22 埼玉21 栃木16 茨城15 山梨8 長野7 静岡7 青森1

【転勤】あり:[職種]全社員[勤務地]東京 千葉 埼玉 神奈川 群馬 栃木 茨城 山梨 静岡 福島 長野 新潟 青森 海外 他

【中途比率】[単年度]21年度28%、22年度36%、23年度34%[全体]5%

●働きやすさ、諸制度●

残業(月) 24.3時間 (総)24.3時間

【勤務時間】8:40〜17:20【有休取得年平均】16.9日【週休】完全2日(土日祝)【夏期休暇】3日【年末年始休暇】12月29日〜1月3日

【離職率】男:1.5%、353名 女:1.5%、56名

【新卒3年後離職率】
[20→23年]5.2%(男5.0%・入社261名、女6.3%・入社63名)
[21→24年]4.9%(男5.8%・入社308名、女1.3%・入社76名)

【テレワーク】制度あり:[場所]自宅 被介護者宅 サテライトオフィス[対象]全社員[日数]制限なし[利用率]16.5%【勤務制度】フレックス 時間単位有休【住宅補助】独身者・単身赴任者向け寮 家族向け社宅(自社/借上)家賃補助制度(地域別金額上限あり)

●ライフイベント、女性活躍●

【女性比率】■男 □女

新卒採用 19.6%(99名) 従業員 13.5%(3683名) 管理職 6.1%(279名)

【産休】[期間]産前6・産後8週間[給与]会社全額給付[取得者数]466名

【育休】[期間]3歳到達年度末まで[給与]法定[取得者数]22年度 男443名(対象588名)女97名(対象97名)23年度 男421名(対象486名)女86名(対象88名)[平均取得日数]22年度 男23日 女950日、23年度 男35日 女962日

【従業員】[人数]27,369名(男23,686名、女3,683名)[平均年齢]45.8歳(男46.0歳、女44.1歳)[平均勤続年数]24.0年(男24.3年、女22.1年)【年齢構成】■男 □女

	男	女
60代〜	6%	0%
50代	31%	5%
40代	24%	3%
30代	16%	3%
〜20代	9%	2%

会社データ (金額は百万円)

【本社】100-8560 東京都千代田区内幸町1-1-3 ☎03-6373-1111
https://www.tepco.co.jp/

【業績(連結)】	売上高	営業利益	経常利益	純利益
22.3	5,309,924	46,230	44,969	5,640
23.3	7,798,696	▲228,969	▲285,393	▲123,631
24.3	6,918,389	278,856	425,525	267,850

ジェラ (株)JERA

【特色】火力発電で国内最大。東電Gと中部電力の合弁

記者評価 東京電力グループと中部電力から火力・燃料事業を切り出す形で15年4月両者折半出資により設立。19年4月までかけて段階的に事業統合。国内に26カ所の火力発電所を置き、国内全体の発電量の約3割を担う。脱炭素の流れを受け、洋上風力など再エネ開発に舵。

平均勤続年数	男性育休取得率	3年後離職率	平均年収(平均44歳)
◇(!)19.1年	40.3→79.4%	—	(総)878万円

●採用・配属情報●

【男女・文理別採用実績】

	大卒男	大卒女	修士男	修士女
23年	34(文 18理 16)	33(文 15理 18)	49(文 2理 47)	16(文 4理 12)
24年	24(文 16理 8)	17(文 13理 4)	46(文 3理 43)	24(文 3理 21)
25年	22(文 13理 9)	26(文 17理 9)	51(文 3理 48)	19(文 7理 12)

【男女・職種別採用実績】

	総合職
23年	146(男 97 女 49)
24年	124(男 81 女 43)
25年	139(男 93 女 46)

【24年4月入社者の配属勤務地】(総)東京(日本橋50 日比谷3)名古屋2 (技)愛知(碧南13名古屋7)茨城・那珂7 三重・三重8 千葉(富津8 千葉4 市原3)神奈川(横浜4 川崎4)福島・双葉3 新潟・上越3 東京(日比谷3 日本橋2)

【転勤】あり:[勤務地]東京 神奈川 千葉 茨城 福島 新潟 愛知 三重 海外事業所 ※事業拡大にもとづき拠点(勤務地)拡大の可能性あり

【中途比率】[単年度]21年度63%、22年度62%、23年度62%[全体]◇13%

●働きやすさ、諸制度●

残業(月) 24.0時間 (総)24.0時間

【勤務時間】7時間40分(7時〜22時でのフレックスタイム制 コアタイムなし)【有休取得年平均】17.0日【週休】完全2日(土日祝、交替勤務者は除く)【夏期休暇】3日(6月〜10月で取得)【年末年始休暇】12月29日〜1月3日(交替勤務者は除く)

【離職率】男:1.9%、72名 女:0.7%、3名(早期退職男20名、女2名含む)

【新卒3年後離職率】
[20→23年]—(男—・入社0名、女—・入社0名)
[21→24年]—(男—・入社0名、女—・入社0名)

【テレワーク】制度あり:[場所]カフェ サテライトオフィス 他[対象]全社員(交替勤務者除く)[日数]月の勤務日の半分以下(原則)[利用率]25.4%【勤務制度】フレックス 時間単位有休 副業容認【住宅補助】寮・社宅・家賃補助(適用条件あり)

●ライフイベント、女性活躍●

【女性比率】■男 □女

新卒採用 33.1%(46名) 従業員 10.9%(455名) 管理職 5.5%(57名)

【産休】[期間]産前6・産後8週間[給与]会社全額支給[取得者数]11名

【育休】[期間]3歳に達する年度の年度末まで[給与]法定[取得者数]22年度 男52名(対象129名)女12名(対象12名)23年度 男85名(対象107名)女11名(対象11名)[平均取得日数]22年度 男58日 女512日、23年度 男48日 女352日

【従業員】◇[人数]4,167名(男3,712名、女455名)[平均年齢]44.4歳(男45.0歳、女38.9歳)[平均勤続年数]19.1年(男20.1年、女10.8年)※受入出向者含み、外部出向者除く【年齢構成】■男 □女

	男	女
60代〜	7%	0%
50代	29%	2%
40代	26%	3%
30代	17%	3%
〜20代	11%	3%

会社データ (金額は百万円)

【本社】103-6125 東京都中央区日本橋2-5-1 日本橋高島屋三井ビルディング25F ☎03-3272-4631
https://www.jera.co.jp/

【業績(IFRS)】	売上高	営業利益	税前利益	純利益
22.3	2,769,127	39,718	38,612	5,676
23.3	4,737,870	138,301	102,264	17,847
24.3	3,710,727	563,412	577,450	399,628

エネルギー

J-POWER（電源開発㈱）

ジェイパワー

プラチナくるみん

【特色】全国の電力10社へ卸売り。2004年民営化し上場

記者評価 戦後の電力不足解消のため、1952年の電源開発促進法に基づき設立。04年に民営化。石炭火力と水力が主力。原発を青森で建設中。米国、タイなど海外発電事業でも先駆。地熱発電所も所有。国内外で風力発電拡大。火力発電の脱炭素化へ水素活用など技術開発推進。

平均勤続年数	男性育休取得率	3年後離職率	平均年収(平均*42歳)
19.1年	75.4→117.4%	2.0→8.7%	㊗1,046万円

●採用・配属情報●

【男女・文理別採用実績】

	大卒男	大卒女	修士男	修士女
23年	24(文 11 理 13)	14(文 14 理 0)	34(文 1 理 33)	6(文 2 理 4)
24年	24(文 9 理 15)	15(文 14 理 1)	45(文 1 理 44)	7(文 1 理 6)
25年	25(文 11 理 14)	13(文 9 理 4)	36(文 0 理 36)	7(文 0 理 7)

【男女・職種別採用実績】

	総合職
23年	99(男 77 女 22)
24年	106(男 83 女 23)
25年	99(男 77 女 22)

【24年4月入社者の配属勤務地】㊗北海道 青森 埼玉 東京 神奈川 静岡 愛知 大阪 兵庫 広島 香川 徳島 長崎 福岡 沖縄 ㊕北海道 青森 岩手 宮城 福島 埼玉 東京 神奈川 新潟 静岡 愛知 福井 岐阜 大阪 兵庫 和歌山 奈良 岡山 広島 香川 愛媛 高知 徳島 長崎 熊本 沖縄

【転勤】あり:全社員

【中途比率】[単年度]21年度5%、22年度19%、23年度16% [全体]NA

●働きやすさ、諸制度●

残業(月) 21.2時間

【勤務時間】9:00～17:30(繰上繰下制度あり)【有休取得年平均】16.8日【週休】完全2日(土日祝)【夏期休暇】3日【年末年始休暇】12月29日～1月3日

【離職率】NA

【新卒3年後離職率】

[20→23年]2.0%(男1.1%・入社92名、女10.0%・入社10名)

[21→24年]8.7%(男6.7%・入社89名、女20.0%・入社15名)

【テレワーク】制度あり:[場所]自宅[対象]全社員[日数]週3日まで[利用率]NA【勤務制度】時間単位有休 時差勤務【住宅補助】住宅手当:月30,000円 寮(寮がない場合は社宅または借上)・社宅※ともに国内外すべての事業所

●ライフイベント、女性活躍●

【女性比率】■男 □女

新卒採用 22.2% (22名)

従業員 7.4% (138名)

【産休】[期間]産前6・産後8週間[給与]会社全額給付[取得者数]4名

【育休】[期間]2歳到達後最初の4月末まで[給与]開始2週間有給、以降法定[取得者数]22年度 男49名(対象65名)女9名(対象9名)23年度 男81名(対象69名)女3名(対象3名)[平均取得日数]22年度 NA、23年度 男43日 女235日

【従業員】[人数]1,862名(男1,724名、女138名)[平均年齢]41.7歳(男42.2歳、女34.7歳)[平均勤続年数]19.1年(男19.8年、女9.8年)

【年齢構成】NA

会社データ (金額は百万円)

【本社】104-8165 東京都中央区銀座6-15-1 ☎03-3546-2211 https://www.jpower.co.jp/

【業績(連結)】	売上高	営業利益	経常利益	純利益
22.3	1,084,621	86,979	72,846	69,687
23.3	1,841,922	183,867	170,792	113,689
24.3	1,257,998	105,704	118,535	77,774

北陸電力㈱

ほくりくでんりょく

えるぼし★★★ プラチナくるみん

【特色】北陸3県に供給。石炭火力、水力発電の比率が高い

記者評価 富山、石川、福井の北陸3県と岐阜県の一部に供給。石炭火力が主体。志賀原発1・2号機は審査長期化し再稼働時期見通せず。能登半島地震では火力、原発とも被害。週休3日制試行導入、女性活躍など働き方改革推進。UAEのガス火力、台湾の洋上風力など海外強化。

平均勤続年数	男性育休取得率	3年後離職率	平均年収(平均43歳)
20.0年	61.5→95.5%	①10.9→①4.5%	㊗727万円

●採用・配属情報●

【男女・文理別採用実績】

	大卒男	大卒女	修士男	修士女
23年	35(文 13 理 22)	7(文 6 理 1)	27(文 1 理 26)	0(文 0 理 0)
24年	42(文 16 理 26)	9(文 9 理 0)	23(文 2 理 21)	0(文 0 理 0)
25年	-(文 - 理 -)	-(文 - 理 -)	-(文 - 理 -)	-(文 - 理 -)

※25年:修士・大卒・高専卒97名採用予定

【男女・職種別採用実績】

	総合職	プロフェッショナル職
23年	79(男 70 女 9)	ND(男 ND 女 ND)
24年	68(男 62 女 6)	14(男 10 女 4)
25年	-(男 - 女 -)	-(男 - 女 -)

【24年4月入社者の配属勤務地】㊗富山 石川 福井 ㊕富山 石川 福井

【転勤】あり:[職種]原則全社員。プロフェッショナル職は本人希望の勤務エリア内(エリア外へ異動の場合あり)[勤務地]富山 石川 福井

【中途比率】[単年度]21年度22%、22年度26%、23年度34%[全体]NA

●働きやすさ、諸制度●

残業(月) 18.3時間

【勤務時間】8:40～17:20(発電所等は交替勤務あり)【有休取得年平均】16.4日【週休】完全2日(土日祝)【夏期休暇】ゆとり休暇年5日の中で取得【年末年始休暇】12月29日～1月3日

【離職率】男:1.4%、64名 女:1.2%、11名(早期退職男4名含む)

【新卒3年後離職率】

[20→23年]10.9%(男10.7%・入社121名、女12.5%・入社16名)※高卒含む

[21→24年]4.5%(男5.3%・入社114名、女0%・入社18名)※高卒含む

【テレワーク】制度あり:[場所]自宅(単身赴任者の留守宅含む)[対象]普通勤務者ならびに交替勤務者のうち一部[日数]原則として週に1回以上出社[利用率]2.8%【勤務制度】フレックス 時間単位有休 時差勤務 勤務間インターバル 副業容認【住宅補助】独身寮・社宅(北陸3県中心に富山15 石川17 福井8 東京4、約1,000名以上利用)

●ライフイベント、女性活躍●

【女性比率】■男 □女

従業員 16.4% (870名)

【産休】[期間]産前6・産後8週間[給与]会社全額給付[取得者数]21名

【育休】[期間]2年間[給与]法定[取得者数]22年度 男120名(対象195名)女34名(対象34名)23年度 男168名(対象176名)女26名(対象26名)[平均取得日数]22年度 男4日 女324日、23年度 男29日 女359日

【従業員】[人数]5,315名(男4,445名、女870名)[平均年齢]40.6歳(男40.6歳、女39.8歳)[平均勤続年数]20.0年(男20.0年、女19.3年)【年齢構成】■男 □女

	男	女
60代～	7%	1%
50代	20%	5%
40代	21%	5%
30代	19%	3%
～20代	16%	3%

会社データ (金額は百万円)

【本社】930-8686 富山県富山市牛島町15-1 ☎076-441-2511 https://www.rikuden.co.jp/

【業績(連結)】	売上高	営業利益	経常利益	純利益
22.3	613,756	▲16,390	▲17,616	▲6,805
23.3	817,601	▲73,791	▲93,737	▲88,446
24.3	808,238	114,911	107,931	56,811

エネルギー

ちゅうぶでんりょく
中部電力(株)
(中部電力ミライズ(株)、中部電力パワーグリッド(株))

えるぼし ★★★　プラチナくるみん

【特色】東電、関電に次ぐ電力3位。中部財界の雄

[記者評価] 中京地区や長野、静岡西部が地盤。トヨタなど製造業向け販売多い。東電と合弁会社JERAを設立し、燃料・火力発電を統合。20年4月に販売や送配電を分社化。浜岡原発3基は停止。大阪ガスと提携し首都圏で電力・ガス販売。オランダ大手電力買収で海外事業本格化。

平均勤続年数	男性育休取得率	3年後離職率	平均年収(平均43歳)
20.8年	48.2→79.5%	6.8→4.4%	[総]854万円

●採用・配属情報●

【男女・文理別採用実績】※25年:302名採用予定

	大卒男	大卒女	修士男	修士女
23年	39(文 32理 7)	28(文 19理 9)	119(文 0理119)	16(文 0理 16)
24年	50(文 36理 14)	30(文 21理 9)	123(文 2理121)	19(文 0理 19)
25年	-(文 -理 -)	-(文 -理 -)	-(文 -理 -)	-(文 -理 -)

【男女・職種別採用実績】

	総合職
23年	241(男190 女 51)
24年	258(男204 女 54)
25年	302(男 - 女 -)

【24年4月入社者の配属勤務地】[総]愛知 静岡 三重 岐阜 長野 [技]愛知 静岡 三重 岐阜 長野

【転勤】あり:全社員

【中途比率】[単年度]21年度6%、22年度13%、23年度34%[全体]3%

●働きやすさ、諸制度●

残業(月)　24.0時間 [総]24.0時間

【勤務時間】7時間40分(フレックスタイム制)【有休取得年平均】17.6日【週休】月8日 通年27日(原則土日祝)【夏期休暇】3日【年末年始休暇】原則12月29日～1月3日

【離職率】男:2.5%、327名 女:2.9%、59名(他に男242名、女11名転籍)

【新卒3年後離職率】
[20→23年]6.8%(男6.7%・入社149名、女7.3%・入社41名)
[21→24年]4.4%(男3.9%・入社154名、女6.1%・入社49名)

【テレワーク】制度あり:[場所]作業環境等に所定の条件を満たす限り、制限なし[対象]全社員[日数]原則月の所定労働日の半数まで[利用率]7.1%【勤務制度】フレックス 週休3日 裁量労働 時差勤務 勤務間インターバル 副業容認【住宅補助】独身寮(35歳未満の独身者)家賃補助(独身者は22歳以上・他は40歳未満 月額4万円上限)

●ライフイベント、女性活躍●

【女性比率】■男 □女

従業員 13.6%(2007名)

管理職 5%(252名)

【産休】[期間]産前6・産後8週間[給与]会社全額給付[取得者数]84名

【育休】[期間]2歳になるまで[給与]法定[取得者数]22年度 男176名(対象365名)女75名(対象74名)23年度 男307名(対象386名)女88名(対象84名)[平均取得日数]22年度 男34日 女358日、23年度 男36日 女396日

【従業員】[人数]14,735名(男12,728名、女2,007名)[平均年齢]42.3歳(男42.6歳、女40.5歳)[平均勤続年数]20.8年(男21.2年、女18.5年)【年齢構成】■男 □女

	男	女
60代～	5%	1%
50代	28%	4%
40代	17%	3%
30代	18%	4%
～20代	18%	3%

[会社データ]　(金額は百万円)

【本社】461-8680 愛知県名古屋市東区東新町1 ☎052-951-8211
https://www.chuden.co.jp/

【業績(連結)】	売上高	営業利益	経常利益	純利益
22.3	2,705,162	▲53,830	▲59,319	▲43,022
23.3	3,986,681	107,089	65,148	38,231
24.3	3,610,414	343,339	509,295	403,140

かんさいでんりょく
関西電力(株)(関西電力送配電(株))

えるぼし ★★★　くるみん

【特色】電力2位。原発依存度高い。情報通信等も展開

[記者評価] 関西および福井県西部が地盤。7基の原発を保有し原発依存度高い。福島第一原発事故後、一時全原発が停止し、赤字に。その後、原発再稼働による黒字化踏まえて値下げを断行し、顧客取り戻しに全力。金品授受、カルテルなど不祥事多発し、ガバナンス再構築へ。

平均勤続年数	男性育休取得率	3年後離職率	平均年収(平均43歳)
20.3年	117.4→92.3%	4.0→6.5%	831万円

●採用・配属情報●

【男女・文理別採用実績】※関西電力送配電(株)と一括採用

	大卒男	大卒女	修士男	修士女
23年	90(文 45理 45)	55(文 47理 8)	106(文 8理 98)	18(文 1理 17)
24年	97(文 45理 52)	52(文 42理 10)	106(文 3理103)	13(文 3理 10)
25年	132(文 57理 75)	55(文 44理 11)	121(文 5理116)	17(文 3理 14)

【男女・職種別採用実績】　転換制度:⇒

	総合職	プロフェッショナル職	エリア総合職
23年	160(男115 女 45)	111(男 96 女 15)	46(男 22 女 24)
24年	148(男108 女 40)	117(男106 女 11)	47(男 26 女 21)
25年	184(男139 女 45)	145(男135 女 10)	50(男 30 女 20)

【24年4月入社者の配属勤務地】[総]近畿2府4県 [技]近畿2府4県 福井 富山 岐阜

【転勤】あり:全社員

【中途比率】[単年度]21年度6%、22年度9%、23年度14%[全体]2%

●働きやすさ、諸制度●

残業(月)　21.4時間 [総]21.4時間

【勤務時間】8:50～17:30【有休取得年平均】19.4日【週休】完全2日(土日祝)【夏期休暇】3日(7～9月で取得)【年末年始休暇】12月29日～1月3日

【離職率】男:1.4%、123名 女:4.0%、71名(他に男137名、女1名転籍)

【新卒3年後離職率】
[20→23年]4.0%(男4.0%・入社322名、女3.9%・入社51名)
[21→24年]6.5%(男6.4%・入社361名、女6.9%・入社87名)

【テレワーク】制度あり:[場所]会社が指定するサテライトオフィス 二親等以内の親族が居住する場所(要件を満たした場合)[対象]全従業員[日数]制限なし[利用率]42.2%【勤務制度】フレックス 時間単位有休 時差勤務 勤務間インターバル 副業容認【住宅補助】家賃補助(単身者 家賃5割負担、上限3.5万円、38歳まで)家賃補助(同居有 家賃5割負担、上限4.5万円、38歳まで)

●ライフイベント、女性活躍●

【女性比率】■男 □女

新卒採用 19.8%(75名)

従業員 16.8%(1703名)

管理職 3.6%(64名)

【産休】[期間]産前6・産後8週間[給与]会社全額給付[取得者数]49名

【育休】[期間]3歳到達年度末まで[給与]最初7日間有給、以降給付金。180日以降1歳までは10%上乗せ[取得者数]22年度 男303名(対象258名)女55名(対象55名)23年度 男250名(対象271名)女49名(対象49名)[平均取得日数]22年度 男14日 女NA、23年度 男25日 女NA

【従業員】[人数]10,153名(男8,450名、女1,703名)[平均年齢]42.8歳(男44.0歳、女36.9歳)[平均勤続年数]20.3年(男21.8年、女13.0年)【年齢構成】■男 □女

	男	女
60代～	0%	0%
50代	33%	3%
40代	21%	4%
30代	18%	4%
～20代	11%	6%

[会社データ]　(金額は百万円)

【本社】530-8270 大阪府大阪市北区中之島3-6-16 ☎06-6441-8821
https://www.kepco.co.jp/

【業績(連結)】	売上高	営業利益	経常利益	純利益
22.3	2,851,894	99,325	135,955	85,835
23.3	3,951,884	▲52,056	▲6,666	17,679
24.3	4,059,378	728,935	765,970	441,870

エネルギー

1048 開示 ★★★☆☆

ちゅうごくでんりょく
中国電力(株)

くるみん

【特色】販売電力量で6位。石炭火力発電の比率が高い

記者評価 中国地方5県と周辺地域に電力供給。島根原発2号機の再稼働と完成間近の3号機稼働を目指す。石炭火力比率が高くCO_2削減が課題。J-POWERと石炭火力の新技術開発推進。ベトナムなど海外展開も。カルテル発覚で会長・社長が辞任。ガバナンス再構築が急務に。

平均勤続年数	男性育休取得率	3年後離職率	平均年収(平均42歳)
20.6年	42.3→50.0%	5.9→6.0%	㊜791万円

●採用・配属情報●

【男女・文理別採用実績】

	大卒男	大卒女	修士男	修士女
23年	33(文 25 理 8)	21(文 18 理 3)	14(文 0 理 14)	3(文 2 理 1)
24年	36(文 25 理 11)	16(文 13 理 3)	15(文 3 理 12)	1(文 0 理 1)
25年	45(文 29 理 16)	30(文 25 理 5)	26(文 1 理 25)	2(文 0 理 2)

【男女・職種別採用実績】

	総合職
23年	82(男 54 女 28)
24年	81(男 64 女 17)
25年	114(男 81 女 33)

【24年4月入社者の配属勤務地】㊜鳥取 島根 岡山 広島 山口 東京 ㊖鳥取 島根 岡山 広島 山口

【転勤】あり:全社員

【中途比率】[単年度]21年度27%、22年度18%、23年度25%[全体]3%

●働きやすさ、諸制度●

残業(月) 24.7時間 ㊜24.7時間

【勤務時間】7時間30分(フレックスタイム制 コアタイム11:00～14:00)【有休取得年平均】17.7日【週休】完全2日(土日祝)【夏期休暇】リフレッシュ休暇(5日)の中で取得【年末年始休暇】12月29日～1月3日

【離職率】男:1.9%、55名 女:5.2%、39名(他に男7名転籍)

【新卒3年後離職率】
[20→23年]5.9%(男5.3%・入社76名、女7.7%・入社26名)
[21→24年]6.0%(男5.3%・入社76名、女8.3%・入社24名)

【テレワーク】制度あり:[場所]自宅 家族宅[対象]全社員(交替勤務者等を除く)[日数]制限なし[利用率]NA【勤務制度】フレックス 時間単位有休 時差勤務 勤務間インターバル【住宅補助】寮・社宅(中国5県 香川 東京の各事業所近辺)

●ライフイベント、女性活躍●

【女性比率】■男 □女

新卒採用 28.9% (33名)

従業員 19.8% (711名)

【産休】[期間]産前6・産後8週間[給与]会社全額給付[取得者数]43名

【育休】[期間]2歳になるまで[給与]法定[取得者数]22年度 男55名(対象130名)女46名(対象46名)23年度 男55名(対象110名)女51名(対象51名)[平均取得日数]22年度 NA、23年度 NA

【従業員】[人数]3,598名(男2,887名、女711名)[平均年齢]42.3歳(男42.9歳、女39.7歳)[平均勤続年数]20.6年(男21.6年、女16.2年)

【年齢構成】■男 □女

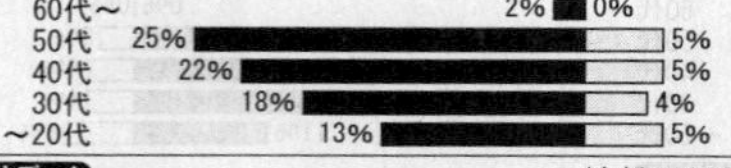

会社データ (金額は百万円)

【本社】730-8701 広島県広島市中区小町4-33 ☎082-241-0211
https://www.energia.co.jp/

【業績(連結)】	売上高	営業利益	経常利益	純利益
22.3	1,136,646	▲60,744	▲61,879	▲39,705
23.3	1,694,602	▲68,892	▲106,780	▲155,378
24.3	1,628,785	206,777	194,076	133,501

2847 開示 ★★★☆☆

ちゅうごくでんりょく
中国電力ネットワーク(株)

くるみん

【特色】中国電力グループの一般送配電事業者

記者評価 20年4月中国電力の送配電部門が分社化。中国電力の完全子会社。中国地方5県に加え、兵庫、香川、愛媛の一部離島が供給区域。区域内の送電線8,150km、変電所458、配電線81,341kmの維持管理を担う。島根・隠岐諸島と山口・見島に発電所を有し、同島向けに発電も。

平均勤続年数	男性育休取得率	3年後離職率	平均年収(平均43歳)
23.6年	20.0→31.6%	3.1→6.1%	㊜764万円

●採用・配属情報●

【男女・文理別採用実績】

	大卒男	大卒女	修士男	修士女
23年	24(文 0 理 24)	2(文 0 理 2)	18(文 0 理 18)	0(文 0 理 0)
24年	19(文 0 理 19)	2(文 0 理 2)	13(文 0 理 13)	0(文 0 理 0)
25年	20(文 0 理 20)	3(文 0 理 3)	13(文 0 理 13)	0(文 0 理 0)

【男女・職種別採用実績】

	技術系総合職
23年	77(男 73 女 4)
24年	72(男 66 女 6)
25年	60(男 56 女 4)

【24年4月入社者の配属勤務地】㊖鳥取 島根 岡山 広島 山口

【転勤】あり:全社員

【中途比率】[単年度]21年度1%、22年度2%、23年度5%[全体]0%

●働きやすさ、諸制度●

残業(月) 27.2時間 ㊜27.2時間

【勤務時間】7時間30分(フレックスタイム制 コアタイム11:00～14:00)【有休取得年平均】19.3日【週休】完全2日(土日祝)【夏期休暇】リフレッシュ休暇(5日)の中で取得【年末年始休暇】12月29日～1月3日

【離職率】男:0.6%、21名 女:3.8%、8名(他に8名転籍)

【新卒3年後離職率】
[20→23年]3.1%(男3.2%・入社94名、女0%・入社4名)
[21→24年]6.1%(男4.3%・入社94名、女50.0%・入社4名)

【テレワーク】制度あり:[場所]自宅 家族宅[対象]全社員[日数]制限なし[利用率]NA【勤務制度】フレックス 時間単位有休 時差勤務 勤務間インターバル【住宅補助】寮・社宅(各事業所近辺)

●ライフイベント、女性活躍●

【女性比率】■男 □女

新卒採用 6.7% (4名)

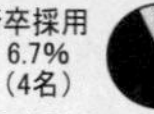

従業員 5.3% (200名)

管理職 0.9% (7名)

【産休】[期間]産前6・産後8週間[給与]会社全額給付[取得者数]3名

【育休】[期間]2歳になるまで[給与]法定[取得者数]22年度 男17名(対象85名)女2名(対象2名)23年度 男31名(対象98名)女3名(対象3名)[平均取得日数]22年度 NA、23年度 NA

【従業員】[人数]3,792名(男3,592名、女200名)[平均年齢]43.3歳(男43.5歳、女38.8歳)[平均勤続年数]23.6年(男23.9年、女18.1年)

【年齢構成】NA

会社データ (金額は百万円)

【本社】730-0041 広島県広島市中区小町4-33 ☎050-8202-2098
https://www.energia.co.jp/nw/

【業績(単独)】	売上高	営業利益	経常利益	純利益
22.3	435,252	21,619	17,192	11,222
23.3	559,494	5,458	1,832	1,332
24.3	478,200	49,806	45,450	32,778

エネルギー

四国電力㈱(四国電力送配電㈱)
しこくでんりょく

[えるぼし★★] [くるみん]

【特色】瀬戸内側に発電所集中。石炭と原子力比率が高い

[記者評価] 四国4県へ供給。石炭火力の割合が高い。震災後に伊方原発1、2号機を廃炉に。3号機は差し止め仮処分で停止の後、21年末再稼働。中東やアジア、米州などの海外展開や工場へのガス販売など多角化推進。情報通信など非電力育成。脱炭素化へアンモニア導入に本腰。

平均勤続年数	男性育休取得率	3年後離職率	平均年収(平均42歳)
19.1年	95.3→93.3%	3.7→5.4%	◇766万円

●採用・配属情報●

【男女・文理別採用実績】

	大卒男	大卒女	修士男	修士女
23年	32(文 20 理 12)	14(文 13 理 1)	26(文 1 理 25)	2(文 0 理 2)
24年	39(文 23 理 16)	14(文 11 理 3)	24(文 0 理 24)	0(文 0 理 0)
25年	39(文 23 理 16)	17(文 16 理 1)	26(文 0 理 26)	1(文 0 理 1)

※四国電力㈱、四国電力送配電㈱合同採用

【男女・職種別採用実績】

	総合職	一般職
23年	54(男 46 女 8)	48(男 37 女 11)
24年	56(男 49 女 7)	46(男 38 女 8)
25年	63(男 56 女 7)	49(男 37 女 12)

【職種併願】○

【24年4月入社者の配属勤務地】[総]徳島 高知 愛媛 香川 [技]徳島 高知 愛媛 香川

【転勤】あり:[職種]全社員[勤務地]香川 愛媛 徳島 高知 東京

【中途比率】[単年度]21年度4%、22年度6%、23年度7% [全体]4%

●働きやすさ、諸制度●

残業(月) 19.1時間

【勤務時間】8:40〜17:20(発電所等は交替勤務あり)【有休取得年平均】17.8日【週休】完全2日(土日祝)【夏期休暇】3日【年末年始休暇】12月29日〜1月3日

【離職率】男:2.0%、38名 女:1.7%、5名(早期退職男8名含む)

【新卒3年後離職率】
[20→23年]3.7%(男3.4%・入社89名、女5.6%・入社18名)
[21→24年]5.4%(男5.4%・入社92名、女5.0%・入社20名)

【テレワーク】制度あり:[場所]自宅 サテライトオフィス[対象]全社員[日数]原則月4日まで[利用率]NA【勤務制度】フレックス 時間単位有休 時差勤務 勤務間インターバル

【住宅補助】寮 社宅(四国内 東京 他)住宅手当

●ライフイベント、女性活躍●

【女性比率】■男 □女

新卒採用 17% (19名)
従業員 13% (283名)
管理職 4.4% (14名)
【産休】[期間]産前6・産後8週間[給与]会社全額給付[取得者数]11名

【育休】[期間]2歳になるまで[給与]法定[取得者数]22年度 男82名(対象86名)女11名(対象11名)23年度 男70名(対象75名)女15名(対象15名)[平均取得日数]22年度 NA、23年度 男25日 女522日

【従業員】[人数]2,170名(男1,887名、女283名)[平均年齢]42.3歳(男42.5歳、女40.6歳)[平均勤続年数]19.1年(男19.4年、女17.2年)【年齢構成】■男 □女

	男	女
60代〜	5%	0%
50代	24%	4%
40代	22%	3%
30代	23%	2%
〜20代	14%	4%

[会社データ] (金額は百万円)

【本社】760-8573 香川県高松市丸の内2-5 ☎087-821-5061
https://www.yonden.co.jp/

【業績(連結)】	売上高	営業利益	経常利益	純利益
22.3	641,948	▲13,517	▲12,114	▲6,262
23.3	833,203	▲12,285	▲22,515	▲22,871
24.3	787,403	78,526	80,096	60,515

沖縄電力㈱
おきなわでんりょく

[くるみん]

【特色】原発を保有せず火力中心。家庭向けの比率が高い

[記者評価] 沖縄県の最大手企業で沖縄本島と周辺諸島へ電力を供給。1988年に民営化。石炭および石油火力への依存度が高かったが、12年にLNG火力が稼働。LNG基地を活用し企業向けガス販売推進。大幅値上げで23年度に黒字に復帰。再エネ導入や火力発電での水素利用推進。

平均勤続年数	男性育休取得率	3年後離職率	平均年収(平均43歳)
21.7年	59.6→85.5%	5.9→0%	[総]774万円

●採用・配属情報●

【男女・文理別採用実績】

	大卒男	大卒女	修士男	修士女
23年	9(文 5 理 4)	2(文 1 理 1)	8(文 0 理 8)	0(文 0 理 0)
24年	9(文 3 理 6)	4(文 3 理 1)	6(文 0 理 6)	0(文 0 理 0)
25年	12(文 3 理 9)	9(文 5 理 4)	5(文 0 理 5)	1(文 0 理 1)

【男女・職種別採用実績】

	総合職
23年	19(男 17 女 2)
24年	19(男 15 女 4)
25年	27(男 17 女 10)

【24年4月入社者の配属勤務地】[総]沖縄本島6 [技]沖縄本島13

【転勤】あり:全社員

【中途比率】[単年度]21年度0%、22年度0%、23年度0% [全体]0%

●働きやすさ、諸制度●

残業(月) 16.1時間 [総]16.1時間

【勤務時間】8:30〜17:00【有休取得年平均】19.0日【週休】完全2日(土日祝)【夏期休暇】3日【年末年始休暇】12月29日〜1月3日

【離職率】男:1.4%、20名 女:2.8%、6名(早期退職男8名、女3名含む)

【新卒3年後離職率】
[20→23年]5.9%(男7.1%・入社14名、女0%・入社3名)
[21→24年]0%(男0%・入社13名、女0%・入社3名)

【テレワーク】制度あり:[場所]自宅 サテライトオフィス[対象]勤続1年以上[日数]週2日まで[利用率]NA【勤務制度】フレックス 時間単位有休 勤務間インターバル 副業容認【住宅補助】転勤者用社宅

●ライフイベント、女性活躍●

【女性比率】■男 □女

新卒採用 37% (10名)
従業員 12.9% (206名)
管理職 4.6% (14名)
【産休】[期間]産前6・産後8週間[給与]会社全額給付[取得者数]7名

【育休】[期間]2歳になるまでの間の1年6カ月間[給与]法定[取得者数]22年度 男34名(対象57名)女8名(対象8名)23年度 男47名(対象55名)女8名(対象8名)[平均取得日数]22年度 NA、23年度 NA

【従業員】[人数]1,593名(男1,387名、女206名)[平均年齢]43.0歳(男43.2歳、女41.9歳)[平均勤続年数]21.7年(男21.9年、女20.4年)

【年齢構成】■男 □女

	男	女
60代〜	0%	0%
50代	23%	2%
40代	34%	6%
30代	20%	3%
〜20代	10%	2%

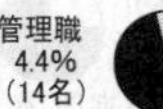

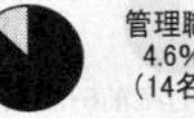

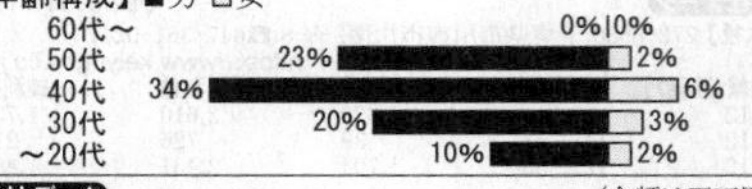

[会社データ] (金額は百万円)

【本社】901-2602 沖縄県浦添市牧港5-2-1 ☎098-877-2341
https://www.okiden.co.jp/

【業績(連結)】	売上高	営業利益	経常利益	純利益
22.3	176,232	2,810	2,717	1,959
23.3	223,517	▲48,406	▲48,799	▲45,457
24.3	236,394	3,481	2,568	2,391

2003 開示 ★★★☆☆

けいようがす
京葉瓦斯(株)

【特色】千葉県西部が地盤、東京ガスなどから原料調達

[記者評価] 市川、浦安、船橋、松戸など千葉県西部が地盤の都市ガス会社。人口増加のつくばエクスプレス沿線で顧客開拓。ガスコージェネ軸に企業向け開拓。家庭向け電力販売も拡大。再エネ開発も。本社横のガス工場跡地で再開発推進。子会社で介護や住宅リフォーム展開。

平均勤続年数	男性育休取得率	3年後離職率	平均年収(平均44歳)
20.7年	50.0→38.9%	0→0%	[総]638万円

●採用・配属情報●

【男女・文理別採用実績】

	大卒男	大卒女	修士男	修士女
23年	5(文 5理 0)	5(文 5理 0)	3(文 0理 3)	1(文 0理 1)
24年	12(文 7理 5)	7(文 7理 0)	2(文 0理 2)	1(文 0理 1)
25年	13(文 8理 5)	9(文 6理 3)	3(文 0理 3)	0(文 0理 0)

【男女・職種別採用実績】

	総合職
23年	14(男 8 女 6)
24年	22(男 14 女 8)
25年	25(男 16 女 9)

【24年4月入社者の配属勤務地】[総]千葉(市川5 本八幡2 船橋2 松戸2 天王台1) [技]千葉(市川8 船橋1 柏1)

【転勤】なし

【中途比率】[単年度]21年度5%、22年度0%、23年度0% [全体]1%

●働きやすさ、諸制度●

残業(月) 11.0時間 [総]11.0時間

【勤務時間】8:50～17:30(部門により交替勤務あり)【有休取得年平均】17.3日【週休】完全2日(土日祝)【夏期休暇】有休取得促進期間(7～9月)に取得【年末年始休暇】12月30日～1月3日

【離職率】男:3.9%、23名 女:1.9%、3名

【新卒3年後離職率】
[20→23年]0%(男0%・入社8名、女0%・入社6名)
[21→24年]0%(男0%・入社14名、女0%・入社5名)

【テレワーク】制度あり:[場所]自宅 自宅外[対象]全社員[日数]制限なし[利用率]NA【勤務制度】フレックス 時差勤務 勤務間インターバル 副業容認【住宅補助】社宅 独身寮

●ライフイベント、女性活躍●

【女性比率】■男 □女

新卒採用 36% (9名)

従業員 21.7% (157名)

管理職 2% (4名)

【産休】[期間]産前6・産後8週間[給与]会社全額給付[取得者数]9名

【育休】[期間]2歳になるまで[給与]法定[取得者数]22年度 男10名(対象20名)女5名(対象5名)23年度 男7名(対象18名)女10名(対象10名)[平均取得日数]22年度 男20日 女467日、23年度 男45日 女333日

【従業員】[人数]724名(男567名、女157名)[平均年齢]44.4歳(男45.5歳、女40.4歳)[平均勤続年数]20.7年(男22.0年、女16.3年)

【年齢構成】NA

会社データ (金額は百万円)

【本社】272-8580 千葉県市川市市川南2-8-8 ☎047-361-0211
https://www.keiyogas.co.jp/

【業績(連結)】	売上高	営業利益	経常利益	純利益
21.12	89,711	1,870	2,610	1,735
22.12	118,757	39	726	219
23.12	122,853	1,704	2,431	1,460

1056 開示 ★★★☆☆

とうきょう
東京ガス(株)

[えるぼし ★★] [くるみん]

【特色】都市ガス最大手。関東一円が主な営業地盤

[記者評価] 都市ガス最大手。発電用や工業用需要大きいが、家庭用ガスが収益柱。東南アジアや豪州、米国、ロシアなどからLNG輸入。米国でM&A通じシェールガス開発拡大。16年4月の小売り全面自由化で家庭向け電力販売参入。燃焼時にCO_2排出しないe-メタン開発に注力。

平均勤続年数	男性育休取得率	3年後離職率	平均年収(平均42歳)
20.1年	46.6→74.3%	2.3→1.5%	735万円

●採用・配属情報●

【男女・文理別採用実績】

	大卒男	大卒女	修士男	修士女
23年	22(文 21理 1)	19(文 17理 2)	69(文 0理 69)	11(文 0理 11)
24年	18(文 17理 1)	18(文 17理 1)	54(文 0理 54)	10(文 0理 10)
25年	14(文 12理 2)	14(文 13理 1)	66(文 0理 66)	10(文 0理 10)

【男女・職種別採用実績】

	文系職	理系職	高専本科卒
23年	38(男 21 女 17)	83(男 70 女 13)	21(男 14 女 7)
24年	34(男 17 女 17)	67(男 55 女 12)	18(男 12 女 6)
25年	25(男 12 女 13)	79(男 68 女 11)	15(男 11 女 4)

【24年4月入社者の配属勤務地】[総]主に東京都および神奈川 埼玉 千葉 栃木 群馬 茨城各県 [技]主に東京都および神奈川 埼玉 千葉 栃木 群馬 茨城各県

【転勤】あり:全社員

【中途比率】[単年度]21年度16%、22年度19%、23年度27%[全体]3%

●働きやすさ、諸制度●

残業(月) 14.4時間 [総]14.4時間

【勤務時間】8:45～17:30【有休取得年平均】18.2日【週休】完全2日(土日祝)【夏期休暇】有休利用【年末年始休暇】12月29日～1月4日

【離職率】男:1.2%、70名 女:1.3%、16名

【新卒3年後離職率】
[20→23年]2.3%(男1.9%・入社158名、女3.3%・入社60名)
[21→24年]1.5%(男2.0%・入社102名、女0%・入社35名)

【テレワーク】制度あり:[場所]自宅 サテライトオフィス[対象]全社員[日数]制限なし[利用率]NA【勤務制度】フレックス 時間単位有休 時差勤務 副業容認【住宅補助】独身寮・家族寮(中目黒 両国 赤羽 大森 大島 他)

●ライフイベント、女性活躍●

【女性比率】■男 □女

新卒採用 23.5% (28名)

従業員 17.2% (1249名)

管理職 11.3% (286名)

【産休】[期間]産前6・産後8週間[給与]会社全額給付[取得者数]49名

【育休】[期間]3歳の4月末まで[給与]法定[取得者数]22年度 男115名(対象247名)女50名(対象50名)23年度 男191名(対象257名)女42名(対象43名)[平均取得日数]22年度 NA、23年度 男60日 女440日

【従業員】[人数]7,256名(男6,007名、女1,249名)[平均年齢]42.3歳(男42.5歳、女41.6歳)[平均勤続年数]20.1年(男20.4年、女19.0年)

【年齢構成】■男 □女

	男	女
60代～	0%	0%
50代	31%	7%
40代	13%	2%
30代	22%	4%
～20代	16%	4%

会社データ (金額は百万円)

【本社】105-8527 東京都港区海岸1-5-20 ☎03-3437-1366
https://www.tokyo-gas.co.jp/

【業績(連結)】	売上高	営業利益	経常利益	純利益
22.3	2,145,197	117,777	126,732	88,745
23.3	3,289,634	421,477	408,846	280,916
24.3	2,664,518	220,308	228,179	169,936

エネルギー

アストモスエネルギー㈱

【特色】出光興産と三菱商事がLPG事業を統合。業界大手

記者評価 出光興産、三菱商事のLPガス事業子会社が合併し06年発足。LPG取扱量は年間約600万トンでLPG専業では世界最大級。全国約350の特約店、全国21社の物流網を擁し、国内販売シェアは2割強。安定供給に向け調達多様化。カーボンニュートラルLPガスの供給・受け入れも。

平均勤続年数	男性育休取得率	3年後離職率	平均年収(平均41歳)
15.8年	16.7→25.0%	0→40.0%	㊍1,107万円

●採用・配属情報●

【男女・文理別採用実績】

	大卒男	大卒女	修士男	修士女
23年	5(文 4理 1)	1(文 1理 0)	0(文 0理 0)	0(文 0理 0)
24年	5(文 5理 0)	2(文 2理 0)	1(文 0理 1)	0(文 0理 0)
25年	6(文 6理 0)	3(文 3理 0)	1(文 0理 1)	0(文 0理 0)

【男女・職種別採用実績】　転換制度:⇒

	総合職
23年	6(男 5 女 1)
24年	8(男 6 女 2)
25年	10(男 7 女 3)

【24年4月入社者の配属勤務地】㊍東京・千代田5 札幌1 名古屋1 広島1
【転勤】あり:[職種]総合職[勤務地]全国
【中途比率】[単年度]21年度0%、22年度50%、23年度54%[全体]21%

●働きやすさ、諸制度●

残業(月) 20.3時間

【勤務時間】9:00～17:30(フレックスタイム制ありコアタイム11:00～15:00)【有休取得年平均】13.0日【週休】完全2日(土日祝)【夏期休暇】有休消化7日以上を推奨(7～9月で取得)【年末年始休暇】12月29日～1月3日
【離職率】男:1.4%、3名 女:2.4%、2名
【新卒3年後離職率】
[20→23年]0%(男0%・入社8名、女0%・入社4名)
[21→24年]40.0%(男33.3%・入社3名、女50.0%・入社2名)
【テレワーク】制度あり:[場所]自宅[対象]全社員[日数]週2日まで[利用率]NA【勤務制度】フレックス 時差勤務【住宅補助】独身寮(社員負担10,000～20,000円、70,000円程度の補助)借上社宅補助(社員費用負担2割、48,000～136,000円相当の補助、勤務地・家族構成による)持家補助(30,000円)住宅資金融資制度

●ライフイベント、女性活躍●

【女性比率】■男 □女

新卒採用 30% (3名)

従業員 27.2% (81名)

【産休】[期間]産前6・産後8週間[給与]法定[取得者数]6名
【育休】[期間]1歳半または1歳到達後最初の4月末までの長い方[給与]法定[取得者数]22年度 男1名(対象6名)女2名(対象2名)23年度 男2名(対象8名)女6名(対象6名)[平均取得日数]22年度 NA、23年度 NA
【従業員】[人数]298名(男217名、女81名)[平均年齢]42.0歳(男42.1歳、女41.7歳)[平均勤続年数]15.8年(男17.2年、女12.2年)【年齢構成】■男 □女

	男	女
60代～	4%	1%
50代	23%	7%
40代	10%	9%
30代	24%	4%
～20代	11%	6%

会社データ　(金額は百万円)

【本社】100-0005 東京都千代田区丸の内1-7-12 サピアタワー24F ☎050-38160700　https://www.astomos.jp/

【業績(連結)】	売上高	営業利益	経常利益	純利益
21.12	466,144	NA	NA	NA
22.12	673,600	NA	NA	NA
23.12	562,878	NA	NA	NA

ENEOS(エネオス)グローブ㈱

くるみん

【特色】LPガス元売り大手。仙台などに輸入基地

記者評価 ENEOSグループのLPG元売り大手。JX日鉱日石エネルギー(現ENEOS)のLPG事業と三井丸紅液化ガスが合併して11年発足。国内最多の輸入基地を保有し、海外産ガスを輸入販売。東京ガスGなどとLPG充填・配送で共同事業。メガソーラーや都市ガス販売も手がける。

平均勤続年数	男性育休取得率	3年後離職率	平均年収(平均40歳)
14.9年	77.8→66.7%	0→6.7%	NA

●採用・配属情報●

【男女・文理別採用実績】

	大卒男	大卒女	修士男	修士女
23年	6(文 6理 0)	3(文 3理 0)	0(文 0理 0)	0(文 0理 0)
24年	6(文 6理 0)	3(文 3理 0)	0(文 0理 0)	0(文 0理 0)
25年	5(文 5理 0)	3(文 2理 1)	0(文 0理 0)	0(文 0理 0)

【男女・職種別採用実績】　転換制度:⇔

	総合職
23年	9(男 6 女 3)
24年	9(男 6 女 3)
25年	8(男 5 女 3)

【24年4月入社者の配属勤務地】㊍東京・千代田6 札幌1 金沢1 名古屋1
【転勤】あり:[職種]総合職(営業)[勤務地]札幌 仙台 名古屋 金沢 大阪 広島 福岡
【中途比率】[単年度]21年度17%、22年度29%、23年度31%[全体]NA

●働きやすさ、諸制度●

残業(月) 14.2時間

【勤務時間】フルフレックスタイム制(コアタイムなし)標準勤務時間9:00～17:15【有休取得年平均】14.4日【週休】完全2日(土日祝)【夏期休暇】連続5日(有休利用)【年末年始休暇】12月29日～1月3日
【離職率】男:2.7%、4名 女:5.0%、3名
【新卒3年後離職率】
[20→23年]0%(男0%・入社4名、女0%・入社5名)
[21→24年]6.7%(男8.3%・入社12名、女0%・入社3名)
【テレワーク】制度あり:[場所]自宅 実家 親族が管理する家屋(国内に限る)[対象]勤続満1年未満を除く(特例あり)[日数]週2日まで[利用率]NA【勤務制度】フレックス 時差勤務【住宅補助】社宅 住宅融資制度 住宅手当

●ライフイベント、女性活躍●

【女性比率】■男 □女

新卒採用 37.5% (3名)

従業員 28.4% (57名)

管理職 0% (0名)

【産休】[期間]産前6・産後8週間[給与]法定[取得者数]2名
【育休】[期間]1歳になるまで[給与]2週間有給、以降法定[取得者数]22年度 男7名(対象9名)女1名(対象1名)23年度 男4名(対象6名)女2名(対象2名)[平均取得日数]22年度 男14日 女327日、23年度 男16日 女518日
【従業員】[人数]201名(男144名、女57名)[平均年齢]40.3歳(男41.3歳、女37.8歳)[平均勤続年数]14.9年(男15.9年、女10.9年)
【年齢構成】■男 □女

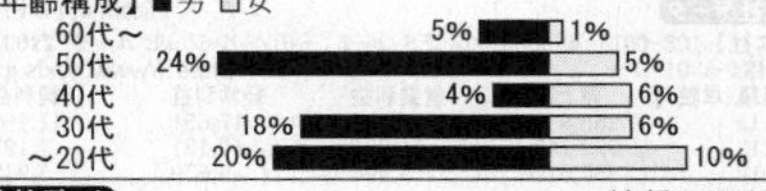

会社データ　(金額は百万円)

【本社】100-6115 東京都千代田区永田町2-11-1 山王パークタワー ☎03-5253-9090　https://www.eneos-globe.co.jp/

【業績(単独)】	売上高	営業利益	経常利益	純利益
22.3	302,140	19,433	19,747	12,302
23.3	400,730	15,313	15,895	10,400
24.3	360,624	10,094	9,928	18,054

エネルギー

ジクシス(株)

【特色】LPガス元売り大手。川崎などに6輸入基地展開

[記者評価] コスモ石油、昭和シェル、東燃ゼネラル、住友商事のLPガス事業を統合して15年に発足。17年東燃ゼネラルが撤退し、3社合弁に。鹿島、川崎などにLPG一次基地6拠点。中東のガス産出国、米国LPG輸出会社との長期購入契約が強み。海外29カ国と取引。

平均勤続年数	男性育休取得率	3年後離職率	平均年収(平均39歳)
NA	NA	0 → 25.0%	[総] 830万円

●採用・配属情報●

【男女・文理別採用実績】

	大卒男	大卒女	修士男	修士女
23年	2(文 2理 0)	2(文 2理 0)	0(文 0理 0)	0(文 0理 0)
24年	3(文 2理 1)	0(文 0理 0)	0(文 0理 0)	0(文 0理 0)
25年	4(文 4理 0)	2(文 2理 0)	0(文 0理 0)	0(文 0理 0)

【男女・職種別採用実績】

	総合職
23年	4(男 2 女 2)
24年	3(男 3 女 0)
25年	6(男 4 女 2)

【24年4月入社者の配属勤務地】[総]東京・田町3
【転勤】あり:[職種]総合職[勤務地]東京 名古屋 大阪 高松 福岡 ロンドン シンガポール ヒューストン
【中途比率】[単年度]21年度NA、22年度NA、23年度NA[全体]44%

●働きやすさ、諸制度●

残業(月) 14.8時間 [総] 14.8時間

【勤務時間】9:00～17:30【有休取得年平均】15.0日【週休】完全2日(土日祝)【夏期休暇】連続5日推奨(有休で取得)【年末年始休暇】12月30日～1月4日(会社休日2日含む)
【離職率】男:3.1%、4名 女:7.5%、3名
【新卒3年後離職率】
[20→23年]0%(男0%・入社1名、女0%・入社2名)
[21→24年]25.0%(男0%・入社2名、女50.0%・入社2名)
【テレワーク】制度あり:[場所]自宅 サテライトオフィス[対象]全社員[日数]週2日まで[利用率]NA【勤務制度】フレックス 時差勤務【住宅補助】住宅手当・借上社宅(家賃補助80,000円を上限 30歳未満の独身者および単身赴任者)

●ライフイベント、女性活躍●

【女性比率】■男 □女

新卒採用 33.3% (2名)

従業員 22.6% (37名)

管理職 4.3% (2名)

【産休】[期間]産前6・産後8週間[給与]法定[取得者数]0名
【育休】[期間]1歳になるまで[給与]法定[取得者数]22年度 男1名(対象NA)女NA(対象NA)23年度 男1名(対象NA)女NA(対象NA)[平均取得日数]22年度 NA、23年度 NA
【従業員】[人数]164名(男127名、女37名)[平均年齢]44.0歳(男45.0歳、女40.0歳)[平均勤続年数]NA
【年齢構成】NA

会社データ (金額は百万円)

【本社】108-0014 東京都港区芝5-36-7 三田ベルジュビル12F ☎03-5484-5301 https://www.gyxis.jp/

【業績(単独)】	売上高	営業利益	経常利益	純利益
21.12	280,839	18,374	17,651	11,162
22.12	373,749	11,001	10,121	7,193
23.12	350,617	5,594	5,679	3,912

静岡ガス(株)(しずおか)

[プラチナくるみん]

【特色】静岡県中東部地盤。都市ガス販売量で国内4位

[記者評価] 静岡県中東部地盤。LPガスや電力販売も。清水港にLNG受入基地を持つ。サーラエナジーと共同のパイプライン開通し同社に卸供給拡大。工場向けにコージェネ普及も。再エネ開発も。タイなど東南アジアでも事業展開。高齢者見守りなどガス以外の新サービス拡充。

平均勤続年数	男性育休取得率	3年後離職率	平均年収(平均44歳)
21.9年	38.5 → 71.4%	0 → 8.3%	[総] 729万円

●採用・配属情報●

【男女・文理別採用実績】

	大卒男	大卒女	修士男	修士女
23年	14(文 9理 5)	4(文 3理 1)	3(文 0理 3)	0(文 0理 0)
24年	15(文 12理 3)	5(文 3理 2)	3(文 1理 2)	2(文 0理 2)
25年	17(文 12理 5)	12(文 8理 4)	4(文 1理 3)	0(文 0理 0)

【男女・職種別採用実績】 転換制度:⇔

	総合職
23年	21(男 17 女 4)
24年	25(男 18 女 7)
25年	33(男 21 女 12)

【24年4月入社者の配属勤務地】[総]静岡(静岡8 富士2 沼津4 掛川1) [技]静岡(静岡4 富士4 沼津2)
【転勤】あり:全社員
【中途比率】[単年度]21年度18%、22年度24%、23年度21%[全体]3%

●働きやすさ、諸制度●

残業(月) 14.7時間 [総] 14.7時間

【勤務時間】8:45～17:30【有休取得年平均】16.4日【週休】完全2日(部署により異なる)【夏期休暇】有休で取得【年末年始休暇】12月29日～1月4日
【離職率】男:2.2%、15名 女:2.5%、4名
【新卒3年後離職率】
[20→23年]0%(男0%・入社12名、女0%・入社6名)
[21→24年]8.3%(男16.7%・入社6名、女0%・入社6名)
【テレワーク】制度あり:[場所]自宅 サテライトオフィス[対象]全社員[日数]NA[利用率]NA【勤務制度】フレックス 時間単位有休 時差勤務 副業容認【住宅補助】独身者用社宅(自社 借上)家族用社宅(自社 借上)

●ライフイベント、女性活躍●

【女性比率】■男 □女

新卒採用 36.4% (12名)

従業員 18.9% (159名)

管理職 7.2% (6名)

【産休】[期間]産前6・産後8週間[給与]法定+援助金(共済会)[取得者数]5名
【育休】[期間]1歳になるまで[給与]給付金+援助金(共済会)[取得者数]22年度 男5名(対象13名)女4名(対象4名)23年度 男10名(対象14名)女4名(対象4名)[平均取得日数]22年度 男45日 女414日、23年度 男37日 女363日
【従業員】[人数]840名(男681名、女159名)[平均年齢]44.1歳(男44.9歳、女40.2歳)[平均勤続年数]21.9年(男22.8年、女17.7年)
【年齢構成】■男 □女

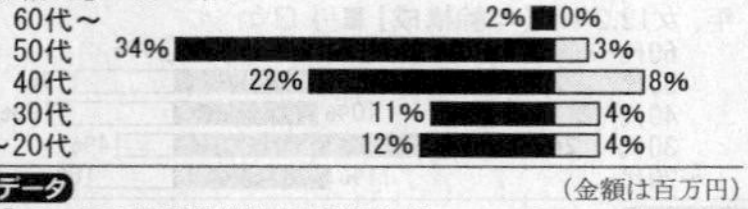
60代～ 2% 0%
50代 34% 3%
40代 22% 8%
30代 11% 4%
～20代 12% 4%

会社データ (金額は百万円)

【本社】422-8688 静岡県静岡市駿河区八幡1-5-38 ☎054-284-4141 https://www.shizuokagas.co.jp/

【業績(連結)】	売上高	営業利益	経常利益	純利益
21.12	132,988	4,989	6,474	4,115
22.12	207,325	8,629	9,491	5,975
23.12	214,004	18,340	20,064	14,107

エネルギー

おおさか
大阪ガス(株)

えるぼし ★★★　くるみん

【特色】京阪神地盤の都市ガス2位。電力、LPGも展開

[記者評価] 京阪神で都市ガスを供給、他地域でLNG供給。小売販売の全面自由化を機に関西電力などと激烈な販売競争に。中部電力と合弁設立し、首都圏で電力・ガス販売参入。川上では米国でシェールガス企業買収、川下では東南アジアなどでガス事業も。再エネ開発にも本腰。

平均勤続年数	男性育休取得率	3年後離職率	平均年収(平均44歳)
[!] 16.5年	87.8 → 109.8%	6.8 → 14.0%	[総] 713万円

●採用・配属情報●

【男女・文理別採用実績】

	大卒男	大卒女	修士男	修士女
23年	39(文 28 理 11)	15(文 11 理 4)	26(文 1 理 25)	10(文 2 理 8)
24年	13(文 13 理 0)	21(文 17 理 4)	30(文 0 理 30)	8(文 1 理 7)
25年	14(文 13 理 1)	11(文 10 理 1)	36(文 0 理 36)	10(文 1 理 9)

※分社化に伴い24年卒より採用の一部を子会社へ移行

【男女・職種別採用実績】 転換制度:⇔

	ゼネラルスペシャリストコース	プロフェッショナルコース(大卒)	プロフェッショナルコース(高専卒)
23年	61(男 41 女 20)	29(男 24 女 5)	42(男 35 女 7)
24年	71(男 43 女 28)	1(男 0 女 1)	0(男 0 女 0)
25年	71(男 50 女 21)	0(男 0 女 0)	0(男 0 女 0)

【24年4月入社者の配属勤務地】[総]大阪 兵庫 奈良 京都 他 [技]大阪 兵庫 奈良 京都 他

【転勤】NA

【中途比率】[単年度]21年度12%、22年度17%、23年度22%[全体]12%

●働きやすさ、諸制度●

残業(月) 22.4時間 [総]22.4時間

【勤務時間】9:00～17:40【有休取得年平均】16.8日【週休】年122日【夏期休暇】1日【年末年始休暇】12月30日～1月3日

【離職率】男:1.4%、12名 女:0%、0名

【新卒3年後離職率】
[20→23年]6.8%(男5.4%・入社111名、女13.6%・入社22名)
[21→24年]14.0%(男14.5%・入社110名、女11.5%・入社26名)

【テレワーク】制度あり:[場所]自宅 サテライトオフィス 他[対象]制限なし[日数]NA[利用率]NA【勤務制度】フレックス 時間単位有休【住宅補助】独身寮 社宅

●ライフイベント、女性活躍●

【女性比率】■男 □女

新卒採用 29.6% (21名)

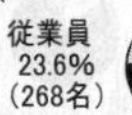

従業員 23.6% (268名)

【産休】[期間]産前6・産後8週間[給与]法定[取得者数]14名

【育休】[期間]3歳の誕生日まで[給与]法定[取得者数]22年度 男36名(対象41名)女8名(対象8名)23年度 男45名(対象41名)女14名(対象14名)[平均取得日数]22年度 男25日 女364日、23年度 男29日 女400日

【従業員】[人数]1,137名(男869名、女268名)[平均年齢]44.0歳(男44.0歳、女44.0歳)[平均勤続年数]16.5年(男16.0年、女18.1年)※分社化に伴う出向者除く

【年齢構成】NA

[会社データ] (金額は百万円)

【本社】541-0046 大阪府大阪市中央区平野町4-1-2 ☎06-6202-3928 https://www.osakagas.co.jp/

【業績(連結)】	売上高	営業利益	経常利益	純利益
22.3	1,586,879	94,905	110,464	128,256
23.3	2,275,113	60,001	75,649	57,110
24.3	2,083,050	172,553	226,563	132,679

さいぶ
西部ガス(株)

えるぼし ★★★　くるみん

【特色】都市ガス大手。福岡、熊本、長崎に供給

[記者評価] 1913年地元ガス会社の合併で誕生した西部合同瓦斯がルーツ。福岡と長崎にLNG基地保有。電力小売販売に参入する一方、都市ガスでは九州電力の販売攻勢に直面。LNG発電事業の投資決定。日本に加え、タイや米国で不動産事業を展開。21年4月持株会社体制に移行。

平均勤続年数	男性育休取得率	3年後離職率	平均年収(平均*43歳)
[!] 16.8年	NA	5.1 → 5.0%	[総][!] 570万円

●採用・配属情報●

【男女・文理別採用実績】

	大卒男	大卒女	修士男	修士女
23年	4(文 4 理 0)	6(文 6 理 0)	7(文 0 理 7)	2(文 0 理 2)
24年	6(文 5 理 1)	6(文 3 理 3)	4(文 0 理 4)	1(文 0 理 1)
25年	8(文 6 理 2)	7(文 4 理 3)	5(文 0 理 5)	2(文 0 理 2)

【男女・職種別採用実績】

	総合職
23年	20(男 12 女 8)
24年	17(男 10 女 7)
25年	22(男 13 女 9)

【24年4月入社者の配属勤務地】[総]福岡12 北九州3 熊本1 長崎1

【転勤】あり:全社員

【中途比率】[単年度]21年度0%、22年度0%、23年度15%[全体]NA

●働きやすさ、諸制度●

残業(月) (組合員)10.3時間 [総]10.3時間

【平均年収(総合職)】(西部ガスHD)570万円【勤務時間】9:00～17:45【有休取得年平均】(組合員)15.6日【週休】完全2日(土日祝)【夏期休暇】最大9日(指定休3日及び年休の併用、土日を含む)【年末年始休暇】12月30日～1月3日

【離職率】男:1.4%、13名 女:4.3%、9名

【新卒3年後離職率】
[20→23年]5.1%(男7.1%・入社28名、女0%・入社11名)
[21→24年]5.0%(男6.5%・入社31名、女0%・入社9名)

【テレワーク】制度あり:[場所]原則自宅 要介護者の自宅[対象]全社員[日数]上限10日／月[利用率]NA【勤務制度】フレックス 時間単位有休 副業容認【住宅補助】独身寮・借上社宅(自己負担10,000円、対象者のみ入居可)

●ライフイベント、女性活躍●

【女性比率】■男 □女

新卒採用 40.9% (9名)

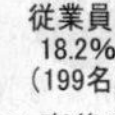

従業員 18.2% (199名)

【産休】[期間]産前6・産後8週間[給与]法定+共済会3分の1給付[取得者数]NA

【育休】[期間]3歳になるまで[給与]法定[取得者数]22年度 NA 23年度 NA[平均取得日数]22年度 NA、23年度 NA

【従業員】[人数]1,091名(男892名、女199名)[平均年齢]42.5歳(男43.3歳、女38.9歳)[平均勤続年数]16.8年(男16.9年、女16.7年)※西部ガス、西部ガスHDの合計

【年齢構成】■男 □女

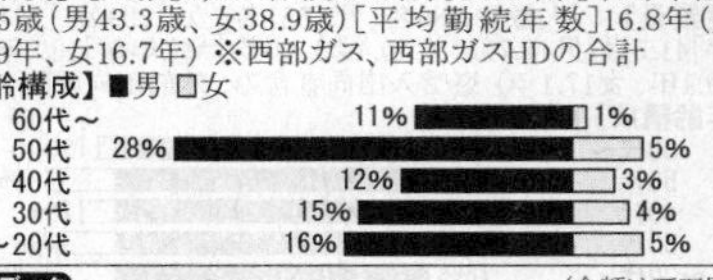

	男	女
60代～	11%	1%
50代	28%	5%
40代	12%	3%
30代	15%	4%
～20代	16%	5%

[会社データ] (金額は百万円)

【本社】812-0044 福岡県福岡市博多区千代1-17-1 ☎092-633-2243 https://hd.saibugas.co.jp/

【業績(連結)】	売上高	営業利益	経常利益	純利益
22.3	215,273	451	571	495
23.3	266,319	10,811	11,759	13,215
24.3	256,328	9,672	10,377	6,155

※資本金・業績は西部ガスホールディングス(株)のもの

エネルギー

379 開示★★★

ENEOS(株)

エネオス

えるぼし★★★ くるみん

【特色】ENEOSホールディングス中核。石油元売り最大手

記者評価 国内販売シェア5割の石油元売り最大手。親会社のENEOS・HDは17年JX・HDと東燃ゼネラル石油が経営統合し20年現社名に。国内ガソリンスタンドの約半分がエネオスで業界内での存在感は強い。石油精製・販売から水素ステーションの展開まで事業は幅広い。

平均勤続年数	男性育休取得率	3年後離職率	平均年収(平均42歳)
◇㊀18.8年	103.9→95.9%	㊀8.0→7.9%	NA

●採用・配属情報●

【男女・文理別採用実績】※野球部、運転員を除く

	大卒男	大卒女	修士男	修士女
23年	23(文 21理 2)	22(文 22理 0)	58(文 1理 57)	13(文 2理 11)
24年	19(文 15理 4)	21(文 20理 1)	48(文 1理 47)	13(文 2理 11)
25年	49(文 40理 9)	26(文 25理 1)	65(文 1理 64)	23(文 1理 22)

【男女・職種別採用実績】※高専卒を除く　転換制度:⇔

	総合コース
23年	116(男 81 女 35)
24年	101(男 67 女 34)
25年	163(男114 女 49)

【24年4月入社者の配属勤務地】㊌東京および全国事業所所在地 ㊍東京および全国事業所所在地

【転勤】あり:[職種]総合(事務・技術)コース(短時間勤務制の適用を受ける者を除く)

【中途比率】[単年度]21年度32%、22年度37%、23年度57%(野球部、高専卒、高卒を除く)[全体]◇10%

●働きやすさ、諸制度●

残業(月) 27.7時間

【勤務時間】9:00～17:30【有休取得年平均】21.2日【週休】完全2日(土日祝)【夏期休暇】有休で取得【年末年始休暇】12月29日～1月3日

【離職率】男:4.4%、350名 女:4.1%、53名

【新卒3年後離職率】
[20→23年]8.0%(男6.7%・入社104名、女10.9%・入社46名)※野球部除く
[21→24年]7.9%(男8.2%・入社85名、女7.4%・入社54名)

【テレワーク】制度あり:[場所]勤務に集中できる環境が整えられる場所[対象]全社員(交替勤務者を除く)[日数]制限なし[利用率]29.7%【勤務制度】フレックス 時間単位有休 裁量労働 副業容認【住宅補助】住宅手当

●ライフイベント、女性活躍●

【女性比率】■男 □女

新卒採用 30.1% (49名)

従業員 14% (1229名)

管理職 6.6% (50名)

【産休】[期間]産前6・産後8週間[給与]健保付加給付含め8.5割[取得者数]43名

【育休】[期間]2歳になるまで[給与]開始後通算14日間有給、以降法定[取得者数]22年度 男292名(対象281名)女29名(対象28名)23年度 男255名(対象266名)女49名(対象49名)[平均取得日数]22年度 NA、23年度 男23日 女373日

【従業員】◇[人数]8,780名(男7,551名、女1,229名)[平均年齢]41.5歳(男41.7歳、女40.4歳)[平均勤続年数]18.8年(男19.1年、女17.1年) ※受入出向者含み、外部出向者除く

【年齢構成】■男 □女

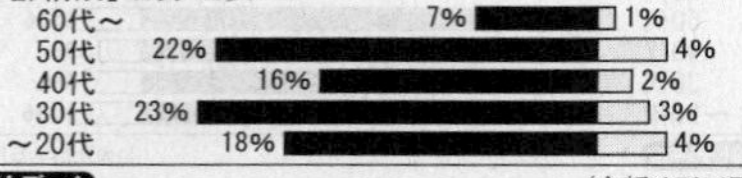

会社データ (金額は百万円)

【本社】100-8162 東京都千代田区大手町1-1-2 大手門タワー・ENEOSビル ☎0120-56-8704 https://www.eneos.co.jp/

【業績(単独)】	売上高	営業利益	経常利益	純利益
22.3	7,741,106	381,480	470,881	362,105
23.3	10,578,065	▲82,489	▲28,451	15,868
24.3	9,499,301	143,133	178,947	109,645

1214 開示★★★★ 専門 採用あり

出光興産(株)

いでみつこうさん

えるぼし★★ くるみん

【特色】石油元売り2位、19年に昭和シェル石油と統合

記者評価 石油元売り2位。ガソリンなど石油事業に加え、石油化学が強みで、有機ELなど電子材料にも注力。19年4月昭和シェル石油と経営統合。ガソリンスタンドは新ブランド「アポロステーション」を展開。トヨタ自動車とは全固体電池材料で協業。ベトナムで製油所を経営。

平均勤続年数	男性育休取得率	3年後離職率	平均年収(平均42歳)
18.8年	84.0→93.1%	11.6→11.3%	㊌980万円

●採用・配属情報●

【男女・文理別採用実績】

	大卒男	大卒女	修士男	修士女
23年	5(文 5理 0)	9(文 9理 0)	23(文 1理 22)	5(文 0理 5)
24年	5(文 4理 1)	13(文 11理 2)	32(文 1理 31)	12(文 0理 12)
25年	7(文 7理 0)	16(文 15理 1)	31(文 0理 31)	19(文 0理 19)

【男女・職種別採用実績】

	事務系	技術系
23年	17(男 6 女 11)	55(男 50 女 5)
24年	16(男 5 女 11)	70(男 53 女 17)
25年	25(男 7 女 18)	76(男 57 女 19)

【24年4月入社者の配属勤務地】㊌事業部 全国支店 事業所 グループ会社 ㊍東京及び全国事業所・研究所

【転勤】あり:全社員

【中途比率】[単年度]21年度24%、22年度26%、23年度45%[全体]11%

●働きやすさ、諸制度●

残業(月) 20.1時間 ㊌20.1時間

【勤務時間】9:00～17:30【有休取得年平均】17.5日【週休】完全2日(土日祝)【夏期休暇】有休で取得【年末年始休暇】12月29日～1月3日

【離職率】男:2.3%、100名 女:1.7%、11名

【新卒3年後離職率】
[20→23年]11.6%(男12.3%・入社163名、女7.4%・入社27名)
[21→24年]11.3%(男13.4%・入社127名、女0%・入社24名)

【テレワーク】制度あり:[場所]在宅勤務 サテライトオフィス モバイル勤務[対象]常に事業場内での業務に従事していない者[日数]制限なし[利用率]NA【勤務制度】フレックス 副業容認【住宅補助】独身寮 社宅 住宅手当 他

●ライフイベント、女性活躍●

【女性比率】■男 □女

新卒採用 36.6% (37名)

従業員 13.2% (641名)

管理職 4.4% (41名)

【産休】[期間]産前6・産後8週間[給与]法定[取得者数]26名

【育休】[期間]1歳6カ月になるまで、または1歳到達後の4月30日まで[給与]育休給付金+会社10%給付[取得者数]22年度 男142名(対象169名)女26名(対象26名)23年度 男176名(対象189名)女22名(対象20名)[平均取得日数]22年度 男42日 女392日、23年度 男49日 女406日

【従業員】[人数]4,841名(男4,200名、女641名)[平均年齢]42.3歳(男42.6歳、女40.7歳)[平均勤続年数]18.8年(男19.2年、女16.6年)【年齢構成】■男 □女

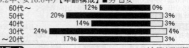

	男	女
60代～	12%	0%
50代	20%	3%
40代	14%	3%
30代	24%	4%
～20代	17%	3%

会社データ (金額は百万円)

【本社】100-8321 東京都千代田区大手町1-2-1 ☎0120-132-015 https://www.idemitsu.com/jp/

【業績(連結)】	売上高	営業利益	経常利益	純利益
22.3	6,686,761	434,453	459,275	279,498
23.3	9,456,281	282,442	321,525	253,646
24.3	8,719,201	346,316	385,246	228,518

2651 開示 ★★★★☆

コスモ石油㈱

えるぼし★★ / プラチナくるみん

【特色】石油元売り業界3位。コスモエネルギーHD中核

[記者評価] 1986年に大協石油と丸善石油、旧コスモ石油が合併し誕生。産油国・アブダビで原油開発を行うなど上流開発に強み。子会社で石油化学も展開。コスモエコパワーの国内風力事業は成長事業として積極的に推進。岩谷産業と水素事業で協業重ねる。

平均勤続年数	男性育休取得率	3年後離職率	平均年収(平均43歳)
18.4年	50.0 → 56.1%	12.5 → 6.3%	[総]1,000万円

●採用・配属情報●

【男女・文理別採用実績】

	大卒男	大卒女	修士男	修士女
23年	6(文 5理 1)	9(文 9理 0)	10(文 1理 9)	15(文 2理 13)
24年	5(文 4理 1)	8(文 8理 0)	9(文 0理 9)	8(文 0理 8)
25年	6(文 5理 1)	12(文 11理 1)	9(文 0理 9)	4(文 2理 2)

【男女・職種別採用実績】

	基幹職
23年	40(男 16 女 24)
24年	30(男 14 女 16)
25年	32(男 15 女 17)

【24年4月入社者の配属勤務地】[総]東京・浜松町10 三重・四日市1 千葉・市原1 [技]東京・浜松町1 千葉・市原8 三重・四日市4 堺2 埼玉・幸手3

【転勤】あり:[職種]全社員[勤務地]勤務地限定制度あり(条件あり)

【中途比率】[単年度]21年度19%、22年度49%、23年度59%[全体]19%

●働きやすさ、諸制度●

残業(月) 22.2時間 [総]22.2時間

【勤務時間】本社・支店・研究所9:00～17:30 製油所8:30～17:00【有休取得年平均】17.6日【週休】完全2日(土日祝)【夏期休暇】有休で取得【年末年始休暇】12月29日～1月3日

【離職率】男:1.7%、22名 女:4.4%、16名

【新卒3年後離職率】
[20→23年]12.5%(男15.0%・入社20名、女0%・入社4名)
[21→24年]6.3%(男9.1%・入社22名、女0%・入社10名)

【テレワーク】制度あり:[場所]自宅 カフェ サテライトオフィス 他[対象]交替勤務者を除くすべての従業員[日数]在宅勤務(自宅):上限なし 在宅勤務以外のテレワーク:8日／月[利用率]21.4%【勤務制度】フレックス 時差勤務 勤務間インターバル 副業容認【住宅補助】新入社員用の社宅(独身寮・家族帯同用)

●ライフイベント、女性活躍●

【女性比率】■男 □女

新卒採用 53.1%(17名)

従業員 21.8%(348名)

管理職 7%(43名)

【産休】[期間]産前8・産後8週間[給与]法定[取得者数]17名

【育休】[期間]3歳に達する日の属する年度末[給与]給付金+共済会基準内賃金3割[取得者数]22年度 男25名(対象50名)女17名(対象17名)23年度 男23名(対象41名)女15名(対象15名)[平均取得日数]22年度 男29日 女286日、23年度 男61日 女410日

【従業員】[人数]1,600名(男1,252名、女348名)[平均年齢]42.8歳(男43.6歳、女40.0歳)[平均勤続年数]18.4年(男19.3年、女15.1年)【年齢構成】■男 □女

年代	男	女
60代～	0%	0%
50代	31%	6%
40代	17%	5%
30代	23%	6%
～20代	8%	5%

[会社データ] (金額は百万円)

【本社】105-8302 東京都港区芝浦1-1-1 浜松町ビル ☎03-3798-7545
https://www.cosmo-energy.co.jp/

【業績(連結)】	売上高	営業利益	経常利益	純利益
22.3	2,440,452	235,303	233,097	138,890
23.3	2,791,872	163,780	164,505	67,935
24.3	2,729,570	149,200	161,615	82,060

※資本金・業績はコスモエネルギーホールディングス㈱のもの

2758 開示 ★★★☆☆

富士石油㈱

【特色】千葉・袖ケ浦製油所が収益柱。出光興産持分会社

[記者評価] 旧アラビア石油との統合会社。千葉・袖ケ浦製油所で輸入原油を精製、重質油処理も得意。製油所近隣のJERA(東電と中部電の合弁)火力発電所や住友化学千葉工場などに製品を供給する。出光と原油調達や配船業務共同化、脱炭素燃料供給拠点の整備で連携。

平均勤続年数	男性育休取得率	3年後離職率	平均年収(平均42歳)
◇19.4年	33.3 → 80.0%	0 → —	◇749万円

●採用・配属情報●

【男女・文理別採用実績】

	大卒男	大卒女	修士男	修士女
23年	3(文 2理 1)	1(文 1理 0)	0(文 0理 0)	0(文 0理 0)
24年	2(文 1理 1)	2(文 2理 0)	1(文 0理 1)	0(文 0理 0)
25年	3(文 3理 0)	1(文 0理 1)	1(文 0理 1)	0(文 0理 0)

【男女・職種別採用実績】 転換制度:⇔

	総合職
23年	4(男 3 女 1)
24年	5(男 3 女 2)
25年	5(男 4 女 1)

【24年4月入社者の配属勤務地】[総]東京・天王洲3 [技]千葉・袖ケ浦2

【転勤】あり:[職種]事務系総合職[勤務地]東京 千葉

【中途比率】[単年度]21年度25%、22年度39%、23年度43%[全体]NA

●働きやすさ、諸制度●

残業(月) 20.0時間

【勤務時間】9:00～17:30【有休取得年平均】17.2日【週休】完全2日(土日祝)【夏期休暇】なし【年末年始休暇】12月29日～1月3日

【離職率】◇男:2.7%、12名 女:5.2%、3名

【新卒3年後離職率】
[20→23年]0%(男0%・入社2名、女0%・入社6名)
[21→24年]—(男—・入社0名、女—・入社0名)

【テレワーク】制度あり:[場所]自宅[対象]常日勤者のみ[日数]月8回まで[利用率]NA【勤務制度】フレックス【住宅補助】住宅手当(東京勤務者は加えて借上相当の住宅補助あり)独身寮・借上寮(千葉・袖ケ浦)社宅(既婚者の場合)

●ライフイベント、女性活躍●

【女性比率】■男 □女

新卒採用 20%(1名)

従業員 11.2%(55名)

管理職 2%(1名)

【産休】[期間]産前6・産後8週間[給与]法定[取得者数]1名

【育休】[期間]1歳になるまで[給与]法定[取得者数]22年度 男4名(対象12名)女1名(対象1名)23年度 男8名(対象10名)女1名(対象1名)[平均取得日数]22年度 男51日 女-、23年度 男62日 女-

【従業員】◇[人数]493名(男438名、女55名)[平均年齢]42.3歳(男42.5歳、女40.6歳)[平均勤続年数]19.4年(男20.1年、女14.2年)

【年齢構成】NA

[会社データ] (金額は百万円)

【本社】140-0002 東京都品川区東品川2-5-8 天王洲パークサイドビル ☎03-5462-7761
https://www.foc.co.jp/

【業績(連結)】	売上高	営業利益	経常利益	純利益
22.3	485,302	15,539	16,076	15,203
23.3	850,863	5,028	4,704	3,575
24.3	723,730	16,199	18,735	15,516

エネルギー

㈱INPEX（インペックス）

[くるみん]

【特色】国内外で石油・天然ガスを開発。脱炭素案件も

[記者評価] 原油・天然ガスの開発生産専業で国内最大手。政府が普通株の19.9%を保有する筆頭株主。トップは代々、経産省出身者。総事業費4兆円超の豪州「イクシスLNGプロジェクト」が収益柱。24年10月国内石油・天然ガス事業を会社分割により子会社に承継。

平均勤続年数	男性育休取得率	3年後離職率	平均年収(平均40歳)
13.1年	70.4→76.9%	8.7→6.5%	◇1,117万円

●採用・配属情報●

【男女・文理別採用実績】

	大卒男	大卒女	修士男	修士女
23年	8(文 8理 0)	5(文 4理 1)	14(文 0理 14)	2(文 0理 2)
24年	6(文 6理 0)	8(文 7理 1)	20(文 1理 19)	4(文 2理 2)
25年	10(文 9理 1)	15(文 14理 1)	17(文 0理 17)	9(文 2理 7)

※25年:24年7月時点

【男女・職種別採用実績】 転換制度:NA

	総合職(技術)	総合職(事務)
23年	18(男 15 女 3)	13(男 8 女 5)
24年	22(男 19 女 3)	17(男 8 女 9)
25年	23(男 17 女 6)	29(男 10 女 19)

※高専除く

【24年4月入社者の配属勤務地】[総]NA [技]NA

【転勤】あり:[勤務地]東京 新潟 秋田 千葉 ジャカルタ パース ダーウィン シンガポール ロンドン オスロ アスタナ アブダビ ヒューストン クアラルンプール他

【中途比率】[単年度]21年度35%、22年度51%、23年度61%[全体]NA

●働きやすさ、諸制度●

残業(月) 21.2時間

【勤務時間】フレックスタイム制(コアタイムなし)【有休取得年平均】14.0日【週休】完全2日(土日祝)【夏期休暇】有休で取得【年末年始休暇】12月29日～1月3日

【離職率】男:1.6%、17名 女:1.9%、6名

【新卒3年後離職率】

[20→23年]8.7%(男6.7%・入社30名、女12.5%・入社16名)

[21→24年]6.5%(男9.1%・入社22名、女0%・入社9名)

【テレワーク】制度あり:[場所]サテライトオフィス[対象]NA[日数]NA[利用率]NA【勤務制度】フレックス 副業容認

【住宅補助】社宅(寮含む)または若年層住宅補助

●ライフイベント、女性活躍●

【女性比率】■男 □女

新卒採用 48.1%(25名)

従業員 22.3%(309名)

【産休】[期間]産前6・産後8週間[給与]法定[取得者数]13名

【育休】[期間]1歳になるまで[給与]基準内賃金2割+育休給付金+5日有給[取得者数]22年度 男38名(対象54名)女16名(対象16名)23年度 男40名(対象52名)女13名(対象13名)[平均取得日数]22年度 男43日 女391日、23年度 男76日 女404日

【従業員】[人数]1,384名(男1,075名、女309名)[平均年齢]39.7歳(男39.9歳、女38.7歳)[平均勤続年数]13.1年(男13.9年、女10.4年)

【年齢構成】NA

会社データ (金額は百万円)

【本社】107-6332 東京都港区赤坂5-3-1 赤坂Bizタワー ☎03-5572-0200

https://www.inpex.co.jp/

【業績(IFRS)】	売上高	営業利益	税前利益	純利益
23.12	2,164,516	1,114,189	1,253,384	321,708

石油資源開発㈱（せきゆしげんかいはつ）

[えるぼし ★★★] [くるみん]

【特色】国内外で原油・天然ガスの探鉱・開発を展開

[記者評価] 1955年に準国策会社から出発。筆頭株主は経済産業大臣。北海道、秋田などでガス田を操業し、都市ガス会社に販売。イラク・ガラフ油田やインドネシア・カンゲアン鉱区、ノルウェー領海でも石油・天然ガスの権益を持つ。24年7月にベースアップを実施。

平均勤続年数	男性育休取得率	3年後離職率	平均年収(平均40歳)
◇15.0年	59.0→60.0%	11.8→8.3%	[総]958万円

●採用・配属情報●

【男女・文理別採用実績】

	大卒男	大卒女	修士男	修士女
23年	5(文 4理 1)	5(文 4理 1)	8(文 1理 7)	2(文 1理 1)
24年	8(文 6理 2)	6(文 6理 0)	9(文 0理 9)	3(文 3理 0)
25年	6(文 4理 2)	5(文 5理 0)	9(文 0理 9)	5(文 0理 5)

【男女・職種別採用実績】

	総合職
23年	20(男 13 女 7)
24年	27(男 18 女 9)
25年	25(男 15 女 10)

【24年4月入社者の配属勤務地】[総]東京・千代田12 新潟・長岡2 福島・相馬1 [技]東京・千代田5 福島・相馬2 秋田2 北海道2 新潟・長岡1

【転勤】あり:[職種]全社員[勤務地]国内外事業所※転居を伴う異動は本人の希望を含め総合的に決定

【中途比率】[単年度]21年度56%、22年度52%、23年度63%[全体]◇23%

●働きやすさ、諸制度●

残業(月) 15.3時間 [総]15.3時間

【勤務時間】9:00～17:35(フレックスタイム制)【有休取得年平均】15.8日【週休】完全2日(土日祝)【夏期休暇】有休で取得【年末年始休暇】12月29日～1月3日

【離職率】◇男:5.3%、45名 女:3.9%、7名(早期退職5名含む)

【新卒3年後離職率】

[20→23年]11.8%(男0%・入社12名、女40.0%・入社5名)

[21→24年]8.3%(男5.6%・入社18名、女16.7%・入社6名)

【テレワーク】制度あり:[場所]自宅[対象]フレックスタイム制適用中の全社員[日数]週2日 月8回(目安)[利用率]13.2%【勤務制度】フレックス【住宅補助】単身寮(単身赴任除く35歳まで、自己負担5,000～12,000円、借上は加えて家賃65,000円または60,000円超過分)世帯社宅(40歳または入居10年経過のいずれか遅く到達するまで(上限45歳)自己負担、社有12,000～34,800円、借上12,000～31,200円＋家賃110,000円または80,000円超過分)

●ライフイベント、女性活躍●

【女性比率】■男 □女

新卒採用 40%(10名)

従業員 17.7%(173名)

管理職 5.9%(18名)

【産休】[期間]産前6・産後8週間[給与]給付金[取得者数]16名

【育休】[期間]1歳になるまで[給与]給付金+会社2割[取得者数]22年度 男23名(対象39名)女6名(対象6名)23年度 男18名(対象30名)女12名(対象12名)[平均取得日数]22年度NA、23年度NA

【従業員】◇[人数]979名(男806名、女173名)[平均年齢]40.4歳(男40.7歳、女39.1歳)[平均勤続年数]15.0年(男15.1年、女14.7年)【年齢構成】■男 □女

年齢	男	女
60代～	1%	0%
50代	19%	3%
40代	21%	6%
30代	29%	5%
～20代	12%	4%

会社データ (金額は百万円)

【本社】100-0005 東京都千代田区丸の内1-7-12 サピアタワー ☎03-6268-7070

https://www.japex.co.jp/

【業績(連結)】	売上高	営業利益	経常利益	純利益
22.3	249,140	19,809	43,674	▲30,988
23.3	336,492	62,085	83,130	67,394
24.3	325,863	55,247	68,808	53,661

エネルギー

小売

デパート　コンビニ　スーパー　外食・中食
家電・薬販売、HC　その他小売業

百貨店・ショッピングセンター

大都市部の百貨店、ＳＣは訪日客や国内消費者の高額品消費が引き続き好調。ただ地方百貨店は人口減少が続き厳しい

コンビニエンスストア

オフィス回帰、観光客復調による人流増加が追い風。値上げ効果も継続で好調続く。飽和市場の中、新収益開拓が急務

スーパー

値上げ効果が寄与するが、客数では明暗。中長期では人件費、建築費など投資コスト重く、再編圧力は継続

ドラッグストア

客数が伸び悩む郊外では、食品の安売りでスーパーなどから客を奪いカバー。都市部は訪日客増が追い風に

家具・インテリア

巣ごもり特需が一巡し市場は伸び悩む。新規出店は飽和状態。既存店への集客のため、値下げや商品開発に注力

アパレル

外出需要の回復は緩やかに続くが、インフレで消費者の生活防衛意識は依然高い。原材料コストの高騰も続く

（天気図は24年度後半⇒25年度、続きは東洋経済『会社四季報業界地図 2025年版』で）

㈱大丸松坂屋百貨店（だいまるまつざかやひゃっかてん）

えるぼし★★★ くるみん

【特色】J.フロント リテイリング傘下の大手百貨店

記者評価 07年に老舗百貨店の大丸と松坂屋が経営統合して発足した百貨店大手。大丸は関西、松坂屋は名古屋が地盤。百貨店店舗内へのテナント誘致を進める「脱百貨店モデル」を標榜。入社5年目をメドに異動・担当変更を実施。根拠のある配置と評価を繰り返して人材を育成。

平均勤続年数	男性育休取得率	3年後離職率	平均年収(平均50歳)
20.6年	65.4→93.3%	12.2→26.7%	㊕642万円

●採用・配属情報●

【男女・文理別採用実績】

	大卒男	大卒女	修士男	修士女
23年	9(文 9理 0)	35(文 33理 2)	1(文 1理 0)	0(文 0理 0)
24年	4(文 4理 0)	31(文 30理 1)	1(文 0理 1)	1(文 0理 1)
25年	5(文 4理 1)	35(文 35理 0)	1(文 0理 1)	4(文 4理 0)

【男女・職種別採用実績】

	総合職
23年	45(男 10 女 35)
24年	37(男 5 女 32)
25年	45(男 6 女 39)

【24年4月入社者の配属勤務地】㊕東京11 大阪7 神戸4 京都5 名古屋4 札幌4 静岡2

【転勤】あり:全社員(エリア限定制度利用者を除く)

【中途比率】[単年度]21年度53%、22年度72%、23年度44%[全体]30%

●働きやすさ、諸制度●

残業(月) 5.3時間 ㊕5.3時間

【勤務時間】基本9:30～18:15【有休取得年平均】10.9日【週休】完全2日【夏期休暇】連続8日(有休・週休と合わせて連続最大10日、年2回)【年末年始休暇】あり

【離職率】男:4.4%、67名 女:4.5%、116名

【新卒3年後離職率】
[20→23年]12.2%(男13.0%・入社23名、女11.5%・入社26名)
[21→24年]26.7%(男25.0%・入社4名、女27.3%・入社11名)

【テレワーク】制度あり:[場所]自宅 サテライトオフィス[対象]本社 店バックオフィス勤務者[日数]制限なし[利用率]NA【勤務制度】フレックス 副業容認【住宅補助】独身寮 借上社宅

●ライフイベント、女性活躍●

【女性比率】■男 □女

新卒採用 86.7% (39名)　従業員 63% (2479名)　管理職 26.4% (96名)

【産休】[期間]産前10・産後8週間、妊婦保護休業3週間[給与]法定[取得者数]26名

【育休】[期間]小学校就学月末日まで[給与]法定[取得者数]22年度 男17名(対象26名)女41名(対象41名)23年度 男14名(対象15名)女24名(対象24名)[平均取得日数]22年度 男11日 女563日、23年度 男14日 女632日

【従業員】[人数]3,938名(男1,459名、女2,479名)[平均年齢]49.7歳(男51.5歳、女48.7歳)[平均勤続年数]20.6年(男24.2年、女18.4年)

【年齢構成】■男 □女

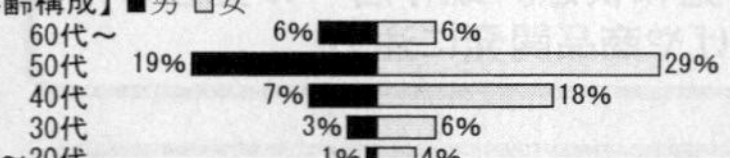

会社データ (金額は百万円)

【本社】135-0042 東京都江東区木場2-18-11 ☎03-6895-0816
https://www.daimaru-matsuzakaya.com/

【業績(単独)】	売上高	営業利益	経常利益	純利益
22.2	505,987	▲1,824	NA	▲2,995
23.2	602,490	8,076	NA	6,114
24.2	685,422	24,332	NA	16,675

㈱髙島屋（たかしまや）

えるぼし★★★ プラチナくるみん

【特色】百貨店大手。SC、金融などバランスの良さが特徴

記者評価 1831年創業。東京・日本橋、横浜、大阪が3大旗艦店。百貨店業のほか、日本橋や二子玉川などの不動産開発・SC運営を担う子会社の東神開発が収益のカギ。海外はシンガポール店など東南アジア中心。クレジットカード、保険など店舗を起点とした金融事業にも注力。

平均勤続年数	男性育休取得率	3年後離職率	平均年収(平均49歳)
25.4年	171.4→110.0%	14.9→25.9%	㊕739万円

●採用・配属情報●

【男女・文理別採用実績】

	大卒男	大卒女	修士男	修士女
23年	12(文 12理 0)	16(文 16理 0)	0(文 0理 0)	0(文 0理 0)
24年	13(文 13理 0)	18(文 17理 1)	1(文 0理 1)	2(文 1理 1)
25年	26(文 23理 3)	33(文 33理 0)	0(文 0理 0)	4(文 3理 1)

【男女・職種別採用実績】

	総合職
23年	28(男 12 女 16)
24年	35(男 15 女 20)
25年	63(男 26 女 37)

【24年4月入社者の配属勤務地】㊕東京(日本橋7 新宿6)横浜8 大阪8 京都6

【転勤】あり:全社員(地域限定正社員を除く)

【中途比率】[単年度]21年度0%、22年度17%、23年度25%[全体]7%

●働きやすさ、諸制度●

残業(月) 5.2時間 ㊕5.2時間

【勤務時間】基本型9:40～18:15(シフト勤務)【有休取得年平均】17.3日【週休】週休計52日、交替休日69日、年頭休日1日【夏期休暇】年2回の10日連休で取得(夏期を含む)【年末年始休暇】年頭休日

【離職率】男:1.5%、26名 女:2.5%、55名

【新卒3年後離職率】
[20→23年]14.9%(男10.0%・入社30名、女18.9%・入社37名)
[21→24年]25.9%(男28.6%・入社14名、女23.1%・入社13名)

【テレワーク】制度あり:[場所]原則自宅[対象]販売職を除く[日数]原則月8日まで[利用率]NA【勤務制度】時差勤務 勤務間インターバル 副業容認【住宅補助】住宅手当(勤務エリアと出身地により一定条件のもと3年間)

●ライフイベント、女性活躍●

【女性比率】■男 □女

新卒採用 58.7% (37名)　従業員 56.2% (2151名)　管理職 29.4% (175名)

【産休】[期間]産前8・産後8週間[給与]健保85%給付[取得者数]31名

【育休】[期間]3歳になるまで[給与]出生時育休、通常育休ともに1回目の連続14日以内の場合はそれぞれ有給(最大28日)[取得者数]22年度 男60名(対象35名)女22名(対象22名)23年度 男33名(対象30名)女30名(対象30名)[平均取得日数]22年度 男8日 女498日、23年度 男25日 女532日

【従業員】[人数]3,826名(男1,675名、女2,151名)[平均年齢]49.1歳(男49.1歳、女49.1歳)[平均勤続年数]25.4年(男23.9年、女26.7年)【年齢構成】■男 □女

	男	女
60代～	0%	0%
50代	25%	35%
40代	11%	12%
30代	6%	6%
～20代	3%	4%

会社データ (金額は百万円)

【本社】542-8510 大阪府大阪市中央区難波5-1-5 ☎06-6631-1101
https://www.takashimaya.co.jp/

【業績(連結)】	売上高	営業利益	経常利益	純利益
22.2	761,124	4,110	6,903	5,360
23.2	443,443	32,519	34,520	27,838
24.2	466,134	45,937	49,199	31,620

151　開示 ★★★★☆☆☆　専門 採用あり

㈱三越伊勢丹（みつこしいせたん）

えるぼし★★★　くるみん

【特色】百貨店首位。伊勢丹新宿、三越日本橋が主力

記者評価 伊勢丹と三越が08年4月に経営統合して発足した国内最大の百貨店。ファッションに強い伊勢丹新宿本店と、富裕層の顧客を抱える三越日本橋本店が旗艦店舗。カード会員、外商会員など個別の顧客との関係を強化。ECなどデジタル事業、不動産事業にも注力。

平均勤続年数	男性育休取得率	3年後離職率	平均年収(平均45歳)
! 19.8年	89.7→105.4%	12.9→10.3%	総 744万円

●採用・配属情報●

【男女・文理別採用実績】

	大卒男	大卒女	修士男	修士女
23年	10(文 10理 0)	13(文 12理 1)	0(文 0理 0)	0(文 0理 0)
24年	8(文 7理 1)	24(文 24理 0)	2(文 1理 1)	1(文 1理 0)
25年	10(文 9理 1)	38(文 38理 0)	0(文 0理 0)	1(文 1理 0)

【男女・職種別採用実績】　転換制度:⇒

	総合職	一般職
23年	20(男 10 女 10)	9(男 0 女 9)
24年	24(男 10 女 14)	13(男 0 女 13)
25年	44(男 10 女 34)	6(男 0 女 6)

【職種併願】○

【24年4月入社者の配属勤務地】総東京(新宿・日本橋)24

【転勤】あり:[職種]総合職(管理職階層以上)[勤務地]国内地方や海外のグループ百貨店等に出向赴任の場合あり

【中途比率】[単年度]21年度0%、22年度0%、23年度0%[全体]5%

●働きやすさ、諸制度●

残業(月) 5.0時間 総6.0時間

【勤務時間】9:45〜18:20(フレックスタイム制 シフト勤務あり)【有休取得年平均】18.5日【週休】原則2日(曜日交替制)【夏期休暇】なし【年末年始休暇】なし

【離職率】男:2.5%、46名 女:3.3%、133名(ネクストキャリア制度退職男31名、女52名含む)

【新卒3年後離職率】
[20→23年]12.9%(男12.0%・入社25名、女13.3%・入社45名)
[21→24年]10.3%(男7.1%・入社14名、女12.0%・入社25名)

【テレワーク】制度あり:[場所]自宅 社内サテライトオフィス[対象]自宅でも本来業務を自律的に遂行可能(新卒は原則2年目以降)[日数]原則月8日まで[利用率]17.5%【勤務制度】フレックス 週休3日 勤務間インターバル 副業容認【住宅補助】住宅手当(国内転勤、海外勤務の場合)

●ライフイベント、女性活躍●

【女性比率】■男 □女

新卒採用 80% (40名)　従業員 68.2% (3861名)　管理職 28.5% (531名)

【産休】[期間]産前8・産後8週間[給与]法定[取得者数]89名

【育休】[期間]産休後3年間(月末まで)[給与]法定[取得者数]22年度 男35名(対象39名)女107名(対象107名)23年度 男39名(対象37名)女100名(対象100名)[平均取得日数]22年度 男8日 女497日、23年度 男30日 女491日

【従業員】[人数]5,661名(男1,800名、女3,861名)[平均年齢]43.9歳(男45.9歳、女43.0歳)[平均勤続年数]19.8年(男22.5年、女18.6年) ※地域限定社員含む

【年齢構成】■男 □女

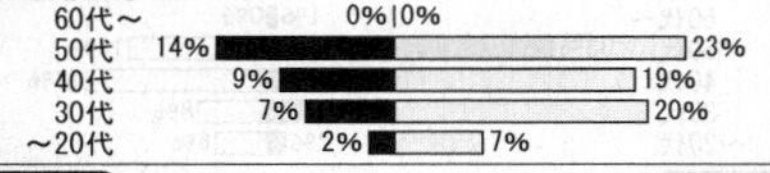

会社データ　(金額は百万円)

【本社】160-0023 東京都新宿区西新宿3-2-5 三越伊勢丹西新宿ビル ☎03-3352-1111　https://www.imhds.co.jp/

【業績(単独)】	売上高	営業利益	経常利益	純利益
22.3	208,451	2,863	7,602	10,158
23.3	244,176	21,926	24,416	26,491
24.3	270,821	39,864	43,226	44,510

827　開示 ★★★☆☆☆☆　専門 採用あり

㈱丸井グループ（まるい）

プラチナえるぼし　プラチナくるみん＋

【特色】ファッションビル運営。自社カードが収益柱

記者評価 ファッションビルの「マルイ」「モディ」を運営。テナント賃料収入が柱となっている。グループの収益源は、自社「エポスカード」などのフィンテック事業。日本で初めてクレジットカードを発行したことでも知られる。分割払い等にともなう手数料収入が中心。

平均勤続年数	男性育休取得率	3年後離職率	平均年収(平均40歳)
23.0年	110.3→103.3%	8.6→20.8%	総 651万円

●採用・配属情報●

【男女・文理別採用実績】※25年:24年7月末時点

	大卒男	大卒女	修士男	修士女
23年	11(文 9理 2)	29(文 28理 1)	1(文 1理 0)	0(文 0理 0)
24年	7(文 5理 2)	24(文 24理 0)	1(文 1理 0)	1(文 1理 0)
25年	11(文 9理 2)	26(文 23理 3)	2(文 1理 1)	2(文 2理 0)

【男女・職種別採用実績】　転換制度:⇒

	グループスタッフ
23年	45(男 15 女 30)
24年	35(男 10 女 25)
25年	41(男 13 女 28)

【24年4月入社者の配属勤務地】総研修後首都圏店舗へ配属35

【転勤】あり:全社員(エリア限定勤務制度を適用する社員およびパートタイマーを除く)

【中途比率】[単年度]21年度22%、22年度28%、23年度33%[全体]NA

●働きやすさ、諸制度●

残業(月) 5.3時間 総5.3時間

【勤務時間】10:00〜18:45 フレックスタイム制導入部署あり【有休取得年平均】14.1日【週休】月8〜10日(交替制)【夏期休暇】連続7日(4〜9月)【年末年始休暇】連続7日(10〜3月)

【離職率】男:2.9%、68名 女:4.9%、103名

【新卒3年後離職率】
[20→23年]8.6%(男8.7%・入社23名、女8.6%・入社35名)
[21→24年]20.8%(男27.8%・入社18名、女17.1%・入社35名)

【テレワーク】制度あり:[場所]自宅 サテライトオフィス カフェ 他[対象]主に営業店(コールセンター等の接客業務を除く)[日数]制限なし[利用率]33.7%【勤務制度】フレックス 時間単位有休 週休3日 時差勤務 勤務間インターバル 副業容認【住宅補助】なし

●ライフイベント、女性活躍●

【女性比率】■男 □女

新卒採用 68.3% (28名)　従業員 46.5% (1993名)

【産休】[期間]妊娠後・産後8週間[給与]法定[取得者数]66名

【育休】[期間]3歳未満、最大3年間[給与]法定[取得者数]22年度 男32名(対象29名)女88名(対象89名)23年度 男31名(対象30名)女81名(対象81名)[平均取得日数]22年度 男70日 女832日、23年度 男93日 女683日

【従業員】[人数]4,290名(男2,297名、女1,993名)[平均年齢]47.1歳(男49.8歳、女44.8歳)[平均勤続年数]23.0年(男24.9年、女20.8年)【年齢構成】■男 □女

60代〜 1% 1%
50代 30% 14%
40代 13% 15%
30代 6% 11%
〜20代 3% 5%

会社データ　(金額は百万円)

【本社】164-8701 東京都中野区中野4-3-2 ☎03-3384-0101　https://www.0101maruigroup.co.jp/

【業績(連結)】	売上高	営業利益	経常利益	純利益
22.3	209,323	36,784	35,547	17,791
23.3	217,854	38,771	36,364	21,473
24.3	235,227	41,025	38,776	24,667

小売

㈱阪急阪神百貨店（はんきゅうはんしんひゃっかてん）

えるぼし ★★★

【特色】エイチ・ツー・オー リテイリングの中核企業

[記者評価] 関西を代表する百貨店。07年に阪急、阪神が経営統合して誕生した。それぞれ高級路線の阪急、庶民派路線の阪神と棲み分け。大阪府や兵庫県などで郊外型店舗も展開する。阪急うめだ本店は伊勢丹新宿に次ぐ国内2位、西日本では最大の売上高を誇る。

平均勤続年数	男性育休取得率	3年後離職率	平均年収(平均47歳)
22.3年	90.0→93.8%	17.3→4.9%	[総]755万円

●採用・配属情報●

【男女・文理別採用実績】

	大卒男	大卒女	修士男	修士女
23年	9(文 8理 1)	33(文 33理 0)	0(文 0理 0)	0(文 0理 0)
24年	12(文 12理 0)	26(文 24理 2)	0(文 0理 0)	1(文 0理 1)
25年	11(文 9理 2)	28(文 28理 0)	0(文 0理 0)	0(文 0理 0)

※第二新卒含む

【男女・職種別採用実績】

	総合職
23年	42(男 9 女 33)
24年	39(男 12 女 27)
25年	39(男 11 女 28)

【24年4月入社者の配属勤務地】[総]関西本支店39
【転勤】あり:[職種]総合職
【中途比率】[単年度]21年度0%、22年度15%、23年度25%[全体]NA

●働きやすさ、諸制度●

残業(月) 12.8時間 [総]12.8時間

【勤務時間】フレックスタイム制またはシフト制【有休取得年平均】13.2日【週休】2日(交替制)【夏期休暇】年2回のリフレッシュ連休(8日)で取得【年末年始休暇】1日
【離職率】男:1.2%、14名 女:2.2%、44名(進路設計支援男9名、女1名含む)
【新卒3年後離職率】
[20→23年]17.3%(男23.1%・入社13名、女15.4%・入社39名)
[21→24年]4.9%(男0%・入社9名、女6.3%・入社32名)
【テレワーク】制度あり:[場所]自宅 モバイルワーク(カフェなど)[対象]制限なし[日数]制限なし(週3程度出社を推奨)[利用率]NA【勤務制度】フレックス 時間単位有休 副業容認【住宅補助】借上独身寮(入社後3年間)

●ライフイベント、女性活躍●

【女性比率】■男 □女

新卒採用
71.8%
(28名)
従業員
64.3%
(1993名)
管理職
17.7%
(73名)

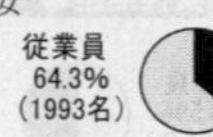

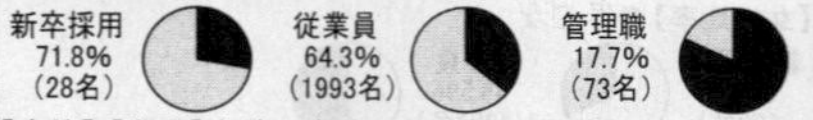

【産休】[期間]産前8・産後10週間[給与]法定+法定外部分は一部会社給付[取得者数]30名
【育休】[期間]4歳の5月末まで[給与]法定[取得者数]22年度 男18名(対象20名)女43名(対象43名)23年度 男15名(対象16名)女33名(対象33名)[平均取得日数]22年度 男17日 女553日、23年度 男13日 女540日
【従業員】[人数]3,101名(男1,108名、女1,993名)[平均年齢]46.8歳(男48.0歳、女46.1歳)[平均勤続年数]22.3年(男22.0年、女22.4年)
【年齢構成】■男 □女

	男	女
60代〜	0%	0%
50代	19%	31%
40代	9%	18%
30代	5%	8%
〜20代	2%	7%

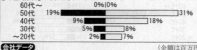

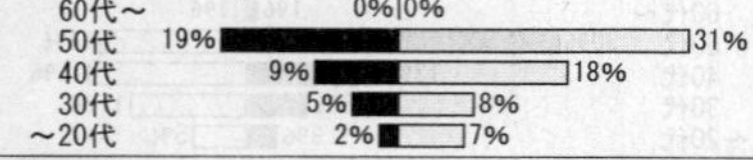

会社データ (金額は百万円)

【本社】530-8350 大阪府大阪市北区角田町8-7 ☎06-6361-1381
https://www.hankyu-hanshin-dept.co.jp/

【業績(単独)】	売上高	営業利益	経常利益	純利益
22.3	128,849	1,074	650	93
23.3	154,500	10,386	9,306	7,930
24.3	175,115	21,743	19,970	23,652

㈱近鉄百貨店（きんてつひゃっかてん）

えるぼし ★★★

【特色】近鉄グループの流通部門中核。南大阪、奈良地盤

[記者評価] あべのハルカス近鉄本店が中核。「気軽に立ち寄れる百貨店」として地元客から親しまれる。奈良、東大阪などの郊外店舗はタウンセンター化推進。フランチャイズで新規業態を手がけるなど、事業ポートフォリオを変革。25年4月から大卒初任給を22.7万円に増額。

平均勤続年数	男性育休取得率	3年後離職率	平均年収(平均47歳)
22.8年	44.4→85.7%	11.1→42.1%	[総]475万円

●採用・配属情報●

【男女・文理別採用実績】

	大卒男	大卒女	修士男	修士女
23年	0(文 0理 0)	9(文 8理 1)	0(文 0理 0)	2(文 1理 1)
24年	4(文 4理 0)	12(文 12理 0)	0(文 0理 0)	0(文 0理 0)
25年	7(文 7理 0)	21(文 19理 2)	0(文 0理 0)	1(文 1理 0)

【男女・職種別採用実績】

	総合職
23年	11(男 0 女 11)
24年	16(男 4 女 12)
25年	29(男 7 女 22)

【24年4月入社者の配属勤務地】[総]大阪11 奈良4 東京1 [技]なし
【転勤】あり:[職種]全社員[勤務地]大阪 奈良 滋賀 三重 和歌山 東京他
【中途比率】[単年度]21年度27%、22年度33%、23年度40%[全体]NA

●働きやすさ、諸制度●

残業(月) 13.4時間 [総]13.4時間

【勤務時間】9:45〜18:35(交替制)【有休取得年平均】13.3日【週休】2日(交替制)【夏期休暇】半期に4日間2回、もしくは8日間1回(連続休日制度)※有休2日、週休2日含む【年末年始休暇】年始1日
【離職率】男:1.7%、13名 女:2.8%、22名
【新卒3年後離職率】
[20→23年]11.1%(男0%・入社3名、女13.3%・入社15名)
[21→24年]42.1%(男25.0%・入社4名、女46.7%・入社15名)
【テレワーク】制度あり:[場所]自宅 サテライトオフィス[対象]全社員[日数]制限なし[利用率]NA【勤務制度】フレックス 副業容認【住宅補助】社宅補助(家から通えない場合)住宅資金貸付

●ライフイベント、女性活躍●

【女性比率】■男 □女

新卒採用
75.9%
(22名)
従業員
51%
(770名)

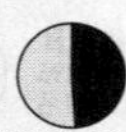

【産休】[期間]産前7・産後8週間[給与]法定[取得者数]24名
【育休】[期間]2歳になるまで[給与]法定[取得者数]22年度 男4名(対象9名)女17名(対象17名)23年度 男6名(対象7名)女21名(対象24名)[平均取得日数]22年度 男7日 女513日、23年度 男81日 女509日
【従業員】[人数]1,511名(男741名、女770名)[平均年齢]46.9歳(男50.2歳、女43.6歳)[平均勤続年数]22.8年(男25.4年、女20.3年)
【年齢構成】■男 □女

	男	女
60代〜	1%	0%
50代	33%	16%
40代	10%	21%
30代	4%	8%
〜20代	2%	6%

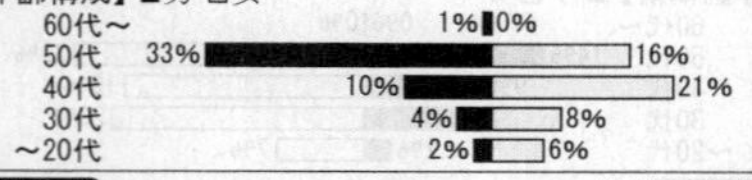

会社データ (金額は百万円)

【本社】545-8545 大阪府大阪市阿倍野区阿倍野筋1-1-43 ☎06-6624-1111
https://abenoharukas.d-kintetsu.co.jp/

【業績(連結)】	売上高	営業利益	経常利益	純利益
22.2	98,146	▲1,399	▲572	▲775
23.2	107,848	1,566	1,945	1,893
24.2	113,506	3,902	3,864	2,777

㈱東急百貨店（とうきゅうひゃっかてん）

[くるみん]

【特色】東急の完全子会社。グループ流通事業の中核

[記者評価] 東急グループの流通事業中核。渋谷を拠点として東急線沿線を中心に百貨店、ショッピングセンター、専門店を展開。小型店「東急フードショースライス」新店開発加速。セミセルフ形式の小型コスメストアにも注力。23年1月、55年の歴史を持つ東京・渋谷本店が閉店。

平均勤続年数	男性育休取得率	3年後離職率	平均年収(平均46歳)
23.2年	50.0→50.0%	35.3→46.2%	[総]530万円

●採用・配属情報●

【男女・文理別採用実績】

	大卒男	大卒女	修士男	修士女
23年	0(文 0理 0)	0(文 0理 0)	0(文 0理 0)	0(文 0理 0)
24年	0(文 0理 0)	0(文 0理 0)	0(文 0理 0)	0(文 0理 0)
25年	0(文 0理 0)	6(文 6理 0)	0(文 0理 0)	1(文 1理 0)

【男女・職種別採用実績】

	総合職
23年	0(男 0 女 0)
24年	0(男 0 女 0)
25年	7(男 0 女 7)

【24年4月入社者の配属勤務地】[総]なし
【転勤】なし
【中途比率】[単年度]21年度0%、22年度0%、23年度NA [全体]27%

●働きやすさ、諸制度●

残業(月) 7.3時間 [総]8.7時間

【勤務時間】フレックスタイム制 コアタイム12:10〜16:40 実働7時間45分【有休取得年平均】13.2日【週休】2日（シフト制）【夏期休暇】半期ごとに8日または11日の連続休暇（有休含む）【年末年始休暇】半期ごとに8日または11日の連続休暇（有休含む）
【離職率】男:29.1%、159名 女:29.1%、184名（早期退職男136名、女148名含む）
【新卒3年後離職率】
[20→23年]35.3%（男50.0%・入社2名、女33.3%・入社15名）
[21→24年]46.2%（男37.5%・入社8名、女60.0%・入社5名）
【テレワーク】制度あり:[場所]自宅[対象]全社員（勤務地により異なる）[日数]週に2日まで[利用率]NA【勤務制度】フレックス 時間単位有休 副業容認【住宅補助】なし

●ライフイベント、女性活躍●

【女性比率】■男 □女

新卒採用 100%（7名）

従業員 53.7%（448名）

管理職 26.1%（29名）

【産休】[期間]産前8・産後8週間[給与]法定[取得者数]16名
【育休】[期間]2年間[給与]法定[取得者数]22年度 男3名（対象6名）女10名（対象10名）23年度 男4名（対象8名）女16名（対象16名）[平均取得日数]22年度 NA、23年度 男71日 女423日
【従業員】[人数]835名（男387名、女448名）[平均年齢]45.9歳（男48.3歳、女43.8歳）[平均勤続年数]23.2年（男24.6年、女22.0年）
【年齢構成】■男 □女

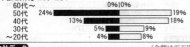

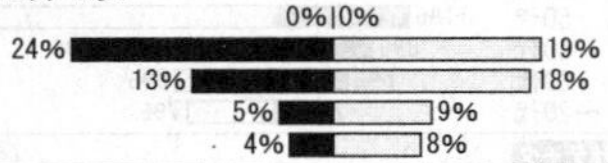
60代〜 0%|0%
50代 24% 19%
40代 13% 18%
30代 5% 9%
〜20代 4% 8%

[会社データ] （金額は百万円）

【本社】150-8019 東京都渋谷区道玄坂2-24-1 ☎03-3477-3111
https://www.tokyu-dept.co.jp/

【業績(単独)】	売上高	営業利益	経常利益	純利益
22.1	121,899	▲2,716	▲2,921	▲7,225
23.1	128,554	353	134	▲3,653
24.1	99,026	▲84	▲286	196

※売上高は百貨店店舗計

㈱そごう・西武（せいぶ）

[えるぼし ★★★] [くるみん]

【特色】西武、そごうの両ブランドを基軸に百貨店を展開

[記者評価] ミレニアムリテイリング傘下の西武百貨店とそごうを核にスタート。「西武」「そごう」の両百貨店を運営。東京・池袋などの都市型店と地域密着型店を計10店舗展開。23年9月セブン＆アイが米投資ファンドのフォートレス・インベストメントに株式を売却。

平均勤続年数	男性育休取得率	3年後離職率	平均年収(平均48歳)
24.4年	46.7→64.3%	45.6→29.7%	[総]642万円

●採用・配属情報●

【男女・文理別採用実績】

	大卒男	大卒女	修士男	修士女
23年	10(文 10理 0)	29(文 27理 2)	0(文 0理 0)	0(文 0理 0)
24年	8(文 8理 0)	27(文 27理 0)	0(文 0理 0)	1(文 1理 0)
25年	11(文 11理 0)	29(文 28理 1)	0(文 0理 0)	0(文 0理 0)

【男女・職種別採用実績】 転換制度:⇒

	総合職
23年	39(男 10 女 29)
24年	36(男 8 女 28)
25年	40(男 11 女 29)

【24年4月入社者の配属勤務地】[総]東京・池袋19 横浜6 千葉7 大宮4
【転勤】あり:[職種]総合職（入社5年目以降、転居を伴う異動なしを選択可）[勤務地]全国
【中途比率】[単年度]21年度3%、22年度3%、23年度13% [全体]NA

●働きやすさ、諸制度●

残業(月) 14.3時間 [総]14.3時間

【勤務時間】9:30〜18:00（シフト勤務あり）【有休取得年平均】10.9日【週休】2日【夏期休暇】連続8日推奨（4〜9月で1回、連続3日+有休、週休）【年末年始休暇】連続8日推奨（10〜3月で1回、連続3日+有休、週休）
【離職率】男:5.3%、70名 女:8.5%、83名
【新卒3年後離職率】
[20→23年]45.6%（男52.9%・入社17名、女43.1%・入社51名）
[21→24年]29.7%（男12.5%・入社8名、女34.5%・入社29名）
【テレワーク】制度なし【勤務制度】副業容認【住宅補助】転勤援助（引越し代・礼金・仲介手数料等転勤費用 転勤手当 他、制度適応者）

●ライフイベント、女性活躍●

【女性比率】■男 □女

新卒採用 72.5%（29名）

従業員 41.7%（897名）

【産休】[期間]産前8・産後8週間[給与]法定[取得者数]12名
【育休】[期間]以下から選択(1)2歳に達した以降最初に迎える4月16日まで(2)1歳に達した以降最初に迎える4月16日までと小学校就学日から小学校1年生の3月31日までの両期間(3)産後8週間以内と小学校就学日から小学校3年生の4月16日まで[給与]法定[取得者数]22年度 男7名（対象15名）女16名（対象9名）23年度 男9名（対象14名）女13名（対象12名）[平均取得日数]22年度 NA、23年度 男4日 女469日
【従業員】[人数]2,152名（男1,255名、女897名）[平均年齢]47.9歳（男51.1歳、女43.3歳）[平均勤続年数]24.4年（男27.3年、女20.3年）【年齢構成】■男 □女

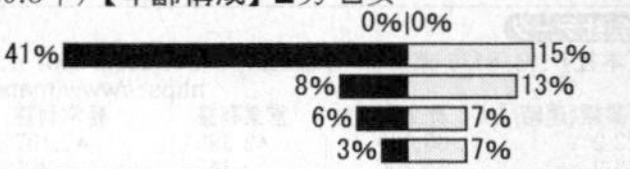
60代〜 0%|0%
50代 41% 15%
40代 8% 13%
30代 6% 7%
〜20代 3% 7%

[会社データ] （金額は百万円）

【本社】171-0022 東京都豊島区南池袋1-18-21 西武池袋本店 書籍館 ☎NA
https://www.sogo-seibu.co.jp/

【業績(単独)】	売上高	営業利益	経常利益	純利益
22.2	446,973	▲3,527	▲5,530	▲8,826
23.2	496,342	2,463	111	▲13,059
23.9変	55,449	▲1,102	▲249	40,534

小売

㈱松屋（まつや）

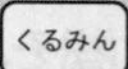

【特色】老舗の独立系百貨店。銀座と浅草の2店体制

記者評価 呉服店発祥の名門百貨店。銀座と浅草の2店体制だが、収益の大半を銀座本店で稼ぐ。婦人服や服飾雑貨などに強い。海外ブランドを強化し、ルイ・ヴィトンを筆頭に高級イメージを確立。銀座、浅草の名店とコラボレーションした冷凍食品を開発。自社ECに注力。

平均勤続年数	男性育休取得率	3年後離職率	平均年収(平均47歳)
22.4年	25.0→100%	45.5→36.4%	㊗669万円

●採用・配属情報●

【男女・文理別採用実績】

	大卒男	大卒女	修士男	修士女
23年	4(文 4 理 0)	3(文 3 理 0)	0(文 0 理 0)	0(文 0 理 0)
24年	5(文 5 理 0)	8(文 8 理 0)	0(文 0 理 0)	0(文 0 理 0)
25年	6(文 6 理 0)	14(文 14 理 0)	1(文 1 理 0)	0(文 0 理 0)

【男女・職種別採用実績】

	総合職
23年	9(男 4 女 5)
24年	18(男 5 女 13)
25年	24(男 7 女 17)

【24年4月入社者の配属勤務地】㊗東京・銀座18

【転勤】なし

【中途比率】[単年度]21年度8%、22年度38%、23年度59%[全体]7%

●働きやすさ、諸制度●

残業(月) 11.4時間 ㊗11.4時間

【勤務時間】年間1,890時間(フレックスタイム制、変形労働時間制)【有休取得年平均】12.6日【週休】完全2日【夏期休暇】1日、別途連続10日【年末年始休暇】3日

【離職率】男:2.8%、8名 女:2.6%、7名

【新卒3年後離職率】
[20→23年]45.5%(男55.6%・入社9名、女38.5%・入社13名)
[21→24年]36.4%(男50.0%・入社6名、女20.0%・入社5名)

【テレワーク】制度あり:[場所]NA[対象]NA[日数]NA[利用率]NA【勤務制度】フレックス 副業容認【住宅補助】なし

●ライフイベント、女性活躍●

【女性比率】■男 □女

新卒採用 70.8%(17名)　従業員 48.6%(261名)　管理職 19.8%(44名)

【産休】[期間]産前8・産後8週間[給与]産前7〜8週は有給、以後法定[取得者数]4名

【育休】[期間]3年間[給与]法定[取得者数]22年度 男2名(対象8名)女7名(対象7名)23年度 男1名(対象1名)女4名(対象4名)[平均取得日数]22年度 NA、23年度 NA

【従業員】[人数]537名(男276名、女261名)[平均年齢]46.9歳(男48.1歳、女45.7歳)[平均勤続年数]22.4年(男22.2年、女22.6年)

【年齢構成】■男 □女

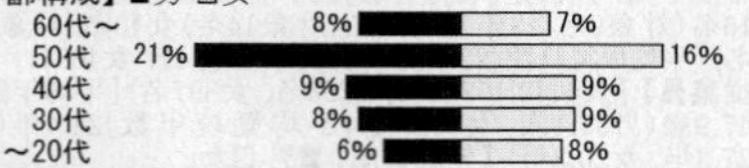

会社データ (金額は百万円)

【本社】104-8130 東京都中央区銀座3-6-1 ☎03-3567-1211
https://www.matsuya.com/corp/

【業績(連結)】	売上高	営業利益	経常利益	純利益
22.2	65,039	▲2,280	▲2,107	1,000
23.2	34,400	347	261	4,383
24.2	41,251	2,974	2,938	2,631

㈱小田急百貨店（おだきゅうひゃっかてん）

【特色】小田急電鉄の百貨店子会社。新宿など3店舗

記者評価 小田急電鉄の全額出資。1961年設立され、翌年11月新宿店開業。76年町田店、85年藤沢店(神奈川県)オープンし、3店舗体制。親会社と東京メトロによる新宿駅西口再開発計画に基づき新宿店本館は2022年10月で営業終了、「ハルク」へ移転。跡地は超高層ビルに。

平均勤続年数	男性育休取得率	3年後離職率	平均年収(平均46歳)
15.5年	0→0%	23.5→—	㊗525万円

●採用・配属情報●

【男女・文理別採用実績】

	大卒男	大卒女	修士男	修士女
23年	0(文 0 理 0)	0(文 0 理 0)	0(文 0 理 0)	0(文 0 理 0)
24年	2(文 2 理 0)	7(文 7 理 0)	0(文 0 理 0)	0(文 0 理 0)
25年	3(文 2 理 1)	3(文 3 理 0)	0(文 0 理 0)	0(文 0 理 0)

【男女・職種別採用実績】 転換制度:NA

	総合職
23年	0(男 0 女 0)
24年	9(男 2 女 7)
25年	6(男 3 女 3)

【24年4月入社者の配属勤務地】㊗NA

【転勤】あり:[職種]総合職[勤務地]東京 神奈川

【中途比率】[単年度]21年度NA、22年度NA、23年度NA[全体]NA

●働きやすさ、諸制度●

残業(月) 3.5時間 ㊗9.6時間

【勤務時間】9:45〜18:45【有休取得年平均】19.7日【週休】2日【夏期休暇】なし【年末年始休暇】なし

【離職率】男:10.7%、26名 女:10.7%、59名(選択定年8名を含む)

【新卒3年後離職率】
[20→23年]23.5%(男14.3%・入社7名、女30.0%・入社10名)
[21→24年]—(男—・入社0名、女—・入社0名)

【テレワーク】制度あり:[場所]自宅 サテライトオフィス[対象]モバイルパソコンを貸与している当社従業員[日数]月10日まで[利用率]NA【勤務制度】なし【住宅補助】なし

●ライフイベント、女性活躍●

【女性比率】■男 □女

新卒採用 50%(3名)　従業員 69.4%(490名)　管理職 8.3%(6名)

【産休】[期間]産前8・産後8週間[給与]法定[取得者数]11名

【育休】[期間]一子につき最長3年間、在職中通算4年(通算4年を超えた場合も、条件を満たした場合、子の2歳までは取得可)[給与]法定[取得者数]22年度 男0名(対象5名)女8名(対象5名)23年度 男0名(対象2名)女13名(対象15名)[平均取得日数]22年度 NA、23年度 NA

【従業員】[人数]706名(男216名、女490名)[平均年齢]48.6歳(男47.4歳、女49.1歳)[平均勤続年数]15.5年(男21.8年、女12.7年)

【年齢構成】■男 □女

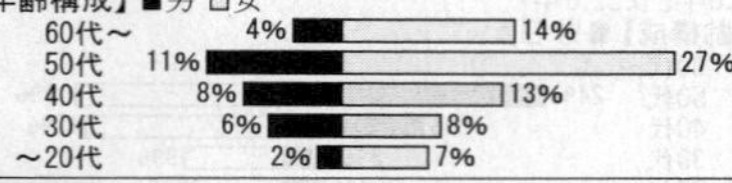

会社データ (金額は百万円)

【本社】160-8001 東京都新宿区西新宿1-5-1 ☎0570-025-888
https://www.odakyu-dept.co.jp/

【業績(単独)】NA

124 開示 ★★★★ [専門] 採用あり

㈱ローソン

[えるぼし ★★] [プラチナくるみん]

【特色】三菱商事傘下。コンビニ以外に成城石井など運営

[記者評価] コンビニ業界で国内店舗数3位。ナチュラルローソンや100円均一店のほか、チケットや音楽ソフト販売も展開。子会社に高級スーパー「成城石井」やシネコン、銀行も。KDDIによるTOB成立し24年7月上場廃止、同社と三菱商事が各50%株式を保有し共同経営に。

平均勤続年数	男性育休取得率	3年後離職率	平均年収(平均42歳)
15.9年	92.0→98.0%	31.2→33.1%	[総]637万円

●採用・配属情報●

【男女・文理別採用実績】※25年:24年7月時点

	大卒男	大卒女	修士男	修士女
23年	55(文 49理 6)	30(文 29理 1)	5(文 2理 3)	1(文 1理 0)
24年	53(文 51理 2)	36(文 31理 5)	4(文 3理 1)	5(文 3理 2)
25年	61(文 56理 5)	55(文 50理 5)	2(文 2理 0)	1(文 1理 0)

【男女・職種別採用実績】

	総合職	専門職	高専
23年	91(男 60 女 31)	3(男 2 女 1)	0(男 0 女 0)
24年	102(男 59 女 43)	4(男 3 女 1)	1(男 1 女 0)
25年	119(男 63 女 56)	2(男 1 女 1)	1(男 1 女 0)

【24年4月入社者の配属勤務地】[総]東京18 神奈川9 大阪8 福岡7 埼玉6 兵庫6 愛知5 北海道5 茨城4 広島4 岡山3 宮城3 京都3 新潟3 静岡3 石川3 福島3 愛媛2 岩手2 千葉2 徳島2 福井2 [技]東京5
【転勤】あり:正社員
【中途比率】[単年度]21年度14%、22年度28%、23年度38%[全体]45%

●働きやすさ、諸制度●

残業(月) 11.3時間 [総]11.3時間

【勤務時間】9:00〜17:45【有休取得年平均】10.9日【週休】2日【夏期休暇】連続8日(有休1日、週休1日、公休土日含む)【年末年始休暇】連続8日(有休1日、週休1日、公休土日含む)
【離職率】男:6.1%、226名 女:8.2%、80名
【新卒3年後離職率】
[20→23年]31.2%(男28.7%・入社122名、女34.3%・入社99名)
[21→24年]33.1%(男30.0%・入社60名、女36.2%・入社58名)
【テレワーク】制度あり:[場所]自宅[対象]全社員対象※店舗勤務など業務内容によって利用出来ない場合有[日数]制限なし[利用率]NA【勤務制度】週休3日 裁量労働 勤務間インターバル 副業容認【住宅補助】借上社宅(家賃補助あり)社宅以外の場合は住居手当(一般職のみ)

●ライフイベント、女性活躍●

【女性比率】■男 □女

新卒採用 46.7% (57名)
従業員 20.5% (900名)
管理職 13.5% (174名)

【産休】[期間]産前8・産後8週間[給与]法定[取得者数]39名
【育休】[期間]最長3歳に達する日の属する給与計算期間の末日まで[給与]法定[取得者数]22年度 男104名(対象113名)女42名(対象42名)23年度 男100名(対象102名)女35名(対象35名)[平均取得日数]22年度 男22日 女302日、23年度 男26日 女337日
【従業員】[人数]4,395名(男3,495名、女900名)[平均年齢]42.3歳(男44.0歳、女35.8歳)[平均勤続年数]15.9年(男17.3年、女10.4年)【年齢構成】■男 □女

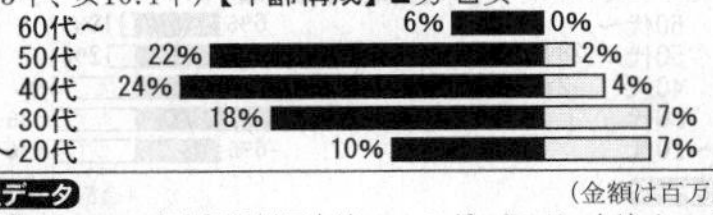

60代〜 6% 0%
50代 22% 2%
40代 24% 4%
30代 18% 7%
〜20代 10% 7%

[会社データ] (金額は百万円)
【本社】141-8643 東京都品川区大崎1-11-2 ゲートシティ大崎イーストタワー ☎03-5435-1580 https://www.lawson.co.jp/

【業績(IFRS)】	営業収入	営業利益	税前利益	純利益
22.2	943,206	52,442	33,109	22,625
23.2	1,000,385	54,459	47,134	29,708
24.2	1,087,964	94,090	77,292	52,148

1575 開示 ★★★ [短大] [専門] 採用あり

㈱セブン-イレブン・ジャパン

[えるぼし ★★] [くるみん]

【特色】セブン&アイHDの収益柱。コンビニ業界で首位

[記者評価] セブン&アイHDの中核企業。コンビニ業界首位。全店平均日販も69万円(24年2月期)と2位以下を10万円以上突き放す。商品の配送効率を重視した集中出店方式や、外部のメーカーなどと組む「チームマーチャンダイジング」体制による商品開発方式に特徴。

平均勤続年数	男性育休取得率	3年後離職率	平均年収(平均38歳)
13.0年	27.6→87.9%	21.2→30.4%	739万円

●採用・配属情報●

【男女・文理別採用実績】

	大卒男	大卒女	修士男	修士女
23年	77(文NA理NA)	50(文NA理NA)	0(文 0理 0)	0(文 0理 0)
24年	72(文NA理NA)	42(文NA理NA)	0(文 0理 0)	0(文 0理 0)
25年	75(文NA理NA)	54(文NA理NA)	0(文 0理 0)	0(文 0理 0)

【男女・職種別採用実績】

	総合職
23年	128(男 78 女 50)
24年	114(男 72 女 42)
25年	130(男 75 女 55)

【24年4月入社者の配属勤務地】[総]北海道2 東北6 関東57 中部4 東海7 関西23 中国四国7 九州8
【転勤】あり:全社員
【中途比率】[単年度]21年度2%、22年度9%、23年度15%[全体]44%

●働きやすさ、諸制度●

残業(月) 23.5時間

【勤務時間】9:00〜17:30【有休取得年平均】13.2日【週休】完全2日(土日)【夏期休暇】繁閑に合わせ、任意のタイミングで最大連続9日取得可【年末年始休暇】繁閑に合わせ、任意のタイミングで最大連続9日取得可
【離職率】男:3.0%、190名 女:4.2%、98名
【新卒3年後離職率】
[20→23年]21.2%(男17.4%・入社167名、女28.3%・入社92名)
[21→24年]30.4%(男22.5%・入社138名、女41.4%・入社99名)
【テレワーク】制度あり:[場所]自宅または会社が認めている施設[対象]本部勤務(営業職除く)[日数]週4日[利用率]NA【勤務制度】時差勤務 副業容認【住宅補助】社員寮(首都圏 関西 福岡 愛知 他)転勤者住宅補助(15,000円〜)

●ライフイベント、女性活躍●

【女性比率】■男 □女

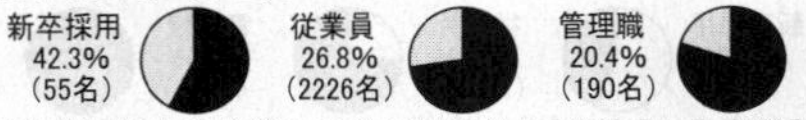

新卒採用 42.3% (55名)
従業員 26.8% (2226名)
管理職 20.4% (190名)

【産休】[期間]産前6・産後8週間[給与]法定[取得者数]141名
【育休】[期間]2歳到達後の4月15日まで[給与]法定[取得者数]22年度 男89名(対象323名)女153名(対象152名)23年度 男152名(対象173名)女157名(対象374名)[平均取得日数]22年度 男101日 女527日、23年度 男107日 女568日
【従業員】[人数]8,291名(男6,065名、女2,226名)[平均年齢]38.1歳(男39.4歳、女34.4歳)[平均勤続年数]13.0年(男13.6年、女11.3年)【年齢構成】■男 □女

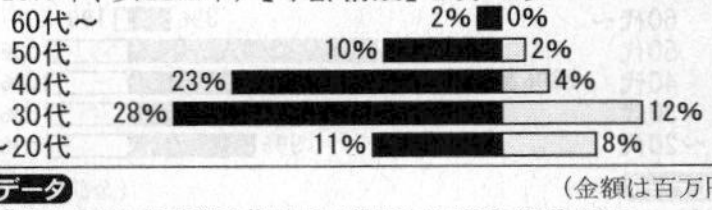

60代〜 2% 0%
50代 10% 2%
40代 23% 4%
30代 28% 12%
〜20代 11% 8%

[会社データ] (金額は百万円)
【本社】102-8455 東京都千代田区二番町8-8 ☎03-6238-3711 https://www.sej.co.jp/

【業績(単独)】	営業収入	営業利益	経常利益	純利益
22.2	863,025	223,091	273,672	189,652
23.2	872,719	232,873	282,630	203,009
24.2	894,659	251,029	297,714	211,102

㈱ファミリーマート

【特色】コンビニ大手、国内店舗数2位。伊藤忠グループ

記者評価 西友の事業部として発足。合併したam／pmや経営統合したサークルK・サンクスをファミマに転換、国内コンビニ店舗数はセブンに次ぐ2位。親会社の伊藤忠によるTOBで20年11月上場廃止。店舗でのデジタルサイネージや人型AIアシスタントの本格運用を推進。

平均勤続年数	男性育休取得率	3年後離職率	平均年収(平均42歳)
13.1年	68.9→71.4%	16.3→23.3%	総 677万円

●採用・配属情報●

【男女・文理別採用実績】※25年：24年7月23日時点

	大卒男	大卒女	修士男	修士女
23年	49(文 45理 4)	56(文 51理 5)	1(文 1理 0)	1(文 1理 0)
24年	63(文 55理 8)	40(文 38理 2)	2(文 1理 1)	1(文 1理 0)
25年	41(文 39理 2)	50(文 44理 6)	1(文 1理 0)	2(文 1理 1)

【男女・職種別採用実績】

	総合職
23年	109(男 51 女 58)
24年	108(男 66 女 42)
25年	95(男 42 女 53)

【24年4月入社者の配属勤務地】総東京58 大阪12 埼玉9 神奈川9 兵庫8 愛知6 千葉4 岐阜2

【転勤】あり：[職種]転居配慮制度申請者以外

【中途比率】[単年度]21年度30%、22年度28%、23年度38%[全体]25%

●働きやすさ、諸制度●

残業(月) 18.7時間 総 19.7時間

【勤務時間】9:00～17:30【有休取得年平均】12.2日【週休】完全2日【夏期休暇】半期毎に連続7日以上の休暇取得を奨励【年末年始休暇】半期毎に連続7日以上の休暇取得を奨励

【離職率】男：4.3%、208名 女：6.1%、100名

【新卒3年後離職率】
[20→23年]16.3%(男16.0%・入社50名、女16.7%・入社42名)
[21→24年]23.3%(男17.5%・入社63名、女29.8%・入社57名)

【テレワーク】制度あり：[場所]自宅 サテライトオフィス[対象]スタッフ担当職 SV等外勤職(管理職は除く)[日数]週1日[利用率]NA【勤務制度】時間単位有休 裁量労働 時差勤務 勤務間インターバル【住宅補助】借上社宅(転勤時)寮(新卒入社者対象、条件有)

●ライフイベント、女性活躍●

【女性比率】■男 □女

新卒採用 55.8% (53名)

従業員 24.7% (1529名)

管理職 4.2% (25名)
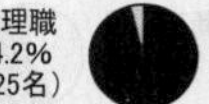

【産休】[期間]産前6・産後8週間を含む通算18週間[給与]法定[取得者数]40名

【育休】[期間]4歳になるまで[給与]法定[取得者数]22年度 男82名(対象119名)女35名(対象35名)23年度 男75名(対象105名)女40名(対象40名)[平均取得日数]22年度 男9日 女443日、23年度 男8日 女482日

【従業員】[人数]6,195名(男4,666名、女1,529名)[平均年齢]42.0歳(男42.9歳、女39.0歳)[平均勤続年数]13.1年(男14.5年、女8.2年)【年齢構成】■男 □女

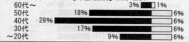

	男	女
60代～	3%	1%
50代	18%	6%
40代	28%	6%
30代	17%	6%
～20代	9%	6%

会社データ (金額は百万円)

【本社】108-0023 東京都港区芝浦3-1-21 田町ステーションタワーS ☎03-6436-7600 https://www.family.co.jp/

【業績(IFRS)】	営業収入	営業利益	税前利益	純利益
22.2	451,461	NA	137,534	90,259
23.2	461,495	NA	49,158	34,361
24.2	507,812	NA	70,510	51,855

ミニストップ㈱

えるぼし ★★★

【特色】コンビニ業界4位。厨房併設店に特徴。イオン系

記者評価 イオン系コンビニ。関東、東海を軸に全国に展開。ソフトクリームやポテトなど、店内加工のファストフードに強く、他社との差別化を図る。オフィス街でカフェ風業態も展開。イオンのPB「トップバリュ」も販売。22年に韓国事業を売却し撤退、海外はベトナムに集中。

平均勤続年数	男性育休取得率	3年後離職率	平均年収(平均45歳)
17.1年	20.0→60.0%	39.4→50.0%	総 605万円

●採用・配属情報●

【男女・文理別採用実績】※25年：継続中

	大卒男	大卒女	修士男	修士女
23年	8(文 7理 1)	10(文 7理 3)	0(文 0理 0)	0(文 0理 0)
24年	4(文 4理 0)	10(文 7理 3)	1(文 1理 0)	0(文 0理 0)
25年	19(文 18理 1)	9(文 7理 2)	1(文 1理 0)	0(文 0理 0)

【男女・職種別採用実績】

	総合職
23年	21(男 10 女 11)
24年	15(男 5 女 10)
25年	30(男 20 女 10)

【24年4月入社者の配属勤務地】総仙台2 東京・国分寺2 千葉4 名古屋3 神戸4

【転勤】あり：Gコース選択者

【中途比率】[単年度]21年度6%、22年度78%、23年度55%[全体]41%

●働きやすさ、諸制度●

残業(月) 13.1時間 総 13.1時間

【勤務時間】8:00～17:00(スタッフは変形労働時間制)店舗勤務者は24時間の3交替制【有休取得年平均】7.3日【週休】月8～9日(勤務計画表による)【夏期休暇】連続7～10日(連続休日制度、計休、指定日有休含む)【年末年始休暇】連続7～10日(連続休日制度、計休、指定日有休含む)

【離職率】男：10.9%、67名 女：2.7%、4名

【新卒3年後離職率】
[20→23年]39.4%(男38.5%・入社26名、女42.9%・入社7名)
[21→24年]50.0%(男42.9%・入社7名、女55.6%・入社9名)

【テレワーク】制度あり：[場所]自宅[対象](1)会社貸与の持ち出し可能なパソコンを所持し、会社のイントラネットに接続可能な者(2)在宅勤務者が生産性向上を見込まれ、所属長に在宅勤務を命じられた者[日数]制限なし[利用率]NA【勤務制度】フレックス 時間単位有休 勤務間インターバル【住宅補助】借上社宅 住宅助成金(10,000～50,000円)

●ライフイベント、女性活躍●

【女性比率】■男 □女

新卒採用 33.3% (10名)

従業員 20.6% (142名)

管理職 13.8% (18名)

【産休】[期間]産前8・産後8週間[給与]法定[取得者数]2名

【育休】[期間]第1子は3歳到達後の最初の4月20日まで、第2子以降は2歳になるまで[給与]法定[取得者数]22年度 男1名(対象5名)女10名(対象10名)23年度 男9名(対象15名)女0名(対象0名)[平均取得日数]22年度 NA、23年度 男56日 女－

【従業員】[人数]690名(男548名、女142名)[平均年齢]45.3歳(男46.3歳、女37.6歳)[平均勤続年数]17.1年(男17.9年、女11.4年)【年齢構成】■男 □女

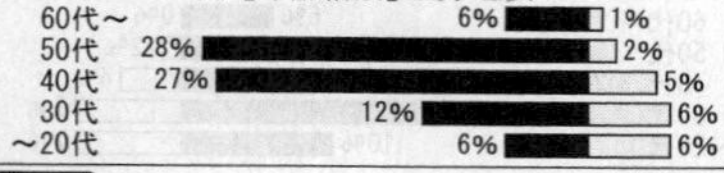

	男	女
60代～	6%	1%
50代	28%	2%
40代	27%	5%
30代	12%	6%
～20代	6%	6%

会社データ (金額は百万円)

【本社】261-8540 千葉県千葉市美浜区中瀬1-5-1 イオンタワー ☎043-212-6472 https://www.ministop.co.jp/

【業績(連結)】	営業収入	営業利益	経常利益	純利益
22.2	183,680	▲3,137	▲2,768	▲3,865
23.2	81,286	▲1,036	▲142	12,834
24.2	79,056	▲609	10	▲468

小売

ユニー(株)

くるみん

【特色】総合スーパーで東海地盤。PPIHの子会社

記者評価 総合スーパー「アピタ」や「ピアゴ」を展開。16年ユニー・ファミリーマートHDの子会社となるが、19年1月ドン・キホーテを運営するPPIH傘下に。本部主導からドンキ流の個店主義経営へと転換進む。一部店舗はドンキとのダブルネーム店へ業態転換進める。

平均勤続年数	男性育休取得率	3年後離職率	平均年収(平均45歳)
21.1年	12.2→29.0%	NA	総554万円

●採用・配属情報●

【男女・文理別採用実績】

	大卒男	大卒女	修士男	修士女
23年	74(文 67理 7)	62(文 58理 4)	1(文 1理 0)	0(文 0理 0)
24年	41(文 37理 4)	48(文 45理 3)	0(文 0理 0)	0(文 0理 0)
25年	23(文 19理 4)	16(文 15理 1)	0(文 0理 0)	1(文 1理 0)

【男女・職種別採用実績】

	総合職
23年	149(男 80 女 69)
24年	93(男 42 女 51)
25年	44(男 23 女 21)

【24年4月入社者の配属勤務地】総愛知53 岐阜6 三重5 新潟1 神奈川9 静岡12 石川1 栃木3 富山2 福井1

【転勤】あり:[職種]総合職(勤務地限定制度の利用を認められた場合、特定の範囲内のみ)

【中途比率】[単年度]21年度NA、22年度NA、23年度NA[全体]82%

●働きやすさ、諸制度●

残業(月) 19.9時間 総19.9時間

【勤務時間】9:00～18:00【有休取得年平均】NA【週休】月8～9日(ローテーション制)【夏期休暇】有休・連続休暇用休日で取得【年末年始休暇】なし

【離職率】NA

【新卒3年後離職率】
[20→23年]NA
[21→24年]NA

【テレワーク】制度なし【勤務制度】勤務間インターバル【住宅補助】借上社宅 他

●ライフイベント、女性活躍●

【女性比率】■男 □女

新卒採用 47.7%(21名)　従業員 21.3%(740名)　管理職 14.6%(365名)

【産休】[期間]産前6・産後8週間[給与]法定[取得者数]30名

【育休】[期間]1歳になるまで[給与]法定[取得者数]22年度 男5名(対象41名)女9名(対象11名)23年度 男9名(対象31名)女9名(対象9名)[平均取得日数]22年度 男116日 女491日、23年度 男68日 女503日

【従業員】[人数]3,477名(男2,737名、女740名)[平均年齢]44.6歳(男45.9歳、女39.9歳)[平均勤続年数]21.1年(男22.2年、女17.2年)

【年齢構成】■男 □女

	男	女
60代～	0%	0%
50代	36%	8%
40代	26%	4%
30代	9%	2%
～20代	8%	8%

会社データ (金額は百万円)

【本社】492-8680 愛知県稲沢市天池五反田町1 ☎0587-24-8111
https://www.uny.co.jp/

【業績(連結)】	売上高	営業利益	経常利益	純利益
22.6	1,831,280	88,688	100,442	61,928
23.6	1,936,783	105,259	110,994	66,167
24.6	2,095,077	140,193	148,709	88,701

※資本金・業績は(株)パン・パシフィック・インターナショナルホールディングスのもの

(株)イトーヨーカ堂

えるぼし★★★　プラチナくるみん+

【特色】セブン&アイHDの祖業。総合スーパーなどを運営

記者評価 総合スーパーは24年5月末時点で119店、25年2月までに93店へ縮小。非食品が振るわず自社企画の衣料品から撤退の一方、23年に兄弟会社の食品スーパー、ヨーク(約100店)と合併、食材工場新設など食品への注力で再起図る。25年度財務目標達成条件に上場を検討。

平均勤続年数	男性育休取得率	3年後離職率	平均年収(平均45歳)
! 21.2年	11.1→47.8%	32.8→29.5%	総576万円

●採用・配属情報●

【男女・文理別採用実績】

	大卒男	大卒女	修士男	修士女
23年	26(文 22理 4)	16(文 13理 3)	0(文 0理 0)	2(文 1理 1)
24年	28(文 26理 2)	28(文 25理 3)	0(文 0理 0)	0(文 0理 0)
25年	21(文 15理 6)	15(文 14理 1)	0(文 0理 0)	0(文 0理 0)

【男女・職種別採用実績】

	総合職	薬剤師
23年	44(男 26 女 18)	0(男 0 女 0)
24年	58(男 30 女 28)	0(男 0 女 0)
25年	36(男 21 女 15)	0(男 0 女 0)

【24年4月入社者の配属勤務地】総首都圏店舗58

【転勤】あり:全社員(エリア選択制度あり)

【中途比率】[単年度]21年度NA、22年度NA、23年度NA[全体]11%

●働きやすさ、諸制度●

残業(月) 14.8時間 総16.9時間

【勤務時間】実働8時間(交替制)【有休取得年平均】8.1日【週休】完全2日【夏期休暇】7日(連続休暇制度)【年末年始休暇】7日(連続休暇制度)

【離職率】男:6.7%、292名 女:10.4%、204名(他に9名転籍)

【新卒3年後離職率】
[20→23年]32.8%(男27.8%・入社79名、女40.0%・入社55名)
[21→24年]29.5%(男23.7%・入社93名、女36.1%・入社83名)

【テレワーク】制度なし【勤務制度】裁量労働 勤務間インターバル 副業容認【住宅補助】社員寮

●ライフイベント、女性活躍●

【女性比率】■男 □女

新卒採用 41.7%(15名)　従業員 30.2%(1765名)　管理職 27.1%(887名)

【産休】[期間]産前6・産後8週間[給与]法定[取得者数]105名

【育休】[期間]1歳到達後の4月15日まで[給与]法定[取得者数]22年度 男5名(対象45名)女73名(対象73名)23年度 男22名(対象46名)女39名(対象83名)[平均取得日数]22年度NA、23年度 男69日 女402日

【従業員】[人数]5,852名(男4,087名、女1,765名)[平均年齢]44.8歳(男45.2歳、女38.3歳)[平均勤続年数]21.2年(男22.6年、女18.1年)※平均年齢、平均勤続年数は再雇用含む

【年齢構成】■男 □女 ※再雇用含む

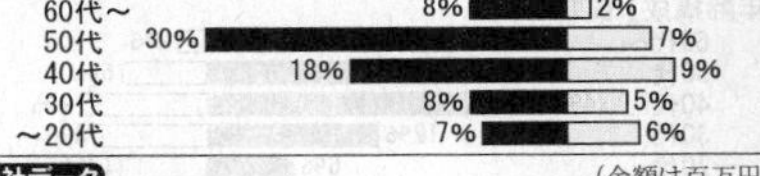

	男	女
60代～	8%	2%
50代	30%	7%
40代	18%	9%
30代	8%	5%
～20代	7%	6%

会社データ (金額は百万円)

【本社】140-8450 東京都品川区南大井6-27-18 日立大森第二ビル ☎03-5493-6722
https://www.itoyokado.co.jp/

【業績(単独)】	売上高	営業利益	経常利益	純利益
22.2	1,038,664	1,620	2,371	▲11,201
23.2	654,251	408	1,087	▲15,203
24.2	1,232,657	▲1,205	▲268	▲25,963

小売

837 開示 ★★★☆☆ 短大 専門 採用あり

㈱フジ

くるみん

【特色】中四国地方と関西のスーパー。イオングループ

記者評価 中四国と関西で食品スーパー「マックスバリュ」「フジ」中心に487店舗(24年5月末)展開。24年3月に子会社のフジ・リテイリングとマックスバリュ西日本を吸収合併。システムや物流の統合など効率化を推進する。グループでフィットネスクラブや外食事業も。

平均勤続年数	男性育休取得率	3年後離職率	平均年収(平均44歳)
18.9年	5.7→52.6%	ND→19.3%	総 469万円

●採用・配属情報●

【男女・文理別採用実績】

	大卒男	大卒女	修士男	修士女
23年	40(文 32 理 8)	38(文 37 理 1)	0(文 0 理 0)	0(文 0 理 0)
24年	37(文 31 理 6)	30(文 29 理 1)	0(文 0 理 0)	0(文 0 理 0)
25年	29(文 27 理 2)	15(文 15 理 0)	0(文 0 理 0)	0(文 0 理 0)

【男女・職種別採用実績】

	総合職
23年	84(男 42 女 42)
24年	74(男 41 女 33)
25年	45(男 30 女 15)

【24年4月入社者の配属勤務地】総 広島25 兵庫19 山口9 愛媛7 高知6 徳島3 岡山3 香川2

【転勤】あり:[職種]リージョナル社員[勤務地]中四国 兵庫西部

【中途比率】[単年度]21年度6%、22年度10%、23年度8%[全体]34%

●働きやすさ、諸制度●

残業(月) 総 12.0時間

【勤務時間】1カ月単位の変形労働時間制(1日実働4~10時間)【有休取得年平均】11.0日【週休】月9~10日【夏期休暇】連続5日(有休含む)【年末年始休暇】1日(1月1~3日のうちいずれか)

【離職率】男:2.2%、107名 女:4.2%、98名

【新卒3年後離職率】
[20→23年]ND
[21→24年]19.3%(男19.6%・入社56名、女18.9%・入社53名)

【テレワーク】制度なし【勤務制度】時差勤務 勤務間インターバル【住宅補助】独身寮(各事業所)

●ライフイベント、女性活躍●

【女性比率】■男 □女

新卒採用 33.3% (15名)

従業員 31.6% (2228名)

管理職 6.7% (50名)

【産休】[期間]産前8・産後8週間[給与]法定[取得者数]36名

【育休】[期間]2歳になるまで[給与]法定[取得者数]22年度 男3名(対象53名)女35名(対象35名)23年度 男20名(対象38名)女36名(対象36名)[平均取得日数]22年度 男29日 女391日、23年度 男22日 女343日

【従業員】[人数]7,057名(男4,829名、女2,228名)[平均年齢]44.0歳(男45.4歳、女40.9歳)[平均勤続年数]18.9年(男20.4年、女15.7年)

【年齢構成】■男 □女

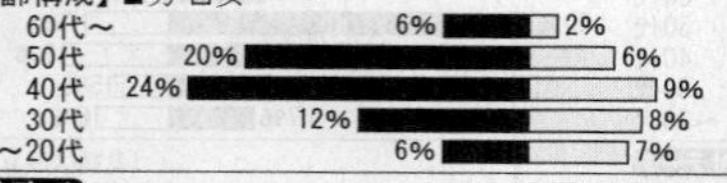

会社データ (金額は百万円)

【本社】732-0814 広島県広島市南区段原南1-3-52 広島段原ショッピングセンター5階 ☎082-535-8500 https://www.the-fuji.com/company/

【業績(連結)】	売上高	営業利益	経常利益	純利益
22.2	320,866	7,375	9,945	3,937
23.2	784,967	11,320	13,359	9,033
24.2	801,021	15,110	17,374	7,436

834 開示 ★★★☆☆ 短大 専門 採用あり

㈱イズミ

えるぼし★★★ くるみん

【特色】中国・四国・九州等で展開する総合スーパー大手

記者評価 専門店テナントを持つショッピングセンター型の「ゆめタウン」が主力。食品スーパー「ゆめマート」も含め約200店展開。セブン&アイHDとは商品調達などで提携関係。20年に脱退のニチリウグループに24年再加盟。同年8月に西友九州事業(69店)買収。

平均勤続年数	男性育休取得率	3年後離職率	平均年収(平均46歳)
16.1年	100→90.4%	24.8→26.1%	総 608万円

●採用・配属情報●

【男女・文理別採用実績】

	大卒男	大卒女	修士男	修士女
23年	59(文 56 理 3)	39(文 37 理 2)	1(文 1 理 0)	0(文 0 理 0)
24年	72(文 65 理 7)	27(文 27 理 0)	0(文 0 理 0)	0(文 0 理 0)
25年	65(文NA 理NA)	65(文NA 理NA)	0(文 0 理 0)	0(文 0 理 0)

【男女・職種別採用実績】 転換制度:⇔

	総合職	一般職(自宅通勤正社員)
23年	97(男 61 女 36)	4(男 0 女 4)
24年	99(男 68 女 31)	4(男 4 女 0)
25年	120(男 NA 女 NA)	10(男 NA 女 NA)

【24年4月入社者の配属勤務地】総 福岡25 広島22 熊本12 山口10 佐賀8 香川6 長崎6 兵庫6 岡山2 島根1 徳島1

【転勤】あり:[職種]レギュラー正社員(総合職)[勤務地]本社・店舗展開地域全域

【中途比率】[単年度]21年度27%、22年度23%、23年度23%[全体]NA

●働きやすさ、諸制度●

残業(月) 13.8時間 総 15.8時間

【勤務時間】実働8時間(変形労働時間制)【有休取得年平均】9.8日【週休】2日(月9~10日程度)【夏期休暇】特別休暇(年間6日)に含む【年末年始休暇】特別休暇(年間6日)に含む

【離職率】男:4.3%、80名 女:5.9%、70名

【新卒3年後離職率】
[20→23年]24.8%(男20.3%・入社79名、女30.6%・入社62名)
[21→24年]26.1%(男28.6%・入社35名、女23.5%・入社34名)

【テレワーク】制度なし【勤務制度】勤務間インターバル【住宅補助】独身寮(27歳未満 利用料:イズミ寮6,000円 独身寮12,000円)借上住宅(27歳以降)

●ライフイベント、女性活躍●

【女性比率】■男 □女

従業員 38.9% (1126名)

管理職 21.8% (120名)

【産休】[期間]産前6・産後8週間[給与]法定[取得者数]80名

【育休】[期間]3歳到達月末まで[給与]法定[取得者数]22年度 男64名(対象64名)女88名(対象88名)23年度 男47名(対象52名)女86名(対象80名)[平均取得日数]22年度 NA、23年度 NA

【従業員】[人数]2,893名(男1,767名、女1,126名)[平均年齢]40.1歳(男41.1歳、女39.1歳)[平均勤続年数]16.1年(男17.0年、女15.1年)

【年齢構成】■男 □女

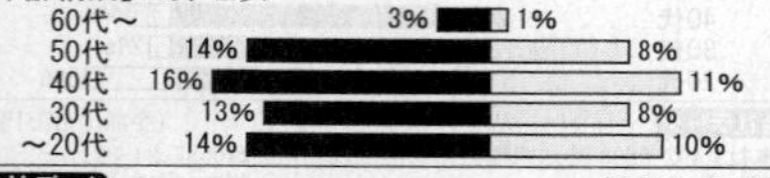

会社データ (金額は百万円)

【本社】732-8555 広島県広島市東区二葉の里3-3-1 ☎082-264-3211 https://www.izumi.co.jp/

【業績(連結)】	売上高	営業利益	経常利益	純利益
22.2	676,799	34,717	34,696	23,204
23.2	460,140	33,644	34,396	23,188
24.2	471,166	31,425	32,322	20,485

836 開示 ★★★★☆ [短大] [専門] 採用あり

㈱平和堂（へいわどう）

[えるぼし ★★] [くるみん]

【特色】滋賀県地盤。東海・北陸にも展開の総合スーパー

[記者評価] ショッピングセンター型の総合スーパーが主力だが、食品スーパーに軸足シフト。店舗の約半数がある滋賀県内で高シェア。店舗では独自の電子マネーも利用可能。ネットスーパー事業に参入。中国・湖南省で百貨店事業も展開。ニチリウグループ。

平均勤続年数	男性育休取得率	3年後離職率	平均年収(平均43歳)
18.5年	100→95.0%	29.8→33.5%	[総]569万円

●採用・配属情報●

【男女・文理別採用実績】

	大卒男	大卒女	修士男	修士女
23年	64(文 54 理 10)	43(文 37 理 6)	2(文 1 理 1)	0(文 0 理 0)
24年	64(文 57 理 7)	41(文 37 理 4)	1(文 1 理 0)	0(文 0 理 0)
25年	-(文 - 理 -)	-(文 - 理 -)	-(文 - 理 -)	-(文 - 理 -)

※25年:130名採用予定

【男女・職種別採用実績】

	総合職
23年	112(男 66 女 46)
24年	109(男 66 女 43)
25年	130(男 - 女 -)

【24年4月入社者の配属勤務地】[総]滋賀60 京都21 大阪12 兵庫4 福井3 石川2 愛知5 岐阜2

【転勤】あり:全社員

【中途比率】[単年度]21年度6%、22年度11%、23年度NA [全体]20%

●働きやすさ、諸制度●

残業(月) 15.5時間 [総]15.5時間

【勤務時間】9:00～18:00【有休取得年平均】9.4日【週休】2日(シフト制)【夏期休暇】年2回の6連休で取得(部門により異なる)【年末年始休暇】年2回の6連休で取得(部門により異なる)

【離職率】男:4.0%、101名 女:4.8%、54名

【新卒3年後離職率】
[20→23年]29.8%(男27.5%・入社109名、女33.9%・入社62名)
[21→24年]33.5%(男25.8%・入社89名、女42.3%・入社78名)

【テレワーク】制度なし【勤務制度】時差勤務 勤務間インターバル【住宅補助】借上社宅(通勤時間が90分以上の場合)

●ライフイベント、女性活躍●

【女性比率】■男 □女

従業員 30.5% (1062名)

管理職 9.5% (80名)

【産休】[期間]産前6・産後8週間[給与]法定[取得者数]30名

【育休】[期間]3歳到達月末まで[給与]開始5日間は有給、以降給付金[取得者数]22年度 男70名(対象70名)女47名(対象47名)23年度 男57名(対象60名)女31名(対象31名)[平均取得日数]22年度 男9日 女561日、23年度 男19日 女662日

【従業員】[人数]3,483名(男2,421名、女1,062名)[平均年齢]42.6歳(男43.8歳、女39.8歳)[平均勤続年数]18.5年(男19.5年、女16.2年)

【年齢構成】■男 □女

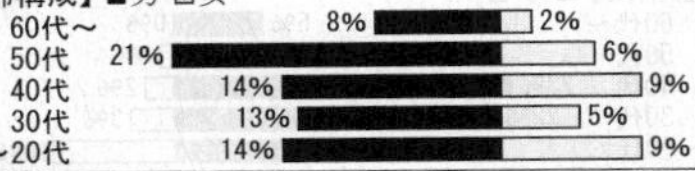

[会社データ] (金額は百万円)

【本社】522-8511 滋賀県彦根市西今町1 ☎0749-23-3111
https://www.heiwado.jp/

【業績(連結)】	売上高	営業利益	経常利益	純利益
22.2	439,740	15,362	16,952	10,647
23.2	415,675	11,279	13,069	7,516
24.2	425,424	13,257	14,482	6,784

841 開示 ★★☆☆☆ [短大] [専門] 採用あり

㈱Olympicグループ（オリンピック）

【特色】首都圏地盤に食品スーパーやHC、専門店など展開

[記者評価] 食品スーパー、ディスカウントストア、ハイパーストア(食品とディスカウントの複合店)、ホームセンターの4業態を展開。M&Aを含めて首都圏に出店を集中するドミナント戦略をとる。業態ごとに子会社があり、独自の品ぞろえやサービスを提供する専門店化を追求。

平均勤続年数	男性育休取得率	3年後離職率	平均年収(平均41歳)
15.8年	NA	29.2→53.5%	[総]532万円

●採用・配属情報●

【男女・文理別採用実績】

	大卒男	大卒女	修士男	修士女
23年	20(文 17 理 3)	5(文 5 理 0)	0(文 0 理 0)	0(文 0 理 0)
24年	23(文 20 理 3)	13(文 11 理 2)	0(文 0 理 0)	0(文 0 理 0)
25年	-(文 - 理 -)	-(文 - 理 -)	0(文 0 理 0)	0(文 0 理 0)

※25年:25名採用予定

【男女・職種別採用実績】

	総合職
23年	30(男 24 女 6)
24年	39(男 24 女 15)
25年	25(男 - 女 -)

【24年4月入社者の配属勤務地】[総]東京25 埼玉6 神奈川5 千葉3

【転勤】あり:全社員

【中途比率】[単年度]21年度41%、22年度21%、23年度42%[全体]NA

●働きやすさ、諸制度●

残業(月) 22.0時間 [総]22.0時間

【勤務時間】8時間【有休取得年平均】9.7日【週休】1～3日(シフト制)【夏期休暇】なし【年末年始休暇】なし

【離職率】NA

【新卒3年後離職率】
[20→23年]29.2%(男NA、女NA)
[21→24年]53.5%(男NA、女NA)

【テレワーク】制度なし【勤務制度】なし【住宅補助】なし

●ライフイベント、女性活躍●

【女性比率】■男 □女

従業員 65.1% (2166名)

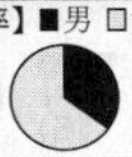

【産休】[期間]産前6・産後8週間[給与]法定[取得者数]33名

【育休】[期間]1歳になるまで[給与]法定[取得者数]22年度 男4名(対象NA)女7名(対象NA)23年度 男4名(対象NA)女16名(対象NA)[平均取得日数]22年度 男356日 女462日、23年度 男30日 女201日

【従業員】[人数]3,329名(男1,163名、女2,166名)[平均年齢]41.3歳(男NA、女NA)[平均勤続年数]15.8年(男NA、女NA)

【年齢構成】■男 □女

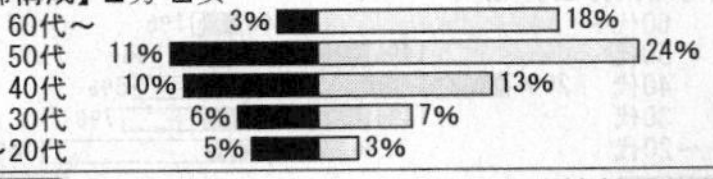

[会社データ] (金額は百万円)

【本社】185-0012 東京都国分寺市本町4-12-1 ☎042-300-7200
https://www.olympic-corp.co.jp/

【業績(連結)】	売上高	営業利益	経常利益	純利益
22.2	98,849	1,928	1,814	905
23.2	91,983	315	156	108
24.2	90,937	190	51	▲477

1287 開示 ★★★☆☆ [短大] [専門] 採用あり

㈱ユニバース

【特色】青森県トップの食品スーパー。アークスグループ

[記者評価] 青森県が地盤の食品スーパー。青森でトップ、岩手でも高シェア。1967年に八戸市に1号店を開店。現在は青森、岩手、秋田に約60店をドミナント展開。売場面積2000㎡超の大型店舗の比率が約5割を占める。八戸の食肉プロセスセンターで商品の差別化を図る。

平均勤続年数	男性育休取得率	3年後離職率	平均年収(平均40歳)
16.3年	34.8→30.0%	23.8→44.4%	[総]491万円

●採用・配属情報●

【男女・文理別採用実績】

	大卒男	大卒女	修士男	修士女
23年	9(文 7理 2)	4(文 4理 0)	1(文 0理 1)	1(文 0理 1)
24年	7(文 4理 3)	6(文 5理 1)	0(文 0理 0)	0(文 0理 0)
25年	10(文 5理 5)	10(文 5理 5)	0(文 0理 0)	0(文 0理 0)

【男女・職種別採用実績】

	総合職
23年	17(男 12 女 5)
24年	17(男 8 女 9)
25年	22(男 11 女 11)

【24年4月入社者の配属勤務地】[総]青森(青森3 八戸6 弘前1 三沢1 五所川原2 十和田1)岩手(盛岡2 二戸1)

【転勤】あり:全社員

【中途比率】[単年度]21年度12%、22年度38%、23年度32%[全体]42%

●働きやすさ、諸制度●

残業(月) 20.0時間

【勤務時間】9:00〜18:00【有休取得年平均】10.8日【週休】4週8休【夏期休暇】なし【年末年始休暇】なし

【離職率】男:3.7%、29名 女:6.6%、23名

【新卒3年後離職率】

[20→23年]23.8%(男18.2%・入社11名、女30.0%・入社10名)

[21→24年]44.4%(男30.0%・入社20名、女52.9%・入社34名)

【テレワーク】制度なし【勤務制度】勤務間インターバル 副業容認【住宅補助】借上社宅

●ライフイベント、女性活躍●

【女性比率】■男 □女

新卒採用 50% (11名)

従業員 30.1% (324名)

管理職 4.1% (5名)

【産休】[期間]産前6・産後8週間[給与]法定[取得者数]23名

【育休】[期間]1歳になるまで[給与]法定[取得者数]22年度 男8名(対象23名)女22名(対象22名)23年度 男6名(対象20名)女17名(対象17名)[平均取得日数]22年度 NA、23年度 NA

【従業員】[人数]1,077名(男753名、女324名)[平均年齢]39.6歳(男41.8歳、女34.5歳)[平均勤続年数]16.3年(男17.5年、女12.6年)

【年齢構成】■男 □女

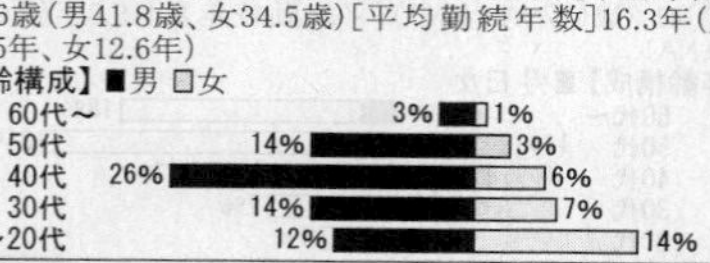

[会社データ] (金額は百万円)

【本社】039-1185 青森県八戸市大字長苗代字前田83-1 ☎0178-21-1888 https://www.universe.co.jp/

【業績(単独)】	売上高	営業利益	経常利益	純利益
22.2	131,304	5,382	5,511	3,805
23.2	130,917	4,946	5,173	3,597
24.2	140,673	NA	NA	NA

2031 開示 ★★★☆☆ [短大] [専門] 採用あり

㈱ヨークベニマル

【特色】セブン&アイ系の食品スーパー。総菜の強化図る

[記者評価] 1947年に「紅丸商店」として発足。73年イトーヨーカ堂と業務提携し現社名に。多店舗展開と中小スーパーの買収で成長。06年セブン&アイHDと経営統合し傘下に。福島中心に宮城、山形、栃木、茨城の5県に248店舗(24年2月末)をドミナント展開。

平均勤続年数	男性育休取得率	3年後離職率	平均年収(平均38歳)
◇16.8年	100→50.0%	20.9→17.1%	[総]614万円

●採用・配属情報●

【男女・文理別採用実績】

	大卒男	大卒女	修士男	修士女
23年	55(文 46理 9)	38(文 33理 5)	0(文 0理 0)	0(文 0理 0)
24年	60(文 48理 12)	25(文 23理 2)	1(文 0理 1)	1(文 1理 0)
25年	60(文 45理 15)	30(文 25理 5)	0(文 0理 0)	0(文 0理 0)

※25年:計画数

【男女・職種別採用実績】

	総合職
23年	103(男 59 女 44)
24年	102(男 74 女 28)
25年	100(男 65 女 35)

【職種併願】総合職(全エリア転勤可もしくはエリア限定)で可能

【24年4月入社者の配属勤務地】[総]福島39 宮城32 山形3 栃木13 茨城15

【転勤】あり:[職種]総合職[勤務地]ナショナル社員:福島 宮城 山形 栃木 茨城 レギュラーA社員:拠点の県に限る

【中途比率】[単年度]21年度2%、22年度1%、23年度1%[全体]NA

●働きやすさ、諸制度●

残業(月) 14.5時間 [総]30.2時間

【勤務時間】8時間【有休取得年平均】7.5日【週休】2日(シフト制)【夏期休暇】年2回の7連休制度で取得【年末年始休暇】年2回の7連休制度で取得

【離職率】◇男:1.7%、45名 女:3.8%、17名

【新卒3年後離職率】

[20→23年]20.9%(男17.0%・入社47名、女30.0%・入社20名)

[21→24年]17.1%(男14.8%・入社54名、女21.4%・入社28名)

【テレワーク】制度なし【勤務制度】なし【住宅補助】住宅手当(家賃駐車場の5割を会社負担)

●ライフイベント、女性活躍●

【女性比率】■男 □女

新卒採用 35% (35名)

従業員 14.3% (428名)

管理職 7.3% (41名)

【産休】[期間]産前6・産後8週間[給与]法定[取得者数]79名

【育休】[期間]1歳になるまで[給与]法定[取得者数]22年度 男1名(対象1名)女64名(対象64名)23年度 男3名(対象6名)女72名(対象72名)[平均取得日数]22年度 男5日 女80日、23年度 男8日 女80日

【従業員】◇[人数]2,984名(男2,556名、女428名)[平均年齢]39.1歳(男40.6歳、女30.1歳)[平均勤続年数]16.8年(男18.1年、女9.0年)

【年齢構成】■男 □女

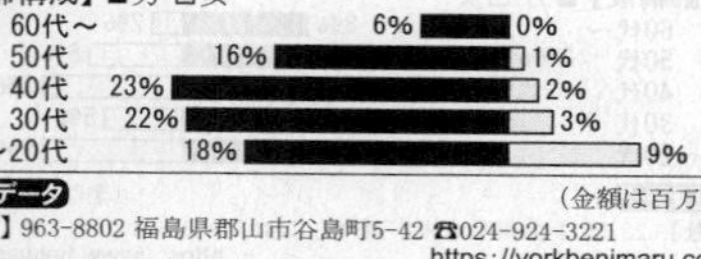

[会社データ] (金額は百万円)

【本社】963-8802 福島県郡山市谷島町5-42 ☎024-924-3221 https://yorkbenimaru.com/

【業績(単独)】	売上高	営業利益	経常利益	純利益
22.2	469,415	14,704	15,953	9,055
23.2	458,991	18,013	18,421	45,278
24.2	479,913	18,701	19,183	11,616

小売

㈱カスミ

【特色】茨城県地盤の食品スーパー。イオン系列

記者評価 茨城を地盤に千葉、埼玉などで195店舗(24年4月末)を展開。イオングループのユナイテッド・スーパーマーケットHD傘下、マルエツなども同グループ。食品スーパーの中でもデジタル技術の導入に積極的。23年の販促方法転換による常連客の離反顕著。集客改善が課題。

平均勤続年数	男性育休取得率	3年後離職率	平均年収(平均41歳)
13.9年	22.2 → 26.5%	27.3 → 35.9%	㊣545万円

●採用・配属情報●

【男女・文理別採用実績】

	大卒男	大卒女	修士男	修士女
23年	37(文 35 理 2)	28(文 18 理 10)	1(文 0 理 1)	0(文 0 理 0)
24年	32(文 28 理 4)	24(文 23 理 1)	0(文 0 理 0)	0(文 0 理 0)
25年	35(文 − 理 −)	35(文 − 理 −)	−(文 − 理 −)	−(文 − 理 −)

【男女・職種別採用実績】

	総合職
23年	67(男 38 女 29)
24年	64(男 34 女 30)
25年	70(男 35 女 35)

【24年4月入社者の配属勤務地】㊣茨城44 千葉12 埼玉6 栃木1 東京1
【転勤】あり:詳細NA
【中途比率】[単年度]21年度21%、22年度15%、23年度39%[全体]1%

●働きやすさ、諸制度●

残業(月) 14.0時間 ㊣14.0時間

【勤務時間】9:00〜17:45【有休取得年平均】8.5日【週休】会社暦2日【夏期休暇】なし【年末年始休暇】なし
【離職率】男:4.0%、87名 女:5.9%、51名
【新卒3年後離職率】
[20→23年]27.3%(男19.0%・入社58名、女34.9%・入社63名)
[21→24年]35.9%(男NA、女NA)
【テレワーク】NA【勤務制度】勤務間インターバル【住宅補助】独身寮(茨城 群馬 千葉)借上アパート

●ライフイベント、女性活躍●

【女性比率】■男 □女

新卒採用 50% (35名)　従業員 28.1% (818名)　管理職 11.4% (33名)

【産休】[期間]産前6・産後8週間[給与]法定[取得者数]35名
【育休】[期間]1年2カ月[給与]法定[取得者数]22年度 男10名(対象45名)女42名(対象43名)23年度 男9名(対象34名)女42名(対象42名)[平均取得日数]22年度 男69日 女338日、23年度 男121日 女294日
【従業員】[人数]2,915名(男2,097名、女818名)[平均年齢]39.8歳(男41.9歳、女34.4歳)[平均勤続年数]13.9年(男15.4年、女10.2年)
【年齢構成】■男 □女

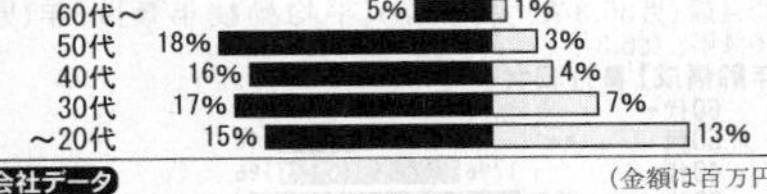

会社データ (金額は百万円)

【本社】305-8510 茨城県つくば市西大橋599-1 ☎029-850-1850
https://www.kasumi.co.jp/

【業績(連結)】	営業収益	営業利益	経常利益	純利益
22.2	716,407	12,155	12,474	5,374
23.2	708,690	6,384	6,536	1,336
24.2	706,657	6,907	6,929	1,008

※業績はユナイテッド・スーパーマーケット・ホールディングス㈱のもの

㈱ベイシア

【特色】群馬地盤のショッピングセンターチェーン

記者評価 前橋市に本拠を置く大型量販店チェーン。前身はいせや。衣食住フルラインを扱い、ワンフロア・前面駐車場の「スーパーセンター」業態が中心。食品スーパーも含め、1都14県に133店を展開(24年2月時点)。カインズ、ワークマンなどとグループ形成。

平均勤続年数	男性育休取得率	3年後離職率	平均年収(平均37歳)
11.6年	31.7 → 54.3%	37.5 → 31.6%	㊣567万円

●採用・配属情報●

【男女・文理別採用実績】

	大卒男	大卒女	修士男	修士女
23年	55(文 50 理 5)	35(文 29 理 6)	0(文 0 理 0)	0(文 0 理 0)
24年	64(文 50 理 14)	37(文 35 理 2)	0(文 0 理 0)	0(文 0 理 0)
25年	−(文 − 理 −)	−(文 − 理 −)	−(文 − 理 −)	−(文 − 理 −)

※25年:120名採用予定

【男女・職種別採用実績】

	総合職
23年	97(男 59 女 38)
24年	110(男 71 女 39)
25年	120(男 − 女 −)

【24年4月入社者の配属勤務地】㊣福島・二本松1 群馬(安中9 太田20 渋川2 みどり5 伊勢崎12 高崎8 富岡8 前橋31)埼玉(日高2 本庄7 鶴ヶ島2)千葉(佐倉1 千葉1)愛知・みよし1
【転勤】あり:[職種]全社員[勤務地]福島 茨城 栃木 群馬 埼玉 千葉 東京 神奈川 新潟 山梨 長野 岐阜 静岡 愛知 滋賀
【中途比率】[単年度]21年度39%、22年度45%、23年度58%[全体]29%

●働きやすさ、諸制度●

残業(月) 20.4時間 ㊣20.4時間

【勤務時間】実労働時間8時間・変形労働時間制、例9:50〜19:10【有休取得年平均】8.5日【週休】2日(シフト制)【夏期休暇】なし【年末年始休暇】なし
【離職率】男:4.1%、58名 女:10.7%、43名
【新卒3年後離職率】
[20→23年]37.5%(男36.9%・入社65名、女39.1%・入社23名)
[21→24年]31.6%(男28.6%・入社42名、女35.3%・入社34名)
【テレワーク】制度あり:[場所]サテライトオフィス[対象]本部職種[日数]制限なし[利用率]11.6%【勤務制度】時間単位有休【住宅補助】借上独身寮(独身者 家賃5,000円〜)借上社宅(単身赴任・家族帯同者)

●ライフイベント、女性活躍●

【女性比率】■男 □女

従業員 21% (359名)

管理職 4.2% (8名)

【産休】[期間]産前6・産後8週間[給与]法定[取得者数]14名
【育休】[期間]1歳になるまで[給与]法定[取得者数]22年度 男13名(対象41名)女8名(対象8名)23年度 男25名(対象46名)女16名(対象16名)[平均取得日数]22年度 男52日 女363日、23年度 男49日 女301日
【従業員】[人数]1,707名(男1,348名、女359名)[平均年齢]37.4歳(男38.8歳、女32.0歳)[平均勤続年数]11.6年(男12.4年、女9.2年)【年齢構成】■男 □女

	男	女
60代〜	0%	0%
50代	13%	1%
40代	22%	2%
30代	25%	7%
〜20代	19%	11%

会社データ (金額は百万円)

【本社】379-2187 群馬県前橋市亀里町900 ☎027-210-0001
https://www.beisia.co.jp/

【業績(単独)】	売上高	営業利益	経常利益	純利益
22.2	302,000	NA	NA	NA
23.2	301,800	NA	NA	NA
24.2	321,800	NA	NA	NA

小売

㈱ヤオコー

【特色】埼玉県を地盤に食品スーパーを展開。高利益率

記者評価 埼玉地盤に首都圏全域で食品スーパー「ヤオコー」など展開。増収増益更新中で、営業利益率は業界首位級。各店の裁量権が大きく、総菜や夕食メニュー等の提案型売り場に特徴がある。独自PBのほかライフと共同開発のPBも展開。ベトナムの食品スーパー2社に出資。

平均勤続年数	男性育休取得率	3年後離職率	平均年収(平均40歳)
11.5年	12.8 → 29.5%	42.4 → 35.4%	㊍724万円

●採用・配属情報●

【男女・文理別採用実績】

	大卒男	大卒女	修士男	修士女
23年	122(文105 理 17)	44(文 42 理 2)	0(文 0 理 0)	0(文 0 理 0)
24年	85(文 77 理 8)	55(文 52 理 3)	0(文 0 理 0)	0(文 0 理 0)
25年	76(文 65 理 11)	44(文 40 理 4)	0(文 0 理 0)	0(文 0 理 0)

【男女・職種別採用実績】

	総合職
23年	171(男 125 女 46)
24年	144(男 87 女 57)
25年	125(男 78 女 47)

【24年4月入社者の配属勤務地】㊍埼玉65 千葉24 東京19 群馬18 神奈川12 茨城4 栃木2

【転勤】あり:[職種]地域限定正社員を除く[勤務地]茨城 栃木 群馬 埼玉 千葉 東京 神奈川

【中途比率】[単年度]21年度33%、22年度28%、23年度36%[全体]NA

●働きやすさ、諸制度●

残業(月) 23.2時間 ㊍23.2時間

【勤務時間】9:00～17:45【有休取得年平均】8.2日【週休】完全2日(シフト制)【夏期休暇】5～7日程度(公休2日含む)【年末年始休暇】年始3日(公休2日含む※一部店舗はずらして取得)

【離職率】男:4.2%、141名 女:6.4%、62名

【新卒3年後離職率】
[20→23年]42.4%(男29.9%・入社97名、女58.7%・入社75名)
[21→24年]35.4%(男37.1%・入社151名、女33.3%・入社117名)

【テレワーク】制度あり:[場所]自宅 サテライトオフィス[対象]本社勤務者[日数]制限なし[利用率]NA【勤務制度】時間単位有休 時差勤務 勤務間インターバル【住宅補助】独身寮・社宅(29歳以下、他条件あり 個人負担:入社3年以内は基本給の8%、入社4年以降は基本給の10%)家族用社宅(29歳以下、他条件あり 個人負担:基本給の15%)

●ライフイベント、女性活躍●

【女性比率】■男 □女

新卒採用 37.6%(47名)

従業員 21.9%(900名)

管理職 14.8%(367名)

【産休】[期間]産前8・産後8週間[給与]法定[取得者数]138名

【育休】[期間]1歳になるまで[給与]法定[取得者数]22年度 男10名(対象78名)女36名(対象36名)23年度 男28名(対象95名)女43名(対象43名)[平均取得日数]22年度 NA、23年度 NA

【従業員】[人数]4,114名(男3,214名、女900名)[平均年齢]37.9歳(男39.4歳、女32.8歳)[平均勤続年数]11.5年(男12.2年、女9.0年)

【年齢構成】NA

会社データ (金額は百万円)

【本社】350-1124 埼玉県川越市新宿町1-10-1 ☎049-246-7004
https://www.yaoko-net.com/

【業績(連結)】	売上高	営業利益	経常利益	純利益
22.3	536,025	24,081	23,290	15,382
23.3	564,486	26,235	25,597	15,849
24.3	619,587	29,328	28,877	18,243

㈱ベルク

【特色】埼玉地盤の食品スーパー。効率経営に強み

記者評価 埼玉県内を中心に140店(24年5月末)を展開。店舗レイアウトを標準化しており、本部の政策をすぐに全店で実行できることが強み。業績拡大が続く。イオンが15%の株を持ち、同社の「トップバリュ」も取り扱うが、独自色強い。同じ埼玉地盤のヤオコーが好敵手。

平均勤続年数	男性育休取得率	3年後離職率	平均年収(平均33歳)
9.3年	51.0 → 77.8%	14.7 → 23.9%	㊍585万円

●採用・配属情報●

【男女・文理別採用実績】

	大卒男	大卒女	修士男	修士女
23年	67(文 64 理 3)	36(文 34 理 2)	0(文 0 理 0)	0(文 0 理 0)
24年	82(文 73 理 9)	43(文 39 理 4)	1(文 0 理 1)	0(文 0 理 0)
25年	90(文 － 理 －)	50(文 － 理 －)	4(文 － 理 －)	0(文 0 理 0)

【男女・職種別採用実績】

	総合職	技術系
23年	115(男 76 女 39)	0(男 0 女 0)
24年	134(男 83 女 51)	4(男 4 女 0)
25年	142(男 86 女 56)	8(男 8 女 0)

【24年4月入社者の配属勤務地】㊍埼玉85 千葉20 群馬13 東京9 神奈川4 栃木2 茨城1 ㊕埼玉4

【転勤】あり:[職種]ナショナル社員

【中途比率】[単年度]21年度10%、22年度21%、23年度38%[全体]29%

●働きやすさ、諸制度●

残業(月) 11.4時間 ㊍11.4時間

【勤務時間】9:00～18:00【有休取得年平均】8.8日【週休】月9日+年間8日【夏期休暇】最大7日(有休含む)【年末年始休暇】なし

【離職率】男:4.1%、80名 女:8.2%、59名

【新卒3年後離職率】
[20→23年]14.7%(男16.0%・入社81名、女9.5%・入社21名)
[21→24年]23.9%(男20.2%・入社84名、女29.6%・入社54名)

【テレワーク】制度あり:[場所]自宅 カフェ サテライトオフィス[対象]本社配属者[日数]制限なし[利用率]NA【勤務制度】勤務間インターバル【住宅補助】会社指示による転居・転勤を伴う人事異動の際は、家賃全額会社負担

●ライフイベント、女性活躍●

【女性比率】■男 □女

新卒採用 37.3%(56名)

従業員 26.1%(662名)

管理職 19.7%(381名)

【産休】[期間]産前8・産後8週間[給与]法定[取得者数]25名

【育休】[期間]1歳になるまで[給与]法定[取得者数]22年度 男25名(対象49名)女20名(対象20名)23年度 男49名(対象63名)女25名(対象25名)[平均取得日数]22年度 NA、23年度 男64日 女342日

【従業員】[人数]2,536名(男1,874名、女662名)[平均年齢]33.4歳(男35.3歳、女27.7歳)[平均勤続年数]9.3年(男10.4年、女6.3年)

【年齢構成】■男 □女

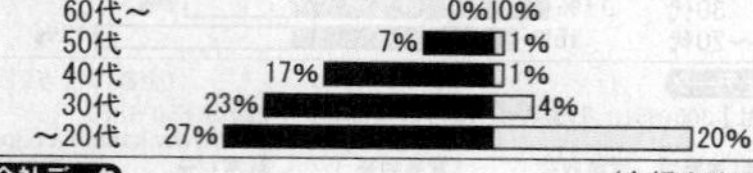

会社データ (金額は百万円)

【本社】350-2282 埼玉県鶴ヶ島市脚折1646 ☎049-287-0111
https://www.belc.jp/

【業績(連結)】	売上高	営業利益	経常利益	純利益
22.2	300,267	13,072	13,885	9,187
23.2	310,825	14,018	14,297	9,614
24.2	351,856	14,495	14,972	10,677

小売

(株)マミーマート

【特色】埼玉地盤に食品スーパー展開。高利益率

記者評価 「マミーマート」中心に78店(24年6月時点)展開。品ぞろえに強みの「生鮮市場TOP」、低価格売りの「マミープラス」など、近年は既存店の業態転換を推進。24年9月期以降は「TOP」の新規出店も再開。ヤオコー、ベルクなど強豪ひしめく首都圏郊外で高成長続く。

平均勤続年数	男性育休取得率	3年後離職率	平均年収(平均41歳)
12.0年	8.3 → 27.3%	NA	(総)596万円

●採用・配属情報●

【男女・文理別採用実績】

	大卒男	大卒女	修士男	修士女
23年	32(文 31 理 1)	10(文 10 理 0)	0(文 0 理 0)	0(文 0 理 0)
24年	20(文 19 理 1)	9(文 7 理 2)	0(文 0 理 0)	0(文 0 理 0)
25年	25(文 23 理 2)	13(文 13 理 0)	0(文 0 理 0)	0(文 0 理 0)

※25年:24年9月18日時点

【男女・職種別採用実績】 転換制度:⇔

	総合職
23年	48(男 36 女 12)
24年	31(男 22 女 9)
25年	39(男 25 女 14)

【職種併願】NA

【24年4月入社者の配属勤務地】(総)埼玉 千葉 群馬 栃木 東京

【転勤】あり:詳細NA

【中途比率】[単年度]21年度30%、22年度30%、23年度40%[全体]38%

●働きやすさ、諸制度●

残業(月) 19.6時間 (総)19.6時間

【勤務時間】9:00〜18:00【有休取得年平均】10.3日【週休】会社暦2日【夏期休暇】3日(7〜9月)【年末年始休暇】なし

【離職率】男:5.2%、43名 女:6.3%、10名

【新卒3年後離職率】
[20→23年]NA
[21→24年]NA

【テレワーク】制度なし【勤務制度】なし【住宅補助】住宅手当 住宅補助 社宅(15,000円)社宅支援制度(30,000円 条件あり)単身赴任手当

●ライフイベント、女性活躍●

【女性比率】■男 □女

新卒採用 35.9% (14名)

従業員 16.2% (150名)

管理職 5.6% (8名)
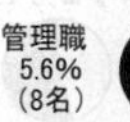

【産休】[期間]産前6・産後8週間[給与]法定[取得者数]3名

【育休】[期間]3歳に達するまで[給与]法定[取得者数]22年度 男1名(対象12名)女3名(対象3名)23年度 男3名(対象11名)女5名(対象5名)[平均取得日数]22年度 男- 女682日、23年度 男181日 女982日

【従業員】[人数]927名(男777名、女150名)[平均年齢]41.2歳(男42.2歳、女33.1歳)[平均勤続年数]12.0年(男12.5年、女9.1年)

【年齢構成】■男 □女

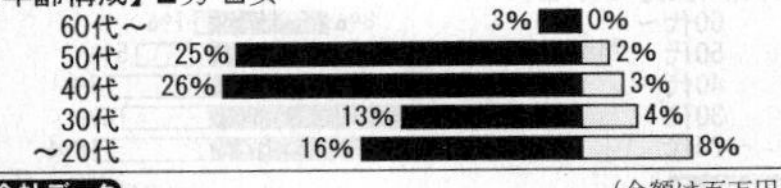

会社データ (金額は百万円)

【本社】331-0812 埼玉県さいたま市北区宮原町2-44-1 ☎048-654-2511
https://mammymart.co.jp/

【業績(連結)】	売上高	営業利益	経常利益	純利益
21.9	136,675	5,952	6,376	3,931
22.9	133,002	4,962	5,427	3,422
23.9	145,040	5,898	6,387	4,313

サミット(株)

くるみん

【特色】住友商事系の食品スーパー。首都圏に展開

記者評価 住友商事が米セーフウェイからライセンス導入し1963年に設立した京浜商会が前身。首都圏1都3県に食品スーパー「サミットストア」を約120店舗展開。生鮮や総菜に強み。顧客の近隣店から商品を届けるネットスーパーも。衣料品専門店「コルモピア」は約40店体制。

平均勤続年数	男性育休取得率	3年後離職率	平均年収(平均38歳)
12.8年	58.6 → 64.3%	42.4 → 39.3%	(総)596万円

●採用・配属情報●

【男女・文理別採用実績】

	大卒男	大卒女	修士男	修士女
23年	59(文 51 理 8)	48(文 41 理 7)	0(文 0 理 0)	0(文 0 理 0)
24年	62(文 55 理 7)	31(文 25 理 6)	0(文 0 理 0)	0(文 0 理 0)
25年	60(文 50 理 10)	60(文 50 理 10)	0(文 0 理 0)	0(文 0 理 0)

【男女・職種別採用実績】

	総合職
23年	110(男 62 女 48)
24年	98(男 64 女 34)
25年	130(男 65 女 65)

【24年4月入社者の配属勤務地】(総)東京70 神奈川17 千葉8 埼玉3

【転勤】なし

【中途比率】[単年度]21年度45%、22年度32%、23年度30%[全体]37%

●働きやすさ、諸制度●

残業(月) 25.1時間 (総)25.1時間

【勤務時間】本部9:00〜18:00(他に交代制あり)【有休取得年平均】13.4日【週休】月10日(シフト制)【夏期休暇】7日(有休4日、週休3日)【年末年始休暇】原則1月1〜3日

【離職率】男:5.7%、122名 女:11.4%、82名

【新卒3年後離職率】
[20→23年]42.4%(男38.2%・入社68名、女54.2%・入社24名)
[21→24年]39.3%(男34.4%・入社96名、女49.0%・入社49名)

【テレワーク】制度なし【勤務制度】時差勤務 勤務間インターバル【住宅補助】なし

●ライフイベント、女性活躍●

【女性比率】■男 □女

新卒採用 50% (65名)
従業員 24.1% (636名)

管理職 14.3% (194名)

【産休】[期間]産前8(出産予定日含)・産後8週間[給与]法定[取得者数]19名

【育休】[期間]1歳になるまで[給与]法定[取得者数]22年度 男41名(対象70名)女29名(対象29名)23年度 男27名(対象42名)女19名(対象19名)[平均取得日数]22年度 男115日 女395日、23年度 男118日 女NA

【従業員】[人数]2,642名(男2,006名、女636名)[平均年齢]37.0歳(男38.2歳、女33.5歳)[平均勤続年数]12.8年(男13.7年、女9.8年)

【年齢構成】■男 □女 ※嘱託社員含む

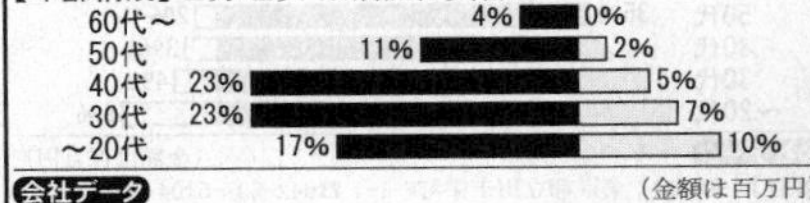

会社データ (金額は百万円)

【本社】168-0064 東京都杉並区永福3-57-14 ☎03-3318-5000
https://www.summitstore.co.jp/

【業績(単独)】	売上高	営業利益	経常利益	純利益
22.3	310,853	9,143	9,477	6,059
23.3	309,415	5,059	5,076	3,921
24.3	333,987	6,002	6,098	4,075

小売

(株)いなげや

くるみん

【特色】首都圏食品スーパー大手。ドラッグストアも展開

記者評価 スーパー「いなげや」を中心に130店体制(24年3月末)。立川など東京・多摩地区を中心に埼玉、神奈川、千葉でも展開。筆頭株主のイオンとは長らく距離を置いていたが、業績停滞を受け23年11月に同社傘下に。24年11月末にイオン子会社のUSMHと経営統合。

平均勤続年数	男性育休取得率	3年後離職率	平均年収(平均43歳)
19.5年	33.3→81.3%	9.7→41.3%	総 573万円

●採用・配属情報●

【男女・文理別採用実績】

	大卒男	大卒女	修士男	修士女
23年	25(文 20 理 5)	27(文 20 理 7)	0(文 0 理 0)	0(文 0 理 0)
24年	8(文 8 理 0)	10(文 9 理 1)	0(文 0 理 0)	0(文 0 理 0)
25年	12(文 9 理 3)	8(文 7 理 1)	0(文 0 理 0)	0(文 0 理 0)

【男女・職種別採用実績】

	総合職
23年	53(男 25 女 28)
24年	18(男 8 女 10)
25年	20(男 12 女 8)

【24年4月入社者の配属勤務地】総 東京9 埼玉6 神奈川3

【転勤】あり:地域限定社員は除く

【中途比率】[単年度]21年度34%、22年度3%、23年度6% [全体]38%

●働きやすさ、諸制度●

残業(月) 16.8時間 総 16.8時間

【勤務時間】9:00〜18:00【有休取得年平均】8.0日【週休】月9〜11日(シフト制)【夏期休暇】連続6日【年末年始休暇】なし

【離職率】男:4.3%、62名 女:11.0%、38名

【新卒3年後離職率】

[20→23年]9.7%(男6.3%・入社16名、女13.3%・入社15名)

[21→24年]41.3%(男23.1%・入社26名、女54.1%・入社37名)

【テレワーク】制度なし【勤務制度】勤務間インターバル【住宅補助】借上社宅(会社都合転勤者)

●ライフイベント、女性活躍●

【女性比率】■男 □女

新卒採用 40% (8名)　従業員 18.1% (308名)　管理職 2.7% (8名)

【産休】[期間]産前6・産後8週間[給与]法定[取得者数]9名

【育休】[期間]1歳になるまで[給与]法定[取得者数]22年度 男8名(対象24名)女13名(対象13名)23年度 男13名(対象16名)女9名(対象9名)[平均取得日数]22年度 男140日 女288日、23年度 男140日 女288日

【従業員】[人数]1,704名(男1,396名、女308名)[平均年齢]43.3歳(男45.4歳、女33.6歳)[平均勤続年数]19.5年(男21.5年、女10.5年)

【年齢構成】■男 □女

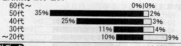

	男	女
60代〜	0%	0%
50代	35%	2%
40代	25%	3%
30代	11%	4%
〜20代	10%	9%

会社データ (金額は百万円)

【本社】190-8517 東京都立川市栄町6-1-1 ☎042-537-5104 https://www.inageya.co.jp/

【業績(連結)】	売上高	営業利益	経常利益	純利益
22.3	251,417	3,525	3,880	2,399
23.3	248,546	1,899	2,184	▲2,105
24.3	261,486	2,931	2,892	497

(株)東急(とうきゅう)ストア

くるみん

【特色】東急グループ流通事業の中核。東急沿線が主地盤

記者評価 東京、神奈川、埼玉、千葉、静岡に食品スーパー「東急ストア」、高級スーパー「プレッセ」など店舗展開。出店は東急沿線が軸。店長裁量の店舗づくりに特徴。無人決済店舗の運営にも着手。ミニスーパー、駅売店、コンビニ、ドラッグストア含め約160店舗体制。

平均勤続年数	男性育休取得率	3年後離職率	平均年収(平均41歳)
20.1年	0→11.8%	23.6→31.1%	総 562万円

●採用・配属情報●

【男女・文理別採用実績】

	大卒男	大卒女	修士男	修士女
23年	14(文 14 理 0)	26(文 23 理 3)	0(文 0 理 0)	0(文 0 理 0)
24年	18(文 16 理 2)	13(文 12 理 1)	1(文 0 理 1)	0(文 0 理 0)
25年	11(文 11 理 0)	9(文 9 理 0)	0(文 0 理 0)	0(文 0 理 0)

※25年:継続中

【男女・職種別採用実績】

	総合職
23年	42(男 16 女 26)
24年	32(男 19 女 13)
25年	20(男 11 女 9)

【24年4月入社者の配属勤務地】総 東京(港5 世田谷4 目黒4 大田3 品川1 葛飾1 調布1)神奈川(横浜6 川崎3 鎌倉1 大和2)千葉・柏1

【転勤】あり:[勤務地]下田店 川奈店 伊豆高原店

【中途比率】[単年度]21年度0%、22年度0%、23年度20% [全体]23%

●働きやすさ、諸制度●

残業(月) 19.5時間 総 19.5時間

【勤務時間】1カ月を単位とする変形労働時間制(1週平均40時間)【有休取得年平均】17.7日【週休】完全2日【夏期休暇】連続9日+マイプラン休日年3日より取得【年末年始休暇】連続9日+マイプラン休日年3日より取得

【離職率】男:3.0%、42名 女:4.6%、24名

【新卒3年後離職率】

[20→23年]23.6%(男18.2%・入社33名、女31.8%・入社22名)

[21→24年]31.1%(男32.3%・入社31名、女30.0%・入社30名)

【テレワーク】制度あり:[場所]自宅 他[対象]全社員[日数]制限なし[利用率]NA【勤務制度】なし【住宅補助】なし

●ライフイベント、女性活躍●

【女性比率】■男 □女

新卒採用 45% (9名)

従業員 26.5% (494名)　管理職 21.6% (53名)

【産休】[期間]産前8・産後8週間[給与]法定[取得者数]4名

【育休】[期間]3歳になるまで[給与]法定[取得者数]22年度 男0名(対象55名)女9名(対象24名)23年度 男2名(対象17名)女4名(対象17名)[平均取得日数]22年度 男90日 女584日、23年度 男53日 女757日

【従業員】[人数]1,866名(男1,372名、女494名)[平均年齢]43.6歳(男45.2歳、女39.1歳)[平均勤続年数]20.1年(男21.8年、女15.5年)

【年齢構成】■男 □女

	男	女
60代〜	8%	1%
50代	24%	5%
40代	18%	7%
30代	13%	6%
〜20代	11%	8%

会社データ (金額は百万円)

【本社】153-8577 東京都目黒区上目黒1-21-12 東光ビル4階 ☎03-3714-2462 https://www.tokyu-store.co.jp/

【業績(単独)】	売上高	営業利益	経常利益	純利益
22.2	184,945	3,840	3,566	2,013
23.2	193,159	3,333	2,963	1,356
24.2	200,438	4,553	4,124	2,113

小売

1291 開示 ★★★★ [専門] 採用あり

㈱スーパーアルプス

【特色】八王子中心に三多摩地区で食品スーパーを展開

[記者評価] 東京・昭島で青果商として創業。八王子市を中心とした東京西部の多摩地区、神奈川、埼玉に食品スーパー約30店舗を展開する。ドミナント戦略が出店の基軸。インストアベーカリーに注力。ショッピングセンター「コピオ」も運営。ネットスーパーを育成。

平均勤続年数	男性育休取得率	3年後離職率	平均年収(平均39歳)
◇17.1年	15.4 → 50.0%	31.3 → 28.6%	[総] 580万円

●採用・配属情報●

【男女・文理別採用実績】

	大卒男	大卒女	修士男	修士女
23年	6(文 6理 0)	1(文 0理 1)	0(文 0理 0)	0(文 0理 0)
24年	4(文 4理 0)	0(文 0理 0)	0(文 0理 0)	0(文 0理 0)
25年	8(文 -理 -)	7(文 -理 -)	0(文 0理 0)	0(文 0理 0)

※25年:予定数、総枠で20名採用目標

【男女・職種別採用実績】

	総合職
23年	8(男 7 女 1)
24年	4(男 4 女 0)
25年	15(男 8 女 7)

【24年4月入社者の配属勤務地】[総]東京・八王子4

【転勤】あり:[全職種]東京 神奈川 埼玉(転居を伴う転勤はないように配慮)

【中途比率】[単年度]21年度26%、22年度45%、23年度53%[全体]◇19%

●働きやすさ、諸制度●

残業(月) 23.5時間 [総]23.5時間

【勤務時間】9:00～18:00【有休取得年平均】13.4日【週休】月9～10日【夏期休暇】5連休以上1回または3連休以上2回取得(有休で取得)【年末年始休暇】1月1～3日全店舗休業、有休使用を推奨

【離職率】◇男:2.8%、14名 女:4.6%、10名

【新卒3年後離職率】
[20→23年]31.3%(男16.7%・入社12名、女75.0%・入社4名)
[21→24年]28.6%(男33.3%・入社9名、女20.0%・入社5名)

【テレワーク】制度なし【勤務制度】なし【住宅補助】住宅手当(単身者7,000円 配偶者有17,000円)

●ライフイベント、女性活躍●

【女性比率】■男 □女

新卒採用 46.7% (7名)

従業員 29.5% (207名)

管理職 5.3% (4名)

【産休】[期間]産前6・産後8週間[給与]法定[取得者数]3名

【育休】[期間]1歳になるまで[給与]法定[取得者数]22年度 男2名(対象13名)女10名(対象10名)23年度 男5名(対象10名)女3名(対象3名)[平均取得日数]22年度 男151日 女307日、23年度 男120日 女306日

【従業員】◇[人数]701名(男494名、女207名)[平均年齢]38.4歳(男40.8歳、女32.8歳)[平均勤続年数]17.1年(男18.4年、女13.9年)

【年齢構成】■男 □女
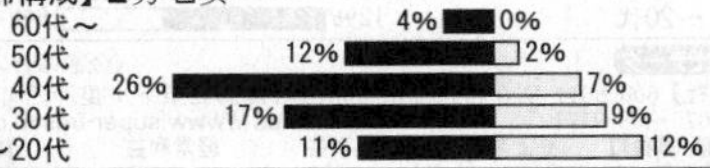
60代～ 4% 0%
50代 12% 2%
40代 26% 7%
30代 17% 9%
～20代 11% 12%

[会社データ] (金額は百万円)

【本社】192-0011 東京都八王子市滝山町2-351 ☎042-692-2111
http://superalps.info/

【業績(単独)】	売上高	営業利益	経常利益	純利益
22.3	58,891	956	1,096	609
23.3	58,465	357	463	▲57
24.3	60,301	1,135	958	887

829 開示 ★★★ [短大] [専門] 採用あり

アクシアル リテイリンググループ
(㈱原信、㈱ナルス)

[えるぼし ★] [くるみん]

【特色】新潟と群馬を地盤に食品スーパーを運営

[記者評価] 新潟県の長岡地盤の原信と上越地盤のナルスが2006年に経営統合して誕生。13年に群馬県地盤のフレッセイも統合し、現体制に。原信とナルスで合計約80店舗体制。健康や環境低負荷などがコンセプトのPB「ハナウェル」に注力。太陽光パネル設置店舗を拡大。

平均勤続年数	男性育休取得率	3年後離職率	平均年収(平均39歳)
13.7年	50.0 → 83.9%	25.0 → 32.2%	[総] 562万円

●採用・配属情報●

【男女・文理別採用実績】

	大卒男	大卒女	修士男	修士女
23年	28(文 21理 7)	19(文 16理 3)	1(文 0理 1)	0(文 0理 0)
24年	23(文 22理 1)	7(文 5理 2)	1(文 1理 0)	0(文 0理 0)
25年	14(文 10理 4)	7(文 5理 2)	0(文 0理 0)	1(文 0理 1)

※25年:24年7月時点

【男女・職種別採用実績】

	総合職
23年	53(男 32 女 21)
24年	34(男 25 女 9)
25年	26(男 15 女 11)

【24年4月入社者の配属勤務地】[総]新潟(新潟14 長岡10 三条2 魚沼2 上越1 燕1 柏崎1 十日町1 五泉1)長野・中野1

【転勤】あり:[職種]全社員[勤務地]新潟 富山 長野

【中途比率】[単年度]21年度22%、22年度19%、23年度12%[全体]NA

●働きやすさ、諸制度●

残業(月) 21.4時間 [総]21.4時間

【勤務時間】本部9:00～18:00 各店舗は実働8時間のシフト制【有休取得年平均】15.5日【週休】1カ月単位の変形制【夏期休暇】連続6日(年2回)連続5日(年1回)連続4日(年1回、有休2日含む)【年末年始休暇】なし

【離職率】男:3.8%、44名 女:4.7%、23名

【新卒3年後離職率】
[20→23年]25.0%(男20.0%・入社40名、女35.0%・入社20名)
[21→24年]32.2%(男26.5%・入社34名、女40.0%・入社25名)

【テレワーク】制度なし【勤務制度】なし【住宅補助】必要に応じ借上寮、社宅

●ライフイベント、女性活躍●

【女性比率】■男 □女

新卒採用 42.3% (11名)

従業員 29.8% (467名)

管理職 8.2% (14名)

【産休】[期間]産前6・産後8週間[給与]法定[取得者数]24名

【育休】[期間]1歳になるまで[給与]法定[取得者数]22年度 男19名(対象38名)女20名(対象20名)23年度 男26名(対象31名)女21名(対象21名)[平均取得日数]22年度 男114日 女371日、23年度 男31日 女290日

【従業員】[人数]1,567名(男1,100名、女467名)[平均年齢]37.8歳(男39.5歳、女34.1歳)[平均勤続年数]13.7年(男14.5年、女11.8年)

【年齢構成】■男 □女
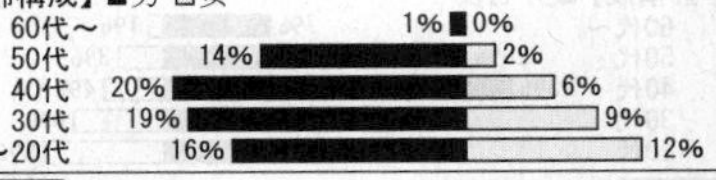
60代～ 1% 0%
50代 14% 2%
40代 20% 6%
30代 19% 9%
～20代 16% 12%

[会社データ] (金額は百万円)

【本社】954-0193 新潟県長岡市中興野18-2 ☎0258-66-6714
https://www.axial-r.com/

【業績(連結)】	売上高	営業利益	経常利益	純利益
22.3	246,450	10,310	10,615	7,074
23.3	254,966	10,443	10,940	6,356
24.3	270,224	11,779	12,332	7,442

※会社データはアクシアル リテイリング㈱のもの

小売

マックスバリュ東海(株)

えるぼし★★ くるみん

【特色】東海地区地盤の食品スーパー。イオン系

【記者評価】1997年に経営破綻した旧ヤオハンが母体でイオン子会社となり再建。マックスバリュ(MV)中部を19年に吸収併。都市部小型店の「MVエクスプレス」を含めて240店(24年5月末)。店舗の約半数は静岡で、愛知、三重が続く。25年4月入社者から初任給を25万円に増額予定。

平均勤続年数	男性育休取得率	3年後離職率	平均年収(平均43歳)
8.6年	46.9→52.2%	37.7→34.9%	㊍558万円

●採用・配属情報●

【男女・文理別採用実績】

	大卒男	大卒女	修士男	修士女
23年	24(文 21 理 3)	7(文 5 理 2)	0(文 0 理 0)	0(文 0 理 0)
24年	22(文 16 理 6)	11(文 11 理 0)	1(文 1 理 0)	0(文 0 理 0)
25年	28(文 24 理 4)	15(文 13 理 2)	1(文 1 理 0)	0(文 0 理 0)

【男女・職種別採用実績】

	総合職
23年	32(男 25 女 7)
24年	37(男 23 女 14)
25年	50(男 30 女 20)

【24年4月入社者の配属勤務地】㊍愛知14 静岡8 三重6 岐阜1 滋賀2 山梨3 神奈川3

【転勤】あり:総合職

【中途比率】[単年度]21年度13%、22年度15%、23年度56%[全体]68%

●働きやすさ、諸制度●

残業(月) 13.8時間 ㊍13.8時間

【勤務時間】9:00〜18:00【有休取得年平均】8.7日【週休】勤務シフト制【夏期休暇】なし【年末年始休暇】なし

【離職率】男:3.9%、73名 女:5.1%、26名

【新卒3年後離職率】

[20→23年]37.7%(男33.3%・入社30名、女43.5%・入社23名)

[21→24年]34.9%(男36.2%・入社58名、女32.1%・入社28名)

【テレワーク】制度あり:[場所]NA[対象]制限なし[日数]週3日[利用率]NA【勤務制度】フレックス 時間単位有休 裁量労働 勤務間インターバル【住宅補助】社宅(自己負担24,300〜55,100円)※部屋タイプによって異なる

●ライフイベント、女性活躍●

【女性比率】■男 □女

新卒採用 40%(20名) 従業員 21.2%(480名) 管理職 15.8%(102名)

【産休】[期間]産前8・産後8週間[給与]法定[取得者数]13名

【育休】[期間]3歳を超えた4月15日まで[給与]職場復帰前に所定内賃金の10日間分[取得者数]22年度 男15名(対象32名)女16名(対象16名)23年度 男12名(対象23名)女17名(対象17名)[平均取得日数]22年度 男64日 女336日、23年度 男85日 女444日

【従業員】[人数]2,260名(男1,780名、女480名)[平均年齢]43.3歳(男45.1歳、女36.7歳)[平均勤続年数]8.6年(男9.2年、女6.4年)

【年齢構成】■男 □女

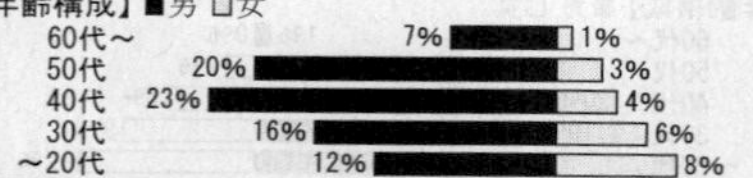

会社データ (金額は百万円)

【本社】435-0042 静岡県浜松市中央区篠ケ瀬町1295-1 ☎053-421-7000 https://www.mv-tokai.co.jp/

【業績(連結)】	売上高	営業利益	経常利益	純利益
22.2	354,907	11,296	11,227	7,595
23.2	351,107	10,302	10,285	6,169
24.2	366,742	13,482	13,516	8,313

(株)ハートフレンド

【特色】京都中心に食品スーパー「フレスコ」など展開

【記者評価】食品スーパー「フレスコ」「フレスコプチ」「フレスコミニ」、ディスカウント業態「コレモ」などを展開。京都の小売市場が前身。滋賀、大阪、兵庫にも店舗網。新店開発・リニューアルに積極的。PB「エフグリーン」「エフプライス」にも注力。

平均勤続年数	男性育休取得率	3年後離職率	平均年収(平均40歳)
10.3年	0→8.3%	42.1→41.0%	㊍480万円

●採用・配属情報●

【男女・文理別採用実績】

	大卒男	大卒女	修士男	修士女
23年	6(文 6 理 0)	7(文 7 理 0)	0(文 0 理 0)	0(文 0 理 0)
24年	9(文 9 理 0)	1(文 1 理 0)	0(文 0 理 0)	0(文 0 理 0)
25年	-(文 - 理 -)	-(文 - 理 -)	-(文 - 理 -)	-(文 - 理 -)

【男女・職種別採用実績】

	総合職	一般職
23年	13(男 6 女 7)	4(男 0 女 4)
24年	11(男 9 女 2)	0(男 0 女 0)
25年	-(男 - 女 -)	-(男 - 女 -)

【24年4月入社者の配属勤務地】㊍京都9 大阪2

【転勤】あり:[勤務地]各支店(京都 滋賀 大阪 兵庫)

【中途比率】[単年度]21年度48%、22年度23%、23年度37%[全体]48%

●働きやすさ、諸制度●

残業(月) 23.0時間 ㊍23.0時間

【勤務時間】8:30〜17:30【有休取得年平均】9.0日【週休】2日【夏期休暇】なし【年末年始休暇】なし

【離職率】男:5.0%、25名 女:12.4%、20名

【新卒3年後離職率】

[20→23年]42.1%(男41.7%・入社12名、女42.9%・入社7名)

[21→24年]41.0%(男23.1%・入社13名、女50.0%・入社26名)

【テレワーク】制度なし【勤務制度】フレックス【住宅補助】NA

●ライフイベント、女性活躍●

【女性比率】■男 □女

従業員 22.8%(141名) 管理職 13.6%(8名)

【産休】[期間]産前6・産後8週間[給与]法定[取得者数]10名

【育休】[期間]1歳になるまで[給与]法定[取得者数]22年度 男0名(対象11名)女5名(対象5名)23年度 男1名(対象12名)女7名(対象10名)[平均取得日数]22年度 NA、23年度 NA

【従業員】[人数]618名(男477名、女141名)[平均年齢]40.2歳(男42.1歳、女33.9歳)[平均勤続年数]10.3年(男10.8年、女8.5年)

【年齢構成】■男 □女

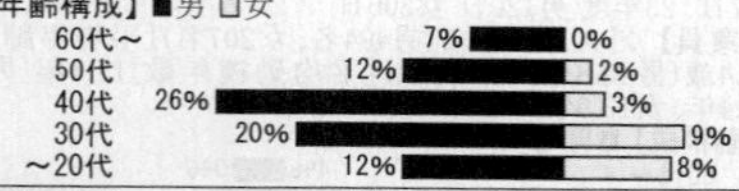

会社データ (金額は百万円)

【本社】600-8311 京都府京都市下京区若宮通五条下ル毘沙門町33-1 ☎075-468-9171 https://www.super-fresco.co.jp/

【業績(単独)】	売上高	営業利益	経常利益	純利益
22.2	54,800	NA	NA	NA
23.2	54,000	NA	NA	NA
24.2	56,800	NA	NA	NA

小売

(株)ライフコーポレーション

[えるぼし ★★] [くるみん]

【特色】首都圏と近畿圏で集中展開する食品スーパー大手

[記者評価] 大阪と東京の2本社体制で、近畿・首都圏で311店舗（24年8月末）を展開。三菱商事が2割超の株保有、現社長は同社出身。オーガニック食品のPB「ビオラル」など、独自商品の品質に定評。アマゾンと宅配サービスで協業。近年は店長の裁量権を広げている。

平均勤続年数	男性育休取得率	3年後離職率	平均年収（平均41歳）
15.3年	50.9 → 46.6%	26.0 → 22.1%	[総]610万円

●採用・配属情報●

【男女・文理別採用実績】

	大卒男	大卒女	修士男	修士女
23年	173（文158 理 15）	99（文 94 理 5）	1（文 0 理 1）	1（文 0 理 1）
24年	108（文 98 理 10）	93（文 80 理 13）	2（文 0 理 2）	1（文 0 理 1）
25年	145（文 − 理 −）	145（文 − 理 −）	0（文 0 理 0）	0（文 0 理 0）

※25年：予定数

【男女・職種別採用実績】

	総合職
23年	288（男 180 女108）
24年	213（男 112 女101）
25年	300（男 150 女150）

【24年4月入社者の配属勤務地】[総]大阪84 兵庫16 京都10 奈良1 東京74 神奈川24 埼玉3 千葉1

【転勤】なし

【中途比率】[単年度]21年度40%、22年度27%、23年度29%[全体]19%

●働きやすさ、諸制度●

残業（月） 13.2時間 [総]13.2時間

【勤務時間】変形労働時間制（1日4〜10時間）【有休取得年平均】10.5日【週休】月9〜10日（シフト制）【夏期休暇】なし【年末年始休暇】なし

【離職率】男：3.2%、167名 女：5.8%、92名

【新卒3年後離職率】

[20→23年]26.0%（男22.0%・入社168名、女37.3%・入社59名）

[21→24年]22.1%（男17.7%・入社124名、女27.5%・入社102名）

【テレワーク】制度あり：[場所]自宅[対象]全社員[日数]制限なし[利用率]NA【勤務制度】勤務間インターバル【住宅補助】なし

●ライフイベント、女性活躍●

【女性比率】■男 □女

新卒採用 50%（150名）

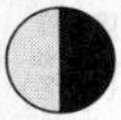

従業員 22.9%（1485名）

管理職 5.6%（56名）

【産休】[期間]産前8・産後8週間[給与]法定+共済会計8割給付[取得者数]47名

【育休】[期間]3年間[給与]法定[取得者数]22年度 男58名（対象114名）女39名（対象39名）23年度 男55名（対象118名）女41名（対象41名）[平均取得日数]22年度 男54日 女603日、23年度 男88日 女608日

【従業員】[人数]6,492名（男5,007名、女1,485名）[平均年齢]39.3歳（男40.6歳、女35.0歳）[平均勤続年数]15.3年（男15.8年、女10.2年）【年齢構成】■男 □女

	男	女
60代〜	0%	0%
50代	17%	3%
40代	24%	4%
30代	19%	6%
〜20代	17%	10%

会社データ （金額は百万円）

【本社】532-0004 大阪府大阪市淀川区西宮原2-2-22 ☎06-6150-6111 http://www.lifecorp.jp/

【業績（連結）】	売上高	営業利益	経常利益	純利益
22.2	768,334	22,932	23,695	15,208
23.2	765,425	19,148	20,015	13,327
24.2	809,709	24,118	24,948	16,938

(株)神戸物産（こうべぶっさん）

【特色】食材販売の「業務スーパー」をFC展開

[記者評価] 業務用食材を販売する「業務スーパー」を全国でFC展開。独自管理システムの導入などによりローコストでの店舗運営を徹底している。利益の柱は自社グループ工場で製造するPB商品。海外からの食材輸入も特徴。店舗内併設型総菜店で中食も強化。

平均勤続年数	男性育休取得率	3年後離職率	平均年収（平均38歳）
7.1年	22.2 → 46.2%	11.1 → 53.8%	◇494万円

●採用・配属情報●

【男女・文理別採用実績】

	大卒男	大卒女	修士男	修士女
23年	3（文 2 理 1）	3（文 3 理 0）	0（文 0 理 0）	0（文 0 理 0）
24年	7（文 6 理 1）	1（文 1 理 0）	0（文 0 理 0）	0（文 0 理 0）
25年	−（文 − 理 −）	−（文 − 理 −）	−（文 − 理 −）	−（文 − 理 −）

※25年：継続中

【男女・職種別採用実績】

	総合職	専門職	焼肉事業部
23年	2（男 1 女 1）	8（男 3 女 5）	5（男 1 女 4）
24年	8（男 6 女 2）	0（男 0 女 0）	6（男 3 女 3）
25年	−（男 − 女 −）	−（男 − 女 −）	−（男 − 女 −）

【職種併願】○

【24年4月入社者の配属勤務地】[総]兵庫・加古川6 神奈川（横浜1 川崎1）東京・江戸川2 さいたま2 静岡・富士1 [技]兵庫・加古川1

【転勤】あり：[職種]焼肉事業部

【中途比率】[単年度]21年度NA、22年度NA、23年度NA[全体]84%

●働きやすさ、諸制度●

残業（月） 21.1時間

【勤務時間】9：00〜18：00【有休取得年平均】17.3日【週休】2日【夏期休暇】なし【年末年始休暇】年始3日間

【離職率】NA

【新卒3年後離職率】

[20→23年]11.1%（男0%・入社5名、女15.4%・入社13名）

[21→24年]53.8%（男63.6%・入社11名、女46.7%・入社15名）

【テレワーク】制度なし【勤務制度】なし【住宅補助】〈本社〉なし〈焼肉事業部〉転勤時転居費用会社負担 転勤時家賃補助

●ライフイベント、女性活躍●

【女性比率】■男 □女

従業員 36%（209名）

管理職 12.3%（8名）

【産休】[期間]産前6・産後8週間[給与]法定[取得者数]8名

【育休】[期間]1歳になるまで[給与]法定[取得者数]22年度 男2名（対象9名）女13名（対象13名）23年度 男6名（対象13名）女8名（対象9名）[平均取得日数]22年度 NA、23年度 男71日 女115日

【従業員】[人数]581名（男372名、女209名）[平均年齢]37.5歳（男39.2歳、女35.5歳）[平均勤続年数]7.1年（男7.1年、女7.5年）

【年齢構成】■男 □女

	男	女
60代〜	2%	1%
50代	6%	3%
40代	24%	9%
30代	19%	12%
〜20代	13%	12%

会社データ （金額は百万円）

【本社】675-0063 兵庫県加古川市加古川町平野125-1 ☎079-457-5001 https://www.kobebussan.co.jp/

【業績（連結）】	売上高	営業利益	経常利益	純利益
21.10	362,064	27,311	29,087	19,592
22.10	406,813	27,820	32,125	20,832
23.10	461,546	30,717	29,970	20,560

2835 開示 ★★★★☆ 専門 採用あり

㈱関西（かんさい）スーパーマーケット

くるみん

【特色】関西地盤の中堅スーパー。百貨店大手H2O傘下

記者評価 大阪、兵庫を中心に約60店舗を展開する中堅スーパーで、業界のパイオニア的存在。百貨店大手エイチ・ツー・オー リテイリングのグループ会社。入社半年間の研修で実店舗の全部門を体験する。グループに同業のイズミヤ・阪急オアシス。

平均勤続年数	男性育休取得率	3年後離職率	平均年収(平均42歳)
19.7年	33.3→200.0%	42.0→57.4%	㊙568万円

●採用・配属情報●

【男女・文理別採用実績】

	大卒男	大卒女	修士男	修士女
23年	26(文 25理 1)	11(文 10理 1)	0(文 0理 0)	0(文 0理 0)
24年	13(文 10理 3)	6(文 5理 1)	0(文 0理 0)	0(文 0理 0)
25年	61(文 60理 1)	9(文 6理 3)	0(文 0理 0)	0(文 0理 0)

※25年:予定数

【男女・職種別採用実績】

	総合職
23年	38(男 26 女 12)
24年	19(男 13 女 6)
25年	70(男 61 女 9)

【24年4月入社者の配属勤務地】㊙(23年)兵庫19 大阪19

【転勤】あり:全社員

【中途比率】[単年度]21年度7%、22年度13%、23年度20% [全体]8%

●働きやすさ、諸制度●

残業(月) 19.6時間 ㊙19.6時間

【勤務時間】9:00～18:00【有休取得年平均】10.0日【週休】2日以上【夏期休暇】連続7日※2分割可【年末年始休暇】冬期連続5日 通期連続3日

【離職率】男:4.4%、41名 女:6.7%、16名

【新卒3年後離職率】
[20→23年]42.0%(男40.0%・入社35名、女46.7%・入社15名)
[21→24年]57.4%(男52.8%・入社36名、女66.7%・入社18名)

【テレワーク】制度なし【勤務制度】勤務間インターバル【住宅補助】なし

●ライフイベント、女性活躍●

【女性比率】■男 □女

新卒採用 12.9%(9名)　従業員 19.9%(222名)　管理職 0.9%(1名)

【産休】[期間]産前6・産後8週間[給与]法定+共済会2割給付[取得者数]3名

【育休】[期間]1歳になるまで[給与]法定[取得者数]22年度 男1名(対象3名)女2名(対象2名)23年度 男4名(対象2名)女3名(対象3名)[平均取得日数]22年度 男183日 女232日、23年度 男204日 女347日

【従業員】[人数]1,118名(男896名、女222名)[平均年齢]42.3歳(男42.9歳、女39.7歳)[平均勤続年数]19.7年(男20.4年、女17.1年)

【年齢構成】■男 □女

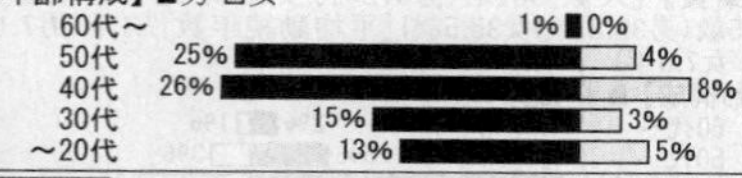

会社データ (金額は百万円)

【本社】664-0851 兵庫県伊丹市中央5-3-38 ☎072-744-5701
https://www.kansaisuper.co.jp/

【業績(連結)】	売上高	営業利益	経常利益	純利益
22.3	130,864	2,623	2,792	1,941
23.3	127,545	2,885	2,737	1,469
24.3	132,495	3,858	3,718	2,231

144 開示 ★★★★☆ 短大 専門 採用あり

㈱ハローズ

えるぼし★★　くるみん

【特色】広島・岡山地盤の食品スーパー。全店24時間営業

記者評価 店舗形態や作業の標準化、物流センターや自動発注システムによる効率化に強み。四国や兵庫含む瀬戸内海地域にドミナント展開、23年度には山口にも初出店。香川に続き広島、兵庫にも物流拠点新設。180店、年商3000億円目指す(24年2月期各110店、1954億円)。

平均勤続年数	男性育休取得率	3年後離職率	平均年収(平均36歳)
11.0年	13.3→48.3%	17.9→21.7%	㊙505万円

●採用・配属情報●

【男女・文理別採用実績】

	大卒男	大卒女	修士男	修士女
23年	44(文 35理 9)	36(文 34理 2)	0(文 0理 0)	0(文 0理 0)
24年	49(文 41理 8)	17(文 14理 3)	0(文 0理 0)	0(文 0理 0)
25年	55(文 35理 20)	55(文 35理 20)	0(文 0理 0)	0(文 0理 0)

※25年:計画数

【男女・職種別採用実績】 転換制度:⇔

	総合職	一般職
23年	88(男 48 女 40)	0(男 0 女 0)
24年	71(男 51 女 20)	0(男 0 女 0)
25年	120(男 60 女 60)	0(男 0 女 0)

【24年4月入社者の配属勤務地】㊙広島28 岡山15 兵庫13 徳島5 香川7 愛媛3

【転勤】あり:[職種]総合職[勤務地]広島 岡山 兵庫 香川 徳島 愛媛 山口※一般職はエリア限定(入社後1年間は全員希望のエリア。2年目以降は総合職・一般職を選択)

【中途比率】[単年度]21年度13%、22年度10%、23年度6% [全体]16%

●働きやすさ、諸制度●

残業(月) 24.1時間 ㊙24.7時間

【勤務時間】9:00～18:30【有休取得年平均】8.4日【週休】2日(月単位のシフト制)【夏期休暇】なし【年末年始休暇】なし

【離職率】男:5.0%、49名 女:7.5%、30名

【新卒3年後離職率】
[20→23年]17.9%(男13.0%・入社46名、女28.6%・入社21名)
[21→24年]21.7%(男28.2%・入社39名、女13.3%・入社30名)

【テレワーク】制度なし【勤務制度】なし【住宅補助】借上社宅(498名利用)家賃補助(30,000～50,000円)単身赴任手当(50,000円)

●ライフイベント、女性活躍●

【女性比率】■男 □女

新卒採用 50%(60名)　従業員 28.5%(370名)　管理職 19.8%(182名)

【産休】[期間]産前6・産後8週間[給与]法定[取得者数]43名

【育休】[期間]1歳になるまで[給与]法定[取得者数]22年度 男4名(対象30名)女16名(対象16名)23年度 男14名(対象29名)女51名(対象51名)[平均取得日数]22年度 NA、23年度 男38日 女325日

【従業員】[人数]1,297名(男927名、女370名)[平均年齢]34.3歳(男35.7歳、女30.6歳)[平均勤続年数]11.0年(男12.3年、女7.8年)

【年齢構成】■男 □女

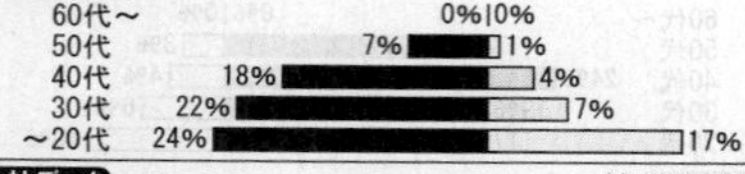

会社データ (金額は百万円)

【本社】701-0393 岡山県都窪郡早島町早島3270-1 ☎086-483-1011
https://www.halows.com/

【業績(単独)】	売上高	営業利益	経常利益	純利益
22.2	163,373	8,688	8,713	5,932
23.2	174,106	9,052	9,141	6,201
24.2	195,444	10,870	10,896	8,589

小売

139 **開示 ★★★** 短大 専門 採用あり

<ruby>日本<rt>にほん</rt></ruby>

日本マクドナルド㈱

【特色】ファストフード国内最大手。米本部の影響大きい

記者評価 世界最大のハンバーガーチェーン「マクドナルド」の日本法人。1971年に国内1号店を銀座三越に出店。現在は国内に約3000店を展開、ファストフード業界トップを走る。FC比率は約7割。接客専門の店員配置や事前注文・決済できるスマホアプリ導入でサービスを強化。

平均勤続年数	男性育休取得率	3年後離職率	平均年収(平均38歳)
11.6年	NA → 29.4%	19.6 → 38.1%	㊙644万円

●採用・配属情報●

【男女・文理別採用実績】

	大卒男	大卒女	修士男	修士女
23年	81(文 75 理 6)	77(文 70 理 7)	1(文 0 理 1)	4(文 3 理 1)
24年	85(文NA 理NA)	55(文 52 理 3)	1(文 1 理 0)	4(文 2 理 2)
25年	96(文 82 理 14)	78(文 63 理 15)	4(文 4 理 0)	6(文 4 理 2)

【男女・職種別採用実績】

	総合職
23年	171(男 84 女 87)
24年	152(男 87 女 65)
25年	193(男 104 女 89)

【24年4月入社者の配属勤務地】㊙全国直営店舗193

【転勤】あり:全社員

【中途比率】[単年度]21年度47%、22年度47%、23年度46%[全体]52%

●働きやすさ、諸制度●

残業(月) 18.4時間 ㊙18.4時間

【勤務時間】フレックスタイム制度(実働8時間)【有休取得年平均】9.5日【週休】月10日(交替制)【夏期休暇】有休で取得【年末年始休暇】有休で取得

【離職率】男:6.8%、120名 女:8.5%、93名

【新卒3年後離職率】

[20→23年]19.6%(男22.9%・入社35名、女14.3%・入社21名)

[21→24年]38.1%(男33.0%・入社94名、女43.9%・入社82名)

【テレワーク】制度あり:[場所]自宅 サテライトオフィス カフェ(上司許可必要)[対象]オフィス・フィールドスタッフ一部店長[日数]制限なし[利用率]NA【勤務制度】フレックス 副業容認【住宅補助】単身赴任の場合のみ勤務先近くに住宅を提供

●ライフイベント、女性活躍●

【女性比率】■男 □女

新卒採用 46.1% (89名)

従業員 37.9% (1003名)

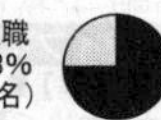

管理職 25.3% (73名)

【産休】[期間]有休が無い場合、産休前に1カ月欠勤取得(有給)、それ以外は法定[給与]法定[取得者数]105名

【育休】[期間]1歳になるまで[給与]法定[取得者数]22年度 男9名(対象NA)女29名(対象NA)23年度 男15名(対象51名)女105名(対象105名)[平均取得日数]22年度 NA、23年度 NA

【従業員】[人数]2,643名(男1,640名、女1,003名)[平均年齢]38.2歳(男39.9歳、女35.4歳)[平均勤続年数]11.6年(男14.0年、女7.7年)

【年齢構成】■男 □女

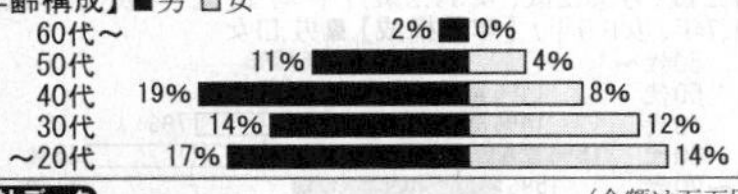

会社データ (金額は百万円)

【本社】163-1339 東京都新宿区西新宿6-5-1 新宿アイランドタワー ☎03-6911-6130 https://www.mcdonalds.co.jp/

【業績(連結)】	売上高	営業利益	経常利益	純利益
21.12	317,695	34,518	33,618	23,945
22.12	352,300	33,807	32,813	19,937
23.12	381,989	40,877	40,734	25,163

※業績は日本マクドナルドホールディングス㈱のもの

2635 **開示 ★★★★** 短大 採用あり

㈱モスフードサービス

えるぼし ★★★

【特色】「モスバーガー」を全国で展開。業界第2位

記者評価 日本発祥のハンバーガーチェーン「モスバーガー」が主力。国内店舗数は1315(24年7月末)。レタスやトマト等野菜は国産にこだわり。台湾などアジアにも展開。カフェ併設の「モスバーガー&カフェ」や持ち帰り専門店など、出店の多様化を推進。

平均勤続年数	男性育休取得率	3年後離職率	平均年収(平均42歳)
14.9年	50.0 → 33.3%	9.5 → 20.0%	㊙635万円

●採用・配属情報●

【男女・文理別採用実績】

	大卒男	大卒女	修士男	修士女
23年	4(文 3 理 1)	12(文 11 理 1)	1(文 0 理 1)	1(文 0 理 1)
24年	11(文 9 理 2)	10(文 8 理 2)	1(文 1 理 0)	0(文 0 理 0)
25年	10(文 5 理 5)	10(文 5 理 5)	0(文 0 理 0)	0(文 0 理 0)

【男女・職種別採用実績】 転換制度:⇔

	総合職
23年	19(男 5 女 14)
24年	23(男 12 女 11)
25年	20(男 10 女 10)

【24年4月入社者の配属勤務地】㊙東京(渋谷5 大田3 新宿3 江東2 板橋1 品川1)神奈川3 大阪2 千葉1 京都1

【転勤】あり:全社員

【中途比率】[単年度]21年度31%、22年度50%、23年度57%[全体]39%

●働きやすさ、諸制度●

残業(月) 15.3時間 ㊙15.3時間

【勤務時間】8:45〜17:45【有休取得年平均】11.1日【週休】2日【夏期休暇】なし【年末年始休暇】5日

【離職率】男:7.7%、26名 女:7.6%、17名(他に男1名、女1名転籍)

【新卒3年後離職率】

[20→23年]9.5%(男0%・入社7名、女14.3%・入社14名)

[21→24年]20.0%(男25.0%・入社8名、女16.7%・入社12名)

【テレワーク】制度あり:[場所]自宅[対象]店舗勤務以外[日数]制限なし[利用率]40.4%【勤務制度】フレックス【住宅補助】社宅(家賃の2分の1を会社負担、上限あり、店舗勤務で通勤圏内に住居が無い者、また業務上の都合で転居が必要な社員が対象)住宅手当(10,000〜20,000円、社宅に入居していない非管理職)

●ライフイベント、女性活躍●

【女性比率】■男 □女

新卒採用 50% (10名)

従業員 40.1% (208名)

管理職 19.9% (30名)

【産休】[期間]産前6・産後8週間[給与]法定[取得者数]3名

【育休】[期間]1歳になるまで[給与]法定[取得者数]22年度 男3名(対象6名)女2名(対象2名)23年度 男1名(対象3名)女3名(対象3名)[平均取得日数]22年度 男3日 女216日、23年度 男170日 女380日

【従業員】[人数]519名(男311名、女208名)[平均年齢]41.1歳(男44.2歳、女38.4歳)[平均勤続年数]14.9年(男17.2年、女11.6年)

【年齢構成】■男 □女

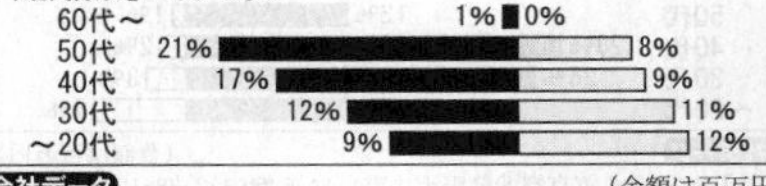

会社データ (金額は百万円)

【本社】141-6004 東京都品川区大崎2-1-1 ThinkPark Tower ☎03-5487-7371 https://www.mos.co.jp/company/

【業績(連結)】	売上高	営業利益	経常利益	純利益
22.3	78,447	3,473	3,634	3,419
23.3	85,059	41	356	▲317
24.3	93,058	4,185	4,392	2,573

小売

2745 開示 ★★★★ 短大 専門 採用あり

㈱松屋フーズ（まつや）

【特色】牛めし「松屋」や、とんかつ「松のや」等を展開

記者評価 牛丼業界3位。多様な定食メニューに定評。店舗の過半が首都圏に立地するが、近年は地方都市にも出店。ロードサイドの店舗も拡大。新業態「マイカリー食堂」を「松屋」「松のや」との複合店舗で育成中。アプリでの事前注文や駐車場受け取りなどにも対応。

平均勤続年数	男性育休取得率	3年後離職率	平均年収(平均38歳)
9.7年	13.5→36.4%	52.8→44.2%	㊙485万円

●採用・配属情報●

【男女・文理別採用実績】

	大卒男	大卒女	修士男	修士女
23年	47(文 41 理 6)	14(文 13 理 1)	3(文 3 理 0)	0(文 0 理 0)
24年	35(文 32 理 3)	19(文 16 理 3)	1(文 0 理 1)	1(文 0 理 1)
25年	−(文 −理 −)	−(文 −理 −)	−(文 −理 −)	−(文 −理 −)

【男女・職種別採用実績】

	総合職
23年	81(男 60 女 21)
24年	88(男 53 女 35)
25年	−(男 −女 −)

【24年4月入社者の配属勤務地】㊙関東51 関西24 北海道・東北2 甲信越北陸1 東海3 中四国九州7

【転勤】あり:選択コースによって異なる

【中途比率】[単年度]21年度69%、22年度64%、23年度65%[全体]51%

●働きやすさ、諸制度●

残業(月) 23.6時間 ㊙23.6時間

【勤務時間】実働8時間(変形労働時間制)【有休取得年平均】7.5日【週休】月9〜10日【夏期休暇】有休、ローテーションで取得【年末年始休暇】冬期休暇あり 有休等、ローテーションで取得

【離職率】男:9.9%、180名 女:16.0%、47名

【新卒3年後離職率】

[20→23年]52.8%(男52.0%・入社100名、女56.5%・入社23名)

[21→24年]44.2%(男42.7%・入社89名、女48.4%・入社31名)

【テレワーク】制度なし【勤務制度】なし【住宅補助】ワンルーム独身寮 住宅手当 カフェテリアプラン

●ライフイベント、女性活躍●

【女性比率】■男 □女

従業員 13.1% (246名)

管理職 2.3% (6名)

【産休】[期間]法定+産前休業(40週間)[給与]法定[取得者数]13名

【育休】[期間]1歳になるまで[給与]法定[取得者数]22年度 男7名(対象52名)女18名(対象18名)23年度 男12名(対象33名)女10名(対象10名)[平均取得日数]22年度 男57日 女332日、23年度 男57日 女332日

【従業員】[人数]1,878名(男1,632名、女246名)[平均年齢]38.0歳(男38.7歳、女33.0歳)[平均勤続年数]9.7年(男10.2年、女6.1年)

【年齢構成】■男 □女

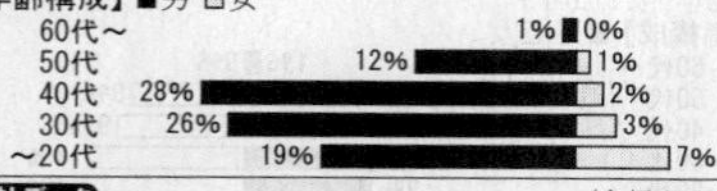

会社データ (金額は百万円)

【本社】180-0006 東京都武蔵野市中町1-14-5 ☎0422-38-1205
https://www.matsuyafoods.co.jp/

【業績(連結)】	売上高	営業利益	経常利益	純利益
22.3	94,472	▲4,200	6,398	1,105
23.3	106,500	1,468	3,914	1,255
24.3	127,611	5,322	5,979	2,915

※会社データは㈱松屋フーズホールディングスのもの

1165 開示 ★★★★ 短大 専門 採用あり

㈱ドトールコーヒー

【特色】カフェチェーン大手。フランチャイズを軸に展開

記者評価 ドトール・日レスホールディングス傘下。コーヒー豆の焙煎・卸売で創業。低価格帯「ドトールコーヒーショップ」をフランチャイズ中心に全国展開。中価格帯「エクセルシオールカフェ」も。業界トップクラスの店舗数だが近年は漸減傾向。卸売を育成中。

平均勤続年数	男性育休取得率	3年後離職率	平均年収(平均39歳)
9.8年	50.0→22.2%	50.0→63.6%	㊙523万円

●採用・配属情報●

【男女・文理別採用実績】

	大卒男	大卒女	修士男	修士女
23年	13(文 10 理 3)	24(文 19 理 5)	0(文 0 理 0)	0(文 0 理 0)
24年	19(文 19 理 0)	22(文 21 理 1)	0(文 0 理 0)	0(文 0 理 0)
25年	10(文 9 理 1)	32(文 27 理 5)	0(文 0 理 0)	0(文 0 理 0)

※25年:継続中

【男女・職種別採用実績】 転換制度:⇔

	総合職	一般職
23年	40(男 13 女 27)	0(男 0 女 0)
24年	43(男 19 女 24)	0(男 0 女 0)
25年	44(男 10 女 34)	0(男 0 女 0)

【24年4月入社者の配属勤務地】㊙東京(渋谷10 千代田8 目黒1 品川2 新宿1 世田谷1 港1 台東1 豊島1 武蔵野市2) 北海道1 神奈川2 埼玉2 大阪5 京都2 兵庫1 愛知2

【転勤】あり:[職種]総合職

【中途比率】[単年度]21年度43%、22年度72%、23年度72%[全体]62%

●働きやすさ、諸制度●

残業(月) 13.5時間 ㊙13.9時間

【勤務時間】本社9:00〜18:00【有休取得年平均】10.4日【週休】本社:年間休日119日【夏期休暇】リフレッシュ休暇最大9日の連続休暇【年末年始休暇】12月30日〜1月3日(配属によっては出勤)

【離職率】男:13.5%、83名 女:15.8%、67名

【新卒3年後離職率】

[20→23年]50.0%(男26.3%・入社19名、女61.0%・入社41名)

[21→24年]63.6%(男63.6%・入社11名、女63.6%・入社33名)

【テレワーク】制度あり:[場所]通信環境等が整い就業できる場所[対象]規定で定められた者[日数]申請承認制[利用率]NA【勤務制度】フレックス 時差勤務【住宅補助】配属店舗によっては住宅補助あり

●ライフイベント、女性活躍●

【女性比率】■男 □女

新卒採用 77.3% (34名)

従業員 40.2% (357名)

管理職 28.9% (110名)

【産休】[期間]産前6・産後8週間[給与]法定[取得者数]12名

【育休】[期間]1歳になるまで[給与]法定[取得者数]22年度 男6名(対象12名)女11名(対象11名)23年度 男4名(対象18名)女9名(対象9名)[平均取得日数]22年度 男32日 女446日、23年度 男61日 女423日

【従業員】[人数]888名(男531名、女357名)[平均年齢]37.2歳(男39.2歳、女34.2歳)[平均勤続年数]9.8年(男11.7年、女6.9年)【年齢構成】■男 □女

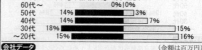

	男	女
60代〜	0%	0%
50代	14%	3%
40代	14%	7%
30代	18%	15%
〜20代	15%	16%

会社データ (金額は百万円)

【本社】150-8412 東京都渋谷区神南1-10-1 ☎03-5459-9008
https://www.doutor.co.jp/

【業績(単独)】	売上高	営業利益	経常利益	純利益
22.2	59,817	▲890	▲758	814
23.2	68,562	615	762	1,297
24.2	77,296	2,984	3,139	2,794

808 開示★★★ 短大 専門 採用あり

テンアライド(株)

【特色】居酒屋チェーン。首都圏中心に「天狗」等展開

記者評価 「テング酒場」等の居酒屋や和食店を展開。コロナ禍で不振だった居酒屋業態は「神田屋」や「てんぐ大ホール」などに業態転換。昼はランチ、夜は居酒屋というように時間帯によって看板を架け替える「二毛作」に注力。安定的な収益基盤づくりを急ぐ。

平均勤続年数	男性育休取得率	3年後離職率	平均年収(平均42歳)
15.3年	0 → —	73.7 → 53.8%	㊗518万円

●採用・配属情報●

【男女・文理別採用実績】

	大卒男	大卒女	修士男	修士女
23年	2(文 2理 0)	2(文 2理 0)	0(文 0理 0)	0(文 0理 0)
24年	2(文 2理 0)	4(文 2理 2)	0(文 0理 0)	0(文 0理 0)
25年	5(文 4理 1)	5(文 3理 2)	0(文 0理 0)	0(文 0理 0)

【男女・職種別採用実績】 転換制度:⇔

	総合職	エリア職	専門職
23年	9(男 6女 3)	0(男 0女 0)	0(男 0女 0)
24年	11(男 6女 5)	3(男 0女 3)	0(男 0女 0)
25年	15(男 8女 7)	5(男 2女 3)	0(男 0女 0)

【24年4月入社者の配属勤務地】㊗東京13 愛知1

【転勤】あり:[職種]総合職[勤務地]東京 埼玉 神奈川 千葉 静岡 愛知 大阪 京都

【中途比率】[単年度]21年度0%、22年度20%、23年度55%[全体]57%

●働きやすさ、諸制度●

残業(月) 17.9時間 ㊗18.1時間

【勤務時間】本部9:00〜18:00 店舗9:00〜0:00内実働8時間【有休取得年平均】NA【週休】月10日(交替制)【夏期休暇】有休で3日取得【年末年始休暇】12月31日+有休

【離職率】男:6.6%、15名 女:19.1%、9名

【新卒3年後離職率】
[20→23年]73.7%(男80.0%・入社10名、女66.7%・入社9名)
[21→24年]53.8%(男57.1%・入社7名、女50.0%・入社6名)

【テレワーク】制度なし【勤務制度】時間単位有休 週休3日 裁量労働 副業容認【住宅補助】賃貸入居者は家賃50%支給(上限あり)持家者にはローン期間中最大月28,500円の持家手当

●ライフイベント、女性活躍●

【女性比率】■男 □女

新卒採用 50%(10名) 従業員 15.3%(38名) 管理職 8.6%(7名)

【産休】[期間]産前6・産後8週間[給与]法定[取得者数]2名

【育休】[期間]1歳になるまで[給与]法定[取得者数]22年度 男0名(対象4名)女1名(対象1名)23年度 男0名(対象0名)女2名(対象2名)[平均取得日数]22年度 男− 女307日、23年度 男− 女202日

【従業員】[人数]249名(男211名、女38名)[平均年齢]42.3歳(男43.8歳、女32.8歳)[平均勤続年数]15.3年(男16.4年、女8.3年)

【年齢構成】■男 □女

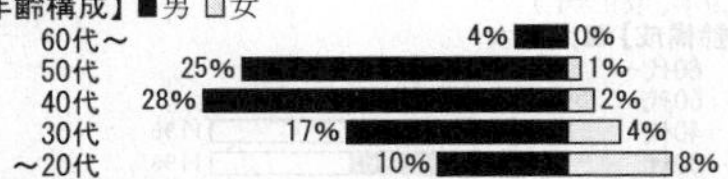

会社データ (金額は百万円)

【本社】152-0004 東京都目黒区鷹番2-16-18 Kビル ☎03-5768-7470 https://www.teng.co.jp/

【業績(連結)】	売上高	営業利益	経常利益	純利益
22.3	4,823	▲3,132	▲290	▲339
23.3	9,489	▲1,328	▲864	▲1,147
24.3	11,146	168	170	27

1129 開示★★★★ 専門 採用あり

(株)Genki Global Dining Concepts

ゲンキ グローバル ダイニング コンセプツ

【特色】「魚べい」が主力の回転ずし大手。海外店舗多数

記者評価 高速レーンを設置したすしチェーン「魚べい」が主力。中国や東南アジアをはじめ海外でのフランチャイズ展開に強み。ハワイは直営で運営。海外担当者は出張が多い。英会話や栄養学など自己啓発支援制度あり。コメ卸大手の神明ホールディングスの子会社。

平均勤続年数	男性育休取得率	3年後離職率	平均年収(平均40歳)
10.7年	37.5 → 33.3%	53.3 → 56.5%	㊗582万円

●採用・配属情報●

【男女・文理別採用実績】

	大卒男	大卒女	修士男	修士女
23年	0(文 0理 0)	3(文 3理 0)	0(文 0理 0)	0(文 0理 0)
24年	9(文 9理 0)	4(文 3理 1)	0(文 0理 0)	0(文 0理 0)
25年	6(文 4理 2)	3(文 3理 0)	0(文 0理 0)	0(文 0理 0)

【男女・職種別採用実績】 転換制度:⇔

	総合職
23年	4(男 1女 3)
24年	19(男 12女 7)
25年	13(男 7女 6)

【職種併願】○

【24年4月入社者の配属勤務地】㊗新潟1 栃木1 茨城3 群馬2 東京5 岐阜3 大阪3 兵庫1

【転勤】あり:全社員(勤務地限定制度あり)

【中途比率】[単年度]21年度57%、22年度67%、23年度90%[全体]60%

●働きやすさ、諸制度●

残業(月) 18.5時間 ㊗18.5時間

【勤務時間】9:00〜18:00【有休取得年平均】9.1日【週休】2日(シフト制)【夏期休暇】なし【年末年始休暇】なし

【離職率】男:7.4%、36名 女:15.1%、25名

【新卒3年後離職率】
[20→23年]53.3%(男36.4%・入社11名、女63.2%・入社19名)
[21→24年]56.5%(男80.0%・入社15名、女12.5%・入社8名)

【テレワーク】制度あり:[場所]自宅[対象]会社から許可を得たもの[日数]制限なし[利用率]100%【勤務制度】勤務間インターバル【住宅補助】独身寮(20,000〜35,000円の寮費+家賃上限を超過した金額 自己負担)単身寮・持家寮(家賃上限を超過した金額 自己負担)個人寮(65,000円 満たない場合は実家賃を寮費とし、家賃上限を超過した金額は寮費に加算)

●ライフイベント、女性活躍●

【女性比率】■男 □女

新卒採用 46.2%(6名) 従業員 23.8%(141名) 管理職 10.2%(6名)

【産休】[期間]産前6・産後8週間[給与]法定[取得者数]4名

【育休】[期間]1歳になるまで[給与]法定[取得者数]22年度 男3名(対象8名)女3名(対象3名)23年度 男3名(対象9名)女3名(対象3名)[平均取得日数]22年度 男133日 女330日、23年度 男176日 女356日

【従業員】[人数]593名(男452名、女141名)[平均年齢]39.4歳(男40.5歳、女35.8歳)[平均勤続年数]10.7年(男12.4年、女5.4年)【年齢構成】■男 □女

60代〜 3% 1%
50代 13% 4%
40代 28% 5%
30代 19% 6%
〜20代 13% 9%

会社データ (金額は百万円)

【本社】320-0811 栃木県宇都宮市上大曽町320-2 大曽研修センター ☎03-6824-9200 https://www.genkisushi.co.jp/corporate/

【業績(連結)】	売上高	営業利益	経常利益	純利益
22.3	44,607	265	245	1,301
23.3	54,614	1,736	1,759	1,013
24.3	61,838	4,917	5,081	3,262

小売

1162 開示 ★★★☆☆ 専門 採用あり

㈱プレナス

【特色】持ち帰り弁当「ほっともっと」展開。業界最大手

記者評価 事務機の販売で創業、1980年から弁当事業に進出。持ち帰り弁当「ほっともっと」、定食屋「やよい軒」を展開する。19年度に不振店を大量閉店。直営・FC合計で約2800店舗体制。直営店からFCへ大幅転換を進める。精米、調味料、食品加工の自前工場に強み。

平均勤続年数	男性育休取得率	3年後離職率	平均年収(平均44歳)
15.2年	400.0 → NA	28.6 → 37.9%	㊔649万円

●採用・配属情報●

【男女・文理別採用実績】

	大卒男	大卒女	修士男	修士女
23年	11(文 8理 3)	5(文 5理 0)	0(文 0理 0)	0(文 0理 0)
24年	23(文 21理 2)	14(文 12理 2)	0(文 0理 0)	0(文 0理 0)
25年	15(文 14理 1)	16(文 12理 4)	1(文 0理 1)	2(文 2理 0)

※25年:継続中

【男女・職種別採用実績】 転換制度:⇔

	総合職	地域総合職	総合職専門	一般職
23年	15(男 10女 5)	0(男 0女 0)	2(男 1女 1)	0(男 0女 0)
24年	31(男 20女 11)	1(男 1女 0)	5(男 2女 3)	0(男 0女 0)
25年	28(男 15女 13)	0(男 0女 0)	6(男 1女 5)	0(男 0女 0)

【24年4月入社者の配属勤務地】㊔(23年)東京5 神奈川4 千葉2 埼玉4 ㊕(23年)東京2

【転勤】あり:[職種]総合職 エリア限定総合職[勤務地]総合職:全国 エリア限定総合職:自身が選択した定められたエリア内

【中途比率】[単年度]21年度NA、22年度NA、23年度NA[全体]65%

●働きやすさ、諸制度●

残業(月) 28.8時間 ㊔29.9時間

【勤務時間】9:00〜17:45【有休取得年平均】12.7日【週休】2日(土日祝)※第1土曜日のみ出勤【夏期休暇】1日【年末年始休暇】12月31日〜1月3日

【離職率】男:5.2%、58名 女:5.8%、11名

【新卒3年後離職率】
[20→23年]28.6%(男28.6%・入社14名、女28.6%・入社14名)
[21→24年]37.9%(男50.0%・入社16名、女23.1%・入社13名)

【テレワーク】制度あり:[場所]自宅[対象]NA[日数]週2日[利用率]NA【勤務制度】フレックス 裁量労働 時差勤務 副業容認【住宅補助】借上寮 社宅制度 独身寮(月1万円)社宅(月2.5万円で居住可)

●ライフイベント、女性活躍●

【女性比率】■男 □女

新卒採用 52.9% (18名)

従業員 14.4% (179名)　管理職 5% (9名)

【産休】[期間]産前6・産後8週間[給与]法定[取得者数]11名

【育休】[期間]1歳になるまで[給与]法定[取得者数]22年度 男4名(対象1名)女2名(対象NA)23年度 男7名(対象NA)女4名(対象NA)[平均取得日数]22年度 NA、23年度 NA

【従業員】[人数]1,242名(男1,063名、女179名)[平均年齢]43.2歳(男44.0歳、女38.2歳)[平均勤続年数]15.2年(男15.7年、女12.0年)

【年齢構成】■男 □女

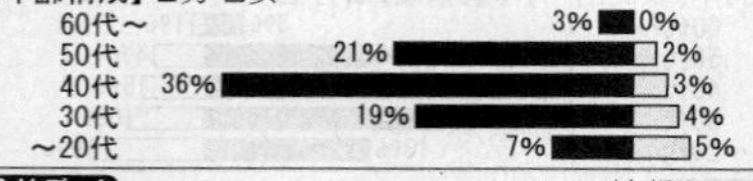

会社データ (金額は百万円)

【本社】104-0061 東京都中央区銀座6-10-1 GINZA SIX ☎03-3289-8311 https://www.plenus.co.jp/

【業績(連結)】	売上高	営業利益	経常利益	純利益
22.2	143,036	4,053	7,578	2,227
23.2	150,356	5,829	7,651	3,499
24.2	160,180	6,276	7,239	3,912

169 開示 ★★☆☆☆ 短大 専門 採用あり

㈱ロック・フィールド

【特色】野菜など素材重視の高級総菜「RF1」が主力

記者評価 岩田弘三名誉会長が1972年に設立。サラダなどの高級総菜「RF1」を始め、「神戸コロッケ」「いとはん」など複数業態を都心のデパ地下や駅ビル内での店舗が中心。市場拡大狙い、郊外など生活圏立地への出店も加速方針。女性客のリピーターが多い。

平均勤続年数	男性育休取得率	3年後離職率	平均年収(平均38歳)
14.0年	45.5 → 71.4%	NA	㊔494万円

●採用・配属情報●

【男女・文理別採用実績】

	大卒男	大卒女	修士男	修士女
23年	30(文 15理 15)	55(文 25理 30)	0(文 0理 0)	0(文 0理 0)
24年	37(文 24理 13)	107(文 43理 64)	0(文 0理 0)	0(文 0理 0)
25年	28(文 15理 13)	61(文 18理 43)	0(文 0理 0)	0(文 0理 0)

※25年:24年7月時点

【男女・職種別採用実績】 転換制度:⇔

	総合職
23年	93(男 32女 61)
24年	146(男 37女 109)
25年	91(男 28女 63)

【24年4月入社者の配属勤務地】㊔<営業>東日本55 西日本63 <生産>神戸12 静岡13 神奈川・玉川3

【転勤】あり:[職種]全職種[勤務地]全国 ※新卒5年目以降は勤務地域を限定した働き方あり

【中途比率】[単年度]21年度13%、22年度18%、23年度24%[全体]36%

●働きやすさ、諸制度●

残業(月) 23.6時間 ㊔23.6時間

【勤務時間】8:30〜17:30(職種により異なる)【有休取得年平均】12.2日【週休】完全2日(交替制)【夏期休暇】5日を推奨(有休で取得)【年末年始休暇】有休で取得

【離職率】NA

【新卒3年後離職率】
[20→23年]NA
[21→24年]NA

【テレワーク】制度あり:[場所]自宅[対象]店舗 生産ラインを除く[日数]制限なし[利用率]NA【勤務制度】週休3日 時差勤務【住宅補助】借上社宅の家賃補助(転勤者のみ)住宅手当(独身者のみ、条件あり)

●ライフイベント、女性活躍●

【女性比率】■男 □女

新卒採用 69.2% (63名)　従業員 47.9% (749名)　管理職 11.8% (14名)

【産休】[期間]産前6・産後8週間[給与]法定[取得者数]43名

【育休】[期間]2歳になるまで[給与]法定[取得者数]22年度 男10名(対象22名)女28名(対象28名)23年度 男15名(対象21名)女28名(対象28名)[平均取得日数]22年度 NA、23年度 NA

【従業員】[人数]1,565名(男816名、女749名)[平均年齢]38.2歳(男42.6歳、女33.5歳)[平均勤続年数]14.0年(男17.9年、女9.8年)

【年齢構成】■男 □女

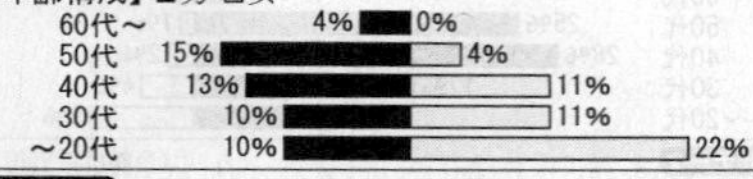

会社データ (金額は百万円)

【本社】658-0024 兵庫県神戸市東灘区魚崎浜町15-2 ☎078-435-2800 https://www.rockfield.co.jp/

【業績(連結)】	売上高	営業利益	経常利益	純利益
22.4	47,119	2,155	2,185	1,380
23.4	49,970	1,500	1,564	1,078
24.4	51,357	1,738	1,785	1,252

小売

㈱ノジマ

【特色】中堅の家電量販店。携帯販売代理店にも注力

記者評価 関東と静岡を最大地盤とする中堅家電量販。ショッピングセンター内などの売り場面積が小さめの店舗の運営を得意とする。メーカーのヘルパー(販売員)を置かない、顧客側に立った接客が大きな特徴。23年に買収したドコモショップ大手、コネクシオ再建に注力。

平均勤続年数	男性育休取得率	3年後離職率	平均年収(平均34歳)
8.1年	44.3→57.0%	53.7→49.2%	㊓501万円

●採用・配属情報●

【男女・文理別採用実績】

	大卒男	大卒女	修士男	修士女
23年	92(文 87理 5)	56(文 51理 5)	1(文 0理 1)	0(文 0理 0)
24年	201(文188理 13)	89(文 81理 8)	3(文 1理 2)	3(文 3理 0)
25年	160(文140理 20)	110(文100理 10)	5(文 3理 2)	5(文 3理 2)

【男女・職種別採用実績】

	総合職	専門職
23年	153(男 97 女 56)	8(男 4 女 4)
24年	309(男210 女 99)	9(男 9 女 0)
25年	290(男174 女116)	10(男 5 女 5)

【24年4月入社者の配属勤務地】㊓神奈川145 東京56 千葉31 埼玉45 静岡17 山梨2 長野1 茨城8 新潟4 ㊌神奈川9

【転勤】あり:全社員

【中途比率】[単年度]21年度43%、22年度32%、23年度51%[全体]6%

●働きやすさ、諸制度●

残業(月) 13.2時間 ㊓13.2時間

【勤務時間】9:30〜18:30【有休取得年平均】8.5日【週休】平均週2日(変形労働時間制)【夏期休暇】有休で取得【年末年始休暇】なし

【離職率】男:14.5%、315名 女:17.6%、175名

【新卒3年後離職率】

[20→23年]53.7%(男46.0%・入社163名、女64.4%・入社118名)

[21→24年]49.2%(男46.7%・入社150名、女51.6%・入社155名)

【テレワーク】制度なし【勤務制度】なし【住宅補助】住宅手当(社命による転居かつ実家・持家の者のみ)引越手当(社命による転居の場合)

●ライフイベント、女性活躍●

【女性比率】■男 □女

新卒採用 40.3% (121名)

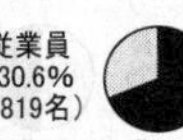
従業員 30.6% (819名)

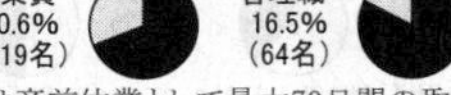
管理職 16.5% (64名)

【産休】[期間]希望者は産前休業として最大70日間の取得が可能[給与]法定[取得者数]90名

【育休】[期間]2歳になるまで[給与]法定[取得者数]22年度 男39名(対象88名)女94名(対象96名)23年度 男49名(対象86名)女95名(対象95名)[平均取得日数]22年度 男84日 女440日、23年度 男120日 女481日

【従業員】[人数]2,676名(男1,857名、女819名)[平均年齢]34.0歳(男35.3歳、女30.4歳)[平均勤続年数]8.1年(男9.0年、女6.3年)

【年齢構成】■男 □女

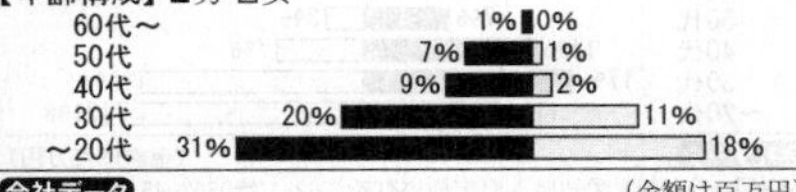

会社データ (金額は百万円)

【本社】220-0005 神奈川県横浜市西区南幸1-1-1 JR横浜タワー 26階 ☎045-228-3546 https://www.nojima.co.jp/

【業績(連結)】	売上高	営業利益	経常利益	純利益
22.3	564,989	33,166	35,890	25,862
23.3	626,181	33,572	36,246	23,315
24.3	761,301	30,560	32,937	19,979

㈱エディオン

くるみん

【特色】家電量販上位。関西、西日本中心に直営400店超

記者評価 中国地方地盤のデオデオと中部地盤のエイデンが02年に経営統合して発足。その後、関西のミドリ電化なども傘下に収め、12年に店舗ブランドを「エディオン」に統一。傘下に「100満ボルト」運営のサンキュー。台所、浴室など水回りのリフォームにも強い。

平均勤続年数	男性育休取得率	3年後離職率	平均年収(平均43歳)
18.2年	76.2→95.4%	28.3→34.2%	㊓514万円

●採用・配属情報●

【男女・文理別採用実績】

	大卒男	大卒女	修士男	修士女
23年	91(文 86理 5)	37(文 36理 1)	0(文 0理 0)	0(文 0理 0)
24年	81(文 79理 2)	23(文 23理 0)	0(文 0理 0)	0(文 0理 0)
25年	100(文 95理 5)	40(文 35理 5)	0(文 0理 0)	0(文 0理 0)

※25年:計画数

【男女・職種別採用実績】

	販売職	技術職	施工管理職	携帯専任職	陸上・アーチェリー
23年	137(男97女40)	4(男 4女 0)	0(男 0女 0)	0(男 0女 0)	0(男 0女 0)
24年	117(男92女25)	1(男 1女 0)	0(男 0女 0)	0(男 0女 0)	2(男 1女 1)
25年	150(男100女50)	5(男 4女 1)	3(男 2女 1)	2(男 1女 1)	0(男 0女 0)

【24年4月入社者の配属勤務地】㊓関東〜九州119 ㊌関東〜九州1

【転勤】あり:全社員

【中途比率】[単年度]21年度14%、22年度22%、23年度29%[全体]NA

●働きやすさ、諸制度●

残業(月) 8.0時間 ㊓8.0時間

【勤務時間】シフト制9:30〜18:30など【有休取得年平均】12.9日【週休】2日【夏期休暇】なし【年末年始休暇】なし

【離職率】男:4.9%、346名 女:8.0%、100名(他に男68名、女16名転籍)

【新卒3年後離職率】

[20→23年]28.3%(男26.4%・入社106名、女32.6%・入社46名)

[21→24年]34.2%(男36.1%・入社119名、女31.1%・入社74名)

【テレワーク】制度なし【勤務制度】勤務間インターバル 副業容認【住宅補助】社宅(会社辞令で転居を伴う場合)

●ライフイベント、女性活躍●

【女性比率】■男 □女

新卒採用 33.1% (53名)

従業員 14.6% (1147名)
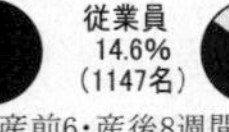

管理職 2.4% (21名)

【産休】[期間]産前6・産後8週間[給与]法定[取得者数]84名

【育休】[期間]1歳になるまで[給与]法定[取得者数]22年度 男96名(対象126名)女95名(対象95名)23年度 男104名(対象109名)女86名(対象87名)[平均取得日数]22年度 男13日 女356日、23年度 男28日 女358日

【従業員】[人数]7,843名(男6,696名、女1,147名)[平均年齢]42.9歳(男44.3歳、女35.2歳)[平均勤続年数]18.2年(男19.4年、女10.9年)

【年齢構成】■男 □女

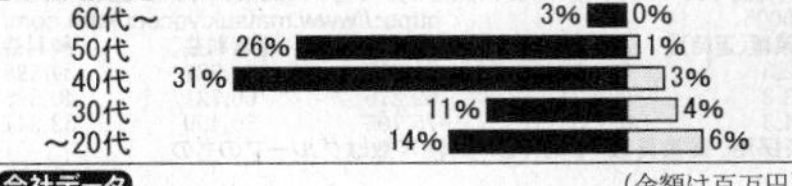

会社データ (金額は百万円)

【本社】530-0005 大阪府大阪市北区中之島2-3-33 大阪三井物産ビル ☎06-6202-6011 https://www.edion.com/

【業績(連結)】	売上高	営業利益	経常利益	純利益
22.3	713,768	18,796	21,589	13,109
23.3	720,584	19,186	19,248	11,393
24.3	721,085	16,929	17,339	9,021

小売

2850 開示 ★★☆☆☆ [短大] [専門] 採用あり

㈱マツキヨココカラ&カンパニー

[えるぼし ★★★]

【特色】ドラッグストア大手。首都圏の繁華街立地に強み

[記者評価] 21年10月マツモトキヨシHDとココカラファインが経営統合し、現体制に。グループ店舗数は3484(24年6月)と業界最大級。繁華街立地に強い。空港やホテル内へも出店。PB商品の企画・開発に力を入れる。仕入、販促でグループのシナジーを追求。

平均勤続年数	男性育休取得率	3年後離職率	平均年収(平均*38歳)
14.9年	NA → 49.8%	NA → 64.8%	[総] 564万円

●採用・配属情報●

【男女・文理別採用実績】

	大卒男	大卒女	修士男	修士女
23年	104(文 23 理 81)	165(文 29 理136)	0(文 0 理 0)	2(文 0 理 2)
24年	139(文 52 理 87)	288(文 67 理221)	0(文 0 理 0)	1(文 1 理 0)
25年	116(文 31 理 85)	284(文 62 理222)	0(文 0 理 0)	0(文 0 理 0)

※25年:24年7月時点

【男女・職種別採用実績】 転換制度:⇔

	総合職	薬剤師
23年	96(男 30 女 66)	205(男 79 女126)
24年	201(男 64 女137)	262(男 105 女157)
25年	247(男 54 女193)	192(男 72 女120)

【職種併願】○

【24年4月入社者の配属勤務地】[総]NA [技]NA

【転勤】あり:全国転勤の職種選択者

【中途比率】[単年度]21年度16%、22年度18%、23年度58%[全体]NA

●働きやすさ、諸制度●

残業(月) 8.9時間

【勤務時間】実働8時間(変形労働時間制)【有休取得年平均】8.5日【週休】2日【夏期休暇】なし【年末年始休暇】なし

【離職率】NA

【新卒3年後離職率】
[20→23年]NA
[21→24年]64.8%(男68.6%・入社156名、女63.5%・入社441名)

【テレワーク】制度あり:[場所]NA[対象]NA[日数]NA[利用率]NA【勤務制度】フレックス 裁量労働 時差勤務【住宅補助】新卒借上社宅 転勤時借上社宅

●ライフイベント、女性活躍●

【女性比率】■男 □女

新卒採用
71.3%
(313名)

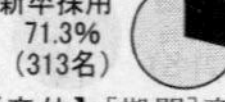

【産休】[期間]産前6・産後8週間[給与]法定[取得者数]727名

【育休】[期間]1歳になるまで[給与]法定[取得者数]22年度NA 23年度 男102名(対象205名)女625名(対象634名)[平均取得日数]22年度 NA、23年度 男39日 女136日

【従業員】[人数]12,801名(男NA、女NA)[平均年齢]37.6歳(男NA、女NA)[平均勤続年数]14.9年(男NA、女NA)

【年齢構成】NA

[会社データ] (金額は百万円)

【本社】113-0034 東京都文京区湯島1-8-2 MK御茶ノ水ビル ☎03-6845-0005
https://www.matsukiyococokara.com/

【業績(連結)】	売上高	営業利益	経常利益	純利益
22.3	729,969	41,407	44,881	34,588
23.3	951,247	62,276	66,721	40,545
24.3	1,022,531	75,705	80,499	52,347

※採用、従業員数・平均年齢・勤続年数はグループのもの

1740 開示 ★★★☆☆ [短大] [専門] 採用あり

㈱スギ薬局(やっきょく)

[プラチナくるみん]

【特色】東海地盤に調剤併設のドラッグストアを展開

[記者評価] スギHD中核のドラッグストア大手。東海が地盤だが徐々に展開エリアを拡大し、関東や関西でも存在感。調剤併設率約8割。医薬品や化粧品の販売に強く、現在は食品の取り扱いを強化中。海外同業との業務提携に積極姿勢。25年入社者から初任給を23.8万円に増額予定。

平均勤続年数	男性育休取得率	3年後離職率	平均年収(平均38歳)
9.6年	55.2 → 55.3%	23.5 → 20.5%	[総] 563万円

●採用・配属情報●

【男女・文理別採用実績】

	大卒男	大卒女	修士男	修士女
23年	153(文 25 理128)	200(文 46 理154)	2(文 1 理 1)	1(文 0 理 1)
24年	210(文 77 理133)	304(文157 理147)	1(文 1 理 0)	3(文 2 理 1)
25年	280(文 90 理190)	504(文230 理274)	0(文 0 理 0)	1(文 0 理 1)

※25年:予定数

【男女・職種別採用実績】

	総合職	薬剤師
23年	96(男 32 女 64)	276(男 125 女151)
24年	273(男 80 女193)	281(男 133 女148)
25年	400(男 130 女270)	465(男 190 女275)

【24年4月入社者の配属勤務地】[総]関東86 中部90 関西90 北陸7 [技]関東67 中部134 関西73 北陸7

【転勤】あり:[職種]全社員[勤務地]当社勤務地区分限定制度に応じた勤務地

【中途比率】[単年度]21年度NA、22年度NA、23年度NA[全体]NA

●働きやすさ、諸制度●

残業(月) NA

【勤務時間】本社9:00～18:00【有休取得年平均】11.3日【週休】月9～10日(年116日)【夏期休暇】なし【年末年始休暇】なし

【離職率】男:3.7%、175名 女:4.9%、231名

【新卒3年後離職率】
[20→23年]23.5%(男15.9%・入社233名、女27.3%・入社462名)
[21→24年]20.5%(男17.1%・入社245名、女22.2%・入社482名)

【テレワーク】制度あり:[場所]NA[対象]NA[日数]NA[利用率]NA【勤務制度】勤務間インターバル【住宅補助】借上社宅(単身・独身・妻帯者別、地域別に家賃を設定し、その一部を会社が負担)

●ライフイベント、女性活躍●

【女性比率】■男 □女

新卒採用
63%
(545名)

従業員
49.5%
(4436名)

【産休】[期間]産前6・産後8週間[給与]法定[取得者数]279名

【育休】[期間]2歳到達後の4月末まで[給与]法定[取得者数]22年度 男80名(対象145名)女206名(対象206名)23年度 男109名(対象197名)女242名(対象242名)[平均取得日数]22年度 NA、23年度 男336日 女149日

【従業員】[人数]8,962名(男4,526名、女4,436名)[平均年齢]36.2歳(男38.9歳、女33.5歳)[平均勤続年数]9.6年(男11.2年、女7.8年)【年齢構成】■男 □女

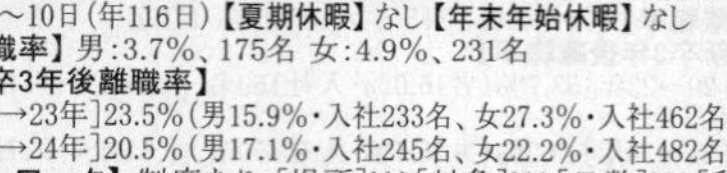
60代～ 1% 0%
50代 7% 3%
40代 14% 7%
30代 17% 18%
～20代 11% 21%

[会社データ] (金額は百万円)

【本社】474-0011 愛知県大府市横根町新江62-1 ☎0562-45-2700
https://www.sugi-net.jp/

【業績(連結)】	売上高	営業利益	経常利益	純利益
22.2	625,477	32,137	33,082	19,389
23.2	667,647	31,658	32,391	19,007
24.2	744,477	36,622	38,039	21,979

※業績はスギホールディングス㈱のもの

1852 開示 ★☆☆☆☆ [短大] [専門] 採用あり

㈱ツルハ

【特色】北海道地盤のドラッグ大手。売上高業界2位

[記者評価] 北海道から各地の同業を買収して南下し、全国でドラッグストアを展開。傘下に「くすりの福太郎」など。カウンセリング化粧品の販売に強み。27年までの合意に向けて、イオン子会社で業界首位のウエルシアHDと経営統合を協議中。成立なら当社はイオン子会社に。

平均勤続年数	男性育休取得率	3年後離職率	平均年収(平均*37歳)
10.6年	NA	NA	[総]696万円

●採用・配属情報●

【男女・文理別採用実績】

	大卒男	大卒女	修士男	修士女
23年	118(文 71 理 47)	104(文 59 理 45)	0(文 0 理 0)	0(文 0 理 0)
24年	NA(文NA 理NA)	NA(文NA 理NA)	NA(文NA 理NA)	NA(文NA 理NA)
25年	-(文 - 理 -)	-(文 - 理 -)	-(文 - 理 -)	-(文 - 理 -)

【男女・職種別採用実績】

	総合職	技術職	短大・専門
23年	130(男 71 女 59)	92(男 47 女 45)	37(男 NA 女 NA)
24年	NA(男 NA 女 NA)	NA(男 NA 女 NA)	NA(男 NA 女 NA)
25年	-(男 - 女 -)	-(男 - 女 -)	-(男 - 女 -)

【24年4月入社者の配属勤務地】[総]北海道 青森 秋田 山形 岩手 宮城 福島 茨城 栃木 埼玉 千葉 東京 神奈川 新潟 山梨 長野 愛知 滋賀 京都 大阪 兵庫 和歌山 高知 [技]北海道 青森 秋田 山形 岩手 宮城 福島 茨城 栃木 埼玉 千葉 東京 神奈川 新潟 山梨 長野 愛知 滋賀 京都 大阪 兵庫 和歌山 高知

【転勤】あり:地域限定社員以外

【中途比率】[単年度]21年度26%、22年度22%、23年度29%[全体]NA

●働きやすさ、諸制度●

残業(月) NA

【勤務時間】168時間(月)【有休取得年平均】NA【週休】年113日【夏期休暇】なし【年末年始休暇】なし

【離職率】NA

【新卒3年後離職率】

[20→23年]NA

[21→24年]NA

【テレワーク】制度なし【勤務制度】時間単位有休 時差勤務

【住宅補助】借上社宅

●ライフイベント、女性活躍●

【女性比率】■男 □女

従業員 47.2% (2408名)

【産休】[期間]産前6・産後8週間[給与]法定[取得者数]NA

【育休】[期間]1歳になるまで[給与]NA[取得者数]22年度NA 23年度 NA[平均取得日数]22年度 NA、23年度 NA

【従業員】[人数]5,101名(男2,693名、女2,408名)[平均年齢]36.6歳(男38.2歳、女34.9歳)[平均勤続年数]10.6年(男11.6年、女9.4年)

【年齢構成】NA

会社データ (金額は百万円)

【本社】065-0024 北海道札幌市東区北二十四条東20-1-21 ☎011-783-2754 https://www.tsuruha.co.jp/

【業績(単独)】	売上高	営業利益	経常利益	純利益
22.5	441,280	40,568	20,587	13,795
23.5	466,409	22,303	22,899	14,997
24.5	495,923	24,578	25,144	16,685

155 開示 ★★☆☆☆ [短大] [専門] 採用あり

㈱クリエイトエス・ディー

【特色】神奈川地盤のドラッグ大手。千葉や静岡にも展開

[記者評価] 神奈川県を軸に関東、東海にドラッグストア約750店舗を展開、約半数に調剤薬局を併設。食品、日用雑貨の比率が高い。業界再編が進むドラッグストア業界で独立路線を堅持。グループでデイケアなど介護事業も手がけ、総合的な地域医療を提供する。

平均勤続年数	男性育休取得率	3年後離職率	平均年収(平均34歳)
7.8年	62.9 → 87.1%	21.5 → 23.4%	NA

●採用・配属情報●

【男女・文理別採用実績】

	大卒男	大卒女	修士男	修士女
23年	149(文NA 理NA)	239(文NA 理NA)	0(文 0 理 0)	0(文 0 理 0)
24年	97(文NA 理NA)	170(文NA 理NA)	1(文 0 理 0)	2(文 0 理 0)
25年	160(文NA 理NA)	220(文NA 理NA)	0(文 0 理 0)	0(文 0 理 0)

【男女・職種別採用実績】

	総合職
23年	393(男 151 女242)
24年	273(男 99 女174)
25年	380(男 160 女220)

【24年4月入社者の配属勤務地】[総]NA

【転勤】あり:全国勤務可を選択した社員

【中途比率】[単年度]21年度38%、22年度34%、23年度14%[全体]NA

●働きやすさ、諸制度●

残業(月) 8.5時間 [総]8.5時間

【勤務時間】週40時間(裁量労働制)【有休取得年平均】11.4日【週休】2日【夏期休暇】最低年1回の5連休制度から取得【年末年始休暇】連続3日

【離職率】NA

【新卒3年後離職率】

[20→23年]21.5%(男NA、女NA)

[21→24年]23.4%(男NA、女NA)

【テレワーク】制度なし【勤務制度】なし【住宅補助】家賃補助(25,000~50,000円)独身社宅(自己負担30,000円)

●ライフイベント、女性活躍●

【女性比率】■男 □女

新卒採用 57.9% (220名)

従業員 47.7% (2201名)

【産休】[期間]産前6・産後8週間[給与]法定[取得者数]NA

【育休】[期間]3歳になるまで[給与]法定[取得者数]22年度男61名(対象97名)女107名(対象107名)23年度 男101名(対象116名)女111名(対象111名)[平均取得日数]22年度NA、23年度 NA

【従業員】[人数]4,619名(男2,418名、女2,201名)[平均年齢]33.6歳(男35.5歳、女31.5歳)[平均勤続年数]7.8年(男9.8年、女5.5年)

【年齢構成】NA

会社データ (金額は百万円)

【本社】225-0014 神奈川県横浜市青葉区荏田西2-3-2 ☎045-914-8161 https://www.create-sd.co.jp/

【業績(連結)】	売上高	営業利益	経常利益	純利益
22.5	350,744	18,176	18,665	12,595
23.5	380,963	18,912	19,428	12,925
24.5	422,330	20,227	20,882	13,691

※業績は㈱クリエイトSDホールディングスのもの

㈱カワチ薬品（やくひん）

[プラチナくるみん]

【特色】北関東の中堅ドラッグ。食品比率高く調剤も注力

[記者評価] 栃木県や茨城県など北関東中心に約370店舗を展開。売り場面積400坪以上の超大型店「メガ・ドラッグストア」業態が特徴。売上の5割弱を食品が占めている。調剤薬局併設型メガ店舗で先駆、併設率は約4割。子会社に青森地盤の横浜ファーマシー。

平均勤続年数	男性育休取得率	3年後離職率	平均年収(平均36歳)
13.1年	40.0 → 38.9%	NA	[総] 608万円

●採用・配属情報●

【男女・文理別採用実績】

	大卒男	大卒女	修士男	修士女
23年	55(文NA 理NA)	46(文NA 理NA)	1(文NA 理NA)	0(文 0 理 0)
24年	44(文NA 理NA)	44(文NA 理NA)	0(文 0 理 0)	0(文 0 理 0)
25年	58(文NA 理NA)	57(文NA 理NA)	0(文 0 理 0)	0(文 0 理 0)

【男女・職種別採用実績】 転換制度：⇔

	ナショナル	エリア
23年	60(男 33 女 27)	59(男 25 女 34)
24年	56(男 30 女 26)	52(男 21 女 31)
25年	75(男 38 女 37)	60(男 30 女 30)

【24年4月入社者の配属勤務地】[総]出店地域56
【転勤】あり：[職種]総合職[勤務地]出店地域
【中途比率】[単年度]21年度24%、22年度28%、23年度27%[全体]30%

●働きやすさ、諸制度●

残業(月) NA

【勤務時間】店舗9:00～21:00(一部店舗～21:45・22:00まで)交替制・実働8時間【有休取得年平均】9.6日【週休】月9～10日(シフト制)【夏期休暇】なし【年末年始休暇】なし
【離職率】NA
【新卒3年後離職率】
[20→23年]NA
[21→24年]NA
【テレワーク】制度なし【勤務制度】時差勤務【住宅補助】借上会社寮(出店地域全域で対象者が利用)

●ライフイベント、女性活躍●

【女性比率】■男 □女

新卒採用 49.6% (67名)
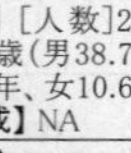
従業員 44.3% (1109名)
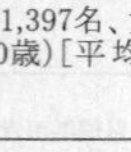

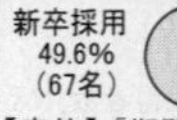

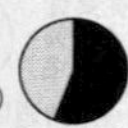

【産休】[期間]産前6・産後8週間[給与]法定[取得者数]76名
【育休】[期間]1歳になるまで[給与]法定[取得者数]22年度 男14名(対象35名)女66名(対象64名)23年度 男14名(対象36名)女72名(対象72名)[平均取得日数]22年度 NA、23年度 NA
【従業員】[人数]2,506名(男1,397名、女1,109名)[平均年齢]36.2歳(男38.7歳、女33.0歳)[平均勤続年数]13.1年(男15.0年、女10.6年)
【年齢構成】NA

会社データ (金額は百万円)

【本社】323-0061 栃木県小山市卒島1293 ☎0285-37-1111
https://www.cawachi.co.jp/

【業績(連結)】	売上高	営業利益	経常利益	純利益
22.3	279,462	7,709	8,698	4,830
23.3	281,871	6,611	7,672	4,177
24.3	285,960	7,601	8,609	4,713

総合（そうごう）メディカル㈱

[えるぼし★★★] [プラチナくるみん＋]

【特色】九州発祥の医業コンサル。調剤薬局でも上位

[記者評価] 福岡市に本社を置く医療機関の総合コンサル。病室用テレビなど病院機材レンタルが発祥。医師の開業から事業継承まで総合的に支援。調剤薬局は全国730店舗以上を展開。医療モールの開発にも注力。人材派遣会社の買収で、医療・介護の人材紹介に参入。

平均勤続年数	男性育休取得率	3年後離職率	平均年収(平均36歳)
9.0年	41.5 → 59.7%	25.6 → 24.9%	[総] 577万円

●採用・配属情報●

【男女・文理別採用実績】※25年：300名採用予定

	大卒男	大卒女	修士男	修士女
23年	76(文 5 理 71)	153(文 24 理129)	0(文 0 理 0)	0(文 0 理 0)
24年	70(文 6 理 64)	238(文 38 理200)	0(文 0 理 0)	0(文 0 理 0)
25年	-(文 - 理 -)	-(文 - 理 -)	-(文 - 理 -)	-(文 - 理 -)

【男女・職種別採用実績】 転換制度：⇔

	総合職	薬剤師	一般職	薬局事務職
23年	9(男 6 女 3)	199(男 70 女129)	0(男 0 女 0)	25(男 0 女 25)
24年	14(男 6 女 8)	263(男 64 女199)	0(男 0 女 0)	49(男 0 女 49)
25年	-(男 - 女 -)	-(男 - 女 -)	0(男 0 女 0)	-(男 - 女 -)

【24年4月入社者の配属勤務地】[総]東京8 愛知1 大阪2 [技]東京36 大阪24 福岡21 愛知18 神奈川17 長崎15 埼玉12 兵庫11 千葉8 山口8 京都8 宮崎7 北海道7 和歌山6 広島6 福島5 島根5 群馬4 愛媛4 富山4 茨城4 他
【転勤】あり：[職種]総合職 薬剤師職(一部)
【中途比率】[単年度]21年度34%、22年度50%、23年度54%[全体]26%

●働きやすさ、諸制度●

残業(月) 14.0時間 [総]16.4時間

【勤務時間】9:00～18:00【有休取得年平均】11.2日【週休】<本社>完全2日<薬局店舗>4週8休以上【夏期休暇】3日【年末年始休暇】6日
【離職率】男：6.4%、85名 女：8.8%、142名
【新卒3年後離職率】
[20→23年]25.6%(男29.4%・入社102名、女23.5%・入社179名)
[21→24年]24.9%(男28.4%・入社74名、女23.1%・入社147名)
【テレワーク】制度あり：[場所]自宅または自宅に準ずる場所 レンタルスペース等セキュリティ環境が担保できる場所[対象]マネジメント職 総合職 コンサルタント職 オフィススペシャリスト職 他[日数]月8日以下[利用率]8.7%【勤務制度】フレックス時間単位有休 時差勤務 勤務間インターバル【住宅補助】住宅補助手当 借上社宅制度(賃借料の約8割を会社負担)

●ライフイベント、女性活躍●

【女性比率】■男 □女

従業員 54.2% (1467名)

管理職 6.8% (15名)

【産休】[期間]産前6・産後8週間[給与]法定[取得者数]168名
【育休】[期間]3歳到達月末まで[給与]開始5日間有給、以降給付金[取得者数]22年度 男27名(対象65名)女180名(対象180名)23年度 男40名(対象67名)女168名(対象168名)[平均取得日数]22年度 男29日 女402日、23年度 男36日 女399日
【従業員】[人数]2,707名(男1,240名、女1,467名)[平均年齢]36.2歳(男38.4歳、女34.3歳)[平均勤続年数]9.0年(男10.8年、女7.5年)【年齢構成】■男 □女

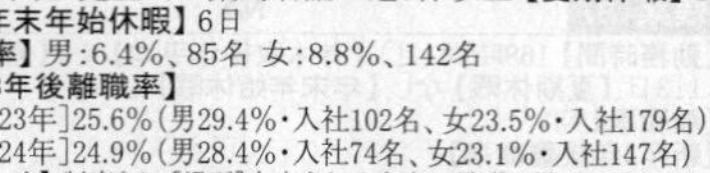
60代～ 0% 0%
50代 7% 3%
40代 11% 8%
30代 18% 22%
～20代 11% 21%

会社データ (金額は百万円)

【本社】100-0004 東京都千代田区大手町1-7-2 東京サンケイビル28階 ☎03-5255-6711
https://www.sogo-medical.co.jp/

【業績(連結)】	売上高	営業利益	経常利益	純利益
22.3	161,638	NA	NA	NA
23.3	169,550	NA	NA	NA
24.3	185,250	NA	NA	NA

※採用関連はグループ連結の情報

小売

㈱キリン堂

くるみん

【特色】関西地盤のドラッグストア。PBや調剤を強化中

記者評価 大阪など関西地盤のドラッグストア。郊外型大型店やM&Aで成長。国内に412店(24年2月末)を展開、関西地区でのドミナント戦略が軸。医薬・化粧品や健康食品のPBに強み。調剤併設店の拡大、生鮮食品や他社PBの販売など構造改革を進める。

平均勤続年数	男性育休取得率	3年後離職率	平均年収(平均39歳)
12.0年	NA	31.5 → NA	NA

●採用・配属情報●

【男女・文理別採用実績】

	大卒男	大卒女	修士男	修士女
23年	46(文 13 理 33)	76(文 23 理 53)	1(文 0 理 1)	0(文 0 理 0)
24年	18(文 6 理 12)	27(文 4 理 23)	0(文 0 理 0)	0(文 0 理 0)
25年	12(文 10 理 2)	18(文 6 理 12)	0(文 0 理 0)	0(文 0 理 0)

【男女・職種別採用実績】

	総合職	調剤
23年	45(男 15 女 30)	85(男 33 女 52)
24年	23(男 10 女 13)	28(男 9 女 19)
25年	21(男 11 女 10)	11(男 1 女 10)

【24年4月入社者の配属勤務地】㊙大阪 兵庫 京都 奈良 石川
【転勤】あり:全社員
【中途比率】[単年度]21年度NA、22年度NA、23年度NA[全体]NA

●働きやすさ、諸制度●

残業(月) NA

【勤務時間】9:00〜18:00【有休取得年平均】NA【週休】2日(月9〜10日のシフト出勤)【夏期休暇】なし【年末年始休暇】なし
【離職率】NA
【新卒3年後離職率】
[20→23年]31.5%(男13.0%・入社23名、女40.0%・入社50名)
[21→24年]NA
【テレワーク】制度あり:[場所]自宅[対象]全社員(現場社員以外)[日数]原則週3日以内[利用率]NA【勤務制度】なし【住宅補助】借上 独身寮 社宅(自宅から通勤時間が片道1時間半以上の場合)

●ライフイベント、女性活躍●

【女性比率】■男 □女

新卒採用 62.5% (20名)

【産休】[期間]産前6・産後8週間[給与]法定[取得者数]24名
【育休】[期間]1歳になるまで[給与]法定[取得者数]22年度 男3名(対象NA)女17名(対象31名)23年度 男8名(対象NA)女21名(対象36名)[平均取得日数]22年度 NA、23年度 NA
【従業員】[人数]1,840名(男NA、女NA)[平均年齢]39.2歳(男NA、女NA)[平均勤続年数]12.0年(男NA、女NA)
【年齢構成】■男 □女

	男	女
60代〜	0%	0%
50代	9%	8%
40代	24%	11%
30代	12%	14%
〜20代	7%	13%

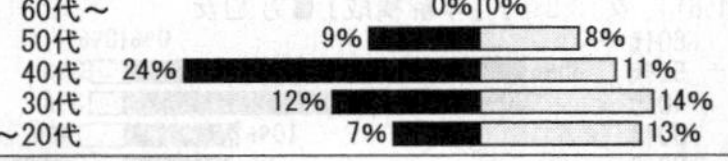

会社データ (金額は百万円)

【本社】532-0003 大阪府大阪市淀川区宮原4-5-36 ONEST新大阪スクエアビル ☎06-6394-0039 https://www.kirindo.co.jp/

【業績(単独)】	売上高	営業利益	経常利益	純利益
22.2	134,003	4,136	4,290	1,990
23.2	135,853	4,536	4,612	2,184
24.2	138,314	4,579	4,510	2,271

㈱サッポロドラッグストアー

くるみん

【特色】北海道2位のドラッグストア。新規事業に意欲

記者評価 サツドラHD中核。北海道が地盤で、主力のロードサイド型ドラッグストアに加え、インバウンド向け店舗も展開。食品や日用品に強み。近年はPB開発や生鮮食品導入に注力。コープさっぽろと共同仕入れなどで連携。グループ会社にPOSシステム開発や教育関連も。

平均勤続年数	男性育休取得率	3年後離職率	平均年収(平均36歳)
10.5年	78.9 → 110.0%	25.0 → 30.3%	㊙508万円

●採用・配属情報●

【男女・文理別採用実績】

	大卒男	大卒女	修士男	修士女
23年	10(文 5 理 5)	20(文 10 理 10)	0(文 0 理 0)	0(文 0 理 0)
24年	14(文 10 理 4)	21(文 10 理 11)	0(文 0 理 0)	0(文 0 理 0)
25年	15(文 10 理 5)	15(文 10 理 5)	0(文 0 理 0)	0(文 0 理 0)

※25年:予定数

【男女・職種別採用実績】 転換制度:⇔

	総合職
23年	37(男 10 女 27)
24年	44(男 16 女 28)
25年	35(男 15 女 20)

【24年4月入社者の配属勤務地】㊙札幌14 他30
【転勤】あり:[職種]総合職
【中途比率】[単年度]21年度36%、22年度35%、23年度30%[全体]34%

●働きやすさ、諸制度●

残業(月) 4.3時間 ㊙4.3時間

【勤務時間】始業8:30〜9:00終業17:30〜18:00【有休取得年平均】11.2日【週休】月9〜11日【夏期休暇】なし【年末年始休暇】なし
【離職率】男:4.3%、25名 女:6.4%、36名
【新卒3年後離職率】
[20→23年]25.0%(男50.0%・入社6名、女19.2%・入社26名)
[21→24年]30.3%(男28.6%・入社14名、女31.6%・入社19名)
【テレワーク】制度なし【勤務制度】副業容認【住宅補助】住宅手当 単身赴任住宅補助 特別地域手当 借上住宅

●ライフイベント、女性活躍●

【女性比率】■男 □女

新卒採用 57.1% (20名)　従業員 48.3% (524名)

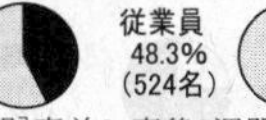

管理職 18.1% (49名)

【産休】[期間]産前6・産後8週間[給与]法定[取得者数]36名
【育休】[期間]1歳になるまで[給与]法定[取得者数]22年度 男15名(対象19名)女37名(対象37名)23年度 男22名(対象20名)女42名(対象42名)[平均取得日数]22年度 男32日 女307日、23年度 男23日 女308日
【従業員】[人数]1,085名(男561名、女524名)[平均年齢]37.4歳(男38.1歳、女35.6歳)[平均勤続年数]10.5年(男11.5年、女9.3年)
【年齢構成】■男 □女

	男	女
60代〜	0%	0%
50代	7%	5%
40代	16%	10%
30代	18%	15%
〜20代	10%	18%

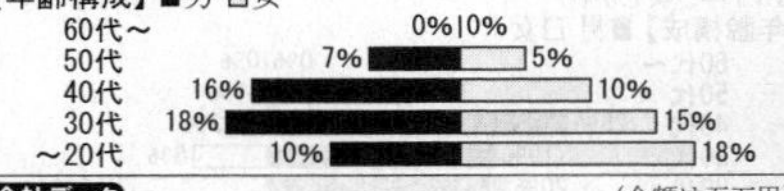

会社データ (金額は百万円)

【本社】060-0908 北海道札幌市東区北八条東4-1-20 ☎011-788-6188 https://satudora.jp/

【業績(連結)】	売上高	営業利益	経常利益	純利益
22.5	82,950	747	793	316
23.5	87,481	299	327	87
24.5	95,520	1,384	1,336	470

※業績はサツドラホールディングス㈱のもの

小売

2828 開示 ★★★ 短大 専門 採用あり

㈱カインズ

えるぼし★★ くるみん

【特色】ベイシアグループ中核。ホームセンター業界首位

記者評価 ホームセンター「カインズ」を運営。ベイシアグループの中核企業。1978年に1号店となる栃木店をオープン。現在は関東中心に全国234店舗を展開(23年6月時点)。特定地域に集中して出店するドミナント戦略が軸。DIYをテーマにした独自の人事戦略を掲げる。

平均勤続年数	男性育休取得率	3年後離職率	平均年収(平均37歳)
12.2年	47.8→55.3%	26.8→27.1%	NA

●採用・配属情報●

【男女・文理別採用実績】

	大卒男	大卒女	修士男	修士女
23年	71(文 63理 8)	97(文 94理 3)	1(文 0理 1)	1(文 1理 0)
24年	116(文101理 15)	124(文114理 10)	1(文 1理 0)	0(文 0理 0)
25年	119(文103理 16)	98(文 92理 6)	3(文 1理 2)	2(文 2理 0)

【男女・職種別採用実績】

	総合職
23年	171(男 73 女 98)
24年	243(男 117 女126)
25年	224(男 123 女101)

【24年4月入社者の配属勤務地】㊟全国の各店舗243

【転勤】あり:全社員

【中途比率】[単年度]21年度36%、22年度34%、23年度25%[全体]27%

●働きやすさ、諸制度●

残業(月) 17.5時間 ㊟17.5時間

【勤務時間】8時間【有休取得年平均】12.1日【週休】年117日【夏期休暇】有休で取得【年末年始休暇】有休で取得

【離職率】男:3.7%、97名 女:8.8%、78名

【新卒3年後離職率】

[20→23年]26.8%(男17.5%・入社97名、女35.6%・入社101名)

[21→24年]27.1%(男21.9%・入社155名、女32.1%・入社162名)

【テレワーク】制度あり:[場所]制限なし[対象]NA[日数]制限なし[利用率]NA【勤務制度】フレックス 時間単位有休 時差勤務 勤務間インターバル【住宅補助】独身寮 社宅

●ライフイベント、女性活躍●

【女性比率】■男 □女

新卒採用 45.1% (101名)

従業員 24.4% (811名)

管理職 6.5% (46名)

【産休】[期間]産前6・産後8週間[給与]法定[取得者数]37名

【育休】[期間]1歳になるまで[給与]法定[取得者数]22年度 男32名(対象67名)女26名(対象26名)23年度 男42名(対象76名)女34名(対象34名)[平均取得日数]22年度 男108日 女385日、23年度 男48日 女359日

【従業員】[人数]3,323名(男2,512名、女811名)[平均年齢]36.6歳(男38.5歳、女30.8歳)[平均勤続年数]12.2年(男13.7年、女7.5年)

【年齢構成】■男 □女

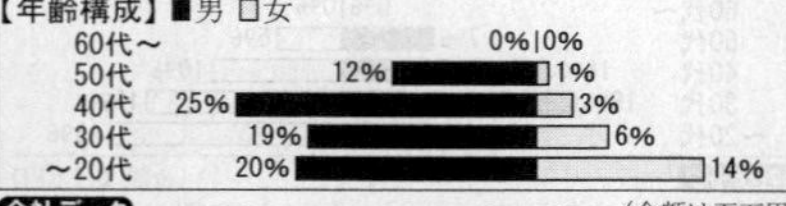

会社データ (金額は百万円)

【本社】367-0030 埼玉県本庄市早稲田の杜1-2-1 ☎0495-25-1000
https://www.cainz.co.jp/

【業績(連結)】	売上高	営業利益	経常利益	純利益
22.2	482,678	NA	NA	NA
23.2	515,801	NA	NA	NA
24.2	542,317	NA	NA	NA

2805 開示 ★★★★☆ 短大 専門 採用あり

DCM㈱

(ディーシーエム)

【特色】全国展開するホームセンター(HC)大手

記者評価 経営統合を経て、21年3月にグループのホームセンター5社が統合し発足。調達や在庫管理統合の一方、PB開発や地域性に応じた店舗ごとの品種拡大推進。小商圏でコンビニ型小型店も。収益性を重視する堅実な社風で、店舗運営の効率化に定評。M&Aに積極的。

平均勤続年数	男性育休取得率	3年後離職率	平均年収(平均44歳)
20.3年	41.9→73.0%	25.8→28.6%	㊟511万円

●採用・配属情報●

【男女・文理別採用実績】

	大卒男	大卒女	修士男	修士女
23年	44(文 40理 4)	43(文 39理 4)	3(文 1理 2)	0(文 0理 0)
24年	42(文 37理 5)	31(文 30理 1)	0(文 0理 0)	0(文 0理 0)
25年	50(文 40理 10)	50(文 40理 10)	0(文 0理 0)	0(文 0理 0)

【男女・職種別採用実績】

	総合職
23年	92(男 47 女 45)
24年	81(男 46 女 35)
25年	100(男 50 女 50)

【24年4月入社者の配属勤務地】㊟北海道(札幌10 江別2 恵庭2)青森(青森1 弘前1)岩手(一関1 滝沢1)宮城(名取3 仙台2 利府2 石巻1)茨城(牛久2 鹿嶋1 神栖1 境1 坂東1)千葉(白井2 野田1)東京(八王子3 稲城3 品川2)横浜1 山梨(笛吹1 南アルプス1)石川・小松1 愛知(名古屋6 瀬戸2 豊田1 豊橋1 刈谷1 日進1)岐阜・岐南1 三重・四日市1 奈良(天理2 生駒1)大阪(高槻1 大阪1)兵庫(神戸2 宝塚2 明石1 稲美1)広島・坂1 愛媛(伊予1 東温1 西条1 松前1 松山1 大洲1)熊本市2

【転勤】あり:[職種]全社員[勤務地]エリアフリー:全国 エリア:12エリア(北海道3エリア 北東北 南東北 関東甲信 北陸 東海 近畿 四国 中国 九州)本人が選択可能

【中途比率】[単年度]21年度13%、22年度11%、23年度5%[全体]17%

●働きやすさ、諸制度●

残業(月) 8.5時間 ㊟8.5時間

【勤務時間】9:00〜18:00【有休取得年平均】8.9日【週休】2日【夏期休暇】最大連続9日(有休含む)【年末年始休暇】1月1日

【離職率】男:3.8%、114名 女:7.6%、44名

【新卒3年後離職率】

[20→23年]25.8%(男22.2%・入社63名、女32.4%・入社34名)

[21→24年]28.6%(男21.0%・入社62名、女38.0%・入社50名)

【テレワーク】制度あり:[場所]自宅 サテライトオフィス[対象]本社系部署[日数]制限なし[利用率]NA【勤務制度】裁量労働 勤務間インターバル 副業容認【住宅補助】借上社宅

●ライフイベント、女性活躍●

【女性比率】■男 □女

新卒採用 50% (50名)　従業員 15.5% (537名)　管理職 2.7% (25名)

【産休】[期間]産前6・産後8週間[給与]法定[取得者数]55名

【育休】[期間]3歳になるまで[給与]法定[取得者数]22年度 男18名(対象43名)女51名(対象54名)23年度 男27名(対象37名)女49名(対象49名)[平均取得日数]22年度 男33日 女394日、23年度 男32日 女346日

【従業員】[人数]3,460名(男2,923名、女537名)[平均年齢]44.1歳(男45.6歳、女35.9歳)[平均勤続年数]20.3年(男21.6年、女13.3年)【年齢構成】■男 □女

	男	女
60代〜	0%	0%
50代	35%	3%
40代	30%	3%
30代	10%	4%
〜20代	9%	6%

会社データ (金額は百万円)

【本社】140-0013 東京都品川区南大井6-22-7 大森ベルポートE館 ☎03-5764-5211
https://www.dcm-hc.co.jp/

【業績(連結)】	売上高	営業利益	経常利益	純利益
22.2	437,722	30,649	30,317	18,809
23.2	469,782	30,068	29,555	18,135
24.2	481,310	28,685	27,412	21,446

※資本金・業績はDCMホールディングス㈱のもの

コーナン商事(株)

しょうじ

くるみん

【特色】オーナー系HCで業界3位。関西拠点に全国進出

記者評価 大阪・堺を発祥とするホームセンター。店舗数は国内外で約600店。近畿圏でのドミナント戦略が軸。関東での出店や建築職人向け業態にも注力。傘下に九州地盤の「HIヒロセ」。開発部署や店舗、物流部門など多方面で採用を積極化しており、規模拡大に意欲的。

平均勤続年数	男性育休取得率	3年後離職率	平均年収(平均*41歳)
14.8年	NA	20.0→21.2%	総 553万円

●採用・配属情報●

【男女・文理別採用実績】

	大卒男	大卒女	修士男	修士女
23年	75(文 74 理 1)	41(文 40 理 1)	0(文 0 理 0)	0(文 0 理 0)
24年	59(文 49 理 10)	34(文 32 理 2)	0(文 0 理 0)	0(文 0 理 0)
25年	87(文 80 理 7)	48(文 45 理 3)	0(文 0 理 0)	0(文 0 理 0)

【男女・職種別採用実績】 転換制度:⇔

	総合職	地域限定職
23年	78(男 56 女 22)	43(男 24 女 19)
24年	68(男 47 女 21)	37(男 19 女 18)
25年	90(男 65 女 25)	50(男 25 女 25)

【職種併願】○
【24年4月入社者の配属勤務地】総 大阪42 神奈川15 東京11 兵庫10 京都6 奈良5 福岡4 千葉3 広島2 高知2 愛知1 三重1 香川1 徳島1 岡山1
【転勤】あり:[職種]全社員(地域限定職を除く)[勤務地]全国
【中途比率】[単年度]21年度23%、22年度16%、23年度28%[全体]NA

●働きやすさ、諸制度●

残業(月) 13.2時間 総 14.0時間

【勤務時間】(本社)9:00〜18:00(店舗)8時間勤務【有休取得年平均】11.6日【週休】月9〜11日(シフト制)【夏期休暇】有休で取得【年末年始休暇】なし
【離職率】男:3.2%、92名 女:9.1%、44名
【新卒3年後離職率】
[20→23年]20.0%(男24.1%・入社79名、女12.2%・入社41名)
[21→24年]21.2%(男17.0%・入社100名、女26.6%・入社79名)
【テレワーク】制度なし【勤務制度】勤務間インターバル【住宅補助】転勤時に寮・社内貸与(条件あり)寮食事手当

●ライフイベント、女性活躍●

【女性比率】■男 □女

新卒採用 35.7% (50名)　従業員 13.6% (442名)　管理職 5.3% (52名)

【産休】[期間]産前6・産後8週間[給与]法定[取得者数]6名
【育休】[期間]1歳になるまで[給与]法定[取得者数]22年度男28名(対象NA)女7名(対象NA)23年度 男22名(対象NA)女6名(対象NA)[平均取得日数]22年度 NA、23年度NA
【従業員】[人数]3,259名(男2,817名、女442名)[平均年齢]40.5歳(男41.7歳、女32.9歳)[平均勤続年数]14.8年(男15.8年、女8.4年)
【年齢構成】■男 □女

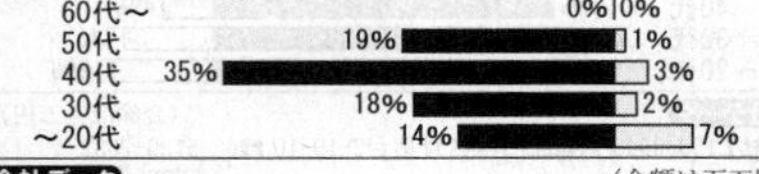

会社データ (金額は百万円)

【本社】532-0004 大阪府大阪市淀川区西宮原2-2-17 ☎06-6397-1621
https://www.hc-kohnan.com/

【業績(連結)】	売上高	営業利益	経常利益	純利益
22.2	441,221	25,788	24,206	15,590
23.2	439,024	22,019	20,732	13,235
24.2	472,654	24,097	22,598	14,054

アークランズ(株)

【特色】新潟地盤のホームセンター大手。業界5位

記者評価 ホームセンター「ビバホーム」「ムサシ」など展開。新潟地盤だったが、20年に「LIXILビバ」買収で全国区に。食品スーパーやアート・クラフト専門店も手がける。子会社で「かつや」など外食事業も。会長・社長ともに創業家出身、オーナー色が強い。

平均勤続年数	男性育休取得率	3年後離職率	平均年収(平均36歳)
12.8年	10.7→23.1%	40.5→34.9%	総 579万円

●採用・配属情報●

【男女・文理別採用実績】※25年:200名採用予定

	大卒男	大卒女	修士男	修士女
23年	78(文 73 理 5)	15(文 13 理 2)	0(文 0 理 0)	0(文 0 理 0)
24年	77(文 67 理 10)	18(文 17 理 1)	0(文 0 理 0)	0(文 0 理 0)
25年	17(文 15 理 2)	9(文 8 理 1)	0(文 0 理 0)	0(文 0 理 0)

【男女・職種別採用実績】 転換制度:⇔

	総合職	地域限定職	一般職
23年	106(男 87 女 19)	0(男 0 女 0)	0(男 0 女 0)
24年	121(男 91 女 30)	0(男 0 女 0)	0(男 0 女 0)
25年	43(男 25 女 18)	0(男 0 女 0)	0(男 0 女 0)

【24年4月入社者の配属勤務地】総 埼玉26 新潟15 大阪13 千葉9 東京8 石川7 兵庫6 福岡5 長野5 茨城4 宮城4 群馬4 神奈川4 富山4 愛知2 京都1 三重1 山梨1 福井1 北海道1
【転勤】あり:全社員 ※初任地エリアは指定可 入社3年後以降、3年ごとに「地域限定社員」「ホーム社員」への職種変更が可能
【中途比率】[単年度]21年度NA、22年度NA、23年度NA[全体]42%

●働きやすさ、諸制度●

残業(月) 9.2時間 総 9.8時間

【勤務時間】8:45〜18:00または9:00〜18:00【有休取得年平均】9.9日【週休】2日(変形労働時間制)【夏期休暇】リフレッシュ休暇(公休3日+有休2日＝計連続5日)で取得【年末年始休暇】なし
【離職率】男:5.1%、116名 女:7.2%、38名
【新卒3年後離職率】
[20→23年]40.5%(男36.4%・入社66名、女46.7%・入社45名)
[21→24年]34.9%(男33.6%・入社110名、女36.8%・入社76名)
【テレワーク】制度なし【勤務制度】なし【住宅補助】独身社宅:30歳未満の独身者 自己負担15,000円 社宅:30歳以上もしくは家族帯同者 家賃の50%会社負担(共に上限金額あり)

●ライフイベント、女性活躍●

【女性比率】■男 □女

新卒採用 41.9% (18名)　従業員 18.5% (489名)　管理職 1.9% (5名)

【産休】[期間]産前6・産後8週間[給与]法定[取得者数]63名
【育休】[期間]1歳になるまで[給与]法定[取得者数]22年度男6名(対象56名)女51名(対象51名)23年度 男9名(対象39名)女54名(対象57名)[平均取得日数]22年度 NA、23年度 NA
【従業員】[人数]2,638名(男2,149名、女489名)[平均年齢]40.2歳(男41.0歳、女36.6歳)[平均勤続年数]12.8年(男13.4年、女10.1年)【年齢構成】■男 □女

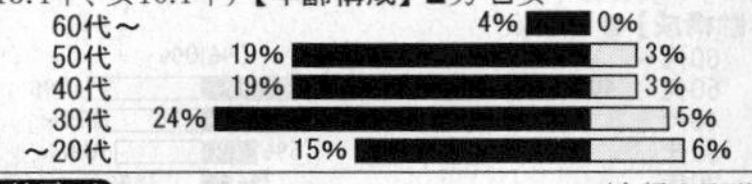

会社データ (金額は百万円)

【本社】955-8501 新潟県三条市上須頃445 ☎0256-33-6000
https://www.arclands.co.jp/

【業績(連結)】	売上高	営業利益	経常利益	純利益
22.2変	371,120	20,919	23,281	16,393
23.2	327,200	18,911	19,176	9,663
24.2	324,921	16,113	16,594	9,125

㈱ハンズ

くるみん

【特色】住生活の総合小売業。東急Gからカインズ傘下へ

記者評価 22年東急不動産からカインズ傘下に移行し現社名に。住生活・手づくり関連商品を扱う。渋谷、新宿が核店舗の「ハンズ」ほか、「ハンズ ビー」「プラグマーケット」を合わせ92店を展開(24年8月、FC含む)。プロ用工具類も揃え、幅広い顧客層とらえる。

平均勤続年数	男性育休取得率	3年後離職率	平均年収(平均48歳)
23.2年	60.0→66.7%	33.3→0%	㊔510万円

●採用・配属情報●

【男女・文理別採用実績】

	大卒男	大卒女	修士男	修士女
23年	3(文 3理 0)	3(文 3理 0)	0(文 0理 0)	0(文 0理 0)
24年	6(文 5理 1)	17(文 17理 0)	0(文 0理 0)	0(文 0理 0)
25年	4(文 4理 0)	20(文 20理 0)	0(文 0理 0)	0(文 0理 0)

【男女・職種別採用実績】

	総合職
23年	6(男 3 女 3)
24年	23(男 6 女 17)
25年	24(男 4 女 20)

【24年4月入社者の配属勤務地】㊔東京(新宿6 銀座1 渋谷2 北千住2 町田2)川崎1 埼玉・大宮1 大阪(梅田2 心斎橋1 江坂1 あべの2)京都2

【転勤】あり:[職種]グローバルコース区分社員(勤務地限定制度あり)

【中途比率】[単年度]21年度NA、22年度NA、23年度NA[全体]44%

●働きやすさ、諸制度●

残業(月) 12.6時間 ㊔12.6時間

【勤務時間】10:00～19:00【有休取得年平均】15.0日【週休】月8～11日、2月のみ8日(閏年は9日)【夏期休暇】年2回 連続7日以上を1回 5日以上を1回推奨(任意で有休含む)【年末年始休暇】なし

【離職率】男:3.4%、17名 女:6.5%、22名

【新卒3年後離職率】
[20→23年]33.3%(男60.0%・入社5名、女23.1%・入社13名)
[21→24年]0%(男0%・入社2名、女0%・入社10名)

【テレワーク】制度あり:[場所]自宅 自宅に準じる場所[対象]原則出社 特定の事情がある場合は相談のもと決定[日数]制限なし[利用率]NA【勤務制度】時間単位有休 勤務間インターバル 副業容認【住宅補助】家賃補助(会社都合赴任)

●ライフイベント、女性活躍●

【女性比率】■男 □女

新卒採用 83.3% (20名)

従業員 39.6% (315名)

管理職 33.6% (74名)

【産休】[期間]産前6・産後8週間[給与]法定[取得者数]9名

【育休】[期間]2歳到達月末まで[給与]法定[取得者数]22年度 男3名(対象5名)女20名(対象17名)23年度 男2名(対象3名)女9名(対象9名)[平均取得日数]22年度 NA、23年度 男38日 女456日

【従業員】[人数]795名(男480名、女315名)[平均年齢]47.0歳(男49.9歳、女42.7歳)[平均勤続年数]23.2年(男26.0年、女18.9年)

【年齢構成】■男 □女

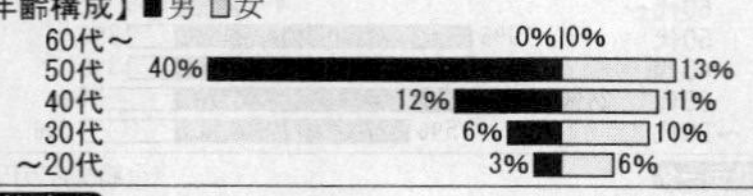

	男	女
60代～	0%	0%
50代	40%	13%
40代	12%	11%
30代	6%	10%
～20代	3%	6%

会社データ　(金額は百万円)

【本社】160-0022 東京都新宿区新宿6-27-30 新宿イーストサイドスクエア3階 ☎050-1744-7151
https://info.hands.net/

【業績(単独)】	売上高	営業利益	経常利益	純利益
23.2変	51,400	NA	NA	NA
24.2	60,500	NA	NA	NA

㈱ドン・キホーテ

【特色】総合ディスカウント大手。深夜営業の先駆け

記者評価 「ドン・キホーテ」を全国展開。商品を積み上げる圧縮陳列や手書きPOPなど独自性の高い売り場が特徴。現場に仕入れや値付け権限を委ねる個店主義が強み。PB「情熱価格」を強化。訪日客対応も積極化している。グループで東南アジアや米国での出店加速。

平均勤続年数	男性育休取得率	3年後離職率	平均年収(平均37歳)
10.2年	32.9→39.2%	NA	㊔533万円

●採用・配属情報●

【男女・文理別採用実績】

	大卒男	大卒女	修士男	修士女
23年	136(文122理 14)	75(文 74理 1)	4(文 2理 2)	4(文 3理 1)
24年	69(文 62理 7)	70(文 66理 4)	0(文 0理 0)	2(文 2理 0)
25年	63(文 59理 4)	51(文 44理 7)	0(文 0理 0)	2(文 2理 0)

【男女・職種別採用実績】

	総合職
23年	262(男 157 女105)
24年	167(男 81 女 86)
25年	127(男 66 女 61)

【24年4月入社者の配属勤務地】㊔愛知19 茨城7 岡山3 沖縄2 岐阜2 宮城3 京都5 群馬1 広島2 香川1 埼玉17 三重1 滋賀1 鹿児島1 神奈川12 青森2 静岡2 石川1 千葉5 大阪13 長崎1 長野1 東京49 奈良1 福岡9 福島1 兵庫2 北海道3

【転勤】あり:[職種]総合職(標準):全国 [職種]総合職(エリア):特定のエリア内

【中途比率】[単年度]21年度NA、22年度NA、23年度NA[全体]71%

●働きやすさ、諸制度●

残業(月) 14.7時間 ㊔14.7時間

【勤務時間】10:00～19:00【有休取得年平均】11.1日【週休】月9日【夏期休暇】有休で取得【年末年始休暇】有休で取得

【離職率】NA

【新卒3年後離職率】[20→23年]NA [21→24年]NA

【テレワーク】制度なし【勤務制度】フレックス 裁量労働【住宅補助】家賃補助(単身赴任は家賃・光熱費を全額)転居費用補助(異動に伴う転居は転居費用を全額)借上社宅

●ライフイベント、女性活躍●

【女性比率】■男 □女

新卒採用 48% (61名)　従業員 21.3% (1308名)　管理職 13% (386名)

【産休】[期間]産前6・産後8週間[給与]法定[取得者数]39名

【育休】[期間]1歳になるまで[給与]法定[取得者数]22年度 男53名(対象161名)女26名(対象26名)23年度 男58名(対象148名)女29名(対象30名)[平均取得日数]22年度 NA、23年度 男79日 女399日

【従業員】[人数]6,128名(男4,820名、女1,308名)[平均年齢]36.5歳(男37.4歳、女33.2歳)[平均勤続年数]10.2年(男10.8年、女7.9年)

【年齢構成】■男 □女

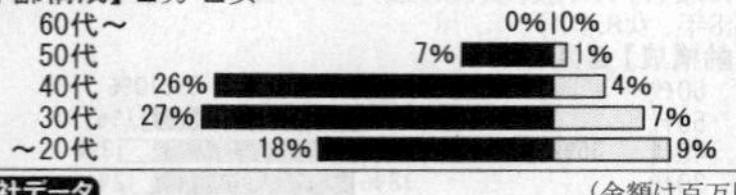

	男	女
60代～	0%	0%
50代	7%	1%
40代	26%	4%
30代	27%	7%
～20代	18%	9%

会社データ　(金額は百万円)

【本社】153-0043 東京都目黒区青葉台2-19-10 ☎03-5725-7532
https://ppih.co.jp/

【業績(連結)】	売上高	営業利益	経常利益	純利益
22.6	1,831,280	88,688	100,442	61,928
23.6	1,936,783	105,259	110,994	66,167
24.6	2,095,077	140,193	148,709	88,701

※資本金・業績は㈱パン・パシフィック・インターナショナルホールディングスのもの

小売

㈱ミスターマックス・ホールディングス

【特色】九州地盤のディスカウントストア。PB商品に強み

[記者評価] ディスカウントストアの先駆。NHKラジオ放送開始と同時にラジオ販売で創業。食品、小型家電などのPB商品に強み。北部九州と首都圏中心にドミナント出店。ECサイト、アプリなどオムニチャネル化推進。25年4月入社者から大卒初任給を22.1万円に増額予定。

平均勤続年数	男性育休取得率	3年後離職率	平均年収(平均41歳)
17.6年	71.4→118.8%	NA	[総]572万円

●採用・配属情報●

【男女・文理別採用実績】

	大卒男	大卒女	修士男	修士女
23年	11(文 8理 3)	6(文 6理 0)	0(文 0理 0)	0(文 0理 0)
24年	14(文 13理 1)	5(文 5理 0)	1(文 0理 1)	0(文 0理 0)
25年	9(文 8理 1)	0(文 0理 0)	0(文 0理 0)	0(文 0理 0)

※25年：継続中

【男女・職種別採用実績】 転換制度：⇔

	総合職
23年	20(男 14 女 6)
24年	20(男 15 女 5)
25年	10(男 10 女 0)

【24年4月入社者の配属勤務地】[総]福岡(粕屋1 宗像1)佐賀(佐賀2 北茂安2 唐津2)長崎・時津2 熊本・山鹿1 宮崎・日向2 千葉・おゆみ野2 神奈川・湘南藤沢2 茨城・取手1 山口1 広島・八本松1

【転勤】あり：[職種]総合職[勤務地]九州 中国 関東

【中途比率】[単年度]21年度5%、22年度18%、23年度27%[全体]28%

●働きやすさ、諸制度●

残業(月) 23.9時間 [総]23.9時間

【勤務時間】9:00〜18:00【有休取得年平均】13.8日【週休】完全2日【夏期休暇】特別休日として付与(年間3日)【年末年始休暇】特別休日として付与(年間3日)

【離職率】NA

【新卒3年後離職率】
[20→23年]NA(男NA・入社28名、女NA・入社15名)
[21→24年]NA(男NA・入社40名、女NA・入社14名)

【テレワーク】制度あり：[場所]自宅 サテライトオフィス[対象]福岡本部・東京本部勤務者(災害時や家庭の事情のケース)[日数]制限なし[利用率]NA【勤務制度】勤務間インターバル【住宅補助】借上社宅 住宅補助手当(10,000〜60,000円)

●ライフイベント、女性活躍●

【女性比率】■男 □女

新卒採用 0% (0名)

従業員 15.2% (108名)

管理職 8% (26名)

【産休】[期間]産前6・産後8週間[給与]法定[取得者数]1名

【育休】[期間]2歳になるまで[給与]法定[取得者数]22年度 男10名(対象14名)女3名(対象3名)23年度 男19名(対象16名)女1名(対象1名)[平均取得日数]22年度 男11日 女432日、23年度 男10日 女357日

【従業員】[人数]712名(男604名、女108名)[平均年齢]42.2歳(男43.4歳、女35.6歳)[平均勤続年数]17.6年(男18.5年、女12.7年)

【年齢構成】NA

会社データ

(金額は百万円)

【本社】812-0064 福岡県福岡市東区松田1-5-7 ☎092-623-1111
https://www.mrmaxhd.co.jp/

【業績(連結)】	売上高	営業利益	経常利益	純利益
22.2	124,830	4,487	4,346	2,853
23.2	126,903	4,632	4,523	3,427
24.2	129,569	3,021	2,908	2,444

ファーストリテイリンググループ
(ユニクロ、ジーユー、プラステ、セオリー)

【特色】「ユニクロ」「ジーユー」等。アパレル国内首位

[記者評価] アパレルSPA(製造小売業)としてベーシック衣料「ユニクロ」を世界で約2400店展開。姉妹ブランドに「ジーユー」。入社後は、店長候補として店舗に配属。個々人の能力に応じて評価する「完全実力主義」を標榜。社内教育部署で多様なプログラムを実施。

平均勤続年数	男性育休取得率	3年後離職率	平均年収(平均38歳)
[!]8.3年	NA	NA	◇1,147万円

●採用・配属情報●

【男女・文理別採用実績】

	大卒男	大卒女	修士男	修士女
23年	136(文110理 26)	195(文189理 6)	7(文 1理 6)	8(文 8理 0)
24年	173(文149理 24)	213(文201理 12)	16(文 7理 9)	2(文 1理 1)
25年	-(文 -理 -)	-(文 -理 -)	-(文 -理 -)	-(文 -理 -)

【男女・職種別採用実績】 転換制度：⇔

	総合職(グローバルリーダー)	地域正社員	IT	デザイナー・パタンナー
23年	247(男 112 女 135)	109(男 34 女 75)	ND(男 ND 女 ND)	ND(男 ND 女 ND)
24年	223(男 120 女 103)	160(男 48 女 112)	23(男 22 女 1)	4(男 2 女 2)
25年	-(男 - 女 -)	-(男 - 女 -)	-(男 - 女 -)	-(男 - 女 -)

【24年4月入社者の配属勤務地】[総]国内店舗 [技]東京本部(六本木 有明)

【転勤】あり：[職種]グローバルリーダー職[勤務地]日本全国 海外拠点

【中途比率】[単年度]21年度44%、22年度58%、23年度51%[全体]NA

●働きやすさ、諸制度●

残業(月) 12.6時間

【勤務時間】8時間【有休取得年平均】18.7日【週休】2日【夏期休暇】年間16日の特別休暇として付与【年末年始休暇】年間16日の特別休暇として付与

【離職率】NA

【新卒3年後離職率】[20→23年]NA [21→24年]NA

【テレワーク】制度あり：[場所]自宅[対象]一部社員のみ(社内規定に則り利用可能)[日数]NA[利用率]NA【勤務制度】フレックス 裁量労働【住宅補助】借上社宅制度

●ライフイベント、女性活躍●

【女性比率】■男 □女

従業員 70.7% (10573名)

管理職 26.8% (182名)

【産休】[期間]産前8・産後8週間(正社員以外法定)[給与]産後8週から法定の産前休暇まで給与3分の2を復職時に給付[取得者数]451名

【育休】[期間]1歳になるまで[給与]法定[取得者数]22年度 男86名(対象NA)女490名(対象491名)23年度 男92名(対象NA)女441名(対象451名)[平均取得日数]22年度 NA、23年度 NA

【従業員】[人数]14,952名(男4,379名、女10,573名)[平均年齢]38.3歳(男36.6歳、女39.0歳)[平均勤続年数]8.3年(男9.3年、女7.9年) ※FRグループ

【年齢構成】■男 □女
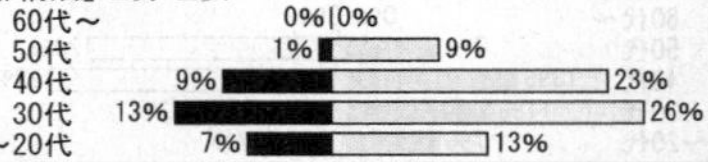
60代〜
0%
0%
50代
1%
9%
40代
9%
23%
30代
13%
26%
〜20代
7%
13%

会社データ

(金額は百万円)

【本社】754-0894 山口県山口市佐山10717-1 ☎03-6865-0254
https://www.fastretailing.com/jp/

【業績(IFRS)】	売上高	営業利益	税前利益	純利益
22.8	2,301,122	297,325	413,584	273,335
23.8	2,766,557	381,090	437,918	296,229
24.8	3,103,836	500,904	557,201	371,999

※会社データは㈱ファーストリテイリングのもの

小売

㈱しまむら

【特色】低価格の実用・ファッション衣料専門店チェーン

記者評価 「ファッションセンターしまむら」を軸に国内と台湾で約2200店を展開。ベビー服「バースデイ」、ヤングカジュアル「アベイル」も。低価格帯が強み。国内アパレル2位の売上高を誇る。仕入れ品が中心だが、近年はPBやサプライヤーとの共同開発ブランドにも注力。

平均勤続年数	男性育休取得率	3年後離職率	平均年収(平均43歳)
16.2年	NA	33.9→30.3%	㊙689万円

●採用・配属情報●

【男女・文理別採用実績】

	大卒男	大卒女	修士男	修士女
23年	31(文 28理 3)	42(文 40理 2)	0(文 0理 0)	0(文 0理 0)
24年	39(文 38理 1)	53(文 50理 3)	0(文 0理 0)	0(文 0理 0)
25年	−(文 −理 −)	−(文 −理 −)	−(文 −理 −)	−(文 −理 −)

※25年:90名採用予定

【男女・職種別採用実績】

	総合職
23年	80(男 31 女 49)
24年	95(男 39 女 56)
25年	90(男 − 女 −)

【24年4月入社者の配属勤務地】㊙関東68 関西8 他19
【転勤】あり:全社員
【中途比率】[単年度]21年度0%、22年度0%、23年度0%[全体]NA

●働きやすさ、諸制度●

残業(月) 0.7時間

【勤務時間】<店舗>9:45〜19:15、10:45〜20:15 <本社>8:45〜17:45【有休取得年平均】10.5日【週休】2日【夏期休暇】夏期・冬期合わせて年間10日【年末年始休暇】夏期・冬期合わせて年間10日
【離職率】男:2.4%、25名 女:2.6%、45名
【新卒3年後離職率】
[20→23年]33.9%(男28.6%・入社28名、女38.7%・入社31名)
[21→24年]30.3%(男27.8%・入社36名、女32.5%・入社40名)
【テレワーク】制度なし【勤務制度】なし【住宅補助】遠隔地赴任者にはアパートを支給

●ライフイベント、女性活躍●

【女性比率】■男 □女
従業員 62.8% (1718名)

【産休】[期間]産前6・産後8週間[給与]法定[取得者数]28名
【育休】[期間]1歳になるまで[給与]法定[取得者数]22年度 男3名(対象NA)女25名(対象NA)23年度 男9名(対象NA)女30名(対象NA)[平均取得日数]22年度 男132日 女441日、23年度 男119日 女401日
【従業員】[人数]2,737名(男1,019名、女1,718名)[平均年齢]42.1歳(男39.8歳、女43.5歳)[平均勤続年数]16.2年(男17.4年、女15.5年)
【年齢構成】■男 □女

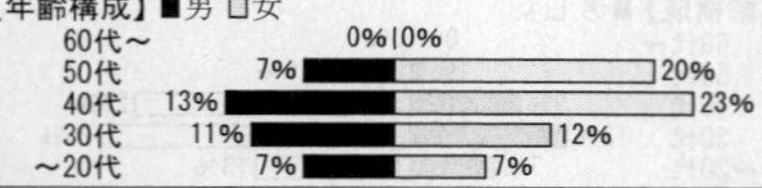

会社データ (金額は百万円)

【本社】330-9520 埼玉県さいたま市大宮区北袋町1-602-1 ☎048-652-2112 https://www.shimamura.gr.jp/

【業績(連結)】	売上高	営業利益	経常利益	純利益
22.2	584,771	49,420	50,567	35,428
23.2	617,519	53,302	54,383	38,021
24.2	636,499	55,308	56,716	40,084

㈱ハニーズ

くるみん

【特色】福島発、低価格の婦人カジュアル衣料チェーン

記者評価 低価格カジュアル衣料のSPA(製造小売業)。年代・コンセプト別に3ブランドを展開し、10代〜60代と幅広い年齢層の女性を顧客にもつ。商業施設を中心に店舗数は約870店。入社後は店舗で経験を積みながら、マネジャーや商品企画担当者などにキャリアアップ。

平均勤続年数	男性育休取得率	3年後離職率	平均年収(平均41歳)
7.6年	−→0%	NA	㊙631万円

●採用・配属情報●

【男女・文理別採用実績】

	大卒男	大卒女	修士男	修士女
23年	0(文 0理 0)	15(文 15理 0)	0(文 0理 0)	0(文 0理 0)
24年	0(文 0理 0)	10(文 9理 1)	0(文 0理 0)	0(文 0理 0)
25年	1(文 0理 1)	11(文 11理 0)	0(文 0理 0)	1(文 1理 0)

【男女・職種別採用実績】 転換制度:⇒

	総合職	一般職
23年	1(男 0 女 1)	18(男 0 女 18)
24年	0(男 0 女 0)	14(男 0 女 14)
25年	3(男 1 女 2)	12(男 0 女 12)

【職種併願】○
【24年4月入社者の配属勤務地】㊙なし
【転勤】あり:[職種]総合職 販売職エリア限定
【中途比率】[単年度]21年度74%、22年度77%、23年度78%[全体]NA

●働きやすさ、諸制度●

残業(月) 6.3時間 ㊙13.5時間

【勤務時間】<店舗>シフト制(実働8時間)<本社>8:45〜17:45【有休取得年平均】10.2日【週休】<店舗>月9〜10日 <本社>月8〜11日【夏期休暇】なし【年末年始休暇】なし
【離職率】NA
【新卒3年後離職率】
[20→23年]NA
[21→24年]NA
【テレワーク】制度なし【勤務制度】時間単位有休 副業容認
【住宅補助】中央台寮(福島・いわき)借上住宅(住宅手当 遠隔地手当あり)※遠隔地手当は総合職以外で遠隔への異動が発生する場合

●ライフイベント、女性活躍●

【女性比率】■男 □女
新卒採用 93.3% (14名)
従業員 98.5% (1216名)
管理職 35% (7名)

【産休】[期間]産前6・産後8週間[給与]法定[取得者数]40名
【育休】[期間]1歳になるまで[給与]法定[取得者数]22年度 男0名(対象0名)女55名(対象55名)23年度 男0名(対象1名)女38名(対象40名)[平均取得日数]22年度 NA、23年度 男− 女350日
【従業員】[人数]1,234名(男18名、女1,216名)[平均年齢]32.3歳(男43.6歳、女32.1歳)[平均勤続年数]7.6年(男17.3年、女7.4年)
【年齢構成】■男 □女
60代〜 0%|0%
50代 0%|1%
40代 1% 17%
30代 0% 37%
〜20代 0% 43%

会社データ (金額は百万円)

【本社】971-8141 福島県いわき市鹿島町走熊字七本松27-1 ☎0246-29-1113 https://www.honeys.co.jp/

【業績(連結)】	売上高	営業利益	経常利益	純利益
22.5	47,695	4,993	5,057	3,255
23.5	54,888	7,670	8,021	5,336
24.5	56,571	6,970	7,281	4,876

※業績は㈱ハニーズホールディングスのもの

小売

㈱エービーシー・マート

【特色】靴小売りで国内独り勝ち、韓国など海外にも進出

記者評価 靴専門店「ABCマート」を展開。靴小売りで国内最大手。「HAWKINS」「Danner」など自社ブランドも。デジタル化にも積極的で店舗とアプリの連携を強化。社長も週末は店舗に出るなど現場第1主義を徹底。新卒採用は販売職のみで入社2～3年で店長になる例も。

平均勤続年数	男性育休取得率	3年後離職率	平均年収(平均32歳)
8.7年	NA → 31.3%	NA	411万円

●採用・配属情報●

【男女・文理別採用実績】

	大卒男	大卒女	修士男	修士女
23年	56(文NA理NA)	26(文NA理NA)	0(文 0理 0)	0(文 0理 0)
24年	52(文NA理NA)	29(文NA理NA)	0(文 0理 0)	0(文 0理 0)
25年	-(文 -理 -)	-(文 -理 -)	-(文 -理 -)	-(文 -理 -)

※25年:修士・大卒120名採用予定

【男女・職種別採用実績】 転換制度:⇔

	総合職	地域限定職
23年	72(男 51 女 21)	38(男 18 女 20)
24年	71(男 47 女 24)	57(男 35 女 22)
25年	-(男 - 女 -)	-(男 - 女 -)

【24年4月入社者の配属勤務地】㊗東京26 大阪18 埼玉12 神奈川12 千葉7 福岡7 愛知5 兵庫5 広島5 宮城4 北海道3 京都3 栃木2 長野2 静岡2 大分2 熊本2 沖縄2 岩手1 山形1 茨城1 群馬1 石川1 滋賀1 愛媛1 佐賀1 鹿児島1

【転勤】あり:[職種]総合職

【中途比率】[単年度]21年度47%、22年度62%、23年度72%[全体]NA

●働きやすさ、諸制度●

残業(月) NA

【勤務時間】9:00～18:00【有休取得年平均】11.2日【週休】月9日(週1～2日)【夏期休暇】最大9日取得可(有休含む)【年末年始休暇】最大9日取得可(有休含む、冬季休暇として1月以降)

【離職率】NA

【新卒3年後離職率】

[20→23年]NA

[21→24年]NA

【テレワーク】制度なし【勤務制度】なし【住宅補助】社宅補助制度 家賃補助制度 引っ越し一時金支給(会社辞令に基づく転居を伴う人)

●ライフイベント、女性活躍●

【女性比率】■男 □女

従業員 37.5% (1449名)

【産休】[期間]産前6・産後8週間[給与]法定[取得者数]NA

【育休】[期間]1歳になるまで[給与]法定[取得者数]22年度NA 23年度 男20名(対象64名)女42名(対象42名)[平均取得日数]22年度 NA、23年度 NA

【従業員】[人数]3,859名(男2,410名、女1,449名)[平均年齢]32.2歳(男NA、女NA)[平均勤続年数]8.7年(男NA、女NA)

【年齢構成】NA

会社データ (金額は百万円)

【本社】150-0043 東京都渋谷区道玄坂1-12-1 ☎03-3476-5650 https://www.abc-mart.net/

【業績(連結)】	売上高	営業利益	経常利益	純利益
22.2	243,946	27,446	28,260	17,382
23.2	290,077	42,301	43,360	30,256
24.2	344,197	55,671	57,834	40,009

㈱レリアン

【特色】婦人既製服の販売大手。伊藤忠商事の完全子会社

記者評価 伊藤忠傘下。「レリアン」「キャラ・オ・クルス」「アン レクレ」などが主力ブランド。デザイン、着心地、素材感、機能性を重点に商品開発。百貨店・SCを中心に国内317の婦人服専門店を展開。海外は台湾(台北)5店舗、中国(上海)5店舗。健康経営推進。

平均勤続年数	男性育休取得率	3年後離職率	平均年収(平均48歳)
15.8年	—	53.8 → 50.0%	NA

●採用・配属情報●

【男女・文理別採用実績】

	大卒男	大卒女	修士男	修士女
23年	0(文 0理 0)	7(文 7理 0)	0(文 0理 0)	0(文 0理 0)
24年	1(文 0理 1)	8(文 8理 0)	0(文 0理 0)	0(文 0理 0)
25年	2(文 2理 0)	9(文 8理 1)	0(文 0理 0)	0(文 0理 0)

※25年:24年8月31日時点

【男女・職種別採用実績】 転換制度:⇔

	総合職	販売職
23年	0(男 0 女 0)	9(男 0 女 9)
24年	1(男 1 女 0)	8(男 0 女 8)
25年	2(男 2 女 0)	11(男 0 女 11)

【24年4月入社者の配属勤務地】㊗首都圏7 名古屋1 大阪1

【転勤】あり:勤務可能エリア内での転勤あり

【中途比率】[単年度]21年度NA、22年度NA、23年度NA[全体]NA

●働きやすさ、諸制度●

残業(月) 5.0時間 ㊗10.0時間

【勤務時間】7時間45分【有休取得年平均】9.0日【週休】2日(原則土日祝)【夏期休暇】なし【年末年始休暇】6日

【離職率】NA

【新卒3年後離職率】

[20→23年]53.8%(男―・入社0名、女53.8%・入社26名)

[21→24年]50.0%(男―・入社0名、女50.0%・入社4名)

【テレワーク】制度あり:[場所]自宅[対象]本社勤務者[日数]週2日[利用率]NA【勤務制度】時差勤務【住宅補助】住宅手当(都市による)

●ライフイベント、女性活躍●

【女性比率】■男 □女

新卒採用 84.6% (11名)

従業員 94.7% (912名)

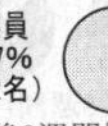

【産休】[期間]産前6・産後8週間[給与]法定[取得者数]12名

【育休】[期間]1歳になるまで[給与]法定[取得者数]22年度男0名(対象0名)女17名(対象17名)23年度 男0名(対象0名)女12名(対象12名)[平均取得日数]22年度 NA、23年度 NA

【従業員】[人数]963名(男51名、女912名)[平均年齢]47.5歳(男49.7歳、女47.3歳)[平均勤続年数]15.8年(男15.9年、女15.8年)

【年齢構成】NA

会社データ (金額は百万円)

【本社】153-0042 東京都目黒区青葉台3-6-28 住友不動産青葉台タワー ☎03-6834-7201 https://www.leilian.co.jp/

【業績(単独)】	売上高	営業利益	経常利益	純利益
22.3	23,060	▲168	1,271	1,913
23.3	26,272	774	852	842
24.3	26,890	775	865	989

※採用情報は販売職のデータ

㈱西松屋チェーン

にしまつや

【特色】ベビー・子ども用品専門店「西松屋」を全国展開

記者評価 郊外ロードサイドを軸に、全国で約1100店を展開。店舗の標準化、店内作業の効率化でローコストオペレーションを徹底し、低価格販売を実現。メーカー技術者や理系人材を採用しベビーカーなどのPBを開発。店舗の大型化、EC展開、海外での卸売販売にも注力。

平均勤続年数	男性育休取得率	3年後離職率	平均年収(平均39歳)
! 14.6年	41.7→41.2%	44.8→44.2%	総 680万円

●採用・配属情報●

【男女・文理別採用実績】

	大卒男	大卒女	修士男	修士女
23年	22(文 21理 1)	7(文 6理 1)	2(文 1理 1)	1(文 1理 0)
24年	21(文 17理 4)	11(文 8理 3)	3(文 2理 1)	4(文 4理 0)
25年	20(文 10理 10)	20(文 10理 10)	5(文 3理 2)	5(文 3理 2)

【男女・職種別採用実績】

	総合職
23年	32(男 24 女 8)
24年	39(男 24 女 15)
25年	50(男 25 女 25)

【24年4月入社者の配属勤務地】総全国38店舗39
【転勤】あり：全社員[勤務地]全国
【中途比率】[単年度]21年度0%、22年度0%、23年度14%[全体]NA

●働きやすさ、諸制度●

残業(月) 19.5時間 総 19.5時間

【勤務時間】10:00～19:00【有休取得年平均】13.2日【週休】2日【夏期休暇】なし【年末年始休暇】なし
【離職率】男：5.4%、35名 女：8.7%、9名
【新卒3年後離職率】
[20→23年]44.8%(男37.0%・入社46名、女75.0%・入社12名)
[21→24年]44.2%(男43.3%・入社30名、女46.2%・入社13名)
【テレワーク】制度なし【勤務制度】時間単位有休 時差勤務【住宅補助】単身寮(家賃全額会社負担)社宅(家賃一部会社負担 社員負担25,500円)

●ライフイベント、女性活躍●

【女性比率】■男 □女

新卒採用 50% (25名)

従業員 13.4% (95名)

【産休】[期間]産前6・産後8週間[給与]法定[取得者数]19名
【育休】[期間]1歳になるまで[給与]法定[取得者数]22年度 男5名(対象12名)女5名(対象5名)23年度 男7名(対象17名)女1名(対象1名)[平均取得日数]22年度 男69日 女515日、23年度 男40日 女384日
【従業員】[人数]711名(男616名、女95名)[平均年齢]40.6歳(男40.6歳、女32.9歳)[平均勤続年数]14.6年(男15.4年、女9.5年) ※契約制社員含む
【年齢構成】■男 □女

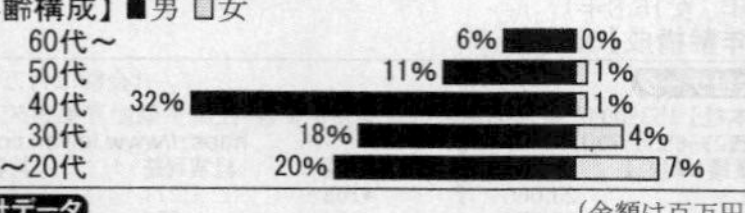

会社データ (金額は百万円)

【本社】671-0218 兵庫県姫路市飾東町庄266-1 ☎079-252-3300
https://www.24028.jp/

【業績(単独)】	売上高	営業利益	経常利益	純利益
22.2	163,016	12,259	12,852	8,498
23.2	169,524	10,933	11,588	7,640
24.2	177,188	11,926	12,588	8,202

青山商事㈱

あおやましょうじ

えるぼし★★　プラチナくるみん

【特色】紳士服チェーン最大手。主力は「洋服の青山」

記者評価 郊外型紳士服チェーンの草分け。「洋服の青山」を中心に、都市型「スーツスクエア」など約740店展開。「洋服の青山」は中国にも店舗。オーダースーツを今後の成長軸と定め、オーダー対応店舗を拡大中。グループで飲食店やリユース店のFC運営も手がける。

平均勤続年数	男性育休取得率	3年後離職率	平均年収(平均38歳)
14.1年	49.2→73.0%	48.0→36.0%	総 496万円

●採用・配属情報●

【男女・文理別採用実績】

	大卒男	大卒女	修士男	修士女
23年	31(文 30理 1)	69(文 69理 0)	1(文 1理 0)	0(文 0理 0)
24年	79(文 78理 1)	136(文134理 2)	0(文 0理 0)	0(文 0理 0)
25年	83(文 80理 3)	174(文173理 1)	0(文 0理 0)	0(文 0理 0)

【男女・職種別採用実績】

	総合職	一般職(事務職)
23年	104(男 33 女 71)	0(男 0 女 0)
24年	228(男 82 女146)	0(男 0 女 0)
25年	271(男 89 女182)	0(男 0 女 0)

【24年4月入社者の配属勤務地】総北海道7 東北9 関東94 北陸4 甲信越3 東海20 関西44 中四国32 九州15
【転勤】あり：全社員※転勤の範囲は社員の希望に準ずる
【中途比率】[単年度]21年度21%、22年度51%、23年度35%[全体]19%

●働きやすさ、諸制度●

残業(月) 19.6時間 総 19.6時間

【勤務時間】9:45～19:10(実働8時間 時差出勤あり 事業所・店舗により異なる)【有休取得年平均】12.7日【週休】会社暦2日【夏期休暇】なし【年末年始休暇】なし
【離職率】男：5.3%、102名 女：11.0%、108名
【新卒3年後離職率】
[20→23年]48.0%(男45.8%・入社120名、女49.4%・入社178名)
[21→24年]36.0%(男39.0%・入社41名、女34.2%・入社73名)
【テレワーク】制度あり：[場所]会社指定の場所(店舗事務所など自社施設に限る)[対象]企画コース所属者(商品センター 店舗在籍者は除く)[日数]週2日を上限[利用率]3.6%
【勤務制度】時間単位有休 時差勤務 副業容認【住宅補助】社宅(会社が定めた基準賃料までの家賃50%を会社負担)

●ライフイベント、女性活躍●

【女性比率】■男 □女

新卒採用 67.2% (182名)

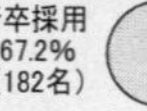

従業員 32.2% (871名)　管理職 11.2% (117名)

【産休】[期間]産前6・産後8週間[給与]法定[取得者数]101名
【育休】[期間]1歳になるまで[給与]法定[取得者数]22年度 男29名(対象59名)女111名(対象111名)23年度 男54名(対象74名)女91名(対象91名)[平均取得日数]22年度 男18日 女434日、23年度 男21日 女445日
【従業員】[人数]2,703名(男1,832名、女871名)[平均年齢]37.7歳(男40.4歳、女31.8歳)[平均勤続年数]14.1年(男17.0年、女8.0年)
【年齢構成】■男 □女

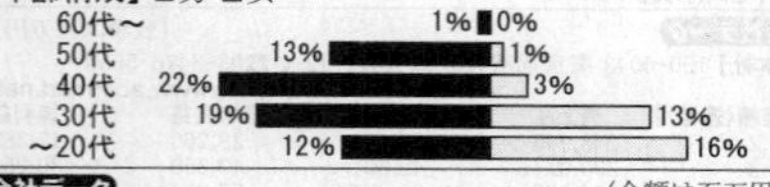

会社データ (金額は百万円)

【本社】721-8556 広島県福山市王子町1-3-5 ☎084-920-0050
https://www.aoyama-syouji.co.jp/

【業績(連結)】	売上高	営業利益	経常利益	純利益
22.3	165,961	2,181	5,150	1,350
23.3	183,506	7,110	8,734	4,278
24.3	193,687	11,918	12,503	10,089

小売

㈱AOKIホールディングス（アオキ）

【特色】紳士服専門店2位。結婚式場、複合カフェも展開

記者評価 祖業のスーツは郊外型「AOKI」とSC中心の「ORIHICA」で約600店展開。コロナ禍で「パジャマスーツ」を開発。スーツ以外の事業多角化に積極的で、結婚式場「アニヴェルセル」や、カラオケ「コート・ダジュール」、複合カフェ「快活CLUB」の運営も手がける。

平均勤続年数	男性育休取得率	3年後離職率	平均年収(平均40歳)
15.3年	21.1→43.5%	59.6→—	総601万円

●採用・配属情報●

【男女・文理別採用実績】

	大卒男	大卒女	修士男	修士女
23年	11(文 11 理 0)	18(文 18 理 0)	0(文 0 理 0)	0(文 0 理 0)
24年	13(文 13 理 0)	30(文 30 理 0)	0(文 0 理 0)	0(文 0 理 0)
25年	19(文 18 理 1)	48(文 48 理 0)	0(文 0 理 0)	0(文 0 理 0)

【男女・職種別採用実績】 転換制度:⇔

	総合職
23年	31(男 12 女 19)
24年	47(男 14 女 33)
25年	70(男 20 女 50)

【24年4月入社者の配属勤務地】総NA

【転勤】あり:[職種]総合職[勤務地]全国(地域限定職は特定の地域内のみ)

【中途比率】[単年度]21年度NA、22年度NA、23年度NA[全体]47%

●働きやすさ、諸制度●

残業(月) 17.5時間 総18.4時間

【勤務時間】9:30〜18:30【有休取得年平均】10.5日【週休】2日【夏期休暇】なし【年末年始休暇】なし

【離職率】男:3.5%、48名 女:5.5%、40名

【新卒3年後離職率】
[20→23年]59.6%(男47.6%・入社21名、女67.7%・入社31名)
[21→24年]—(男—・入社0名、女—・入社0名)

【テレワーク】制度あり:[場所]自宅[対象]本社勤務者[日数]制限なし[利用率]8.6%【勤務制度】フレックス 時間単位有休 勤務間インターバル【住宅補助】住宅手当(2,500〜20,000円)独身寮(自己負担10,000〜30,000円)

●ライフイベント、女性活躍●

【女性比率】■男 □女

新卒採用 71.4% (50名)
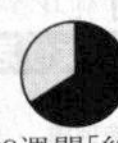
従業員 34.4% (685名)

管理職 5.1% (2名)

【産休】[期間]産前10・産後8週間[給与]法定[取得者数]66名

【育休】[期間]1歳になるまで[給与]法定[取得者数]22年度 男8名(対象38名)女43名(対象43名)23年度 男20名(対象46名)女38名(対象38名)[平均取得日数]22年度 男71日 女405日、23年度 男81日 女390日

【従業員】[人数]1,994名(男1,309名、女685名)[平均年齢]41.3歳(男43.7歳、女36.8歳)[平均勤続年数]15.3年(男17.3年、女11.4年)

【年齢構成】■男 □女

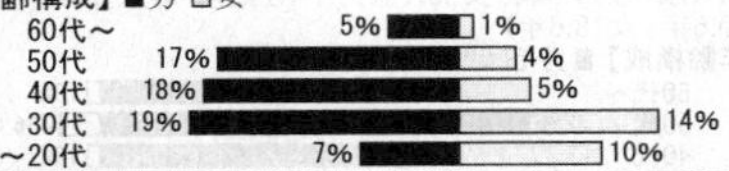

会社データ (金額は百万円)

【本社】224-8588 神奈川県横浜市都筑区葛が谷6-56 ☎045-941-1888
https://www.aoki-hd.co.jp/

【業績(連結)】	売上高	営業利益	経常利益	純利益
22.3	154,916	5,443	4,360	2,563
23.3	176,170	10,235	8,430	5,632
24.3	187,716	13,860	13,235	7,574

※採用は㈱AOKIの数値

㈱コナカ

くるみん

【特色】郊外型紳士服チェーン3位。神奈川県が地盤

記者評価 首都圏と東北を軸に紳士服チェーン約400店を展開。九州地盤のフタタを20年に吸収合併した。都市型で若い世代向けの「スーツセレクト」、オーダースーツの「ディファレンス」が現在の成長軸。子会社に女性向けバッグを展開するサマンサタバサを持つ。

平均勤続年数	男性育休取得率	3年後離職率	平均年収(平均40歳)
18.0年	10.0→11.8%	36.8→40.0%	総446万円

●採用・配属情報●

【男女・文理別採用実績】

	大卒男	大卒女	修士男	修士女
23年	5(文 4 理 1)	9(文 7 理 2)	0(文 0 理 0)	0(文 0 理 0)
24年	1(文 1 理 0)	7(文 7 理 0)	0(文 0 理 0)	0(文 0 理 0)
25年	6(文 6 理 0)	2(文 1 理 1)	0(文 0 理 0)	0(文 0 理 0)

【男女・職種別採用実績】

	総合職
23年	15(男 5 女 10)
24年	9(男 2 女 7)
25年	8(男 6 女 2)

【24年4月入社者の配属勤務地】総東京4 神奈川1 大阪2 福岡1 長崎1

【転勤】あり:[職種]全社員[勤務地]全国

【中途比率】[単年度]21年度NA、22年度NA、23年度NA[全体]NA

●働きやすさ、諸制度●

残業(月) 13.7時間 総13.7時間

【勤務時間】総合職9:45〜19:10中心のシフト制【有休取得年平均】11.0日【週休】年107日【夏期休暇】連続5〜7日【年末年始休暇】なし

【離職率】NA

【新卒3年後離職率】
[20→23年]36.8%(男35.0%・入社20名、女38.9%・入社18名)
[21→24年]40.0%(男0%・入社4名、女66.7%・入社6名)

【テレワーク】制度なし【勤務制度】なし【住宅補助】独身寮(全国約140カ所)

●ライフイベント、女性活躍●

【女性比率】■男 □女

新卒採用 25% (2名)

従業員 18.6% (193名)
管理職 7.9% (39名)

【産休】[期間]産前6・産後8週間[給与]法定[取得者数]28名

【育休】[期間]1歳になるまで[給与]14日間は特別有給、それ以外は会社・給付金・社会保険料免除を併せて実質100%程度を補償[取得者数]22年度 男2名(対象20名)女35名(対象35名)23年度 男2名(対象17名)女33名(対象33名)[平均取得日数]22年度 男37日 女345日、23年度 男109日 女354日

【従業員】[人数]1,035名(男842名、女193名)[平均年齢]40.9歳(男42.8歳、女32.5歳)[平均勤続年数]18.0年(男20.0年、女9.1年)

【年齢構成】■男 □女

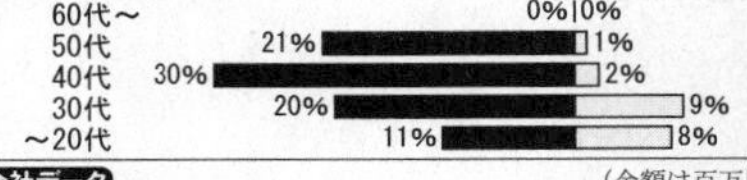

会社データ (金額は百万円)

【本社】244-0801 神奈川県横浜市戸塚区品濃町517-2 ☎045-825-7766
https://www.konaka.co.jp/

【業績(連結)】	売上高	営業利益	経常利益	純利益
21.9	58,584	▲7,825	▲6,516	▲1,938
22.9	63,174	▲3,255	▲2,193	▲3,231
23.9	65,797	▲912	▲684	▲161

小売

2711 開示 ★ [短大] [専門] 採用あり

はるやま商事(株)

えるぼし ★★

【特色】中国地方が地盤。紳士服チェーン業界4位

[記者評価] はるやまHDの中核会社。健康を意識した機能性スーツ・ワイシャツなどユニークな商品や独自性の高いサービスに定評。郊外型の紳士服店「はるやま」に加え、若い世代向けの都市型店「P.S.FA」をSCなどに出店。大きいサイズの専門店「フォーエル」でも独自色。

平均勤続年数	男性育休取得率	3年後離職率	平均年収(平均NA)
NA	NA	NA	NA

●採用・配属情報●

【男女・文理別採用実績】

	大卒男	大卒女	修士男	修士女
23年	0(文 0理 0)	0(文 0理 0)	0(文 0理 0)	0(文 0理 0)
24年	17(文 17理 0)	12(文 12理 0)	0(文 0理 0)	0(文 0理 0)
25年	−(文 −理 −)	−(文 −理 −)	−(文 −理 −)	−(文 −理 −)

※25年:75名採用目標

【男女・職種別採用実績】 転換制度:⇔

	総合職	一般職
23年	0(男 0 女 0)	0(男 0 女 0)
24年	31(男 16 女 15)	6(男 3 女 3)
25年	−(男 − 女 −)	−(男 − 女 −)

【職種併願】○

【24年4月入社者の配属勤務地】[総]埼玉4 大阪4 熊本2 福岡1 福井1 三重1 岡山2 東京5 兵庫1 千葉1 愛知4 広島1 滋賀1 高知1 山口1 香川1

【転勤】あり:[職種]総合職

【中途比率】[単年度]21年度NA、22年度NA、23年度NA[全体]NA

●働きやすさ、諸制度●

残業(月) 7.4時間 [総]7.4時間

【勤務時間】9:00〜18:00【有休取得年平均】14.2日【週休】2日(年105日、土日祝を除く)【夏期休暇】NA【年末年始休暇】NA

【離職率】NA

【新卒3年後離職率】

[20→23年]NA

[21→24年]NA

【テレワーク】制度あり:[場所]自宅[対象]NA[日数]NA[利用率]NA【勤務制度】時差勤務【住宅補助】家賃補助

●ライフイベント、女性活躍●

【女性比率】NA

【産休】[期間]産前6・産後8週間[給与]法定[取得者数]NA

【育休】[期間]9歳になる年度まで[給与]法定[取得者数]22年度 NA 23年度 NA[平均取得日数]22年度 NA、23年度 NA

【従業員】NA

【年齢構成】NA

会社データ (金額は百万円)

【本社】700-0822 岡山県岡山市北区表町1-2-3 ☎086-226-7111

http://www.haruyama.co.jp/

【業績(連結)】	売上高	営業利益	経常利益	純利益
22.3	36,685	▲2,787	▲2,312	▲7,896
23.3	36,892	739	1,117	247
24.3	35,915	927	1,256	405

※業績は(株)はるやまホールディングスのもの

1274 開示 ★★★★ [短大] [専門] 採用あり

(株)ヤナセ

【特色】輸入車ディーラー最大手。全国にサービス販売網

[記者評価] 伊藤忠の連結子会社。1915年創業、日本の輸入車販売で草分け的存在。メルセデス・ベンツを軸にBMW、アウディ、VW、ポルシェなどを扱う。グループ新車販売は累計200万台を超す。EV普及に向け九州電力と業務提携。24年4月にフェラーリの販売を開始。

平均勤続年数	男性育休取得率	3年後離職率	平均年収(平均44歳)
20.5年	21.2→20.9%	32.7→35.0%	[総]790万円

●採用・配属情報●

【男女・文理別採用実績】

	大卒男	大卒女	修士男	修士女
23年	32(文 32理 0)	6(文 6理 0)	0(文 0理 0)	0(文 0理 0)
24年	58(文 53理 5)	7(文 7理 0)	0(文 0理 0)	0(文 0理 0)
25年	−(文 −理 −)	−(文 −理 −)	−(文 −理 −)	−(文 −理 −)

※25年:180名採用予定(大卒78名・専門卒102名)

【男女・職種別採用実績】

	総合職
23年	82(男 69 女 13)
24年	141(男 130 女 11)
25年	180(男 − 女 −)

【24年4月入社者の配属勤務地】[総]東京17 名古屋10 大阪8 神奈川7 千葉7 福岡5 埼玉4 兵庫2 広島2 宮城1 群馬1 香川1 [技]名古屋11 福岡11 東京10 大阪8 神奈川7 埼玉7 千葉6 北海道2 群馬2 長野2 岩手1 宮城1 栃木1 静岡1 兵庫1 広島1 高知1 佐賀1 長崎1 沖縄1

【転勤】なし

【中途比率】[単年度]21年度13%、22年度29%、23年度42%[全体]30%

●働きやすさ、諸制度●

残業(月) 26.4時間 [総]26.4時間

【勤務時間】9:30〜18:00【有休取得年平均】11.2日【週休】2日(原則月火祝、月8〜11日間)【夏期休暇】連続7日(うち4日有休、3日週休)【年末年始休暇】連続8日

【離職率】男:5.6%、237名 女:6.8%、25名

【新卒3年後離職率】

[20→23年]32.7%(男32.8%・入社192名、女32.4%・入社34名)

[21→24年]35.0%(男32.6%・入社138名、女50.0%・入社22名)

【テレワーク】制度なし【勤務制度】フレックス 時間単位有休 裁量労働【住宅補助】独身寮(遠方者 地域による)

●ライフイベント、女性活躍●

【女性比率】■男 □女

従業員 7.9% (344名)

管理職 3.3% (17名)

【産休】[期間]産前6・産後8週間[給与]法定[取得者数]34名

【育休】[期間]1歳になるまで[給与]法定[取得者数]22年度 男25名(対象118名)女8名(対象8名)23年度 男24名(対象115名)女10名(対象10名)[平均取得日数]22年度 NA、23年度 男85日 女384日

【従業員】[人数]4,329名(男3,985名、女344名)[平均年齢]44.4歳(男44.6歳、女42.7歳)[平均勤続年数]20.5年(男20.6年、女18.6年)

【年齢構成】■男 □女

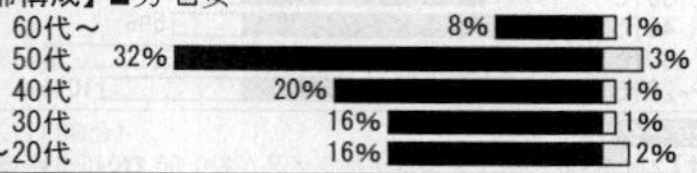
60代〜 8% 1%
50代 32% 3%
40代 20% 1%
30代 16% 1%
〜20代 16% 2%

会社データ (金額は百万円)

【本社】105-8575 東京都港区芝浦1-6-38 ☎なし

https://www.yanase.co.jp/

【業績(連結)】	売上高	営業利益	経常利益	純利益
22.3	441,085	20,628	20,962	14,180
23.3	461,801	22,278	23,773	16,689
24.3	495,663	21,361	21,562	14,617

2340 開示 ★★★ 短大 専門 採用あり

㈱A T(エイティ)グループ(愛知トヨタ)

【特色】トヨタ系ディーラー。傘下に愛知トヨタなど

記者評価 1935年設立でトヨタ第1号車を販売した日の出モータースが前身。23年4月にグループのトヨタ4販社が経営統合し、現体制に。中核の愛知トヨタはトヨタ店185拠点(中古車、サービス拠点など含む)、レクサス店11拠点、フォルクスワーゲン(VW)店5拠点を展開。

平均勤続年数	男性育休取得率	3年後離職率	平均年収(平均39歳)
16.9年	15.8→26.1%	23.6→20.5%	㊇659万円

●採用・配属情報●

【男女・文理別採用実績】

	大卒男	大卒女	修士男	修士女
23年	79(文 74 理 5)	14(文 14 理 0)	0(文 0 理 0)	0(文 0 理 0)
24年	67(文 67 理 0)	31(文 31 理 0)	0(文 0 理 0)	0(文 0 理 0)
25年	73(文NA 理NA)	26(文 26 理 0)	0(文 0 理 0)	0(文 0 理 0)

【男女・職種別採用実績】 転換制度:⇒

	総合職	技術職(整備)	事務職
23年	89(男 77 女 12)	128(男 128 女 0)	7(男 0 女 7)
24年	89(男 67 女 22)	99(男 96 女 3)	14(男 0 女 14)
25年	82(男 70 女 12)	86(男 81 女 5)	16(男 1 女 15)

【24年4月入社者の配属勤務地】㊇愛知94 静岡1 ㊕愛知95 静岡1

【転勤】なし

【中途比率】[単年度]21年度4%、22年度6%、23年度6% [全体]6%

●働きやすさ、諸制度●

残業(月) 14.8時間 ㊇17.1時間

【勤務時間】9:20〜18:00【有休取得年平均】10.6日【週休】2日程度(変形労働時間制)【夏期休暇】7日程度【年末年始休暇】7日程度

【離職率】男:NA、104名 女:NA、17名(早期退職男1名、女2名含む)

【新卒3年後離職率】

[20→23年]23.6%(男24.1%・入社170名、女21.4%・入社42名)

[21→24年]20.5%(男21.2%・入社179名、女16.7%・入社36名)

【テレワーク】制度なし【勤務制度】時間単位有休【住宅補助】住宅補助(県外出身者で入社5年以内の未婚社員 毎月30,000円上限)

●ライフイベント、女性活躍●

【女性比率】■男 □女

新卒採用 17.4% (32名)

管理職 1.8% (11名)

【産休】[期間]産前6・産後8週間[給与]法定[取得者数]38名

【育休】[期間]1歳になるまで[給与]法定[取得者数]22年度 男22名(対象139名)女28名(対象28名)23年度 男30名(対象115名)女38名(対象38名)[平均取得日数]22年度 男22日 女337日、23年度 男24日 女308日

【従業員】[人数]4,450名(男NA、女NA)[平均年齢]38.8歳(男NA、女NA)[平均勤続年数]16.9年(男17.4年、女13.9年)

【年齢構成】■男 □女

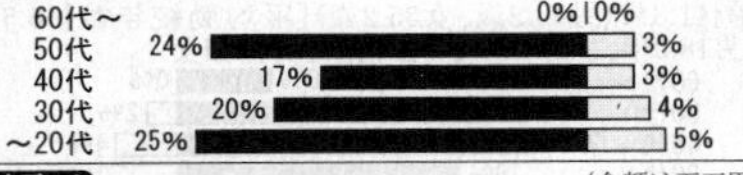

会社データ (金額は百万円)

【本社】466-0057 愛知県名古屋市昭和区高辻町6-8 ☎052-871-4511 https://www.aichi-toyota.jp/

【業績(連結)】	売上高	営業利益	経常利益	純利益
22.3	370,758	9,099	12,047	7,410
23.3	379,952	NA	NA	NA
24.3	411,534	NA	NA	NA

※採用情報は愛知トヨタEAST㈱と愛知トヨタWEST㈱の合算、会社データは㈱ATグループのもの

131 開示 ★★★

㈱エフ・ディ・シィ・プロダクツ

【特色】4℃HD中核。ジュエリーブランド「4℃」など展開

記者評価 ヨンドシーホールディングスの中核事業会社。「4℃」ブランドのジュエリー事業を担う。百貨店、路面店、ショッピングセンター内で店舗展開。ブライダル専門店「4℃ BRIDAL」も。顧客年齢層の拡大、ブランドイメージ高級化を推進。EC販売に注力。

平均勤続年数	男性育休取得率	3年後離職率	平均年収(平均39歳)
11.8年	—→100%	37.5→42.9%	㊇485万円

●採用・配属情報●

【男女・文理別採用実績】

	大卒男	大卒女	修士男	修士女
23年	0(文 0 理 0)	2(文 2 理 0)	0(文 0 理 0)	0(文 0 理 0)
24年	1(文 1 理 0)	2(文 2 理 0)	0(文 0 理 0)	1(文 0 理 1)
25年	1(文 1 理 0)	11(文 11 理 0)	0(文 0 理 0)	0(文 0 理 0)

【男女・職種別採用実績】

	総合職	クラフトマン	デザイナー
23年	2(男 0 女 2)	0(男 0 女 0)	0(男 0 女 0)
24年	3(男 1 女 2)	0(男 0 女 0)	1(男 0 女 1)
25年	9(男 1 女 8)	0(男 0 女 0)	3(男 0 女 3)

【職種併願】デザイナー職とクラフト職で可能

【24年4月入社者の配属勤務地】㊇目黒4 ㊕なし

【転勤】なし

【中途比率】[単年度]21年度NA、22年度NA、23年度NA[全体]NA

●働きやすさ、諸制度●

残業(月) 10.2時間 ㊇10.2時間

【勤務時間】9:10〜18:00【有休取得年平均】12.8日【週休】2日(日祝、土は月2〜4日)【夏期休暇】連続5日【年末年始休暇】あり

【離職率】NA

【新卒3年後離職率】

[20→23年]37.5%(男100%・入社1名、女28.6%・入社7名)

[21→24年]42.9%(男0%・入社3名、女75.0%・入社4名)

【テレワーク】制度あり:[場所]自宅[対象]全部署[日数]週2日[利用率]NA【勤務制度】なし【住宅補助】なし

●ライフイベント、女性活躍●

【女性比率】■男 □女

新卒採用 91.7% (11名)

従業員 61.9% (91名)

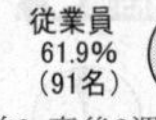

管理職 28% (7名)

【産休】[期間]産前6・産後8週間[給与]法定[取得者数]7名

【育休】[期間]1歳になるまで[給与]法定[取得者数]22年度 男0名(対象0名)女3名(対象3名)23年度 男1名(対象1名)女5名(対象5名)[平均取得日数]22年度 NA、23年度 男1日 女368日

【従業員】[人数]147名(男56名、女91名)[平均年齢]38.8歳(男40.7歳、女37.6歳)[平均勤続年数]11.8年(男13.7年、女10.7年)

【年齢構成】NA

会社データ (金額は百万円)

【本社】141-8544 東京都品川区上大崎2-19-10 ☎03-5719-3288 https://www.fdcp.co.jp/

【業績(単独)】	売上高	営業利益	経常利益	純利益
22.2	18,424	1,131	1,415	897
23.2	18,587	1,356	1,404	648
24.2	16,995	1,426	1,466	778

(株)ヴァンドームヤマダ

えるぼし ★★★

【特色】婦人アクセサリーの大手。販売チャネル多様化

[記者評価] アクセサリーの企画・販売・輸出入を手がける。「VENDOME AOYAMA」など自社ブランドと「ANNA SUI」などライセンスブランドの両面戦略。百貨店中心に店舗展開。東京・青山に旗艦店。企画・開発から販売まで一貫。ブランド認知向上と販売チャネル多様化を推進。

平均勤続年数	男性育休取得率	3年後離職率	平均年収(平均38歳)
11.0年	100 → —	38.3 → 40.9%	NA

●採用・配属情報●

【男女・文理別採用実績】

	大卒男	大卒女	修士男	修士女
23年	0(文 0理 0)	13(文 13理 0)	0(文 0理 0)	0(文 0理 0)
24年	1(文 1理 0)	30(文 28理 2)	0(文 0理 0)	0(文 0理 0)
25年	0(文 0理 0)	22(文 22理 0)	0(文 0理 0)	0(文 0理 0)

※25年:継続中

【男女・職種別採用実績】

	企画職	総合職	販売職
23年	1(男 0 女 1)	1(男 0 女 1)	20(男 0 女 20)
24年	3(男 0 女 3)	4(男 0 女 4)	44(男 1 女 43)
25年	2(男 0 女 2)	2(男 0 女 2)	29(男 0 女 29)

【職種併願】○

【24年4月入社者の配属勤務地】[総]首都圏4 [技]首都圏3

【転勤】なし

【中途比率】[単年度]21年度36%、22年度33%、23年度27%[全体]49%

●働きやすさ、諸制度●

残業(月) 3.3時間 [総]4.9時間

【勤務時間】9:45〜18:00【有休取得年平均】13.7日【週休】会社暦原則2日【夏期休暇】6〜10月を中心に、夏季有休取得月間【年末年始休暇】12月29日〜1月4日

【離職率】NA

【新卒3年後離職率】
[20→23年]38.3%(男—・入社0名、女38.3%・入社47名)
[21→24年]40.9%(男—・入社0名、女40.9%・入社44名)

【テレワーク】制度あり:[場所]自宅 他[対象]主に内勤職[日数]週4日を限度とする[利用率]NA【勤務制度】なし

【住宅補助】なし

●ライフイベント、女性活躍●

【女性比率】■男 □女

新卒採用 100% (33名)

従業員 95.3% (627名)

管理職 44.8% (13名)

【産休】[期間]産前6・産後8週間[給与]法定[取得者数]16名

【育休】[期間]1歳になるまで[給与]法定[取得者数]22年度男2名(対象2名)女24名(対象24名)23年度 男0名(対象0名)女19名(対象19名)[平均取得日数]22年度 男20日 女450日、23年度 男- 女496日

【従業員】[人数]658名(男31名、女627名)[平均年齢]37.7歳(男48.0歳、女37.2歳)[平均勤続年数]11.0年(男13.5年、女10.9年)

【年齢構成】■男 □女

	男	女
60代〜	0%	0%
50代	3%	15%
40代	1%	26%
30代	1%	23%
〜20代	0%	31%

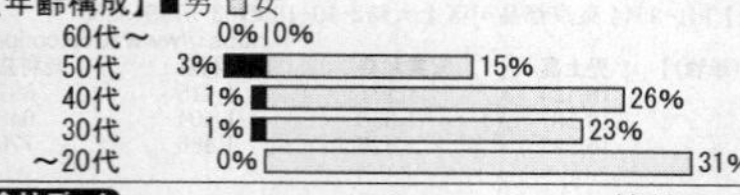

会社データ (金額は百万円)

【本社】107-0062 東京都港区南青山6-12-1 TTS南青山ビル2階 ☎03-3470-0384 https://vendome.jp/

【業績(単独)】	売上高	営業利益	経常利益	純利益
21.8	9,426	173	167	57
22.8	9,564	208	254	79
23.8	10,296	175	136	▲335

(株)アルペン

えるぼし ★★★

【特色】スポーツ小売り大手。ゴルフ、アウトドアも展開

[記者評価] ゼビオと並ぶスポーツ用品小売りの大手。「スポーツデポ」や「ゴルフ5」「アルペン」など約400店を展開。近年はアウトドア専門店を急速に増やした。22年に多層フロアの超大型総合旗艦店の「アルペントーキョー」を新宿で開業、その後、福岡、名古屋にも出店。

平均勤続年数	男性育休取得率	3年後離職率	平均年収(平均42歳)
◇16.5年	32.2 → 45.2%	14.3 → 20.8%	[総]604万円

●採用・配属情報●

【男女・文理別採用実績】

	大卒男	大卒女	修士男	修士女
23年	54(文 50理 4)	30(文 30理 0)	1(文 1理 0)	1(文 1理 0)
24年	122(文111理 11)	49(文 48理 1)	2(文 0理 2)	0(文 0理 0)
25年	128(文124理 4)	54(文 54理 0)	0(文 0理 0)	0(文 0理 0)

【男女・職種別採用実績】

	総合職	物流職
23年	86(男 55 女 31)	0(男 0 女 0)
24年	173(男124 女 49)	0(男 0 女 0)
25年	180(男126 女 54)	2(男 2 女 0)

【24年4月入社者の配属勤務地】[総]全国各事業所所在地141カ所(1店舗に1〜2名配属)

【転勤】あり:[職種]総合職社員および一部の有期労働契約社員(勤務地限定なし、勤務地限定、通勤可能範囲に勤務地限定、を選択可)

【中途比率】[単年度]21年度17%、22年度22%、23年度21%[全体]◇47%

●働きやすさ、諸制度●

残業(月) 9.8時間 [総]10.0時間

【勤務時間】9:00〜18:00 9:30〜18:30 10:00〜19:00【有休取得年平均】10.0日【週休】<本社>2日(年9回土曜出勤)<店舗>2日(シフト制)【夏期休暇】連続3日(本社)【年末年始休暇】連続4日(本社)

【離職率】◇男:4.2%、101名 女:6.7%、35名(早期退職男6名、女1名含む)

【新卒3年後離職率】
[20→23年]14.3%(男20.0%・入社10名、女9.1%・入社11名)
[21→24年]20.8%(男20.0%・入社30名、女22.2%・入社18名)

【テレワーク】制度なし【勤務制度】時間単位有休 時差勤務 勤務間インターバル【住宅補助】借上 寮・社宅(転勤者のみ)独身者住宅手当(独立生計者のみ)

●ライフイベント、女性活躍●

【女性比率】■男 □女

新卒採用 29.7% (54名)

従業員 17.5% (487名)

管理職 12.9% (27名)

【産休】[期間]産前6・産後8週間[給与]法定[取得者数]34名

【育休】[期間]1歳になるまで[給与]法定[取得者数]22年度男19名(対象59名)女23名(対象23名)23年度 男33名(対象73名)女25名(対象25名)[平均取得日数]22年度 NA、23年度 男47日 女446日

【従業員】◇[人数]2,775名(男2,288名、女487名)[平均年齢]41.8歳(男43.2歳、女35.2歳)[平均勤続年数]16.5年(男18.0年、女9.5年)【年齢構成】■男 □女

	男	女
60代〜	6%	0%
50代	22%	2%
40代	23%	4%
30代	18%	5%
〜20代	13%	7%

会社データ (金額は百万円)

【本社】460-8637 愛知県名古屋市中区丸の内2-9-40 アルペン丸の内タワー ☎052-559-0131 https://www.alpen-group.jp/

【業績(連結)】	売上高	営業利益	経常利益	純利益
22.6	232,332	7,153	8,988	5,310
23.6	244,540	5,062	6,930	5,469
24.6	252,936	3,330	5,307	1,733

2653 開示 ★★★☆☆

ゼビオ㈱

【特色】スポーツ小売り大手。ゼビオグループの中核企業

記者評価 ゼビオグループの中核企業で、アルペンと並ぶスポーツ用品小売りの業界大手。総合大型店の「スーパースポーツゼビオ」を全国で展開。グループ企業が展開する「ヴィクトリア」、「エルブレス」、「ゴルフパートナー」なども含めた店舗数は約900店に及ぶ。

平均勤続年数	男性育休取得率	3年後離職率	平均年収(平均42歳)
19.0年	NA	36.1 → 48.4%	NA

●採用・配属情報●

【男女・文理別採用実績】

	大卒男	大卒女	修士男	修士女
23年	18(文 18 理 0)	5(文 5 理 0)	0(文 0 理 0)	0(文 0 理 0)
24年	18(文 18 理 0)	3(文 3 理 0)	0(文 0 理 0)	0(文 0 理 0)
25年	10(文 10 理 0)	3(文 3 理 0)	0(文 0 理 0)	0(文 0 理 0)

【男女・職種別採用実績】 転換制度:⇔

	総合職
23年	23(男 18 女 5)
24年	21(男 18 女 3)
25年	13(男 10 女 3)

【24年4月入社者の配属勤務地】㊓福島 21
【転勤】あり:[職種]総合職 [勤務地]全国の営業店舗ならびに本社
【中途比率】[単年度]21年度NA、22年度NA、23年度NA[全体]20%

●働きやすさ、諸制度●

残業(月) 16.5時間 ㊓16.5時間

【勤務時間】9:20〜18:30【有休取得年平均】8.8日【週休】2日以上【夏期休暇】有休で5日取得【年末年始休暇】なし
【離職率】男:6.8%、29名 女:9.0%、7名
【新卒3年後離職率】
[20→23年]36.1%(男41.4%・入社29名、女14.3%・入社7名)
[21→24年]48.4%(男47.8%・入社23名、女50.0%・入社8名)
【テレワーク】制度なし【勤務制度】なし【住宅補助】独身寮家賃の9割を会社負担 社宅 社内規定の基づき補助

●ライフイベント、女性活躍●

【女性比率】■男 □女

新卒採用 23.1%(3名)

従業員 15.2%(71名)

管理職 11.1%(3名)

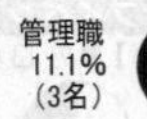

【産休】[期間]産前6・産後8週間[給与]法定[取得者数]7名
【育休】[期間]1歳になるまで[給与]法定[取得者数]22年度 男3名(対象NA)女6名(対象6名)23年度 男1名(対象NA)女5名(対象5名)[平均取得日数]22年度 男28日 女362日、23年度 男28日 女395日
【従業員】[人数]466名(男395名、女71名)[平均年齢]42.0歳(男43.3歳、女35.0歳)[平均勤続年数]19.0年(男20.1年、女12.9年)
【年齢構成】■男 □女

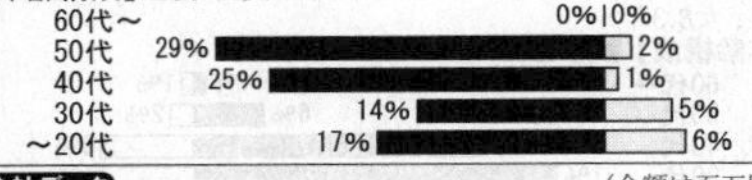

会社データ (金額は百万円)

【本社】963-8024 福島県郡山市朝日3-7-35 ☎024-938-1111
https://www.xebio.co.jp/ja/

【業績(連結)】	売上高	営業利益	経常利益	純利益
22.3	223,282	4,999	7,851	3,836
23.3	239,293	8,327	9,242	5,397
24.3	242,433	4,204	5,405	2,592

※資本金・業績はゼビオホールディングス㈱のもの

1280 開示 ★★★☆☆ 短大 専門 採用あり

つるや㈱

【特色】ゴルフ用品の専門店。ゴルフトーナメント主催も

記者評価 ゴルフ用品の卸・小売。国内93店舗を展開(24年3月時点)。独自ブランド「アクセル」等の商品開発力に定評。彦根に工場、神戸に商品センター。オンラインショップ、ゴルフ場、ゴルフ練習場・スクールも運営。若手ゴルファー育成に注力。上海に販売現法。

平均勤続年数	男性育休取得率	3年後離職率	平均年収(平均29歳)
7.8年	0 → 0%	51.6 → 36.8%	500万円

●採用・配属情報●

【男女・文理別採用実績】

	大卒男	大卒女	修士男	修士女
23年	26(文 26 理 0)	4(文 4 理 0)	1(文 1 理 0)	1(文 1 理 0)
24年	24(文 24 理 0)	2(文 2 理 0)	1(文 1 理 0)	1(文 1 理 0)
25年	28(文 28 理 0)	5(文 5 理 0)	1(文 1 理 0)	1(文 1 理 0)

【男女・職種別採用実績】 転換制度:⇒

	総合職	一般職
23年	35(男 30 女 5)	2(男 1 女 1)
24年	30(男 27 女 3)	2(男 1 女 1)
25年	37(男 32 女 5)	2(男 1 女 1)

【24年4月入社者の配属勤務地】㊓大阪13 兵庫1 京都1 東京2 愛知1 和歌山1 滋賀1 茨城1 岡山1 香川1 静岡1 千葉1 富山1 広島1 福岡2 三重1
【転勤】あり:[職種]総合職
【中途比率】[単年度]21年度11%、22年度11%、23年度15%[全体]9%

●働きやすさ、諸制度●

残業(月) 8.0時間 ㊓8.0時間

【勤務時間】9:30〜18:30 本・支店10:00〜20:00の間でシフト制【有休取得年平均】8.0日【週休】月8〜10日(交替制)【夏期休暇】連続3日【年末年始休暇】連続5日
【離職率】男:10.6%、39名 女:21.0%、56名
【新卒3年後離職率】
[20→23年]51.6%(男48.1%・入社27名、女75.0%・入社4名)
[21→24年]36.8%(男28.1%・入社32名、女83.3%・入社6名)
【テレワーク】制度あり:[場所]自宅[対象]ネット事業部のみ[日数]制限なし[利用率]NA【勤務制度】時間単位有休
【住宅補助】独身寮(大阪市1棟、東京1棟、千葉1棟)借上社宅 住宅手当

●ライフイベント、女性活躍●

【女性比率】■男 □女

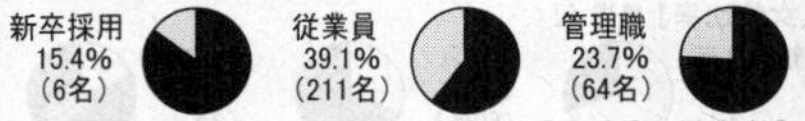

新卒採用 15.4%(6名) 従業員 39.1%(211名)

管理職 23.7%(64名)

【産休】[期間]産前6・産後8週間[給与]法定[取得者数]6名
【育休】[期間]1歳になるまで[給与]法定[取得者数]22年度 男0名(対象14名)女8名(対象8名)23年度 男0名(対象11名)女10名(対象10名)[平均取得日数]22年度 男− 女297日、23年度 男− 女252日
【従業員】[人数]539名(男328名、女211名)[平均年齢]28.9歳(男32.6歳、女22.6歳)[平均勤続年数]7.8年(男10.2年、女4.1年)
【年齢構成】■男 □女

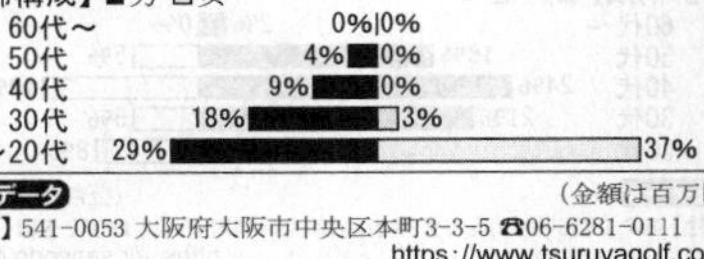

60代〜 0%|0%
50代 4% 0%
40代 9% 0%
30代 18% 3%
〜20代 29% 37%

会社データ (金額は百万円)

【本社】541-0053 大阪府大阪市中央区本町3-3-5 ☎06-6281-0111
https://www.tsuruyagolf.co.jp/

【業績(単独)】	売上高	営業利益	経常利益	純利益
21.7	23,018	1,065	1,087	419
22.7	21,772	1,094	1,134	708
23.7	23,943	694	704	399

(株)三洋堂ホールディングス（さんようどう）

【特色】東海地区中心の郊外型書店。複合店化を推進中

記者評価 トーハンが筆頭株主。新書・古書の併売を軸に、文具、雑貨、ソフト販売・レンタルも扱う複合店化に特色。フィットネスクラブなど入居で店舗の有効活用も。中古ホビー店やトレカ、プラモ専門売り場を強化。24年6月から大卒初任給を219,500円に増額。

平均勤続年数	男性育休取得率	3年後離職率	平均年収(平均42歳)
17.7年	0→50.0%	70.0→50.0%	(総)437万円

●採用・配属情報●

【男女・文理別採用実績】

	大卒男	大卒女	修士男	修士女
23年	2(文 2理 0)	5(文 5理 0)	0(文 0理 0)	0(文 0理 0)
24年	0(文 0理 0)	4(文 4理 0)	0(文 0理 0)	0(文 0理 0)
25年	3(文 3理 0)	7(文 7理 0)	0(文 0理 0)	0(文 0理 0)

【男女・職種別採用実績】 転換制度:⇔

	総合職
23年	7(男 2 女 5)
24年	4(男 0 女 4)
25年	10(男 3 女 7)

【24年4月入社者の配属勤務地】(総)愛知(名古屋1 豊田1 東海1 半田1)

【転勤】あり:[職種]総合職[勤務地]店舗または本部(愛知 岐阜 三重 滋賀 奈良 福井 長野 茨城)

【中途比率】[単年度]21年度0%、22年度25%、23年度47% [全体]23%

●働きやすさ、諸制度●

残業(月) 8.5時間 (総)8.6時間

【勤務時間】シフト制(店舗により異なる)多くの店舗が8:00〜24:00の間で実働8時間勤務【有休取得年平均】12.1日【週休】4週8〜9休【夏期休暇】有休で取得【年末年始休暇】有休で取得

【離職率】男:5.8%、7名 女:12.3%、7名(早期退職男1名含む)

【新卒3年後離職率】
[20→23年]70.0%(男100%・入社2名、女62.5%・入社8名)
[21→24年]50.0%(男50.0%・入社2名、女50.0%・入社2名)

【テレワーク】制度なし【勤務制度】時間単位有休 勤務間インターバル【住宅補助】法人契約の民間下宿(引越・入居費は会社負担、家賃半額は会社負担(上限33,000円))

●ライフイベント、女性活躍●

【女性比率】■男 □女

新卒採用 70%(7名)　従業員 30.5%(50名)　管理職 19%(8名)

【産休】[期間]産前6・産後8週間[給与]法定[取得者数]0名

【育休】[期間]1歳半になるまで[給与]法定[取得者数]22年度 男0名(対象1名)女0名(対象1名)23年度 男1名(対象2名)女0名(対象1名)[平均取得日数]22年度 NA、23年度 男67日 女NA

【従業員】[人数]164名(男114名、女50名)[平均年齢]42.6歳(男44.1歳、女39.2歳)[平均勤続年数]17.7年(男19.0年、女14.6年)

【年齢構成】■男 □女

	男	女
60代〜	2%	0%
50代	18%	5%
40代	24%	12%
30代	21%	5%
〜20代	4%	8%

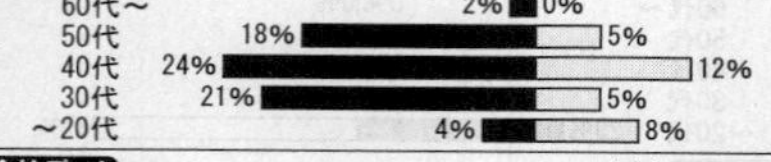

会社データ (金額は百万円)

【本社】467-0856 愛知県名古屋市瑞穂区新開町18-22 ☎052-871-3434 https://ir.sanyodo.co.jp/

【業績(連結)】	売上高	営業利益	経常利益	純利益
22.3	18,853	5	39	▲275
23.3	17,798	▲259	▲217	▲496
24.3	17,297	84	136	▲46

ブックオフコーポレーション(株)

【特色】リユース業界大手、中古本で首位。総合化を志向

記者評価 ブックオフグループHD傘下。中古本買取・販売店「ブックオフ」が主軸。トレカ・ホビー品専門店や大型複合店も展開し、店舗立地に応じた業態で差別化。アプリ連携やネット活用を強化。百貨店立地の「ハグオール」や宝飾品の「aidect」など富裕層向け店舗も。

平均勤続年数	男性育休取得率	3年後離職率	平均年収(平均38歳)
9.1年	31.4→87.5%	36.4→50.0%	(総)467万円

●採用・配属情報●

【男女・文理別採用実績】

	大卒男	大卒女	修士男	修士女
23年	20(文 20理 0)	11(文 11理 0)	0(文 0理 0)	0(文 0理 0)
24年	28(文 28理 0)	21(文 21理 0)	0(文 0理 0)	0(文 0理 0)
25年	33(文 30理 3)	20(文 20理 0)	1(文 1理 0)	1(文 1理 0)

【男女・職種別採用実績】 転換制度:⇔

	店長職
23年	31(男 20 女 11)
24年	50(男 28 女 22)
25年	58(男 34 女 24)

【24年4月入社者の配属勤務地】(総)関東23 名古屋7 西日本10 仙台10

【転勤】あり:全社員

【中途比率】[単年度]21年度93%、22年度86%、23年度76%[全体]69%

●働きやすさ、諸制度●

残業(月) 14.8時間

【勤務時間】9:10〜18:10【有休取得年平均】10.2日【週休】2日【夏期休暇】リフレッシュ休日として連続最大5日(有休、週休含む)【年末年始休暇】リフレッシュ休日として連続最大5日(有休、週休含む)

【離職率】男:3.3%、35名 女:3.6%、13名

【新卒3年後離職率】
[20→23年]36.4%(男37.5%・入社8名、女33.3%・入社3名)
[21→24年]50.0%(男40.0%・入社5名、女60.0%・入社5名)

【テレワーク】制度なし【勤務制度】副業容認【住宅補助】借上社宅(毎月グレードに応じて定額を会社負担)

●ライフイベント、女性活躍●

【女性比率】■男 □女

新卒採用 41.4%(24名)　従業員 25.3%(349名)　管理職 9.8%(8名)

【産休】[期間]産前10カ月・産後8週間[給与]法定[取得者数]11名

【育休】[期間]1歳になるまで[給与]法定[取得者数]22年度 男11名(対象35名)女10名(対象10名)23年度 男21名(対象24名)女11名(対象11名)[平均取得日数]22年度 男32日 女218日、23年度 男71日 女183日

【従業員】[人数]1,382名(男1,033名、女349名)[平均年齢]37.8歳(男37.9歳、女37.6歳)[平均勤続年数]9.1年(男9.4年、女8.3年)

【年齢構成】■男 □女

	男	女
60代〜	1%	1%
50代	6%	2%
40代	25%	8%
30代	31%	9%
〜20代	13%	5%

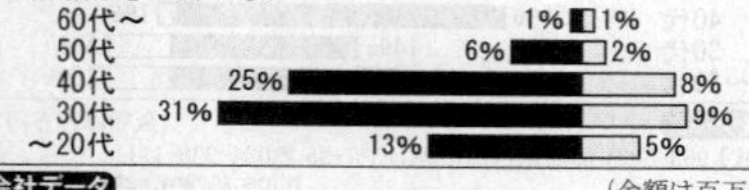

会社データ (金額は百万円)

【本社】252-0344 神奈川県相模原市南区古淵2-14-20 ☎042-769-1511 http://www.bookoff.co.jp/

【業績(連結)】	売上高	営業利益	経常利益	純利益
22.5	91,538	1,766	2,307	1,449
23.5	101,843	2,578	3,040	2,769
24.5	111,657	3,051	3,448	1,705

※業績はブックオフグループホールディングス(株)のもの

ニトリグループ

くるみん

【特色】国内首位の家具・インテリア製造小売りチェーン

記者評価 商品企画、製造、物流、販売まで自社で一貫して行う独自のビジネスモデルに強み。グループ店舗数は国内外で約1000。21年にホームセンターの島忠を子会社化した。入社後は店舗配属を経たのち、さまざまな部署を経験する「配転教育」でキャリアを形成する。

平均勤続年数	男性育休取得率	3年後離職率	平均年収(平均32歳)
! 8.9年	45.5 → 55.8%	NA	総 707万円

●採用・配属情報●

【男女・文理別採用実績】

	大卒男	大卒女	修士男	修士女
23年	309(文276 理 33)	264(文249 理 15)	37(文 8 理 29)	15(文 4 理 11)
24年	563(文499 理 64)	389(文365 理 24)	38(文 10 理 28)	23(文 15 理 8)
25年	570(文514 理 56)	499(文463 理 36)	48(文 16 理 32)	18(文 15 理 3)

【男女・職種別採用実績】 転換制度:⇔

	総合職
23年	625(男 346 女279)
24年	1,013(男 601 女412)
25年	1,135(男 618 女517)

【24年4月入社者の配属勤務地】㊕東京139 大阪105 神奈川97 埼玉78 愛知72 千葉59 兵庫50 北海道45 静岡24 他 ㊍東京23 埼玉17 神奈川10

【転勤】あり:全社員

【中途比率】[単年度]21年度7%、22年度19%、23年度17% [全体]14%

●働きやすさ、諸制度●

残業(月) 17.6時間 ㊕ 16.4時間

【勤務時間】本部9:00〜18:00 各事業所シフト制【有休取得年平均】12.2日【週休】年120日【夏期休暇】連続最大11日(有休4日含む)【年末年始休暇】連続最大9日(有休3日含む)

【離職率】NA

【新卒3年後離職率】[20→23年]NA [21→24年]NA

【テレワーク】制度あり:[場所]既存自社オフィス内 自宅[対象]全社員※自宅勤務は一部社員のみ[日数]制限なし[利用率]NA【勤務制度】時差勤務 勤務間インターバル【住宅補助】単身者用契約住宅(家賃3,000円補助)Tサポートシステム(転貸、家探しの手伝い 他)

●ライフイベント、女性活躍●

【女性比率】■男 □女

新卒採用 45.6% (517名)

従業員 32.2% (1842名)

管理職 18.2% (508名)

【産休】[期間]産前6・産後8週間[給与]法定[取得者数]63名

【育休】[期間]1歳になるまで[給与]法定[取得者数]22年度 男86名(対象189名)女63名(対象63名)23年度 男96名(対象172名)女86名(対象86名)[平均取得日数]22年度 男115日 女586日、23年度 男112日 女621日

【従業員】[人数]5,724名(男3,882名、女1,842名)[平均年齢]34.0歳(男35.5歳、女30.8歳)[平均勤続年数]8.9年(男10.3年、女6.2年) ※契約・嘱託社員含む

【年齢構成】■男 □女

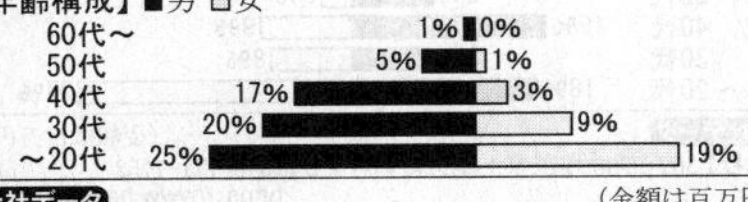

会社データ (金額は百万円)

【本社】001-0907 北海道札幌市北区新琴似7条1-2-39 ☎011-330-6200 https://www.nitorihd.co.jp/

【業績(連結)】	売上高	営業利益	経常利益	純利益
22.2	811,581	138,270	141,847	96,724
23.3変	948,094	140,076	144,085	95,129
24.3	895,799	127,725	132,377	86,523

※会社データは㈱ニトリホールディングスのもの

㈱良品計画

りょうひんけいかく

【特色】生活雑貨チェーン大手。「無印良品」を世界展開

記者評価 西友のPB事業部として発足し、1989年に分離・独立。「無印良品」の企画開発・製造・販売を行う。シンプルな作りが特徴の生活雑貨、衣服、食品を展開。独自の社内マニュアルでの仕組みづくりに定評がある。日本国内と中国・東南アジアで出店を拡大。

平均勤続年数	男性育休取得率	3年後離職率	平均年収(平均38歳)
8.3年	16.7 → 34.2%	40.5 → 32.1%	総 637万円

●採用・配属情報●

【男女・文理別採用実績】※25年:継続中

	大卒男	大卒女	修士男	修士女
23年	52(文 45 理 7)	85(文 77 理 8)	0(文 0 理 0)	0(文 0 理 0)
24年	69(文 64 理 5)	148(文134 理 14)	0(文 0 理 0)	0(文 0 理 0)
25年	172(文158 理 14)	310(文283 理 27)	4(文 2 理 2)	19(文 14 理 5)

【男女・職種別採用実績】

	総合職
23年	140(男 53 女 87)
24年	218(男 69 女149)
25年	509(男176 女333)

【24年4月入社者の配属勤務地】㊕東京42 大阪26 神奈川20 埼玉18 千葉13 兵庫12 愛知9 福岡8 京都8 北海道8 群馬6 茨城5 岡山5 静岡4 宮城3 岐阜3 滋賀3 奈良3 広島3 山梨3 石川3 大分2 鹿児島2 富山2 長野2 山形2 愛知1 栃木1 新潟1

【転勤】あり:[職種]全国転勤型社員

【中途比率】[単年度]21年度NA、22年度NA、23年度NA[全体]41%

●働きやすさ、諸制度●

残業(月) 17.2時間 ㊕ 17.2時間

【勤務時間】9:00〜18:00【有休取得年平均】8.7日【週休】2日【夏期休暇】夏季・年末年始合わせて13日【年末年始休暇】夏季・年末年始合わせて13日

【離職率】男:5.7%、78名 女:6.6%、111名

【新卒3年後離職率】

[20→23年]40.5%(男28.6%・入社42名、女43.7%・入社158名)

[21→24年]32.1%(男33.3%・入社3名、女32.0%・入社25名)

【テレワーク】制度あり:[場所]自宅 他[対象]本社所属社員[日数]制限なし[利用率]NA【勤務制度】フレックス 週休3日 時差勤務 副業容認【住宅補助】住宅手当(社命転居の場合に各地区の上限家賃額の7割を会社負担)

●ライフイベント、女性活躍●

【女性比率】■男 □女

新卒採用 65.4% (333名)

従業員 54.8% (1576名)

管理職 27.8% (131名)

【産休】[期間]産前6・産後8週間[給与]法定[取得者数]32名

【育休】[期間]1歳になるまで[給与]法定[取得者数]22年度 男6名(対象36名)女39名(対象36名)23年度 男13名(対象38名)女32名(対象32名)[平均取得日数]22年度 NA、23年度 NA

【従業員】[人数]2,874名(男1,298名、女1,576名)[平均年齢]38.4歳(男39.9歳、女37.2歳)[平均勤続年数]8.3年(男8.8年、女7.9年)

【年齢構成】■男 □女

60代〜 1% 0%
50代 7% 6%
40代 17% 17%
30代 14% 16%
〜20代 7% 16%

会社データ (金額は百万円)

【本社】112-0004 東京都文京区後楽2-5-1 住友不動産飯田橋ファーストビル ☎03-6694-6404 https://www.ryohin-keikaku.jp/

【業績(連結)】	売上高	営業利益	経常利益	純利益
21.8	453,689	42,447	45,369	33,903
22.8	496,171	32,773	37,214	24,558
23.8	581,412	33,137	36,156	22,052

小売

アスクル(株)

えるぼし★★★ くるみん

【特色】業務用通販最大手。個人向けEC「ロハコ」育成中

記者評価 LINEヤフー傘下。オフィス用品配達の草分け。中間流通を排除し迅速配送、低価格で成長。製造業や医療関連品の取扱を拡充。LINEヤフーと提携して個人向けEC「ロハコ」も展開。在庫の共用化や混載配送など「アスクル」と「ロハコ」の物流融合を進める。

平均勤続年数	男性育休取得率	3年後離職率	平均年収(平均41歳)
9.6年	NA → 66.7%	NA	789万円

●採用・配属情報●

【男女・文理別採用実績】

	大卒男	大卒女	修士男	修士女
23年	12(文 8理 4)	12(文 11理 1)	4(文 0理 4)	1(文 0理 1)
24年	7(文 3理 4)	15(文 15理 0)	4(文 0理 4)	0(文 0理 0)
25年	3(文 2理 1)	10(文 9理 1)	3(文 1理 2)	1(文 0理 1)

【男女・職種別採用実績】

	総合職	エンジニア職	デザイナー職
23年	23(男 11女 12)	8(男 7女 1)	0(男 0女 0)
24年	20(男 5女 15)	9(男 9女 0)	0(男 0女 0)
25年	14(男 3女 11)	7(男 5女 2)	0(男 0女 0)

【24年4月入社者の配属勤務地】㊗東京・豊洲20 ㊍東京・豊洲9

【転勤】あり:詳細NA

【中途比率】[単年度]21年度58%、22年度72%、23年度42%[全体]NA

●働きやすさ、諸制度●

残業(月) NA

【勤務時間】9:00～17:30【有休取得年平均】15.9日【週休】完全2日(土日祝)【夏期休暇】有休で取得【年末年始休暇】あり

【離職率】男:4.7%、27名 女:4.1%、16名

【新卒3年後離職率】
[20→23年]NA
[21→24年]NA

【テレワーク】制度あり:[場所]自宅 サテライトオフィス カフェ他[対象]制限なし[日数]制限なし[利用率]NA【勤務制度】フレックス 時間単位有休 裁量労働 時差勤務 副業容認【住宅補助】住宅手当(最大50,000円 条件あり)

●ライフイベント、女性活躍●

【女性比率】■男 □女

新卒採用 61.9%(13名)

従業員 40.8%(374名)

【産休】[期間]産前6・産後8週間[給与]法定[取得者数]12名

【育休】[期間]2歳の誕生日までを限度[給与]法定[取得者数]22年度 男7名(対象NA)女14名(対象14名)23年度 男8名(対象12名)女9名(対象9名)[平均取得日数]22年度 NA、23年度 NA

【従業員】[人数]917名(男543名、女374名)[平均年齢]41.3歳(男43.6歳、女38.1歳)[平均勤続年数]9.6年(男10.1年、女8.8年)

【年齢構成】NA

会社データ (金額は百万円)

【本社】135-0061 東京都江東区豊洲3-2-3 豊洲キュービックガーデン ☎03-4330-5001
https://www.askul.co.jp/corp/

【業績(連結)】	売上高	営業利益	経常利益	純利益
22.5	428,517	14,309	14,270	9,206
23.5	446,713	14,620	14,448	9,787
24.5	471,682	16,953	16,677	19,139

(株)ベルーナ

【特色】カタログ通販大手。婦人服のほか専門通販が強み

記者評価 カタログ通販大手。婦人服や家庭用品の総合カタログ「ベルーナ」が柱。ナースウェアなど看護師向け通販で高シェア。日本酒やワインの通販も強い。アパレル店舗の運営やホテル事業も。通販事業のノウハウと物流インフラを活用した通販代行サービスを展開。

平均勤続年数	男性育休取得率	3年後離職率	平均年収(平均35歳)
11.0年	22.2 → 60.0%	31.3 → 26.8%	526万円

●採用・配属情報●

【男女・文理別採用実績】

	大卒男	大卒女	修士男	修士女
23年	26(文NA理NA)	16(文NA理NA)	0(文 0理 0)	0(文 0理 0)
24年	26(文NA理NA)	18(文NA理NA)	0(文 0理 0)	0(文 0理 0)
25年	27(文NA理NA)	17(文NA理NA)	0(文 0理 0)	0(文 0理 0)

【男女・職種別採用実績】

	総合職	専門職	店舗営業職
23年	39(男 24女 15)	8(男 4女 4)	3(男 2女 1)
24年	34(男 21女 13)	7(男 4女 3)	10(男 5女 5)
25年	34(男 21女 13)	4(男 2女 2)	10(男 6女 4)

【24年4月入社者の配属勤務地】㊗(23年)埼玉35 東京4

【転勤】あり:[職種]全社員[勤務地]埼玉 東京 大阪

【中途比率】[単年度]21年度19%、22年度14%、23年度8%[全体]18%

●働きやすさ、諸制度●

残業(月) 24.1時間

【勤務時間】8:50～17:50【有休取得年平均】12.4日【週休】2日【夏期休暇】5日【年末年始休暇】12月28日～1月3日

【離職率】男:8.2%、40名 女:13.3%、61名

【新卒3年後離職率】
[20→23年]31.3%(男35.5%・入社31名、女28.8%・入社52名)
[21→24年]26.8%(男34.8%・入社46名、女19.6%・入社51名)

【テレワーク】制度あり:[場所]NA[対象]NA[日数]NA[利用率]NA【勤務制度】時差勤務【住宅補助】独身寮(月額13,000円～ 通勤1.5時間以上かかる者 入社10年目まで)

●ライフイベント、女性活躍●

【女性比率】■男 □女

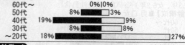

新卒採用 39.6%(19名)

従業員 47%(398名)

管理職 22.4%(34名)

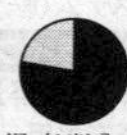

【産休】[期間]産前6・産後8週間[給与]法定[取得者数]33名

【育休】[期間]1歳になるまで[給与]法定[取得者数]22年度 男2名(対象9名)女16名(対象16名)23年度 男3名(対象5名)女29名(対象29名)[平均取得日数]22年度 NA、23年度 NA

【従業員】[人数]847名(男449名、女398名)[平均年齢]34.9歳(男37.9歳、女31.8歳)[平均勤続年数]11.0年(男13.0年、女8.8年)

【年齢構成】■男 □女

	男	女
60代～	0%	0%
50代	8%	3%
40代	19%	9%
30代	8%	8%
～20代	18%	27%

会社データ (金額は百万円)

【本社】362-8688 埼玉県上尾市宮本町4-2 ☎048-771-7753
https://www.belluna.co.jp/

【業績(連結)】	売上高	営業利益	経常利益	純利益
22.3	220,128	13,827	14,537	10,204
23.3	212,376	11,217	12,459	7,417
24.3	208,298	9,787	11,831	5,839

ジュピターショップチャンネル(株)

えるぼし ★★★ くるみん

【特色】TVショッピング国内首位。業界のパイオニア的存在

記者評価 JCOMと住友商事の合弁会社。KDDIも出資。テレビ通販で国内最大規模。ケーブルテレビやBS・CS放送などで24時間365日生放送の「ショップチャンネル」を柱にダイレクトマーケティング事業を展開。Webやカタログ、実店舗などオムニチャネルを推進。

平均勤続年数	男性育休取得率	3年後離職率	平均年収(平均44歳)
NA	72.7 → 100%	0 → 0%	NA

●採用・配属情報●

【男女・文理別採用実績】

	大卒男	大卒女	修士男	修士女
23年	4(文 4理 0)	3(文 3理 0)	0(文 0理 0)	0(文 0理 0)
24年	2(文 2理 0)	3(文 3理 0)	0(文 0理 0)	0(文 0理 0)
25年	3(文 3理 0)	5(文 5理 0)	0(文 0理 0)	0(文 0理 0)

【男女・職種別採用実績】

	総合職
23年	7(男 4女 3)
24年	5(男 2女 3)
25年	8(男 3女 5)

【24年4月入社者の配属勤務地】㊀東京5

【転勤】なし

【中途比率】[単年度]21年度NA、22年度NA、23年度NA[全体]NA

●働きやすさ、諸制度●

残業(月) NA

【勤務時間】9:30～17:45【有休取得年平均】17.7日【週休】完全2日(土日祝)(シフト勤務者は連続する2日)【夏期休暇】なし【年末年始休暇】12月30日～1月3日

【離職率】NA

【新卒3年後離職率】
[20→23年]0%(男0%・入社8名、女0%・入社7名)
[21→24年]0%(男0%・入社5名、女0%・入社9名)

【テレワーク】制度あり:[場所]原則自宅 その他自宅に準じる場所[対象]NA[日数]原則週2日[利用率]NA【勤務制度】時差勤務 副業容認【住宅補助】なし

●ライフイベント、女性活躍●

【女性比率】■男 □女

新卒採用 62.5% (5名)

【産休】[期間]産前6・産後8週間[給与]法定[取得者数]18名

【育休】[期間]1歳になるまで[給与]法定[取得者数]22年度 男8名(対象11名)女18名(対象18名)23年度 男11名(対象11名)女16名(対象16名)[平均取得日数]22年度 NA、23年度 男61日 女399日

【従業員】[人数]978名(男NA、女NA)[平均年齢]44.2歳(男NA、女NA)[平均勤続年数]NA

【年齢構成】NA

会社データ (金額は百万円)

【本社】135-0016 東京都江東区東陽7-2-18 ☎03-6756-8390
https://www.shopch.jp/

【業績(単独)】	売上高	営業利益	経常利益	純利益
22.3	157,383	17,812	18,214	13,680
23.3	155,538	19,054	19,436	13,561
24.3	158,354	20,476	20,852	14,489

(株)あさひ

【特色】国内最大の自転車専門店網。PB比率高い

記者評価 自転車専門店「サイクルベースあさひ」を全国展開。ほとんどが直営で店舗数は500を超える。NB(ナショナルブランド)も取り扱うが、中国の工場に委託生産して値段を抑えたPBが人気。修理・点検にも力を入れる。ネットで注文、店舗で受け取るOMO戦略を推進。

平均勤続年数	男性育休取得率	3年後離職率	平均年収(平均33歳)
9.1年	44.4 → 60.0%	23.5 → 23.0%	㊀487万円

●採用・配属情報●

【男女・文理別採用実績】※25年:計画数

	大卒男	大卒女	修士男	修士女
23年	51(文 45理 6)	19(文 19理 0)	1(文 0理 1)	0(文 0理 0)
24年	68(文 60理 8)	16(文 15理 1)	1(文 0理 1)	0(文 0理 0)
25年	69(文 −理 −)	30(文 −理 −)	1(文 −理 −)	0(文 0理 0)

【男女・職種別採用実績】 転換制度:⇔

	総合職	地域限定職
23年	42(男 36女 6)	37(男 19女 18)
24年	60(男 53女 7)	31(男 20女 11)
25年	80(男 60女 20)	20(男 10女 10)

【24年4月入社者の配属勤務地】㊀大阪(大阪3 枚方1 池田1 堺1 摂津1 茨木1 箕面1 泉佐野1 高槻1)兵庫(尼崎3 西宮1)神奈川(横浜3 藤沢2 平塚1 厚木1 茅ヶ崎1 川崎1)埼玉(さいたま2 川越1 戸田1 三郷1)東京(世田谷2 練馬1 東久留米1 北区1 八王子1 三鷹1 府中1 葛飾1 足立1)高知2 福岡(福岡1 春日1)愛知(名古屋1 日進1 小牧1 岡崎1)京都1 熊本1 千葉(浦安1 習志野1 柏1)香川・高松1 岡山1 広島・福山1 大分1 群馬・高崎1 栃木・小山1 奈良1 和歌山・岩出1

【転勤】あり:[職種]総合職[勤務地]全国の店舗・本社・物流センター等

【中途比率】[単年度]21年度34%、22年度26%、23年度29%[全体]44%

●働きやすさ、諸制度●

残業(月) 16.1時間 ㊀16.5時間

【勤務時間】9:00～18:00(本社)10:00～19:00(店舗)【有休取得年平均】15.2日【週休】完全2日【夏期休暇】なし【年末年始休暇】連続3日(一部例外あり)

【離職率】男:5.2%、87名 女:5.9%、12名

【新卒3年後離職率】
[20→23年]23.5%(男17.2%・入社87名、女60.0%・入社15名)
[21→24年]23.0%(男22.8%・入社79名、女23.8%・入社21名)

【テレワーク】制度あり:[場所]自宅[対象]間接部門のみ[日数]1カ月で最大12日かつ週3日まで[利用率]29.0%【勤務制度】時間単位有休 副業容認【住宅補助】借上社宅の家賃補助(家賃・共益費合算の5割を会社負担)引越しを伴う異動の引越費用(敷金・礼金・運送費を会社負担、支度料100,000円～)転任手当(200,000円)

●ライフイベント、女性活躍●

【女性比率】■男 □女

新卒採用 30% (30名)

従業員 10.9% (192名)

管理職 2.2% (1名)

【産休】[期間]産前6・産後8週間[給与]法定[取得者数]19名

【育休】[期間]1歳になるまで[給与]法定[取得者数]22年度 男40名(対象90名)女9名(対象9名)23年度 男36名(対象60名)女18名(対象18名)[平均取得日数]22年度 男72日 女369日、23年度 男105日 女309日

【従業員】[人数]1,766名(男1,574名、女192名)[平均年齢]34.5歳(男34.9歳、女30.5歳)[平均勤続年数]9.1年(男9.7年、女6.1年)【年齢構成】■男 □女

	男	女
60代～	1%	0%
50代	5%	0%
40代	18%	1%
30代	40%	4%
～20代	26%	5%

会社データ (金額は百万円)

【本社】534-0011 大阪府大阪市都島区高倉町3-11-4 ☎06-6923-2630
https://www.cb-asahi.co.jp/

【業績(単独)】	売上高	営業利益	経常利益	純利益
22.2	71,398	5,221	5,512	3,541
23.2	74,712	5,127	5,316	3,366
24.2	78,076	4,912	5,192	3,113

㈱はせがわ

【特色】仏壇仏具首位。墓石販売も。サービス事業を強化

[記者評価] 1929年創業。仏壇仏具の小売首位。墓石販売も。カリモク家具とのコラボ仏壇など消費者ニーズの変化に合わせた商品開発を推進。遺品整理や相続支援など周辺サービス育成。入社後はまず店舗に配属され販売・営業を経験。文化財保護担う工芸技術者の育成に熱心。

平均勤続年数	男性育休取得率	3年後離職率	平均年収(平均42歳)
17.0年	58.8 → 87.5%	33.3 → 19.0%	[総] 582万円

●採用・配属情報●

【男女・文理別採用実績】

	大卒男	大卒女	修士男	修士女
23年	8(文 8 理 0)	7(文 7 理 0)	0(文 0 理 0)	0(文 0 理 0)
24年	9(文 9 理 0)	8(文 7 理 1)	0(文 0 理 0)	1(文 1 理 0)
25年	4(文 4 理 0)	9(文 9 理 0)	0(文 0 理 0)	1(文 1 理 0)

【男女・職種別採用実績】

	全域型総合職	勤務地域限定型総合職
23年	13(男 8 女 5)	3(男 0 女 3)
24年	9(男 2 女 7)	9(男 7 女 2)
25年	10(男 4 女 6)	4(男 0 女 4)

【24年4月入社者の配属勤務地】[総]東京6 埼玉4 神奈川3 千葉2 福岡2 大分1

【転勤】あり:全社員

【中途比率】[単年度]21年度13%、22年度0%、23年度24% [全体]13%

●働きやすさ、諸制度●

残業(月) 16.2時間 [総] 16.2時間

【勤務時間】9:30〜18:30を基本(シフト制)【有休取得年平均】8.9日【週休】年115日(シフト制)【夏期休暇】連続3〜5日【年末年始休暇】連続3〜5日

【離職率】男:2.5%、11名 女:8.3%、14名

【新卒3年後離職率】

[20→23年]33.3%(男33.3%・入社6名、女33.3%・入社9名)

[21→24年]19.0%(男14.3%・入社7名、女21.4%・入社14名)

【テレワーク】制度あり:[場所]自宅 サテライトオフィス[対象]東京本社 福岡本社[日数]制限なし[利用率]NA【勤務制度】時間単位有休 時差勤務 勤務間インターバル【住宅補助】社宅 独身寮(月1万円でマンションを貸与)住宅手当(21,000〜46,000円)社宅家賃補助(36,000〜70,000円)

●ライフイベント、女性活躍●

【女性比率】■男 □女

新卒採用 71.4% (10名)

従業員 26.2% (155名)

管理職 6.2% (4名)

【産休】[期間]産前6・産後8週間[給与]法定[取得者数]5名

【育休】[期間]1歳になるまで[給与]法定[取得者数]22年度 男10名(対象17名)女11名(対象11名)23年度 男7名(対象8名)女6名(対象6名)[平均取得日数]22年度 男29日 女453日、23年度 男29日 女306日

【従業員】[人数]591名(男436名、女155名)[平均年齢]41.3歳(男43.9歳、女34.1歳)[平均勤続年数]17.0年(男20.0年、女10.0年)

【年齢構成】■男 □女

	男	女
60代〜	4%	0%
50代	20%	1%
40代	26%	5%
30代	16%	10%
〜20代	8%	9%

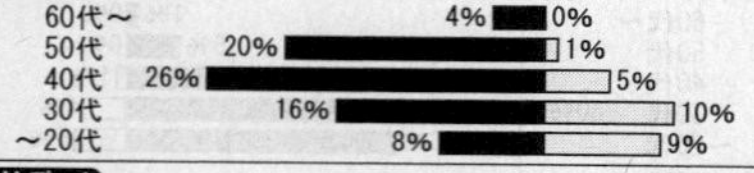

会社データ (金額は百万円)

【本社】112-0004 東京都文京区後楽1-5-3 後楽国際ビル7階 ☎03-6801-1077 https://www.hasegawa.jp/

【業績(単独)】	売上高	営業利益	経常利益	純利益
23.3	21,608	1,769	1,773	1,154
24.3	21,300	1,612	1,638	1,059

小売

サービス

ゲーム　人材・教育　ホテル　レジャー
海運　空運　運輸・倉庫　鉄道
その他サービス

ゲーム

市場は成長基調だが、ヒットタイトル創出の難易度は上がり、開発コストは高騰。有力ＩＰの有無が勝敗を分ける

人材サービス

米国の景気など懸念材料はあるが、国内は慢性的な人材不足。ＤＸ人材を中心に企業の採用意欲は高い

教育・学習塾

大学入試、高校入試分野は「塾離れ」の流れが続く。期待の中学受験分野も競争激化で伸び鈍化の兆候

旅行

円安や物価高影響で海外旅行は低迷が続く。自治体からの受託事業も不正が相次ぐなど、本格回復はまだ遠い

陸運

消費低迷の影響から、荷物が少ない状況で24 年問題の時期を迎えた。運賃値上げが焦点だが、順調には進まない

鉄道（私鉄）

鉄道旅客数はコロナ前に届かず頭打ちだが、訪日客需要でホテルなど好調。不動産をはじめ非鉄道事業で収益拡大

（天気図は24年度後半⇒25年度、続きは東洋経済『会社四季報業界地図 2025年版』で）

738 開示 ★★☆☆☆ [専門] 採用あり

にんてんどう
任天堂(株)

[くるみん]

【特色】家庭用ゲームのハード・ソフトで業界最大手

[記者評価] 創業のトランプ・花札から家庭用ゲーム機に展開。「マリオ」「ゼルダ」「どうぶつの森」など人気シリーズを保有。17年に投入した「Nintendo Switch」の世界出荷台数は1億台以上。USJの「スーパー・ニンテンドー・ワールド」などIP展開も推進。

平均勤続年数	男性育休取得率	3年後離職率	平均年収(平均40歳)
13.9年	78.3 → 88.0%	0 → 5.7%	962万円

●採用・配属情報●

【男女・文理別採用実績】

	大卒男	大卒女	修士男	修士女
23年	38(文 10 理 28)	24(文 14 理 10)	46(文 0 理 46)	11(文 3 理 8)
24年	25(文 8 理 17)	27(文 14 理 13)	44(文 2 理 42)	6(文 1 理 5)
25年	23(文 9 理 14)	21(文 10 理 11)	49(文 3 理 46)	6(文 3 理 3)

※25年:24年7月30日時点

【男女・職種別採用実績】 転換制度:⇒

	総合職	一般職
23年	127(男 95 女 32)	3(男 0 女 3)
24年	105(男 75 女 30)	3(男 0 女 3)
25年	105(男 81 女 24)	3(男 0 女 3)

【24年4月入社者の配属勤務地】[総]京都市22 [技]京都(京都81 宇治2)

【転勤】あり:[職種]総合職

【中途比率】[単年度]21年度37%、22年度36%、23年度34%[全体]24%

●働きやすさ、諸制度●

残業(月) NA

【勤務時間】標準7時間45分(コアタイム10:00〜15:00)【有休取得年平均】15.9日【週休】完全2日(土日祝)【夏期休暇】会社設定休日3日(希望する夏季営業日)【年末年始休暇】12月30日〜1月3日(有休1日含む)

【離職率】男:1.4%、30名 女:1.1%、7名

【新卒3年後離職率】

[20→23年]0%(男0%・入社57名、女0%・入社27名)

[21→24年]5.7%(男5.6%・入社72名、女6.1%・入社33名)

【テレワーク】制度なし【勤務制度】フレックス 勤務間インターバル 副業容認【住宅補助】住宅関連費用補助(住宅支援金制度(新卒)転勤者)住宅補助(福利厚生制度による)

●ライフイベント、女性活躍●

【女性比率】■男 □女

新卒採用 25% (27名)

従業員 22.5% (633名)

管理職 5% (12名)

【産休】[期間]産前6・産後8週間[給与]法定[取得者数]20名

【育休】[期間]2年間(一般職は3年間)[給与]法定[取得者数]22年度 男65名(対象83名)女23名(対象23名)23年度 男95名(対象108名)女14名(対象16名)[平均取得日数]22年度 NA、23年度 NA

【従業員】[人数]2,814名(男2,181名、女633名)[平均年齢]40.2歳(男40.8歳、女37.9歳)[平均勤続年数]13.9年(男14.6年、女11.4年)

【年齢構成】NA

会社データ (金額は百万円)

【本社】601-8501 京都府京都市南区上鳥羽鉾立町11-1 ☎075-662-9600 https://www.nintendo.com/

【業績(連結)】	売上高	営業利益	経常利益	純利益
22.3	1,695,344	592,760	670,813	477,691
23.3	1,601,677	504,375	601,070	432,768
24.3	1,671,865	528,941	680,497	490,602

2225 開示 ★★☆☆☆ [専門] 採用あり

コナミグループ

[えるぼし ★★★] [くるみん]

【特色】家庭・携帯用ゲームが主力。スポーツ施設運営も

[記者評価] 家庭用・携帯用ゲームソフトが主力。「eFootball」「プロ野球スピリッツ」などスポーツ系に強く、eスポーツにも注力。「遊戯王」はトレーディングカード、ゲームともに好調。スポーツクラブ運営で国内首位級。25年度から新卒初任給を30万円に引き上げ予定。

平均勤続年数	男性育休取得率	3年後離職率	平均年収(平均36歳)
10.2年	53.2 → 71.2%	NA	◊710万円

●採用・配属情報●

【男女・文理別採用実績】

	大卒男	大卒女	修士男	修士女
23年	66(文 40 理 26)	43(文 39 理 4)	25(文 4 理 21)	3(文 2 理 1)
24年	89(文 62 理 27)	52(文 46 理 6)	37(文 5 理 32)	2(文 0 理 2)
25年	90(文 63 理 27)	70(文 56 理 14)	25(文 3 理 22)	3(文 1 理 2)

※25年:継続中

【男女・職種別採用実績】 転換制度:NA

	総合職
23年	153(男 103 女 50)
24年	212(男 148 女 64)
25年	210(男 131 女 79)

【24年4月入社者の配属勤務地】[総]東京(中央 品川)神奈川・座間 愛知・一宮 大阪市 栃木・那須塩原 [技]東京・中央 神奈川・座間 愛知・一宮 大阪市

【転勤】あり:全社員

【中途比率】[単年度]21年度42%、22年度20%、23年度22%[全体]NA

●働きやすさ、諸制度●

残業(月) NA

【勤務時間】部門別時差出勤(7時間45分勤務、8:00〜10:00の間が出社時間)【有休取得年平均】16.1日【週休】完全2日(土日祝)【夏期休暇】5日【年末年始休暇】12月30日〜1月3日

【離職率】NA

【新卒3年後離職率】

[20→23年]NA

[21→24年]NA

【テレワーク】制度あり:[場所]自宅 サテライトオフィス[対象]特定の従業員(子育て期・介護期など)[日数]制限なし[利用率]NA【勤務制度】時差勤務【住宅補助】独身寮

●ライフイベント、女性活躍●

【女性比率】■男 □女

新卒採用 37.6% (79名)

従業員 41.2% (94名)

【産休】[期間]産前6・産後8週間[給与]法定[取得者数]71名

【育休】[期間]1歳になるまで[給与]法定[取得者数]22年度 男41名(対象77名)女67名(対象67名)23年度 男52名(対象73名)女65名(対象65名)[平均取得日数]22年度 男84日 女387日、23年度 男71日 女397日

【従業員】[人数]228名(男134名、女94名)[平均年齢]36.3歳(男37.9歳、女34.0歳)[平均勤続年数]10.2年(男11.1年、女8.9年)

【年齢構成】NA

会社データ (金額は百万円)

【本社】104-0061 東京都中央区銀座1-11-1 ☎03-6636-0573 https://www.konami.com/

【業績(IFRS)】	売上高	営業利益	税前利益	純利益
22.3	299,522	74,435	75,163	54,806
23.3	314,321	46,185	47,120	34,895
24.3	360,314	80,262	82,685	59,171

※採用関連はグループ(海外除く)の、その他はコナミグループ(株)の情報

サービス

1579 開示 ★★★ [専門] 採用あり

㈱バンダイナムコエンターテインメント

[えるぼし ★★] [くるみん]

【特色】バンナムHDの中核子会社で旧ナムコが母体

[記者評価] 05年のナムコとバンダイ経営統合に伴い、06年旧バンダイナムコゲームズ設立、15年から現社名。21年ネットワークコンテンツや家庭用ゲームなどデジタル事業の事業統括会社に。「機動戦士ガンダム」「ドラゴンボール」など人気シリーズ活用したIP戦略に強み。

平均勤続年数	男性育休取得率	3年後離職率	平均年収(平均35歳)
10.6年	55.6 → 38.9%	10.6 → 4.4%	NA

●採用・配属情報●

【男女・文理別採用実績】

	大卒男	大卒女	修士男	修士女
23年	21(文 18理 3)	24(文 23理 1)	7(文 1理 6)	2(文 2理 0)
24年	22(文 19理 3)	15(文 15理 0)	2(文 0理 2)	1(文 1理 0)
25年	13(文 11理 2)	9(文 8理 1)	4(文 1理 3)	0(文 0理 0)

【男女・職種別採用実績】

	総合職
23年	56(男 30 女 26)
24年	40(男 24 女 16)
25年	26(男 17 女 9)

【24年4月入社者の配属勤務地】[総]東京・芝40
【転勤】なし
【中途比率】[単年度]21年度21%、22年度39%、23年度29%[全体]19%

●働きやすさ、諸制度●

残業(月) 25.0時間 [総]25.0時間

【勤務時間】7時間30分(フレックスタイム制)【有休取得年平均】13.0日【週休】完全2日(土日祝)【夏期休暇】連続7日(週休、計画年休含む)【年末年始休暇】連続7日(週休含む)
【離職率】男:5.1%、25名 女:3.9%、12名(早期退職男8名、女4名含む 他に男3名、女3名転籍)
【新卒3年後離職率】
[20→23年]10.6%(男13.8%・入社29名、女5.6%・入社18名)
[21→24年]4.4%(男7.1%・入社28名、女0%・入社17名)
【テレワーク】制度あり:[場所]自宅[対象]NA[日数]週1日まで[利用率]NA【勤務制度】フレックス 勤務間インターバル【住宅補助】なし

●ライフイベント、女性活躍●

【女性比率】■男 □女

新卒採用 34.6% (9名)

従業員 38.7% (295名)

管理職 25.8% (24名)

【産休】[期間]産前6・産後8週間[給与]法定[取得者数]7名
【育休】[期間]2年間[給与]法定[取得者数]22年度 男5名(対象9名)女5名(対象5名)23年度 男7名(対象18名)女6名(対象6名)[平均取得日数]22年度 男99日 女338日、23年度 男120日 女323日
【従業員】[人数]762名(男467名、女295名)[平均年齢]35.0歳(男36.0歳、女34.0歳)[平均勤続年数]10.6年(男11.5年、女9.3年)
【年齢構成】■男 □女

	男	女
60代〜	2%	0%
50代	6%	1%
40代	14%	9%
30代	18%	11%
〜20代	21%	17%

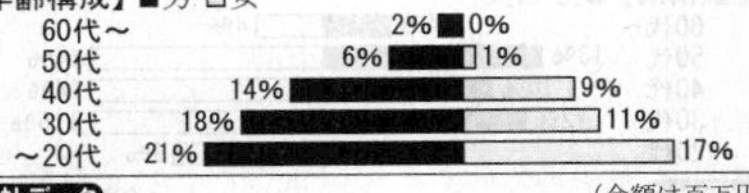

会社データ (金額は百万円)

【本社】108-0014 東京都港区芝5-37-8 バンダイナムコ未来研究所 ☎03-6744-5500 https://bandainamcoent.co.jp/

【業績(単独)】	売上高	営業利益	経常利益	純利益
22.3	256,215	35,648	38,177	21,710
23.3	289,657	44,236	48,951	35,256
24.3	254,241	13,398	11,059	5,981

1106 開示 ★★★

㈱メイテック

【特色】技術者派遣業で大手。機械系の開発・設計が中心

[記者評価] 正規雇用の技術者をメーカーに派遣。在籍エンジニアは機械系、電気系が多く、派遣先は自動車、機械、半導体などの開発・設計部門が中心。技術者の質や料金単価は業界トップ級。先端技術に関する研修充実。技術者同士の交流も活発。23年10月持株会社制に移行。

平均勤続年数	男性育休取得率	3年後離職率	平均年収(平均40歳)
13.2年	35.6 → 52.8%	19.5 → NA	[総]638万円

●採用・配属情報●

【男女・文理別採用実績】

	大卒男	大卒女	修士男	修士女
23年	381(文 12理369)	34(文 10理 24)	64(文 0理 64)	3(文 0理 3)
24年	278(文 6理272)	28(文 10理 18)	38(文 0理 38)	2(文 0理 2)
25年	-(文 -理 -)	-(文 -理 -)	-(文 -理 -)	-(文 -理 -)

※25年:技術職500名採用予定

【男女・職種別採用実績】 転換制度:NA

	総合職(技術職)	総合職(営業職)
23年	459(男433 女 26)	24(男 13 女 11)
24年	329(男309 女 20)	18(男 8 女 10)
25年	500(男 - 女 -)	20(男 - 女 -)

【職種併願】技術職と総合職で可能
【24年4月入社者の配属勤務地】[総]全国の事業所(全42拠点)及び東京本社・厚木テクノセンター・名古屋テクノセンター18 [技]全国の事業所(全42拠点)329
【転勤】あり:全社員
【中途比率】[単年度]21年度31%、22年度37%、23年度43%[全体]31%

●働きやすさ、諸制度●

残業(月) 19.9時間 [総]19.9時間

【勤務時間】実働8時間(フレックスタイム制)【有休取得年平均】14.3日【週休】完全2日【夏期休暇】3日【年末年始休暇】12月30日〜1月3日(1月2日、3日は一斉年次有休)
【離職率】男:6.0%、515名 女:11.5%、62名
【新卒3年後離職率】
[20→23年]19.5%(男19.0%・入社373名、女22.6%・入社53名)
[21→24年]NA
【テレワーク】制度あり:[場所]自宅[対象]全社員[日数]制限なし[利用率]NA【勤務制度】フレックス 時間単位有休【住宅補助】社宅 地域手当

●ライフイベント、女性活躍●

【女性比率】■男 □女

従業員 5.6% (475名)

管理職 8.5% (16名)

【産休】[期間]産前6・産後8週間[給与]法定[取得者数]10名
【育休】[期間]1歳になるまで[給与]法定[取得者数]22年度 男52名(対象146名)女18名(対象18名)23年度 男86名(対象163名)女12名(対象12名)[平均取得日数]22年度 NA、23年度 NA
【従業員】[人数]8,483名(男8,008名、女475名)[平均年齢]39.6歳(男40.0歳、女34.0歳)[平均勤続年数]13.2年(男13.5年、女8.0年)
【年齢構成】■男 □女

	男	女
60代〜	3%	0%
50代	21%	0%
40代	26%	1%
30代	21%	1%
〜20代	24%	2%

会社データ (金額は百万円)

【本社】110-0005 東京都台東区上野1-1-10 オリックス上野1丁目ビル ☎050-30005820 https://www.meitec.co.jp/

【業績(単独)】	売上高	営業利益	経常利益	純利益
22.3	77,010	10,546	11,125	8,051
23.3	83,765	13,212	14,113	10,719
24.3	88,653	13,848	15,066	10,668

サービス

㈱アルプス技研（ぎけん）

[くるみん]

【特色】技術者派遣・技術プロジェクト受託大手

[記者評価] 正社員として雇用し育成した技術者をメーカー等に派遣する技術者派遣大手。メカトロで事業基盤築き、現在は自動車関連が売上の3割強。開発、設計に強み。関東以北が主地盤。農業や介護・福祉分野にも進出。24年には相模湖近隣に未来型ケアハウスを開設。

平均勤続年数	男性育休取得率	3年後離職率	平均年収(平均36歳)
9.4年	42.6→71.4%	27.7→25.9%	[総]525万円

●採用・配属情報●

【男女・文理別採用実績】

	大卒男	大卒女	修士男	修士女
23年	194(文 1 理193)	12(文 2 理 10)	30(文 0 理 30)	2(文 0 理 2)
24年	125(文 2 理123)	14(文 4 理 10)	18(文 0 理 18)	1(文 0 理 1)
25年	–(文 – 理 –)	–(文 – 理 –)	–(文 – 理 –)	–(文 – 理 –)

※25年:350名採用予定

【男女・職種別採用実績】　転換制度:⇒

	技術職	総合職
23年	292(男 278 女 14)	3(男 1 女 2)
24年	212(男 198 女 14)	6(男 2 女 4)
25年	–(男 – 女 –)	–(男 – 女 –)

【職種併願】○

【24年4月入社者の配属勤務地】[総]相模原 3 横浜 3 [技]全国周辺地域 212

【転勤】あり:全社員

【中途比率】[単年度]21年度35%、22年度33%、23年度34%[全体]34%

●働きやすさ、諸制度●

残業(月) 17.9時間

【勤務時間】8:30～17:30【有休取得年平均】14.2日【週休】完全2日【夏期休暇】連続7日(有休含む)【年末年始休暇】連続7日

【離職率】NA

【新卒3年後離職率】

[20→23年]27.7%(男29.4%・入社214名、女12.5%・入社24名)

[21→24年]25.9%(男25.3%・入社289名、女33.3%・入社27名)

【テレワーク】制度あり:[場所]当社指定のワーケーション施設[対象]全社員[日数]制限なし[利用率]8.7%【勤務制度】フレックス 時間単位有休 時差勤務【住宅補助】一部借上社宅 住宅手当

●ライフイベント、女性活躍●

【女性比率】■男 □女

従業員 8.8% (412名)

管理職 6.8% (4名)

【産休】[期間]産前6・産後8週間[給与]法定[取得者数]15名

【育休】[期間]2歳になるまで[給与]法定[取得者数]22年度 男26名(対象61名)女12名(対象12名)23年度 男45名(対象63名)女16名(対象15名)[平均取得日数]22年度 男80日 女289日、23年度 男43日 女325日

【従業員】[人数]4,674名(男4,262名、女412名)[平均年齢]35.9歳(男35.9歳、女35.5歳)[平均勤続年数]9.4年(男9.4年、女8.5年)

【年齢構成】■男 □女

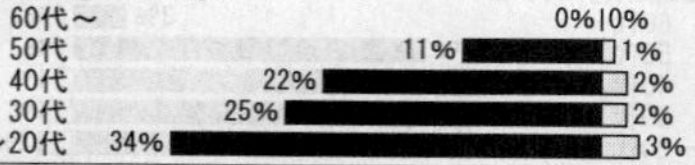

会社データ　(金額は百万円)

【本社】220-6218 神奈川県横浜市西区みなとみらい2-3-5 ☎045-640-3700
https://www.alpsgiken.co.jp/

【業績(連結)】	売上高	営業利益	経常利益	純利益
21.12	39,261	3,875	4,574	3,095
22.12	43,647	4,649	4,560	3,416
23.12	46,216	4,982	5,053	3,696

(学校法人)慶應義塾（けいおうぎじゅく）

【特色】福沢諭吉が創立の名門私学。経済人輩出に強み

[記者評価] 1858年に福澤諭吉が開校した蘭学塾が起源。1920年の大学令で大学に。経済人の輩出で他校を圧する。幼稚舎から大学院まで充実した教育・研究を展開。職員業務は多岐にわたり、病院や一貫教育校への配属も。東京歯科大学との学校法人合併計画は無期延期に。

平均勤続年数	男性育休取得率	3年後離職率	平均年収(平均43歳)
[!]17.0年	NA	22.2→0%	NA

●採用・配属情報●

【男女・文理別採用実績】

	大卒男	大卒女	修士男	修士女
23年	7(文 7 理 0)	7(文 7 理 0)	1(文 0 理 1)	2(文 2 理 0)
24年	3(文 3 理 0)	11(文 11 理 0)	1(文 0 理 1)	0(文 0 理 0)
25年	4(文 4 理 0)	11(文 10 理 1)	2(文 1 理 1)	1(文 0 理 1)

【男女・職種別採用実績】

	総合職
23年	17(男 8 女 9)
24年	15(男 4 女 11)
25年	18(男 6 女 12)

【24年4月入社者の配属勤務地】[総]東京(三田7 信濃町3)神奈川(日吉1 湘南藤沢2 矢上2)

【転勤】なし

【中途比率】[単年度]21年度55%、22年度52%、23年度35%[全体]NA

●働きやすさ、諸制度●

残業(月) 16.6時間 [総]16.6時間

【勤務時間】8:30～17:00【有休取得年平均】14.7日【週休】完全2日(土日祝)【夏期休暇】年末年始休暇と合わせて9日【年末年始休暇】夏期休暇と合わせて9日

【離職率】男:0.3%、2名 女:1.2%、9名

【新卒3年後離職率】

[20→23年]22.2%(男0%・入社2名、女28.6%・入社7名)

[21→24年]0%(男0%・入社2名、女0%・入社7名)

【テレワーク】制度あり:[場所]自宅[対象]制限なし[日数]週1日まで[利用率]NA【勤務制度】時間単位有休 時差勤務【住宅補助】住宅財形貯蓄 住宅等資金貸付

●ライフイベント、女性活躍●

【女性比率】■男 □女

新卒採用 66.7% (12名)

従業員 56.2% (759名)

【産休】[期間]産前7・産後8週間[給与]全額給付[取得者数]21名

【育休】[期間]3歳になるまで[給与]法定[取得者数]22年度 男5名(対象NA)女14名(対象NA)23年度 男14名(対象NA)女19名(対象NA)[平均取得日数]22年度 男48日 女376日、23年度 男25日 女322日

【従業員】[人数]1,351名(男592名、女759名)[平均年齢]43.0歳(男43.9歳、女42.2歳)[平均勤続年数]17.0年(男17.3年、女16.8年) ※教員・看護師・技能員・用務員を除く専任職員のみ

【年齢構成】■男 □女

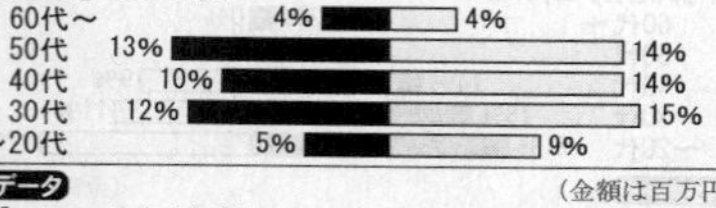

会社データ　(金額は百万円)

【本社】108-8345 東京都港区三田2-15-45 ☎03-5427-1522
https://www.keio.ac.jp/ja/

【業績】	事業活動収入	基本金組入前収支差額	収支差額
22.3	176,529	9,275	▲2,811
23.3	177,495	4,586	▲634
24.3	188,797	8,674	1,023

サービス

2432 開示 ★★★

(学校法人)早稲田大学

わせだだいがく

くるみん

【特色】日本の名門私学の一角。留学生受け入れも活発

記者評価 1882年大隈重信が東京専門学校として創設。大学は13学部を擁し、文科省のスーパーグローバル大学(タイプA)に採択。附属校、系属校多数。職員にも教育・研究の発展への熱意が求められる。32年の創立150年に向け、西早稲田キャンパス再整備などを推進。

平均勤続年数	男性育休取得率	3年後離職率	平均年収(平均43歳)
16.9年	76.0→69.2%	9.1→10.0%	NA

●採用・配属情報●

【男女・文理別採用実績】

	大卒男	大卒女	修士男	修士女
23年	5(文 5理 0)	4(文 4理 0)	4(文 2理 2)	0(文 0理 0)
24年	4(文 4理 0)	6(文 6理 0)	1(文 0理 1)	4(文 4理 0)
25年	2(文 2理 0)	6(文 6理 0)	2(文 2理 0)	2(文 1理 1)

【男女・職種別採用実績】

	総合職
23年	13(男 9 女 4)
24年	15(男 5 女 10)
25年	12(男 4 女 8)

【24年4月入社者の配属勤務地】㊝東京12 埼玉2 ㊕東京1
【転勤】あり:[職種]全社員[勤務地]福岡 海外 他
【中途比率】[単年度]21年度11%、22年度56%、23年度58%[全体]38%

●働きやすさ、諸制度●

残業(月) 10.7時間 ㊝10.7時間

【勤務時間】9:00〜17:15【有休取得年平均】15.4日【週休】完全2日(土日)【夏期休暇】連続9日(週休4日含む)【年末年始休暇】12月29日〜1月5日
【離職率】男:3.0%、18名 女:0%、0名(選択定年男11名含む)
【新卒3年後離職率】
[20→23年]9.1%(男0%・入社9名、女15.4%・入社13名)
[21→24年]10.0%(男14.3%・入社7名、女0%・入社3名)
【テレワーク】制度あり:[場所]自宅[対象]出校勤務が困難な場合で、管理職が本人の申請に基づき命じたときのみ[日数]週1回または月4回まで[利用率]1.2%【勤務制度】時間単位有休 勤務間インターバル【住宅補助】なし

●ライフイベント、女性活躍●

【女性比率】■男 □女

新卒採用 66.7% (8名)

従業員 26.8% (215名)

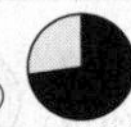

【産休】[期間]産前8・産後8週間[給与]全額給付[取得者数]13名
【育休】[期間]1歳になるまで[給与]法定[取得者数]22年度 男19名(対象25名)女13名(対象13名)23年度 男18名(対象26名)女13名(対象13名)[平均取得日数]22年度 NA、23年度 NA
【従業員】[人数]801名(男586名、女215名)[平均年齢]43.0歳(男44.6歳、女38.6歳)[平均勤続年数]16.9年(男18.2年、女13.3年)
【年齢構成】■男 □女

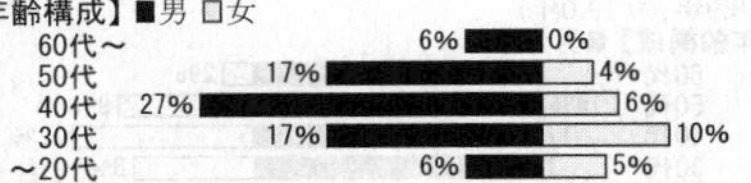

会社データ (金額は百万円)

【本社】169-8050 東京都新宿区戸塚町1-104 ☎03-3204-1633
https://www.waseda.jp/

【業績】	事業活動収入	基本金組入前収支差額	収支差額
22.3	102,496	7,034	2,768
23.3	105,212	5,612	3,336
24.3	110,006	8,503	▲444

2670 開示 ★★★ 短大 専門 採用あり

(学校法人)北里研究所(北里大学)

きたさとけんきゅうしょ

【特色】北里大を運営。新千円札の顔・北里柴三郎が学祖

記者評価 北里柴三郎が設立した社団法人・北里研究所と北里大学を運営する学校法人・北里学園の統合で08年発足。北里大は生命科学・医科系の総合大で医学部・薬学部など9学部。24年度に健康科学部を新設。ノーベル生理学・医学賞受賞の大村智氏は特別栄誉教授。

平均勤続年数	男性育休取得率	3年後離職率	平均年収(平均42歳)
16.4年	25.0→60.0%	30.8→0%	NA

●採用・配属情報●

【男女・文理別採用実績】

	大卒男	大卒女	修士男	修士女
23年	5(文 5理 0)	17(文 17理 0)	0(文 0理 0)	0(文 0理 0)
24年	5(文 4理 1)	10(文 9理 1)	1(文 1理 0)	1(文 1理 0)
25年	5(文 3理 2)	12(文 11理 1)	0(文 0理 0)	0(文 0理 0)

【男女・職種別採用実績】

	総合職
23年	27(男 5 女 22)
24年	22(男 7 女 15)
25年	19(男 5 女 14)

【24年4月入社者の配属勤務地】㊝相模原17 東京・港3 埼玉・北本1 青森・十和田1
【転勤】あり:[勤務地]東京・港 相模原 埼玉・北本 青森・十和田 新潟・南魚沼
【中途比率】[単年度]21年度9%、22年度36%、23年度22%[全体]22%

●働きやすさ、諸制度●

残業(月) ㊝18.8時間

【勤務時間】平日9:00〜17:25 土曜9:00〜13:30(年間13日)【有休取得年平均】14.2日【週休】2日(土日祝、一部土曜出勤あり)【夏期休暇】5日【年末年始休暇】12月29日〜1月3日
【離職率】男:3.7%、10名 女:2.4%、10名(早期退職男3名、女2名含む)
【新卒3年後離職率】
[20→23年]30.8%(男0%・入社2名、女36.4%・入社11名)
[21→24年]0%(男0%・入社1名、女0%・入社10名)
【テレワーク】制度あり:[場所]自宅[対象]NA[日数]原則週1日まで[利用率]NA【勤務制度】時間単位有休 時差勤務【住宅補助】住宅手当(賃貸の場合最大28,000円)

●ライフイベント、女性活躍●

【女性比率】■男 □女

新卒採用 73.7% (14名)

従業員 60.7% (405名)

管理職 15.8% (19名)

【産休】[期間]産前7・産後8週間[給与]産前7〜6週の給与は8割支給、産前6週からは健保8割(出産手当金)[取得者数]15名
【育休】[期間]1歳になるまで[給与]法定[取得者数]22年度 男2名(対象8名)女13名(対象13名)23年度 男3名(対象5名)女9名(対象10名)[平均取得日数]22年度 男28日 女395日、23年度 男28日 女288日
【従業員】[人数]667名(男262名、女405名)[平均年齢]41.9歳(男46.9歳、女38.7歳)[平均勤続年数]16.4年(男20.6年、女13.7年)【年齢構成】■男 □女

	男	女
60代〜	6%	2%
50代	13%	10%
40代	9%	13%
30代	9%	20%
〜20代	3%	15%

会社データ (金額は百万円)

【本社】108-8641 東京都港区白金5-9-1 ☎03-3444-6161
https://www.kitasato.ac.jp/

【業績】	事業活動収入	基本金組入前収支差額	収支差額
22.3	111,254	6,371	6,371
23.3	109,420	1,052	▲462
24.3	106,556	▲3,896	▲13,960

2434 **開示 ★★★**

(学校法人)立命館 りつめいかん

くるみん

【特色】建学の精神「自由と清新」を貫く京都の有名私学

記者評価 1869年、西園寺公望が私塾として創設。2大学、4附属高等学校・中学校、1附属小学校から成る総合学園。2大学とも文科省「スーパーグローバル大学」に採択。世界各国の大学等とのネットワーク緻密。26年4月にデザイン・アート学部・研究科(仮称)開設を構想。

平均勤続年数	男性育休取得率	3年後離職率	平均年収(平均43歳)
16.6年	NA	0→0%	NA

●採用・配属情報●

【男女・文理別採用実績】

	大卒男	大卒女	修士男	修士女
23年	0(文 0理 0)	2(文 2理 0)	0(文 0理 0)	1(文 1理 0)
24年	3(文 3理 0)	1(文 1理 0)	0(文 0理 0)	0(文 0理 0)
25年	3(文 3理 0)	0(文 0理 0)	1(文 0理 1)	1(文 1理 0)

【男女・職種別採用実績】

	総合職
23年	3(男 0 女 3)
24年	4(男 3 女 1)
25年	5(男 4 女 1)

【24年4月入社者の配属勤務地】㊗京都1 大阪2 滋賀・草津1

【転勤】あり:全社員

【中途比率】[単年度]21年度25%、22年度50%、23年度86%[全体]54%

●働きやすさ、諸制度●

残業(月) 11.7時間 ㊗11.7時間

【勤務時間】7時間30分【有休取得年平均】11.9日【週休】完全2日(土日祝)【夏期休暇】10日(週休除く)【年末年始休暇】5日(週休除く)

【離職率】男:2.1%、9名 女:1.5%、4名(早期退職含む)

【新卒3年後離職率】
[20→23年]0%(男0%・入社2名、女0%・入社5名)
[21→24年]0%(男0%・入社2名、女0%・入社4名)

【テレワーク】制度あり:[場所]自宅[対象]全社員[日数]週2日まで[利用率]NA【勤務制度】時間単位有休 時差勤務 副業容認【住宅補助】住宅手当

●ライフイベント、女性活躍●

【女性比率】■男 □女

新卒採用 20%(1名) 従業員 37.7%(256名) 管理職 17.4%(24名)

【産休】[期間]産前8・産後8週間[給与]全額給付[取得者数]5名

【育休】[期間]1歳6カ月になるまで、または1歳到達年度の次年度4月末まで[給与]法定期間は給付金+法人20%、以降無給[取得者数]22年度 男8名(対象NA)女19名(対象NA)23年度 男9名(対象NA)女6名(対象NA)[平均取得日数]22年度 男231日 女470日、23年度 男111日 女363日

【従業員】[人数]679名(男423名、女256名)[平均年齢]43.3歳(男44.8歳、女40.8歳)[平均勤続年数]16.6年(男17.3年、女15.6年)

【年齢構成】■男 □女

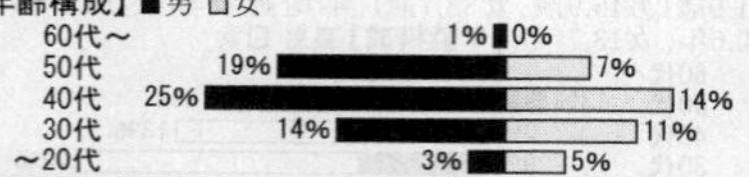

会社データ (金額は百万円)

【本社】604-8520 京都府京都市中京区西ノ京朱雀町1 ☎075-813-8449
http://www.ritsumei.ac.jp/

【業績】	事業活動収入	基本金組入前収支差額	収支差額
22.3	83,058	2,013	▲6,879
23.3	85,693	1,110	▲11,255
24.3	92,667	5,754	▲4,540

2586 **開示 ★★★**

(学校法人)明治大学 めいじだいがく

【特色】旧制大で東京六大学の一角。各界に「校友」組織

記者評価 1881年創設の明治法律学校が前身。伝統の法学部や文理融合型の総合数理学部など10学部16研究科。駿河台キャンパスを核に「都心型大学」を標榜。文科省「スーパーグローバル大学(タイプB)」に採択。入職後10年目までに法人・教学両部門で異なる3職務を経験。

平均勤続年数	男性育休取得率	3年後離職率	平均年収(平均44歳)
19.0年	41.7→50.0%	0→0%	NA

●採用・配属情報●

【男女・文理別採用実績】

	大卒男	大卒女	修士男	修士女
23年	4(文 4理 0)	4(文 4理 0)	0(文 0理 0)	0(文 0理 0)
24年	7(文 7理 0)	5(文 5理 0)	0(文 0理 0)	0(文 0理 0)
25年	5(文 5理 0)	7(文 7理 0)	0(文 0理 0)	0(文 0理 0)

【男女・職種別採用実績】

	総合職
23年	8(男 4 女 4)
24年	12(男 7 女 5)
25年	12(男 5 女 7)

【24年4月入社者の配属勤務地】㊗東京(駿河台10 中野1)神奈川・生田1

【転勤】あり:全職員

【中途比率】[単年度]21年度0%、22年度11%、23年度11%[全体]21%

●働きやすさ、諸制度●

残業(月) 11.6時間 ㊗11.6時間

【勤務時間】9:00〜17:00(月〜金)9:00〜12:30(土)【有休取得年平均】15.1日【週休】1日(別途年間18日の土曜休)【夏期休暇】22日(8〜9月)【年末年始休暇】12月26日〜1月7日

【離職率】男:1.1%、4名 女:0.9%、2名(早期退職男2名、女1名含む)

【新卒3年後離職率】
[20→23年]0%(男0%・入社5名、女0%・入社5名)
[21→24年]0%(男0%・入社4名、女0%・入社5名)

【テレワーク】制度なし【勤務制度】時間単位有休 時差勤務【住宅補助】住宅手当(世帯主23,800円 非世帯主21,300円)

●ライフイベント、女性活躍●

【女性比率】■男 □女

新卒採用 58.3%(7名)

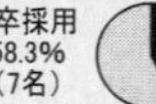

従業員 36.1%(211名) 管理職 13.9%(11名)

【産休】[期間]8週間以上10週間以内の産後休暇を含む通算16週間[給与]全額給付[取得者数]3名

【育休】[期間]3歳になる日までを限度[給与]法定[取得者数]22年度 男5名(対象12名)女9名(対象9名)23年度 男3名(対象6名)女3名(対象3名)[平均取得日数]22年度 男61日 女265日、23年度 男27日 女268日

【従業員】[人数]585名(男374名、女211名)[平均年齢]43.5歳(男44.7歳、女43.2歳)[平均勤続年数]19.0年(男18.9年、女19.0年)

【年齢構成】■男 □女

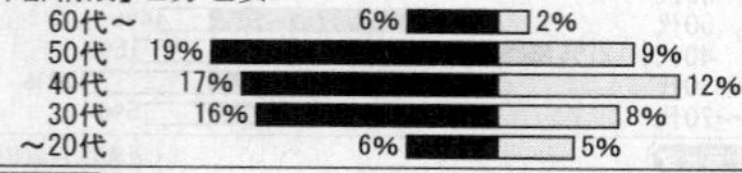

会社データ (金額は百万円)

【本社】101-8301 東京都千代田区神田駿河台1-1 ☎03-3296-4545
https://www.meiji.ac.jp/

【業績】	事業活動収入	基本金組入前収支差額	収支差額
22.3	53,758	3,505	▲1,447
23.3	55,615	3,368	▲3,063
24.3	58,650	6,685	2,812

(学校法人)法政大学
（ほうせいだいがく）

【特色】東京六大学の一角。多彩な学部編成。附属中高も

[記者評価] 1880年東京・神田で創設された東京法学社が前身。1920年大学令により旧制大学に。伝統の法学部、経済学部のほかGIS(グローバル教養学部)など計15学部。専門組織を設けるなど、リカレント教育や生涯学習にも注力。21年4月に就任した廣瀬克哉総長の主導でDX推進。

平均勤続年数	男性育休取得率	3年後離職率	平均年収(平均43歳)
18.5年	NA	0→0%	NA

●採用・配属情報●

【男女・文理別採用実績】

	大卒男	大卒女	修士男	修士女
23年	4(文 4理 0)	3(文 3理 0)	0(文 0理 0)	0(文 0理 0)
24年	2(文 2理 0)	7(文 7理 0)	1(文 1理 0)	1(文 1理 0)
25年	0(文 0理 0)	4(文 4理 0)	0(文 0理 0)	0(文 0理 0)

【男女・職種別採用実績】

	総合職
23年	7(男 4 女 3)
24年	11(男 3 女 8)
25年	4(男 0 女 4)

【24年4月入社者の配属勤務地】[総]東京(市ヶ谷9 多摩1 小金井1)
【転勤】NA
【中途比率】[単年度]21年度NA、22年度NA、23年度NA[全体]NA

●働きやすさ、諸制度●

残業(月) [総]8.6時間

【勤務時間】9:00～17:00(土9:00～12:00)【有休取得年平均】13.3日【週休】1日(別途土曜日等に独自休暇制度あり)【夏期休暇】8月13～19日【年末年始休暇】12月27日～1月6日
【離職率】男:2.2%、6名 女:1.6%、3名(早期退職男6名、女2名含む)
【新卒3年後離職率】
[20→23年]0%(男0%・入社9名、女0%・入社4名)
[21→24年]0%(男0%・入社5名、女0%・入社5名)
【テレワーク】制度あり:[場所]原則として自宅[対象]職員職種[日数]週1日まで[利用率]NA【勤務制度】時間単位有休【住宅補助】住宅手当

●ライフイベント、女性活躍●

【女性比率】■男 □女

新卒採用 100%(4名)

従業員 41.4%(185名)

【産休】[期間]産前8・産後8週間[給与]全額法人支給[取得者数]NA
【育休】[期間]1歳になるまで[給与]法定[取得者数]22年度NA 23年度 NA[平均取得日数]22年度 NA、23年度 NA
【従業員】[人数]447名(男262名、女185名)[平均年齢]42.6歳(男43.8歳、女41.0歳)[平均勤続年数]18.5年(男19.2年、女17.6年)
【年齢構成】■男 □女
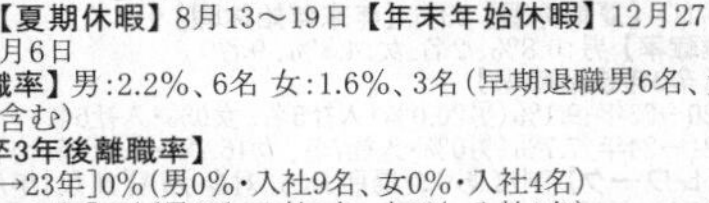

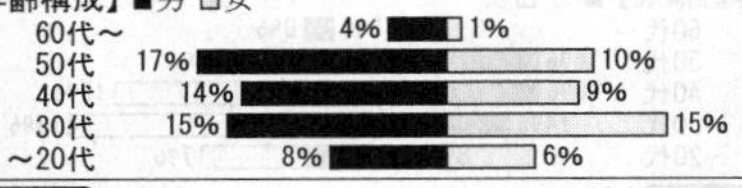

会社データ (金額は百万円)

【本社】102-8160 東京都千代田区富士見2-17-1 ☎03-3264-9240
https://www.hosei.ac.jp/

【業績】	事業活動収入	基本金組入前収支差額	収支差額
22.3	50,433	5,482	5,306
23.3	50,474	5,615	4,672
24.3	51,690	6,569	6,559

(学校法人)中央大学
（ちゅうおうだいがく）

【特色】日本の法曹界担う名門私大。法学部は都心移転

[記者評価] 1885年英吉利法律学校として東京・神田に創設。「實地應用ノ素ヲ養フ」が建学の精神。看板学部の法学部を軸に8学部、大学院8研究科、専門職大学院2研究科で構成。23年4月法学部と法学研究科の茗荷谷キャンパス移転を皮切りに、都心と多摩の2拠点化が進む。

平均勤続年数	男性育休取得率	3年後離職率	平均年収(平均43歳)
18.7年	NA	0→0%	NA

●採用・配属情報●

【男女・文理別採用実績】

	大卒男	大卒女	修士男	修士女
23年	5(文 5理 0)	2(文 2理 0)	0(文 0理 0)	2(文 2理 0)
24年	5(文 5理 0)	5(文 5理 0)	0(文 0理 0)	0(文 0理 0)
25年	1(文 1理 0)	5(文 5理 0)	0(文 0理 0)	0(文 0理 0)

【男女・職種別採用実績】

	総合職
23年	9(男 5 女 4)
24年	10(男 5 女 5)
25年	6(男 1 女 5)

【24年4月入社者の配属勤務地】[総]東京(多摩6 後楽園1 茗荷谷1 駿河台1 杉並1)
【転勤】あり:[職種]全社員[勤務地]大学キャンパス間 付属中高(東京 神奈川)
【中途比率】[単年度]21年度0%、22年度0%、23年度0%[全体]NA

●働きやすさ、諸制度●

残業(月) NA

【勤務時間】9:00～17:00(土9:00～12:00)【有休取得年平均】NA【週休】1日【夏期休暇】20日(7～10月で取得)【年末年始休暇】12月25日～1月4日
【離職率】男:2.3%、6名 女:0.5%、1名
【新卒3年後離職率】
[20→23年]0%(男0%・入社4名、女0%・入社4名)
[21→24年]0%(男0%・入社7名、女0%・入社4名)
【テレワーク】制度あり:[場所]自宅[対象]全職員[日数]NA[利用率]NA【勤務制度】なし【住宅補助】住宅手当(25,000円)

●ライフイベント、女性活躍●

【女性比率】■男 □女

新卒採用 83.3%(5名)

従業員 42.2%(187名)

管理職 23.5%(32名)

【産休】[期間]産前8・産後8週間[給与]全額給付[取得者数]7名
【育休】[期間]2歳の誕生日後の4月末まで延長可[給与]法定+本俸の15%[取得者数]22年度 男6名(対象NA)女9名(対象9名)23年度 男11名(対象NA)女7名(対象7名)[平均取得日数]22年度 男18日 女266日、23年度 男52日 女276日
【従業員】[人数]443名(男256名、女187名)[平均年齢]43.1歳(男44.1歳、女41.6歳)[平均勤続年数]18.7年(男19.5年、女17.5年)
【年齢構成】■男 □女
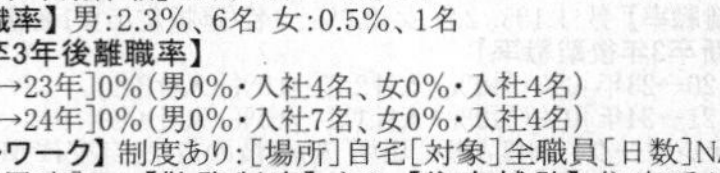

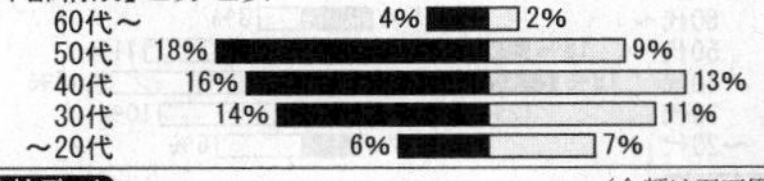

会社データ (金額は百万円)

【本社】192-0393 東京都八王子市東中野742-1 ☎042-674-2210
http://www.chuo-u.ac.jp/

【業績】	事業活動収入	基本金組入前収支差額	収支差額
22.3	47,482	4,862	1,424
23.3	48,436	911	▲19,170
24.3	50,655	3,248	1,233

サービス

2808 開示 ★★★

（学校法人）立教学院

りっきょうがくいん

【特色】小学校から大学・大学院まで一貫。国際化推進

記者評価 1874年にアメリカ聖公会のウィリアムズ主教が開いた私塾が起源。小・中・高・大の一貫連携教育を推進。大学は東京・池袋と埼玉・新座にキャンパスを置く。海外大と連携し、学生の留学機会確保に注力。26年4月、池袋キャンパスに環境学部の新規開設を計画中。

平均勤続年数	男性育休取得率	3年後離職率	平均年収（平均45歳）
18.4年	60.0 → 71.4%	0 → 0%	NA

●採用・配属情報●

【男女・文理別採用実績】※専任職員の数字

	大卒男	大卒女	修士男	修士女
23年	2(文 1理 1)	4(文 4理 0)	0(文 0理 0)	0(文 0理 0)
24年	2(文 2理 0)	5(文 5理 0)	0(文 0理 0)	0(文 0理 0)
25年	4(文 4理 0)	2(文 2理 0)	1(文 1理 0)	0(文 0理 0)

【男女・職種別採用実績】

	総合職
23年	6(男 2 女 4)
24年	7(男 2 女 5)
25年	7(男 5 女 2)

【24年4月入社者の配属勤務地】㊒東京・池袋6 埼玉・新座1
【転勤】なし
【中途比率】[単年度]21年度53%、22年度63%、23年度70%[全体]NA

●働きやすさ、諸制度●

残業(月) 19.0時間 ㊒19.0時間

【勤務時間】月～金8:50～17:00 土8:50～12:30※学院本部・大学の場合【有休取得年平均】13.0日【週休】1日【夏期休暇】春夏秋冬の各休業期間にて季節休暇合計32日（土曜一斉休暇8日を含む）【年末年始休暇】春夏秋冬の各休業期間にて季節休暇合計32日（別に6日大学の定める休日）
【離職率】男:1.1%、2名 女:2.0%、3名（選択定年女1名含む）
【新卒3年後離職率】
[20→23年]0%（男0%・入社2名、女0%・入社3名）
[21→24年]0%（男0%・入社1名、女0%・入社4名）
【テレワーク】制度あり:[場所]勤務員の自宅 自宅に準ずる場所 他[対象]専任職員[日数]月4日まで[利用率]NA【勤務制度】時間単位有休 時差勤務 副業容認【住宅補助】住宅手当（22,000円、家族と同居している世帯主には25,500円、年齢制限なし）

●ライフイベント、女性活躍●

【女性比率】■男 □女

新卒採用 28.6%（2名）　従業員 45.3%（144名）　管理職 37.5%（36名）

【産休】[期間]産前6週間、産後9週間[給与]全額支給[取得者数]2名
【育休】[期間]1歳になるまで[給与]法定[取得者数]22年度 男3名（対象5名）女5名（対象5名）23年度 男5名（対象7名）女3名（対象3名）[平均取得日数]22年度 NA、23年度 NA
【従業員】[人数]318名（男174名、女144名）[平均年齢]44.7歳（男45.3歳、女44.0歳）[平均勤続年数]18.4年（男18.4年、女18.5年）
【年齢構成】■男 □女

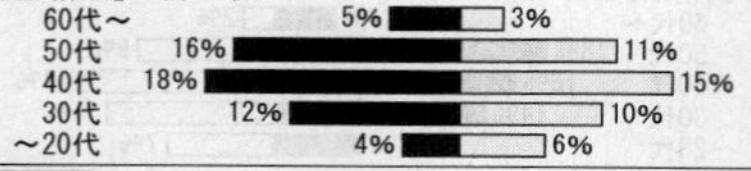

会社データ （金額は百万円）

【本社】171-8501 東京都豊島区西池袋3-34-1 ☎03-3985-2245
https://www.rikkyo.ac.jp/

【業績】	事業活動収入	基本金組入前収支差額	収支差額
22.3	34,684	4,450	2,981
23.3	34,630	2,786	1,503
24.3	36,974	3,411	362

2674 開示 ★★★

（学校法人）東洋大学

とうようだいがく

【特色】東洋大学が基幹。中学・高校・幼稚園も運営

記者評価 1887年井上円了が創設した哲学館が起源。1906年から現校名。大学は4キャンパス14学部。建学の精神である「諸学の基礎は哲学にあり」を貫く。重点研究プログラム制度を設け、研究の高度化を推進。職員には大学運営や学生支援に加え、国際化への取り組みも求められる。

平均勤続年数	男性育休取得率	3年後離職率	平均年収（平均42歳）
! 17.8年	25.0 → 54.5%	9.1 → 7.7%	NA

●採用・配属情報●

【男女・文理別採用実績】

	大卒男	大卒女	修士男	修士女
23年	5(文 3理 2)	3(文 3理 0)	0(文 0理 0)	1(文 1理 0)
24年	5(文 5理 0)	6(文 5理 1)	0(文 0理 0)	1(文 1理 0)
25年	2(文 2理 0)	4(文 4理 0)	0(文 0理 0)	0(文 0理 0)

【男女・職種別採用実績】

	総合職
23年	9(男 5 女 4)
24年	12(男 5 女 7)
25年	6(男 2 女 4)

【24年4月入社者の配属勤務地】㊒東京（白山9 赤羽1）埼玉・川越2
【転勤】あり:全職員
【中途比率】[単年度]21年度0%、22年度0%、23年度0%[全体]NA

●働きやすさ、諸制度●

残業(月) NA

【勤務時間】9:00～17:00【有休取得年平均】15.1日【週休】4週6休（5・6・7・10・11・12月は月2回、4月は月1回土曜休日）【夏期休暇】23日【年末年始休暇】9日
【離職率】男:0.8%、2名 女:4.8%、9名
【新卒3年後離職率】
[20→23年]9.1%（男20.0%・入社5名、女0%・入社6名）
[21→24年]7.7%（男0%・入社7名、女16.7%・入社6名）
【テレワーク】制度あり:[場所]NA[対象]NA[日数]年度内24回を上限 1カ月の上限を4回[利用率]-【勤務制度】なし
【住宅補助】住宅手当

●ライフイベント、女性活躍●

【女性比率】■男 □女

新卒採用 66.7%（4名）　従業員 43.1%（179名）　管理職 19.4%（19名）

【産休】[期間]産前6・産後8週間[給与]全額給付[取得者数]15名
【育休】[期間]1歳になるまで[給与]法定[取得者数]22年度 男1名（対象4名）女8名（対象8名）23年度 男6名（対象11名）女13名（対象13名）[平均取得日数]22年度 男178日 女390日、23年度 男253日 女352日
【従業員】[人数]415名（男236名、女179名）[平均年齢]42.0歳（男43.9歳、女39.6歳）[平均勤続年数]17.8年（男19.3年、女15.7年）※教員・嘱託職員除く
【年齢構成】■男 □女

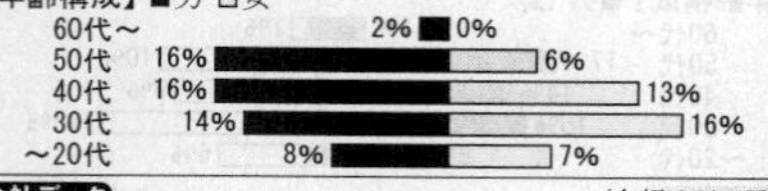

会社データ （金額は百万円）

【本社】112-8606 東京都文京区白山5-28-20 ☎03-3945-7224
https://www.toyo.ac.jp/

【業績】	事業活動収入	基本金組入前収支差額	収支差額
22.3	46,206	4,143	▲3,191
23.3	46,075	4,217	▲1,770
24.3	47,545	2,567	▲7,097

(学校法人)龍谷大学（りゅうこくだいがく）

【特色】仏教系の文理総合大。西本願寺の学寮が起源

記者評価 1639年西本願寺境内に設けられた学寮が起源。1922年大学設置。学園施設の5カ所が国の重要文化財指定。大学は23年度新設の心理学部を加え、10学部体制。25年度には社会学部の改組を計画。学生起業家によるインキュベーション事業や産官学連携など活発。

平均勤続年数	男性育休取得率	3年後離職率	平均年収(平均44歳)
18.4年	－→100%	0→0%	NA

●採用・配属情報●

【男女・文理別採用実績】

	大卒男	大卒女	修士男	修士女
23年	4(文 4理 0)	4(文 4理 0)	0(文 0理 0)	0(文 0理 0)
24年	3(文 3理 0)	4(文 4理 0)	0(文 0理 0)	0(文 0理 0)
25年	4(文 4理 0)	2(文 2理 0)	1(文 1理 0)	1(文 1理 0)

【男女・職種別採用実績】

	総合職
23年	8(男 4 女 4)
24年	7(男 3 女 4)
25年	8(男 5 女 3)

【24年4月入社者の配属勤務地】㊗京都・滋賀7
【転勤】あり:全社員
【中途比率】[単年度]21年度NA、22年度NA、23年度NA[全体]NA

●働きやすさ、諸制度●

残業(月) 7.4時間 ㊗11.8時間

【勤務時間】9:00～17:15【有休取得年平均】11.2日【週休】完全2日(土日祝)【夏期休暇】8月11～18日【年末年始休暇】12月28日～1月5日
【離職率】男:2.6%、5名 女:0%、0名(早期退職男4名含む)
【新卒3年後離職率】
[20→23年]0%(男0%・入社4名、女0%・入社1名)
[21→24年]0%(男0%・入社3名、女0%・入社5名)
【テレワーク】制度なし【勤務制度】時間単位有休【住宅補助】住宅手当

●ライフイベント、女性活躍●

【女性比率】■男 □女

新卒採用 37.5% (3名)

従業員 31.5% (85名)

【産休】[期間]産前8・産後8週間[給与]全額給付[取得者数]12名
【育休】[期間]2歳になるまで[給与]育休給付金に加え最初365日は給与の20%給付[取得者数]22年度 男0名(対象0名)女6名(対象6名)23年度 男8名(対象8名)女12名(対象12名)[平均取得日数]22年度 NA、23年度 NA
【従業員】[人数]270名(男185名、女85名)[平均年齢]43.5歳(男45.8歳、女37.8歳)[平均勤続年数]18.4年(男20.3年、女14.0年)
【年齢構成】NA

会社データ (金額は百万円)

【本社】612-8577 京都府京都市伏見区深草塚本町67 ☎075-642-1111
https://www.ryukoku.ac.jp/

【業績】	事業活動収入	基本金組入前収支差額	収支差額
22.3	30,407	3,354	2,155
23.3	30,712	2,568	2,471
24.3	32,656	1,491	▲633

(学校法人)神奈川大学（かながわだいがく）

【特色】横浜地盤の私立大学。附属中学・高校も

記者評価 1928年設立の横浜学院が前身。大学は22年に建築学部、23年に化学生命学部、情報学部を新設し、11学部体制に。建学の精神として「質実剛健・積極進取・中正堅実」を掲げる。21年4月、みなとみらいに都市型キャンパスを開設、国際系学部を集約。附属中高も運営。

平均勤続年数	男性育休取得率	3年後離職率	平均年収(平均42歳)
14.6年	53.3→57.1%	0→0%	NA

●採用・配属情報●

【男女・文理別採用実績】

	大卒男	大卒女	修士男	修士女
23年	3(文 3理 0)	4(文 4理 0)	0(文 0理 0)	0(文 0理 0)
24年	4(文 4理 0)	2(文 2理 0)	0(文 0理 0)	0(文 0理 0)
25年	3(文 3理 0)	4(文 4理 0)	0(文 0理 0)	0(文 0理 0)

【男女・職種別採用実績】

	総合職
23年	7(男 3 女 4)
24年	6(男 4 女 2)
25年	7(男 3 女 4)

【24年4月入社者の配属勤務地】㊗横浜6
【転勤】あり:全社員 ※部署異動に伴うキャンパス間のみ
【中途比率】[単年度]21年度50%、22年度0%、23年度50%[全体]52%

●働きやすさ、諸制度●

残業(月) 10.0時間 ㊗10.0時間

【勤務時間】8:30～16:30【有休取得年平均】10.8日【週休】2日【夏期休暇】14日【年末年始休暇】12月28日～1月5日
【離職率】男:1.8%、4名 女:1.5%、2名
【新卒3年後離職率】
[20→23年]0%(男0%・入社4名、女0%・入社3名)
[21→24年]0%(男0%・入社3名、女0%・入社6名)
【テレワーク】制度なし【勤務制度】時間単位有休 時差勤務 副業容認【住宅補助】NA

●ライフイベント、女性活躍●

【女性比率】■男 □女

新卒採用 57.1% (4名)

従業員 38.2% (135名)

管理職 32.1% (52名)

【産休】[期間]産前6・産後8週間[給与]特別休暇(有給)扱い[取得者数]6名
【育休】[期間]1歳になるまで[給与]法定[取得者数]22年度 男8名(対象15名)女13名(対象13名)23年度 男4名(対象7名)女11名(対象11名)[平均取得日数]22年度 NA、23年度 NA
【従業員】[人数]353名(男218名、女135名)[平均年齢]42.3歳(男42.7歳、女41.6歳)[平均勤続年数]14.6年(男14.0年、女15.4年)
【年齢構成】■男 □女

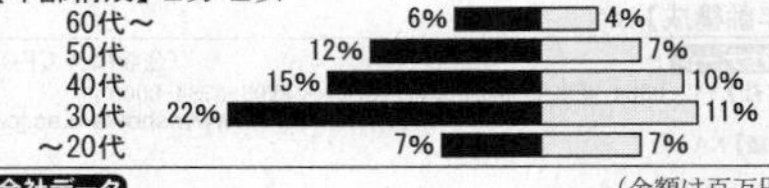

会社データ (金額は百万円)

【本社】221-8686 神奈川県横浜市神奈川区六角橋3-27-1 ☎045-481-5661
https://www.kanagawa-u.ac.jp/
【業績】NA

サービス

(学校法人)昭和大学

しょうわだいがく

【特色】医・歯・薬・保健医療の4学部からなる医系私大

記者評価 1928年に上條秀介らにより設立された昭和医学専門学校が前身。昭和医科大学として46年大学化、64年から現校名。医学部、歯学部、薬学部、保健医療学部を擁し医系総合大へ発展。クリニック含め9の附属病院。25年4月、昭和医科大学に校名を変更予定。

平均勤続年数	男性育休取得率	3年後離職率	平均年収(平均36歳)
13.2年	19.0→29.8%	42.9→41.2%	㊕613万円

●採用・配属情報●

【男女・文理別採用実績】

	大卒男	大卒女	修士男	修士女
23年	4(文 4理 0)	18(文 18理 0)	1(文 1理 0)	0(文 0理 0)
24年	11(文 11理 0)	20(文 20理 0)	2(文 2理 0)	1(文 1理 0)
25年	5(文 5理 0)	8(文 8理 0)	0(文 0理 0)	1(文 1理 0)

※25年:夏採用実施中

【男女・職種別採用実績】 転換制度:⇔

	総合職	財務専門職	医事専門職	医療事務職員(専卒)	財務専門職(専卒)
23年	22(男 5女17)	0(男 0女 0)	1(男 0女 1)	14(男 2女12)	2(男 0女 2)
24年	29(男11女18)	3(男 2女 1)	2(男 0女 2)	21(男 1女20)	1(男 0女 1)
25年	13(男 5女 8)	1(男 0女 1)	0(男 0女 0)	7(男 0女 7)	1(男 1女 0)

【24年4月入社者の配属勤務地】㊕東京13 神奈川16
【転勤】あり:[職種]全社員[勤務地]東京 神奈川 山梨
【中途比率】[単年度]21年度37%、22年度23%、23年度22%[全体]NA

●働きやすさ、諸制度●

残業(月) ㊕19.4時間

【勤務時間】8:30〜17:00(配属部署によってはシフト勤務あり)【有休取得年平均】12.0日【週休】4週8休【夏期休暇】6日【年末年始休暇】12月29日〜1月3日
【離職率】男:5.6%、12名 女:6.6%、24名
【新卒3年後離職率】
[20→23年]42.9%(男0%・入社6名、女75.0%・入社8名)
[21→24年]41.2%(男33.3%・入社6名、女45.5%・入社11名)
【テレワーク】制度なし【勤務制度】時差勤務【住宅補助】住居手当(5,200〜24,000円 本学規定に基づく)

●ライフイベント、女性活躍●

【女性比率】■男 □女

新卒採用 72.7% (16名)

従業員 62.8% (339名)

【産休】[期間]産前6・産後8週間[給与]法定[取得者数]218名
【育休】[期間]1歳になるまで[給与]法定[取得者数]22年度 男24名(対象126名)女213名(対象222名)23年度 男31名(対象104名)女212名(対象224名)[平均取得日数]22年度NA、23年度 男87日 女329日
【従業員】[人数]540名(男201名、女339名)[平均年齢]36.2歳(男38.4歳、女34.9歳)[平均勤続年数]13.2年(男14.7年、女12.3年)
【年齢構成】NA

会社データ (金額は百万円)

【本社】142-0064 東京都品川区旗の台1-5-8 ☎03-3784-8000
https://www.showa-u.ac.jp/

【業績】NA

㈱ベネッセコーポレーション

えるぼし ★★★

【特色】「進研ゼミ」を運営、通信教育の最大手

記者評価 小中高生向けの通信教育「進研ゼミ」、幼児向けの「こどもチャレンジ」が主力。通信教育業界最大手。大学入試模試「進研模試」や学習塾の運営、介護事業も手がける。動画学習プラットフォーム大手の米Udemyと資本提携。親会社のベネッセHDは24年MBOで非公開化。

平均勤続年数	男性育休取得率	3年後離職率	平均年収(平均40歳)
12.0年	32.8→65.1%	16.0→18.2%	NA

●採用・配属情報●

【男女・文理別採用実績】

	大卒男	大卒女	修士男	修士女
23年	41(文 27理 14)	36(文 33理 3)	12(文 2理 10)	5(文 2理 3)
24年	40(文 31理 9)	30(文 28理 2)	20(文 4理 16)	9(文 1理 8)
25年	55(文 43理 12)	31(文 30理 1)	15(文 4理 11)	5(文 3理 2)

【男女・職種別採用実績】

	総合職
23年	94(男 53 女 41)
24年	99(男 60 女 39)
25年	109(男 72 女 37)

【24年4月入社者の配属勤務地】㊕東京本部68 札幌・仙台・高崎・名古屋・金沢・大阪・岡山・福岡 各拠点1〜5程度
【転勤】あり:[職種]全社員[勤務地]主に岡山 他全国支社
【中途比率】[単年度]21年度59%、22年度75%、23年度64%[全体]46%

●働きやすさ、諸制度●

残業(月) 38.1時間 ㊕39.8時間

【勤務時間】7時間(フレックスタイム制 コアタイムなし)【有休取得年平均】12.0日【週休】2日【夏期休暇】連続3日【年末年始休暇】12月30日〜1月4日
【離職率】男:6.0%、94名 女:5.2%、73名
【新卒3年後離職率】
[20→23年]16.0%(男13.3%・入社60名、女18.5%・入社65名)
[21→24年]18.2%(男20.7%・入社29名、女16.2%・入社37名)
【テレワーク】制度あり:[場所]自宅 サテライトオフィス 他[対象]全社員[日数]制限なし[利用率]63.5%【勤務制度】フレックス 裁量労働 時差勤務 副業容認【住宅補助】家族寮 単身寮(岡山)借上住宅(転勤者、6年間)社有社宅 社宅手当(持家・賃貸)

●ライフイベント、女性活躍●

【女性比率】■男 □女

新卒採用 33.9% (37名)

従業員 47.5% (1330名)

管理職 33.7% (114名)

【産休】[期間]産前6・産後8週間[給与]法定[取得者数]52名
【育休】[期間]1歳の4月14日または9月14日まで[給与]1カ月間は法定+基本給の33%給付[取得者数]22年度 男19名(対象58名)女67名(対象67名)23年度 男41名(対象63名)女53名(対象53名)[平均取得日数]22年度 男50日 女401日、23年度 男30日 女373日
【従業員】[人数]2,799名(男1,469名、女1,330名)[平均年齢]40.2歳(男40.4歳、女39.9歳)[平均勤続年数]12.0年(男10.8年、女13.3年)
【年齢構成】■男 □女

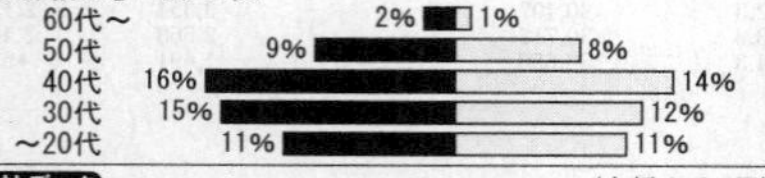

会社データ (金額は百万円)

【本社】700-8686 岡山県岡山市北区南方3-7-17 ☎086-225-1100
https://www.benesse.co.jp/

【業績(単独)】	売上高	営業利益	経常利益	純利益
22.3	189,421	NA	10,724	7,473
23.3	182,945	NA	10,203	13,148
24.3	176,594	NA	9,275	5,167

サービス

1712 開示 ★★★

㈱公文教育研究会

くもんきょういくけんきゅうかい

【特色】「公文式」で知られるKUMONグループの持株会社

記者評価 創業者の公文公氏が息子のために考案した学習教材が原点。1955年守口市で算数教室に乗り出す。その後、飛躍的発展を遂げ、国内48、海外67拠点。学習者数は国内132万人、海外223万人。公文式教室向けの教材開発や運営サポート、指導者の採用・教育にあたる。

平均勤続年数	男性育休取得率	3年後離職率	平均年収(平均44歳)
18.4年	38.1→84.6%	21.4→15.0%	NA

●採用・配属情報●

【男女・文理別採用実績】

	大卒男	大卒女	修士男	修士女
23年	6(文 6理 0)	13(文 12理 1)	0(文 0理 0)	0(文 0理 0)
24年	7(文 6理 1)	13(文 13理 0)	0(文 0理 0)	2(文 1理 1)
25年	5(文 4理 1)	21(文 20理 1)	1(文 0理 1)	3(文 2理 1)

【男女・職種別採用実績】 転換制度:⇔

	総合職
23年	19(男 6 女 13)
24年	22(男 7 女 15)
25年	30(男 6 女 24)

【24年4月入社者の配属勤務地】㊇札幌1 仙台1 栃木・宇都宮1 さいたま1 千葉・船橋1 東京・千代田3 横浜2 名古屋2 大阪市6 神戸1 岡山市1 福岡2

【転勤】あり:[職種]地域限定なし社員 [部署]全部署 [勤務地]全国の事業所 大阪本社 東京本社 海外

【中途比率】[単年度]21年度23%、22年度25%、23年度42%[全体]33%

●働きやすさ、諸制度●

残業(月) 15.2時間 ㊇18.6時間

【勤務時間】9:20〜17:45(フレックスタイム運用)【有休取得年平均】9.9日【週休】完全2日(土日祝)【夏期休暇】連続5日【年末年始休暇】12月29日〜1月4日

【離職率】男:6.4%、47名 女:3.9%、34名

【新卒3年後離職率】

[20→23年]21.4%(男13.3%・入社15名、女30.8%・入社13名)

[21→24年]15.0%(男27.3%・入社11名、女0%・入社9名)

【テレワーク】制度あり:[場所]制限なし(所属長の承認が必要)[対象]全社員(入社3カ月未満の社員および試用社員・労働契約書等でフレックスタイム以外の社員などは適用外)[日数]制限なし(所属長の承認が必要)[利用率]57.0%【勤務制度】フレックス 時間単位有休【住宅補助】借上社宅もしくは住宅手当(地域限定なし社員)

●ライフイベント、女性活躍●

【女性比率】■男 □女

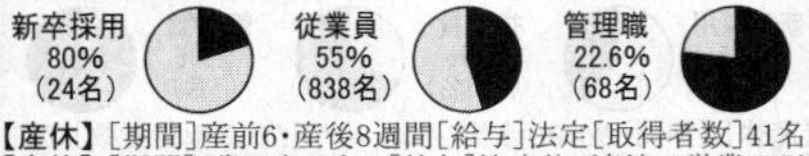

新卒採用 80%(24名)

従業員 55%(838名)

管理職 22.6%(68名)

【産休】[期間]産前6・産後8週間[給与]法定[取得者数]41名

【育休】[期間]3歳になるまで[給与]法定他、連続10営業日以上の育休取得で基本給1カ月分給付[取得者数]22年度 男8名(対象21名)女34名(対象34名)23年度 男11名(対象13名)女44名(対象44名)[平均取得日数]22年度 NA、23年度 NA

【従業員】[人数]1,524名(男686名、女838名)[平均年齢]44.2歳(男45.0歳、女43.5歳)[平均勤続年数]18.4年(男19.7年、女16.8年)【年齢構成】■男 □女

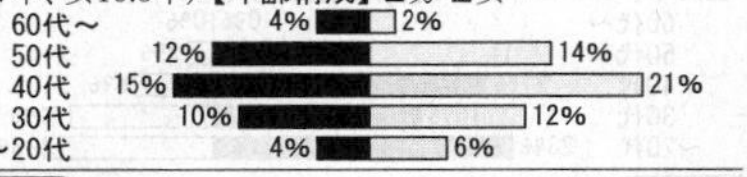

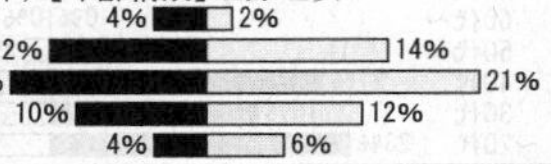

	男	女
60代〜	4%	2%
50代	12%	14%
40代	15%	21%
30代	10%	12%
〜20代	4%	6%

会社データ (金額は百万円)

【本社】532-0011 大阪府大阪市淀川区西中島5-6-6 ☎06-6838-2611 https://www.kumon.ne.jp/

【業績(連結)】	売上高	営業利益	経常利益	純利益
22.3	76,343	9,659	11,875	8,349
23.3	82,059	12,085	13,634	10,227
24.3	87,588	13,840	18,329	13,302

1099 開示 ★★

㈱ナガセ

【特色】東進ハイスクール、四谷大塚等運営。水泳教室も

記者評価 直営の「東進ハイスクール」とFC「東進衛星予備校」に講義映像を配信。林修氏等多数のカリスマ講師を擁する。70歳代の社長も業界のカリスマ。傘下に中学受験の四谷大塚、大学受験の早稲田塾、水泳教室のイトマンスイミングスクール。企業向け研修も強化。

平均勤続年数	男性育休取得率	3年後離職率	平均年収(平均38歳)
11.4年	0→0%	NA	㊇818万円

●採用・配属情報●

【男女・文理別採用実績】

	大卒男	大卒女	修士男	修士女
23年	27(文 22理 5)	13(文 11理 2)	3(文 1理 2)	0(文 0理 0)
24年	29(文 25理 4)	11(文 11理 0)	2(文 0理 2)	1(文 0理 1)
25年	19(文 15理 4)	16(文 15理 1)	3(文 1理 2)	1(文 1理 0)

【男女・職種別採用実績】

	総合職
23年	43(男 30 女 13)
24年	43(男 31 女 12)
25年	39(男 22 女 17)

【24年4月入社者の配属勤務地】㊇東京 神奈川 千葉 埼玉

【転勤】あり:全社員

【中途比率】[単年度]21年度NA、22年度NA、23年度NA[全体]NA

●働きやすさ、諸制度●

残業(月) NA

【勤務時間】10:00〜19:00【有休取得年平均】NA【週休】2日【夏期休暇】夏季・年末年始合わせて13日【年末年始休暇】夏季・年末年始合わせて13日

【離職率】NA

【新卒3年後離職率】

[20→23年]NA

[21→24年]NA

【テレワーク】制度あり:[場所]自宅[対象]所属長との相談の上[日数]制限なし[利用率]NA【勤務制度】裁量労働【住宅補助】住宅手当(賃貸家賃の8割を支給、上限額:80,000円 勤務地より直線3km圏内)

●ライフイベント、女性活躍●

【女性比率】■男 □女

新卒採用 43.6%(17名)

従業員 25.4%(122名)

管理職 6%(15名)

【産休】[期間]産前6・産後8週間[給与]法定[取得者数]9名

【育休】[期間]1歳になるまで[給与]法定[取得者数]22年度 男0名(対象12名)女11名(対象11名)23年度 男0名(対象17名)女9名(対象9名)[平均取得日数]22年度 男- 女358日、23年度 男- 女304日

【従業員】[人数]481名(男359名、女122名)[平均年齢]38.3歳(男39.7歳、女34.1歳)[平均勤続年数]11.4年(男11.6年、女10.6年)

【年齢構成】■男 □女

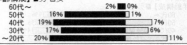

	男	女
60代〜	2%	0%
50代	16%	1%
40代	19%	7%
30代	17%	6%
〜20代	20%	11%

会社データ (金額は百万円)

【本社】180-8715 東京都武蔵野市吉祥寺南町1-29-2 ☎0422-45-7011 https://www.toshin.com/

【業績(連結)】	売上高	営業利益	経常利益	純利益
22.3	49,406	5,590	5,153	3,440
23.3	52,354	5,369	5,071	4,000
24.3	52,986	4,538	4,323	2,602

1125 開示 ★★★★

㈱ステップ

えるぼし ★★

【特色】中学生主体の集団指導塾。神奈川県内に特化

[記者評価] 神奈川県内の難関高校受験での高い合格実績を強みに成長続く。近年は手薄だった横浜・川崎地区でも校舎展開が進む。講師は原則正社員で、営業はさせず授業に集中するのが特徴。給与引き上げに意欲的。春期講習の授業デビューに向け、内定者に秋から研修実施。

平均勤続年数	男性育休取得率	3年後離職率	平均年収(平均38歳)
11.6年	90.9→88.2%	16.7→17.2%	[総]679万円

●採用・配属情報●

【男女・文理別採用実績】

	大卒男	大卒女	修士男	修士女
23年	28(文 22 理 6)	15(文 14 理 1)	4(文 1 理 3)	1(文 0 理 1)
24年	22(文 19 理 3)	15(文 14 理 1)	0(文 0 理 0)	0(文 0 理 0)
25年	17(文 13 理 4)	12(文 11 理 1)	0(文 0 理 0)	0(文 0 理 0)

【男女・職種別採用実績】 転換制度:⇒

	教師職	チューター職	スクールキャスト職	本部事務職	学童スタッフ
23年	34(男29女 5)	9(男 3女 6)	3(男 0女 3)	0(男 0女 0)	2(男 0女 2)
24年	27(男22女 5)	5(男 0女 5)	4(男 0女 4)	0(男 0女 0)	1(男 0女 1)
25年	21(男14女 7)	4(男 3女 1)	3(男 0女 3)	0(男 0女 0)	1(男 0女 1)

【職種併願】○

【24年4月入社者の配属勤務地】[総]神奈川37

【転勤】あり:[職種]全社員[勤務地]神奈川県内

【中途比率】[単年度]21年度38%、22年度15%、23年度27%[全体]43%

●働きやすさ、諸制度●

残業(月) 8.3時間 [総]8.3時間

【勤務時間】教師職14:00～22:20 チューター職・キャスト職13:30～22:00 学童スタッフ12:00～20:30 11:00～19:30(シフト制)【有休取得年平均】7.5日【週休】2日【夏期休暇】連続7日以上(土日、計画有休含む)【年末年始休暇】約4日

【離職率】男:2.9%、22名 女:5.6%、12名

【新卒3年後離職率】
[20→23年]16.7%(男11.8%・入社17名、女23.1%・入社13名)
[21→24年]17.2%(男0%・入社13名、女31.3%・入社16名)

【テレワーク】制度なし【勤務制度】週休3日【住宅補助】独身寮(神奈川18棟199室)

●ライフイベント、女性活躍●

【女性比率】■男 □女

新卒採用 41.4% (12名)
従業員 21.6% (201名)
管理職 5.3% (10名)
【産休】[期間]産前6・産後8週間[給与]法定[取得者数]6名

【育休】[期間]1歳になるまで[給与]法定[取得者数]22年度 男20名(対象22名)女10名(対象10名)23年度 男15名(対象17名)女7名(対象7名)[平均取得日数]22年度 男14日 女343日、23年度 男13日 女333日

【従業員】[人数]929名(男728名、女201名)[平均年齢]39.0歳(男39.9歳、女35.4歳)[平均勤続年数]11.6年(男12.2年、女9.6年)

【年齢構成】■男 □女

	男	女
60代～	2%	1%
50代	15%	2%
40代	23%	4%
30代	22%	7%
～20代	17%	8%

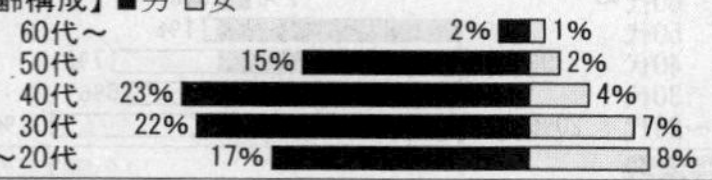

会社データ (金額は百万円)

【本社】251-0052 神奈川県藤沢市藤沢602 ☎0466-20-8000 https://www.stepnet.co.jp/

【業績(単独)】	売上高	営業利益	経常利益	純利益
21.9	13,036	3,509	3,593	2,471
22.9	13,653	3,656	3,728	2,563
23.9	14,442	3,192	3,225	2,405

308 開示 ★★★★

㈱秀英予備校(しゅうえいよびこう)

【特色】静岡地盤。中学生向けの集団指導塾が主力

[記者評価] 対象は中学生を主体に小学生から高校生まで。集団指導主体だったが、近年は個別指導のメニューや映像授業を拡充。東海地域を軸に北海道、福岡など全国的に校舎展開。傘下に福島地盤の学習塾である東日本学院。25年4月から大卒初任給を1万円増額予定。

平均勤続年数	男性育休取得率	3年後離職率	平均年収(平均36歳)
11.9年	28.6→33.3%	32.1→43.1%	[総]465万円

●採用・配属情報●

【男女・文理別採用実績】

	大卒男	大卒女	修士男	修士女
23年	17(文 15 理 2)	14(文 13 理 1)	2(文 0 理 2)	0(文 0 理 0)
24年	18(文 14 理 4)	11(文 8 理 3)	0(文 0 理 0)	0(文 0 理 0)
25年	16(文 14 理 2)	30(文 29 理 1)	3(文 2 理 1)	0(文 0 理 0)

【男女・職種別採用実績】 転換制度:⇔

	総合職	エリア総合職	一般職
23年	9(男 7 女 2)	24(男 12 女 12)	0(男 0 女 0)
24年	6(男 5 女 1)	21(男 13 女 8)	2(男 0 女 2)
25年	8(男 7 女 1)	40(男 12 女 28)	1(男 0 女 1)

【職種併願】総合職とエリア総合職で可能

【24年4月入社者の配属勤務地】[総]北海道(札幌4 旭川1)静岡(沼津2 静岡5 藤枝2 浜松3)愛知・春日井1 三重(四日市4 津1)福岡市4

【転勤】あり:[職種]フリー社員 エリア社員[勤務地]フリー社員:全社の展開地域内 エリア社員:エリア内での転勤

【中途比率】[単年度]21年度22%、22年度26%、23年度42%[全体]32%

●働きやすさ、諸制度●

残業(月) 15.9時間 [総]18.2時間

【勤務時間】13:30～22:30【有休取得年平均】9.7日【週休】2日(水・日)【夏期休暇】9月または10月に5連休(週休含む)【年末年始休暇】12月31日～1月3日

【離職率】男:8.4%、39名 女:9.9%、22名

【新卒3年後離職率】
[20→23年]32.1%(男31.6%・入社19名、女33.3%・入社9名)
[21→24年]43.1%(男44.7%・入社38名、女40.0%・入社20名)

【テレワーク】制度あり:[場所]自宅[対象]本社事務スタッフ[日数]制限なし[利用率]12.0%【勤務制度】時間単位有休【住宅補助】借上社宅(総合職19,000円 エリア総合職・一般職30,000円)

●ライフイベント、女性活躍●

【女性比率】■男 □女

新卒採用 61.2% (30名)
従業員 32% (200名)
管理職 6.5% (7名)
【産休】[期間]産前6・産後8週間[給与]法定[取得者数]10名

【育休】[期間]2歳になるまで[給与]法定[取得者数]22年度 男2名(対象7名)女13名(対象13名)23年度 男4名(対象12名)女11名(対象11名)[平均取得日数]22年度 NA、23年度 男93日 女233日

【従業員】[人数]625名(男425名、女200名)[平均年齢]35.6歳(男36.6歳、女33.6歳)[平均勤続年数]11.9年(男12.4年、女10.9年)【年齢構成】■男 □女

	男	女
60代～	0%	0%
50代	8%	2%
40代	21%	6%
30代	16%	11%
～20代	23%	13%

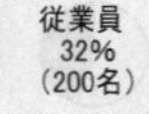

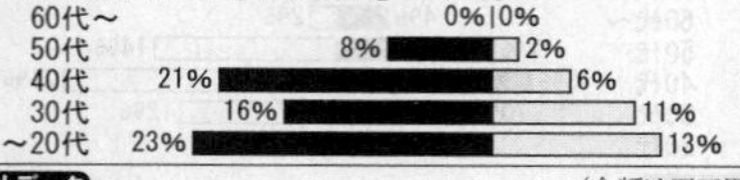

会社データ (金額は百万円)

【本社】420-0839 静岡県静岡市葵区鷹匠2-7-1 ☎054-252-1792 https://www.shuei-yobiko.co.jp/

【業績(連結)】	売上高	営業利益	経常利益	純利益
22.3	10,906	439	435	41
23.3	10,724	403	406	169
24.3	10,344	217	232	▲425

サービス

(株)昴（すばる）

【特色】鹿児島、宮崎地盤。中学生向け集団指導塾が主体

記者評価 1965年に鶴丸予備校で創業。小中高生向けの集団指導進学塾「昴」、個別指導校などを展開。ラ・サールなど九州難関校で高い合格実績を誇るが、地盤は少子化で上乗せ余地少ないため、熊本や福岡を今後の重点出店地域に。新卒社員は教室長候補として育成。

平均勤続年数	男性育休取得率	3年後離職率	平均年収(平均43歳)
13.4年	20.0→0%	40.0→42.9%	442万円

●採用・配属情報●

【男女・文理別採用実績】

	大卒男	大卒女	修士男	修士女
23年	6(文 4理 2)	0(文 0理 0)	2(文 1理 1)	1(文 1理 0)
24年	5(文 4理 1)	2(文 2理 0)	0(文 0理 0)	0(文 0理 0)
25年	8(文 5理 3)	5(文 4理 1)	0(文 0理 0)	0(文 0理 0)

【男女・職種別採用実績】 転換制度:⇔

	教職	事務
23年	8(男 7女 1)	1(男 1女 0)
24年	7(男 5女 2)	0(男 0女 0)
25年	12(男 7女 5)	1(男 1女 0)

【24年4月入社者の配属勤務地】㊕宮崎3 鹿児島2 熊本2
【転勤】あり:全社員
【中途比率】[単年度]21年度57%、22年度20%、23年度54%[全体]59%

●働きやすさ、諸制度●

残業(月) 8.6時間 ㊕11.4時間

【勤務時間】9:00～18:00 教室13:30～22:30【有休取得年平均】11.4日【週休】2日(日月または土月)【夏期休暇】連続8日【年末年始休暇】連続5日
【離職率】男:4.6%、12名 女:4.9%、3名
【新卒3年後離職率】
[20→23年]40.0%(男50.0%・入社4名、女0%・入社1名)
[21→24年]42.9%(男50.0%・入社2名、女40.0%・入社5名)
【テレワーク】制度なし【勤務制度】なし【住宅補助】住宅手当(10,000～35,000円、賃貸、持家問わず)

●ライフイベント、女性活躍●

【女性比率】■男 □女

新卒採用 38.5% (5名)

従業員 18.8% (58名)

管理職 8.2% (8名)

【産休】[期間]産前6・産後8週間[給与]法定[取得者数]1名
【育休】[期間]1歳になるまで[給与]法定[取得者数]22年度 男1名(対象5名)女2名(対象2名)23年度 男0名(対象1名) 女1名(対象1名)[平均取得日数]22年度 男214日 女262日、23年度 男- 女385日
【従業員】[人数]308名(男250名、女58名)[平均年齢]43.0歳(男43.8歳、女39.7歳)[平均勤続年数]13.4年(男13.6年、女13.0年)

【年齢構成】■男 □女

	男	女
60代～	7%	1%
50代	19%	3%
40代	31%	5%
30代	17%	5%
～20代	7%	4%

会社データ (金額は百万円)

【本社】892-0846 鹿児島県鹿児島市加治屋町9-1 ☎099-227-9504
https://www.subaru-net.com/

【業績(単独)】	売上高	営業利益	経常利益	純利益
23.2	3,511	281	300	217
24.2	3,530	144	160	36

(株)クリップコーポレーション

【特色】個別指導塾と子供向けサッカー教室の2本柱

記者評価 小中学生対象の個別指導塾(中部を地盤に関西、関東、九州等で展開)と子ども向けサッカー教室が柱。子会社に岐阜の「螢雪ゼミナール」。財務体質は強固で、資金力を生かし、3本目の柱となる新規事業を模索。ボイトレ教室、eスポーツ、韓国語教室などに意欲。

平均勤続年数	男性育休取得率	3年後離職率	平均年収(平均36歳)
9.5年	—	NA	㊕374万円

●採用・配属情報●

【男女・文理別採用実績】

	大卒男	大卒女	修士男	修士女
23年	3(文 2理 1)	7(文 7理 0)	0(文 0理 0)	0(文 0理 0)
24年	4(文 3理 1)	1(文 1理 0)	0(文 0理 0)	0(文 0理 0)
25年	3(文 2理 1)	0(文 0理 0)	0(文 0理 0)	0(文 0理 0)

【男女・職種別採用実績】

	総合職
23年	10(男 3女 7)
24年	5(男 4女 1)
25年	3(男 3女 0)

【24年4月入社者の配属勤務地】㊕東京1 名古屋3 大阪1
【転勤】NA
【中途比率】[単年度]21年度NA、22年度NA、23年度NA[全体]79%

●働きやすさ、諸制度●

残業(月) NA

【勤務時間】14:00～22:00(部署により異なる)【有休取得年平均】NA【週休】完全2日(土日祝)【夏期休暇】連続5日【年末年始休暇】なし
【離職率】NA
【新卒3年後離職率】
[20→23年]NA
[21→24年]NA
【テレワーク】制度なし【勤務制度】なし【住宅補助】社宅家賃の5割を会社負担(全国有)

●ライフイベント、女性活躍●

【女性比率】■男 □女

新卒採用 0% (0名)
従業員 20.8% (21名)
管理職 11.1% (1名)

【産休】[期間]産前6・産後8週間[給与]法定[取得者数]0名
【育休】[期間]1歳になるまで[給与]法定[取得者数]22年度 男0名(対象0名)女0名(対象0名)23年度 男0名(対象0名) 女0名(対象0名)[平均取得日数]22年度 男- 女-、23年度 男- 女-
【従業員】[人数]101名(男80名、女21名)[平均年齢]36.9歳(男37.3歳、女35.4歳)[平均勤続年数]9.5年(男9.6年、女9.0年)

【年齢構成】■男 □女

	男	女
60代～	5%	0%
50代	9%	3%
40代	17%	6%
30代	19%	1%
～20代	30%	11%

会社データ (金額は百万円)

【本社】464-0075 愛知県名古屋市千種区内山3-18-10 千種ステーションビル7F ☎052-732-5200
https://www.clip-cor.co.jp/

【業績(連結)】	売上高	営業利益	経常利益	純利益
22.3	3,205	305	319	217
23.3	2,932	175	183	106
24.3	3,036	46	59	87

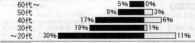

㈱ミリアルリゾートホテルズ

くるみん

【特色】東京ディズニーリゾート内でホテルを運営

記者評価 オリエンタルランドの完全子会社。社名はファミリアル(家族の)とメモリアル(記念品)に由来。米ディズニー本社のライセンス受け、TDR周辺で「アンバサダーホテル」などを運営。24年6月、「東京ディズニーシー・ファンタジースプリングホテル」が開業。

平均勤続年数	男性育休取得率	3年後離職率	平均年収(平均32歳)
8.9年	NA	NA	NA

●採用・配属情報●

【男女・文理別採用実績】

	大卒男	大卒女	修士男	修士女
23年	19(文 19 理 0)	45(文 44 理 1)	0(文 0 理 0)	0(文 0 理 0)
24年	16(文 16 理 0)	63(文 62 理 1)	0(文 0 理 0)	0(文 0 理 0)
25年	NA(文 NA 理 NA)	NA(文 NA 理 NA)	NA(文 NA 理 NA)	NA(文 NA 理 NA)

【男女・職種別採用実績】

	総合職	調理職	オペレーションエキスパート社員
23年	64(男 19 女 45)	50(男 26 女 24)	110(男 19 女 91)
24年	79(男 16 女 63)	53(男 21 女 32)	127(男 24 女103)
25年	NA(男 NA 女 NA)	NA(男 NA 女 NA)	NA(男 NA 女 NA)

【24年4月入社者の配属勤務地】㊍NA

【転勤】なし

【中途比率】[単年度]21年度NA、22年度NA、23年度NA[全体]NA

●働きやすさ、諸制度●

残業(月) NA

【勤務時間】実働7時間30分(シフト制)【有休取得年平均】15.8日【週休】2日程度(シフト制)【夏期休暇】なし【年末年始休暇】なし

【離職率】NA

【新卒3年後離職率】
[20→23年]NA
[21→24年]NA

【テレワーク】制度あり:[場所]NA[対象]NA[日数]NA[利用率]NA【勤務制度】時間単位有休【住宅補助】NA

●ライフイベント、女性活躍●

【女性比率】■男 □女

【産休】[期間]産前6・産後8週間[給与]法定[取得者数]26名

【育休】[期間]1歳到達月末まで[給与]最初5日間有給、以降給付金[取得者数]22年度 男30名(対象NA)女48名(対象NA)23年度 男24名(対象NA)女26名(対象NA)[平均取得日数]22年度 NA、23年度 NA

【従業員】[人数]1,979名(男956名、女1,023名)[平均年齢]32.4歳(男36.3歳、女28.7歳)[平均勤続年数]8.9年(男11.7年、女6.4年)

【年齢構成】NA

会社データ (金額は百万円)

【本社】279-8522 千葉県浦安市舞浜2-18 ☎047-305-2800
http://www.milialresorthotels.co.jp/

【業績(連結)】	売上高	営業利益	経常利益	純利益
22.3	47,437	6,202	NA	NA
23.3	73,861	17,272	NA	NA
24.3	88,383	24,788	NA	NA

※業績は㈱オリエンタルランドの連結事業のうちホテル事業のもの

㈱西武・プリンスホテルズワールドワイド

【特色】西武HD傘下。ホテル・レジャー事業の中核

記者評価 西武HDの中核事業会社。国内ホテル・レジャー業界で首位級。「プリンスホテル」や「苗場スキー場」などスキー場やゴルフ場を運営。運営ホテルは国内外で80超。35年目処に250ホテルへ拡大を目指す。水族館や映画館などアミューズメント施設も運営。

平均勤続年数	男性育休取得率	3年後離職率	平均年収(平均42歳)
17.3年	52.6→52.4%	NA	NA

●採用・配属情報●

【男女・文理別採用実績】

	大卒男	大卒女	修士男	修士女
23年	19(文 19 理 0)	50(文 49 理 1)	0(文 0 理 0)	0(文 0 理 0)
24年	24(文 23 理 1)	78(文 76 理 2)	0(文 0 理 0)	0(文 0 理 0)
25年	39(文 − 理 −)	85(文 − 理 −)	0(文 0 理 0)	0(文 0 理 0)

【男女・職種別採用実績】

	総合職	地域限定職
23年	5(男 2 女 3)	64(男 17 女 47)
24年	4(男 3 女 1)	98(男 21 女 77)
25年	10(男 − 女 −)	114(男 − 女 −)

【24年4月入社者の配属勤務地】㊍研修中4

【転勤】あり:[職種]総合職[勤務地]全国(基本的に東京本社)[職種]運営職[勤務地]希望するエリア内での移動[職種]支配人クラス[勤務地]全国

【中途比率】[単年度]21年度16%、22年度36%、23年度48%[全体]NA

●働きやすさ、諸制度●

残業(月) 25.4時間

【勤務時間】9:00〜17:45【有休取得年平均】12.1日【週休】完全2日(土日祝)【夏期休暇】連続5日以上推奨(土日含む、有休で取得)【年末年始休暇】12月30日〜1月3日

【離職率】NA

【新卒3年後離職率】
[20→23年]NA(男NA・入社179名、女NA・入社298名)
[21→24年]NA(男NA・入社111名、女NA・入社194名)

【テレワーク】制度あり:[場所]NA[対象]本社勤務者のみ[日数]制限なし[利用率]NA【勤務制度】時差勤務【住宅補助】独身寮(一部地域)借上社宅

●ライフイベント、女性活躍●

【女性比率】■男 □女

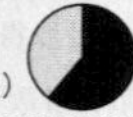

【産休】[期間]産前6・産後8週間[給与]法定[取得者数]85名

【育休】[期間]1歳になるまで[給与]法定[取得者数]22年度 男41名(対象78名)女93名(対象185名)23年度 男33名(対象63名)女85名(対象103名)[平均取得日数]22年度 NA、23年度 NA

【従業員】[人数]5,613名(男3,427名、女2,186名)[平均年齢]41.7歳(男45.8歳、女34.8歳)[平均勤続年数]17.3年(男21.4年、女10.6年)

【年齢構成】■男 □女

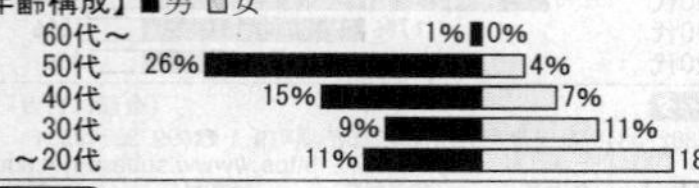

会社データ (金額は百万円)

【本社】171-0022 東京都豊島区南池袋1-16-15 ダイヤゲート池袋 ☎03-5928-1111
https://www.princehotels.co.jp/

【業績(単独)】	売上高	営業利益	経常利益	純利益
22.3	NA	NA	NA	NA
23.3	61,267	3,743	3,694	3,427
24.3	71,376	6,504	6,832	2,347

㈱ニュー・オータニ

【特色】日系御三家ホテルの一角。内外著名人の利用多い

[記者評価] 実業家の大谷米太郎が1964年の東京五輪を機に東京・紀尾井町に開業。御三家ホテルの一角。東京、大阪、幕張の直営ほか国内13、海外1のグループ形成。東京の旗艦ホテルは都心最大級の規模。日本庭園は内外の顧客評価高い。会員組織テコに宴会・会議需要深耕。

平均勤続年数	男性育休取得率	3年後離職率	平均年収(平均39歳)
16.2年	8.3 → 5.3%	33.9 → 21.2%	◇579万円

●採用・配属情報●

【男女・文理別採用実績】

	大卒男	大卒女	修士男	修士女
23年	6(文 5理 1)	6(文 5理 1)	0(文 0理 0)	0(文 0理 0)
24年	22(文 20理 2)	28(文 27理 1)	0(文 0理 0)	0(文 0理 0)
25年	13(文 13理 0)	34(文 34理 0)	1(文 0理 1)	0(文 0理 0)

※25年:継続中

【男女・職種別採用実績】

	総合職
23年	12(男 6 女 6)
24年	50(男 22 女 28)
25年	48(男 14 女 34)

【24年4月入社者の配属勤務地】[総]東京36 大阪8 千葉6

【転勤】あり:[勤務地]ホテルニューオータニ東京 ホテルニューオータニ大阪 ホテルニューオータニ幕張 他各グループホテル

【中途比率】[単年度]21年度NA、22年度NA、23年度NA[全体]NA

●働きやすさ、諸制度●

残業(月) NA

【勤務時間】9時間シフト(うち1時間休憩・8時間実働)【有休取得年平均】NA【週休】月9日【夏期休暇】有休を使用【年末年始休暇】有休を使用

【離職率】男:7.7%、82名 女:12.1%、78名

【新卒3年後離職率】
[20→23年]33.9%(男46.2%・入社26名、女24.2%・入社33名)
[21→24年]21.2%(男13.0%・入社23名、女27.6%・入社29名)

【テレワーク】制度あり:[場所]自宅[対象]NA[日数]NA[利用率]NA【勤務制度】時差勤務【住宅補助】独身寮

●ライフイベント、女性活躍●

【女性比率】■男 □女

新卒採用 70.8% (34名)

従業員 36.6% (566名)

管理職 13.5% (25名)

【産休】[期間]産前6・産後8週間[給与]法定[取得者数]21名

【育休】[期間]1歳になるまで[給与]法定[取得者数]22年度 男1名(対象12名)女19名(対象19名)23年度 男1名(対象19名)女19名(対象16名)[平均取得日数]22年度 NA、23年度 男33日 女432日

【従業員】[人数]1,546名(男980名、女566名)[平均年齢]38.6歳(男41.4歳、女33.5歳)[平均勤続年数]16.2年(男19.2年、女10.9年)

【年齢構成】NA

[会社データ] (金額は百万円)

【本社】102-8578 東京都千代田区紀尾井町4-1 ☎03-3265-1111
https://www.newotani.co.jp/

【業績(連結)】	売上高	営業利益	経常利益	純利益
22.3	32,475	▲11,012	▲3,704	▲4,133
23.3	52,843	258	3,452	2,924
24.3	67,901	8,297	10,667	10,647

藤田観光㈱（ふじたかんこう）

[くるみん]

【特色】ホテル椿山荘東京やワシントンホテルを運営

[記者評価] 高級ホテル・式場の「ホテル椿山荘東京」、宿泊特化型ホテル「ワシントンホテル」「ホテルグレイスリー」、リゾート「箱根小涌園天悠」などを運営する。23年には箱根ホテル小涌園が新装開業。椿山荘ではチャペルをスイート宿泊者向けラウンジに切り替えた。

平均勤続年数	男性育休取得率	3年後離職率	平均年収(平均41歳)
[!]14.7年	50.0 → 41.2%	18.2 → 41.0%	[総]526万円

●採用・配属情報●

【男女・文理別採用実績】

	大卒男	大卒女	修士男	修士女
23年	4(文 4理 0)	13(文 12理 1)	0(文 0理 0)	0(文 0理 0)
24年	18(文 18理 0)	80(文 79理 1)	2(文 2理 0)	2(文 2理 0)
25年	14(文 13理 1)	53(文 51理 2)	0(文 0理 0)	0(文 0理 0)

※25年:予定数

【男女・職種別採用実績】 転換制度:⇔

	総合職	総合職(調理部門)	エリア職(WHG首都圏)	エリア職(椿山荘東京)	エリア職(箱根小田原)
23年	48(男 7女41)	14(男 8女 6)	ND(男ND女ND)	ND(男ND女ND)	ND(男ND女ND)
24年	47(男13女34)	10(男 7女 3)	25(男 4女21)	82(男22女60)	25(男 9女16)
25年	23(男 8女15)	6(男 1女 5)	16(男 2女14)	58(男13女45)	13(男 3女10)

※25年:エリア職(WHG首都圏)にWHG仙台の人数含む

【24年4月入社者の配属勤務地】[総]東京22 神奈川・箱根小田原エリア35

【転勤】あり:[職種]総合職[勤務地]全国の事業所 [職種]専門職[勤務地]WHG首都圏エリア ホテル椿山荘東京エリア 箱根・小田原エリア マーケティング室 仙台事業所エリア

【中途比率】[単年度]21年度0%、22年度52%、23年度21%[全体]NA

●働きやすさ、諸制度●

残業(月) 12.0時間 [総]14.0時間

【勤務時間】フレックスタイム制(コアタイム11:00～15:30)【有休取得年平均】11.0日【週休】月平均9日【夏期休暇】なし【年末年始休暇】なし

【離職率】男:NA、68名 女:NA、60名

【新卒3年後離職率】
[20→23年]18.2%(男0%・入社25名、女29.3%・入社41名)
[21→24年]41.0%(男14.3%・入社7名、女46.9%・入社32名)

【テレワーク】制度なし【勤務制度】フレックス 副業容認【住宅補助】独身寮(東京15,000円 箱根8,000円)

●ライフイベント、女性活躍●

【女性比率】■男 □女

新卒採用 76.7% (89名)

管理職 19.8% (45名)

【産休】[期間]産前6・産後8週間[給与]法定[取得者数]12名

【育休】[期間]2歳になるまで[給与]法定[取得者数]22年度 男4名(対象8名)女24名(対象24名)23年度 男7名(対象17名)女9名(対象9名)[平均取得日数]22年度 男11日 女13日、23年度 男70日 女365日

【従業員】[人数]1,343名(男NA、女NA)[平均年齢]38.9歳(男NA、女NA)[平均勤続年数]14.7年(男NA、女NA) ※グループ全体の数値【年齢構成】■男 □女

60代～ 2% 0%
50代 21% 4%
40代 9% 5%
30代 9% 10%
～20代 13% 27%

[会社データ] (金額は百万円)

【本社】112-8664 東京都文京区関口2-10-8 ☎03-5981-7700
https://www.fujita-kanko.co.jp/

【業績(連結)】	売上高	営業利益	経常利益	純利益
21.12	28,433	▲15,822	▲16,542	12,675
22.12	43,749	▲4,048	▲4,461	▲5,789
23.12	64,547	6,636	7,081	8,114

1088 開示 ★★★

㈱帝国ホテル（ていこく）

[えるぼし ★★] [くるみん]

【特色】高級シティホテルの老舗。賃貸ビルの収益が安定

[記者評価] 日本を代表する高級シティホテル。明治政府の迎賓館として開業。宿泊以外の宴会やレストランも強い。東京、大阪、長野・上高地に直営ホテルがある。東京は24年度から建て替えに着手し、36年度に完了予定。26年には京都にも出店が決定している。

平均勤続年数	男性育休取得率	3年後離職率	平均年収(平均40歳)
15.4年	48.3→53.8%	18.8→32.3%	[総]781万円

●採用・配属情報●

【男女・文理別採用実績】

	大卒男	大卒女	修士男	修士女
23年	12(文 12理 0)	25(文 24理 1)	1(文 1理 0)	1(文 1理 0)
24年	7(文 6理 1)	28(文 27理 1)	1(文 0理 1)	0(文 0理 0)
25年	11(文 11理 0)	88(文 87理 1)	0(文 0理 0)	1(文 1理 0)

【男女・職種別採用実績】

	総合コース	専門コース
23年	21(男 7 女 14)	18(男 6 女 12)
24年	19(男 7 女 12)	17(男 1 女 16)
25年	32(男 6 女 26)	68(男 5 女 63)

【職種併願】総合コースと専門コースで可能

【24年4月入社者の配属勤務地】[総]長野・上高地(研修中)19

【転勤】あり：正社員(勤務地を限定する従業員を除く)

【中途比率】[単年度]21年度0%、22年度46%、23年度17% [全体]NA

●働きやすさ、諸制度●

残業(月) 10.0時間 [総]17.1時間

【勤務時間】実働7時間30分(シフト勤務)【有休取得年平均】9.1日【週休】完全2日(会社暦による)【夏期休暇】連続5日(年次有休の計画取得)【年末年始休暇】連続4日

【離職率】NA

【新卒3年後離職率】
[20→23年]18.8%(男7.7%・入社13名、女26.3%・入社19名)
[21→24年]32.3%(男31.3%・入社16名、女33.3%・入社15名)

【テレワーク】制度あり：[場所]原則自宅 やむを得ない事情がある場合はセキュリティが担保された場所 サテライトオフィス[対象]全従業員[日数]制限なし[利用率]10.6%【勤務制度】時間単位有休 時差勤務 副業容認【住宅補助】独身寮(東京 大阪)住宅手当 家賃補助手当

●ライフイベント、女性活躍●

【女性比率】■男 □女

新卒採用 89% (89名)

従業員 36.1% (608名)

【産休】[期間]産前8・産後8週間[給与]給与100% 賞与50%支給[取得者数]25名

【育休】[期間]2歳に達する年度末まで、要件を満たせば3歳に達する年度末まで[給与]法定[取得者数]22年度 男14名(対象29名)女24名(対象24名)23年度 男14名(対象26名)女24名(対象24名)[平均取得日数]22年度 男40日 女529日、23年度 男66日 女436日

【従業員】[人数]1,682名(男1,074名、女608名)[平均年齢]39.9歳(男42.2歳、女35.6歳)[平均勤続年数]15.4年(男18.4年、女10.0年)【年齢構成】■男 □女

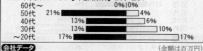

	男	女
60代〜	0%	0%
50代	21%	4%
40代	13%	6%
30代	13%	10%
〜20代	17%	17%

[会社データ] (金額は百万円)

【本社】100-8558 東京都千代田区内幸町1-1-1 ☎03-3504-1111
https://www.imperialhotel.co.jp/

【業績(連結)】	売上高	営業利益	経常利益	純利益
22.3	28,617	▲11,121	▲7,827	▲7,886
23.3	43,772	348	1,652	1,951
24.3	53,335	2,839	3,296	3,377

1340 開示 ★★

㈱ホテルオークラ東京（とうきょう）

【特色】世界有数の高級ホテル。世界各国のVIPが利用

[記者評価] 旧大倉財閥2代目・大倉喜七郎が創業。都市型高級ホテルの代表格で、英国王室や各国大統領も宿泊利用する。グループ旗艦「The Okura Tokyo」を運営。館内随所で気品と日本美を訴求。敷地内で美術館「大倉集古館」運営。外国人宿泊客が多く、従業員は英語力が必須。

平均勤続年数	男性育休取得率	3年後離職率	平均年収(平均40歳)
15.9年	14.3→25.0%	NA	[総]525万円

●採用・配属情報●

【男女・文理別採用実績】

	大卒男	大卒女	修士男	修士女
23年	3(文 3理 0)	6(文 6理 0)	0(文 0理 0)	0(文 0理 0)
24年	2(文 2理 0)	13(文 13理 0)	0(文 0理 0)	0(文 0理 0)
25年	6(文 6理 0)	12(文 12理 0)	0(文 0理 0)	2(文 1理 1)

【男女・職種別採用実績】

	総合職
23年	9(男 3 女 6)
24年	15(男 2 女 13)
25年	20(男 6 女 14)

【24年4月入社者の配属勤務地】[総]東京15

【転勤】なし

【中途比率】[単年度]21年度9%、22年度28%、23年度18% [全体]23%

●働きやすさ、諸制度●

残業(月) 27.3時間 [総]27.3時間

【勤務時間】実働7時間30分(交替制)【有休取得年平均】8.7日【週休】月8日(交替制)【夏期休暇】8日【年末年始休暇】6日

【離職率】NA

【新卒3年後離職率】
[20→23年]NA
[21→24年]NA

【テレワーク】制度なし【勤務制度】時間単位有休【住宅補助】住宅手当

●ライフイベント、女性活躍●

【女性比率】■男 □女

新卒採用 70% (14名)

従業員 34.7% (214名)

管理職 9.1% (9名)

【産休】[期間]産前6・産後8週間[給与]法定[取得者数]14名

【育休】[期間]3歳になるまで[給与]法定[取得者数]22年度 男1名(対象7名)女5名(対象18名)23年度 男2名(対象8名)女10名(対象10名)[平均取得日数]22年度 NA、23年度 NA

【従業員】[人数]617名(男403名、女214名)[平均年齢]40.3歳(男42.5歳、女36.1歳)[平均勤続年数]15.9年(男17.9年、女12.1年)

【年齢構成】■男 □女

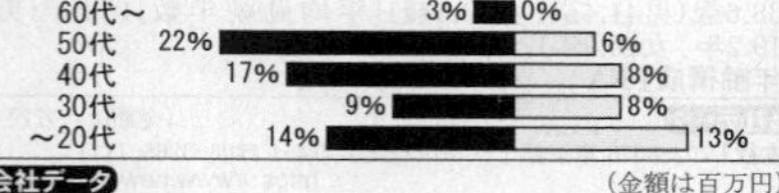

	男	女
60代〜	3%	0%
50代	22%	6%
40代	17%	8%
30代	9%	8%
〜20代	14%	13%

[会社データ] (金額は百万円)

【本社】105-0001 東京都港区虎ノ門2-10-4 ☎03-3582-0111
https://theokuratokyo.jp/

【業績(単独)】	売上高	営業利益	経常利益	純利益
22.3	11,679	NA	NA	NA
23.3	18,719	NA	NA	NA
24.3	24,519	NA	NA	NA

サービス

㈱エイチ・アイ・エス

えるぼし★★★ くるみん

【特色】海外旅行が中心の旅行会社。ホテル運営も

記者評価 格安海外航空券の販売で創業。オンライン旅行会社の台頭で、海外の旅行手配会社などの買収を積極化。「変なホテル」などホテル事業、飲食など新事業も育成する。ハウステンボスなどは売却。円安や航空券高騰で割安なアジアや豪州方面から需要は回復。

平均勤続年数	男性育休取得率	3年後離職率	平均年収(平均38歳)
13.8年	37.7→73.4%	NA	◇443万円

●採用・配属情報●

【男女・文理別採用実績】

	大卒男	大卒女	修士男	修士女
23年	0(文 0理 0)	0(文 0理 0)	0(文 0理 0)	0(文 0理 0)
24年	70(文 69理 1)	238(文236理 2)	0(文 0理 0)	2(文 2理 0)
25年	109(文105理 4)	430(文426理 4)	0(文 0理 0)	1(文 1理 0)

【男女・職種別採用実績】

	総合職
23年	2(男 0 女 2)
24年	322(男 73 女249)
25年	548(男 109 女439)

【24年4月入社者の配属勤務地】㊕東京131 神奈川24 千葉6 埼玉11 大阪43 兵庫6 京都4 奈良1 和歌山1 滋賀1 愛知32 岐阜2 石川1 北海道8 宮城6 岩手2 新潟1 福島2 茨城4 群馬3 長野2 山梨2 静岡3 広島4 岡山2 福岡15 熊本2 鹿児島1 長崎1 佐賀1 ㊖なし

【転勤】あり:全社員

【中途比率】[単年度]21年度30%、22年度96%、23年度98%[全体]33%

●働きやすさ、諸制度●

残業(月) 19.4時間 ㊕19.4時間

【勤務時間】1日8時間(フレックスタイム制 コアタイムなし)【有休取得年平均】13.4日【週休】完全2日【夏期休暇】連続5日(有休3日、週休2日)【年末年始休暇】連続6日(週休2日含む)

【離職率】NA

【新卒3年後離職率】[20→23年]NA [21→24年]NA

【テレワーク】制度あり:[場所]なし(自宅のみ)[対象]NA[日数]制限なし[利用率]NA【勤務制度】フレックス 副業容認

【住宅補助】なし

●ライフイベント、女性活躍●

【女性比率】■男 □女

新卒採用 80.1% (439名)
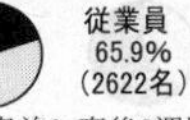
従業員 65.9% (2622名)

管理職 27.7% (328名)
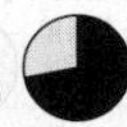

【産休】[期間]産前6・産後8週間[給与]法定[取得者数]190名

【育休】[期間]2歳まで(保育所入所等の理由不問)[給与]法定[取得者数]22年度 男29名(対象77名)女217名(対象217名)23年度 男47名(対象64名)女210名(対象210名)[平均取得日数]22年度 男49日 女452日、23年度 男56日 女458日

【従業員】[人数]3,980名(男1,358名、女2,622名)[平均年齢]37.8歳(男41.8歳、女35.7歳)[平均勤続年数]13.8年(男17.0年、女11.9年)

【年齢構成】■男 □女

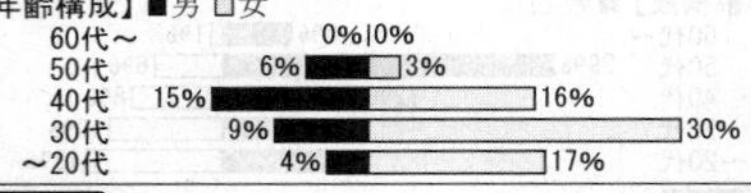

会社データ (金額は百万円)

【本社】105-6905 東京都港区虎ノ門4-1-1 神谷町トラストタワー ☎050-1743-0080 https://www.his.co.jp/

【業績(連結)】	売上高	営業利益	経常利益	純利益
21.10	118,563	▲64,058	▲63,299	▲50,050
22.10	142,794	▲47,934	▲49,001	▲9,547
23.10	251,866	1,397	1,446	▲2,618

㈱阪急交通社(はんきゅうこうつうしゃ)

【特色】旅行会社大手。メディア販売主体。阪急阪神HD傘下

記者評価 阪急阪神HD傘下で旅行事業を担う。店頭販売は少なく、新聞広告やWeb、自社発行の旅行情報誌等のメディア販売が主。「トラピックス」「クリスタルハート」「フレンドツアー」「ロイヤルコレクション」など5ブランドが中核。企業・学校の団体旅行や語学研修旅行も。

平均勤続年数	男性育休取得率	3年後離職率	平均年収(平均43歳)
①18.7年	15.4→86.4%	26.3→15.8%	NA

●採用・配属情報●

【男女・文理別採用実績】

	大卒男	大卒女	修士男	修士女
23年	7(文 6理 1)	20(文 20理 0)	0(文 0理 0)	0(文 0理 0)
24年	21(文 19理 2)	52(文 51理 1)	0(文 0理 0)	0(文 0理 0)
25年	26(文 25理 1)	49(文 48理 1)	1(文 0理 1)	0(文 0理 0)

【男女・職種別採用実績】 転換制度:NA

	総合職社員
23年	27(男 7 女 20)
24年	73(男 21 女 52)
25年	77(男 27 女 50)

【24年4月入社者の配属勤務地】㊕東京32 大阪24 名古屋4 福岡6 札幌2 仙台1 岡山1 広島1 香川・高松1 愛媛・松山1

【転勤】あり:[職種]総合職

【中途比率】[単年度]21年度0%、22年度100%、23年度54%(総合職のみ)[全体]NA

●働きやすさ、諸制度●

残業(月) ㊕6.4時間

【勤務時間】9:00～17:40【有休取得年平均】11.3日【週休】<総合職>完全2日(基本土日祝)【夏期休暇】有休で取得【年末年始休暇】12月30日～1月3日

【離職率】男:2.8%、19名 女:5.5%、27名

【新卒3年後離職率】

[20→23年]26.3%(男6.3%・入社16名、女31.7%・入社60名)

[21→24年]15.8%(男16.7%・入社12名、女15.4%・入社26名)

【テレワーク】制度あり:[場所]自宅[対象]全社員[日数]部署による[利用率]NA【勤務制度】フレックス 副業容認【住宅補助】独身寮 借上社宅※諸条件あり

●ライフイベント、女性活躍●

【女性比率】■男 □女

新卒採用 64.9% (50名)

従業員 41.3% (467名)
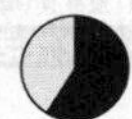

【産休】[期間]産前7・産後8週間[給与]健保7割+共済会3割給付[取得者数]44名

【育休】[期間]2年間[給与]法定[取得者数]22年度 男2名(対象13名)女50名(対象NA)23年度 男19名(対象22名)女37名(対象NA)[平均取得日数]22年度 NA、23年度 NA

【従業員】[人数]1,131名(男664名、女467名)[平均年齢]42.8歳(男46.2歳、女37.9歳)[平均勤続年数]18.7年(男21.8年、女14.1年)※総合職のみ

【年齢構成】■男 □女

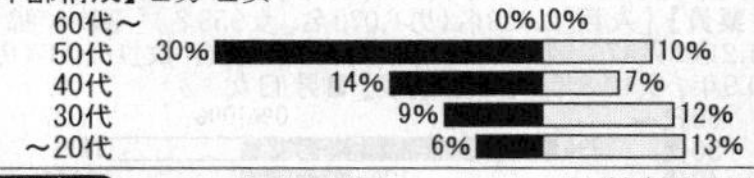

会社データ (金額は百万円)

【本社】530-0001 大阪府大阪市北区梅田2-5-25 ハービスOSAKA ☎06-4795-5712 https://www.hankyu-travel.com/

【業績(単独)】	売上高	営業利益	経常利益	純利益
22.3	58,409	NA	NA	NA
23.3	188,063	NA	NA	NA
24.3	212,953	NA	NA	NA

サービス

1352 開示 ★★★

㈱日本旅行（にほんりょこう）

プラチナえるぼし　くるみん

【特色】旅行業界の老舗。JR西日本系。国内鉄道旅行に強い

記者評価 1905年創業。日本最古の旅行会社。国内「赤い風船」、海外「マッハ」の各ブランドでのパック旅行が主力。JR西日本と連携した鉄道旅行に強み。修学旅行や社員旅行の提案も。地域プロモーションやイベント事務局などソリューション事業に注力。

平均勤続年数	男性育休取得率	3年後離職率	平均年収(平均44歳)
16.1年	NA → 32.4%	32.0 → 21.1%	NA

●採用・配属情報●

【男女・文理別採用実績】

	大卒男	大卒女	修士男	修士女
23年	14(文 13理 1)	12(文 12理 0)	0(文 0理 0)	0(文 0理 0)
24年	31(文 30理 1)	89(文 89理 0)	0(文 0理 0)	0(文 0理 0)
25年	26(文 25理 1)	66(文 66理 0)	0(文 0理 0)	0(文 0理 0)

【男女・職種別採用実績】

	総合職
23年	26(男 14 女 12)
24年	120(男 31 女 89)
25年	92(男 26 女 66)

【24年4月入社者の配属勤務地】㊗東京23 神奈川2 埼玉2 千葉2 新潟3 山梨1 長野2 群馬1 栃木2 茨城1 愛知6 静岡2 岐阜1 三重1 石川・金沢4 富山2 福井1 滋賀1 大阪17 京都6 奈良1 和歌山1 兵庫7 香川・高松1 高知1 愛媛2 徳島1 広島4 山口2 岡山2 島根1 鳥取1 福岡10 佐賀1 大分1 長崎2 熊本2

【転勤】あり:全社員

【中途比率】[単年度]21年度0%、22年度100%、23年度70%[全体]22%

●働きやすさ、諸制度●

残業(月) 9.7時間 ㊗10.5時間

【勤務時間】9:30〜18:15【有休取得年平均】10.5日【週休】完全2日(土日祝)【夏期休暇】なし【年末年始休暇】12月30日〜1月3日

【離職率】男:3.7%、41名 女:3.5%、35名

【新卒3年後離職率】
[20→23年]32.0%(男32.3%・入社65名、女31.8%・入社85名)
[21→24年]21.1%(男11.1%・入社9名、女30.0%・入社10名)

【テレワーク】制度あり:[場所]自宅 他[対象]全社員[日数]制限なし[利用率]NA【勤務制度】時間単位有休 裁量労働 時差勤務 副業容認【住宅補助】単身寮(東京1棟)独身寮(埼玉1棟)家族寮(藤沢1棟 大阪1棟)

●ライフイベント、女性活躍●

【女性比率】■男 □女

新卒採用 71.7%(66名)　従業員 47.1%(955名)　管理職 24.2%(113名)

【産休】[期間]産前6・産後8週間[給与]会社全額給付[取得者数]33名

【育休】[期間]1年半(2年まで延長可)[給与]給付金+共済会18カ月まで67%給付[取得者数]22年度 男3名(対象NA)女49名(対象52名)23年度 男12名(対象37名)女24名(対象24名)[平均取得日数]22年度 NA、23年度 男19日 女588日

【従業員】[人数]2,028名(男1,073名、女955名)[平均年齢]44.2歳(男47.2歳、女40.8歳)[平均勤続年数]16.1年(男20.9年、女10.8年)【年齢構成】■男 □女

	男	女
60代〜	0%	0%
50代	29%	12%
40代	10%	14%
30代	7%	13%
〜20代	6%	9%

会社データ (金額は百万円)

【本社】103-8266 東京都中央区日本橋1-19-1 日本橋ダイヤビルディング12階 ☎03-6895-7800 https://www.nta.co.jp/

【業績(連結)】	売上高	営業利益	経常利益	純利益
21.12	97,314	2,435	2,280	1,096
22.12	164,893	6,080	6,573	6,957
23.12	209,235	7,846	8,217	7,109

1494 開示 ★★ 短大 専門 採用あり

名鉄観光サービス㈱（めいてつかんこう）

えるぼし★★

【特色】名鉄グループの旅行会社。団体旅行に強み

記者評価 国内・海外・インバウンドを軸に旅行事業を展開。売上の柱は国内旅行。名鉄グループの強みを生かし、鉄道・バスや観光施設をパッケージにした旅行企画に特徴。小・中・高校向けの修学旅行など団体旅行が得意。国内86支店、海外はロサンゼルスに事務所。

平均勤続年数	男性育休取得率	3年後離職率	平均年収(平均43歳)
16.4年	17.6 → 16.7%	50.0 → 50.0%	NA

●採用・配属情報●

【男女・文理別採用実績】

	大卒男	大卒女	修士男	修士女
23年	11(文 11理 0)	11(文 11理 0)	0(文 0理 0)	0(文 0理 0)
24年	31(文 31理 0)	37(文 37理 0)	0(文 0理 0)	0(文 0理 0)
25年	28(文 −理 −)	40(文 −理 −)	0(文 0理 0)	0(文 0理 0)

【男女・職種別採用実績】

	総合職
23年	34(男 14 女 20)
24年	70(男 31 女 39)
25年	68(男 28 女 40)

【24年4月入社者の配属勤務地】㊗北海道7 東北4 関東16 中部23 関西11 中四国5 九州4

【転勤】あり:総合職(全国型コース)[勤務地]全国 総合職(地域型コース)[勤務地]希望したエリア(営業本部)内

【中途比率】[単年度]21年度0%、22年度94%、23年度26%[全体]NA

●働きやすさ、諸制度●

残業(月) 6.6時間 ㊗6.6時間

【勤務時間】9:00〜18:00(部署によりフレックスタイム制)【有休取得年平均】9.4日【週休】2日(原則土日)【夏期休暇】なし【年末年始休暇】あり

【離職率】男:4.2%、28名 女:5.6%、22名

【新卒3年後離職率】
[20→23年]50.0%(男47.8%・入社23名、女51.6%・入社31名)
[21→24年]50.0%(男57.1%・入社14名、女41.7%・入社12名)

【テレワーク】制度あり:[場所]自宅[対象]本社等内勤業務に従事する者[日数]原則週3日まで[利用率]NA【勤務制度】フレックス 時間単位有休 時差勤務 勤務間インターバル 副業容認【住宅補助】社宅

●ライフイベント、女性活躍●

【女性比率】■男 □女

新卒採用 58.8%(40名)　従業員 36.5%(370名)

【産休】[期間]産前6・産後8週間[給与]健保3分の2給付+産前産後56日間は有給[取得者数]14名

【育休】[期間]3歳に達するまで[給与]法定[取得者数]22年度 男3名(対象17名)女18名(対象18名)23年度 男1名(対象6名)女14名(対象14名)[平均取得日数]22年度 男2日 女307日、23年度 男27日 女307日

【従業員】[人数]1,013名(男643名、女370名)[平均年齢]43.1歳(男46.7歳、女36.9歳)[平均勤続年数]16.4年(男19.8年、女10.5年)

【年齢構成】■男 □女

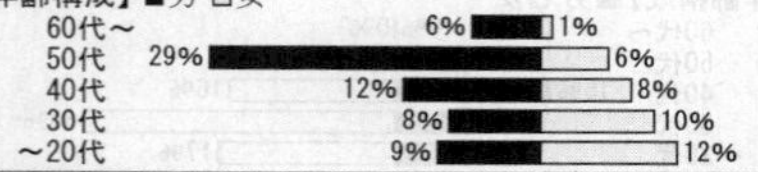

会社データ (金額は百万円)

【本社】450-8577 愛知県名古屋市中村区名駅南2-14-19 住友生命名古屋ビル ☎052-582-2110 https://www.mwt.co.jp/

【業績(単独)】	取扱高	営業利益	経常利益	純利益
22.3	61,796	NA	NA	NA
23.3	63,745	NA	NA	NA
24.3	75,788	NA	NA	NA

サービス

2147 開示 ★★★★★

㈱ジェイアール東海ツアーズ

とうかい

【特色】JR東海系の旅行代理店。京都旅行企画などに強み

[記者評価] JR東海グループの旅行代理店。JTBも出資。京都、奈良など人気観光地とタイアップした旅行企画に強み。東海道新幹線を利用した「EX旅パック」ブランドの旅行商品を企画販売。「新幹線貸切車両パッケージ」の活用による新規旅行需要の創出に注力。

平均勤続年数	男性育休取得率	3年後離職率	平均年収(平均38歳)
NA	50.0→100%	NA	NA

●採用・配属情報●

【男女・文理別採用実績】

	大卒男	大卒女	修士男	修士女
23年	0(文 0理 0)	0(文 0理 0)	0(文 0理 0)	0(文 0理 0)
24年	0(文 0理 0)	3(文 3理 0)	0(文 0理 0)	0(文 0理 0)
25年	2(文 2理 0)	6(文 6理 0)	0(文 0理 0)	0(文 0理 0)

※25年:予定数

【男女・職種別採用実績】 転換制度:NA

	総合職
23年	0(男 0女 0)
24年	3(男 0女 3)
25年	8(男 2女 6)

【24年4月入社者の配属勤務地】[総]なし

【転勤】あり:[職種]全社運用社員(総合職)[勤務地]全事業所

【中途比率】[単年度]21年度NA、22年度NA、23年度NA[全体]NA

●働きやすさ、諸制度●

残業(月) 15.0時間

【勤務時間】7時間45分 フレックスタイム制(コアタイム11:00〜14:00)【有休取得年平均】17.6日【週休】2日【夏期休暇】なし【年末年始休暇】なし

【離職率】NA

【新卒3年後離職率】

[20→23年]NA

[21→24年]NA

【テレワーク】制度あり:[場所]NA[対象]非現業の部署のみ活用可[日数]週2日まで[利用率]NA【勤務制度】フレックス 時差勤務【住宅補助】社宅(社命転勤者・条件あり)住宅補給金(条件あり)

●ライフイベント、女性活躍●

【女性比率】■男 □女

新卒採用 75% (6名)

従業員 73.9% (396名)

【産休】[期間]産前6・産後8週間[給与]法定+出産手当付加金として健保1割給付[取得者数]20名

【育休】[期間]3歳になるまで[給与]法定[取得者数]22年度 男1名(対象2名)女25名(対象25名)23年度 男1名(対象1名)女21名(対象21名)[平均取得日数]22年度 NA、23年度 NA

【従業員】[人数]536名(男140名、女396名)[平均年齢]38.0歳(男40.0歳、女37.0歳)[平均勤続年数]NA

【年齢構成】NA

[会社データ] (金額は百万円)

【本社】104-0031 東京都中央区京橋1-5-8 三栄ビル2〜4階 ☎03-3274-9774 https://www.jrtours.co.jp/

【業績(単独)】	売上高	営業利益	経常利益	純利益
22.3	37,116	▲1,914	▲937	▲948
23.3	71,283	2,369	2,652	3,741
24.3	73,330	2,262	2,259	3,031

1470 開示 ★★★★★ [短大] 採用あり

日本中央競馬会

にっぽんちゅうおうけいばかい

【特色】政府全額出資の特殊法人。中央競馬を主催

[記者評価] 通称JRA。日本中央競馬会法に基づく特殊法人で、農林水産大臣の監督下にある。全国10カ所の競馬場で開く中央競馬の出走馬編成、運営管理、騎手育成までの全業務を行う。23年度開催は36回・288日を継続、入場者数もコロナ禍脱し、462万人強へと急回復した。

平均勤続年数	男性育休取得率	3年後離職率	平均年収(平均42歳)
19.2年	NA	2.5→0%	NA

●採用・配属情報●

【男女・文理別採用実績】

	大卒男	大卒女	修士男	修士女
23年	26(文 20理 6)	23(文 19理 4)	4(文 0理 4)	2(文 1理 1)
24年	26(文 22理 4)	20(文 18理 2)	5(文 1理 4)	2(文 1理 1)
25年	31(文 23理 8)	26(文 20理 6)	6(文 2理 4)	2(文 0理 2)

【男女・職種別採用実績】 転換制度:⇔

	事務職	技術職	獣医職
23年	43(男 22女 21)	5(男 4女 1)	7(男 4女 3)
24年	49(男 28女 21)	1(男 1女 0)	4(男 2女 2)
25年	49(男 29女 20)	8(男 4女 4)	8(男 4女 4)

【職種併願】募集時期の異なる事務職で可能

【24年4月入社者の配属勤務地】[総]東京(西新橋22 府中4 世田谷3)茨城・美浦3 千葉・船橋5 京都・伏見3 兵庫・宝塚1 滋賀・栗東4 札幌1 新潟市1 愛知・豊明1 福岡・小倉1 [技]東京・西新橋1 茨城・美浦2 滋賀・栗東2

【転勤】あり:全社員

【中途比率】[単年度]21年度NA、22年度NA、23年度NA[全体]NA

●働きやすさ、諸制度●

残業(月) 12.1時間 [総]12.1時間

【勤務時間】本部9:30〜17:30 その他事業所9:00〜17:00【有休取得年平均】12.8日【週休】会社暦2日(原則月火)【夏期休暇】8日【年末年始休暇】連続6日

【離職率】男:0.4%、5名 女:0.9%、4名

【新卒3年後離職率】

[20→23年]2.5%(男0%・入社22名、女5.6%・入社18名)

[21→24年]0%(男0%・入社26名、女0%・入社23名)

【テレワーク】制度あり:[場所]自宅および自宅に準ずる場所[対象]本部事務所勤務者[日数]月4日まで[利用率]0.6%【勤務制度】フレックス 時間単位有休 時差勤務【住宅補助】独身寮・舎宅(全事業所、総合職は原則入居可 一部エリアを除く)住宅手当

●ライフイベント、女性活躍●

【女性比率】■男 □女

新卒採用 43.1% (28名)

従業員 27.5% (463名)

【産休】[期間]産前6・産後8週間[給与]会社全額給付[取得者数]15名

【育休】[期間]3年間[給与]法定[取得者数]22年度 男8名(対象NA)女25名(対象NA)23年度 男NA(対象NA)女39名(対象NA)[平均取得日数]22年度 NA、23年度 NA

【従業員】[人数]1,682名(男1,219名、女463名)[平均年齢]41.6歳(男42.7歳、女38.9歳)[平均勤続年数]19.2年(男19.9年、女17.1年)【年齢構成】■男 □女

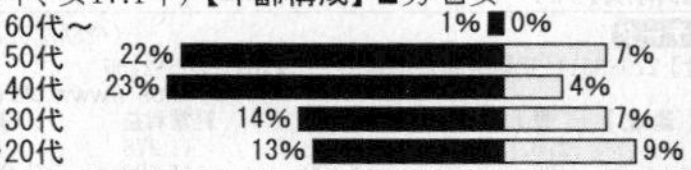
60代〜
1%
0%
50代
22%
7%
40代
23%
4%
30代
14%
7%
〜20代
13%
9%

[会社データ] (金額は百万円)

【本社】105-0003 東京都港区西新橋1-1-1 ☎03-3591-5251 https://jra.jp/

【業績(単独)】	売上高	営業利益	経常利益	純利益
21.12	3,091,112	NA	NA	NA
22.12	3,253,907	NA	NA	NA
23.12	3,286,975	NA	NA	NA

㈱オリエンタルランド

【特色】東京ディズニーリゾート運営。宿泊・商業施設も

[記者評価] 東京ディズニーランド、東京ディズニーシーの運営会社。24年に「アナと雪の女王」や「ピーター・パン」をテーマとしたエリアがシーで開業。新規事業としてクルーズ事業への参入を計画。入園者数を引き下げ、混雑緩和などで満足度を向上させる戦略を打ち出す。

平均勤続年数	男性育休取得率	3年後離職率	平均年収(平均42歳)
15.6年	66.2→71.4%	10.7→10.6%	[総]744万円

●採用・配属情報●

【男女・文理別採用実績】

	大卒男	大卒女	修士男	修士女
23年	16(文 12 理 4)	44(文 38 理 6)	3(文 1 理 2)	1(文 0 理 1)
24年	21(文 19 理 2)	38(文 34 理 4)	9(文 2 理 7)	0(文 0 理 0)
25年	21(文 16 理 5)	38(文 32 理 6)	5(文 0 理 5)	4(文 0 理 4)

※25年:他にテーマパークマネジメント職約35名採用予定

【男女・職種別採用実績】 転換制度:NA

	総合職	専門職(技術)	専門職(その他)	テーマパークマネジメント職
23年	37(男 11 女 26)	6(男 2 女 4)	7(男 3 女 4)	18(男 3 女 15)
24年	39(男 17 女 22)	11(男 8 女 3)	5(男 4 女 1)	18(男 5 女 13)
25年	44(男 18 女 26)	19(男 5 女 14)	10(男 6 女 4)	-(男 - 女 -)

【職種併願】○

【24年4月入社者の配属勤務地】[総]千葉・浦安39 [技]千葉・浦安11

【転勤】NA

【中途比率】[単年度]21年度75%、22年度53%、23年度73%[全体]NA

●働きやすさ、諸制度●

残業(月) 15.1時間 [総]15.1時間

【勤務時間】9:00～17:30【有休取得年平均】17.2日【週休】年123日【夏期休暇】有休で取得【年末年始休暇】有休で取得

【離職率】NA

【新卒3年後離職率】
[20→23年]10.7%(男17.1%・入社41名、女7.0%・入社71名)
[21→24年]10.6%(男11.5%・入社26名、女10.0%・入社40名)

【テレワーク】制度あり:[場所]NA[対象]NA[日数]NA[利用率]NA【勤務制度】フレックス 時間単位有休 副業容認

【住宅補助】独身寮

●ライフイベント、女性活躍●

【女性比率】■男 □女

従業員 48.1% (1560名)

管理職 17.7% (37名)

【産休】[期間]産前6・産後8週間[給与]健保6割+共済会4割給付[取得者数]43名

【育休】[期間]1歳になるまで[給与]法定[取得者数]22年度 男43名(対象65名)女64名(対象64名)23年度 男40名(対象56名)女42名(対象47名)[平均取得日数]22年度 男98日 女432日、23年度 男106日 女338日

【従業員】[人数]3,246名(男1,686名、女1,560名)[平均年齢]41.5歳(男43.8歳、女39.1歳)[平均勤続年数]15.6年(男17.5年、女13.6年)

【年齢構成】NA

会社データ (金額は百万円)

【本社】279-8511 千葉県浦安市舞浜1-1 ☎047-305-2155
https://www.olc.co.jp/

【業績(連結)】	売上高	営業利益	経常利益	純利益
22.3	275,728	7,733	11,278	8,067
23.3	483,123	111,199	111,789	80,734
24.3	618,493	165,437	166,005	120,225

㈱ラウンドワンジャパン

【特色】ボウリング、カラオケなど複合レジャー施設大手

[記者評価] 大阪で開業したローラースケート場が発祥。ボウリング、ゲーム、カラオケ、時間制スポーツなどの複合遊戯施設を全国に展開する。国内に100店舗。近年、人気が高まるクレーンゲームに力を入れている。24年4月から持ち株会社制に移行、当社は国内事業を担う。

平均勤続年数	男性育休取得率	3年後離職率	平均年収(平均*37歳)
12.7年	48.5→69.0%	NA	[総]606万円

●採用・配属情報●

【男女・文理別採用実績】

	大卒男	大卒女	修士男	修士女
23年	30(文 24 理 6)	46(文 45 理 1)	0(文 0 理 0)	0(文 0 理 0)
24年	37(文 33 理 4)	23(文 23 理 0)	2(文 1 理 1)	0(文 0 理 0)
25年	35(文 32 理 3)	30(文 30 理 0)	0(文 0 理 0)	0(文 0 理 0)

※25年:予定・計画数

【男女・職種別採用実績】 転換制度:⇔

	総合職	エリア限定職
23年	73(男 30 女 43)	7(男 0 女 7)
24年	51(男 35 女 16)	11(男 4 女 7)
25年	55(男 32 女 23)	10(男 3 女 7)

【24年4月入社者の配属勤務地】[総]静岡5 愛知4 福岡4 北海道4 東京4 大阪3 千葉3 福島3 香川3 京都2 群馬1 岡山2 埼玉2 兵庫1 愛媛1 沖縄1 岩手1 宮城1 高知1 秋田1 神奈川1 石川1 奈良1 和歌山1

【転勤】あり:[職種]総合職[勤務地]全国 ※転居を伴わない「エリア限定職」へ変更可

【中途比率】[単年度]21年度NA、22年度NA、23年度NA[全体]NA

●働きやすさ、諸制度●

残業(月) 13.4時間

【勤務時間】6:00～翌6:00(実働8時間 交替シフト制)※運営部【有休取得年平均】14.8日【週休】完全2日(シフト制)【夏期休暇】有休で取得【年末年始休暇】有休で取得

【離職率】男:5.0%、52名 女:10.6%、36名

【新卒3年後離職率】[20→23年]NA [21→24年]NA

【テレワーク】制度なし【勤務制度】フレックス 勤務間インターバル 副業容認【住宅補助】住宅補助(転勤に際し家賃負担 原則2年間全額 引っ越し代全額会社負担)※単身赴任の場合には別途月額30,000円支給 ※転居を伴う転勤の場合、赴任手当50,000円支給(扶養家族1名につき+30,000円)

●ライフイベント、女性活躍●

【女性比率】■男 □女

新卒採用 46.2% (30名)

従業員 23.6% (303名)

【産休】[期間]法定+産前休暇(産前7カ月前より)[給与]法定[取得者数]25名

【育休】[期間]1歳になるまで[給与]法定[取得者数]22年度 男16名(対象33名)女29名(対象29名)23年度 男20名(対象29名)女25名(対象25名)[平均取得日数]22年度 NA、23年度 NA

【従業員】[人数]1,282名(男979名、女303名)[平均年齢]36.7歳(男38.8歳、女29.9歳)[平均勤続年数]12.7年(男14.3年、女7.7年)

【年齢構成】NA

会社データ (金額は百万円)

【本社】542-0076 大阪府大阪市中央区難波5-1-60 なんばスカイオ ☎06-6647-6600
https://www.round1.co.jp/

【業績(連結)】	売上高	営業利益	経常利益	純利益
22.3	96,421	▲1,726	5,360	3,937
23.3	142,051	16,921	16,690	9,737
24.3	159,181	24,195	24,316	15,666

※業績は㈱ラウンドワンのもの
※注記のないデータは㈱ラウンドワンとの合算数値

サービス

㈱バンダイナムコアミューズメント [くるみん]

【特色】バンダイナムコHD傘下。アミューズ施設等運営

[記者評価] 旧名ナムコ。18年の組織再編で現社名に。ゲームセンターを軸に事業展開。「ナンジャタウン」などテーマパークも運営する。全国に約230店舗、海外展開も。インバウンド需要も追い風のカプセルトイ「ガシャポン」は、専門店を積極的に出店。

平均勤続年数	男性育休取得率	3年後離職率	平均年収(平均44歳)
10.1年	9.1→45.5%	8.6→—	NA

●採用・配属情報●

【男女・文理別採用実績】

	大卒男	大卒女	修士男	修士女
23年	4(文 4理 0)	7(文 6理 1)	0(文 0理 0)	0(文 0理 0)
24年	13(文 10理 3)	14(文 14理 0)	0(文 0理 0)	1(文 1理 0)
25年	18(文 16理 2)	9(文 9理 0)	0(文 0理 0)	0(文 0理 0)

【男女・職種別採用実績】

	総合職
23年	11(男 4 女 7)
24年	28(男 13 女 15)
25年	27(男 18 女 9)

【24年4月入社者の配属勤務地】[総]東京14 愛知4 神奈川2 大阪2 京都2 徳島2 福岡2
【転勤】あり:[職種]店舗マネジメント職
【中途比率】[単年度]21年度100%、22年度80%、23年度84%(21年度は新卒採用を実施せず)[全体]25%

●働きやすさ、諸制度●

残業(月) 14.9時間 [総]14.3時間

【勤務時間】9:00～17:30※店舗勤務はシフト制【有休取得年平均】12.9日【週休】完全2日(土日祝)※店舗勤務はシフト制【夏期休暇】7日(週休・有休含む)【年末年始休暇】連続7日
【離職率】男:1.6%、10名 女:2.9%、5名(早期退職男3名、女2名含む 他に男3名転籍)
【新卒3年後離職率】
[20→23年]8.6%(男9.5%・入社21名、女7.1%・入社14名)
[21→24年]—(男—・入社0名、女—・入社0名)
【テレワーク】制度あり:[場所]自宅 サテライトオフィス[対象]全従業員(やむを得ない理由がある場合に利用可)[日数]原則出社[利用率]15.7%【勤務制度】フレックス 時間単位有休 時差勤務 勤務間インターバル【住宅補助】社宅(貸与条件あり)

●ライフイベント、女性活躍●

【女性比率】■男 □女

新卒採用 33.3% (9名)

従業員 21.6% (169名)

管理職 10.4% (10名)

【産休】[期間]産前6・産後8週間[給与]法定[取得者数]6名
【育休】[期間]2歳になるまで[給与]法定[取得者数]22年度 男1名(対象11名)女2名(対象2名)23年度 男5名(対象11名)女6名(対象6名)[平均取得日数]22年度 男28日 女140日、23年度 男73日 女473日
【従業員】[人数]783名(男614名、女169名)[平均年齢]43.7歳(男45.8歳、女36.0歳)[平均勤続年数]10.1年(男11.1年、女6.9年)【年齢構成】■男 □女

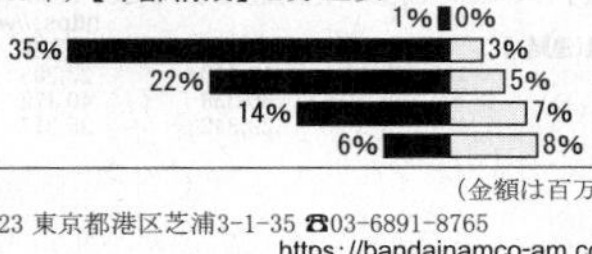
60代～ 1% 0%
50代 35% 3%
40代 22% 5%
30代 14% 7%
～20代 6% 8%

[会社データ] (金額は百万円)

【本社】108-0023 東京都港区芝浦3-1-35 ☎03-6891-8765
https://bandainamco-am.co.jp/

【業績(単独)】	売上高	営業利益	経常利益	純利益
22.3	65,297	2,052	2,138	▲904
23.3	79,579	2,934	3,134	1,834
24.3	89,620	3,233	3,484	2,910

㈱東京(とうきょう)ドーム

【特色】東京ドームなど運営。三井不動産の子会社

[記者評価] 読売ジャイアンツの本拠地・東京ドームや遊園地、スパ・飲食施設、ホテルなどの東京ドームシティを運営。ドーム賃貸、飲食・物販で稼ぐ。21年1月三井不動産がTOBで完全子会社化後、読売新聞グループ本社に保有株20%譲渡。23～24年に大規模リニューアル実施。

平均勤続年数	男性育休取得率	3年後離職率	平均年収(平均43歳)
16.8年	50.0→75.0%	0→0%	[総]844万円

●採用・配属情報●

【男女・文理別採用実績】

	大卒男	大卒女	修士男	修士女
23年	10(文 8理 2)	6(文 4理 2)	0(文 0理 0)	0(文 0理 0)
24年	8(文 8理 0)	5(文 4理 1)	2(文 0理 2)	0(文 0理 0)
25年	11(文 10理 1)	13(文 13理 0)	2(文 0理 2)	1(文 0理 1)

【男女・職種別採用実績】

	総合職	技術系総合職
23年	16(男 10 女 6)	0(男 0 女 0)
24年	15(男 10 女 5)	0(男 0 女 0)
25年	28(男 14 女 14)	0(男 0 女 0)

【24年4月入社者の配属勤務地】[総]東京・水道橋15
【転勤】あり:[職種]総合職[勤務地]グループ会社への出向・熱海
【中途比率】[単年度]21年度55%、22年度100%、23年度59%[全体]26%

●働きやすさ、諸制度●

残業(月) 8.0時間 [総]10.0時間

【勤務時間】9:30～18:00および交代制勤務 実働7.5時間【有休取得年平均】13.0日【週休】2日以上【夏期休暇】なし【年末年始休暇】12月30日～1月3日
【離職率】男:2.2%、7名 女:1.8%、4名
【新卒3年後離職率】
[20→23年]0%(男0%・入社11名、女0%・入社6名)
[21→24年]0%(男0%・入社6名、女0%・入社3名)
【テレワーク】制度あり:[場所]自宅[対象]全社員[日数]原則月5日まで[利用率]NA【勤務制度】時間単位有休 副業容認【住宅補助】住宅手当

●ライフイベント、女性活躍●

【女性比率】■男 □女

新卒採用 50% (14名)

従業員 41% (213名)

管理職 7.3% (9名)

【産休】[期間]産前6・産後8週間[給与]法定[取得者数]0名
【育休】[期間]1歳になるまで[給与]法定[取得者数]22年度 男5名(対象10名)女9名(対象9名)23年度 男6名(対象8名)女2名(対象2名)[平均取得日数]22年度 男24日 女434日、23年度 男61日 女380日
【従業員】[人数]519名(男306名、女213名)[平均年齢]41.3歳(男40.5歳、女42.5歳)[平均勤続年数]16.8年(男16.1年、女17.9年)
【年齢構成】■男 □女

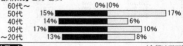

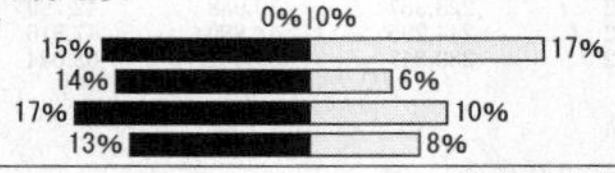
60代～ 0% 0%
50代 15% 17%
40代 14% 6%
30代 17% 10%
～20代 13% 8%

[会社データ] (金額は百万円)

【本社】112-8575 東京都文京区後楽1-3-61 ☎03-3811-2111
https://www.tokyo-dome.jp/

【業績(単独)】NA

サービス

とうほう 東宝(株)

【特色】映画国内首位で演劇も展開。不動産が安定収益源

記者評価 映画製作・配給で「名探偵コナン」「ドラえもん」など定番アニメ中心に国内で独り勝ち状態。子会社に洋画配給の東宝東和。映画館運営も国内最大手。映画館跡地中心の不動産も高収益。海外で人気が高まるアニメを第4の柱にして人気作品の版権事業を積極化。

平均勤続年数	男性育休取得率	3年後離職率	平均年収(平均39歳)
12.8年	22.2→NA	0→0%	総1,030万円

●採用・配属情報●

【男女・文理別採用実績】

	大卒男	大卒女	修士男	修士女
23年	8(文 8理 0)	3(文 3理 0)	2(文 0理 2)	0(文 0理 0)
24年	4(文 4理 0)	9(文 8理 1)	1(文 0理 1)	0(文 0理 0)
25年	8(文 8理 0)	11(文 11理 0)	1(文 1理 0)	1(文 1理 0)

【男女・職種別採用実績】

	総合職
23年	13(男 10 女 3)
24年	14(男 5 女 9)
25年	21(男 9 女 12)

【24年4月入社者の配属勤務地】総東京14
【転勤】NA
【中途比率】[単年度]21年度15%、22年度72%、23年度82%[全体]NA

●働きやすさ、諸制度●

残業(月) 24.9時間 総24.9時間

【勤務時間】10:00〜18:30【有休取得年平均】11.0日【週休】完全2日(土日祝)【夏期休暇】5日【年末年始休暇】4日
【離職率】NA
【新卒3年後離職率】
[20→23年]0%(男0%・入社6名、女0%・入社4名)
[21→24年]0%(男0%・入社6名、女0%・入社4名)
【テレワーク】制度あり:[場所]自宅[対象]NA[日数]週2日まで[利用率]NA【勤務制度】フレックス【住宅補助】独身寮または借り上げ社宅(遠距離勤務者のみ)

●ライフイベント、女性活躍●

【女性比率】■男 □女

新卒採用 57.1% (12名)

【産休】[期間]産前6・産後8週間[給与]法定[取得者数]NA
【育休】[期間]2年間[給与]法定[取得者数]22年度 男2名(対象9名)女4名(対象4名)23年度 NA[平均取得日数]22年度 NA、23年度 NA
【従業員】[人数]401名(男NA、女NA)[平均年齢]39.1歳(男NA、女NA)[平均勤続年数]12.8年(男NA、女NA)
【年齢構成】NA

会社データ (金額は百万円)

【本社】100-8415 東京都千代田区有楽町1-2-2 東宝日比谷ビル ☎03-3591-1225 https://www.toho.co.jp/

【業績(連結)】	売上高	営業利益	経常利益	純利益
22.2	228,367	39,948	42,790	29,568
23.2	244,295	44,880	47,815	33,430
24.2	283,347	59,251	63,024	45,283

とうえい 東映(株)

【特色】テレビ映画首位級でアニメや戦隊ものに強い

記者評価 テレビ朝日HDが筆頭株主。不動産への収益依存比率が東宝、松竹より低い。東西の撮影所や太秦映画村など、映画会社の彩りを最も残す。「仮面ライダー」など戦隊・特撮モノに強み。「ワンピース」などヒット作を多数持つ子会社の東映アニメーションが稼ぎ頭。

平均勤続年数	男性育休取得率	3年後離職率	平均年収(平均43歳)
15.4年	77.8→70.0%	0→0%	総857万円

●採用・配属情報●

【男女・文理別採用実績】

	大卒男	大卒女	修士男	修士女
23年	3(文 2理 1)	7(文 5理 2)	0(文 0理 0)	1(文 1理 0)
24年	6(文 5理 1)	5(文 4理 1)	0(文 0理 0)	2(文 2理 0)
25年	9(文 8理 1)	10(文 8理 2)	0(文 0理 0)	0(文 0理 0)

【男女・職種別採用実績】 転換制度:NA

	総合職
23年	11(男 3 女 8)
24年	13(男 6 女 7)
25年	19(男 9 女 10)

【24年4月入社者の配属勤務地】総東京(銀座9 大泉1)大阪1 京都2
【転勤】あり:全社員
【中途比率】[単年度]21年度NA、22年度39%、23年度43%[全体]27%

●働きやすさ、諸制度●

残業(月) NA

【勤務時間】本社・支社9:30〜18:00【有休取得年平均】12.3日【週休】完全2日(土日祝)【夏期休暇】連続5日【年末年始休暇】連続6日
【離職率】男:3.2%、9名 女:3.4%、4名
【新卒3年後離職率】
[20→23年]0%(男0%・入社7名、女0%・入社7名)
[21→24年]0%(男0%・入社5名、女0%・入社6名)
【テレワーク】制度あり:[場所]自宅[対象]NA[日数]週3日まで[利用率]NA【勤務制度】フレックス 時間単位有休【住宅補助】借上社宅(東京)男性独身寮(京都)

●ライフイベント、女性活躍●

【女性比率】■男 □女

新卒採用 52.6% (10名)

従業員 29.4% (112名)

管理職 15.8% (16名)

【産休】[期間]産前6・産後8週間[給与]健保6割+共済会4割給付[取得者数]3名
【育休】[期間]1歳年度末または1歳半年度末[給与]法定+共済会2割給付[取得者数]22年度 男7名(対象9名)女2名(対象2名)23年度 男7名(対象10名)女3名(対象3名)[平均取得日数]22年度 NA、23年度 NA
【従業員】[人数]381名(男269名、女112名)[平均年齢]42.7歳(男44.4歳、女38.9歳)[平均勤続年数]15.4年(男16.2年、女13.5年)
【年齢構成】NA

会社データ (金額は百万円)

【本社】104-8108 東京都中央区銀座3-2-17 ☎03-3535-7137 https://www.toei.co.jp/

【業績(連結)】	売上高	営業利益	経常利益	純利益
22.3	117,539	17,810	23,303	8,977
23.3	174,358	36,339	40,172	15,025
24.3	171,345	29,342	35,317	13,971

サービス

松竹(株)
しょうちく

【特色】歌舞伎、映画の老舗。不動産賃貸も安定収益源

[記者評価] 大谷、白井兄弟が歌舞伎興行で創業。映画、歌舞伎、不動産賃貸が3本柱。映画は山田洋二作品が著名。製作・配給のほか、映画館の運営も。歌舞伎の有料動画配信サービスを手がける。劇場アニメ「がんばっていきまっしょい」などアニメ製作も本格化。

平均勤続年数	男性育休取得率	3年後離職率	平均年収(平均43歳)
16.2年	0 → 54.5%	10.5 → 10.0%	[総] 817万円

●採用・配属情報●

【男女・文理別採用実績】

	大卒男	大卒女	修士男	修士女
23年	3(文 3 理 0)	8(文 8 理 0)	1(文 1 理 0)	0(文 0 理 0)
24年	5(文 5 理 0)	3(文 3 理 0)	1(文 0 理 1)	2(文 2 理 0)
25年	6(文 5 理 1)	7(文 7 理 0)	2(文 2 理 0)	0(文 0 理 0)

【男女・職種別採用実績】

	総合職
23年	12(男 4 女 8)
24年	11(男 6 女 5)
25年	15(男 8 女 7)

【24年4月入社者の配属勤務地】[総]東京7 大阪2 京都1
【転勤】あり:全社員[勤務地]大阪 京都
【中途比率】[単年度]21年度NA、22年度NA、23年度NA[全体]47%

●働きやすさ、諸制度●

残業(月) 6.5時間 [総]6.5時間

【勤務時間】フレックスタイム制(所定労働時間7時間30分)【有休取得年平均】NA【週休】完全2日(土日祝)【夏期休暇】5日【年末年始休暇】12月29日〜1月3日
【離職率】男:3.1%、10名 女:1.4%、4名
【新卒3年後離職率】
[20→23年]10.5%(男22.2%・入社9名、女0%・入社10名)
[21→24年]10.0%(男14.3%・入社7名、女0%・入社3名)
【テレワーク】制度あり:[場所]自宅[対象]全社員[日数]制限なし[利用率]NA【勤務制度】フレックス 副業容認【住宅補助】社宅(条件に当てはまる場合のみ)

●ライフイベント、女性活躍●

【女性比率】■男 □女

新卒採用 46.7% (7名)
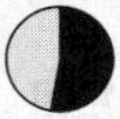
従業員 47.9% (288名)
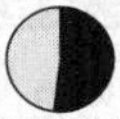
管理職 24.9% (50名)

【産休】[期間]産前6・産後8週間[給与]法定[取得者数]6名
【育休】[期間]1歳年度末まで[給与]法定[取得者数]22年度 男0名(対象9名)女5名(対象5名)23年度 男6名(対象11名)女6名(対象6名)[平均取得日数]22年度 NA、23年度 男55日 女378日
【従業員】[人数]601名(男313名、女288名)[平均年齢]42.8歳(男44.0歳、女41.6歳)[平均勤続年数]16.2年(男16.2年、女15.0年)
【年齢構成】NA

[会社データ] (金額は百万円)
【本社】104-8422 東京都中央区築地4-1-1 東劇ビル ☎03-5550-1544
https://www.shochiku.co.jp/

【業績(連結)】	売上高	営業利益	経常利益	純利益
22.2	71,835	▲4,005	▲2,801	▲1,762
23.2	78,212	▲776	1,359	5,484
24.2	85,428	3,584	2,866	3,016

セントラルスポーツ(株)

【特色】総合スポーツクラブの草分け。水泳等スクールも

[記者評価] 1969年創業のフィットネス業界の老舗。ジム、スタジオ、プール備えた総合スポーツクラブを展開。水泳や体操などのスクールにも力を注ぎ、数多くの五輪選手を輩出。小型24時間ジムも出店。コロナで大幅に減ったフィットネスの在籍会員数は緩やかに回復基調。

平均勤続年数	男性育休取得率	3年後離職率	平均年収(平均40歳)
16.4年	33.3 → 36.8%	49.5 → 23.8%	[総] 687万円

●採用・配属情報●

【男女・文理別採用実績】

	大卒男	大卒女	修士男	修士女
23年	24(文 24 理 0)	18(文 18 理 0)	0(文 0 理 0)	0(文 0 理 0)
24年	21(文 20 理 1)	17(文 17 理 0)	1(文 1 理 0)	0(文 0 理 0)
25年	15(文 15 理 0)	10(文 10 理 0)	2(文 2 理 0)	0(文 0 理 0)

※25年:24年8月1日時点

【男女・職種別採用実績】 転換制度:⇔

	総合職A	総合職B	一般職	スポーツ奨励社員
23年	3(男 2 女 1)	36(男 17 女 19)	9(男 5 女 4)	3(男 3 女 0)
24年	3(男 1 女 2)	36(男 20 女 16)	2(男 0 女 2)	2(男 2 女 0)
25年	5(男 2 女 3)	29(男 21 女 8)	4(男 3 女 1)	0(男 0 女 0)

【職種併願】○
【24年4月入社者の配属勤務地】[総]東京11 神奈川6 千葉4 兵庫3 埼玉3 北海道2 大阪2 宮城2 愛知2 福島1 長野1 群馬1 岩手1
【転勤】あり:[職種]総合職[勤務地]全国(一般職:地域や都道府県の指定可能)
【中途比率】[単年度]21年度0%、22年度0%、23年度0%[全体]24%

●働きやすさ、諸制度●

残業(月) 12.1時間 [総]14.1時間

【勤務時間】9:30〜18:20【有休取得年平均】9.9日【週休】隔週2日【夏期休暇】有休で取得【年末年始休暇】有休で取得
【離職率】男:7.3%、51名 女:9.5%、43名
【新卒3年後離職率】
[20→23年]49.5%(男51.1%・入社45名、女48.0%・入社50名)
[21→24年]23.8%(男33.3%・入社12名、女11.1%・入社9名)
【テレワーク】制度なし【勤務制度】なし【住宅補助】社宅(単身赴任者の賃料の9割を会社負担)家賃補助(最大4割)

●ライフイベント、女性活躍●

【女性比率】■男 □女

新卒採用 31.6% (12名)

従業員 38.7% (408名)

管理職 9% (17名)

【産休】[期間]産前6・産後8週間[給与]法定[取得者数]18名
【育休】[期間]1歳になるまで[給与]法定[取得者数]22年度 男8名(対象24名)女21名(対象21名)23年度 男7名(対象19名)女18名(対象18名)[平均取得日数]22年度 男23日 女338日、23年度 男10日 女289日
【従業員】[人数]1,055名(男647名、女408名)[平均年齢]41.4歳(男42.9歳、女39.1歳)[平均勤続年数]16.4年(男17.3年、女15.0年)
【年齢構成】■男 □女

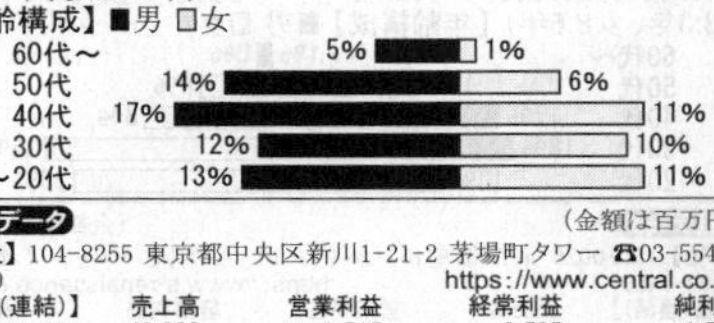
60代〜 5% 1%
50代 14% 6%
40代 17% 11%
30代 12% 10%
〜20代 13% 11%

[会社データ] (金額は百万円)
【本社】104-8255 東京都中央区新川1-21-2 茅場町タワー ☎03-5543-1800
https://www.central.co.jp/

【業績(連結)】	売上高	営業利益	経常利益	純利益
22.3	40,338	1,517	2,595	1,540
23.3	43,602	1,850	1,346	793
24.3	45,379	2,653	2,181	1,160

サービス

㈱ルネサンス

【特色】総合スポーツクラブの業界大手。各種スクールも

[記者評価] ジムやスタジオ、プールを備えた総合スポーツクラブを展開。児童対象の水泳などの各種スクールも手がける。コロナ影響で落ち込んだフィットネス会員数は回復基調に。介護リハビリ事業の育成にも力を注ぐ。東急系のスポーツオアシスを買収して業界最大手に。

平均勤続年数	男性育休取得率	3年後離職率	平均年収(平均38歳)
11.4年	81.1→85.7%	8.3→37.5%	[総]536万円

●採用・配属情報●

【男女・文理別採用実績】

	大卒男	大卒女	修士男	修士女
23年	32(文 29 理 3)	26(文 25 理 1)	1(文 1 理 0)	1(文 0 理 1)
24年	25(文 22 理 3)	29(文 28 理 1)	2(文 1 理 1)	1(文 1 理 0)
25年	31(文 29 理 2)	25(文 22 理 3)	1(文 0 理 1)	4(文 4 理 0)

【男女・職種別採用実績】 転換制度:⇔

	基幹職	専任職	介護リハビリ職
23年	40(男 23 女 17)	38(男 17 女 21)	ND(男 ND 女 ND)
24年	42(男 20 女 22)	27(男 14 女 13)	7(男 2 女 5)
25年	47(男 28 女 19)	23(男 9 女 14)	5(男 2 女 3)

【職種併願】○

【24年4月入社者の配属勤務地】[総]東京17 神奈川13 埼玉9 千葉9 愛知4 大阪3 福岡3 静岡2 山口・徳山2 長野2 兵庫2 山形2 茨城1 沖縄1 熊本1 奈良1 宮城1 新潟1 広島1 宮崎1

【転勤】あり:[職種]グローバル区分およびエリア区分の社員(区分は本人の選択制)

【中途比率】[単年度]21年度30%、22年度78%、23年度59%[全体]64%

●働きやすさ、諸制度●

残業(月) 16.1時間 [総]16.1時間

【勤務時間】8:00〜17:00(始業・終業時間を15分単位繰下げ可)【有休取得年平均】9.6日【週休】2日(本社:土日 他:シフト制)【夏期休暇】有休で取得【年末年始休暇】12月30日〜1月2日+有休で取得

【離職率】男:6.0%、57名 女:9.7%、65名

【新卒3年後離職率】

[20→23年]8.3%(男8.3%・入社36名、女8.3%・入社48名)

[21→24年]37.5%(男20.0%・入社15名、女52.9%・入社17名)

【テレワーク】制度あり:[場所]自宅 自宅以外の施設または公共の場 他[対象]全社員[日数]原則週4日まで[利用率]8.5%【勤務制度】時間単位有休 時差勤務 勤務間インターバル 副業容認【住宅補助】転居補助費 社宅

●ライフイベント、女性活躍●

【女性比率】■男 □女

新卒採用 48% (36名)

従業員 40.3% (605名)

管理職 15.2% (36名)

【産休】[期間]産前6・産後8週間[給与]法定[取得者数]63名

【育休】[期間]2歳6カ月になるまで[給与]法定[取得者数]22年度 男30名(対象37名)女48名(対象48名)23年度 男30名(対象35名)女63名(対象63名)[平均取得日数]22年度 男4日 女395日、23年度 男10日 女411日

【従業員】[人数]1,500名(男895名、女605名)[平均年齢]37.7歳(男39.4歳、女35.3歳)[平均勤続年数]11.4年(男13.3年、女8.6年)【年齢構成】■男 □女

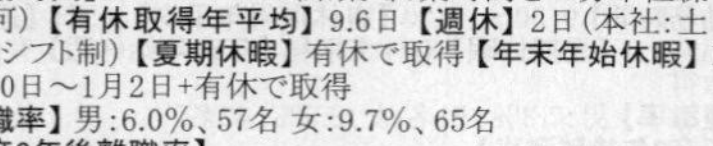
60代〜 1% 0%
50代 11% 4%
40代 17% 8%
30代 18% 15%
〜20代 13% 13%

[会社データ] (金額は百万円)

【本社】130-0026 東京都墨田区両国2-10-14 両国シティコア ☎03-5600-5411 https://www.s-renaissance.co.jp/

【業績(連結)】	売上高	営業利益	経常利益	純利益
22.3	37,120	912	632	513
23.3	40,760	680	311	▲1,141
24.3	43,627	1,261	524	632

日本郵船㈱（にっぽんゆうせん）

[プラチナくるみん]

【特色】海運売上で国内首位。陸運など総合物流強化

[記者評価] 源流は坂本龍馬の海援隊の業務を岩崎弥太郎が引き継いだ九十九商会。NYKブランドは世界的で自動車船、LNG船は世界2位。コンテナ船は18年に商船三井、川崎汽船と統合。傘下に郵船ロジスティクスを持ち総合物流企業として展開。省エネ化など技術開発に積極的。

平均勤続年数	男性育休取得率	3年後離職率	平均年収(平均38歳)
16.3年	72.2→73.5%	1.9→7.4%	[総]1,443万円

●採用・配属情報●

【男女・文理別採用実績】

	大卒男	大卒女	修士男	修士女
23年	34(文 22 理 12)	17(文 15 理 2)	7(文 1 理 6)	1(文 0 理 1)
24年	35(文 20 理 15)	21(文 18 理 3)	9(文 0 理 9)	1(文 1 理 0)
25年	34(文 19 理 15)	26(文 20 理 6)	10(文 2 理 8)	4(文 0 理 4)

【男女・職種別採用実績】

	陸上職(総合職)	海上職
23年	36(男 20 女 16)	25(男 23 女 2)
24年	43(男 24 女 19)	25(男 21 女 4)
25年	45(男 22 女 23)	31(男 23 女 8)

【24年4月入社者の配属勤務地】[総]東京本店および国内外

【転勤】あり:全社員

【中途比率】[単年度]21年度18%、22年度36%、23年度30%[全体]8%

●働きやすさ、諸制度●

残業(月) 19.4時間 [総]19.4時間

【勤務時間】9:00〜17:00【有休取得年平均】16.9日【週休】完全2日(土日祝)【夏期休暇】7日(4月〜翌3月で取得)【年末年始休暇】12月31日〜1月3日

【離職率】男:1.7%、24名 女:2.2%、6名(早期退職男3名、女3名含む 他に男4名転籍)

【新卒3年後離職率】

[20→23年]1.9%(男2.3%・入社43名、女0%・入社9名)

[21→24年]7.4%(男9.8%・入社41名、女0%・入社13名)

【テレワーク】制度あり:[場所]自宅 自宅に準ずる場所[対象]NA[日数]週4日まで[利用率]34.3%【勤務制度】フレックス 副業容認【住宅補助】独身寮 社宅(勤務地に完備)

●ライフイベント、女性活躍●

【女性比率】■男 □女

新卒採用 40.8% (31名)

従業員 16.4% (271名)

管理職 13.6% (59名)

【産休】[期間]産前8・産後8週間[給与]産前6・産後8週間は会社全額支給、産前8・7週は無給(有休取得可)[取得者数]5名

【育休】[期間]2年間[給与]出生時育休のうち14日間会社全額支給、それ以外法定[取得者数]22年度 男52名(対象72名)女12名(対象12名)23年度 男50名(対象68名)女7名(対象7名)[平均取得日数]22年度 男42日 女286日、23年度 男70日 女381日

【従業員】[人数]1,656名(男1,385名、女271名)[平均年齢]39.7歳(男39.6歳、女40.2歳)[平均勤続年数]16.3年(男16.1年、女17.4年)【年齢構成】■男 □女

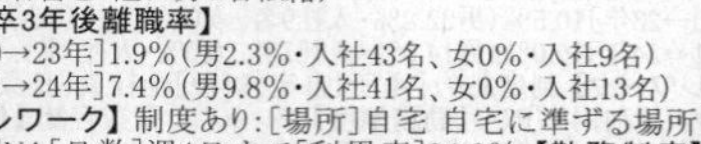
60代〜 0% 0%
50代 19% 5%
40代 19% 3%
30代 29% 4%
〜20代 16% 4%

[会社データ] (金額は百万円)

【本社】100-0005 東京都千代田区丸の内2-3-2 郵船ビル ☎03-3284-5151 https://www.nyk.com/

【業績(連結)】	売上高	営業利益	経常利益	純利益
22.3	2,280,775	268,939	1,003,154	1,009,105
23.3	2,616,066	296,350	1,109,790	1,012,523
24.3	2,387,240	174,679	261,341	228,603

サービス

1017 開示 ★★★

㈱商船三井（しょうせんみつい）

えるぼし ★★★　くるみん

【特色】海運大手。LNG船、自動車船等不定期船に強み

[記者評価] 大阪商船と三井船舶が合併して発足。海運大手3社の一角。LNG船、自動車船では世界最大規模。コンテナ船は日本郵船、川崎汽船と事業統合。不動産事業に加えLNGなどエネルギー輸送事業を強化。洋上風力発電も展開。アンモニアなど次世代燃料実用化にも注力。

平均勤続年数	男性育休取得率	3年後離職率	平均年収(平均37歳)
[!] 13.0年	62.5 → 69.2%	7.5 → 1.7%	[総] 1,741万円

●採用・配属情報●

【男女・文理別採用実績】

	大卒男	大卒女	修士男	修士女
23年	40(文 26 理 14)	13(文 11 理 2)	12(文 1 理 11)	3(文 0 理 3)
24年	41(文 21 理 20)	17(文 14 理 3)	15(文 3 理 12)	4(文 1 理 3)
25年	47(文 29 理 18)	15(文 11 理 4)	15(文 1 理 14)	7(文 2 理 5)

【男女・職種別採用実績】 転換制度:⇒

	陸上職	海上職
23年	44(男 30 女 14)	28(男 26 女 2)
24年	43(男 27 女 16)	38(男 32 女 6)
25年	53(男 40 女 13)	36(男 26 女 10)

【24年4月入社者の配属勤務地】[総]<陸上職>東京38 [技]<陸上職>東京5

【転勤】あり:[職種]陸上職 海上職[勤務地]国内外

【中途比率】[単年度]21年度29%、22年度62%、23年度56%[全体]33%

●働きやすさ、諸制度●

残業(月) 34.7時間 [総]36.9時間

【勤務時間】9:00～17:00(フレックスタイム制)【有休取得年平均】10.1日【週休】完全2日(土日祝)【夏期休暇】7労働日【年末年始休暇】12月31日～1月3日

【離職率】男:1.1%、7名 女:1.8%、5名(選択定年男1名、女2名含む 他に男19名移籍)

【新卒3年後離職率】

[20→23年]7.5%(男10.0%・入社40名、女0%・入社13名)

[21→24年]1.7%(男2.3%・入社44名、女0%・入社14名)

【テレワーク】制度あり:[場所]自宅 業務に適した場所[対象]国内勤務者(他社への出向者を除く)[日数]月10日(ただし上長判断で8割まで拡大可)[利用率]21.4%【勤務制度】フレックス 副業容認【住宅補助】独身寮(東京(柴崎 中村橋)神奈川・鶴見)社宅(神奈川・大船 千葉(幕張 南柏))住宅手当(10,000～32,500円)住宅財形

●ライフイベント、女性活躍●

【女性比率】■男 □女

新卒採用 25.8% (23名)

従業員 30.8% (278名)

管理職 10.3% (32名)

【産休】[期間]産前8・産後8週間[給与]産前6・産後6週間会社全額給付[取得者数]12名

【育休】[期間]2歳になるまで[給与]法定[取得者数]22年度 男20名(対象32名)女20名(対象20名)23年度 男27名(対象39名)女13名(対象13名)[平均取得日数]22年度 男21日 女293日、23年度 男29日 女332日

【従業員】[人数]903名(男625名、女278名)[平均年齢]38.5歳(男38.7歳、女38.0歳)[平均勤続年数]13.0年(男13.1年、女12.6年) ※他社への出向者を除く

【年齢構成】■男 □女

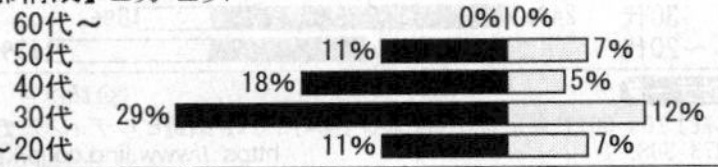

会社データ (金額は百万円)

【本社】105-8688 東京都港区虎ノ門2-1-1 ☎03-3587-7238 https://www.mol.co.jp/

【業績(連結)】	売上高	営業利益	経常利益	純利益
22.3	1,269,310	55,005	721,779	708,819
23.3	1,611,984	108,709	811,589	796,060
24.3	1,627,912	103,132	258,986	261,651

1793 開示 ★★★★★

川崎汽船㈱（かわさききせん）

くるみん

【特色】海運国内3位。電力炭船、自動車船に強み

[記者評価] 第一次大戦後、旧川崎造船所(現川崎重工業)のストック・ボート11隻の現物出資で設立。自動車船に強い。鉄鉱石などばら積み船は中長期契約主体。海運大手3社の一角。コンテナ船は日本郵船、商船三井と18年に統合。LNG船や洋上風力などエネルギー関連を強化。

平均勤続年数	男性育休取得率	3年後離職率	平均年収(平均39歳)
14.4年	40.6 → 57.1%	0 → 4.0%	[総] 1,429万円

●採用・配属情報●

【男女・文理別採用実績】

	大卒男	大卒女	修士男	修士女
23年	33(文 22 理 11)	15(文 14 理 1)	7(文 0 理 7)	1(文 1 理 0)
24年	33(文 15 理 18)	11(文 11 理 0)	19(文 1 理 18)	2(文 0 理 2)
25年	39(文 20 理 19)	18(文 17 理 1)	9(文 0 理 9)	0(文 0 理 0)

【男女・職種別採用実績】 転換制度:⇔

	陸上総合職	海上職(自社養成)	海上職(船員教育機関)
23年	41(男 26 女 15)	5(男 5 女 0)	14(男 13 女 1)
24年	42(男 30 女 12)	8(男 8 女 0)	17(男 16 女 1)
25年	43(男 26 女 17)	5(男 5 女 0)	21(男 19 女 2)

【24年4月入社者の配属勤務地】[総]東京・千代田33 [技]東京・千代田9

【転勤】あり:[職種]総合職

【中途比率】[単年度]21年度0%、22年度32%、23年度28%[全体]16%

●働きやすさ、諸制度●

残業(月) 29.4時間 [総]33.8時間

【勤務時間】9:00～17:00【有休取得年平均】15.0日【週休】完全2日(土日祝)【夏期休暇】有休で取得【年末年始休暇】12月31日～1月3日

【離職率】男:2.0%、12名 女:2.0%、5名

【新卒3年後離職率】

[20→23年]0%(男0%・入社20名、女0%・入社10名)

[21→24年]4.0%(男0%・入社17名、女12.5%・入社8名)

【テレワーク】制度あり:[場所]自宅[対象]新卒入社1年目は除く[日数]週2日まで[利用率]18.4%【勤務制度】フレックス 副業容認【住宅補助】独身寮 都市勤務手当

●ライフイベント、女性活躍●

【女性比率】■男 □女

新卒採用 27.5% (19名)

従業員 29% (246名)

管理職 6.8% (9名)

【産休】[期間]産前8・産後8週間[給与]法定+互助会3分の1給付[取得者数]6名

【育休】[期間]3歳になるまで[給与]法定[取得者数]22年度 男13名(対象32名)女10名(対象10名)23年度 男8名(対象14名)女14名(対象14名)[平均取得日数]22年度 男12日 女483日、23年度 男74日 女257日

【従業員】[人数]847名(男601名、女246名)[平均年齢]38.8歳(男38.8歳、女38.5歳)[平均勤続年数]14.4年(男14.6年、女13.5年)

【年齢構成】■男 □女

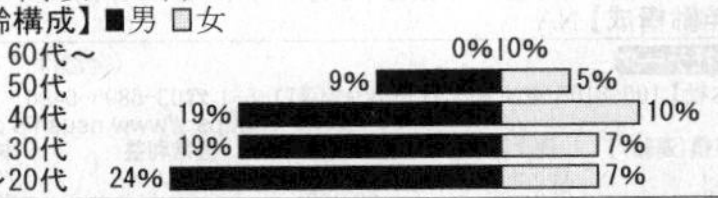

会社データ (金額は百万円)

【本社】100-8540 東京都千代田区内幸町2-1-1 飯野ビルディング ☎03-3595-5000 https://www.kline.co.jp/

【業績(連結)】	売上高	営業利益	経常利益	純利益
22.3	756,983	17,663	657,504	642,424
23.3	942,606	78,857	690,839	694,904
24.3	962,300	84,763	135,796	104,776

2649 開示 ★★

エヌエス かいうん
N Sユナイテッド海運(株)

【特色】海運準大手で日本郵船系。鉄鋼原料輸送に強い

記者評価 日鐵汽船が母体で新和海運に改称後、外航海運の日鉄海運と合併し現体制へ。日本郵船系だが筆頭株主は日本製鉄。子会社で内航海運も。主力は長期契約主体のバラ積み船。超大型船導入し、海外資源メジャーとの契約増強。メタノール二元燃料船など脱炭素化注力。

平均勤続年数	男性育休取得率	3年後離職率	平均年収(平均40歳)
13.8年	42.9 → 71.4%	0 → 33.3%	1,143万円

●採用・配属情報●

【男女・文理別採用実績】

	大卒男	大卒女	修士男	修士女
23年	4(文 3理 1)	1(文 1理 0)	1(文 0理 1)	0(文 0理 0)
24年	3(文 3理 0)	3(文 3理 0)	0(文 0理 0)	0(文 0理 0)
25年	3(文 3理 0)	2(文 2理 0)	0(文 0理 0)	0(文 0理 0)

【男女・職種別採用実績】 転換制度:NA

	総合職
23年	6(男 5 女 1)
24年	6(男 3 女 3)
25年	5(男 3 女 2)

【職種併願】NA

【24年4月入社者の配属勤務地】㊗東京・大手町6

【転勤】あり:[勤務地]英国 米国 シンガポール マニラ 香港 上海 ベトナム タイ

【中途比率】[単年度]21年度33%、22年度14%、23年度14%[全体]NA

●働きやすさ、諸制度●

残業(月) 8.8時間 ㊗8.8時間

【勤務時間】フレックスタイム制【有休取得年平均】(夏期休暇含む)15.8日【週休】完全2日(土日祝)【夏期休暇】本人が指定する7日(6月〜3月)【年末年始休暇】連続5日

【離職率】NA

【新卒3年後離職率】

[20→23年]0%(男0%・入社3名、女0%・入社2名)

[21→24年]33.3%(男50.0%・入社4名、女0%・入社2名)

【テレワーク】制度あり:[場所]自宅[対象]入社3年目以降の社員[日数]週2日まで[利用率]NA【勤務制度】フレックス

【住宅補助】〈総合職〉独身寮 社宅

●ライフイベント、女性活躍●

【女性比率】■男 □女

新卒採用 40% (2名)

【産休】[期間]産前8・産後8週間[給与]産前産後各6週間有給、他法定[取得者数]1名

【育休】[期間]通算1年以内(3歳到達月末まで)[給与]法定[取得者数]22年度 男3名(対象7名)女0名(対象0名)23年度 男5名(対象7名)女1名(対象1名)[平均取得日数]22年度NA、23年度NA

【従業員】[人数]234名(男NA、女NA)[平均年齢]40.2歳(男NA、女NA)[平均勤続年数]13.8年(男NA、女NA)

【年齢構成】NA

会社データ (金額は百万円)

【本社】100-8108 東京都千代田区大手町1-5-1 ☎03-6895-6400 https://www.nsuship.co.jp/

【業績(連結)】	売上高	営業利益	経常利益	純利益
22.3	195,941	26,711	26,606	23,582
23.3	250,825	32,487	33,444	27,603
24.3	233,100	21,601	22,185	17,986

2424 開示 ★★★

いいの かいうん
飯野海運(株)

くるみん

【特色】海運準大手。主力はケミカル船。不動産賃貸も

記者評価 海運と不動産の二輪経営。海運事業の売上比率は9割弱だが、収益の柱は東京・千代田区の飯野ビル等の不動産賃貸。準大手のケミカルタンカーは中東・アジアに強い。LPG二元燃料船導入など脱炭素化に向けた取り組みに注力。陸上職を対象にした乗船実習がある。

平均勤続年数	男性育休取得率	3年後離職率	平均年収(平均38歳)
12.8年	63.2 → 75.0%	10.0 → 11.1%	㊗1,524万円

●採用・配属情報●

【男女・文理別採用実績】

	大卒男	大卒女	修士男	修士女
23年	1(文 1理 0)	4(文 3理 1)	1(文 0理 1)	0(文 0理 0)
24年	5(文 5理 0)	5(文 5理 0)	0(文 0理 0)	1(文 0理 1)
25年	3(文 2理 1)	3(文 3理 0)	1(文 0理 1)	0(文 0理 0)

【男女・職種別採用実績】 転換制度:⇒

	陸上総合職	一般職
23年	6(男 2 女 4)	0(男 0 女 0)
24年	11(男 5 女 6)	0(男 0 女 0)
25年	7(男 4 女 3)	0(男 0 女 0)

【24年4月入社者の配属勤務地】㊗東京・霞が関11

【転勤】あり:[職種]総合職[勤務地]海外

【中途比率】[単年度]21年度27%、22年度43%、23年度54%[全体]14%

●働きやすさ、諸制度●

残業(月) 26.1時間 ㊗30.3時間

【勤務時間】9:00〜17:00【有休取得年平均】10.8日【週休】完全2日(土日祝)【夏期休暇】7日(通年で取得可)【年末年始休暇】6日(有休1日含む)

【離職率】男:0.7%、1名 女:0%、0名(他に男2名転籍)

【新卒3年後離職率】

[20→23年]10.0%(男0%・入社6名、女25.0%・入社4名)

[21→24年]11.1%(男0%・入社4名、女20.0%・入社5名)

【テレワーク】制度あり:[場所]自宅[対象]全社員[日数]週2日まで[利用率]25.9%【勤務制度】時間単位有休 時差勤務【住宅補助】独身寮(総合職)借上社宅(総合職)住宅手当(全社員)持家推進制度

●ライフイベント、女性活躍●

【女性比率】■男 □女

新卒採用 42.9% (3名)　従業員 23% (45名)　管理職 6.9% (4名)

【産休】[期間]産前6・産後8週間[給与]法定+共済会3分の1給付[取得者数]2名

【育休】[期間]1歳になるまで[給与]法定[取得者数]22年度 男12名(対象19名)女1名(対象1名)23年度 男3名(対象4名)女3名(対象3名)[平均取得日数]22年度NA、23年度NA

【従業員】[人数]196名(男151名、女45名)[平均年齢]37.9歳(男NA、女NA)[平均勤続年数]12.8年(男NA、女NA)

【年齢構成】■男 □女

	男	女
60代〜	0%	0%
50代	19%	5%
40代	16%	6%
30代	24%	6%
〜20代	12%	13%

会社データ (金額は百万円)

【本社】100-0011 東京都千代田区内幸町2-1-1 飯野ビルディング ☎03-6273-3085 https://www.iino.co.jp/kaiun/

【業績(連結)】	売上高	営業利益	経常利益	純利益
22.3	104,100	7,524	9,431	12,526
23.3	141,324	19,835	20,677	22,681
24.3	137,950	19,063	21,800	19,745

サービス

ぜんにっぽんくうゆ
全日本空輸(株)

[えるぼし ★★★] [プラチナくるみん]

【特色】航空業界首位。自社路線豊富で貨物も売上規模大

[記者評価] 国内線・国際線首位。13年に持株会社体制に移行。新興の航空会社を次々に実質的傘下に収め、国内線を拡大。グループのLCC2社を統合。24年から中距離国際線の「エアージャパン」就航。訪日外国人客の集客に注力。貨物も買収で規模拡大中。

平均勤続年数	男性育休取得率	3年後離職率	平均年収(平均39歳)
14.2年	NA	NA	NA

●採用・配属情報●

【男女・文理別採用実績】

	大卒男	大卒女	修士男	修士女
23年	25(文 9理 16)	20(文 15理 5)	17(文 0理 17)	5(文 1理 4)
24年	65(文 26理 39)	25(文 16理 9)	43(文 4理 39)	12(文 3理 9)
25年	106(文 63理 43)	478(文446理 32)	76(文 5理 71)	23(文 11理 12)

【男女・職種別採用実績】 転換制度:⇒

	グローバルスタッフ職	エキスパートスタッフ職	その他(客室乗務職、運航乗務職)
23年	67(男 42 女 25)	0(男 0 女 0)	0(男 0 女 0)
24年	147(男 110 女 37)	0(男 0 女 0)	0(男 0 女 0)
25年	186(男 118 女 68)	7(男 3 女 4)	501(男 64 女437)

【職種併願】○

【24年4月入社者の配属勤務地】[総]NA [技]NA

【転勤】あり:詳細NA

【中途比率】[単年度]21年度NA、22年度NA、23年度NA[全体]NA

●働きやすさ、諸制度●

残業(月) NA

【勤務時間】日勤部門9:00～18:00【有休取得年平均】NA【週休】2日(変則勤務部門は別調整)【夏期休暇】4日【年末年始休暇】事業所により異なる

【離職率】NA

【新卒3年後離職率】

[20→23年]NA

[21→24年]NA

【テレワーク】制度あり:[場所]NA[対象]NA[日数]NA[利用率]NA【勤務制度】フレックス 勤務間インターバル 副業容認【住宅補助】寮 社宅 住宅手当 他

●ライフイベント、女性活躍●

【女性比率】■男 □女

新卒採用 73.3% (509名)

従業員 70.4% (10253名)

【産休】NA

【育休】NA

【従業員】[人数]14,566名(男4,313名、女10,253名)[平均年齢]39.2歳(男NA、女NA)[平均勤続年数]14.2年(男20.4年、女11.0年)

【年齢構成】NA

会社データ (金額は百万円)

【本社】105-7133 東京都港区東新橋1-5-2 汐留シティセンター ☎03-6735-1000 https://www.anahd.co.jp/

【業績(連結)】	売上高	営業利益	経常利益	純利益
22.3	1,020,324	▲173,127	▲184,935	▲143,628
23.3	1,707,484	120,030	111,810	89,477
24.3	2,055,900	207,900	207,600	157,000

※業績はANAホールディングス(株)のもの

に ほんこうくう
日本航空(株)

[えるぼし ★★] [くるみん]

【特色】国内空運業界2位。10年の経営破綻から再建

[記者評価] 国際線、国内線ともに2位。無理な拡大戦略などで10年に経営破綻。その後再建し、12年再上場。近年は国際線拡大のために機材購入や新規就航、経営破綻で撤退していた貨物専用便の運航再開など積極姿勢。24年には同社で初となるCA出身の女性社長が誕生。

平均勤続年数	男性育休取得率	3年後離職率	平均年収(平均46歳)
20.3年	86.0 → 73.5%	6.3 → 7.9%	[総]832万円

●採用・配属情報●

【男女・文理別採用実績】

	大卒男	大卒女	修士男	修士女
23年	34(文 21理 13)	29(文 19理 10)	22(文 1理 21)	11(文 1理 10)
24年	72(文 35理 37)	56(文 47理 9)	47(文 16理 31)	18(文 9理 9)
25年	46(文 33理 13)	31(文 27理 4)	37(文 5理 32)	5(文 1理 4)

【男女・職種別採用実績】

	業務企画職(総合職)
23年	96(男 56 女 40)
24年	193(男119 女 74)
25年	121(男 85 女 36)

【職種併願】○

【24年4月入社者の配属勤務地】[総]北海道16 仙台2 東京78 千葉8 大阪10 沖縄8 福岡15 [技]東京56

【転勤】あり:[職種]総合職

【中途比率】[単年度]21年度0%、22年度33%、23年度40%[全体]12%

●働きやすさ、諸制度●

残業(月) 9.7時間 [総]9.7時間

【勤務時間】8時間(コアタイムなしフレックス制)【有休取得年平均】16.9日【週休】完全2日(土日祝)【夏期休暇】なし【年末年始休暇】4日

【離職率】男:1.8%、67名 女:1.0%、11名

【新卒3年後離職率】

[20→23年]6.3%(男8.8%・入社80名、女3.2%・入社62名)

[21→24年]7.9%(男7.4%・入社27名、女9.1%・入社11名)

【テレワーク】制度あり:[場所]自宅 または所属長が特に許可した場所(ワーケーション ブリージャー等)[対象]全社員(会社が認めた者)[日数]週3日 ただし当該割合を超えない範囲で、同月の特定の週にまとめて実施することも可能[利用率]26.5%【勤務制度】フレックス 時間単位有休 時差勤務 副業容認【住宅補助】独身寮 社宅(条件あり)

●ライフイベント、女性活躍●

【女性比率】■男 □女

新卒採用 29.8% (36名)

従業員 23.4% (1090名)

管理職 4.6% (68名)

【産休】[期間]産前10・産後10週間[給与]法定[取得者数]46名

【育休】[期間]3歳になるまで[給与]法定[取得者数]22年度 男43名(対象50名)女31名(対象36名)23年度 男50名(対象68名)女49名(対象50名)[平均取得日数]22年度 男57日 女385日、23年度 男52日 女404日

【従業員】[人数]4,668名(男3,578名、女1,090名)[平均年齢]46.6歳(男48.5歳、女40.2歳)[平均勤続年数]20.3年(男23.2年、女10.6年)【年齢構成】■男 □女

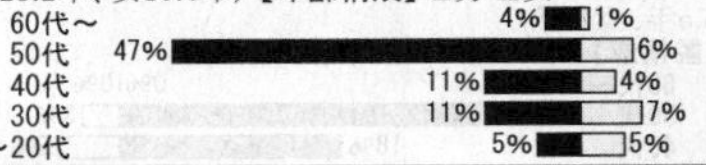
60代～ 4% 1%
50代 47% 6%
40代 11% 4%
30代 11% 7%
～20代 5% 5%

会社データ (金額は百万円)

【本社】140-8637 東京都品川区東品川2-4-11 野村不動産天王洲ビル ☎03-5460-3068 https://www.jal.com/

【業績(IFRS)】	売上高	営業利益	税前利益	純利益
22.3	682,713	▲234,767	▲246,617	▲177,551
23.3	1,375,589	65,059	52,429	34,423
24.3	1,651,890	140,932	139,306	95,534

※データは業務企画職(総合職)のもの

1335 開示 ★★★★★ 短大 専門 採用あり

あさひこうよう
朝日航洋(株)

プラチナくるみん

【特色】トヨタの連結子会社。空輸や空からの調査に定評

記者評価 航空、空間情報の両事業が柱。航空は業界首位のヘリコプターとビジネスジェットの旅客輸送、調査・視察・報道向けが主力。ドクターヘリも手がける。空間情報は地理情報システムや測量技術に強み。航空事業は東京・江東区、空間事業は埼玉・川越に本部を置く。

平均勤続年数	男性育休取得率	3年後離職率	平均年収(平均*42歳)
14.4年	71.4→108.7%	12.0→5.4%	㊍622万円

●採用・配属情報●

【男女・文理別採用実績】

	大卒男	大卒女	修士男	修士女
23年	10(文 4理 6)	4(文 3理 1)	3(文 0理 3)	1(文 0理 1)
24年	12(文 6理 6)	5(文 4理 1)	7(文 2理 5)	2(文 0理 2)
25年	11(文 6理 5)	9(文 9理 0)	3(文 0理 3)	1(文 0理 1)

【男女・職種別採用実績】

	総合職
23年	30(男 21 女 9)
24年	35(男 28 女 7)
25年	31(男 21 女 10)

【24年4月入社者の配属勤務地】㊍東京(新木場5 池袋2)埼玉・川越2 大阪・吹田1 仙台1 ㊕東京・新木場3 埼玉・川越14 大阪(八尾2 吹田4)名古屋1

【転勤】あり:[職種]全職種[勤務地]全国

【中途比率】[単年度]21年度49%、22年度30%、23年度51%[全体]29%

●働きやすさ、諸制度●

残業(月) 14.1時間 ㊍16.3時間

【勤務時間】9:00〜17:30【有休取得年平均】10.4日【週休】完全2日(土日祝)※一部シフト制【夏期休暇】2日【年末年始休暇】12月29日〜1月3日

【離職率】男:2.5%、24名 女:4.3%、10名

【新卒3年後離職率】

[20→23年]12.0%(男18.8%・入社16名、女0%・入社9名)

[21→24年]5.4%(男8.7%・入社23名、女0%・入社14名)

【テレワーク】制度あり:[場所]自宅 サテライトオフィス[対象]全正社員[日数]制限なし[利用率]NA【勤務制度】フレックス 時間単位有休 裁量労働 時差勤務【住宅補助】借上社宅(転勤者のみ)独身寮(自己負担10,000円)住宅手当(最大22,000円)

●ライフイベント、女性活躍●

【女性比率】■男 □女

新卒採用 32.3% (10名)　従業員 19.2% (223名)　管理職 4.6% (14名)

【産休】[期間]産前6・産後8週間[給与]法定[取得者数]10名

【育休】[期間]1歳になるまで[給与]法定[取得者数]22年度 男20名(対象28名)女7名(対象7名)23年度 男25名(対象23名)女10名(対象10名)[平均取得日数]22年度 NA、23年度 男NA 女427日

【従業員】[人数]1,163名(男940名、女223名)[平均年齢]42.1歳(男43.2歳、女37.4歳)[平均勤続年数]14.4年(男15.5年、女9.8年)

【年齢構成】■男 □女

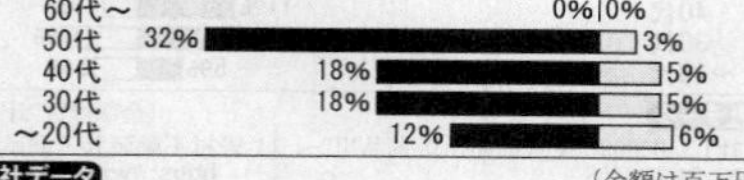

会社データ　(金額は百万円)

【本社】136-0082 東京都江東区新木場4-7-41 ☎049-238-6288 https://www.aeroasahi.co.jp/

【業績(連結)】NA

1006 開示 ★★★★★ 短大 専門 採用あり

にっぽんつううん
日本通運(株)

くるみん

【特色】陸海空の総合物流で世界最大級。日米亜に強み

記者評価 1872年設立の国策企業「陸運元会社」が前身。国内もさまざまな輸送事業を展開するが、主力は国際物流。陸海空の総合物流を手がける。海外で1年間トレーニングする研修に加え駐在(約4〜5年)も多く、グローバル企業として総合商社と共に志望する学生も多い。

平均勤続年数	男性育休取得率	3年後離職率	平均年収(平均47歳)
19.7年	35.7→42.4%	19.6→23.0%	㊍721万円

●採用・配属情報●

【男女・文理別採用実績】※25年:約300名採用予定

	大卒男	大卒女	修士男	修士女
23年	140(文128理 12)	142(文141理 1)	3(文 3理 0)	5(文 4理 1)
24年	131(文117理 14)	147(文139理 8)	6(文 2理 4)	6(文 4理 2)
25年	-(文 -理 -)	-(文 -理 -)	-(文 -理 -)	-(文 -理 -)

【男女・職種別採用実績】　転換制度:⇔

	総合職	一般職
23年	238(男135 女103)	105(男 12 女 93)
24年	231(男125 女106)	87(男 15 女 72)
25年	-(男 - 女 -)	-(男 - 女 -)

【24年4月入社者の配属勤務地】㊍関東甲信越123 北海道・東北14 中部28 関西33 中国・四国13 九州20

【転勤】あり:[職種]総合職[勤務地]全国

【中途比率】[単年度]21年度26%、22年度16%、23年度26%(技能職は除く)[全体]22%

●働きやすさ、諸制度●

残業(月) 20.3時間 ㊍23.3時間

【勤務時間】9:00〜18:00【有休取得年平均】16.6日【週休】2日【夏期休暇】有休で取得【年末年始休暇】12月30日〜1月4日(祝日含む)

【離職率】男:6.8%、868名 女:6.2%、385名(選択定年192名含む)

【新卒3年後離職率】

[20→23年]19.6%(男19.7%・入社208名、女19.6%・入社276名)

[21→24年]23.0%(男26.0%・入社173名、女20.9%・入社249名)

【テレワーク】制度あり:[場所]自宅 サテライトオフィス[対象]リモートワークが可能な業務に従事する者[日数]少なくとも月4日は出社[利用率]5.2%【勤務制度】フレックス 裁量労働 時差勤務【住宅補助】社有社宅 借上社宅(単身用・家族用 全国)

●ライフイベント、女性活躍●

【女性比率】■男 □女

従業員 32.8% (5814名)

管理職 2.2% (121名)

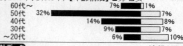

【産休】[期間]産前6・産後8週間[給与]産前6・産後6週は会社全額給付 以後法定[取得者数]192名

【育休】[期間]2歳半になる日または2歳の誕生日後最初の3月31日まで[給与]法定+休業中通算10日まで会社支給33%相当[取得者数]22年度 男172名(対象482名)女156名(対象168名)23年度 男189名(対象446名)女149名(対象163名)[平均取得日数]22年度 男31日 女356日、23年度 男50日 女393日

【従業員】[人数]17,723名(男11,909名、女5,814名)[平均年齢]45.7歳(男48.6歳、女39.7歳)[平均勤続年数]19.7年(男24.6年、女9.6年)【年齢構成】■男 □女

	男	女
60代〜	7%	1%
50代	32%	7%
40代	14%	8%
30代	9%	7%
〜20代	6%	10%

会社データ　(金額は百万円)

【本社】101-8647 東京都千代田区神田和泉町2 NXグループビル ☎03-5801-1111 https://www.nittsu.co.jp/

【業績(IFRS)】	売上高	営業利益	経常利益	純利益
23.12	2,239,017	60,098	61,208	37,050

※資本金・業績はNIPPON EXPRESSホールディングス(株)のもの

サービス

西濃運輸(株)

せいのううんゆ

【特色】路線トラック最大手。愛称は「カンガルー便」

記者評価 セイノーHDの中核会社で路線トラックの草分け。営業拠点を全国展開。収益性の高い商業小口貨物が主力。福山通運と共同配送で提携、SGHDとも連携進める。成田支店軸に国内・国際一貫輸送体制構築。傘下にマッチングプラットフォーム「ハコベル」。

平均勤続年数	男性育休取得率	3年後離職率	平均年収(平均37歳)
13.7年	2.3→2.8%	8.5→NA	㊕641万円

●採用・配属情報●

【男女・文理別採用実績】

	大卒男	大卒女	修士男	修士女
23年	46(文 46理 0)	11(文 11理 0)	0(文 0理 0)	0(文 0理 0)
24年	35(文 35理 0)	25(文 25理 0)	0(文 0理 0)	0(文 0理 0)
25年	30(文 30理 0)	20(文 20理 0)	0(文 0理 0)	0(文 0理 0)

【男女・職種別採用実績】 転換制度:⇒

	総合職
23年	57(男 46 女 11)
24年	60(男 35 女 25)
25年	50(男 30 女 20)

【24年4月入社者の配属勤務地】㊕群馬・前橋2 埼玉(岩槻2 和光2)千葉(柏2 船橋2 佐倉2)東京(港2 墨田1 渋谷2)神奈川(横浜2 鶴見2 茅ヶ崎2)愛知(知多2 豊橋2 大府2 小牧2)静岡2 岐阜(関2 各務原1)新潟・長岡2 大阪(東大阪2 堺2)神戸1

【転勤】あり:[職種]総合事務職[勤務地]東京本社 大垣本社 全国営業所

【中途比率】[単年度]21年度NA、22年度NA、23年度NA[全体]NA

●働きやすさ、諸制度●

残業(月) NA

【勤務時間】8:00〜17:00【有休取得年平均】NA【週休】2日(日祝・月3回程度主に土曜休)【夏期休暇】連続2日【年末年始休暇】連続4日

【離職率】NA

【新卒3年後離職率】
[20→23年]8.5%(男13.2%・入社38名、女0%・入社21名)
[21→24年]NA

【テレワーク】制度あり:[場所]自宅 他[対象]非現業者[日数]制限なし[利用率]NA【勤務制度】なし【住宅補助】集合住宅約100(東京 名古屋 大阪 他全国)

●ライフイベント、女性活躍●

【女性比率】■男 □女

新卒採用 40% (20名)

従業員 13.5% (173名)

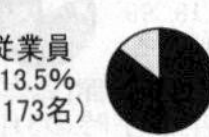

【産休】[期間]産前6・産後8週間[給与]法定[取得者数]24名

【育休】[期間]1歳になるまで[給与]法定[取得者数]22年度 男8名(対象343名)女18名(対象16名)23年度 男8名(対象285名)女24名(対象24名)[平均取得日数]22年度 NA、23年度 NA

【従業員】[人数]1,279名(男1,106名、女173名)[平均年齢]38.0歳(男38.9歳、女31.6歳)[平均勤続年数]13.7年(男14.4年、女8.6年)

【年齢構成】NA ※管理職は除く

会社データ (金額は百万円)

【本社】503-8501 岐阜県大垣市田口町1 ☎0584-82-5000
https://www.seino.co.jp/

【業績(単独)】	売上高	営業利益	経常利益	純利益
22.3	264,055	11,142	11,632	6,945
23.3	267,366	10,553	11,336	6,504
24.3	306,238	10,383	10,976	5,240

福山通運(株)

ふくやまつううん

【特色】路線トラック大手。小口の企業間配送が得意

記者評価 1948年設立の路線トラック(特別積み合わせ便、複数の荷主の荷物を全国ネットワークで運ぶ)大手。同業のセイノーHDとは共同運行をするなど以前から提携関係にある。積載量2倍のダブル連結トラックの導入に注力。外注よりも自社戦力を重視する方針。

平均勤続年数	男性育休取得率	3年後離職率	平均年収(平均34歳)
11.3年	16.9→22.8%	NA	㊕560万円

●採用・配属情報●

【男女・文理別採用実績】

	大卒男	大卒女	修士男	修士女
23年	60(文 55理 5)	55(文 54理 1)	0(文 0理 0)	0(文 0理 0)
24年	43(文 35理 8)	38(文 37理 1)	0(文 0理 0)	0(文 0理 0)
25年	26(文 24理 2)	38(文 37理 1)	0(文 0理 0)	0(文 0理 0)

※25年:24年7月時点、150名採用予定

【男女・職種別採用実績】 転換制度:⇔

	事務員総合職	集配運転者	エリア総合職	業務員
23年	61(男 38 女 23)	4(男 4 女 0)	65(男 26 女 39)	0(男 0 女 0)
24年	44(男 24 女 20)	3(男 3 女 0)	42(男 17 女 25)	0(男 0 女 0)
25年	42(男 20 女 22)	0(男 0 女 0)	26(男 7 女 19)	0(男 0 女 0)

【24年4月入社者の配属勤務地】㊕東京・江東28 愛知・北名古屋6 大阪・福島12 広島・福山20 他20

【転勤】あり:[職種]事務員総合職

【中途比率】[単年度]21年度41%、22年度35%、23年度46%[全体]NA

●働きやすさ、諸制度●

残業(月) 30.0時間 ㊕20.0時間

【勤務時間】1カ月単位の変形労働時間制【有休取得年平均】6.0日【週休】年110日【夏期休暇】約5日(年間休日110日に含む)【年末年始休暇】約6日(年間休日110日に含む)

【離職率】NA

【新卒3年後離職率】
[20→23年]NA
[21→24年]NA

【テレワーク】制度なし【勤務制度】なし【住宅補助】独身寮・社宅(多くは支店営業所に隣接)独身寮(自己負担15,000〜35,000円程度)

●ライフイベント、女性活躍●

【女性比率】■男 □女

新卒採用 60.3% (41名)

従業員 48.5% (752名)

【産休】[期間]産前6・産後8週間[給与]法定[取得者数]63名

【育休】[期間]1歳になるまで[給与]法定[取得者数]22年度 男28名(対象166名)女32名(対象32名)23年度 男38名(対象167名)女25名(対象25名)[平均取得日数]22年度 男38日 女169日、23年度 男42日 女216日

【従業員】[人数]1,552名(男800名、女752名)[平均年齢]35.8歳(男37.5歳、女34.0歳)[平均勤続年数]11.3年(男13.0年、女9.5年)

【年齢構成】■男 □女

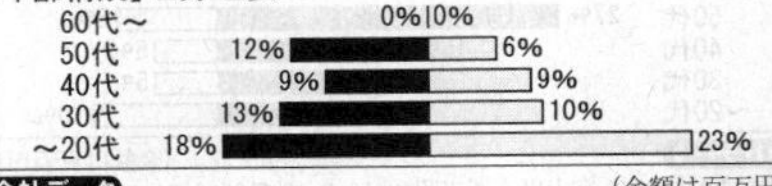

会社データ (金額は百万円)

【本社】721-8555 広島県福山市東深津町4-20-1 ☎084-924-2000
https://corp.fukutsu.co.jp/

【業績(連結)】	売上高	営業利益	経常利益	純利益
22.3	291,266	22,091	23,196	16,763
23.3	293,358	21,375	22,985	20,791
24.3	287,563	10,448	12,973	7,834

1742 開示 ★★☆☆☆ [短大] [専門] 採用あり

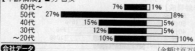

トナミ運輸(株)

【特色】富山地盤の路線トラック大手。3PLを強化中

[記者評価] 複数の荷主の荷物を全国網で運ぶ路線トラックの大手。持株会社トナミHDの傘下。航空・海上含めた国際複合輸送も展開。3PL(物流業務の一括受託)も強化中。先輩ドライバーが若手をケアするメンター制度で人材育成、定着図る。小・中規模のM&Aにも積極的。

平均勤続年数	男性育休取得率	3年後離職率	平均年収(平均44歳)
17.3年	13.2 → 13.2%	31.8 → 34.8%	NA

●採用・配属情報●

【男女・文理別採用実績】

	大卒男	大卒女	修士男	修士女
23年	14(文 14 理 0)	9(文 9 理 0)	0(文 0 理 0)	0(文 0 理 0)
24年	18(文 18 理 0)	3(文 3 理 0)	0(文 0 理 0)	0(文 0 理 0)
25年	-(文 - 理 -)	-(文 - 理 -)	-(文 - 理 -)	-(文 - 理 -)

※25年:継続中

【男女・職種別採用実績】 転換制度:⇔

	総合職	ドライバー	整備職
23年	32(男 18 女 14)	1(男 1 女 0)	0(男 0 女 0)
24年	27(男 18 女 9)	1(男 1 女 0)	0(男 0 女 0)
25年	-(男 - 女 -)	-(男 - 女 -)	-(男 - 女 -)

【24年4月入社者の配属勤務地】[総]東京8 埼玉7 富山1 石川1 愛知3 大阪7

【転勤】あり:[職種]総合職[勤務地]会社の定める全国の事業所

【中途比率】[単年度]21年度75%、22年度NA、23年度NA[全体]NA

●働きやすさ、諸制度●

残業(月) NA

【勤務時間】8:30〜17:30【有休取得年平均】NA【週休】2日(日祝、他に月3〜4回休日を取得)【夏期休暇】連続3日【年末年始休暇】12月30日〜1月4日

【離職率】男:5.0%、39名 女:7.2%、24名

【新卒3年後離職率】
[20→23年]31.8%(男42.9%・入社14名、女26.7%・入社30名)
[21→24年]34.8%(男41.2%・入社34名、女16.7%・入社12名)

【テレワーク】制度なし【勤務制度】なし【住宅補助】借上独身寮 借上社宅 住宅手当(勤務エリアによる)

●ライフイベント、女性活躍●

【女性比率】■男 □女

従業員 29.4% (309名)

管理職 5% (19名)

【産休】[期間]産前6・産後8週間[給与]法定[取得者数]11名

【育休】[期間]1歳になるまで[給与]法定[取得者数]22年度 男9名(対象68名)女9名(対象7名)23年度 男5名(対象38名)女10名(対象10名)[平均取得日数]22年度 男165日 女334日、23年度 男59日 女338日

【従業員】[人数]1,051名(男742名、女309名)[平均年齢]43.7歳(男45.7歳、女39.0歳)[平均勤続年数]17.3年(男20.5年、女9.8年)

【年齢構成】■男 □女

	男	女
60代〜	7%	1%
50代	27%	8%
40代	15%	5%
30代	12%	5%
〜20代	10%	10%

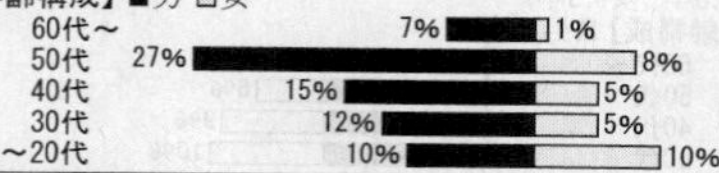

会社データ (金額は百万円)

【本社】933-8566 富山県高岡市昭和町3-2-12 ☎0766-21-1073
http://www.tonami.co.jp

【業績(連結)】	売上高	営業利益	経常利益	純利益
22.3	135,361	7,369	7,906	5,110
23.3	141,920	7,381	8,189	5,391
24.3	142,072	5,774	6,795	4,061

※業績はトナミホールディングス(株)のもの

2857 開示 ★★★★☆

ロジスティード(株)

[えるぼし ★★] [くるみん]

【特色】3PL(企業物流の一括請負)首位。海外展開加速

[記者評価] 旧日立物流。日立製作所の工場構内物流会社として創業。現在は3PL、重量機工輸送・移転、フォワーディングが主柱。自動車物流にも強い。国内334、海外471カ所に拠点(24年3月)。22年12月HTSK(現ロジスティードグループ)によるTOB成立、23年4月から現社名。

平均勤続年数	男性育休取得率	3年後離職率	平均年収(平均43歳)
19.4年	52.5 → 59.0%	24.0 → 9.4%	[総]826万円

●採用・配属情報●

【男女・文理別採用実績】

	大卒男	大卒女	修士男	修士女
23年	26(文 19 理 7)	8(文 7 理 1)	2(文 0 理 2)	1(文 1 理 0)
24年	25(文 20 理 5)	7(文 6 理 1)	3(文 2 理 1)	0(文 0 理 0)
25年	32(文 27 理 5)	14(文 12 理 2)	2(文 0 理 2)	1(文 0 理 1)

※25年:継続中

【男女・職種別採用実績】

	総合職
23年	37(男 28 女 9)
24年	35(男 28 女 7)
25年	49(男 34 女 15)

【24年4月入社者の配属勤務地】[総](23年)東京(中央25 台東4)大阪市4 福岡市1 他3

【転勤】あり:全社員

【中途比率】[単年度]21年度35%、22年度37%、23年度35%[全体]18%

●働きやすさ、諸制度●

残業(月) 27.5時間 [総]27.5時間

【勤務時間】9:00〜17:30【有休取得年平均】16.7日【週休】完全2日(土日祝)【夏期休暇】有休で取得(別時期に会社休日設定あり)【年末年始休暇】事業所により異なる

【離職率】男:3.4%、46名 女:6.7%、21名(他にグループ会社への転属者)

【新卒3年後離職率】
[20→23年]24.0%(男26.7%・入社15名、女20.0%・入社10名)
[21→24年]9.4%(男0%・入社16名、女18.8%・入社16名)

【テレワーク】制度あり:[場所]自宅 他[対象]原則勤続2年以上の従業員[日数]制限なし[利用率]22.6%【勤務制度】フレックス【住宅補助】住宅手当 独身寮 借上社宅

●ライフイベント、女性活躍●

【女性比率】■男 □女

新卒採用 30.6% (15名)

従業員 18.3% (292名)

管理職 7.3% (51名)

【産休】[期間]産前8・産後8週間[給与]法定[取得者数]12名

【育休】[期間]小学1年修了時の3月31日までの3年間[給与]法定[取得者数]22年度 男21名(対象40名)女9名(対象9名)23年度 男23名(対象39名)女13名(対象13名)[平均取得日数]22年度 男12日 女398日、23年度 男63日 女478日

【従業員】[人数]1,600名(男1,308名、女292名)[平均年齢]42.6歳(男43.3歳、女39.4歳)[平均勤続年数]19.4年(男20.4年、女15.0年)

【年齢構成】■男 □女

	男	女
60代〜	0%	0%
50代	22%	4%
40代	35%	5%
30代	18%	6%
〜20代	7%	4%

会社データ (金額は百万円)

【本社】104-8350 東京都中央区京橋2-9-2 ☎03-6263-2800
https://www.logisteed.com/jp/

【業績(IFRS)】	売上高	営業利益	税前利益	純利益
22.3	743,612	30,738	24,631	13,513
23.3	814,310	44,136	39,968	25,516
24.3	800,243	20,838	8,797	58,251

センコー(株)

【特色】3PL(物流一括受託)大手。M&Aで多角化

記者評価 前身は1916年発足の富田商会。3PL(物流一括受託)大手で物流中心だが、グループでは商事・貿易事業や会員制卸販売、保育園運営、フィットネスクラブ、警備会社、人材派遣、ホテル事業など多角化している。22年に中央化学を買収し、さらに事業領域を拡大。

平均勤続年数	男性育休取得率	3年後離職率	平均年収(平均*39歳)
13.0年	9.1→16.7%	20.7→27.1%	(総)610万円

●採用・配属情報●

【男女・文理別採用実績】

	大卒男	大卒女	修士男	修士女
23年	76(文 72 理 4)	39(文 39 理 0)	1(文 0 理 1)	0(文 0 理 0)
24年	77(文 74 理 3)	31(文 30 理 1)	0(文 0 理 0)	0(文 0 理 0)
25年	−(文 − 理 −)	−(文 − 理 −)	−(文 − 理 −)	−(文 − 理 −)

※25年:継続中

【男女・職種別採用実績】 転換制度:⇔

	総合職(全国勤務型)	総合職(エリア型)	ドライバー職	オペレーター職
23年	84(男 63 女 21)	29(男 12 女 17)	1(男 0 女 1)	2(男 2 女 0)
24年	82(男 58 女 24)	29(男 19 女 10)	0(男 0 女 0)	1(男 1 女 0)
25年	−(男 − 女 −)	−(男 − 女 −)	−(男 − 女 −)	−(男 − 女 −)

【24年4月入社者の配属勤務地】(総)埼玉22 千葉15 大阪12 愛知9 茨城9 東京7 神奈川6 兵庫6 滋賀5 福岡5 静岡4 三重2 宮城2 岐阜2 佐賀2 石川1 富山1 大分1 (技)三重1

【転勤】あり:[職種]総合職(全国勤務コースに社員に限る)

【中途比率】[単年度]21年度56%、22年度65%、23年度61%[全体]NA

●働きやすさ、諸制度●

残業(月) 26.6時間 (総)26.6時間

【勤務時間】9:00〜18:15【有休取得年平均】11.8日【週休】2日【夏期休暇】2日【年末年始休暇】事業所により異なる

【離職率】男:4.2%、58名 女:6.5%、49名

【新卒3年後離職率】
[20→23年]20.7%(男15.0%・入社60名、女26.8%・入社56名)
[21→24年]27.1%(男28.1%・入社89名、女25.5%・入社55名)

【テレワーク】制度あり:[場所]自宅 サテライトオフィス[対象]総合職[日数]制限なし[利用率]NA【勤務制度】フレックス 時差勤務【住宅補助】集合寮 社宅 借上寮 住宅手当

●ライフイベント、女性活躍●

【女性比率】■男 □女

従業員 35.2% (710名)

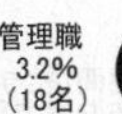

管理職 3.2% (18名)

【産休】[期間]産前6・産後8週間[給与]法定[取得者数]28名

【育休】[期間]3歳到達後の最初の月の15日まで[給与]法定[取得者数]22年度 男7名(対象77名)女28名(対象28名)23年度 男13名(対象78名)女28名(対象28名)[平均取得日数]22年度 NA、23年度 男85日 女398日

【従業員】[人数]2,019名(男1,309名、女710名)[平均年齢]39.3歳(男40.8歳、女36.5歳)[平均勤続年数]13.0年(男15.1年、女9.0年)

【年齢構成】■男 □女

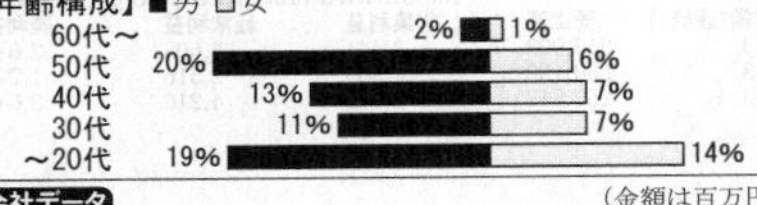

会社データ (金額は百万円)

【本社】531-6115 大阪府大阪市北区大淀中1-1-30 ☎06-6440-5155
https://www.senko.co.jp/

【業績(連結)】	売上高	営業利益	経常利益	純利益
22.3	623,139	24,771	26,103	15,233
23.3	696,288	25,535	26,151	15,341
24.3	778,370	29,906	30,503	15,944

※業績はセンコーグループホールディングス(株)のもの

山九(株)（さんきゅう）

【特色】物流事業と機工事業の二本柱。海外展開強化中

記者評価 山陽、北九州の港湾運送が原点。港湾での荷役や3PL(物流の一括受託)、工場構内の物流などを含む物流事業、高炉の改修や設備の据え付け、プラント建設などの設備工事、化学プラントのメンテナンスなど機工事業を両軸で展開。24年4月から奨学金支援制度を開始。

平均勤続年数	男性育休取得率	3年後離職率	平均年収(平均40歳)
14.6年	9.5→28.0%	18.7→25.0%	(総)822万円

●採用・配属情報●

【男女・文理別採用実績】

	大卒男	大卒女	修士男	修士女
23年	81(文 31 理 50)	16(文 15 理 1)	15(文 1 理 14)	2(文 2 理 0)
24年	64(文 39 理 25)	28(文 27 理 1)	1(文 0 理 1)	2(文 1 理 1)
25年	88(文 40 理 48)	18(文 17 理 1)	9(文 1 理 8)	2(文 1 理 1)

【男女・職種別採用実績】 転換制度:⇔

	総合職
23年	117(男 99 女 18)
24年	98(男 67 女 31)
25年	120(男 99 女 21)

【24年4月入社者の配属勤務地】(総)茨城2 千葉10 埼玉2 東京6 神奈川7 愛知3 三重1 大阪7 兵庫5 岡山4 広島1 山口9 福岡10 大分1 (技)福岡30

【転勤】あり:[職種]総合職

【中途比率】[単年度]21年度5%、22年度3%、23年度9%(本社採用の総合職のみ)[全体]32%

●働きやすさ、諸制度●

残業(月) 23.9時間 (総)29.0時間

【勤務時間】8:30〜17:30【有休取得年平均】15.0日【週休】2日【夏期休暇】有休で取得【年末年始休暇】連続5日(計画年休と併用し連続休暇とすることも可)

【離職率】男:2.0%、82名 女:2.8%、23名

【新卒3年後離職率】
[20→23年]18.7%(男18.7%・入社107名、女18.8%・入社16名)
[21→24年]25.0%(男20.7%・入社116名、女45.8%・入社24名)

【テレワーク】制度あり:[場所]自宅 サテライトオフィス[対象]希望し会社が認めた者 勤続1年以上の者 執務・セキュリティ等の環境が適正と認められる者[日数]週2日[利用率]NA【勤務制度】フレックス 時間単位有休 時差勤務 勤務間インターバル【住宅補助】寮 社宅制度 住宅補助費(家賃補助費、自宅維持費、自宅取得支援金)他

●ライフイベント、女性活躍●

【女性比率】■男 □女

新卒採用 17.5% (21名)

従業員 17.1% (812名)

管理職 1.8% (23名)

【産休】[期間]産前6・産後8週間[給与]会社全額給付[取得者数]24名

【育休】[期間]1歳になるまで[給与]法定[取得者数]22年度 男33名(対象348名)女37名(対象40名)23年度 男80名(対象286名)女24名(対象24名)[平均取得日数]22年度 男33日 女94日、23年度 男42日 女94日

【従業員】[人数]4,735名(男3,923名、女812名)[平均年齢]41.1歳(男41.4歳、女40.0歳)[平均勤続年数]14.6年(男14.8年、女13.3年)【年齢構成】■男 □女

	男	女
60代〜	3%	0%
50代	21%	4%
40代	22%	5%
30代	21%	4%
〜20代	16%	4%

会社データ (金額は百万円)

【本社】104-0054 東京都中央区勝どき6-5-23 ☎03-3536-3912
https://www.sankyu.co.jp/

【業績(連結)】	売上高	営業利益	経常利益	純利益
22.3	553,831	34,465	35,432	22,636
23.3	579,226	38,169	39,631	24,959
24.3	563,547	35,216	36,631	24,379

鴻池運輸(株)

こうのいけうんゆ

くるみん

【特色】鉄鋼、食品、空港等の業務請負、物流事業が中心

記者評価 社名に「運輸」と付くが、鉄鋼、食品、医療、空港など幅広い顧客向けの業務請負が主力。空港では飛行機の誘導、ゲートの案内、カウンターなど、さまざまな業務をこなす。鉄鋼では保管・出荷管理、設備点検、重機作業、清掃まで幅広い工程でサービスを提供。

平均勤続年数	男性育休取得率	3年後離職率	平均年収(平均43歳)
15.9年	36.1→9.8%	NA	総839万円

●採用・配属情報●

【男女・文理別採用実績】

	大卒男	大卒女	修士男	修士女
23年	25(文 20 理 5)	5(文 5 理 0)	1(文 0 理 1)	0(文 0 理 0)
24年	30(文 25 理 5)	16(文 15 理 1)	1(文 1 理 0)	0(文 0 理 0)
25年	34(文 33 理 1)	14(文 14 理 0)	0(文 0 理 0)	1(文 1 理 0)

※25年:予定数

【男女・職種別採用実績】 転換制度:⇔

	総合職
23年	31(男 26 女 5)
24年	47(男 31 女 16)
25年	49(男 34 女 15)

【24年4月入社者の配属勤務地】総関東23 近畿19 中部4 九州1

【転勤】あり:全社員

【中途比率】[単年度]21年度17%、22年度28%、23年度42%[全体]20%

●働きやすさ、諸制度●

残業(月) 総25.8時間

【勤務時間】8:45～17:45【有休取得年平均】9.5日【週休】完全2日(土日祝)【夏期休暇】連続3日【年末年始休暇】連続5日

【離職率】男:4.9%、44名 女:7.9%、14名(早期退職男6名含む)

【新卒3年後離職率】[20→23年]NA [21→24年]NA

【テレワーク】制度あり:[場所]会社所有の所属事業場以外の会社専用施設 会社が契約(指定)している他会社所有の共用施設[対象]全社員[日数]制限なし[利用率]NA【勤務制度】時差勤務【住宅補助】独身寮 既婚者対象借上社宅 住宅手当

●ライフイベント、女性活躍●

【女性比率】■男 □女

新卒採用 30.6% (15名)

従業員 16.2% (164名)

管理職 3.7% (16名)

【産休】[期間]産前6・産後8週間[給与]法定[取得者数]2名

【育休】[期間]2年間(3歳未満の子を育児する者)[給与]法定[取得者数]22年度 男13名(対象36名)女2名(対象2名)23年度 男4名(対象41名)女1名(対象3名)[平均取得日数]22年度NA、23年度 男62日 女211日

【従業員】[人数]1,013名(男849名、女164名)[平均年齢]41.9歳(男42.2歳、女40.3歳)[平均勤続年数]15.9年(男15.8年、女16.2年)

【年齢構成】■男 □女

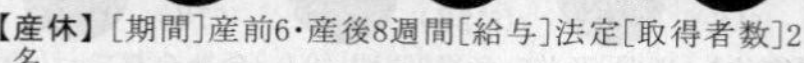

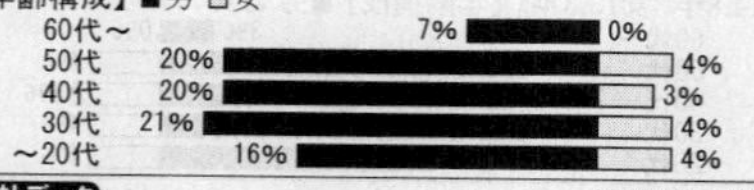

	男	女
60代～	7%	0%
50代	20%	4%
40代	20%	3%
30代	21%	4%
～20代	16%	4%

会社データ (金額は百万円)

【本社】541-0044 大阪府大阪市中央区伏見町4-3-9 HK淀屋橋ガーデンアベニュー ☎0120-19-4583

https://www.konoike.net/

【業績(連結)】	売上高	営業利益	経常利益	純利益
22.3	301,373	10,288	11,845	7,988
23.3	311,840	13,243	14,281	8,301
24.3	315,029	16,634	17,034	11,349

阪神高速道路(株)

はんしんこうそくどうろ

くるみん

【特色】関西都市圏での高速道路の新設・維持管理を担う

記者評価 2005年に阪神高速道路公団の民営化により設立。関西都市圏で高速道路の新設、改築、維持、修繕などを手がける。営業路線258.1km、建設中路線28.9km。財務大臣が50%株主で、大阪府、大阪市など近隣自治体も出資。子会社でパーキングエリアを運営。

平均勤続年数	男性育休取得率	3年後離職率	平均年収(平均42歳)
15.6年	NA	NA	総780万円

●採用・配属情報●

【男女・文理別採用実績】

	大卒男	大卒女	修士男	修士女
23年	5(文 5 理 0)	9(文 5 理 4)	14(文 0 理 14)	2(文 0 理 2)
24年	9(文 6 理 3)	7(文 5 理 2)	8(文 1 理 7)	2(文 0 理 2)
25年	8(文 5 理 3)	7(文 7 理 0)	9(文 0 理 9)	2(文 0 理 2)

【男女・職種別採用実績】 転換制度:NA

	総合職
23年	31(男 20 女 11)
24年	26(男 17 女 9)
25年	26(男 17 女 9)

【24年4月入社者の配属勤務地】総大阪市 神戸市 技大阪市 神戸市

【転勤】あり:[職種]総合職[勤務地]大阪 神戸 東京 横浜 他

【中途比率】[単年度]21年度9%、22年度16%、23年度21%[全体]NA

●働きやすさ、諸制度●

残業(月) 24.5時間 総24.5時間

【勤務時間】9:00～17:30【有休取得年平均】17.0日【週休】完全2日(土日祝)【夏期休暇】7日【年末年始休暇】12月29日～1月3日

【離職率】NA

【新卒3年後離職率】
[20→23年]NA
[21→24年]NA

【テレワーク】制度あり:[場所]NA[対象]NA[日数]月4日まで[利用率]NA【勤務制度】時間単位有休 時差勤務【住宅補助】世帯用宿舎 独身寮 住宅支援金

●ライフイベント、女性活躍●

【女性比率】■男 □女

新卒採用 34.6% (9名)

【産休】[期間]産前6・産後8週間[給与]NA[取得者数]NA

【育休】[期間]満3歳に達する日まで[給与]NA[取得者数]22年度NA 23年度NA[平均取得日数]22年度NA、23年度NA

【従業員】[人数]739名(男NA、女NA)[平均年齢]42.4歳(男NA、女NA)[平均勤続年数]15.6年(男NA、女NA)

【年齢構成】NA

会社データ (金額は百万円)

【本社】530-0005 大阪府大阪市北区中之島3-2-4 中之島フェスティバルタワー・ウエスト ☎06-6203-8888

https://www.hanshin-exp.co.jp/company/

【業績(連結)】	売上高	営業利益	経常利益	純利益
22.3	217,908	3,441	3,603	2,612
23.3	250,190	2,386	2,516	1,772
24.3	252,812	4,071	4,216	2,541

2692 開示 ★★★ [短大] [専門] 採用あり

にほんこんぽううんゆそうこ

日本梱包運輸倉庫㈱

【特色】完成車輸送トップの物流企業。主要顧客はホンダ

[記者評価] ニッコンHD傘下。ホンダの完成車や部品の倉庫保管、梱包、内外輸送が主力。自動車のテスト事業では耐久テストや部品の設計、シミュレーターのテストなども行う。女性管理職の拡大、フォークリフト免許の保有など、女性の採用、登用にも積極的。

平均勤続年数	男性育休取得率	3年後離職率	平均年収(平均41歳)
15.9年	19.4→11.1%	40.0→54.8%	[総]649万円

●採用・配属情報●

【男女・文理別採用実績】

	大卒男	大卒女	修士男	修士女
23年	5(文 5 理 0)	11(文 11 理 0)	0(文 0 理 0)	0(文 0 理 0)
24年	4(文 4 理 0)	3(文 3 理 0)	0(文 0 理 0)	0(文 0 理 0)
25年	10(文 10 理 0)	10(文 10 理 0)	0(文 0 理 0)	0(文 0 理 0)

【男女・職種別採用実績】 転換制度:⇔

	総合職	技能職
23年	16(男 5 女 11)	11(男 6 女 5)
24年	7(男 4 女 3)	10(男 5 女 5)
25年	20(男 10 女 10)	2(男 1 女 1)

【24年4月入社者の配属勤務地】[総]埼玉1 千葉1 神奈川1 愛知1 三重1 兵庫1 大阪1

【転勤】あり:[職種]総合職(エリア限定勤務も選択可)

【中途比率】[単年度]21年度72%、22年度75%、23年度78%[全体]NA

●働きやすさ、諸制度●

残業(月) 26.0時間

【勤務時間】8:15～17:30【有休取得年平均】11.5日【週休】2日【夏期休暇】約5日【年末年始休暇】約6日

【離職率】男:3.9%、116名 女:7.7%、69名

【新卒3年後離職率】

[20→23年]40.0%(男37.9%・入社29名、女50.0%・入社6名)

[21→24年]54.8%(男57.1%・入社21名、女50.0%・入社10名)

【テレワーク】制度なし【勤務制度】なし【住宅補助】単身用社宅(埼玉・三重)家族用住宅1(埼玉)借上住宅(社内規定による)

●ライフイベント、女性活躍●

【女性比率】■男 □女

新卒採用 50% (11名)

従業員 22.6% (825名)

【産休】[期間]産前6・産後8週間[給与]法定[取得者数]41名

【育休】[期間]1歳になるまで[給与]法定[取得者数]22年度 男7名(対象36名)女35名(対象35名)23年度 男4名(対象36名)女37名(対象37名)[平均取得日数]22年度 NA、23年度 NA

【従業員】[人数]3,646名(男2,821名、女825名)[平均年齢]42.3歳(男43.5歳、女34.4歳)[平均勤続年数]15.9年(男16.9年、女9.3年)

【年齢構成】■男 □女

	男	女
60代～	5%	1%
50代	25%	3%
40代	23%	5%
30代	12%	4%
～20代	12%	10%

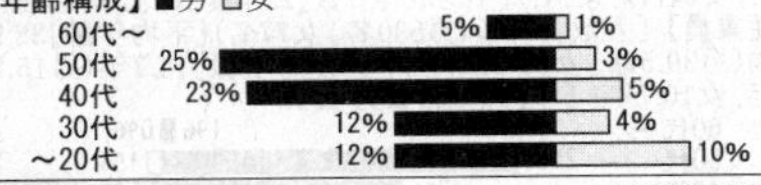

[会社データ] (金額は百万円)

【本社】104-0044 東京都中央区明石町6-17 ☎03-3541-5331 https://www.nikkon.co.jp/

【業績(連結)】	売上高	営業利益	経常利益	純利益
22.3	198,159	19,512	21,584	14,741
23.3	212,071	19,580	22,108	15,913
24.3	222,324	21,235	23,875	16,608

※業績はニッコンホールディングス㈱のもの

1029 開示 ★★★★ [短大] 採用あり

りゅうつう

㈱キユーソー流通システム

【特色】キユーピーの物流部門が独立。食品物流最大手

[記者評価] 冷凍、チルド食品の配送に強み。キユーピー系だが同社への依存度は1割未満。4温度帯対応を武器に、共同物流とスーパー・コンビニ、外食向け専用物流を展開。医薬品・食品輸送で三菱倉庫と業務提携。三菱食品との合弁会社での首都圏低温物流が24年4月始動。

平均勤続年数	男性育休取得率	3年後離職率	平均年収(平均44歳)
15.6年	30.0→57.1%	36.8→26.3%	[総]705万円

●採用・配属情報●

【男女・文理別採用実績】

	大卒男	大卒女	修士男	修士女
23年	5(文 3 理 2)	11(文 11 理 0)	0(文 0 理 0)	0(文 0 理 0)
24年	3(文 3 理 0)	12(文 12 理 0)	0(文 0 理 0)	0(文 0 理 0)
25年	2(文 2 理 0)	16(文 16 理 0)	0(文 0 理 0)	0(文 0 理 0)

【男女・職種別採用実績】 転換制度:⇔

	総合職	地域職
23年	4(男 3 女 1)	13(男 2 女 11)
24年	3(男 2 女 1)	13(男 1 女 12)
25年	0(男 0 女 0)	18(男 2 女 16)

【24年4月入社者の配属勤務地】[総]東京・府中1 仙台1 神戸1

【転勤】あり:[職種]総合職

【中途比率】[単年度]21年度7%、22年度39%、23年度60%[全体]36%

●働きやすさ、諸制度●

残業(月) 18.9時間 [総]26.1時間

【勤務時間】8:30～17:30【有休取得年平均】11.3日【週休】2日【夏期休暇】有休で取得【年末年始休暇】有休で取得

【離職率】男:2.2%、9名 女:8.8%、28名

【新卒3年後離職率】

[20→23年]36.8%(男75.0%・入社4名、女32.4%・入社34名)

[21→24年]26.3%(男33.3%・入社9名、女24.1%・入社29名)

【テレワーク】制度なし【勤務制度】時間単位有休【住宅補助】独身借上社宅(入社5年まで)または住宅手当

●ライフイベント、女性活躍●

【女性比率】■男 □女

新卒採用 88.9% (16名)

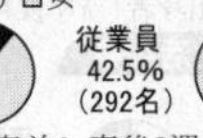

従業員 42.5% (292名)

管理職 15.1% (47名)

【産休】[期間]産前6・産後8週間[給与]法定[取得者数]14名

【育休】[期間]1歳になるまで[給与]法定[取得者数]22年度 男3名(対象10名)女11名(対象11名)23年度 男8名(対象14名)女14名(対象14名)[平均取得日数]22年度 男104日 女403日、23年度 男19日 女376日

【従業員】[人数]687名(男395名、女292名)[平均年齢]39.9歳(男43.9歳、女34.4歳)[平均勤続年数]15.6年(男19.6年、女10.2年)

【年齢構成】■男 □女

	男	女
60代～	0%	0%
50代	17%	4%
40代	22%	7%
30代	11%	12%
～20代	7%	19%

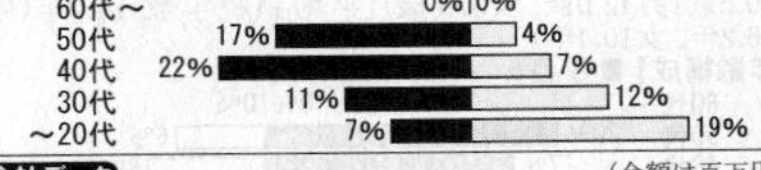

[会社データ] (金額は百万円)

【本社】182-0021 東京都調布市調布ケ丘3-50-1 ☎042-441-0711 https://www.krs.co.jp/

【業績(連結)】	売上高	営業利益	経常利益	純利益
21.11	175,967	3,638	3,306	1,561
22.11	179,649	3,695	3,259	1,458
23.11	184,617	4,030	3,470	▲1,334

1763 開示 ★★★★ [短大] [専門] 採用あり

㈱日新（にっしん）

[えるぼし ★★★] [くるみん]

【特色】国際物流大手。世界5極経営。旅行業も併営

[記者評価] 独立系の大手総合物流会社。日・米・中・亜・欧の5極経営、24カ国・地域に拠点網。自動車や電機が主顧客。自動車、化学品・危険品や食品分野を強化。栃木の自動車倉庫は24年11月稼働、北海道と神戸に化学品・危険品倉庫を整備へ。DXを加速・強化。

平均勤続年数	男性育休取得率	3年後離職率	平均年収(平均40歳)
14.2年	65.2 → 83.9%	13.0 → 11.3%	[総] 705万円

●採用・配属情報●

【男女・文理別採用実績】

	大卒男	大卒女	修士男	修士女
23年	29(文 29 理 0)	30(文 30 理 0)	0(文 0 理 0)	0(文 0 理 0)
24年	29(文 29 理 0)	22(文 22 理 0)	2(文 2 理 0)	1(文 1 理 0)
25年	34(文 34 理 0)	28(文 28 理 0)	2(文 2 理 0)	0(文 0 理 0)

【男女・職種別採用実績】 転換制度:⇒

	総合職	地域限定職
23年	63(男 33 女 30)	1(男 0 女 1)
24年	56(男 33 女 23)	0(男 0 女 0)
25年	65(男 37 女 28)	0(男 0 女 0)

【24年4月入社者の配属勤務地】[総]東京31 大阪8 神奈川8 兵庫4 千葉3 栃木1 埼玉1

【転勤】あり:［職種］総合職［勤務地］東京 大阪 他 海外(北米 欧州 アジア 中国)

【中途比率】［単年度］21年度11%、22年度23%、23年度31%［全体］32%

●働きやすさ、諸制度●

残業(月) 23.6時間 [総]24.3時間

【勤務時間】9:00〜17:45【有休取得年平均】11.6日【週休】完全2日(土日祝)【夏期休暇】4日【年末年始休暇】12月30日〜1月4日(冬期休暇1日別途付与)

【離職率】男:2.9%、28名 女:3.5%、18名

【新卒3年後離職率】

［20→23年］13.0%(男20.0%・入社40名、女3.4%・入社29名)

［21→24年］11.3%(男5.3%・入社38名、女18.2%・入社33名)

【テレワーク】制度あり:［場所］自宅 サテライトオフィス 帰省先 観光先(国内に限る)［対象］制限なし［日数］月4回の出社日以外［利用率］4.6%【勤務制度】フレックス 時差勤務【住宅補助】遠隔地転勤者、地方出身者(新卒採用時のみ)

●ライフイベント、女性活躍●

【女性比率】■男 □女

新卒採用 43.1% (28名) 
従業員 34.6% (501名) 
管理職 10% (41名) 

【産休】［期間］産前6・産後8週間［給与］会社給与全額支給［取得者数］24名

【育休】［期間］延長は二歳到達月の末日まで［給与］法定［取得者数］22年度 男15名(対象23名)女14名(対象14名)23年度 男26名(対象31名)女23名(対象23名)［平均取得日数］22年度 男27日 女451日、23年度 男20日 女NA

【従業員】［人数］1,446名(男945名、女501名)［平均年齢］40.5歳(男42.0歳、女37.6歳)［平均勤続年数］14.2年(男16.2年、女10.4年)

【年齢構成】■男 □女

	男	女
60代〜	0%	0%
50代	20%	6%
40代	17%	8%
30代	15%	9%
〜20代	14%	12%

会社データ (金額は百万円)

【本社】102-8350 東京都千代田区麹町1-6-4 ☎03-3238-6624
https://www.nissin-tw.com/

【業績(連結)】	売上高	営業利益	経常利益	純利益
22.3	192,699	9,098	9,859	6,365
23.3	194,165	12,643	13,634	10,528
24.3	169,934	8,073	9,463	8,649

1010 開示 ★★★ [短大] 採用あり

丸全昭和運輸㈱（まるぜんしょうわうんゆ）

【特色】京浜発祥の物流企業。企業物流一括請負が得意

[記者評価] 1931年京浜工業地帯で発祥した独立系総合物流企業。各種倉庫を活用した3PL(物流の一括受託)から陸、海、空の複合一貫輸送サービスも行う。ニデックは2015年に物流子会社を譲受した関係で大口顧客の一社。独自の物流デジタルプラットフォーム構築を推進中。

平均勤続年数	男性育休取得率	3年後離職率	平均年収(平均39歳)
14.7年	5.6 → 69.6%	17.1 → 22.9%	[総] 695万円

●採用・配属情報●

【男女・文理別採用実績】

	大卒男	大卒女	修士男	修士女
23年	43(文 39 理 4)	10(文 9 理 1)	0(文 0 理 0)	0(文 0 理 0)
24年	42(文 39 理 3)	8(文 8 理 0)	1(文 1 理 0)	0(文 0 理 0)
25年	26(文 24 理 2)	15(文 15 理 0)	0(文 0 理 0)	0(文 0 理 0)

【男女・職種別採用実績】

	総合職
23年	54(男 44 女 10)
24年	52(男 44 女 8)
25年	41(男 26 女 15)

【24年4月入社者の配属勤務地】[総]神奈川(横浜12 川崎3 相模原1 平塚1 藤沢1)東京(港4 大田2 江東1 足立1)宮城・岩沼1 茨城(神栖5 那珂1)埼玉(熊谷1 北葛飾1)千葉・山武1 長野・上水内1 愛知(小牧2 東海2)大阪(堺5 大阪1 豊中1)兵庫(神戸2 たつの1 加古1)

【転勤】あり:［職種］広域社員

【中途比率】［単年度］21年度7%、22年度12%、23年度6%［全体］18%

●働きやすさ、諸制度●

残業(月) 30.7時間 [総]30.7時間

【勤務時間】8:45〜17:45【有休取得年平均】9.8日【週休】2日(土日)【夏期休暇】5日(有休利用、6〜9月で取得)【年末年始休暇】5日(12月30日〜1月3日)+1日(有休利用、12〜1月で取得)

【離職率】男:6.5%、44名 女:8.3%、7名

【新卒3年後離職率】

［20→23年］17.1%(男16.2%・入社37名、女25.0%・入社4名)

［21→24年］22.9%(男24.1%・入社29名、女16.7%・入社6名)

【テレワーク】制度あり:［場所］自宅［対象］育児等の理由がある社員［日数］NA［利用率］NA【勤務制度】フレックス【住宅補助】社有独身寮 借上寮 住宅手当

●ライフイベント、女性活躍●

【女性比率】■男 □女

新卒採用 36.6% (15名) 
従業員 10.9% (77名) 
管理職 2.1% (5名) 

【産休】［期間］産前6・産後8週間［給与］会社全額給付［取得者数］1名

【育休】［期間］1歳になるまで［給与］法定［取得者数］22年度 男1名(対象18名)女4名(対象4名)23年度 男16名(対象23名)女1名(対象1名)［平均取得日数］22年度 NA、23年度 NA

【従業員】［人数］707名(男630名、女77名)［平均年齢］38.9歳(男39.5歳、女34.2歳)［平均勤続年数］14.7年(男15.2年、女10.7年)【年齢構成】■男 □女

	男	女
60代〜	1%	0%
50代	25%	1%
40代	17%	2%
30代	18%	3%
〜20代	28%	5%

会社データ (金額は百万円)

【本社】231-8419 神奈川県横浜市中区南仲通2-15 ☎045-671-5834
https://www.maruzenshowa.co.jp/

【業績(連結)】	売上高	営業利益	経常利益	純利益
22.3	136,850	11,820	12,567	8,579
23.3	140,861	12,692	13,781	8,931
24.3	140,194	13,204	14,271	9,741

郵船(ゆうせん)ロジスティクス(株)

【特色】日本郵船子会社。航空・海上貨物から総合物流化

記者評価 航空貨物混載大手の旧郵船航空サービスと日本郵船グループの物流事業が統合して現体制に。航空・海上貨物輸送、倉庫・配送事業をグローバルに展開。46の国と地域に650の拠点を置く。24年7月ベルギーで大規模医薬品倉庫が稼働開始、ヘルスケア物流を強化。

平均勤続年数	男性育休取得率	3年後離職率	平均年収(平均42歳)
13.1年	24.3 → 14.6%	6.0 → 6.7%	㊗951万円

●採用・配属情報●

【男女・文理別採用実績】

	大卒男	大卒女	修士男	修士女
23年	35(文 30 理 5)	26(文 26 理 0)	1(文 1 理 0)	1(文 1 理 0)
24年	19(文 18 理 1)	35(文 32 理 3)	0(文 0 理 0)	0(文 0 理 0)
25年	24(文 22 理 2)	38(文 38 理 0)	0(文 0 理 0)	0(文 0 理 0)

【男女・職種別採用実績】

	総合職	一般職
23年	63(男 36 女 27)	0(男 0 女 0)
24年	54(男 19 女 35)	0(男 0 女 0)
25年	62(男 24 女 38)	0(男 0 女 0)

【24年4月入社者の配属勤務地】㊗東京35 成田2 浜松3 名古屋9 大阪4 神戸1

【転勤】あり:[職種]総合職

【中途比率】[単年度]21年度41%、22年度67%、23年度30%[全体]18%

●働きやすさ、諸制度●

残業(月) 19.9時間 ㊗21.7時間

【勤務時間】9:00〜17:30【有休取得年平均】10.6日【週休】2日【夏期休暇】5日(6〜10月で取得)【年末年始休暇】12月29日〜1月3日

【離職率】男:1.4%、16名 女:3.9%、25名(早期退職1名含む)

【新卒3年後離職率】

[20→23年]6.0%(男0%・入社20名、女10.0%・入社30名)

[21→24年]6.7%(男5.6%・入社18名、女8.3%・入社12名)

【テレワーク】制度あり:[場所]自宅等[対象]全社員[日数]NA[利用率]NA【勤務制度】時間単位有休 時差勤務【住宅補助】借上独身寮・社宅

●ライフイベント、女性活躍●

【女性比率】■男 □女

新卒採用 61.3% (38名)

従業員 36.1% (616名)

管理職 17.9% (122名)

【産休】[期間]産前6・産後8週間[給与]法定[取得者数]30名

【育休】[期間]1歳になるまで[給与]法定[取得者数]22年度 男9名(対象37名)女21名(対象21名)23年度 男6名(対象41名)女32名(対象32名)[平均取得日数]22年度 NA、23年度 NA

【従業員】[人数]1,706名(男1,090名、女616名)[平均年齢]40.1歳(男42.0歳、女37.1歳)[平均勤続年数]13.1年(男16.0年、女10.0年)

【年齢構成】■男 □女

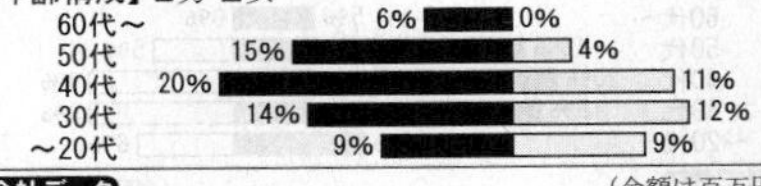

会社データ (金額は百万円)

【本社】140-0002 東京都品川区東品川4-12-4 品川シーサイドパークタワー ☎03-6703-8111 https://www.yusen-logistics.com/

【業績】	営業収益	営業利益	経常利益	純利益
22.3	NA	NA	NA	NA
23.3	846,000	NA	NA	NA
24.3	671,000	NA	NA	NA

(株)近鉄(きんてつ)エクスプレス

【特色】国際航空貨物混載で国内大手。近鉄グループ

記者評価 1970年に近畿日本ツーリストの国際航空貨物部門が分離、国内初の航空貨物専業会社として発足。国際航空・海上貨物輸送に加え、倉庫・物流施設も展開。電子部品や半導体など大手外資との取引が多い。傘下にシンガポール物流大手のAPLロジスティクス。

平均勤続年数	男性育休取得率	3年後離職率	平均年収(平均*39歳)
13.4年	36.4 → 36.7%	8.4 → 12.2%	㊗745万円

●採用・配属情報●

【男女・文理別採用実績】

	大卒男	大卒女	修士男	修士女
23年	13(文 13 理 0)	41(文 41 理 0)	0(文 0 理 0)	0(文 0 理 0)
24年	36(文 35 理 1)	50(文 50 理 0)	0(文 0 理 0)	0(文 0 理 0)
25年	20(文 20 理 0)	34(文 34 理 0)	0(文 0 理 0)	0(文 0 理 0)

【男女・職種別採用実績】 転換制度:⇔

	グローバルスタッフ	リージョナルスタッフ	プロスタッフ
23年	39(男 13 女 26)	0(男 0 女 0)	16(男 0 女 16)
24年	86(男 36 女 50)	0(男 0 女 0)	0(男 0 女 0)
25年	54(男 20 女 34)	0(男 0 女 0)	0(男 0 女 0)

【24年4月入社者の配属勤務地】㊗全国(東京 千葉 名古屋 大阪 京都 兵庫 福岡)

【転勤】あり:全社員※コースにより転勤の範囲が異なる

【中途比率】[単年度]21年度23%、22年度49%、23年度49%[全体]NA

●働きやすさ、諸制度●

残業(月) 15.7時間

【勤務時間】9:00〜18:00【有休取得年平均】16.1日【週休】2日【夏期休暇】プレミアム休暇で取得(最低9日間連続)【年末年始休暇】12月30日〜1月3日

【離職率】NA

【新卒3年後離職率】

[20→23年]8.4%(男3.7%・入社27名、女10.3%・入社68名)

[21→24年]12.2%(男11.1%・入社27名、女13.6%・入社22名)

【テレワーク】制度あり:[場所]自宅 自宅に準ずる場所[対象]全従業員[日数]NA[利用率]NA【勤務制度】時間単位有休 時差勤務【住宅補助】独身者支援手当(賃貸住居に入居する独身の一般層社員)単身赴任者借上社宅

●ライフイベント、女性活躍●

【女性比率】■男 □女

新卒採用 63% (34名)

従業員 42.1% (521名)

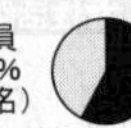

管理職 12.4% (52名)

【産休】[期間]産前6・産後8週間[給与]法定+親和会(社員共済会)3分の1給付[取得者数]21名

【育休】[期間]1歳になるまで[給与]法定[取得者数]22年度 男8名(対象22名)女20名(対象24名)23年度 男11名(対象30名)女22名(対象22名)[平均取得日数]22年度 NA、23年度 NA

【従業員】[人数]1,238名(男717名、女521名)[平均年齢]38.7歳(男42.5歳、女33.6歳)[平均勤続年数]13.4年(男17.0年、女8.5年)

【年齢構成】NA

会社データ (金額は百万円)

【本社】108-6024 東京都港区港南2-15-1 品川インターシティA棟 ☎03-6863-6440 https://www.kwe.co.jp/

【業績(連結)】	売上高	営業利益	経常利益	純利益
22.3	980,441	62,475	64,733	43,417
23.3	1,080,949	44,185	57,078	42,211
24.3	733,823	18,068	21,497	9,443

2689 開示 ★★

関西エアポート(株)

かんさい

【特色】関西3空港を一体運営。オリックスなどが出資

記者評価 新関西国際空港からコンセッション方式で関西国際空港と大阪国際空港の44年間の空港運営権を獲得し、16年4月に事業開始。オリックスと仏ヴァンシ社を核に、関西有力企業など30社も出資。神戸空港も神戸市から運営権継承し、子会社で運営。

平均勤続年数	男性育休取得率	3年後離職率	平均年収(平均42歳)
NA	57.6 → 47.2%	NA	NA

●採用・配属情報●

【男女・文理別採用実績】

	大卒男	大卒女	修士男	修士女
23年	1(文 1理 0)	2(文 1理 1)	4(文 0理 4)	1(文 0理 1)
24年	5(文 4理 1)	5(文 4理 1)	2(文 0理 2)	0(文 0理 0)
25年	6(文 6理 0)	9(文 6理 3)	4(文 0理 4)	0(文 0理 0)

【男女・職種別採用実績】 転換制度:NA

	総合職
23年	8(男 5 女 3)
24年	12(男 7 女 5)
25年	19(男 10 女 9)

【24年4月入社者の配属勤務地】㊗大阪・泉佐野8 ㊕大阪・泉佐野4

【転勤】あり:全社員

【中途比率】[単年度]21年度78%、22年度65%、23年度58%[全体]26%

●働きやすさ、諸制度●

残業(月) 16.2時間 ㊗16.2時間

【勤務時間】フレックスタイム制(1日7時間40分、コアタイムなし、一部交替勤務の部署あり)【有休取得年平均】14.9日【週休】完全2日(土日祝)【夏期休暇】なし【年末年始休暇】12月29日～1月3日

【離職率】NA

【新卒3年後離職率】
[20→23年]NA
[21→24年]NA

【テレワーク】制度あり:[場所]自宅 サテライトオフィス[対象]NA[日数]制限なし[利用率]NA【勤務制度】フレックス 時間単位有休 時差勤務 副業容認【住宅補助】社宅 住宅手当(支給制限あり)

●ライフイベント、女性活躍●

【女性比率】■男 □女

新卒採用 47.4% (9名)

従業員 30.1% (169名)

【産休】[期間]産前6・産後8週間[給与]会社全額給付[取得者数]9名

【育休】[期間]2歳になるまで[給与]法定[取得者数]22年度 男19名(対象33名)女13名(対象13名)23年度 男25名(対象53名)女22名(対象22名)[平均取得日数]22年度 NA、23年度 男77日 女350日

【従業員】[人数]561名(男392名、女169名)[平均年齢]42.4歳(男43.7歳、女39.1歳)[平均勤続年数]NA

【年齢構成】■男 □女

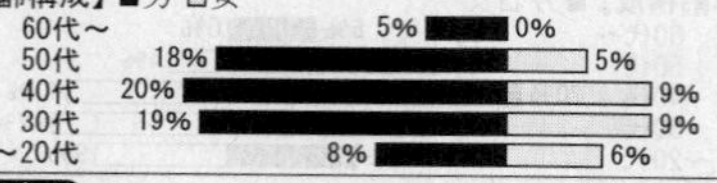

会社データ (金額は百万円)

【本社】549-0001 大阪府泉佐野市泉州空港北1 ☎072-455-2103
http://www.kansai-airports.co.jp/

【業績(連結)】	営業収益	営業利益	経常利益	純利益
22.3	66,368	▲33,242	▲42,632	▲30,235
23.3	99,875	▲14,777	▲25,635	▲18,996
24.3	186,832	33,978	23,238	15,466

2101 開示 ★★★ 専門 採用あり

(株)阪急阪神エクスプレス

はんきゅうはんしん

【特色】阪急阪神HD傘下。国際輸送が主力。世界5極体制

記者評価 阪急阪神HD傘下の中核5社の一角。グループの国際輸送事業を担う。日、米、欧、東アジア、ASEANの世界5極体制で空運・海運・ロジスティクス三位一体の物流サービスを展開。セイノーHDと資本業務提携。南ア、マレーシアで倉庫増設を推進。社員の1割が海外勤務。

平均勤続年数	男性育休取得率	3年後離職率	平均年収(平均43歳)
19.2年	66.7 → 55.6%	5.4 → 31.0%	㊗642万円

●採用・配属情報●

【男女・文理別採用実績】

	大卒男	大卒女	修士男	修士女
23年	15(文 15理 0)	10(文 10理 0)	0(文 0理 0)	0(文 0理 0)
24年	11(文 11理 0)	20(文 20理 0)	0(文 0理 0)	2(文 2理 0)
25年	12(文 12理 0)	14(文 14理 0)	0(文 0理 0)	1(文 1理 0)

※25年:24年8月2日時点

【男女・職種別採用実績】

	総合職
23年	28(男 15 女 13)
24年	34(男 12 女 22)
25年	27(男 12 女 15)

【24年4月入社者の配属勤務地】㊗東京12 千葉7 大阪13 兵庫2

【転勤】あり:[職種]総合職[勤務地]全国及び海外の事業所

【中途比率】[単年度]21年度19%、22年度17%、23年度20%[全体]NA

●働きやすさ、諸制度●

残業(月) ㊗31.0時間

【勤務時間】9:00～17:40【有休取得年平均】11.0日【週休】完全2日(土日祝)【夏期休暇】有休で取得【年末年始休暇】12月30日～1月3日

【離職率】男:5.8%、36名 女:9.4%、30名(早期退職男3名含む)

【新卒3年後離職率】
[20→23年]5.4%(男0%・入社15名、女9.1%・入社22名)
[21→24年]31.0%(男40.0%・入社10名、女26.3%・入社19名)

【テレワーク】制度あり:[場所]自宅 サテライトオフィス 他[対象]全社員[日数]制限なし[利用率]NA【勤務制度】フレックス 時差勤務【住宅補助】独身寮(関東 関西 家賃の2割自己負担8割会社負担)借上社宅(家賃の3割自己負担7割会社負担)

●ライフイベント、女性活躍●

【女性比率】■男 □女

新卒採用 55.6% (15名)

従業員 32.9% (289名)

管理職 3.5% (9名)

【産休】[期間]産前7・産後8週間[給与]健保7割給付[取得者数]7名

【育休】[期間]2年間[給与]法定[取得者数]22年度 男4名(対象6名)女10名(対象10名)23年度 男5名(対象9名)女7名(対象7名)[平均取得日数]22年度 男- 女166日、23年度 男23日 女253日

【従業員】[人数]878名(男589名、女289名)[平均年齢]43.0歳(男46.2歳、女37.2歳)[平均勤続年数]19.2年(男24.4年、女10.7年)【年齢構成】■男 □女

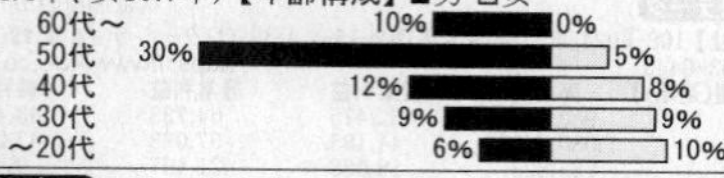

会社データ (金額は百万円)

【本社】530-0001 大阪府大阪市北区梅田2-5-25 ハービスOSAKA内 ☎06-4795-5716
https://www.hh-express.com/jp/

【業績(連結)】	営業収益	営業利益	経常利益	純利益
22.3	143,296	8,000	NA	NA
23.3	163,269	8,381	NA	NA
24.3	100,300	223	NA	NA

サービス

1946 開示 ★★★★☆ [短大] [専門] 採用あり

かみぐみ
(株)上組

【特色】港運首位級。輸出入から通関・荷役まで展開

[記者評価] 1867年に神戸港の開港とともに創業。神戸・東京両港に単独運営のターミナルを有し、国内6大港で港湾輸送シェア首位級。世界各地に物流拠点を置き、国際物流も展開。新エネルギー関連物流を強化。23年度から年功重視を見直した新人事制度を導入。

平均勤続年数	男性育休取得率	3年後離職率	平均年収(平均41歳)
14.3年	15.0→23.5%	16.9→27.3%	[総]792万円

●採用・配属情報●

【男女・文理別採用実績】

	大卒男	大卒女	修士男	修士女
23年	45(文 42理 3)	16(文 16理 0)	0(文 0理 0)	0(文 0理 0)
24年	35(文 34理 1)	31(文 31理 0)	0(文 0理 0)	0(文 0理 0)
25年	40(文 35理 5)	40(文 35理 5)	0(文 0理 0)	0(文 0理 0)

※大卒男に修士男 大卒女に修士女含む

【男女・職種別採用実績】 転換制度:⇔

	総合職	一般職
23年	43(男 37 女 6)	21(男 9 女 12)
24年	41(男 31 女 10)	28(男 5 女 23)
25年	50(男 30 女 20)	40(男 10 女 30)

【24年4月入社者の配属勤務地】[総]兵庫16 東京6 福岡6 愛知5 大阪2 横浜2 他

【転勤】あり:[職種]総合職

【中途比率】[単年度]21年度38%、22年度35%、23年度42%(現業職含む)[全体]18%

●働きやすさ、諸制度●

残業(月) 24.1時間 [総]32.6時間

【勤務時間】9:00～17:00【有休取得年平均】11.7日【週休】2日【夏期休暇】3日【年末年始休暇】連続4日

【離職率】男:3.0%、35名 女:6.6%、37名

【新卒3年後離職率】

[20→23年]16.9%(男9.4%・入社32名、女25.9%・入社27名)

[21→24年]27.3%(男23.1%・入社26名、女31.0%・入社29名)

【テレワーク】制度なし【勤務制度】時差勤務【住宅補助】(総合職)独身寮 社宅 借上社宅(個人負担3割 会社負担7割)住宅手当(条件あり)

●ライフイベント、女性活躍●

【女性比率】■男 □女

新卒採用 55.6% (50名)

従業員 31.5% (523名)

管理職 2% (7名)

【産休】[期間]産前6・産後8週間[給与]法定[取得者数]26名

【育休】[期間]1歳になるまで[給与]法定[取得者数]22年度 男17名(対象113名)女11名(対象11名)23年度 男27名(対象115名)女26名(対象26名)[平均取得日数]22年度 男28日 女379日、23年度 男54日 女476日

【従業員】[人数]1,660名(男1,137名、女523名)[平均年齢]38.3歳(男40.2歳、女34.1歳)[平均勤続年数]14.3年(男16.3年、女10.1年)

【年齢構成】■男 □女

	男	女
60代～	2%	0%
50代	11%	3%
40代	22%	5%
30代	22%	12%
～20代	12%	12%

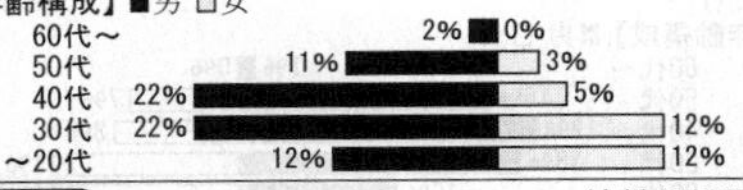

[会社データ] (金額は百万円)

【本社】651-0083 兵庫県神戸市中央区浜辺通4-1-11 ☎078-271-5114 https://www.kamigumi.co.jp/

【業績(連結)】	売上高	営業利益	経常利益	純利益
22.3	261,681	28,524	30,875	20,861
23.3	274,139	31,580	35,064	24,620
24.3	266,785	30,592	34,185	25,035

1026 開示 ★★★☆☆

めいこうかいうん
名港海運(株)

【特色】名古屋港が地盤の港湾運送大手。海外にも倉庫群

[記者評価] 陸海空複合の一貫輸送体制を整備。名古屋港を中心に国内71万m²の倉庫群を保有。自動車、同部品、鋼材などの取り扱いが多い。国際拠点網も充実、海外倉庫群は9万m²。23年6月に高速道路至近の愛知・弥富市に輸送センターを新設、輸送車両を集約し輸送効率化。

平均勤続年数	男性育休取得率	3年後離職率	平均年収(平均40歳)
16.1年	5.6→20.0%	23.5→0%	[総]858万円

●採用・配属情報●

【男女・文理別採用実績】

	大卒男	大卒女	修士男	修士女
23年	15(文 12理 3)	14(文 13理 1)	0(文 0理 0)	0(文 0理 0)
24年	13(文 12理 1)	13(文 13理 0)	0(文 0理 0)	0(文 0理 0)
25年	15(文 14理 1)	11(文 11理 0)	0(文 0理 0)	0(文 0理 0)

【男女・職種別採用実績】

	総合職	一般職
23年	16(男 15 女 1)	13(男 0 女 13)
24年	16(男 13 女 3)	10(男 0 女 10)
25年	26(男 15 女 11)	0(男 0 女 0)

【24年4月入社者の配属勤務地】[総]愛知16

【転勤】あり:[職種]基幹職(うち全国転勤可を選択した者のみ)[勤務地]全国 海外

【中途比率】[単年度]21年度10%、22年度7%、23年度34%[全体]11%

●働きやすさ、諸制度●

残業(月) 18.6時間 [総]24.0時間

【勤務時間】8:00～17:00【有休取得年平均】11.6日【週休】完全2日(土日祝)【夏期休暇】7～9月で4日間【年末年始休暇】12月31日～1月3日

【離職率】男:1.3%、7名 女:3.3%、10名

【新卒3年後離職率】

[20→23年]23.5%(男21.1%・入社19名、女26.7%・入社15名)

[21→24年]0%(男0%・入社15名、女0%・入社4名)

【テレワーク】制度あり:[場所]自宅 自社物流現場[対象]全従業員[日数]制限なし[利用率]5.5%【勤務制度】フレックス 時差勤務【住宅補助】独身寮(自己負担10,000円)社宅(自己負担20,000円)

●ライフイベント、女性活躍●

【女性比率】■男 □女

新卒採用 42.3% (11名)

従業員 35.1% (296名)

管理職 2% (2名)

【産休】[期間]産前6・産後8週間[給与]法定[取得者数]18名

【育休】[期間]1歳になるまで[給与]法定[取得者数]22年度 男1名(対象18名)女6名(対象6名)23年度 男4名(対象20名)女15名(対象15名)[平均取得日数]22年度 男80日 女468日、23年度 男80日 女469日

【従業員】[人数]843名(男547名、女296名)[平均年齢]38.8歳(男40.1歳、女36.6歳)[平均勤続年数]16.1年(男16.9年、女14.7年)

【年齢構成】■男 □女 ※嘱託・参事・参与含む

	男	女
60代～	9%	0%
50代	15%	4%
40代	14%	9%
30代	16%	9%
～20代	13%	10%

[会社データ] (金額は百万円)

【本社】455-8650 愛知県名古屋市港区入船2-4-6 ☎052-661-8140 https://www.meiko-trans.co.jp/

【業績(連結)】	売上高	営業利益	経常利益	純利益
22.3	81,273	6,458	7,095	4,624
23.3	84,101	6,247	6,959	4,641
24.3	77,698	5,265	6,536	4,541

いせわんかいうん
伊勢湾海運(株)

【特色】名古屋港軸の港湾運送大手。海外拠点増強を加速

記者評価 主力の名古屋港が軸の港湾運送に加え、中部空港も活用し陸海空の国際総合物流を展開。貨物は工作機械、鉄鋼など重量物中心に自動車関連も扱う。廃棄物リサイクルも。欧米、中国、アジアに拠点。海外駐在希望の総合職を対象に最長6カ月間の実地研修を実施。

平均勤続年数	男性育休取得率	3年後離職率	平均年収(平均40歳)
◇18.0年	0→14.3%	24.0→14.3%	(総)757万円

●採用・配属情報●

【男女・文理別採用実績】

	大卒男	大卒女	修士男	修士女
23年	22(文 21 理 1)	10(文 10 理 0)	0(文 0 理 0)	0(文 0 理 0)
24年	23(文 23 理 0)	10(文 10 理 0)	0(文 0 理 0)	0(文 0 理 0)
25年	8(文 8 理 0)	4(文 4 理 0)	0(文 0 理 0)	0(文 0 理 0)

【男女・職種別採用実績】 転換制度:⇒

	総合職	一般職
23年	27(男 22 女 5)	5(男 0 女 5)
24年	24(男 23 女 1)	9(男 0 女 9)
25年	10(男 8 女 2)	2(男 0 女 2)

【24年4月入社者の配属勤務地】(総)名古屋23 大阪1
【転勤】あり:[職種]総合職
【中途比率】[単年度]21年度30%、22年度32%、23年度34%[全体]◇6%

●働きやすさ、諸制度●

残業(月) 18.0時間 (総)23.9時間

【勤務時間】本社・支店9:00〜18:00【有休取得年平均】12.6日【週休】完全2日(土日祝)【夏期休暇】なし【年末年始休暇】連続4日+α
【離職率】◇男:2.2%、14名 女:4.3%、6名
【新卒3年後離職率】
[20→23年]24.0%(男11.1%・入社18名、女57.1%・入社7名)
[21→24年]14.3%(男25.0%・入社8名、女0%・入社6名)
【テレワーク】制度なし【勤務制度】時差勤務【住宅補助】名古屋に1棟自社の社宅あり(独身寮26、社宅8世帯)その他の地区は借上14戸(東京、富山、長野、三重)住宅手当(入社2年目以降)

●ライフイベント、女性活躍●

【女性比率】■男 □女

新卒採用 33.3% (4名)
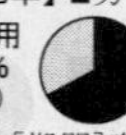
従業員 17.7% (134名)

管理職 0.9% (1名)

【産休】[期間]産前6・産後8週間[給与]法定[取得者数]4名
【育休】[期間]1歳になるまで[給与]法定[取得者数]22年度 男0名(対象7名)女6名(対象6名)23年度 男1名(対象7名)女4名(対象4名)[平均取得日数]22年度 男31日 女300日、23年度 男31日 女300日
【従業員】◇[人数]755名(男621名、女134名)[平均年齢]41.9歳(男NA、女NA)[平均勤続年数]18.0年(男NA、女NA)
【年齢構成】■男 □女

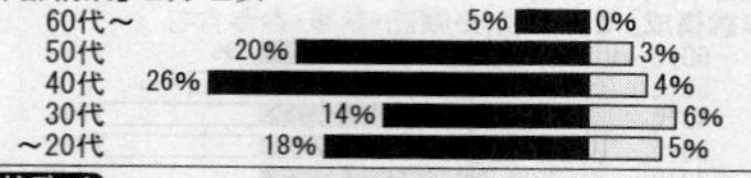

会社データ (金額は百万円)

【本社】455-0032 愛知県名古屋市港区入船1-7-40 ☎052-661-5181 https://www.isewan.co.jp/

【業績(連結)】	売上高	営業利益	経常利益	純利益
22.3	52,074	3,040	3,614	2,232
23.3	69,994	5,855	6,596	4,241
24.3	56,699	3,170	3,981	2,499

みついそうこ
三井倉庫ホールディングス(株)

えるぼし★★★

【特色】倉庫大手。ビル賃貸が利益柱。アジア物流を強化

記者評価 14年に持株会社制へ移行。倉庫・港湾運送、航空貨物・複合一貫輸送、3PLなど事業会社ごとに機能集約。再生医療などヘルスケア、EV含むモビリティ、B2B2C(企業・消費者間取引の仲介)の3分野に注力。HDと5子会社を創業の地・箱崎ビルに25年5月移転・集約へ。

平均勤続年数	男性育休取得率	3年後離職率	平均年収(平均40歳)
13.7年	35.7→70.8%	6.1→8.0%	791万円

●採用・配属情報●

【男女・文理別採用実績】

	大卒男	大卒女	修士男	修士女
23年	17(文 16 理 1)	23(文 22 理 1)	0(文 0 理 0)	1(文 1 理 0)
24年	31(文 27 理 4)	25(文 25 理 0)	3(文 0 理 3)	0(文 0 理 0)
25年	15(文 12 理 3)	21(文 20 理 1)	1(文 0 理 1)	1(文 1 理 0)

【男女・職種別採用実績】 転換制度:⇔

	総合職	IT専門職	地域職
23年	26(男 17 女 9)	1(男 1 女 0)	15(男 0 女 15)
24年	43(男 32 女 11)	2(男 2 女 0)	14(男 0 女 14)
25年	27(男 15 女 12)	1(男 1 女 0)	10(男 0 女 10)

【24年4月入社者の配属勤務地】(総)関東26 中部8 関西11
【転勤】あり:[職種]総合職 IT専門職
【中途比率】[単年度]21年度44%、22年度57%、23年度58%[全体]NA

●働きやすさ、諸制度●

残業(月) 30.4時間

【勤務時間】平日7時間 土曜出勤日3.5時間(フレックスタイム制 コアタイム平日10:00〜15:00)【有休取得年平均】13.9日【週休】2日(祝日週は土曜出勤)【夏期休暇】5日【年末年始休暇】連続6日
【離職率】男:2.5%、16名 女:2.7%、10名
【新卒3年後離職率】
[20→23年]6.1%(男11.1%・入社18名、女0%・入社15名)
[21→24年]8.0%(男7.1%・入社14名、女9.1%・入社11名)
【テレワーク】制度あり:[場所]自宅[対象]全従業員[日数]およそ週3日以内[利用率]NA【勤務制度】フレックス 時間単位有休 時差勤務【住宅補助】社宅(全国事業所所在地)

●ライフイベント、女性活躍●

【女性比率】■男 □女

新卒採用 57.9% (22名)
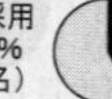

従業員 36.4% (354名)

【産休】[期間]産前6・産後8週間[給与]法定[取得者数]21名
【育休】[期間]1歳になるまで[給与]法定[取得者数]22年度 男15名(対象42名)女12名(対象34名)23年度 男17名(対象24名)女14名(対象14名)[平均取得日数]22年度 NA、23年度 NA
【従業員】[人数]973名(男619名、女354名)[平均年齢]40.2歳(男NA、女NA)[平均勤続年数]13.7年(男NA、女NA)
【年齢構成】■男 □女

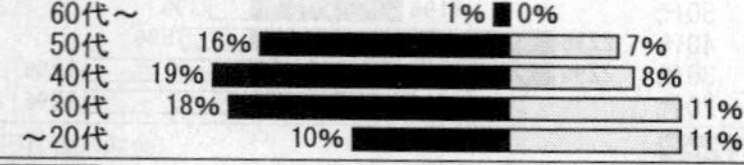

会社データ (金額は百万円)

【本社】105-0003 東京都港区西新橋3-20-1 ☎03-6400-8000 https://www.mitsui-soko.com/

【業績(連結)】	売上高	営業利益	経常利益	純利益
22.3	301,022	25,939	25,553	14,503
23.3	300,836	25,961	26,533	15,617
24.3	260,593	20,754	21,010	12,107

サービス

1021 開示 ★★★☆☆

みつびしそうこ
三菱倉庫(株)

【特色】倉庫大手。収益性高いビル等賃貸と物流の2本柱

[記者評価] 倉庫跡地を再開発したオフィスビルや商業施設の賃貸・運営など不動産事業の利益比率が高い。倉庫が核の物流は医薬品など高付加価値品に注力。食品物流など拡充に向け、キユーソー流通システムと業務提携。米英での医薬品物流会社の買収が23年10月に完了。

平均勤続年数	男性育休取得率	3年後離職率	平均年収(平均40歳)
15.9年	43.3 → 52.4%	7.8 → 7.7%	951万円

●採用・配属情報●

【男女・文理別採用実績】

	大卒男	大卒女	修士男	修士女
23年	22(文 17 理 5)	8(文 7 理 1)	0(文 0 理 0)	0(文 0 理 0)
24年	19(文 15 理 4)	14(文 12 理 2)	1(文 1 理 0)	1(文 1 理 0)
25年	22(文 15 理 7)	17(文 15 理 2)	1(文 0 理 1)	0(文 0 理 0)

【男女・職種別採用実績】 転換制度:⇔

	総合職	地域職	エリア総合職
23年	23(男 17 女 6)	1(男 1 女 0)	6(男 4 女 2)
24年	24(男 16 女 8)	0(男 0 女 0)	11(男 4 女 7)
25年	26(男 19 女 7)	3(男 0 女 3)	11(男 4 女 7)

【24年4月入社者の配属勤務地】[総]東京8 横浜8 名古屋6 大阪5 神戸6 福岡2

【転勤】あり:[職種]総合職(エリア総合職を除く)

【中途比率】[単年度]21年度11%、22年度31%、23年度48%[全体]NA

●働きやすさ、諸制度●

残業(月) 18.2時間

【勤務時間】9:00〜17:00(土曜9:00〜13:00)【有休取得年平均】12.0日【週休】2日(祝日週日数分土曜出勤日の設定あり)【夏期休暇】5日【年末年始休暇】12月31日〜1月3日

【離職率】男:2.0%、13名 女:2.6%、9名

【新卒3年後離職率】

[20→23年]7.8%(男10.3%・入社29名、女4.5%・入社22名)

[21→24年]7.7%(男12.0%・入社25名、女0%・入社14名)

【テレワーク】制度あり:[場所]NA[対象]NA[日数]NA[利用率]NA【勤務制度】時差勤務【住宅補助】独身寮・社宅(東京 横浜 名古屋 大阪 神戸 福岡)住宅手当

●ライフイベント、女性活躍●

【女性比率】■男 □女

新卒採用 42.5% (17名)

従業員 35% (342名)

【産休】[期間]産前6・産後8週間[給与]産後6週まで会社全額給付[取得者数]15名

【育休】[期間]2歳になるまで[給与]法定[取得者数]22年度 男13名(対象30名)女10名(対象10名)23年度 男11名(対象21名)女13名(対象13名)[平均取得日数]22年度 男50日 女235日、23年度 男116日 女434日

【従業員】[人数]976名(男634名、女342名)[平均年齢]40.3歳(男40.0歳、女40.8歳)[平均勤続年数]15.9年(男15.2年、女17.3年)

【年齢構成】■男 □女

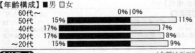

[会社データ] (金額は百万円)

【本社】103-8630 東京都中央区日本橋1-19-1 ☎03-3278-6611 https://www.mitsubishi-logistics.co.jp/

【業績(連結)】	売上高	営業利益	経常利益	純利益
22.3	257,230	18,144	23,151	17,892
23.3	300,594	23,027	30,046	27,226
24.3	254,507	18,941	24,358	27,787

1023 開示 ★★★☆☆

すみともそうこ
(株)住友倉庫

【特色】倉庫大手。海陸一貫物流に強み。土地所有が多い

[記者評価] 大阪発祥。傘下に遠州トラックを擁し総合物流を展開。不動産賃貸が利益の柱。文書など情報管理施設や、収益性の高い京浜・阪神地区の不動産開発・取得に注力。AIやロボティクスなどの導入に積極的。国際物流は欧州、北米、アジアに加えサウジアラビアにも拠点。

平均勤続年数	男性育休取得率	3年後離職率	平均年収(平均38歳)
13.5年	37.5 → 56.3%	7.3 → 14.9%	[総]928万円

●採用・配属情報●

【男女・文理別採用実績】

	大卒男	大卒女	修士男	修士女
23年	22(文 20 理 2)	17(文 17 理 0)	0(文 0 理 0)	0(文 0 理 0)
24年	32(文 29 理 3)	17(文 16 理 1)	1(文 1 理 0)	0(文 0 理 0)
25年	31(文 28 理 3)	17(文 17 理 0)	0(文 0 理 0)	0(文 0 理 0)

【男女・職種別採用実績】 転換制度:⇔

	総合職	事務職
23年	26(男 22 女 4)	13(男 0 女 13)
24年	36(男 33 女 3)	14(男 0 女 14)
25年	39(男 31 女 8)	9(男 0 女 9)

【職種併願】○

【24年4月入社者の配属勤務地】[総]大阪11 神戸3 東京12 横浜7 名古屋3

【転勤】あり:[職種]総合職

【中途比率】[単年度]21年度8%、22年度0%、23年度47%[全体]NA

●働きやすさ、諸制度●

残業(月) 31.5時間 [総]45.5時間

【勤務時間】平日9:00〜17:00 出勤土曜日9:00〜14:00(12:00退出可)【有休取得年平均】13.9日【週休】2日(祝日週土曜出勤)【夏期休暇】5日【年末年始休暇】連続4日

【離職率】男:3.5%、18名 女:4.1%、14名

【新卒3年後離職率】

[20→23年]7.3%(男10.3%・入社29名、女3.8%・入社26名)

[21→24年]14.9%(男13.6%・入社22名、女16.0%・入社25名)

【テレワーク】NA【勤務制度】なし【住宅補助】独身寮 社宅(全国勤務のみ)住宅手当

●ライフイベント、女性活躍●

【女性比率】■男 □女

新卒採用 35.4% (17名)

従業員 39.3% (324名)

【産休】[期間]産前6・産後8週間[給与]法定[取得者数]9名

【育休】[期間]2歳になるまで[給与]法定[取得者数]22年度 男9名(対象24名)女20名(対象20名)23年度 男9名(対象16名)女6名(対象6名)[平均取得日数]22年度 NA、23年度 NA

【従業員】[人数]824名(男500名、女324名)[平均年齢]37.7歳(男39.0歳、女35.9歳)[平均勤続年数]13.5年(男14.2年、女12.3年)

【年齢構成】NA

[会社データ] (金額は百万円)

【本社】530-0005 大阪府大阪市北区中之島3-2-18 住友中之島ビル ☎06-6444-1182 https://www.sumitomo-soko.co.jp/

【業績(連結)】	売上高	営業利益	経常利益	純利益
22.3	231,461	27,748	30,421	19,703
23.3	223,948	26,090	29,115	22,455
24.3	184,661	13,187	16,880	12,490

サービス

日本(にほん)トランスシティ(株)

【特色】中部地域最大の総合物流企業で、倉庫業界大手

[記者評価] 輸送、港湾運送、倉庫サービスなどを手がける。中部地区最大で、四日市港を地盤に全国を網羅。石油化学品や自動車部品の扱いが多い。海外は10以上の国・地域に拠点。24年3月、JR貨物と連携し、鉄道と組み合わせた半導体材料の長距離輸送が本格運行開始。

平均勤続年数	男性育休取得率	3年後離職率	平均年収(平均40歳)
17.4年	0→77.8%	7.1→33.3%	773万円

●採用・配属情報●

【男女・文理別採用実績】

	大卒男	大卒女	修士男	修士女
23年	9(文 9理 0)	12(文 12理 0)	0(文 0理 0)	0(文 0理 0)
24年	8(文 8理 0)	10(文 10理 0)	0(文 0理 0)	0(文 0理 0)
25年	14(文 14理 0)	11(文 11理 0)	0(文 0理 0)	0(文 0理 0)

【男女・職種別採用実績】 転換制度:⇒

	総合職	一般職
23年	11(男 9 女 2)	10(男 0 女 10)
24年	10(男 8 女 2)	9(男 0 女 9)
25年	15(男 14 女 1)	10(男 0 女 10)

【24年4月入社者の配属勤務地】[総]三重・四日市6 愛知・飛島1 神奈川・大和1 埼玉・東松山1 茨城・神栖1

【転勤】あり:[職種]総合職

【中途比率】[単年度]21年度0%、22年度0%、23年度0% [全体]0%

●働きやすさ、諸制度●

残業(月) 22.2時間

【勤務時間】9:00～17:15【有休取得年平均】15.7日【週休】2日(月1回土曜出勤)【夏期休暇】7日(リフレッシュ休暇、通年で取得)【年末年始休暇】12月30日～1月4日

【離職率】男:1.8%、7名 女:4.2%、11名

【新卒3年後離職率】
[20→23年]7.1%(男6.3%・入社16名、女8.3%・入社12名)
[21→24年]33.3%(男12.5%・入社8名、女57.1%・入社7名)

【テレワーク】制度なし【勤務制度】時差勤務【住宅補助】寮・社宅(社有・借上、全国)住宅手当

●ライフイベント、女性活躍●

【女性比率】■男 □女

新卒採用 44% (11名)

従業員 40.1% (252名)

管理職 4.4% (6名)

【産休】[期間]産前6・産後8週間[給与]会社全額給付[取得者数]18名

【育休】[期間]1歳になるまで[給与]法定[取得者数]22年度 男0名(対象7名)女6名(対象6名)23年度 男7名(対象9名)女22名(対象22名)[平均取得日数]22年度 男- 女380日、23年度 男27日 女426日

【従業員】[人数]629名(男377名、女252名)[平均年齢]39.8歳(男41.7歳、女37.0歳)[平均勤続年数]17.4年(男19.0年、女15.0年)

【年齢構成】■男 □女

	男	女
60代～	0%	0%
50代	17%	7%
40代	15%	8%
30代	16%	11%
～20代	11%	14%

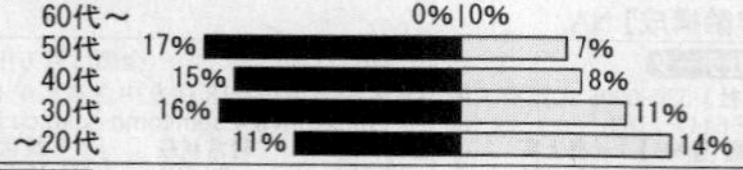

[会社データ] (金額は百万円)

【本社】510-8651 三重県四日市市霞2-1-1 四日市港ポートビル ☎059-363-5211
https://www.trancy.co.jp/

【業績(連結)】	売上高	営業利益	経常利益	純利益
22.3	116,750	6,669	8,368	5,597
23.3	134,063	7,250	8,996	6,157
24.3	122,555	6,241	7,352	4,633

澁澤倉庫(しぶさわそうこ)(株)

【特色】澁澤榮一創業の倉庫準大手。陸運、不動産事業も

[記者評価] 澁澤榮一の名を冠した総合倉庫の老舗。首都圏・中京圏・近畿圏を中心に消費財の一括物流に強みを持つ。倉庫跡地を活用した不動産事業も展開。22年7月静岡市の物流サービス会社買収。海外は中国やベトナムなどアジア重点。本牧埠頭の新倉庫が24年秋稼働。

平均勤続年数	男性育休取得率	3年後離職率	平均年収(平均40歳)
18.3年	20.0→40.0%	12.5→22.7%	[総]791万円

●採用・配属情報●

【男女・文理別採用実績】

	大卒男	大卒女	修士男	修士女
23年	10(文 10理 0)	5(文 4理 1)	0(文 0理 0)	0(文 0理 0)
24年	13(文 13理 0)	4(文 4理 0)	0(文 0理 0)	0(文 0理 0)
25年	16(文 16理 0)	10(文 10理 0)	0(文 0理 0)	0(文 0理 0)

【男女・職種別採用実績】 転換制度:NA

	総合職	一般職
23年	15(男 10 女 5)	1(男 0 女 1)
24年	17(男 13 女 4)	2(男 0 女 2)
25年	26(男 16 女 10)	1(男 0 女 1)

【職種併願】NA

【24年4月入社者の配属勤務地】[総]東京2 千葉3 横浜4 愛知2 大阪3 神戸3

【転勤】あり:[職種]総合職 エリア総合職[勤務地]総合職:全国 エリア総合職:首都圏 阪神圏

【中途比率】[単年度]21年度8%、22年度6%、23年度6% [全体]13%

●働きやすさ、諸制度●

残業(月) 32.3時間

【勤務時間】9:00～17:00【有休取得年平均】11.4日【週休】完全2日(土日祝)【夏期休暇】有休5日以上取得【年末年始休暇】12月30日～1月4日

【離職率】男:2.5%、9名 女:2.3%、4名

【新卒3年後離職率】
[20→23年]12.5%(男10.0%・入社10名、女16.7%・入社6名)
[21→24年]22.7%(男15.4%・入社13名、女33.3%・入社9名)

【テレワーク】制度なし【勤務制度】時間単位有休 時差勤務【住宅補助】借上社宅 住宅費補助(非管理職員)

●ライフイベント、女性活躍●

【女性比率】■男 □女

新卒採用 40.7% (11名)

従業員 32.1% (168名)

管理職 3.7% (1名)

【産休】[期間]産前6・産後8週間[給与]法定[取得者数]6名

【育休】[期間]1歳になるまで[給与]法定[取得者数]22年度 男3名(対象15名)女4名(対象4名)23年度 男2名(対象5名)女6名(対象6名)[平均取得日数]22年度 NA、23年度 男35日 女405日

【従業員】[人数]524名(男356名、女168名)[平均年齢]43.2歳(男43.9歳、女41.8歳)[平均勤続年数]18.3年(男18.2年、女18.6年)

【年齢構成】NA

[会社データ] (金額は百万円)

【本社】135-8513 東京都江東区永代2-37-28 澁澤シティプレイス永代 ☎03-5646-7220
https://www.shibusawa.co.jp/

【業績(連結)】	売上高	営業利益	経常利益	純利益
22.3	71,746	4,516	6,924	5,257
23.3	78,504	4,894	5,847	3,759
24.3	73,417	4,271	5,091	3,728

2754 開示 ★★★

やすだそうこ

安田倉庫(株)

【特色】旧財閥系の倉庫準大手。首都圏を軸に展開

記者評価 創立100周年超の旧安田財閥系の倉庫準大手。首都圏を核に物流事業を展開し、関西に強い中央倉庫と提携。エーザイの物流子会社買収や物流拠点開設などメディカル領域強化中。AIやロボット活用による省人化推進。23年子会社2社を新設するなどアジア物流網拡充。

平均勤続年数	男性育休取得率	3年後離職率	平均年収(平均40歳)
12.7年	63.6→57.1%	8.7→10.5%	733万円

●採用・配属情報●

【男女・文理別採用実績】

	大卒男	大卒女	修士男	修士女
23年	18(文 15理 3)	8(文 8理 0)	0(文 0理 0)	1(文 1理 0)
24年	13(文 13理 0)	6(文 5理 1)	0(文 0理 0)	0(文 0理 0)
25年	13(文 12理 1)	8(文 8理 0)	0(文 0理 0)	0(文 0理 0)

【男女・職種別採用実績】 転換制度:⇔

	基幹職	エリア基幹職
23年	25(男 18 女 7)	2(男 0 女 2)
24年	17(男 12 女 5)	2(男 1 女 1)
25年	18(男 13 女 5)	3(男 0 女 3)

【24年4月入社者の配属勤務地】㊓東京8 神奈川6 埼玉3 大阪1 福岡1

【転勤】あり:[職種]基幹職[勤務地]東京 神奈川 埼玉 千葉 大阪 福岡 海外 [職種]エリア基幹職[勤務地]自宅から通える範囲内での異動あり

【中途比率】[単年度]21年度14%、22年度23%、23年度29%[全体]12%

●働きやすさ、諸制度●

残業(月) 13.7時間

【勤務時間】9:00〜17:00【有休取得年平均】12.0日【週休】完全2日(土日祝)【夏期休暇】連続5日【年末年始休暇】12月30日〜1月4日

【離職率】男:4.2%、13名 女:5.6%、11名

【新卒3年後離職率】

[20→23年]8.7%(男12.5%・入社16名、女0%・入社7名)

[21→24年]10.5%(男10.5%・入社19名、女10.5%・入社19名)

【テレワーク】制度あり:[場所]自宅 サテライトオフィス他[対象]NA[日数]NA[利用率]NA【勤務制度】時差勤務【住宅補助】借上独身寮 住宅手当 社宅

●ライフイベント、女性活躍●

【女性比率】■男 □女

新卒採用 38.1%(8名) 従業員 38.6%(186名)  管理職 10.3%(15名)

【産休】[期間]産前6・産後8週間[給与]法定[取得者数]14名

【育休】[期間]1歳になるまで[給与]法定[取得者数]22年度 男7名(対象11名)女8名(対象8名)23年度 男4名(対象7名)女7名(対象7名)[平均取得日数]22年度 NA、23年度 NA

【従業員】[人数]482名(男296名、女186名)[平均年齢]39.5歳(男40.4歳、女38.0歳)[平均勤続年数]12.7年(男13.3年、女11.8年)

【年齢構成】■男 □女

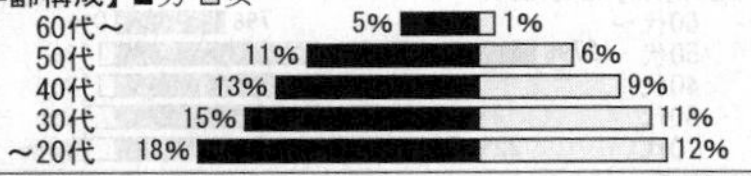

会社データ (金額は百万円)

【本社】108-8435 東京都港区芝浦3-1-1 田町ステーションタワーN ☎03-3452-7311 https://www.yasuda-soko.co.jp/

【業績(連結)】	売上高	営業利益	経常利益	純利益
22.3	53,040	2,910	4,037	2,873
23.3	59,756	2,534	3,776	2,245
24.3	67,384	2,642	3,951	2,302

2755 開示 ★★ 短大 専門 採用あり

りょうび

両備ホールディングス(株)

くるみん

【特色】岡山・両備G中核。交通・運輸に生活関連事業も

記者評価 西大寺軌道として1910年創業。岡山県南地盤の両備グループ中核。社名は「ホールディングス」だが持株会社ではなく、バス、陸運、商業施設運営など9つの社内カンパニーを展開。岡山市中心部の再開発「杜の街」も手がける。ダイバーシティの取り組みを強化。

平均勤続年数	男性育休取得率	3年後離職率	平均年収(平均43歳)
◇12.0年	28.6→54.5%	29.0→NA	NA

●採用・配属情報●

【男女・文理別採用実績】

	大卒男	大卒女	修士男	修士女
23年	17(文 10理 7)	9(文 9理 0)	0(文 0理 0)	0(文 0理 0)
24年	9(文 8理 1)	12(文 12理 0)	0(文 0理 0)	0(文 0理 0)
25年	13(文 10理 3)	11(文 11理 0)	2(文 0理 2)	0(文 0理 0)

【男女・職種別採用実績】 転換制度:⇔

	総合職	総合職以外
23年	11(男 8 女 3)	21(男 14 女 7)
24年	13(男 7 女 6)	10(男 3 女 7)
25年	20(男 14 女 6)	9(男 2 女 7)

【職種併願】○

【24年4月入社者の配属勤務地】㊓岡山(岡山10 吉備中央2)神戸1

【転勤】あり:[職種]総合職[配属]全国の事業所

【中途比率】[単年度]21年度NA、22年度NA、23年度NA[全体]NA

●働きやすさ、諸制度●

残業(月) 15.1時間 ㊓17.8時間

【勤務時間】9:00〜18:00【有休取得年平均】10.1日【週休】2日【夏期休暇】なし【年末年始休暇】なし

【離職率】NA

【新卒3年後離職率】

[20→23年]29.0%(男NA・入社38名、女NA・入社31名)

[21→24年]NA

【テレワーク】制度あり:[場所]自宅 サテライトオフィス等[対象]NA[日数]NA[利用率]NA【勤務制度】フレックス 時間単位有休【住宅補助】借上社宅 住宅補助 他

●ライフイベント、女性活躍●

【女性比率】■男 □女

新卒採用 44.8%(13名) 従業員 45%(900名)

【産休】[期間]産前6・産後8週間[給与]法定[取得者数]NA

【育休】[期間]1歳になるまで[給与]法定[取得者数]22年度 男4名(対象14名)女10名(対象10名)23年度 男12名(対象22名)女17名(対象17名)[平均取得日数]22年度 NA、23年度 NA

【従業員】◇[人数]2,000名(男1,100名、女900名)[平均年齢]42.7歳(男NA、女NA)[平均勤続年数]12.0年(男NA、女NA)

【年齢構成】NA

会社データ (金額は百万円)

【本社】700-8518 岡山県岡山市北区下石井2-10-12 杜の街グレースオフィススクエア ☎086-201-1012 https://www.ryobi-holdings.jp/

【業績(連結)】	売上高	営業利益	経常利益	純利益
22.3	155,979	4,289	9,255	5,714
23.3	160,639	6,965	10,552	5,875
24.3	159,856	8,413	10,713	4,964

1329 開示 ★★☆☆☆ [短大] [専門] 採用あり

ほっかいどうりょかくてつどう
北海道旅客鉄道(株)

【特色】JR北海道。北海道新幹線を軸に観光客を取り込む

[記者評価] 北海道の鉄道旅客会社。営業キロは2254.9km。1日1212本運行。寒冷地ゆえの除雪・車両維持負担重く、JR他社に比べ財務基盤弱い。訪日客戻る。30年度運行メドに北海道新幹線・札幌延伸計画着々。ボールパークへの運行にも取り組む。賃貸マンション開発も推進。

平均勤続年数	男性育休取得率	3年後離職率	平均年収(平均36歳)
◇15.0年	8.4 → 41.5%	NA	NA

●採用・配属情報●

【男女・文理別採用実績】

	大卒男	大卒女	修士男	修士女
23年	75(文NA 理NA)	13(文NA 理NA)	7(文NA 理NA)	0(文NA 理NA)
24年	74(文NA 理NA)	9(文NA 理NA)	3(文NA 理NA)	0(文NA 理NA)
25年	-(文 - 理 -)	-(文 - 理 -)	-(文 - 理 -)	-(文 - 理 -)

※25年:270名採用予定(高卒含む)

【男女・職種別採用実績】

	総合職	鉄道フィールド職	ドライバーコース
23年	28(男 23 女 5)	58(男 50 女 8)	9(男 9 女 0)
24年	26(男 23 女 3)	52(男 46 女 6)	14(男 14 女 0)
25年	-(男 - 女 -)	-(男 - 女 -)	-(男 - 女 -)

※23・24年:修士、大卒合計

【職種併願】○

【24年4月入社者の配属勤務地】[総]北海道(札幌5 小樽1 千歳1 室蘭1 帯広1 釧路2 旭川3 網走1 函館2) [技]北海道(札幌4 室蘭1 旭川2 函館2)

【転勤】あり:全社員

【中途比率】[単年度]21年度14%、22年度22%、23年度28%[全体]NA

●働きやすさ、諸制度●

残業(月) 8.7時間

【勤務時間】9:00～17:50【有休取得年平均】18.3日【週休】年112日【夏期休暇】なし【年末年始休暇】なし

【離職率】NA

【新卒3年後離職率】
[20→23年]NA
[21→24年]NA

【テレワーク】制度あり:[場所]自宅および自宅に準ずる場所(介護対象家族の自宅)[対象]本社計画部門の一部部署[日数]月5回まで[利用率]NA【勤務制度】時間単位有休 時差勤務 勤務間インターバル【住宅補助】独身寮 社宅 住宅補給金

●ライフイベント、女性活躍●

【女性比率】NA

【産休】[期間]産前6・産後8週間[給与]法定[取得者数]NA

【育休】[期間]3歳になるまで[給与]法定[取得者数]22年度 男21名(対象250名)女23名(対象25名)23年度 男78名(対象188名)女24名(対象24名)[平均取得日数]22年度 NA、23年度 NA

【従業員】◇[人数]5,945名(男NA、女NA)[平均年齢]36.0歳(男NA、女NA)[平均勤続年数]15.0年(男NA、女NA)

【年齢構成】NA

[会社データ] (金額は百万円)

【本社】060-8644 北海道札幌市中央区北11条西15-1-1 ☎011-737-2820
https://www.jrhokkaido.co.jp/

【業績(単独)】	売上高	営業利益	経常利益	純利益
22.3	55,277	▲76,309	▲10,598	▲976
23.3	72,925	▲63,971	▲24,382	▲18,069
24.3	84,988	▲57,493	▲16,257	1,896

2220 開示 ★★★☆☆ [専門] 採用あり

せいぶてつどう
西武鉄道(株)

[くるみん]

【特色】民鉄大手の一角。西武HD傘下でグループ中核

[記者評価] 1912年設立の武蔵野鉄道が前身、その後旧西武鉄道が合流。西武グループの鉄道事業を担う中核会社。東京と埼玉で12路線、計176.6kmを運営。池袋線と新宿線が収益の柱。秩父や川越など、沿線の観光需要掘り起こしに注力。新宿線の連続立体交差化を推進。

平均勤続年数	男性育休取得率	3年後離職率	平均年収(平均41歳)
◇[!]21.1年	73.5 → 94.0%	11.1 → 15.1%	NA

●採用・配属情報●

【男女・文理別採用実績】

	大卒男	大卒女	修士男	修士女
23年	12(文 10 理 2)	5(文 4 理 1)	3(文 0 理 3)	1(文 0 理 1)
24年	12(文 10 理 2)	4(文 4 理 0)	1(文 0 理 1)	1(文 0 理 1)
25年	21(文 15 理 6)	2(文 2 理 0)	6(文 0 理 6)	2(文 0 理 2)

【男女・職種別採用実績】

	総合職	専門職
23年	10(男 7 女 3)	21(男 16 女 5)
24年	10(男 6 女 4)	17(男 16 女 1)
25年	21(男 18 女 3)	15(男 14 女 1)

【職種併願】○

【24年4月入社者の配属勤務地】[総]東京・埼玉 7 [技]東京・埼玉 3

【転勤】あり:[職種]全社員[勤務地]グループ会社に出向(近江鉄道 伊豆箱根鉄道 他)

【中途比率】[単年度]21年度5%、22年度11%、23年度8%[全体]◇7%

●働きやすさ、諸制度●

残業(月) 18.9時間

【勤務時間】8:30～17:15【有休取得年平均】18.1日【週休】完全2日(土日祝)【夏期休暇】有休で取得【年末年始休暇】12月30日～1月3日

【離職率】男:2.4%、81名 女:6.8%、20名(嘱託社員含む 早期退職男13名含む)

【新卒3年後離職率】
[20→23年]11.1%(男8.0%・入社50名、女23.1%・入社13名)
[21→24年]15.1%(男17.0%・入社47名、女0%・入社6名)

【テレワーク】制度あり:[場所]自宅 サテライトオフィス 他[対象]本社員[日数]制限なし[利用率]7.7%【勤務制度】時差勤務【住宅補助】独身寮 社宅 住宅手当 他

●ライフイベント、女性活躍●

【女性比率】■男 □女

新卒採用 11.1% (4名)
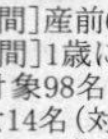
従業員 7.7% (274名)
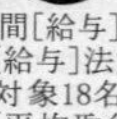
管理職 4.5% (5名)
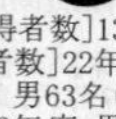

【産休】[期間]産前6・産後8週間[給与]法定[取得者数]13名

【育休】[期間]1歳になるまで[給与]法定[取得者数]22年度 男72名(対象98名)女21名(対象18名)23年度 男63名(対象67名)女14名(対象11名)[平均取得日数]22年度 男91日 女500日、23年度 男119日 女423日

【従業員】◇[人数]3,556名(男3,282名、女274名)[平均年齢]41.4歳(男41.8歳、女36.6歳)[平均勤続年数]21.1年(男21.9年、女11.3年)※有期雇用者含む

【年齢構成】■男 □女

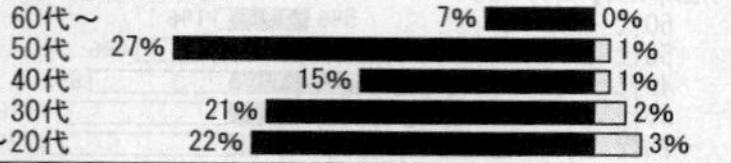

60代～ 7% 0%
50代 27% 1%
40代 15% 1%
30代 21% 2%
～20代 22% 3%

[会社データ] (金額は百万円)

【本社】359-8520 埼玉県所沢市くすのき台1-11-1 ☎04-2926-2035
https://www.seiburailway.jp/

【業績(単独)】	売上高	経常利益	純利益
22.3	117,623	1,673	35,010
23.3	127,081	5,633	7,597
24.3	122,744	18,669	24,071

サービス

京成電鉄(株)

けいせいでんてつ

【特色】民鉄大手の一角。千葉、東京東部、茨城が地盤

記者評価 京成上野・成田空港間の鉄道、バス・タクシーといった運輸、流通、不動産を展開。営業キロ152.3km。成田空港へのアクセス路線が収益柱。リッチモンドホテルと組んで宿泊特化型ホテルも運営。東京ディズニーリゾートを運営するオリエンタルランドの筆頭株主。

平均勤続年数	男性育休取得率	3年後離職率	平均年収(平均41歳)
17.6年	NA	6.3→0%	◇734万円

●採用・配属情報●

【男女・文理別採用実績】

	大卒男	大卒女	修士男	修士女
23年	2(文 1理 1)	3(文 2理 1)	0(文 0理 0)	0(文 0理 0)
24年	3(文 1理 2)	3(文 1理 2)	0(文 0理 0)	0(文 0理 0)
25年	5(文 2理 3)	4(文 3理 1)	0(文 0理 0)	0(文 0理 0)

【男女・職種別採用実績】

	総合職
23年	5(男 2 女 3)
24年	6(男 3 女 3)
25年	9(男 5 女 4)

【24年4月入社者の配属勤務地】㊙千葉4 技千葉2
【転勤】NA
【中途比率】[単年度]21年度0%、22年度0%、23年度0% [全体]NA

●働きやすさ、諸制度●

残業(月) NA

【勤務時間】9:20〜17:53【有休取得年平均】17.0日【週休】2日【夏期休暇】あり【年末年始休暇】あり
【離職率】NA
【新卒3年後離職率】
[20→23年]6.3%(男10.0%・入社10名、女0%・入社6名)
[21→24年]0%(男0%・入社7名、女0%・入社3名)
【テレワーク】制度なし【勤務制度】なし【住宅補助】NA

●ライフイベント、女性活躍●

【女性比率】■男 □女

新卒採用 44.4% (4名)

【産休】[期間]産前8・産後9週間[給与]NA[取得者数]NA
【育休】[期間]1歳になるまで[給与]NA[取得者数]22年度 NA 23年度 NA[平均取得日数]22年度 NA、23年度 NA
【従業員】[人数]1,851名(男NA、女NA)[平均年齢]41.4歳(男NA、女NA)[平均勤続年数]17.6年(男NA、女NA)
【年齢構成】NA

会社データ (金額は百万円)

【本社】272-8510 千葉県市川市八幡3-3-1 ☎047-712-7000
https://www.keisei.co.jp/

【業績(連結)】	売上高	営業利益	経常利益	純利益
22.3	214,157	▲5,201	▲3,191	▲4,438
23.3	252,338	10,228	26,764	26,929
24.3	296,509	25,241	51,591	87,657

東日本旅客鉄道(株)

ひがしにほんりょかくてつどう

えるぼし ★★★ くるみん

【特色】日本最大の鉄道会社。東日本1都16県が地盤

記者評価 首都圏通勤電車と東北・上越・北陸の各新幹線が双柱で収益基盤は厚い。「駅ナカ」物販などの小売り、オフィスなどの不動産、そして金融といった生活関連事業を強化中。グループの会員IDを27年度までに統合し、28年度の「Suicaアプリ」投入を目指す。

平均勤続年数	男性育休取得率	3年後離職率	平均年収(平均39歳)
◇16.3年	43.7→61.9%	7.8→8.7%	◇725万円

●採用・配属情報●

【男女・文理別採用実績】

	大卒男	大卒女	修士男	修士女
23年	133(文NA理NA)	71(文NA理NA)	50(文NA理NA)	16(文NA理NA)
24年	169(文NA理NA)	93(文NA理NA)	66(文NA理NA)	16(文NA理NA)
25年	−(文−理−)	−(文−理−)	−(文−理−)	−(文−理−)

※25年:高卒採用と合わせて560名採用計画

【男女・職種別採用実績】

	総合職	エリア職
23年	45(男 32 女 13)	246(男164 女 82)
24年	72(男 49 女 23)	288(男198 女 90)
25年	−(男 − 女 −)	−(男 − 女 −)

【職種併願】エリア職と総合職で可能
【24年4月入社者の配属勤務地】㊙東日本エリア(1都16県)他 技東日本エリア(1都16県)他
【転勤】あり:全社員
【中途比率】[単年度]21年度24%、22年度22%、23年度27%[全体]◇19%

●働きやすさ、諸制度●

残業(月) 15.1時間

【勤務時間】フレックスタイム制【有休取得年平均】18.1日
【週休】<企画部門>完全2日(土日祝)<現業機関>年114日
【夏期休暇】有休で取得【年末年始休暇】有休で取得
【離職率】◇男:1.6%、569名 女:2.7%、230名(早期退職74名含む)
【新卒3年後離職率】
[20→23年]7.8%(男7.3%・入社945名、女8.9%・入社470名)
[21→24年]8.7%(男7.4%・入社621名、女11.1%・入社314名)
【テレワーク】制度あり:[場所]自宅 サテライトオフィス ホテル 他[対象]全社員(現業機関の社員含む)[日数]制限なし[利用率]2.6%【勤務制度】フレックス 副業容認【住宅補助】独身寮 社宅 ローン支援 利子補給 所有住宅援助 賃貸住宅援助

●ライフイベント、女性活躍●

【女性比率】■男 □女

従業員 19.1% (8355名)

管理職 7.8% (300名)

【産休】[期間]産前6・産後8週間[給与]法定+健保60分の11給付[取得者数]392名
【育休】[期間]3歳になるまで[給与]給付金+3歳になるまで共済会15%給付[取得者数]22年度 男649名(対象1,486名)女339名(対象340名)23年度 男883名(対象1,426名)女345名(対象392名)[平均取得日数]22年度 男92日 女155日、23年度 男62日 女153日
【従業員】◇[人数]43,855名(男35,500名、女8,355名)[平均年齢]38.9歳(男39.7歳、女35.2歳)[平均勤続年数]16.3年(男17.2年、女12.6年)【年齢構成】■男 □女

	男	女
60代〜	0%	0%
50代	9%	1%
40代	32%	4%
30代	28%	8%
〜20代	11%	5%

会社データ (金額は百万円)

【本社】151-8578 東京都渋谷区代々木2-2-2 ☎03-5334-1329
https://www.jreast.co.jp/

【業績(連結)】	売上高	営業利益	経常利益	純利益
22.3	1,978,967	▲153,938	▲179,501	▲94,948
23.3	2,405,538	140,628	110,910	99,232
24.3	2,730,118	345,161	296,631	196,449

とうかいりょかくてつどう
東海旅客鉄道(株)

[えるぼし ★★] [プラチナくるみん]

【特色】東海道新幹線が収益柱。リニア線を建設中

[記者評価] 1987年の国鉄民営化で発足。名古屋、東京・品川の2本社制。東海道新幹線と在来12路線保有。新幹線がドル箱。米国にも高速鉄道を売り込む。リニア中央新幹線は27年に品川-名古屋(45年に名古屋-新大阪)開業を目指していたが断念、34年以降の開業となる見込み。

平均勤続年数	男性育休取得率	3年後離職率	平均年収(平均37歳)
16.1年	NA	約5.5 → 約6.7%	◇760万円

●採用・配属情報●

【男女・文理別採用実績】

	大卒男	大卒女	修士男	修士女
23年	NA(文NA 理NA)	NA(文NA 理NA)	NA(文NA 理NA)	NA(文NA 理NA)
24年	NA(文NA 理NA)	NA(文NA 理NA)	NA(文NA 理NA)	NA(文NA 理NA)
25年	NA(文NA 理NA)	NA(文NA 理NA)	NA(文NA 理NA)	NA(文NA 理NA)

※25年:600名採用予定

【男女・職種別採用実績】

	総合職	アソシエイト職	プロ職(大・高専卒)	プロ職(専門・短大卒)
23年	61(男 44 女 17)	10(男 0 女 10)	234(男 195 女 39)	136(男 109 女 27)
24年	60(男 45 女 15)	11(男 0 女 11)	216(男 180 女 36)	141(男 114 女 27)
25年	80(男 - 女 -)	20(男 - 女 -)	290(男 - 女 -)	210(男 - 女 -)

※プロ職はプロフェッショナル職の略。プロ職(専門・短大卒)に高卒を含む。医療職除く

【職種併願】総合職とプロフェッショナル職(運輸系統は除く)で可能

【24年4月入社者の配属勤務地】[総](22年)東京7 静岡4 名古屋7 大阪3 [技](22年)東京7 静岡12 名古屋7 大阪10 長野2 三重1

【転勤】あり:全社員(有期雇用者を除く)

【中途比率】[単年度]21年度NA、22年度NA、23年度NA[全体]NA

●働きやすさ、諸制度●

残業(月) NA

【勤務時間】9:00～17:30【有休取得年平均】17.8日【週休】完全2日(土日祝)【夏期休暇】有休で取得【年末年始休暇】有休で取得

【離職率】男:1.5%、238名 女:3.5%、86名

【新卒3年後離職率】
[20→23年]約5.5%(男NA、女NA)
[21→24年]約6.7%(男NA、女NA)

【テレワーク】制度あり:[場所]NA[対象]NA[日数]NA[利用率]NA【勤務制度】フレックス 裁量労働【住宅補助】寮 社宅 持家・賃貸住宅居住者への補助

●ライフイベント、女性活躍●

【女性比率】■男 □女

従業員
12.7%
(2353名)

【産休】[期間]産前9・産後8週間[給与]法定+出産見舞金500～700円/日+直近12カ月間の標準報酬月額平均額÷30の11/60支給[取得者数]NA

【育休】[期間]3歳になるまでおよび小学校入学後の半年間[給与]法定+期末手当30%保障(1歳になるまで)[取得者数]22年度 NA 23年度 NA[平均取得日数]22年度 NA、23年度 NA

【従業員】[人数]18,514名(男16,161名、女2,353名)[平均年齢]36.6歳(男37.1歳、女32.9歳)[平均勤続年数]16.1年(男16.8年、女11.1年)

【年齢構成】NA

会社データ　(金額は百万円)

【本社】108-8204 東京都港区港南2-1-85 JR東海品川ビルA棟 ☎080-7224-2530
https://jr-central.co.jp/

【業績(連結)】	売上高	営業利益	経常利益	純利益
22.3	935,139	1,708	▲67,299	▲51,928
23.3	1,400,285	374,503	307,485	219,417
24.3	1,710,407	607,381	546,946	384,411

とうきゅう
東急(株)

[えるぼし ★★★]

【特色】東急グループ中核、民鉄最大手。東京渋谷が拠点

[記者評価] 19年鉄道事業の分社化に伴い現社名に変更。輸送人員は民鉄随一。不動産、生活関連、ホテル・リゾートなど多角化を推進している。渋谷駅直上に商業施設「スクランブルスクエア」を開業。利用者多い東横線、田園都市線で沿線開発を活発化。

平均勤続年数	男性育休取得率	3年後離職率	平均年収(平均41歳)
14.6年	89.7 → 97.0%	2.5 → 5.1%	[総]1,024万円

●採用・配属情報●

【男女・文理別採用実績】

	大卒男	大卒女	修士男	修士女
23年	9(文 7 理 2)	11(文 10 理 1)	7(文 0 理 7)	4(文 0 理 4)
24年	13(文 11 理 2)	7(文 7 理 0)	20(文 0 理 20)	3(文 0 理 3)
25年	18(文 14 理 4)	7(文 7 理 0)	13(文 0 理 13)	8(文 0 理 8)

【男女・職種別採用実績】　転換制度:⇔

	総合職
23年	31(男 16 女 15)
24年	43(男 33 女 10)
25年	46(男 31 女 15)

【24年4月入社者の配属勤務地】[総](23年)東京・神奈川31

【転勤】あり:[職種]総合職[勤務地]東急沿線(東京・神奈川)・その他海外を含む事業を展開している地域

【中途比率】[単年度]21年度NA、22年度NA、23年度NA[全体]NA

●働きやすさ、諸制度●

残業(月) 15.0時間

【勤務時間】フルフレックス(コアタイムなし)【有休取得年平均】15.0日【週休】〈総合職〉完全2日(土日祝)【夏期休暇】有休で取得【年末年始休暇】約5日

【離職率】NA

【新卒3年後離職率】
[20→23年]2.5%(男3.7%・入社27名、女0%・入社13名)
[21→24年]5.1%(男7.7%・入社26名、女0%・入社13名)

【テレワーク】制度あり:[場所]適正な環境を確保し、通常と同等の業務効率・成果が期待できると認められる場所であれば可[対象]会社貸与のモバイル機器をもつ従業員[日数]制限なし[利用率]NA【勤務制度】フレックス 時間単位有休 週休3日 裁量労働 時差勤務 副業容認【住宅補助】社宅 独身寮

●ライフイベント、女性活躍●

【女性比率】■男 □女

新卒採用
32.6%
(15名)

従業員
40.7%
(620名)

【産休】[期間]産前6・産後8週間[給与]法定+共済組合25%給付[取得者数]27名

【育休】[期間]1歳になるまで[給与]法定[取得者数]22年度 男26名(対象29名)女27名(対象27名)23年度 男32名(対象33名)女30名(対象30名)[平均取得日数]22年度 男38日 女308日、23年度 男50日 女309日

【従業員】[人数]1,525名(男905名、女620名)[平均年齢]43.4歳(男44.8歳、女41.4歳)[平均勤続年数]14.6年(男16.5年、女11.8年)【年齢構成】■男 □女

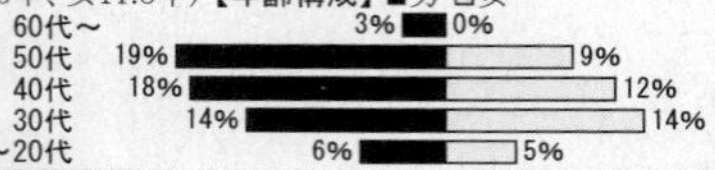

会社データ　(金額は百万円)

【本社】150-8511 東京都渋谷区南平台町5-6 ☎03-3477-6125
https://www.tokyu.co.jp/

【業績(連結)】	売上高	営業利益	経常利益	純利益
22.3	879,112	31,544	34,998	8,782
23.3	931,293	44,603	47,369	25,995
24.3	1,037,819	94,905	99,292	63,763

993 **開示 ★★★☆☆**

とうぶてつどう
東武鉄道(株)

[プラチナくるみん]

【特色】北関東が地盤。関東民鉄では路線距離が最長

[記者評価] 浅草、池袋を起点に北関東に路線網を広げる私鉄大手。営業キロ463.3km。東武百貨店など流通、不動産、ホテル・レジャーなど幅広く展開。東京スカイツリーや日光の高級ホテル「ザ・リッツ・カールトン」も運営。23年7月に新型特急スペーシアXの運行開始。

平均勤続年数	男性育休取得率	3年後離職率	平均年収(平均48歳)
◇27.1年	31.8→29.8%	10.0→11.8%	◇677万円

●採用・配属情報●

【男女・文理別採用実績】

	大卒男	大卒女	修士男	修士女
23年	3(文 1理 2)	6(文 3理 3)	4(文 0理 4)	1(文 0理 1)
24年	6(文 3理 3)	2(文 2理 0)	5(文 0理 5)	0(文 0理 0)
25年	4(文 2理 2)	5(文 4理 1)	6(文 0理 6)	2(文 0理 2)

【男女・職種別採用実績】

	総合職
23年	14(男 7 女 7)
24年	13(男 11 女 2)
25年	17(男 10 女 7)

【24年4月入社者の配属勤務地】[総](23年)東京8 埼玉6

【転勤】あり:全社員

【中途比率】[単年度]21年度0%、22年度0%、23年度0%[全体]NA

●働きやすさ、諸制度●

残業(月) 15.9時間

【勤務時間】9:30～18:15【有休取得年平均】25.1日【週休】完全2日(土日祝)【夏期休暇】有休利用【年末年始休暇】12月30日～1月3日

【離職率】◇男:1.3%、40名 女:8.1%、11名

【新卒3年後離職率】
[20→23年]10.0%(男7.1%・入社14名、女16.7%・入社6名)
[21→24年]11.8%(男10.0%・入社10名、女14.3%・入社7名)

【テレワーク】制度あり:[場所]自宅 サテライトオフィス[対象]本社関係職場の社員(本社 支社勤務等)[日数]NA[利用率]NA【勤務制度】時間単位有休 時差勤務【住宅補助】寮 社宅(当社沿線)

●ライフイベント、女性活躍●

【女性比率】■男 □女

新卒採用 41.2% (7名)

従業員 3.8% (125名)

【産休】[期間]産前6・産後9週間[給与]法定+共済会3分の1給付[取得者数]8名

【育休】[期間]1歳になるまで[給与]法定[取得者数]22年度 男14名(対象44名)女10名(対象10名)23年度 男17名(対象57名)女5名(対象5名)[平均取得日数]22年度 NA、23年度 男100日 女394日

【従業員】◇[人数]3,280名(男3,155名、女125名)[平均年齢]48.1歳(男48.5歳、女34.6歳)[平均勤続年数]27.1年(男27.7年、女11.6年)

【年齢構成】■男 □女

	男	女
60代～	10%	0%
50代	48%	0%
40代	15%	1%
30代	16%	1%
～20代	8%	1%

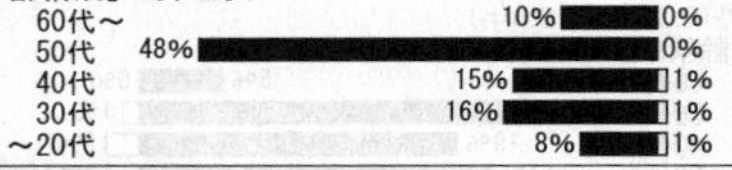

[会社データ] (金額は百万円)

【本社】131-8522 東京都墨田区押上2-18-12 ☎03-3621-5122 https://www.tobu.co.jp/

【業績(連結)】	売上高	営業利益	経常利益	純利益
22.3	506,023	24,732	27,406	13,453
23.3	614,751	56,688	54,815	29,179
24.3	635,964	73,883	72,033	48,164

2108 **開示 ★★★☆☆**

せいぶ
(株)西武ホールディングス

【特色】埼玉地盤の西武鉄道と「プリンスホテル」が中核

[記者評価] 東京北西部、埼玉西部地盤の西武鉄道と、国内最大級のホテルチェーンであるプリンスホテルが中核。不動産やレジャーも展開。不動産は都心部の高輪・品川エリア開発を推進。入社後は現場業務に従事後、ホールディングスや事業会社の経営・管理などを担う。

平均勤続年数	男性育休取得率	3年後離職率	平均年収(平均42歳)
15.4年	100→70.0%	0→0%	[総]1,088万円

●採用・配属情報●

【男女・文理別採用実績】

	大卒男	大卒女	修士男	修士女
23年	4(文 4理 0)	2(文 2理 0)	0(文 0理 0)	0(文 0理 0)
24年	3(文 3理 0)	1(文 1理 0)	0(文 0理 0)	0(文 0理 0)
25年	5(文 5理 0)	3(文 3理 0)	1(文 1理 0)	2(文 2理 0)

【男女・職種別採用実績】

	総合職
23年	6(男 4 女 2)
24年	4(男 3 女 1)
25年	11(男 6 女 5)

【24年4月入社者の配属勤務地】[総]東京(池袋1 新宿2)埼玉・所沢1

【転勤】あり:[職種]総合職

【中途比率】[単年度]21年度29%、22年度20%、23年度33%[全体]21%

●働きやすさ、諸制度●

残業(月) 26.4時間

【勤務時間】7時間45分(フレックスタイム制 コアタイム10:00～15:00)【有休取得年平均】13.6日【週休】完全2日(土日祝)【夏期休暇】2日【年末年始休暇】12月30日～1月3日

【離職率】男:1.4%、3名 女:1.7%、2名

【新卒3年後離職率】
[20→23年]0%(男0%・入社3名、女0%・入社3名)
[21→24年]0%(男0%・入社2名、女0%・入社3名)

【テレワーク】制度あり:[場所]自宅 サテライトオフィス[対象]全社員[日数]制限なし[利用率]NA【勤務制度】フレックス【住宅補助】独身寮

●ライフイベント、女性活躍●

【女性比率】■男 □女

新卒採用 45.5% (5名)

従業員 35.7% (115名)

管理職 9.6% (7名)

【産休】[期間]産前6・産後8週間[給与]法定[取得者数]0名

【育休】[期間]1歳になるまで[給与]法定[取得者数]22年度 男9名(対象9名)女0名(対象0名)23年度 男7名(対象10名)女0名(対象0名)[平均取得日数]22年度 男21日 女NA、23年度 男68日 女NA

【従業員】[人数]322名(男207名、女115名)[平均年齢]40.7歳(男42.6歳、女37.4歳)[平均勤続年数]15.4年(男16.5年、女13.3年)

【年齢構成】■男 □女

	男	女
60代～	2%	1%
50代	16%	3%
40代	19%	11%
30代	17%	14%
～20代	9%	7%

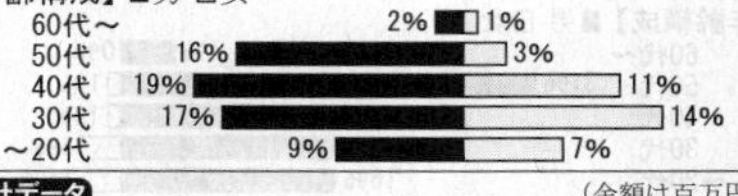

[会社データ] (金額は百万円)

【本社】171-0022 東京都豊島区南池袋1-16-15 ダイヤゲート池袋 ☎03-6709-3100 https://www.seibuholdings.co.jp/

【業績(連結)】	売上高	営業利益	経常利益	純利益
22.3	396,856	▲13,216	▲17,440	10,623
23.3	428,487	22,155	20,133	56,753
24.3	477,598	47,711	43,000	26,990

サービス

小田急電鉄(株)（おだきゅうでんてつ）

[プラチナくるみん]

【特色】東京・新宿が拠点の民鉄大手。箱根エリアも地盤

[記者評価] 東京・新宿と首都圏有数の観光地の箱根や湘南を結ぶ路線を持つ。3路線で営業キロは計120.5km。鉄道を核に流通、不動産、ホテル等に多角展開。箱根エリアの観光開発に注力。海老名エリアも開発。小田急百貨店新宿店本館跡地の再開発工事も進行中。

平均勤続年数	男性育休取得率	3年後離職率	平均年収(平均43歳)
◇21.7年	73.8→92.0%	9.0→6.1%	◇753万円

●採用・配属情報●

【男女・文理別採用実績】

	大卒男	大卒女	修士男	修士女
23年	3(文 2理 1)	5(文 5理 0)	2(文 0理 2)	0(文 0理 0)
24年	14(文 13理 1)	6(文 5理 1)	4(文 0理 4)	0(文 0理 0)
25年	22(文 16理 6)	8(文 7理 1)	5(文 1理 4)	1(文 0理 1)

【男女・職種別採用実績】 転換制度:⇔

	総合職	エキスパート職
23年	10(男 5 女 5)	0(男 0 女 0)
24年	15(男 10 女 5)	18(男 16 女 2)
25年	19(男 12 女 7)	30(男 26 女 4)

【24年4月入社者の配属勤務地】[総]東京8 神奈川4 [技]東京1 神奈川2

【転勤】なし

【中途比率】[単年度]21年度1%、22年度0%、23年度17% [全体]◇11%

●働きやすさ、諸制度●

残業(月) NA

【勤務時間】9:30〜17:45【有休取得年平均】15.5日【週休】完全2日(土日祝)【夏期休暇】有休で取得【年末年始休暇】12月30日〜1月3日

【離職率】◇男:1.7%、59名 女:5.2%、19名(早期退職男22名、女1名含む)

【新卒3年後離職率】
[20→23年]9.0%(男4.5%・入社110名、女23.5%・入社34名)
[21→24年]6.1%(男5.7%・入社53名、女7.7%・入社13名)

【テレワーク】制度あり:[場所]自宅 サテライトオフィス[対象]原則本社員のみ[日数]制限なし[利用率]16.5%【勤務制度】時間単位有休 時差勤務【住宅補助】独身寮(神奈川 栗平・厚木 自己負担10,000円〜25,000円 30歳まで)

●ライフイベント、女性活躍●

【女性比率】■男 □女

新卒採用 22.4% (11名)

従業員 9.4% (346名)

管理職 7.9% (36名)

【産休】[期間]産前6・産後8週間[給与]法定[取得者数]13名

【育休】[期間]2歳になるまで(最大4回まで分割可能)[給与]法定[取得者数]22年度 男62名(対象84名)女12名(対象12名)23年度 男69名(対象75名)女20名(対象20名)[平均取得日数]22年度 男124日 女438日、23年度 男118日 女577日

【従業員】◇[人数]3,682名(男3,336名、女346名)[平均年齢]42.9歳(男43.6歳、女35.3歳)[平均勤続年数]21.7年(男22.6年、女12.9年)

【年齢構成】■男 □女

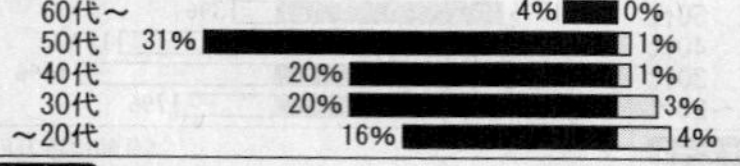

	男	女
60代〜	4%	0%
50代	31%	1%
40代	20%	1%
30代	20%	3%
〜20代	16%	4%

会社データ

(金額は百万円)

【本社】163-0706 東京都新宿区西新宿2-7-1 新宿第一生命ビルディング ☎03-3349-2075 https://www.odakyu.jp/

【業績(連結)】	売上高	営業利益	経常利益	純利益
22.3	358,753	6,152	4,699	12,116
23.3	395,159	26,601	25,119	40,736
24.3	409,837	50,766	50,670	81,524

京王電鉄(株)（けいおうでんてつ）

[くるみん]

【特色】東京中西部が地盤の鉄道・バス網大手。堅実経営

[記者評価] 新宿を起点に多摩方面に延びる京王線、渋谷が起点の井の頭線を運営。営業キロは84.7km。グループで百貨店、ショッピングセンターや不動産事業を多角的に展開。ホテルは旗艦「京王プラザホテル新宿」が軸、訪日客需要旺盛。新宿駅南街区の再開発に着手。

平均勤続年数	男性育休取得率	3年後離職率	平均年収(平均42歳)
◇17.8年	41.0→114.9%	4.2→17.4%	◇730万円

●採用・配属情報●

【男女・文理別採用実績】

	大卒男	大卒女	修士男	修士女
23年	5(文 4理 1)	6(文 6理 0)	7(文 0理 7)	1(文 1理 0)
24年	12(文 7理 5)	12(文 10理 2)	7(文 0理 7)	3(文 0理 3)
25年	33(文 23理 10)	11(文 10理 1)	3(文 0理 3)	2(文 0理 2)

【男女・職種別採用実績】 転換制度:⇔

	総合職	エキスパート
23年	19(男 12 女 7)	2(男 2 女 0)
24年	27(男 13 女 14)	25(男 23 女 2)
25年	22(男 11 女 11)	57(男 52 女 5)

【職種併願】総合職とエキスパート職で可能

【24年4月入社者の配属勤務地】[総](23年)東京・神奈川14 [技](23年)東京・神奈川5

【転勤】あり:[職種]グループ事業部所属社員(遠隔地ホテル勤務の者のみ)[勤務地]札幌 京都 飛騨高山

【中途比率】[単年度]21年度NA、22年度NA、23年度NA[全体]NA

●働きやすさ、諸制度●

残業(月) NA

【勤務時間】9:15〜18:00【有休取得年平均】17.0日【週休】完全2日(土日祝)【夏期休暇】なし【年末年始休暇】12月30日〜1月3日

【離職率】◇男:2.9%、67名 女:5.4%、13名

【新卒3年後離職率】
[20→23年]4.2%(男5.6%・入社36名、女0%・入社12名)
[21→24年]17.4%(男16.7%・入社36名、女20.0%・入社10名)

【テレワーク】制度あり:[場所]制限なし[対象]一部の現業を除く職場[日数]月8日 他[利用率]NA【勤務制度】フレックス【住宅補助】独身寮 社宅 住宅財形 カフェテリアプラン

●ライフイベント、女性活躍●

【女性比率】■男 □女

新卒採用 20.3% (16名)

従業員 9.4% (228名)

管理職 9.7% (29名)

【産休】[期間]産前6・産後8週間[給与]全額給付:健保3分の2+共済3分の1[取得者数]73名

【育休】[期間]1歳到達以降最初の4月15日または1年2カ月まで[給与]法定[取得者数]22年度 男32名(対象78名)女11名(対象11名)23年度 男85名(対象74名)女13名(対象13名)[平均取得日数]22年度 NA、23年度 NA

【従業員】◇[人数]2,434名(男2,206名、女228名)[平均年齢]41.5歳(男42.1歳、女36.3歳)[平均勤続年数]17.8年(男18.3年、女12.0年)

【年齢構成】■男 □女

	男	女
60代〜	5%	0%
50代	24%	1%
40代	19%	2%
30代	21%	2%
〜20代	20%	4%

会社データ

(金額は百万円)

【本社】206-8502 東京都多摩市関戸1-9-1 ☎042-337-3198 https://www.keio.co.jp/

【業績(連結)】	売上高	営業利益	経常利益	純利益
22.3	299,872	740	5,366	5,585
23.3	347,133	21,479	21,772	13,114
24.3	408,694	43,840	43,485	29,243

サービス

1715 開示 ★★☆☆☆

東京地下鉄(株)
とうきょうちかてつ

[くるみん]

【特色】東京メトロ。24年10月東証プライムに上場

[記者評価] 1941年設立の帝都高速度交通営団の事業を継承し04年発足。国と都が出資。都心部で地下鉄9路線運営。23年度の営業キロ数は195km、1日あたりの輸送人員は652万人。長期環境目標「メトロCO2ゼロチャレンジ2050」推進。24年10月東証プライム市場に上場。

平均勤続年数	男性育休取得率	3年後離職率	平均年収(平均*39歳)
◇17.7年	NA → 95.7%	7.1 → 4.2%	[総]910万円

●採用・配属情報●

【男女・文理別採用実績】

	大卒男	大卒女	修士男	修士女
23年	4(文 4理 0)	9(文 7理 2)	8(文 0理 8)	2(文 0理 2)
24年	3(文 2理 1)	6(文 6理 0)	13(文 1理 12)	1(文 0理 1)
25年	6(文 5理 1)	7(文 5理 2)	6(文 0理 6)	2(文 0理 2)

※総合職のみ

【男女・職種別採用実績】 転換制度:⇒

	総合職
23年	23(男 12 女 11)
24年	23(男 16 女 7)
25年	21(男 12 女 9)

【職種併願】○

【24年4月入社者の配属勤務地】[総](23年)東京13 [技](23年)東京10

【転勤】なし

【中途比率】[単年度]21年度NA、22年度NA、23年度NA[全体]◇19%

●働きやすさ、諸制度●

残業(月) NA

【勤務時間】9:20〜17:40【有休取得年平均】20.1日【週休】完全2日(土日祝)【夏期休暇】有休で取得【年末年始休暇】12月30日〜1月3日

【離職率】◇男:2.2%、199名 女:4.5%、30名(早期退職94名含む)

【新卒3年後離職率】
[20→23年]7.1%(男11.8%・入社17名、女0%・入社11名)
[21→24年]4.2%(男9.1%・入社11名、女0%・入社13名)

【テレワーク】制度あり:[場所]自宅 サテライトオフィス[対象]NA[日数]制限なし[利用率]NA【勤務制度】時間単位有休 時差勤務 勤務間インターバル【住宅補助】独身寮 家族住宅(入居条件あり)

●ライフイベント、女性活躍●

【女性比率】■男 □女

新卒採用 42.9%(9名)

従業員 6.6%(634名)

管理職 3.8%(6名)

【産休】[期間]産前6・産後8週間[給与]12週まで有給、他法定[取得者数]40名

【育休】[期間]3歳年度末[給与]法定[取得者数]22年度 男339名(対象NA)女58名(対象NA)23年度 男310名(対象324名)女30名(対象30名)[平均取得日数]22年度 NA、23年度 NA

【従業員】◇[人数]9,551名(男8,917名、女634名)[平均年齢]39.1歳(男39.5歳、女33.0歳)[平均勤続年数]17.7年(男18.3年、女10.3年)

【年齢構成】NA

[会社データ] (金額は百万円)

【本社】110-0015 東京都台東区東上野3-19-6 ☎03-3837-7059
https://www.tokyometro.jp/

【業績(連結)】	売上高	営業利益	経常利益	純利益
22.3	306,904	▲12,117	▲20,497	▲13,397
23.3	345,370	27,777	19,694	27,771
24.3	389,267	76,359	65,866	46,262

1869 開示 ★★☆☆☆

日本貨物鉄道(株)
にっぽんかもつてつどう

【特色】JR貨物。全国ネットワークの貨物鉄道輸送を展開

[記者評価] 通称JR貨物。旧国鉄の流れを汲み、全国ネットワークを有する国内唯一の鉄道貨物輸送会社。物流2024年問題やモーダルコンビネーション促進での輸送量拡大を見込む。トヨタ自動車向けに部品輸送専用列車を運行。完全民営化と上場を目指す。

平均勤続年数	男性育休取得率	3年後離職率	平均年収(平均38歳)
◇16.6年	NA → 44.0%	①2.9 → ①16.7%	◇593万円

●採用・配属情報●

【男女・文理別採用実績】※プランナー職のみ

	大卒男	大卒女	修士男	修士女
23年	16(文 11理 5)	6(文 5理 1)	8(文 0理 8)	1(文 0理 1)
24年	7(文 6理 1)	6(文 4理 2)	5(文 0理 5)	0(文 0理 0)
25年	9(文 8理 1)	9(文 8理 1)	3(文 0理 3)	0(文 0理 0)

【男女・職種別採用実績】 転換制度:⇔

	プランナー職
23年	31(男 24 女 7)
24年	18(男 12 女 6)
25年	21(男 12 女 9)

※他にプロフェッショナル職あり(23年)213名(24年)168名(25年)180名採用予定

【24年4月入社者の配属勤務地】[総]札幌2 郡山1 東京1 浜松1 静岡1 金沢1 吹田1 福岡1 [技]札幌1 仙台2 東京1 神奈川1 愛知1 大阪1 広島1 福岡1

【転勤】あり:全社員(転勤範囲は職群によって異なる)

【中途比率】[単年度]21年度6%、22年度7%、23年度6%(プランナー職のみ)[全体]NA

●働きやすさ、諸制度●

残業(月) 11.3時間

【勤務時間】標準7時間50分(フレックスタイム制 コアタイム11:00〜15:00)【有休取得年平均】14.3日【週休】年109日(4週4日 他に57日)+特別休日【夏期休暇】有休で取得【年末年始休暇】有休で取得

【離職率】◇男:3.0%、166名 女:5.4%、15名

【新卒3年後離職率】
[20→23年]2.9%(男0%・入社25名、女10.0%・入社10名)※プランナー職のみ
[21→24年]16.7%(男9.1%・入社22名、女37.5%・入社8名)※プランナー職のみ

【テレワーク】制度あり:[場所]自宅 他[対象]本社・支社勤務者のみ[日数]週2回まで[利用率]NA【勤務制度】フレックス【住宅補助】社宅 独身寮 住宅補助(エリア毎に上限あり 最大半額まで)

●ライフイベント、女性活躍●

【女性比率】■男 □女

新卒採用 42.9%(9名)

従業員 4.6%(261名)

【産休】[期間]産前6・産後8週間[給与]法定[取得者数]9名

【育休】[期間]3歳になるまで[給与]法定[取得者数]22年度 男61名(対象NA)女13名(対象NA)23年度 男62名(対象141名)女10名(対象9名)[平均取得日数]22年度 NA、23年度 NA

【従業員】◇[人数]5,637名(男5,376名、女261名)[平均年齢]37.6歳(男37.8歳、女34.2歳)[平均勤続年数]16.6年(男17.0年、女8.2年)【年齢構成】■男 □女

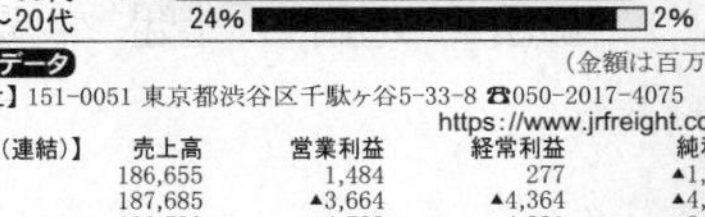

60代〜 2% 0%
50代 14% 1%
40代 27% 1%
30代 29% 1%
〜20代 24% 2%

[会社データ] (金額は百万円)

【本社】151-0051 東京都渋谷区千駄ヶ谷5-33-8 ☎050-2017-4075
https://www.jrfreight.co.jp/

【業績(連結)】	売上高	営業利益	経常利益	純利益
22.3	186,655	1,484	277	▲1,428
23.3	187,685	▲3,664	▲4,364	▲4,098
24.3	188,539	▲4,782	▲4,291	▲3,505

サービス

けいひんきゅうこうでんてつ
京浜急行電鉄(株)

【特色】民鉄大手の一角。京浜・三浦半島が地盤

記者評価 都心と横浜、三浦半島結ぶ本線のほか空港線、大師線など4路線運行。羽田空港アクセスに強み。流通、不動産、ホテルなど多角化。不動産事業は拡大続く。レジャーは平和島など。24年6月みなとみらい21の高層ビルに新ホテル開業。品川駅周辺の再開発を推進。

平均勤続年数	男性育休取得率	3年後離職率	平均年収(平均40歳)
◇17.6年	NA	7.7→4.2%	◇685万円

●採用・配属情報●

【男女・文理別採用実績】

	大卒男	大卒女	修士男	修士女
23年	0(文 0理 0)	0(文 0理 0)	9(文 0理 9)	0(文 0理 0)
24年	6(文 5理 1)	2(文 2理 0)	5(文 0理 5)	1(文 0理 1)
25年	7(文 5理 2)	11(文 10理 1)	5(文 0理 5)	0(文 0理 0)

【男女・職種別採用実績】 転換制度:NA

	総合職
23年	9(男 9 女 0)
24年	14(男 11 女 3)
25年	23(男 12 女 11)

【職種併願】総合職と鉄道現業職で可能

【24年4月入社者の配属勤務地】㊗(23年)東京3 神奈川2 ㊕(23年)神奈川4

【転勤】あり:[勤務地]東京 千葉(沿線外グループ会社への出向や外部機関への派遣などの場合に限る)

【中途比率】[単年度]21年度NA、22年度NA、23年度NA[全体]NA

●働きやすさ、諸制度●

残業(月) NA

【勤務時間】9:30〜17:45(時差勤務制度あり)【有休取得年平均】17.6日【週休】完全2日(土日祝)【夏期休暇】5日を推奨(有休で取得)【年末年始休暇】12月29日〜1月3日

【離職率】NA

【新卒3年後離職率】

[20→23年]7.7%(男11.1%・入社9名、女0%・入社4名)

[21→24年]4.2%(男0%・入社20名、女25.0%・入社4名)

【テレワーク】制度あり:[場所]自宅 シェアオフィスなど[対象]非現業[日数]原則制限なし(管理者の判断による)[利用率]NA【勤務制度】時間単位有休 時差勤務【住宅補助】独身寮 社宅

●ライフイベント、女性活躍●

【女性比率】■男 □女

新卒採用 47.8% (11名)

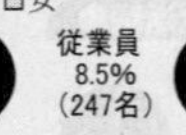

従業員 8.5% (247名)

管理職 4.7% (10名)

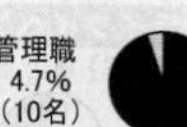

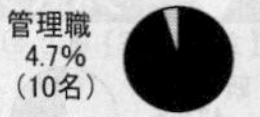

【産休】[期間]産前6・産後8週間[給与]法定[取得者数]NA

【育休】[期間]1歳到達後最初の5月15日まで[給与]法定[取得者数]22年度 NA 23年度 NA[平均取得日数]22年度NA、23年度 NA

【従業員】◇[人数]2,906名(男2,659名、女247名)[平均年齢]40.3歳(男40.7歳、女35.9歳)[平均勤続年数]17.6年(男18.3年、女10.4年)

【年齢構成】NA

会社データ (金額は百万円)

【本社】220-8625 神奈川県横浜市西区高島1-2-8 ☎045-225-9696
https://www.keikyu.co.jp/

【業績(連結)】	売上高	営業利益	経常利益	純利益
22.3	265,237	3,510	5,065	12,529
23.3	253,005	10,819	12,233	15,817
24.3	280,624	28,040	28,402	83,750

ふじきゅうこう
富士急行(株)

くるみん

【特色】富士山麓周辺で遊園地などのリゾート施設を運営

記者評価 山梨、静岡など富士山麓が地盤。運輸業はバスが主で、各地から河口湖・富士山麓まで高速バス運行。都内でコミュニティバス運行も。鉄道は大月-河口湖間26.6kmの富士急行線が中心。「富士急ハイランド」やホテルなどレジャー・サービス事業が収益柱。

平均勤続年数	男性育休取得率	3年後離職率	平均年収(平均39歳)
15.9年	50.0→—	NA	㊋699万円

●採用・配属情報●

【男女・文理別採用実績】

	大卒男	大卒女	修士男	修士女
23年	6(文 6理 0)	5(文 4理 1)	0(文 0理 0)	0(文 0理 0)
24年	6(文 5理 1)	9(文 8理 1)	0(文 0理 0)	1(文 1理 0)
25年	8(文 6理 2)	7(文 7理 0)	0(文 0理 0)	0(文 0理 0)

【男女・職種別採用実績】

	総合職	営業職	一般職
23年	11(男 6 女 5)	0(男 0 女 0)	0(男 0 女 0)
24年	16(男 6 女 10)	0(男 0 女 0)	0(男 0 女 0)
25年	15(男 8 女 7)	0(男 0 女 0)	0(男 0 女 0)

【24年4月入社者の配属勤務地】㊗山梨(富士吉田7 河口湖5 山中湖3 忍野1)

【転勤】あり:[職種]総合職[勤務地]山梨 東京 静岡 神奈川

【中途比率】[単年度]21年度0%、22年度36%、23年度16%[全体]20%

●働きやすさ、諸制度●

残業(月) NA

【勤務時間】9:00〜18:00【有休取得年平均】NA【週休】完全2日(土日祝)【夏期休暇】有休で取得【年末年始休暇】会社指定休日+有休

【離職率】NA

【新卒3年後離職率】

[20→23年]NA

[21→24年]NA

【テレワーク】制度なし【勤務制度】フレックス 時間単位有休 時差勤務【住宅補助】独身寮(東京 山梨 他)借上寮

●ライフイベント、女性活躍●

【女性比率】■男 □女

新卒採用 46.7% (7名)　従業員 26.9% (60名)　管理職 11.6% (14名)

【産休】[期間]産前6・産後8週間[給与]法定[取得者数]2名

【育休】[期間]原則1歳になるまで、要件を満たした場合は3歳になるまで延長可[給与]法定[取得者数]22年度 男2名(対象4名)女4名(対象4名)23年度 男0名(対象0名)女2名(対象2名)[平均取得日数]22年度 男170日 女319日、23年度 男- 女178日

【従業員】[人数]223名(男163名、女60名)[平均年齢]40.9歳(男43.2歳、女34.7歳)[平均勤続年数]15.9年(男17.6年、女10.5年)

【年齢構成】■男 □女

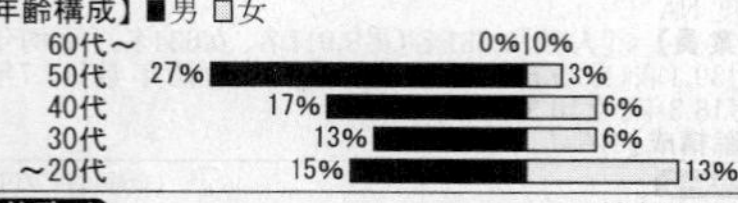

会社データ (金額は百万円)

【本社】403-0017 山梨県富士吉田市新西原5-2-1 ☎0555-22-7117
https://www.fujikyu.co.jp/

【業績(連結)】	売上高	営業利益	経常利益	純利益
22.3	35,083	761	489	376
23.3	42,924	4,243	4,007	2,318
24.3	50,701	8,151	7,936	4,571

サービス

名古屋鉄道(株)

なごやてつどう

【特色】中部地盤の私鉄大手。運輸と不動産業を両輪展開

[記者評価] 1894年に愛知馬車鉄道として創業。名古屋の名門企業。中京圏の鉄道輸送が収益柱。中部国際空港アクセス線も運営。グループでタクシー、バスのほか、百貨店・流通、不動産、レジャー施設などコングロマリット形成。名鉄名古屋駅周辺の再開発計画を進める。

平均勤続年数	男性育休取得率	3年後離職率	平均年収(平均37歳)
◇[!]25.9年	54.4→68.3%	[!]15.4→[!]24.0%	[総]859万円

●採用・配属情報●

【男女・文理別採用実績】

	大卒男	大卒女	修士男	修士女
23年	8(文 7理 1)	8(文 7理 1)	3(文 0理 3)	0(文 0理 0)
24年	20(文 18理 2)	11(文 11理 0)	3(文 1理 2)	0(文 0理 0)
25年	13(文 12理 1)	9(文 8理 1)	11(文 3理 8)	1(文 0理 1)

【男女・職種別採用実績】 転換制度:⇒

	総合職
23年	19(男 11 女 8)
24年	34(男 23 女 11)
25年	34(男 24 女 10)

【職種併願】○
【24年4月入社者の配属勤務地】[総]愛知・岐阜29 [技]愛知・岐阜4
【転勤】あり:[職種]総合職[勤務地]愛知 岐阜 東京 大阪 他
【中途比率】[単年度]21年度1%、22年度3%、23年度17%(病院等従業員を除く)[全体]◇4%

●働きやすさ、諸制度●

残業(月) (本社)12.2時間

【勤務時間】9:00～18:00【有休取得年平均】17.7日【週休】完全2日(土日祝)【夏期休暇】なし【年末年始休暇】1月1～3日
【離職率】男:―、13名 女:―、1名(総合職のみ)
【新卒3年後離職率】
[20→23年]15.4%(男15.8%・入社19名、女14.3%・入社7名)※総合職のみ
[21→24年]24.0%(男25.0%・入社20名、女20.0%・入社5名)※総合職のみ
【テレワーク】制度あり:[場所]NA[対象]本社部門のみ[日数]原則週2日まで[利用率]NA【勤務制度】フレックス 時間単位有休【住宅補助】独身寮2棟(愛知県内)

●ライフイベント、女性活躍●

【女性比率】■男 □女

新卒採用 29.4% (10名)

従業員 5.4% (228名)

管理職 5.7% (6名)

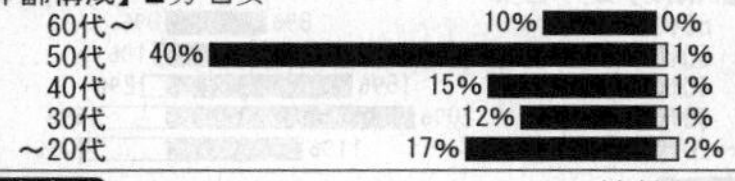

【産休】[期間]産前6・産後8週間[給与]法定[取得者数]10名
【育休】[期間]3歳到達年度の翌年度の4月末日まで[給与]法定[取得者数]22年度 男37名(対象68名)女9名(対象9名)23年度 男43名(対象63名)女10名(対象10名)[平均取得日数]22年度 男110日 女NA、23年度 男92日 女NA
【従業員】◇[人数]4,232名(男4,004名、女228名)[平均年齢]45.7歳(男46.1歳、女37.4歳)[平均勤続年数]25.9年(男26.4年、女15.8年) ※病院等従業員を除く
【年齢構成】■男 □女

	男	女
60代～	10%	0%
50代	40%	1%
40代	15%	1%
30代	12%	1%
～20代	17%	2%

会社データ (金額は百万円)
【本社】450-8501 愛知県名古屋市中村区名駅1-2-4 ☎052-588-0816
https://top.meitetsu.co.jp/

【業績(連結)】	売上高	営業利益	経常利益	純利益
22.3	490,919	2,932	13,135	9,370
23.3	551,504	22,731	26,362	18,850
24.3	601,121	34,750	37,544	24,400

西日本旅客鉄道(株)

にしにほんりょかくてつどう

[くるみん]

【特色】JR西日本。山陽・北陸の両新幹線を保有する

[記者評価] 営業路線は新大阪・博多間の山陽新幹線、上越妙高・金沢間の北陸新幹線、京阪神都市圏の旅客輸送など。営業キロ4897.5km。範囲は北陸、近畿、中国、九州北部の2府16県に及ぶ。流通、不動産、ホテルなど非運輸事業を強化。大阪駅近辺で大型ビルを続々開業。

平均勤続年数	男性育休取得率	3年後離職率	平均年収(平均38歳)
◇14.5年	54.8→86.7%	11.2→12.7%	◇665万円

●採用・配属情報●

【男女・文理別採用実績】

	大卒男	大卒女	修士男	修士女
23年	NA(文NA理NA)	NA(文NA理NA)	NA(文NA理NA)	NA(文NA理NA)
24年	NA(文NA理NA)	NA(文NA理NA)	NA(文NA理NA)	NA(文NA理NA)
25年	-(文 -理 -)	-(文 -理 -)	-(文 -理 -)	-(文 -理 -)

※25年:約810名採用予定(高卒含む)

【男女・職種別採用実績】

	総合職	プロフェッショナル職	高専卒
23年	88(男 74 女 14)	361(男 NA 女 NA)	NA(男 NA 女 NA)
24年	114(男 83 女 31)	698(男 585 女 113)	55(男 50 女 5)
25年	80(男 - 女 -)	650(男 - 女 -)	80(男 - 女 -)

※25年:総合職約80名、プロフェッショナル約650名(高卒含む)、高専卒80名採用予定
【職種併願】○
【24年4月入社者の配属勤務地】[総]石川 福井 滋賀 京都 大阪 奈良 兵庫 岡山 広島 山口 [技]石川 福井 滋賀 京都 大阪 奈良 兵庫 和歌山 広島 鳥取 山口
【転勤】あり:詳細NA
【中途比率】[単年度]21年度11%、22年度50%、23年度58%[全体]NA

●働きやすさ、諸制度●

残業(月) 11.3時間

【勤務時間】9:00～17:45(フレックスタイム制 コアタイムなし)【有休取得年平均】18.2日【週休】<本社>完全2日(土日祝)【夏期休暇】有休で取得【年末年始休暇】12月31日～1月3日
【離職率】◇男:1.6%、285名 女:2.8%、96名
【新卒3年後離職率】
[20→23年]11.2%(男10.1%・入社484名、女14.6%・入社157名)
[21→24年]12.7%(男11.3%・入社397名、女15.8%・入社171名)
【テレワーク】制度あり:[場所]制限なし[対象]制限なし[日数]制限なし[利用率]1.6%【勤務制度】フレックス 副業容認【住宅補助】独身寮 社宅 住宅補給金

●ライフイベント、女性活躍●

【女性比率】■男 □女

従業員 15.7% (3287名)

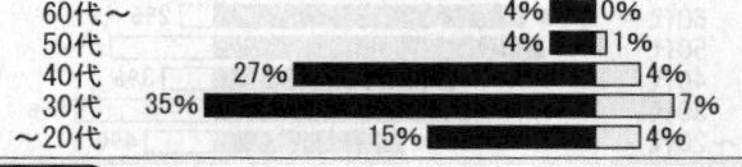

【産休】[期間]産前9・産後8週間[給与]法定+健保18%(付加給付)[取得者数]256名
【育休】[期間]3歳になるまでおよび小学校就学～6年生になるまでの間1年間[給与]法定[取得者数]22年度 男573名(対象1,046名)女323名(対象327名)23年度 男771名(対象889名)女292名(対象270名)[平均取得日数]22年度 NA、23年度 男96日 女530日
【従業員】◇[人数]20,912名(男17,625名、女3,287名)[平均年齢]37.7歳(男38.2歳、女35.3歳)[平均勤続年数]14.5年(男15.2年、女10.5年)【年齢構成】■男 □女

	男	女
60代～	4%	0%
50代	4%	1%
40代	27%	4%
30代	35%	7%
～20代	15%	4%

会社データ (金額は百万円)
【本社】530-8341 大阪府大阪市北区芝田2-4-24 ☎0570-002-486
https://www.westjr.co.jp/

【業績(連結)】	売上高	営業利益	経常利益	純利益
22.3	1,031,103	▲119,091	▲121,047	▲113,198
23.3	1,395,531	83,970	73,619	88,528
24.3	1,635,023	179,748	167,382	98,761

サービス

1002 開示 ★★★☆☆

きんてつ

近鉄グループホールディングス(株)

【特色】近畿日本鉄道を中心にグループ形成。多角展開

記者評価 1910年創業の関西系有力私鉄。大阪、奈良を地盤に営業キロは約500kmと私鉄最長。「あべのハルカス」が軸の不動産、百貨店などの流通、ホテルといった事業を多角展開。子会社によるワクチン接種業務の過大請求で毀損したイメージからの脱却に全力。

平均勤続年数	男性育休取得率	3年後離職率	平均年収(平均45歳)
! 15.4年	62.5 → 66.7%	10.8 → 13.0%	780万円

●採用・配属情報●

【男女・文理別採用実績】

	大卒男	大卒女	修士男	修士女
23年	17(文 15理 2)	9(文 8理 1)	4(文 0理 4)	0(文 0理 0)
24年	18(文 15理 3)	9(文 9理 0)	6(文 0理 6)	0(文 0理 0)
25年	15(文 12理 3)	13(文 13理 0)	4(文 1理 3)	1(文 0理 1)

【男女・職種別採用実績】

	総合職
23年	30(男 21 女 9)
24年	33(男 24 女 9)
25年	33(男 19 女 14)

【24年4月入社者の配属勤務地】㊔大阪15 京都2 奈良3 東京3 三重1 愛知1 静岡1 神奈川1 ㊕大阪2 奈良2 京都2
【転勤】あり:全社員
【中途比率】[単年度]21年度12%、22年度30%、23年度29%[全体]7%

●働きやすさ、諸制度●

残業(月) 13.5時間

【勤務時間】9:10～18:00【有休取得年平均】13.0日【週休】完全2日(土日祝)【夏期休暇】なし【年末年始休暇】12月31日～1月3日
【離職率】男:2.3%、5名 女:0%、0名
【新卒3年後離職率】
[20→23年]10.8%(男12.1%・入社33名、女0%・入社4名)
[21→24年]13.0%(男5.6%・入社18名、女40.0%・入社5名)
【テレワーク】制度あり:[場所]自宅[対象]全従業員[日数]原則週1日まで[利用率]NA【勤務制度】フレックス【住宅補助】沿線在住手当(近畿日本鉄道沿線に居住する総合職社員)借上社宅(自宅から職場まで通勤が困難な総合職社員)

●ライフイベント、女性活躍●

【女性比率】■男 □女

新卒採用 42.4% (14名)

従業員 22.4% (61名)

管理職 5.5% (5名)

【産休】[期間]産前・産後計15週間[給与]法定[取得者数]2名
【育休】[期間]3歳に達するまで[給与]法定[取得者数]22年度 男5名(対象8名)女2名(対象2名)23年度 男6名(対象9名)女2名(対象2名)[平均取得日数]22年度 NA、23年度 NA
【従業員】[人数]272名(男211名、女61名)[平均年齢]45.0歳(男45.8歳、女42.5歳)[平均勤続年数]15.4年(男16.4年、女9.7年)※受入出向者含み、外部出向者除く
【年齢構成】■男 □女

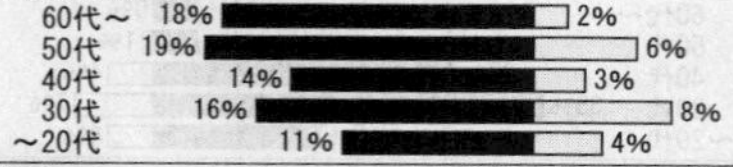

会社データ (金額は百万円)

【本社】543-8585 大阪府大阪市天王寺区上本町6-1-55 ☎06-6775-3531 https://www.kintetsu-g-hd.co.jp/

【業績(連結)】	売上高	営業利益	経常利益	純利益
22.3	691,512	3,864	30,658	42,755
23.3	1,561,002	67,144	74,612	88,779
24.3	1,629,529	87,430	84,638	48,073

2726 開示 ★★★☆☆

はんきゅうはんしん

阪急阪神ホールディングス(株)

【特色】阪急電鉄と阪神電鉄を中核とする持株会社

記者評価 阪急HDと阪神電鉄が06年に経営統合して発足。鉄道を軸とした都市交通事業に加え不動産、ホテル、物流、旅行など幅広く展開。阪神タイガースや宝塚歌劇などエンタテインメント・コミュニケーション事業に強み。大阪・梅田エリアの再開発に注力。

平均勤続年数	男性育休取得率	3年後離職率	平均年収(平均43歳)
20.1年	96.1 → 92.5%	0 → 0%	㊗955万円

●採用・配属情報●

【男女・文理別採用実績】

	大卒男	大卒女	修士男	修士女
23年	16(文 15理 1)	16(文 16理 0)	13(文 0理 13)	2(文 0理 2)
24年	12(文 10理 2)	12(文 11理 1)	22(文 1理 21)	3(文 0理 3)
25年	13(文 13理 0)	12(文 12理 0)	19(文 1理 18)	3(文 0理 3)

【男女・職種別採用実績】 転換制度:⇒

	総合職
23年	47(男 29 女 18)
24年	49(男 34 女 15)
25年	47(男 32 女 15)

【24年4月入社者の配属勤務地】㊔大阪・兵庫49
【転勤】あり:[職種]総合職[勤務地]大阪 東京 他
【中途比率】[単年度]21年度0%、22年度8%、23年度15%[全体]NA

●働きやすさ、諸制度●

残業(月) 20.0時間 ㊗20.0時間

【勤務時間】9:00～18:00他(業務内容による)【有休取得年平均】11.3日【週休】完全2日(土日祝)【夏期休暇】なし【年末年始休暇】12月31日～1月3日
【離職率】男:2.0%、23名 女:0.9%、2名
【新卒3年後離職率】
[20→23年]0%(男0%・入社27名、女0%・入社12名)
[21→24年]0%(男0%・入社28名、女0%・入社15名)
【テレワーク】制度あり:[場所]業務に専念できセキュリティを確保できると所属上長が認めた就業環境[対象]全社員[日数]原則週2日まで(育児・介護や治療との両立支援を必要とする社員その他所属上長が認めた者については上限なし)[利用率]NA【勤務制度】フレックス 時間単位有休【住宅補助】家賃補助(会社基準、支給要件あり)

●ライフイベント、女性活躍●

【女性比率】■男 □女

新卒採用 31.9% (15名)

従業員 15.9% (213名)

管理職 6.2% (47名)

【産休】[期間]産前7・産後8週間[給与]給与の7割(健保)[取得者数]13名
【育休】[期間]3歳になるまで[給与]法定+1歳6カ月まで業績年俸の6割(会社)[取得者数]22年度 男49名(対象51名)女13名(対象13名)23年度 男37名(対象40名)女12名(対象12名)[平均取得日数]22年度 NA、23年度 NA
【従業員】[人数]1,337名(男1,124名、女213名)[平均年齢]43.4歳(男45.2歳、女33.7歳)[平均勤続年数]20.1年(男21.9年、女10.6年)
【年齢構成】■男 □女

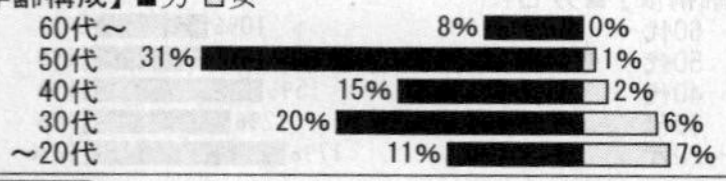

会社データ (金額は百万円)

【本社】530-0012 大阪府大阪市北区芝田1-16-1 ☎06-6373-5100 https://www.hankyu-hanshin.co.jp/

【業績(連結)】	売上高	営業利益	経常利益	純利益
22.3	746,217	39,212	38,450	21,418
23.3	968,300	89,350	88,432	46,952
24.3	997,611	105,689	109,413	67,801

京阪ホールディングス(株)

けいはん　[くるみん]

【特色】京阪電気鉄道などを傘下に擁する持株会社

[記者評価] 京阪電気鉄道や叡山電鉄、京阪百貨店などが傘下。鉄道でQRコード乗車サービス着手。沿線開発重点だが、ホテルや不動産、流通など沿線外の非鉄道事業も展開。札幌で戸建て住宅販売に進出。HD採用はグループ全体の経営戦略や事業会社の運営・企画・管理等担う。

平均勤続年数	男性育休取得率	3年後離職率	平均年収(平均39歳)
14.6年	33.3→125.0%	13.3→0%	◇803万円

●採用・配属情報●

【男女・文理別採用実績】

	大卒男	大卒女	修士男	修士女
23年	5(文 5理 0)	4(文 4理 0)	2(文 0理 2)	2(文 0理 2)
24年	6(文 5理 1)	4(文 4理 0)	4(文 0理 4)	0(文 0理 0)
25年	5(文 4理 1)	6(文 5理 1)	5(文 1理 4)	1(文 1理 0)

【男女・職種別採用実績】

	総合職
23年	13(男 7 女 6)
24年	14(男 10 女 4)
25年	17(男 10 女 7)

【24年4月入社者の配属勤務地】[総]大阪10 京都2 [技]大阪2

【転勤】あり:全社員

【中途比率】[単年度]21年度NA、22年度NA、23年度NA[全体]NA

●働きやすさ、諸制度●

残業(月) 22.4時間 [総]22.4時間

【勤務時間】9:00～18:00【有休取得年平均】13.6日【週休】完全2日(土日祝)【夏期休暇】なし【年末年始休暇】12月30日～1月3日

【離職率】NA

【新卒3年後離職率】

[20→23年]13.3%(男25.0%・入社8名、女0%・入社7名)

[21→24年]0%(男0%・入社8名、女0%・入社5名)

【テレワーク】制度あり:[場所]NA[対象]NA[日数]NA[利用率]NA【勤務制度】フレックス【住宅補助】沿線居住奨励金

●ライフイベント、女性活躍●

【女性比率】■男 □女

新卒採用 41.2% (7名)

従業員 17.9% (52名)

管理職 6.8% (10名)

【産休】[期間]産前6・産後8週間[給与]法定[取得者数]1名

【育休】[期間]1歳になるまで[給与]法定[取得者数]22年度 男4名(対象12名)女4名(対象4名)23年度 男5名(対象4名)女0名(対象0名)[平均取得日数]22年度 男94日 女434日、23年度 男46日 女354日

【従業員】[人数]290名(男238名、女52名)[平均年齢]39.4歳(男41.1歳、女31.8歳)[平均勤続年数]14.6年(男16.0年、女8.2年)

【年齢構成】■男 □女

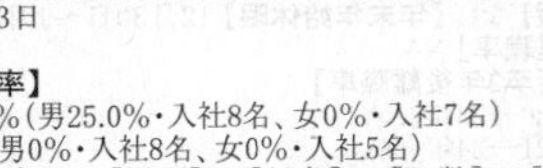

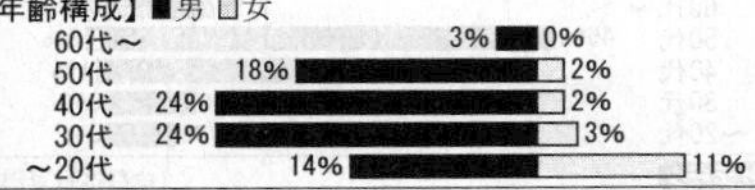

会社データ (金額は百万円)

【本社】540-6591 大阪府大阪市中央区大手前1-7-31 ☎06-6944-2570 https://www.keihan-holdings.co.jp/

【業績(連結)】	売上高	営業利益	経常利益	純利益
22.3	258,118	13,408	16,485	9,589
23.3	260,070	20,491	20,458	17,621
24.3	302,147	33,904	33,111	24,890

南海電気鉄道(株)

なんかいでんきてつどう

【特色】大阪南部・和歌山が地盤の私鉄大手。流通等も

[記者評価] 1885年創業、現存する純民鉄で最古参。大阪・難波を起点に和歌山、関西国際空港、高野山など結び、「南海電車」の呼称で親しまれる。営業154.8km。泉北高速鉄道も運営。ターミナルのなんば駅周辺には広域開発の「グレーターなんば」構想。「なにわ筋線」建設中。

平均勤続年数	男性育休取得率	3年後離職率	平均年収(平均45歳)
◇22.6年	NA	10.0→4.8%	◇614万円

●採用・配属情報●

【男女・文理別採用実績】

	大卒男	大卒女	修士男	修士女
23年	10(文 9理 1)	10(文 8理 2)	6(文 1理 5)	3(文 2理 1)
24年	12(文 9理 3)	11(文 11理 0)	8(文 0理 8)	0(文 0理 0)
25年	14(文 7理 7)	10(文 9理 1)	6(文 2理 4)	0(文 0理 0)

【男女・職種別採用実績】　転換制度:⇔

	マネジメントコース	エキスパートコース
23年	29(男 16 女 13)	1(男 0 女 1)
24年	22(男 13 女 9)	9(男 7 女 2)
25年	19(男 10 女 9)	15(男 14 女 1)

【職種併願】○

【24年4月入社者の配属勤務地】[総]大阪17 [技]大阪5

【転勤】あり:[勤務地]和歌山 他

【中途比率】[単年度]21年度42%、22年度62%、23年度50%[全体]NA

●働きやすさ、諸制度●

残業(月) 24.3時間

【勤務時間】9:00～17:50(スライドワークあり)【有休取得年平均】18.5日【週休】完全2日(土日祝)【夏期休暇】なし【年末年始休暇】連続5日

【離職率】NA

【新卒3年後離職率】

[20→23年]10.0%(男8.3%・入社12名、女12.5%・入社8名)

[21→24年]4.8%(男9.1%・入社11名、女0%・入社10名)

【テレワーク】制度あり:[場所]自宅またはそれに準じる場所[対象]本社勤務者[日数]原則週2日[利用率]NA【勤務制度】時差勤務【住宅補助】住宅手当(特定の対象者に上限35,000円※支給年数の上限あり)

●ライフイベント、女性活躍●

【女性比率】■男 □女

新卒採用 29.4% (10名)

従業員 14.1% (372名)

【産休】[期間]産前7・産後8週間[給与]法定[取得者数]9名

【育休】[期間]1歳になるまで[給与]法定[取得者数]22年度 男30名(対象NA)女15名(対象NA)23年度 男48名(対象NA)女6名(対象NA)[平均取得日数]22年度 NA、23年度 NA

【従業員】◇[人数]2,643名(男2,271名、女372名)[平均年齢]44.7歳(男45.4歳、女34.5歳)[平均勤続年数]22.6年(男23.7年、女7.5年)

【年齢構成】NA

会社データ (金額は百万円)

【本社】556-8503 大阪府大阪市浪速区敷津東2-1-41 ☎06-6644-7121 https://www.nankai.co.jp/

【業績(連結)】	売上高	営業利益	経常利益	純利益
22.3	201,793	12,190	9,931	4,021
23.3	221,280	21,023	18,965	14,623
24.3	241,594	30,820	29,312	23,926

2792 開示 ★★★☆☆ 短大 専門 採用あり

おおさかしこうそくでんききどう

大阪市高速電気軌道㈱

【特色】大阪市交通局の民営化で誕生。地下鉄運営が主体

記者評価 大阪市交通局の地下鉄事業を継承するため大阪市全額出資で17年設立、18年事業開始。愛称・大阪メトロ。大阪市内中心に、地下鉄など9路線、総営業距離137.8kmを運営。非鉄道収入拡大に向け商業施設や賃貸マンション建設など多角化推進。都市型MaaS構想掲げる。

平均勤続年数	男性育休取得率	3年後離職率	平均年収(平均44歳)
◇! 29.1年	78.1→81.3%	! 0→! 12.5%	総 796万円

●採用・配属情報●

【男女・文理別採用実績】※25年:継続中

	大卒男	大卒女	修士男	修士女
23年	24(文 19 理 5)	5(文 5 理 0)	11(文 0 理 11)	0(文 0 理 0)
24年	5(文 5 理 0)	10(文 9 理 1)	10(文 0 理 10)	0(文 0 理 0)
25年	36(文 24 理 12)	6(文 5 理 1)	11(文 1 理 10)	4(文 3 理 1)

【男女・職種別採用実績】

	総合職	プロフェッショナル職
23年	25(男 21 女 4)	31(男 28 女 3)
24年	15(男 10 女 5)	28(男 23 女 5)
25年	27(男 20 女 7)	54(男 49 女 5)

【職種併願】総合職とプロフェッショナル職で可能
【24年4月入社者の配属勤務地】総大阪6 技大阪9
【転勤】あり:大阪府内の事業所
【中途比率】[単年度]21年度22%、22年度28%、23年度40%[全体]◇3%

●働きやすさ、諸制度●

残業(月) 19.3時間 総 16.2時間

【勤務時間】フレックスタイム制(コアタイム10:00～15:00)【有休取得年平均】19.6日【週休】完全2日(土日祝)【夏期休暇】なし【年末年始休暇】12月29日～1月3日(12月29日・30日は特別休暇)
【離職率】男:—、23名 女:—、6名(総合職のみ)
【新卒3年後離職率】
[20→23年]0%(男0%・入社12名、女0%・入社8名)※総合職のみ
[21→24年]12.5%(男12.5%・入社16名、女12.5%・入社8名)※総合職のみ
【テレワーク】制度あり:[場所]自宅 出張先 他[対象]本社机上勤務者[日数]制限なし[利用率]NA【勤務制度】フレックス 時間単位有休 勤務間インターバル 副業容認【住宅補助】住宅手当(月30,000円まで 35歳の最初の3月31日まで)

●ライフイベント、女性活躍●

【女性比率】■男 □女

新卒採用 14.8%(12名)　従業員 4.4%(228名)　管理職 7%(18名)

【産休】[期間]産前8・産後8週間[給与]会社全額給付[取得者数]3名
【育休】[期間]<育児休業>小学校就学まで <出生時育児休業>法定通り<育児参加休暇(男性のみ)>出産予定日または出産日から1カ月間および16週間以内に5日以内[給与]育児参加休暇(男性)は会社全額給付、その他法定通り[取得者数]22年度 男25名(対象32名)女4名(対象4名)23年度 男39名(対象48名)女3名(対象3名)[平均取得日数]22年度 男105日 女462日、23年度 男45日 女414日
【従業員】◇[人数]5,126名(男4,898名、女228名)[平均年齢]50.1歳(男50.8歳、女35.1歳)[平均勤続年数]29.1年(男29.9年、女10.9年)※再雇用者含む
【年齢構成】■男 □女

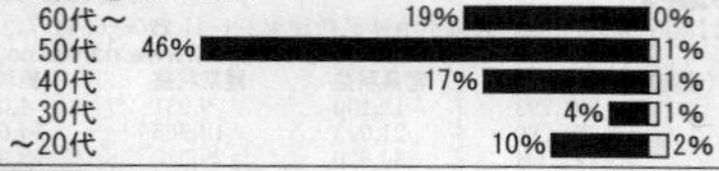

会社データ (金額は百万円)

【本社】550-0025 大阪府大阪市西区九条南1-12-62 ☎06-6585-6798
https://www.osakametro.co.jp/

【業績(連結)】	売上高	営業利益	経常利益	純利益
22.3	140,100	390	460	490
23.3	161,400	19,100	19,700	15,100
24.3	184,200	37,100	37,600	27,400

2687 開示 ★★☆☆☆

けいはんでんきてつどう

京阪電気鉄道㈱

くるみん

【特色】京阪HD中核。関西民鉄大手の一角。遊園地事業も

記者評価 16年持株会社に移行し旧京阪電気鉄道の鉄道事業と遊園地「ひらかたパーク」などレジャー事業を継承。本線(大阪・淀屋橋～京都・出町柳)を軸に運営し、営業キロ91.1km、1日あたりの利用者は約80万人。座席指定車両「プレミアムカー」のサービス拡大。

平均勤続年数	男性育休取得率	3年後離職率	平均年収(平均49歳)
◇ 28.8年	26.1→115.8%	NA	NA

●採用・配属情報●

【男女・文理別採用実績】

	大卒男	大卒女	修士男	修士女
23年	1(文 0 理 1)	0(文 0 理 0)	1(文 0 理 1)	0(文 0 理 0)
24年	3(文 0 理 3)	0(文 0 理 0)	0(文 0 理 0)	0(文 0 理 0)
25年	6(文 1 理 5)	0(文 0 理 0)	0(文 0 理 0)	0(文 0 理 0)

【男女・職種別採用実績】

	技術職
23年	2(男 2 女 0)
24年	3(男 3 女 0)
25年	6(男 6 女 0)

【24年4月入社者の配属勤務地】技大阪3
【転勤】なし
【中途比率】[単年度]21年度NA、22年度NA、23年度NA[全体]NA

●働きやすさ、諸制度●

残業(月) NA

【勤務時間】<本社>9:00～18:00<事業所>8:15～17:15【有休取得年平均】21.0日【週休】完全2日(土日祝)【夏期休暇】なし【年末年始休暇】12月30日～1月3日(部署による)
【離職率】NA
【新卒3年後離職率】
[20→23年]NA
[21→24年]NA
【テレワーク】制度なし【勤務制度】フレックス【住宅補助】借上社宅(遠方者(会社基準)のみ 自己負担10,000円)

●ライフイベント、女性活躍●

【女性比率】■男 □女

新卒採用 0%(0名)　従業員 4.4%(76名)　管理職 1.9%(1名)

【産休】[期間]産前6・産後8週間[給与]法定[取得者数]0名
【育休】[期間]1歳になるまで[給与]法定[取得者数]22年度 男6名(対象23名)女1名(対象1名)23年度 男22名(対象19名)女1名(対象0名)[平均取得日数]22年度 男91日 女-、23年度 男96日 女-
【従業員】◇[人数]1,739名(男1,663名、女76名)[平均年齢]49.3歳(男49.3歳、女48.0歳)[平均勤続年数]28.8年(男28.9年、女26.1年)
【年齢構成】■男 □女

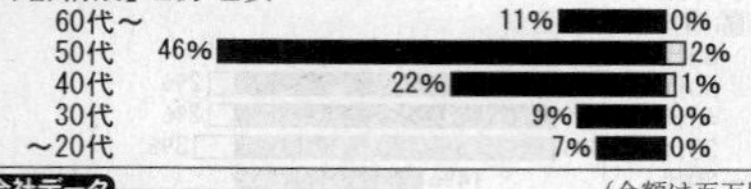

会社データ (金額は百万円)

【本社】573-0032 大阪府枚方市岡東町19-1 ステーションヒル枚方オフィスA ☎06-6944-2570
https://www.keihan.co.jp/

【業績(単独)】	売上高	営業収益	経常利益	純利益
22.3	42,882	1,118	862	699
23.3	48,877	5,090	4,744	3,474
24.3	54,448	6,398	6,023	3,870

サービス

1328 開示 ★★☆☆☆ [短大] [専門] 採用あり

四国旅客鉄道(株)

しこくりょかくてつどう

[くるみん]

【特色】JR四国。四国の基幹輸送機関。事業多角化展開

[記者評価] 鉄道を核に都市開発、バス、ホテル、物販、IT関連などの事業に取り組む。JR旅客6社中、規模最小。営業キロ853.7km、1日の旅客列車941本。「伊予灘ものがたり」など観光列車で集客拡大。23年3月に警備保障会社を買収。24年3月に再開発の高松駅ビルが開業。

平均勤続年数	男性育休取得率	3年後離職率	平均年収(平均34歳)
◇13.3年	47.4→60.8%	22.4→20.2%	NA

●採用・配属情報●

【男女・文理別採用実績】※25年:105名採用予定

	大卒男	大卒女	修士男	修士女
23年	38(文 28 理 10)	9(文 8 理 1)	3(文 0 理 3)	0(文 0 理 0)
24年	52(文 44 理 8)	7(文 7 理 0)	5(文 0 理 5)	0(文 0 理 0)
25年	-(文 - 理 -)	-(文 - 理 -)	-(文 - 理 -)	-(文 - 理 -)

【男女・職種別採用実績】 転換制度:⇒

	総合職	プロフェッショナル職
23年	19(男 18 女 1)	44(男 35 女 9)
24年	23(男 21 女 2)	50(男 45 女 5)
25年	-(男 - 女 -)	-(男 - 女 -)

【職種併願】○

【24年4月入社者の配属勤務地】[総]愛媛1 [技]香川8 愛媛5 徳島5 高知4

【転勤】あり:全社員

【中途比率】[単年度]21年度NA、22年度NA、23年度NA[全体]NA

●働きやすさ、諸制度●

残業(月) 15.6時間

【勤務時間】9:00～18:00【有休取得年平均】14.9日【週休】〈本社等間接部門〉完全2日(土日祝)〈現業機関等〉年109日【夏期休暇】有休で取得【年末年始休暇】12月30日～1月3日

【離職率】◇男:4.8%、89名 女:12.4%、26名

【新卒3年後離職率】
[20→23年]22.4%(男21.6%・入社51名、女25.0%・入社16名)
[21→24年]20.2%(男25.0%・入社64名、女5.0%・入社20名)

【テレワーク】制度あり:[場所]自宅[対象]本社等[日数]週1日[利用率]NA【勤務制度】時差勤務【住宅補助】独身寮 社有社宅 住宅補給金 利子補給 グループ会社による提携ハウスメーカーの紹介

●ライフイベント、女性活躍●

【女性比率】■男 □女

従業員 9.4% (183名)

【産休】[期間]産前6・産後8週間[給与]健保20分の17給付[取得者数]20名

【育休】[期間]3歳になるまで[給与]法定[取得者数]22年度男37名(対象78名)女14名(対象14名)23年度 男45名(対象74名)女20名(対象20名)[平均取得日数]22年度 NA、23年度 NA

【従業員】◇[人数]1,947名(男1,764名、女183名)[平均年齢]34.1歳(男34.6歳、女29.1歳)[平均勤続年数]13.3年(男14.0年、女6.3年)

【年齢構成】■男 □女

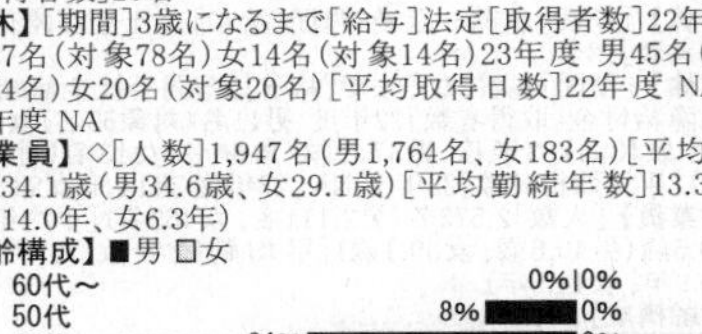

60代～ 0% 0%
50代 8% 0%
40代 24% 0%
30代 23% 3%
～20代 36% 6%

会社データ (金額は百万円)

【本社】760-8580 香川県高松市浜ノ町8-33 ☎087-825-1627
https://www.jr-shikoku.co.jp/

【業績(単独)】	営業収益	営業利益	経常利益	純利益
22.3	18,324	▲20,235	▲3,361	▲4,735
23.3	24,004	▲18,435	▲1,594	▲638
24.3	29,252	▲14,045	3,647	3,825

1327 開示 ★★☆☆☆ [短大] [専門] 採用あり

九州旅客鉄道(株)

きゅうしゅうりょかくてつどう

[えるぼし ★★] [プラチナ くるみん]

【特色】JR九州。鉄道を軸に流通や不動産など多角化

[記者評価] 鉄道旅客は九州と一部山口県がエリア。「ななつ星in九州」などの観光列車に強み。九州新幹線と西九州新幹線を運行。多角化を推進し、不動産や流通、外食など旅客以外の比率が高い。不動産は駅ビル運営やマンション分譲・賃貸、ホテル運営など手がける。

平均勤続年数	男性育休取得率	3年後離職率	平均年収(平均41歳)
◇13.2年	96.5→132.4%	15.2→7.9%	[総]830万円

●採用・配属情報●

【男女・文理別採用実績】

	大卒男	大卒女	修士男	修士女
23年	24(文 7 理 17)	9(文 6 理 3)	8(文 1 理 7)	3(文 1 理 2)
24年	46(文 31 理 15)	11(文 6 理 5)	15(文 0 理 15)	2(文 0 理 2)
25年	-(文 - 理 -)	-(文 - 理 -)	-(文 - 理 -)	-(文 - 理 -)

【男女・職種別採用実績】

	総合職	専門職	大学・高専卒	短大・専門卒
23年	13(男 9 女 4)	36(男 28 女 8)	ND(男 ND 女 ND)	ND(男 ND 女 ND)
24年	ND(男 ND 女 ND)	ND(男 ND 女 ND)	78(男 64 女 14)	32(男 27 女 5)
25年	ND(男 ND 女 ND)	ND(男 ND 女 ND)	-(男 - 女 -)	-(男 - 女 -)

【24年4月入社者の配属勤務地】[総]福岡45 [技]福岡33

【転勤】あり:全社員 ※就業エリア限定制度あり

【中途比率】[単年度]21年度0%、22年度100%、23年度23%[全体]NA

●働きやすさ、諸制度●

残業(月) 12.1時間

【勤務時間】9:00～17:55【有休取得年平均】16.0日【週休】年110日【夏期休暇】なし【年末年始休暇】なし

【離職率】NA

【新卒3年後離職率】
[20→23年]15.2%(男NA、女NA)
[21→24年]7.9%(男NA、女NA)

【テレワーク】制度あり:[場所]自宅 サテライトオフィス等[対象]フレックスタイム制の適用を受ける人(職場)[日数]週3日まで[利用率]6.6%【勤務制度】フレックス 時間単位有休 副業容認【住宅補助】寮・社宅・住宅援助金制度(賃貸住宅 所有住宅)

●ライフイベント、女性活躍●

【女性比率】■男 □女

従業員 15.9% (1206名)

管理職 6.4% (39名)

【産休】[期間]産前6・産後8週間[給与]法定＋健保付加金で合計85%[取得者数]85名

【育休】[期間]3歳になるまで[給与]給付金+互助会2万円(給付金終了後は互助会4万円)給付[取得者数]22年度男219名(対象227名)女66名(対象66名)23年度 男249名(対象188名)女85名(対象85名)[平均取得日数]22年度男70日 女542日、23年度 男86日 女586日

【従業員】◇[人数]7,576名(男6,370名、女1,206名)[平均年齢]42.0歳(男NA、女NA)[平均勤続年数]13.2年(男NA、女NA)

【年齢構成】■男 □女

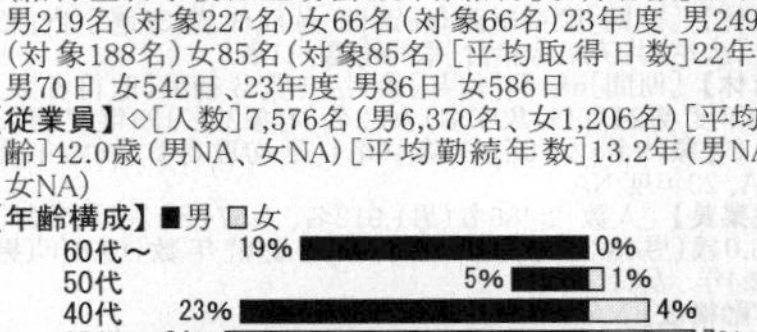

60代～ 19% 0%
50代 5% 1%
40代 23% 4%
30代 24% 7%
～20代 14% 4%

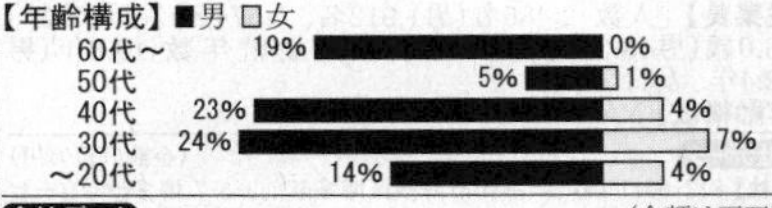

会社データ (金額は百万円)

【本社】812-8566 福岡県福岡市博多区博多駅前3-25-21 ☎070-3329-2427(採用)
https://www.jrkyushu.co.jp/

【業績(連結)】	売上高	営業利益	経常利益	純利益
22.3	329,527	3,944	9,237	13,250
23.3	383,242	34,323	35,700	31,166
24.3	420,402	47,094	48,936	38,445

サービス

西日本鉄道㈱

にしにっぽんてつどう

【特色】九州北部地盤の私鉄大手。ホテルや国際物流も

記者評価 鉄道は福岡市天神〜大牟田が主軸の天神大牟田線系統と貝塚線を運行。営業キロ106.1km。主力はバス事業で、車両数は全国トップクラス。鉄道・バスのほか戸建て・マンションなど不動産やホテルなど多角展開。世界約30カ国・地域に拠点を置き、国際物流も手がける。

平均勤続年数	男性育休取得率	3年後離職率	平均年収(平均43歳)
19.8年	30.0→54.4%	9.3→12.5%	658万円

●採用・配属情報●

【男女・文理別採用実績】

	大卒男	大卒女	修士男	修士女
23年	29(文 25 理 4)	40(文 40 理 0)	6(文 1 理 5)	2(文 1 理 1)
24年	40(文 38 理 2)	52(文 50 理 2)	9(文 3 理 6)	3(文 1 理 2)
25年	43(文 41 理 2)	72(文 68 理 4)	7(文 0 理 7)	6(文 2 理 4)

【男女・職種別採用実績】

	総合職(本社部門)	総合職(国際物流部門)
23年	28(男 14 女 14)	50(男 22 女 28)
24年	43(男 25 女 18)	61(男 24 女 37)
25年	53(男 27 女 26)	75(男 23 女 52)

【職種併願】地域マーケット部門と国際物流部門の組み合わせ以外で可能
【24年4月入社者の配属勤務地】㊗福岡34 千葉16 東京14 大阪14 神奈川8 愛知4 京都1 群馬1 福島1 ㊕福岡10 東京1
【転勤】あり:詳細NA
【中途比率】[単年度]21年度23%、22年度28%、23年度26%[全体]NA

●働きやすさ、諸制度●

残業(月) 19.2時間 ㊗19.2時間

【勤務時間】<地域マーケット>標準9:30〜18:30(フレックスタイム制)<国際物流>標準9:00〜18:00(フレックスタイム制)
【有休取得年平均】16.8日【週休】完全2日【夏期休暇】なし【年末年始休暇】12月31日〜1月3日
【離職率】男:2.2%、44名 女:4.5%、27名
【新卒3年後離職率】
[20→23年]9.3%(男2.6%・入社38名、女16.2%・入社37名)
[21→24年]12.5%(男9.4%・入社32名、女15.6%・入社32名)
【テレワーク】制度あり:[場所]NA[対象]NA[日数]NA[利用率]NA【勤務制度】フレックス 副業容認【住宅補助】独身寮・社宅(扶養家族がいる場合)

●ライフイベント、女性活躍●

【女性比率】■男 □女

新卒採用 60.9% (78名)

従業員 23.1% (574名)

【産休】[期間]産前6・産後8週間 産前休職 30週以内[給与]法定+共済組合給付[取得者数]11名
【育休】[期間]6年間[給与]給付金+賞与補償[取得者数]22年度 男24名(対象80名)女22名(対象22名)23年度 男43名(対象79名)女10名(対象10名)[平均取得日数]22年度NA、23年度 NA
【従業員】[人数]2,486名(男1,912名、女574名)[平均年齢]43.0歳(男45.3歳、女35.4歳)[平均勤続年数]19.8年(男22.4年、女11.1年)
【年齢構成】NA

会社データ (金額は百万円)

【本社】812-0011 福岡県福岡市博多区博多駅前3-5-7 博多センタービル ☎092-734-1572 https://www.nishitetsu.jp/

【業績(連結)】	売上高	営業利益	経常利益	純利益
22.3	427,159	10,451	13,953	9,873
23.3	494,643	26,150	27,901	18,368
24.3	411,649	25,877	24,538	24,723

東日本高速道路㈱

ひがしにほんこうそくどうろ

【特色】日本道路公団民営化で誕生。高速道を管理・運営

記者評価 日本道路公団の民営化により05年に誕生。略称はNEXCO東日本。新潟・長野の一部を含む関東以北から北海道までの高速道路を管理。営業総延長3943km(24年4月時点)、1日あたりの利用台数は296万台(23年度)。AIを用いた渋滞予測の精度向上に取り組む。

平均勤続年数	男性育休取得率	3年後離職率	平均年収(平均41歳)
16.5年	20.8→56.1%	9.2→12.3%	㊗775万円

●採用・配属情報●

【男女・文理別採用実績】

	大卒男	大卒女	修士男	修士女
23年	51(文 26 理 25)	13(文 8 理 5)	32(文 2 理 30)	3(文 2 理 1)
24年	59(文 27 理 32)	18(文 12 理 6)	32(文 2 理 30)	2(文 1 理 1)
25年	49(文 21 理 28)	18(文 15 理 3)	36(文 0 理 36)	2(文 0 理 2)

【男女・職種別採用実績】

	総合職
23年	117(男 93 女 24)
24年	127(男 104 女 23)
25年	119(男 93 女 26)

【24年4月入社者の配属勤務地】㊗北海道 宮城 青森 岩手 福島 埼玉 神奈川 栃木 千葉 茨城 長野 新潟 ㊕北海道 宮城 青森 岩手 福島 秋田 山形 埼玉 神奈川 栃木 千葉 茨城 群馬 長野 東京 新潟
【転勤】あり:詳細NA
【中途比率】[単年度]21年度2%、22年度0%、23年度3%[全体]NA

●働きやすさ、諸制度●

残業(月) 27.3時間 ㊗27.3時間

【勤務時間】9:00〜17:30【有休取得年平均】26.0日【週休】完全2日(土日祝)【夏期休暇】有休から夏季特別休暇として7日取得(6〜9月)【年末年始休暇】連続6日
【離職率】男:2.0%、42名 女:2.1%、10名
【新卒3年後離職率】
[20→23年]9.2%(男8.9%・入社101名、女10.5%・入社19名)
[21→24年]12.3%(男11.0%・入社100名、女16.7%・入社30名)
【テレワーク】制度あり:[場所]自宅 サテライトオフィス 他[対象]全社員[日数]NA[利用率]NA【勤務制度】時間単位有休 時差勤務 勤務間インターバル 副業容認【住宅補助】独身寮 単身寮 社宅 住居手当

●ライフイベント、女性活躍●

【女性比率】■男 □女

新卒採用 21.8% (26名)

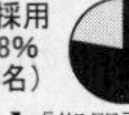

従業員 18% (462名)

【産休】[期間]産前6・産後8週間[給与]会社全額給付[取得者数]13名
【育休】[期間]3歳になるまで[給与]2週間会社全額給付、以降給付金[取得者数]22年度 男11名(対象53名)女12名(対象13名)23年度 男37名(対象66名)女13名(対象17名)[平均取得日数]22年度NA、23年度 男14日 女231日
【従業員】[人数]2,573名(男2,111名、女462名)[平均年齢]40.5歳(男40.6歳、女39.1歳)[平均勤続年数]16.5年(男16.9年、女14.5年)
【年齢構成】NA

会社データ (金額は百万円)

【本社】100-8979 東京都千代田区霞が関3-3-2 新霞が関ビルディング ☎03-3506-0111 https://www.e-nexco.co.jp/

【業績(連結)】	売上高	営業利益	経常利益	純利益
22.3	1,030,388	▲4,717	▲1,223	▲1,480
23.3	1,108,624	▲5,112	▲1,738	7,384
24.3	1,111,528	5,580	9,058	8,742

首都高速道路(株)

しゅとこうそくどうろ

プラチナくるみん

【特色】「首都高」の運営会社。道路公団民営化で誕生

記者評価 旧首都高速道路公団。道路公団民営化で05年誕生。政府のほか南関東1都3県や政令市も出資。都市高速「首都高」を運営。最大の課題である「日本橋区間の地下化」(1.8km)は開通2040年度メド。同地下化に伴う「新京橋連結路」(1.1km)も事業着手。

平均勤続年数	男性育休取得率	3年後離職率	平均年収(平均44歳)
18.1年	93.9→100%	2.7→2.7%	827万円

●採用・配属情報●

【男女・文理別採用実績】

	大卒男	大卒女	修士男	修士女
23年	13(文 7理 6)	4(文 2理 2)	18(文 0理 18)	2(文 0理 2)
24年	15(文 8理 7)	6(文 3理 3)	10(文 0理 10)	5(文 0理 5)
25年	15(文 9理 6)	7(文 5理 2)	17(文 0理 17)	4(文 0理 4)

【男女・職種別採用実績】

	総合職
23年	37(男 31 女 6)
24年	36(男 25 女 11)
25年	43(男 32 女 11)

【24年4月入社者の配属勤務地】㊗東京(千代田 中央)8 横浜3 ㊕東京(千代田 中央 神田)20 横浜5

【転勤】なし

【中途比率】[単年度]21年度10%、22年度27%、23年度28%[全体]15%

●働きやすさ、諸制度●

残業(月) 28.2時間

【勤務時間】9:00〜17:30【有休取得年平均】17.4日【週休】完全2日(土日祝)【夏期休暇】7日【年末年始休暇】12月29日〜1月3日

【離職率】男:3.8%、36名 女:1.4%、3名

【新卒3年後離職率】

[20→23年]2.7%(男0%・入社27名、女10.0%・入社10名)

[21→24年]2.7%(男3.6%・入社28名、女0%・入社9名)

【テレワーク】制度あり:[場所]自宅[対象]全社員[日数]週1日程度[利用率]NA【勤務制度】時間単位有休 時差勤務

【住宅補助】独身寮 社宅 住居手当 住宅資金貸付 他

●ライフイベント、女性活躍●

【女性比率】■男 □女

新卒採用 25.6% (11名) 従業員 18.7% (212名)

【産休】[期間]産前6・産後8週間[給与]会社全額給付[取得者数]2名

【育休】[期間]3歳になるまで、部分休業は小学3年生まで[給与]法定[取得者数]22年度 男31名(対象33名)女9名(対象6名)23年度 男34名(対象34名)女4名(対象4名)[平均取得日数]22年度 男68日 女482日、23年度 男59日 女357日

【従業員】[人数]1,131名(男919名、女212名)[平均年齢]43.9歳(男43.8歳、女44.3歳)[平均勤続年数]18.1年(男17.2年、女21.7年)

【年齢構成】■男 □女

	男	女
60代〜	3%	2%
50代	30%	7%
40代	16%	2%
30代	19%	3%
〜20代	13%	5%

会社データ (金額は百万円)

【本社】100-8930 東京都千代田区霞が関1-4-1 日土地ビル ☎03-3502-7311 https://www.shutoko.co.jp/

【業績(連結)】	売上高	営業利益	経常利益	純利益
22.3	385,265	5,649	6,010	4,523
23.3	350,672	▲556	▲260	▲547
24.3	340,266	4,379	4,657	2,961

中日本高速道路(株)

なかにほんこうそくどうろ

くるみん

【特色】東名高速、中央道などを運営。NEXCO中日本

記者評価 道路公団民営化で発足。高速道路の建設・保全やサービスエリアの運営を行う。東京以西から福井・滋賀・三重の一部まで1都11県が事業エリア。営業総距離は2183km、1日当たり利用台数は202万台(23年度)。観光振興や複合商業施設運営、不動産開発なども展開。

平均勤続年数	男性育休取得率	3年後離職率	平均年収(平均41歳)
17.1年	44.2→55.3%	11.3→7.3%	775万円

●採用・配属情報●

【男女・文理別採用実績】

	大卒男	大卒女	修士男	修士女
23年	43(文 19理 24)	16(文 12理 4)	42(文 0理 42)	2(文 1理 1)
24年	53(文 19理 34)	19(文 13理 6)	33(文 0理 33)	1(文 0理 1)
25年	-(文 -理 -)	-(文 -理 -)	-(文 -理 -)	-(文 -理 -)

※25年:約110名採用予定

【男女・職種別採用実績】 転換制度:⇒

	総合職
23年	107(男 88 女 19)
24年	111(男 89 女 22)
25年	110(男 - 女 -)

【24年4月入社者の配属勤務地】㊗東京 神奈川 静岡 山梨 長野 愛知 岐阜 三重 石川 富山 福井 ㊕東京 神奈川 静岡 山梨 長野 愛知 岐阜 三重 石川 富山 福井

【転勤】あり:[職種]総合職

【中途比率】[単年度]21年度5%、22年度9%、23年度4%[全体]6%

●働きやすさ、諸制度●

残業(月) 34.5時間

【勤務時間】9:00〜17:30(一部の業務・事業所により異なる)【有休取得年平均】13.7日【週休】完全2日(土日祝)【夏期休暇】8日(7〜10月の間で取得)【年末年始休暇】12月29日〜1月3日

【離職率】男:1.6%、31名 女:5.2%、22名

【新卒3年後離職率】

[20→23年]11.3%(男13.7%・入社73名、女4.2%・入社24名)

[21→24年]7.3%(男6.8%・入社74名、女9.1%・入社22名)

【テレワーク】制度あり:[場所]自宅 サテライトオフィス[対象]全社員[日数]月10回[利用率]NA【勤務制度】時間単位有休 時差勤務 副業容認【住宅補助】寮 社宅 住宅助成金

●ライフイベント、女性活躍●

【女性比率】■男 □女

従業員 17.6% (401名) 管理職 1.4% (8名)

【産休】[期間]産前6・産後8週間[給与]給与全額支給[取得者数]43名

【育休】[期間]3歳年度末まで[給与]法定[取得者数]22年度 男23名(対象52名)女23名(対象23名)23年度 男26名(対象47名)女17名(対象17名)[平均取得日数]22年度 男41日 女592日、23年度 男64日 女495日

【従業員】[人数]2,278名(男1,877名、女401名)[平均年齢]40.7歳(男42.0歳、女34.7歳)[平均勤続年数]17.1年(男18.1年、女12.2年)

【年齢構成】NA

会社データ (金額は百万円)

【本社】460-0003 愛知県名古屋市中区錦2-18-19 三井住友銀行名古屋ビル ☎052-222-1620 https://www.c-nexco.co.jp/

【業績(連結)】	売上高	営業利益	経常利益	純利益
22.3	1,099,614	1,600	3,834	1,775
23.3	1,154,952	3,726	5,315	3,148
24.3	983,955	10,935	12,377	9,575

にしにほんこうそくどうろ
西日本高速道路(株)

【特色】高速道路の運営・建設やSA運営。NEXCO西日本

[記者評価] 日本道路公団民営化で発足。滋賀・奈良以西の高速道路、自動車専用道路を管理・運営・建設。総延長3603km。23年度の1日当たり利用台数は301万台。高速道路の運営ノウハウや非破壊検査技術を生かして米国での道路点検請負など海外事業も展開。

平均勤続年数	男性育休取得率	3年後離職率	平均年収(平均*39歳)
15.2年	77.0 → 80.3%	7.6 → 8.8%	[総]765万円

●採用・配属情報●

【男女・文理別採用実績】

	大卒男	大卒女	修士男	修士女
23年	39(文 14 理 25)	21(文 17 理 4)	34(文 1 理 33)	4(文 0 理 4)
24年	35(文 18 理 17)	13(文 11 理 2)	25(文 1 理 24)	3(文 0 理 3)
25年	41(文 18 理 23)	22(文 21 理 1)	27(文 1 理 26)	2(文 1 理 1)

【男女・職種別採用実績】

	総合職
23年	110(男 81 女 29)
24年	81(男 63 女 18)
25年	98(男 74 女 24)

【24年4月入社者の配属勤務地】[総]滋賀 京都 大阪 兵庫 奈良 和歌山 鳥取 島根 岡山 広島 山口 徳島 香川 高知 福岡 長崎 熊本 大分 鹿児島 [技]滋賀 京都 大阪 兵庫 奈良 和歌山 鳥取 島根 岡山 広島 山口 徳島 香川 愛媛 高知 福岡 佐賀 長崎 熊本 大分 宮崎 鹿児島 沖縄

【転勤】あり:全社員

【中途比率】[単年度]21年度4%、22年度5%、23年度4% [全体]NA

●働きやすさ、諸制度●

残業(月) 34.1時間 [総]35.3時間

【勤務時間】9:00～17:30【有休取得年平均】11.3日【週休】完全2日(土日祝)【夏期休暇】8日【年末年始休暇】12月29日～1月3日

【離職率】男:1.6%、36名 女:1.7%、8名

【新卒3年後離職率】
[20→23年]7.6%(男8.7%・入社92名、女3.8%・入社26名)
[21→24年]8.8%(男10.2%・入社108名、女3.6%・入社28名)

【テレワーク】制度あり:[場所]自宅 サテライトオフィス コワーキングスペース カフェ 他[対象]全社員[日数]週2日まで[利用率]NA【勤務制度】時間単位有休 時差勤務【住宅補助】独身寮 単身寮 世帯用社宅 住宅支援金(持家・自己借上げの場合)

●ライフイベント、女性活躍●

【女性比率】■男 □女

新卒採用 24.5% (24名)

従業員 17.1% (464名)

【産休】[期間]産前6・産後8週間[給与]会社全額給付[取得者数]13名

【育休】[期間]3歳になるまで[給与]開始1週間以内有給、以降法定[取得者数]22年度 男57名(対象74名)女14名(対象14名)23年度 男61名(対象76名)女13名(対象13名)[平均取得日数]22年度 男11日 女498日、23年度 男31日 女434日

【従業員】[人数]2,714名(男2,250名、女464名)[平均年齢]39.4歳(男40.1歳、女35.9歳)[平均勤続年数]15.2年(男15.9年、女11.9年)【年齢構成】■男 □女

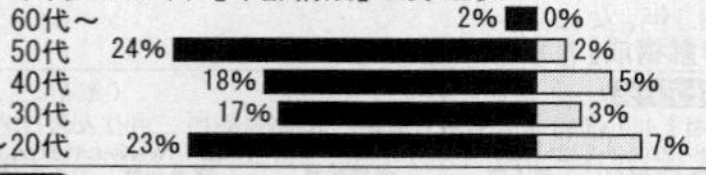
60代～ 2% 0%
50代 24% 2%
40代 18% 5%
30代 17% 3%
～20代 23% 7%

[会社データ] (金額は百万円)

【本社】530-0003 大阪府大阪市北区堂島1-6-20 堂島アバンザ19階 ☎06-6344-4000 https://corp.w-nexco.co.jp/

【業績(連結)】	売上高	営業利益	経常利益	純利益
22.3	1,329,669	5,244	7,999	6,632
23.3	977,080	▲453	1,600	392
24.3	1,077,088	9,999	13,212	10,611

にっぽんゆうせい
日本郵政(株)

【特色】ゆうちょ銀、かんぽ生命、日本郵便の持株会社

[記者評価] 日本郵政グループの持ち株会社。利益の大半はゆうちょ銀行。かんぽ生命の復調や物流事業の成長に課題。楽天グループと資本業務提携。23年10月からヤマトグループと協業。ゆうちょ銀やかんぽ生命の完全売却を見据えた日本郵便中心のビジネスモデル構築が難題。

平均勤続年数	男性育休取得率	3年後離職率	平均年収(平均45歳)
18.3年	NA → 100%	27.6 → 7.1%	◇867万円

●採用・配属情報●

【男女・文理別採用実績】

	大卒男	大卒女	修士男	修士女
23年	8(文 7 理 1)	5(文 4 理 1)	3(文 0 理 3)	5(文 0 理 5)
24年	39(文 36 理 3)	32(文 30 理 2)	9(文 2 理 7)	2(文 0 理 2)
25年	NA(文NA 理NA)	NA(文NA 理NA)	NA(文NA 理NA)	NA(文NA 理NA)

【男女・職種別採用実績】 転換制度:⇔

	総合職	総合職(建築技術系)	総合職(IT系)	総合職(女子陸上部)
23年	0(男 0 女 0)	8(男 3 女 5)	12(男 8 女 4)	1(男 0 女 1)
24年	65(男 37 女 28)	8(男 6 女 2)	9(男 5 女 4)	0(男 0 女 0)
25年	NA(男 NA 女 NA)	NA(男 NA 女 NA)	NA(男 NA 女 NA)	NA(男 NA 女 NA)

【職種併願】○

【24年4月入社者の配属勤務地】[総]東京・千代田65 [技]東京・千代田17

【転勤】あり:[職種]一部職種は転居を伴わない転勤限定

【中途比率】[単年度]21年度84%、22年度82%、23年度79%[全体]34%

●働きやすさ、諸制度●

残業(月) 17.6時間

【勤務時間】8時間【有休取得年平均】17.6日【週休】4週8休【夏期休暇】1日【年末年始休暇】12月31日～1月3日(別途冬期休暇1日)

【離職率】男:1.9%、16名 女:1.9%、13名(早期退職男3名、女4名含む)

【新卒3年後離職率】
[20→23年]27.6%(男6.3%・入社16名、女53.8%・入社13名)
[21→24年]7.1%(男0%・入社7名、女14.3%・入社7名)

【テレワーク】制度あり:[場所]自宅 帰省先 他[対象]本社 他[日数]月1回は出社[利用率]NA【勤務制度】フレックス 時間単位有休 時差勤務 勤務間インターバル 副業容認【住宅補助】社宅(世帯用 独身用)住居手当(家賃等に応じて算定支給)※一定の要件あり

●ライフイベント、女性活躍●

【女性比率】■男 □女

従業員 44.9% (689名)

管理職 11.8% (52名)

【産休】[期間]産前6・産後8週間[給与]会社全額給付[取得者数]29名

【育休】[期間]3歳になるまで 部分育休は9歳年度末までだが、子に障がいまたは慢性疾病等がある場合は12歳年度末まで[給与]産後8週間以内の育休のうち3日間有給(社内規程により取得を義務化)、以降法定[取得者数]22年度 男11名(対象NA)女23名(対象NA)23年度 男11名(対象11名)女29名(対象29名)[平均取得日数]22年度 男23日 女NA、23年度 男89日 女NA

【従業員】[人数]1,533名(男844名、女689名)[平均年齢]45.3歳(男48.7歳、女41.8歳)[平均勤続年数]18.3年(男22.3年、女14.3年)【年齢構成】■男 □女

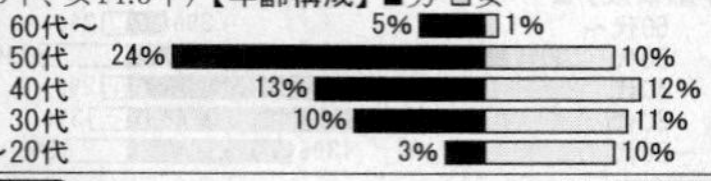
60代～ 5% 1%
50代 24% 10%
40代 13% 12%
30代 10% 11%
～20代 3% 10%

[会社データ] (金額は百万円)

【本社】100-8791 東京都千代田区大手町2-3-1 大手町プレイス ウエストタワー ☎03-3477-0111 https://www.japanpost.jp/

【業績(連結)】	経常収益	業務純益	経常利益	純利益
22.3	11,264,774	ND	991,464	501,685
23.3	11,138,580	ND	657,499	431,066
24.3	11,982,152	ND	668,316	268,685

※日本郵政・日本郵便の総合職は、日本郵政の総合職として採用

2233 開示 ★★ [短大] 採用あり

ぜんこくのうぎょうきょうどうくみあいれんごうかい　ジェイエーぜんのう

全国農業協同組合連合会（ＪＡ全農）

【特色】JAグループ中核組織の一つ。「経済事業」を担う

[記者評価] 農林中金、共済連と並ぶJAの全国組織。略称はJA全農。農畜産物販売や農業用資材供給といった「経済事業」を束ねる。輸出市場開拓や農業へのIT活用、食品スーパー・飲食店運営なども推進。資本・業務提携するファミリーマートとは複合型店舗や商品開発を実施。

平均勤続年数	男性育休取得率	3年後離職率	平均年収(平均42歳)
18.3年	67.3 → 69.5%	8.1 → [!] 11.2%	NA

●採用・配属情報●

【男女・文理別採用実績】

	大卒男	大卒女	修士男	修士女
23年	134(文 87 理 47)	107(文 68 理 39)	14(文 1 理 13)	8(文 2 理 6)
24年	129(文 81 理 48)	116(文 67 理 49)	27(文 0 理 27)	13(文 1 理 12)
25年	123(文 66 理 57)	104(文 66 理 38)	21(文 0 理 21)	9(文 0 理 9)

【男女・職種別採用実績】 転換制度：⇔

	総合職	担当職
23年	262(男 147 女 115)	15(男 6 女 9)
24年	285(男 156 女 129)	15(男 7 女 8)
25年	257(男 144 女 113)	10(男 2 女 8)

【24年4月入社者の配属勤務地】[総]本所・各事業所72 各都府県本部194 [技]各研究所19

【転勤】あり：［職種］総合職

【中途比率】［単年度］21年度16%、22年度15%、23年度NA［全体］NA

●働きやすさ、諸制度●

残業(月) 14.0時間

【勤務時間】9:00～17:30【有休取得年平均】14.0日【週休】完全2日（土日祝）【夏期休暇】5日【年末年始休暇】12月29日～1月3日

【離職率】男：5.1%、291名 女：3.9%、90名

【新卒3年後離職率】

［20→23年］8.1%（男6.0%・入社151名、女11.1%・入社108名）

［21→24年］11.2%（男11.9%・入社143名、女10.4%・入社106名）※長野除く

【テレワーク】制度あり：［場所］NA［対象］全従業員［日数］NA［利用率］NA【勤務制度】時間単位有休 時差勤務【住宅補助】舎宅（コースによる）住宅金利補助

●ライフイベント、女性活躍●

【女性比率】■男 □女

新卒採用 45.3%（121名）

従業員 28.9%（2211名）

【産休】［期間］産前6・産後8週間［給与］全額給付［取得者数］56名

【育休】［期間］1歳になるまで［給与］法定［取得者数］22年度 男142名（対象211名）女73名（対象73名）23年度 男141名（対象203名）女60名（対象60名）［平均取得日数］22年度NA、23年度 NA

【従業員】［人数］7,645名（男5,434名、女2,211名）［平均年齢］42.0歳（男42.9歳、女39.4歳）［平均勤続年数］18.3年（男18.9年、女16.6年）

【年齢構成】NA

会社データ （金額は百万円）

【本社】100-6832 東京都千代田区大手町1-3-1 JAビル ☎03-6271-8123 https://www.zennoh.or.jp/

【業績(単独)】	取扱高	事業利益	経常利益	当期剰余金
22.3	4,472,424	▲1,411	8,168	9,930
23.3	4,960,600	5,789	18,612	15,685
24.3	4,934,822	4,148	17,444	18,902

2591 開示 ★★★★

にほんせいかつきょうどうくみあいれんごうかい

日本生活協同組合連合会

[えるぼし ★★★] [プラチナくるみん]

【特色】地域生協の全国連合会。日本最大の消費者組織

[記者評価] 各地の生協や生協連合会が加入する全国連合会。略称は日本生協連。開発したコープ商品を会員生協へ供給するほか、各生協の事業を支援。23年度末の加入生協302、傘下組合員3000万人、年間供給高4411億円の日本最大の消費者組織。「2030年ビジョン」を展開。

平均勤続年数	男性育休取得率	3年後離職率	平均年収(平均41歳)
14.9年	63.6 → 76.2%	3.8 → 4.3%	[総] 723万円

●採用・配属情報●

【男女・文理別採用実績】※25年：24年7月29日時点

	大卒男	大卒女	修士男	修士女
23年	10(文 7 理 3)	17(文 14 理 3)	1(文 0 理 1)	3(文 0 理 3)
24年	6(文 6 理 0)	14(文 11 理 3)	4(文 1 理 3)	0(文 0 理 0)
25年	10(文 9 理 1)	9(文 8 理 1)	2(文 0 理 2)	0(文 0 理 0)

【男女・職種別採用実績】

	総合職
23年	31(男 11 女 20)
24年	24(男 10 女 14)
25年	21(男 12 女 9)

【24年4月入社者の配属勤務地】[総]東京（渋谷2 新大久保10）埼玉（桶川2 戸田2）北海道1 宮城2 愛知1 大阪1 広島1 [技]埼玉・戸田2

【転勤】あり：全社員

【中途比率】［単年度］21年度15%、22年度49%、23年度14%［全体］27%

●働きやすさ、諸制度●

残業(月) 18.1時間 [総] 18.1時間

【勤務時間】フレックスタイム制（コアタイム11:00～15:00）【有休取得年平均】15.2日【週休】2日（隔週土曜出勤）【夏期休暇】なし【年末年始休暇】12月31日～1月3日

【離職率】男：2.1%、12名 女：1.2%、5名

【新卒3年後離職率】

［20→23年］3.8%（男0%・入社7名、女5.3%・入社19名）

［21→24年］4.3%（男0%・入社6名、女5.9%・入社17名）

【テレワーク】制度あり：［場所］自宅（他の場所で勤務する場合は要相談）［対象］全職員（入協後や中途採用後や 業務内容が大きく変わる異動後で業務習熟中の場合を除く）［日数］制限なし［利用率］24.9%【勤務制度】フレックス 時間単位有休【住宅補助】単身寮 単身赴任寮 地域手当

●ライフイベント、女性活躍●

【女性比率】■男 □女

新卒採用 42.9%（9名）

従業員 40.9%（397名）

管理職 14.3%（35名）

【産休】［期間］産前8・産後8週間［給与］9割給付［取得者数］19名

【育休】［期間］2歳に達するまで［給与］9割給付［取得者数］22年度 男7名（対象11名）女17名（対象17名）23年度 男16名（対象21名）女19名（対象19名）［平均取得日数］22年度 男16日 女15日、23年度 男15日 女15日

【従業員】［人数］970名（男573名、女397名）［平均年齢］41.1歳（男43.7歳、女37.1歳）［平均勤続年数］14.9年（男19.0年、女11.3年）【年齢構成】■男 □女

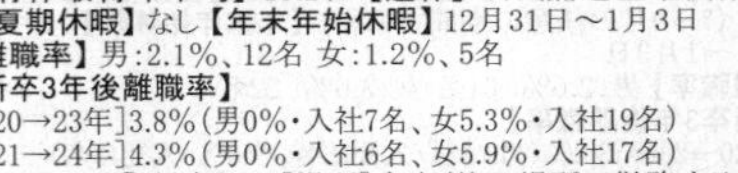

60代～ 0%|0%
50代 20% 7%
40代 18% 9%
30代 16% 14%
～20代 6% 11%

会社データ （金額は百万円）

【本社】150-8913 東京都渋谷区渋谷3-29-8 コーププラザ ☎03-5778-8111 https://jccu.coop/

【業績】	供給高	供給剰余金	経常剰余金	当期剰余金
22.3	432,946	51,245	8,049	6,454
23.3	435,663	49,835	5,086	6,405
24.3	441,197	49,802	4,518	3,524

サービス

(国研)産業技術総合研究所
さんぎょうぎじゅつそうごうけんきゅうしょ

えるぼし ★★★　くるみん＋

【特色】先端技術の開発を担う特定国立研究開発法人

記者評価 日本最大級の公的研究機関。略称は産総研。つくばを中核に国内12の研究拠点。エネ・環境、材料・化学、エレクトロ・製造、計量標準、地質調査、生命工学、情報・人間工学の7領域で研究開発展開。約2200人の研究職員が在籍。世界各国の主要研究機関と連携も。

平均勤続年数	男性育休取得率	3年後離職率	平均年収(平均46歳)
15.8年	NA	3.2→16.1%	921万円

●採用・配属情報●
【男女・文理別採用実績】※25年：24年8月時点

	大卒男	大卒女	修士男	修士女
23年	6(文 4 理 2)	10(文 10 理 0)	7(文 1 理 6)	4(文 0 理 4)
24年	2(文 1 理 1)	4(文 3 理 1)	11(文 1 理 10)	17(文 3 理 14)
25年	7(文 6 理 1)	15(文 13 理 2)	17(文 0 理 17)	23(文 4 理 19)

【男女・職種別採用実績】

	総合職	研究職(修士)
23年	20(男 9 女 11)	7(男 4 女 3)
24年	16(男 7 女 9)	18(男 6 女 12)
25年	34(男 12 女 22)	28(男 12 女 16)

【24年4月入社者の配属勤務地】㊕茨城・つくば15 東京・霞が関1 ㊙茨城・つくば14 北海道2 千葉・柏1 東北1
【転勤】あり：[職種]常勤職員[勤務地]本部：茨城、東京 研究拠点：北海道 宮城 福島 千葉 福井 愛知 大阪 広島 香川 佐賀
【中途比率】[単年度]21年度NA、22年度NA、23年度NA[全体]NA

●働きやすさ、諸制度●
残業(月) ㊕20.2時間

【勤務時間】フレックスタイム制 コアタイムなし【有休取得年平均】13.6日【週休】完全2日（土日祝）【夏期休暇】連続3日（7～9月の任意の期間で取得）【年末年始休暇】12月29日～1月3日
【離職率】男：2.6%、61名 女：3.6%、22名
【新卒3年後離職率】
[20→23年]3.2%（男6.3%・入社16名、女0%・入社15名）
[21→24年]16.1%（男7.1%・入社14名、女23.5%・入社17名）
【テレワーク】制度あり：[場所]職員等の自宅 職員等の家族の住居[対象]NA[日数]1カ月の要勤務日数の50%の日数まで[利用率]NA【勤務制度】フレックス 時間単位有休 裁量労働 時差勤務【住宅補助】住居手当（最大28,000円）

●ライフイベント、女性活躍●
【女性比率】■男 □女

【産休】[期間]産前6・産後8週間[給与]全額給付（一部諸手当除く）[取得者数]23名
【育休】[期間]3歳になるまで[給与]法定[取得者数]22年度 男30名（対象NA）女8名（対象NA）23年度 男30名（対象NA）女30名（対象NA）[平均取得日数]22年度 NA、23年度 NA
【従業員】[人数]2,849名（男2,256名、女593名）[平均年齢]45.9歳（男47.0歳、女41.7歳）[平均勤続年数]15.8年（男16.8年、女12.4年）【年齢構成】■男 □女

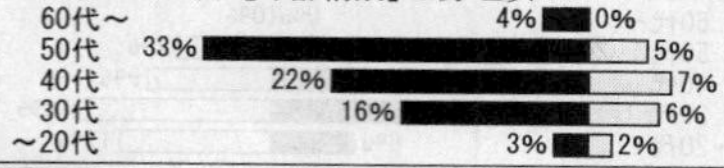

会社データ　（金額は百万円）
【本社】100-8921 東京都千代田区霞が関1-3-1 ☎029-861-2000
https://www.aist.go.jp/

【業績】	予算
22.3	111,403
23.3	181,275
24.3	139,951

(一社)日本自動車連盟(JAF)
にほんじどうしゃれんめい ジャフ

【特色】一般社団法人。略称JAF。ロードサービス展開

記者評価 自動車に関する様々な業務などを目的に社団法人として1963年発足。略称JAF。2011年の一般社団法人移行とともに交通知識向上や交通安全啓蒙などに目的が移り、故障車・事故車の救援業務などが主力に。23年度の年間救援件数226万件超。8地方本部の下に52支部。

平均勤続年数	男性育休取得率	3年後離職率	平均年収(平均44歳)
20.8年	25.9→72.1%	10.0→10.1%	NA

●採用・配属情報●
【男女・文理別採用実績】※25年：24年7月末時点

	大卒男	大卒女	修士男	修士女
23年	31(文 29 理 2)	26(文 26 理 0)	0(文 0 理 0)	0(文 0 理 0)
24年	19(文 19 理 0)	30(文 28 理 2)	0(文 0 理 0)	0(文 0 理 0)
25年	32(文 30 理 2)	20(文 20 理 0)	0(文 0 理 0)	0(文 0 理 0)

【男女・職種別採用実績】　転換制度：NA

	総合職	ロードサービス職(大卒)	ロードサービス職(専門卒)
23年	57(男 31 女 26)	4(男 4 女 0)	24(男 24 女 0)
24年	46(男 16 女 30)	3(男 3 女 0)	17(男 17 女 0)
25年	51(男 31 女 20)	5(男 5 女 0)	18(男 18 女 0)

【職種併願】○
【24年4月入社者の配属勤務地】㊕札幌2 仙台1 茨城・水戸1 栃木・宇都宮1 さいたま2 千葉2 東京（港5 多摩1）横浜3 新潟1 長野1 福井1 岐阜1 愛知5 大阪（福島2 茨木2 港3）滋賀・大津1 京都1 兵庫・神戸1 広島2 山口1 香川・高松1 福岡2 熊本1 大分1 沖縄・浦添1 ㊙京都1 奈良1 広島1
【転勤】あり：全職員（全国転勤可・エリア転勤可・自宅から通える範囲と自身が回答した範囲内）
【中途比率】[単年度]21年度17%、22年度29%、23年度42%[全体]NA

●働きやすさ、諸制度●
残業(月) 11.0時間

【勤務時間】9:00～17:45※職種によりシフト勤務【有休取得年平均】15.0日【週休】完全2日（土日祝）※職種により交替制（月6日以上）【夏期休暇】3日（年間所定労働時間に基づき年度ごとに付与）【年末年始休暇】12月30日～1月3日※職種によりシフト勤務
【離職率】男：2.8%、87名 女：3.6%、16名
【新卒3年後離職率】
[20→23年]10.0%（男9.5%・入社63名、女10.8%・入社37名）
[21→24年]10.1%（男11.9%・入社67名、女4.5%・入社22名）
【テレワーク】制度あり：[場所]自宅[対象]連盟が定める条件をすべて満たした者[日数]制限なし[利用率]NA【勤務制度】時間単位有休 時差勤務【住宅補助】借上社宅（要件を満たす職員に貸与あり）

●ライフイベント、女性活躍●
【女性比率】■男 □女

新卒採用 27%（20名）　従業員 12.6%（430名）　管理職 3.7%（13名）

【産休】[期間]産前6・産後8週間[給与]法定[取得者数]24名
【育休】[期間]定められた条件に該当する従業員は、3歳になるまで必要な日数を取得可[給与]法定[取得者数]22年度 男21名（対象81名）女20名（対象20名）23年度 男49名（対象68名）女21名（対象22名）[平均取得日数]22年度 NA、23年度 NA
【従業員】[人数]3,416名（男2,986名、女430名）[平均年齢]43.7歳（男44.7歳、女37.2歳）[平均勤続年数]20.8年（男21.8年、女14.0年）【年齢構成】■男 □女

	男	女
60代～	6%	0%
50代	32%	3%
40代	20%	2%
30代	15%	3%
～20代	14%	5%

会社データ　（金額は百万円）
【本社】105-0012 東京都港区芝大門1-1-30 日本自動車会館 ☎03-3438-0044
https://jaf.or.jp/

【業績(単独)】	売上高	営業利益	経常利益	純利益
22.3	71,659	NA	NA	NA
23.3	72,336	NA	NA	NA
24.3	75,387	NA	NA	NA

（一財）日本品質保証機構（にほんひんしつほしょうきこう）

[くるみん]

【特色】品質・安全審査などの第三者機関。略称JQA

[記者評価] 1957年設立の日本機械金属検査協会が前身。経産・総務省登録の一般財団法人。中立な第三者機関として国際規格のISO認証や製品試験、JIS認証、製品安全評価などの認証事業を手がける。マネジメントシステム認証で豊富な実績。タイ、ベトナム、ドイツに拠点。

平均勤続年数	男性育休取得率	3年後離職率	平均年収(平均43歳)
15.2年	33.3→25.0%	0→11.8%	[総]809万円

●採用・配属情報●

【男女・文理別採用実績】

	大卒男	大卒女	修士男	修士女
23年	4(文 3理 1)	4(文 3理 1)	3(文 0理 3)	2(文 0理 2)
24年	7(文 5理 2)	9(文 8理 1)	3(文 0理 3)	3(文 0理 3)
25年	9(文 6理 3)	10(文 6理 4)	4(文 0理 4)	2(文 0理 2)

【男女・職種別採用実績】 転換制度:⇔

	総合職	一般職
23年	13(男 8 女 5)	1(男 0 女 1)
24年	27(男 13 女 14)	0(男 0 女 0)
25年	32(男 17 女 15)	0(男 0 女 0)

【24年4月入社者の配属勤務地】[総]東京(神田7 八王子4) 大阪(大阪1 箕面1) [技]東京・八王子9 愛知・北名古屋2 大阪(茨木1 東大阪2)

【転勤】あり:[職種]総合職[勤務地]東京 愛知 大阪 福岡 山梨 岩手 神奈川 福島 広島

【中途比率】[単年度]21年度69%、22年度70%、23年度67%[全体]35%

●働きやすさ、諸制度●

残業(月) 20.0時間 [総]20.0時間

【勤務時間】9:00～17:25【有休取得年平均】12.4日【週休】完全2日(土日祝)【夏期休暇】5日(6～9月)【年末年始休暇】12月29日～1月3日

【離職率】男:2.6%、13名 女:4.9%、8名

【新卒3年後離職率】
[20→23年]0%(男0%・入社9名、女0%・入社9名)
[21→24年]11.8%(男11.1%・入社9名、女12.5%・入社8名)

【テレワーク】制度あり:[場所]自宅[対象]全職員[日数]週2日まで[利用率]6.3%【勤務制度】時差勤務【住宅補助】独身者用借上住宅(35歳以下 賃料の5割を会社負担)家賃補填(世帯主 賃料一部補助)

●ライフイベント、女性活躍●

【女性比率】■男 □女

新卒採用 46.9%(15名)　従業員 23.9%(154名)　管理職 10.4%(13名)

【産休】[期間]産前6・産後8週間[給与]法定[取得者数]4名

【育休】[期間]1歳になるまで[給与]法定[取得者数]22年度 男4名(対象12名)女4名(対象4名)23年度 男5名(対象20名)女3名(対象3名)[平均取得日数]22年度 男15日 女295日、23年度 男15日 女295日

【従業員】[人数]645名(男491名、女154名)[平均年齢]42.0歳(男42.7歳、女40.0歳)[平均勤続年数]15.2年(男15.3年、女14.9年)

【年齢構成】■男 □女

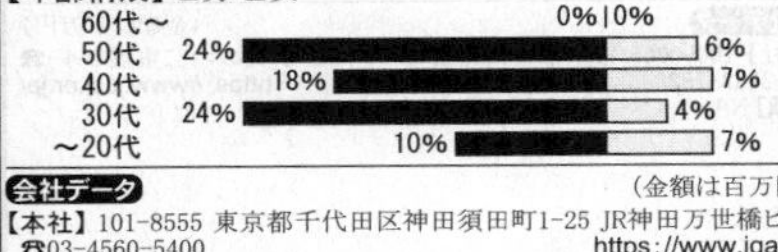

会社データ (金額は百万円)

【本社】101-8555 東京都千代田区神田須田町1-25 JR神田万世橋ビル ☎03-4560-5400 https://www.jqa.jp/

【業績(単独)】	売上高	営業利益	経常利益	純利益
22.3	16,838	NA	NA	NA
23.3	17,787	NA	NA	NA
24.3	19,042	NA	NA	NA

（一財）関東電気保安協会（かんとうでんきほあんきょうかい）

【特色】東電供給区域で電気設備の安全点検などを行う

[記者評価] 1966年創設の一般財団法人。全国10電気保安協会で最大。公共施設や工場など自家用電気工作物の保安管理や技術コンサルの保安業務が主。ほかに調査、建設、広報の業務も。富士川以東の静岡県を含む東京電力HDの供給区域に40超の拠点。時間単位休暇制度もある。

平均勤続年数	男性育休取得率	3年後離職率	平均年収(平均48歳)
20.3年	33.3→43.5%	7.9→11.5%	[総]771万円

●採用・配属情報●

【男女・文理別採用実績】

	大卒男	大卒女	修士男	修士女
23年	26(文 6理 20)	6(文 6理 0)	0(文 0理 0)	0(文 0理 0)
24年	43(文 2理 41)	3(文 3理 0)	0(文 0理 0)	0(文 0理 0)
25年	20(文 3理 17)	3(文 3理 0)	2(文 0理 2)	0(文 0理 0)

【男女・職種別採用実績】

	総合職
23年	51(男 43 女 8)
24年	64(男 61 女 3)
25年	45(男 42 女 3)

【24年4月入社者の配属勤務地】[総]東京3 埼玉1 神奈川1 [技]東京22 神奈川16 千葉6 埼玉1 群馬3 茨城4 栃木4 山梨1 沼津2

【転勤】あり:全職員

【中途比率】[単年度]21年度NA、22年度NA、23年度NA[全体]30%

●働きやすさ、諸制度●

残業(月) 23.7時間 [総]25.2時間

【勤務時間】8:30～17:10【有休取得年平均】22.2日【週休】完全2日(土日祝)【夏期休暇】3日(5～9月に本人が指定)【年末年始休暇】12月29日～1月3日

【離職率】男:7.0%、184名 女:7.5%、12名

【新卒3年後離職率】
[20→23年]7.9%(男9.1%・入社33名、女0%・入社5名)
[21→24年]11.5%(男13.0%・入社46名、女0%・入社6名)

【テレワーク】制度あり:[場所]自宅[対象]外勤者を除く[日数]制限なし[利用率]NA【勤務制度】時間単位有休 時差勤務 副業容認【住宅補助】寮または借上住宅(30歳以下の独身遠方者 自己負担10,000～17,000円)

●ライフイベント、女性活躍●

【女性比率】■男 □女

新卒採用 6.7%(3名)　従業員 5.7%(148名)　管理職 2.6%(6名)

【産休】[期間]産前6・産後8週間[給与]会社全額給付[取得者数]2名

【育休】[期間]1歳到達年度末まで[給与]法定[取得者数]22年度 男10名(対象30名)女1名(対象1名)23年度 男10名(対象23名)女0名(対象0名)[平均取得日数]22年度 NA、23年度 NA

【従業員】[人数]2,611名(男2,463名、女148名)[平均年齢]48.1歳(男48.4歳、女43.2歳)[平均勤続年数]20.3年(男20.4年、女17.5年)

【年齢構成】■男 □女

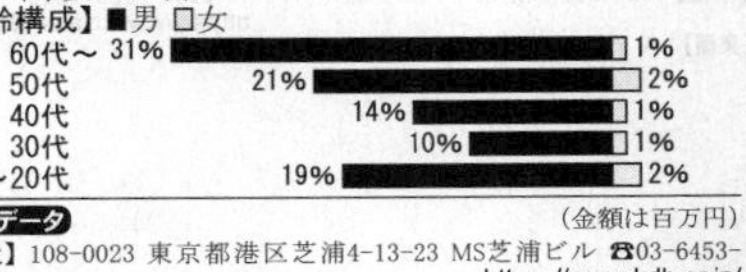

会社データ (金額は百万円)

【本社】108-0023 東京都港区芝浦4-13-23 MS芝浦ビル ☎03-6453-8888 https://www.kdh.or.jp/

【業績】NA

サービス

(一財)日本海事協会
（にっぽんかいじきょうかい）

えるぼし ★★

【特色】船舶への検査・認証を行う。世界一の船級協会

記者評価 1899年創設の帝国海事協会が母体。NKまたはClassNKとも称される。船舶安全のための検査や品質・環境に関する認証サービス等が主業務。国内外約130の事業拠点で検査を実施。船級登録9322隻、約2.7億総トンは世界商船総船腹量の約2割を占める（24年8月末）。

平均勤続年数	男性育休取得率	3年後離職率	平均年収（平均44歳）
15.6年	61.3→65.5%	24.1→6.9%	NA

●採用・配属情報●

【男女・文理別採用実績】

	大卒男	大卒女	修士男	修士女
23年	10(文 4理 6)	3(文 3理 0)	11(文 0理 11)	2(文 0理 2)
24年	8(文 2理 6)	2(文 2理 0)	14(文 0理 14)	0(文 0理 0)
25年	7(文 4理 3)	4(文 4理 0)	19(文 0理 19)	1(文 0理 1)

【男女・職種別採用実績】

	総合職
23年	27(男 21 女 6)
24年	25(男 23 女 2)
25年	34(男 28 女 6)

【24年4月入社者の配属勤務地】㊨東京4 ㊦東京21
【転勤】あり:［職種］総合職
【中途比率】［単年度］21年度49%、22年度41%、23年度33%［全体］NA

●働きやすさ、諸制度●

残業(月) 18.3時間 ㊨20.6時間

【勤務時間】9:00～17:20【有休取得年平均】15.6日【週休】完全2日(土日祝)【夏期休暇】3日【年末年始休暇】6日
【離職率】NA
【新卒3年後離職率】
［20→23年］24.1%(男16.7%・入社24名、女60.0%・入社5名)
［21→24年］6.9%(男7.7%・入社26名、女0%・入社3名)
【テレワーク】制度あり:［場所］NA［対象］NA［日数］NA［利用率］NA【勤務制度】時間単位有休 時差勤務【住宅補助】独身寮 社宅(全国)住宅手当

●ライフイベント、女性活躍●

【女性比率】■男 □女

新卒採用 17.6% (6名)

従業員 21.8% (371名)

【産休】［期間］産前6・産後8週間［給与］会社全額給付［取得者数］4名
【育休】［期間］1歳になるまで［給与］法定［取得者数］22年度 男19名(対象31名)女7名(対象7名)23年度 男19名(対象29名)女6名(対象5名)［平均取得日数］22年度 男72日 女387日、23年度 男64日 女281日
【従業員】［人数］1,705名(男1,334名、女371名)［平均年齢］44.1歳(男44.5歳、女42.4歳)［平均勤続年数］15.6年(男15.2年、女17.0年)
【年齢構成】NA

会社データ (金額は百万円)
【本社】102-0094 東京都千代田区紀尾井町4-7 ☎03-3230-1201 https://www.classnk.or.jp/
【業績】NA

日本商工会議所
（にほんしょうこうかいぎしょ）

【特色】全国の商工会議所を束ねる。経済三団体の1つ

記者評価 商工会議所法に基づく特別民間法人。1892年に15の商業会議所により結成された商業会議所連合会が前身。全国515の商工会議所を会員として組織。政策提言・要望や各商工会議所の運営支援などを手がける。簿記、プログラミングなど検定試験を実施。

平均勤続年数	男性育休取得率	3年後離職率	平均年収（平均41歳）
17.5年	100→100%	20.0→0%	NA

●採用・配属情報●

【男女・文理別採用実績】

	大卒男	大卒女	修士男	修士女
23年	0(文 0理 0)	2(文 2理 0)	0(文 0理 0)	0(文 0理 0)
24年	3(文 3理 0)	3(文 3理 0)	0(文 0理 0)	0(文 0理 0)
25年	2(文 2理 0)	2(文 2理 0)	0(文 0理 0)	0(文 0理 0)

【男女・職種別採用実績】

	総合職
23年	2(男 0 女 2)
24年	6(男 3 女 3)
25年	4(男 2 女 2)

【24年4月入社者の配属勤務地】㊨東京・丸の内6
【転勤】なし
【中途比率】［単年度］21年度0%、22年度50%、23年度33%［全体］NA

●働きやすさ、諸制度●

残業(月) ㊨23.7時間

【勤務時間】9:30～17:30【有休取得年平均】11.3日【週休】完全2日(土日祝)【夏期休暇】5日【年末年始休暇】12月29日～1月3日
【離職率】男:1.4%、1名 女:5.7%、2名
【新卒3年後離職率】
［20→23年］20.0%(男33.3%・入社3名、女0%・入社2名)
［21→24年］0%(男0%・入社2名、女0%・入社1名)
【テレワーク】制度あり:［場所］自宅［対象］全職員［日数］制限なし［利用率］NA【勤務制度】時間単位有休【住宅補助】なし

●ライフイベント、女性活躍●

【女性比率】■男 □女

新卒採用 50% (2名)

従業員 31.4% (33名)

【産休】［期間］NA［給与］NA［取得者数］1名
【育休】［期間］1歳になるまで［給与］法定［取得者数］22年度 男1名(対象1名)女1名(対象1名)23年度 男2名(対象2名)女0名(対象0名)［平均取得日数］22年度 NA、23年度 NA
【従業員】［人数］105名(男72名、女33名)［平均年齢］40.6歳(男41.3歳、女39.3歳)［平均勤続年数］17.5年(男17.9年、女16.3年)
【年齢構成】■男 □女

	男	女
60代～	0%	10%
50代	19%	8%
40代	17%	6%
30代	21%	9%
～20代	11%	10%

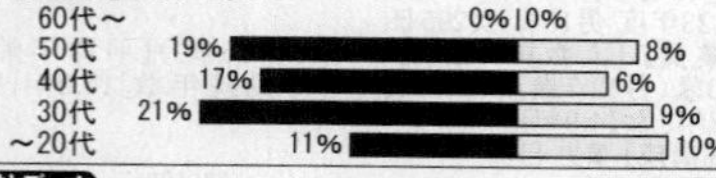

会社データ (金額は百万円)
【本社】100-0005 東京都千代田区丸の内3-2-2 丸の内二重橋ビル ☎03-3283-7823 https://www.jcci.or.jp/
【業績】NA

サービス

東京商工会議所

とうきょうしょうこうかいぎしょ

【特色】初代会頭は渋沢栄一。全国商工会議所の草分け

記者評価 1878年設立の東京商法会議所が起源。都内23区の商工業者や団体で原則構成され、24年3月末の会員数は約8.4万。東商会頭は日商会頭を兼務。中小企業会員を対象に経営支援や政策要望、地域振興などを展開。入所後10年程度はジョブローテーションが基本。

平均勤続年数	男性育休取得率	3年後離職率	平均年収(平均43歳)
15.4年	20.0→25.0%	0→0%	NA

●採用・配属情報●

【男女・文理別採用実績】

	大卒男	大卒女	修士男	修士女
23年	2(文 2理 0)	2(文 2理 0)	0(文 0理 0)	0(文 0理 0)
24年	3(文 3理 0)	2(文 2理 0)	0(文 0理 0)	0(文 0理 0)
25年	2(文 2理 0)	4(文 4理 0)	0(文 0理 0)	0(文 0理 0)

【男女・職種別採用実績】 転換制度：⇔

	総合職
23年	4(男 2 女 2)
24年	5(男 3 女 2)
25年	6(男 2 女 4)

【24年4月入社者の配属勤務地】㊕東京・千代田5

【転勤】あり:[職種]総合職[勤務地]シドニー ハノイ ジャカルタ 上海(海外勤務の希望有無・国際経験・語学スキルを考慮)

【中途比率】[単年度]21年度37%、22年度50%、23年度56%[全体]NA

●働きやすさ、諸制度●

残業(月) 12.2時間 ㊕15.0時間

【勤務時間】7時間【有休取得年平均】14.9日【週休】完全2日(土日祝)【夏期休暇】5日【年末年始休暇】12月29日～1月3日

【離職率】男:1.8%、3名 女:3.9%、6名

【新卒3年後離職率】
[20→23年]0%(男0%・入社2名、女0%・入社3名)
[21→24年]0%(男0%・入社3名、女0%・入社2名)

【テレワーク】制度あり:[場所]自宅 支部事務所[対象]全職員[日数]制限なし(要事前申請)[利用率]NA【勤務制度】時差勤務【住宅補助】なし

●ライフイベント、女性活躍●

【女性比率】■男 □女

新卒採用 66.7% (4名)

従業員 47% (147名)

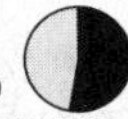

【産休】[期間]産前6・産後8週間[給与]会社全額給付+賞与50%[取得者数]5名

【育休】[期間]1歳になるまで[給与]法定[取得者数]22年度 男2名(対象10名)女3名(対象3名)23年度 男2名(対象8名)女3名(対象3名)[平均取得日数]22年度 NA、23年度 NA

【従業員】[人数]313名(男166名、女147名)[平均年齢]42.6歳(男42.3歳、女42.9歳)[平均勤続年数]15.4年(男17.0年、女13.7年)

【年齢構成】NA

会社データ (金額は百万円)

【本社】100-0005 東京都千代田区丸の内3-2-2 丸の内二重橋ビル ☎03-3283-7541 https://www.tokyo-cci.or.jp/

【業績】NA

(国研)宇宙航空研究開発機構(JAXA)

うちゅうこうくうけんきゅうかいはつきこう ジャクサ

えるぼし★★★ くるみん

【特色】国の宇宙航空開発政策を担う。「はやぶさ」で脚光

記者評価 総務・文科両省所管の独法。宇宙科学研究所、航空宇宙技術研究所、宇宙開発事業団を統合して誕生。宇宙開発の基礎研究から開発・利用まで手がける。アメリカ、フランスなどに駐在員事務所。24年7月地球観測衛星「だいち4号」搭載のH3ロケット打ち上げに成功。

平均勤続年数	男性育休取得率	3年後離職率	平均年収(平均46歳)
NA	38.7→77.6%	3.4→5.6%	㊕888万円

●採用・配属情報●

【男女・文理別採用実績】

	大卒男	大卒女	修士男	修士女
23年	4(文 4理 0)	5(文 5理 0)	13(文 0理 13)	4(文 0理 4)
24年	5(文 4理 1)	6(文 6理 0)	16(文 0理 16)	10(文 1理 9)
25年	3(文 3理 0)	8(文 6理 2)	22(文 1理 21)	13(文 2理 11)

【男女・職種別採用実績】

	総合職
23年	39(男 27 女 12)
24年	44(男 27 女 17)
25年	53(男 32 女 21)

【24年4月入社者の配属勤務地】㊕東京3 つくば6 相模原1 種子島1 ㊋東京8 つくば17 相模原5 種子島3

【転勤】あり:全社員

【中途比率】[単年度]21年度53%、22年度54%、23年度52%[全体]NA

●働きやすさ、諸制度●

残業(月) 20.7時間

【勤務時間】9:30～17:45【有休取得年平均】13.1日【週休】完全2日(土日祝)【夏期休暇】ワークライフバランス(WLB)休暇年7日【年末年始休暇】12月29日～1月3日

【離職率】男:1.7%、22名 女:1.8%、6名

【新卒3年後離職率】
[20→23年]3.4%(男0%・入社17名、女8.3%・入社12名)
[21→24年]5.6%(男5.9%・入社17名、女5.3%・入社19名)

【テレワーク】制度あり:[場所]自宅[対象]全社員[日数]制限なし[利用率]NA【勤務制度】フレックス 時間単位有休 時差勤務 副業容認【住宅補助】独身用・世帯用宿舎 住居手当

●ライフイベント、女性活躍●

【女性比率】■男 □女

新卒採用 39.6% (21名)

従業員 20.5% (328名)

【産休】[期間]産前6・産後8週間[給与]全額給付[取得者数]23名

【育休】[期間]3歳になるまで[給与]法定[取得者数]22年度 男24名(対象62名)女22名(対象22名)23年度 男38名(対象49名)女23名(対象23名)[平均取得日数]22年度 男63日 女432日、23年度 男35日 女350日

【従業員】[人数]1,599名(男1,271名、女328名)[平均年齢]44.6歳(男45.8歳、女39.9歳)[平均勤続年数]NA

【年齢構成】NA

会社データ (金額は百万円)

【本社】182-8522 東京都調布市深大寺東町7-44-1 ☎0422-40-3000 https://www.jaxa.jp/

【業績】NA

(国研)科学技術振興機構

えるぼし ★★★　くるみん

【特色】文科省所管の研究開発法人。科学技術振興を担う

記者評価 科学技術の振興を目的に設立された文部科学省所管の国立研究開発法人。「CREST」「さきがけ」など研究開発支援プログラムの設計・運営や大学発ベンチャーの創出・支援などを手がける。22年から約10兆円規模の「大学ファンド」を運用。略称はJST。

平均勤続年数	男性育休取得率	3年後離職率	平均年収(平均43歳)
! 15.2年	88.9 → 71.4%	0 → 22.2%	NA

●採用・配属情報●

【男女・文理別採用実績】

	大卒男	大卒女	修士男	修士女
23年	3(文 2理 1)	2(文 2理 0)	4(文 2理 2)	6(文 0理 6)
24年	2(文 2理 0)	3(文 2理 1)	4(文 1理 3)	9(文 3理 6)
25年	1(文 1理 0)	2(文 1理 1)	4(文 0理 4)	8(文 3理 5)

【男女・職種別採用実績】

	総合職
23年	17(男 8 女 9)
24年	19(男 7 女 12)
25年	16(男 6 女 10)

【24年4月入社者の配属勤務地】㊔東京16 埼玉3
【転勤】あり:全社員
【中途比率】[単年度]21年度65%、22年度44%、23年度59%[全体]55%

●働きやすさ、諸制度●

残業(月) 17.0時間 ㊔21.5時間

【勤務時間】7:30〜16:00 8:00〜16:30 8:30〜17:00 9:00〜17:30 9:30〜18:00 10:00〜18:30から選択制※フレックスタイム制度あり(希望制／適用条件あり)〈コアタイム〉11:00〜15:00〈フレキシブルタイム〉7:30〜11:00 15:00〜20:00【有休取得年平均】11.6日【週休】完全2日(土日祝)【夏期休暇】7日(7〜9月)【年末年始休暇】12月29日〜1月3日
【離職率】男:2.0%、8名 女:1.5%、3名
【新卒3年後離職率】
[20→23年]0%(男0%・入社5名、女0%・入社6名)
[21→24年]22.2%(男50.0%・入社4名、女0%・入社5名)
【テレワーク】制度あり:[場所]自宅[対象]全社員[日数]週2日まで[利用率]NA【勤務制度】フレックス 時間単位有休
【住宅補助】住居手当制度

●ライフイベント、女性活躍●

【女性比率】■男 □女

新卒採用 62.5%(10名)　従業員 33.8%(201名)　管理職 16.9%(25名)

【産休】[期間]産前6・産後8週間[給与]全額給付[取得者数]4名
【育休】[期間]3歳になるまで[給与]法定[取得者数]22年度 男8名(対象9名)女6名(対象6名)23年度 男5名(対象7名)女3名(対象4名)[平均取得日数]22年度 NA、23年度 NA
【従業員】[人数]595名(男394名、女201名)[平均年齢]43.4歳(男46.0歳、女38.6歳)[平均勤続年数]15.2年(男16.9年、女11.7年)※定年制総合職のみ
【年齢構成】■男 □女

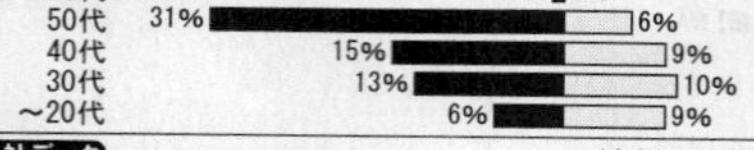

会社データ (金額は百万円)
【本社】332-0012 埼玉県川口市本町4-1-8 川口センタービル15階 ☎048-226-5601 https://www.jst.go.jp/
【業績】NA

(独法)国際協力機構(JICA)

【特色】外務省所管の独法。幅広い国際協力やODAを担う

記者評価 略称JICA、前身は国際協力事業団。ODA(政府開発援助)を担う。途上国への技術協力、有償・無償資金協力のほか、民間企業との連携事業や海外協力隊の派遣も。プロジェクト形成は要請主義が基本だが、ニーズ発掘による提案型も。新入職員全員に海外OJT実施。

平均勤続年数	男性育休取得率	3年後離職率	平均年収(平均46歳)
NA	NA	8.3 → 7.3%	! 836万円

●採用・配属情報●

【男女・文理別採用実績】

	大卒男	大卒女	修士男	修士女
23年	15(文 14理 1)	13(文 11理 2)	12(文 5理 7)	11(文 5理 6)
24年	11(文 9理 2)	9(文 9理 0)	17(文 7理 10)	17(文 13理 4)
25年	11(文 11理 0)	16(文 16理 0)	10(文 5理 5)	10(文 5理 5)

【男女・職種別採用実績】 転換制度:⇒

	総合職
23年	51(男 27 女 24)
24年	54(男 28 女 26)
25年	47(男 21 女 26)

【24年4月入社者の配属勤務地】㊔東京54
【転勤】あり:[職種]総合職[勤務地]本部 国内拠点・在外拠点
【中途比率】[単年度]21年度NA、22年度NA、23年度38%[全体]NA

●働きやすさ、諸制度●

残業(月) 18.3時間

【平均年収】(在外職員、任期付職員、再任用職員を除く)836万円【勤務時間】9:30〜17:45【有休取得年平均】13.6日【週休】完全2日(土日祝)【夏期休暇】7日【年末年始休暇】12月29日〜1月3日
【離職率】NA
【新卒3年後離職率】
[20→23年]8.3%(男NA、女NA)
[21→24年]7.3%(男NA、女NA)
【テレワーク】制度あり:[場所]自宅[対象]職員[日数]週3日以内[利用率]約19.0%【勤務制度】時間単位有休 時差勤務 副業容認【住宅補助】職員住宅(単身用、世帯用)住居手当

●ライフイベント、女性活躍●

【女性比率】■男 □女

新卒採用 55.3%(26名)

従業員 40%(792名)　管理職 26.9%(173名)

【産休】[期間]産前8・産後8週間[給与]全額給付[取得者数]53名
【育休】[期間]3歳になるまで[給与]法定[取得者数]22年度 NA 23年度 男33名(対象NA)女35名(対象NA)[平均取得日数]22年度 NA、23年度 NA
【従業員】[人数]1,979名(男1,187名、女792名)[平均年齢]45.5歳(男NA、女NA)[平均勤続年数]NA
【年齢構成】NA

会社データ (金額は百万円)
【本社】102-8012 東京都千代田区二番町5-25 二番町センタービル ☎03-5226-6660 http://www.jica.go.jp/

【業績】	事業規模	営業利益	経常利益	純利益
22.3	1,536,000	NA	NA	NA
23.3	2,745,000	NA	NA	NA
24.3	NA	NA	NA	NA

(独法)国際交流基金

（こくさいこうりゅうききん）

【特色】国際文化交流に関する日本で唯一の公的専門機関

[記者評価] 1972年外務省所管の特殊法人として設立。03年独法化。略称・JF。海外25カ国・26拠点を通じ、文化芸術交流、日本語教育、日本研究・国際対話の3分野で事業を展開。職員は分野・地域に囚われず幅広い国際交流への関心が求められる。全職員が海外勤務を経験。

平均勤続年数	男性育休取得率	3年後離職率	平均年収(平均41歳)
15.1年	66.7→100%	11.1→20.0%	[総]779万円

●採用・配属情報●

【男女・文理別採用実績】

	大卒男	大卒女	修士男	修士女
23年	0(文 0理 0)	4(文 4理 0)	1(文 0理 1)	2(文 2理 0)
24年	2(文 1理 1)	7(文 7理 0)	0(文 0理 0)	2(文 2理 0)
25年	3(文 3理 0)	2(文 2理 0)	0(文 0理 0)	2(文 2理 0)

【男女・職種別採用実績】

	総合職
23年	7(男 1 女 6)
24年	11(男 2 女 9)
25年	7(男 3 女 4)

【24年4月入社者の配属勤務地】[総]東京・四ツ谷9 埼玉・北浦和2

【転勤】あり:[職種]総合職

【中途比率】[単年度]21年度33%、22年度11%、23年度13%[全体]37%

●働きやすさ、諸制度●

残業(月) 9.0時間 [総]14.5時間

【勤務時間】9:30〜18:00【有休取得年平均】13.2日【週休】完全2日(土日祝)【夏期休暇】3日【年末年始休暇】12月29日〜1月3日

【離職率】男:0.7%、1名 女:3.7%、5名

【新卒3年後離職率】

[20→23年]11.1%(男0%・入社3名、女16.7%・入社6名)

[21→24年]20.0%(男0%・入社4名、女33.3%・入社6名)

【テレワーク】制度あり:[場所]自宅[対象]全職員(ただし6カ月間の試用期間中は週1日まで)[日数]週2日まで[利用率]NA【勤務制度】時間単位有休 時差勤務【住宅補助】住居手当(上限28,000円)

●ライフイベント、女性活躍●

【女性比率】■男 □女

新卒採用 57.1% (4名)

従業員 47.8% (130名)

管理職 34.7% (17名)

【産休】[期間]産前8・産後8週間[給与]全額給付[取得者数]4名

【育休】[期間]3歳になるまで[給与]法定[取得者数]22年度 男4名(対象6名)女3名(対象3名)23年度 男2名(対象2名)女4名(対象4名)[平均取得日数]22年度 男10日 女27日、23年度 男1日 女28日

【従業員】[人数]272名(男142名、女130名)[平均年齢]41.3歳(男43.4歳、女38.9歳)[平均勤続年数]15.1年(男16.7年、女13.5年)

【年齢構成】■男 □女

	男	女
60代〜	1%	1%
50代	17%	10%
40代	14%	9%
30代	14%	16%
〜20代	6%	12%

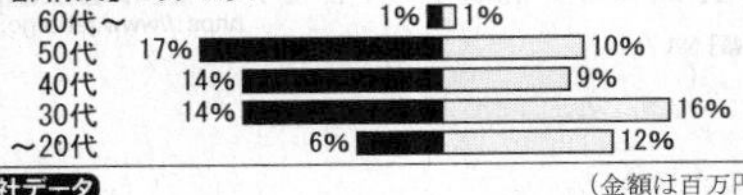

[会社データ] (金額は百万円)

【本社】160-0004 東京都新宿区四谷1-6-4 四谷クルーセ ☎03-5369-6075 https://www.jpf.go.jp/j/

【業績】NA

(独法)鉄道建設・運輸施設整備支援機構 (JRTT 鉄道・運輸機構)

（てつどうけんせつ うんゆ しせつせいび しえんきこう）

くるみん

【特色】国交省所管の独法。整備新幹線の建設を担う

[記者評価] 日本鉄道建設公団、運輸施設整備事業団の2特殊法人の業務を継承する形で03年設立。略称・JRTT。国の政策に基づき整備新幹線や都市鉄道を建設・整備し鉄道事業者に貸与・譲渡。船舶の建造や地域公共交通への出資・貸付、海外高速鉄道プロジェクトへの参画も。

平均勤続年数	男性育休取得率	3年後離職率	平均年収(平均41歳)
◇12.8年	30.2→24.3%	6.5→7.7%	[総]745万円

●採用・配属情報●

【男女・文理別採用実績】

	大卒男	大卒女	修士男	修士女
23年	20(文 5理 15)	8(文 6理 2)	12(文 0理 12)	4(文 0理 4)
24年	11(文 3理 8)	3(文 2理 1)	11(文 1理 10)	1(文 0理 1)
25年	15(文 6理 9)	5(文 5理 0)	13(文 1理 12)	2(文 0理 2)

【男女・職種別採用実績】

	総合職
23年	44(男 32 女 12)
24年	26(男 22 女 4)
25年	39(男 32 女 7)

【24年4月入社者の配属勤務地】[総]札幌1 東京・港1 大阪市2 福岡市2 [技]東京・港4 横浜1 名古屋2 北海道(札幌4 長万部2 小樽4 北斗2 八雲1)

【転勤】あり:全社員

【中途比率】[単年度]21年度19%、22年度17%、23年度10%[全体]NA

●働きやすさ、諸制度●

残業(月) 25.6時間 [総]25.6時間

【勤務時間】9:00〜17:40【有休取得年平均】13.9日【週休】完全2日(土日祝)【夏期休暇】7日(7〜9月で取得)【年末年始休暇】12月29日〜1月3日

【離職率】◇男:2.1%、26名 女:0%、0名

【新卒3年後離職率】

[20→23年]6.5%(男7.3%・入社41名、女0%・入社5名)

[21→24年]7.7%(男9.7%・入社31名、女0%・入社8名)

【テレワーク】制度あり:[場所]自宅 サテライトオフィス 他[対象]全社員[日数]制限なし[利用率]NA【勤務制度】時間単位有休 時差勤務【住宅補助】寮 宿舎(社宅)住居手当(賃貸)

●ライフイベント、女性活躍●

【女性比率】■男 □女

新卒採用 17.9% (7名)

従業員 8.4% (111名)

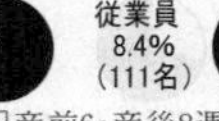

管理職 2.4% (9名)

【産休】[期間]産前6・産後8週間[給与]全額給付[取得者数]4名

【育休】[期間]3歳になるまで[給与]法定[取得者数]22年度 男13名(対象43名)女3名(対象3名)23年度 男9名(対象37名)女2名(対象2名)[平均取得日数]22年度 NA、23年度 NA

【従業員】◇[人数]1,324名(男1,213名、女111名)[平均年齢]41.0歳(男41.5歳、女31.6歳)[平均勤続年数]12.8年(男13.3年、女6.7年)

【年齢構成】■男 □女

	男	女
60代〜	5%	0%
50代	23%	1%
40代	24%	1%
30代	22%	2%
〜20代	17%	4%

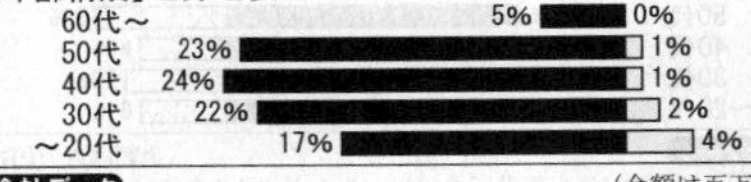

[会社データ] (金額は百万円)

【本社】231-8315 神奈川県横浜市中区本町6-50-1 横浜アイランドタワー ☎045-222-9100 https://www.jrtt.go.jp/

【業績】

	決算額
22.3	980,238
23.3	1,038,379
24.3	NA

サービス

(独法)エネルギー・金属鉱物資源機構

(きんぞくこうぶつしげんきこう)

[えるぼし★★★] [くるみん]

【特色】経産省所管の独法。資源開発・獲得支援など担う

[記者評価] 石油公団と金属鉱業事業団を再編統合する形で04年発足。経済産業省所管の独立行政法人。略称JOGMEC。石油や天然ガス、鉱物資源の開発促進や備蓄業務など担う。22年5月の法改正で現名称に変更。水素・アンモニア製造・貯蔵やCO2貯蔵への出資・債務保証なども。

平均勤続年数	男性育休取得率	3年後離職率	平均年収(平均42歳)
NA	37.5→81.8%	20.0→12.5%	786万円

●採用・配属情報●

【男女・文理別採用実績】

	大卒男	大卒女	修士男	修士女
23年	3(文 3理 0)	2(文 2理 0)	7(文 0理 7)	5(文 0理 5)
24年	2(文 2理 0)	4(文 4理 0)	10(文 1理 9)	4(文 0理 4)
25年	3(文 3理 0)	1(文 1理 0)	10(文 1理 9)	3(文 0理 3)

【男女・職種別採用実績】　転換制度:NA

	総合職
23年	18(男 11 女 7)
24年	20(男 12 女 8)
25年	19(男 14 女 5)

【24年4月入社者の配属勤務地】[総]東京・虎ノ門7 [技]東京・虎ノ門10 千葉・幕張3

【転勤】NA

【中途比率】[単年度]21年度26%、22年度14%、23年度39%[全体]NA

●働きやすさ、諸制度●

残業(月) 11.0時間

【勤務時間】8:00〜16:30 8:30〜17:00 9:00〜17:30 9:30〜18:00【有休取得年平均】15.4日【週休】完全2日(土日祝)【夏期休暇】3日(原則として連続)【年末年始休暇】12月29日〜1月3日

【離職率】NA

【新卒3年後離職率】
[20→23年]20.0%(男20.0%・入社10名、女20.0%・入社5名)
[21→24年]12.5%(男18.2%・入社11名、女0%・入社5名)

【テレワーク】制度あり:[場所]自宅[対象]制限なし[日数]制限なし[利用率]NA【勤務制度】時間単位有休 時差勤務【住宅補助】独身寮 社宅 借上宿舎(都内、近郊および地方)住宅手当(最高28,000円)

●ライフイベント、女性活躍●

【女性比率】■男 □女

新卒採用 26.3% (5名)

従業員 28.7% (139名)

【産休】[期間]産前6・産後8週間[給与]全額給付[取得者数]6名

【育休】[期間]3歳になるまで[給与]法定[取得者数]22年度 男6名(対象16名)女5名(対象5名)23年度 男9名(対象11名)女5名(対象5名)[平均取得日数]22年度 NA、23年度 NA

【従業員】[人数]484名(男345名、女139名)[平均年齢]41.7歳(男41.6歳、女41.7歳)[平均勤続年数]NA

【年齢構成】■男 □女

	男	女
60代〜	2%	1%
50代	20%	9%
40代	14%	6%
30代	23%	7%
〜20代	12%	6%

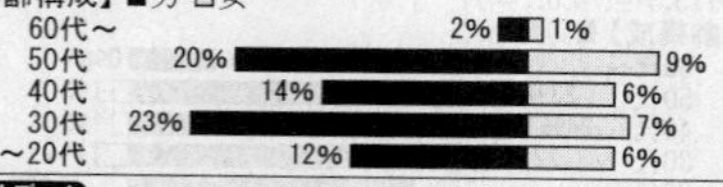

[会社データ]　(金額は百万円)

【本社】105-0001 東京都港区虎ノ門2-10-1 虎ノ門ツインビルディング ☎03-6758-8000
https://www.jogmec.go.jp/

【業績】NA

(独法)日本貿易振興機構(JETRO)

(にほんぼうえきしんこうきこう ジェトロ)

[プラチナえるぼし] [プラチナくるみん]

【特色】経産省所管の独立行政法人。貿易、海外展開支援

[記者評価] 通称ジェトロ。対日直接投資の促進、農水産物・食品の輸出、中堅・中小企業の海外展開支援などに取り組む。国内は東京・大阪本部と49事務所、海外55カ国に75事務所(24年4月)。海外での経済セミナーも定期開催。入職3年目以降の職員対象に海外実務研修も。

平均勤続年数	男性育休取得率	3年後離職率	平均年収(平均44歳)
[!]16.2年	NA	4.3→7.5%	[総]821万円

●採用・配属情報●

【男女・文理別採用実績】

	大卒男	大卒女	修士男	修士女
23年	18(文 18理 0)	17(文 17理 0)	2(文 2理 0)	6(文 5理 1)
24年	13(文 12理 1)	20(文 20理 0)	6(文 4理 2)	4(文 3理 1)
25年	20(文 18理 2)	21(文 21理 0)	4(文 1理 3)	2(文 2理 0)

【男女・職種別採用実績】　転換制度:⇔

	総合職
23年	43(男 20 女 23)
24年	43(男 19 女 24)
25年	47(男 24 女 23)

【24年4月入社者の配属勤務地】[総]東京・赤坂43

【転勤】あり:総合職

【中途比率】[単年度]21年度22%、22年度30%、23年度46%[全体]NA

●働きやすさ、諸制度●

残業(月) 17.2時間

【勤務時間】9:00〜17:45(8:00〜10:00出社シフト選択制)【有休取得年平均】13.8日【週休】完全2日(土日祝)【夏期休暇】3日【年末年始休暇】12月29日〜1月3日

【離職率】NA

【新卒3年後離職率】
[20→23年]4.3%(男0%・入社12名、女9.1%・入社11名)
[21→24年]7.5%(男10.0%・入社20名、女5.0%・入社20名)

【テレワーク】制度あり:[場所]NA[対象]NA[日数]NA[利用率]NA【勤務制度】時間単位有休 時差勤務 副業容認【住宅補助】独身寮 世帯寮 住宅手当

●ライフイベント、女性活躍●

【女性比率】■男 □女

新卒採用 48.9% (23名)

従業員 48.5% (932名)

【産休】[期間]産前8・産後8週間[給与]全額給付[取得者数]20名

【育休】[期間]3歳になる前日まで[給与]法定[取得者数]22年度 男6名(対象NA)女51名(対象NA)23年度 男9名(対象NA)女50名(対象NA)[平均取得日数]22年度 NA、23年度 男47日 女615日

【従業員】[人数]1,921名(男989名、女932名)[平均年齢]40.6歳(男43.0歳、女37.4歳)[平均勤続年数]16.2年(男18.4年、女13.1年)※従業員数は嘱託員、派遣職員等含む

【年齢構成】NA

[会社データ]　(金額は百万円)

【本社】107-6006 東京都港区赤坂1-12-32 アーク森ビル ☎03-3582-5511
https://www.jetro.go.jp/

【業績】NA

サービス

(独法)中小企業基盤整備機構

【特色】経産省所管の独法。中小企業政策の中核実施機関

記者評価 中小企業総合事業団、地域振興整備公団、産業基盤整備基金の3特殊法人が統合。中小企業の経営・起業相談、事業承継支援、海外進出支援、オンライン研修、ビジネスマッチングなど進める。約62万社が加入する経営セーフティ共済は1.9兆円の貸付実績(23年度)。

平均勤続年数	男性育休取得率	3年後離職率	平均年収(平均44歳)
15.6年	52.9→35.3%	5.6→0%	㊗838万円

●採用・配属情報●

【男女・文理別採用実績】

	大卒男	大卒女	修士男	修士女
23年	8(文 8理 0)	12(文 12理 0)	0(文 0理 0)	1(文 0理 1)
24年	15(文 15理 0)	13(文 13理 0)	0(文 0理 0)	0(文 0理 0)
25年	8(文 8理 0)	15(文 15理 0)	1(文 0理 1)	0(文 0理 0)

【男女・職種別採用実績】

	総合職
23年	21(男 8 女 13)
24年	28(男 15 女 13)
25年	24(男 9 女 15)

【24年4月入社者の配属勤務地】㊗東京・虎ノ門28
【転勤】あり:[職種]全職員[勤務地]本部(東京)地域本部・大学校(北海道 宮城 福島 新潟 東京 石川 愛知 大阪 兵庫 広島 香川 福岡 熊本 鹿児島 沖縄)
【中途比率】[単年度]21年度39%、22年度60%、23年度60%(総合職のみ)[全体]19%

●働きやすさ、諸制度●

残業(月) NA

【勤務時間】9:00~17:45(基本シフト)【有休取得年平均】11.2日【週休】完全2日(土日祝)【夏期休暇】5日【年末年始休暇】12月29日~1月3日
【離職率】男:1.2%、7名 女:1.2%、3名
【新卒3年後離職率】
[20→23年]5.6%(男10.0%・入社10名、女0%・入社8名)
[21→24年]0%(男0%・入社20名、女0%・入社11名)
【テレワーク】制度あり:[場所]自宅[対象]全職員[日数]月7回まで[利用率]8.6%【勤務制度】時間単位有休 時差勤務【住宅補助】社宅(独身・世帯用)住居借上時の家賃補助

●ライフイベント、女性活躍●

【女性比率】■男 □女

新卒採用 62.5% (15名)

従業員 29.8% (242名)
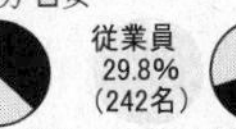
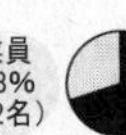
管理職 12.4% (28名)
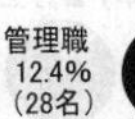

【産休】[期間]産前8・産後8週間[給与]全額給付[取得者数]3名
【育休】[期間]3歳になるまで[給与]法定[取得者数]22年度 男9名(対象17名)女9名(対象9名)23年度 男6名(対象17名)女3名(対象3名)[平均取得日数]22年度 NA、23年度NA
【従業員】[人数]813名(男571名、女242名)[平均年齢]42.0歳(男43.7歳、女37.2歳)[平均勤続年数]15.6年(男16.8年、女12.3年)
【年齢構成】■男 □女

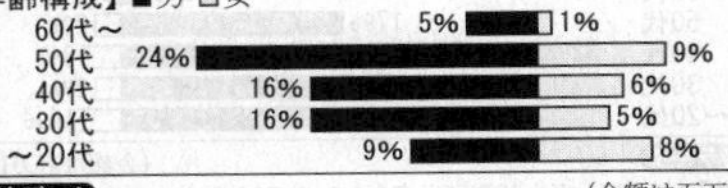

会社データ (金額は百万円)
【本社】105-8453 東京都港区虎ノ門3-5-1 虎ノ門37森ビル ☎03-3433-8811
https://www.smrj.go.jp/
【業績】NA

日本年金機構

【特色】厚労省所管の特殊法人。公的年金運営業務担う

記者評価 日本年金機構法に基づき設置された特殊法人。社会保険庁を廃止する形で10年1月発足。公的年金保険料の徴収や年金給付など公的年金にかかる一連の運営業務を担う。資金運用は年金積立管理運用独立行政法人(GPIF)が担当。役職員の身分は「みなし公務員」。

平均勤続年数	男性育休取得率	3年後離職率	平均年収(平均44歳)
NA	56.9→75.2%	NA	㊗667万円

●採用・配属情報●

【男女・文理別採用実績】

	大卒男	大卒女	修士男	修士女
23年	154(文NA理NA)	176(文NA理NA)	2(文NA理NA)	3(文NA理NA)
24年	186(文NA理NA)	215(文NA理NA)	3(文NA理NA)	1(文NA理NA)
25年	-(文-理-)	-(文-理-)	-(文-理-)	-(文-理-)

※25年:400名程度採用予定

【男女・職種別採用実績】

	総合職
23年	335(男156 女179)
24年	405(男189 女216)
25年	400(男 - 女 -)

【24年4月入社者の配属勤務地】㊗NA
【転勤】あり:正規職員
【中途比率】[単年度]21年度NA、22年度NA、23年度NA[全体]NA

●働きやすさ、諸制度●

残業(月) ㊗10.7時間

【勤務時間】9:00~18:00【有休取得年平均】15.2日【週休】完全2日制(土日祝)【夏期休暇】なし【年末年始休暇】12月29日~1月3日
【離職率】NA
【新卒3年後離職率】
[20→23年]NA
[21→24年]NA
【テレワーク】制度なし【勤務制度】時間単位有休 時差勤務
【住宅補助】宿舎の貸与(全国約170カ所)住居手当(一定条件のもと16,200~43,400円)

●ライフイベント、女性活躍●

【女性比率】■男 □女

管理職 17.4% (490名)

【産休】[期間]産前6・産後8週間[給与]有給[取得者数]NA
【育休】[期間]3歳になるまで[給与]法定[取得者数]22年度 男66名(対象116名)女166名(対象160名)23年度 男82名(対象109名)女168名(対象172名)[平均取得日数]22年度 男90日 女509日、23年度 男104日 女520日
【従業員】[人数]11,000名(男NA、女NA)[平均年齢]44.0歳(男NA、女NA)[平均勤続年数]NA
【年齢構成】NA

会社データ (金額は百万円)
【本社】168-8505 東京都杉並区高井戸西3-5-24 ☎03-5344-1100
https://www.nenkin.go.jp/
【業績】NA

1100 開示 ★★★★ 専門 採用あり

セコム(株)

くるみん

【特色】警備業のトップ企業。保険、医療等へ多角化

記者評価 センサーやカメラを用いた機械警備で業界をリードする。1990年代、長嶋茂雄氏が登場する「セコムしてますか?」のテレビCMは社名だけでなく警備業の認知度を高めた。損害保険や医療、データセンター、防災など多角的に事業を展開している。

平均勤続年数	男性育休取得率	3年後離職率	平均年収(平均45歳)
17.3年	25.1 → 45.8%	26.5 → 28.7%	(総)684万円

●採用・配属情報●

【男女・文理別採用実績】※25年:修士大卒290名採用予定

	大卒男	大卒女	修士男	修士女
23年	96(文 70 理 26)	70(文 63 理 7)	20(文 0 理 20)	4(文 2 理 2)
24年	116(文100 理 16)	73(文 67 理 6)	20(文 0 理 20)	4(文 0 理 4)
25年	-(文 -理 -)	-(文 -理 -)	-(文 -理 -)	-(文 -理 -)

【男女・職種別採用実績】 転換制度:⇔

	総合	セキュリティ(地域限定含)	研究開発・施工	ICT	メディカル
23年	45(男24女21)	111(男78女33)	36(男35女 1)	33(男22女11)	11(男 2女 9)
24年	41(男23女18)	98(男61女37)	60(男51女 9)	16(男13女 3)	13(男 2女11)
25年	80(男40女40)	100(男60女40)	60(男 -女 -)	30(男 -女 -)	20(男 -女 -)

【24年4月入社者の配属勤務地】(総)北海道2 関東108 中部16 近畿21 中国3 九州1 (技)北海道1 東北1 関東61 中部2 近畿8 中国2 九州2

【転勤】あり:全社員(転勤先が限定される地域限定職あり)

【中途比率】[単年度]21年度53%、22年度56%、23年度60%[全体]67%

●働きやすさ、諸制度●

残業(月) 21.1時間 (総)21.1時間

【勤務時間】事務職9:00〜18:00【有休取得年平均】14.3日【週休】<事務職>完全2日【夏期休暇】年間2回(最大10日、最大6日)の連続休暇の制度あり【年末年始休暇】(警備職以外)12月31日〜1月3日

【離職率】男:4.6%、537名 女:4.4%、119名

【新卒3年後離職率】
[20→23年]26.5%(男30.1%・入社193名、女18.6%・入社86名)
[21→24年]28.7%(男33.1%・入社181名、女22.5%・入社129名)

【テレワーク】制度なし【勤務制度】フレックス 時間単位有休 裁量労働 時差勤務【住宅補助】独身男性寮(首都圏・中部地域 14,000円自己負担)借上・社有社宅(15,950円〜自己負担)住宅手当(東京地域の場合10,000〜30,000円)

●ライフイベント、女性活躍●

【女性比率】■男 □女

従業員 19% (2610名)

管理職 6.2% (192名)

【産休】[期間]産前8・産後8週間[給与]法定[取得者数]117名

【育休】[期間]3歳になるまで[給与]法定[取得者数]22年度 男84名(対象334名)女113名(対象109名)23年度 男115名(対象251名)女120名(対象118名)[平均取得日数]22年度 男65日 女508日、23年度 男72日 女521日

【従業員】[人数]13,767名(男11,157名、女2,610名)[平均年齢]42.1歳(男42.8歳、女39.0歳)[平均勤続年数]17.3年(男18.1年、女14.2年)※外部出向者除く

【年齢構成】■男 □女

60代〜

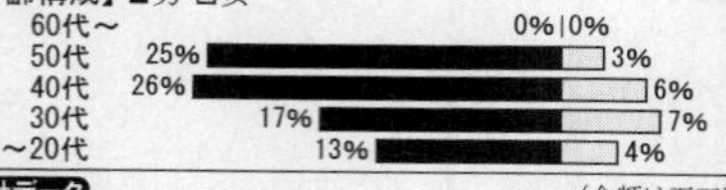

会社データ (金額は百万円)

【本社】150-0001 東京都渋谷区神宮前1-5-1 ☎03-5775-8100 https://www.secom.co.jp/

【業績(連結)】	売上高	営業利益	経常利益	純利益
22.3	1,049,859	143,499	153,186	94,273
23.3	1,101,307	136,700	156,124	96,085
24.3	1,154,740	140,658	166,859	101,951

99 開示 ★★★ 短大 専門 採用あり

ALSOK(綜合警備保障(株))

アルソック そうごうけいびほしょう

えるぼし ★★ くるみん

【特色】警備業界2位。金融機関との取引に強み

記者評価 サービス名はALSOK(アルソック)。機械警備は法人向けに加え、家庭向けにも力を入れている。ライバルはセコム。三菱商事と資本業務提携し、ファシリティマネジメントや介護関連で協力関係にある。柔道やレスリングなどの五輪選手が多数在籍する。

平均勤続年数	男性育休取得率	3年後離職率	平均年収(平均41歳)
◇18.3年	13.6 → 21.2%	36.8 → 39.6%	(総)601万円

●採用・配属情報●

【男女・文理別採用実績】※25年:約600名採用予定

	大卒男	大卒女	修士男	修士女
23年	317(文280 理 37)	105(文103 理 2)	18(文 0 理 18)	1(文 1 理 0)
24年	307(文254 理 53)	124(文119 理 5)	13(文 0 理 13)	4(文 1 理 3)
25年	-(文 -理 -)	-(文 -理 -)	-(文 -理 -)	-(文 -理 -)

【男女・職種別採用実績】

	総合職	R&D職
23年	481(男361 女120)	24(男 24 女 0)
24年	468(男332 女136)	30(男 28 女 2)
25年	-(男 -女 -)	-(男 -女 -)

【職種併願】○

【24年4月入社者の配属勤務地】(総)全国の事業所418 (技)全国の事業所50

【転勤】あり:全社員

【中途比率】[単年度]21年度18%、22年度19%、23年度25%[全体]◇23%

●働きやすさ、諸制度●

残業(月) 16.5時間 (総)39.0時間

【勤務時間】9:00〜18:00【有休取得年平均】12.2日【週休】月9〜11日(交代制勤務の場合)【夏期休暇】(現業部門)3日(管理部門)1日【年末年始休暇】(管理部門)12月30日〜1月3日の勤務日は年休を利用

【離職率】◇男:5.1%、558名 女:7.9%、118名

【新卒3年後離職率】
[20→23年]36.8%(男37.8%・入社344名、女33.3%・入社102名)
[21→24年]39.6%(男39.2%・入社421名、女40.8%・入社142名)

【テレワーク】制度あり:[場所]自宅[対象]持病がある、妊娠している等の者[日数]制限なし[利用率]NA【勤務制度】フレックス 時間単位有休【住宅補助】社員独身寮 社宅

●ライフイベント、女性活躍●

【女性比率】■男 □女

従業員 11.7% (1379名)

管理職 4.3% (66名)

【産休】[期間]産前6・産後8週間[給与]法定[取得者数]42名

【育休】[期間]3歳になるまで[給与]法定[取得者数]22年度 男40名(対象295名)女48名(対象48名)23年度 男59名(対象278名)女42名(対象42名)[平均取得日数]22年度 NA、23年度 NA

【従業員】◇[人数]11,818名(男10,439名、女1,379名)[平均年齢]41.3歳(男41.8歳、女37.8歳)[平均勤続年数]18.3年(男18.8年、女15.5年)

【年齢構成】■男 □女

	男	女
60代〜	2%	0%
50代	17%	2%
40代	32%	3%
30代	21%	2%
〜20代	15%	4%

会社データ (金額は百万円)

【本社】107-8511 東京都港区元赤坂1-6-6 ☎03-3404-1491 https://www.alsok.co.jp/

【業績(連結)】	売上高	営業利益	経常利益	純利益
22.3	489,092	42,865	44,796	28,964
23.3	492,226	36,993	39,230	23,950
24.3	521,400	39,082	42,173	27,327

サービス

㈱アクティオ

【特色】建設機械レンタルの草分け的存在で業界最大手

記者評価 水中ポンプや発電機のレンタルでスタート。建設機械など建設関連の全領域でレンタル事業を展開。現場や工程に合わせた最適提案を行うコンサル力に定評。全国に444の営業拠点、155の工場・センターを配置(24年1月末)。海外はタイ、台湾などアジアで展開。

平均勤続年数	男性育休取得率	3年後離職率	平均年収(平均41歳)
12.0年	10.1→17.6%	27.4→30.4%	548万円

●採用・配属情報●

【男女・文理別採用実績】

	大卒男	大卒女	修士男	修士女
23年	78(文 74 理 4)	20(文 20 理 0)	4(文 0 理 4)	0(文 0 理 0)
24年	78(文 70 理 8)	33(文 33 理 0)	2(文 1 理 1)	0(文 0 理 0)
25年	135(文115 理 20)	45(文 45 理 0)	0(文 0 理 0)	0(文 0 理 0)

【男女・職種別採用実績】 転換制度:⇔

	総合職	一般職
23年	93(男 90 女 3)	22(男 1 女 21)
24年	97(男 84 女 13)	31(男 5 女 26)
25年	170(男 140 女 30)	30(男 5 女 25)

【職種併願】○

【24年4月入社者の配属勤務地】㊗東京34 大阪11 愛知9 福岡9 宮城5 新潟4 北海道3 岡山1 神奈川1 富山1 長崎1 長野1 ㊕東京17

【転勤】あり:[職種]総合職

【中途比率】[単年度]21年度50%、22年度51%、23年度61%[全体]52%

●働きやすさ、諸制度●

残業(月) 28.2時間

【勤務時間】8:30〜17:30【有休取得年平均】10.1日【週休】完全2日(日祝、祝日のない週は他1日)【夏期休暇】連続5日【年末年始休暇】連続6日

【離職率】男:6.0%、238名 女:6.2%、61名

【新卒3年後離職率】
[20→23年]27.4%(男24.8%・入社165名、女34.4%・入社61名)
[21→24年]30.4%(男29.6%・入社159名、女32.7%・入社55名)

【テレワーク】制度なし【勤務制度】時間単位有休 勤務間インターバル 副業容認【住宅補助】自社寮(東京・神奈川・宮城・大阪・香川 月5,000〜33,000円)借上社宅(家賃40〜65%を会社負担)借上社宅(入居6〜10年目まで家賃40%を会社負担)結婚住宅手当(15,000〜20,000円 最長4年間)

●ライフイベント、女性活躍●

【女性比率】■男 □女

新卒採用 27.5% (55名)

従業員 19.8% (921名)

管理職 2.9% (32名)

【産休】[期間]産前6・産後8週間[給与]法定[取得者数]34名

【育休】[期間]1歳になるまで[給与]法定[取得者数]22年度 男11名(対象109名)女35名(対象36名)23年度 男13名(対象74名)女36名(対象35名)[平均取得日数]22年度 男41日 女355日、23年度 男78日 女394日

【従業員】[人数]4,646名(男3,725名、女921名)[平均年齢]41.2歳(男42.5歳、女36.3歳)[平均勤続年数]12.0年(男12.9年、女8.5年)【年齢構成】■男 □女

	男	女
60代〜	9%	0%
50代	18%	2%
40代	18%	5%
30代	17%	6%
〜20代	18%	7%

会社データ (金額は百万円)

【本社】103-0027 東京都中央区日本橋3-12-2 朝日ビルヂング7階 ☎03-6854-1411
https://www.aktio.co.jp/

【業績(連結)】	売上高	営業利益	経常利益	純利益
21.12	305,358	NA	20,882	NA
22.12	323,888	NA	22,648	NA
23.12	340,859	NA	24,690	NA

㈱カナモト

【特色】札幌本拠に全国展開する建機レンタル大手

記者評価 建設機械レンタルで最大級。本社所在の北海道から全国展開し、国内の営業基盤を拡充中。ICT工法を取り入れたレンタル資産の購入も進めている。国内外でM&Aを推進。北海道の半導体工場や鹿児島県・馬毛島の防衛案件など、国策プロジェクトの受注が増えている。

平均勤続年数	男性育休取得率	3年後離職率	平均年収(平均42歳)
12.9年	10.6→18.8%	38.0→38.8%	㊗542万円

●採用・配属情報●

【男女・文理別採用実績】

	大卒男	大卒女	修士男	修士女
23年	25(文 23 理 2)	1(文 1 理 0)	0(文 0 理 0)	0(文 0 理 0)
24年	30(文 29 理 1)	4(文 4 理 0)	0(文 0 理 0)	0(文 0 理 0)
25年	27(文 25 理 2)	4(文 4 理 0)	0(文 0 理 0)	0(文 0 理 0)

【男女・職種別採用実績】

	営業	技術	事務
23年	26(男 23 女 3)	13(男 13 女 0)	3(男 0 女 3)
24年	32(男 29 女 3)	1(男 1 女 0)	4(男 2 女 2)
25年	28(男 28 女 0)	4(男 4 女 0)	4(男 0 女 4)

【24年4月入社者の配属勤務地】㊗北海道13 東京4 宮城3 香川2 千葉2 群馬1 埼玉1 三重1 神奈川1 静岡1 大阪1 富山1 福井1 ㊕愛知1

【転勤】あり:[職種]全社員[勤務地]年1回希望調査を実施し考慮

【中途比率】[単年度]21年度40%、22年度56%、23年度62%[全体]NA

●働きやすさ、諸制度●

残業(月) 22.5時間 ㊗22.5時間

【勤務時間】8:30〜17:00【有休取得年平均】9.6日【週休】1〜2日(土日祝※4週8休)【夏期休暇】4日【年末年始休暇】9日

【離職率】男:5.4%、89名 女:3.4%、15名

【新卒3年後離職率】
[20→23年]38.0%(男38.0%・入社79名、女38.1%・入社21名)
[21→24年]38.8%(男38.2%・入社76名、女44.4%・入社9名)

【テレワーク】制度なし【勤務制度】なし【住宅補助】借上社宅(転勤・赴任社員対象 家賃の5〜8割を会社負担)住宅手当(20,000円、独身で子を扶養している者、独身以外の世帯主で借上社宅の非適用者)

●ライフイベント、女性活躍●

【女性比率】■男 □女

新卒採用 11.1% (4名)

従業員 21.3% (426名)

管理職 10.2% (103名)

【産休】[期間]産前6・産後8週間[給与]法定[取得者数]12名

【育休】[期間]1歳になるまで[給与]法定[取得者数]22年度 男5名(対象47名)女9名(対象12名)23年度 男9名(対象48名)女17名(対象13名)[平均取得日数]22年度 男20日 女180日、23年度 男32日 女102日

【従業員】[人数]1,999名(男1,573名、女426名)[平均年齢]40.1歳(男40.5歳、女38.3歳)[平均勤続年数]12.9年(男13.5年、女10.9年)

【年齢構成】■男 □女

	男	女
60代〜	0%	0%
50代	21%	3%
40代	23%	8%
30代	18%	7%
〜20代	17%	5%

会社データ (金額は百万円)

【本社】060-0041 北海道札幌市中央区大通東3-1-19 ☎011-209-1600
https://www.kanamoto.co.jp/

【業績(連結)】	売上高	営業利益	経常利益	純利益
21.10	189,416	14,624	15,391	8,907
22.10	188,028	13,229	13,780	8,345
23.10	197,481	11,958	12,488	6,721

にしお
西尾レントオール(株)

【特色】総合レンタル業の草分け。建機ではシェア上位

記者評価 関西発祥、全国で展開する総合レンタル会社。積極的なM&Aで営業地域を拡大し、柱の建機レンタルでは業界上位。イベント向け仮設材なども。海外はアジア・オセアニアに展開。25年開催の大阪・関西万博向けの需要取り込み狙う。23年4月に持株会社体制に移行。

平均勤続年数	男性育休取得率	3年後離職率	平均年収(平均36歳)
11.6年	2.6→15.7%	33.0→31.2%	総 524万円

●採用・配属情報●

【男女・文理別採用実績】

	大卒男	大卒女	修士男	修士女
23年	63(文 59 理 4)	10(文 9 理 1)	0(文 0 理 0)	0(文 0 理 0)
24年	61(文 60 理 1)	15(文 15 理 0)	0(文 0 理 0)	0(文 0 理 0)
25年	25(文 25 理 0)	6(文 6 理 0)	0(文 0 理 0)	0(文 0 理 0)

【男女・職種別採用実績】

	営業職	技術職	事務職
23年	46(男 44 女 2)	37(男 33 女 4)	16(男 9 女 7)
24年	58(男 54 女 4)	21(男 20 女 1)	17(男 4 女 13)
25年	19(男 19 女 0)	10(男 10 女 0)	13(男 5 女 8)

【24年4月入社者の配属勤務地】総北海道1 宮城3 福島1 栃木2 茨城1 埼玉3 東京17 千葉8 神奈川3 群馬1 愛知2 大阪12 奈良1 和歌山1 京都1 兵庫3 香川7 岡山5 広島2 山口1 技宮城2 茨城1 埼玉1 東京5 神奈川1 愛知3 大阪4 香川3 岡山1
【転勤】あり:全社員
【中途比率】[単年度]21年度48%、22年度54%、23年度62%(嘱託社員、パート含む)[全体]49%

●働きやすさ、諸制度●

残業(月) 29.5時間 総29.5時間

【勤務時間】8:45〜17:30【有休取得年平均】8.2日【週休】完全2日(土日祝)【夏期休暇】連続5日【年末年始休暇】連続7日
【離職率】男:7.4%、175名 女:8.8%、51名
【新卒3年後離職率】
[20→23年]33.0%(男37.3%・入社83名、女15.0%・入社20名)
[21→24年]31.2%(男31.8%・入社107名、女27.8%・入社18名)
【テレワーク】制度なし【勤務制度】フレックス 時差勤務【住宅補助】単身寮(寮費個人負担 月額10,000円)家族向け社宅

●ライフイベント、女性活躍●

【女性比率】■男 □女

新卒採用 19% (8名) 従業員 19.6% (530名)  管理職 4.6% (41名)

【産休】[期間]産前6・産後8週間[給与]法定[取得者数]40名
【育休】[期間]1歳になるまで[給与]法定[取得者数]22年度 男2名(対象77名)女24名(対象24名)23年度 男14名(対象89名)女40名(対象40名)[平均取得日数]22年度 NA、23年度 NA
【従業員】[人数]2,706名(男2,176名、女530名)[平均年齢]38.8歳(男39.5歳、女35.6歳)[平均勤続年数]11.6年(男12.6年、女7.7年)
【年齢構成】■男 □女

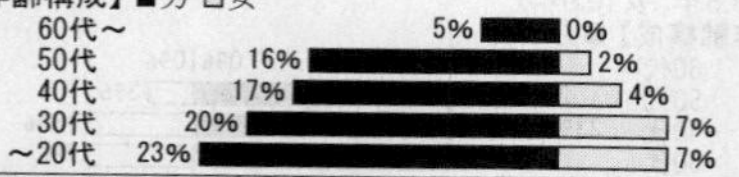

会社データ (金額は百万円)

【本社】542-0083 大阪府大阪市中央区東心斎橋1-11-17 ☎06-6251-0070 https://www.nishio-rent.co.jp/

【業績(連結)】	売上高	営業利益	経常利益	純利益
21.9	161,756	13,714	13,450	8,829
22.9	170,634	14,884	14,301	9,339
23.9	185,660	16,337	15,679	10,286

※業績はニシオホールディングス(株)のもの

ジェコス(株)

くるみん

【特色】JFE系。仮設鋼材リース最大手。工事も実績

記者評価 母体は1968年設立の山本建材リース。90年に旧川崎製鉄(現JFE)系の川商建材リースとの合併を経て現社名に。仮設鋼材リース最大手で、山留工事(仮設工事)に必要な全資材を提供。建機レンタルも強い。25年入社者から大卒総合職初任給を24万円に引き上げ。

平均勤続年数	男性育休取得率	3年後離職率	平均年収(平均42歳)
16.7年	13.6→33.3%	NA	740万円

●採用・配属情報●

【男女・文理別採用実績】

	大卒男	大卒女	修士男	修士女
23年	22(文 6 理 16)	13(文 9 理 4)	1(文 0 理 1)	0(文 0 理 0)
24年	7(文 4 理 3)	6(文 5 理 1)	0(文 0 理 0)	0(文 0 理 0)
25年	14(文 6 理 8)	3(文 3 理 0)	0(文 0 理 0)	0(文 0 理 0)

【男女・職種別採用実績】 転換制度:NA

	総合職	一般職
23年	29(男 23 女 6)	7(男 0 女 7)
24年	12(男 8 女 4)	4(男 0 女 4)
25年	16(男 14 女 2)	2(男 0 女 2)

【24年4月入社者の配属勤務地】総東京・飯田橋8 大阪2 技東京・飯田橋2
【転勤】あり:[職種]総合職
【中途比率】[単年度]21年度8%、22年度11%、23年度22%[全体]NA

●働きやすさ、諸制度●

残業(月) 29.2時間

【勤務時間】9:00〜17:30 フレックス制あり コアタイム10:00〜15:00【有休取得年平均】13.2日【週休】完全2日(土日祝)【夏期休暇】会社指定休日2日+会社指定年休消化【年末年始休暇】会社指定休日
【離職率】NA
【新卒3年後離職率】
[20→23年]NA
[21→24年]NA
【テレワーク】制度あり:[場所]NA[対象]制限なし[日数]月10日まで[利用率]NA【勤務制度】フレックス 勤務間インターバル【住宅補助】独身寮 社宅 住宅手当

●ライフイベント、女性活躍●

【女性比率】■男 □女

新卒採用 22.2% (4名)  従業員 28.9% (221名) 

【産休】[期間]産前6・産後8週間[給与]法定[取得者数]4名
【育休】[期間]1歳6カ月になるまで[給与]法定[取得者数]22年度 男3名(対象22名)女5名(対象5名)23年度 男3名(対象9名)女4名(対象4名)[平均取得日数]22年度 NA、23年度 NA
【従業員】[人数]766名(男545名、女221名)[平均年齢]42.1歳(男43.3歳、女39.3歳)[平均勤続年数]16.7年(男17.4年、女15.0年)
【年齢構成】NA

会社データ (金額は百万円)

【本社】112-0004 東京都文京区後楽2-5-1 住友不動産飯田橋ファーストビル ☎03-6699-7401 https://www.gecoss.co.jp/

【業績(連結)】	売上高	営業利益	経常利益	純利益
22.3	113,997	4,705	5,238	3,326
23.3	120,521	4,503	4,903	3,428
24.3	128,194	6,244	6,602	4,414

サコス(株)

【特色】建機レンタル中堅。西尾レントオール傘下

記者評価 3大都市圏軸に建機レンタルを展開。鉄道関連や都市土木工事向けに強み。防音パネルや集塵機など独自開発品で差別化。入退場や資機材の管理システムや、中古建機の買取・ネットオークションも展開。親会社・西尾レントオールによるTOB成立し22年7月上場廃止。

平均勤続年数	男性育休取得率	3年後離職率	平均年収(平均42歳)
◇15.5年	30.8→14.3%	47.8→25.0%	㊕539万円

●採用・配属情報●

【男女・文理別採用実績】

	大卒男	大卒女	修士男	修士女
23年	12(文 12理 0)	3(文 3理 0)	0(文 0理 0)	0(文 0理 0)
24年	18(文 16理 2)	5(文 5理 0)	0(文 0理 0)	0(文 0理 0)
25年	22(文 20理 2)	7(文 7理 0)	0(文 0理 0)	0(文 0理 0)

【男女・職種別採用実績】 転換制度:⇔

	総合職
23年	20(男 17 女 3)
24年	23(男 18 女 5)
25年	36(男 28 女 8)

【24年4月入社者の配属勤務地】㊕東京6 神奈川1 千葉4 愛知1 大阪5 ㊔東京2 千葉3 大阪1
【転勤】あり:全社員
【中途比率】[単年度]21年度33%、22年度36%、23年度38%[全体]◇26%

●働きやすさ、諸制度●

残業(月) 16.0時間 ㊕16.0時間

【勤務時間】8:30〜17:30または9:00〜18:00【有休取得年平均】11.0日【週休】完全2日(土日祝)【夏期休暇】連続3日【年末年始休暇】連続5日
【離職率】◇男:8.0%、33名 女:12.7%、14名
【新卒3年後離職率】
[20→23年]47.8%(男46.7%・入社15名、女50.0%・入社8名)
[21→24年]25.0%(男15.8%・入社19名、女38.5%・入社13名)
【テレワーク】制度なし【勤務制度】時間単位有休【住宅補助】借上寮(寮費15,000円)住宅手当(10,000〜15,000円)

●ライフイベント、女性活躍●

【女性比率】■男 □女

新卒採用 22.2% (8名)  従業員 20.3% (96名) 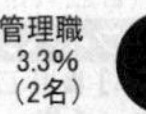 管理職 3.3% (2名) 

【産休】[期間]産前6・産後8週間[給与]法定[取得者数]5名
【育休】[期間]2歳になるまで[給与]法定[取得者数]22年度 男4名(対象13名)女4名(対象4名)23年度 男1名(対象7名)女4名(対象4名)[平均取得日数]22年度 NA、23年度 男30日 女58日
【従業員】◇[人数]473名(男377名、女96名)[平均年齢]41.6歳(男42.7歳、女37.0歳)[平均勤続年数]15.5年(男16.4年、女11.5年)
【年齢構成】■男 □女

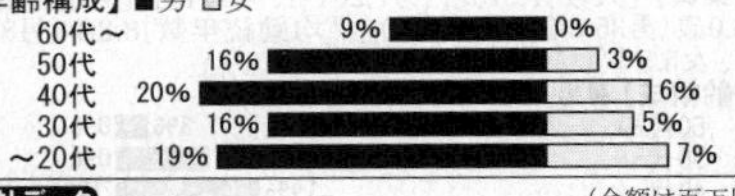

会社データ (金額は百万円)

【本社】141-0022 東京都品川区東五反田4-5-3 ☎03-3443-3271 https://www.sacos.co.jp/

【業績(連結)】	売上高	営業利益	経常利益	純利益
21.9	17,857	1,535	1,398	933
22.9	16,452	929	843	564
23.9	18,283	1,333	1,485	1,060

三菱電機エンジニアリング(株)

みつびしでんき

【特色】三菱電機子会社。同社製品の開発・設計が主業務

記者評価 三菱電機傘下で同社製品の開発・設計を担う。電子機器設計などの外部受託も手がける。自社ブランドでFAシステムやタッチパネルモニター、電子冷蔵庫なども展開。ワイヤレス電力伝送装置向け高周波電源技術に高評価。国内各地に30拠点を展開。

平均勤続年数	男性育休取得率	3年後離職率	平均年収(平均41歳)
17.3年	65.8→80.1%	7.3→6.0%	㊕765万円

●採用・配属情報●

【男女・文理別採用実績】

	大卒男	大卒女	修士男	修士女
23年	78(文 9理 69)	12(文 6理 6)	33(文 0理 33)	3(文 0理 3)
24年	96(文 6理 90)	27(文 14理 13)	38(文 0理 38)	3(文 0理 3)
25年	104(文 5理 99)	17(文 9理 8)	50(文 1理 49)	2(文 0理 2)

※25年:継続中

【男女・職種別採用実績】

	総合職
23年	146(男126 女 20)
24年	191(男157 女 34)
25年	212(男183 女 29)

【24年4月入社者の配属勤務地】㊕東京5 兵庫3 愛知2 静岡2 長崎2 神奈川・鎌倉1 岐阜1 和歌山1 広島1 ㊔東京10 愛知44 兵庫37 神奈川24 和歌山15 静岡8 香川7 長崎6 京都6 広島5 岐阜5 大阪4 福島1 福岡1
【転勤】あり:全社員
【中途比率】[単年度]21年度28%、22年度40%、23年度50%[全体]25%

●働きやすさ、諸制度●

残業(月) 22.4時間 ㊕22.4時間

【勤務時間】9:00〜17:30【有休取得年平均】18.5日【週休】完全2日(土日)【夏期休暇】5日(有休3日含む)【年末年始休暇】4日(有休1日含む)
【離職率】男:2.1%、106名 女:2.8%、18名
【新卒3年後離職率】
[20→23年]7.3%(男7.5%・入社161名、女6.5%・入社31名)
[21→24年]6.0%(男5.8%・入社103名、女6.5%・入社31名)
【テレワーク】制度あり:[場所]自宅[対象]全社員[日数]制限なし[利用率]NA【勤務制度】フレックス【住宅補助】単身寮(各地)借上社宅 住宅手当

●ライフイベント、女性活躍●

【女性比率】■男 □女

新卒採用 13.7% (29名) 従業員 11.2% (616名) 管理職 3.8% (25名)

【産休】[期間]産前8・産後8週間[給与]会社全額給付[取得者数]15名
【育休】[期間]1歳年度末まで(2歳年度末まで延長可)[給与]法定[取得者数]22年度 男121名(対象184名)女14名(対象15名)23年度 男141名(対象176名)女10名(対象10名)[平均取得日数]22年度 NA、23年度 NA
【従業員】[人数]5,496名(男4,880名、女616名)[平均年齢]41.3歳(男41.4歳、女40.0歳)[平均勤続年数]17.3年(男17.4年、女16.7年)
【年齢構成】NA

会社データ (金額は百万円)

【本社】102-0073 東京都千代田区九段北1-13-5 ヒューリック九段ビル ☎03-3288-1550 https://www.mee.co.jp/

【業績(単独)】	売上高	営業利益	経常利益	純利益
22.3	107,682	6,950	7,068	4,809
23.3	113,461	8,716	8,830	6,000
24.3	115,918	9,592	9,785	6,648

にっぽんくうちょう
日本空調サービス(株)

[えるぼし ★★]

【特色】空調設備などのメンテが主力で、医療系に強い

[記者評価] 空調設備メンテでスタート。電気、給排水、衛生関連など建物の設備システム全般に事業領域を拡大。病院、研究施設、工場などに強く、大規模病院の国内シェアは10%超。海外は中国・アジアに展開。技術者育成強化へ技術研修センターを建設中、25年度稼働予定。

平均勤続年数	男性育休取得率	3年後離職率	平均年収(平均40歳)
◇14.5年	15.4→20.8%	26.5→28.0%	[総]626万円

●採用・配属情報●

【男女・文理別採用実績】

	大卒男	大卒女	修士男	修士女
23年	34(文 16 理 18)	6(文 3 理 3)	2(文 0 理 2)	0(文 0 理 0)
24年	36(文 24 理 12)	3(文 2 理 1)	1(文 0 理 1)	1(文 0 理 1)
25年	35(文 21 理 14)	9(文 6 理 3)	1(文 0 理 1)	0(文 0 理 0)

【男女・職種別採用実績】

	総合職
23年	44(男 38 女 6)
24年	43(男 39 女 4)
25年	46(男 37 女 9)

【24年4月入社者の配属勤務地】[総]名古屋3 [技]札幌1 茨城・つくば2 東京(江東5 板橋1)埼玉(上尾1 さいたま1)群馬・太田1 横浜2 浜松1 愛知(岡崎1 春日井1 刈谷1 名古屋2)岐阜・高山1 三重(津1 四日市1)滋賀・守山1 奈良・大淀1 大阪(箕面2 東大阪1 吹田2 堺1)神戸1 山口(岩国1 宇部1)香川・高松1 福岡(福岡2 北九州1)佐賀・鳥栖2

【転勤】あり:全社員(エリア社員を除く)※会社規定によりエリア社員の申請可

【中途比率】[単年度]21年度36%、22年度57%、23年度NA[全体]◇49%

●働きやすさ、諸制度●

残業(月) 15.9時間 [総]15.9時間

【勤務時間】8:45～17:45【有休取得年平均】11.5日【週休】完全2日(土日祝)【夏期休暇】8月13～15日(有休計画付与)【年末年始休暇】12月30日～1月3日

【離職率】◇男:5.1%、69名 女:3.1%、5名

【新卒3年後離職率】
[20→23年]26.5%(男25.0%・入社44名、女40.0%・入社5名)
[21→24年]28.0%(男25.4%・入社71名、女75.0%・入社4名)

【テレワーク】NA【勤務制度】時間単位有休【住宅補助】社宅(自己負担月5,000円 27歳に達する年度末まで)住宅手当(社宅入居者以外 8,500～33,500円)

●ライフイベント、女性活躍●

【女性比率】■男 □女

新卒採用 19.6% (9名)

従業員 10.7% (155名)

管理職 5.6% (13名)

【産休】[期間]産前6・産後8週間[給与]法定[取得者数]3名

【育休】[期間]1歳になるまで[給与]法定[取得者数]22年度 男8名(対象52名)女3名(対象3名)23年度 男10名(対象48名)女3名(対象3名)[平均取得日数]22年度 NA、23年度 NA

【従業員】◇[人数]1,446名(男1,291名、女155名)[平均年齢]40.2歳(男40.0歳、女41.8歳)[平均勤続年数]14.5年(男14.7年、女12.7年)【年齢構成】■男 □女

	男	女
60代～	0%	0%
50代	21%	3%
40代	26%	3%
30代	21%	3%
～20代	21%	1%

[会社データ] (金額は百万円)

【本社】465-0042 愛知県名古屋市名東区照が丘239-2 ☎052-773-2511 https://www.nikku.co.jp/

【業績(連結)】	売上高	営業利益	経常利益	純利益
22.3	49,886	2,617	2,801	2,821
23.3	52,886	2,847	3,051	1,940
24.3	58,232	3,630	3,863	2,725

(株)マイスターエンジニアリング

【特色】技術者派遣とビル、ホテルなどの施設メンテが柱

[記者評価] 半導体製造装置や自動車向けが主力の技術者派遣と、ビル・ホテルなどの設備管理・運営が軸。子会社でコンテンツ関連も。技術力が高い企業をM&Aで取り込む「技術サービス連邦」を標榜。技術習得の研修や支援制度が充実。23年12月東京駅直結のビルに本社移転。

平均勤続年数	男性育休取得率	3年後離職率	平均年収(平均34歳)
8.2年	31.6→35.0%	NA	NA

●採用・配属情報●

【男女・文理別採用実績】

	大卒男	大卒女	修士男	修士女
23年	59(文 19 理 40)	15(文 9 理 6)	1(文 0 理 1)	0(文 0 理 0)
24年	69(文 18 理 51)	13(文 9 理 4)	4(文 0 理 4)	0(文 0 理 0)
25年	54(文 10 理 44)	5(文 3 理 2)	1(文 0 理 1)	0(文 0 理 0)

※25年:110名採用予定

【男女・職種別採用実績】

	総合職
23年	108(男 91 女 17)
24年	113(男 100 女 13)
25年	77(男 72 女 5)

【24年4月入社者の配属勤務地】[総]東京・丸の内5 [技]東京25 大阪15 滋賀14 愛知14 兵庫10 京都6 大分4 千葉3 広島3 神奈川2 他12

【転勤】あり:全社員

【中途比率】[単年度]21年度NA、22年度NA、23年度NA[全体]40%

●働きやすさ、諸制度●

残業(月) 13.5時間 [総]13.5時間

【勤務時間】9:00～18:00【有休取得年平均】10.8日【週休】完全2日(事業所により異なる)(土日祝)【夏期休暇】4日【年末年始休暇】3日

【離職率】NA

【新卒3年後離職率】
[20→23年]NA
[21→24年]NA

【テレワーク】制度あり:[場所]自宅 他[対象]NA[日数]NA[利用率]NA【勤務制度】フレックス 副業容認【住宅補助】独身寮(自己負担20,000円)

●ライフイベント、女性活躍●

【女性比率】■男 □女

新卒採用 6.5% (5名)

従業員 8.1% (111名)

管理職 2.4% (2名)

【産休】[期間]産前6・産後8週間[給与]法定[取得者数]1名

【育休】[期間]1歳になるまで[給与]法定[取得者数]22年度 男6名(対象19名)女2名(対象2名)23年度 男7名(対象20名)女2名(対象2名)[平均取得日数]22年度 男79日 女466日、23年度 男48日 女400日

【従業員】[人数]1,375名(男1,264名、女111名)[平均年齢]34.0歳(男35.0歳、女32.0歳)[平均勤続年数]8.2年(男8.4年、女5.5年)

【年齢構成】■男 □女

	男	女
60代～	3%	0%
50代	9%	0%
40代	14%	2%
30代	23%	2%
～20代	42%	4%

[会社データ] (金額は百万円)

【本社】100-0005 東京都千代田区丸の内1-7-12 サピアタワー 15階 ☎03-6756-0311 https://www.mystar.co.jp/

【業績(連結)】	売上高	営業利益	経常利益	純利益
22.3	20,965	NA	NA	NA
23.3	28,904	NA	NA	NA
24.3	31,151	NA	NA	NA

サービス

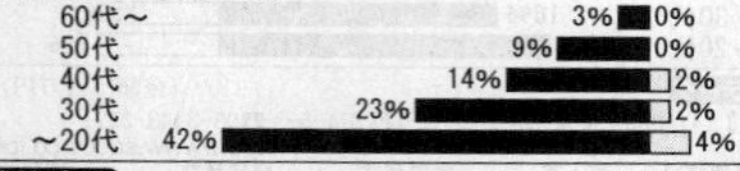

305 開示 ★★★

[株]ダスキン

[くるみん]

【特色】清掃用具レンタル大手。ミスタードーナツを展開

[記者評価] モップ・清掃用具のレンタル(訪販事業)と「ミスタードーナツ」や「ナポリの食卓」など飲食店(フード事業)をFC展開。衛生・ワークライフマネジメント・高齢者サポートの3領域に注力。23年に保育大手のJPホールディングスを持分法適用会社に。

平均勤続年数	男性育休取得率	3年後離職率	平均年収(平均46歳)
[!] 15.6年	100 → 95.8%	4.4 → 19.6%	[総] 733万円

●採用・配属情報●

【男女・文理別採用実績】

	大卒男	大卒女	修士男	修士女
23年	22(文 22 理 0)	11(文 11 理 0)	0(文 0 理 0)	1(文 0 理 1)
24年	26(文 21 理 5)	8(文 7 理 1)	1(文 0 理 1)	1(文 0 理 1)
25年	24(文 21 理 3)	18(文 17 理 1)	0(文 0 理 0)	0(文 0 理 0)

【男女・職種別採用実績】 転換制度:⇔

	総合職
23年	34(男 22 女 12)
24年	36(男 27 女 9)
25年	42(男 24 女 18)

【24年4月入社者の配属勤務地】[総]東京16 大阪10 神戸6 [技]大阪3 神奈川1

【転勤】あり:[職種]グローバル総合職 グローバル専門職

【中途比率】[単年度]21年度NA、22年度NA、23年度NA[全体]17%

●働きやすさ、諸制度●

残業(月) 6.5時間

【勤務時間】9:00～17:30【有休取得年平均】12.0日【週休】完全2日(土日祝)※事業によりシフト制あり【夏期休暇】連続3日【年末年始休暇】12月30日～1月4日

【離職率】男:5.0%、64名 女:5.4%、45名(早期退職男7名、女5名含む)

【新卒3年後離職率】
[20→23年]4.4%(男0%・入社27名、女11.1%・入社18名)
[21→24年]19.6%(男13.6%・入社22名、女25.0%・入社24名)

【テレワーク】制度あり:[場所]自宅 本社近辺事業所[対象]事務職 営業職[日数]制限なし[利用率]2.5%【勤務制度】時間単位有休 勤務間インターバル【住宅補助】転勤者への住宅補助

●ライフイベント、女性活躍●

【女性比率】■男 □女

新卒採用 42.9% (18名)

従業員 39.3% (781名)

管理職 14.3% (47名)

【産休】[期間]産前6・産後8週間[給与]基本給額給付[取得者数]21名

【育休】[期間]2歳の誕生日前日まで[給与]法定[取得者数]22年度 男26名(対象26名)女22名(対象22名)23年度 男23名(対象24名)女21名(対象21名)[平均取得日数]22年度 男66日 女412日、23年度 男30日 女269日

【従業員】[人数]1,988名(男1,207名、女781名)[平均年齢]46.2歳(男47.9歳、女43.4歳)[平均勤続年数]15.6年(男18.3年、女11.4年) ※受入出向者含む

【年齢構成】■男 □女 ※受入出向除く
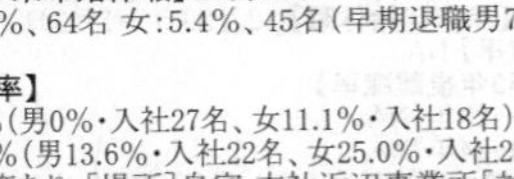

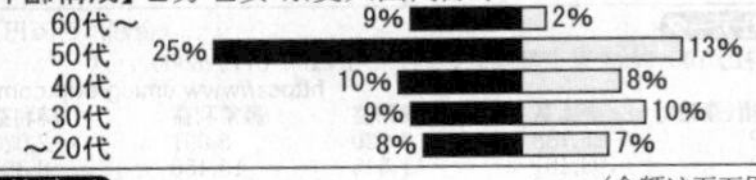

会社データ

(金額は百万円)

【本社】564-0051 大阪府吹田市豊津町1-33 ☎06-6387-3411
https://www.duskin.co.jp/

【業績(連結)】	売上高	営業利益	経常利益	純利益
22.3	163,210	9,899	12,215	8,132
23.3	170,494	8,637	11,375	7,196
24.3	178,782	5,084	7,863	4,574

1098 開示 ★★★★ [短大] [専門] 採用あり

[株]白洋舎(はくようしゃ)

【特色】個人向けクリーニングの最大手。ホテル向けも

[記者評価] 日本で初めてドライクリーニングを実用化。戸別訪問集配に特色。全国に直営・FC店舗網。ホテル向けリネンサプライや食品工場向けなどユニフォームのレンタルも。事業環境変化を受け、不採算店舗閉鎖やネット宅配開始など構造改革。古着買取サービスも開始。

平均勤続年数	男性育休取得率	3年後離職率	平均年収(平均47歳)
◇14.8年	30.0 → 45.5%	36.0 → 31.3%	[総] 614万円

●採用・配属情報●

【男女・文理別採用実績】

	大卒男	大卒女	修士男	修士女
23年	0(文 0 理 0)	0(文 0 理 0)	0(文 0 理 0)	0(文 0 理 0)
24年	3(文 3 理 0)	12(文 12 理 0)	0(文 0 理 0)	0(文 0 理 0)
25年	14(文 14 理 0)	14(文 14 理 0)	0(文 0 理 0)	0(文 0 理 0)

【男女・職種別採用実績】

	総合職	エリア職
23年	0(男 0 女 0)	0(男 0 女 0)
24年	3(男 1 女 2)	14(男 3 女 11)
25年	10(男 5 女 5)	20(男 10 女 10)

【職種併願】総合職とエリア職で可能

【24年4月入社者の配属勤務地】[総]東京1 神奈川2 [技]なし

【転勤】あり:[職種]総合職 社内公募(キャリア支援)制度利用者[勤務地]東京 埼玉 千葉 神奈川 宮城 愛知 大阪 京都 兵庫 広島 福岡

【中途比率】[単年度]21年度14%、22年度95%、23年度90%[全体]◇51%

●働きやすさ、諸制度●

残業(月) 23.1時間 [総]24.4時間

【勤務時間】9:00～18:00【有休取得年平均】11.4日【週休】年120日【夏期休暇】有休で取得【年末年始休暇】有休で取得

【離職率】◇男:5.6%、57名 女:12.7%、52名

【新卒3年後離職率】
[20→23年]36.0%(男58.3%・入社12名、女28.9%・入社38名)
[21→24年]31.3%(男0%・入社3名、女38.5%・入社13名)

【テレワーク】制度あり:[場所]自宅[対象]業種によって異なる[日数]制限なし[利用率]NA【勤務制度】時差勤務 勤務間インターバル 副業容認【住宅補助】社宅 独身寮

●ライフイベント、女性活躍●

【女性比率】■男 □女

新卒採用 50% (15名)

従業員 27% (359名)

管理職 8.4% (12名)

【産休】[期間]産前6・産後8週間[給与]法定[取得者数]11名

【育休】[期間]1歳になるまで[給与]法定[取得者数]22年度 男6名(対象20名)女14名(対象14名)23年度 男5名(対象11名)女11名(対象11名)[平均取得日数]22年度 男30日 女317日、23年度 男27日 女407日

【従業員】◇[人数]1,329名(男970名、女359名)[平均年齢]42.4歳(男44.5歳、女35.9歳)[平均勤続年数]14.8年(男17.1年、女9.9年)

【年齢構成】■男 □女
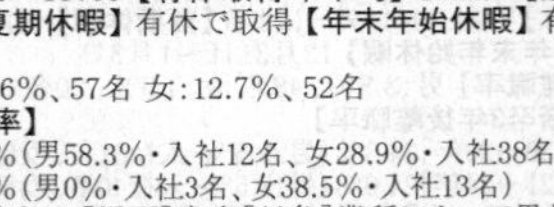

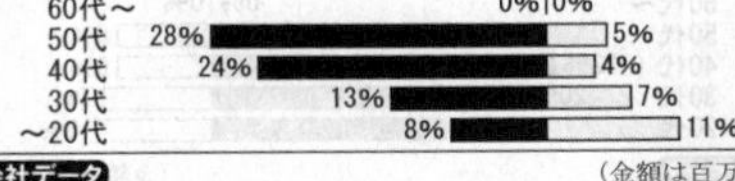

会社データ

(金額は百万円)

【本社】146-0092 東京都大田区下丸子2-11-8 ☎03-5732-5111
https://www.hakuyosha.co.jp/

【業績(連結)】	売上高	営業利益	経常利益	純利益
21.12	35,131	▲2,907	▲2,179	▲1,249
22.12	39,180	665	1,357	1,688
23.12	43,272	1,815	2,149	1,945

サービス

㈱トーカイ

くるみん

【特色】病院や介護関連の用品レンタルが主力。岐阜本社

記者評価 医療・介護の両分野に展開。医療関連は病院の寝具、ユニホームなどリネンサプライ、介護関連では特殊寝台や車椅子などの器具・用品のレンタル。「たんぽぽ薬局」を展開する調剤薬局が第2の柱。病院業務受託や給食等も。23年10月埼玉工場が稼働し関東を強化。

平均勤続年数	男性育休取得率	3年後離職率	平均年収(平均40歳)
10.8年	59.5→53.4%	24.3→24.0%	総540万円

●採用・配属情報●

【男女・文理別採用実績】

	大卒男	大卒女	修士男	修士女
23年	26(文 25 理 1)	19(文 19 理 0)	0(文 0 理 0)	0(文 0 理 0)
24年	19(文 19 理 0)	23(文 23 理 0)	0(文 0 理 0)	0(文 0 理 0)
25年	25(文 23 理 2)	17(文 17 理 0)	0(文 0 理 0)	0(文 0 理 0)

【男女・職種別採用実績】 転換制度:⇔

	総合職
23年	46(男 26 女 20)
24年	42(男 19 女 23)
25年	42(男 25 女 17)

【24年4月入社者の配属勤務地】総岐阜12 東京6 大阪6 愛知3 埼玉3 三重2 愛媛2 福岡2 千葉1 神奈川1 静岡1 兵庫1 香川1 高知1 技なし

【転勤】あり:コース勤務選択届によって選択された勤務型コースにより異なる

【中途比率】[単年度]21年度57%、22年度70%、23年度72%[全体]NA

●働きやすさ、諸制度●

残業(月) 11.2時間 総11.2時間

【勤務時間】8:30〜17:30【有休取得年平均】10.9日【週休】会社カレンダーによる【夏期休暇】計画有休により取得【年末年始休暇】12月31日〜1月3日

【離職率】男:3.8%、48名 女:4.3%、20名

【新卒3年後離職率】

[20→23年]24.3%(男29.5%・入社61名、女0%・入社13名)

[21→24年]24.0%(男17.5%・入社40名、女50.0%・入社10名)

【テレワーク】制度なし【勤務制度】時差勤務 勤務間インターバル【住宅補助】独身寮 社宅(独身寮家賃の個人負担3,500円〜)※会社規定の家賃上限 50,000〜70,000円(地域により異なる)

●ライフイベント、女性活躍●

【女性比率】■男 □女

新卒採用 40.5% (17名)

従業員 26.8% (444名)

管理職 7.8% (18名)

【産休】[期間]産前6・産後8週間[給与]法定[取得者数]41名

【育休】[期間]2歳に達するまで[給与]法定[取得者数]22年度 男22名(対象37名)女17名(対象37名)23年度 男31名(対象58名)女37名(対象41名)[平均取得日数]22年度 男34日 女361日、23年度 男25日 女334日

【従業員】[人数]1,655名(男1,211名、女444名)[平均年齢]39.9歳(男NA、女NA)[平均勤続年数]10.8年(男NA、女NA)

【年齢構成】■男 □女

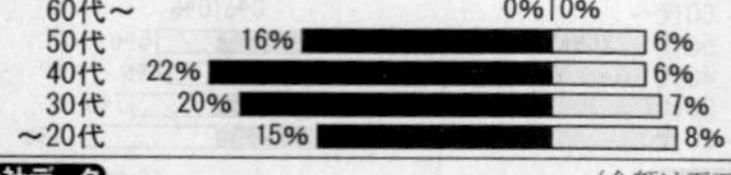

会社データ (金額は百万円)

【本社】500-8828 岐阜県岐阜市若宮町9-16 ☎058-263-5111
https://www.tokai-corp.com/

【業績(連結)】	売上高	営業利益	経常利益	純利益
22.3	123,484	8,252	8,878	5,806
23.3	130,184	7,855	8,080	6,106
24.3	138,222	8,082	8,505	5,810

シミックグループ

えるぼし★★★ くるみん

【特色】医薬品開発業務受託で国内先駆、業界首位級

記者評価 新薬開発の治験支援で国内首位級。医薬品受託製造や長期収載品の承継事業を展開。顧客ニーズを顕在化し、ビジネスにつなげるソリューション営業を加速。日本進出狙う海外バイオベンチャーのコンサルにも注力。創業者中村会長によるMBO成立、24年3月上場廃止。

平均勤続年数	男性育休取得率	3年後離職率	平均年収(平均39歳)
6.6年	16.7→35.2%	NA	総610万円

●採用・配属情報●

【男女・文理別採用実績】

	大卒男	大卒女	修士男	修士女
23年	16(文 3 理 13)	43(文 6 理 37)	33(文 1 理 32)	38(文 1 理 37)
24年	24(文 4 理 20)	104(文 27 理 77)	29(文 3 理 26)	45(文 4 理 41)
25年	25(文 2 理 23)	104(文 12 理 92)	35(文 1 理 34)	91(文 4 理 87)

【男女・職種別採用実績】

	総合職
23年	134(男 49 女 85)
24年	208(男 55 女153)
25年	261(男 60 女201)

【職種併願】○

【24年4月入社者の配属勤務地】技北海道3 岩手3 栃木4 東京147 山梨2 静岡7 愛知2 富山1 大阪34 兵庫2 福岡3

【転勤】あり:全社員

【中途比率】[単年度]21年度NA、22年度NA、23年度NA[全体]67%

●働きやすさ、諸制度●

残業(月) 18.1時間

【勤務時間】9:00〜17:30【有休取得年平均】13.0日【週休】完全2日(土日祝)【夏期休暇】連続3日(リフレッシュ休暇)【年末年始休暇】12月29日〜1月3日

【離職率】NA

【新卒3年後離職率】

[20→23年]NA

[21→24年]NA

【テレワーク】制度あり:[場所]自宅 サテライトオフィス[対象]NA[日数]各社により異なる[利用率]NA【勤務制度】フレックス【住宅補助】(シミック㈱)転居サポートプログラム(条件あり)※各社により異なる

●ライフイベント、女性活躍●

【女性比率】■男 □女

新卒採用 77% (201名)

従業員 57.2% (3119名)

管理職 30.6% (203名)

【産休】[期間]産前6・産後8週間[給与]法定[取得者数]151名

【育休】[期間]1歳になるまで[給与]法定[取得者数]22年度 男16名(対象96名)女NA(対象142名)23年度 男31名(対象88名)女NA(対象143名)[平均取得日数]22年度 NA、23年度 NA

【従業員】[人数]5,450名(男2,331名、女3,119名)[平均年齢]38.7歳(男40.3歳、女37.4歳)[平均勤続年数]6.6年(男6.6年、女7.0年)

【年齢構成】NA

会社データ (金額は百万円)

【本社】105-0023 東京都港区芝浦1-1-1 ☎03-6779-8000
https://www.cmicgroup.com/

【業績(連結)】	売上高	営業利益	経常利益	純利益
21.9	85,788	4,920	5,091	2,023
22.9	108,461	11,845	13,450	8,387
23.9	104,701	10,267	10,022	7,152

※会社データはシミックホールディングス㈱のもの
※注記のないデータはシミックグループのもの

サービス

㈱コベルコ科研（かけん）

くるみん

【特色】神戸製鋼所の完全子会社。試験研究業務を担う

記者評価 神戸製鋼所の分析・試験部門が分離独立して発足。材料や構造物などの試験から製品試作・製造まで広範な業務を担う。薄膜ターゲット材や、半導体ウエハ検査装置の製造も手がける。EV・電池プロジェクト推進。外販比率約7割。専門技術研修には90超の講座開設。

平均勤続年数	男性育休取得率	3年後離職率	平均年収(平均43歳)
13.8年	59.4→57.1%	0→16.7%	㊗786万円

●採用・配属情報●

【男女・文理別採用実績】

	大卒男	大卒女	修士男	修士女
23年	3(文 1理 2)	2(文 1理 1)	6(文 0理 6)	1(文 0理 1)
24年	1(文 0理 1)	2(文 2理 0)	6(文 0理 6)	1(文 0理 1)
25年	5(文 1理 4)	1(文 1理 0)	5(文 0理 5)	0(文 0理 0)

【男女・職種別採用実績】

	総合職
23年	13(男 9 女 4)
24年	11(男 7 女 4)
25年	11(男 10 女 1)

【24年4月入社者の配属勤務地】㊗東京・品川2 神戸1 ㊕兵庫(神戸5 高砂3)

【転勤】あり:[職種]全社員[勤務地]全国全拠点

【中途比率】[単年度]21年度25%、22年度44%、23年度41%[全体]36%

●働きやすさ、諸制度●

残業(月) 16.7時間 ㊗16.7時間

【勤務時間】9:00～17:30【有休取得年平均】17.6日【週休】完全2日(土日祝)【夏期休暇】連続4日(週休含む)【年末年始休暇】連続7日

【離職率】男:2.4%、22名 女:3.1%、7名

【新卒3年後離職率】
[20→23年]0%(男0%・入社5名、女0%・入社5名)
[21→24年]16.7%(男11.1%・入社9名、女33.3%・入社3名)

【テレワーク】制度あり:[場所]自宅[対象]全社員[日数]月6回まで[利用率]NA【勤務制度】フレックス【住宅補助】独身寮(自己負担15,000～20,000円程度 35歳まで)社宅(自己負担40,000円程度 10年間)

●ライフイベント、女性活躍●

【女性比率】■男 □女

新卒採用 9.1% (1名)

従業員 19.6% (221名)

管理職 3.3% (8名)

【産休】[期間]産前6・産後8週間[給与]法定[取得者数]6名

【育休】[期間]3歳になるまで[給与]法定[取得者数]22年度 男19名(対象32名)女7名(対象7名)23年度 男16名(対象28名)女6名(対象6名)[平均取得日数]22年度 男41日 女478日、23年度 男71日 女352日

【従業員】[人数]1,127名(男906名、女221名)[平均年齢]41.4歳(男41.2歳、女42.7歳)[平均勤続年数]13.8年(男14.2年、女12.0年)

【年齢構成】■男 □女

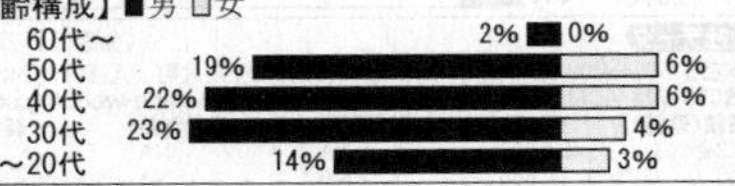

会社データ (金額は百万円)

【本社】651-0073 兵庫県神戸市中央区脇浜海岸通1-5-1 IHDセンタービル ☎078-272-5915 https://www.kobelcokaken.co.jp/

【業績(単独)】	売上高	営業利益	経常利益	純利益
22.3	19,290	NA	NA	NA
23.3	21,370	NA	NA	NA
24.3	22,268	NA	NA	NA

コンパスグループ・ジャパン㈱

【特色】世界最大手の給食事業者の日本法人。広域展開

記者評価 社員食堂・学校給食などの運営を受託するコントラクトフードサービス事業で世界最大手の英コンパスグループの日本法人。オフィス、工場、病院、福祉施設向け中心に給食事業を展開。国内約1500カ所に拠点。従業員のキャリア目標達成のためのアカデミー運営。

平均勤続年数	男性育休取得率	3年後離職率	平均年収(平均42歳)
8.8年	15.4→50.0%	60.0→51.7%	NA

●採用・配属情報●

【男女・文理別採用実績】

	大卒男	大卒女	修士男	修士女
23年	6(文 0理 6)	64(文 2理 62)	0(文 0理 0)	0(文 0理 0)
24年	7(文 3理 4)	75(文 4理 71)	0(文 0理 0)	0(文 0理 0)
25年	7(文 3理 4)	75(文 4理 71)	0(文 0理 0)	1(文 1理 0)

【男女・職種別採用実績】

	総合職	栄養士職	調理師職
23年	2(男 0 女 2)	87(男 9 女 78)	3(男 2 女 1)
24年	8(男 3 女 5)	134(男 7 女127)	11(男 1 女 10)
25年	8(男 3 女 5)	136(男 7 女129)	16(男 1 女 15)

【24年4月入社者の配属勤務地】㊗東京51 福岡21 神奈川12 埼玉8 大阪7 千葉7 京都5 愛知4 静岡4 兵庫3 広島3 愛媛3 佐賀3 長崎3 熊本3 栃木2 三重2 奈良2 大分2 鹿児島2 北海道1 福島1 宮城1 群馬1 山口1 鳥取1

【転勤】あり:[職種]社員区分による

【中途比率】[単年度]21年度NA、22年度NA、23年度NA[全体]NA

●働きやすさ、諸制度●

残業(月) NA

【勤務時間】9:00～18:00【有休取得年平均】6.9日【週休】月9日【夏期休暇】なし【年末年始休暇】なし

【離職率】NA

【新卒3年後離職率】
[20→23年]60.0%(男72.7%・入社11名、女59.1%・入社154名)
[21→24年]51.7%(男0%・入社2名、女53.4%・入社58名)

【テレワーク】制度あり:[場所]自宅[対象]本社・支社勤務者[日数]月間勤務時間の50%以内[利用率]NA【勤務制度】フレックス 時間単位有休 副業容認【住宅補助】社宅(家賃の7割を会社負担)※職位・居住年数により負担率変動あり

●ライフイベント、女性活躍●

【女性比率】■男 □女

新卒採用 93.1% (149名)

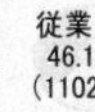

従業員 46.1% (1102名)

【産休】[期間]産前6・産後8週間[給与]法定[取得者数]51名

【育休】[期間]1歳になるまで[給与]法定[取得者数]22年度 男2名(対象13名)女21名(対象24名)23年度 男4名(対象8名)女50名(対象55名)[平均取得日数]22年度 NA、23年度 NA

【従業員】[人数]2,391名(男1,289名、女1,102名)[平均年齢]42.1歳(男47.0歳、女36.3歳)[平均勤続年数]8.8年(男10.4年、女6.9年)

【年齢構成】NA

会社データ (金額は百万円)

【本社】104-0045 東京都中央区築地5-5-12 浜離宮建設プラザ ☎03-3544-0351 https://www.compassgroup-japan.jp/

【業績(単独)】	売上高	営業利益	経常利益	純利益
21.9	47,613	▲975	▲671	▲2,554
22.9	58,243	▲178	6	6,033
23.9	68,763	NA	NA	NA

サービス

㈱テイクアンドギヴ・ニーズ

【特色】ハウスウエディングの草分け。ホテルも展開

[記者評価] 直営式場でハウスウエディングを展開。東京會舘など他社の婚礼部門の運営受託も手がける。「TRUNK」ブランドでホテルに進出、第2の事業柱へ育成中。ホテルは海外で各種アワードを受賞。女性が多い職場のため働き方の多様化に取り組んでいる。

平均勤続年数	男性育休取得率	3年後離職率	平均年収(平均33歳)
6.7年	11.5 → 13.0%	NA	◇469万円

●採用・配属情報●

【男女・文理別採用実績】

	大卒男	大卒女	修士男	修士女
23年	5(文 5理 0)	55(文 55理 0)	0(文 0理 0)	0(文 0理 0)
24年	11(文 11理 0)	102(文100理 2)	0(文 0理 0)	0(文 0理 0)
25年	24(文 20理 4)	96(文 91理 5)	0(文 0理 0)	0(文 0理 0)

【男女・職種別採用実績】　転換制度:⇔

	総合職	フラワーコーディネーター職	ドレスコーディネーター職	サービスプロフェッショナル職
23年	51(男 6女 45)	15(男 0女 15)	18(男 0女 18)	4(男 0女 4)
24年	81(男 10女 71)	33(男 0女 33)	29(男 0女 29)	20(男 2女 18)
25年	90(男 22女 68)	40(男 1女 39)	13(男 0女 13)	20(男 3女 17)

【職種併願】○

【24年4月入社者の配属勤務地】[総]札幌2 仙台2 新潟2 福島・郡山1 宇都宮1 大宮5 千葉(柏1 千葉みなと2) 東京(代官山2 麻布2 白金1 表参道4 八王子2) 神奈川(横浜8 茅ヶ崎1) 富山1 松本1 群馬・高崎2 静岡(沼津1 静岡4) 愛知(名古屋2 常滑1) 岐阜2 大阪6 兵庫(神戸4 姫路1) 京都2 大津1 和歌山2 岡山2 広島(広島2 福山1) 高松1 松山1 徳島1 小倉1 熊本2 鹿児島2 長崎2

【転勤】あり:[職種]全社員[勤務地]全国(地域限定職は特定の地域内のみ)

【中途比率】[単年度]21年度74%、22年度80%、23年度63%[全体]64%

●働きやすさ、諸制度●

残業(月)　NA

【勤務時間】10:00～19:00【有休取得年平均】11.0日【週休】月9日【夏期休暇】4日【年末年始休暇】3日

【離職率】NA

【新卒3年後離職率】[20→23年]NA [21→24年]NA

【テレワーク】制度あり:[場所]自宅[対象]現場職以外[日数]制限なし[利用率]NA【勤務制度】フレックス 時差勤務 副業容認【住宅補助】会社都合により転居する場合の初期費用(引越代 敷金 礼金)住宅手当(条件あり)

●ライフイベント、女性活躍●

【女性比率】■男 □女

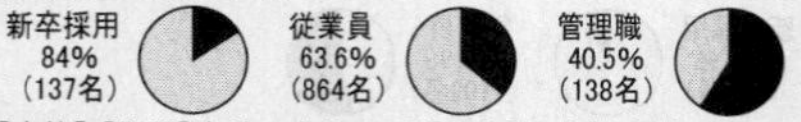
新卒採用
84%
(137名)
従業員
63.6%
(864名)
管理職
40.5%
(138名)

【産休】[期間]産前6・産後8週間[給与]法定[取得者数]36名

【育休】[期間]1歳になるまで[給与]法定[取得者数]22年度 男3名(対象26名)女46名(対象46名)23年度 男3名(対象23名)女36名(対象36名)[平均取得日数]22年度 男155日 女421日、23年度 男194日 女413日

【従業員】[人数]1,358名(男494名、女864名)[平均年齢]32.5歳(男36.4歳、女30.2歳)[平均勤続年数]6.7年(男8.1年、女5.9年)【年齢構成】■男 □女

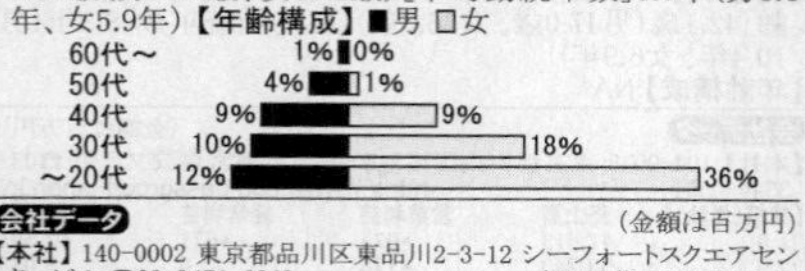
60代～ 1% 0%
50代 4% 1%
40代 9% 9%
30代 10% 18%
～20代 12% 36%

会社データ　(金額は百万円)

【本社】140-0002 東京都品川区東品川2-3-12 シーフォートスクエアセンタービル ☎03-3471-6843
https://www.tgn.co.jp/

【業績(連結)】	売上高	営業利益	経常利益	純利益
22.3	39,482	2,089	1,548	1,877
23.3	45,532	3,681	3,181	4,108
24.3	47,020	4,208	3,754	1,831

ワタベウェディング㈱

【特色】海外挙式の先駆者。ホテル雅叙園東京など運営

[記者評価] 興和の完全子会社。1953年に開業した京都の貸衣装店が発祥。海外リゾート婚の草分けで、ハワイ、グアム、豪州を中心に展開。国内は沖縄、北海道、京都などでリゾ婚実績多い。グループで国内62、海外22拠点(24年4月)。ホテル雅叙園東京やメルパルクの運営も。

平均勤続年数	男性育休取得率	3年後離職率	平均年収(平均35歳)
6.8年	NA	NA	NA

●採用・配属情報●

【男女・文理別採用実績】

	大卒男	大卒女	修士男	修士女
23年	3(文 3理 0)	22(文 22理 0)	0(文 0理 0)	0(文 0理 0)
24年	2(文 2理 0)	26(文 26理 0)	0(文 0理 0)	0(文 0理 0)
25年	1(文 1理 0)	11(文 11理 0)	0(文 0理 0)	0(文 0理 0)

【男女・職種別採用実績】　転換制度:⇔

	総合職
23年	30(男 3女 27)
24年	36(男 2女 34)
25年	20(男 2女 18)

【職種併願】○

【24年4月入社者の配属勤務地】[総]札幌2 仙台2 東京13 神奈川3 名古屋5 大阪6 京都1 岡山1 広島1 福岡1 熊本1

【転勤】NA

【中途比率】[単年度]21年度NA、22年度NA、23年度NA[全体]61%

●働きやすさ、諸制度●

残業(月)　8.3時間 [総]8.3時間

【勤務時間】9:00～18:00(職種・勤務地により異なる)【有休取得年平均】8.7日【週休】会社暦2日【夏期休暇】有休で取得【年末年始休暇】12月29日～1月3日(部署により異なる)

【離職率】男:NA、NA 女:0%、0名

【新卒3年後離職率】
[20→23年]NA
[21→24年]NA

【テレワーク】NA【勤務制度】なし【住宅補助】NA

●ライフイベント、女性活躍●

【女性比率】■男 □女

新卒採用
90%
(18名)
従業員
78.9%
(344名)
管理職
46.3%
(37名)

【産休】NA

【育休】NA

【従業員】[人数]436名(男92名、女344名)[平均年齢]34.6歳(男38.6歳、女33.6歳)[平均勤続年数]6.8年(男10.1年、女5.8年)

【年齢構成】■男 □女

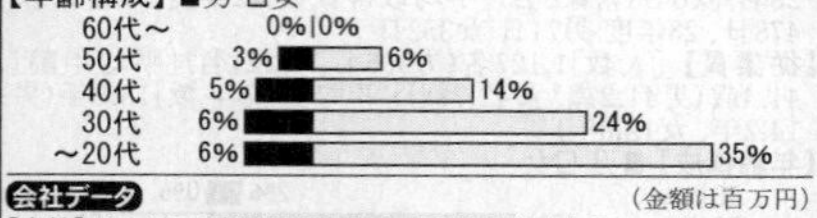
60代～ 0% 0%
50代 3% 6%
40代 5% 14%
30代 6% 24%
～20代 6% 35%

会社データ　(金額は百万円)

【本社】602-8602 京都府京都市上京区烏丸通丸太町上る春日町427-3 ☎075-778-4111
https://www.watabe-wedding.co.jp/

【業績(連結)】	売上高	営業利益	経常利益	純利益
22.3変	24,090	NA	NA	NA
23.3	27,534	NA	NA	NA
24.3	31,478	NA	NA	NA

㈱ノバレーゼ

くるみん

【特色】ハウスウェディングを展開。レストラン運営も

記者評価 直営式場でハウスウェディングを展開。人口25万～100万人の地方都市圏への出店推進。歴史的建造物を利用した官民連携での出店に実績。直営のドレスショップやレストランも。システム子会社で結婚準備支援システムを運営するなどIT化を推進。

平均勤続年数	男性育休取得率	3年後離職率	平均年収(平均33歳)
5.9年	NA	43.9 → 43.8%	(総)365万円

●採用・配属情報●

【男女・文理別採用実績】

	大卒男	大卒女	修士男	修士女
23年	5(文 4 理 1)	46(文 44 理 2)	0(文 0 理 0)	0(文 0 理 0)
24年	4(文 3 理 1)	34(文 29 理 5)	0(文 0 理 0)	0(文 0 理 0)
25年	5(文 5 理 0)	15(文 14 理 1)	0(文 0 理 0)	0(文 0 理 0)

【男女・職種別採用実績】

	総合職
23年	63(男 6 女 57)
24年	62(男 6 女 56)
25年	26(男 8 女 18)

【職種併願】○

【24年4月入社者の配属勤務地】(総)仙台2 福島2 宇都宮1 高崎2 千葉1 神奈川(鎌倉3 横浜2 厚木1)さいたま3 新潟2 長野2 岐阜1 金沢3 浜松1 名古屋2 京都1 大阪3 和歌山2 兵庫(芦屋1 神戸1)岡山1 高松1 松山2 広島4 熊本1 福岡1 大分1 宮崎2 沖縄2 (技)福島1 宇都宮1 千葉2 厚木2 金沢1 名古屋1 滋賀1 広島1 宮崎1

【転勤】あり:全国勤務型の全社員

【中途比率】[単年度]21年度48%、22年度98%、23年度71%[全体]66%

●働きやすさ、諸制度●

残業(月) 18.3時間 (総)18.3時間

【勤務時間】10:00～19:00【有休取得年平均】12.9日【週休】月9日(シフト制)【夏期休暇】5日【年末年始休暇】5日

【離職率】男:14.7%、42名 女:11.9%、78名

【新卒3年後離職率】
[20→23年]43.9%(男25.0%・入社12名、女51.7%・入社29名)
[21→24年]43.8%(男33.3%・入社3名、女44.8%・入社29名)

【テレワーク】制度あり:[場所]自宅[対象]本社スタッフのみ[日数]制限なし[利用率]NA【勤務制度】時間単位有休 副業容認【住宅補助】住宅手当(10,000円)

●ライフイベント、女性活躍●

【女性比率】■男 □女

新卒採用 69.2%(18名)　従業員 70.2%(575名)　管理職 34.4%(54名)

【産休】[期間]産前6・産後8週間[給与]法定[取得者数]31名

【育休】[期間]原則1歳まで、ただし特別な事情がある場合は最長3歳まで延長可[給与]法定[取得者数]22年度 男5名(対象NA)女41名(対象NA)23年度 男1名(対象NA)女29名(対象NA)[平均取得日数]22年度 NA、23年度 NA

【従業員】[人数]819名(男244名、女575名)[平均年齢]33.1歳(男36.1歳、女31.8歳)[平均勤続年数]5.9年(男6.0年、女5.9年)【年齢構成】■男 □女

	男	女
60代～	1%	0%
50代	2%	1%
40代	6%	11%
30代	12%	23%
～20代	9%	35%

会社データ (金額は百万円)

【本社】104-0061 東京都中央区銀座1-8-14 銀座YOMIKOビル ☎03-5524-1122 https://www.novarese.co.jp/

【業績(IFRS)】	売上高	営業利益	税前利益	純利益
21.12	11,191	822	539	374
22.12	17,222	2,775	2,485	1,656
23.12	18,265	1,539	1,230	942

㈱共立(きょうりつ)メンテナンス

【特色】寮運営とビジネス・リゾートホテル事業の3本柱

記者評価 寮事業が祖業。有力大学などの学生寮のほか社員寮の運営受託が安定収益源。1993年にホテル事業に参入し、宿泊特化型ホテル「ドーミーイン」やリゾートホテルを全国に展開。ドーミーは温泉など観光利用を取り込める点で差別化。和風業態「野乃」も展開。

平均勤続年数	男性育休取得率	3年後離職率	平均年収(平均39歳)
◇6.5年	38.1 → 51.4%	56.7 → 59.4%	(総)575万円

●採用・配属情報●

【男女・文理別採用実績】

	大卒男	大卒女	修士男	修士女
23年	35(文 33 理 2)	74(文 73 理 1)	1(文 1 理 0)	0(文 0 理 0)
24年	28(文 26 理 2)	92(文 92 理 0)	2(文 2 理 0)	2(文 2 理 0)
25年	30(文 25 理 5)	80(文 75 理 5)	0(文 0 理 0)	0(文 0 理 0)

【男女・職種別採用実績】 転換制度:⇔

	総合職	ホテル職	介護職
23年	27(男 10 女 17)	121(男 43 女 78)	5(男 1 女 4)
24年	36(男 12 女 24)	118(男 30 女 88)	5(男 1 女 4)
25年	30(男 10 女 20)	100(男 30 女 70)	20(男 10 女 10)

【24年4月入社者の配属勤務地】(総)<ホテル職>全国各地118<介護職>東京5<総合職>東京・全国各地36

【転勤】あり:[職種]総合職(グローバル職)ホテル職(グローバル職)[勤務地]総合職:支店(札幌 仙台 名古屋 京都 大阪 福岡)ホテル職:全国のホテル

【中途比率】[単年度]21年度NA、22年度NA、23年度NA[全体]NA

●働きやすさ、諸制度●

残業(月) 24.0時間 (総)15.2時間

【勤務時間】9:00～17:30【有休取得年平均】10.4日【週休】<本社・支店>完全2日(土日祝)<ホテル>シフト制【夏期休暇】3日【年末年始休暇】(本社)5日前後(事業所)冬期休暇4日

【離職率】◇男:11.9%、163名 女:17.7%、245名

【新卒3年後離職率】
[20→23年]56.7%(男27.8%・入社97名、女71.9%・入社185名)
[21→24年]59.4%(男42.3%・入社104名、女66.8%・入社238名)

【テレワーク】制度なし【勤務制度】時差勤務 副業容認【住宅補助】寮

●ライフイベント、女性活躍●

【女性比率】■男 □女

新卒採用 66.7%(100名)　従業員 48.6%(1139名)　管理職 16.2%(82名)

【産休】[期間]産前6・産後8週間[給与]法定[取得者数]31名

【育休】[期間]1歳になるまで[給与]法定[取得者数]22年度 男8名(対象21名)女24名(対象24名)23年度 男18名(対象35名)女31名(対象31名)[平均取得日数]22年度 男72日 女385日、23年度 男66日 女423日

【従業員】◇[人数]2,344名(男1,205名、女1,139名)[平均年齢]34.4歳(男37.4歳、女31.2歳)[平均勤続年数]6.5年(男7.7年、女5.4年)【年齢構成】■男 □女

	男	女
60代～	1%	0%
50代	8%	5%
40代	13%	5%
30代	13%	11%
～20代	17%	28%

会社データ (金額は百万円)

【本社】101-8621 東京都千代田区外神田2-18-8 ☎03-5295-7777 https://www.kyoritsugroup.co.jp/

【業績(連結)】	売上高	営業利益	経常利益	純利益
22.3	173,701	1,431	1,814	539
23.3	175,630	7,326	7,115	4,241
24.3	204,126	16,708	21,116	12,414

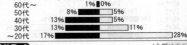

1899 開示 ★★★☆☆ [短大] [専門] 採用あり

㈱ベネフィット・ワン

[くるみん]

【特色】福利厚生代行サービス。24年第一生命HD傘下入り

[記者評価] 選択型福利厚生サービス(カフェテリアプラン)を提供。健康診断の運営代行や、給与天引きで電気代などを割り引くサービスも。パソナ子会社だったが、第一生命HDによるTOBが成立、24年5月上場廃止。25年4月から大卒総合職の初任給を28.5万円に引き上げ予定。

平均勤続年数	男性育休取得率	3年後離職率	平均年収(平均37歳)
5.8年	44.4→40.0%	NA	[総]629万円

●採用・配属情報●

【男女・文理別採用実績】

	大卒男	大卒女	修士男	修士女
23年	12(文 9理 3)	17(文 16理 1)	0(文 0理 0)	0(文 0理 0)
24年	13(文 12理 1)	27(文 26理 1)	0(文 0理 0)	0(文 0理 0)
25年	35(文 32理 3)	41(文 41理 0)	0(文 0理 0)	0(文 0理 0)

※25年:一般職は継続中

【男女・職種別採用実績】 転換制度:⇒

	総合職	一般職
23年	24(男 12 女 12)	7(男 0 女 7)
24年	36(男 13 女 23)	11(男 0 女 11)
25年	73(男 35 女 38)	4(男 0 女 4)

【職種併願】○

【24年4月入社者の配属勤務地】[総]東京31 大阪4 名古屋1

【転勤】あり:[職種]総合職[勤務地]東京 大阪 名古屋 他

【中途比率】[単年度]21年度48%、22年度82%、23年度76%[全体]72%

●働きやすさ、諸制度●

残業(月) 18.6時間 [総]24.3時間

【勤務時間】9:00〜17:30【有休取得年平均】14.4日【週休】完全2日(土日祝)【夏期休暇】連続5日(有休2日含む)【年末年始休暇】連続6日

【離職率】男:11.1%、39名 女:14.2%、122名

【新卒3年後離職率】

[20→23年]NA

[21→24年]NA

【テレワーク】制度あり:[場所]自宅[対象]全社員(職種や業務内容により制限あり)[日数]週2日まで 特別な理由がある場合は最大週4日まで[利用率]NA【勤務制度】フレックス 時差勤務 副業容認【住宅補助】カフェテリアプランによる住宅手当(最大300,000円/年)

●ライフイベント、女性活躍●

【女性比率】■男 □女

新卒採用 54.5% (42名)

従業員 70.3% (737名)

管理職 56% (130名)

【産休】[期間]産前6・産後8週間[給与]法定[取得者数]24名

【育休】[期間]1歳になるまで[給与]法定[取得者数]22年度 男4名(対象9名)女24名(対象25名)23年度 男2名(対象5名)女24名(対象24名)[平均取得日数]22年度 男23日 女233日、23年度 男38日 女396日

【従業員】[人数]1,049名(男312名、女737名)[平均年齢]37.3歳(男38.5歳、女36.8歳)[平均勤続年数]5.8年(男6.2年、女5.6年)

【年齢構成】■男 □女

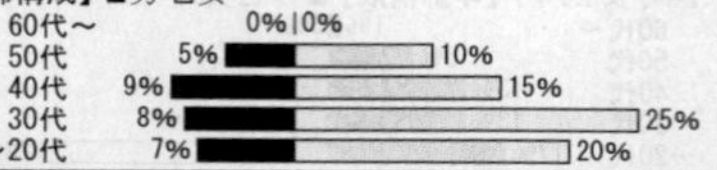

会社データ (金額は百万円)

【本社】163-1037 東京都新宿区西新宿3-7-1 新宿パークタワー ☎03-6870-3803 https://www.benefit-one.co.jp/

【業績(連結)】	売上高	営業利益	経常利益	純利益
22.3	38,362	12,770	12,826	8,949
23.3	42,376	10,484	10,565	7,655
24.3	38,962	7,618	7,783	5,357

1668 開示 ★★★☆☆ [短大] [専門] 採用あり

JPホールディングスグループ

(ジェイピー)

[プラチナくるみん]

【特色】保育園・学童などを運営する子育て支援最大手

[記者評価] 自治体の助成金で運営する認可保育園の最大手。学童クラブや児童館も運営し、合わせて320施設を展開。23年11月筆頭株主が学研グループからダスキンに変更、学研との業務提携は継続。24年1月、外国人就労支援会社を買収。東南アジアでの保育園展開にも本腰。

平均勤続年数	男性育休取得率	3年後離職率	平均年収(平均38歳)
[!]4.8年	—	NA	[総][!]518万円

●採用・配属情報●

【男女・文理別採用実績】

	大卒男	大卒女	修士男	修士女
23年	15(文 15理 0)	144(文109理 35)	0(文 0理 0)	0(文 0理 0)
24年	10(文 9理 1)	176(文141理 35)	0(文 0理 0)	0(文 0理 0)
25年	17(文 16理 1)	160(文125理 35)	0(文 0理 0)	0(文 0理 0)

【男女・職種別採用実績】 転換制度:⇔

	総合職	保育士	栄養士	学童指導員	体育、リトミック、食農指導員、一般職
23年	7(男 3女 4)	175(男18女157)	62(男 3女59)	27(男 4女23)	2(男 1女 1)
24年	2(男 0女 2)	188(男13女175)	61(男 4女57)	43(男 6女37)	17(男 6女11)
25年	2(男 1女 1)	196(男13女183)	60(男 3女57)	40(男 6女34)	13(男 4女 9)

【職種併願】○

【24年4月入社者の配属勤務地】[総]東京・品川2

【転勤】あり:[職種]総合職

【中途比率】[単年度]21年度60%、22年度65%、23年度59%[全体]74%

●働きやすさ、諸制度●

残業(月) 12.4時間 [総]12.4時間

【平均年収(総合職)】(HD単体)518万円【勤務時間】9:00〜18:00【有休取得年平均】12.7日【週休】完全2日(土日祝)【夏期休暇】1日【年末年始休暇】12月29日〜1月3日

【離職率】NA

【新卒3年後離職率】

[20→23年]NA

[21→24年]NA

【テレワーク】制度あり:[場所]自宅 他[対象]会社が認めた情報通信機器を用いた勤務が可能な従業員[日数]週1日[利用率]9.8%【勤務制度】時差勤務【住宅補助】独身寮(ドミトリータイプ)

●ライフイベント、女性活躍●

【女性比率】■男 □女

新卒採用 91.3% (284名)

従業員 61.2% (52名)

管理職 31.6% (6名)

【産休】[期間]産前6・産後8週間[給与]法定[取得者数]4名

【育休】[期間]1歳になるまで[給与]法定[取得者数]22年度 男0名(対象0名)女1名(対象1名)23年度 男0名(対象0名)女4名(対象4名)[平均取得日数]22年度 男- 女312日、23年度 男- 女449日

【従業員】[人数]85名(男33名、女52名)[平均年齢]41.7歳(男49.4歳、女36.8歳)[平均勤続年数]4.8年(男4.1年、女5.1年) ※HD単体

【年齢構成】■男 □女

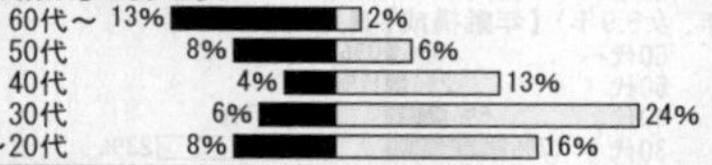

会社データ (金額は百万円)

【本社】450-0002 愛知県名古屋市中村区名駅2-38-2 オーキッドビル ☎052-933-5419 https://www.jp-holdings.co.jp/

【業績(連結)】	売上高	営業利益	経常利益	純利益
22.3	34,373	3,344	3,358	2,279
23.3	35,507	3,667	3,745	2,698
24.3	37,856	4,584	4,523	2,929

※資本金・業績・会社データは㈱JPホールディングスのもの

㈱リクルート

【特色】リクルートHD傘下。販促・人材領域などを扱う

[記者評価] グループのメディア&ソリューション事業を手がける。「SUUMO」「HOT PEPPER」などのWebサービスを多数展開。決済、在庫管理などSaaS「Airビジネスツールズ」にも注力。「リクナビ」など人材領域はグループのHRテクノロジー領域に25年度から移管予定。

平均勤続年数	男性育休取得率	3年後離職率	平均年収(平均33歳)
NA	64.2 → 99.2%	20.9 → 16.5%	NA

●採用・配属情報●

【男女・文理別採用実績】

	大卒男	大卒女	修士男	修士女
23年	NA(文NA 理NA)	NA(文NA 理NA)	NA(文NA 理NA)	NA(文NA 理NA)
24年	NA(文NA 理NA)	NA(文NA 理NA)	NA(文NA 理NA)	NA(文NA 理NA)
25年	NA(文NA 理NA)	NA(文NA 理NA)	NA(文NA 理NA)	NA(文NA 理NA)

【男女・職種別採用実績】

	総合職
23年	571(男401 女170)
24年	581(男417 女164)
25年	NA(男 NA 女 NA)

【24年4月入社者の配属勤務地】[総]全国(海外含む) [技]東京

【転勤】あり:詳細NA

【中途比率】[単年度]21年度NA、22年度NA、23年度NA[全体]82%

●働きやすさ、諸制度●

残業(月) NA

【勤務時間】フレックスタイム制(標準労働時間8時間)【有休取得年平均】NA【週休】2日(土日祝等、会社カレンダーによる)【夏期休暇】あり【年末年始休暇】あり

【離職率】NA

【新卒3年後離職率】

[20→23年]20.9%(男NA・入社297名、女NA・入社176名)

[21→24年]16.5%(男NA・入社93名、女NA・入社28名)

【テレワーク】制度あり:[場所]自宅 サテライトオフィスなど[対象]出勤が必要な一部職種を除き、全従業員[日数]原則制限なし[利用率]56.3%【勤務制度】フレックス 週休3日 副業容認【住宅補助】なし

●ライフイベント、女性活躍●

【女性比率】■男 □女

管理職 32.4% (619名)

【産休】[期間]産前6・産後8週間[給与]法定[取得者数]NA

【育休】[期間]1歳になるまで[給与]法定[取得者数]22年度NA 23年度 NA[平均取得日数]22年度 NA、23年度 NA

【従業員】[人数]20,365名(男NA、女NA)[平均年齢]33.0歳(男NA、女NA)[平均勤続年数]NA(男5.0年、女6.0年)

【年齢構成】NA

会社データ (金額は百万円)

【本社】100-6640 東京都千代田区丸の内1-9-2 グラントウキョウサウスタワー ☎NA https://www.recruit.co.jp/company/

【業績(IFRS)】	売上高	営業利益	税前利益	純利益
22.3	2,871,705	378,929	382,749	296,833
23.3	3,429,519	344,303	367,767	269,799
24.3	3,416,492	402,526	426,241	353,654

※業績は㈱リクルートホールディングスのもの

ぴあ㈱

【特色】チケット販売最大手。出版、イベント主催も

[記者評価] 情報誌「ぴあ」(1972年創刊、2011年休刊)が祖業。80年代にチケット販売に乗り出し業容拡大。イベントの企画からグッズ販売まで、エンタメ&ライブ市場でトータルに展開。20年に横浜・みなとみらいに1万人規模のアリーナを開業。脱チケット依存に注力。

平均勤続年数	男性育休取得率	3年後離職率	平均年収(平均40歳)
10.7年	33.3 → 27.3%	14.3 → 0%	788万円

●採用・配属情報●

【男女・文理別採用実績】

	大卒男	大卒女	修士男	修士女
23年	6(文 3理 3)	5(文 5理 0)	1(文 1理 0)	0(文 0理 0)
24年	5(文 3理 2)	6(文 5理 1)	0(文 0理 0)	0(文 0理 0)
25年	5(文 4理 1)	8(文 8理 0)	2(文 1理 1)	0(文 0理 0)

【男女・職種別採用実績】 転換制度:NA

	総合職
23年	12(男 7 女 5)
24年	12(男 6 女 6)
25年	15(男 7 女 8)

【24年4月入社者の配属勤務地】[総]東京・渋谷11 大阪1

【転勤】あり:[職種]総合職

【中途比率】[単年度]21年度NA、22年度NA、23年度NA[全体]54%

●働きやすさ、諸制度●

残業(月) NA

【勤務時間】9:30〜17:30 10:00〜18:00【有休取得年平均】NA【週休】完全2日(土日祝)【夏期休暇】3日【年末年始休暇】6日

【離職率】男:5.9%、12名 女:5.0%、8名

【新卒3年後離職率】

[20→23年]14.3%(男16.7%・入社6名、女12.5%・入社8名)

[21→24年]0%(男0%・入社4名、女0%・入社5名)

【テレワーク】制度あり:[場所]自宅[対象]全社員[日数]部署による[利用率]NA【勤務制度】時間単位有休 裁量労働 時差勤務【住宅補助】借上社宅

●ライフイベント、女性活躍●

【女性比率】■男 □女

新卒採用 53.3% (8名)

従業員 44.2% (152名)

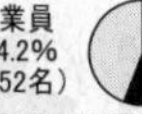

管理職 26.5% (40名)

【産休】[期間]産前8・産後8週間[給与]法定[取得者数]8名

【育休】[期間]2歳の年度末まで[給与]法定[取得者数]22年度 男2名(対象6名)女4名(対象3名)23年度 男3名(対象11名)女13名(対象13名)[平均取得日数]22年度 NA、23年度 NA

【従業員】[人数]344名(男192名、女152名)[平均年齢]40.1歳(男42.1歳、女37.5歳)[平均勤続年数]10.7年(男12.4年、女8.4年)

【年齢構成】NA

会社データ (金額は百万円)

【本社】150-0011 東京都渋谷区東1-2-20 渋谷ファーストタワー ☎03-5774-5277 https://corporate.pia.jp/

【業績(連結)】	売上高	営業利益	経常利益	純利益
22.3	25,829	▲833	▲845	▲1,122
23.3	32,763	820	600	1,415
24.3	39,587	1,209	922	1,118

サービス

㈱乃村工藝社（のむらこうげいしゃ）

えるぼし★★★　くるみん

【特色】ディスプレー企画・施工首位。開発案件を強化中

記者評価 1892年創業。都市再開発や全国展開する専門店案件が得意。オフィスやホテル、博物館・美術館も手がけ、東京五輪サポーター、ジブリパークパートナーも。XR技術活用し大阪万博やカジノIRにも照準。スタジアム・アリーナ案件の開拓などスポーツ関連を強化中。

平均勤続年数	男性育休取得率	3年後離職率	平均年収(平均42歳)
11.7年	51.5→59.1%	14.0→0%	㊍794万円

●採用・配属情報●

【男女・文理別採用実績】

	大卒男	大卒女	修士男	修士女
23年	24(文 12理 12)	17(文 15理 2)	11(文 1理 10)	7(文 2理 5)
24年	21(文 14理 7)	15(文 9理 6)	9(文 0理 9)	9(文 3理 6)
25年	28(文 19理 9)	30(文 18理 12)	7(文 2理 5)	8(文 2理 6)

【男女・職種別採用実績】

	総合職
23年	59(男 35 女 24)
24年	57(男 33 女 24)
25年	79(男 37 女 42)

【24年4月入社者の配属勤務地】㊍東京43 大阪14

【転勤】あり:全社員

【中途比率】[単年度]21年度28%、22年度69%、23年度59%[全体]NA

●働きやすさ、諸制度●

残業(月) 31.6時間 ㊍31.6時間

【勤務時間】9:00～17:30【有休取得年平均】10.6日【週休】完全2日(土日祝)【夏期休暇】5日(有休消化)【年末年始休暇】12月30日～1月4日

【離職率】男:6.3%、66名 女:8.7%、40名(早期退職男13名、女2名含む)

【新卒3年後離職率】
[20→23年]14.0%(男9.4%・入社32名、女20.0%・入社25名)
[21→24年]0%(男0%・入社20名、女0%・入社16名)

【テレワーク】制度あり:[場所]自宅[対象]全社員[日数]原則週2日(例外あり)[利用率]NA【勤務制度】フレックス【住宅補助】男女独身寮 転勤者社宅

●ライフイベント、女性活躍●

【女性比率】■男 □女

新卒採用 53.2% (42名)　従業員 30% (419名)

【産休】[期間]産前6・産後8週間[給与]法定[取得者数]16名

【育休】[期間]1歳になるまで[給与]法定[取得者数]22年度男17名(対象33名)女17名(対象17名)23年度 男13名(対象22名)女16名(対象16名)[平均取得日数]22年度 NA、23年度 NA

【従業員】[人数]1,397名(男978名、女419名)[平均年齢]41.6歳(男43.1歳、女37.9歳)[平均勤続年数]11.7年(男13.5年、女7.5年)

【年齢構成】NA

会社データ (金額は百万円)

【本社】135-8622 東京都港区台場2-3-4 ☎03-5962-1171
https://www.nomurakougei.co.jp/

【業績(連結)】	売上高	営業利益	経常利益	純利益
22.2	111,081	5,431	5,594	3,984
23.2	110,928	3,113	3,246	2,229
24.2	134,138	5,213	5,373	3,862

㈱日本創発グループ（にほんそうはつ）

【特色】印刷会社等の持株会社。販促、制作など総合展開

記者評価 商業印刷などの東京リスマチックが持株会社に移行し15年に発足。商業・出版印刷のほか、3DCG、Webコンテンツ、各種グッズの企画・販売まで手がける。グループ内で連携し企画から制作、プロモーション等まで一貫提供可能な体制が強み。M&Aに積極的。

平均勤続年数	男性育休取得率	3年後離職率	平均年収(平均42歳)
13.7年	18.4→34.5%	29.8→47.1%	◇587万円

●採用・配属情報●

【男女・文理別採用実績】

	大卒男	大卒女	修士男	修士女
23年	9(文 6理 3)	36(文 35理 1)	0(文 0理 0)	0(文 0理 0)
24年	14(文 12理 2)	32(文 29理 3)	0(文 0理 0)	0(文 0理 0)
25年	23(文 17理 6)	51(文 46理 5)	0(文 0理 0)	1(文 1理 0)

【男女・職種別採用実績】

	総合職
23年	49(男 9 女 40)
24年	51(男 15 女 36)
25年	79(男 24 女 55)

【24年4月入社者の配属勤務地】㊍東京(台東2 千代田38 三鷹1)さいたま5 愛知・刈谷2 長野・中野2 大阪1

【転勤】なし

【中途比率】[単年度]21年度NA、22年度NA、23年度69%[全体]72%

●働きやすさ、諸制度●

残業(月) 24.1時間 ㊍24.1時間

【勤務時間】9:00～18:00【有休取得年平均】10.6日【週休】完全2日(土日祝)【夏期休暇】3日(7～9月)【年末年始休暇】12月29日～1月4日

【離職率】男:5.7%、132名 女:7.0%、79名

【新卒3年後離職率】
[20→23年]29.8%(男35.3%・入社17名、女26.7%・入社30名)
[21→24年]47.1%(男33.3%・入社9名、女52.0%・入社25名)

【テレワーク】制度なし【勤務制度】時間単位有休 勤務間インターバル【住宅補助】なし

●ライフイベント、女性活躍●

【女性比率】■男 □女

新卒採用 69.6% (55名)　従業員 32.7% (1052名)　管理職 18.3% (80名)

【産休】[期間]産前6・産後8週間[給与]法定[取得者数]21名

【育休】[期間]1歳になるまで[給与]法定[取得者数]22年度男7名(対象38名)女20名(対象20名)23年度 男10名(対象29名)女24名(対象26名)[平均取得日数]22年度 NA、23年度 男30日 女384日

【従業員】[人数]3,222名(男2,170名、女1,052名)[平均年齢]42.1歳(男45.0歳、女36.3歳)[平均勤続年数]13.7年(男16.0年、女8.9年)

【年齢構成】■男 □女

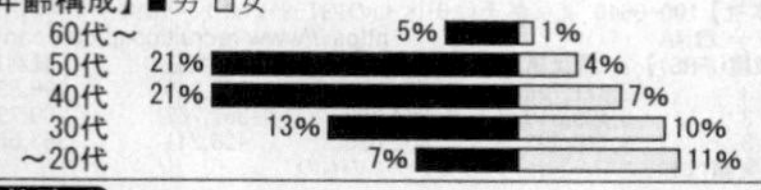

会社データ (金額は百万円)

【本社】110-0005 東京都台東区上野3-24-6 上野フロンティアタワー ☎03-5817-3061
https://www.jcpg.co.jp/

【業績(連結)】	売上高	営業利益	経常利益	純利益
21.12	54,620	1,745	2,420	951
22.12	64,416	3,248	3,644	2,003
23.12	74,846	3,463	3,993	2,508

1020 開示 ★★★★☆ [専門]採用あり

㈱パスコ

[くるみん]

【特色】航空測量最大手。セコム子会社。官公需比率が高い

[記者評価] 航空測量で国内最大手。固定資産税評価や道路、上下水道の維持管理に必要な地図データが主力。公共部門依存からの脱却めざし、物流効率化支援など民間部門を強化中。メタバースなど仮想空間、ドローン・自動運転、プラットフォームビジネスの新領域にも挑戦意欲。

平均勤続年数	男性育休取得率	3年後離職率	平均年収(平均42歳)
[!] 12.9年	70.8 → 52.9%	11.3 → 11.3%	[総] 736万円

●採用・配属情報●

【男女・文理別採用実績】

	大卒男	大卒女	修士男	修士女
23年	9(文 2 理 7)	12(文 6 理 6)	13(文 0 理 13)	8(文 0 理 8)
24年	25(文 14 理 11)	12(文 8 理 4)	17(文 0 理 17)	3(文 0 理 3)
25年	27(文 16 理 11)	16(文 12 理 4)	15(文 0 理 15)	6(文 1 理 5)

【男女・職種別採用実績】 転換制度:⇔

	総合職
23年	44(男 24 女 20)
24年	63(男 48 女 15)
25年	68(男 44 女 24)

【24年4月入社者の配属勤務地】[総]山形1 茨城1 東京1 神奈川1 静岡1 岐阜1 兵庫1 広島1 [技]東京33 大阪8 宮城5 福岡4 広島3 愛知2

【転勤】あり:[職種]総合職[勤務地]全国[職種]地域総合職[勤務地]転勤範囲が所属事業部内

【中途比率】[単年度]21年度57%、22年度52%、23年度52%[全体]63%

●働きやすさ、諸制度●

残業(月) 20.6時間 [総]22.9時間

【勤務時間】9:00～17:30【有休取得年平均】11.3日【週休】完全2日(土日祝)【夏期休暇】連続4日【年末年始休暇】連続7日

【離職率】男:2.6%、49名 女:2.0%、10名

【新卒3年後離職率】

[20→23年]11.3%(男8.8%・入社34名、女14.3%・入社28名)

[21→24年]11.3%(男12.2%・入社49名、女9.1%・入社22名)

【テレワーク】制度あり:[場所]自宅[対象]テレワーク環境を保持する社員[日数]NA[利用率]NA【勤務制度】フレックス 副業容認【住宅補助】独身寮 借上社宅 住宅手当 一定期間の家賃補助

●ライフイベント、女性活躍●

【女性比率】■男 □女

新卒採用 35.3% (24名)

従業員 20.7% (485名)

管理職 3.8% (18名)

【産休】[期間]産前6・産後8週間[給与]法定[取得者数]10名

【育休】[期間]2歳になるまで[給与]給付金+有給期間あり[取得者数]22年度 男34名(対象48名)女7名(対象7名)23年度 男27名(対象51名)女9名(対象9名)[平均取得日数]22年度 男15日 女352日、23年度 男51日 女414日

【従業員】[人数]2,340名(男1,855名、女485名)[平均年齢]43.8歳(男45.3歳、女37.8歳)[平均勤続年数]12.9年(男14.1年、女8.1年) ※契約社員含む

【年齢構成】■男 □女

	男	女
60代～	8%	0%
50代	25%	2%
40代	20%	7%
30代	17%	6%
～20代	9%	5%

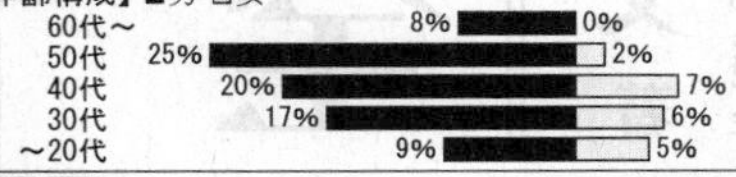

会社データ (金額は百万円)

【本社】153-0064 東京都目黒区下目黒1-7-1 パスコ目黒さくらビル ☎03-5722-7600 https://www.pasco.co.jp/

【業績(連結)】	売上高	営業利益	経常利益	純利益
22.3	56,228	3,874	3,935	2,340
23.3	62,016	6,432	6,525	4,099
24.3	60,704	5,306	5,433	5,092

348 開示 ★★★☆☆

㈱エフアンドエム

【特色】生保外交員など個人事業主の記帳代行が中核事業

[記者評価] 生保外交員など個人事業主や中小企業向けサービスを提供。主力は確定申告用記帳代行。総務・経理部門向けコンサル、ISOやPマークなどの認証取得支援も成長。シェア首位の人事労務管理クラウドシステムは単機能のみ導入も可能。税理士・会計士向けコンサルも。

平均勤続年数	男性育休取得率	3年後離職率	平均年収(平均33歳)
7.5年	76.9 → 73.1%	4.0 → 7.1%	[総] 875万円

●採用・配属情報●

【男女・文理別採用実績】

	大卒男	大卒女	修士男	修士女
23年	23(文 22 理 1)	16(文 16 理 0)	0(文 0 理 0)	0(文 0 理 0)
24年	28(文 28 理 0)	15(文 15 理 0)	0(文 0 理 0)	0(文 0 理 0)
25年	27(文 26 理 1)	13(文 13 理 0)	0(文 0 理 0)	0(文 0 理 0)

【男女・職種別採用実績】 転換制度:⇔

	総合職
23年	39(男 23 女 16)
24年	43(男 28 女 15)
25年	40(男 27 女 13)

【24年4月入社者の配属勤務地】[総]札幌1 仙台4 東京14 名古屋5 大阪14 福岡5

【転勤】あり:[職種]総合職[勤務地]札幌 仙台 東京 名古屋 大阪 福岡

【中途比率】[単年度]21年度56%、22年度52%、23年度75%[全体]18%

●働きやすさ、諸制度●

残業(月) 11.0時間 [総]22.0時間

【勤務時間】総合職9:00～18:00 アソシエイト職9:00～17:00【有休取得年平均】11.9日【週休】完全2日(土日祝)【夏期休暇】2日【年末年始休暇】7日

【離職率】男:4.9%、18名 女:1.6%、3名

【新卒3年後離職率】

[20→23年]4.0%(男0%・入社18名、女14.3%・入社7名)

[21→24年]7.1%(男8.7%・入社23名、女0%・入社5名)

【テレワーク】制度あり:[場所]自宅[対象]制限なし[日数]制限なし[利用率]NA【勤務制度】時間単位有休【住宅補助】住宅手当(東京66,000円 大阪44,000円 名古屋38,000円 福岡30,000円 仙台30,000円 札幌30,000円)

●ライフイベント、女性活躍●

【女性比率】■男 □女

新卒採用 32.5% (13名)

従業員 35.3% (189名)

管理職 13.8% (13名)

【産休】[期間]産前6・産後8週間[給与]法定[取得者数]15名

【育休】[期間]1歳になるまで[給与]法定[取得者数]22年度 男10名(対象13名)女5名(対象5名)23年度 男19名(対象26名)女7名(対象7名)[平均取得日数]22年度 NA、23年度 男53日 女286日

【従業員】[人数]535名(男346名、女189名)[平均年齢]34.3歳(男33.8歳、女35.3歳)[平均勤続年数]7.5年(男7.5年、女7.0年)

【年齢構成】■男 □女

	男	女
60代～	0%	0%
50代	5%	5%
40代	10%	7%
30代	22%	11%
～20代	27%	13%

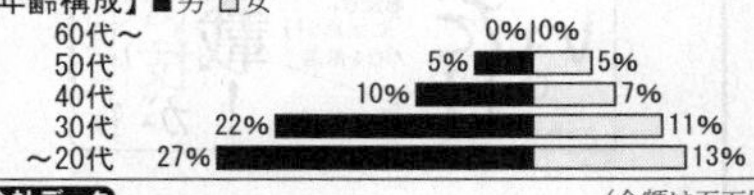

会社データ (金額は百万円)

【本社】564-0063 大阪府吹田市江坂町1-23-38 F&Mビル ☎06-6339-7177 https://www.fmltd.co.jp/

【業績(連結)】	売上高	営業利益	経常利益	純利益
22.3	10,875	2,243	2,256	1,548
23.3	12,699	2,602	2,621	1,881
24.3	14,861	2,128	2,143	1,609

地域別・採用データ 3708社

このデータ集には①前半の会社研究のページに掲載されていない上場会社と②採用数が比較的多い未上場会社について、**採用データと基本的な会社情報を掲載**しました。(引用元は『会社四季報』2024年4集秋号ならびに『会社四季報・未上場会社版』2025年版の両データベース)

都道府県別で**五十音順**に**業種名とともに掲載**していますので、例えば「**北海道の銀行で採用意欲が強いのはここ**」というように、**ズバリ見つけ出すことができます。**

したがって、自分の学校のある地域で会社を見つけたいという人だけでなく、U･Iターン学生のニーズにしっかり応えられるつくりになっています。

※業種によっては、売上に相当するものとして、営業収入、営業収益、経常収益などが決算項目となりますが、誌面の都合上、全業種「売上」と統一表記しています。

<上場会社編業種名略称>

水農…… 水産・農林業
鉱……… 鉱業
建……… 建設業
食……… 食料品
繊……… 繊維製品
パ紙…… パルプ・紙
化……… 化学
医……… 医薬品
油炭…… 石油・石炭製品
ゴ……… ゴム製品
ガ土…… ガラス・土石製品
鉄……… 鉄鋼
非鉄…… 非鉄金属
金製…… 金属製品
機……… 機械
電機…… 電気機器
輸機…… 輸送用機器
精……… 精密機器
他製…… その他製品
卸……… 卸売業
小……… 小売業
銀……… 銀行業
他金…… その他金融業
証商…… 証券・商品先物取引業
保……… 保険業
不……… 不動産業
陸……… 陸運業
海……… 海運業
空……… 空運業
倉運…… 倉庫・運輸関連業
情通…… 情報・通信業
電ガ…… 電気・ガス業
サ……… サービス業

<未上場会社編業種名略称>

農水…… 農林水産業
鉱……… 鉱業
建……… 建設業
食……… 食品
繊衣…… 繊維・衣服
パ紙…… パルプ・紙
化……… 化学
医……… 医薬品
油炭…… 石油・石炭
ゴ皮…… ゴム・皮革
ガ土…… ガラス・土石
鉄……… 鉄鋼
非鉄…… 非鉄金属
金製…… 金属製品
機……… 機械
電機…… 電気機器
自……… 自動車
他輸…… その他輸送機
精……… 精密機械
建家…… 建材・家具
印……… 印刷
他製…… 他製造業
総卸…… 総合卸売
食卸…… 食品卸売
繊紙卸… 繊維・紙卸売
化医卸… 化学・医薬品卸売
石燃卸… 石油・燃料卸売
鉄金卸… 鉄鋼・金属卸売
機卸…… 機械卸売
電卸…… 電機卸売
他卸…… その他卸売
自販…… 自動車販売
小……… 小売業
外……… 外食業
銀……… 銀行
信……… 信託銀行
貸……… 貸金業
信カ…… 信販・カード
リ……… リース
他金…… 他金融
証……… 証券
投……… 投資信託
商……… 商品先物
ベ……… ベンチャーキャピタル
保……… 保険
不……… 不動産
鉄バ…… 鉄道・バス
陸……… 陸運
海……… 海運
航……… 航空
倉埠…… 倉庫・埠頭
通……… 通信
電ガ…… 電気・ガス
ホ……… ホテル
レ……… レジャー
放……… 放送
新……… 新聞
出……… 出版
広……… 広告
情……… 情報サービス
シソ…… システム・ソフト開発
他情…… 他情報
機保…… 機械設備保守
ア……… アウトソーシング
建管…… 建物管理
建計…… 建築設計
教……… 教育
他サ…… 他サービス

地域別・採用データ3708社の使い方

Step-1 各社の採用数をチェックしよう！

たくさん採用している会社の方が内定を取る可能性が高いといえます。闇雲にエントリーする人がいますが、入りやすさから見るとそれは賢い就活にはなりません。というのも、選考は会社ペースで進んでいきますし、多くの学生はそれに合わせざるを得ないからです。採用意欲の強い会社のプロセスに乗るのはいいのですが、それが弱い会社ならば、「絶対に受かってやる」という強い意志とそれに基づく行動をとることに加え、落ちたときの善後策も講じなくてはいけません。つまり「覚悟」が必要なのです。内定の取りやすい会社かどうか頭に入れて活動すること。そのためにも、採用数のチェックは必須です。

なお、ここに掲載した内定数は2024年４月入社予定数の数字です。25年４月入社予定数については24年３月発売予定の『会社四季報』2025年２集春号に掲載される予定ですので、こちらでの再チェックもお勧めします。

Step-2 ホームページにアクセスし、会社研究をスタートしよう！

採用数のチェックをし、入りやすさの目安をつかんだら、今度は本格的な会社研究をスタートしましょう。まずは、主要検索サイトから各社のホームページにアクセスすることです。

ホームページにアクセスして会社の概要をつかんだらそれで会社研究が終わるわけではありません。むしろその先、どこまで深堀りできるかで勝負は分かれます。新聞や書籍、雑誌といった紙媒体やネットを使って情報に厚みを持たせましょう。もちろん、『会社四季報 業界地図』やこのデータ集の引用元である『会社四季報』『会社四季報・未上場会社版』で詳しく調べるのもいいでしょう。さらに興味が出てきたら、実際に会社に足を運びOB､OGに会って話を聞くなどしましょう。とにかく様々な角度からどんな会社なのかしっかり見極めることが大切です。

そして、自分に合った会社なのか自己分析を行いつつ、自らとの擦りあわせをしていくことをお勧めします。

都道府県別索引

「地域別・採用データ」に収録されている売上高1000億円程度以下の企業の詳しい情報は、『**就職四季報　優良・中堅企業版**』に掲載されています。あわせてご覧下さい。

会社名	[業種名] (特色) 会社の特色 (売) 売上高(百万円) (従) 単独従業員数(名) (資) 資本金(百万円) (住) 本社の住所, 電話番号 ㉕ 25年採用計画数(名) ㉔ 24年入社内定者数(名)
㈱アークス	[小] (特色) 北海道、青森、岩手でトップの食品スーパーグループ。傘下にスーパー子会社11社。M&A推進 (売)連591,557 (従)1,034 (資)21,205 (住)札幌市中央区南13条西11-2-32 ☎011-530-1000 ㉕30 ㉔22(男13, 女9)
イオン北海道㈱	[小] (特色) 北海道スーパー大手。アークス、生協と道内三つどもえ。マックスバリュ北海道と20年3月統合 (売)単356,008 (従)3,003 (資)6,100 (住)札幌市白石区本通21-南1-10 ☎011-865-4120 ㉕190 ㉔85(男53, 女32)
ウェルネット㈱	[サ] (特色) コンビニ等での決済代行大手。プリペイド型電子マネーや電子チケットサービスも主力分野に (売)単10,132 (従)128 (資)667 (住)札幌市中央区大通東10-11-4 ☎011-350-7770 ㉕増加 ㉔4(男1, 女3)
㈱エコノス	[小] (特色) 北海道で、ブックオフ、ハードオフの加盟店展開。複合業態での出店主、買い取り多様化に注力 (売)単4,466 (従)167 (資)335 (住)札幌市白石区北郷四条13-3-25 ☎011-875-1996 ㉕未定 ㉔6(男4, 女2)
㈱エコミック	[情通] (特色) 給与計算受託。道外企業の受注が主。札幌と中国・青島現法で処理。キャリアバンクの持分会社 (売)連2,156 (従)78 (資)564 (住)札幌市中央区大通西8-1-1 ☎011-206-1945 ㉕10 ㉔7(男1, 女6)
エコモット㈱	[情通] (特色) IoTインテグレーション事業を展開。建設情報化施工支援システムが主軸。KDDIと緊密 (売)連2,715 (従)95 (資)617 (住)札幌市中央区北1条東1-2-5 ☎011-558-2211 ㉕3 ㉔5(男5, 女0)
㈱キットアライブ	[情通] (特色) セールスフォース導入・製品開発支援。中小向け、リモート開発強い。テラスカイの持分法会社 (売)単816 (従)62 (資)125 (住)札幌市北区北7条西1-1-5 ☎011-727-3351 ㉕9 ㉔8(男6, 女2)
㈱キムラ	[卸] (特色) 住宅用資材の卸売りとHCが2本柱。住宅用資材は道内から全国展開図る。HCは道内最大級 (売)連33,993 (従)161 (資)793 (住)札幌市東区北6条東4-1-7 ☎011-721-4311 ㉕8 ㉔8(男3, 女5)
クワザワホールディングス㈱	[卸] (特色) 北海道地盤の建材・土木資材商社。建設工事も行う。近年はリフォーム、住宅設備機器に進出 (売)連64,832 (従)59 (資)417 (住)札幌市白石区中央2条7-1-1 ☎011-864-1111 ㉕10 ㉔5(男3, 女2)
札幌臨床検査センター㈱	[サ] (特色) 臨床検査、調剤薬局を展開。H. U. グループで受託臨床検査首位のエスアールエルと提携 (売)連19,682 (従)650 (資)983 (住)札幌市中央区北3条西18-2-2 ☎011-641-6311 ㉕52 ㉔13(男6, 女7)
㈱CEホールディングス	[情通] (特色) 電子カルテシステムを自社開発。中小病院向けに強み。NECなど大手ITとの協業も強化 (売)連13,632 (従)200 (資)1,269 (住)札幌市白石区平和通15-北1-21 ☎011-861-1600 ㉕微増 ㉔16(男10, 女6)
総合商研㈱	[他製] (特色) 折り込み広告の企画制作が主力。年賀状印刷首位。第2四半期の比重大。BPO事業を育成中 (売)連15,796 (従)437 (資)411 (住)札幌市東区東苗穂二条3-4-48 ☎011-780-5677 ㉕前年並 ㉔8(男1, 女7)
㈱ダイイチ	[小] (特色) 北海道の食品スーパー。帯広地盤で旭川、札幌にも展開。ヨーカ堂が3割出資、セブンPB販売 (売)単48,595 (従)408 (資)1,639 (住)帯広市西20条南1-14-47 ☎0155-38-3456 ㉕25 ㉔6(男4, 女2)
㈱土屋ホールディングス	[建] (特色) 北海道地盤の注文住宅会社。在来工法首位。道内売上7割。気密、断熱に優れた住宅を開発 (売)連34,403 (従)22 (資)7,114 (住)札幌市北区北9条西3-7 ☎011-717-5556 ㉕未定 ㉔16(男12, 女4)
中道リース㈱	[他金] (特色) 北海道地盤のリース会社。土木建機、車両リースに強い。関東、東北を開拓。利益柱は不動産賃貸 (売)単43,176 (従)193 (資)2,297 (住)札幌市中央区北1条東3-3 ☎011-280-2266 ㉕9 ㉔6(男4, 女2)
日糧製パン㈱	[食] (特色) 製パン中堅。道内中心の展開で高シェア。道内産原料にこだわり。山崎製パンの持分法適用会社 (売)単17,986 (従)660 (資)1,051 (住)札幌市豊平区月寒東1条18-5-1 ☎011-851-8131 ㉕前年並 ㉔12(男7, 女5)
㈱ファイバーゲート	[情通] (特色) 賃貸物件オーナーや商業施設向けにWi-Fiサービス提供。法人に通信機器の製造・販売も (売)連12,613 (従)217 (資)494 (住)札幌市中央区南1条西8-10-3 ☎011-204-6121 ㉕前年並 ㉔6(男3, 女3)
㈱ほくやく・竹山ホールディングス	[卸] (特色) 北海道首位の医薬品卸、ほくやくと医療機器卸の竹山が経営統合。バイタルネットと親密 (売)連275,364 (従)62 (資)1,000 (住)札幌市中央区北6条西16-1-5 ☎011-633-1030 ㉕前年並 ㉔55(男33, 女22)
㈱北洋銀行	[銀] (特色) 資金量は第二地銀最大。08年札幌銀と合併。道内貸出シェアは約3割。13年度末公的資金を完済 (売)連133,114 (従)2,371 (資)121,101 (住)札幌市中央区大通西3-7 ☎011-261-1311 ㉕未定 ㉔71(男44, 女27)
北海道ガス㈱	[電ガ] (特色) 札幌、小樽、函館が地盤の地方都市ガス大手。石狩にLNG基地、発電所建設。電力事業を拡大 (売)連173,885 (従)832 (資)7,515 (住)札幌市東区北七条東2-1-1 ☎011-792-8110 ㉕微減 ㉔36(男22, 女14)
北海道コカ・コーラボトリング㈱	[食] (特色) 北海道地盤。大日本印刷の子会社で地元有力企業も出資。コカブランドの道内限定商品も展開 (売)連56,371 (従)234 (資)2,935 (住)札幌市清田区清田1条1-2-1 ☎011-888-2001 ㉕前年並 ㉔19(男13, 女6)
北海道中央バス㈱	[陸] (特色) 道央を基盤とする北海道最大のバス会社。不動産、建設、スキー場、ホテルなど兼営事業多数 (売)連33,838 (従)1,379 (資)2,100 (住)小樽市色内1-8-6 ☎0134-24-1111 ㉕10 ㉔4(男1, 女3)
㈱丸千代山岡家	[小] (特色) 北海道と北関東地盤のラーメンチェーン。幹線道路沿いに展開。手作りスープ等店舗作業多い (売)単26,494 (従)589 (資)325 (住)札幌市東区東雁来七条1-4-32 ☎011-781-7170 ㉕10 ㉔7(男6, 女1)
㈱メディカルシステムネットワーク	[小] (特色) 薬局向け医薬品情報仲介が祖業の調剤薬局持株会社。M&Aで店舗全国化。介護・医師開業支援 (売)連115,361 (従)375 (資)2,128 (住)札幌市中央区北十条西24-3 ☎011-612-1069 ㉕180 ㉔150(男35, 女115)
㈱ロジネットジャパン	[陸] (特色) 陸運持株会社。傘下に北海道の札幌通運、東日本と西日本に地盤子会社。主要取引先にアマゾン (売)連74,075 (従)111 (資)1,000 (住)札幌市中央区大通西8-2-6 ☎011-251-7755 ㉕20 ㉔18(男7, 女11)

会社名	[業種名] (特色)会社の特色 (売)売上高(百万円) (従)単独従業員数(名) (資)資本金(百万円) (住)本社の住所,電話番号 ㉕25年採用計画数(名) ㉔24年入社内定者数(名)
和弘食品㈱	[食] (特色)ラーメンスープと麺つゆで業界中堅。日清オイリオと関係緊密。米国でもラーメンスープ生産 (売)連15,416 (従)249 (資)1,413 (住)小樽市銭函3-504-1 ☎0134-62-0505 ㉕2 ㉔4(男2,女2)
㈱サンデー	[小] (特色)青森地盤のホームセンター。イオン子会社。東北6県に店舗広げる。小商圏向け小型店舗に注力 (売)単47,377 (従)774 (資)3,241 (住)八戸市根城6-22-10 ☎0178-47-8511 ㉕45 ㉔55(男29,女26)
東北化学薬品㈱	[卸] (特色)工業薬品、試薬、関連機器が主力の商社。食品添加物も扱う。バイオ事業にも進出。東北が地盤 (売)連35,094 (従)244 (資)820 (住)弘前市大字神田1-3-1 ☎0172-33-8131 ㉕5 ㉔3(男1,女2)
㈱北日本銀行	[銀] (特色)岩手県中心に八戸から仙台までの東北太平洋岸で展開。地銀中位。県内、個人へのシフト強める (売)連29,017 (従)796 (資)7,761 (住)盛岡市中央通1-6-7 ☎019-653-1111 ㉕45 ㉔56(男26,女30)
㈱東北銀行	[銀] (特色)地銀下位行。岩手県3行中3番手。フィデアHDとの経営統合合意は解除。公的資金100億円 (売)連14,727 (従)584 (資)13,233 (住)盛岡市内丸3-1 ☎019-651-6161 ㉕前年並 ㉔40(男24,女16)
カメイ㈱	[卸] (特色)東北最大の石油・LPガス卸。傘下にトヨタ販社。異業種含めたM&A駆使し多角化を志向 (売)連573,505 (従)1,501 (資)8,132 (住)仙台市青葉区国分町3-1-18 ☎022-264-6111 ㉕未定 ㉔59(男45,女14)
㈱カルラ	[小] (特色)宮城地盤。東北、北関東の小商圏中心に和食ファミレス「まるまつ」展開。カニ、そば等専門店も (売)連6,840 (従)257 (資)50 (住)富谷市成田9-2-9 ☎022-351-5888 ㉕8 ㉔8(男1,女7)
㈱サトー商会	[卸] (特色)東北、北関東地盤。量販店、レストラン、各種給食向け業務用食材卸。中小小売店向け販売も展開 (売)連47,606 (従)615 (資)1,405 (住)仙台市宮城野区扇町5-6-22 ☎022-236-5600 ㉕15 ㉔9(男6,女3)
㈱七十七銀行	[銀] (特色)仙台拠点で東北最大の地銀。預貸率向上が課題。仙台再開発に照準。横浜銀等とシステム共同化 (売)連150,552 (従)2,426 (資)24,658 (住)仙台市青葉区中央3-3-20 ☎022-267-1111 ㉕前年並 ㉔91(男49,女42)
センコン物流㈱	[陸] (特色)東北地盤で名取、仙台2本社制。運送のほか米穀も。富士ロジテックと提携。ホンダ販社併営 (売)連17,543 (従)292 (資)1,262 (住)名取市下余田字中荷672-1 ☎022-382-6127 ㉕微増 ㉔6(男1,女5)
東邦アセチレン㈱	[化] (特色)溶接切断用ガス製造で発祥。産業用、家庭用LPG、器具器材も併営。東ソー、日本酸素HD系 (売)連35,423 (従)123 (資)2,261 (住)多賀城市栄2-3-32 ☎022-366-6110 ㉕若干名 ㉔4(男1,女3)
東北特殊鋼㈱	[鉄] (特色)電磁ステンレス鋼、エンジンバルブ鋼シェア5割。不動産賃貸事業も手がける。大同特殊鋼系 (売)連21,337 (従)375 (資)827 (住)柴田郡村田町大字村田字西ヶ丘23 ☎0224-82-1010 ㉕前年並 ㉔8(男7,女1)
㈱やまや	[小] (特色)イオン系。東北地盤の酒類専門店。関東、関西にも店舗多い。13年末に居酒屋チムニーを子会社化 (売)連160,335 (従)138 (資)3,247 (住)仙台市宮城野区榴岡3-4-1 ☎022-742-3111 ㉕80 ㉔38(男12,女26)
㈱かわでん	[電機] (特色)再上場前は川崎電気。カスタム型配電制御設備の専業最大手。一貫生産体制で、中大型に強み (売)単21,334 (従)820 (資)2,124 (住)南陽市小岩沢225 ☎0238-49-2011 ㉕前年並 ㉔25(男22,女3)
日東ベスト㈱	[食] (特色)缶詰で創業。現在は全国営業の業務用冷凍食品が主力。スーパー向け日配食品、介護食も製販 (売)連54,271 (従)1,404 (資)1,474 (住)寒河江市幸町4-27 ☎0237-86-2100 ㉕増加 ㉔28(男15,女13)
ミクロン精密㈱	[機] (特色)心なし研削盤国内首位でシェア4割、内面研削盤成長。自動車向け多い。米国、タイ等に営業拠点 (売)連5,181 (従)222 (資)651 (住)山形市蔵王上野578-2 ☎023-688-8111 ㉕若干名 ㉔4(男4,女0)
㈱ヤマザワ	[小] (特色)山形主地盤に宮城、秋田にも店舗展開する食品スーパー。子会社でドラッグ、調剤、食品製造も (売)連101,891 (従)986 (資)2,388 (住)山形市あこや町3-8-9 ☎023-631-2211 ㉕10 ㉔5(男4,女1)
㈱アサカ理研	[非鉄] (特色)独自技術使った電子部品からの貴金属回収、精錬等が柱。エッチング液回収など環境事業も注力 (売)連8,285 (従)168 (資)504 (住)郡山市田村町金屋字マセロ47 ☎024-944-4744 ㉕前年並 ㉔3(男3,女0)
アレンザホールディングス㈱	[小] (特色)ホームセンター、ペットショップを東北・関東・東海・中四国に多店舗展開。バローHD傘下に (売)連149,715 (従)23 (資)2,011 (住)福島市太平寺字堰ノ上58 ☎024-563-6818 ㉕160 ㉔147(男71,女76)
こころネット㈱	[サ] (特色)傘下に葬祭、婚礼、石材子会社擁する持株会社。13年郡山の互助会と統合、福島県外へ展開模索 (売)連10,035 (従)33 (資)500 (住)福島市鎌田字舟戸前15-1 ☎024-573-6556 ㉕増加 ㉔4(男1,女3)
常磐興産㈱	[サ] (特色)フラガールで著名な「スパリゾートハワイアンズ」を運営。敷地内のホテル、燃料商事事業も展開 (売)連14,881 (従)475 (資)2,141 (住)いわき市常磐藤原町蕨平50 ☎0246-43-0569 ㉕30 ㉔29(男8,女21)
㈱大東銀行	[銀] (特色)福島県内資金量2位。郡山本拠、県全域展開。中小企業、個人に強み。復興支援強化で営業改革 (売)連13,579 (従)431 (資)14,743 (住)郡山市中町19-1 ☎024-925-1111 ㉕前年並 ㉔19(男8,女11)
㈱東邦銀行	[銀] (特色)福島県地盤、茨城、東京にも店舗。財務基盤安定し、県内シェアは預金が4割半ば、貸出が約4割 (売)連58,984 (従)1,783 (資)23,519 (住)福島市大町3-25 ☎024-523-3131 ㉕90 ㉔75(男38,女37)
㈱福島銀行	[銀] (特色)福島県内2位級。SBIと資本業務提携。金融商品仲介や基幹システムなどで融合強める (売)連13,303 (従)443 (資)18,682 (住)福島市万世町2-5 ☎024-525-2525 ㉕前年並 ㉔22(男14,女8)
AIメカテック㈱	[機] (特色)半導体、次世代ディスプレー製造用インクジェット装置(IJP)、LCD製造装置を手がける (売)連15,421 (従)218 (資)1,510 (住)龍ケ崎市向陽台5-2 ☎0297-62-9111 ㉕7 ㉔4(男4,女0)

会社名	[業種名] (特色) 会社の特色 (売)売上高(百万円) (従)単独従業員数(名) (資)資本金(百万円) (住)本社の住所，電話番号 ㉕25年採用計画数(名) ㉔24年入社内定者数(名)
暁飯島工業㈱	[建] (特色) 茨城県の設備工事首位。商業施設等の民需が主体。ビル診断、保守・管理のリニューアルも展開 (売)単6,637 (従)136 (資)1,408 (住)水戸市千波町2770-5 ☎029-244-5111 ㉕**10** ㉔**5(男4, 女1)**
香陵住販㈱	[不] (特色) 茨城県地盤。県内で不動産の売買、賃貸、仲介、管理を手がける。自社企画で投資用物件開発も (売)連9,324 (従)227 (資)385 (住)水戸市南町2-4-33 ☎029-221-2110 ㉕**10** ㉔**4(男4, 女0)**
三桜工業㈱	[輸機] (特色) 自動車用の各種チューブや集合配管などを製造、国内シェア約4割。独立系。世界に工場多数 (売)連156,814 (従)1,131 (資)3,481 (住)古河市鴻巣758 ☎0280-48-1111 ㉕**増加** ㉔**43(男21, 女22)**
㈱ジョイフル本田	[小] (特色) ホームセンター大手。関東1都5県で5万平方mの超大型店を展開。40万点以上の品ぞろえに強み (売)単133,325 (従)1,858 (資)12,000 (住)土浦市富士崎1-16-2 ☎029-822-2215 ㉕**増加** ㉔**10(男3, 女7)**
助川電気工業㈱	[精] (特色) 熱と計測に関する研究開発型メーカー。熱制御技術に特化。MIケーブルや溶融金属機器に強み (売)単4,577 (従)193 (資)921 (住)高萩市上手綱3333-23 ☎0293-23-6411 ㉕**増加** ㉔**6(男4, 女2)**
㈱筑波銀行	[銀] (特色) 地銀中位行。茨城県2番手。関東つくば銀行が茨城銀行と合併。震災後に公的資金350億円 (売)連41,092 (従)1,317 (資)48,868 (住)つくば市竹園1-7 ☎029-859-8111 ㉕**未定** ㉔**55(男34, 女21)**
日本アイ・エス・ケイ㈱	[他製] (特色) 耐火金庫、歯科機器中堅。家具はコクヨOEM主体。金属加工等の広沢グループ傘下。無借金 (売)連5,681 (従)272 (資)1,090 (住)つくば市寺具1395-1 ☎029-869-2001 ㉕**20** ㉔**19(男12, 女7)**
㈱ライトオン	[小] (特色) ジーンズカジュアルチェーン大手。全国の郊外SCに出店。PB開発に注力。自社EC育成中 (売)単46,926 (従)653 (資)6,195 (住)つくば市小野崎260-1 ☎029-858-0321 ㉕**8** ㉔**8(男3, 女5)**
㈱カンセキ	[小] (特色) 栃木を地盤とする中堅HC。アウトドア専門店や業務スーパーなど、専門店事業も多面展開 (売)単36,871 (従)323 (資)1,926 (住)宇都宮市西川田本町3-1-1 ☎028-658-8123 ㉕**6** ㉔**10(男6, 女4)**
グランディハウス㈱	[不] (特色) 栃木県など北関東が地盤。土地開発からの戸建て販売が主力。22年東京進出で関東全都県カバー (売)連51,521 (従)461 (資)2,077 (住)宇都宮市大通り4-3-18 ☎028-650-7777 ㉕**増加** ㉔**22(男18, 女4)**
㈱コジマ	[小] (特色) 郊外型家電量販。経営不振で12年ビックカメラ傘下入り。売り場改革や赤字店閉鎖で再生果たす (売)単267,893 (従)2,906 (資)25,975 (住)宇都宮市星が丘2-1-8 ☎028-621-0001 ㉕**前年並** ㉔**100(男75, 女25)**
仙波糖化工業㈱	[食] (特色) 着色用などカラメル製品で国内シェア首位。粉末茶も強い食品原料メーカー。中国等に子会社 (売)連19,137 (従)333 (資)1,500 (住)真岡市並木町2-1-10 ☎0285-82-2171 ㉕**5** ㉔**5(男3, 女2)**
㈱大日光・エンジニアリング	[電機] (特色) 配線基板実装、一眼レフ用レンズ組み立てが柱、国内カメラ最大手向け中心。NCネットと提携 (売)連39,202 (従)249 (資)1,174 (住)日光市根室697-1 ☎0288-26-3930 ㉕**11** ㉔**11(男8, 女3)**
滝沢ハム㈱	[食] (特色) 高級ハム・ソーセージに定評、総菜も扱う。PB請負も多数。同じ伊藤忠系プリマハムと業務提携 (売)連28,211 (従)324 (資)1,080 (住)栃木市泉川町556 ☎0282-23-5640 ㉕**15** ㉔**11(男2, 女9)**
㈱タツミ	[輸機] (特色) ウィンドー、ブレーキが主力の自動車用部品メーカー。ミツバの子会社で5割近くがミツバ向け (売)連7,415 (従)273 (資)715 (住)足利市南大町443 ☎0284-71-3131 ㉕**6** ㉔**4(男1, 女3)**
デクセリアルズ㈱	[化] (特色) 旧ソニーケミカルが再上場。異方性導電膜、光学弾性樹脂などニッチな電子部材・材料に強い (売)連105,198 (従)1,352 (資)16,257 (住)下野市下坪山1724 ☎0285-39-7950 ㉕**30** ㉔**18(男15, 女3)**
藤井産業㈱	[卸] (特色) 北関東地盤の電設資材・電気機器商社。施工兼営。太陽光発電も展開。1883年鍛冶業で創業 (売)連91,059 (従)724 (資)1,883 (住)宇都宮市平出工業団地41-3 ☎028-662-6060 ㉕**前年並** ㉔**41(男31, 女10)**
㈱フライングガーデン	[小] (特色) 北関東地盤。郊外型レストラン「フライングガーデン」を直営展開。「爆弾ハンバーグ」が売り物 (売)単7,785 (従)181 (資)50 (住)小山市本郷町3-4-18 ☎0285-30-4129 ㉕**20** ㉔**12(男6, 女6)**
Mipox㈱	[ガ土] (特色) 微細表面加工の液体研磨剤大手。光ファイバー向け研磨フィルムも。買収で一般研磨剤にも進出 (売)連9,354 (従)375 (資)3,379 (住)鹿沼市さつき町18 ☎0289-99-9946 ㉕**未定** ㉔**7(男4, 女3)**
マニー㈱	[精] (特色) 手術用縫合針、眼科ナイフ、歯科用治療器で高シェア。ベトナム、ミャンマーなどに生産拠点 (売)連24,488 (従)402 (資)1,073 (住)宇都宮市清原工業団地8-3 ☎028-667-1811 ㉕**16** ㉔**10(男7, 女3)**
㈱ムロコーポレーション	[輸機] (特色) 精密プレスメーカー。自動車用駆動部品が主。商用車、2輪向けも。金型から一貫生産が特徴 (売)連23,655 (従)647 (資)1,095 (住)宇都宮市清原工業団地7-1 ☎028-667-7121 ㉕**14** ㉔**9(男8, 女1)**
レオン自動機㈱	[機] (特色) 練り技術を基礎に食品成形機展開。包あん成形機や製パン機が主力。米国製パン事業が育つ (売)連37,703 (従)671 (資)7,351 (住)宇都宮市野沢町2-3 ☎028-665-1111 ㉕**26** ㉔**21(男16, 女5)**
㈱岡本工作機械製作所	[機] (特色) 平面研削盤で国内首位。半導体製造装置を今後の核と位置づけ。三井物産と資本業務提携 (売)連50,198 (従)486 (資)9,783 (住)安中市郷原2993 ☎027-385-5800 ㉕**前年並** ㉔**10(男10, 女0)**
小倉クラッチ㈱	[機] (特色) 産業用クラッチ大手。カーエアコン用で世界トップ。レース車変速用、機械用クラッチも展開 (売)連43,491 (従)759 (資)1,858 (住)桐生市相生町2-678 ☎0277-54-7101 ㉕**64** ㉔**27(男24, 女3)**
群栄化学工業㈱	[化] (特色) 祖業の異性化糖は飲料用が主。フェノール樹脂用いた化学品多彩、レジスト等電子材料用途が柱 (売)連30,310 (従)358 (資)5,000 (住)高崎市宿大類町700 ☎027-353-1818 ㉕**微増** ㉔**11(男9, 女2)**

会社名	業種名 特色 会社の特色 売 売上高(百万円) 従 単独従業員数(名) 資 資本金(百万円) 住 本社の住所，電話番号 ㉕ 25年採用計画数(名) ㉔ 24年入社内定者数(名)
佐田建設㈱	建 特色 群馬、埼玉が地盤の中堅建設会社。建築軸に土木工事、合材販売。創業者一族から国会議員輩出 売 連26,083 従 381 資 1,886 住 前橋市元総社町1-1-7 ☎027-251-1551 ㉕ **28** ㉔ **17(男14，女3)**
サンデン㈱	機 特色 カーエアコン用コンプレッサー世界2位。欧州車軸。ハイセンス傘下。事業再生ADRで再建中 売 連179,279 従 1,322 資 21,741 住 伊勢崎市寿町20 ☎0270-24-1211 ㉕ **25** ㉔ **15(男13，女2)**
㈱セキチュー	小 特色 群馬地盤の中堅ホームセンター(HC)、カー用品専門店「オートウェイ」や自転車店等も展開 売 単30,380 従 305 資 2,921 住 高崎市倉賀野町4531-1 ☎027-345-1111 ㉕ **20** ㉔ **12(男8，女4)**
㈱ヤマト	建 特色 空調・衛生等の管工事主力。水質保全技術、配管の工場生産化に独自性。群馬など関東に営業基盤 売 連48,296 従 786 資 5,000 住 前橋市古市町118 ☎027-290-1800 ㉕ **25** ㉔ **17(男15，女2)**
㈱両毛システムズ	情通 特色 自治体、民間企業向けシステム開発・情報処理の中堅。ERP導入コンサルも。親会社はミツバ 売 連18,170 従 736 資 1,966 住 桐生市広沢町3-4025 ☎0277-53-3131 ㉕ **40** ㉔ **31(男17，女14)**
㈱ワークマン	小 特色 作業服、関連用品専門チェーン。FC主軸に「ワークマンプラス」「ワークマン女子」など展開 売 単132,651 従 411 資 1,622 住 伊勢崎市柴町1732 ☎0270-32-6111 ㉕ **25** ㉔ **28(男20，女8)**
㈱アイチコーポレーション	機 特色 高所作業車メーカー国内トップ。電力会社向け多い。鉄道用の軌陸両用車育成。中国で現地生産 売 連53,129 従 996 資 10,425 住 上尾市大字領家山下1152-10 ☎048-781-1111 ㉕ **37** ㉔ **34(男30，女4)**
曙ブレーキ工業㈱	輸機 特色 独立系のブレーキメーカー。主要客先はトヨタと日産、いすゞ。事業再生ADRで再建終了 売 連166,301 従 802 資 19,939 住 羽生市東5-4-71 ☎048-560-1500 ㉕ **10** ㉔ **12(男10，女2)**
AZ-COM丸和ホールディングス㈱	陸 特色 小売業に特化した3PL(物流一括請負)。低温食品物流に強み。「桃太郎便」ブランドで宅配も 売 連198,554 従 61 資 9,117 住 吉川市旭7-1 ☎048-991-1000 ㉕ **600** ㉔ **325(男・・，女・・)**
㈱エンプラス	電機 特色 プラスチック主軸の高機能デバイス・微細部品メーカー。半導体、光通信、遺伝子検査関連強化 売 連37,805 従 344 資 8,080 住 川口市並木2-30-1 ☎048-253-3131 ㉕ **30** ㉔ **23(男16，女7)**
㈱オリジン	電機 特色 産業用電源機器製造で発祥。貼合装置・機能性塗料・精密機構部品に多角化。海外売上比率高い 売 連28,205 従 621 資 6,103 住 さいたま市桜区栄和3-3-27 ☎048-755-9011 ㉕ **10** ㉔ **10(男7，女3)**
キヤノン電子㈱	電機 特色 キヤノンの製造子会社。カメラシャッター製造やLBPのレーザースキャナー・組み立てが柱 売 連96,321 従 1,800 資 4,969 住 秩父市下影森1248 ☎0494-23-3111 ㉕ **20** ㉔ **20(男14，女6)**
㈱グラファイトデザイン	他製 特色 ゴルフクラブシャフト製造が柱。国内で大半を製造。カーボン積層技術生かした新事業積極展開 売 単2,652 従 128 資 589 住 秩父市太田2474-1 ☎0494-62-2800 ㉕ **前年並** ㉔ **2(男0，女2)**
ケイアイスター不動産㈱	不 特色 主力は1次取得層向け分譲住宅。土地仕入れから販売まで一気通貫で供給。南関東軸に全国展開 売 連283,084 従 1,318 資 4,817 住 本庄市西富田762-1 ☎0495-27-2525 ㉕ **150** ㉔ **98(男65，女33)**
㈱ゴルフ・ドゥ	小 特色 中古ゴルフクラブ等の専門店を運営。新品の取り扱いも。直営店は首都圏が中心。FCも展開 売 連5,773 従 117 資 515 住 さいたま市中央区上落合2-3-1 ☎048-851-3111 ㉕ **8** ㉔ **7(男4，女3)**
㈱システムインテグレータ	情通 特色 ERP、DB開発・設計支援、プロジェクト管理等ソフト開発。ECサイト構築向け24年合弁移管 売 単4,835 従 231 資 367 住 さいたま市中央区新都心11-2 ☎048-600-3880 ㉕ **9** ㉔ **14(男12，女2)**
㈱芝浦電子	電機 特色 温度センサー最大手。タイに主力工場。自動車、空調向けが柱。調理家電やガス給湯器向けも 売 連32,401 従 143 資 2,144 住 さいたま市中央区上落合2-1-24 ☎048-615-4000 ㉕ **17** ㉔ **9(男6，女3)**
新報国マテリアル㈱	鉄 特色 鋳鋼品中堅メーカー。高炉依存から半導体やFPD製造装置向けに傾斜。低熱膨張合金が収益柱 売 単6,483 従 89 資 175 住 川越市新宿町5-13-1 ☎049-242-1950 ㉕ **微増** ㉔ **4(男3，女1)**
㈱スーパーバリュー	小 特色 埼玉・東京地盤の食品スーパー。HCとの複合店も。22年、ロピア展開のOICグループ傘下に 売 単70,432 従 350 資 3,513 住 上尾市愛宕3-1-40 ☎048-778-3222 ㉕ **3** ㉔ **7(男3，女4)**
㈱ツツミ	他製 特色 宝飾品、貴金属小売り大手。企画、生産、販売の一貫体制。首都圏中心に関東、関西、中部等へ展開 売 単19,907 従 943 資 13,098 住 蕨市中央4-24-26 ☎048-431-5111 ㉕ **50** ㉔ **47(男3，女44)**
NITTOKU㈱	機 特色 コイル用自動巻線機最大手で全自動システム機に特色。モーター用巻線機も。FA企業志向 売 連30,803 従 481 資 6,884 住 さいたま市大宮区東町2-292-1 ☎048-615-2109 ㉕ **20** ㉔ **20(男・・，女・・)**
㈱ハイデイ日高	小 特色 中華料理とつまみの「中華食堂日高屋」主力。首都圏の駅前・繁華街立地で展開。直営出店主義 売 単48,772 従 978 資 1,625 住 さいたま市大宮区大門町2-118 ☎048-644-8447 ㉕ **100** ㉔ **80(男49，女31)**
㈱バッファロー	小 特色 カー用品のオートバックスFC店。埼玉が地盤。車体美観サービス強化中。焼き肉など飲食も 売 連11,216 従 239 資 653 住 川口市本町4-1-8 ☎048-227-8860 ㉕ **10** ㉔ **2(男2，女0)**
ヒーハイスト㈱	機 特色 産業機械用直動ベアリングが軸。液晶製造装置用位置決め部品も。売上の過半はTHK向け 売 連2,310 従 92 資 732 住 川越市今福580-1 ☎049-273-7000 ㉕ **若干名** ㉔ **2(男1，女1)**
㈱ピックルスホールディングス	食 特色 漬物業界1位。セブン＆アイ向け3割弱。「ご飯がススム」ブランド展開。22年9月に持株会社化 売 連43,028 従 292 資 100 住 所沢市東住吉7-8 ☎04-2931-0777 ㉕ **前年並** ㉔ **11(男6，女5)**

会社名	業種名 (特色)会社の特色 (売)売上高(百万円) (従)単独従業員数(名) (資)資本金(百万円) (住)本社の住所, 電話番号 ㉕25年採用計画数(名) ㉔24年入社内定者数(名)
(株)フコク	ゴ (特色)ワイパーやブレーキなど自動車用ゴム製品大手。独立系。北米、アジアなど海外生産を増強中 (売)連88,847 (従)1,163 (資)1,395 (住)上尾市菅谷3-105 ☎048-615-4400 ㉕**25** ㉔**23(男17, 女6)**
前澤工業(株)	機 (特色)上下水道用機械専業の大手。上水道と下水道が半々。官民連携を強め、官公需9割超の是正図る (売)連36,511 (従)747 (資)5,233 (住)川口市仲町5-11 ☎048-251-5511 ㉕**20** ㉔**16(男11, 女5)**
(株)武蔵野銀行	銀 (特色)地銀中位。さいたま市中心に埼玉県全域に店舗。東京との県境地区を強化。千葉銀と包括的提携 (売)連81,068 (従)1,938 (資)45,743 (住)さいたま市大宮区桜木町1-10-8 ☎048-641-6111 ㉕**未定** ㉔**96(男62, 女34)**
ヤマト モビリティ & Mfg. (株)	化 (特色)プラスチック部品製造の中堅。OA機器や家電、自動車など用途多岐。かご台車など物流機器も (売)連15,364 (従)93 (資)1,037 (住)川越市大字古谷上4274 ☎049-235-1234 ㉕**前年並** ㉔**3(男0, 女3)**
ユー・エム・シー・エレクトロニクス(株)	電機 (特色)電子機器を受託製造するEMSが主力。車載向け中心。22年末に事業再生ADRで再建終了 (売)連131,289 (従)230 (資)4,729 (住)上尾市瓦葺721 ☎048-724-0001 ㉕**前年並** ㉔**4(男2, 女2)**
(株)リード	輸機 (特色)SUBARUグループ向け車両部品が柱。バンパー、スポイラー(樹脂塗装品)などに強い (売)単5,058 (従)177 (資)658 (住)熊谷市弥藤吾578 ☎048-588-1121 ㉕**9** ㉔**4(男4, 女0)**
理研コランダム(株)	ガ土 (特色)金属・木材向け研磨布紙大手。OA機器紙送りローラーや不動産賃貸も。オカモトがTOB実施 (売)連4,184 (従)110 (資)500 (住)鴻巣市宮前547-1 ☎048-596-4411 ㉕**若干名** ㉔**2(男1, 女1)**
リズム(株)	精 (特色)金型など精密品事業、時計などの生活品事業が柱。20年10月子会社を吸収合併し経営効率化図る (売)連32,602 (従)476 (資)12,372 (住)さいたま市大宮区北袋町1-299-12 ☎048-643-7211 ㉕**12** ㉔**6(男3, 女3)**
石井食品(株)	食 (特色)ミートボール、ハンバーグ等の食肉加工品主力。スーパー向け中心。おせちなど年末商戦で稼ぐ (売)連10,492 (従)382 (資)919 (住)船橋市本町2-7-17 ☎047-435-0141 ㉕**15** ㉔**18(男7, 女11)**
(株)市進ホールディングス	サ (特色)学習塾「市進学院」を千葉県軸に展開。個別指導「個太郎塾」も併営。介護事業も。学研HD子会社 (売)連17,948 (従)189 (資)1,476 (住)市川市八幡2-3-11 ☎047-335-2888 ㉕**微増** ㉔**4(男1, 女3)**
イワブチ(株)	金製 (特色)電力架線用金具で首位、交通信号用金具市場ほぼ独占。CATV・情報通信関連分野にも進出 (売)連11,768 (従)261 (資)1,496 (住)松戸市上本郷167 ☎047-368-2222 ㉕**若干名** ㉔**3(男1, 女2)**
(株)ウェザーニューズ	情通 (特色)民間気象情報で世界最大手。気象予測に基づく海運向け最適航路提供が祖業。個人向けが主力に (売)連22,242 (従)1,006 (資)1,706 (住)千葉市美浜区中瀬1-3 ☎043-274-5536 ㉕**35** ㉔**33(男20, 女13)**
(株)エイジス	サ (特色)棚卸代行ほか店舗リテールサポートが主軸。製造業へマーケティング提案拡充。海外も強化 (売)連29,995 (従)293 (資)475 (住)千葉市花見川区幕張町4-544-4 ☎043-350-0888 ㉕**10** ㉔**11(男4, 女7)**
K&Oエナジーグループ(株)	鉱 (特色)持株会社。天然ガス開発から都市ガス供給まで一貫。輸出柱のヨウ素の生産・販売で世界有数 (売)連96,298 (従)57 (資)8,000 (住)茂原市茂原661 ☎0475-27-1011 ㉕**未定** ㉔**17(男10, 女7)**
三協フロンテア(株)	サ (特色)仮設ユニットハウスのレンタル・販売大手。工事用途を含め、仮設より大規模な本建築を拡充 (売)連52,369 (従)1,077 (資)1,545 (住)柏市新十余二5 ☎04-7133-6666 ㉕**40** ㉔**29(男24, 女5)**
サンコーテクノ(株)	金製 (特色)機器をコンクリート等に固定する特殊ネジ最大手。あと施工アンカーのトップ。独自技術定評 (売)連21,142 (従)356 (資)768 (住)流山市南流山3-10-16 ☎04-7157-3535 ㉕**10** ㉔**3(男2, 女1)**
(株)シー・ヴイ・エス・ベイエリア	小 (特色)千葉、東京地盤でホテル、マンション管理事業を展開。コンビニ、クリーニングも手がける (売)連7,519 (従)57 (資)1,200 (住)千葉市美浜区中瀬1-7-1 ☎043-296-6621 ㉕**10** ㉔**2(男1, 女1)**
(株)シー・エス・ランバー	他製 (特色)木材プレカット大手で在来、2×4工法用ともに製造。1都4県地盤。建築請負、不動産賃貸も (売)連21,132 (従)202 (資)536 (住)千葉市花見川区幕張本郷1-16-3 ☎043-213-8810 ㉕**増加** ㉔**8(男1, 女7)**
(株)ジィ・シィ企画	情通 (特色)小売り軸にキャッシュレス決済システム開発から保守、運用まで提供。カスタマイズ力に強み (売)単1,740 (従)112 (資)433 (住)佐倉市王子台1-28-8 ☎043-464-3348 ㉕**6** ㉔**4(男3, 女1)**
新日本建設(株)	建 (特色)建設と不動産開発(分譲マンション)が両輪。営業は首都圏中心、建設は非住宅工事の受注を深耕 (売)連133,517 (従)521 (資)3,665 (住)千葉市美浜区ひび野1-4-3 ☎043-213-1111 ㉕**70** ㉔**40(男35, 女5)**
(株)精工技研	電機 (特色)光通信部品、自動車部品用金型が主柱。携帯電話用のレンズ、子会社で自動車用センサーも (売)連15,785 (従)171 (資)6,791 (住)松戸市松飛台296-1 ☎047-311-5111 ㉕**前年並** ㉔**4(男3, 女1)**
(株)地域新聞社	サ (特色)千葉県と茨城県で無料情報紙を発行。地域情報サイトや求人媒体拡充。ADワークスGと親密 (売)単2,926 (従)162 (資)287 (住)八千代市勝田台北1-11-16 ☎047-485-1100 ㉕**3** ㉔**4(男1, 女3)**
(株)フューチャーリンクネットワーク	サ (特色)地域情報サイト「まいぷれ」を直営とパートナー企業通じ展開。ふるさと納税など自治体支援も (売)連1,382 (従)107 (資)276 (住)船橋市西船4-19-3 ☎047-495-0525 ㉕**5** ㉔**7(男3, 女4)**
ユアサ・フナショク(株)	卸 (特色)千葉中心に関東地盤の食品卸。地域スーパーが主販売先。ビジネスホテル「パールホテル」も運営 (売)連119,580 (従)219 (資)5,599 (住)船橋市宮本4-18-6 ☎047-433-1211 ㉕**前年並** ㉔**10(男4, 女6)**
アートグリーン(株)	卸 (特色)胡蝶蘭売上が6割強占める。神奈川、千葉、山梨、岡山、豊橋に生産拠点、栽培規模の拡大狙う (売)連2,484 (従)84 (資)143 (住)江東区福住1-8-8 ☎03-6823-5874 ㉕**前年並** ㉔**6(男0, 女6)**

会社名	業種名 (特色)会社の特色 (売)売上高(百万円) (従)単独従業員数(名) (資)資本金(百万円) (住)本社の住所,電話番号 ㉕25年採用計画数(名) ㉔24年入社内定者数(名)
㈱アートネイチャー	他製 (特色)かつらで双璧。男性向け首位で注文生産品を主体に増毛商品、既製品を展開。女性向けは2位 (売)連42,850 (従)2,376 (資)3,667 (住)渋谷区代々木3-40-7 ☎03-3379-3334 ㉕45 ㉔29(男9,女20)
RSC	サ (特色)警備事業中堅。警備、清掃、設備管理を結合した総合管理サービス志向。人材派遣事業を育成中 (売)連8,096 (従)280 (資)302 (住)豊島区東池袋3-1-3 ☎03-5952-7211 ㉕4 ㉔2(男1,女1)
㈱アールシーコア	他製 (特色)BESSブランド住宅を販売。自然派のライフスタイル提案型に強み、販路は直販と地域代理店 (売)連12,142 (従)130 (資)671 (住)渋谷区猿楽町10-1 ☎03-5990-4070 ㉕4 ㉔4(男2,女2)
アールビバン㈱	小 (特色)催事で版画作品を展示販売。新人作家発掘にも注力。イラスト系も。ホットヨガ「アミーダ」展開 (売)連11,006 (従)211 (資)1,843 (住)品川区東品川4-13-14 ☎03-5783-7171 ㉕50 ㉔43(男15,女28)
㈱アイ・アールジャパンホールディングス	サ (特色)独立系。株主判明調査やPA(議決権争奪戦略立案)、FA(敵対的買収対応)で独自モデル構築 (売)連5,664 (従)7 (資)865 (住)千代田区霞が関3-2-5 ☎03-3519-6750 ㉕増加 ㉔7(男6,女1)
AIAIグループ㈱	サ (特色)東京都、千葉県などで認可保育園を運営。発達障害児の支援施設に注力。介護施設から撤退 (売)連11,818 (従)1,052 (資)29 (住)墨田区錦糸1-2-1 ☎03-6284-1607 ㉕増加 ㉔109(男12,女97)
㈱アイ・エス・ビー	情通 (特色)独立系SI中堅。金融や製造業、官公庁などが顧客。セキュリティ分野で入退室管理システムも (売)連32,388 (従)934 (資)2,392 (住)品川区大崎5-1-11 ☎03-3490-1761 ㉕60 ㉔64(男58,女6)
アイザワ証券グループ㈱	証商 (特色)独立系中堅証券。米国ほかアジア12市場の株も取り扱う。21年10月に持株会社化、総合金融志向 (売)連18,980 (従)53 (資)8,000 (住)港区東新橋1-9-1 ☎03-6852-7744 ㉕70 ㉔29(男22,女7)
㈱IC	情通 (特色)システム開発と運用が2本柱の独立系SI。客先常駐型の開発多い。日立グループ向けが約5割 (売)連8,562 (従)732 (資)407 (住)港区港南2-15-3 ☎03-4335-8188 ㉕40 ㉔41(男22,女19)
㈱アイズ	情通 (特色)会員である広告主と掲載媒体結ぶマッチングサイト運営。SNS向け口コミ情報支援サイトも (売)単1,019 (従)76 (資)219 (住)渋谷区渋谷3-12-22 ☎03-6419-8505 ㉕未定 ㉔13(男5,女8)
㈱アイスタイル	情通 (特色)化粧品・美容情報サイト「アットコスメ」運営。EC・実店舗の小売りと広告等マーケ支援が柱 (売)連56,085 (従)478 (資)5,719 (住)港区赤坂1-12-32 ☎03-6161-3660 ㉕30 ㉔22(男9,女13)
㈱アイティフォー	情通 (特色)独立系SIベンダー。ネットワーク構築や延滞債権管理システム等のソフト開発に強み。無借金 (売)連20,652 (従)494 (資)1,124 (住)千代田区一番町21 ☎03-5275-7841 ㉕39 ㉔30(男23,女7)
㈱アイナボホールディングス	卸 (特色)タイル、空調など住宅設備機器の販売、工事で業界首位。施工力の高さが強み。関東で高シェア (売)連86,085 (従)37 (資)896 (住)台東区元浅草2-6-6 ☎03-4570-1316 ㉕若干名 ㉔4(男2,女2)
㈱アイネス	情通 (特色)独立系SI。自治体向け総合行政情報システム「ウェブリングス(WR)」に強み。三菱総研と提携 (売)連40,557 (従)937 (資)15,000 (住)中央区日本橋蛎殻町1-38-11 ☎03-6775-4401 ㉕60 ㉔33(男21,女12)
アイビーシー㈱	情通 (特色)ICTインフラ性能監視のパイオニア。分析サービス、プロダクト販売・導入、コンサルの3本柱 (売)連1,900 (従)78 (資)443 (住)中央区新川1-8-8 ☎03-5117-2780 ㉕7 ㉔5(男5,女0)
㈱IBJ	サ (特色)婚活サービス提供。直営結婚相談所のほか相談所連盟事業、婚活アプリやパーティなど多角展開 (売)連17,649 (従)連942 (資)699 (住)新宿区西新宿1-23-7 ☎080-70270983 ㉕20 ㉔34(男9,女25)
㈱アイビス	サ (特色)モバイルペイントアプリ「ibisPaint」運営。アプリ広告が収益柱。企業向け開発支援も (売)単4,086 (従)327 (資)385 (住)中央区八丁堀1-5-1 ☎03-6222-5277 ㉕未定 ㉔6(男‥,女‥)
㈱アイフリークモバイル	情通 (特色)携帯端末向け情報配信が祖業。LINEスタンプも。近年はコンテンツ制作受託に軸足シフト (売)連2,571 (従)260 (資)10 (住)新宿区新宿2-1-11 ☎03-6274-8901 ㉕未定 ㉔9(男6,女3)
㈱アイリックコーポレーション	保 (特色)来店型保険ショップを展開。独自の保険分析・検索システムや自社開発スマートOCRが特徴 (売)連7,921 (従)356 (資)1,354 (住)文京区本郷2-27-20 ☎03-5840-9550 ㉕微減 ㉔13(男3,女10)
㈱青山財産ネットワークス	不 (特色)富裕層への運用、相続コンサルが柱。顧客増へ不動産運用商品組成にも注力。配当性向5割メド (売)連36,098 (従)234 (資)1,235 (住)港区赤坂8-4-14 ☎03-6439-5800 ㉕10 ㉔6(男3,女3)
㈱赤阪鐵工所	機 (特色)舶用ディーゼルエンジン専業の中堅。三菱重工と連携。小型・省エネ型を強化。非舶用分野を育成 (売)単7,934 (従)275 (資)1,510 (住)千代田区丸の内3-4-1 ☎03-6860-9081 ㉕6 ㉔4(男4,女0)
㈱あかつき本社	証商 (特色)あかつき証券の証券業に加え、中古住宅・高齢者施設等の事業投資も展開するグループ (売)連46,681 (従)10 (資)5,665 (住)中央区日本橋小舟町8-1 ☎03-6821-0606 ㉕15 ㉔7(男7,女0)
アキレス㈱	化 (特色)運動靴大手で車両内装材、プラスチックフィルム、新建材など多角展開。学童靴「瞬足」で有名 (売)連78,607 (従)1,277 (資)14,640 (住)新宿区北新宿2-21-1 ☎03-5338-9200 ㉕40 ㉔25(男17,女8)
㈱アクシージア	化 (特色)スキンケア主体の化粧品メーカー、サプリも手がける。中国への売上が大半。ECに強み (売)連12,192 (従)157 (資)2,155 (住)新宿区西新宿2-6-1 ☎03-6304-5840 ㉕未定 ㉔11(男1,女10)
アクモス㈱	情通 (特色)ITソリューション事業主軸に展開。医療系システム開発など重点分野強化。配当性向50%超 (売)連6,230 (従)285 (資)693 (住)港区虎ノ門1-21-19 ☎03-5539-8800 ㉕30 ㉔26(男23,女3)

会社名	業種名 特色 会社の特色 売 売上高(百万円) 従 単独従業員数(名) 資 資本金(百万円) 住 本社の住所,電話番号 ㉕25年採用計画数(名) ㉔24年入社内定者数(名)
アグレ都市デザイン(株)	不 特色 東京地盤にデザイン性高めた戸建て分譲、投資用収益マンションを展開。買収で宿泊事業開始 売 連27,605 従 132 資 390 住 新宿区西新宿2-6-1 ☎03-6258-0035 ㉕ **前年並** ㉔ **4(男2,女2)**
アグロ カネショウ(株)	化 特色 果樹、野菜向け農薬専業。全農以外の商社系販路、農家の土壌分析による技術提案型営業に特徴 売 連15,655 従 300 資 1,809 住 千代田区丸の内1-8-3 ☎03-5224-8000 ㉕ **13** ㉔ **7(男3,女4)**
(株)揚羽	サ 特色 採用や企業ブランディング支援の専門企業。コンサルからサイト制作まで一気通貫で取り組む 売 単1,736 従 146 資 279 住 中央区八丁堀2-12-7 ☎03-6280-3336 ㉕ **5** ㉔ **3(男2,女1)**
(株)アサックス	他金 特色 居住用不動産を担保に事業性ローン提供。独特のノウハウで貸倒率低い。不動産賃貸事業も 売 単6,754 従 60 資 2,307 住 渋谷区広尾1-3-14 ☎03-3445-0404 ㉕ **未定** ㉔ **4(男2,女2)**
旭コンクリート工業(株)	ガ土 特色 太平洋セメント系。官需8割以上。ボックスカルバート(矩形コンクリ管)主力。耐震工法得意 売 単7,071 従 194 資 1,204 住 中央区築地1-8-2 ☎03-3542-1201 ㉕ **11** ㉔ **2(男2,女0)**
旭情報サービス(株)	情通 特色 独立系情報サービス会社。顧客企業のネットワークシステム構築・運用に技術者を派遣サービス 売 単14,786 従 1,923 資 733 住 千代田区丸の内1-7-12 ☎03-5224-8281 ㉕ **未定** ㉔ **154(男109,女45)**
旭ダイヤモンド工業(株)	機 特色 ダイヤモンド工具大手。自動車、機械、電子部品用が柱。SiC半導体向け成長。配当性向5割超 売 連38,653 従 1,001 資 4,102 住 千代田区紀尾井町4-1 ☎03-3222-6311 ㉕ **15** ㉔ **20(男14,女6)**
(株)朝日ネット	情通 特色 独立系ネット接続サービス(ISP)大手。ASAHIネット運営。大学向け教育支援「マナバ」も 売 単12,217 従 210 資 630 住 中央区銀座4-12-15 ☎03-3541-1900 ㉕ **10** ㉔ **9(男5,女4)**
アジアパイルホールディングス(株)	ガ土 特色 コンクリートパイル(基礎杭)製造・施工でトップ。設計から建設まで独自の一貫請負体制を構築 売 連103,151 従 794 資 6,621 住 中央区日本橋箱崎町36-2 ☎03-5843-4173 ㉕ **10** ㉔ **6(男4,女2)**
(株)アシロ	サ 特色 分野別に特化した法律事務所の紹介・相談サイトを複数運営、派生メディアやHR事業へ展開 売 連IFS3,197 従 94 資 608 住 新宿区西新宿6-3-1 ☎03-6279-4581 ㉕ **15** ㉔ **14(男7,女7)**
あすか製薬ホールディングス(株)	医 特色 武田と親密。婦人科領域に強い。先発品比率引き上げに注力。21年春にあすか製薬が持株会社化 売 連62,843 従 838 資 1,197 住 港区芝浦2-5-1 ☎03-5484-8845 ㉕ **微増** ㉔ **18(男9,女9)**
(株)アズ企画設計	不 特色 東京23区中心に収益物件を取得、リノベ等で収益性高め投資家に転売。賃貸・管理併営。埼玉発祥 売 連11,506 従 60 資 372 住 千代田区丸の内1-6-2 ☎03-6256-0840 ㉕ **3** ㉔ **3(男2,女1)**
(株)アスモ	小 特色 食肉卸シンワと居酒屋等オックスが06年合併。事業転換で給食、介護が柱に。香港で食品加工も 売 連20,533 従 13 資 2,323 住 新宿区西新宿2-4-1 ☎03-6911-0550 ㉕ **若干名** ㉔ **46(男13,女33)**
アセンテック(株)	卸 特色 仮想デスクトップのソリューション、ソフト・端末販売、保守・コンサル軸。クラウドサービスも 売 連6,226 従 82 資 235 住 千代田区神田練塀町3 ☎03-5296-9331 ㉕ **7** ㉔ **5(男4,女1)**
(株)アソインターナショナル	サ 特色 矯正に特化した歯科技工物を展開。デジタル採寸データ活用した加工や矯正用マウスピースも 売 連3,544 従 66 資 354 住 中央区銀座2-11-8 ☎03-3547-0479 ㉕ **10** ㉔ **7(男3,女4)**
(株)アダストリア	小 特色 SC軸に「グローバルワーク」等カジュアル衣料展開。フォーエバー21も。傘下に外食ゼットン 売 連275,596 従 4,905 資 2,660 住 渋谷区渋谷2-21-1 ☎03-5466-2010 ㉕ **微増** ㉔ **230(男34,女196)**
東海運(株)	倉運 特色 太平洋セメント系。アジア船ターミナル業務が主柱。ロシアへの国際輸送が強み。トマト栽培も 売 連39,746 従 585 資 2,294 住 中央区晴海1-8-12 ☎03-6221-2200 ㉕ **10** ㉔ **8(男4,女4)**
アドソル日進(株)	情通 特色 電力やガスなどのシステム開発に強み。DX関連案件の比率高まる。グローバル協業を強化 売 連14,078 従 600 資 575 住 港区港南4-1-8 ☎03-5796-3131 ㉕ **50** ㉔ **39(男32,女7)**
(株)アドバネクス	金製 特色 精密ばね大手。自動車やOA関連が主。国内・アジア・米州・欧州に生産拠点。医療機器向け成長 売 連26,549 従 364 資 100 住 北区田端6-1-1 ☎03-3822-5860 ㉕ **18** ㉔ **8(男5,女3)**
(株)アドバンスト・メディア	情通 特色 独自の音声認識技術「アミボイス」を核に各種の業務支援システム・サービスを開発提供する 売 連6,001 従 244 資 6,930 住 豊島区東池袋3-1-1 ☎03-5958-1031 ㉕ **20** ㉔ **15(男11,女4)**
(株)アドバンテッジリスクマネジメント	サ 特色 ストレスチェックと関連ビジネスで首位級。団体長期障害所得補償保険(GLTD)も販売 売 連6,998 従 425 資 365 住 目黒区上目黒2-1-1 ☎03-5794-3800 ㉕ **前年並** ㉔ **11(男5,女6)**
アトミクス(株)	化 特色 塗料中堅、道路標示用でトップ。家庭用も。標示用機械の製造、施工併営。ハードコート材に注力 売 連12,122 従 220 資 1,040 住 板橋区舟渡3-9-6 ☎03-3969-3111 ㉕ **5** ㉔ **3(男2,女1)**
(株)アバールデータ	電機 特色 半導体製造装置用制御機器の受託製品展開。画像処理、計測通信機器の自社製品との2本柱 売 単12,580 従 209 資 2,354 住 町田市旭町1-25-10 ☎042-732-1000 ㉕ **未定** ㉔ **4(男4,女0)**
(株)アピリッツ	情通 特色 ECサイト、Webシステムの受託開発。オンラインゲームの運営等。IT人材派遣にも注力 売 連8,427 従 593 資 639 住 渋谷区桜丘町1-1 ☎03-6684-5111 ㉕ **増加** ㉔ **45(男25,女20)**
(株)網屋	情通 特色 データセキュリティに強み、SaaS軸にストックビジネス育成、ネットワーク構築サービスも 売 連3,559 従 162 資 61 住 中央区日本橋浜町3-3-2 ☎03-6822-9999 ㉕ **16** ㉔ **19(男15,女4)**

会社名	[業種名] [特色] 会社の特色 [売]売上高(百万円) [従]単独従業員数(名) [資]資本金(百万円) [住]本社の住所, 電話番号 ㉕25年採用計画数(名) ㉔24年入社内定者数(名)
アライドテレシスホールディングス㈱	[電機] [特色] ネットワーク機器を国際展開。日、米、欧で開発。製造業や医療機関、文教、自治体向けが柱 [売]連44,385 [従]連1,886 [資]10,019 [住]品川区西五反田7-21-11 ☎03-5437-6000 ㉕30 ㉔24(男16, 女8)
アルー㈱	[サ] [特色] 人材育成研修事業を国内外で展開。大手企業が主要顧客。英語研修は法人に加え個人向けも実施 [売]連3,028 [従]159 [資]365 [住]千代田区九段北1-13-5 ☎03-6268-9791 ㉕5 ㉔5(男2, 女3)
アルコニックス㈱	[卸] [特色] 双日の非鉄販社が分離独立。商社機能と製造業を融合した非鉄金属の総合企業。M&Aに積極的 [売]連174,901 [従]215 [資]5,830 [住]千代田区永田町2-11-1 ☎03-3596-7400 ㉕前年並 ㉔6(男3, 女3)
㈱アルチザネットワークス	[電機] [特色] 通信計測器の開発業者で通信キャリア、基地局メーカー向けが主。基地局テスト受託サービスも [売]連2,819 [従]142 [資]1,359 [住]立川市曙町2-36-2 ☎042-529-3494 ㉕5 ㉔2(男2, 女0)
㈱アルバイトタイムス	[サ] [特色] 無料求人情報誌「DOMO」発行。発祥の静岡県内では3版発行し、シェア高い。愛知、岐阜版も [売]連4,318 [従]167 [資]455 [住]中央区京橋2-6-13 ☎03-5524-8725 ㉕10 ㉔3(男1, 女2)
㈱アルファパーチェス	[卸] [特色] 企業向けに間接材など提供のMRO事業、サービス役務のFM事業の2本柱。取引一元化に強み [売]連51,951 [従]231 [資]560 [住]港区三田1-4-28 ☎03-6635-5140 ㉕前年並 ㉔5(男3, 女2)
and factory㈱	[サ] [特色] 出版社と協業し漫画アプリ展開。占いサービスが成長中。IoT活用したホテルの運営も行う [売]単2,979 [従]129 [資]801 [住]目黒区青葉台3-6-28 ☎03-6712-7646 ㉕未定 ㉔3(男‥, 女‥)
㈱アンビション DX ホールディングス	[不] [特色] 都内中心に借り上げた居住用不動産を転貸するサブリース主力。不動産DXで業務効率化推進 [売]連42,065 [従]154 [資]427 [住]渋谷区恵比寿4-20-3 ☎03-6632-3700 ㉕37 ㉔35(男23, 女12)
㈱イーエムネットジャパン	[サ] [特色] 検索連動型広告、運用型広告、SNS広告を展開。中小企業、地方企業に強み。ソフトバンク傘下 [売]単1,369 [従]157 [資]328 [住]新宿区西新宿6-10-1 ☎03-6279-4111 ㉕30 ㉔17(男8, 女9)
イー・ガーディアン㈱	[サ] [特色] 動画や掲示板の投稿監視、サポートに強み。サイバーセキュリティ育成。チェンジHDの子会社 [売]連11,909 [従]156 [資]1,967 [住]港区虎ノ門1-2-8 ☎03-6205-8859 ㉕30 ㉔18(男5, 女13)
㈱イーグランド	[不] [特色] 首都圏地盤にマンション・戸建て中古再生事業を展開。販売価格2000万円以下の物件が中心 [売]単27,321 [従]133 [資]836 [住]千代田区神田美土代町1 ☎03-3219-5050 ㉕前年並 ㉔9(男5, 女4)
イーサポートリンク㈱	[サ] [特色] 生鮮青果物業界向け物流システム開発。イオングループ向けを一手に受託。農業支援事業も展開 [売]連4,563 [従]147 [資]2,721 [住]豊島区高田2-17-22 ☎03-5979-0666 ㉕3 ㉔6(男1, 女5)
㈱Eストアー	[情通] [特色] 企業の自社EC総合支援サービスを展開。ECシステムや決済、広告などのマーケティングが柱 [売]連12,566 [従]108 [資]1,023 [住]港区赤坂9-7-1 ☎03-6434-5196 ㉕10 ㉔8(男3, 女5)
㈱いい生活	[情通] [特色] 賃貸物件を中心に、不動産業界に特化した業務支援システムをクラウド・SaaSなどで提供 [売]連2,808 [従]203 [資]628 [住]港区南麻布5-2-32 ☎03-5423-7820 ㉕25 ㉔23(男18, 女5)
イーソル㈱	[情通] [特色] 組み込み機器に特化したOSの開発販売が主力。自動車やAV機器など顧客は多分野にわたる [売]連9,628 [従]508 [資]1,041 [住]中野区本町1-32-2 ☎03-5365-1560 ㉕27 ㉔16(男‥, 女‥)
イーレックス㈱	[電ガ] [特色] 代理店通じた電力小売り主力。再エネ電力の拡販に注力。国内で複数のバイオマス発電所運転 [売]連244,977 [従]161 [資]17,291 [住]中央区京橋2-2-1 ☎03-3243-1185 ㉕前年並 ㉔8(男4, 女4)
イオンディライト㈱	[サ] [特色] 商業・オフィスビル等の施設管理で売上首位。イオングループ依存6割。中国、ASEAN進出 [売]連324,820 [従]4,326 [資]3,238 [住]千代田区神田錦町1-1-1 ☎03-6895-3892 ㉕160 ㉔91(男72, 女19)
池上通信機㈱	[電機] [特色] 放送機器・システムの中堅で業務用カメラ強い。監視カメラや医療用カメラも。アジア圏を強化 [売]連21,603 [従]669 [資]7,000 [住]大田区池上5-6-16 ☎03-5700-1111 ㉕増加 ㉔14(男7, 女7)
㈱石井鐵工所	[機] [特色] 石油、LPGなどタンク専業。国内はメンテナンス主体。不動産賃貸が利益柱。MBO実施 [売]連9,972 [従]141 [資]1,892 [住]中央区月島3-26-11 ☎03-4455-2500 ㉕10 ㉔6(男6, 女0)
イチカワ㈱	[繊] [特色] 紙・パルプ用フェルトで日本フエルトと国内市場を二分。ベルトも併営、欧米など海外比率高い [売]連13,603 [従]559 [資]3,594 [住]文京区本郷2-14-15 ☎03-3816-1111 ㉕前年並 ㉔10(男7, 女3)
㈱イチケン	[建] [特色] 商業施設の新築・内改装が主力の建築中堅。首都圏、関西地盤に全国展開。筆頭株主はマルハン [売]単96,373 [従]666 [資]4,329 [住]港区芝浦1-1-1 ☎03-5931-5610 ㉕38 ㉔22(男17, 女5)
いであ㈱	[サ] [特色] 建設環境調査コンサルタント大手。国交省ほか官公庁向け8割超。健康・生命科学分野へも展開 [売]連22,698 [従]983 [資]3,173 [住]世田谷区駒沢3-15-1 ☎03-4544-7600 ㉕64 ㉔50(男37, 女13)
㈱稲葉製作所	[金製] [特色] 鋼製物置で国内シェア4割強。オフィス家具は自社ブランドのほか内田洋行等へOEMを展開 [売]連42,414 [従]874 [資]1,132 [住]大田区矢口2-5-25 ☎03-3759-5201 ㉕54 ㉔19(男19, 女0)
乾汽船㈱	[海] [特色] 外航海運は中小型ばら積み船主力、倉庫・運送や不動産賃貸も。配当性向は業績連動、下限6円 [売]連29,494 [従]82 [資]2,767 [住]中央区勝どき1-13-6 ☎03-5548-8211 ㉕3 ㉔5(男3, 女2)
㈱イノベーション	[情通] [特色] IT製品比較・資料請求サイト運営。掲載企業に成果報酬型課金。クラウド型マーケツールも [売]連4,813 [従]56 [資]1,231 [住]渋谷区渋谷3-10-13 ☎03-5766-3800 ㉕8 ㉔4(男‥, 女‥)

会社名	業種名 (特色)会社の特色 (売)売上高(百万円) (従)単独従業員数(名) (資)資本金(百万円) (住)本社の住所,電話番号 ㉕25年採用計画数(名) ㉔24年入社内定者数(名)
㈱IMAGICA GROUP	情通 (特色)映像制作軸に企画、放送、機器開発・販売等を展開。動画配信事業者向け映像制作サービスに注力 (売)連99,684 (従)112 (資)3,306 (住)港区海岸1-14-2 ☎03-5777-6300 ㉕3 ㉔2(男1,女1)
㈱イワキ	機 (特色)化学薬液の移送用ケミカルポンプ専業メーカー。多用途・多品種少量生産に強み。海外強化中 (売)連44,539 (従)807 (資)1,044 (住)千代田区神田須田町2-6-6 ☎03-3254-2931 ㉕未定 ㉔17(男15,女2)
INCLUSIVE㈱	サ (特色)出版社やテレビ局、事業会社のWebメディア支援が柱。ブランド支援や飲食事業も展開 (売)連5,359 (従)40 (資)1,352 (住)港区虎ノ門4-1-1 ☎03-6427-2020 ㉕5 ㉔4(男0,女4)
㈱インソース	サ (特色)企業等の人事部向けに講師派遣型研修、公開講座を運営。人事や営業サポートシステムも展開 (売)連10,783 (従)367 (資)800 (住)荒川区西日暮里4-19-12 ☎03-5577-2283 ㉕30 ㉔25(男12,女13)
㈱インタートレード	情通 (特色)証券やFXの取引システム開発・保守が柱。ヘルスケア併営。持分に暗号資産交換業者DAMS (売)連2,011 (従)97 (資)1,478 (住)中央区新川1-17-21 ☎03-3537-7450 ㉕8 ㉔3(男1,女2)
㈱インターネットインフィニティー	サ (特色)リハビリ型通所介護「レコードブック」を展開。企業向け市場調査、プロモーションも手がける (売)連4,959 (従)49 (資)252 (住)千代田区二番町11-19 ☎03-6897-4777 ㉕15 ㉔11(男2,女9)
㈱インターファクトリー	情通 (特色)大規模EC事業者向けにクラウド型ECプラットフォームと保守運用サービスを提供 (売)単2,595 (従)157 (資)435 (住)千代田区富士見2-10-2 ☎03-5211-0086 ㉕15 ㉔6(男5,女1)
インターライフホールディングス㈱	建 (特色)遊技場・店舗内装工事中心に音響システム・照明設備や学校・公共施設工事拡充。人材派遣撤退 (売)連12,626 (従)96 (資)2,979 (住)中央区銀座6-13-16 ☎03-3547-3227 ㉕2 ㉔4(男4,女0)
㈱インティメート・マージャー	サ (特色)DMP国内最大手。インターネット人口の約9割をカバーするデータを活用し事業展開 (売)連2,982 (従)57 (資)476 (住)港区六本木3-5-27 ☎03-5797-7997 ㉕未定 ㉔6(男5,女1)
㈱インテリジェントウェイブ	情通 (特色)システム開発、製品販売。カード決済システム首位。内部情報漏洩対策等も。大日本印刷傘下 (売)単14,518 (従)492 (資)843 (住)中央区新川1-21-2 ☎03-6222-7111 ㉕25 ㉔21(男17,女4)
㈱インテリックス	不 (特色)中古マンション再生販売専業の最大手。アフターサービス、高品質内装が強み。地方展開強化 (売)連42,702 (従)213 (資)2,253 (住)渋谷区渋谷2-12-19 ☎03-5766-7639 ㉕前年並 ㉔23(男18,女5)
㈱イントラスト	他金 (特色)家賃債務保証が柱。医療・介護費保証を第2の柱に育成中。不動産管理の業務受託も手がける (売)連8,971 (従)156 (資)1,049 (住)千代田区麹町1-4 ☎03-5213-0250 ㉕10 ㉔8(男4,女4)
㈱インフォネット	情通 (特色)Webコンテンツ管理システム(CMS)主力。月額利用料多い。AI育成。21年アイアクト買収 (売)連1,767 (従)93 (資)290 (住)千代田区大手町1-5-1 ☎03-5221-7591 ㉕10 ㉔3(男2,女1)
㈱インフォマート	サ (特色)クラウド活用し受発注、規格書、請求書システム運営、外食向け主力。配当は単体配当性向50% (売)連13,363 (従)663 (資)3,212 (住)港区海岸1-2-3 ☎03-5776-1147 ㉕20 ㉔5(男3,女2)
㈱インプレスホールディングス	情通 (特色)出版、IT双方に立脚、ネット関連出版の草分け。デジタルコンテンツ強化。傘下に山と渓谷社 (売)連14,466 (従)43 (資)5,341 (住)千代田区神田神保町1-105 ☎03-6837-5000 ㉕前年並 ㉔4(男1,女3)
㈱ウィルグループ	サ (特色)人材派遣や業務請負等の人材サービス展開。販売現場へのセールス派遣や工場派遣などが主力 (売)連IFS138,227 (従)100 (資)2,201 (住)中野区本町1-32-2 ☎03-6859-8880 ㉕80 ㉔78(男32,女46)
ウイン・パートナーズ㈱	卸 (特色)医療機器販売、心臓カテーテルに強み。ウイン・インターと東北地盤のテスコが統合して発足 (売)連77,064 (従)357 (資)550 (住)中央区京橋2-2-1 ☎03-3548-0790 ㉕16 ㉔8(男5,女3)
UUUM㈱	情通 (特色)ユーチューバー事務所大手。アドセンス(動画広告収入)、マーケティングが柱。グッズ販売も (売)連23,087 (従)連530 (資)835 (住)港区赤坂9-7-1 ☎03-5414-7258 ㉕未定 ㉔24(男11,女13)
㈱UEX	卸 (特色)ステンレス専門の鉄鋼商社、生産材が主体。大同、日本製鉄と親密。中国で加工品の製販も (売)連52,113 (従)292 (資)1,512 (住)品川区東品川2-2-24 ☎03-5460-6500 ㉕未定 ㉔2(男1,女1)
㈱ウェッズ	輸機 (特色)アルミホイール主体の自動車部品・用品卸でトップクラス。独自品に強み。小売り、福祉事業も (売)連34,781 (従)155 (資)852 (住)大田区大森北1-6-8 ☎03-5753-8201 ㉕未定 ㉔2(男2,女0)
ウェルスナビ㈱	証商 (特色)ロボアドバイザー活用した全自動の資産運用サービスを提供。手数料収入は預かり資産の1% (売)単8,167 (従)190 (資)12,023 (住)渋谷区渋谷2-22-3 ☎03-6632-4911 ㉕未定 ㉔11(男11,女0)
ウェルス・マネジメント㈱	不 (特色)不動産ファンドによる高級ホテルへの投資や運営を展開。事業用不動産の開発・再生に強み (売)連28,625 (従)24 (資)2,356 (住)港区赤坂1-12-32 ☎03-6229-2140 ㉕未定 ㉔7(男4,女3)
ウェルネオシュガー㈱	食 (特色)10月に日新製糖と伊藤忠製糖が完全統合、持株会社から1社体制に、製糖2番手。機能素材育成 (売)連IFS92,192 (従)0 (資)7,000 (住)中央区日本橋小網町14-1 ☎03-3668-1103 ㉕前年並 ㉔7(男4,女3)
㈱魚力	小 (特色)鮮魚専門店を百貨店、駅ビル内に展開。居酒屋、すしの飲食店を併営。外食・スーパー向け卸も (売)連36,344 (従)551 (資)1,563 (住)立川市曙町2-8-3 ☎042-525-5600 ㉕25 ㉔14(男13,女1)
㈱うかい	小 (特色)東京・神奈川で「うかい鳥山」など高級和洋食レストラン直営。洋菓子販売や箱根の美術館事業も (売)単13,326 (従)638 (資)100 (住)八王子市南浅川町3426 ☎042-666-3333 ㉕40 ㉔32(男7,女25)

会社名	業種名 (特色)会社の特色 (売)売上高(百万円) (従)単独従業員数(名) (資)資本金(百万円) (住)本社の住所,電話番号 ㉕25年採用計画数(名) ㉔24年入社内定者数(名)
(株)うるる	情通 (特色)月額課金の入札情報サービスが柱。BPO、写真出張撮影・販売、電話代行などの事業も展開 (売)連5,937 (従)204 (資)1,037 (住)中央区晴海3-12-1 ☎03-6221-3069 ㉕**4** ㉔**5(男2,女3)**
(株)エアトリ	サ (特色)航空券予約サイト「エアトリ」運営。旅行に加えてメディアやオフショア開発、投資事業も展開 (売)連IFS23,162 (従)163 (資)1,789 (住)港区愛宕2-5-1 ☎03-3431-6191 ㉕**前年並** ㉔**15(男7,女8)**
AHCグループ(株)	サ (特色)障害児向け放課後デイサービス、共同生活支援等の福祉事業とデイケア介護事業、外食店を展開 (売)連5,915 (従)258 (資)54 (住)千代田区岩本町2-11-9 ☎03-6240-9550 ㉕**30** ㉔**15(男3,女12)**
栄研化学(株)	医 (特色)臨床検査薬大手。便潜血検査試薬(FIT)はシェア7割。尿検査(ウロ)、遺伝子検査も育成 (売)連40,052 (従)713 (資)6,897 (住)台東区台東4-19-9 ☎03-5846-3305 ㉕**22** ㉔**23(男13,女10)**
(株)AViC	サ (特色)中堅企業・スタートアップが対象のネット広告・SEO代理店。広告媒体理解や仕組み化が強み (売)単1,488 (従)74 (資)195 (住)港区赤坂1-12-32 ☎03-6272-6174 ㉕**未定** ㉔**10(男7,女3)**
(株)Aiming	情通 (特色)スマホゲーム配信・制作。多人数同時型、アニメ表現に強み。「カゲマス」「DQタクト」等運営 (売)連18,199 (従)736 (資)3,407 (住)渋谷区千駄ヶ谷5-31-11 ☎03-6672-6159 ㉕**18** ㉔**24(男12,女12)**
(株)A&Dホロンホールディングス	精 (特色)産業、医療用の計量・計測機器メーカー。半導体関連装置のホロンを22年4月に完全子会社化 (売)連61,955 (従)749 (資)6,388 (住)豊島区東池袋3-23-14 ☎03-5391-6124 ㉕**25** ㉔**20(男15,女5)**
(株)エージーピー	倉運 (特色)駐機中の航空機に電力供給。幹線空港の固定式電源でほぼ独占。空港・物流施設の整備にも注力 (売)連12,986 (従)609 (資)2,038 (住)大田区羽田空港1-7-1 ☎03-3747-1631 ㉕**30** ㉔**25(男21,女4)**
(株)エージェント・インシュアランス・グループ	保 (特色)独立系の保険代理店。米国にも拠点。収益の7割は損保。業界内でM&A・事業承継を積極展開 (売)連3,547 (従)144 (資)336 (住)新宿区市谷本村町3-29 ☎03-6280-7818 ㉕**10** ㉔**4(男1,女3)**
Abalance(株)	電機 (特色)IT創業後、建機商社WWBと株式交換。主力は太陽光発電。傘下にベトナム太陽光パネル会社 (売)連208,972 (従)38 (資)2,518 (住)品川区東品川2-2-4 ☎03-6810-3028 ㉕**10** ㉔**5(男2,女3)**
(株)エクサウィザーズ	情通 (特色)AI・DX導入支援でコンサルから実装、運営まで行う。領域特化のAIソフト開発にも注力 (売)連8,384 (従)276 (資)2,409 (住)港区芝浦4-2-8 ☎03-6626-3602 ㉕**増加** ㉔**15(男13,女2)**
(株)エクスモーション	情通 (特色)組み込みソフトの品質改善に特化したコンサル会社。主力は自動車分野。ソルクシーズ子会社 (売)連1,105 (従)72 (資)453 (住)品川区大崎2-11-1 ☎03-6420-0019 ㉕**前年並** ㉔**2(男1,女1)**
(株)エコス	小 (特色)東京・多摩地区から北関東へ「TAIRAYA」「エコス」等食品スーパーを展開。M&Aで成長 (売)連130,038 (従)829 (資)3,318 (住)昭島市中神町1160-1 ☎042-546-3711 ㉕**160** ㉔**51(男41,女10)**
(株)SIGグループ	情通 (特色)スマートデバイス開発やクラウド、セキュリティサービス事業に強み。産学官のDX推進を支援 (売)連6,906 (従)40 (資)507 (住)千代田区九段北4-2-1 ☎03-5213-4580 ㉕**45** ㉔**37(男27,女10)**
SMN(株)	サ (特色)ソニーグループ系。ネット広告配信を最適化するアドテク事業や成果報酬型広告運営で稼ぐ (売)連9,336 (従)152 (資)1,268 (住)品川区大崎2-11-1 ☎03-5435-7930 ㉕**8** ㉔**7(男5,女2)**
(株)エスエルディー	小 (特色)関東軸に「kawara CAFE&DINING」など展開。19年DDグループの子会社に (売)単3,585 (従)133 (資)48 (住)港区芝4-1-23 ☎03-6866-0245 ㉕**10** ㉔**10(男1,女9)**
エステー(株)	化 (特色)家庭用消臭芳香剤トップ3、衣類防虫剤1位の日用品メーカー。「消臭力」や「ムシューダ」が主軸 (売)連44,472 (従)443 (資)7,065 (住)新宿区下落合1-4-10 ☎03-3367-6111 ㉕**前年並** ㉔**14(男7,女7)**
SBIアルヒ(株)	他金 (特色)固定金利住宅ローン「フラット35」販売首位、債権回収も。変動金利商品に注力。SBI傘下 (売)連IFS20,405 (従)403 (資)3,471 (住)千代田区平河町1-4-3 ☎03-6910-0020 ㉕**未定** ㉔**3(男3,女0)**
SBSホールディングス(株)	陸 (特色)3PL(物流一括受託)大手。メーカー物流会社買収で成長。倉庫を開発、流動化の不動産事業も (売)連431,911 (従)283 (資)3,920 (住)新宿区西新宿8-17-1 ☎03-6772-8200 ㉕**5** ㉔**4(男2,女2)**
(株)エスプール	サ (特色)コールセンター等への派遣と障害者雇用支援の農園事業が柱。行政BPOと環境経営支援注力 (売)連IFS25,784 (従)184 (資)372 (住)千代田区外神田1-18-13 ☎03-6859-5599 ㉕**100** ㉔**81(男40,女41)**
ANYCOLOR(株)	情通 (特色)ライブ配信などを行うVチューバーグループ「にじさんじ」を運営。グッズ販売が収益柱 (売)単31,995 (従)430 (資)413 (住)港区赤坂9-7-2 ☎03-4335-4850 ㉕**前年並** ㉔**10(男5,女5)**
(株)enish	情通 (特色)スマホやソーシャルアプリ向けゲームを開発・運営。非ゲーム事業は譲渡しゲームに特化 (売)単3,508 (従)118 (資)4,285 (住)港区六本木6-1-20 ☎03-6447-4020 ㉕**若干名** ㉔**8(男5,女3)**
エヌアイシ・オートテック(株)	非鉄 (特色)生産設備用構造材「アルファフレーム」、クリーンルーム・FA装置、商事が3本柱。富山が基盤 (売)単4,852 (従)220 (資)156 (住)江東区有明3-7-26 ☎03-5530-8066 ㉕**5** ㉔**2(男2,女0)**
(株)エヌ・シー・エヌ	サ (特色)耐震性の高い独自木造建築システムを工務店中心に提供。構造計算料や建築部材販売が収益柱 (売)連7,998 (従)100 (資)390 (住)千代田区永田町2-13-5 ☎03-6897-6311 ㉕**未定** ㉔**3(男1,女2)**
NCD(株)	情通 (特色)システム開発、運用サービス、駐輪場管理システムが経営の3本柱。駐輪場の運営事業も展開 (売)連25,481 (従)771 (資)438 (住)品川区西五反田4-32-1 ☎03-5437-1021 ㉕**前年並** ㉔**48(男26,女22)**

会社名	業種名 (特色)会社の特色 (売)売上高(百万円) (従)単独従業員数(名) (資)資本金(百万円) (住)本社の住所,電話番号 ㉕25年採用計画数(名) ㉔24年入社内定者数(名)
㈱エヌジェイホールディングス	情通 (特色)ゲームの開発・運営受託が主力。au、UQモバイルや併売店中心の携帯ショップも手がける (売)連9,698 (従)758 (資)592 (住)港区芝3-8-2 ☎03-5418-8121 ㉕未定 ㉔6(男5,女1)
㈱NTTデータイントラマート	情通 (特色)NTTデータグループの社内ベンチャー発祥。Webシステム基盤構築ソフトを開発・販売 (売)連9,257 (従)314 (資)738 (住)港区赤坂4-15-1 ☎03-5549-2821 ㉕19 ㉔10(男4,女6)
㈱エヌ・ピー・シー	機 (特色)太陽電池製造装置は米ファーストソーラー軸、同パネル解体装置も。FA装置、植物工場に進出 (売)連9,320 (従)156 (資)2,812 (住)台東区東上野1-7-15 ☎03-5817-8830 ㉕10 ㉔11(男7,女4)
荏原実業㈱	機 (特色)ポンプ・空調など機器卸から水処理設計・施工へ展開。メーカー機能持つ環境関連事業を育成 (売)連36,280 (従)492 (資)1,001 (住)中央区銀座7-14-1 ☎03-5565-2881 ㉕20 ㉔14(男12,女2)
㈱FRS	情通 (特色)フォーバル傘下。企業のオフィス移転支援が主。OA機器販売、ネットワーク構築や内装工事も (売)単3,066 (従)86 (資)100 (住)千代田区神田神保町3-23-2 ☎03-6826-1500 ㉕3 ㉔6(男4,女2)
㈱FFRIセキュリティ	情通 (特色)サイバーセキュリティ専業。標的型攻撃防ぐ「ヤライ」で著名。防衛省など安全保障関連を強化中 (売)連2,446 (従)141 (資)286 (住)千代田区丸の内3-3-1 ☎03-6277-1811 ㉕増加 ㉔6(男6,女0)
㈱エフオン	電ガ (特色)木質バイオマス発電軸に省エネ支援も展開。大分、福島等で自社発電所を運営。山林事業も (売)連17,473 (従)28 (資)2,292 (住)千代田区丸の内1-9-2 ☎03-4500-6450 ㉕未定 ㉔3(男‥,女‥)
㈱エプコ	サ (特色)住宅メーカーから給排水設備の設計とコールセンターでメンテナンス受託。合弁で再エネ事業 (売)連5,059 (従)365 (資)87 (住)墨田区太平4-1-3 ☎03-6853-9165 ㉕6 ㉔3(男2,女1)
㈱FCE	サ (特色)業務改善用RPAソフトでDX支援。クラウドサービスでeラーニング展開。配当性向25%目安 (売)連4,174 (従)123 (資)182 (住)新宿区西新宿2-4-1 ☎03-5908-1400 ㉕前年並 ㉔10(男6,女4)
㈱FJネクストホールディングス	不 (特色)首都圏で「ガーラ」ブランドの投資用ワンルームマンション販売が主力。ファミリー向けも展開 (売)連100,405 (従)43 (資)2,774 (住)新宿区西新宿6-5-1 ☎03-6733-1111 ㉕60 ㉔47(男30,女17)
FDK㈱	電機 (特色)富士通傘下。産業用のリチウム電池やニッケル水素電池が主軸。電子事業は好採算品へシフト (売)連62,676 (従)1,600 (資)31,709 (住)港区港南1-6-41 ☎03-5715-7400 ㉕前年並 ㉔13(男12,女1)
㈱エフティグループ	卸 (特色)中小企業向け電話機やOA機器、LED照明販売が柱、電力小売りも行う。光通信子会社 (売)連IFS36,480 (従)113 (資)1,344 (住)中央区日本橋蛎殻町2-13-6 ☎03-5847-2777 ㉕微増 ㉔5(男3,女2)
㈱FPG	証商 (特色)税繰り延べメリットのオペリース商品主軸。不動産小口化商品が第2の柱。海外不動産も展開 (売)連71,149 (従)275 (資)3,095 (住)千代田区丸の内2-7-2 ☎03-5288-5691 ㉕5 ㉔4(男3,女1)
㈱エムアップホールディングス	情通 (特色)アーティストのファンサイト運営と電子チケット事業が柱。ECやデジタルコンテンツ配信も (売)連18,574 (従)連326 (資)317 (住)渋谷区渋谷3-12-18 ☎03-5467-7125 ㉕15 ㉔9(男2,女7)
㈱MS&Consulting	サ (特色)外食・サービス・小売り向け顧客満足度覆面調査実施、モニター50万人。業界トップ。下期偏重型 (売)連IFS2,391 (従)137 (資)78 (住)中央区日本橋小伝馬町4-9 ☎03-5649-1185 ㉕8 ㉔7(男5,女2)
㈱MS-Japan	サ (特色)士業(公認会計士、弁護士等)と一般事業会社の管理部門に特化の人材紹介業。関連メディアも (売)連4,574 (従)189 (資)587 (住)千代田区富士見2-10-2 ☎03-3239-7373 ㉕前年並 ㉔3(男2,女1)
㈱MCJ	電機 (特色)パソコン製造・販売が起点。「マウス」ブランドが主力。欧州で液晶販売、インドで修理事業展開 (売)連187,455 (従)2,256 (資)3,868 (住)千代田区大手町2-3-2 ☎03-6739-3403 ㉕27 ㉔21(男19,女2)
㈱エムティーアイ	情通 (特色)コンテンツからDX推進企業に軸足。医療機関・自治体向けのヘルスケアや学校関連が成長中 (売)連26,798 (従)740 (資)5,261 (住)新宿区西新宿3-20-2 ☎03-5333-6789 ㉕25 ㉔20(男10,女10)
エムティジェネックス㈱	不 (特色)森トラスト傘下。オフィスビルなどのリニューアル工事が主力。駐車場の受託運営管理も柱 (売)連3,790 (従)33 (資)1,072 (住)港区虎ノ門5-13-1 ☎03-5405-4011 ㉕未定 ㉔2(男0,女2)
エリアリンク㈱	不 (特色)柱のストレージ(収納トランクやコンテナ)運用でストック型ビジネス展開。配当性向30%目安 (売)単22,463 (従)84 (資)6,111 (住)千代田区外神田4-14-1 ☎03-3526-8555 ㉕3 ㉔5(男4,女1)
㈱エル・ティー・エス	サ (特色)ビジネスプロセス可視化・改善・実行支援など展開、ITビジネスマッチング「アサインナビ」も (売)連12,242 (従)496 (資)744 (住)港区元赤坂1-3-13 ☎03-6897-6140 ㉕前年並 ㉔97(男58,女39)
エレマテック㈱	卸 (特色)液晶など電子材料、部品の専門商社。豊田通商傘下でスマホや車載向けが強い。海外展開強化中 (売)連IFS194,350 (従)527 (資)2,142 (住)港区三田3-5-19 ☎03-3454-3526 ㉕18 ㉔19(男14,女5)
エンカレッジ・テクノロジ㈱	情通 (特色)内部統制に役立つシステム証跡管理ソフトと保守サービスが両輪。顧客は金融など大手多い (売)単2,498 (従)124 (資)507 (住)中央区日本橋浜町3-3-2 ☎03-5623-2622 ㉕8 ㉔2(男0,女2)
オイシックス・ラ・大地㈱	小 (特色)安全配慮のミールキットなどを販売。M&Aで成長。シダックス子会社化、シナジー創出急ぐ (売)連148,408 (従)794 (資)3,995 (住)品川区大崎1-11-2 ☎03-6867-1149 ㉕10 ㉔10(男2,女8)
応用地質㈱	サ (特色)地質調査首位、建設コンサルも。国内外で計測機器展開。洋上風力発電拡大にらみ海底探査強化 (売)連65,602 (従)1,270 (資)16,174 (住)千代田区神田美土代町7 ☎03-5577-4501 ㉕40 ㉔46(男29,女17)

会社名	業種名 (特色)会社の特色 (売)売上高(百万円) (従)単独従業員数(名) (資)資本金(百万円) (住)本社の住所, 電話番号 ㉕25年採用計画数(名) ㉔24年入社内定者数(名)
オエノンホールディングス(株)	食 (特色)旧合同酒精。焼酎に強み。流通大手のPB製造にも積極的。第2の柱確立に向け酵素医薬品育成 (売)連84,947 (従)29 (資)6,946 (住)墨田区東駒形1-17-6 ☎03-6757-4580 ㉕20 ㉔21(男15, 女6)
(株)オーエムツーネットワーク	小 (特色)中国地方発祥の食肉小売業。ステーキ店など外食事業へ展開。関東、関西開拓。エスフーズ傘下 (売)連32,109 (従)407 (資)466 (住)港区芝大門2-4-7 ☎03-5405-9541 ㉕6 ㉔2(男2, 女0)
大木ヘルスケアホールディングス(株)	卸 (特色)一般用医薬品3大卸の一角。1658年創業。メーカー機能持つ子会社、大木製薬がPB展開 (売)連334,661 (従)468 (資)2,486 (住)文京区音羽2-1-4 ☎03-6892-0710 ㉕30 ㉔26(男11, 女15)
(株)オークファン	情通 (特色)オークション等の情報分析サービスから出発。商品在庫管理や再流通ECのサービスが成長 (売)連5,145 (従)111 (資)973 (住)品川区北品川5-1-18 ☎03-6809-0951 ㉕12 ㉔13(男10, 女3)
大崎電気工業(株)	電機 (特色)スマートメーターで国内首位、売上の過半が電力会社向け。傘下のEDMI主導で海外展開加速 (売)連95,147 (従)555 (資)7,965 (住)品川区東五反田2-10-2 ☎03-3443-7171 ㉕前年並 ㉔15(男12, 女3)
(株)大田花き	卸 (特色)地方市場運営会社3社が統合。日本最大の花き卸売市場。在宅競りやロジスティクス等にも意欲 (売)連4,144 (従)179 (資)551 (住)大田区東海2-2-1 ☎03-3799-5571 ㉕未定 ㉔9(男2, 女7)
(株)オーテック	建 (特色)工場・ビル空調自動制御設備の建設、施工、メンテなどが柱。建築設備資材や機器販売も展開 (売)連29,374 (従)406 (資)599 (住)江東区東陽2-4-2 ☎03-3699-0411 ㉕31 ㉔16(男16, 女0)
(株)オオバ	サ (特色)調査測量、計画設計、区画整理、地理情報システム等が柱の建設コンサル。民需比率高い。好財務 (売)連16,485 (従)485 (資)2,131 (住)千代田区神田錦町3-7-1 ☎03-5931-5888 ㉕35 ㉔28(男23, 女5)
(株)オーハシテクニカ	卸 (特色)独立系自動車部品メーカー。携帯電話用部品も。子会社の鈴鹿工場をマザー工場とし生産は海外 (売)連39,212 (従)160 (資)1,825 (住)港区虎ノ門4-3-13 ☎03-5404-4411 ㉕5 ㉔5(男4, 女1)
(株)オーバル	精 (特色)流量計など流体計測機器の最大手。好採算の液体向けがセンサー部門の7割。海外へも展開 (売)連14,347 (従)406 (資)2,200 (住)新宿区上落合3-10-8 ☎03-3360-5061 ㉕12 ㉔5(男3, 女2)
(株)大本組	建 (特色)土木主体中堅から建築主体にシフト。岡山を地盤に全国展開。無人化施工技術など独自技術強み (売)単83,060 (従)813 (資)5,296 (住)港区南青山5-9-15 ☎03-6752-7007 ㉕40 ㉔28(男22, 女6)
(株)大盛工業	建 (特色)下水道・地中工事が主力の土木会社。東京都が地盤。不動産を兼業。路面開削のOLY工法拡充 (売)連5,981 (従)88 (資)3,101 (住)千代田区神田多町2-1 ☎03-6262-9877 ㉕7 ㉔6(男6, 女0)
岡部(株)	金製 (特色)建設向け仮設・型枠、構造機材が柱。米国でも建材販売。米国の自動車バッテリー部品事業は売却 (売)連78,152 (従)608 (資)6,911 (住)墨田区押上2-8-2 ☎03-3624-5111 ㉕15 ㉔14(男6, 女8)
オカモト(株)	ゴ (特色)プラスチックフィルムと建装、産業資材が主。コンドームや自動車内装材、壁紙等と多角展開 (売)連106,123 (従)1,143 (資)13,047 (住)文京区本郷3-27-12 ☎03-3817-4111 ㉕30 ㉔31(男19, 女12)
岡谷電機産業(株)	電機 (特色)電子機器のノイズやサージ対策用コンデンサーが主力。表示機器でも大手。海外比率5割程度 (売)連14,323 (従)176 (資)2,295 (住)世田谷区等々力6-16-9 ☎03-4544-7000 ㉕前年並 ㉔5(男5, 女0)
小津産業(株)	卸 (特色)江戸の紙問屋発祥。旭化成との共同開発で不織布展開。半導体向けで国内高シェア、医療用も (売)連10,125 (従)99 (資)1,322 (住)中央区日本橋本町3-6-2 ☎03-3661-9400 ㉕若干名 ㉔2(男1, 女1)
(株)オプティム	情通 (特色)スマホやPCなど法人向け端末の一括管理サービスを提供。遠隔サポートも。保有特許豊富 (売)連10,243 (従)399 (資)444 (住)港区海岸1-2-20 ☎03-6435-8570 ㉕50 ㉔23(男17, 女6)
オリエンタル白石(株)	建 (特色)コンクリ橋、鋼橋を手がける橋梁の総合建設。ケーソン工事でシェア7割。伊藤忠が筆頭株主 (売)連67,382 (従)775 (資)5,000 (住)江東区豊洲5-6-52 ☎03-6220-0630 ㉕50 ㉔36(男32, 女4)
オリコン(株)	情通 (特色)音楽データベースから出発。現在はニュースサイト運営、顧客満足度(CS)調査事業が2本柱 (売)連4,800 (従)45 (資)1,092 (住)港区六本木6-8-10 ☎03-3405-5252 ㉕前年並 ㉔3(男1, 女2)
オリジナル設計(株)	サ (特色)上下水道、水質保全等の建設コンサル。都市施設向けの情報処理や非破壊検査ビジネスも展開 (売)単6,633 (従)308 (資)1,093 (住)渋谷区元代々木町30-13 ☎03-6757-8801 ㉕15 ㉔18(男11, 女7)
(株)オロ	情通 (特色)自社開発ERPソフト提供。Web活用のマーケティング支援も。アジア各地に現法立ち上げ (売)連IFS7,033 (従)314 (資)1,193 (住)目黒区目黒3-9-1 ☎03-5724-7001 ㉕30 ㉔27(男19, 女8)
(株)カーメイト	輸機 (特色)自動車用品製造・卸売りの大手。チャイルドシート、車載カメラに強み。アウトドア関連も展開 (売)連15,955 (従)368 (資)1,637 (住)豊島区長崎5-33-11 ☎03-5926-1211 ㉕前年並 ㉔9(男7, 女2)
(株)カーリット	化 (特色)化学品、ボトリング、産業用部材、エンジニアリングが4本柱。自動車用緊急保安炎筒の最大手 (売)連36,577 (従)67 (資)2,099 (住)中央区京橋1-17-10 ☎03-6893-7070 ㉕増加 ㉔10(男7, 女3)
(株)ガイアックス	情通 (特色)Webマーケティング支援と運用代行が柱。シェアリングエコノミーの投資事業や起業支援も (売)連2,717 (従)110 (資)100 (住)千代田区平河町2-5-3 ☎03-5759-0300 ㉕未定 ㉔4(男4, 女0)
(株)CAICA DIGITAL	情通 (特色)金融向けSIが主力の持株会社。暗号資産関連事業を23年10月クシムに売却。フィスコと親密 (売)連5,408 (従)20 (資)50 (住)港区南青山5-11-9 ☎03-5657-3000 ㉕微増 ㉔17(男14, 女3)

会社名	業種名 特色 会社の特色 売 売上高（百万円） 従 単独従業員数（名） 資 資本金（百万円） 住 本社の住所, 電話番号 ㉕25年採用計画数（名） ㉔24年入社内定者数（名）
㈱カイノス	医 特色 臨床検査薬の中堅メーカー。生化学、免疫血清学的検査用試薬に重点。共同開発の促進に注力 売 単5,056 従154 資831 住 文京区本郷2-38-18 ☎03-3816-4123 ㉕**6** ㉔**5（男3, 女2）**
㈱カオナビ	情通 特色 人材マネジメントシステムを提供、マルチプロダクト化を推進。リクルートの持分法会社 売 連7,625 従325 資1,153 住 渋谷区渋谷2-24-12 ☎03-6633-2781 ㉕**増加** ㉔**7（男3, 女4）**
㈱カカクコム	サ 特色 グルメサイト「食べログ」と価格比較サイト「価格.com」を運営、掲載店からの手数料が柱 売 連IFS66,928 従1,152 資916 住 渋谷区恵比寿南3-5-7 ☎03-5725-4554 ㉕**未定** ㉔**19（男13, 女6）**
㈱学情	サ 特色 若手向け人材サービス特化。20代転職向け「Re就活」新卒向け「あさがくナビ」。合同説明会も 売 単8,784 従359 資1,500 住 中央区銀座6-10-1 ☎03-6775-4510 ㉕**30** ㉔**23（男8, 女15）**
科研製薬㈱	医 特色 旧理研グループの名門。導入の関節機能改善剤、自社創製の爪白癬症薬の2本柱。後発品も展開 売 連72,044 従1,124 資23,853 住 文京区本駒込2-28-8 ☎03-5977-5001 ㉕**40** ㉔**33（男25, 女8）**
片倉工業㈱	繊 特色 1873年繊維で発祥。医薬品、機械も。賃貸・商業施設など不動産が柱。総還元性向30%目安 売 連39,972 従102 資1,817 住 中央区明石町6-4 ☎03-6832-1873 ㉕**増加** ㉔**3（男0, 女3）**
片倉コープアグリ㈱	化 特色 片倉工業系の肥料企業が発祥。丸紅系。全農系コープケミカルと合併、肥料最大手、化学品育成 売 連41,233 従629 資4,214 住 千代田区九段北1-8-10 ☎03-5216-6611 ㉕**15** ㉔**9（男6, 女3）**
㈱学究社	サ 特色 東京西部地盤に小中学生向け塾「ena」展開。都立中高一貫校受験に強み。私立受験も強化中 売 連13,198 従431 資1,216 住 渋谷区代々木1-12-8 ☎03-6300-5311 ㉕**45** ㉔**45（男20, 女25）**
㈱加藤製作所	機 特色 国内建設用クレーン最大手級。油圧ショベルは中堅。海外は東南アジアの代理店向け販売に軸足 売 連57,498 従793 資2,935 住 品川区東大井1-9-37 ☎03-3458-1111 ㉕**26** ㉔**21（男19, 女2）**
かどや製油㈱	食 特色 ごま油で国内首位。1858年に小豆島で創業。原料の仕入れ・販売で三井物産と長期密接 売 連35,680 従416 資2,160 住 品川区北品川5-1-18 ☎03-6721-6957 ㉕**未定** ㉔**4（男3, 女1）**
川崎地質㈱	サ 特色 地質調査の専業大手。非破壊診断、環境調査、海洋部門に強み。収益は第2、第4四半期に集中 売 連9,227 従351 資819 住 港区三田2-11-15 ☎03-5445-2071 ㉕**15** ㉔**12（男10, 女2）**
カワセコンピュータサプライ㈱	他製 特色 商業印刷のほか、請求書等の印字、発送まで手がける情報処理事業も。金融関連の取引に強み 売 単2,593 従99 資100 住 中央区銀座7-16-14 ☎03-3541-2281 ㉕**3** ㉔**4（男4, 女0）**
㈱環境管理センター	サ 特色 環境総合コンサルタント。ダイオキシンなど超微量分析に強み。放射能測定も。民需が約7割 売 連5,594 従270 資870 住 八王子市散田町3-7-23 ☎042-673-0500 ㉕**10** ㉔**9（男4, 女5）**
神田通信機㈱	建 特色 通信関連工事主体。設備一元管理システム「マルチゲートウェイ」で攻勢。照明制御事業強化 売 連7,152 従214 資1,310 住 千代田区神田富山町24 ☎03-3252-7731 ㉕**15** ㉔**6（男5, 女1）**
カンダホールディングス㈱	陸 特色 東京・神田の運送全社統合で発祥、出版物共配に特色。医薬品等3PL、物流センター業務代行 売 連51,123 従27 資1,772 住 千代田区神田三崎町3-2-4 ☎03-6327-1811 ㉕**18** ㉔**11（男6, 女5）**
関東電化工業㈱	化 特色 古河系。半導体・液晶用特殊ガスは微細化、多層化に強み。2次電池電解質も。中韓生産拠点整備 売 連64,768 従808 資2,877 住 千代田区丸の内2-3-2 ☎03-4236-8801 ㉕**前年並** ㉔**27（男22, 女5）**
カンロ㈱	食 特色 のどアメ等キャンディ主力。三菱商事が販売総代理店。グミも第2の柱に成長。素材菓子も 売 単29,015 従668 資2,864 住 新宿区西新宿3-20-2 ☎03-3370-8811 ㉕**未定** ㉔**15（男5, 女10）**
ギグワークス㈱	サ 特色 IT営業支援、PC導入等の受託・派遣が柱。コールセンターも注力。22年日本直販など通販買収 売 連26,432 従66 資1,073 住 港区西新橋2-11-6 ☎03-6832-3260 ㉕**15** ㉔**10（男5, 女5）**
北沢産業㈱	卸 特色 フライヤーなど業務用厨房機器販売の大手。全国に販売網を構築。独自技術で製品開発も推進 売 連16,471 従330 資3,235 住 渋谷区東2-23-10 ☎03-5485-5111 ㉕**10** ㉔**7（男5, 女2）**
㈱キャリアデザインセンター	サ 特色 転職情報をWeb「type」や適職フェア等で展開。エンジニア分野に強み。人材紹介も 売 単17,388 従783 資558 住 港区赤坂3-21-20 ☎03-3560-1601 ㉕**82** ㉔**94（男46, 女48）**
キャリアリンク㈱	サ 特色 官公庁関連や大手企業向けビジネスプロセスの業務請負、人材派遣が柱。食品加工分野も拡大 売 連43,791 従725 資405 住 新宿区西新宿2-1-1 ☎03-6311-7321 ㉕**10** ㉔**15（男7, 女8）**
㈱キャンディル	建 特色 住宅や商業施設等の補修・点検会社。サカイ引越センターと資本業務提携。全国に技術者配置 売 連12,309 従48 資561 住 新宿区北山伏町1-11 ☎03-6862-1701 ㉕**20** ㉔**13（男7, 女6）**
㈱キューブシステム	情通 特色 金融、流通、通信向けのシステム構築が主力。プロジェクト管理能力に定評。研修制度充実 売 連18,021 従728 資1,400 住 品川区大崎2-11-1 ☎03-5487-6030 ㉕**90** ㉔**80（男59, 女21）**
協栄産業㈱	卸 特色 三菱電機系の商社。半導体、電子デバイス・材料、FA主力。IT部門拡大、組み込み開発も 売 連61,679 従716 資3,161 住 品川区東品川4-12-6 ☎03-4241-5511 ㉕**47** ㉔**40（男33, 女7）**
共栄セキュリティーサービス㈱	サ 特色 オフィスや商業施設など施設警備が柱。イベントなど臨時警備も。セコムと提携。M&A積極的 売 連9,354 従624 資100 住 千代田区九段南1-6-17 ☎03-3511-7780 ㉕**未定** ㉔**11（男7, 女4）**

会社名	[業種名] (特色)会社の特色 (売)売上高(百万円) (従)単独従業員数(名) (資)資本金(百万円) (住)本社の住所,電話番号 ㉕25年採用計画数(名) ㉔24年入社内定者数(名)
㈱共同紙販ホールディングス	[卸] (特色)河内屋紙・はが紙販が08年経営統合。日本製紙の持分会社で同社製印刷・情報用紙等扱う紙卸商 (売)連16,725 (従)135 (資)100 (住)台東区北上野1-9-12 ☎03-5826-5171 ㉕**若干名** ㉔**2(男1,女1)**
共同ピーアール㈱	[サ] (特色)企業パブリシティ活動の支援、コンサルティングが主力事業。独立系大手。海外に拠点展開 (売)連6,895 (従)212 (資)547 (住)中央区築地1-13-1 ☎03-6260-4850 ㉕**前年並** ㉔**7(男3,女4)**
㈱京都きもの友禅ホールディングス	[小] (特色)振り袖を軸に着物を直営店で小売り。現金仕入れで低価格実現。既存顧客の「友の会」も強み (売)連7,022 (従)394 (資)100 (住)中央区日本橋大伝馬町14-1 ☎03-3639-9191 ㉕**10** ㉔**3(男0,女3)**
㈱KYORITSU	[他製] (特色)印刷中堅、共立印刷が母体の持株会社、広告・出版など印刷を柱に電子書籍、環境事業を擁する (売)連40,022 (従)3 (資)3,393 (住)板橋区清水町36-1 ☎03-5248-5550 ㉕**未定** ㉔**19(男11,女8)**
協立情報通信㈱	[情通] (特色)通信交換機やサーバー、基幹業務ソフトの導入や運用提案する事業拡大中。ドコモ販売店経営 (売)単5,469 (従)194 (資)204 (住)港区浜松町1-9-10 ☎03-3434-3141 ㉕**15** ㉔**7(男4,女3)**
協和キリン㈱	[医] (特色)キリン傘下。医薬品、バイオが主力。独自の抗体高活性化技術に強み。富士フイルムと提携 (売)連IFS442,233 (従)連6,181 (資)26,745 (住)千代田区大手町1-9-2 ☎03-5205-7200 ㉕**55** ㉔**71(男37,女34)**
㈱協和コンサルタンツ	[サ] (特色)建設コンサルタントの中堅。地公体向け主体。調査、設計から施工管理、情報処理まで実施 (売)連7,679 (従)172 (資)1,000 (住)渋谷区笹塚1-62-11 ☎03-3376-3171 ㉕**増加** ㉔**3(男3,女0)**
㈱共和電業	[電機] (特色)ひずみゲージとその応用計測機器でシェア4割。衝突試験用など自動車向け強化。米国、中国も (売)連14,901 (従)470 (資)1,723 (住)調布市調布ケ丘3-5-1 ☎042-488-1111 ㉕**17** ㉔**19(男18,女1)**
㈱協和日成	[建] (特色)東京ガス系列のガス配管工事会社。東京電力配設工事や集合住宅の給排水工事も手がける (売)単35,889 (従)793 (資)590 (住)中央区入船3-8-5 ☎03-6328-5600 ㉕**微増** ㉔**15(男11,女4)**
極東証券㈱	[証商] (特色)富裕層向け対面コンサルティング営業に特化。新興国など外国債販売に強み。投信にも注力 (売)連7,730 (従)237 (資)5,251 (住)中央区日本橋茅場町1-4-7 ☎03-3667-9171 ㉕**15** ㉔**12(男10,女2)**
極東貿易㈱	[卸] (特色)産業向け機械、設備、高機能材料の専門商社。海外販路に強み。周辺事業のM&Aに積極的 (売)連43,660 (従)140 (資)5,496 (住)千代田区大手町2-2-1 ☎03-3244-3511 ㉕**前年並** ㉔**4(男3,女1)**
㈱キングジム	[他製] (特色)事務ファイル首位。厚型ファイルで圧倒的。ラベル作成機「テプラ」ほか、電子文具、雑貨も展開 (売)連39,553 (従)372 (資)1,978 (住)千代田区東神田2-10-18 ☎03-3864-5898 ㉕**前年並** ㉔**16(男8,女8)**
㈱銀座山形屋	[小] (特色)注文紳士服の老舗大手、1907年創業。小売りと催事販売が柱。婦人服、若者向けも展開 (売)連3,785 (従)18 (資)100 (住)中央区湊2-4-1 ☎03-6866-0276 ㉕**10** ㉔**3(男1,女2)**
㈱銀座ルノアール	[小] (特色)フルサービス型の「喫茶室ルノアール」が主力。ベーカリーを育成中。キーコーヒーと資本提携 (売)連7,351 (従)153 (資)100 (住)中野区中央4-60-3 ☎03-5342-0881 ㉕**未定** ㉔**5(男0,女5)**
勤次郎㈱	[情通] (特色)就業管理パッケージ「勤次郎」の機能強化版を展開。クラウド比率上昇。健康経営需要にも対応 (売)連3,923 (従)265 (資)4,099 (住)千代田区外神田4-14-1 ☎03-6260-8980 ㉕**増加** ㉔**11(男10,女1)**
空港施設㈱	[不] (特色)羽田、伊丹中心に全国12空港で施設を運営・賃貸、熱や給排水も一部提供。一般ビル賃貸も展開 (売)連25,950 (従)110 (資)6,826 (住)大田区羽田空港1-6-5 ☎03-3747-0251 ㉕**前年並** ㉔**6(男3,女3)**
㈱クエスト	[情通] (特色)ソフト開発とシステム運用が両輪。半導体、製造、通信に強い。キオクシアが有力顧客の1つ (売)連14,224 (従)980 (資)491 (住)港区芝浦3-1-1 ☎03-3453-1181 ㉕**50** ㉔**45(男25,女20)**
クオールホールディングス㈱	[小] (特色)調剤薬局上位。ローソン、ビックカメラなどと共同出店。第一三共エスファを24年子会社化 (売)連180,052 (従)93 (資)5,786 (住)港区虎ノ門4-3-1 ☎03-5405-9011 ㉕**300** ㉔**250(男70,女180)**
㈱久世	[卸] (特色)外食向け食材卸が主力。首都圏に基盤。子会社で業務用スープ製造や生鮮野菜配送も手がける (売)連64,474 (従)341 (資)100 (住)豊島区東池袋2-29-7 ☎03-3987-0018 ㉕**前年並** ㉔**15(男‥,女‥)**
㈱グッドコムアセット	[不] (特色)東京23区で投資用マンションを販売。不動産運用会社向け1棟売り中心に個人投資家にも販売 (売)連22,190 (従)137 (資)1,595 (住)新宿区西新宿7-20-1 ☎03-5338-0170 ㉕**30** ㉔**33(男23,女10)**
gooddaysホールディングス㈱	[情通] (特色)ITシステム開発。賃貸物件のリノベーションと不動産情報サイト「goodroom」運営 (売)連7,449 (従)26 (資)197 (住)品川区北品川1-23-19 ☎03-5781-9070 ㉕**50** ㉔**46(男17,女29)**
クニミネ工業㈱	[ガ土] (特色)ベントナイト(特殊粘土鉱物)の最大手。自動車、建機、建設が主な納入先。海外市場を開拓中 (売)連15,675 (従)238 (資)1,617 (住)千代田区岩本町1-10-5 ☎03-3866-7255 ㉕**前年並** ㉔**5(男3,女2)**
㈱クラウドワークス	[情通] (特色)国内最大級のクラウドソーシング会社。人材マッチング事業や関連の工程管理SaaSを展開 (売)連13,210 (従)335 (資)2,776 (住)渋谷区恵比寿4-20-3 ☎03-6450-2926 ㉕**30** ㉔**31(男22,女9)**
㈱クラシコム	[小] (特色)ECサイト「北欧、暮らしの道具店」で雑貨・服飾品を販売。多彩なコンテンツ配信で顧客を拡大 (売)連7,012 (従)87 (資)100 (住)国立市中1-1-52 ☎042-577-0486 ㉕**前年並** ㉔**3(男0,女3)**
㈱クラダシ	[小] (特色)食品メーカーや卸などから食品ロスを仕入れ、ECサイトで安価に販売。実店舗販売にも着手 (売)単2,862 (従)49 (資)311 (住)品川区上大崎3-2-1 ☎03-6456-2296 ㉕**未定** ㉔**2(男0,女2)**

会社名	[業種名] [特色]会社の特色 [売]売上高(百万円) [従]単独従業員数(名) [資]資本金(百万円) [住]本社の住所, 電話番号 ㉕25年採用計画数(名) ㉔24年入社内定者数(名)
KLab(株)	[情通] [特色]スマホゲーム開発・運営。「キャプテン翼」などアニメや漫画など有力IP得意で海外でも実績 [売]連10,717 [従]437 [資]5,965 [住]港区六本木6-10-1 ☎03-5771-1100 ㉕5 ㉔5(男5, 女0)
(株)クリーク・アンド・リバー社	[サ] [特色]テレビ・ゲーム・Web・広告等の派遣、制作が主。医療ほか専門職分野拡大。配当性向30%メド [売]連49,799 [従]1,120 [資]1,177 [住]港区新橋4-1-1 ☎03-4550-0011 ㉕40 ㉔38(男13, 女25)
(株)クリエイト・レストランツ・ホールディングス	[小] [特色]SC内にレストランやカフェ展開。ベーカリーなど育成中。子会社に「磯丸水産」展開するSFP [売]連IFS145,759 [従]124 [資]50 [住]品川区東五反田5-10-18 ☎03-5488-8001 ㉕70 ㉔30(男13, 女17)
(株)グリムス	[電ガ] [特色]中小製造業などへ電力料金削減を提案、電子式開閉器を販売。太陽光発電設備から電力小売りも [売]連29,908 [従]20 [資]708 [住]品川区東品川2-2-4 ☎03-5769-3500 ㉕50 ㉔34(男29, 女5)
クルーズ(株)	[情通] [特色]アパレルEC「SHOPLIST」軸にネットサービス展開。ブロックチェーンゲームにも注力 [売]連14,270 [従]76 [資]460 [住]渋谷区恵比寿4-3-14 ☎03-6387-3622 ㉕微減 ㉔4(男3, 女1)
(株)クレオ	[情通] [特色]アマノ、LINEヤフー系ソフト会社。受託開発と人事労務ソフト販売が両輪。クラウド化に力 [売]連14,351 [従]495 [資]3,149 [住]品川区東品川4-10-27 ☎03-5783-3530 ㉕30 ㉔28(男24, 女4)
(株)クレスコ	[情通] [特色]受託によるソフト開発主力、金融系に強い。情報家電などの組み込み開発も手がける。独立系 [売]連52,755 [従]1,433 [資]2,514 [住]港区港南2-15-1 ☎03-5769-8011 ㉕120 ㉔99(男53, 女46)
(株)グローバルウェイ	[情通] [特色]クラウド開発、運用保守が柱。就活・転職口コミサイト「キャリコネ」も。シェアリング育成中 [売]連2,456 [従]124 [資]50 [住]渋谷区神宮前2-34-17 ☎03-5441-7193 ㉕未定 ㉔8(男3, 女5)
(株)グローバルダイニング	[小] [特色]都内軸に「ラ・ボエム」など和・洋食のダイニングレストランを展開。米国にも展開。オーナー色 [売]連11,090 [従]170 [資]44 [住]港区南青山7-1-5 ☎03-3407-0561 ㉕未定 ㉔3(男1, 女2)
(株)グローバル・リンク・マネジメント	[不] [特色]「アルテシモ」ブランドの投資用コンパクトマンション販売が主力。東京23区内の駅近に立地 [売]連41,258 [従]129 [資]582 [住]渋谷区道玄坂1-12-1 ☎03-6415-6525 ㉕微増 ㉔2(男2, 女0)
グローブライド(株)	[他製] [特色]「ダイワ」ブランドの釣り具で世界トップ。ゴルフ、テニスなど総合志向。上期に利益偏重 [売]連126,008 [従]859 [資]4,184 [住]東久留米市前沢3-14-16 ☎042-475-2111 ㉕前年並 ㉔28(男24, 女4)
グローム・ホールディングス(株)	[不] [特色]医療法人の経営支援・運営指導を行う医療関連事業を展開。不適切取引発生で事業再構築へ [売]連1,238 [従]17 [資]3,049 [住]港区赤坂1-12-32 ☎03-5545-8101 ㉕未定 ㉔2(男1, 女1)
(株)クロス・マーケティンググループ	[情通] [特色]リサーチからDXやデジタルマーケティングへ事業の主軸が移行・拡大。世界市場へ事業展開 [売]連26,184 [従]113 [資]646 [住]新宿区西新宿3-20-2 ☎03-6859-2250 ㉕140 ㉔33(男15, 女18)
KHネオケム(株)	[化] [特色]旧協和発酵発祥。エアコン等で冷媒と共存する冷凍機油原料が世界的に高シェア。化粧品原料も [売]連115,217 [従]664 [資]8,855 [住]中央区日本橋室町2-3-1 ☎03-3510-3550 ㉕前年並 ㉔10(男9, 女1)
(株)KSK	[情通] [特色]独立系ソフトウェアの中堅。NECグループ依存度は2割。ネットワークサービスの比重拡大 [売]連21,778 [従]2,052 [資]1,448 [住]稲城市百村1625-2 ☎042-378-1100 ㉕210 ㉔213(男158, 女55)
ケイヒン(株)	[倉運] [特色]総合物流準大手。中古車輸出強い。通販流通センター受託も。米国大手BDPと連携し海外強化 [売]連46,520 [従]305 [資]5,376 [住]港区海岸3-4-20 ☎03-3456-7801 ㉕15 ㉔6(男2, 女4)
(株)ゲームカード・ジョイコホールディングス	[機] [特色]遊技機用プリペイドカードシステム大手。11年日本ゲームカードとジョイコシステムズが統合 [売]連36,289 [従]210 [資]5,956 [住]台東区上野5-18-10 ☎03-6803-0301 ㉕未定 ㉔6(男6, 女0)
(株)ケーユーホールディングス	[小] [特色]ベンツ、BMWなどの正規ディーラー。中古車販売も。関東に加え、東北や北陸に店舗網拡大 [売]連154,563 [従]76 [資]100 [住]町田市鶴間3-15-9 ☎042-799-2130 ㉕150 ㉔133(男111, 女22)
ケル(株)	[電機] [特色]工業・車載機器向けコネクターが主力。小型品中心。狭小タイプ大手。ラック、ICソケットも [売]連12,231 [従]294 [資]1,617 [住]多摩市永山6-17-7 ☎042-374-5810 ㉕前年並 ㉔10(男8, 女2)
ゲンダイエージェンシー(株)	[情通] [特色]パチンコ等遊技場の広告取扱高で専業首位。折り込み広告からネットへ移行、他業種向けも拡大 [売]連7,419 [従]146 [資]100 [住]新宿区西新宿3-20-2 ☎03-5308-9888 ㉕5 ㉔4(男2, 女2)
(株)コア	[情通] [特色]独立系SI。車載用などの組み込みソフトから製造業や公共分野のソリューションに軸足移行 [売]連23,998 [従]1,018 [資]440 [住]世田谷区三軒茶屋1-22-3 ☎03-3795-5111 ㉕70 ㉔56(男41, 女15)
(株)コアコンセプト・テクノロジー	[情通] [特色]DX支援とIT人材調達支援が2本柱。製造業、建設業向けが主力、機能拡張で他分野開拓へ [売]連15,921 [従]386 [資]565 [住]豊島区南池袋1-16-15 ☎03-6457-4344 ㉕60 ㉔40(男37, 女3)
小池酸素工業(株)	[機] [特色]鉄鋼、造船、建機向け厚板切断機などの機械装置と高圧ガスが2本柱。ガス事業で医療機器も [売]連51,387 [従]343 [資]4,028 [住]墨田区太平3-4-8 ☎03-3624-3111 ㉕15 ㉔16(男10, 女6)
(株)湖池屋	[食] [特色]日本初の量産化に成功したポテトチップスなど菓子中堅。粒菓子も。親会社は日清食品HD [売]連54,829 [従]734 [資]2,269 [住]板橋区成増5-9-7 ☎03-3979-2115 ㉕30 ㉔46(男20, 女26)
(株)小糸製作所	[電機] [特色]自動車照明で首位。車用はトヨタ系が約5割。海外進出に積極的。自動運転技術開発にも注力 [売]連950,295 [従]4,230 [資]14,270 [住]品川区北品川5-1-18 ☎03-3443-7111 ㉕未定 ㉔96(男67, 女29)

会社名	[業種名] (特色) 会社の特色 (売)売上高(百万円) (従)単独従業員数(名) (資)資本金(百万円) (住)本社の住所, 電話番号 ㉕25年採用計画数(名) ㉔24年入社内定者数(名)
広栄化学㈱	[化] (特色) 住友化学系の含窒素化合物メーカー。医農薬中間体、電子材料関連などファイン化合物が得意 (売)単19,427 (従)430 (資)2,343 (住)中央区日本橋小網町1-8 ☎03-6837-9300 ㉕**7** ㉔**6(男3,女3)**
㈱交換できるくん	[小] (特色) 住宅設備機器の本体と工事をセット販売。Webで見積もり、注文できる手軽さと低価格に強み (売)連7,565 (従)76 (資)268 (住)渋谷区東1-26-20 ☎03-6427-5381 ㉕**10** ㉔**6(男0,女6)**
興研㈱	[他製] (特色) 防塵・防毒マスク2大メーカーの1つ。防衛省向け独占供給。医療・精密機器分野へ多角化 (売)連10,587 (従)236 (資)674 (住)千代田区四番町7 ☎03-5276-1911 ㉕**15** ㉔**4(男2,女2)**
鉱研工業㈱	[機] (特色) 地下資源工事用掘削機械で有数。温泉開発工事など施工も行う。日立建機、エンバイオと提携 (売)連9,529 (従)234 (資)1,165 (住)豊島区高田2-17-22 ☎03-6907-7888 ㉕**8** ㉔**4(男4,女0)**
㈱広済堂ホールディングス	[他製] (特色) 印刷祖業。求人・人材併営。都内6火葬場・総合斎場保有の東京博善が稼ぎ頭。葬儀運営に進出 (売)連36,203 (従)77 (資)363 (住)港区芝浦1-2-3 ☎03-3453-0550 ㉕**13** ㉔**20(男11,女9)**
㈱弘電社	[建] (特色) 三菱電機系の設備工事業者。三菱電機依存度は約3割。重電・電子機器の商品販売部門も併営 (売)連34,868 (従)618 (資)1,520 (住)中央区銀座5-11-10 ☎03-3542-5111 ㉕**25** ㉔**20(男16,女4)**
㈱コーチ・エィ	[サ] (特色) 国内外でコーチング事業展開。組織開発支援に強み。米・中・タイに拠点。顧客の8割が上場企業 (売)連3,648 (従)142 (資)605 (住)千代田区九段南2-1-30 ☎03-3237-8050 ㉕**4** ㉔**5(男‥,女‥)**
コーユーレンティア㈱	[サ] (特色) 建設現場事務所やイベント会場、オフィスへ備品・ICT商材をレンタル。配当性向15%超目標 (売)連30,960 (従)414 (資)935 (住)港区新橋6-17-15 ☎03-6758-3500 ㉕**未定** ㉔**26(男9,女17)**
㈱ゴールドウイン	[繊] (特色) 衣料中心に海外のスポーツ・アウトドアブランドを国内展開。「ザ・ノース・フェイス」が大黒柱 (売)連126,907 (従)1,225 (資)7,079 (住)港区北青山3-5-6 ☎03-6777-9800 ㉕**40** ㉔**37(男27,女10)**
㈱ゴールドクレスト	[不] (特色) 少人数効率経営のマンション開発・分譲会社。首都圏軸にファミリー向けを展開。好財務体質 (売)連24,845 (従)87 (資)12,499 (住)千代田区大手町2-1-1 ☎03-3516-7111 ㉕**前年並** ㉔**13(男9,女4)**
国際計測器㈱	[精] (特色) 生産設備用タイヤ試験機と研究開発用電気サーボ式試験機中心の総合メーカー。海外比率高い (売)連10,239 (従)151 (資)1,023 (住)多摩市永山6-21-1 ☎042-371-4211 ㉕**微減** ㉔**2(男2,女0)**
㈱極楽湯ホールディングス	[サ] (特色) 「極楽湯」「RAKU SPA」の銭湯展開。店舗数業界首位。23年度中に中国売却し国内一本化 (売)連14,082 (従)168 (資)5,207 (住)千代田区麹町2-4 ☎03-5275-4126 ㉕**10** ㉔**11(男9,女2)**
㈱ココペリ	[情通] (特色) 中小企業支援プラットフォーム「Big Advance」運営。金融機関通じSaaSで提供 (売)連1,821 (従)89 (資)812 (住)千代田区紀尾井町3-12 ☎03-6261-4091 ㉕**前年並** ㉔**6(男5,女1)**
㈱コシダカホールディングス	[サ] (特色) 「カラオケまねきねこ」直営展開。20年3月フィットネス子会社「カーブス」をスピンオフ (売)連54,629 (従)24 (資)2,070 (住)渋谷区道玄坂2-25-12 ☎0570-666-425 ㉕**15** ㉔**11(男7,女4)**
㈱コスモスイニシア	[不] (特色) マンション中堅。旧リクルートコスモス。大和ハウスの持分法会社。投資物件やホテル展開 (売)連124,588 (従)649 (資)5,000 (住)港区芝5-34-6 ☎03-3571-1111 ㉕**30** ㉔**35(男18,女17)**
コスモ・バイオ㈱	[卸] (特色) バイオ専門商社。研究用試薬、実験機器、臨床検査薬を販売。試薬、細胞等の開発製造にも注力 (売)連9,340 (従)124 (資)918 (住)江東区東陽2-2-20 ☎03-5632-9600 ㉕**前年並** ㉔**3(男0,女3)**
㈱コックス	[小] (特色) イオン系カジュアル衣料専門店。SC内への出店が中心。ブルーグラスと合併。キッズ強化中 (売)連14,885 (従)300 (資)4,503 (住)中央区日本橋浜町1-2-1 ☎03-5821-6070 ㉕**15** ㉔**50(男‥,女‥)**
㈱駒井ハルテック	[金製] (特色) 鉄骨・橋梁の大手。超高層建築などに実績。風力発電に参入。10年に駒井鉄工とハルテックが合併 (売)連55,384 (従)505 (資)6,619 (住)台東区上野1-19-10 ☎03-3833-5101 ㉕**20** ㉔**22(男19,女3)**
コムチュア㈱	[情通] (特色) クラウドが主力の独立系SI。AI・RPAに強みを持つ。ネット運用も。コンサル強化中 (売)連34,185 (従)1,411 (資)1,022 (住)品川区大崎1-11-2 ☎03-5745-9700 ㉕**未定** ㉔**192(男137,女55)**
㈱coly	[情通] (特色) モバイルゲーム開発・運営が柱。女性向け作品に強み、グッズ展開も。自社キャラクター育成中 (売)単5,064 (従)281 (資)1,910 (住)港区赤坂4-2-6 ☎03-3505-0333 ㉕**減少** ㉔**4(男1,女3)**
㈱コレックホールディングス	[サ] (特色) NHKの営業代行から出発。不動産仲介「イエプラ」に加え、ゲーム攻略サイト「アルテマ」運営 (売)連3,938 (従)335 (資)326 (住)豊島区南池袋2-32-4 ☎03-6825-5022 ㉕**30** ㉔**24(男23,女1)**
㈱コンヴァノ	[サ] (特色) 関東、関西、東海の商業施設などでネイルサロン展開。スピード感に強み。ネイリスト育成も (売)連IFS2,588 (従)424 (資)568 (住)渋谷区桜丘町22-14 ☎03-3770-1190 ㉕**未定** ㉔**10(男0,女10)**
㈱コンヴァノ	[サ] (特色) 関東、関西、東海の商業施設などでネイルサロン展開。スピード感に強み。ネイリスト育成も (売)連IFS2,588 (従)424 (資)568 (住)渋谷区桜丘町22-14 ☎03-3770-1190 ㉕**未定** ㉔**10(男0,女10)**
㈱コンフィデンス・インターワークス	[サ] (特色) ゲーム等エンタメ業界に特化した人材派遣展開。23年8月、製造業向け求人サイトを吸収合併 (売)連7,488 (従)1,150 (資)521 (住)新宿区新宿2-19-1 ☎03-5312-7700 ㉕**10** ㉔**9(男6,女3)**
サークレイス㈱	[情通] (特色) 米セールスフォースのコンサル柱。米サービスナウとの連携提案育成。パソナグループの持分社 (売)連2,900 (従)307 (資)401 (住)中央区京橋1-11-1 ☎050-1744-7546 ㉕**未定** ㉔**20(男13,女7)**

会社名	業種名 (特色)会社の特色 (売)売上高(百万円) (従)単独従業員数(名) (資)資本金(百万円) (住)本社の住所,電話番号 ㉕25年採用計画数(名) ㉔24年入社内定者数(名)
㈱サーバーワークス	情通 (特色)アマゾンのクラウド「AWS」の課金代行、導入・運用支援を展開。グーグルクラウド関連育成中 (売)連27,510 (従)294 (資)3,255 (住)新宿区揚場町1-21 ☎03-5579-8029 ㉕**18** ㉔**16(男10,女6)**
SAAFホールディングス㈱	建 (特色)地盤調査改良が柱。官公庁向けITコンサルやシステム開発、人材事業も。利益は期末集中 (売)連29,270 (従)23 (資)1,909 (住)江東区豊洲3-2-24 ☎03-6770-9970 ㉕**微増** ㉔**22(男18,女4)**
㈱サイエンスアーツ	情通 (特色)サブスク型ライブコミュニケーションアプリ「バディコム」を展開。アクセサリー販売も (売)単771 (従)44 (資)52 (住)渋谷区渋谷1-2-5 ☎03-6825-0619 ㉕**若干名** ㉔**2(男1,女1)**
サイオス㈱	情通 (特色)オープンソースやクラウド製品を開発・販売。システム障害回避ソフトが柱。AI開発に意欲 (売)連15,889 (従)48 (資)1,481 (住)港区南麻布2-12-3 ☎03-6401-5111 ㉕**16** ㉔**18(男16,女2)**
サイバーステップ㈱	情通 (特色)PCオンラインゲーム大手。クレーンゲームなど自社サイト運営による課金収入が収益柱 (売)連2,986 (従)239 (資)3,632 (住)杉並区和泉1-22-19 ☎0570-032-085 ㉕**未定** ㉔**9(男7,女2)**
㈱サイバー・バズ	サ (特色)インスタグラムで化粧品、トイレタリーのマーケティング支援展開。SNS運用、ネット広告も (売)連5,757 (従)164 (資)484 (住)渋谷区桜丘町12-10 ☎03-5784-4113 ㉕**20** ㉔**11(男7,女4)**
ザインエレクトロニクス㈱	電機 (特色)自社ブランド品を独自開発するファブレス半導体メーカー先駆。信号伝送用等の技術力に強み (売)連5,018 (従)84 (資)1,175 (住)千代田区神田美土代町9-1 ☎03-5217-6660 ㉕**5** ㉔**3(男・・,女・・)**
サインポスト㈱	情通 (特色)金融機関や公共向けシステム開発コンサル主力、AIレジ育成中でJR東日本子会社と合弁も (売)単2,929 (従)181 (資)60 (住)中央区日本橋本町4-12-20 ☎03-5652-6031 ㉕**10** ㉔**10(男5,女5)**
酒井重工業㈱	機 (特色)ロードローラーなど道路機械の専業大手。大型機に強み。米国、インドネシア、中国で現地生産 (売)連33,020 (従)305 (資)3,337 (住)港区芝大門1-9-9 ☎03-3434-3401 ㉕**15** ㉔**11(男8,女3)**
サクサ㈱	電機 (特色)情報通信やセキュリティ機器、画像領域を融合させたシステムなどを企業や学校などで展開 (売)連40,948 (従)47 (資)10,836 (住)港区白金1-17-3 ☎03-5791-5511 ㉕**微増** ㉔**18(男12,女6)**
㈱サクシード	サ (特色)教員やICT支援員、保育士など教育・福祉の人材サービス展開。家庭教師、個別指導塾も展開 (売)単3,227 (従)92 (資)337 (住)新宿区高田馬場1-4-15 ☎03-5287-7259 ㉕**10** ㉔**3(男0,女3)**
㈱THEグローバル社	不 (特色)首都圏軸に収益物件、マンション分譲展開。ホテル事業は縮小。22年9月、SBIHD傘下へ (売)連27,037 (従)69 (資)1,924 (住)新宿区西新宿2-4-1 ☎03-3345-6111 ㉕**未定** ㉔**4(男2,女2)**
㈱佐藤渡辺	建 (特色)道路舗装工事の中堅。旧渡辺組と旧佐藤道路が合併して誕生。佐藤工業、東亜道路工業と提携 (売)連38,400 (従)497 (資)1,751 (住)港区南麻布1-18-4 ☎03-3453-7351 ㉕**20** ㉔**15(男12,女3)**
佐鳥電機㈱	卸 (特色)独立系半導体商社。車載、産業インフラ向けに強み。現地社買収で車載軸にインド事業注力 (売)連148,113 (従)386 (資)2,611 (住)港区芝1-14-10 ☎03-3452-7171 ㉕**10** ㉔**10(男7,女3)**
㈱三栄コーポレーション	卸 (特色)家具、調理用品、小型家電等の専門商社。良品計画などにOEM商材供給。ブランド品小売りも (売)連36,688 (従)121 (資)1,000 (住)台東区寿4-1-2 ☎03-3847-3500 ㉕**3** ㉔**4(男1,女3)**
㈱サンエー化研	化 (特色)プラスチック複合加工製品メーカー。軽包装、産業資材、液晶関連の機能性材料が3本柱 (売)連27,521 (従)485 (資)2,176 (住)中央区日本橋本町1-7-4 ☎03-3241-5701 ㉕**5** ㉔**4(男2,女2)**
㈱SANKYO	機 (特色)パチンコ機製造大手。フィーバー台で成長。開発力に定評。円谷フィールズHDと親密。好財務 (売)連199,099 (従)765 (資)14,840 (住)渋谷区渋谷3-29-14 ☎03-5778-7777 ㉕**前年並** ㉔**19(男16,女3)**
三晃金属工業㈱	建 (特色)日本製鉄系の金属屋根大手。官公需強く長尺屋根首位。緑化屋根深耕。プレハブ向け住宅部材も (売)単42,914 (従)523 (資)1,980 (住)港区芝浦4-13-23 ☎03-5446-5600 ㉕**20** ㉔**17(男15,女2)**
Sansan㈱	情通 (特色)クラウド型名刺管理法人向けサービス草分け。請求書データ事業「Bill One」も展開 (売)連33,878 (従)1,698 (資)6,774 (住)渋谷区桜丘町1-1 ☎03-6758-0033 ㉕**130** ㉔**68(男41,女27)**
㈱サンセイランディック	不 (特色)権利関係が複雑な不動産を買い取り、関係調整したうえで再販。戸建て建築、不動産仲介も併営 (売)連23,269 (従)191 (資)860 (住)千代田区丸の内2-6-1 ☎03-5252-7511 ㉕**5** ㉔**6(男6,女0)**
㈱サンテック	建 (特色)独立系電気工事の大手。電力、民間、公共の各分野に展開。東南アジア中心に海外工事にも意欲 (売)連50,936 (従)807 (資)1,190 (住)千代田区二番町3-13 ☎03-3265-6181 ㉕**増加** ㉔**19(男16,女3)**
㈱サンドラッグ	小 (特色)東京西部地盤のドラッグ大手。ローコスト経営。西日本中心にディスカウントストアを展開 (売)連751,777 (従)4,090 (資)3,931 (住)府中市若松町1-38-1 ☎042-369-6211 ㉕**870** ㉔**680(男・・,女・・)**
サンフロンティア不動産㈱	不 (特色)不動産の売買、賃貸仲介から出発。都心5区のビル改修・再生事業が主力。ホテル運営にも参画 (売)連79,868 (従)連837 (資)11,965 (住)千代田区有楽町1-2-2 ☎03-5521-1301 ㉕**35** ㉔**23(男13,女10)**
三洋工業㈱	金製 (特色)天井・床・壁下地材の大手。公共施設用、特に学校体育館で高シェア。全国に営業所を展開 (売)連30,484 (従)311 (資)1,760 (住)墨田区太平2-9-4 ☎03-5611-3451 ㉕**20** ㉔**13(男12,女1)**
山洋電気㈱	電機 (特色)NTT向け電源が発祥。工作機械など設備向けサーボモーターや、通信機器用冷却ファンが柱 (売)連IFS112,904 (従)1,194 (資)9,926 (住)豊島区南大塚3-33-1 ☎03-5927-1020 ㉕**26** ㉔**20(男18,女2)**

会社名	[業種名] [特色]会社の特色 [売]売上高(百万円) [従]単独従業員数(名) [資]資本金(百万円) [住]本社の住所,電話番号 ㉕25年採用計画数(名) ㉔24年入社内定者数(名)
三洋貿易(株)	[卸] [特色]ゴム・化学品商社。営業員の4割が技術系でメーカー機能も有す。自動車向け主軸。海外強化中 [売]連122,596 [従]273 [資]1,006 [住]千代田区神田錦町2-11 ☎03-3518-1111 ㉕**12** ㉔**15(男6,女9)**
(株)サンリツ	[倉運] [特色]工作機械など輸出用梱包に強み。運輸、倉庫事業も。日本、中国、米国の3拠点軸に国際物流拡充 [売]連19,398 [従]401 [資]2,523 [住]港区港南2-12-32 ☎03-3471-0011 ㉕**15** ㉔**12(男5,女7)**
(株)CRI・ミドルウェア	[情通] [特色]音声・映像関連の開発用ソフトウェアが主力。海外や動画配信・広告など新分野開拓に注力中 [売]連2,990 [従]148 [資]784 [住]渋谷区桜丘町20-1 ☎03-6823-6853 ㉕**8** ㉔**5(男4,女1)**
(株)シーアールイー	[不] [特色]物流施設の開発・管理が柱。上場REITや私募ファンド運用も。首都圏軸に大阪、福岡に展開 [売]連66,901 [従]231 [資]5,365 [住]港区虎ノ門2-10-1 ☎03-5572-6600 ㉕**3** ㉔**4(男2,女2)**
CRGホールディングス(株)	[サ] [特色]コールセンター向け人材派遣大手。イベント企画や業務一括請負も。AIでの業務自動化に注力 [売]連20,815 [従]36 [資]448 [住]新宿区西新宿2-1-1 ☎03-3345-2772 ㉕**前年並** ㉔**24(男8,女16)**
(株)C&Gシステムズ	[電機] [特色]金型・CAD／CAMの2社が合併。金型は米国市場で展開。CAD／CAMはアジア開拓へ [売]連3,826 [従]215 [資]500 [住]品川区東品川2-2-24 ☎03-6864-0777 ㉕**6** ㉔**7(男6,女1)**
(株)GA technologies	[不] [特色]不動産投資プラットフォーム「RENOSY」を運営。不動産業向けSaaS製品を開発・販売 [売]連IFS146,647 [従]527 [資]7,372 [住]港区六本木3-2-1 ☎03-6230-9180 ㉕**88** ㉔**55(男40,女15)**
(株)CSSホールディングス	[サ] [特色]スチュワード事業(ホテルの食器洗浄・衛生管理)が柱。食堂運営受託、音響機器等の販売施工も [売]連14,832 [従]3 [資]393 [住]中央区日本橋小伝馬町10-1 ☎03-6661-7840 ㉕**35** ㉔**49(男26,女23)**
(株)CS-C	[サ] [特色]美容室や飲食店のマーケティングをDX化。月額制のマーケ支援ツール「C-mo」等を展開 [売]単2,428 [従]174 [資]761 [住]港区芝浦4-13-23 ☎03-5730-1110 ㉕**5** ㉔**4(男1,女3)**
CSP	[サ] [特色]警備業界3位。人手による常駐警備から画像・IT活用の機械警備にシフト。鉄道向けに強み [売]連68,010 [従]3,687 [資]2,924 [住]新宿区西新宿2-4-1 ☎03-3344-1711 ㉕**260** ㉔**110(男93,女17)**
(株)シイエヌエス	[情通] [特色]企業向けシステム受託開発が柱。ビッグデータ分析やクラウド基盤構築も。金融や公共向け強い [売]連6,657 [従]214 [資]478 [住]渋谷区恵比寿南1-5-5 ☎03-5791-1001 ㉕**微増** ㉔**19(男12,女7)**
GMOアドパートナーズ(株)	[サ] [特色]GMO傘下の総合ネット広告代理店。アドテク開発・運営も含めたワンストップサービスに強み [売]連14,903 [従]51 [資]1,301 [住]渋谷区道玄坂1-2-3 ☎03-5728-7900 ㉕**2** ㉔**2(男2,女0)**
GMOペイメントゲートウェイ(株)	[情通] [特色]EC(電子商取引)業者に決済処理サービス提供。GMO子会社。「後払い(BNPL)」を強化 [売]連IFS63,119 [従]580 [資]13,323 [住]渋谷区道玄坂1-2-3 ☎03-3464-2740 ㉕**30** ㉔**14(男10,女4)**
GMOペパボ(株)	[情通] [特色]GMO傘下。レンタルサーバー主力。グッズ作成等EC支援、ハンドメイド品流通、金融支援も [売]連10,903 [従]328 [資]262 [住]渋谷区桜丘町26-1 ☎03-5456-2622 ㉕**前年並** ㉔**5(男4,女1)**
(株)ジーダット	[情通] [特色]LSIや液晶パネル設計用の電子系CADソフト(EDA)を開発・販売。海外提携に積極的 [売]単2,060 [従]125 [資]762 [住]中央区湊1-1-12 ☎03-6262-8400 ㉕**5** ㉔**5(男5,女0)**
(株)シード	[精] [特色]国内系コンタクトレンズメーカーの大手。自社製1日使い捨てレンズ主力。遠近両用、海外育成 [売]連32,396 [従]766 [資]3,532 [住]文京区本郷2-40-2 ☎03-3813-1111 ㉕**41** ㉔**33(男14,女19)**
CBグループマネジメント(株)	[卸] [特色]首都圏地盤。日用雑貨、化粧品卸大手。百貨店向けや輸入品など専売品の開拓に定評。持株会社化 [売]連147,284 [従]35 [資]1,608 [住]港区南青山2-2-3 ☎03-3796-5075 ㉕**15** ㉔**6(男2,女4)**
G-FACTORY(株)	[不] [特色]外食向けの物件、内装設備リースなど提供。うなぎ専門店「宇奈とと」中心に外食店事業も展開 [売]連5,598 [従]114 [資]51 [住]新宿区西新宿1-25-1 ☎03-5325-6868 ㉕**10** ㉔**8(男3,女5)**
(株)シーボン	[化] [特色]スキンケアなど高級化粧品を自社製造、直営店販売。購入額に応じ無料サロンケアなど実施 [売]連8,498 [従]689 [資]483 [住]港区北青山2-13-5 ☎03-3404-7501 ㉕**70** ㉔**52(男0,女52)**
(株)JSP	[化] [特色]樹脂発泡素材の大手。自動車部材、食品容器など用途幅広い。三菱ガス化学が親会社から外れる [売]連135,051 [従]777 [資]10,128 [住]千代田区丸の内3-4-2 ☎03-6212-6300 ㉕**15** ㉔**14(男11,女3)**
(株)Jストリーム	[情通] [特色]ネットによる動画ライブ中継やオンデマンド放送の配信インフラ提供。映像制作等も手がける [売]連11,266 [従]417 [資]2,182 [住]港区芝2-5-6 ☎03-5765-7000 ㉕**13** ㉔**16(男8,女8)**
(株)ジェイック	[サ] [特色]フリーター主体の就職支援。研修後に集団面接会。新卒事業が柱に成長。配当性向25～35%目安 [売]連3,675 [従]241 [資]262 [住]千代田区神田神保町1-101 ☎03-5282-7600 ㉕**12** ㉔**13(男7,女6)**
JBCCホールディングス(株)	[情通] [特色]ITサービス大手。設計、開発、運用に注力。超高速開発、セキュリティなど付加価値事業推進 [売]連65,194 [従]23 [資]4,713 [住]中央区八重洲2-2-1 ☎03-6262-5733 ㉕**前年並** ㉔**53(男30,女23)**
ジェイフロンティア(株)	[食] [特色]医薬品や健康食品の通販が柱。オンライン診療・薬宅配システムを育成。宣伝費変動の影響大 [売]連16,844 [従]63 [資]516 [住]渋谷区桜丘町9-8 ☎03-6427-4662 ㉕**10** ㉔**7(男1,女6)**
(株)JPMC	[不] [特色]賃貸住宅の一括借り上げ専業。物件の建築や管理は提携加盟会社が行う。地方中心に全国展開 [売]連57,353 [従]305 [資]465 [住]千代田区丸の内3-4-2 ☎050-1748-1145 ㉕**30** ㉔**19(男8,女11)**

会社名	業種名 特色 会社の特色 売 売上高(百万円) 従 単独従業員数(名) 資 資本金(百万円) 住 本社の住所，電話番号 ㉕25年採用計画数(名) ㉔24年入社内定者数(名)
JESCOホールディングス㈱	建 特色 電気・通信設備の独立系工事会社。設計・調達・施工管理(EPC)一貫受注。ベトナムでも実績 売 連11,104 従 25 資 1,045 住 港区赤坂4-8-18 ☎03-5315-0335 ㉕ **14** ㉔ **10(男6, 女4)**
㈱ジェネレーションパス	小 特色 インテリアや家具、衣料品などのネット通販主力。企業向けも。独自のデータ分析手法に特徴 売 連15,151 従 105 資 627 住 新宿区西新宿6-12-1 ☎03-3343-3544 ㉕ **前年並** ㉔ **11(男7, 女4)**
ジオスター㈱	ガ土 特色 建設用コンクリート製品の大手。スチール・合成セグメントなどに強み。日本製鉄の子会社 売 連26,910 従 284 資 3,352 住 文京区小石川1-4-1 ☎03-5844-1200 ㉕ **6** ㉔ **2(男1, 女1)**
ジオリーブグループ㈱	卸 特色 建材卸大手。M&Aで拡大。マンションリノベ事業は業界トップ級。東日本で強い。23年新社屋 売 連166,321 従 683 資 850 住 港区新橋6-3-4 ☎03-4582-3380 ㉕ **未定** ㉔ **19(男13, 女6)**
㈱識学	サ 特色 独自組織運営理論「識学」による経営層向けコンサルが柱。スポーツ分野も。クラウド事業育成 売 連4,829 従 228 資 10 住 品川区大崎2-9-3 ☎03-6821-7560 ㉕ **5** ㉔ **4(男4, 女0)**
㈱jig. jp	情通 特色 ライブ配信アプリ「ふわっち」運営。配信者はアマチュア主体、視聴者のアイテム課金が収益源 売 連12,247 従 連88 資 877 住 渋谷区千駄ヶ谷5-23-5 ☎03-5367-3891 ㉕ **増加** ㉔ **5(男5, 女0)**
JIG-SAW㈱	情通 特色 主力はサーバーなどの自動監視システム。IoTエンジンが国内外有力企業に採用され急成長 売 連3,240 従 179 資 351 住 千代田区大手町1-9-2 ☎03-6262-5160 ㉕ **20** ㉔ **26(男19, 女7)**
㈱シグマクシス・ホールディングス	サ 特色 コンサル中堅。経営戦略立案からシステム導入まで支援するプロジェクト管理(PM)に強み 売 連22,410 従 628 資 3,000 住 港区虎ノ門4-1-28 ☎03-6430-3400 ㉕ **未定** ㉔ **60(男‥, 女‥)**
シグマ光機㈱	精 特色 研究開発用や製造用レーザーが主体。光学部品、ユニット、システムの総合力に強み。OEMも 売 連11,213 従 371 資 2,623 住 墨田区緑1-19-9 ☎03-5638-8221 ㉕ **前年並** ㉔ **13(男4, 女9)**
システムズ・デザイン㈱	情通 特色 SIとデータ入力が柱。物流SIなどM&A展開中。会計ソフトのPCA創業者一族が筆頭株主 売 連9,458 従 391 資 333 住 杉並区和泉1-22-19 ☎03-5300-7800 ㉕ **22** ㉔ **19(男17, 女2)**
品川リフラクトリーズ㈱	ガ土 特色 鉄鋼業向け耐火物の総合大手。JFE、神戸鋼と親密。高機能材に注力。傘下にイソライト工業 売 連144,175 従 1,201 資 3,300 住 千代田区大手町2-2-1 ☎03-6265-1600 ㉕ **15** ㉔ **15(男12, 女3)**
シナネンホールディングス㈱	卸 特色 LPガス、灯油主体の燃料商社。リフォームや建物設備管理、自転車販売など事業を多様化 売 連348,282 従 112 資 15,630 住 品川区東品川1-39-20 ☎03-6478-7800 ㉕ **20** ㉔ **9(男6, 女3)**
地主㈱	不 特色 スーパーやホスピスなどテナントの底地を投資家向けに売却・賃貸。私募REIT運用に強み 売 連31,597 従 63 資 3,048 住 千代田区丸の内1-5-1 ☎03-6895-0070 ㉕ **前年並** ㉔ **2(男2, 女0)**
㈱シモジマ	卸 特色 包材、店舗用品等を自社ブランド主体に卸売り。FCのパッケージプラザを展開、通販強化 売 連57,794 従 648 資 1,405 住 台東区浅草橋5-29-8 ☎03-3864-0061 ㉕ **30** ㉔ **25(男13, 女12)**
㈱ジャノメ	機 特色 家庭用ミシン1位。日本、タイ、台湾で生産。卓上ロボット、ダイカスト等産業機器が第2の柱 売 連36,476 従 425 資 11,372 住 八王子市狭間町1463 ☎042-661-3071 ㉕ **19** ㉔ **15(男7, 女8)**
㈱シャノン	情通 特色 営業活動に必要な情報を管理・運用するクラウドサービスが柱。イベント等管理システムも 売 連2,934 従 256 資 550 住 港区三田3-13-16 ☎03-6743-1551 ㉕ **増加** ㉔ **11(男5, 女6)**
ジャパンエレベーターサービスホールディングス㈱	サ 特色 エレベーターの保守・保全、リニューアルで独立系首位。関東、北海道中心から全国に拡大 売 連42,216 従 250 資 2,493 住 中央区日本橋1-3-13 ☎03-6262-1638 ㉕ **増加** ㉔ **135(男129, 女6)**
㈱ジャパンディスプレイ	電機 特色 中小型液晶パネル大手。日立、東芝、ソニーの事業統合で誕生。用途拡大や顧客分散で経営再建中 売 連239,153 従 2,698 資 100 住 港区西新橋3-7-1 ☎03-6732-8100 ㉕ **前年並** ㉔ **14(男10, 女4)**
ジャフコ グループ㈱	証商 特色 専業VCで最大手。バイアウト投資にも注力。国内はもとより米国、アジアなど国際的に展開 売 連24,443 従 129 資 33,251 住 港区虎ノ門1-23-1 ☎050-3734-2025 ㉕ **前年並** ㉔ **4(男3, 女1)**
㈱ジャムコ	輸機 特色 ボーイング向けラバトリー(化粧室)独占供給。航空会社向けギャレー(厨房設備)でも世界大手 売 連63,999 従 1,059 資 5,359 住 立川市高松町1-100 ☎042-503-9900 ㉕ **増加** ㉔ **23(男17, 女6)**
シュッピン㈱	小 特色 カメラを軸に専門性高い商材の中古品や新品をECと店舗で販売。時計、筆記具、自転車も展開 売 単48,841 従 244 資 541 住 新宿区西新宿1-14-11 ☎03-3342-0088 ㉕ **20** ㉔ **10(男6, 女4)**
㈱SHOEI	他製 特色 高級ヘルメット製造世界首位、国内生産。サイズ調整等サポート体制に強み。配当性向50%メド 売 連33,616 従 581 資 1,421 住 台東区台東1-31-7 ☎03-5688-5160 ㉕ **1** ㉔ **25(男16, 女9)**
正栄食品工業㈱	卸 特色 製パン・製菓用材料などの食品商社。世界各地から原料、製品輸入。国内、米国、中国に加工工場 売 連109,594 従 350 資 3,379 住 台東区秋葉原5-7 ☎03-3253-1211 ㉕ **未定** ㉔ **4(男2, 女2)**
㈱情報企画	情通 特色 信金など金融機関対象の業務支援パッケージを開発、販売。事業会社向けにも進出意欲が強い 売 連3,528 従 129 資 326 住 千代田区麹町3-3-6 ☎03-3511-8371 ㉕ **15** ㉔ **8(男5, 女3)**
㈱昭和システムエンジニアリング	情通 特色 入力業務から受託計算、ソフト開発まで一貫サービス。証券、生損保向けシステム構築に強み 売 単7,960 従 482 資 630 住 中央区日本橋小伝馬町1-5 ☎03-3639-9051 ㉕ **30** ㉔ **24(男16, 女8)**

会社名	[業種名] (特色)会社の特色 (売)売上高(百万円) (従)単独従業員数(名) (資)資本金(百万円) (住)本社の住所, 電話番号 ㉕25年採用計画数(名) ㉔24年入社内定者数(名)
㈱ショーケース	[情通] (特色)Webサイト最適化技術で成約率高める「ナビキャスト」など提供。ReYuu社買収で急拡大 (売)連5,683 (従)94 (資)50 (住)港区六本木1-9-9 ☎03-5575-5117 ㉕2 ㉔4(男1,女3)
ショーボンドホールディングス㈱	[建] (特色)橋梁、道路などインフラ補修工事の専業。補修材料の開発・販売から施工まで一貫体制。好財務 (売)連85,419 (従)743 (資)5,000 (住)中央区日本橋箱崎町7-8 ☎03-6892-7101 ㉕40 ㉔32(男26,女6)
シリコンスタジオ㈱	[情通] (特色)3DCG技術基盤のゲーム用ミドルウェア主力。自社ゲーム開発撤退。開発受託、人材派遣特化 (売)連4,554 (従)209 (資)466 (住)渋谷区恵比寿1-21-3 ☎03-5488-7070 ㉕10 ㉔13(男13,女0)
㈱シルバーライフ	[小] (特色)高齢者向け配食サービスのFC本部運営。高齢者施設への食材販売、冷凍弁当OEM・倉庫業も (売)単13,555 (従)232 (資)731 (住)新宿区西新宿4-32-4 ☎03-6300-5622 ㉕未定 ㉔14(男・・,女・・)
信越ポリマー㈱	[化] (特色)信越化学系。半導体ウエハ容器が主力。車載用タッチスイッチ、OA機器用部品、塩ビ建材も (売)連104,379 (従)970 (資)11,635 (住)千代田区大手町1-1-3 ☎03-5288-8400 ㉕10 ㉔9(男7,女2)
㈱CINC	[情通] (特色)SaaS型デジタルマーケティング支援ツールの開発・販売とDXコンサルを手がける (売)単1,945 (従)134 (資)10 (住)港区虎ノ門1-21-19 ☎03-6822-3601 ㉕3 ㉔5(男3,女2)
㈱シンクロ・フード	[情通] (特色)飲食店向けに求人、不動産、食材仕入れ等の情報サイトを運営。求人掲載料課金や広告が収益源 (売)連3,602 (従)190 (資)562 (住)渋谷区恵比寿南1-7-8 ☎03-5768-9522 ㉕15 ㉔14(男10,女4)
㈱SHINKO	[卸] (特色)IT機器の設計・構築から導入、運用保守、技術者人材派遣までを全国展開。医療に強み。独立系 (売)単16,145 (従)811 (資)183 (住)台東区浅草橋5-20-8 ☎03-5822-7600 ㉕80 ㉔76(男61,女15)
㈱ジンズホールディングス	[小] (特色)均一料金のアイウェア（眼鏡）販売「ジンズ」ブランド展開。ロードサイドの店舗を拡大中 (売)連73,264 (従)2,016 (資)3,202 (住)千代田区神田錦町3-1 ☎03-6890-4800 ㉕微増 ㉔156(男54,女102)
新日本電工㈱	[鉄] (特色)日本製鉄系、鉄鋼向け合金鉄最大手。南アにマンガン鉱山権益、機能材、環境、電力事業を育成 (売)連76,406 (従)629 (資)11,108 (住)中央区八重洲1-4-16 ☎03-6860-6800 ㉕9 ㉔9(男8,女1)
シンプレクス・ホールディングス㈱	[情通] (特色)大手金融機関向けのシステム構築が主力。コンサルから開発・運用まで展開。非金融分野を拡大 (売)連IFS40,708 (従)1,183 (資)1,218 (住)港区虎ノ門1-23-1 ☎03-3539-7370 ㉕300 ㉔190(男161,女29)
スーパーバッグ㈱	[パ紙] (特色)百貨店、専門店向けの紙袋大手。スーパー、コンビニ向けにポリエチレン製のレジ袋も手がける (売)連26,837 (従)344 (資)1,374 (住)豊島区西池袋5-18-11 ☎03-3987-9201 ㉕未定 ㉔7(男3,女4)
スカイマーク㈱	[空] (特色)国内第3位の中堅航空会社。羽田発着の国内線に強み。民事再生手続きを経て、22年末再上場 (売)単104,075 (従)2,470 (資)100 (住)大田区羽田空港3-5-10 ☎03-5708-8280 ㉕増加 ㉔113(男・・,女・・)
㈱すかいらーくホールディングス	[小] (特色)ファミレス最大手。主力は「ガスト」。中華「バーミヤン」や和食「夢庵」など多業態。14年に再上場 (売)連IFS354,831 (従)3,646 (資)25,134 (住)武蔵野市西久保1-25-8 ☎0422-51-8111 ㉕200 ㉔154(男80,女74)
㈱スカラ	[情通] (特色)サイト内検索など、企業向けASPサービス展開。営業支援システムのソフトブレーンは売却 (売)連IFS10,714 (従)61 (資)1,792 (住)渋谷区渋谷2-21-1 ☎03-6418-3960 ㉕45 ㉔29(男14,女15)
杉田エース㈱	[卸] (特色)建築用金物主体の建材商社で全国展開。開発は自社で、生産は外部委託。DIY関連等直需育成 (売)連73,746 (従)524 (資)697 (住)墨田区緑2-14-15 ☎03-3633-5150 ㉕15 ㉔7(男5,女2)
スズデン㈱	[卸] (特色)FA用制御機器が主力の技術商社。オムロン代理店の首位格。電設資材の比重高い。電子機器も (売)連50,929 (従)329 (資)1,819 (住)千代田区外神田2-2-3 ☎03-6910-6801 ㉕20 ㉔15(男6,女9)
鈴茂器工㈱	[機] (特色)米飯加工機を製造販売。すしロボットが収益源。どんぶり飯盛り付け機や和食人気の海外展開 (売)連14,514 (従)443 (資)1,154 (住)中野区中野4-10-1 ☎03-3993-1371 ㉕未定 ㉔2(男2,女0)
鈴与シンワート㈱	[情通] (特色)鈴与グループ。SIと物流の2本柱。NTTデータ2次請け開発、パッケージソフト開発に強み (売)連17,160 (従)653 (資)802 (住)港区芝4-1-23 ☎03-5440-2800 ㉕40 ㉔37(男27,女10)
スターツ出版㈱	[情通] (特色)雑誌「オズマガジン」「メトロミニッツ」発行、施設予約「オズモール」や小説投稿サイトも運営 (売)単8,341 (従)236 (資)540 (住)中央区京橋1-3-1 ☎03-6202-0311 ㉕未定 ㉔16(男2,女14)
㈱ステムセル研究所	[サ] (特色)臍帯血の処理・保管の細胞バンク事業で国内民間市場ほぼ独占。臍帯保管や新規事業に展開図る (売)単2,481 (従)106 (資)704 (住)港区虎ノ門1-21-19 ☎03-6811-3230 ㉕8 ㉔3(男1,女2)
㈱ストライク	[サ] (特色)中小企業の事業承継案件主体のM&A仲介会社。譲渡先、買収先双方からの仲介報酬が収益源 (売)単13,826 (従)345 (資)823 (住)千代田区大手町1-2-1 ☎03-6848-0101 ㉕25 ㉔17(男13,女4)
㈱ストリームメディアコーポレーション	[情通] (特色)韓国エンタメ大手・SMエンタテインメント傘下。モバイル、イベント等でコンテンツ展開 (売)連8,910 (従)88 (資)6,042 (住)港区六本木3-2-1 ☎03-6809-6118 ㉕5 ㉔2(男0,女2)
スバル興業㈱	[サ] (特色)東宝系。道路メンテナンスが主力で公共事業依存度が高い。飲食店、マリーナ、不動産賃貸も併営 (売)連29,245 (従)233 (資)1,331 (住)千代田区有楽町1-5-2 ☎03-3528-8245 ㉕未定 ㉔6(男6,女0)
㈱スペース	[サ] (特色)商業施設等のディスプレー企画・設計・施工。名古屋地盤で全国展開。オフィス、ホテル案件育成 (売)連52,793 (従)878 (資)3,395 (住)中央区日本橋人形町3-9-4 ☎03-3669-4008 ㉕85 ㉔69(男21,女48)

会社名	業種名 特色 会社の特色 売 売上高(百万円) 従 単独従業員数(名) 資 資本金(百万円) 住 本社の住所, 電話番号 ㉕25年採用計画数(名) ㉔24年入社内定者数(名)
㈱スポーツフィールド	サ 特色 体育会学生向け就活サイト「スポナビ」運営。大小就活イベントや新卒・既卒向け人材紹介を展開 売 連3,418 従 295 資 93 住 新宿区市谷本村町3-29 ☎03-5225-1481 ㉕42 ㉔22(男10, 女12)
住信SBIネット銀行㈱	銀 特色 ネット銀行大手。AI活用した住宅ローン融資に強み。BaaS事業を育成中。高効率経営 売 連118,572 従 628 資 31,000 住 港区六本木3-2-1 ☎03-6779-5496 ㉕15 ㉔15(男10, 女5)
生化学工業㈱	医 特色 複合糖質で独自性。開発は関節疾患関連に特化。2種のヒアルロン酸製剤は科研と参天が販売 売 連36,213 従 565 資 3,840 住 千代田区丸の内1-6-1 ☎03-5220-8950 ㉕前年並 ㉔16(男6, 女10)
㈱セイファート	サ 特色 美容師向け求人情報サイト「リクエストQJナビ」展開、人材派遣も。美容室でのEC運営模索 売 連2,166 従 119 資 266 住 渋谷区渋谷3-27-11 ☎03-5464-3690 ㉕5 ㉔5(男1, 女4)
成友興業㈱	サ 特色 首都圏の汚染土壌処理や建設系産業廃棄物の収集運搬・中間処理行う環境事業と道路舗装が柱 売 連12,262 従 217 資 327 住 あきる野市草花1141-1 ☎042-558-4111 ㉕15 ㉔7(男6, 女1)
セーラー万年筆㈱	他製 特色 万年筆の老舗。事務用品大手プラス傘下。文房具のほかロボット機器(射出成形機用取出機)も 売 連4,558 従 206 資 4,653 住 港区虎ノ門4-1-28 ☎03-6670-6601 ㉕未定 ㉔7(男2, 女5)
㈱セキド	小 特色 祖業の家電店からファッションに転換、店舗に加えEC、催事も展開。韓国美容品卸が収益柱に 売 連8,480 従 61 資 10 住 新宿区西新宿3-7-1 ☎03-6300-6103 ㉕前年並 ㉔6(男0, 女6)
㈱セキュア	情通 特色 入退室管理、監視カメラシステムが2本柱、AI活用した画像分析システムを第3の柱に育成 売 連5,191 従 140 資 544 住 新宿区西新宿2-6-1 ☎03-6911-0660 ㉕12 ㉔10(男5, 女5)
セグエグループ㈱	情通 特色 セキュリティ品の輸入販売とソリューション関連が両輪。SE派遣に強み。自社開発品成長中 売 連17,443 従 21 資 533 住 中央区新川1-16-3 ☎03-6228-3822 ㉕16 ㉔16(男12, 女4)
㈱セック	情通 特色 リアルタイムソフトウェア技術に強み。宇宙分野や車両自動走行含むロボットで開発受託 売 単8,534 従 374 資 477 住 世田谷区用賀4-10-1 ☎03-5491-4770 ㉕30 ㉔30(男22, 女8)
㈱ゼネテック	情通 特色 デジタルソリューション柱。正規輸入代理店契約で3次元CAM等販売。災害位置システム提供 売 連7,147 従 382 資 370 住 新宿区西新宿6-5-1 ☎03-6258-5601 ㉕45 ㉔32(男23, 女9)
セフテック㈱	卸 特色 標識、標示板など工事保安用品3強の一角。レンタル営業強化。システム機器の開発にも強い 売 連10,123 従 381 資 886 住 文京区本郷5-25-14 ☎03-3811-3188 ㉕10 ㉔3(男3, 女0)
SEMITEC㈱	電機 特色 センサー専業。OA・家電、産機、自動車、医療機器向けなど幅広い。中国のEV関連需要が牽引 売 連22,675 従 207 資 773 住 墨田区錦糸1-7-7 ☎03-3621-1155 ㉕5 ㉔7(男7, 女0)
㈱セルシス	情通 特色 イラスト制作ソフトが柱。売り切りからサブスクに移行。Web3型コンテンツ流通基盤も育成 売 連8,091 従 211 資 10 住 新宿区西新宿4-15-7 ☎03-6258-2904 ㉕9 ㉔7(男4, 女3)
セルソース㈱	医 特色 脂肪・血液由来の細胞加工受託など再生医療、変形性ひざ関節症向け軸に不妊治療関連も展開 売 単4,510 従 175 資 1,426 住 渋谷区渋谷1-23-21 ☎03-6455-5308 ㉕前年並 ㉔7(男4, 女3)
㈱セルム	サ 特色 大企業の経営幹部育成や組織づくりを支援。ミドル層や若手社員向け研修も。外部講師陣に強み 売 連7,504 従 133 資 1,026 住 渋谷区恵比寿1-19-19 ☎03-3440-2003 ㉕増加 ㉔4(男1, 女3)
㈱セレス	情通 特色 ポイントサイト「モッピー」やアフィリエイト運営、広告が収益源。暗号資産販売所も運営 売 連24,070 従 221 資 2,125 住 渋谷区桜丘町1-1 ☎03-6455-3756 ㉕15 ㉔11(男10, 女1)
㈱セレスポ	サ 特色 スポーツイベントなどの企画・設営が主力。企業の販促支援や地域振興イベントの展開も強化 売 単8,959 従 407 資 1,370 住 豊島区北大塚1-21-5 ☎03-5974-1111 ㉕20 ㉔17(男5, 女12)
セントケア・ホールディング㈱	サ 特色 訪問介護、入浴、通所介護主体。訪問看護、看護小規模多機能型施設など医療系サービス育成中 売 連54,057 従 183 資 1,772 住 中央区京橋2-8-7 ☎03-3538-2943 ㉕60 ㉔30(男11, 女19)
セントラル総合開発㈱	不 特色 ファミリー向けの分譲マンション「クレア」シリーズ展開。全国的に拠点展開、九電工グループ 売 連31,925 従 95 資 1,352 住 千代田区飯田橋3-3-7 ☎03-3239-3611 ㉕3 ㉔5(男5, 女0)
㈱船場	サ 特色 商業施設の企画、設計から監理、施工までを一貫して手がける。売上の約1割がイオン系案件 売 連24,886 従 379 資 419 住 港区芝浦1-2-3 ☎03-6865-1008 ㉕25 ㉔23(男7, 女16)
ソースネクスト㈱	情通 特色 PC用ソフト・IoT機器中心。ウイルス対策シェア上位。自動通訳機「ポケトーク」に積極投資 売 連11,334 従 117 資 3,703 住 港区赤坂1-14-14 ☎03-5797-7165 ㉕10 ㉔4(男1, 女3)
ソーダニッカ㈱	卸 特色 独立系化学品商社。苛性ソーダは首位級。複合フィルムは国内、ナイロンフィルムはアジア注力 売 連64,134 従 293 資 3,762 住 中央区日本橋3-6-2 ☎03-3245-1802 ㉕10 ㉔5(男3, 女2)
ソーバル㈱	サ 特色 組み込みソフト開発の技術者派遣中堅。請負(受託開発)強化。顧客・事業基盤拡大へM&A意識 売 連8,169 従 743 資 214 住 品川区北品川5-9-11 ☎03-6409-6131 ㉕50 ㉔52(男46, 女6)
㈱ソケッツ	情通 特色 音楽や映像のデータベースを開発し配信業者などへ販売。感性データを基にした広告も育成 売 単1,018 従 67 資 505 住 渋谷区千駄ヶ谷4-23-5 ☎03-5785-5518 ㉕未定 ㉔3(男2, 女1)

会社名	業種名 特色 会社の特色 売 売上高(百万円) 従 単独従業員数(名) 資 資本金(百万円) 住 本社の住所, 電話番号 ㉕25年採用計画数(名) ㉔24年入社内定者数(名)
㈱ソノコム	他製 特色 電子部品用スクリーンマスク、フォトマスクを製造。スクリーン印刷資機材の仕入れ販売も 売 単2,134 従 114 資 925 住 目黒区目黒本町2-15-10 ☎03-3716-4101 ㉕ 10 ㉔ 6(男5, 女1)
㈱ソフトクリエイトホールディングス	情通 特色 ECサイト構築ソフト「ecbeing」の提供・カスタマイズ、ワークフローシステム等展開 売 連27,912 従 26 資 854 住 渋谷区渋谷2-15-1 ☎03-3486-0606 ㉕ 120 ㉔ 106(男86, 女20)
ソフトマックス㈱	情通 特色 Web型電子カルテを主力とした総合医療情報システムを開発。九州地盤、東日本を重点開拓 売 単5,260 従 210 資 442 住 品川区北品川4-7-35 ☎03-5447-7772 ㉕ 20 ㉔ 3(男1, 女2)
ソマール㈱	卸 特色 製紙、電子、自動車、情報関連業界向け機能性化学材料が主体。自社製品の強化も継続して展開 売 連26,649 従 331 資 5,115 住 中央区銀座4-11-2 ☎03-3542-2151 ㉕ 未定 ㉔ 6(男3, 女3)
SOLIZE㈱	サ 特色 自動車業界向けの人材派遣や開発受託が主力。3Dプリンタ試作も強い。海外は米中印に拠点 売 連20,081 従 1,680 資 10 住 千代田区三番町6-3 ☎03-5214-1919 ㉕ 117 ㉔ 99(男‥, 女‥)
㈱ソラスト	サ 特色 国公立病院からの業務請負(人材派遣)が主。民間病院向けも強化。M&Aで介護・保育事業拡大 売 連135,139 従 31,916 資 686 住 港区港南2-15-3 ☎03-3450-2610 ㉕ 増加 ㉔ 99(男40, 女59)
㈱ソリトンシステムズ	情通 特色 セキュリティ対策ソフトとシステム構築が柱。映像伝送や人感センサーなど育成。技術力定評 売 連19,058 従 626 資 1,326 住 新宿区新宿2-4-3 ☎03-5360-3801 ㉕ 未定 ㉔ 9(男4, 女5)
㈱ソルクシーズ	情通 特色 SBI社が筆頭株主のSI会社。信販、証券など金融業界が主顧客。クラウド事業を本格推進 売 連15,883 従 512 資 1,494 住 港区芝浦3-1-21 ☎03-6722-5011 ㉕ 前年並 ㉔ 37(男‥, 女‥)
ソレキア㈱	卸 特色 部品等で発祥、システム関連へ展開の技術商社。富士通と取引大。フリージアMが持分法適用 売 連25,178 従 748 資 2,293 住 大田区西蒲田8-16-6 ☎03-3732-1131 ㉕ 30 ㉔ 22(男15, 女7)
㈱第一興商	卸 特色 業務用通信カラオケ「DAM」で業界首位。直営で「ビッグエコー」や飲食店運営。音楽ソフトも 売 連146,746 従 2,031 資 12,350 住 品川区北品川5-5-26 ☎03-3280-2151 ㉕ 64 ㉔ 38(男28, 女10)
第一三共㈱	医 特色 国内製薬大手。循環器と感染症薬強い。英アストラゼネカ社と提携し、がん領域の開拓中 売 連IFS1,601,688 従 連18,907 資 50,000 住 中央区日本橋本町3-5-1 ☎03-6225-1111 ㉕ 135 ㉔ 109(男55, 女54)
第一屋製パン㈱	食 特色 菓子パン老舗中堅。看板商品は「ポケモンパン」、和菓子なども。10年に豊田通商の傘下入り 売 連26,442 従 708 資 3,305 住 小平市小川東町3-6-1 ☎042-348-0211 ㉕ 51 ㉔ 36(男16, 女20)
大興電子通信㈱	情通 特色 富士通が筆頭株主のSIベンダー。通信機器、情報システムが双柱。製造・流通業向けが強み 売 連43,378 従 721 資 1,969 住 新宿区揚場町2-1 ☎03-3266-8111 ㉕ 30 ㉔ 29(男14, 女15)
㈱ダイショー	食 特色 焼き肉のたれや塩こしょう、鍋スープの国内大手。コンビニ向けなど業務用の調理だれを育成中 売 単25,351 従 702 資 870 住 墨田区亀沢1-17-3 ☎03-3626-9321 ㉕ 前年並 ㉔ 26(男13, 女13)
大伸化学㈱	化 特色 シンナー専業で国内首位。塗料・インキ業界が顧客。シェア約3割。1000代理店で即納体制 売 連32,461 従 196 資 729 住 港区芝大門1-9-9 ☎03-3432-4786 ㉕ 1 ㉔ 7(男5, 女2)
大成温調㈱	建 特色 空調、給水など設備工事中堅。中国、米国ハワイ、ベトナム、シンガポールなど海外に展開 売 連61,056 従 580 資 5,195 住 品川区大井1-49-10 ☎03-5742-7301 ㉕ 25 ㉔ 16(男12, 女4)
大東港運㈱	倉運 特色 畜産物や冷凍食品を軸に輸入貨物の取扱比率8割。国内の鋼材運送、荷役も。外注比率が高い 売 連16,051 従 333 資 856 住 港区芝浦4-6-8 ☎03-5476-9701 ㉕ 前年並 ㉔ 7(男1, 女6)
大同信号㈱	電機 特色 3大信号会社の一角でJRが主顧客。列車制御装置や設備監視向けなどシステム製品に強み 売 連20,768 従 532 資 1,500 住 港区新橋6-17-19 ☎03-3438-4111 ㉕ 微増 ㉔ 11(男9, 女2)
ダイトウボウ㈱	繊 特色 日本初の毛織会社として発祥。静岡県内のSC賃貸が収益源。ヘルスケア・アパレル事業を拡充 売 連4,033 従 53 資 100 住 中央区日本橋本町1-6-1 ☎03-6262-6565 ㉕ 前年並 ㉔ 3(男0, 女3)
ダイニック㈱	繊 特色 書籍用クロスと染色から出発。基材・製膜技術を軸に情報関連、自動車内装材、不織布など展開 売 連42,101 従 622 資 5,795 住 港区新橋6-17-19 ☎03-5402-1811 ㉕ 10 ㉔ 6(男6, 女0)
大豊建設㈱	建 特色 泥土加圧シールド、無人ケーソンの両工法で大型土木工事に強み。麻生グループの傘下入り 売 連163,222 従 1,098 資 10,000 住 中央区新川1-24-4 ☎03-3297-7000 ㉕ 60 ㉔ 49(男41, 女8)
太陽ホールディングス㈱	化 特色 プリント配線板の保護膜や半導体実装に用いる絶縁材インキで世界首位。医薬品事業も展開 売 連104,775 従 156 資 9,903 住 豊島区西池袋1-11-1 ☎03-5953-5200 ㉕ 22 ㉔ 22(男9, 女13)
大和自動車交通㈱	陸 特色 都内ハイヤー・タクシー大手4社の一角。信和事業協同組合と提携。子会社を多数擁す持株会社 売 連18,377 従 121 資 525 住 江東区猿江2-16-31 ☎03-6757-7164 ㉕ 増加 ㉔ 25(男20, 女5)
高島㈱	卸 特色 繊維、建材から太陽光発電機器の販売など多角化、東南アジアで日系向けに電子部品工場も展開 売 連90,120 従 237 資 3,801 住 千代田区神田駿河台2-2 ☎03-5217-7600 ㉕ 10 ㉔ 10(男7, 女3)
高千穂交易㈱	卸 特色 独立系技術商社。クラウドサービス、商品監視、入退室管理などシステム機器とデバイスが柱 売 連25,224 従 244 資 1,209 住 新宿区四谷1-6-1 ☎03-3355-1111 ㉕ 10 ㉔ 6(男3, 女3)

会社名	業種名 特色 会社の特色 売 売上高(百万円) 従 単独従業員数(名) 資 資本金(百万円) 住 本社の住所, 電話番号 ㉕25年採用計画数(名) ㉔24年入社内定者数(名)
高橋カーテンウォール工業㈱	建 特色 ビル外壁材のPCカーテンウォール首位。プール施工のアクア事業、収納家具・不動産子会社も 売 連7,332 従 186 資 100 住 中央区日本橋本町1-5-4 ☎03-3271-1711 ㉕ **前年並** ㉔ **4(男3, 女1)**
㈱高見沢サイバネティックス	機 特色 駅の自動券売機を製造販売。ATM向け硬貨・紙幣処理装置等のメカトロ機器、ゲート等特機も 売 連13,050 従 413 資 700 住 中野区中央2-48-5 ☎03-3227-3361 ㉕ **前年並** ㉔ **17(男15, 女2)**
㈱TAKARA & COMPANY	他製 特色 傘下に上場企業向けディスクロージャー事業大手の宝印刷や通訳・翻訳老舗のサイマルなど 売 連29,278 従 37 資 2,278 住 豊島区高田3-28-8 ☎03-3971-3260 ㉕ **30** ㉔ **20(男9, 女11)**
竹本容器㈱	化 特色 化粧品・食品向け主力のプラスチック製包装容器専業。自社開発の金型多数保有し短納期に強み 売 連14,317 従 383 資 803 住 台東区松が谷2-21-5 ☎03-3845-6107 ㉕ **前年並** ㉔ **12(男4, 女8)**
立川ブラインド工業㈱	金製 特色 ブラインドやスクリーンのトップメーカー。家庭向けが約7割。減速機、駐車場装置事業も 売 連41,305 従 865 資 4,475 住 港区三田3-1-12 ☎03-5484-6140 ㉕ **前年並** ㉔ **38(男29, 女9)**
TAC㈱	サ 特色 会計、法律分野の「資格の学校」大手。法人研修、出版、人材紹介事業等も。公務員講座等に強み 売 連19,001 従 500 資 940 住 千代田区神田三崎町3-2-18 ☎03-5276-8911 ㉕ **10** ㉔ **19(男6, 女13)**
㈱WDI	小 特色 ダイニングレストランの老舗。パスタ「カプリチョーザ」など国内外ブランドを直営・FC展開 売 連30,950 従 1,335 資 50 住 港区六本木5-5-1 ☎03-3404-3704 ㉕ **50** ㉔ **35(男14, 女21)**
㈱ダブルスタンダード	情通 特色 ビッグデータの企業向け分析受託と活用サービス開発が2本柱。SBIグループが第2位株主 売 連7,147 従 71 資 263 住 港区南青山2-2-3 ☎03-6384-5411 ㉕ **前年並** ㉔ **9(男5, 女4)**
タマホーム㈱	建 特色 ローコスト系の注文住宅会社。首都圏郊外や地方を中心に展開。分譲住宅やオフィス区分販売も 売 連247,733 従 3,236 資 4,310 住 港区高輪3-22-9 ☎03-6408-1200 ㉕ **未定** ㉔ **103(男64, 女39)**
㈱田谷	サ 特色 直営美容室を全国にチェーン展開、首都圏・福岡地盤。フリーランス美容師運営の「ano」出店 売 単5,839 従 617 資 50 住 渋谷区千駄ヶ谷5-23-13 ☎03-6384-2221 ㉕ **83** ㉔ **70(男‥, 女‥)**
㈱丹青社	サ 特色 空間ディスプレー企画、設計大手。再開発ビル、商業施設、文化施設が柱。ホテルやオフィス育成 売 連81,200 従 1,071 資 4,026 住 港区港南1-2-70 ☎03-6455-8100 ㉕ **40** ㉔ **21(男8, 女13)**
㈱チノー	電機 特色 温度制御主体の計測器専業メーカー。ユーザー密着のエンジニアリング活動に強み。海外強化 売 連27,425 従 703 資 4,292 住 板橋区熊野町32-8 ☎03-3956-2111 ㉕ **20** ㉔ **16(男10, 女6)**
チムニー㈱	小 特色 居酒屋「はなの舞」を展開。若者向け「魚星」、焼き肉「牛星」育成。施設内食堂運営も。やまや傘下 売 連25,725 従 591 資 100 住 墨田区両国3-22-6 ☎03-5839-2600 ㉕ **20** ㉔ **15(男8, 女7)**
中央魚類㈱	卸 特色 水産荷受け大手。市場内取引多く、豊洲の取扱金額トップクラス。ニッスイなどが大手荷主 売 連137,588 従 211 資 2,995 住 江東区豊洲6-6-2 ☎03-6633-3000 ㉕ **6** ㉔ **10(男7, 女3)**
中外鉱業㈱	非鉄 特色 金など貴金属をリサイクル販売。不動産、中古機械、アニメグッズ販売も。先物投資は当面休止 売 連113,758 従 141 資 100 住 千代田区丸の内2-4-1 ☎03-3201-1541 ㉕ **前年並** ㉔ **13(男5, 女8)**
中国塗料㈱	化 特色 塗料3位。船舶用は国内シェア6割、世界2位。世界20カ国、約60拠点で展開。修繕船向けが成長 売 連116,174 従 471 資 11,626 住 千代田区霞が関3-2-6 ☎03-3506-3951 ㉕ **18** ㉔ **7(男5, 女2)**
㈱TWOSTONE＆Sons	サ 特色 ITエンジニアと企業のマッチングが柱。Webメディアのコンサルやプログラミング教室も 売 連10,056 従 211 資 1,035 住 渋谷区渋谷2-22-3 ☎03-6416-0678 ㉕ **50** ㉔ **20(男10, 女10)**
㈱ツガミ	機 特色 小型自動旋盤の首位。スマホや自動車向け強い。中国売上が過半で現地子会社は香港市場に上場 売 連IFS83,928 従 491 資 12,345 住 中央区日本橋富沢町12-20 ☎03-3808-1711 ㉕ **20** ㉔ **18(男18, 女0)**
㈱ツカモトコーポレーション	卸 特色 和洋装の総合繊維商社。ユニホーム強い。量販店向け家電も。都内に高収益不動産を保有 売 連9,798 従 130 資 2,829 住 中央区日本橋本町1-6-5 ☎03-3279-1330 ㉕ **10** ㉔ **4(男0, 女4)**
築地魚市場㈱	卸 特色 水産荷受け大手。独立系。加工品販売や不動産賃貸業も展開。非連結で上海にも子会社あり 売 連58,701 従 162 資 2,045 住 江東区豊洲6-6-2 ☎03-6633-3500 ㉕ **15** ㉔ **8(男6, 女2)**
月島ホールディングス㈱	機 特色 上下水処理など水環境事業、化学向けなど産業プラント・機器が2本柱。23年、JFE水事業統合 売 連124,205 従 110 資 6,646 住 中央区晴海3-5-1 ☎03-5560-6511 ㉕ **43** ㉔ **18(男15, 女3)**
㈱ツナググループ・ホールディングス	サ 特色 小売業・飲食業のアルバイト採用代行が主力。採用広告の最適化、倉庫などへの人材派遣も 売 連15,027 従 474 資 702 住 中央区銀座7-3-5 ☎03-6897-6400 ㉕ **15** ㉔ **15(男10, 女5)**
㈱ディ・アイ・システム	情通 特色 通信や金融、官公庁向けシステム開発・運用のSI事業が主。新卒者のIT教育研修サービスも 売 連6,241 従 684 資 291 住 中野区中野4-10-1 ☎03-6821-6122 ㉕ **60** ㉔ **51(男29, 女22)**
ティアック㈱	電機 特色 音楽制作機器が主力。オーディオは高級路線にシフト。医用機器、センサー計測機器にも注力 売 連IFS15,672 従 255 資 3,500 住 多摩市落合1-47 ☎042-356-9178 ㉕ **未定** ㉔ **5(男4, 女1)**
㈱ディア・ライフ	不 特色 都市型レジデンスや商業用ビルを開発・販売。都内中心。不動産や保険業界向け人材派遣も 売 連43,503 従 37 資 4,125 住 千代田区九段北1-13-5 ☎03-5210-3721 ㉕ **10** ㉔ **10(男6, 女4)**

会社名	[業種名] (特色) 会社の特色 (売)売上高(百万円) (従)単独従業員数(名) (資)資本金(百万円) (住)本社の住所, 電話番号 ㉕25年採用計画数(名) ㉔24年入社内定者数(名)
DNホールディングス(株)	[サ] (特色) 橋梁・道路に強み。大日本コンサルタントとダイヤコンサルタントが23年7月1日合併 (売)連34,131 (従)1,288 (資)2,000 (住)千代田区神田練塀町300 ☎03-6675-7002 ㉕**50** ㉔**52(男39, 女13)**
(株)ディーエムエス	[サ] (特色) ダイレクトメール首位、企業のCRM支援。セールスプロモーション(SP)、イベント事業進出 (売)単26,903 (従)305 (資)1,092 (住)千代田区神田小川町1-11 ☎03-3293-2961 ㉕**15** ㉔**15(男7, 女8)**
ディーエムソリューションズ(株)	[サ] (特色) DMや小型荷物の発送代行大手。企画、印刷含め一気通貫体制。送客メディア、自社ECも展開 (売)連18,207 (従)296 (資)365 (住)武蔵野市御殿山1-1-3 ☎0422-57-3921 ㉕**20** ㉔**16(男9, 女7)**
(株)ティーケーピー	[不] (特色) 貸会議室大手。遊休不動産の一括借り上げ、小分け活用で成長。貸オフィス、ホテルも展開 (売)連36,545 (従)1,052 (資)16,357 (住)新宿区市谷八幡町8 ☎03-5227-7321 ㉕**未定** ㉔**75(男‥, 女‥)**
(株)DDグループ	[小] (特色) 居酒屋など複数業態の飲食店運営。ビリヤード・ダーツバー、ホテル、不動産など事業幅広い (売)連37,079 (従)71 (資)100 (住)港区芝4-1-23 ☎03-6858-6080 ㉕**100** ㉔**77(男13, 女64)**
(株)TBK	[輸機] (特色) トラック、バス用ブレーキで首位。ポンプ類、エンジン部品、建機向けも。タイ、中国などで製販 (売)連56,659 (従)737 (資)4,617 (住)町田市南成瀬4-21-1 ☎042-739-1471 ㉕**微増** ㉔**17(男15, 女2)**
ディーブイエックス(株)	[卸] (特色) 循環器分野の医療機器販売。アブレーション(心筋焼灼術用)カテーテル類の不整脈事業が主力 (売)単45,851 (従)328 (資)344 (住)豊島区高田2-17-22 ☎03-5985-6827 ㉕**15** ㉔**10(男7, 女3)**
帝国繊維(株)	[繊] (特色) 消防ホース最大手。1887年創業。亜麻から機能繊維、総合防災事業へ。特殊車両も。旧安田系 (売)連28,032 (従)179 (資)1,635 (住)中央区日本橋2-5-1 ☎03-3281-3022 ㉕**増加** ㉔**4(男4, 女0)**
(株)ディスラプターズ	[サ] (特色) 求人情報と賃貸不動産紹介の集約サイト運営。送客成果報酬課金で稼ぐ。電子契約管理を育成 (売)連3,767 (従)45 (資)395 (住)港区南青山2-5-17 ☎03-6161-6390 ㉕**未定** ㉔**4(男2, 女2)**
ディップ(株)	[サ] (特色) アルバイトの「バイトル」等、ネット特化で求人情報提供。AI・RPAなどDX事業を育成中 (売)連53,782 (従)2,895 (資)1,085 (住)港区六本木3-2-1 ☎03-5114-1177 ㉕**340** ㉔**314(男132, 女182)**
(株)ティラド	[輸機] (特色) 自動車・バイク・建設機械メーカー向けにラジエーターなど熱交換器を製造。大排気量に強み (売)連158,659 (従)1,557 (資)8,570 (住)渋谷区代々木3-25-3 ☎03-3373-1101 ㉕**未定** ㉔**37(男26, 女11)**
(株)テーオーシー	[不] (特色) ホテルニューオータニ系。TOCビルなど流通関連ビル賃貸首位。ランドリー、薬品などを兼営 (売)連13,715 (従)71 (資)11,768 (住)品川区西五反田7-22-17 ☎03-3494-2111 ㉕**2** ㉔**2(男1, 女1)**
(株)テー・オー・ダブリュー	[サ] (特色) イベント企画運営大手。電通や博報堂など広告大手が主顧客。異業種とのコラボを積極展開 (売)連17,503 (従)200 (資)948 (住)港区虎ノ門4-3-13 ☎03-5777-1888 ㉕**前年並** ㉔**21(男9, 女12)**
(株)データ・アプリケーション	[情通] (特色) 電子商取引などEDI(電子データ交換)ソフトが主力。データ連携分野を開拓。間接販売中心 (売)単2,919 (従)138 (資)430 (住)中央区八重洲2-2-1 ☎03-6370-0909 ㉕**4** ㉔**3(男2, 女1)**
(株)テクニスコ	[金製] (特色) 産業用レーザー向け放熱性に優れたヒートシンク製品。車載センサー・医療機器向けガラスも (売)連4,683 (従)208 (資)781 (住)品川区南品川2-2-15 ☎03-3458-4561 ㉕**前年並** ㉔**4(男2, 女2)**
(株)テクノスジャパン	[情通] (特色) ERP、CRMの導入を支援。独自の企業間協調プラットフォームCBPを第3の柱に育成 (売)連12,639 (従)451 (資)562 (住)新宿区西新宿3-20-2 ☎03-3374-1212 ㉕**55** ㉔**44(男31, 女13)**
テクノプロ・ホールディングス(株)	[サ] (特色) 国内最大級の技術系人材サービスグループの持株会社。IT技術者に強み。配当性向5割方針 (売)連IFS219,218 (従)195 (資)6,929 (住)港区六本木6-10-1 ☎03-6385-7998 ㉕**前年並** ㉔**1,097(男882, 女215)**
(株)テクノ菱和	[建] (特色) 空調工事中堅。三菱重工の冷熱機器販売併営。医薬品工場向け注力。東南アジアへの展開加速 (売)連73,688 (従)776 (資)2,746 (住)豊島区南大塚2-26-20 ☎03-5978-2541 ㉕**25** ㉔**19(男12, 女7)**
テクマトリックス(株)	[情通] (特色) ニチメン系情報処理会社が起源。インフラ構築と情報サービス開発が柱。医療クラウドに実績大 (売)連IFS53,303 (従)588 (資)1,298 (住)港区港南1-2-70 ☎03-4405-7802 ㉕**22** ㉔**20(男15, 女5)**
デジタルアーツ(株)	[情通] (特色) 安全なWebサイトやメールのみ接続できるフィルター技術に強み。セキュリティ製品拡充中 (売)連11,512 (従)275 (資)713 (住)千代田区大手町1-5-1 ☎03-5220-6045 ㉕**30** ㉔**30(男16, 女14)**
デジタル・インフォメーション・テクノロジー(株)	[情通] (特色) 独立系情報サービス会社。ソフトウェア開発の比重が9割超。金融、通信などに顧客企業多い (売)連19,888 (従)1,131 (資)453 (住)中央区八丁堀4-5-4 ☎03-6311-6532 ㉕**100** ㉔**91(男69, 女22)**
(株)デジタルガレージ	[情通] (特色) 決済、広告、ベンチャー投資などネットビジネス周辺で多角化。持分会社カカクコム(20%出資) (売)連IFS31,378 (従)528 (資)7,849 (住)渋谷区恵比寿南3-5-7 ☎03-6367-1111 ㉕**37** ㉔**17(男9, 女8)**
(株)デジタルプラス	[情通] (特色) キャッシュレスで金券を贈れるデジタルギフトサービスが柱。デジタルマーケティングも (売)連IFS665 (従)9 (資)60 (住)渋谷区元代々木町30-13 ☎03-5465-0690 ㉕**5** ㉔**2(男2, 女0)**
(株)テセック	[機] (特色) 半導体用ハンドラ(選別装置)国内上位。個別半導体用テスター(測定装置)は世界トップクラス (売)連8,619 (従)182 (資)2,521 (住)東大和市上北台3-391-1 ☎042-566-1111 ㉕**10** ㉔**4(男4, 女0)**
テックファームホールディングス(株)	[情通] (特色) アプリや各種システムの受託開発を展開。5GやAI関連の開発も。農水産物の輸出事業も育成 (売)連5,072 (従)28 (資)1,000 (住)新宿区西新宿3-20-2 ☎03-5365-7888 ㉕**前年並** ㉔**8(男‥, 女‥)**

会社名	[業種名] (特色) 会社の特色 (売)売上高(百万円) (従)単独従業員数(名) (資)資本金(百万円) (住)本社の住所, 電話番号 ㉕25年採用計画数(名) ㉔24年入社内定者数(名)
㈱鉄人化ホールディングス	[サ] (特色) 首都圏で「カラオケの鉄人」運営。外食もラーメンなど進出。エクステなど美容事業が本格化 (売)連6,592 (従)97 (資)50 (住)目黒区碑文谷5-15-1 ☎03-3793-5111 ㉕**未定** ㉔**65(男1, 女64)**
㈱テノックス	[建] (特色) 建設基礎工事の大手。テノコラム工法等独自の3工法武器に、公共関連から民間建築関連を開拓 (売)連20,207 (従)211 (資)1,710 (住)港区芝5-25-11 ☎03-3455-7758 ㉕**8** ㉔**3(男2, 女1)**
㈱出前館	[情通] (特色) 出前仲介サイト「出前館」を運営。業界首位級。サイト内広告にも注力。LINEヤフー傘下 (売)連51,416 (従)332 (資)100 (住)渋谷区千駄ヶ谷5-27-5 ☎050-5445-5390 ㉕**10** ㉔**7(男5, 女2)**
㈱テラスカイ	[情通] (特色) 米セールスフォース(SF)やAWS等のクラウド導入・運用支援などを展開。大企業向け強い (売)連19,137 (従)685 (資)1,256 (住)中央区日本橋2-11-2 ☎03-5255-3410 ㉕**84** ㉔**83(男55, 女28)**
デリカフーズホールディングス㈱	[卸] (特色) ファミレスなど外食業界向けカット野菜、生鮮ホール野菜が主力。ミールキット事業を強化中 (売)連52,823 (従)19 (資)1,772 (住)足立区六町4-12-12 ☎03-3858-1037 ㉕**55** ㉔**40(男15, 女25)**
㈱デリバリーコンサルティング	[サ] (特色) 業種を問わず、データ分析や既存システムのDXなど開発を支援。顧客のデジタル人材育成も (売)連2,703 (従)143 (資)157 (住)港区赤坂9-7-1 ☎03-6779-4474 ㉕**25** ㉔**19(男12, 女7)**
㈱テリロジーホールディングス	[情通] (特色) ITセキュリティなどネット製品販売と企業システム構築が柱。グループでDX事業に注力 (売)連6,881 (従)22 (資)450 (住)千代田区九段北1-13-5 ☎03-3237-3437 ㉕**16** ㉔**16(男10, 女6)**
㈱デルソーレ	[食] (特色) 冷凍・冷蔵ピザメーカー。生地に強み。「デルソーレ」ブランドを拡大。テイクアウトの外食も (売)単17,784 (従)267 (資)922 (住)江東区有明3-4-10 ☎03-6736-5678 ㉕**未定** ㉔**2(男1, 女1)**
電気興業㈱	[電機] (特色) 大型通信アンテナの製造、工事。防災関連の通信インフラ整備も。高周波焼き入れ技術にも特色 (売)連28,864 (従)623 (資)8,774 (住)千代田区丸の内3-3-1 ☎03-3216-1671 ㉕**25** ㉔**8(男5, 女3)**
㈱電業社機械製作所	[機] (特色) ポンプ大手5社の一角で官公需に強み。送風機と2本柱。海外は中東深耕、インドに生産拠点 (売)連24,096 (従)490 (資)810 (住)大田区大森北1-5-1 ☎03-3298-5115 ㉕**20** ㉔**21(男18, 女3)**
Denkei	[卸] (特色) 電子計測器専門商社首位。国内、米、アジアで販売網拡大。自動運転、EV関連。中国で受託試験も (売)連108,539 (従)590 (資)1,159 (住)台東区上野5-14-12 ☎03-5816-3551 ㉕**増加** ㉔**6(男5, 女1)**
天昇電気工業㈱	[化] (特色) プラスチック成形品の専業メーカー。内外装等の自動車部品が柱。家電筐体や各種機構部品も (売)連26,905 (従)384 (資)1,208 (住)世田谷区駒沢1-16-7 ☎03-6805-2577 ㉕**25** ㉔**7(男2, 女5)**
㈱テンポスホールディングス	[卸] (特色) 中古厨房機器の再生販売が主力。不動産紹介、内装工事も強化中。人材派遣や外食も展開 (売)連37,074 (従)18 (資)499 (住)大田区東蒲田2-30-17 ☎03-3736-0319 ㉕**102** ㉔**38(男20, 女18)**
天馬㈱	[化] (特色) 樹脂成形中堅。OA、家電・自動車部品の受託製造が過半。「Fits」ブランドの収納用品で有名 (売)連92,930 (従)623 (資)19,225 (住)北区赤羽1-63-6 ☎03-3598-5511 ㉕**25** ㉔**6(男3, 女3)**
デンヨー㈱	[電機] (特色) 可搬形エンジン発電機・溶接機でトップ。震災を機に非常用電源の用途拡大。米、アジアで生産 (売)連73,140 (従)620 (資)1,954 (住)中央区日本橋堀留町2-8-5 ☎03-6861-1111 ㉕**微増** ㉔**11(男9, 女2)**
東亜ディーケーケー㈱	[電機] (特色) 環境計測器・工業用計測器メーカー。水から大気へ展開。米ベラルト・グループのハックと提携 (売)連17,444 (従)381 (資)1,842 (住)新宿区高田馬場1-29-10 ☎03-3202-0211 ㉕**前年並** ㉔**19(男12, 女7)**
東映アニメーション㈱	[情通] (特色) 東映系のアニメ制作老舗。テレビ向けに強み。キャラクターの商品化権等の版権収入も大きい (売)連88,654 (従)674 (資)2,867 (住)中野区中野4-10-1 ☎03-5318-0678 ㉕**前年並** ㉔**30(男12, 女18)**
㈱東京エネシス	[建] (特色) 火力・原子力発電所主体のメンテ、建設工事。東電関連の受注がメイン。再生可能エネルギー展開 (売)連88,467 (従)1,308 (資)2,881 (住)中央区日本橋茅場町1-3-1 ☎03-6371-1947 ㉕**50** ㉔**37(男26, 女11)**
㈱東京會舘	[サ] (特色) 宴会場、結婚式場、レストランの名門。婚礼と法人宴会に強み。丸の内の本館が19年に再開業 (売)単14,883 (従)489 (資)3,700 (住)千代田区丸の内3-2-1 ☎03-3215-2111 ㉕**増加** ㉔**30(男14, 女16)**
㈱東京個別指導学院	[サ] (特色) ベネッセHD傘下。小中高生向け個別指導塾を直営で首都圏軸に運営。文章、科学教室も展開 (売)連21,661 (従)584 (資)642 (住)新宿区西新宿1-26-2 ☎03-6911-3216 ㉕**30** ㉔**32(男18, 女14)**
東京産業㈱	[卸] (特色) 中部以東の三菱重工業製品の受託販売・工事が柱の中堅機械商社。再生可能エネルギーに力 (売)連65,029 (従)341 (資)3,443 (住)千代田区大手町2-2-1 ☎03-5203-7690 ㉕**未定** ㉔**19(男17, 女2)**
㈱東京自働機械製作所	[機] (特色) たばこ自動包装機から出発し食品包装、古紙圧縮機等へ総合化。銘産・贈答品包装で高シェア (売)単13,458 (従)275 (資)954 (住)千代田区岩本町3-10-7 ☎03-3866-7171 ㉕**8** ㉔**7(男6, 女1)**
東京製綱㈱	[金製] (特色) ワイヤロープ最大手。タイヤコードや道路安全施設も。炭素繊維ケーブル(CFCC)を拡大 (売)連64,231 (従)533 (資)1,000 (住)江東区永代2-37-28 ☎03-6366-7777 ㉕**10** ㉔**8(男5, 女3)**
㈱東京ソワール	[繊] (特色) 婦人フォーマルウェア専業トップ。百貨店、スーパー向け8割。ブランド品、アクセサリー強化 (売)単15,026 (従)220 (資)4,049 (住)中央区銀座7-16-12 ☎03-4531-9881 ㉕**5** ㉔**7(男1, 女6)**
東京テアトル㈱	[サ] (特色) 主力は賃貸、中古マンションのリノベーション販売等の不動産事業。映画配給・興行、飲食店も (売)連17,087 (従)149 (資)4,552 (住)新宿区新宿1-1-8 ☎03-3355-1010 ㉕**前年並** ㉔**6(男3, 女3)**

会社名	[業種名] (特色) 会社の特色 (売) 売上高(百万円) (従) 単独従業員数(名) (資) 資本金(百万円) (住) 本社の住所, 電話番号 ㉕ 25年採用計画数(名) ㉔ 24年入社内定者数(名)
東京鐵鋼㈱	[鉄] (特色) 電炉中堅。建築用棒鋼が主力。圧接不要のネジ節棒鋼と継ぎ手で国内シェア過半。販売提携推進 (売)連79,617 (従)606 (資)5,839 (住)千代田区富士見2-7-2 ☎03-5276-9700 ㉕**17** ㉔**7(男5, 女2)**
東京都競馬㈱	[サ] (特色) 大井競馬場の大家。ネット投票「SPAT4」の歩合収入が主力。倉庫や「東京サマーランド」も (売)連37,544 (従)98 (資)10,586 (住)大田区大森北1-6-8 ☎03-5767-9055 ㉕**5** ㉔**7(男4, 女3)**
東テク㈱	[卸] (特色) 空調・同関連機器商社の草分け。専業で首位。計装など工事部門拡大。保守工事子会社が強み (売)連140,732 (従)1,092 (資)1,857 (住)中央区日本橋本町3-11-11 ☎03-6632-7000 ㉕**60** ㉔**39(男31, 女8)**
東鉄工業㈱	[建] (特色) 線路の維持補修など鉄道工事に強いゼネコン。JR東関連が大半。DOE3%以上で累進配当 (売)連141,845 (従)1,722 (資)2,810 (住)新宿区信濃町34 ☎03-5369-7698 ㉕**増加** ㉔**81(男73, 女8)**
㈱東天紅	[小] (特色) 中華レストラン「東天紅」を全国の都市部に展開。宴会依存度高い。新・上野本店で婚礼に注力 (売)単4,679 (従)159 (資)50 (住)台東区池之端1-4-1 ☎03-3828-6272 ㉕**15** ㉔**6(男6, 女0)**
東都水産㈱	[卸] (特色) 水産荷受け大手。冷蔵倉庫や不動産賃貸も併営。カナダに子会社。麻生グループが20年にTOB (売)連104,802 (従)136 (資)2,376 (住)江東区豊洲6-6-2 ☎03-6633-1003 ㉕**20** ㉔**13(男10, 女3)**
東邦化学工業㈱	[化] (特色) 界面活性剤を幅広い用途に製販。樹脂、化成品などへも展開。電子・情報産業用分野を積極開拓 (売)連50,596 (従)686 (資)1,755 (住)中央区明石町6-4 ☎03-5550-3737 ㉕**微増** ㉔**15(男14, 女1)**
東洋電機製造㈱	[電機] (特色) 電車用駆動装置・パンタグラフの製造大手。永久磁石モーターに強み。自動車試験装置を強化 (売)連32,140 (従)791 (資)4,998 (住)中央区八重洲1-4-16 ☎03-5202-8121 ㉕**微増** ㉔**14(男10, 女4)**
東洋ドライルーブ㈱	[化] (特色) 米ドライルーブ社と技術提携で発足。固体被膜潤滑剤で先駆。受託加工主力。自動車向け多い (売)連4,699 (従)125 (資)375 (住)世田谷区代沢1-26-4 ☎03-3412-5711 ㉕**5** ㉔**4(男4, 女0)**
東洋埠頭㈱	[倉運] (特色) 埠頭会社最大手で特殊倉庫のパイオニア。精緻な保管仕様誇る。輸入青果物強い。国際物流注力 (売)連34,697 (従)320 (資)8,260 (住)中央区晴海1-8-8 ☎03-5560-2701 ㉕**15** ㉔**8(男6, 女2)**
㈱True Data	[情通] (特色) 消費者の購買傾向やPOSデータなど活用したビッグデータ分析や開発支援ツールを提供 (売)単1,593 (従)97 (資)1,360 (住)港区芝大門1-10-11 ☎03-6430-0721 ㉕**4** ㉔**4(男4, 女0)**
東和フードサービス㈱	[小] (特色) 高級喫茶「椿屋」を筆頭に、イタリアンなど外食を首都圏で直営展開。物販育成。利益は下期偏重 (売)単12,382 (従)205 (資)50 (住)港区新橋3-20-1 ☎03-5843-7666 ㉕**12** ㉔**6(男3, 女3)**
トーセイ㈱	[不] (特色) 首都圏のオフィスビルや賃貸住宅の不動産再生が柱。ファンド運用、不動産開発、ホテルも (売)連IFS79,446 (従)282 (資)6,624 (住)港区芝浦4-5-4 ☎03-5439-8801 ㉕**28** ㉔**22(男17, 女5)**
トーソー㈱	[金製] (特色) カーテンレール製造で国内首位。ブラインドも強い。インドネシアなど東南アジア展開を強化中 (売)連21,605 (従)634 (資)1,170 (住)中央区新川1-4-9 ☎03-3552-1211 ㉕**10** ㉔**13(男8, 女5)**
㈱トーメンデバイス	[卸] (特色) 韓国サムスン電子製品に特化した半導体商社。DRAM・フラッシュメモリーが主。豊田通商系 (売)連370,676 (従)111 (資)2,054 (住)中央区晴海1-8-12 ☎03-3536-9150 ㉕**3** ㉔**3(男1, 女2)**
㈱トーモク	[パ紙] (特色) 段ボール製品加工の専業首位。輸入住宅スウェーデンハウス主力の住宅と運輸倉庫の3本柱 (売)連211,526 (従)1,187 (資)13,669 (住)千代田区丸の内2-2-2 ☎03-3213-6811 ㉕**83** ㉔**40(男28, 女12)**
トーヨーカネツ㈱	[機] (特色) 空港・配送センターなど物流システムが主力、EC向けが拡大。石油、LNGタンク工事も (売)連53,787 (従)608 (資)18,580 (住)江東区南砂2-11-1 ☎03-5857-3333 ㉕**前年並** ㉔**14(男12, 女2)**
特種東海製紙㈱	[パ紙] (特色) 特種製紙と東海パルプが統合、独立系。特殊紙に強み。段ボールなど板紙製販で日本製紙と提携 (売)連86,517 (従)480 (資)11,485 (住)千代田区丸の内1-8-2 ☎03-5219-1810 ㉕**増加** ㉔**13(男11, 女2)**
TONE㈱	[金製] (特色) レンチ、ボルト締結機器等のメーカー。ベトナムに生産工場所有。工具の輸入販売で創業 (売)連7,578 (従)127 (資)605 (住)荒川区東日暮里4-7-5 ☎03-3801-7077 ㉕**未定** ㉔**8(男4, 女4)**
㈱鳥羽洋行	[卸] (特色) 空圧機器を中心に制御・FA関連・産業機器を扱う機械工具の専門商社。産業用ロボットに注力 (売)連28,449 (従)235 (資)1,148 (住)文京区水道2-8-6 ☎03-3944-4031 ㉕**10** ㉔**14(男10, 女4)**
㈱トミタ	[卸] (特色) 1911年創業の工作機械、工具の専門商社。電子関連分野拡大。アジア主体に海外展開図る (売)連21,313 (従)71 (資)397 (住)中央区銀座8-3-10 ☎03-3572-8261 ㉕**4** ㉔**2(男2, 女0)**
㈱巴川コーポレーション	[化] (特色) 半導体実装用テープや電子部品材料を手がける。機能性シートも多数。トナー専業で世界首位 (売)連33,692 (従)396 (資)2,122 (住)中央区京橋2-1-3 ☎03-3516-3401 ㉕**前年並** ㉔**11(男6, 女5)**
巴工業㈱	[機] (特色) 中堅化学機械メーカー。デカンター型遠心分離機で国内首位。輸入化学品商材の扱い大きい (売)連49,628 (従)478 (資)1,061 (住)品川区北品川5-5-15 ☎03-3442-5120 ㉕**15** ㉔**10(男9, 女1)**
㈱巴コーポレーション	[建] (特色) 体育館など大空間構造建築の先駆。文教関係強い。電力鉄塔にも実績。不動産賃貸が安定収益源 (売)連33,342 (従)403 (資)3,000 (住)中央区勝どき4-6-2 ☎03-3533-5311 ㉕**29** ㉔**15(男9, 女6)**
トヨクモ㈱	[情通] (特色) 業務アプリ展開。サイボウズ社キントーン連携と安否確認のサービスが主力。スケジューラーも (売)単2,434 (従)69 (資)394 (住)品川区上大崎3-1-1 ☎050-3816-6668 ㉕**6** ㉔**6(男3, 女3)**

会社名	業種名 (特色)会社の特色 (売)売上高(百万円) (従)単独従業員数(名) (資)資本金(百万円) (住)本社の住所, 電話番号 ㉕25年採用計画数(名) ㉔24年入社内定者数(名)
㈱ドラフト	建 (特色)オフィスや商業施設、都市開発などの空間設計・施工の大手。従業員の約6割がデザイナー (売)連10,702 (従)162 (資)807 (住)港区南青山5-6-19 ☎03-5412-1001 ㉕**10** ㉔**20(男7, 女13)**
㈱トランザクション	他製 (特色)デザイン雑貨、エコ雑貨等の企画販売。生産は外部に委託、プリント加工の一部は自社で担う (売)連22,958 (従)33 (資)93 (住)渋谷区渋谷3-28-13 ☎03-5468-9033 ㉕**40** ㉔**37(男21, 女16)**
トランスコスモス㈱	サ (特色)アウトソーシングビジネス大手。BPOからコールセンター、デジタルマーケへ拡大。中韓等も (売)連362,201 (従)18,028 (資)29,065 (住)豊島区東池袋3-1-1 ☎050-1751-7700 ㉕**前年並** ㉔**766(男324, 女442)**
㈱ドリームインキュベータ	サ (特色)大企業向け戦略コンサルが柱、新規事業支援に強み。投資事業も。電通グループ持分適用会社 (売)連5,378 (従)194 (資)5,019 (住)千代田区霞が関3-2-6 ☎03-5532-3200 ㉕**30** ㉔**16(男12, 女4)**
㈱ドリコム	情通 (特色)アニメ、漫画など有力IPのスマホゲーム開発・運用。他社配信主体。出版、Web3事業を育成 (売)連9,779 (従)278 (資)1,850 (住)品川区大崎2-1-1 ☎050-3101-9977 ㉕**未定** ㉔**11(男5, 女6)**
㈱トリドリ	サ (特色)インフルエンサーと企業をつなぐプラットフォーム展開。個人事業主向けサービスに注力中 (売)連3,222 (従)100 (資)57 (住)渋谷区円山町28-1 ☎03-6892-3591 ㉕**若干名** ㉔**3(男2, 女1)**
㈱トリプルアイズ	情通 (特色)独自開発のAI顔認証基盤「AIZE」展開。SI受託と2本柱。画像処理サーバー会社を買収 (売)連2,346 (従)243 (資)54 (住)千代田区神田駿河台3-4 ☎03-3526-2201 ㉕**20** ㉔**11(男8, 女3)**
トレイダーズホールディングス㈱	証商 (特色)「みんなのFX」運営のトレイダーズ証券が主。グループ人員の3分の2がシステム開発に従事 (売)連10,103 (従)63 (資)1,564 (住)渋谷区恵比寿4-20-3 ☎03-6736-9850 ㉕**5** ㉔**4(男4, 女0)**
㈱トレードワークス	情通 (特色)金融関連会社のシステム開発・保守・運用など。インサイダー取引等不正取引の監視も行う (売)連3,753 (従)136 (資)312 (住)港区赤坂5-2-20 ☎03-6230-8900 ㉕**10** ㉔**4(男4, 女0)**
㈱トレジャー・ファクトリー	小 (特色)家電、家具、雑貨など総合リユース軸に衣料、スポーツなど専門業態の展開加速。関東、関西主力 (売)連34,454 (従)1,034 (資)906 (住)千代田区神田練塀町3 ☎03-3880-8822 ㉕**130** ㉔**110(男84, 女26)**
トレックス・セミコンダクター㈱	電機 (特色)電源ICのファブレスメーカー。車載や産機向けに強み。傘下にパワー半導体受託製造会社 (売)連25,751 (従)190 (資)2,967 (住)中央区新川1-24-1 ☎03-6222-2851 ㉕**5** ㉔**7(男6, 女1)**
トレンダーズ㈱	サ (特色)SNSインフルエンサー活用販促支援が柱。美容に加え医療領域育成。アイスタイルの持分社 (売)連5,673 (従)197 (資)629 (住)渋谷区東3-16-3 ☎03-5774-8871 ㉕**8** ㉔**9(男2, 女7)**
トレンドマイクロ㈱	情通 (特色)セキュリティで世界有数。法人向け統合プラットフォーム（XDR）に注力。総還元性向100% (売)連248,691 (従)854 (資)19,926 (住)新宿区新宿4-1-6 ☎03-4330-7600 ㉕**20** ㉔**15(男12, 女3)**
㈱NaITO	卸 (特色)機械工具専門商社。岡谷鋼機子会社。切削工具に強い。計測機器、産業機器を第2の柱に育成へ (売)連44,064 (従)321 (資)2,291 (住)北区昭和町2-1-11 ☎03-3800-8651 ㉕**15** ㉔**14(男7, 女7)**
ナイル㈱	情通 (特色)デジタルマーケなど扱うDX事業、新車・中古車リース扱う自動車特化型DX事業が2本柱 (売)単5,244 (従)250 (資)596 (住)品川区東五反田1-24-2 ☎03-6409-6766 ㉕**12** ㉔**6(男4, 女2)**
ナガイレーベン㈱	卸 (特色)衛生白衣大手。制電・抗菌加工等で差別化しシェア6割。介護や手術分野も展開。配当性向5割 (売)連17,181 (従)125 (資)1,925 (住)千代田区鍛冶町2-1-10 ☎03-5289-8200 ㉕**若干名** ㉔**3(男3, 女0)**
長野計器㈱	精 (特色)機械式圧力計はグループで世界シェア首位。産機向け主力。世界最大の電子圧力センサー工場 (売)連67,935 (従)783 (資)4,380 (住)大田区東馬込1-30-4 ☎03-3776-5311 ㉕**未定** ㉔**8(男3, 女5)**
㈱ナカノフドー建設	建 (特色)医療、物流など多彩な民間建築が主体の中堅ゼネコン。東南アジアでの高層住宅、工場等に実績 (売)連107,415 (従)797 (資)5,061 (住)千代田区九段北4-2-28 ☎03-3265-4661 ㉕**40** ㉔**31(男21, 女10)**
㈱ナカボーテック	建 (特色)鉄鋼構造物などの腐食抑える防食専業のエンジニアリング。業界首位。RCなど新規事業育成 (売)単13,780 (従)277 (資)866 (住)中央区新川1-17-21 ☎03-5541-5801 ㉕**10** ㉔**10(男9, 女1)**
㈱ナガホリ	卸 (特色)宝飾品の製造卸大手。ダイヤモンドが主力、百貨店に強み。自社ブランド開発、小売り展開も (売)連21,820 (従)310 (資)5,323 (住)台東区上野1-15-3 ☎03-3832-8266 ㉕**前年並** ㉔**6(男0, 女6)**
㈱中村屋	食 (特色)和菓子老舗。中華まんが収益源で下期偏重。インドカレーの草分け。不動産賃貸事業も展開 (売)単37,769 (従)789 (資)7,469 (住)新宿区新宿3-26-13 ☎03-5325-2733 ㉕**前年並** ㉔**34(男12, 女22)**
㈱ナガワ	サ (特色)ユニットハウス大手。倉庫や事務所など軽量鉄骨のモジュール建築拡充。好財務で手元資金潤沢 (売)連32,576 (従)559 (資)2,855 (住)千代田区丸の内1-4-1 ☎03-5288-8666 ㉕**23** ㉔**29(男21, 女8)**
那須電機鉄工㈱	金製 (特色)電力鉄塔代表格。架線金物含め電力・通信関連の比重大。メッキは高技術。建築金物からは撤退 (売)連23,334 (従)368 (資)600 (住)新宿区新宿2-1-12 ☎03-3351-6131 ㉕**10** ㉔**7(男7, 女0)**
㈱ナック	サ (特色)ダスキン加盟店最大手。レンタル事業、水宅配が主力。住宅や建築コンサルにも展開。M&Aも (売)連54,433 (従)1,186 (資)6,729 (住)新宿区西新宿1-25-1 ☎03-3346-2111 ㉕**40** ㉔**32(男24, 女8)**
㈱NATTY SWANKYホールディングス	小 (特色)ギョーザ軸にした居酒屋「肉汁餃子のダンダダン」を直営、FCで展開。22年2月に持株会社移行 (売)連7,061 (従)9 (資)1,163 (住)新宿区西新宿1-19-8 ☎03-5989-0237 ㉕**10** ㉔**2(男1, 女1)**

会社名	業種名 特色 会社の特色 売 売上高(百万円) 従 単独従業員数(名) 資 資本金(百万円) 住 本社の住所, 電話番号 ㉕25年採用計画数(名) ㉔24年入社内定者数(名)
㈱なとり	食 特色 イカ、サラミ、チーズなどの多品種のおつまみを提供する国内最大手の総合おつまみメーカー 売 連47,578 従 589 資 1,975 住 北区王子5-5-1 ☎03-5390-8111 ㉕**前年並** ㉔**20(男11, 女9)**
ナラサキ産業㈱	卸 特色 北海道が地盤。三菱電機代理店業務が柱。農業設備、燃料、建設資材、港湾作業、建機に多角化 売 連107,455 従 423 資 2,354 住 中央区入船3-3-8 ☎03-6732-7350 ㉕**前年並** ㉔**16(男11, 女5)**
㈱ナルミヤ・インターナショナル	小 特色 子供服の企画販売SPA。SC向け「プティマイン」など。22年アパレルのワールドが子会社化 売 連37,484 従 1,060 資 255 住 港区芝公園2-4-1 ☎03-6430-9100 ㉕**65** ㉔**65(男1, 女64)**
㈱No. 1	卸 特色 情報セキュリティ機器の開発・製販が柱。IT軸のコンサルも。小規模企業が主顧客。累進配当 売 連13,452 従 526 資 645 住 千代田区内幸町1-5-2 ☎03-5510-8911 ㉕**50** ㉔**27(男23, 女4)**
㈱ニーズウェル	情通 特色 金融システム開発に強み。ソリューション事業強化。エンドユーザーと直接取引は売上高の5割 売 連8,761 従 588 資 908 住 千代田区紀尾井町4-1 ☎03-6265-6763 ㉕**75** ㉔**57(男30, 女27)**
西川計測㈱	卸 特色 横河電機や米国アジレントの総合代理店。制御・分析機器等システム展開強い。技術系社員70% 売 単36,417 従 408 資 569 住 渋谷区代々木3-22-7 ☎03-3299-1331 ㉕**前年並** ㉔**14(男11, 女3)**
西本Wismettacホールディングス㈱	卸 特色 海外の外食・小売店にアジア食材を販売する専門商社。北米に数多くの拠点。輸入青果販売も 売 連300,847 従 70 資 2,646 住 中央区日本橋室町3-2-1 ☎03-6870-2015 ㉕**未定** ㉔**21(男10, 女11)**
ニチモウ㈱	卸 特色 食品事業と漁網・漁具などの海洋事業が2本柱、食品加工機械や資材も扱う。累進配当を掲げる 売 連127,756 従 196 資 6,354 住 品川区東品川2-2-20 ☎03-3458-3020 ㉕**10** ㉔**13(男10, 女3)**
㈱ニチリョク	小 特色 霊園や堂内陵墓(納骨堂)受託開発・販売の業界大手。葬祭事業に注力。ファンドが筆頭株主に 売 単2,852 従 108 資 1,865 住 中央区八重洲1-7-20 ☎03-6271-8920 ㉕**前年並** ㉔**9(男1, 女8)**
日産証券グループ㈱	証商 特色 岡藤HDと日産証券が20年10月経営統合し発足。現物、先物取引受託など金の取り扱いで定評 売 連7,743 従 251 資 1,641 住 中央区銀座6-10-1 ☎03-6759-8705 ㉕**16** ㉔**13(男10, 女3)**
㈱日神グループホールディングス	不 特色 東京、神奈川中心にマンション展開。建設、中古買い取り再販、運用受託等の関連事業を強化 売 連81,023 従 8 資 10,111 住 新宿区新宿5-8-1 ☎03-5360-2016 ㉕**前年並** ㉔**40(男29, 女11)**
日進工具㈱	機 特色 切削工具中堅。精密金型や部品加工用途の超硬小径エンドミル特化。自社開発機で生産。無借金 売 連9,040 従 235 資 455 住 品川区大井1-28-1 ☎03-6423-1135 ㉕**前年並** ㉔**12(男10, 女2)**
日新商事㈱	卸 特色 ENEOS系石油製品販売中堅。関東や中部の直営SS、産業用燃料が柱。太陽光発電、不動産も 売 連38,732 従 339 資 3,624 住 港区芝浦1-12-3 ☎03-3457-6251 ㉕**5** ㉔**5(男2, 女3)**
㈱日宣	サ 特色 顧客企業から直接受注の広告・販促事業が柱。放送・通信、住まい、医療・健康の3分野に強み 売 連5,224 従 129 資 347 住 千代田区神田司町2-6-5 ☎03-5209-7222 ㉕**5** ㉔**2(男2, 女0)**
日東工器㈱	機 特色 配管の簡易接続器具である迅速流体継ぎ手の最大手。自社開発製品に強み。海外展開に積極的 売 連27,072 従 489 資 1,850 住 大田区仲池上2-9-4 ☎03-3755-1111 ㉕**25** ㉔**28(男16, 女12)**
日東製網㈱	繊 特色 合繊製無結節網の最大手。漁網と漁労機器が主力。タイ拠点軸に東南アジアなど海外開拓へ注力 売 連20,899 従 303 資 1,378 住 港区新橋2-20-15-701 ☎03-3572-5376 ㉕**前年並** ㉔**11(男10, 女1)**
日東富士製粉㈱	食 特色 製粉準大手。三菱商事傘下で連携推進。「ケンタッキーフライドチキン」など外食FCも展開 売 連72,598 従 403 資 2,500 住 中央区新川1-3-17 ☎03-3553-8781 ㉕**未定** ㉔**14(男8, 女6)**
日特建設㈱	建 特色 基礎、地盤改良、法面など特殊土木大手。環境、防災工事に強み。麻生グループの傘下。好財務 売 連71,880 従 1,041 資 6,064 住 中央区東日本橋3-10-6 ☎03-5645-5050 ㉕**37** ㉔**33(男28, 女5)**
㈱ニッピ	他製 特色 ゼラチン、コラーゲン、化粧品等が主力。旧大倉財閥グループ。本社再開発へ。iPS細胞開発 売 連49,046 従 449 資 4,404 住 足立区千住緑町1-1-1 ☎03-3888-5111 ㉕**前年並** ㉔**10(男6, 女4)**
㈱日本アクア	建 特色 住宅・建築物用のウレタン断熱材を生産・施工。ヤマダHD傘下のヒノキヤグループの子会社 売 単28,341 従 592 資 1,903 住 港区港南2-16-2 ☎03-5463-1117 ㉕**40** ㉔**39(男14, 女25)**
日本エアーテック㈱	機 特色 クリーンルームと関連機器の専業メーカー。電子、バイオ分野が主な需要先。北関東に製造拠点 売 単13,646 従 448 資 2,133 住 台東区入谷1-14-9 ☎03-3872-6611 ㉕**前年並** ㉔**10(男9, 女1)**
㈱日本エム・ディ・エム	精 特色 骨接合材料・人工関節など整形外科器具の専門製造販売会社。売上高の8割を米国子会社で製造 売 連23,177 従 312 資 3,001 住 新宿区市谷台町12-2 ☎03-3341-6545 ㉕**5** ㉔**5(男3, 女2)**
日本カーバイド工業㈱	化 特色 各種の機能樹脂やセラミック基板等展開。ステッカー、再帰反射シートも。子会社でアルミ建材 売 連43,231 従 524 資 7,797 住 港区港南2-16-2 ☎03-5462-8200 ㉕**20** ㉔**17(男9, 女8)**
日本カーボン㈱	ガ土 特色 炭素製品大手。電炉向け電極、半導体やリチウムイオン電池向け製造。航空機用はGE等と合弁 売 連37,867 従 181 資 7,402 住 中央区八丁堀1-10-7 ☎03-6891-3730 ㉕**3** ㉔**4(男3, 女1)**
日本化学工業㈱	化 特色 1893年創業の工業薬品企業。無機化学は首位級、セラミック材料強化。電池正極材も継続 売 連38,538 従 652 資 5,757 住 江東区亀戸9-11-1 ☎03-3636-8111 ㉕**25** ㉔**22(男19, 女3)**

会社名	業種名 特色 会社の特色 売 売上高(百万円) 従 単独従業員数(名) 資 資本金(百万円) 住 本社の住所, 電話番号 ㉕25年採用計画数(名) ㉔24年入社内定者数(名)
日本化学産業㈱	化 (特色)無機系の表面処理薬品、2次電池用正極材受託加工が柱。タイに現法。住宅用防災建材も収益源 (売)連22,444 (従)384 (資)1,034 (住)台東区東上野4-8-1 ☎03-5246-3540 ㉕**未定** ㉔**12(男9,女3)**
日本瓦斯㈱	小 (特色)関東地盤にLPガス、都市ガスを展開。直販に特色。M&A戦略で商圏拡大。電力にも参入 (売)連194,364 (従)1,171 (資)7,070 (住)渋谷区代々木4-31-8 ☎03-5308-2111 ㉕**前年並** ㉔**59(男54,女5)**
日本管財ホールディングス㈱	サ (特色)ビル、公共住宅の清掃、警備など総合管理に実績、自治体など公共施設管理拡充、持株会社移行 (売)連122,674 (従)126 (資)3,000 (住)中央区日本橋2-1-10 ☎03-5299-0007 ㉕**60** ㉔**27(男10,女17)**
日本金属㈱	鉄 (特色)圧延専業メーカー。ステンレス帯鋼の精密冷間圧延が強み。自動車部品や家電向けが主力 (売)連51,411 (従)591 (資)6,857 (住)港区芝5-29-11 ☎03-5765-8111 ㉕**前年並** ㉔**17(男14,女3)**
日本空港ビルデング㈱	不 (特色)羽田空港国内・国際ターミナルビルの家主。家賃、施設利用収入と、羽田、成田の免税店運営が柱 (売)連217,578 (従)293 (資)38,126 (住)大田区羽田空港3-3-2 ☎03-5757-8000 ㉕**未定** ㉔**22(男13,女9)**
㈱日本ケアサプライ	サ (特色)福祉用具レンタル卸大手。物流機能持つ営業所を全国展開。三菱商事、ALSOKが大株主 (売)連28,592 (従)1,295 (資)2,897 (住)港区芝大門1-1-30 ☎03-5733-0381 ㉕**前年並** ㉔**22(男8,女14)**
日本高周波鋼業㈱	鉄 (特色)神戸製鋼傘下の特殊鋼メーカー。金型素材となる工具鋼が主力。建機や産機向けに鋳鉄部品も (売)連36,614 (従)505 (資)12,721 (住)千代田区岩本町1-10-5 ☎03-5687-6023 ㉕**微増** ㉔**7(男7,女0)**
日本高純度化学㈱	化 (特色)電子部品の接続部位メッキ薬専業。売上原価は貴金属材料の市況に連動。自己資本配当率を採用 (売)単11,419 (従)49 (資)1,283 (住)練馬区北町3-10-18 ☎03-3550-1048 ㉕**3** ㉔**2(男1,女1)**
日本国土開発㈱	建 (特色)重機土工事得意。東日本復旧復興に実績。会社更生手続き03年終結。再上場。超高層建築に参入 (売)連135,701 (従)830 (資)5,012 (住)港区虎ノ門4-3-13 ☎03-6777-7881 ㉕**50** ㉔**41(男30,女11)**
日本コンクリート工業㈱	ガ土 (特色)ポール(柱)は電力、NTT向けに圧倒的。パイルも大手3社の一角、高支持力杭工法の開発推進 (売)連53,650 (従)359 (資)5,111 (住)港区芝浦4-6-14 ☎03-3452-1025 ㉕**10** ㉔**6(男4,女2)**
日本コンセプト㈱	倉運 (特色)タンクコンテナを用いた化学品、薬品、食品材料など液体物流サービスを提供。輸送自体は外注 (売)連17,292 (従)101 (資)1,134 (住)千代田区内幸町2-2-2 ☎03-3507-8812 ㉕**10** ㉔**7(男4,女3)**
㈱日本色材工業研究所	化 (特色)OEMで化粧品生産。口紅、マスカラなどメイク品に強み。製薬など異業種からの受託も多い (売)連15,050 (従)318 (資)100 (住)港区三田5-3-13 ☎03-3456-0561 ㉕**増加** ㉔**17(男6,女11)**
日本証券金融㈱	他金 (特色)制度信用取引の決済に必要な資金・株券の貸付(貸借取引業務)の最大手。総還元性向100% (売)連50,008 (従)220 (資)10,000 (住)中央区日本橋茅場町1-2-10 ☎03-3666-3184 ㉕**前年並** ㉔**6(男2,女4)**
日本食品化工㈱	食 (特色)三菱商事子会社。コーンスターチ首位。糖化品は飲料向けなど気象条件左右。配当性向30%目安 (売)単66,676 (従)433 (資)1,600 (住)千代田区丸の内1-6-5 ☎03-3212-9111 ㉕**15** ㉔**12(男7,女5)**
日本精蝋㈱	油炭 (特色)石油系ワックス専業メーカー。キャンドル、タイヤ、包装材料が主用途。伊藤忠と資本業務提携 (売)連21,704 (従)217 (資)100 (住)中央区京橋2-5-18 ☎03-3538-3061 ㉕**前年並** ㉔**2(男··,女··)**
日本石油輸送㈱	陸 (特色)ENEOS傘下の石油・高圧ガス輸送大手。鉄道輸送取扱量は業界首位。化成品の輸送業務も (売)連34,985 (従)157 (資)1,661 (住)品川区大崎1-11-1 ☎03-5496-7671 ㉕**前年並** ㉔**6(男4,女2)**
日本電技㈱	建 (特色)ビル空調計装工事の大手。工場搬送ライン用などの自動制御システムも展開。アズビルと提携 (売)連38,894 (従)894 (資)470 (住)墨田区両国2-10-14 ☎03-5624-1100 ㉕**30** ㉔**31(男29,女2)**
日本甜菜製糖㈱	食 (特色)製糖準大手。国産ビート糖首位。ビート作況や砂糖市況影響大。収益柱は飼料と不動産。好財務 (売)連69,297 (従)633 (資)8,279 (住)港区三田3-12-14 ☎03-6414-5522 ㉕**前年並** ㉔**13(男11,女2)**
日本電波工業㈱	電機 (特色)電波の送受信に欠かせない水晶デバイスで世界大手。車載用が主体、日中マレーシアで生産 (売)連IFS50,309 (従)697 (資)5,596 (住)渋谷区笹塚1-47-1 ☎03-5453-6711 ㉕**20** ㉔**19(男15,女4)**
日本特殊塗料㈱	化 (特色)航空機塗料で創業。現在は自動車用防音(制振、吸・遮音)材が主力。米国、中国、タイで生産販売 (売)連64,693 (従)642 (資)4,753 (住)北区王子3-23-2 ☎03-3913-6131 ㉕**前年並** ㉔**16(男12,女4)**
日本トムソン㈱	機 (特色)半導体製造装置等向け直動案内機器が主力。2輪車用ニードル軸受けも。ブランドは「IKO」 (売)連55,048 (従)連2,455 (資)9,533 (住)港区高輪2-19-19 ☎03-3448-5811 ㉕**微増** ㉔**39(男27,女12)**
日本ドライケミカル㈱	機 (特色)防災設備大手。消防自動車も製造。資本提携戦略で総合防災体制整備。筆頭株主にALSOK (売)連55,878 (従)781 (資)700 (住)北区田端6-1-1 ☎03-5815-5050 ㉕**30** ㉔**22(男18,女4)**
日本ナレッジ㈱	情通 (特色)ソフトウェアの検証サービスとシステム受託開発、業務系ソフトの開発・販売。ERPに強み (売)単4,076 (従)422 (資)217 (住)台東区寿3-19-5 ☎03-3845-4781 ㉕**57** ㉔**43(男35,女8)**
日本BS放送㈱	情通 (特色)ビックカメラ傘下で無料のBS11を放送。アニメや韓国ドラマなどに強み。傘下に出版社も (売)連12,417 (従)104 (資)4,190 (住)千代田区神田駿河台2-5 ☎03-3518-1800 ㉕**前年並** ㉔**4(男3,女1)**
㈱日本ピグメントホールディングス	化 (特色)樹脂のカラーコンパウンド、着色剤専業で業界首位。中国、東南アジアでの現地生産に注力 (売)連26,683 (従)225 (資)1,481 (住)千代田区神田錦町3-20 ☎03-6362-8801 ㉕**10** ㉔**10(男8,女2)**

会社名	業種名 特色 会社の特色 売 売上高(百万円) 従 単独従業員数(名) 資 資本金(百万円) 住 本社の住所,電話番号 ㉕ 25年採用計画数(名) ㉔ 24年入社内定者数(名)
日本ヒューム(株)	ガ土 特色 下水道向けヒューム管でシェア約2割。コンクリートパイルも大手。プレキャスト製品に注力 売 連33,732 従 425 資 5,251 住 港区新橋5-33-11 ☎03-3433-4111 ㉕ **15** ㉔ **8(男8,女0)**
日本フイルコン(株)	金製 特色 国内首位の抄紙網など各種フィルター、コンベヤーを製造。精密加工技術応用しフォトマスクも 売 連27,986 従 459 資 2,685 住 稲城市大丸2220 ☎042-377-5711 ㉕ **未定** ㉔ **13(男7,女6)**
日本フエルト(株)	繊 特色 紙・パルプ用フェルトの国内市場をイチカワと二分。バグフィルターなど工業用繊維製品も展開 売 連10,082 従 418 資 2,435 住 北区赤羽西1-7-1 ☎03-5993-2030 ㉕ **若干名** ㉔ **8(男4,女4)**
日本フェンオール(株)	電機 特色 ガス消火装置など特殊防災が柱。熱制御で半導体製造装置用途に強み。消防関連事業に参入 売 連12,601 従 224 資 996 住 千代田区飯田橋1-5-10 ☎03-3237-3561 ㉕ **若干名** ㉔ **2(男2,女0)**
日本プロセス(株)	情通 特色 独立系システム開発会社。組み込み系、発電所向けの制御系が柱。自動車関連の開発が拡大 売 連9,468 従 621 資 1,487 住 品川区大崎1-11-1 ☎03-4531-2111 ㉕ **50** ㉔ **33(男28,女5)**
(株)日本マイクロニクス	電機 特色 半導体検査用器具プローブカード主力で世界3位、メモリー向け同1位、ロジック向け拡大中 売 連38,292 従 1,161 資 5,018 住 武蔵野市吉祥寺本町2-6-8 ☎0422-21-2665 ㉕ **13** ㉔ **10(男8,女2)**
日本冶金工業(株)	鉄 特色 ステンレス専業大手。ニッケル精錬から圧延まで一貫生産。高耐食・高耐熱など高機能材に注力 売 連180,341 従 1,169 資 24,301 住 中央区京橋1-5-8 ☎03-3272-1511 ㉕ **未定** ㉔ **26(男22,女4)**
日本ライフライン(株)	卸 特色 医療機器輸入から製造に軸足。得意の心臓領域に加え脳血管、消化器領域に展開、自社品拡大 売 連51,384 従 976 資 2,115 住 品川区東品川2-2-20 ☎03-6711-5200 ㉕ **15** ㉔ **9(男4,女5)**
日本リーテック(株)	建 特色 総合電気設備工事。09年に千歳電工と保安工業が合併、JR東日本依存大。電力向け等も展開 売 連58,542 従 1,162 資 1,430 住 千代田区神田錦町1-6 ☎03-6880-2710 ㉕ **40** ㉔ **33(男28,女5)**
日本リビング保証(株)	他金 特色 住設機器保証修理とメーカー保証事務が2本柱。システム開発のメディアシークと経営統合 売 連5,359 従 236 資 212 住 新宿区西新宿4-33-4 ☎03-6276-0401 ㉕ **10** ㉔ **8(男4,女4)**
日本ルツボ(株)	ガ土 特色 中堅耐火物メーカー。鋳造用るつぼが主力で自動車部品向けが中心。鉄鋼向けや築炉工事も 売 連9,610 従 194 資 704 住 渋谷区恵比寿1-21-3 ☎03-3443-5551 ㉕ **若干名** ㉔ **2(男2,女0)**
日本ロジテム(株)	陸 特色 株主の日清製粉系はじめ食品、インテリア、電子、衣料が主要荷主の陸運業。大手通販向け強化 売 連62,972 従 931 資 3,145 住 港区新橋5-11-3 ☎03-3433-6711 ㉕ **微増** ㉔ **25(男19,女6)**
(株)ネオマーケティング	情通 特色 企業のマーケティング支援が柱。市場調査から商品開発・販売まで一貫して支援。業務は内製化 売 連2,275 従 111 資 85 住 渋谷区南平台町16-25 ☎03-6328-2880 ㉕ **20** ㉔ **10(男5,女5)**
(株)NEXYZ. Group	他金 特色 中小企業がLED照明など初期投資ゼロで設備導入できるよう支援。電子雑誌やエンタメも 売 連21,953 従 42 資 100 住 渋谷区桜丘町20-4 ☎03-5459-7444 ㉕ **180** ㉔ **135(男72,女63)**
(株)NexTone	サ 特色 音楽コンテンツの著作権管理を展開。JASRACの対抗軸へ。傘下に音楽配信軸のレコチョク 売 連13,433 従 114 資 1,218 住 渋谷区恵比寿4-20-3 ☎03-5475-5020 ㉕ **5** ㉔ **4(男1,女3)**
(株)ネクストジェン	情通 特色 IP電話を日本に初めて導入。大手通信業者に通信ソリューション提供。一般企業向けにも展開 売 連3,522 従 140 資 1,127 住 港区白金1-27-6 ☎03-5793-3230 ㉕ **8** ㉔ **6(男3,女3)**
ネットイヤーグループ(株)	情通 特色 顧客体験を重視したネットマーケティング支援に特徴持つ。NTTデータグループの傘下 売 単3,630 従 202 資 570 住 中央区銀座2-15-2 ☎03-6369-0500 ㉕ **未定** ㉔ **9(男3,女6)**
ネツレン	金製 特色 電気による鋼材焼き入れ(誘導加熱加工)大手。加工受託、棒鋼・ばね鋼線、加熱設備販売が主力 売 連57,205 従 904 資 6,418 住 品川区東五反田2-17-1 ☎03-3443-5441 ㉕ **未定** ㉔ **11(男9,女2)**
(株)ノダ	他製 特色 木質系住宅建材メーカー。内装建材、フロア材が得意。子会社で合板、MDF販売。全国に販売網 売 連73,227 従 1,049 資 2,141 住 台東区浅草橋5-13-6 ☎03-5687-6222 ㉕ **前年並** ㉔ **28(男20,女8)**
(株)ノムラシステムコーポレーション	情通 特色 独SAPのERP(統合業務システム)導入コンサルや保守が軸、独自テンプレートも開発 売 単2,945 従 135 資 325 住 渋谷区恵比寿1-19-19 ☎03-5793-3330 ㉕ **20** ㉔ **7(男5,女2)**
(株)パーカーコーポレーション	化 特色 日本パーカライジング系だが独立色強い。工業用洗剤でトップ級。化学品メーカーへの転換進む 売 連67,733 従 221 資 2,201 住 中央区日本橋人形町2-22-1 ☎03-5644-0600 ㉕ **5** ㉔ **4(男2,女2)**
(株)ハーバー研究所	化 特色 自然派化粧品の開発・製造・販売。スクワランオイルが有名。通信販売が主体。収益下期型 売 連12,324 従 483 資 696 住 千代田区神田須田町1-24-11 ☎03-5296-6250 ㉕ **未定** ㉔ **4(男0,女4)**
(株)ハーモニック・ドライブ・システムズ	機 特色 小型・軽量の精密制御減速装置を各産業用に展開。各種駆動装置を組み合わせたメカトロ製品も 売 連55,796 従 542 資 7,100 住 品川区南大井6-25-3 ☎03-5471-7800 ㉕ **10** ㉔ **13(男11,女2)**
(株)バイク王&カンパニー	卸 特色 中古2輪車買い取り最大手。小売り併設の「バイク王」全国展開。査定から買い取りまで標準化 売 単33,068 従 連1,048 資 590 住 世田谷区若林3-15-4 ☎03-6803-8811 ㉕ **70** ㉔ **55(男43,女12)**
(株)バイタルケーエスケー・ホールディングス	卸 特色 東北地盤のバイタルネットと関西地盤のケーエスケーが09年に統合。医療用医薬品卸5位 売 連587,481 従 54 資 5,000 住 世田谷区弦巻1-1-12 ☎03-5787-8550 ㉕ **60** ㉔ **87(男49,女38)**

会社名	業種名 特色 会社の特色 売 売上高(百万円) 従 単独従業員数(名) 資 資本金(百万円) 住 本社の住所,電話番号 ㉕25年採用計画数(名) ㉔24年入社内定者数(名)
㈱ハウス オブ ローゼ	小 特色 百貨店等でのボディケア品や化粧品の小売りが主。リラクゼーションサロンやフィットネスも 売 単11,989 従 830 資 934 住 港区赤坂2-21-7 ☎03-5114-5800 ㉕ **若干名** ㉔ **2(男0,女2)**
ハウスコム㈱	不 特色 大東建託の賃貸仲介子会社。東京、中京圏軸に直営店を展開。物件量が豊富。配当性向3割メド 売 連13,529 従 143 資 424 住 港区港南2-16-1 ☎03-6717-6900 ㉕ **100** ㉔ **73(男41,女32)**
㈱ハウテレビジョン	サ 特色 難関大学生向け就活サービス「外資就活ドットコム」が柱。若手社会人向け「Liiga」も運営 売 単1,842 従 連78 資 10 住 港区赤坂1-12-32 ☎03-6427-2862 ㉕ **5** ㉔ **4(男2,女2)**
㈱パシフィックネット	サ 特色 PCレンタルやサポート提供。引き取り回収やデータ消去などサービス、中古機器販売も展開 売 連6,921 従 225 資 532 住 港区芝5-34-7 ☎03-5730-1441 ㉕ **10** ㉔ **5(男2,女3)**
橋本総業ホールディングス㈱	卸 特色 管工機材、住宅設備機器、空調機卸売り。北海道から沖縄まで全国展開。オーテックと業務提携 売 連155,633 従 760 資 542 住 中央区日本橋小伝馬町14-7 ☎03-3665-9000 ㉕ **22** ㉔ **22(男16,女6)**
長谷川香料㈱	化 特色 国内香料2位。飲料等食品向けフレーバーが主力。化粧品・トイレタリー向けフレグランスも 売 連64,874 従 1,100 資 5,364 住 中央区日本橋本町4-4-14 ☎03-3241-1151 ㉕ **24** ㉔ **16(男11,女5)**
㈱はてな	情通 特色 個人向け「はてなブログ」運営、法人向けオウンドメディアの支援も、アプリ開発の受託が成長柱 売 単3,309 従 201 資 249 住 港区南青山6-5-55 ☎03-6434-1286 ㉕ **未定** ㉔ **5(男5,女0)**
㈱HANATOUR JAPAN	サ 特色 インバウンド専門の旅行会社。韓国親会社や中国など団体客向け手配業務が柱。バス、ホテルも 売 連5,154 従 103 資 100 住 新宿区新宿2-3-15 ☎03-6629-4760 ㉕ **未定** ㉔ **2(男2,女0)**
㈱ハピネス・アンド・ディ	小 特色 宝飾、時計、バッグ、雑貨など販売。SC軸に全国展開。PB拡充、ECと実店舗との連携強化 売 連12,742 従 372 資 348 住 中央区銀座1-16-1 ☎03-3562-7521 ㉕ **10** ㉔ **5(男1,女4)**
㈱ハマイ	機 特色 LPG容器用バルブで首位。不動産経営も。韓国子会社で海外展開。水素自動車関連に注力 売 連11,132 従 259 資 395 住 品川区西五反田7-7-7 ☎03-3492-6711 ㉕ **増加** ㉔ **7(男6,女1)**
パラカ㈱	不 特色 時間貸し駐車場運営・管理。土地賃借型を中心に自社保有型も展開。伊藤忠商事と資本業務提携 売 単14,774 従 101 資 1,901 住 港区愛宕2-5-1 ☎03-6841-0809 ㉕ **20** ㉔ **16(男9,女7)**
バリューコマース㈱	サ 特色 アフィリエイト(成果報酬型)広告で首位級。ヤフー出店者向けにクリック課金広告、CRM展開 売 連29,396 従 311 資 1,728 住 千代田区紀尾井町1-3 ☎03-5210-6688 ㉕ **22** ㉔ **24(男9,女15)**
㈱バリューゴルフ	情通 特色 プレー予約運営や用品販売のゴルフ事業、トラベル事業主軸に全国展開。広告メディア制作も 売 連3,656 従 35 資 382 住 港区芝4-3-5 ☎03-5441-7390 ㉕ **5** ㉔ **2(男0,女2)**
バリュエンスホールディングス㈱	卸 特色 中古ブランド品2位。店舗は買い取り主力で販売は自社オークション主。小売り、ECも強化 売 連76,130 従 120 資 1,295 住 港区南青山5-6-19 ☎03-4580-9983 ㉕ **30** ㉔ **36(男18,女18)**
㈱バロックジャパンリミテッド	小 特色 「MOUSSY」など若年女性向け衣料のSPA。店員の接客に強み。中国・米国ほか海外展開も 売 連60,290 従 1,356 資 8,258 住 目黒区青葉台4-7-7 ☎03-5738-5775 ㉕ **前年並** ㉔ **36(男2,女34)**
㈱ピアラ	サ 特色 化粧品、健康食品中心にECマーケティング展開、成功報酬型に特徴。販促企画等のコンサルも 売 連9,064 従 連160 資 851 住 渋谷区恵比寿4-20-3 ☎03-6362-6831 ㉕ **10** ㉔ **8(男‥,女‥)**
B-R サーティワン アイスクリーム㈱	食 特色 アイス「サーティワン」FC展開、業界首位。不二家と米バスキン・ロビンスの合弁。台湾等進出 売 連24,760 従 連268 資 735 住 品川区上大崎3-1-1 ☎03-3449-0331 ㉕ **未定** ㉔ **2(男1,女1)**
㈱PR TIMES	情通 特色 プレスリリース配信サイト「PR TIMES」を運営。原稿制作など関連サービス手がける 売 連6,836 従 132 資 422 住 港区赤坂1-11-44 ☎03-5770-7888 ㉕ **未定** ㉔ **10(男‥,女‥)**
㈱ビー・エム・エル	サ 特色 臨床検査首位級。生化学的検査に強み。全国に検査ラボ。電子カルテなど医療情報システム育成 売 連137,964 従 2,716 資 6,045 住 渋谷区千駄ヶ谷5-21-3 ☎03-3350-0111 ㉕ **未定** ㉔ **86(男31,女55)**
PCIホールディングス㈱	情通 特色 自動車、家電などの組み込みソフト開発が主力。業務ソフトやIoT、半導体の開発も手がける 売 連28,491 従 23 資 2,091 住 港区虎ノ門1-21-19 ☎03-6858-0530 ㉕ **90** ㉔ **72(男50,女22)**
ピー・シー・エー㈱	情通 特色 公認会計士の有志が設立した独立系ソフトハウス。会計や販売管理など業務用ソフトで先駆 売 連15,018 従 510 資 890 住 千代田区富士見1-2-21 ☎03-5211-2711 ㉕ **24** ㉔ **13(男10,女3)**
光ビジネスフォーム㈱	パ紙 特色 情報用紙や帳票類印刷主体から好採算のデータ出力サービスも柱に育つ。金融機関向けに強み 売 単9,876 従 390 資 798 住 新宿区西新宿2-6-1 ☎03-3348-1431 ㉕ **前年並** ㉔ **14(男7,女7)**
ピクセルカンパニーズ㈱	卸 特色 金融機関向けシステム開発が主力。IR関連休止。新たな柱としてデータセンター事業立ち上げ 売 連609 従 99 資 4,361 住 港区虎ノ門4-1-40 ☎03-6731-3410 ㉕ **7** ㉔ **7(男7,女0)**
㈱ビジョン	情通 特色 Wi-Fiルーターレンタルが主力。旅行関連サービスやグランピング運営なども手がける 売 連31,807 従 589 資 2,596 住 新宿区新宿6-27-30 ☎03-5287-3110 ㉕ **若干名** ㉔ **5(男1,女4)**
㈱ビックカメラ	小 特色 家電量販大手。ターミナル駅周辺で大型店を展開。ソフマップに加え、12年にコジマを傘下に 売 連815,560 従 4,849 資 25,929 住 豊島区高田3-23-23 ☎03-3987-8785 ㉕ **前年並** ㉔ **278(男‥,女‥)**

会社名	[業種名] (特色)会社の特色 (売)売上高(百万円) (従)単独従業員数(名) (資)資本金(百万円) (住)本社の住所, 電話番号 ㉕25年採用計画数(名) ㉔24年入社内定者数(名)
人・夢・技術グループ㈱	[サ] (特色)建設コンサル上位で、長大橋では世界的実績を有する長大が純粋持株会社を設立して上場 (売)連39,812 (従)991 (資)3,107 (住)中央区日本橋蛎殻町1-20-4 ☎03-3639-3317 ㉕**52** ㉔**48(男38, 女10)**
ヒビノ㈱	[サ] (特色)コンサート、放送局等の音響・映像サービス提供するファブレスメーカー。建築音響も手がける (売)連50,491 (従)635 (資)1,748 (住)港区港南3-5-14 ☎03-3740-4391 ㉕**12** ㉔**14(男7, 女7)**
㈱ビューティガレージ	[卸] (特色)理美容機器や業務用化粧品の通販最大手。フルラインでニーズ対応。シンガポールにアジア拠点 (売)連29,840 (従)196 (資)768 (住)世田谷区桜新町1-34-25 ☎03-6805-9785 ㉕**前年並** ㉔**4(男1, 女3)**
㈱平賀	[他製] (特色)販促コンサル武器に、チラシ、POP、シール、Webを企画デザイン、制作、配送まで一貫提供 (売)単9,954 (従)298 (資)434 (住)練馬区豊玉北3-20-2 ☎03-3991-4541 ㉕**10** ㉔**3(男1, 女2)**
平河ヒューテック㈱	[非鉄] (特色)電線やネットワーク機器、光中継システムメーカー。医療チューブ展開、中国などで海外生産も (売)連29,326 (従)350 (資)1,555 (住)港区芝4-17-5 ☎03-3457-1400 ㉕**若干名** ㉔**6(男5, 女1)**
㈱ひらまつ	[小] (特色)高級レストランチェーン。婚礼やホテル事業なども展開。マルハン系ファンドが筆頭株主 (売)連13,859 (従)701 (資)100 (住)渋谷区恵比寿4-17-3 ☎03-5793-8811 ㉕**未定** ㉔**131(男‥, 女‥)**
ファーストコーポレーション㈱	[建] (特色)首都圏軸に分譲マンション建設。用地手当てから建築まで一貫の造注方式に強み。福岡にも進出 (売)連28,485 (従)166 (資)730 (住)杉並区荻窪4-30-16 ☎03-5347-9103 ㉕**増加** ㉔**4(男4, 女0)**
㈱ファインデックス	[情通] (特色)大学病院など大病院に医療用データ管理システムを提供。一般産業向けに文書管理システムも (売)連5,191 (従)297 (資)254 (住)千代田区大手町1-7-2 ☎03-6271-8958 ㉕**10** ㉔**2(男1, 女1)**
㈱Fast Fitness Japan	[サ] (特色)米国の「エニタイム・フィットネス」を国内で運営。小型24時間ジムの先駆で最大手。FC中心 (売)連15,825 (従)269 (資)2,195 (住)新宿区西新宿6-3-1 ☎03-6279-0861 ㉕**10** ㉔**10(男4, 女6)**
㈱ファンコミュニケーションズ	[サ] (特色)アフィリエイト(成果報酬型)広告大手。「A8」を運用。24年3月に「ネンド」撤退。独立系 (売)連7,396 (従)416 (資)1,173 (住)渋谷区渋谷1-1-8 ☎03-5766-3530 ㉕**15** ㉔**9(男3, 女6)**
㈱ファンデリー	[小] (特色)血液検査の数値改善目指す健康食を宅配。医療機関経由で顧客を獲得。冷食宅配やマーケ支援も (売)単2,646 (従)53 (資)280 (住)北区赤羽2-51-3 ☎03-5249-5080 ㉕**前年並** ㉔**5(男0, 女5)**
㈱ブイキューブ	[情通] (特色)Web会議などコミュニケーションサービス提供。遠隔医療やネットでのセミナー開催支援も (売)連11,084 (従)318 (資)310 (住)港区白金1-17-3 ☎03-4405-2688 ㉕**4** ㉔**5(男2, 女3)**
フィンテック グローバル㈱	[他金] (特色)事業承継問題のソリューション提供、投資が主軸。ムーミンのテーマパークへの投資も行う (売)連9,302 (従)44 (資)5,373 (住)品川区上大崎3-1-1 ☎03-6456-4600 ㉕**前年並** ㉔**3(男2, 女1)**
㈱フェイスネットワーク	[不] (特色)投資家向けRC賃貸物件の1棟売りが柱。土地仕入れから施工、管理まで担う。東京・城南中心 (売)連22,284 (従)189 (資)681 (住)渋谷区千駄ヶ谷3-2-1 ☎03-6432-9937 ㉕**8** ㉔**5(男2, 女3)**
フェスタリアホールディングス㈱	[小] (特色)宝飾品の製造および小売りチェーン。全国の百貨店やSCに幅広く展開。ベトナムに生産拠点 (売)連8,660 (従)0 (資)811 (住)品川区西五反田7-20-9 ☎03-6633-6869 ㉕**30** ㉔**24(男3, 女21)**
㈱フォーバル	[卸] (特色)中小企業向けITコンサルが主力。デジタル化と脱炭素化支援を強化中。子会社で電力小売りも (売)連63,527 (従)842 (資)4,150 (住)渋谷区神宮前5-52-2 ☎03-3498-1541 ㉕**92** ㉔**79(男54, 女25)**
㈱フォーバルテレコム	[情通] (特色)中小企業向け光回線販売が柱。電力小売りや印刷、保険販売などへ展開、光との併売商材開拓中 (売)連23,115 (従)87 (資)553 (住)港区港南1-8-23 ☎03-6825-4086 ㉕**10** ㉔**5(男3, 女2)**
フクダ電子㈱	[電機] (特色)医用電子機器メーカー。循環器系に強く、心電計でトップ。フィリップスなど海外勢と提携 (売)連140,323 (従)699 (資)4,621 (住)文京区本郷3-39-4 ☎03-3815-2121 ㉕**24** ㉔**22(男14, 女8)**
藤倉コンポジット㈱	[ゴ] (特色)ゴム引布、産業用資材大手。ゴルフシャフトに定評。アウトドアスポーツ用品展開。フジクラ系 (売)連37,785 (従)766 (資)3,804 (住)江東区有明3-5-7 ☎03-3527-8111 ㉕**12** ㉔**23(男18, 女5)**
富士製薬工業㈱	[医] (特色)女性医療、急性期医療の2領域に強い後発薬メーカー。注射剤が主体。新薬・バイオ後続品も (売)連40,889 (従)897 (資)3,799 (住)千代田区三番町5-7 ☎03-3556-3344 ㉕**未定** ㉔**13(男6, 女7)**
富士ダイス㈱	[機] (特色)超硬合金製の耐摩耗工具・金型で国内トップ。製造業3000社と取引。受注生産・直接販売 (売)連16,678 (従)869 (資)164 (住)大田区下丸子2-17-10 ☎03-3759-7183 ㉕**前年並** ㉔**19(男17, 女2)**
フジ日本㈱	[食] (特色)双日系の精糖中堅。業務用強い。砂糖から作る食物繊維「イヌリン」開発、機能性表示取得し育成 (売)連25,889 (従)60 (資)1,524 (住)中央区日本橋兜町6-7 ☎03-3667-7811 ㉕**未定** ㉔**2(男1, 女1)**
富士紡ホールディングス㈱	[繊] (特色)関東の綿紡績先駆。繊維は「BVD」製品が柱。精密加工研磨材が利益柱で、化学工業品も成長 (売)連36,108 (従)106 (資)6,673 (住)中央区日本橋人形町1-18-12 ☎03-3665-7777 ㉕**15** ㉔**13(男7, 女6)**
㈱フジマック	[金製] (特色)総合厨房設備機器メーカー。熱機器と冷機器ともに自社製造、外食、ホテルなど大型設備に強み (売)連38,461 (従)588 (資)1,471 (住)港区南麻布1-7-23 ☎03-4235-2200 ㉕**30** ㉔**19(男15, 女4)**
㈱不二家	[食] (特色)「ミルキー」等製菓が利益柱。直営・FCで洋菓子店も。山崎製パン傘下。持分にB-R31アイス (売)連105,534 (従)1,433 (資)18,280 (住)文京区大塚2-15-6 ☎03-5978-8100 ㉕**120** ㉔**97(男42, 女55)**

会社名	業種名 特色 会社の特色 売 売上高(百万円) 従 単独従業員数(名) 資 資本金(百万円) 住 本社の住所, 電話番号 ㉕25年採用計画数(名) ㉔24年入社内定者数(名)
㈱ブシロード	他製 特色 「ヴァンガード」「バンドリ!」など自社IP多数保有。多面展開に特徴。傘下に新日本プロレス 売 連46,262 従 246 資 5,773 住 中野区中央1-38-1 ☎03-4500-4350 ㉕28 ㉔28(男17,女11)
扶桑電通㈱	卸 特色 ネットワーク、ソリューション、オフィス、サービスの4本柱。全国54拠点。富士通系ディーラー 売 単41,137 従 954 資 1,083 住 中央区築地5-4-18 ☎03-3544-7211 ㉕40 ㉔31(男16,女15)
㈱不動テトラ	建 特色 土木は陸上と海洋の両面で展開。地盤改良と2本柱。米国に地盤改良子会社。独自工法に強み 売 連67,947 従 860 資 5,000 住 中央区日本橋小網町7-2 ☎03-5644-8500 ㉕45 ㉔22(男18,女4)
フマキラー㈱	化 特色 殺虫剤3位。除菌剤、園芸用品も。殺虫剤東南アジア強く、欧州を深耕中。エステーと継続提携 売 連67,672 従 233 資 3,698 住 千代田区神田美倉町11 ☎03-3252-5941 ㉕若干名 ㉔10(男・・,女・・)
㈱フライトソリューションズ	情通 特色 ITコンサル・開発を手がける。モバイル型電子決済端末や決済アプリサービスなどを展開 売 連3,208 従 115 資 1,205 住 渋谷区恵比寿4-6-1 ☎03-3440-6100 ㉕7 ㉔6(男6,女0)
㈱プラザホールディングス	サ 特色 写真プリント店はFC化進捗。携帯ショップが利益柱。EC事業、法人営業等改革推進。下期偏重 売 連17,638 従 10 資 100 住 中央区晴海1-8-10 ☎03-3532-8800 ㉕未定 ㉔20(男6,女14)
㈱プラスアルファ・コンサルティング	情通 特色 人材活用軸にデータ分析・可視化のクラウドサービス提供。マーケティング支援やCRM用途も 売 連11,171 従 302 資 464 住 港区東新橋1-9-2 ☎03-6432-0427 ㉕25 ㉔21(男12,女9)
㈱プラップジャパン	サ 特色 広報・PRの支援、コンサルティングが主力事業。外資系企業に強く好採算。M&Aに意欲 売 連6,635 従 204 資 470 住 港区赤坂9-7-2 ☎03-4580-9111 ㉕20 ㉔16(男6,女10)
㈱ブランジスタ	サ 特色 読者が無料で閲覧できる、広告モデルの電子雑誌を展開。タレント活用の販促支援事業も 売 連4,558 従 12 資 621 住 渋谷区桜丘町20-4 ☎03-6415-1183 ㉕53 ㉔34(男18,女16)
㈱ブリーチ	サ 特色 成果報酬型の集客支援展開。当社が広告費負担するモデルに特徴。広告制作から運用まで内製 売 単13,806 従 93 資 3,375 住 目黒区上目黒2-1-1 ☎03-6265-8346 ㉕30 ㉔22(男13,女9)
フリュー㈱	機 特色 プリントシール機シェア9割、消耗品シール販売やアプリ有料会員事業で稼ぐ。ゲームも展開 売 連42,768 従 520 資 1,639 住 渋谷区鶯谷町2-3 ☎03-5728-1761 ㉕前年並 ㉔12(男7,女5)
㈱BlueMeme	情通 特色 ローコード開発とアジャイル手法を標榜する次世代システム開発会社。コンサル、教育事業も 売 連2,506 従 129 資 972 住 千代田区神田錦町3-20 ☎03-6712-8196 ㉕未定 ㉔15(男15,女0)
㈱フルキャストホールディングス	サ 特色 日雇い派遣から撤退し、アルバイト紹介と同給与管理代行に主力事業を移行。警備業務請負も 売 連68,974 従 503 資 2,780 住 品川区西五反田8-9-5 ☎03-4530-4880 ㉕60 ㉔64(男45,女19)
ブルドックソース㈱	食 特色 ソース最大手、関東で高シェア。家庭用中心だが業務用も育成。傘下に関西地盤のイカリソース 売 連14,482 従 220 資 1,044 住 中央区日本橋兜町11-5 ☎03-3668-6811 ㉕前年並 ㉔6(男1,女5)
㈱フレクト	情通 特色 クラウド系のシステム開発会社。大企業向け一貫開発体制に強み。セールスフォース系が得意 売 単6,928 従 324 資 701 住 港区芝浦1-1-1 ☎03-5159-2090 ㉕40 ㉔34(男29,女5)
㈱プレステージ・インターナショナル	サ 特色 コールセンターに強いBPO。自動車事故や故障対応で損保関連が主。不動産管理分野も強化 売 連58,738 従 374 資 1,601 住 千代田区麹町2-4-1 ☎03-5213-0220 ㉕未定 ㉔96(男38,女58)
プレミアアンチエイジング㈱	化 特色 化粧落とし「デュオ」が柱。定期通販と卸売り展開。アンチエイジングの「カナデル」など育成中 売 連20,359 従 連237 資 1,351 住 港区虎ノ門2-6-1 ☎03-3502-2020 ㉕未定 ㉔6(男0,女6)
プレミアグループ㈱	他金 特色 中古車オートクレジットとワランティ(故障保証)の2本柱。整備・板金育成、東南アに展開 売 連IFS31,546 従 111 資 1,700 住 港区虎ノ門2-10-4 ☎03-5114-5708 ㉕50 ㉔49(男26,女23)
フロイント産業㈱	機 特色 製薬用造粒・コーティング装置が柱。医薬添加剤・菓子品質保持剤も。全固体電池用装置開発中 売 連22,903 従 261 資 1,035 住 新宿区西新宿6-25-13 ☎03-6890-0750 ㉕未定 ㉔3(男1,女2)
㈱ブロードバンドセキュリティ	情通 特色 監査や脆弱性診断などセキュリティサービス提供。大手、金融系に強み。同業のGSXが大株主 売 単6,457 従 236 資 295 住 新宿区西新宿8-5-1 ☎03-5338-7430 ㉕10 ㉔7(男7,女0)
㈱ブロードバンドタワー	情通 特色 都市型データセンター(DC)運用。東京・大手町の新DC主体。データ保管、クラウド強化 売 連13,243 従 連244 資 3,470 住 千代田区内幸町2-1-6 ☎03-5202-4800 ㉕3 ㉔4(男4,女0)
㈱ブロードリーフ	情通 特色 自動車アフター市場の整備業、部品商等向け業務ソフトで高シェア。部品流通ネットワーク運営 売 連IFS15,384 従 775 資 7,147 住 品川区東品川4-13-14 ☎03-5781-3100 ㉕8 ㉔3(男1,女2)
㈱プロジェクトホールディングス	サ 特色 デジタル技術を活用し、新規事業開発や既存事業変革を支援。デジタルマーケなどの戦略立案も 売 連6,283 従 31 資 50 住 港区麻布台1-3-1 ☎03-6206-1250 ㉕35 ㉔39(男34,女5)
㈱プロシップ	情通 特色 会計パッケージがメイン、特に固定資産管理、リース資産の管理などに強み。独立系。好財務 売 連6,812 従 241 資 749 住 千代田区飯田橋3-8-5 ☎050-1791-3000 ㉕60 ㉔45(男36,女9)
㈱プロネクサス	他製 特色 上場企業のディスクロージャー、IR支援大手。電子開示用システムに強み。利益は上期偏重 売 連IFS30,117 従 913 資 3,058 住 港区海岸1-2-20 ☎03-5777-3111 ㉕20 ㉔3(男2,女1)

会社名	業種名 特色 会社の特色 売 売上高(百万円) 従 単独従業員数(名) 資 資本金(百万円) 住 本社の住所, 電話番号 ㉕ 25年採用計画数(名) ㉔ 24年入社内定者数(名)
㈱property technologies	不 特色 中古マンション再生販売や注文住宅子会社を有する持株会社。独自AI査定やDX対応に特長 売 連36,965 従 31 資 695 住 渋谷区本町3-12-1 ☎03-5308-5050 ㉕ **微増** ㉔ **33(男17, 女16)**
フロンティア・マネジメント㈱	サ 特色 経営コンサルやM&A助言、再生支援を展開。投資事業を育成。持分に仏M&A助言会社 売 連10,025 従 347 資 384 住 港区六本木3-2-1 ☎03-6862-5180 ㉕ **42** ㉔ **30(男19, 女11)**
ベイシス㈱	情通 特色 携帯電話基地局の保守・運用を全国展開。電気・ガス等のスマートメーター設置と遠隔監視も 売 連6,822 従 386 資 334 住 港区芝公園2-4-1 ☎03-6435-9907 ㉕ **15** ㉔ **15(男10, 女5)**
㈱平和	機 特色 パチンコ、パチスロ機大手。パチンコ機の着脱分離方式草分け。傘下にゴルフ場大手PGM 売 連136,381 従 527 資 16,755 住 台東区東上野1-16-1 ☎03-3839-0077 ㉕ **未定** ㉔ **22(男21, 女1)**
平和紙業㈱	卸 特色 高級紙、技術紙など特殊紙専門卸のトップ級。オリジナル商品の開発、販売に特徴。技術紙育成 売 連16,124 従 143 資 2,107 住 中央区新川1-22-11 ☎03-3206-8501 ㉕ **未定** ㉔ **5(男3, 女2)**
平和不動産㈱	不 特色 東京、大阪、名古屋、福岡の証券取引所を賃貸。東京・兜町や札幌で再開発が複数進行中 売 連44,433 従 100 資 21,492 住 中央区日本橋兜町1-10 ☎03-3666-0181 ㉕ **前年並** ㉔ **3(男2, 女1)**
ベステラ㈱	建 特色 製鉄所や発電所、石油化学等のプラント解体工事マネジメント会社。複数の特許工法を有する 売 連9,394 従 118 資 843 住 江東区平野3-2-6 ☎03-3630-5555 ㉕ **5** ㉔ **5(男3, 女2)**
㈱ベストワンドットコム	サ 特色 クルーズ予約サイト「ベストワンクルーズ」運営。外国船が柱。国内旅行など新規事業に積極的 売 連3,137 従 21 資 567 住 新宿区富久町16-6 ☎03-5312-6247 ㉕ **増加** ㉔ **2(男1, 女1)**
㈱ヘッドウォータース	情通 特色 AIを活用したソリューションを提供。業務分析から開発、保守・運用まで一気通貫。DX支援も 売 連2,315 従 104 資 378 住 新宿区西新宿6-5-1 ☎03-6258-0525 ㉕ **10** ㉔ **15(男12, 女3)**
ヘリオス テクノ ホールディング㈱	電機 特色 純粋持株会社。傘下に液晶製造用精密印刷装置のナカンテクノ、ランプのフェニックス電機 売 連10,871 従 14 資 2,133 住 中央区日本橋馬喰町1-11-10 ☎03-6264-9510 ㉕ **5** ㉔ **4(男4, 女0)**
㈱ベルシステム24ホールディングス	サ 特色 コールセンター(CRM)事業大手。伊藤忠が筆頭株主に。凸版と資本業務提携しBPO事業展開 売 連IFS148,717 従 218 資 27,097 住 港区虎ノ門4-1-1 ☎03-6733-0024 ㉕ **前年並** ㉔ **34(男17, 女17)**
㈱ベルパーク	情通 特色 ソフトバンク主体の携帯電話販売代理店。OCモバイルの買収で3携帯会社のショップを運営 売 連115,485 従 1,872 資 1,148 住 千代田区平河町1-4-12 ☎03-3288-5211 ㉕ **前年並** ㉔ **75(男22, 女53)**
HOUSEI㈱	情通 特色 システム開発・運用会社。新聞社などが主要顧客。新規顧客の開拓進める。中国・香港でも展開 売 連4,639 従 186 資 656 住 新宿区津久戸町1-8 ☎03-4346-6600 ㉕ **16** ㉔ **16(男14, 女2)**
ホウライ㈱	サ 特色 不動産業から出発。ビル賃貸、生損保代理店、那須地区での観光、ゴルフ場、乳業等に多面展開 売 単5,185 従 162 資 4,340 住 中央区日本橋堀留町1-8-12 ☎03-6810-8100 ㉕ **2** ㉔ **2(男0, 女2)**
ポート㈱	サ 特色 採用活動、エネルギーの成約支援。プロダクト開発によるユーザー集客から受注まで一気通貫 売 連IFS16,622 従 558 資 2,399 住 新宿区北新宿2-21-1 ☎03-5937-6731 ㉕ **140** ㉔ **79(男39, 女40)**
㈱ホギメディカル	繊 特色 医療用不織布首位。手術に必要な消耗品を一括提供するプレミアムキットが主柱。四半期配当 売 連39,100 従 738 資 7,123 住 港区赤坂2-7-7 ☎03-6229-1300 ㉕ **11** ㉔ **15(男9, 女6)**
北越コーポレーション㈱	パ紙 特色 業界5位、印刷・情報用紙と白板紙中心。新潟工場は競争力大。持分会社に家庭紙大手の大王製紙 売 連297,056 従 1,495 資 42,020 住 中央区日本橋本石町3-2-2 ☎03-3245-4500 ㉕ **前年並** ㉔ **14(男12, 女2)**
㈱星医療酸器	卸 特色 医療用ガス首位。関東シェア3割強。酸素使う在宅医療が柱に。介護機器レンタルや施設介護も 売 連14,778 従 348 資 436 住 足立区入谷7-11-18 ☎03-3899-2101 ㉕ **10** ㉔ **7(男5, 女2)**
ホッカンホールディングス㈱	金製 特色 食缶業界3位。飲料や食品の缶、ペットボトルの生産と大手ブランドの飲料充填が収益の柱 売 連90,933 従 66 資 11,086 住 中央区日本橋室町2-1-1 ☎03-5203-2680 ㉕ **増加** ㉔ **3(男2, 女1)**
北興化学工業㈱	化 特色 全農系農薬専業大手。医薬中間体、電子材料、樹脂のファインが柱。中国で有機リン化合物生産 売 連45,227 従 641 資 3,214 住 中央区日本橋本町1-5-4 ☎03-3279-5151 ㉕ **20** ㉔ **16(男13, 女3)**
㈱ホットランド	小 特色 たこ焼き「築地銀だこ」が主柱。たい焼き「銀のあん」も展開。台湾、香港などアジア軸に海外進出 売 連38,710 従 367 資 3,313 住 中央区新富1-9-6 ☎03-3553-8885 ㉕ **10** ㉔ **8(男5, 女3)**
㈱ホットリンク	情通 特色 データ解析でのSNSマーケティング支援が柱。ビッグデータ販売も。中国向け販促は売却 売 連IFS4,739 従 118 資 2,438 住 千代田区富士見1-3-11 ☎03-6261-6930 ㉕ **5** ㉔ **3(男1, 女2)**
保土谷化学工業㈱	化 特色 精密化学品が収益柱。有機EL材料を戦略分野に設定、韓国子会社SFCにはサムスンも出資 売 連44,261 従 489 資 11,196 住 港区東新橋1-9-2 ☎03-6852-0300 ㉕ **15** ㉔ **12(男8, 女4)**
㈱ボルテージ	情通 特色 恋愛シミュレーションゲーム先駆。スマホ向けアプリが主力。電子コミックも。顧客は女性中心 売 連3,456 従 165 資 1,250 住 渋谷区恵比寿4-20-3 ☎03-5475-8141 ㉕ **4** ㉔ **4(男0, 女4)**
マークラインズ㈱	情通 特色 自動車業界特化のWeb情報サービスを国内外で展開。部品調達代行やコンサル、人材紹介も 売 連4,845 従 124 資 371 住 千代田区永田町2-11-1 ☎03-4241-3901 ㉕ **20** ㉔ **10(男7, 女3)**

会社名	業種名 (特色) 会社の特色 (売)売上高(百万円) (従)単独従業員数(名) (資)資本金(百万円) (住)本社の住所, 電話番号 ㉕25年採用計画数(名) ㉔24年入社内定者数(名)
㈱マーケットエンタープライズ	小 (特色)買い取りサイト「高く売れるドットコム」を展開。リユース情報メディア、通信回線販売も (売)連19,008 (従)372 (資)332 (住)中央区銀座1-10-6 ☎03-5159-4060 ㉕**未定** ㉔**78(男55,女23)**
㈱マースグループホールディングス	機 (特色)パチンコ店向け機器大手。開発に強み。工場向け等の自動認識関連製品へ展開。宿泊・飲食育成 (売)連36,575 (従)189 (資)7,934 (住)新宿区新宿1-10-7 ☎03-3352-8555 ㉕**増加** ㉔**20(男15,女5)**
㈱マーベラス	情通 (特色)スマホ・家庭用向けゲームやアミューズメント機器を展開。舞台公演の企画制作・興行も (売)連29,493 (従)621 (資)3,611 (住)品川区東品川4-12-8 ☎03-5769-7447 ㉕**30** ㉔**28(男15,女13)**
㈱毎日コムネット	不 (特色)学生専用マンションを地主に提案、一括借り受けるサブリースが柱。合宿旅行、新卒採用支援も (売)連20,772 (従)151 (資)775 (住)千代田区大手町2-1-1 ☎03-3548-2111 ㉕**前年並** ㉔**8(男4,女4)**
前澤化成工業㈱	化 (特色)継ぎ手など塩ビ製の上下水道関連製品が柱。戸建て用中心。水処理システムも。自己資本厚い (売)連23,925 (従)510 (資)3,387 (住)中央区日本橋小網町17-10 ☎03-5962-0711 ㉕**7** ㉔**7(男6,女1)**
前澤給装工業㈱	機 (特色)水道用給水装置シェア4割。需要家は水道事業体承認業者。住宅設備強化。M&Aにも積極姿勢 (売)連32,008 (従)438 (資)3,358 (住)目黒区鷹番2-14-4 ☎03-3716-1511 ㉕**12** ㉔**7(男7,女0)**
㈱Macbee Planet	サ (特色)LTV(顧客生涯価値)予測を基にWeb広告による集客支援を展開。Web接客、解約防止も (売)連39,405 (従)32 (資)2,635 (住)渋谷区渋谷3-11-11 ☎03-3406-8858 ㉕**5** ㉔**6(男4,女2)**
㈱マサル	建 (特色)ビル、マンション等のシーリング(外壁防水)工事でトップ。リニューアル(補修・改修)を強化 (売)連8,635 (従)130 (資)885 (住)江東区佐賀1-9-14 ☎03-3643-5859 ㉕**5** ㉔**3(男1,女2)**
㈱マナック・ケミカル・パートナーズ	化 (特色)臭素化合物受託製造のマナックの持株会社。原料調達先東ソーが筆頭株主。福山に主力工場 (売)連9,686 (従)10 (資)300 (住)中央区日本橋3-8-4 ☎03-5931-0554 ㉕**前年並** ㉔**7(男6,女1)**
㈱マネジメントソリューションズ	サ (特色)プロジェクトマネジメント(PM)実行支援が柱のコンサル。PM研修提供やDX構築支援等も (売)連16,931 (従)1,156 (資)676 (住)港区赤坂9-7-1 ☎03-5413-8808 ㉕**増加** ㉔**112(男63,女49)**
マミヤ・オーピー㈱	機 (特色)パチンコ周辺機器が主力、ゴルフはシャフトに特化し内外で販売。システム開発事業を育成中 (売)連27,394 (従)137 (資)4,804 (住)新宿区西新宿6-18-1 ☎03-6273-7360 ㉕**13** ㉔**8(男3,女5)**
㈱丸運	陸 (特色)ENEOSHD系で石油や化成品の輸送が得意。貨物物流にも注力。神戸製鋼所等も主要荷主 (売)連44,992 (従)351 (資)3,559 (住)中央区日本橋小網町7-2 ☎03-6810-9451 ㉕**15** ㉔**5(男1,女4)**
丸三証券㈱	証商 (特色)対面営業主体の独立系中堅証券。投信の堅実販売を主軸に置き、残高増による経営安定化に重心 (売)連18,608 (従)1,186 (資)10,000 (住)千代田区麹町3-3-6 ☎03-3238-2200 ㉕**117** ㉔**104(男49,女55)**
㈱マルゼン	金製 (特色)業務用厨房大手、外食店向けに強み。自社製品比率高い。M&Aでベーカリー機器にも進出 (売)連60,596 (従)919 (資)3,164 (住)台東区根岸2-19-18 ☎03-5603-7111 ㉕**増加** ㉔**26(男22,女4)**
丸藤シートパイル㈱	卸 (特色)建設仮設材の販売、賃貸で2位グループ。三井物産系。東日本が地盤。工事、鉄骨加工を拡充 (売)連34,543 (従)394 (資)3,626 (住)中央区日本橋本町3-7-2 ☎03-3639-7641 ㉕**10** ㉔**8(男7,女1)**
丸紅建材リース㈱	卸 (特色)建設仮設材の上場大手3社の一角。丸紅系。同業ヒロセと業務提携。タイ進出30年超で実績多い (売)連21,325 (従)217 (資)2,651 (住)港区芝公園2-4-1 ☎03-5404-8200 ㉕**若干名** ㉔**3(男3,女0)**
㈱丸山製作所	機 (特色)防除機の大手で農家向けが7割占める。刈払機、噴霧機、消防機械、工業用高圧ポンプにも強み (売)連41,426 (従)576 (資)4,651 (住)千代田区内神田3-4-15 ☎03-3252-2271 ㉕**40** ㉔**26(男24,女2)**
ミアヘルサホールディングス㈱	小 (特色)調剤、保育園、介護施設の3本柱。調剤は都市圏の門前が軸。21年10月保育園を買収し規模拡大 (売)連22,722 (従)1,181 (資)323 (住)新宿区市谷仲之町3-19 ☎03-3341-7205 ㉕**前年並** ㉔**124(男19,女105)**
三井住建道路㈱	建 (特色)道路舗装中堅。三井住友G関連の工事が強み。官庁以外の工事拡大に注力。有利子負債ゼロ (売)連30,913 (従)438 (資)1,329 (住)新宿区西新宿6-24-1 ☎03-6258-1523 ㉕**25** ㉔**16(男12,女4)**
三菱製紙㈱	パ紙 (特色)業界中位で印刷・情報用紙が主体。写真感光材や水処理膜など機能材料も。王子HDの持分会社 (売)連193,462 (従)607 (資)36,561 (住)墨田区両国2-10-14 ☎03-5600-1488 ㉕**25** ㉔**26(男18,女8)**
宮地エンジニアリンググループ㈱	金製 (特色)宮地鉄工所、宮地建設工業が統合。橋梁・建築とも施工力強い。傘下に旧三菱重工系エンジ会社 (売)連69,365 (従)23 (資)3,000 (住)中央区日本橋富沢町9-19 ☎03-5649-0111 ㉕**微増** ㉔**14(男11,女3)**
ミヨシ油脂㈱	食 (特色)マーガリンやショートニング等の食品事業と工業用油脂・各種脂肪酸など油化事業の2本柱 (売)連56,236 (従)520 (資)9,015 (住)葛飾区堀切4-66-1 ☎03-3603-1111 ㉕**28** ㉔**28(男14,女14)**
MIRARTHホールディングス㈱	不 (特色)1次取得者中心にマンション分譲。首都圏地盤だが、地方都市にも進出。再エネ発電事業も展開 (売)連185,194 (従)38 (資)8,332 (住)千代田区丸の内1-8-2 ☎03-6551-2125 ㉕**前年並** ㉔**46(男32,女14)**
ミライアル㈱	化 (特色)半導体ウエハ容器の専業メーカー。出荷容器が経営の柱。半導体工場向け工程内容器も手がける (売)連13,256 (従)322 (資)1,111 (住)豊島区東池袋1-24-1 ☎03-3986-3782 ㉕**9** ㉔**8(男7,女1)**
㈱ミロク情報サービス	情通 (特色)企業向けERP(統合業務ソフト)と会計事務所向け会計ソフトの大手。サブスク型へ転換中 (売)連43,971 (従)1,769 (資)3,198 (住)新宿区四谷4-29-1 ☎03-5361-6369 ㉕**75** ㉔**54(男43,女11)**

会社名	業種名 (特色)会社の特色 (売)売上高(百万円) (従)単独従業員数(名) (資)資本金(百万円) (住)本社の住所, 電話番号 ㉕25年採用計画数(名) ㉔24年入社内定者数(名)
㈱ムゲンエステート	不 (特色)首都圏1都3県地盤、中古不動産の買い取り・再販を展開。居住用マンション、投資用不動産が柱 (売)連51,640 (従)356 (資)2,552 (住)千代田区大手町1-9-7 ☎03-6665-0581 **㉕80 ㉔65(男35,女30)**
㈱ムサシ	卸 (特色)情報、印刷機材の富士フイルム特約店。自社開発の選挙機材は断トツ。貨幣処理機器も業界2位 (売)連33,140 (従)198 (資)1,208 (住)中央区銀座8-20-36 ☎03-3546-7711 **㉕7 ㉔6(男3,女3)**
明海グループ㈱	海 (特色)外航船船主。自動車船、タンカー、ばら積み船を中長期貸船。ホテル、ゴルフ場、不動産賃貸も (売)連65,018 (従)114 (資)1,800 (住)目黒区上目黒1-18-11 ☎03-3792-0811 **㉕若干名 ㉔2(男1,女1)**
㈱明光ネットワークジャパン	サ (特色)小中高向け個別指導の補習塾「明光義塾」をFC軸に展開。日本語学校、学童保育も手がける (売)連20,871 (従)656 (資)972 (住)新宿区西新宿7-20-1 ☎03-5860-2111 **㉕50 ㉔33(男14,女19)**
明治機械㈱	機 (特色)製粉、飼料設備首位。プラントと食品原料加工機械製造が2本柱。太陽光Abalance提携 (売)連4,896 (従)163 (資)100 (住)千代田区神田司町2-8-1 ☎03-5295-3511 **㉕3 ㉔9(男5,女4)**
㈱明豊エンタープライズ	不 (特色)主軸の賃貸アパート開発は首都圏中心。子会社で仲介、管理。中古再生も。マンション開発は休止 (売)連20,562 (従)43 (資)614 (住)目黒区目黒2-10-11 ☎03-5434-7650 **㉕3 ㉔6(男2,女4)**
明和地所㈱	不 (特色)マンション中堅。東京、神奈川地盤に札幌、名古屋、福岡に展開。「クリオ」ブランドが主軸 (売)連71,250 (従)450 (資)3,537 (住)渋谷区神泉町9-6 ☎03-5489-0111 **㉕50 ㉔51(男40,女11)**
㈱メディアドゥ	情通 (特色)電子書籍取次で国内首位。コミック軸に独自の配信・ストア運営システムに強み。海外事業育成 (売)連94,036 (従)330 (資)5,959 (住)千代田区一ツ橋1-1-1 ☎03-6212-5113 **㉕10 ㉔10(男・・,女・・)**
メディカル・データ・ビジョン㈱	情通 (特色)医療機関、製薬向けに医療・医薬品データのネットワーク化と利活用の両サービスを提供 (売)連6,419 (従)191 (資)992 (住)千代田区神田美土代町7 ☎03-5283-6911 **㉕20 ㉔23(男10,女13)**
メディキット㈱	精 (特色)人工透析用など留置針で国内トップ。血管造影用カテーテル等医療機器も。ベトナムに生産拠点 (売)連21,850 (従)181 (資)1,241 (住)文京区湯島1-13-2 ☎03-3839-8870 **㉕8 ㉔6(男3,女3)**
森尾電機㈱	電機 (特色)電装品メーカーのパイオニア。主力の鉄道車両向け電気機器が約7割。納入先はJRが多い (売)連7,448 (従)211 (資)1,048 (住)葛飾区立石4-34-1 ☎03-3691-3181 **㉕未定 ㉔5(男5,女0)**
㈱モンスターラボホールディングス	情通 (特色)世界約20の国と地域で展開する大企業や自治体向けDX支援が主。SaaS型サービスも提供 (売)連IFS13,346 (従)22 (資)1,922 (住)渋谷区広尾1-1-39 ☎03-4455-7243 **㉕未定 ㉔17(男10,女7)**
㈱ヤシマキザイ	卸 (特色)鉄道関連部品の専門商社。車両の車体用品や電気部品が柱。産業機器や自動車製造向けも展開 (売)連27,729 (従)241 (資)99 (住)中央区日本橋兜町6-5 ☎03-6758-2558 **㉕8 ㉔8(男5,女3)**
八洲電機㈱	卸 (特色)日立系商社。鉄鋼など工場や鉄道、企業向けに電気機器納入。設置工事まで一括提供。期末偏重 (売)連64,862 (従)513 (資)1,585 (住)港区新橋3-1-1 ☎03-3507-3711 **㉕16 ㉔14(男8,女6)**
山田コンサルティンググループ㈱	サ (特色)経営コンサル大手。事業再生・事業承継に強み。M&A案件を強化中。アジア等海外コンサルも (売)連22,177 (従)821 (資)1,599 (住)千代田区丸の内1-8-1 ☎03-6212-2500 **㉕前年並 ㉔21(男16,女5)**
㈱ヤマタネ	卸 (特色)倉庫準大手で海外引っ越しも。コメ卸売り販売大手。M&Aで食品事業拡大。不動産賃貸下支え (売)連64,512 (従)379 (資)10,555 (住)江東区越中島1-2-21 ☎03-3820-1111 **㉕15 ㉔9(男5,女4)**
㈱ヤマノホールディングス	小 (特色)祖業は美容室運営の事業持株会社。和装宝飾の販売を展開。Web活用の集客や通販も積極的 (売)連13,837 (従)237 (資)10 (住)渋谷区代々木1-30-7 ☎03-3376-7878 **㉕14 ㉔13(男2,女11)**
ULSグループ㈱	情通 (特色)ITシステムのコンサル、設計、構築担う。流通、製造、情報サービス向けに強み。SI企業と合併 (売)連10,382 (従)550 (資)877 (住)中央区晴海1-8-10 ☎03-6890-1600 **㉕20 ㉔25(男19,女6)**
有機合成薬品工業㈱	化 (特色)医薬中間体、化成品、食品添加物が主力。高品質アミノ酸では世界有数。ニプロ、長瀬産業と提携 (売)単12,932 (従)290 (資)3,471 (住)中央区日本橋人形町3-10-4 ☎03-3664-3980 **㉕若干名 ㉔5(男4,女1)**
㈱U-NEXT HOLDINGS	情通 (特色)旧母体USENが傘下の持株会社。店舗・施設向け音楽サービス、動画配信、電力小売り等展開 (売)連276,344 (従)208 (資)99 (住)品川区上大崎3-1-1 ☎03-6823-2000 **㉕250 ㉔257(男127,女130)**
ユーピーアール㈱	サ (特色)物流、製造現場向け箱型荷台(パレット)等をレンタル・販売。ICT事業も。東南アジアに拠点網 (売)連14,833 (従)193 (資)96 (住)千代田区内幸町1-3-2 ☎03-3593-1730 **㉕前年並 ㉔3(男2,女1)**
㈱ユーラシア旅行社	サ (特色)シニア層軸に添乗員同行の海外ツアー等を企画販売。ツアーは比較的高単価。国内旅行も展開 (売)連2,945 (従)41 (資)312 (住)千代田区平河町2-7-4 ☎03-3265-1691 **㉕12 ㉔9(男3,女6)**
豊トラスティ証券㈱	証商 (特色)金中心の商品先物大手。株価指数証拠金取引や為替証拠金取引にも展開。海外でパーム油取引へ (売)連7,402 (従)351 (資)1,722 (住)中央区日本橋蛎殻町1-16-12 ☎03-3667-5211 **㉕前年並 ㉔29(男26,女3)**
㈱ユナイテッドアローズ	小 (特色)紳士・婦人衣料、雑貨のセレクトショップ展開。約半分は自社企画商品。SC向け「コーエン」も (売)連134,269 (従)3,646 (資)3,030 (住)港区赤坂8-1-19 ☎03-5785-6325 **㉕200 ㉔131(男49,女82)**
ユナイテッド&コレクティブ㈱	小 (特色)主力は鶏料理居酒屋「てけてけ」。ハンバーガーチェーンも展開。各店舗内での調理にこだわる (売)単6,168 (従)110 (資)435 (住)千代田区麹町2-5-1 ☎050-3091-3557 **㉕6 ㉔4(男2,女2)**

会社名	業種名 特色 会社の特色 売 売上高(百万円) 従 単独従業員数(名) 資 資本金(百万円) 住 本社の住所, 電話番号 ㉕25年採用計画数(名) ㉔24年入社内定者数(名)
ユナイトアンドグロウ㈱	情通 特色 会員の中堅・中小企業向けにIT人材と知識を提供するシェアード・エンジニアリング事業展開 売 連2,667 従 270 資 346 住 千代田区神田駿河台4-3 ☎03-5577-2091 ㉕30 ㉔23(男6, 女17)
ユニオンツール㈱	機 特色 PCB(プリント配線板)ドリルで世界シェア3割超の首位。直動軸受けも。有利子負債ゼロ 売 連25,338 従 852 資 2,998 住 品川区南大井6-17-1 ☎03-5493-1001 ㉕前年並 ㉔13(男8, 女5)
㈱ユニリタ	情通 特色 独立系ソフト開発会社。メインフレームからオープン系までカバー。15年にビーコンITと合併 売 連11,982 従 292 資 1,330 住 港区港南2-15-1 ☎03-5463-6381 ㉕15 ㉔9(男6, 女3)
幼児活動研究会㈱	サ 特色 全国の幼稚園、保育園で体育指導。独自教育「YYプロジェクト」の普及図る。園経営コンサルも 売 単6,951 従 555 資 513 住 品川区西五反田2-11-17 ☎03-3494-0262 ㉕60 ㉔72(男51, 女21)
養命酒製造㈱	食 特色 慶長7(1602)年創業。薬用酒で高シェア。健康飲料など新規分野を模索。財務良好 売 単10,242 従 301 資 1,650 住 渋谷区南平台町16-25 ☎03-3462-8111 ㉕10 ㉔4(男2, 女2)
㈱ヨコオ	電機 特色 自動車用アンテナ国内大手。半導体・スマホ用の回路検査機器が収益源。医療用カテーテル育成 売 連76,895 従 906 資 7,819 住 千代田区神田須田町1-25 ☎03-3916-3111 ㉕34 ㉔22(男18, 女4)
ライク㈱	サ 特色 モバイル、建設、物流など向けの人材サービス。保育園や学童などの保育事業。介護事業も展開 売 連60,469 従 52 資 1,548 住 渋谷区道玄坂1-12-1 ☎03-5428-5577 ㉕555 ㉔328(男97, 女231)
㈱ライズ・コンサルティング・グループ	サ 特色 総合コンサル会社。資料作成だけでなく課題解決に向けた実行支援に特長。コンサル要員高稼働 売 連IFS6,155 従 288 資 163 住 港区六本木1-6-1 ☎03-6441-2915 ㉕未定 ㉔18(男15, 女3)
㈱ライドオンエクスプレスホールディングス	サ 特色 すし「銀のさら」や「釜寅」など調理済み食材の宅配をFC・直営で全国展開。海外も。下期偏重 売 連23,995 従 32 資 1,079 住 港区三田3-5-27 ☎03-5444-3611 ㉕40 ㉔40(男37, 女3)
ライフネット生命保険㈱	保 特色 インターネット専業生保草分け。商品のわかりやすさや低価格に特徴。KDDIと資本業務提携 売 連IFS25,280 従 240 資 26,617 住 千代田区麹町2-14-2 ☎03-5216-7900 ㉕6 ㉔5(男1, 女4)
㈱LIFULL	サ 特色 不動産・住宅情報サイトの「ホームズ」を運営。南米・東南アジアでも不動産サイト事業展開 売 連IFS36,405 従 671 資 9,716 住 千代田区麹町1-4-4 ☎03-6774-1600 ㉕25 ㉔8(男4, 女4)
㈱ラキール	情通 特色 企業のDX化を支援するプロダクトサービスとシステム開発が2本柱。MBOにより17年独立 売 連7,653 従 427 資 1,016 住 港区愛宕2-5-1 ☎03-6441-3850 ㉕75 ㉔60(男52, 女8)
㈱ラクーンホールディングス	情通 特色 衣料・雑貨の企業間電子商取引「スーパーデリバリー」運営。掛け売り決済代行、売掛債権保証も 売 連5,808 従 100 資 1,864 住 中央区日本橋蛎殻町1-14-14 ☎03-5652-1692 ㉕16 ㉔11(男5, 女6)
㈱ラクス	情通 特色 クラウドとIT人材派遣の2本柱。「メールディーラー」と「楽楽精算」が利益成長を牽引 売 連38,408 従 連2,700 資 378 住 渋谷区千駄ヶ谷5-27-5 ☎03-6683-3857 ㉕増加 ㉔13(男11, 女2)
ラサ工業㈱	化 特色 1907年の沖縄ラサ島リン鉱脈発見が起点。半導体向けなどリン酸が主力。工業薬・機械併営 売 連42,788 従 458 資 8,443 住 千代田区外神田1-18-13 ☎03-3258-1812 ㉕前年並 ㉔6(男3, 女3)
ラサ商事㈱	卸 特色 鉱物、金属素材や特殊ポンプ等の専門商社。ジルコンでは首位。製鉄所向けリサイクル設備等も 売 連27,916 従 196 資 2,076 住 中央区日本橋蛎殻町1-11-5 ☎03-3668-8231 ㉕5 ㉔6(男3, 女3)
㈱ラックランド	サ 特色 食品、飲食分野の店舗を企画・設計・施工。保守も展開。商業施設、食品工場・倉庫、ホテル等育成 売 連45,116 従 987 資 3,992 住 新宿区西新宿3-18-20 ☎03-3377-9331 ㉕前年並 ㉔27(男18, 女9)
㈱ランディックス	不 特色 港区、渋谷区など東京・城南6区が地盤。不動産売買・仲介が主力。顧客データ蓄積に強み持つ 売 連17,041 従 85 資 491 住 目黒区下目黒1-2-14 ☎03-6420-3230 ㉕15 ㉔13(男8, 女5)
㈱ランドコンピュータ	情通 特色 コンサルからシステム導入、保守管理まで行う独立系SI。金融系に強み。富士通が主顧客 売 連13,732 従 542 資 460 住 港区芝浦4-13-23 ☎03-5232-3040 ㉕増加 ㉔36(男18, 女18)
㈱ランドネット	不 特色 物件情報のデータベースを活用した中古マンションの買い取り再販が柱。不動産仲介や管理も 売 連77,790 従 682 資 706 住 豊島区南池袋1-16-15 ☎03-3986-3981 ㉕75 ㉔66(男‥, 女‥)
㈱リアルゲイト	不 特色 築古ビルの再生、転貸借事業が柱。東京・渋谷区軸に都心展開。ビルなどの運営受託や施工請負も 売 単6,972 従 85 資 680 住 渋谷区千駄ヶ谷3-51-10 ☎03-6804-3904 ㉕若干名 ㉔4(男3, 女1)
リオン㈱	電機 特色 補聴器は系列店強く国内首位。聴力検査機器も強い。半導体向け液中微粒子計測器は世界2強に 売 連25,726 従 508 資 2,052 住 国分寺市東元町3-20-41 ☎042-359-7830 ㉕25 ㉔15(男9, 女6)
リケンNPR㈱	機 特色 ピストンリング国内大手のリケンと日本ピストンリングが23年10月に設立した共同持株会社 売 連138,586 従 1,787 資 5,212 住 千代田区三番町8-1 ☎03-6899-1871 ㉕17 ㉔16(男11, 女5)
理研計器㈱	精 特色 産業用ガス保安器、計測器最大手。各種センサーを一貫生産。環境、防災関連注力。海外展開も 売 連45,581 従 1,051 資 2,565 住 板橋区小豆沢2-7-6 ☎03-3966-1121 ㉕未定 ㉔37(男27, 女10)
リケンテクノス㈱	化 特色 塩ビコンパウンド首位。エラストマー注力。建材用では化粧材用フィルム強い。海外展開で先行 売 連125,739 従 785 資 8,514 住 千代田区神田淡路町2-101 ☎03-5297-1650 ㉕前年並 ㉔26(男20, 女6)

会社名	業種名 特色 会社の特色 売 売上高(百万円) 従 単独従業員数(名) 資 資本金(百万円) 住 本社の住所,電話番号 ㉕25年採用計画数(名) ㉔24年入社内定者数(名)
リスクモンスター(株)	情通 特色 独自データベースに基づく与信管理サービスを提供。eラーニング事業やBPOも展開 売 連3,666 従 123 資 1,188 住 中央区日本橋2-16-5 ☎03-6214-0331 ㉕ **微増** ㉔ **2(男2, 女0)**
リソルホールディングス(株)	サ 特色 ホテルやゴルフ場運営、投資再生ビジネスが主力。福利厚生サービス、再生エネルギーも展開 売 連25,717 従 24 資 3,948 住 新宿区西新宿6-24-1 ☎03-3344-8811 ㉕ **23** ㉔ **6(男2, 女4)**
リックソフト(株)	情通 特色 豪アトラシアン社などの業務系パッケージソフトの導入・開発・販売。運用支援、自社開発も 売 連7,491 従 117 資 350 住 千代田区大手町2-1-1 ☎03-6262-3947 ㉕ **12** ㉔ **6(男3, 女3)**
(株)Ridge-i	情通 特色 顧客企業向けAIコンサル・開発が主力、環境・安保関連の衛星データ解析も。音楽事業も買収 売 単1,071 従 32 資 21 住 千代田区大手町1-6-1 ☎03-5208-5780 ㉕ **2** ㉔ **2(男1, 女1)**
(株)リファインバースグループ	サ 特色 持株会社に移行。産業廃棄物処理と再生樹脂製造販売が柱。タイルカーペットの再資源化が強み 売 連3,852 従 29 資 162 住 千代田区有楽町2-2-1 ☎03-6281-4879 ㉕ **前年並** ㉔ **4(男3, 女1)**
(株)リベロ	サ 特色 引っ越しや新生活に必要な手続き支援サービスに競争力、不動産会社や一般法人向けが収益柱 売 連2,900 従 141 資 427 住 港区虎ノ門3-8-8 ☎03-6636-0302 ㉕ **増加** ㉔ **3(男0, 女3)**
リリカラ(株)	卸 特色 インテリア卸大手。壁紙、カーテン、床材等販売。24年6月、TKPが株式買い増して親会社に 売 単32,770 従 538 資 3,335 住 新宿区西新宿7-5-20 ☎03-3366-7845 ㉕ **31** ㉔ **23(男10, 女13)**
(株)リログループ	サ 特色 企業福利厚生の総合アウトソーサー。社宅管理、賃貸管理、福利厚生運営代行、海外赴任支援が柱 売 連IFS132,580 従 121 資 2,667 住 新宿区新宿4-3-23 ☎03-5312-8704 ㉕ **50** ㉔ **40(男20, 女20)**
(株)リンガーハット	小 特色 九州発祥。長崎ちゃんぽん「リンガーハット」と、とんかつ「濱かつ」が軸。直営中心、FCも展開 売 連40,209 従 155 資 9,002 住 品川区大崎1-6-1 ☎03-5745-8611 ㉕ **30** ㉔ **29(男18, 女11)**
(株)リンクアンドモチベーション	サ 特色 組織・人事・IRなど経営コンサルが主柱。転職支援、資格取得教室や外国語指導講師の派遣も 売 連IFS33,969 従 499 資 1,380 住 中央区銀座4-12-15 ☎03-6853-8111 ㉕ **60** ㉔ **62(男35, 女27)**
(株)リンクバル	サ 特色 街コンなどイベント情報のサイト運営が柱。婚活マッチングや恋愛情報等のWebサービスも 売 単891 従 62 資 50 住 中央区明石町7-14 ☎050-1741-2300 ㉕ **3** ㉔ **3(男2, 女1)**
(株)レスター	卸 特色 エレクトロニクス総合商社。19年UKCHDがバイテックHDと統合。21年にPALTEK買収 売 連512,484 従 853 資 4,383 住 港区港南2-10-9 ☎03-3458-4618 ㉕ **27** ㉔ **25(男16, 女9)**
(株)レゾナック・ホールディングス	化 特色 総合化学メーカー。20年に日立化成買収。半導体材料・石油化学が柱。自動車部材にも注力 売 連1,288,869 従 348 資 182,146 住 港区東新橋1-9-1 ☎03-6263-9000 ㉕ **122** ㉔ **153(男114, 女39)**
(株)レダックス	卸 特色 中古車買い取り・販売大手。大型展示場で小売りも。中古トラックをリースバックする事業も 売 連19,072 従 18 資 2,820 住 千代田区紀尾井町4-1 ☎03-3239-3100 ㉕ **20** ㉔ **13(男9, 女4)**
(株)レノバ	電ガ 特色 再生可能エネルギーの発電と開発・運営が2本柱。太陽光からバイオマス、風力など多様化方針 売 連IFS44,748 従 208 資 11,324 住 中央区京橋2-2-1 ☎03-3516-6260 ㉕ **前年並** ㉔ **4(男4, 女0)**
ロイヤルホールディングス(株)	小 特色 外食老舗。「ロイヤルホスト」と天丼「てんや」等を展開。ホテルや施設内食堂、食品も展開 売 連138,940 従 114 資 17,830 住 世田谷区桜新町1-34-6 ☎03-5707-8800 ㉕ **60** ㉔ **31(男7, 女24)**
(株)ROBOT PAYMENT	情通 特色 サブスク特化型決済代行の「サブスクペイ」と請求・債権一元管理の「請求管理ロボ」の2本柱 売 単2,213 従 124 資 222 住 渋谷区神宮前6-19-20 ☎03-5469-5787 ㉕ **15** ㉔ **11(男6, 女5)**
ロンシール工業(株)	化 特色 塩化ビニル製の防水材、壁装材、長尺床材が得意。公共施設向け中心。鉄道車両床材シェア80% 売 連21,021 従 380 資 5,007 住 墨田区緑4-15-3 ☎03-5600-1876 ㉕ **未定** ㉔ **10(男9, 女1)**
ワイエイシイホールディングス(株)	機 特色 各種自動化機器の中堅。メモリーディスク関連・パワー半導体関連・液晶関連装置が主力 売 連26,809 従 19 資 2,801 住 昭島市武蔵野3-11-10 ☎042-546-1161 ㉕ **15** ㉔ **3(男3, 女0)**
YKT(株)	卸 特色 独立系中堅機械商社。スイス製工具研削盤の輸入とパナソニック製電子部品実装機の輸出が柱 売 連12,882 従 87 資 1,389 住 渋谷区代々木5-7-5 ☎03-3467-1251 ㉕ **5** ㉔ **4(男2, 女2)**
(株)ワイズテーブルコーポレーション	小 特色 高級レストラン「XEX」、カジュアル伊料理、和食などを直営・FCで展開。比マニラにも出店 売 連11,284 従 510 資 50 住 港区赤坂8-10-22 ☎03-5412-0065 ㉕ **40** ㉔ **23(男5, 女18)**
(株)WOWOW	情通 特色 日本初の民間衛星放送会社。BS、CSに有料番組提供。スポーツ、音楽、ドラマ自社制作に注力 売 連74,869 従 315 資 5,000 住 港区赤坂5-2-20 ☎03-4330-8111 ㉕ **5** ㉔ **7(男3, 女4)**
若築建設(株)	建 特色 海上土木の中堅。陸上土木にも展開。官公庁向け工事が多いが、民間設備工事や海外事業も強化 売 連94,917 従 798 資 11,374 住 目黒区下目黒2-23-18 ☎03-3492-0271 ㉕ **45** ㉔ **29(男23, 女6)**
わかもと製薬(株)	医 特色 「強力わかもと」で有名な一般用医薬品と医家向け眼科薬が柱。乳酸菌やアジア、医療機器育成 売 単7,738 従 282 資 3,395 住 中央区日本橋本町2-2-2 ☎03-3279-0371 ㉕ **20** ㉔ **11(男5, 女6)**
(株)早稲田アカデミー	サ 特色 首都圏の中学、高校受験に強い集団指導塾「早稲田アカデミー」が主力。個別指導にも本腰 売 連32,867 従 1,020 資 2,014 住 豊島区南池袋1-16-15 ☎03-3590-4011 ㉕ **60** ㉔ **32(男15, 女17)**

会社名	[業種名] (特色) 会社の特色 (売)売上高(百万円) (従)単独従業員数(名) (資)資本金(百万円) (住)本社の住所，電話番号 ㉕25年採用計画数(名) ㉔24年入社内定者数(名)
㈱早稲田学習研究会	[サ] (特色) 小中学生向けの集団指導塾「W早稲田ゼミ」を北関東軸に展開。高校生向け集団塾、個別塾も (売)単6,463 (従)403 (資)183 (住)中央区京橋1-6-11 ☎03-3538-5400 ㉕**80** ㉔**22(男20, 女2)**
わらべや日洋ホールディングス㈱	[食] (特色) 中食業界で首位。セブン-イレブン向けが収益の柱。米飯類が主力。技術進歩でチルド製品強み (売)連207,009 (従)95 (資)8,049 (住)新宿区富久町13-19 ☎03-5363-7010 ㉕**65** ㉔**85(男47, 女38)**
アイエーグループ㈱	[小] (特色) 神奈川中心に「オートバックス」FC展開。ブライダル事業と2本柱。住宅販売など不動産事業も (売)連35,664 (従)33 (資)1,314 (住)横浜市戸塚区品濃町545-5 ☎045-821-7500 ㉕**70** ㉔**67(男43, 女24)**
㈱アイスコ	[卸] (特色) アイス・冷凍食品の卸売り主力。神奈川地盤に生鮮品中心の食品スーパー併営。収益は上期偏重 (売)単50,498 (従)752 (資)373 (住)横浜市泉区新橋町1212 ☎045-811-1302 ㉕**未定** ㉔**19(男18, 女1)**
アイダエンジニアリング㈱	[機] (特色) サーボ駆動式プレス機で世界2強。自動車関連8割超、非日系開拓で拡大中。高速プレスも注力 (売)連72,742 (従)840 (資)7,831 (住)相模原市緑区大山町2-10 ☎042-772-5231 ㉕**15** ㉔**14(男11, 女3)**
アジア航測㈱	[空] (特色) 航空測量3位。GIS(地理情報システム)等の情報システムとコンサルが柱。官公庁向けが過半 (売)連37,304 (従)1,299 (資)1,673 (住)川崎市麻生区万福寺1-2-2 ☎044-969-7230 ㉕**51** ㉔**35(男24, 女11)**
㈱アップガレージグループ	[小] (特色) タイヤなどカー用品のリユース店を直営、FCで展開。モール型EC、新品タイヤ、用品卸併営 (売)連12,557 (従)218 (資)523 (住)横浜市青葉区榎が丘7-22 ☎045-988-5777 ㉕**36** ㉔**26(男21, 女5)**
アップコン㈱	[建] (特色) ウレタン樹脂による修復工事会社。各種の特許を保持し、民間・公共とも短期の独自工法に強み (売)単852 (従)46 (資)73 (住)川崎市高津区坂戸3-2-1 ☎044-820-8120 ㉕**5** ㉔**2(男1, 女1)**
㈱アトム	[小] (特色) ステーキ、回転ずし中心の外食中堅。居酒屋も。名古屋軸に東日本にも展開。コロワイド子会社 (売)単36,947 (従)663 (資)100 (住)横浜市西区みなとみらい2-2-1 ☎045-224-7390 ㉕**増加** ㉔**16(男9, 女7)**
アネスト岩田㈱	[機] (特色) 塗装機器、圧縮機等の機器メーカー。塗装機国内シェア7割超。欧米、アジア等海外に積極展開 (売)連53,425 (従)606 (資)3,354 (住)横浜市港北区新吉田町3176 ☎045-591-9344 ㉕**12** ㉔**12(男9, 女3)**
アビックス㈱	[他製] (特色) LEDビジョン、液晶モニターを開発・販売するファブレス企業。SNS併用の地域広告事業も (売)連3,727 (従)49 (資)1,207 (住)横浜市中区弁天通6-85 ☎045-670-7711 ㉕**若干名** ㉔**2(男2, 女0)**
㈱アルファ	[金製] (特色) キーセットなど自動車部品主力。日産向け約4割、ホンダ等も。住宅などの施錠部品も手がける (売)連74,544 (従)733 (資)2,760 (住)横浜市金沢区福浦1-6-8 ☎045-787-8400 ㉕**10** ㉔**4(男4, 女0)**
㈱アルファシステムズ	[情通] (特色) 通信系ソフトから非通信系システム開発に急傾斜。独立系だが富士通、NTTグループ6割強 (売)単36,383 (従)3,015 (資)8,500 (住)川崎市中原区上小田中6-6-1 ☎044-733-4111 ㉕**150** ㉔**149(男120, 女29)**
㈱アルプス物流	[陸] (特色) アルプスアルパイン系。TDK物流合併し電子部品強化。生協、通販も。旧日立物流がTOBへ (売)連118,844 (従)983 (資)2,357 (住)横浜市港北区新羽町1756 ☎045-531-4133 ㉕**前年並** ㉔**62(男25, 女37)**
㈱イクヨ	[輸機] (特色) 三菱自、日野、ふそう向けに合成樹脂の自動車内外装部品製造。国内軸だが東南アジアでも展開 (売)連17,351 (従)171 (資)2,298 (住)厚木市上依知3019 ☎046-285-1800 ㉕**前年並** ㉔**4(男4, 女0)**
市光工業㈱	[電機] (特色) 自動車の照明大手。国内とアジアでトヨタ、日産等各社と取引。仏ヴァレオ傘下で再成長目指す (売)連145,897 (従)1,521 (資)9,003 (住)伊勢原市板戸80 ☎0463-96-1451 ㉕**前年並** ㉔**22(男18, 女4)**
イノテック㈱	[電機] (特色) 半導体設計ツールと半導体テスターが2本柱。子会社で専用LSI設計や車載システム開発も (売)連41,358 (従)213 (資)10,517 (住)横浜市港北区新横浜3-17-6 ☎045-474-9000 ㉕**前年並** ㉔**7(男3, 女4)**
イリソ電子工業㈱	[電機] (特色) コネクター大手の一角。車載用途が柱。FA、ゲーム、家電関連も。製品の大半がカスタム品 (売)連55,271 (従)586 (資)5,640 (住)横浜市港北区新横浜2-13-8 ☎045-478-3111 ㉕**17** ㉔**17(男11, 女6)**
㈱エーアンドエーマテリアル	[ガ土] (特色) 太平洋セメントグループの中核建材会社。工業製品や自動車関連部品も。環境分野にも進出 (売)連41,282 (従)215 (資)3,889 (住)横浜市鶴見区鶴見中央2-5-5 ☎045-503-5760 ㉕**前年並** ㉔**9(男5, 女4)**
エバラ食品工業㈱	[食] (特色) 「黄金の味」など焼き肉のたれでシェア首位の調味料メーカー。積極的な広告宣伝で知名度高い (売)連45,216 (従)520 (資)1,387 (住)横浜市西区みなとみらい4-4-5 ☎045-226-0226 ㉕**前年並** ㉔**11(男5, 女6)**
㈱オーイズミ	[機] (特色) パチスロ機用メダル貸機、補給回収システム、パチスロ機が柱。食品事業などへも多角化 (売)連21,393 (従)178 (資)1,006 (住)厚木市中町2-7-10 ☎046-297-2111 ㉕**4** ㉔**4(男4, 女0)**
大井電気㈱	[電機] (特色) 情報通信機器製販とネットワーク工事保守が2本柱。光通信と無線通信システム構築に強み (売)連28,117 (従)424 (資)2,708 (住)横浜市港北区菊名7-3-16 ☎045-433-1361 ㉕**10** ㉔**3(男3, 女0)**
㈱小田原エンジニアリング	[機] (特色) モーター用自動巻線機で国内首位、世界2位。自動車用、家電用が主。ローヤル電機を子会社化 (売)連14,703 (従)135 (資)1,250 (住)足柄上郡松田町松田惣領1577 ☎0465-83-1122 ㉕**25** ㉔**10(男7, 女3)**
㈱小田原機器	[輸機] (特色) 路線バスの運賃箱やICカードシステムなど運賃収受機器が主力。自動運転支援の製品開発も (売)連3,930 (従)141 (資)349 (住)小田原市中町1-11-3 ☎0465-23-0121 ㉕**4** ㉔**8(男7, 女1)**
㈱小野測器	[電機] (特色) デジタル計測機器大手。回転計、音響・振動計で首位。自動車業界向けが中心。アジアへ進出 (売)連11,539 (従)610 (資)7,134 (住)横浜市西区みなとみらい3-3-3 ☎045-935-3888 ㉕**25** ㉔**17(男12, 女5)**

会社名	業種名 特色 会社の特色 売 売上高(百万円) 従 単独従業員数(名) 資 資本金(百万円) 住 本社の住所, 電話番号 ㉕25年採用計画数(名) ㉔24年入社内定者数(名)
㈱オハラ	ガ土 特色 光学ガラス老舗メーカー。生産量は国内トップ。一貫生産に強み。セイコー、キヤノンが大株主 売 連28,123 従 492 資 5,855 住 相模原市中央区小山1-15-30 ☎042-772-2101 ㉕ 15 ㉔ 16(男12,女4)
カッパ・クリエイト㈱	小 特色 郊外型回転ずし「かっぱ寿司」を直営。業界4位。コンビニ等向け総菜事業も。コロワイド子会社 売 連72,196 従 661 資 100 住 横浜市西区みなとみらい2-2-1 ☎045-224-7095 ㉕ 40 ㉔ 38(男20,女18)
神奈川中央交通㈱	陸 特色 小田急直系。バス保有台数は西日本鉄道と双璧。営業益の多くを不動産など兼営事業に依存 売 連117,067 従 2,048 資 3,160 住 平塚市八重咲町6-18 ☎0463-22-8800 ㉕ 未定 ㉔ 26(男14,女12)
元旦ビューティ工業㈱	金製 特色 金属屋根製品のトップメーカー。公共関連に加え民需拡大。太陽光発電など高機能製品に展開 売 単14,252 従 322 資 100 住 藤沢市湘南台1-1-21 ☎0466-45-8771 ㉕ 12 ㉔ 9(男7,女2)
菊水ホールディングス㈱	電機 特色 独立系の電子計測器、電源機器メーカー。耐電圧試験器、据え置き型直流安定化電源でトップ 売 連12,488 従 18 資 2,201 住 横浜市都筑区茅ケ崎中央6-1 ☎045-482-6912 ㉕ 前年並 ㉔ 7(男7,女0)
㈱京三製作所	電機 特色 信号大手の一角、民鉄に強い。鉄道・道路信号、半導体製造装置用電源装置が3本柱。下期偏重 売 連70,525 従 1,399 資 6,270 住 横浜市鶴見区平安町2-29-1 ☎045-501-1261 ㉕ 38 ㉔ 28(男25,女3)
工藤建設㈱	建 特色 神奈川地盤の中堅建設。大規模修繕工事に強み。不動産も。介護(老人ホーム)のM&Aに注力 売 単20,521 従 704 資 867 住 横浜市青葉区新石川4-33-10 ☎045-911-5300 ㉕ 15 ㉔ 15(男6,女9)
クリエートメディック㈱	精 特色 使い捨て医療器具メーカー。シリコン製カテーテルが主力。中国・大連やベトナムで開発・生産も 売 連12,585 従 318 資 1,461 住 横浜市都筑区茅ヶ崎南2-5-25 ☎045-943-2611 ㉕ 微増 ㉔ 3(男1,女2)
㈱コロワイド	小 特色 レストラン、居酒屋展開。子会社に「牛角」のレインズ、カッパ・クリエイト、アトム、大戸屋など 売 連IFS241,284 従 126 資 27,905 住 横浜市西区みなとみらい2-2-1 ☎045-274-5970 ㉕ 180 ㉔ 173(男80,女93)
相模ゴム工業㈱	ゴ 特色 コンドーム大手。マレーシアで生産。輸出は中国、東南ア等。事務用、食品包装用フィルムも 売 連6,112 従 197 資 547 住 厚木市元町2-1 ☎046-221-2311 ㉕ 前年並 ㉔ 2(男1,女1)
㈱サンオータス	小 特色 神奈川県下でENEOSやキグナスSS展開。プジョー等輸入車販売。レンタカーも手がける 売 連16,634 従 199 資 100 住 横浜市港北区新横浜2-4-15 ☎045-473-1211 ㉕ 10 ㉔ 8(男4,女4)
㈱サン・ライフホールディング	サ 特色 神奈川、都下地盤の冠婚葬祭大手の持株会社。葬儀を柱に婚礼・ホテルや介護も手がける 売 連13,502 従 49 資 100 住 平塚市馬入本町13-11 ☎0463-22-1233 ㉕ 前年並 ㉔ 18(男9,女9)
ジオマテック㈱	電機 特色 成膜加工の専業大手。ガラス基板上の加工に強み。液晶用基板、タッチパネル用が主要製品 売 単4,605 従 345 資 4,043 住 横浜市西区みなとみらい2-2-1 ☎045-222-5720 ㉕ 若干名 ㉔ 3(男2,女1)
芝浦メカトロニクス㈱	電機 特色 半導体やFPD等の製造装置メーカー。枚葉式半導体ウエハ洗浄装置で世界首位。後工程も 売 連67,556 従 627 資 6,761 住 横浜市栄区笠間2-5-1 ☎045-897-2421 ㉕ 35 ㉔ 18(男14,女4)
ジャパニアス㈱	サ 特色 IT人材派遣でSIや製造業向け多い。継続的なエンジニア採用に強み。クラウド人材育成 売 単9,885 従 1,731 資 21 住 横浜市西区みなとみらい2-2-1 ☎045-670-7240 ㉕ 60 ㉔ 44(男39,女5)
㈱シンニッタン	鉄 特色 自動車・トラック、建機向け部品を製造。ゼネコン向け建築足場設備、エンジン運搬用パレットも 売 連21,587 従 212 資 7,256 住 川崎市川崎区貝塚1-13-1 ☎044-200-7811 ㉕ 4 ㉔ 4(男2,女2)
㈱ゼロ	陸 特色 日産の新車陸送から始まり中古車輸送、一般貨物輸送や人材派遣も。香港上場TCILグループ 売 連IFS140,751 従 494 資 3,390 住 川崎市幸区堀川町580 ☎044-520-0106 ㉕ 10 ㉔ 7(男7,女0)
㈱ソディック	機 特色 放電加工機で世界首位級。NC装置内製し独自色強い。射出成形機や食品機械(製麺機)も育成 売 連67,174 従 1,192 資 24,618 住 横浜市都筑区仲町台3-12-1 ☎045-942-3111 ㉕ 25 ㉔ 28(男20,女8)
第一カッター興業㈱	建 特色 ダイヤモンド使用のコンクリート構造物切断・穿孔工事が主力。水圧のウォータージェットも 売 連20,918 従 508 資 470 住 茅ヶ崎市萩園833 ☎0467-85-3939 ㉕ 15 ㉔ 12(男11,女1)
㈱タウンニュース社	サ 特色 神奈川県と東京・多摩地域で無料情報紙を発行。広告枠販売が主柱。デジタル、非紙面事業拡充 売 単3,736 従 198 資 501 住 横浜市青葉区荏田西2-1-3 ☎045-913-4111 ㉕ 10 ㉔ 15(男4,女11)
ティアンドエスグループ㈱	情通 特色 製造業の生産管理システムの受託開発や保守が柱。半導体工場の保守・運用も。AI関連を育成 売 単3,442 従 320 資 40 住 横浜市西区みなとみらい3-6-3 ☎045-226-1040 ㉕ 30 ㉔ 22(男15,女7)
帝国通信工業㈱	電機 特色 可変抵抗器の老舗。ブランドは「ノーブル」。センサーへと指向。ゲーム、自動車、AV向けが軸 売 連15,223 従 273 資 3,453 住 川崎市中原区苅宿45-1 ☎044-422-3171 ㉕ 8 ㉔ 9(男7,女2)
㈱テイン	輸機 特色 改造車用のサスペンション専業メーカー。英、米、香港、北京に営業拠点。新興国向け強化 売 連4,865 従 89 資 217 住 横浜市戸塚区上矢部町3515-4 ☎045-810-5511 ㉕ 未定 ㉔ 2(男2,女0)
㈱テラプローブ	電機 特色 メモリー、システムLSIのテスト工程等受託。台湾合弁相手のPTIがTOBで親会社に 売 連35,403 従 275 資 11,823 住 横浜市港北区新横浜2-7-17 ☎045-476-1011 ㉕ 減少 ㉔ 27(男15,女12)
東京ラヂエーター製造㈱	輸機 特色 トラック向けラジエーター、クーラーを製造。いすゞ自動車向けが5割程度。建機用も製造 売 連33,401 従 513 資 1,317 住 藤沢市遠藤2002-1 ☎0466-87-1231 ㉕ 未定 ㉔ 9(男7,女2)

会社名	業種名 特色 会社の特色 売 売上高(百万円) 従 単独従業員数(名) 資 資本金(百万円) 住 本社の住所, 電話番号 ㉕ 25年採用計画数(名) ㉔ 24年入社内定者数(名)
東邦チタニウム(株)	非鉄 特色 JX金属系のチタン製錬大手。大阪チタニウムと双璧。航空機と一般工業向け柱、触媒と電材も 売 連78,404 従 1,145 資 11,963 住 横浜市西区南幸1-1-1 ☎045-394-5522 ㉕ 20 ㉔ 5(男4, 女1)
(株)トーエル	小 特色 神奈川県地盤のLPガス事業者。高い配送密度が特色。飲料水育成し長野とハワイに生産拠点 売 連27,102 従 261 資 886 住 横浜市港北区高田西1-5-21 ☎045-592-7777 ㉕ 10 ㉔ 4(男4, 女0)
NISSOホールディングス(株)	サ 特色 製造業派遣・請負大手。自動車、電機、精密機器向け主体。老人ホーム運営。23年10月持株会社化 売 連96,858 従 1,432 資 2,016 住 横浜市港北区新横浜1-4-1 ☎045-620-3777 ㉕ 360 ㉔ 150(男114, 女36)
(株)NITTAN	輸機 特色 エンジンバルブ主体の独立系部品企業。4輪向け中心、2輪・建機・船舶向けも。米国等に子会社 売 連49,478 従 684 資 4,530 住 秦野市曽屋518 ☎0463-82-1311 ㉕ 前年並 ㉔ 7(男4, 女3)
日本アビオニクス(株)	電機 特色 防衛向け情報システム装置が主力。接合機器、赤外線センサーなど民需も。ファンド傘下 売 連18,055 従 601 資 5,895 住 横浜市都筑区池辺町4475 ☎045-287-0300 ㉕ 30 ㉔ 20(男19, 女1)
(株)日本動物高度医療センター	サ 特色 高度2次医療行う動物病院を東京、川崎、名古屋、大阪で運営。全国連携病院からの完全紹介制 売 連4,270 従 201 資 801 住 川崎市高津区久地2-5-8 ☎044-850-1320 ㉕ 25 ㉔ 21(男6, 女15)
野村マイクロ・サイエンス(株)	機 特色 超純水装置の大手。北興化学から分岐。韓国、台湾企業向け開拓で先駆、韓国サムスンと取引多い 売 連73,021 従 406 資 2,236 住 厚木市岡田2-9-10 ☎046-228-3946 ㉕ 15 ㉔ 17(男10, 女7)
(株)パイオラックス	金製 特色 自動車向けの精密ばねと工業用ファスナーが両輪。日産グループ向け4割弱。医療機器も育成 売 連64,551 従 584 資 2,960 住 横浜市西区花咲町6-145 ☎045-577-3880 ㉕ 前年並 ㉔ 13(男9, 女4)
Hamee(株)	小 特色 スマホやタブレット向けアクセサリーのデザイン・販売。クラウド型EC事業支援システムも 売 連17,612 従 150 資 605 住 小田原市栄町2-12-10 ☎0465-22-8064 ㉕ 増加 ㉔ 2(男0, 女2)
(株)ヒップ	サ 特色 開発系技術者派遣の中堅。自動車軸に電子、ソフトウェアの開発設計が主。治験業務支援撤退 売 単5,660 従 858 資 377 住 横浜市西区楠町8-8 ☎045-328-1000 ㉕ 70 ㉔ 44(男40, 女4)
(株)ファルテック	輸機 特色 自動車外装部品と新車販売時装着のオプション用品も手がける。TPR子会社、日産向け中心 売 連81,886 従 920 資 2,291 住 川崎市幸区堀川町580 ☎044-520-0019 ㉕ 30 ㉔ 27(男22, 女5)
フォーライフ(株)	不 特色 東急東横線沿線、東京・城南地区中心に1次取得層向け低価格戸建て住宅展開。京都エリア進出 売 単13,987 従 104 資 154 住 横浜市港北区大倉山1-14-11 ☎045-547-3432 ㉕ 増加 ㉔ 3(男3, 女0)
不二サッシ(株)	金製 特色 アルミサッシ国内4位、ビル用中心。形材・部品の外販、ゴミ処理設備も。文化シヤッター傘下 売 連101,260 従 928 資 1,709 住 川崎市幸区鹿島田1-1-2 ☎044-520-0034 ㉕ 25 ㉔ 32(男21, 女11)
富士古河E&C(株)	建 特色 社会インフラ工事等プラント、電気、空調工事施工・メンテナンスまで一貫対応。古河グループ 売 連103,649 従 1,170 資 1,970 住 川崎市幸区堀川町580 ☎044-548-4500 ㉕ 44 ㉔ 31(男19, 女12)
古河電池(株)	電機 特色 古河電気工業の電池製作所が発祥。自動車バッテリー用鉛蓄電池が柱。航空機・電車用、産業用も 売 連75,455 従 1,079 資 1,640 住 横浜市保土ケ谷区星川2-4-1 ☎045-336-5034 ㉕ 21 ㉔ 11(男9, 女2)
平安レイサービス(株)	サ 特色 神奈川県首位級の冠婚葬祭サービス大手。葬祭が主力、近年は小規模貸し切り葬祭会館が軸に 売 連10,081 従 206 資 785 住 平塚市桜ヶ丘1-35 ☎0463-34-2771 ㉕ 15 ㉔ 13(男5, 女8)
(株)放電精密加工研究所	機 特色 放電加工専業で国内最大規模。アルミ押出用金型も首位。既存技術生かし航空宇宙分野に注力 売 連12,160 従 419 資 1,889 住 横浜市港北区新横浜3-17-6 ☎045-277-0330 ㉕ 12 ㉔ 11(男10, 女1)
(株)ホテル、ニューグランド	サ 特色 横浜財界が協力し開業したグランドホテル。山下公園前の立地が強み。本館隣にテナントビル 売 単5,372 従 208 資 100 住 横浜市中区山下町10 ☎045-681-1841 ㉕ 15 ㉔ 8(男1, 女7)
三菱化工機(株)	機 特色 石油・化学装置中心のエンジニアリング会社。下水・排水処理、油清浄機など環境装置手がける 売 連47,774 従 650 資 3,956 住 川崎市川崎区大川町2-1 ☎044-333-5354 ㉕ 20 ㉔ 12(男8, 女4)
盟和産業(株)	輸機 特色 トランク、マットなど自動車樹脂部品製造が主。住宅設備資材も展開。中国、タイ、米国に拠点 売 連22,394 従 203 資 2,167 住 厚木市寿町3-1-1 ☎046-223-7611 ㉕ 5 ㉔ 2(男2, 女0)
守谷輸送機工業(株)	機 特色 荷物用エレベーター大手。ことに大型では国内シェア過半。船舶用エレベーターも手がける 売 単17,527 従 345 資 1,082 住 横浜市金沢区福浦1-14-9 ☎045-785-3111 ㉕ 増加 ㉔ 2(男2, 女0)
ヤマシンフィルタ(株)	機 特色 建設機械の油圧回路に用いるフィルター世界首位、産業機械、電子部品製造工程フィルターも 売 連18,024 従 167 資 6,571 住 横浜市中区桜木町1-1-8 ☎045-680-1671 ㉕ 10 ㉔ 6(男3, 女3)
(株)山田債権回収管理総合事務所	他金 特色 債権回収と派遣柱に、グループで信託、コンサル、不動産、債権関連サービスを一括提供。独立系 売 連2,483 従 242 資 1,084 住 横浜市西区北幸1-11-15 ☎045-325-3933 ㉕ 10 ㉔ 8(男4, 女4)
油研工業(株)	機 特色 油圧機器の専業総合メーカー。独自システム製品に強み。アジア中心に海外生産・販売に意欲的 売 連29,511 従 360 資 4,109 住 綾瀬市上土棚中4-4-34 ☎0467-77-2111 ㉕ 微増 ㉔ 6(男5, 女1)
横浜丸魚(株)	卸 特色 神奈川の水産荷受け。横浜のほか、川崎に拠点。市場外取引も積極的。マルハニチロなど荷主 売 連38,614 従 95 資 1,541 住 横浜市神奈川区山内町1 ☎045-459-2921 ㉕ 10 ㉔ 4(男3, 女1)

会社名	業種名 特色 会社の特色 売 売上高(百万円) 従 単独従業員数(名) 資 資本金(百万円) 住 本社の住所, 電話番号 ㉕ 25年採用計画数(名) ㉔ 24年入社内定者数(名)
㈱有沢製作所	化 特色 ガラス繊維が発祥。プリント基板向け電子材料が主力。電気絶縁材料や産業用構造材料を拡大中 売 連42,114 従 607 資 7,875 住 上越市南本町1-5-5 ☎025-524-7101 ㉕ **前年並** ㉔ **9(男6, 女3)**
一正蒲鉾㈱	食 特色 水産練り製品2位、カニ風味かまぼこ主力で首位。マイタケも生産。新潟地盤に販売地域拡大へ 売 連34,487 従 893 資 940 住 新潟市東区津島屋7-77 ☎025-270-7111 ㉕ **増加** ㉔ **15(男9, 女6)**
岩塚製菓㈱	食 特色 米菓で国内3位。子会社で通販も。出資・技術支援する旺旺集団(台湾系)からの配当金収入多額 売 連22,000 従 766 資 1,634 住 長岡市飯塚2958 ☎0258-92-4111 ㉕ **4** ㉔ **3(男2, 女1)**
㈱植木組	建 特色 新潟県地盤の中堅建設。東京、中部、東北など県外拡大に意欲。子会社で有料老人ホーム等進出 売 連55,910 従 596 資 5,315 住 柏崎市駅前1-5-45 ☎0257-23-2200 ㉕ **22** ㉔ **15(男14, 女1)**
㈱遠藤製作所	他製 特色 ゴルフクラブ鍛造品OEM生産からステンレス極薄管、自動車部品へ多角化。タイに工場展開 売 連15,709 従 120 資 1,241 住 燕市東太田987 ☎0256-63-6111 ㉕ **若干名** ㉔ **2(男1, 女1)**
㈱オーシャンシステム	小 特色 新潟地盤に食品スーパー「チャレンジャー」展開。FCで「業務スーパー」運営。宅食や旅館も 売 連85,899 従 939 資 801 住 三条市西本成寺2-26-57 ☎0256-33-3987 ㉕ **10** ㉔ **7(男5, 女2)**
㈱キタック	サ 特色 新潟地盤の中堅建設コンサルタント。地質調査、土木設計が中心。官公需の依存大。不動産事業も 売 連2,781 従 182 資 479 住 新潟市中央区新光町10-2 ☎025-281-1111 ㉕ **10** ㉔ **6(男3, 女3)**
㈱コメリ	小 特色 新潟発祥の大手ホームセンター(HC)。小型店と大型店を組み合わせた集中出店で全国展開 売 連370,751 従 3,880 資 18,802 住 新潟市南区清水4501-1 ☎025-371-4111 ㉕ **前年並** ㉔ **232(男146, 女86)**
㈱コロナ	金製 特色 石油暖房機器の最大手。空調、温水機器やヒートポンプ式給湯器「エコキュート」も展開。好財務 売 連82,046 従 1,567 資 7,449 住 三条市東新保7-7 ☎0256-32-2111 ㉕ **40** ㉔ **44(男32, 女12)**
㈱セイヒョー	食 特色 新潟市の製氷業から出発。現在は森永乳業向けOEM製品やオリジナルのアイスクリーム中心 売 単4,256 従 90 資 417 住 新潟市北区木崎下山1785 ☎025-386-9988 ㉕ **若干名** ㉔ **2(男1, 女1)**
第一建設工業㈱	建 特色 JR東日本系。線路工事など同社依存度約7割。非鉄道も強化。関東、信越、東北地盤。好財務 売 単53,993 従 1,033 資 3,302 住 新潟市中央区八千代1-4-34 ☎025-241-8111 ㉕ **41** ㉔ **39(男36, 女3)**
ダイニチ工業㈱	金製 特色 石油ファンヒーター大手。シェア首位の加湿器が第2の柱。国内生産にこだわり。利益下期偏重 売 単19,650 従 485 資 4,058 住 新潟市南区北田中780-6 ☎025-362-1101 ㉕ **前年並** ㉔ **10(男5, 女5)**
㈱太陽工機	機 特色 新潟地盤の工作機械中堅。立形研削盤で国内首位。中国、欧米でも拡大。DMG森精機の子会社 売 単10,231 従 293 資 700 住 長岡市西陵町221-35 ☎0258-42-8808 ㉕ **16** ㉔ **13(男11, 女2)**
田辺工業㈱	建 特色 化学プラントを主体とする中堅総合プラント工事会社。関東、中部が地盤。タイで表面処理事業 売 連51,842 従 802 資 885 住 上越市大字福田20 ☎025-545-6500 ㉕ **20** ㉔ **27(男27, 女0)**
新潟交通㈱	陸 特色 新潟最大のバス会社。土産物卸売り、旅行業も併営。利益柱は商業施設「万代シテイ」歩合賃料 売 連19,417 従 586 資 4,220 住 新潟市中央区万代1-6-1 ☎025-246-6323 ㉕ **15** ㉔ **13(男6, 女7)**
日本精機㈱	輸機 特色 2輪計器世界首位。4輪も強い。ヘッドアップディスプレー(HUD)もトップ。ホンダ比率2割 売 連IFS312,355 従 1,606 資 14,494 住 長岡市東蔵王2-2-34 ☎0258-24-3311 ㉕ **未定** ㉔ **45(男35, 女10)**
㈱ハードオフコーポレーション	小 特色 総合リユース業。PC、音響、家電、衣料、家具、カー用品、酒類などの店舗を直営やFCで展開 売 連30,105 従 452 資 1,676 住 新発田市新栄町3-1-13 ☎0254-24-4344 ㉕ **50** ㉔ **52(男38, 女14)**
㈱ブルボン	食 特色 新潟拠点の菓子大手。ビスケットの割合が6割程度。米菓、チョコも強い。中国でも菓子展開 売 連103,717 従 4,088 資 1,036 住 柏崎市駅前1-3-1 ☎0257-23-2333 ㉕ **未定** ㉔ **115(男53, 女62)**
北越工業㈱	機 特色 建設現場用等の可搬式エンジンコンプレッサー大手。高所作業車、エンジン発電機も手がける 売 連51,900 従 484 資 3,416 住 燕市下粟生津3074 ☎0256-93-5571 ㉕ **30** ㉔ **28(男23, 女5)**
北越メタル㈱	鉄 特色 トピー工業系列の電炉メーカー。新潟県が地盤。主力は異形棒鋼。高強度鉄筋など特殊鋼強化 売 連31,823 従 403 資 1,969 住 長岡市蔵王3-3-1 ☎0258-24-5111 ㉕ **未定** ㉔ **11(男8, 女3)**
北陸ガス㈱	電ガ 特色 地方ガス大手。新潟、長岡、三条、柏崎地区に都市ガス供給。原料は県産ガスとLNGの2本柱 売 連61,405 従 441 資 2,400 住 新潟市中央区東大通1-2-23 ☎025-245-2211 ㉕ **未定** ㉔ **17(男13, 女4)**
㈱雪国まいたけ	水農 特色 マイタケ、シメジ、マッシュルーム軸にキノコ量産。欧州で同業買収、神明HDと国内販路開拓 売 連IFS47,476 従 1,024 資 100 住 南魚沼市余川89 ☎025-778-0111 ㉕ **前年並** ㉔ **23(男9, 女14)**
㈱リンコーコーポレーション	倉運 特色 新潟港軸の港湾運送大手。倉庫や運輸、商品販売、ホテル、不動産なども展開。川崎汽船系列 売 連13,110 従 338 資 1,950 住 新潟市中央区万代5-11-30 ☎025-245-4113 ㉕ **未定** ㉔ **8(男4, 女4)**
朝日印刷㈱	パ紙 特色 医薬品包装資材首位、化粧品用上位。大手メーカー向け多い。包装機械などの販売も手がける 売 連41,871 従 1,165 資 2,228 住 富山市一番町1-1 ☎076-421-1177 ㉕ **未定** ㉔ **32(男18, 女14)**
アルビス㈱	小 特色 富山、石川、福井3県で食品スーパー展開。三菱商事と提携。岐阜・愛知の中京圏へも商圏拡大 売 連97,797 従 960 資 4,908 住 射水市流通センター水戸田3-4 ☎0766-56-7200 ㉕ **未定** ㉔ **37(男20, 女17)**

会社名	[業種名] (特色)会社の特色 (売)売上高(百万円) (従)単独従業員数(名) (資)資本金(百万円) (住)本社の住所, 電話番号 ㉕25年採用計画数(名) ㉔24年入社内定者数(名)
川田テクノロジーズ㈱	[金製] (特色)鉄骨と鋼橋、PC土木、システム建築の総合最大手。航空事業兼営。ロボットなど先端分野育成 (売)連129,127 (従)1,135 (資)5,311 (住)南砺市苗島4610 ☎0763-22-8822 ㉕**増加** ㉔**34(男25, 女9)**
黒谷㈱	[卸] (特色)銅スクラップと船舶用スクリュー向け銅インゴットの販売・回収が2本柱。美術品鋳造も展開 (売)連84,594 (従)123 (資)1,000 (住)射水市奈呉の江12-2 ☎0766-84-0001 ㉕**7** ㉔**2(男2, 女0)**
コーセル㈱	[電機] (特色)産業機器向け等スイッチング電源の標準品で国内2位。台湾LITE-ON社が筆頭株主に (売)連41,437 (従)473 (資)6,042 (住)富山市上赤江町1-6-43 ☎076-432-8151 ㉕**18** ㉔**15(男12, 女3)**
三光合成㈱	[化] (特色)自動車内外装軸に樹脂部品を金型設計・製作から一貫生産、空調機器等も。インド・北米拠点増強 (売)連93,784 (従)682 (資)4,008 (住)南砺市土生新1200 ☎0763-52-1000 ㉕**15** ㉔**12(男10, 女2)**
㈱CKサンエツ	[非鉄] (特色)黄銅棒・線で首位のサンエツ金属中核。15年に日本伸銅子会社化。カメラ用精密部品も手がける (売)連111,433 (従)498 (資)2,756 (住)高岡市守護町2-12-1 ☎0763-33-1212 ㉕**35** ㉔**35(男30, 女5)**
㈱シキノハイテック	[電機] (特色)自動車用半導体向け耐久テスト、ビューカメラなどを扱う。半導体設計はアナログに強み (売)単7,091 (従)468 (資)421 (住)魚津市吉島829 ☎0765-22-3477 ㉕**11** ㉔**15(男14, 女1)**
ダイト㈱	[医] (特色)医薬品の原薬製造販売や、製剤の製造受託が主力。ジェネリック(後発医薬品)メーカー向け強い (売)連46,895 (従)849 (資)7,186 (住)富山市八日町326 ☎076-421-5665 ㉕**未定** ㉔**14(男6, 女8)**
㈱タカギセイコー	[化] (特色)工業用プラスチック成形品や成形用金型メーカー。2輪、4輪車両向けが主力、通信機器向けも (売)連51,066 (従)805 (資)2,163 (住)高岡市二塚322-3 ☎0766-24-5522 ㉕**20** ㉔**22(男18, 女4)**
中越パルプ工業㈱	[パ紙] (特色)富山県に本社置く製紙中堅、王子HD持分会社。新聞用紙、印刷・包装用紙を展開、発電事業強化 (売)連107,826 (従)782 (資)18,864 (住)高岡市米島282 ☎0766-26-2401 ㉕**20** ㉔**12(男11, 女1)**
㈱富山銀行	[銀] (特色)戦後設立の地銀。預金量約5000億円、地銀協加盟行では最小規模。隣県の金沢に進出 (売)連10,146 (従)327 (資)6,730 (住)高岡市下関町3-1 ☎0766-21-3535 ㉕**未定** ㉔**21(男13, 女8)**
㈱富山第一銀行	[銀] (特色)富山県の第二地銀。県内2番手。新潟、石川、岐阜などにも展開。財務良好。有証利息配当金多い (売)連38,678 (従)596 (資)10,182 (住)富山市西町5-1 ☎076-424-1211 ㉕**未定** ㉔**32(男18, 女14)**
㈱日本抵抗器製作所	[電機] (特色)抵抗器の中堅。自動車向け依存大。ハイブリッドIC、電子機器に主力移行。中国生産を拡大 (売)連7,176 (従)51 (資)724 (住)南砺市北野2315 ☎0763-62-1180 ㉕**未定** ㉔**10(男5, 女5)**
伏木海陸運送㈱	[倉運] (特色)伏木港、富山新港等で紙製品やコンテナの港湾作業が中心。日ロ定期船も運航。客船クルーズも (売)連12,935 (従)308 (資)1,850 (住)高岡市伏木湊町5-1 ☎0766-45-1111 ㉕**6** ㉔**5(男3, 女2)**
北陸電気工業㈱	[電機] (特色)車載用モジュール製品、抵抗器が主力。各種センサーも。無線・センサー組み合わせ品開発推進 (売)連40,811 (従)666 (資)5,200 (住)富山市下大久保3158 ☎076-467-1111 ㉕**25** ㉔**16(男9, 女7)**
北陸電気工事㈱	[建] (特色)電気工事会社。北陸電力の子会社。北陸電向け売上高3割強。地盤の北陸から徐々に全国展開 (売)連53,398 (従)1,154 (資)3,328 (住)富山市小中269 ☎076-481-6092 ㉕**60** ㉔**60(男54, 女6)**
今村証券㈱	[証商] (特色)独立系。地方証券会社の雄。北陸3県が主力地盤。対面営業とインターネット取引の2本柱 (売)単4,816 (従)202 (資)857 (住)金沢市十間町25 ☎076-263-5222 ㉕**11** ㉔**9(男4, 女5)**
EIZO㈱	[電機] (特色)ヘルスケアや航空管制など特定産業用からアミューズメント用まで。映像技術の総合企業標榜 (売)連80,471 (従)1,001 (資)4,425 (住)白山市下柏野町153 ☎076-275-4121 ㉕**30** ㉔**26(男13, 女13)**
オリエンタルチエン工業㈱	[機] (特色)高耐久性等独自技術生かした小型チェーンに強み。医療機器向けなど金属射出精密部品も (売)単4,082 (従)192 (資)1,066 (住)白山市宮永市町485 ☎076-276-1155 ㉕**4** ㉔**3(男2, 女1)**
㈱共和工業所	[金製] (特色)六角ボルトなど建設機械用高強度ボルトの専業大手。コマツ向けが主力。自動車関連を育成 (売)連10,972 (従)286 (資)592 (住)小松市工業団地1-57 ☎0761-21-0531 ㉕**5** ㉔**6(男6, 女0)**
小松ウオール工業㈱	[他製] (特色)オフィスビル等の間仕切り総合メーカー、国内首位。新設ビル向けに強い。国内市場重点姿勢 (売)単43,551 (従)1,410 (資)3,099 (住)小松市工業団地1-72 ☎0761-21-3131 ㉕**前年並** ㉔**57(男40, 女17)**
小松マテーレ㈱	[繊] (特色)ポリエステル織編物の精練・染色・捺染加工の代表格。大株主の東レが主納入先。企画力高い (売)連36,670 (従)870 (資)4,680 (住)能美市浜町ヌ167 ☎0761-55-1111 ㉕**50** ㉔**58(男37, 女21)**
㈱サンウェルズ	[サ] (特色)パーキンソン病専門の老人ホーム「PDハウス」拡大中。地盤・石川等で介護サービス全般展開 (売)単21,360 (従)2,731 (資)35 (住)金沢市二宮町15-13 ☎076-272-8982 ㉕**前年並** ㉔**34(男15, 女19)**
澁谷工業㈱	[機] (特色)飲料用充填装置で国内最大手。メカトロシステム製販も手がける。アジア、北米、欧州向けに強み (売)連115,434 (従)2,042 (資)11,392 (住)金沢市大豆田本町甲58 ☎076-262-1201 ㉕**前年並** ㉔**54(男45, 女9)**
大同工業㈱	[機] (特色)2輪車用チェーン製販で国内シェアトップ。4輪用も北米市場で攻勢中。ホンダが主顧客 (売)連56,041 (従)844 (資)3,536 (住)加賀市熊坂町イ197 ☎0761-72-1234 ㉕**未定** ㉔**32(男26, 女6)**
㈱大和	[小] (特色)1923年創設の老舗百貨店。金沢・香林坊店と富山店の2店体制。子会社にホテルや勁草書房 (売)連16,537 (従)409 (資)100 (住)金沢市片町2-2-5 ☎076-220-1111 ㉕**若干名** ㉔**2(男0, 女2)**

会社名	【業種名】(特色)会社の特色 (売)売上高(百万円) (従)単独従業員数(名) (資)資本金(百万円) (住)本社の住所, 電話番号 ㉕25年採用計画数(名) ㉔24年入社内定者数(名)
ダイワ通信(株)	【卸】(特色)モバイル事業ベースにセキュリティ事業展開。防犯・監視カメラ、カメラシステムを販売・施工 (売)連5,159 (従)84 (資)100 (住)金沢市入江2-180 ☎076-291-4000 ㉕**3** ㉔**3(男1, 女2)**
高松機械工業(株)	【機】(特色)中小型NC旋盤の中堅。自動車産業向けが柱。顧客密着の特注機多い。22年4月に新工場稼働 (売)連14,184 (従)504 (資)1,835 (住)白山市旭丘1-8 ☎076-207-6155 ㉕**前年並** ㉔**9(男7, 女2)**
タケダ機械(株)	【機】(特色)形鋼加工機大手。建設・自動車関連業界が主顧客。海外向け丸のこ切断機は自社ブランドで展開 (売)連5,464 (従)144 (資)1,874 (住)能美市粟生町西132 ☎0761-58-8211 ㉕**増加** ㉔**3(男2, 女1)**
津田駒工業(株)	【機】(特色)繊維機械の総合首位。ジェットルームは世界1位。中国・インドなど輸出が大半。工作機械関連も (売)連39,278 (従)748 (資)12,316 (住)金沢市野町5-18-18 ☎076-242-1110 ㉕**増加** ㉔**5(男3, 女2)**
ニッコー(株)	【ガ土】(特色)陶磁器食器の老舗。住宅設備機器、機能性セラミック、陶磁器が3本柱。三谷産業との関係強化 (売)連14,719 (従)596 (資)3,470 (住)白山市相木町383 ☎076-276-2121 ㉕**23** ㉔**12(男3, 女9)**
(株)ハチバン	【小】(特色)北陸中心にFC主体で「8番らーめん」や和食店を展開。92年進出のタイにもFCで多数の店舗 (売)連7,623 (従)156 (資)1,518 (住)金沢市新神田1-12-18 ☎076-292-0888 ㉕**前年並** ㉔**7(男3, 女4)**
(株)ビーイングホールディングス	【陸】(特色)生活物資に特化した3PL(物流一括受託)事業を展開。北陸を地盤に全国へエリア拡大 (売)連26,322 (従)44 (資)690 (住)金沢市専光寺町レ3-18 ☎076-268-1110 ㉕**20** ㉔**3(男2, 女1)**
福島印刷(株)	【他製】(特色)発祥は帳票印刷。販促用DM、事務通知物などデータプリント関連が売上高の85%超占める (売)単6,698 (従)454 (資)460 (住)金沢市佐奇森町ル6 ☎076-267-5111 ㉕**4** ㉔**9(男5, 女4)**
三谷産業(株)	【卸】(特色)北陸地盤の総合商社。化学品、情報システム、住宅設備、石油などに展開。医薬品原薬など製造も (売)連95,857 (従)615 (資)4,808 (住)金沢市玉川町1-5 ☎076-233-2151 ㉕**30** ㉔**24(男16, 女8)**
KYCOMホールディングス(株)	【情通】(特色)福井県発祥。システム開発は通信や公共に強み。アウトソーシング強化。レンタカー事業も (売)連6,091 (従)5 (資)1,612 (住)福井市月見5-4-4 ☎0776-34-3512 ㉕**前年並** ㉔**78(男58, 女20)**
Genky DrugStores(株)	【小】(特色)福井地盤のドラッグストア。最近は滋賀出店に注力。低コスト、低価格に強み。食品比率高い (売)連184,860 (従)1,615 (資)1,024 (住)坂井市丸岡町下久米田38-33 ☎0776-67-5240 ㉕**460** ㉔**340(男206, 女134)**
(株)田中化学研究所	【化】(特色)住友化学傘下。リチウムイオン電池・ニッケル水素電池向けの正極材料専業。車載電池用に注力 (売)単47,987 (従)357 (資)9,155 (住)福井市白方町45字砂浜割5-10 ☎0776-85-1801 ㉕**未定** ㉔**10(男5, 女5)**
日華化学(株)	【化】(特色)繊維加工用界面活性剤が主力。工業用、クリーニング用薬剤、美容室向けヘア化粧品事業も展開 (売)連50,169 (従)629 (資)2,898 (住)福井市文京4-23-1 ☎0776-24-0213 ㉕**増加** ㉔**27(男16, 女11)**
福井コンピュータホールディングス(株)	【情通】(特色)建築・測量土木CADで首位。3次元技術に強く、BIM／CIM深耕中。投票調査装置も (売)連13,821 (従)506 (資)1,631 (住)福井市高木中央1-2501 ☎0776-53-9200 ㉕**30** ㉔**15(男8, 女7)**
フクビ化学工業(株)	【化】(特色)建築資材軸の合成樹脂製品製造大手。日米や東南アに生産拠点。自動車向け中心に産業資材も (売)連39,735 (従)753 (資)2,194 (住)福井市三十八社町33字66 ☎0776-38-8001 ㉕**前年並** ㉔**11(男8, 女3)**
(株)PLANT	【小】(特色)郊外で衣食住を格安販売する超大型スーパーセンターを運営。北陸地盤に近畿などにも展開 (売)単97,548 (従)686 (資)1,425 (住)坂井市坂井町下新庄15-8-1 ☎0776-72-0300 ㉕**10** ㉔**6(男1, 女5)**
前田工繊(株)	【他製】(特色)河川、道路補強等の防災用建築・土木資材の大手。産業資材、自動車ホイールも柱。M&A注力 (売)連55,833 (従)410 (資)6,422 (住)坂井市春江町沖布目38-3 ☎0776-51-3535 ㉕**10** ㉔**3(男3, 女0)**
三谷セキサン(株)	【ガ土】(特色)パイル(基礎工事用杭)、電柱などコンクリート2次製品大手。情報関連・廃棄物処理、ホテルも (売)連83,116 (従)348 (資)2,146 (住)福井市豊島1-3-1 ☎0776-20-3333 ㉕**5** ㉔**13(男13, 女0)**
ユニフォームネクスト(株)	【小】(特色)飲食店や医療、作業現場などの業務用ユニホームのネット通販を展開。中小事業者が主要顧客 (売)単7,453 (従)149 (資)363 (住)福井市八重巻町25-81 ☎0776-43-1034 ㉕**前年並** ㉔**16(男5, 女11)**
(株)アミューズ	【サ】(特色)桑田佳祐、福山雅治など擁す大手芸能プロ。DVD販売や番組制作手がける。アジア展開を強化 (売)連54,813 (従)352 (資)1,587 (住)南都留郡富士河口湖町西湖997 ☎0570-06-4301 ㉕**前年並** ㉔**11(男2, 女9)**
(株)エノモト	【電機】(特色)半導体・LED用リードフレーム、コネクター用部品大手。微細加工の精密プレス金型に強み (売)連25,244 (従)544 (資)4,749 (住)上野原市上野原8154-19 ☎0554-62-5111 ㉕**24** ㉔**22(男19, 女3)**
(株)オキサイド	【電機】(特色)単結晶、レーザーなど光製品のニッチ企業。半導体検査装置、がん診断PET装置向けが主力 (売)連6,606 (従)296 (資)3,177 (住)北杜市武川町牧原1747-1 ☎0551-26-0022 ㉕**減少** ㉔**25(男15, 女10)**
(株)光・彩	【他製】(特色)総合宝飾品メーカー。ジュエリーパーツで高シェア。ジュエリーはOEMに加え得意技術提案も (売)単3,525 (従)87 (資)602 (住)甲斐市龍地3049 ☎0551-28-4181 ㉕**7** ㉔**7(男1, 女6)**
(株)トリケミカル研究所	【化】(特色)先端半導体製造向けにニッチな化学材料を少量生産。韓国に35%出資合弁。国内新工場竣工へ (売)連11,246 (従)228 (資)3,278 (住)上野原市上野原8154-217 ☎0554-63-6600 ㉕**12** ㉔**16(男10, 女6)**
リバーエレテック(株)	【電機】(特色)水晶振動子等の電子部品の製造・販売を手がける。電子ビーム封止工法など独自技術に定評 (売)連5,454 (従)68 (資)1,681 (住)韮崎市富士見ヶ丘2-1-11 ☎0551-22-1211 ㉕**10** ㉔**4(男4, 女0)**

会社名	[業種名] [特色] 会社の特色 [売]売上高(百万円) [従]単独従業員数(名) [資]資本金(百万円) [住]本社の住所, 電話番号 ㉕25年採用計画数(名) ㉔24年入社内定者数(名)
エフビー介護サービス㈱	[サ] [特色] 福祉用具と介護事業を運営。有料老人ホーム、グループホーム等を信越・北関東・首都圏に展開 [売]連10,361 [従]979 [資]496 [住]佐久市長土呂159-2 ☎0267-88-8188 ㉕**15** ㉔**8(男4, 女4)**
エムケー精工㈱	[金製] [特色] SS向け洗車機、電光表示装置と農家向け低温貯蔵庫等が柱。M&Aで住宅設備分野にも展開 [売]連28,474 [従]873 [資]3,373 [住]千曲市大字雨宮1825 ☎026-272-0601 ㉕**18** ㉔**14(男8, 女6)**
㈱エラン	[サ] [特色] 全国の病院や介護関連施設を通じ利用者にタオルなどをレンタルする「CSセット」を提供 [売]連41,425 [従]306 [資]573 [住]松本市出川町15-12 ☎0263-29-2680 ㉕**前年並** ㉔**44(男‥, 女‥)**
㈱共和コーポレーション	[サ] [特色] 独立系の遊戯施設運営会社。業界で高シェア。ゲーム機器販売も展開。100店舗体制目指す [売]連14,580 [従]203 [資]709 [住]長野市若里3-10-28 ☎026-227-1301 ㉕**10** ㉔**8(男4, 女4)**
KOA㈱	[電機] [特色] 固定抵抗器で世界首位級。長野中心に国内生産比率70%強と高い。自動車向けに強み。好財務 [売]連64,835 [従]1,687 [資]6,033 [住]上伊那郡箕輪町大字中箕輪14016 ☎0265-70-7171 ㉕**前年並** ㉔**57(男42, 女15)**
㈱サンクゼール	[食] [特色] 食のSPA(製造小売り)。FC軸に和食材「久世福商店」等。EC、卸売りも。海外事業を育成 [売]連19,162 [従]239 [資]1,134 [住]上水内郡飯綱町大字芋川1260 ☎026-219-3902 ㉕**未定** ㉔**12(男2, 女10)**
サンリン㈱	[卸] [特色] 長野県の燃料商社でミツウロコ系。JA全農長野のLPG販売代行を含め県内シェア6割 [売]連32,042 [従]425 [資]1,512 [住]東筑摩郡山形村字下本郷4082-3 ☎0263-97-3030 ㉕**15** ㉔**5(男4, 女1)**
タカノ㈱	[他製] [特色] 事務用いすのOEM供給、液晶製造装置用の検査機器が2大柱。産業機器向け駆動部品等も展開 [売]連25,173 [従]620 [資]2,015 [住]上伊那郡宮田村137 ☎0265-85-3150 ㉕**23** ㉔**26(男16, 女10)**
㈱高見澤	[卸] [特色] 長野県地盤。建設資材、電設中心に石油製品販売、自動車販売など多角経営。中国で生コン製販 [売]連71,369 [従]541 [資]1,264 [住]長野市大字鶴賀字苗間平1605-14 ☎026-228-0111 ㉕**前年並** ㉔**12(男9, 女3)**
㈱竹内製作所	[機] [特色] ミニショベル主体の建機中堅、クローラーローダーを世界初開発、海外販売比率高くシェア上位 [売]連212,627 [従]738 [資]3,632 [住]埴科郡坂城町大字上平205 ☎0268-81-1100 ㉕**80** ㉔**65(男56, 女9)**
㈱電算	[情通] [特色] 信越地盤の情報処理・システム開発中堅。首都圏へも展開。市役所など地方自治体向けに強み [売]連15,974 [従]582 [資]1,395 [住]長野市鶴賀七瀬中町276-6 ☎026-224-6666 ㉕**未定** ㉔**7(男5, 女2)**
日精エー・エス・ビー機械㈱	[機] [特色] 非飲料系プラスチック容器の成形機市場で世界トップ級。海外比率9割。インドに生産拠点 [売]連34,798 [従]210 [資]3,860 [住]小諸市甲4586-3 ☎0267-23-1560 ㉕**6** ㉔**3(男3, 女0)**
HIOKI㈱	[電機] [特色] 各種テスターなど電気測定器の中堅メーカー。電子測定器、現場測定器に注力。アジア展開強化 [売]連39,154 [従]778 [資]3,299 [住]上田市小泉81 ☎0268-28-0555 ㉕**20** ㉔**18(男13, 女5)**
㈱ミマキエンジニアリング	[電機] [特色] 広告・看板向け産業用IJプリンタ大手。工業製品・小物類、布地・衣料品向け育成。FA参入 [売]連75,631 [従]897 [資]4,357 [住]東御市滋野乙2182-3 ☎0268-64-2281 ㉕**49** ㉔**49(男42, 女7)**
㈱守谷商会	[建] [特色] 長野地盤の中堅建設。首都圏、中部圏でも営業。地中熱利用など再生可能エネルギー事業に注力 [売]連43,344 [従]316 [資]1,712 [住]長野市南千歳町878 ☎026-226-0111 ㉕**15** ㉔**16(男12, 女4)**
綿半ホールディングス㈱	[小] [特色] 長野県地盤のHCと建設事業が2本柱。HC全店で食品、一部店で生鮮品も扱う。貿易事業併営 [売]連128,072 [従]71 [資]1,076 [住]飯田市北方1023-1 ☎0265-25-8155 ㉕**15** ㉔**14(男7, 女7)**
㈱大光	[卸] [特色] 中京地盤の食品卸。ホテルや外食等が顧客。業務用食品スーパー「アミカ」やネットショップも [売]連70,505 [従]541 [資]1,482 [住]大垣市古宮町227-1 ☎0584-89-7777 ㉕**10** ㉔**13(男6, 女7)**
㈱岐阜造園	[建] [特色] 造園緑化専業で唯一の上場会社。設計・施工・メンテの一貫体制に強み。積水ハウスとの関係強化 [売]連5,002 [従]126 [資]406 [住]岐阜市茜部菱野4-79-1 ☎058-272-4120 ㉕**10** ㉔**5(男2, 女3)**
㈱KVK	[機] [特色] 給水栓専業首位メーカー。パナソニック系住宅設備会社が主納入先。中国とフィリピンに工場 [売]連29,799 [従]636 [資]2,854 [住]加茂郡富加町高畑字稲荷641 ☎0574-55-1120 ㉕**増加** ㉔**19(男11, 女8)**
サンメッセ㈱	[他製] [特色] 総合印刷の中堅。デザインから製版印刷、製本までの一貫体制。IPS(情報処理印刷)に注力 [売]連16,633 [従]663 [資]1,236 [住]大垣市久瀬川町7-5-1 ☎0584-81-9111 ㉕**10** ㉔**10(男4, 女6)**
ジーエフシー㈱	[卸] [特色] 旅館、ホテル、料亭等への業務用加工食材1次卸。業務用高級食材は首位。年末年始が稼ぎ時 [売]連21,919 [従]219 [資]100 [住]羽島郡笠松町田代978-1 ☎058-387-8181 ㉕**10** ㉔**10(男3, 女7)**
㈱J-MAX	[金製] [特色] 自動車用プレス部品。中国やタイに拠点、ホンダ向け7割弱。米国は16年度撤退、東プレと提携 [売]連54,347 [従]318 [資]1,950 [住]大垣市上石津町乙坂130-1 ☎0584-46-3191 ㉕**前年並** ㉔**13(男10, 女3)**
信和㈱	[金製] [特色] 仮設資材、物流機器を製造販売。建設現場向けロック機能付き「次世代足場」の拡販に注力 [売]連IFS12,678 [従]143 [資]153 [住]海津市平田町仏師川字村中30-7 ☎0584-66-4436 ㉕**3** ㉔**3(男2, 女1)**
セブン工業㈱	[他製] [特色] 階段、和風造作等内装建材とプレカット等木構造建材両方を扱う。大規模木造建築の提案施工も [売]単15,264 [従]396 [資]2,473 [住]美濃加茂市牧野1006 ☎0574-28-7800 ㉕**未定** ㉔**13(男12, 女1)**
㈱セリア	[小] [特色] 100円ショップ2位。独自の業務効率化システム駆使し、利益率高い。国内シェア拡大に注力 [売]単223,202 [従]586 [資]1,278 [住]大垣市外渕2-38 ☎0584-89-8858 ㉕**40** ㉔**17(男1, 女16)**

会社名	[業種名] (特色) 会社の特色 (売)売上高(百万円) (従)単独従業員数(名) (資)資本金(百万円) (住)本社の住所，電話番号 ㉕25年採用計画数(名) ㉔24年入社内定者数(名)
㈱中広	[サ] (特色) 岐阜・名古屋2本社制。各戸配布、地域密着型無料情報誌の広告枠販売が柱。直営・FC全国展開 (売)連10,237 (従)356 (資)404 (住)岐阜市東興町27 ☎058-247-2511 ㉕**20** ㉔**19(男0，女19)**
㈱TYK	[ガ土] (特色) 鉄鋼向け耐火物の大手。海外展開で先行し、米国、欧州、台湾、中国に生産拠点。炭素製品を育成 (売)連30,011 (従)383 (資)2,398 (住)多治見市大畑町3-1 ☎0572-22-8151 ㉕**前年並** ㉔**8(男7，女1)**
㈱日本一ソフトウェア	[情通] (特色) ゲームソフトメーカー。PS4、Switch用が柱。RPG「ディスガイア」シリーズなど (売)連5,339 (従)108 (資)568 (住)各務原市蘇原月丘町3-17 ☎058-371-7275 ㉕**若干名** ㉔**8(男5，女3)**
ハビックス㈱	[パ紙] (特色) 不織布と衛生向け原紙が2本柱。不織布は紙おむつ表面材や調理ペーパー用中心。産業向け開拓 (売)連13,204 (従)201 (資)593 (住)岐阜市福光東3-5-7 ☎058-296-3911 ㉕**前年並** ㉔**3(男1，女2)**
㈱ヒマラヤ	[小] (特色) 一般スポーツ、ゴルフ用品等の小売りチェーン。中部地盤に全国展開。ECの収益性向上に注力 (売)連60,156 (従)713 (資)2,544 (住)岐阜市江添1-1-1 ☎058-271-6622 ㉕**20** ㉔**19(男7，女12)**
未来工業㈱	[化] (特色) 電設資材メーカー。劇団がルーツ。製品数は約2万点、独自製品多く高利益率。残業ゼロ経営 (売)連44,091 (従)837 (資)7,067 (住)安八郡輪之内町楡俣1695-1 ☎0584-68-0010 ㉕**28** ㉔**25(男16，女9)**
㈱メイホーホールディングス	[サ] (特色) 建設コンサル、人材派遣、介護など4事業手がける子会社多数有する持株会社。M&A推進方針 (売)連10,347 (従)38 (資)446 (住)岐阜市吹上町6-21 ☎058-255-1212 ㉕**未定** ㉔**2(男0，女2)**
ASTI㈱	[電機] (特色) 車載用電装品が主柱。産業用制御システムに注力。家電・通信用電子部品の実装技術に定評 (売)連63,607 (従)673 (資)2,476 (住)浜松市中央区米津町2804 ☎053-444-5111 ㉕**未定** ㉔**12(男8，女4)**
エイケン工業㈱	[輸機] (特色) 全メーカー対応の補修用自動車フィルター主力。東南アジア向け強化。燃焼機器は部品に特化 (売)単6,796 (従)252 (資)601 (住)御前崎市門屋1370 ☎0537-86-3105 ㉕**未定** ㉔**2(男1，女1)**
㈱AFC-HDアムスライフサイエンス	[食] (特色) 健康食品の受託製造が主。後発品薬、漢方等も。自社製品を店舗等で販売。百貨店さいか屋買収 (売)連25,579 (従)361 (資)2,131 (住)静岡市駿河区豊田3-6-36 ☎054-281-0585 ㉕**前年並** ㉔**8(男4，女4)**
㈱エコム	[機] (特色) 産業用工業炉の設計・製造から保守サービスまで手がける。取引先の7割を自動車業界が占める (売)単2,465 (従)72 (資)131 (住)浜松市浜名区平口5277-1 ☎053-585-6661 ㉕**3** ㉔**2(男2，女0)**
㈱エッチ・ケー・エス	[輸機] (特色) モータースポーツ向けマフラーなど改造部品を製販。部品の受託生産も。タイ、北米などに拠点 (売)連9,241 (従)263 (資)878 (住)富士宮市上井出2266 ☎0544-29-1111 ㉕**5** ㉔**8(男8，女0)**
エンシュウ㈱	[機] (特色) 自動車用工作機械とヤマハ発動機向け部品加工が柱。レーザー加工機や自動化システムに力 (売)連24,091 (従)689 (資)4,640 (住)浜松市中央区高塚町4888 ☎053-447-2111 ㉕**前年並** ㉔**19(男15，女4)**
遠州トラック㈱	[陸] (特色) 東海地盤の物流会社。アマゾンなど大手の幹線輸送や宅配を担う。ヤマハ等と連携した倉庫も (売)連46,940 (従)1,079 (資)1,284 (住)袋井市木原22-1 ☎0538-42-1111 ㉕**20** ㉔**19(男12，女7)**
㈱エンチョー	[小] (特色) 静岡地盤のHC。愛知、神奈川にも展開。木材商発祥で住宅関連に強み。建築専門店を強化 (売)連35,571 (従)397 (資)2,902 (住)富士市中央町2-12-12 ☎0545-57-0808 ㉕**未定** ㉔**6(男2，女4)**
㈱エンビプロ・ホールディングス	[鉄] (特色) 建築廃材や廃車を収集し、鉄くずなどに分別加工し販売。韓国など海外向けが主。中古車輸出も (売)連52,214 (従)68 (資)1,553 (住)富士宮市田中町87-1 ☎0544-21-3160 ㉕**4** ㉔**4(男4，女0)**
協立電機㈱	[電機] (特色) FAシステム（最適生産システム）や計測制御機器の設計、開発が主事業。省エネシステムも (売)連34,361 (従)385 (資)1,441 (住)静岡市駿河区中田本町61-1 ☎054-288-8899 ㉕**10** ㉔**6(男6，女0)**
共和レザー㈱	[化] (特色) トヨタ系合成樹脂製品の総合メーカー。自動車内装用レザー大手。環境対応商材の開発を強化 (売)連52,037 (従)732 (資)1,810 (住)浜松市中央区東町1876 ☎053-425-2121 ㉕**前年並** ㉔**10(男6，女4)**
㈱桜井製作所	[輸機] (特色) 業界中位の自動車生産ライン用専用工作機と自動車部品が2本柱。ベトナム子会社で現地生産 (売)連5,539 (従)191 (資)100 (住)浜松市中央区半田町720 ☎053-432-1711 ㉕**前年並** ㉔**8(男7，女1)**
㈱スクロール	[小] (特色) 生協向けカタログ通販からM&Aでネット通販等へ展開。PB化粧品、物流等受託も。旧ムトウ (売)連79,826 (従)309 (資)6,116 (住)浜松市中央区佐藤2-24-1 ☎053-464-1111 ㉕**前年並** ㉔**10(男3，女7)**
スター精密㈱	[機] (特色) 自動旋盤が柱の機械メーカー。POS用小型プリンタやレジ周辺機器も展開。海外比率高い (売)連78,196 (従)501 (資)12,721 (住)静岡市駿河区中吉田20-10 ☎054-263-1111 ㉕**前年並** ㉔**7(男6，女1)**
静甲㈱	[機] (特色) 食品用包装機械、電動工具部品など製造。FA・空調販売も。傘下の静岡スバル自動車が稼ぎ頭 (売)連36,102 (従)428 (資)100 (住)静岡市清水区天神2-8-1 ☎054-366-1030 ㉕**18** ㉔**13(男13，女0)**
㈱ZOA	[小] (特色) 東海地方を中心にPC販売店展開。バイク用品販売併設や輸入PBに強み。ネット通販にも注力 (売)単8,598 (従)74 (資)331 (住)沼津市大諏訪719 ☎055-922-1975 ㉕**5** ㉔**4(男3，女1)**
天龍製鋸㈱	[金製] (特色) 機械のこ製造で約110年の老舗。木工用丸のこ首位、金属用チップソー拡大。配当性向5割超 (売)連11,935 (従)200 (資)581 (住)袋井市浅羽3711 ☎0538-23-6111 ㉕**6** ㉔**2(男1，女1)**
㈱トーヨーアサノ	[ガ土] (特色) コンクリ2次製品の中堅。主力は中低層ビル用高支持力パイル。23年にセグメント子会社譲渡 (売)連15,067 (従)150 (資)100 (住)沼津市原315-2 ☎055-967-3535 ㉕**4** ㉔**2(男2，女0)**

会社名	業種名 (特色)会社の特色 (売)売上高(百万円) (従)単独従業員数(名) (資)資本金(百万円) (住)本社の住所, 電話番号 ㉕25年採用計画数(名) ㉔24年入社内定者数(名)
日本プラスト(株)	輸機 (特色)樹脂とエアバッグなど主力の独立系自動車部品大手。売上高の7割が日産、3割がホンダ向け (売)連124,255 (従)996 (資)3,206 (住)富士宮市山宮3507-15 ☎0544-58-6830 ㉕**25** ㉔**28(男19, 女9)**
はごろもフーズ(株)	食 (特色)「シーチキン」はツナ缶のトップブランド。パスタ、ペットフードも展開。国内外に協力工場網 (売)連73,501 (従)678 (資)1,441 (住)静岡市駿河区南町11-1 ☎054-288-5200 ㉕**前年並** ㉔**25(男13, 女12)**
(株)ハマキョウレックス	陸 (特色)独立系の物流一括受託(3PL)大手。貨物運送は路線トラックを軸に展開。M&Aに積極的 (売)連140,572 (従)891 (資)6,547 (住)浜松市中央区寺脇町1701-1 ☎053-444-0055 ㉕**30** ㉔**17(男12, 女5)**
パルステック工業(株)	電機 (特色)研究開発型で電子機器・装置製造、X線残留応力測定装置やヘルスケア装置注力。配当性向30% (売)連2,612 (従)129 (資)1,491 (住)浜松市浜名区細江町中川7000-35 ☎053-522-5176 ㉕**10** ㉔**3(男2, 女1)**
フジオーゼックス(株)	輸機 (特色)大同特殊鋼系エンジンバルブ最大手。ディーゼル、ガソリン両方対応。M&A含め新規事業模索 (売)連23,381 (従)575 (資)3,018 (住)菊川市三沢1500-60 ☎0537-35-5973 ㉕**未定** ㉔**10(男9, 女1)**
(株)マキヤ	小 (特色)静岡地盤に総合ディスカウント店「エスポット」展開。食品・業務スーパー拡充。ダイソーも開設 (売)連77,333 (従)426 (資)1,198 (住)富士市大渕2373 ☎0545-36-1000 ㉕**4** ㉔**3(男3, 女0)**
(株)村上開明堂	輸機 (特色)自動車用バックミラー最大手。取引先はトヨタ、スバルなど。22年に大嶋電機製作所買収 (売)連104,601 (従)979 (資)3,165 (住)静岡市葵区伝馬町11-5 ☎054-253-1811 ㉕**10** ㉔**23(男16, 女7)**
(株)ヤマザキ	機 (特色)工作機械と2輪車部品が柱。2輪部品はヤマハ発動機向けが大半占め、ベトナムにも生産拠点 (売)連2,496 (従)150 (資)972 (住)浜松市中央区有玉北町489-23 ☎053-434-3011 ㉕**3** ㉔**3(男2, 女1)**
(株)ユタカ技研	輸機 (特色)ホンダ直系の排気系、駆動系部品メーカー。北米や南米、アジアに生産拠点。2輪部品も強化中 (売)連IFS216,260 (従)936 (資)1,754 (住)浜松市中央区豊町508-1 ☎053-433-4111 ㉕**5** ㉔**4(男4, 女0)**
(株)ユニバンス	輸機 (特色)ミッション、アクスル等が主力。米国、アジアに生産拠点。販売比率は日産が約4割。農機向けも (売)連52,771 (従)845 (資)3,500 (住)湖西市鷲津2418 ☎053-576-1311 ㉕**31** ㉔**14(男10, 女4)**
ヨシコン(株)	不 (特色)静岡地盤。マンションや事業用不動産を開発。REIT運用。祖業のコンクリはファブレス化 (売)連23,913 (従)38 (資)100 (住)静岡市葵区常磐町1-4-12 ☎054-205-6363 ㉕**10** ㉔**4(男3, 女1)**
(株)IKホールディングス	小 (特色)カタログ通販会社で生協向けに強み。テレビ通販プライムダイレクト、韓国化粧品店も併営 (売)連14,049 (従)27 (資)620 (住)名古屋市中村区名駅3-26-8 ☎052-856-3101 ㉕**4** ㉔**4(男1, 女3)**
アイサンテクノロジー(株)	情通 (特色)建築・土木測量会社等向けソフト開発・販売。モビリティ分野では自動運転用3D地図など展開 (売)連5,478 (従)141 (資)1,922 (住)名古屋市中区錦3-7-14 ☎052-950-7500 ㉕**未定** ㉔**7(男6, 女1)**
愛知電機(株)	電機 (特色)中部電力系の変圧器メーカー。柱上変圧器に強み。モーターが収益柱に成長。プリント基板育成 (売)連110,595 (従)1,112 (資)4,053 (住)春日井市愛知町1 ☎0568-31-1111 ㉕**増加** ㉔**38(男29, 女9)**
愛知時計電機(株)	精 (特色)ガス・水道メーター大手。ガス会社と自治体が主顧客。計測技術に強み。一般民需向けを強化 (売)連51,225 (従)1,220 (資)3,218 (住)名古屋市熱田区千年1-2-70 ☎052-661-5151 ㉕**前年並** ㉔**29(男18, 女11)**
朝日インテック(株)	精 (特色)産業用から出発、循環器治療のPCIガイドワイヤへ展開。タイ、ベトナム、フィリピンで生産 (売)連107,547 (従)1,088 (資)18,860 (住)瀬戸市暁町3-100 ☎0561-48-5551 ㉕**59** ㉔**62(男41, 女21)**
旭精機工業(株)	機 (特色)銃弾製造で培った精密な金属加工技術を生かしプレス機、ばね機械、航空機部品などに展開 (売)単13,143 (従)483 (資)4,175 (住)尾張旭市旭前町新田洞5050-1 ☎0561-53-3112 ㉕**11** ㉔**7(男6, 女1)**
アスカ(株)	輸機 (特色)トヨタ主体の自動車部品のほか、制御システム、FAシステムが3本柱。岡山でサーキット運営 (売)連45,433 (従)424 (資)903 (住)刈谷市新富町2-41-2 ☎0566-62-8811 ㉕**未定** ㉔**16(男14, 女2)**
(株)AVANTIA	不 (特色)東海圏地盤の戸建て中堅。分譲住宅主力。リノベ、仲介事業積極化。関西、関東、九州にも展開 (売)連58,161 (従)198 (資)3,732 (住)名古屋市中区錦2-20-15 ☎052-307-5090 ㉕**40** ㉔**37(男31, 女6)**
石塚硝子(株)	ガ土 (特色)製瓶・ガラス食器大手。紙器等に多角化。大手飲料向けペットボトル予備成形品が収益柱に成長 (売)連57,882 (従)422 (資)6,344 (住)岩倉市川井町1880 ☎0587-37-2111 ㉕**9** ㉔**6(男3, 女3)**
(株)壱番屋	小 (特色)カレー専門店を全国展開、約9割がFC。海外にも積極展開、成長を牽引。ハウス食品の子会社 (売)連55,137 (従)644 (資)1,503 (住)一宮市三ツ井6-12-23 ☎0586-76-7545 ㉕**20** ㉔**10(男7, 女3)**
(株)ウッドフレンズ	不 (特色)名古屋圏地盤に戸建て分譲、注文住宅を展開。建設資材の製造販売も。県営ゴルフ場運営受託 (売)連33,221 (従)154 (資)279 (住)名古屋市中区栄4-5-3 ☎052-249-3503 ㉕**若干名** ㉔**4(男4, 女0)**
(株)ヴィッツ	情通 (特色)組み込みソフト・自動運転開発用ソフト・受託。車載に強み、コンサル業務も。アイシン出資 (売)連2,501 (従)172 (資)612 (住)名古屋市中区新栄町1-1 ☎052-957-3331 ㉕**20** ㉔**14(男13, 女1)**
(株)エイチーム	情通 (特色)スマホゲーム、比較・情報サイト、ECの3本柱。純粋持株会社で、各事業は子会社が展開 (売)連23,917 (従)68 (資)838 (住)名古屋市中村区名駅3-28-12 ☎052-747-5550 ㉕**20** ㉔**10(男7, 女3)**
(株)SYSホールディングス	情通 (特色)自動車、工作機械用ソフトや電力、金融向けシステムの開発。IT人材育成やM&Aに積極投資 (売)連12,397 (従)連1,454 (資)401 (住)名古屋市東区代官町35-16 ☎052-937-0209 ㉕**前年並** ㉔**39(男29, 女10)**

会社名	業種名 特色 会社の特色 売 売上高(百万円) 従 単独従業員数(名) 資 資本金(百万円) 住 本社の住所, 電話番号 ㉕ 25年採用計画数(名) ㉔ 24年入社内定者数(名)
㈱MTG	他製 特色 美容ブランド「リファ」EMS「シックスパッド」など健康美容機器手がけるファブレスメーカー 売 連60,154 従 679 資 16,781 住 名古屋市中村区本陣通4-13 ☎052-307-7890 ㉕ **50** ㉔ **39(男15, 女24)**
㈱オータケ	卸 特色 バルブなど管工機材の専門商社。住宅・空調設備機器販売。中部地盤に首都圏など全国展開 売 単31,253 従 269 資 1,312 住 名古屋市中区丸の内2-1-8 ☎052-211-0150 ㉕ **10** ㉔ **4(男2, 女2)**
㈱買取王国	小 特色 中古品の買い取り・販売。衣料、ホビー主の路面店「買取王国」を東海地盤に展開、工具店が急成長 売 単6,739 従 134 資 49 住 名古屋市港区川西通5-12 ☎052-304-7851 ㉕ **20** ㉔ **12(男10, 女2)**
兼房㈱	金製 特色 工業用機械刃物の専業メーカー最大手。木工用に強い。金属用の拡大を推進。配当性向35%メド 売 連20,080 従 647 資 2,142 住 丹羽郡大口町中小口1-1 ☎0587-95-2821 ㉕ **10** ㉔ **22(男19, 女3)**
㈱カノークス	卸 特色 トヨタ自動車向けが主力の鉄鋼商社。自動車向け5割以上。建材など非自動車向け育成中 売 連172,485 従 202 資 2,310 住 名古屋市西区那古野1-1-12 ☎052-564-3511 ㉕ **15** ㉔ **11(男6, 女5)**
川崎設備工業㈱	建 特色 電気設備の関電工が親会社。空調・給排水等の設備工事の中堅。旧親会社の川崎重工受注約10% 売 単22,482 従 418 資 1,581 住 名古屋市中区大須1-6-47 ☎052-221-7700 ㉕ **27** ㉔ **23(男19, 女4)**
KeePer技研㈱	サ 特色 洗車・カーコーティングの材料製造卸と施工店を直営「LABO」とFCで展開。車以外にも進出 売 単20,574 従 1,041 資 1,347 住 大府市吉川町4-17 ☎0562-45-5258 ㉕ **前年並** ㉔ **109(男‥, 女‥)**
菊水化学工業㈱	他製 特色 建築物の下地材から仕上げ材まで一貫製販。塗料に進出。改修改装工事が2本目の柱で好採算 売 連22,392 従 426 資 1,972 住 名古屋市中区栄1-3-3 ☎052-300-2222 ㉕ **15** ㉔ **14(男10, 女4)**
㈱木曽路	小 特色 中部地盤。しゃぶしゃぶ最大手で、居酒屋や焼き肉も展開。21年、千葉の焼き肉「大将軍」を買収 売 連52,984 従 1,305 資 12,648 住 名古屋市昭和区白金3-18-13 ☎052-872-1811 ㉕ **36** ㉔ **17(男6, 女11)**
キムラユニティー㈱	倉運 特色 愛知県地盤。トヨタの部品包装が主力。カーリース、車両整備なども。中国での事業基盤拡大中 売 連61,493 従 1,639 資 3,596 住 名古屋市中区錦3-8-32 ☎052-962-7051 ㉕ **50** ㉔ **28(男17, 女11)**
㈱クロップス	情通 特色 東海地盤の携帯電話販売会社。「au」専売。飲食店舗賃貸子会社テンポイノベーション稼ぎ大 売 連54,487 従 686 資 255 住 名古屋市中村区名駅3-26-8 ☎052-586-5145 ㉕ **60** ㉔ **42(男‥, 女‥)**
ケイティケイ㈱	卸 特色 再生トナーなどリサイクル商品を製造販売。DX導入支援などITソリューション事業も拡大 売 連17,611 従 172 資 294 住 名古屋市東区泉2-3-3 ☎052-931-1881 ㉕ **5** ㉔ **2(男0, 女2)**
㈱ゲオホールディングス	小 特色 映像レンタル大手。ゲーム・スマホや衣料服飾雑貨等のリユースに転換中。店舗型リユース首位 売 連433,848 従 562 資 9,257 住 名古屋市中区富士見町8-8 ☎052-350-5700 ㉕ **160** ㉔ **110(男83, 女27)**
㈱コプロ・ホールディングス	サ 特色 建設業界向け専門の人材派遣業。施工管理者を派遣。大手ゼネコン向け2割。15年に持株会社化 売 連24,098 従 80 資 30 住 名古屋市中村区名駅3-28-12 ☎052-589-3066 ㉕ **未定** ㉔ **190(男116, 女74)**
㈱コメダホールディングス	卸 特色 中京地区を地盤に「珈琲所 コメダ珈琲店」を全国展開。朝食サービスに特徴。約95%がFC店 売 連IFS43,236 従 7 資 660 住 名古屋市東区葵3-12-23 ☎052-936-8880 ㉕ **15** ㉔ **10(男3, 女7)**
㈱コメ兵ホールディングス	小 特色 中古ブランド品首位、名古屋本拠。取扱量重視に転換、法人強化。20年10月に持株会社化 売 連119,459 従 28 資 1,803 住 名古屋市中区大須3-25-31 ☎052-242-0228 ㉕ **46** ㉔ **34(男16, 女18)**
㈱コモ	食 特色 天然酵母でロングライフ(LL)パンを製造。販路は生協と自販機で約6割。通販の拡大に傾注 売 連7,309 従 163 資 222 住 小牧市大字村中字下之坪505-1 ☎0568-73-7050 ㉕ **8** ㉔ **7(男2, 女5)**
㈱サーラコーポレーション	小 特色 都市ガス、LPガス、住宅販売、建設工事が柱。愛知、静岡地盤。16年にグループ各社が経営統合 売 連242,059 従 64 資 8,025 住 豊橋市駅前大通1-55 ☎0532-51-1155 ㉕ **80** ㉔ **81(男55, 女26)**
㈱サカイホールディングス	情通 特色 東海・関東でソフトバンク携帯販売店展開。17年持株会社。収益柱は太陽光発電で保険、葬祭も 売 連14,848 従 39 資 747 住 名古屋市中区千代田5-21-20 ☎052-262-4499 ㉕ **50** ㉔ **32(男24, 女8)**
㈱サガミホールディングス	小 特色 麺類主体の外食チェーン。名古屋が地盤。直営和食麺類を軸にFCも。18年10月に持株会社化 売 連31,006 従 連565 資 9,090 住 名古屋市守山区八剣2-118 ☎052-737-6000 ㉕ **70** ㉔ **49(男28, 女21)**
笹徳印刷㈱	パ紙 特色 印刷物の企画・デザイン・印刷などに加え、販促プロモーションなども手がける総合印刷会社 売 連12,953 従 314 資 309 住 豊明市栄町大脇7 ☎0562-97-1111 ㉕ **12** ㉔ **9(男3, 女6)**
佐藤食品工業㈱	食 特色 天然素材エキス専業。粉末化技術で定評。本社工場など愛知県に3工場、生産設備刷新が課題 売 単6,101 従 164 資 3,672 住 小牧市堀の内4-154 ☎0568-77-7316 ㉕ **5** ㉔ **7(男4, 女3)**
santec Holdings㈱	電機 特色 光通信部品と光測定器が2本柱。光部品で波長モニターなど独自製品多い。23年春持株会社移行 売 連18,867 従 180 資 4,978 住 小牧市大草年上坂5823 ☎0568-79-3535 ㉕ **微増** ㉔ **3(男2, 女1)**
三和油化工業㈱	化 特色 蒸留・高純度化技術用い廃油等の再生、再資源化に強み。化学品製造も。電子材料向け比率高い 売 連15,633 従 288 資 1,588 住 刈谷市一里山町深田15 ☎0566-35-3000 ㉕ **20** ㉔ **17(男12, 女5)**
㈱シイエム・シイ	サ 特色 技術仕様書等のマニュアル作成、マーケティング支援で有力。トヨタ中心に自動車向け6割超 売 連18,451 従 436 資 657 住 名古屋市中区平和1-1-19 ☎052-322-3351 ㉕ **20** ㉔ **5(男4, 女1)**

会社名	業種名 (特色) 会社の特色 (売)売上高(百万円) (従)単独従業員数(名) (資)資本金(百万円) (住)本社の住所, 電話番号 ㉕25年採用計画数(名) ㉔24年入社内定者数(名)
シェアリングテクノロジー㈱	情通 (特色) 住まい関連トラブル対応のマッチングサイトを運営。多角化路線改め、柱の住まい関連に集中 (売)連IFS6,228 (従)157 (資)183 (住)名古屋市中村区名駅1-1-1 ☎052-414-5919 ㉕23 ㉔10(男1, 女9)
㈱JBイレブン	小 (特色) ラーメン「一刻魁堂」、中華「ロンフーダイニング」を展開。東海地盤、SC内中心に直営展開 (売)連7,642 (従)15 (資)1,079 (住)名古屋市緑区桶狭間切戸2217 ☎052-629-1100 ㉕10 ㉔5(男2, 女3)
㈱システムリサーチ	情通 (特色) 独立系SI。製造業を中心に企業向け情報システム構築と保守・運用。トヨタG向けが約3割 (売)連23,320 (従)1,536 (資)550 (住)名古屋市中村区岩塚本通2-12 ☎052-413-6820 ㉕150 ㉔135(男86, 女49)
ジャニス工業㈱	ガ土 (特色) 便器、洗面化粧台など衛生陶器の中堅。大手住宅設備、住宅建設向けOEMと自社品が2本柱 (売)連4,369 (従)161 (資)1,000 (住)常滑市唐崎町2-88 ☎0569-35-3150 ㉕若干名 ㉔3(男2, 女1)
㈱ジャパン・ティッシュエンジニアリング	精 (特色) 自家培養表皮・軟骨など開発の再生医療ベンチャーで受託事業も。TOBで21年、帝人の傘下に (売)単2,514 (従)211 (資)4,958 (住)蒲郡市三谷北通6-209-1 ☎0533-66-2020 ㉕前年並 ㉔6(男1, 女5)
シンクレイヤ㈱	建 (特色) CATV事業者向けシステム構築。インターネットサービスへ展開。無線通信事業に参入 (売)連10,443 (従)170 (資)835 (住)名古屋市中区千代田2-21-18 ☎052-242-7871 ㉕前年並 ㉔2(男2, 女0)
ゼネラルパッカー㈱	機 (特色) 自動包装機械の中堅。食品向けが主体。粉末、顆粒向けに特化。食品生産機械に参入し育成中 (売)連9,853 (従)170 (資)251 (住)北名古屋市宇福寺神明65 ☎0568-23-3111 ㉕8 ㉔6(男6, 女0)
㈱ソトー	繊 (特色) 毛織物染色大手、複合繊維も。不動産賃貸が下支え。抗菌や吸水・撥水など特殊加工技術も磨く (売)連10,709 (従)325 (資)100 (住)一宮市篭屋5-1-1 ☎0586-45-1121 ㉕10 ㉔6(男4, 女2)
ダイコク電機㈱	機 (特色) ホール向けコンピュータシステム最大手。遊技機ユニットと2本柱。24年にスマート遊技機参入 (売)連53,861 (従)393 (資)674 (住)名古屋市中村区那古野1-43-5 ☎052-581-7111 ㉕前年並 ㉔7(男7, 女0)
㈱ダイセキ	サ (特色) 産廃処理大手。廃液・廃油の中間処理・リサイクルが柱。子会社で土壌汚染調査・浄化処理なども (売)連69,216 (従)769 (資)6,382 (住)名古屋市港区船見町1-86 ☎052-611-6322 ㉕前年並 ㉔13(男8, 女5)
㈱ダイセキ環境ソリューション	建 (特色) 汚染土壌の調査から浄化処理までの一貫体制に特徴。名古屋地盤だが関東、関西でも展開拡大 (売)連24,150 (従)202 (資)2,287 (住)名古屋市瑞穂区明前町8-18 ☎052-819-5310 ㉕4 ㉔2(男0, 女2)
ダイナパック㈱	パ紙 (特色) 05年大日本紙業と日本ハイパックが合併。カゴメなど食品向け、工業製品向けの段ボールが主柱 (売)連58,026 (従)665 (資)4,000 (住)名古屋市中区錦3-14-15 ☎052-971-2651 ㉕10 ㉔21(男11, 女10)
㈱太平製作所	機 (特色) 合板・木工機械のトップメーカー。技術力に定評。建材の製造も。東南ア、北米向け輸出に実績 (売)連8,843 (従)125 (資)750 (住)小牧市大字入鹿出新田字宮前955-8 ☎0568-73-6411 ㉕未定 ㉔3(男3, 女0)
大豊工業㈱	機 (特色) トヨタ系中堅。滑り軸受け(メタル)、ダイカスト製品、金型が3本柱。7割弱がトヨタG向け (売)連112,044 (従)1,938 (資)6,712 (住)豊田市緑ヶ丘3-65 ☎0565-28-2225 ㉕50 ㉔39(男31, 女8)
太洋基礎工業㈱	建 (特色) 地中連続壁など特殊土木工事(官公需)と積水ハウスの住宅地盤改良工事が2本柱。建築事業も (売)単14,571 (従)218 (資)456 (住)名古屋市中川区柳森町107 ☎052-362-6351 ㉕微増 ㉔3(男3, 女0)
瀧上工業㈱	金製 (特色) 鉄骨、橋梁の中堅で火力発電用鉄骨強い。愛知県に生産拠点。橋梁の大規模保全工事にも注力 (売)連23,328 (従)320 (資)1,361 (住)半田市神明町1-1 ☎0569-89-2101 ㉕前年並 ㉔7(男4, 女3)
タキヒヨー㈱	卸 (特色) 名古屋地盤の繊維商社。婦人服ほか服地に強い。主要販売先はしまむら。ゴルフウェア小売りも (売)連57,736 (従)537 (資)3,622 (住)名古屋市西区牛島町6-1 ☎052-587-7111 ㉕未定 ㉔17(男3, 女14)
竹田iPホールディングス㈱	他製 (特色) 商業印刷が祖業の持株会社。包装、BPO、印刷資機材商社も展開。半導体マスクが第2柱に成長 (売)連31,669 (従)45 (資)1,937 (住)名古屋市昭和区白金1-11-10 ☎052-871-6351 ㉕22 ㉔8(男2, 女6)
知多鋼業㈱	金製 (特色) 2輪・4輪車ばねが主力の自動車部品メーカー。独立系で、建機や住宅免震部品等も開拓へ (売)連14,526 (従)378 (資)819 (住)春日井市前並町2-12-4 ☎0568-27-7771 ㉕5 ㉔8(男‥, 女‥)
中央可鍛工業㈱	鉄 (特色) トヨタグループ向けが8割超の鋳造製品メーカー。トラックの比率高い。オフィス家具製造も (売)連33,198 (従)530 (資)1,161 (住)日進市浅田平子1-300 ☎052-805-8600 ㉕6 ㉔6(男4, 女2)
中央紙器工業㈱	パ紙 (特色) トヨタグループ。東海地区地盤で自動車部品・家電製品用段ボール主体。気泡緩衝材も手がける (売)連11,711 (従)161 (資)1,077 (住)清須市春日宮重町363 ☎052-400-2800 ㉕未定 ㉔3(男1, 女2)
㈱中京医薬品	医 (特色) 配置医薬品の大手。東海地区中心の直営店のほか一部地域でFC展開。飲料水宅配事業を伸ばす (売)単6,124 (従)331 (資)681 (住)半田市亀崎北浦町2-15-1 ☎0569-29-0202 ㉕増加 ㉔11(男6, 女5)
中部鋼鈑㈱	鉄 (特色) 厚板専業メーカー。産業、工作機械向け主力で建築にも積極的に進出。国内最大級の電気炉保有 (売)連67,785 (従)372 (資)5,907 (住)名古屋市中川区小碓通5-1 ☎052-661-3811 ㉕14 ㉔7(男7, 女0)
中部飼料㈱	食 (特色) 飼料大手。畜産手がけるが直系農場ない。需要家直結の差別化品注力。伊藤忠との提携は見直し (売)連234,227 (従)427 (資)4,736 (住)名古屋市中区錦2-13-19 ☎052-204-3050 ㉕15 ㉔21(男14, 女7)
中部日本放送㈱	情通 (特色) 東海3県がエリアでTBS系列の一角。中日新聞色。ラジオ兼営で民間ラジオでは最古参 (売)連32,625 (従)237 (資)1,320 (住)名古屋市中区新栄1-2-8 ☎052-241-8111 ㉕若干名 ㉔11(男4, 女7)

会社名	業種名 (特色)会社の特色 (売)売上高(百万円) (従)単独従業員数(名) (資)資本金(百万円) (住)本社の住所, 電話番号 ㉕25年採用計画数(名) ㉔24年入社内定者数(名)
(株)鶴弥	ガ土 (特色)愛知県地盤の陶器瓦専業メーカー最大手。三州瓦主体。製造合理化で先行。高耐久性で差別化 (売)単6,369 (従)346 (資)2,144 (住)半田市州の崎町2-12 ☎0569-29-7311 ㉕**前年並** ㉔**5(男4, 女1)**
(株)ティア	サ (特色)名古屋地盤に葬祭会館をドミナント展開。会員制度で顧客囲い込み。関東、関西に進出、FCも (売)連14,068 (従)552 (資)1,895 (住)名古屋市北区黒川本通3-35-1 ☎052-918-8200 ㉕**35** ㉔**27(男15, 女12)**
テクノホライゾン(株)	電機 (特色)21年4月事業会社移行。映像・ITはレンズ技術の応用、ロボティクスはFA強い。買収積極的 (売)連48,623 (従)連1,400 (資)2,500 (住)名古屋市南区千竈通2-13-1 ☎052-823-8551 ㉕**31** ㉔**6(男5, 女1)**
東海エレクトロニクス(株)	卸 (特色)電子材料、機器の専門商社。24年3月、柱の自動車関連部品仕入れ形態変更で暗雲。顧客開拓急務 (売)連60,833 (従)214 (資)3,075 (住)名古屋市中区栄3-34-14 ☎052-261-3211 ㉕**前年並** ㉔**12(男10, 女2)**
東海染工(株)	繊 (特色)染色加工大手。高級プリント技術に強み。東南アで一貫生産。不動産賃貸、保育園等受託運営も (売)連13,215 (従)210 (資)4,300 (住)名古屋市中村区名駅3-28-12 ☎052-856-8141 ㉕**17** ㉔**13(男8, 女5)**
東建コーポレーション(株)	建 (特色)地主に賃貸住宅経営提案し施工から管理、仲介まで一貫化。住宅設備子会社を傘下に持つ (売)連340,835 (従)4,909 (資)4,800 (住)名古屋市中区丸の内2-1-33 ☎052-232-8000 ㉕**未定** ㉔**172(男119, 女53)**
(株)東祥	サ (特色)「ホリデイスポーツクラブ」運営。地方重点出店から都市部にも進出。ホテル、賃貸住宅も併営 (売)連30,927 (従)352 (資)1,580 (住)安城市三河安城町1-16-5 ☎0566-79-3111 ㉕**80** ㉔**55(男43, 女12)**
東邦ガス(株)	電ガ (特色)ガス業界3位。愛知、岐阜、三重の3県が営業地域。LPガスも展開。コージェネ事業を推進 (売)連632,985 (従)940 (資)33,072 (住)名古屋市熱田区桜田町19-18 ☎052-872-9325 ㉕**90** ㉔**94(男63, 女31)**
東陽倉庫(株)	倉運 (特色)中部圏地盤の有力倉庫。工業品から食品まで取り扱い多彩。不動産事業、国際物流も手がける (売)連27,875 (従)291 (資)3,412 (住)名古屋市中村区名駅南2-6-17 ☎052-581-0251 ㉕**未定** ㉔**19(男8, 女11)**
東洋電機(株)	電機 (特色)FAシステム、制御・配電機器メーカー。エレベーター用センサーで国内首位。耐雷変圧器も強い (売)連8,793 (従)189 (資)1,037 (住)春日井市味美町2-156 ☎0568-31-4191 ㉕**12** ㉔**11(男5, 女6)**
徳倉建設(株)	建 (特色)名古屋地盤の中堅ゼネコン。海洋土木から一般土木、建築に拡大。関東、九州に地場子会社持つ (売)連63,691 (従)430 (資)2,368 (住)名古屋市中区錦3-13-5 ☎052-961-3271 ㉕**微増** ㉔**21(男17, 女4)**
トヨタ紡織(株)	輸機 (特色)トヨタ系。アラコ、タカニチと合併し、内装品・自動車フィルター国内首位、内装品で世界4位 (売)連IFS1,953,625 (従)8,301 (資)8,400 (住)刈谷市豊田町1-1 ☎0566-23-6611 ㉕**190** ㉔**257(男194, 女63)**
トランコム(株)	倉運 (特色)物流センターの一括受託と、空車情報と貨物情報のマッチングの2本柱。東名阪軸に全国展開 (売)連169,410 (従)812 (資)1,080 (住)名古屋市東区葵1-19-30 ☎052-939-2011 ㉕**前年並** ㉔**38(男19, 女19)**
トリニティ工業(株)	機 (特色)トヨタグループ向けが主力。塗装設備の設計からプラントまで一貫化。高級車向け自動車部品も (売)連36,992 (従)連971 (資)1,311 (住)豊田市柿本町1-9 ☎0565-24-4800 ㉕**25** ㉔**18(男14, 女4)**
中日本興業(株)	サ (特色)名古屋の映画興行会社。2シネコンで26スクリーンを展開。カフェ経営や看板広告も手がける (売)単3,541 (従)65 (資)270 (住)名古屋市中村区名駅4-5-28 ☎052-551-0274 ㉕**未定** ㉔**3(男1, 女2)**
名古屋電機工業(株)	電機 (特色)道路電光情報板など情報表示システムの草分け。第2柱のX線検査装置事業を22年10月譲渡 (売)連17,582 (従)406 (資)1,184 (住)あま市篠田面徳29-1 ☎052-443-1111 ㉕**16** ㉔**17(男13, 女4)**
ナトコ(株)	化 (特色)塗料業界の中堅。金属用、住宅建材用からスマホ向け樹脂用に展開。ファインケミカルを育成 (売)連20,164 (従)219 (資)1,626 (住)みよし市打越町生賀山18 ☎0561-32-2285 ㉕**8** ㉔**5(男3, 女2)**
ニチハ(株)	ガ土 (特色)窯業系外壁材で最大手。高級感のある洋風外壁が特徴。住宅向け以外にも注力。米国で現地生産 (売)連142,790 (従)1,360 (資)8,136 (住)名古屋市中区錦2-18-19 ☎052-220-5111 ㉕**22** ㉔**19(男15, 女4)**
(株)NITTOH	建 (特色)シロアリ駆除から住宅設備・リフォーム工事が柱に。ビルメンテも。愛知地盤だが関東、関西進出 (売)連10,121 (従)249 (資)186 (住)名古屋市中川区広川町3-1-8 ☎052-304-8210 ㉕**前年並** ㉔**8(男6, 女2)**
日邦産業(株)	卸 (特色)独立系電子部品商社。エレキ、自動車、精密機器や医療機器向け。自動車向け軸に自社生産展開 (売)連41,922 (従)452 (資)3,137 (住)名古屋市中区錦1-10-1 ☎052-218-3161 ㉕**7** ㉔**5(男5, 女0)**
日本エコシステム(株)	サ (特色)公営競技場運営受託と設備工事、道路保守管理、水質管理が3本柱。中部地方地盤。M&A積極的 (売)連7,577 (従)147 (資)984 (住)一宮市新生1-2-8 ☎0586-25-5788 ㉕**前年並** ㉔**3(男2, 女1)**
日本車輌製造(株)	輸機 (特色)JR東海子会社。鉄道車両メーカー大手。輸送用機器、建機、鉄構、プラント等へも多角化 (売)連88,058 (従)2,123 (資)11,810 (住)名古屋市熱田区三本松町1-1 ☎052-882-3316 ㉕**微減** ㉔**20(男19, 女1)**
萩原電気ホールディングス(株)	卸 (特色)名古屋地盤の半導体等の電子部品・機器商社。自動車向けが約9割。FA機器等製造部門兼営 (売)連225,150 (従)560 (資)6,099 (住)名古屋市東区東桜2-2-1 ☎052-931-3511 ㉕**20** ㉔**21(男19, 女2)**
初穂商事(株)	卸 (特色)建築資材の専門商社。ビル向けなどの鋼製下地材、不燃材が主要商材。エクステリアも手がける (売)連34,422 (従)278 (資)885 (住)名古屋市中区錦2-14-21 ☎052-222-1066 ㉕**16** ㉔**11(男9, 女2)**
(株)フジミインコーポレーテッド	ガ土 (特色)半導体製造用のCMP(化学的機械的研磨)製品大手、先端品に強い。ウエハ研磨材も世界首位 (売)連51,423 (従)791 (資)4,753 (住)清須市西枇杷島町地領2-1-1 ☎052-503-8181 ㉕**前年並** ㉔**16(男12, 女4)**

会社名	[業種名] [特色]会社の特色 [売]売上高(百万円) [従]単独従業員数(名) [資]資本金(百万円) [住]本社の住所, 電話番号 ㉕25年採用計画数(名) ㉔24年入社内定者数(名)
(株)ブラス	[サ] [特色]直営の完全貸し切り型ゲストハウスでのウェディング事業を展開。東海地盤、地域拡大に意欲 [売]連12,726 [従]567 [資]100 [住]名古屋市中村区名駅2-36-20 ☎052-571-3322 ㉕**前年並** ㉔**63(男6, 女57)**
(株)ブロンコビリー	[小] [特色]名古屋地盤。炭焼きステーキ等を提供する郊外型高価格レストラン。関東出店を本格化。好財務 [売]連23,377 [従]575 [資]2,210 [住]名古屋市名東区平和が丘1-75 ☎052-775-8000 ㉕**120** ㉔**118(男51, 女67)**
豊和工業(株)	[機] [特色]産業用機械の老舗。工作機械が主力。火器、防音サッシなど防衛省需要大。路面清掃車で首位 [売]連19,786 [従]636 [資]9,019 [住]清須市須ケ口1900-1 ☎052-408-1111 ㉕**25** ㉔**12(男10, 女2)**
マルサンアイ(株)	[食] [特色]大豆利用の食品加工メーカー。みそと豆乳が2本柱。みそで業界4位、豆乳2位。開発力に定評 [売]連30,950 [従]350 [資]865 [住]岡崎市仁木町字荒下1 ☎0564-27-3700 ㉕**前年並** ㉔**5(男3, 女2)**
丸八証券(株)	[証商] [特色]名古屋地盤の中堅。21年4月から東海東京FHD傘下。対面営業特化、投信軸に預かり資産拡大 [売]単3,262 [従]147 [資]3,751 [住]名古屋市中区新栄町2-4 ☎052-307-0808 ㉕**9** ㉔**10(男8, 女2)**
(株)MARUWA	[ガ土] [特色]回路・機構部品大手。省エネ、通信関連等向けセラミック基板で世界首位級。子会社で高級照明も [売]連61,564 [従]648 [資]8,646 [住]尾張旭市南本地ケ原町3-83 ☎0561-51-0841 ㉕**13** ㉔**13(男12, 女1)**
ミタチ産業(株)	[卸] [特色]OA機器、工作機械、車載用向け電子部品、液晶扱う専門商社。フィリピンで情報機器端末生産も [売]連38,899 [従]134 [資]843 [住]名古屋市中区伊勢山2-11-28 ☎052-332-2500 ㉕**若干名** ㉔**5(男3, 女2)**
(株)三ツ知	[金製] [特色]シート用など自動車部品主力。土木用部品も。冷間鍛造技術に強み。主顧客はアイシンシロキ [売]連13,147 [従]191 [資]405 [住]春日井市牛山町1203 ☎0568-35-6350 ㉕**未定** ㉔**2(男2, 女0)**
美濃窯業(株)	[ガ土] [特色]セメント向け耐火れんが中堅。独立色。れんが貼り替えなどプラントにも注力。ニューセラ強化 [売]連14,159 [従]274 [資]877 [住]名古屋市中村区名駅南1-17-28 ☎052-551-9221 ㉕**5** ㉔**5(男5, 女0)**
名工建設(株)	[建] [特色]発祥は保線工事の中堅ゼネコンでJR東海と密接。JR向けのほか官公庁、民間でも実績積む [売]連86,218 [従]1,154 [資]1,594 [住]名古屋市中村区名駅1-1-4 ☎052-589-1501 ㉕**45** ㉔**53(男50, 女3)**
明治電機工業(株)	[卸] [特色]技術商社でFAエンジニアリング得意。トヨタ関連4割強。海外展開にも積極的。財務堅実 [売]連74,580 [従]537 [資]1,658 [住]名古屋市中村区亀島2-13-8 ☎052-451-7661 ㉕**増加** ㉔**16(男8, 女8)**
名糖産業(株)	[食] [特色]チョコやバウムクーヘンなどの菓子が主力。製薬が発祥事業、現在は酵素中心に化成品を拡大中 [売]連24,392 [従]390 [資]1,323 [住]名古屋市西区笹塚町2-41 ☎052-521-7111 ㉕**12** ㉔**9(男5, 女4)**
(株)物語コーポレーション	[小] [特色]中部地盤。直営・FCで郊外に出店。食べ放題「焼肉きんぐ」が主力。和食食べ放題やラーメンも [売]連107,156 [従]1,637 [資]2,883 [住]豊橋市西岩田5-7-11 ☎0532-63-8001 ㉕**微増** ㉔**200(男115, 女85)**
(株)安江工務店	[建] [特色]愛知県で住宅リフォーム請負を軸に新築、仲介・買い取り再販も展開。熊本に新築住宅の子会社 [売]連7,399 [従]160 [資]263 [住]名古屋市中区栄2-2-23 ☎052-223-1100 ㉕**20** ㉔**15(男4, 女11)**
(株)ヤマナカ	[小] [特色]愛知地盤の中堅スーパー。名古屋都心部等で高級業態も。生鮮食品の充実で競合と差別化図る [売]連86,087 [従]779 [資]4,220 [住]名古屋市中村区岩塚町字西枝1-1 ☎052-413-7200 ㉕**20** ㉔**11(男5, 女6)**
(株)ユー・エス・エス	[サ] [特色]中古車オークション会場の運営で断トツ。中古車買い取り専門店の「ラビット」も。好財務 [売]連97,606 [従]696 [資]18,881 [住]東海市新宝町507-20 ☎052-689-1129 ㉕**20** ㉔**13(男10, 女3)**
リゾートトラスト(株)	[サ] [特色]会員制リゾートホテルで首位。1室のタイムシェア制度を採用。健康領域への進出に積極的 [売]連201,803 [従]6,439 [資]19,590 [住]名古屋市中区東桜2-18-31 ☎052-933-6000 ㉕**前年並** ㉔**680(男290, 女390)**
ワシントンホテル(株)	[サ] [特色]ビジネスホテルで首都圏中心の「R&B」と関東以西軸の「ワシントンホテルプラザ」を運営 [売]単18,294 [従]357 [資]100 [住]名古屋市千種区内山3-23-5 ☎052-745-9030 ㉕**10** ㉔**4(男0, 女4)**

ICDAホールディングス(株)	[小] [特色]三重県拠点のホンダ系ディーラー。VW、アウディの輸入車販売、自動車リサイクル事業も展開 [売]連33,101 [従]276 [資]1,161 [住]鈴鹿市飯野寺家町234-1 ☎059-381-5540 ㉕**15** ㉔**8(男8, 女0)**
(株)柿安本店	[食] [特色]精肉店の老舗。百貨店に精肉、総菜店を展開。松阪牛販売に強み。外食事業も。和菓子を育成中 [売]連37,052 [従]838 [資]1,269 [住]桑名市吉之丸8 ☎0594-23-5500 ㉕**40** ㉔**22(男11, 女11)**
カネソウ(株)	[金製] [特色]建築金具の総合メーカー。免震EXジョイント、意匠性高いスリット溝ぶた主力に首都圏で拡販 [売]単8,664 [従]246 [資]1,820 [住]三重郡朝日町大字縄生81 ☎059-377-4747 ㉕**増加** ㉔**7(男4, 女3)**
キクカワエンタープライズ(株)	[機] [特色]製材・木工機械の最大手。発泡模型加工用マシニングセンタ等車載関連工作機械も強い。無借金 [売]単5,486 [従]190 [資]660 [住]伊勢市朝熊町3477-36 ☎0596-21-1011 ㉕**7** ㉔**5(男4, 女1)**
(株)グリーンズ	[サ] [特色]三重県地盤のホテル運営会社。全国の都市に展開。ビジネス「コンフォートホテル」などを運営 [売]連40,969 [従]805 [資]100 [住]四日市市浜田町5-3 ☎059-351-5593 ㉕**30** ㉔**33(男7, 女26)**
ジャパンマテリアル(株)	[サ] [特色]半導体・液晶工場向けの特殊ガス供給装置と特殊ガス販売・サービス主体。画像処理関連事業も [売]連48,592 [従]430 [資]1,317 [住]三重郡菰野町永井3098-22 ☎059-399-3821 ㉕**未定** ㉔**23(男20, 女3)**
太陽化学(株)	[食] [特色]健康志向の食品・化粧品素材開発メーカー。インド、中国生産拠点軸に世界展開。配当性向3割 [売]連47,665 [従]488 [資]7,730 [住]四日市市山田町800 ☎059-340-0800 ㉕**前年並** ㉔**20(男11, 女9)**

会社名	業種名 特色 会社の特色 (売)売上高(百万円) (従)単独従業員数(名) (資)資本金(百万円) (住)本社の住所，電話番号 ㉕25年採用計画数(名) ㉔24年入社内定者数(名)
㈱タカキタ	機 (特色)飼料系農機が主で風力発電用軸受けも。クボタ、井関農機、ヤンマー等と関係強化。収益上期集中 (売)単8,482 (従)286 (資)1,350 (住)名張市夏見2828 ☎0595-63-3111 ㉕10 ㉔10(男9,女1)
㈱東名	情通 (特色)月額制の中小企業向け光回線サービスが主力。情報通信商品の販売や電力小売りも展開 (売)連20,531 (従)429 (資)629 (住)四日市市八田2-1-39 ☎059-330-2151 ㉕70 ㉔27(男12,女15)
三重交通グループホールディングス㈱	不 (特色)近鉄系。傘下にバスの三重交通と、不動産デベロッパーの三交不動産。メガソーラー事業も展開 (売)連98,218 (従)27 (資)3,000 (住)津市中央1-1 ☎059-213-0351 ㉕未定 ㉔30(男21,女9)
㈱安永	輸機 (特色)自動車エンジン部品が柱。工作機械、各種検査装置も製造。海外は東南ア、メキシコに生産拠点 (売)連31,946 (従)603 (資)2,142 (住)伊賀市緑ケ丘中町3860 ☎0595-24-2111 ㉕15 ㉔8(男5,女3)
㈱アテクト	化 (特色)半導体保護資材で世界首位。衛生検査器材はシャーレ主体。PIM(粉末射出成形)事業を育成 (売)連3,175 (従)51 (資)822 (住)東近江市上羽田町3275-1 ☎0748-20-3400 ㉕5 ㉔3(男1,女2)
㈱オーケーエム	機 (特色)バタフライバルブ中心のバルブ専業大手。建築市場等の陸用と舶用展開、カスタマイズ化に強み (売)連9,484 (従)255 (資)1,180 (住)野洲市市三宅446-1 ☎077-518-1260 ㉕5 ㉔3(男3,女0)
湖北工業㈱	電機 (特色)自動車用等アルミ電解コンデンサー用リード端子と海底ケーブル用光通信部品・デバイス製販 (売)連13,472 (従)163 (資)350 (住)長浜市高月町高月1623 ☎0749-85-3211 ㉕前年並 ㉔4(男2,女2)
㈱メタルアート	鉄 (特色)自動車用鍛造品はダイハツのほかトヨタとの取引拡大。冷間複合精密鍛造技術は世界でも有数 (売)連45,021 (従)482 (資)2,143 (住)草津市野路3-2-18 ☎077-563-2111 ㉕増加 ㉔5(男4,女1)
I-PEX㈱	電機 (特色)コネクター大手。スマホ、PC向けから車載関連に軸足移す。匂いセンサー等新開発分野に活路 (売)連59,014 (従)1,907 (資)10,968 (住)京都市伏見区桃山町根来12-4 ☎075-611-7155 ㉕微減 ㉔5(男4,女1)
㈱And Doホールディングス	不 (特色)自宅売却後も住み続けられるハウス・リースバック事業で成長。FC網が基盤。配当性向30%超 (売)連67,579 (従)249 (資)3,457 (住)京都市中京区烏丸通錦小路上ル手洗水町670 ☎075-229-3200 ㉕100 ㉔41(男31,女10)
㈱エスケーエレクトロニクス	電機 (特色)液晶や有機ELに電子回路パターン転写するフォトマスク専業。中韓のパネルメーカーに販売 (売)連28,113 (従)228 (資)4,109 (住)京都市上京区東堀川通リ一条上ル竪富田町436-2 ☎075-441-2333 ㉕6 ㉔5(男3,女2)
㈱エスユーエス	サ (特色)開発系技術者派遣・請負とERP導入等のコンサルが2本柱。XR、AI事業重視へ戦略シフト (売)連11,501 (従)2,201 (資)436 (住)京都市下京区四条通烏丸東入ル長刀鉾町8 ☎075-229-6514 ㉕355 ㉔268(男240,女28)
㈱王将フードサービス	小 (特色)関西地盤に中華料理店「餃子の王将」を展開。直営中心だが、社員のれん分け主体にFCも (売)連101,401 (従)2,376 (資)8,166 (住)京都市山科区西野山射庭ノ上町237 ☎075-592-1411 ㉕45 ㉔40(男35,女5)
㈱魁力屋	小 (特色)3大都市圏を中心に展開のラーメンチェーン。ロードサイドや商業施設に出店。海外にも意欲 (売)単10,583 (従)287 (資)883 (住)京都市中京区烏丸通錦小路上る手洗水町670 ☎075-211-3338 ㉕10 ㉔4(男4,女0)
㈱京写	電機 (特色)プリント配線板メーカー。片面プリント配線板で世界首位。中国、ベトナム等が生産拠点に (売)連24,580 (従)389 (資)1,102 (住)久世郡久御山町森村東300 ☎075-631-3191 ㉕前年並 ㉔7(男6,女1)
㈱京進	サ (特色)京滋地盤の学習塾。個別指導はFC主体。日本語学校、英会話教室も。介護、保育事業を強化中 (売)連26,099 (従)795 (資)327 (住)京都市下京区烏丸通五条下る大坂町382-1 ☎075-365-1500 ㉕未定 ㉔40(男‥,女‥)
㈱京都ホテル	サ (特色)1888年創業の老舗グランドホテル。「ホテルオークラ京都」と「からすま京都ホテル」を経営 (売)単9,138 (従)367 (資)100 (住)京都市中京区河原町通二条南入一之船入町537-4 ☎075-211-5111 ㉕未定 ㉔40(男‥,女‥)
㈱クラウディアホールディングス	繊 (特色)ウェディングドレスメーカー、中国に製造拠点。結婚式場運営、ハワイ、沖縄でのリゾート婚も (売)連11,521 (従)27 (資)50 (住)京都市右京区西院高田町34 ☎075-315-2345 ㉕未定 ㉔3(男0,女3)
KTC㈱	金製 (特色)レンチ、スパナなど作業工具製販で首位。自動車関連向けが中心。歯科用機器や売電に進出 (売)連8,428 (従)206 (資)1,032 (住)久世郡久御山町佐山新開地128 ☎0774-46-3700 ㉕10 ㉔9(男8,女1)
コタ㈱	化 (特色)美容室向けヘア化粧品製造。一括販売とバーターで無料コンサル行う「旬報店」に特徴。下期偏重 (売)単9,136 (従)404 (資)387 (住)久世郡久御山町田井新荒見77 ☎0774-44-1681 ㉕30 ㉔34(男16,女18)
サムコ㈱	機 (特色)半導体など電子部品製造の装置開発に特化。化合物系の薄膜形成、加工が軸。北米開拓を重点化 (売)単8,203 (従)185 (資)1,663 (住)京都市伏見区竹田藁屋町36 ☎075-621-7841 ㉕8 ㉔6(男5,女1)
サンコール㈱	金製 (特色)トヨタ、ホンダ向け中心にばね、リングなど精密部品製造。HDD部品、プリンタ用ローラーも (売)連51,496 (従)695 (資)4,808 (住)京都市右京区梅津西浦町14 ☎075-881-8111 ㉕減少 ㉔14(男9,女5)
㈱ジェイ・エス・ビー	不 (特色)学生賃貸マンションを運営管理。借り上げ・管理受託が主、自社物件開発も。高齢者住宅は撤退 (売)連63,781 (従)242 (資)4,274 (住)京都市下京区因幡堂町655 ☎075-341-2728 ㉕60 ㉔58(男37,女21)
㈱松風	精 (特色)歯科材料・器具の大手。人工歯、研削材で国内シェア高い。欧米など海外積極展開。ネイル事業も (売)連35,080 (従)513 (資)5,968 (住)京都市東山区福稲上高松町11 ☎075-561-1112 ㉕9 ㉔8(男4,女4)
星和電機㈱	電機 (特色)プラント向け防爆照明首位。道路表示装置で官公需強い。ノイズ対策品や配線保護機材も育成 (売)連23,760 (従)516 (資)3,648 (住)城陽市寺田新池36 ☎0774-55-8181 ㉕前年並 ㉔17(男11,女6)

会社名	[業種名] (特色) 会社の特色 (売) 売上高(百万円) (従) 単独従業員数(名) (資) 資本金(百万円) (住) 本社の住所，電話番号 ㉕ 25年採用計画数(名) ㉔ 24年入社内定者数(名)
第一工業製薬㈱	[化] (特色) 凝集剤、合成糊料など工業用薬剤首位。技術力に定評。四日市に主力工場。健康関連分野を育成 (売) 連63,118 (従) 602 (資) 8,895 (住) 京都市南区東九条上殿田町48-2 ☎075-276-3030 ㉕ **微増** ㉔ **14(男11, 女3)**
㈱たけびし	[卸] (特色) 三菱電機系の技術商社。三菱以外も6割超。FA機器主力に半導体、電子デバイス、医療機器も (売) 連101,355 (従) 430 (資) 3,406 (住) 京都市右京区西京極豆田町29 ☎075-325-2111 ㉕ **前年並** ㉔ **18(男11, 女7)**
㈱中央倉庫	[倉運] (特色) 内陸の総合物流でトップクラス。倉庫上位の安田倉庫と連携、補完し合い国際貨物拡大に注力 (売) 連26,512 (従) 253 (資) 2,734 (住) 京都市下京区朱雀内畑町41 ☎075-313-6151 ㉕ **10** ㉔ **6(男2, 女4)**
㈱長栄	[不] (特色) 地盤の京都中心にマンションやビルの不動産管理と賃貸事業を展開。大都市圏への進出に意欲 (売) 単9,368 (従) 261 (資) 714 (住) 京都市下京区万寿寺通烏丸西入御供石町369 ☎075-343-1600 ㉕ **20** ㉔ **17(男12, 女5)**
㈱トーセ	[情通] (特色) 家庭用ゲームソフト開発・制作請負で専業最大手。スマホゲーム開発やサイト運営も行う (売) 連5,783 (従) 573 (資) 967 (住) 京都市下京区東洞院通四条下ル ☎075-342-2525 ㉕ **50** ㉔ **29(男12, 女17)**
TOWA㈱	[機] (特色) 封止や切断加工など半導体後工程用製造装置大手。精密金型製作に競争力。中国等に生産拠点 (売) 連50,471 (従) 659 (資) 8,955 (住) 京都市南区上鳥羽上調子町5 ☎075-692-0250 ㉕ **50** ㉔ **36(男26, 女10)**
㈱ニチダイ	[機] (特色) 独立系金型メーカー。複雑形状の精密鍛造金型で強み。ターボチャージャー部品が第2の柱 (売) 連11,323 (従) 346 (資) 1,429 (住) 京田辺市薪北町田13 ☎0774-62-3481 ㉕ **微減** ㉔ **10(男9, 女1)**
日東精工㈱	[金製] (特色) 工業用ネジの大手。ネジ締め機などの産機、計測制御機器にも展開。自動車向けで海外強化 (売) 連44,744 (従) 525 (資) 3,522 (住) 綾部市井倉町梅ケ畑20 ☎0773-42-3111 ㉕ **17** ㉔ **11(男5, 女6)**
野崎印刷紙業㈱	[他製] (特色) 包装資材や紙器・紙工品の大手。情報機器も手がけタグ・ラベル高シェア。環境対応製品を強化 (売) 連14,157 (従) 370 (資) 1,570 (住) 京都市北区小山下総町54-5 ☎075-441-6965 ㉕ **10** ㉔ **9(男2, 女7)**
ムーンバット㈱	[卸] (特色) 洋傘首位。スカーフなど洋品、毛皮、宝飾品、帽子などで百貨店シェア高い。海外委託生産多い (売) 連10,610 (従) 128 (資) 1,000 (住) 京都市下京区室町通四条南入鶏鉾町493 ☎075-361-0381 ㉕ **5** ㉔ **8(男1, 女7)**
㈱ユーシン精機	[機] (特色) プラスチック射出成形品取り出しロボット世界首位、高機能機を軸にシェア約2割。特注機も (売) 連23,615 (従) 457 (資) 1,985 (住) 京都市南区久世殿城町555 ☎075-933-9555 ㉕ **15** ㉔ **9(男6, 女3)**
㈱アースインフィニティ	[電ガ] (特色) 店舗や中小工場、家庭向けに電力やガスを小売りする新電力会社。電子ブレーカー製販も展開 (売) 単5,000 (従) 39 (資) 144 (住) 大阪市北区中之島2-3-18 ☎06-4967-2222 ㉕ **未定** ㉔ **4(男2, 女2)**
愛眼㈱	[小] (特色) 眼鏡の卸・小売り専業大手。関西圏地盤に全国展開。ショッピングセンター内の立地が大半 (売) 連14,658 (従) 706 (資) 5,478 (住) 大阪市天王寺区大道4-9-12 ☎06-6772-3383 ㉕ **20** ㉔ **12(男1, 女11)**
アイコム㈱	[電機] (特色) 無線機専業。アマチュア用無線、陸上業務用、海上用の3分野が柱。北米、欧州が売上の約4割 (売) 連37,117 (従) 647 (資) 7,081 (住) 大阪市平野区加美南1-1-32 ☎06-6793-5301 ㉕ **未定** ㉔ **47(男31, 女16)**
IDEC㈱	[電機] (特色) 制御機器専業メーカー。操作スイッチ、表示ランプに強み。太陽光発電、自動認識機器など育成 (売) 連72,711 (従) 658 (資) 10,056 (住) 大阪市淀川区西宮原2-6-64 ☎06-6398-2500 ㉕ **8** ㉔ **2(男2, 女0)**
㈱アイ・ピー・エス	[情通] (特色) 関西地盤に企業向け情報システム開発を行う。SAPのERPを中心に販売。首都圏を強化中 (売) 連3,129 (従) 145 (資) 255 (住) 大阪市北区大深町3-1 ☎06-6292-6236 ㉕ **8** ㉔ **9(男6, 女3)**
㈱i-plug	[情通] (特色) 新卒採用支援の「OfferBox」を運営。企業から学生にアプローチ。適性検査サービスも (売) 連4,602 (従) 304 (資) 664 (住) 大阪市淀川区西中島5-11-8 ☎06-6306-6125 ㉕ **微増** ㉔ **8(男8, 女0)**
㈱アイル	[情通] (特色) 中堅・中小企業向け販売在庫管理システムを開発。実店舗とネットショップの統合管理に展開 (売) 連17,508 (従) 852 (資) 354 (住) 大阪市北区大深町3-1 ☎06-6292-1170 ㉕ **50** ㉔ **62(男40, 女22)**
㈱淺沼組	[建] (特色) 1892年創業の関西系中堅ゼネコン。学校や官公庁建築に実績を持つ。関西を地盤に全国展開 (売) 連152,676 (従) 1,298 (資) 9,614 (住) 大阪市浪速区湊町1-2-3 ☎06-6585-5500 ㉕ **55** ㉔ **28(男24, 女4)**
旭松食品㈱	[食] (特色) 高野豆腐で首位。加工食品はオートミール商品を強化。介護用食材に注力。近畿、甲信越が地盤 (売) 連8,098 (従) 231 (資) 1,617 (住) 大阪市淀川区田川3-7-3 ☎06-6306-4121 ㉕ **前年並** ㉔ **2(男1, 女1)**
芦森工業㈱	[輸機] (特色) シートベルトやエアバッグなど自動車安全部品が主力、消防用ホースや管路更生工法用材料も (売) 連68,389 (従) 431 (資) 8,388 (住) 摂津市千里丘7-11-61 ☎06-6388-1212 ㉕ **10** ㉔ **9(男8, 女1)**
㈱アスタリスク	[電機] (特色) スマホ上でのバーコード・RFIDリーダー主力。小売り、自販機、物流に展開、業務効率化支援 (売) 連1,759 (従) 52 (資) 804 (住) 大阪市淀川区木川西2-2-1 ☎050-5536-1185 ㉕ **4** ㉔ **2(男1, 女1)**
アズワン㈱	[卸] (特色) 理化学機器・用品卸で首位。看護・介護用品も。独自カタログに特色。「AXEL」でWeb販売 (売) 連95,536 (従) 567 (資) 5,075 (住) 大阪市西区江戸堀2-1-27 ☎06-6447-1210 ㉕ **40** ㉔ **32(男14, 女18)**
新家工業㈱	[鉄] (特色) 普通鋼の溶接鋼管および各種加工品の製造販売。建材・スチール家具用小径パイプが主力 (売) 連44,556 (従) 275 (資) 3,940 (住) 大阪市中央区南船場2-12-12 ☎06-6253-0221 ㉕ **未定** ㉔ **11(男10, 女1)**
㈱アルトナー	[サ] (特色) 技術者派遣の古参。機械、電気・電子、ソフトの設計開発が軸。人材紹介進出。配当性向高い (売) 単10,110 (従) 1,321 (資) 238 (住) 大阪市北区中之島3-2-18 ☎06-6445-7551 ㉕ **200** ㉔ **170(男‥, 女‥)**

会社名	[業種名] (特色)会社の特色 (売)売上高(百万円) (従)単独従業員数(名) (資)資本金(百万円) (住)本社の住所, 電話番号 ㉕25年採用計画数(名) ㉔24年入社内定者数(名)
アルメタックス㈱	[金製] (特色)戸建て用サッシの専業メーカー。積水ハウスが主顧客で大株主。住宅新改築の廃材再生も受託 (売)単9,419 (従)340 (資)2,160 (住)大阪市北区大淀中1-1-30 ☎06-6440-3838 ㉕**4** ㉔**4(男1, 女3)**
㈱EMシステムズ	[情通] (特色)調剤薬局向けシステムの大手、国内シェア3割超で首位。医科システム拡大、介護・福祉も育成 (売)連20,355 (従)457 (資)2,785 (住)大阪市淀川区宮原1-6-1 ☎06-6397-1888 ㉕**25** ㉔**16(男4, 女12)**
㈱イートアンドホールディングス	[食] (特色)外食チェーンと冷凍食品製造の2軸。いずれも「大阪王将」ブランドが柱。全国5工場が稼働中 (売)連35,922 (従)44 (資)3,159 (住)大阪市淀川区宮原3-3-34 ☎06-6399-1110 ㉕**15** ㉔**12(男8, 女4)**
eBASE㈱	[情通] (特色)食品業界向け商品情報管理ソフト「eBASE」を開発、販売。住宅、日用雑貨等へ多角展開中 (売)連5,192 (従)165 (資)190 (住)大阪市北区豊崎5-4-9 ☎06-6486-3955 ㉕**前年並** ㉔**7(男5, 女2)**
イサム塗料㈱	[化] (特色)自動車補修用塗料に強み。環境対応の水性塗料や機能性塗料に注力。東南アジアで技術供与 (売)連7,995 (従)201 (資)1,290 (住)大阪市福島区鷺洲2-15-24 ☎06-6458-0036 ㉕**未定** ㉔**2(男1, 女1)**
石原産業㈱	[化] (特色)顔料など酸化チタン大手。MLCC向けチタン酸バリウムなど機能材料が柱。農薬は新興国開拓 (売)連138,456 (従)1,146 (資)43,420 (住)大阪市西区江戸堀1-3-15 ☎06-6444-1451 ㉕**31** ㉔**40(男34, 女6)**
㈱イチネンホールディングス	[サ] (特色)自動車リース中堅、リース車両整備受託、燃料販売等ケミカル事業も展開。M&Aに積極的 (売)連138,253 (従)86 (資)2,529 (住)大阪市淀川区西中島4-10-6 ☎06-6309-1800 ㉕**43** ㉔**38(男28, 女10)**
㈱イトーヨーギョー	[ガ土] (特色)コンクリート2次中堅。マンホールからライン導水ブロックへ製品展開。無電柱化製品など育成 (売)単3,132 (従)123 (資)500 (住)大阪市北区中津6-3-14 ☎06-4799-8850 ㉕**8** ㉔**3(男2, 女1)**
㈱イムラ	[パ紙] (特色)封筒事業で業界首位。シェア2割強。DM向けなどの窓封筒に強み。利益は上期の比重高い (売)連20,869 (従)669 (資)1,197 (住)大阪市中央区難波5-1-60 ☎06-6586-6121 ㉕**6** ㉔**7(男3, 女4)**
岩井コスモホールディングス㈱	[証商] (特色)関西地盤。傘下に岩井コスモ証券。対面営業主体にネットも展開。国内株中心に米国株も収益源 (売)連24,040 (従)852 (資)10,004 (住)大阪市中央区今橋1-8-12 ☎06-6229-2800 ㉕**80** ㉔**80(男61, 女19)**
㈱ウィザス	[サ] (特色)学習塾「第一ゼミナール」が祖業。通信制高校「第一学院」が収益柱に。企業研修、日本語学校も (売)連20,690 (従)608 (資)1,299 (住)大阪市中央区備後町3-6-2 ☎06-6264-4202 ㉕**36** ㉔**28(男8, 女20)**
㈱ウイルテック	[サ] (特色)製造請負・派遣、建設技術者派遣、EMSが3本柱。海外の大学と連携し技術系学生受け入れも (売)連35,696 (従)3,177 (資)155 (住)大阪市淀川区東三国4-3-1 ☎06-6399-9088 ㉕**150** ㉔**118(男99, 女19)**
上村工業㈱	[化] (特色)メッキ用化学品首位。機械装置、加工も展開。アジア、米国に生産開発拠点も先端分野は国内基軸 (売)連80,256 (従)299 (資)1,336 (住)大阪市中央区道修町3-2-6 ☎06-6202-8518 ㉕**10** ㉔**11(男10, 女1)**
永大化工㈱	[化] (特色)自動車用フロアマット主力。電子・家電用、下水道補修用部材など産業資材も。ベトナムに拠点 (売)連9,088 (従)140 (資)1,241 (住)大阪市平野区平野北2-3-9 ☎06-6791-3355 ㉕**3** ㉔**3(男2, 女1)**
永大産業㈱	[他製] (特色)住宅用木質建材・設備機器メーカー。複合床材で国内首位級。合弁木質ボード工場が22年稼働 (売)連71,665 (従)981 (資)3,285 (住)大阪市住之江区平林南2-10-60 ☎06-6684-3000 ㉕**20** ㉔**20(男11, 女9)**
英和㈱	[卸] (特色)計測・制御機器中心の技術専門商社。大企業の固定客多く地盤安定。組立・製造子会社を持つ (売)連43,292 (従)331 (資)1,533 (住)大阪市西区北堀江4-1-7 ☎06-6539-4801 ㉕**10** ㉔**8(男6, 女2)**
㈱エーアイテイー	[倉運] (特色)関西発祥の複合一貫輸送業者。日中間の海上輸送で衣料、日用雑貨等輸入に強み。通関業務注力 (売)連51,400 (従)284 (資)500 (住)大阪市中央区本町2-1-6 ☎06-6260-3450 ㉕**10** ㉔**7(男3, 女4)**
エコートレーディング㈱	[卸] (特色)ペット用品、ペットフードの卸大手。ペットビジネスの専門学校も持つ。国分と資本業務提携 (売)連107,406 (従)291 (資)1,988 (住)大阪市淀川区宮原1-2-4 ☎06-6396-8250 ㉕**15** ㉔**13(男8, 女5)**
SRSホールディングス㈱	[小] (特色)関西圏地盤の外食中堅。郊外型ファミレス「和食さと」が主力。傘下に「にぎり長次郎」子会社も (売)連60,228 (従)732 (資)11,077 (住)大阪市中央区安土町2-3-13 ☎06-7222-3101 ㉕**30** ㉔**12(男3, 女9)**
㈱エスケイジャパン	[卸] (特色)ゲームセンター景品の企画販売が主力。キャラクター販促品も扱う。オリジナル商品の展開強化 (売)連10,612 (従)126 (資)461 (住)大阪市中央区谷町3-1-18 ☎06-7632-5370 ㉕**前年並** ㉔**3(男1, 女2)**
エスケー化研㈱	[化] (特色)建築仕上げ塗材で国内最大手。技術力に優れ水性化では最先端の強み。海外工場も早くから展開 (売)連100,883 (従)1,633 (資)2,662 (住)茨木市中穂積3-5-25 ☎072-621-7720 ㉕**25** ㉔**24(男18, 女6)**
SPK㈱	[卸] (特色)自動車用補修・車検部品の卸。建機組み付けも。連続増配期数は全上場会社中2位。好財務 (売)連63,302 (従)305 (資)898 (住)大阪市福島区福島5-6-28 ☎06-6454-2578 ㉕**10** ㉔**4(男3, 女1)**
エスペック㈱	[電機] (特色)気温・湿度等の環境変化の影響を分析する試験装置のトップ。電池、半導体の試験装置も展開 (売)連62,126 (従)822 (資)6,895 (住)大阪市北区天神橋3-5-6 ☎06-6358-4741 ㉕**28** ㉔**28(男17, 女11)**
エスリード㈱	[不] (特色)マンション企画開発、販売が柱。近畿圏での供給戸数トップ級。森トラストの連結子会社 (売)連80,286 (従)245 (資)1,983 (住)大阪市福島区福島6-25-19 ☎06-6345-1880 ㉕**62** ㉔**57(男51, 女6)**
㈱エターナルホスピタリティグループ	[小] (特色)東名阪中心に全品均一価格の焼き鳥店「鳥貴族」展開。地方都市の開拓推進。バーガー育成中 (売)連41,914 (従)59 (資)1,491 (住)大阪市中央区淡路町4-2-13 ☎06-6206-0808 ㉕**20** ㉔**12(男10, 女2)**

会社名	[業種名] [特色]会社の特色 [売]売上高(百万円) [従]単独従業員数(名) [資]資本金(百万円) [住]本社の住所, 電話番号 ㉕25年採用計画数(名) ㉔24年入社内定者数(名)
MRKホールディングス(株)	[小] [特色]女性用体型補整下着、化粧品、サプリなど販売。全面委託生産。RIZAPグループの子会社 [売]連19,584 [従]27 [資]6,491 [住]大阪市北区大淀中1-1-30 ☎06-7655-7177 ㉕未定 ㉔12(男0, 女12)
エレコム(株)	[電機] [特色]PC周辺機器のファブレスメーカー。マウス、キーボード、スマホ関連で首位。法人向け強化中 [売]連110,169 [従]765 [資]12,577 [住]大阪市中央区伏見町4-1-1 ☎06-6229-1418 ㉕55 ㉔48(男33, 女15)
(株)遠藤照明	[電機] [特色]商業施設用照明器具で国内首位級。演出照明に強み。インテリア家具も扱う。LED照明に軸足 [売]連51,706 [従]487 [資]5,155 [住]大阪市中央区備後町1-7-3 ☎06-6267-7095 ㉕10 ㉔7(男3, 女4)
尾家産業(株)	[卸] [特色]業務用食品の卸大手。全国の拠点網、提案力に強み。PB商品比率高い。ヘルスケアフード拡大 [売]連111,375 [従]734 [資]1,305 [住]大阪市北区豊崎6-11-27 ☎06-6375-0151 ㉕30 ㉔31(男21, 女10)
応用技術(株)	[情通] [特色]住宅・建設用業務改善ソフトと防災コンサルが2本柱。トランスコスモス傘下ながら独自展開 [売]単7,419 [従]268 [資]600 [住]大阪市北区中崎西2-4-12 ☎06-6373-0440 ㉕未定 ㉔2(男1, 女1)
(株)OSGコーポレーション	[電機] [特色]浄水器、電解水素水および衛生管理機器の製販、メンテの一貫体制。高級食パン店を展開 [売]連7,896 [従]202 [資]601 [住]大阪市北区天満1-26-3 ☎06-6357-0101 ㉕増加 ㉔14(男8, 女6)
大阪製鐵(株)	[鉄] [特色]日本製鉄系電炉の中核。一般形鋼に強み。エレベーター用レールも高シェア。東京鋼鐵が傘下 [売]連117,340 [従]581 [資]8,769 [住]大阪市中央区道修町3-6-1 ☎06-6204-0300 ㉕6 ㉔8(男7, 女1)
(株)大阪ソーダ	[化] [特色]エポキシ樹脂原料などの基礎化学品や機能化学品を展開。医薬品精製材料では世界トップ [売]連94,557 [従]653 [資]15,871 [住]大阪市西区阿波座1-12-18 ☎06-6110-1560 ㉕未定 ㉔23(男20, 女3)
大阪有機化学工業(株)	[化] [特色]アクリル酸エステルに強く多品種少量生産が得意な独立系化学企業。感光材など電子材料も [売]連28,907 [従]406 [資]3,600 [住]大阪市中央区安土町1-8-15 ☎06-6264-5071 ㉕23 ㉔14(男13, 女1)
(株)ODKソリューションズ	[情通] [特色]システム開発・運用会社。入試関連支援業務が主力。利益は下期集中。学研HDが筆頭株主に [売]連5,867 [従]157 [資]637 [住]大阪市中央区道修町1-6-7 ☎06-6202-3700 ㉕若干名 ㉔5(男1, 女4)
オーナンバ(株)	[非鉄] [特色]産業・民生用ワイヤハーネスと省エネ・再エネソリューションのグローバル総合配線メーカー [売]連44,758 [従]155 [資]2,323 [住]大阪市中央区南久宝寺町4-1-2 ☎06-7639-5500 ㉕5 ㉔4(男3, 女1)
(株)オービーシステム	[情通] [特色]地銀軸に金融に強いSI。小売り、医療、社会公共と幅広く手がける。日立G向け約7割と安定 [売]単6,896 [従]488 [資]190 [住]大阪市中央区平野町2-3-7 ☎06-6228-3411 ㉕50 ㉔52(男41, 女11)
OUGホールディングス(株)	[卸] [特色]大阪市中央卸売市場の水産物卸売り。国内最大規模。市場外取引を拡大中。養殖も手がける [売]連333,197 [従]31 [資]6,495 [住]大阪市福島区野田2-13-5 ☎06-4804-3031 ㉕20 ㉔12(男11, 女1)
オカダアイヨン(株)	[機] [特色]破砕・解体用建機メーカー。環境機械も仕入れ販売。米国など海外も拡大中。林業機械会社買収 [売]連27,095 [従]223 [資]2,221 [住]大阪市港区海岸通4-1-18 ☎06-6576-1281 ㉕10 ㉔10(男6, 女4)
(株)加地テック	[機] [特色]石化などプラント向け特殊ガス圧縮機製造。燃料電池車用水素設備も。三井E&S連結子会社 [売]単7,261 [従]202 [資]1,440 [住]堺市美原区菩提6 ☎072-361-0881 ㉕未定 ㉔2(男2, 女0)
(株)カプコン	[情通] [特色]家庭用ゲームソフト開発大手。アクション系軸に人気作品多数。ゲームのデジタル販売に注力 [売]連152,410 [従]3,352 [資]33,239 [住]大阪市中央区内平野町3-1-3 ☎06-6920-3611 ㉕前年並 ㉔168(男118, 女50)
(株)カワタ	[機] [特色]プラスチック成形・合理化周辺機器トップ級。アジア軸に海外展開。国内は非成形機分野育成 [売]連24,494 [従]246 [資]977 [住]大阪市西区阿波座1-15-15 ☎06-6531-8211 ㉕6 ㉔4(男3, 女1)
川本産業(株)	[繊] [特色]ガーゼなど医療用衛生材料最大手。エア・ウォーター子会社に。西松屋チェーンに育児用品卸す [売]連29,631 [従]229 [資]883 [住]大阪市中央区谷町2-6-4 ☎06-6943-8951 ㉕5 ㉔4(男3, 女1)
(株)関門海	[小] [特色]格安フグ料理「玄品」が主力。冬に利益の大半稼ぐ。夏場の閑散期対策でハモ、うなぎ料理提供 [売]連5,015 [従]159 [資]10 [住]松原市三宅東1-8-7 ☎072-349-0029 ㉕未定 ㉔10(男4, 女6)
北恵(株)	[卸] [特色]関西圏地盤の住宅資材卸。直販比率が上昇。好採算の施工付き販売を拡大。配当性向35%メド [売]単62,368 [従]385 [資]2,220 [住]大阪市中央区南本町3-6-14 ☎06-6251-1161 ㉕15 ㉔9(男7, 女2)
木村工機(株)	[機] [特色]業務用空調機器の開発、製造、販売。ヒートポンプ式に強みを持ち、工場などの産業向けが柱 [売]単13,852 [従]370 [資]744 [住]大阪市中央区上本町西5-3-5 ☎050-3733-9400 ㉕未定 ㉔5(男5, 女0)
(株)キャピタル・アセット・プランニング	[情通] [特色]生命保険向けシステム開発が主。銀行・証券向けに相続・事業承継の資産管理システムなど育成 [売]連8,046 [従]323 [資]944 [住]大阪市北区堂島2-4-27 ☎06-4796-5666 ㉕15 ㉔9(男7, 女2)
(株)QLSホールディングス	[サ] [特色]認可保育所運営が柱。訪問介護、グループホーム型福祉施設等の介護・福祉と人材派遣も展開 [売]連8,360 [従]15 [資]92 [住]大阪市浪速区難波中1-12-5 ☎06-6575-9845 ㉕未定 ㉔46(男2, 女44)
共英製鋼(株)	[鉄] [特色]関西電炉大手。棒鋼に強く、ネジ節棒鋼も。ベトナムと米国、カナダで展開。環境リサイクル併営 [売]連320,982 [従]1,004 [資]18,516 [住]大阪市北区堂島浜1-4-16 ☎06-6346-5221 ㉕30 ㉔21(男18, 女3)
近畿車輛(株)	[輸機] [特色]鉄道車両製造の専業。国内はJR主体。海外比重大きく、LRV(低床式路面電車)で実績多い [売]連43,154 [従]994 [資]5,252 [住]東大阪市稲田上町2-2-46 ☎06-6746-5222 ㉕20 ㉔21(男20, 女1)

会社名	業種名 特色 会社の特色 売 売上高（百万円） 従 単独従業員数（名） 資 資本金（百万円） 住 本社の住所, 電話番号 ㉕25年採用計画数（名） ㉔24年入社内定者数（名）
㈱クオルテック	サ 特色 EV向け電子部品の信頼性評価が柱。レーザーによる微細加工も受託。主要顧客はデンソー 売 単3,623 従 242 資 392 住 堺市堺区三宝町4-230 ☎072-226-7175 ㉕5 ㉔3（男3, 女0）
㈱グラッドキューブ	サ 特色 デジタルマーケティング支援。サイト解析ツールを使ったSaaSとネット広告代理が事業柱 売 単1,523 従 132 資 370 住 大阪市中央区瓦町2-4-7 ☎06-6105-0315 ㉕10 ㉔4（男2, 女2）
クリエイト㈱	卸 特色 給水・排水パイプ、継ぎ手など管工機材の卸売り専業。全国ネットの販売、物流、製造体制が強み 売 連35,860 従 438 資 646 住 大阪市西区阿波座1-13-15 ☎06-6538-2333 ㉕17 ㉔17（男13, 女4）
クリヤマホールディングス㈱	卸 特色 ゴム、合成樹脂製ホースを日米欧で展開。運動施設・建設用床材も。子会社で尿素SCR事業 売 連71,672 従 287 資 783 住 大阪市中央区城見1-3-7 ☎06-6910-7013 ㉕前年並 ㉔11（男8, 女3）
㈱グルメ杵屋	小 特色 主力のそば「そじ坊」、うどん「杵屋」のほか洋食店など多業態展開。機内食や冷凍弁当の製造も 売 連37,033 従 520 資 100 住 大阪市住之江区北加賀屋3-4-7 ☎06-6683-1222 ㉕45 ㉔14（男3, 女11）
グローバルスタイル㈱	小 特色 オーダースーツ店「GINZA Global Style」展開。価格抑え20～40代顧客多い 売 単11,167 従 286 資 80 住 大阪市中央区淡路町3-5-1 ☎06-6206-2711 ㉕20 ㉔20（男9, 女11）
㈱くろがね工作所	他製 特色 オフィス家具中堅。OA周辺機器や空調・医療・高齢者施設向け設備（建築付帯設備機器）に注力 売 連7,180 従 236 資 2,998 住 大阪市西区新町1-4-24 ☎06-6538-1010 ㉕前年並 ㉔8（男4, 女4）
㈱ケア21	サ 特色 関西地盤の在宅介護や老人ホームなど施設介護が軸。関東地区も強化中。総合福祉企業を標榜 売 連41,098 従 5,143 資 100 住 大阪市北区堂島2-2-2 ☎06-6456-5633 ㉕160 ㉔76（男21, 女55）
京阪神ビルディング㈱	不 特色 場外馬券売り場やオフィスビルを賃貸。データセンターを拡大中。大阪物件多いが首都圏も開拓 売 連19,310 従 60 資 9,827 住 大阪市中央区瓦町4-2-14 ☎06-6202-7331 ㉕若干名 ㉔2（男1, 女1）
㈱ケー・エフ・シー	金製 特色 建築用の構造部材を固定するファスナーが柱。アンカーボルト2位、トンネル用ボルト首位 売 連25,070 従 308 資 565 住 大阪市北区西天満3-2-17 ☎06-6363-4188 ㉕5 ㉔5（男4, 女1）
高圧ガス工業㈱	化 特色 溶解アセチレン最大手。接着剤、塗料等ファイン育成。環境等の新技術開発に積極的。好財務 売 連93,275 従 599 資 2,885 住 大阪市北区中崎西2-4-12 ☎06-7711-2570 ㉕34 ㉔17（男11, 女6）
神島化学工業㈱	ガ土 特色 窯業系の不燃内外装建材が主力。マグネシウム、セラミックスなど化成品の生産・販売を拡充 売 単25,974 従 657 資 1,320 住 大阪市中央区今橋4-4-7 ☎06-6232-5350 ㉕20 ㉔4（男3, 女1）
コニシ㈱	化 特色 「ボンド」で有名な接着剤最大手。住宅・建築分野に強く耐震補強技術を持つ。化成品商事も有力 売 連132,969 従 746 資 4,603 住 大阪市中央区道修町1-7-1 ☎06-6228-2811 ㉕40 ㉔30（男21, 女9）
㈱Cominix	卸 特色 切削工具や耐摩工具の専門商社。自動車部品加工メーカー向け比重高い。自社ブランド品も 売 連28,644 従 206 資 350 住 大阪市中央区南本町1-8-14 ☎06-7663-8208 ㉕前年並 ㉔7（男6, 女1）
コンドーテック㈱	卸 特色 足場吊りチェーン、結合金具等の産業資材大手。鉄構資材等も。仕入れ販売中心だが一部は内製 売 連76,873 従 820 資 2,666 住 大阪市西区境川2-2-90 ☎06-6582-8441 ㉕20 ㉔15（男8, 女7）
コンピューターマネージメント㈱	情通 特色 独立系SI、関西から出発し全国展開。金融や医療に強く、インフラ構築も。SAPパートナー 売 連7,194 従 718 資 404 住 大阪市北区梅田1-13-1 ☎050-3508-9000 ㉕30 ㉔30（男17, 女13）
㈱サイネックス	サ 特色 行政情報誌、自治体の広報活動支援、ふるさと納税代行など地方創生支援行う。郵便発送代行も 売 連15,390 従 700 資 750 住 大阪市天王寺区上本町5-3-15 ☎06-6766-3333 ㉕前年並 ㉔41（男22, 女19）
㈱サカイ引越センター	陸 特色 引っ越し業界首位で近畿地盤に全国展開。電気工事やリユース事業なども展開。M&Aにも意欲 売 連116,861 従 6,245 資 4,731 住 堺市堺区石津北町56 ☎072-241-0464 ㉕400 ㉔321（男240, 女81）
さくらインターネット㈱	情通 特色 データセンター（DC）独立系大手。主軸はクラウドサービスに移行。製造業や官公庁向けに実績 売 連21,826 従 721 資 11,283 住 大阪市北区大深町6-38 ☎06-6476-8790 ㉕35 ㉔21（男10, 女11）
ザ・パック㈱	パ紙 特色 百貨店や専門店向け等の紙袋で最大手。紙器でも有力。段ボールや紙おむつ用袋も手がける 売 連97,714 従 869 資 2,553 住 大阪市東成区東小橋2-9-3 ☎06-4967-1221 ㉕未定 ㉔42（男27, 女15）
サワイグループホールディングス㈱	医 特色 ジェネリック（後発）薬大手メーカー。21年春に沢井製薬が持株会社化。大型買収で米国本格展開 売 連IFS176,862 従 2,785 資 10,020 住 大阪市淀川区宮原5-2-30 ☎06-6105-5818 ㉕増加 ㉔103（男60, 女43）
SANEI㈱	機 特色 給水栓大手。住宅用に加えてホテル・飲食店向けの意匠性高い製品に強み。岐阜と大阪で生産 売 連27,532 従 649 資 432 住 大阪市東成区玉津1-12-29 ☎06-6972-5921 ㉕微増 ㉔20（男8, 女12）
三京化成㈱	卸 特色 樹脂、工業薬品等の化学品商社。西日本が地盤。取り扱い商材は多岐、技術志向型営業を標榜 売 連26,227 従 91 資 1,716 住 大阪市中央区北久宝寺町1-9-8 ☎06-6262-2881 ㉕前年並 ㉔4（男2, 女2）
三共生興㈱	卸 特色 繊維商社の老舗。高級カジュアル衣料も。「DAKS」など欧米高級ブランドライセンスを保有 売 連21,271 従 51 資 3,000 住 大阪市中央区安土町2-5-6 ☎06-6268-5000 ㉕前年並 ㉔12（男3, 女9）
㈱三社電機製作所	電機 特色 電源機器と半導体の生産が柱。金属表面処理用電源で国内首位。半導体はパワー系でニッチ特化 売 連31,005 従 720 資 2,774 住 大阪市東淀川区西淡路3-1-56 ☎06-6321-0321 ㉕15 ㉔12（男11, 女1）

会社名	業種名 (特色)会社の特色 (売)売上高(百万円) (従)単独従業員数(名) (資)資本金(百万円) (住)本社の住所, 電話番号 ㉕25年採用計画数(名) ㉔24年入社内定者数(名)
㈱サンユウ	鉄 (特色)日本製鉄系。関西以西地盤のみがき棒鋼、冷間圧造用鋼線(CH線)の専業2次加工メーカー (売)連24,012 (従)202 (資)1,513 (住)枚方市春日北町3-1-1 ☎072-858-1251 ㉕微増 ㉔3(男3, 女0)
サンヨーホームズ㈱	建 (特色)戸建て住宅、マンション、賃貸・福祉住宅の設計・販売が主。近畿中心に首都圏、中部等で展開 (売)連45,860 (従)346 (資)5,945 (住)大阪市西区西本町1-4-1 ☎06-6578-3403 ㉕増加 ㉔24(男14, 女10)
㈱CDG	サ (特色)販促用品で創業。アライアンスでデジタル領域を強化。CLHDが筆頭株主に。全国展開。無借金 (売)連11,312 (従)253 (資)450 (住)大阪市北区梅田2-5-25 ☎06-6133-5200 ㉕前年並 ㉔11(男4, 女7)
㈱ジェイエスエス	サ (特色)スイミングスクール専業大手。直営・運営受託で全国展開。会員の大半児童。テニススクールも (売)単8,131 (従)483 (資)330 (住)大阪市西区土佐堀1-4-11 ☎06-6449-6121 ㉕30 ㉔24(男19, 女5)
シキボウ㈱	繊 (特色)紡績名門。事業ポートフォリオ見直しや航空機向け含む機能材などの育成、海外事業強化を推進 (売)連38,681 (従)570 (資)11,820 (住)大阪市中央区備後町3-2-6 ☎06-6268-5493 ㉕増加 ㉔22(男7, 女15)
㈱シノプス	情通 (特色)大手小売業向けに需要予測型の自動発注システム「sinops」を展開。クラウド型へ転換中 (売)単1,728 (従)111 (資)428 (住)豊中市新千里東町1-5-3 ☎06-6836-5780 ㉕10 ㉔8(男5, 女3)
シノブフーズ㈱	食 (特色)米飯や調理パンを製造。大手コンビニ向け5割以上、スーパーや生協、カフェにも。冷食育成中 (売)連54,825 (従)579 (資)4,693 (住)大阪市西淀川区竹島2-3-18 ☎06-6477-0113 ㉕35 ㉔33(男20, 女13)
上新電機㈱	小 (特色)関西地盤の家電量販大手。PCや玩具、ソフトの専門店も展開。営業等でも地元色を全面訴求 (売)連403,692 (従)3,707 (資)15,121 (住)大阪市浪速区日本橋1-6-5 ☎06-6631-1221 ㉕前年並 ㉔94(男38, 女56)
新晃工業㈱	機 (特色)セントラル空調機器でシェア4割弱。業務用空調機の中堅。中国やタイ進出。ビル管理会社併営 (売)連51,943 (従)699 (資)5,822 (住)大阪市北区南森町1-4-5 ☎06-6367-1811 ㉕20 ㉔18(男13, 女5)
新コスモス電機㈱	電機 (特色)家庭用ガス警報器でトップ。工業・業務用も展開。独自のガスセンサー技術軸に開発。海外強化 (売)連38,546 (従)460 (資)1,460 (住)大阪市淀川区三津屋中2-5-4 ☎06-6308-3112 ㉕15 ㉔15(男11, 女4)
新日本理化㈱	化 (特色)石化製品の機能性樹脂原料・添加剤、オレオ誘導体に重点。油脂製品も。水素添加技術に強み (売)連32,863 (従)298 (資)5,660 (住)大阪市中央区備後町2-1-8 ☎06-6202-0624 ㉕未定 ㉔5(男3, 女2)
㈱杉村倉庫	倉運 (特色)関西倉庫業の老舗、流通加工や運送も。不動産賃貸、ゴルフ練習場など併営。野村HDグループ (売)連10,850 (従)111 (資)2,630 (住)大阪市港区福崎1-1-57 ☎06-6571-1221 ㉕5 ㉔3(男2, 女1)
杉本商事㈱	卸 (特色)機械・工具商社の大手。測定器具関連で高シェア。工作用器具、空油圧器具も販売。財務堅実 (売)連46,636 (従)509 (資)2,597 (住)大阪市西区立売堀5-7-27 ☎06-6538-2661 ㉕40 ㉔40(男31, 女9)
㈱スタジオアリス	サ (特色)子ども写真館最大手。七五三が売上の4割。成人式用振り袖撮影貸し出しセット「ふりホ」拡充 (売)連36,396 (従)1,054 (資)1,885 (住)大阪市北区梅田1-8-17 ☎06-6343-2600 ㉕60 ㉔63(男1, 女62)
ステラ ケミファ㈱	化 (特色)電子部品用フッ素高純度薬品で世界首位。濃縮ホウ素の拡大を目指す。運輸事業も手がける (売)連30,446 (従)304 (資)4,829 (住)大阪市中央区伏見町4-1-1 ☎06-4707-1511 ㉕5 ㉔10(男8, 女2)
㈱スマートバリュー	情通 (特色)自治体向けクラウドが主力。車両管理やカーシェアのシステムも。神戸にアリーナを開発中 (売)連3,814 (従)191 (資)1,044 (住)大阪市中央区道修町3-6-1 ☎06-6227-5577 ㉕8 ㉔5(男3, 女2)
住友精化㈱	化 (特色)紙おむつ用の高吸水性樹脂が大黒柱。国内外に生産拠点。各種工業用ガス、微粒子ポリマー等も (売)連142,986 (従)1,073 (資)9,714 (住)大阪市中央区北浜4-5-33 ☎06-6220-8508 ㉕前年並 ㉔42(男30, 女12)
住江織物㈱	繊 (特色)国会の赤じゅうたんを納入する名門繊維企業。自動車カーペットや内装品が主力。鉄道向けも (売)連103,478 (従)258 (資)9,554 (住)大阪市中央区南船場3-11-20 ☎06-6251-6801 ㉕15 ㉔14(男8, 女6)
㈱成学社	サ (特色)大阪地盤に個別指導塾「フリーステップ」を展開、首都圏を開拓。保育や留学生支援事業を育成 (売)連13,102 (従)743 (資)235 (住)大阪市北区中崎西3-1-2 ☎06-6373-1529 ㉕60 ㉔52(男26, 女26)
西菱電機㈱	サ (特色)三菱電機系商社。交通や防災など情報通信システムが柱。携帯端末小売り・修理再生事業も展開 (売)連18,489 (従)429 (資)523 (住)大阪市北区堂島2-4-27 ☎06-6345-4160 ㉕34 ㉔11(男8, 女3)
積水化成品工業㈱	化 (特色)積水化学グループ、発泡樹脂素材・成形品の大手。自動車用中心に海外拡大。微粒子ポリマーも (売)連130,265 (従)432 (資)16,533 (住)大阪市北区西天満2-4-4 ☎06-6365-3014 ㉕10 ㉔7(男4, 女3)
積水樹脂㈱	化 (特色)防護壁など道路資材でトップ。外構・景観製品のデザイン力に強み。欧州強化中。積水グループ (売)連62,790 (従)352 (資)12,334 (住)大阪市北区西天満2-4-4 ☎06-6365-3204 ㉕20 ㉔21(男15, 女6)
ゼット㈱	卸 (特色)スポーツ用品卸大手。各地の小規模スポーツ店に販路。野球用品で自社製品。輸入代理店業も (売)連51,957 (従)436 (資)1,005 (住)大阪市天王寺区烏ケ辻1-2-16 ☎06-6779-1171 ㉕未定 ㉔14(男9, 女5)
泉州電業㈱	卸 (特色)電線専門商社、オーナー経営。SWCCが最大仕入れ先。即納強み。売上高は銅価と連動性高い (売)連124,967 (従)558 (資)2,575 (住)吹田市南金田1-4-21 ☎06-6384-1101 ㉕31 ㉔14(男10, 女4)
㈱ソフト99コーポレーション	化 (特色)「ソフト99」カーワックス、補修剤等の自動車用品大手。半導体など産業資材を第2の柱に育成 (売)連29,874 (従)204 (資)2,310 (住)大阪市中央区谷町2-6-5 ☎06-6942-8761 ㉕5 ㉔4(男1, 女3)

会社名	業種名 特色 会社の特色 売 売上高（百万円） 従 単独従業員数（名） 資 資本金（百万円） 住 本社の住所，電話番号 ㉕25年採用計画数（名） ㉔24年入社内定者数（名）
タイガースポリマー㈱	化 特色 自動車部品用成形品、ゴムシート、ホース大手。家電用ホースも高シェア。住宅・土木用にも拡充 売 連47,862 従 575 資 4,149 住 豊中市新千里東町1-4-1 ☎06-6834-1551 ㉕ **増加** ㉔ **11（男9, 女2）**
㈱大紀アルミニウム工業所	非鉄 特色 アルミ2次合金地金の国内トップ企業。ダイカスト・鋳物用が主力。東南アジアで製販拡大 売 連262,671 従 323 資 6,346 住 大阪市北区中之島3-6-32 ☎06-6444-2751 ㉕ **5** ㉔ **5（男4, 女1）**
㈱ダイケン	金製 特色 建築金物、建材の中堅。ハンガーレール、自転車置き場装置で首位。宅配ボックス、ゴミ箱を展開 売 単10,881 従 329 資 481 住 大阪市淀川区新高2-7-13 ☎06-6392-5551 ㉕ **10** ㉔ **6（男3, 女3）**
大研医器㈱	精 特色 医療機器メーカー。真空吸引器など病院感染防止や麻酔関連が主。最先端医療分野開発に意欲 売 単9,750 従 181 資 495 住 和泉市あゆみ野2-6-2 ☎0725-30-3150 ㉕ **9** ㉔ **3（男2, 女1）**
大幸薬品㈱	医 特色 止瀉薬「正露丸」で有名な大衆薬中堅。オーナー経営色。不振の「クレベリン」など事業再構築中 売 連6,120 従 184 資 10 住 大阪市西区西本町1-4-1 ☎06-4391-1110 ㉕ **2** ㉔ **2（男2, 女0）**
㈱ダイサン	サ 特色 住宅・建築工事の足場設計・施工業者。くさび式で首位。関東圏を拡充。シンガポールに拠点 売 連10,407 従 435 資 100 住 大阪市中央区南本町2-6-12 ☎06-6243-8002 ㉕ **40** ㉔ **11（男11, 女0）**
ダイジェット工業㈱	機 特色 総合超硬工具メーカー上位。需要先は自動車向けが中心。炭窒化チタン系の超硬材料も独自開発 売 連8,344 従 355 資 3,099 住 大阪市平野区加美東2-1-18 ☎06-6791-6781 ㉕ **14** ㉔ **3（男2, 女1）**
㈱大水	卸 特色 ニッスイの持分会社。水産物卸売り主力。関西の中央卸売市場が主要拠点。冷蔵倉庫業も展開 売 連98,460 従 333 資 100 住 大阪市福島区野田1-1-86 ☎06-6469-3000 ㉕ **10** ㉔ **13（男13, 女0）**
大末建設㈱	建 特色 マンション等民間建築が主体。関西主力だが首都圏の比重高まる。ミサワホームと資本業務提携 売 連77,815 従 623 資 4,324 住 大阪市中央区久太郎町2-5-28 ☎06-6121-7121 ㉕ **50** ㉔ **28（男21, 女7）**
ダイトーケミックス㈱	化 特色 半導体・液晶向け感光性材料や写真材料が主力。医薬中間体も注力。子会社で産業廃棄物処理も 売 連15,811 従 231 資 2,901 住 大阪市鶴見区茨田大宮3-1-7 ☎06-6911-9310 ㉕ **8** ㉔ **10（男9, 女1）**
ダイトロン㈱	卸 特色 電子部品中堅卸。製販一体推進。半導体など製造装置も。自社製品の開発体制強化。米国に工場 売 連92,156 従 819 資 2,200 住 大阪市淀川区宮原4-6-11 ☎06-6399-5041 ㉕ **40** ㉔ **27（男22, 女5）**
大日本塗料㈱	化 特色 塗料国内4位。三菱色が濃厚。重防食・住宅建材用に強み。傘下企業で照明機器、蛍光色材事業も 売 連71,940 従 730 資 8,827 住 大阪市中央区南船場1-18-11 ☎06-6266-3100 ㉕ **未定** ㉔ **21（男16, 女5）**
ダイハツディーゼル㈱	輸機 特色 ダイハツ工業が発祥。主力の船舶用ディーゼルエンジン発電用補機関は世界大手の一角。陸用も 売 連81,775 従 889 資 2,434 住 大阪市北区大淀中1-1-30 ☎06-6454-2331 ㉕ **38** ㉔ **33（男27, 女6）**
大丸エナウィン㈱	卸 特色 LPガス販売は近畿3位。医療・産業用ガスも販売。飲料水事業も営む。M&Aに意欲的 売 連29,905 従 443 資 870 住 大阪市住之江区緑木1-4-39 ☎06-6685-5101 ㉕ **5** ㉔ **3（男2, 女1）**
ダイヤモンドエレクトリックホールディングス㈱	電機 特色 自動車用点火コイルの草分け。18年に持株会社化。旧田淵電機を傘下に蓄電システム強化 売 連93,334 従 512 資 1,237 住 大阪市淀川区塚本1-15-27 ☎06-6302-8211 ㉕ **増加** ㉔ **2（男2, 女0）**
DAIWA CYCLE㈱	小 特色 自転車販売・修理の大手。大阪に強固な地盤。販売台数の過半がPB。電動アシスト車比率も高い 売 単15,339 従 704 資 549 住 吹田市江坂町1-12-38 ☎06-6380-3338 ㉕ **90** ㉔ **81（男74, 女7）**
田岡化学工業㈱	化 特色 住友化学系。染料、接着剤から医・農薬中間体など精密化学分野を拡大。インドに生産子会社 売 連28,544 従 398 資 1,572 住 大阪市淀川区新高3-9-14 ☎06-7639-7400 ㉕ **微増** ㉔ **11（男8, 女3）**
高田機工㈱	金製 特色 関西地盤の中堅橋梁・鉄骨メーカー。大空間の鋼構造物で優位。和歌山工場へ生産設備集約 売 単19,695 従 278 資 5,178 住 大阪市浪速区難波中2-10-70 ☎06-6649-5100 ㉕ **未定** ㉔ **9（男6, 女3）**
㈱高松コンストラクショングループ	建 特色 準大手ゼネコン。賃貸マンション建築の高松建設と土木の青木あすなろ建設が中核。買収積極的 売 連312,680 従 1,743 資 5,000 住 大阪市淀川区新北野1-2-3 ☎06-6303-8101 ㉕ **155** ㉔ **110（男89, 女21）**
㈱タカミヤ	サ 特色 仮設機材の販売・レンタル大手。新型足場に注力。アグリ事業を育成。韓国、ベトナムで生産 売 連44,127 従 753 資 1,052 住 大阪市北区大深町3-1 ☎06-6375-3900 ㉕ **40** ㉔ **25（男15, 女10）**
㈱タクミナ	機 特色 定量ポンプの大手。環境装置メーカー向け水処理・塩素殺菌用を基盤に、高精密塗工用も拡大 売 連11,015 従 312 資 892 住 大阪市中央区淡路町2-2-14 ☎06-6208-3971 ㉕ **前年並** ㉔ **7（男6, 女1）**
武田薬品工業㈱	医 特色 国内製薬首位。がん、中枢神経、消化器、希少疾患等に重点。巨額買収で世界売上上位10強入り 売 連IFS4,263,762 従 5,474 資 1,676,596 住 大阪市中央区道修町4-1-1 ☎06-6204-2111 ㉕ **前年並** ㉔ **36（男‥, 女‥）**
タツタ電線㈱	非鉄 特色 総合電線メーカー中堅。電磁波遮蔽フィルムが利益柱。筆頭株主のTOBが成立、上場廃止へ 売 連64,119 従 677 資 6,676 住 東大阪市岩田町2-3-1 ☎06-6721-3331 ㉕ **未定** ㉔ **11（男11, 女0）**
タビオ㈱	卸 特色 靴下やタイツなどの専門店「靴下屋」を直営とFCで展開。店頭連動の国内生産システムに強み 売 連16,220 従 242 資 414 住 大阪市浪速区難波中2-10-70 ☎06-6632-1200 ㉕ **若干名** ㉔ **4（男0, 女4）**
㈱チャーム・ケア・コーポレーション	サ 特色 近畿・首都圏で介護付き有料老人ホーム展開。高価格帯に重点。土地建物賃借の運営中心 売 連47,829 従 1,793 資 2,759 住 大阪市北区中之島3-6-32 ☎06-6445-3403 ㉕ **100** ㉔ **67（男32, 女35）**

会社名	業種名 特色 会社の特色 売 売上高(百万円) 従 単独従業員数(名) 資 資本金(百万円) 住 本社の住所, 電話番号 ㉕ 25年採用計画数(名) ㉔ 24年入社内定者数(名)
中央自動車工業(株)	卸 特色 コーティング剤など自社企画の自動車用品を販売。自動車補修部品の輸出事業も。好財務 売 連39,331 従 260 資 1,001 住 大阪市北区中之島4-2-30 ☎06-6443-5182 ㉕ **20** ㉔ **14(男10, 女4)**
(株)ツバキ・ナカシマ	機 特色 ベアリング用の精密鋼球・ローラーが主力。ボールネジも。MEBOで非上場化も15年再上場 売 連IFS80,337 従 460 資 17,117 住 大阪市中央区本町4-2-12 ☎06-6224-0193 ㉕ **未定** ㉔ **14(男12, 女2)**
椿本興業(株)	卸 特色 機械の中堅商社。モーター、チェーンなど動伝商品が柱。液晶関連の搬送装置などFA関連拡充 売 連113,503 従 549 資 2,945 住 大阪市北区梅田3-3-20 ☎06-4795-8800 ㉕ **前年並** ㉔ **15(男13, 女2)**
(株)鶴見製作所	機 特色 水中ポンプ専業トップで市場シェア約3割。工場など設備常設型にも注力。日中台に生産工場 売 連62,629 従 909 資 5,188 住 大阪市鶴見区鶴見4-16-40 ☎06-6911-2351 ㉕ **17** ㉔ **14(男12, 女2)**
テイカ(株)	化 特色 塗料、UV化粧品向けなど酸化チタン大手。導電性高分子薬剤、医療診断用圧電材料は用途拡大 売 連52,993 従 565 資 9,855 住 大阪市中央区谷町4-11-6 ☎06-6943-6401 ㉕ **前年並** ㉔ **23(男18, 女5)**
(株)テクノスマート	機 特色 各種フィルム塗工乾燥機、化工機メーカー。中国、台湾、韓国向け比率高い。国内生産体制堅持 売 単19,242 従 245 資 1,953 住 大阪市中央区久太郎町2-5-28 ☎06-6253-7200 ㉕ **9** ㉔ **7(男6, 女1)**
寺崎電気産業(株)	電機 特色 船舶、産業用の配電制御システムメーカー。国内シェア首位。海外でも積極展開。医療装置も 売 連52,065 従 578 資 1,236 住 大阪市平野区加美東6-13-47 ☎06-6791-2701 ㉕ **前年並** ㉔ **17(男13, 女4)**
(株)デンキョーグループホールディングス	卸 特色 家電商社で季節商品に強み。子会社の梶原産業で日用雑貨卸、大和無線電器で電子部品卸も行う 売 連54,603 従 32 資 2,644 住 大阪市浪速区日本橋東2-1-3 ☎06-6631-5634 ㉕ **5** ㉔ **2(男0, 女2)**
東洋シヤッター(株)	金製 特色 シャッターで3位。重量シャッターに強み。スチールドアも展開。独ハーマン社と資本業務提携 売 連21,487 従 530 資 2,024 住 大阪市中央区南船場2-3-2 ☎06-4705-2110 ㉕ **28** ㉔ **16(男15, 女1)**
東洋炭素(株)	ガ土 特色 等方性黒鉛の先駆者、世界シェア3割とトップ。原料調達から製造・加工までの一貫生産に強み 売 連49,251 従 978 資 7,947 住 大阪市北区梅田1-13-1 ☎050-3097-4950 ㉕ **32** ㉔ **33(男28, 女5)**
東洋テック(株)	サ 特色 金融機関の警備業務から出発。機械警備やビル管理が主体。関西地方地盤。セコムが筆頭株主 売 連31,249 従 1,069 資 4,618 住 大阪市浪速区桜川1-7-18 ☎06-6563-2111 ㉕ **増加** ㉔ **38(男28, 女10)**
(株)トーア紡コーポレーション	繊 特色 毛織物など衣料老舗。自動車用内装材や半導体関連部材など多角化。安定収益の不動産が利益柱 売 連19,042 従 67 資 3,940 住 大阪市中央区城見1-2-27 ☎06-7178-1151 ㉕ **若干名** ㉔ **3(男2, 女1)**
(株)酉島製作所	機 特色 ポンプ国内大手3社の一角。発電用高効率ポンプは国内1位。中東の海水淡水化設備向け強い 売 連81,103 従 1,026 資 1,592 住 高槻市宮田町1-1-8 ☎072-695-0551 ㉕ **57** ㉔ **45(男33, 女12)**
トルク(株)	卸 特色 建設用ボルト、ナットの首位商社。機械向けなどを充実。工具卸もグループに加え、業容拡大 売 連21,757 従 171 資 2,712 住 大阪市西区南堀江2-7-4 ☎06-6535-3690 ㉕ **増加** ㉔ **7(男4, 女3)**
内外トランスライン(株)	倉運 特色 独立系の国際海上輸出混載首位。アジアはじめ豊富な仕向け地と運航頻度が強み。自己資本厚い 売 連32,280 従 234 資 243 住 大阪市中央区備後町2-6-8 ☎06-6260-4710 ㉕ **微減** ㉔ **6(男4, 女2)**
(株)ナガオカ	機 特色 石油精製・石油化学プラント用の内部装置、取水用スクリーンのほか、水処理装置の製造も 売 連9,505 従 93 資 1,253 住 大阪市中央区安土町1-8-15 ☎06-6261-6600 ㉕ **前年並** ㉔ **2(男0, 女2)**
(株)中西製作所	金製 特色 業務用厨房機器大手。学校給食システムに強み。外食産業向けはマクドナルドなどが有力顧客 売 単36,602 従 613 資 1,445 住 大阪市生野区巽南5-4-14 ☎06-6791-1111 ㉕ **18** ㉔ **18(男13, 女5)**
ナカバヤシ(株)	他製 特色 アルバム、図書館製本の最大手。情報処理(BPO)や商業印刷、文房具販売も。業績は下期偏重 売 連61,043 従 1,010 資 6,666 住 大阪市中央区北浜東1-20 ☎06-6943-5555 ㉕ **未定** ㉔ **18(男10, 女8)**
中本パックス(株)	他製 特色 グラビア印刷を軸にラミネート、コーティング事業を展開。食品包装、IT・工業材、医療に強み 売 連44,362 従 478 資 1,057 住 大阪市天王寺区空堀町2-8 ☎06-6762-0431 ㉕ **31** ㉔ **8(男7, 女1)**
(株)中山製鋼所	鉄 特色 日本製鉄系。鋼板、棒線など鉄鋼メーカーの老舗。自社電気炉と高炉で培った圧延技術に特徴 売 連184,445 従 815 資 20,044 住 大阪市大正区船町1-1-66 ☎06-6555-3029 ㉕ **前年並** ㉔ **8(男7, 女1)**
中山福(株)	卸 特色 家庭用品の卸大手。鍋、フライパン等のキッチン用品や保存容器などが主。配当性向35%以上 売 連38,593 従 337 資 1,706 住 大阪市中央区島之内1-22-9 ☎06-6251-3051 ㉕ **15** ㉔ **27(男8, 女19)**
南海化学(株)	化 特色 中山製鋼所から独立した化学品メーカー。主力は苛性ソーダとその派生品。原塩加工販売も 売 連19,987 従 217 資 454 住 大阪市西区南堀江1-12-19 ☎06-6532-5590 ㉕ **10** ㉔ **5(男3, 女2)**
南海辰村建設(株)	建 特色 近畿地盤の南海建設と、首都圏地盤の辰村組が統合して誕生した南海電鉄グループの中堅建設 売 連43,626 従 451 資 2,000 住 大阪市浪速区難波中3-5-19 ☎06-6644-7802 ㉕ **未定** ㉔ **19(男18, 女1)**
(株)日伝	卸 特色 産業用部品、機器の大手専門商社。減変速機等の動力伝導、制御機器類が主。アジアで事業強化 売 連126,912 従 908 資 5,368 住 大阪市中央区上本町西1-2-16 ☎06-7637-7000 ㉕ **50** ㉔ **35(男15, 女20)**
(株)ニッカトー	ガ土 特色 工業用耐摩耗・耐熱セラミックス中堅メーカー。ベアリング用にも参入。エンジニアリング併営 売 単10,239 従 288 資 1,320 住 堺市堺区遠里小野町3-2-24 ☎072-238-3641 ㉕ **前年並** ㉔ **6(男6, 女0)**

会社名	業種名 特色 会社の特色 売 売上高(百万円) 従 単独従業員数(名) 資 資本金(百万円) 住 本社の住所, 電話番号 ㉕25年採用計画数(名) ㉔24年入社内定者数(名)
ニッケ	繊 特色 羊毛紡績の有力会社ながら利益柱は商業施設賃貸。スポーツや介護施設、売電などへも展開 売 連113,497 従 502 資 6,465 住 大阪市中央区瓦町3-3-10 ☎06-6205-6600 ㉕8 ㉔8(男2, 女6)
ニッタ㈱	ゴ 特色 伝動用ベルト草分け、ホースと2本柱。半導体消耗品と自動車用ベルトの合弁持分2社貢献大 売 連88,609 従 1,092 資 8,060 住 大阪市浪速区桜川4-4-26 ☎06-6563-1211 ㉕15 ㉔12(男9, 女3)
新田ゼラチン㈱	化 特色 ゼラチンで日本一、世界5位。兼営のペプチドは国内2位。米国、インド、中国等で現地生産 売 連40,420 従 249 資 3,144 住 八尾市二俣2-22 ☎072-949-5381 ㉕前年並 ㉔6(男3, 女3)
日本インシュレーション㈱	ガ土 特色 高層ビルやプラント、発電所向けに耐火建材や保温材の製造、販売から設計、施工も手がける 売 連12,537 従 306 資 1,200 住 大阪市中央区南船場1-18-17 ☎06-6210-1250 ㉕22 ㉔11(男11, 女0)
日本基礎技術㈱	建 特色 地盤改良など基礎工事の専業大手。独自工法武器に民間分野の拡大図る。直営施工体制を強化 売 連23,575 従 359 資 5,907 住 大阪市北区天満1-9-14 ☎06-6351-5621 ㉕6 ㉔6(男6, 女0)
日本金銭機械㈱	機 特色 紙幣識鑑別機や硬貨計数機等の貨幣処理機大手。欧米市場が主力。米国カジノ向けはシェア大 売 連31,610 従 266 資 2,220 住 大阪市浪速区難波中2-11-18 ☎06-6643-8400 ㉕5 ㉔2(男0, 女2)
日本伸銅㈱	非鉄 特色 黄銅棒・線大手。住宅向けが主力。サンエツ金属にメッキ線事業を譲渡。CKサンエツの子会社 売 単23,338 従 97 資 1,595 住 堺市堺区匠町20-1 ☎072-229-0346 ㉕4 ㉔4(男3, 女1)
日本精化㈱	化 特色 脂肪酸誘導体で高シェア、化粧品・医薬品原料が成長。家庭用製品も。中国に生産子会社 売 連33,531 従 423 資 5,933 住 大阪市中央区備後町2-4-9 ☎06-6231-4781 ㉕6 ㉔7(男4, 女3)
日本精線㈱	鉄 特色 大同特殊鋼系。ステンレス線2次加工で首位。ばね、ネジ、金網など用途多彩。金属繊維拡充 売 連44,727 従 594 資 5,000 住 大阪市中央区高麗橋4-1-1 ☎06-6222-5431 ㉕前年並 ㉔13(男10, 女3)
日本駐車場開発㈱	不 特色 商業施設等の転貸型月極駐車場を国内外で運営。傘下に日本スキー場開発、テーマパークも 売 連32,693 従 327 資 699 住 大阪市北区小松原町2-4 ☎06-6360-2353 ㉕未定 ㉔56(男27, 女29)
㈱日本トリム	電機 特色 整水器首位、職域販売が柱。血液透析用電解水も。上場子会社ステムセル研で臍帯血バンク運営 売 連20,414 従 338 資 992 住 大阪市北区梅田2-2-22 ☎06-6456-4600 ㉕微増 ㉔5(男5, 女0)
ネクストウェア㈱	情通 特色 DBシステムのアウトソーシングが中心、メーカーに強み。18年にOSK日本歌劇団を子会社化 売 連2,820 従 177 資 1,310 住 大阪市中央区北久宝寺町4-3-11 ☎06-6281-0304 ㉕20 ㉔7(男7, 女0)
㈱ハークスレイ	小 特色 傘下に弁当「ほっかほっか亭」FC統括会社。飲食店の店舗リース、食品加工など複数事業展開 売 連46,761 従 16 資 4,036 住 大阪市北区鶴野町3-10 ☎06-6376-8088 ㉕10 ㉔5(男2, 女3)
㈱ハウスフリーダム	不 特色 南大阪を地盤に新築戸建て分譲、不動産仲介展開。福岡も地盤。地元密着徹底、建設請負も併営 売 連11,788 従 149 資 328 住 松原市上田2-13-10 ☎072-336-0503 ㉕10 ㉔6(男5, 女1)
ハリマ化成グループ㈱	化 特色 ロジン原料化学品草分け。製紙薬品・トール油高シェア。米国子会社にロジン製品のローター社 売 連92,330 従 120 資 10,012 住 大阪市中央区今橋4-4-7 ☎06-6201-2461 ㉕20 ㉔13(男10, 女3)
㈱ビーアンドピー	他製 特色 業務用インクジェットプリンタ使ったデジタル印刷に強い。同技術使い内装材や電子広告参入 売 単3,174 従 186 資 286 住 大阪市西区江戸堀2-6-33 ☎06-6448-1801 ㉕10 ㉔9(男4, 女5)
㈱ヒガシトゥエンティワン	陸 特色 大阪市東区（現中央区）の運送13社統合で設立。株主の日生、関電等が大口客。福祉分野に進出 売 連40,635 従 598 資 1,001 住 大阪市中央区内久宝寺町3-1-9 ☎06-6945-5611 ㉕20 ㉔17(男15, 女2)
㈱ビケンテクノ	サ 特色 清掃、警備、設備管理などの総合ビルメンテ、衛生管理業務を展開。病院買収で介護ビジネスも 売 連38,371 従 2,089 資 1,808 住 吹田市南金田2-12-1 ☎06-6380-2141 ㉕前年並 ㉔13(男11, 女2)
㈱日阪製作所	機 特色 プレート式熱交換器、染色機器で首位。食品、医薬など生活産業機器を強化。特殊バルブで存在感 売 連34,180 従 692 資 4,150 住 大阪市北区曽根崎2-12-7 ☎06-6363-0006 ㉕15 ㉔11(男11, 女0)
㈱PILLAR	機 特色 流体の漏れ防ぐパッキン発祥、メカニカルシールも有力。半導体製造装置向け継ぎ手が利益柱に 売 連58,605 従 640 資 4,966 住 大阪市西区新町1-7-1 ☎06-7166-8281 ㉕36 ㉔24(男16, 女8)
㈱ファルコホールディングス	サ 特色 臨床検査受託大手、調剤薬局も展開。がん免疫療法の薬剤効果判定等コンパニオン診断薬育成 売 連43,007 従 4 資 3,371 住 大阪市中央区内平野町1-3-7 ☎06-7632-6150 ㉕未定 ㉔30(男11, 女19)
㈱フジオフードグループ本社	小 特色 大阪地盤に大衆セルフ食堂「まいどおおきに食堂」や串揚げ食べ放題「串家物語」などを全国展開 売 連29,756 従 303 資 2,731 住 大阪市北区菅原町2-16 ☎06-6360-0301 ㉕25 ㉔7(男3, 女4)
フジコピアン㈱	他製 特色 インクリボン、インクロール等印字記録媒体トップ。OEMで販売。機能性フィルムに注力 売 連8,225 従 272 資 4,791 住 大阪市西淀川区御幣島5-4-14 ☎06-6471-7071 ㉕前年並 ㉔8(男8, 女0)
フジ住宅㈱	不 特色 大阪地盤の住宅最大手。注文住宅と分譲マンションが柱。入居者付き中古住宅再販でも断トツ 売 連120,388 従 738 資 4,872 住 岸和田市土生町1-4-23 ☎072-437-9010 ㉕55 ㉔44(男27, 女17)
㈱藤商事	機 特色 遊技機の中堅メーカー。大阪発祥。「リング」シリーズなどホラーもので定評。サン電子と提携 売 連36,983 従 450 資 3,281 住 大阪市中央区内本町1-1-4 ☎06-6949-0323 ㉕前年並 ㉔14(男13, 女1)

会社名	業種名 特色 会社の特色 売 売上高(百万円) 従 単独従業員数(名) 資 資本金(百万円) 住 本社の住所, 電話番号 ㉕ 25年採用計画数(名) ㉔ 24年入社内定者数(名)
扶桑化学工業㈱	化 特色 半導体ウエハ研磨剤で主原料の超高純度コロイダルシリカ、リンゴ酸で世界シェア首位級 売 連58,970 従 567 資 4,334 住 大阪市中央区北浜3-5-29 ☎06-6203-4771 ㉕ **増加** ㉔ **10(男6, 女4)**
フルサト・マルカホールディングス㈱	卸 特色 傘下に鉄骨建築資材大手のフルサト工業と産機・建機の中堅商社マルカ。21年10月に経営統合 売 連172,980 従 103 資 5,000 住 大阪市中央区南新町1-2-10 ☎06-6946-1600 ㉕ **40** ㉔ **32(男24, 女8)**
古林紙工㈱	パ紙 特色 印刷紙器のパッケージング総合大手メーカー。プラスチック包装材も手がける。中国現法拡大 売 連17,911 従 251 資 2,151 住 大阪市中央区大手通3-1-12 ☎06-6941-8561 ㉕ **16** ㉔ **8(男4, 女4)**
㈱プレサンスコーポレーション	不 特色 オープンハウスGの子会社。関西中心に投資用ワンルームやファミリー向けマンションを開発 売 連161,311 従 466 資 7,673 住 大阪市中央区城見1-2-27 ☎06-4793-1650 ㉕ **163** ㉔ **118(男95, 女23)**
㈱ブロードエンタープライズ	情通 特色 賃貸マンション向け全戸一括型インターネットサービスが柱。初期費用無料で既築物件に強み 売 単3,957 従 125 資 77 住 大阪市北区太融寺町5-15 ☎06-6311-4511 ㉕ **10** ㉔ **12(男6, 女6)**
㈱ベネフィットジャパン	情通 特色 回線借り通信サービスを行うMVNO事業者。モバイルWi-Fiが主力。コミュロボも扱う 売 連13,065 従 287 資 657 住 大阪市中央区道修町1-5-18 ☎06-6223-9888 ㉕ **未定** ㉔ **15(男‥, 女‥)**
ホクシン㈱	他製 特色 MDF(中質繊維板)専業首位。住宅建材用や家具用が多い。自社生産の高機能材の比重大 売 単10,979 従 194 資 2,343 住 岸和田市木材町17-2 ☎072-438-0141 ㉕ **5** ㉔ **8(男7, 女1)**
ホシデン㈱	電機 特色 コネクター、スイッチ、マイク部品等情報通信部品大手。ゲーム機関連は任天堂向けの比率高い 売 連218,910 従 584 資 13,660 住 八尾市北久宝寺1-4-33 ☎072-993-1010 ㉕ **20** ㉔ **9(男9, 女0)**
㈱翻訳センター	サ 特色 大手翻訳会社。特許、医薬、工業など企業向け技術翻訳が軸。通訳事業には買収子会社で本格進出 売 連11,303 従 390 資 588 住 大阪市中央区久太郎町4-1-3 ☎06-6282-5010 ㉕ **若干名** ㉔ **5(男0, 女5)**
松本油脂製薬㈱	化 特色 界面活性剤の総合メーカー。中国向けなど海外比重大きい。高分子・無機ハイテク製品を拡大 売 連41,526 従 331 資 6,090 住 八尾市渋川町2-1-3 ☎072-991-1001 ㉕ **増加** ㉔ **6(男5, 女1)**
丸一鋼管㈱	鉄 特色 溶接鋼管国内首位、建設関連強い。ステンレス精密細管メーカー買収。海外展開積極的。好財務 売 連271,310 従 598 資 9,595 住 大阪市中央区難波5-1-60 ☎06-6643-0101 ㉕ **7** ㉔ **26(男24, 女2)**
マルシェ㈱	小 特色 居酒屋「酔虎伝」「八剣伝」や餃子食堂「マルケン」運営。関西、東海が地盤。チムニーが筆頭株主 売 単4,675 従 115 資 100 住 大阪市阿倍野区阪南町2-20-14 ☎06-6624-8100 ㉕ **13** ㉔ **10(男4, 女6)**
萬世電機㈱	卸 特色 三菱電機の総代理店。生産システム開発に強み。大阪、兵庫が地盤だが、首都圏営業を強化 売 連26,151 従 185 資 1,005 住 大阪市福島区福島7-15-5 ☎06-6454-8211 ㉕ **10** ㉔ **11(男9, 女2)**
㈱マンダム	化 特色 「ギャツビー」「ルシード」など男性化粧品首位級。女性用も育成中。海外はインドネシアに強み 売 連73,233 従 619 資 11,394 住 大阪市中央区十二軒町5-12 ☎06-6767-5001 ㉕ **14** ㉔ **13(男5, 女8)**
㈱三ッ星	非鉄 特色 キャブタイヤケーブルとプラスチック成形品(ポリマテック)が2本柱。フィリピンに生産拠点 売 連10,329 従 162 資 1,136 住 大阪市中央区本町1-4-8 ☎06-6261-8881 ㉕ **前年並** ㉔ **3(男1, 女2)**
㈱ミラタップ	小 特色 キッチンなど建築設備のネット、カタログ通販。設計事務所、工務店が主顧客。消費者へ直販も 売 連15,495 従 260 資 817 住 大阪市北区茶屋町19-19 ☎06-6359-6721 ㉕ **13** ㉔ **12(男2, 女10)**
明星工業㈱	建 特色 熱絶縁工事に強い建設工事会社。海外LNG出荷基地工事に実績。構造物補強など環境関連も 売 連60,377 従 361 資 6,889 住 大阪市西区京町堀1-8-5 ☎06-6447-0275 ㉕ **15** ㉔ **8(男6, 女2)**
㈱メガチップス	電機 特色 特定用途向け半導体ファブレスメーカー。任天堂向け主体。新たな収益柱として通信事業を育成 売 連57,942 従 329 資 4,840 住 大阪市淀川区宮原1-1-1 ☎06-6399-2884 ㉕ **前年並** ㉔ **18(男12, 女6)**
㈱森組	建 特色 土木からマンション建築主体に。旭化成ホームズが筆頭株主。長谷工コーポとの協力関係続く 売 単27,582 従 325 資 1,640 住 大阪市中央区道修町4-5-17 ☎06-6201-2763 ㉕ **20** ㉔ **5(男5, 女0)**
モリ工業㈱	鉄 特色 ステンレス溶接管の大手で加工技術に強み。自動車向けが主。ステンレス条鋼等の加工販売も 売 連47,898 従 518 資 7,360 住 大阪市中央区難波5-1-60 ☎06-6635-0201 ㉕ **前年並** ㉔ **17(男16, 女1)**
森下仁丹㈱	医 特色 代名詞の仁丹から整腸作用軸に健康サプリ、医薬品へ展開。シームレスカプセル技術に特長 売 連12,406 従 326 資 3,537 住 大阪市中央区玉造1-2-40 ☎06-6761-1131 ㉕ **5** ㉔ **13(男6, 女7)**
モリテック スチール㈱	金製 特色 特殊帯鋼の商事と焼き入れ・板金加工が2本柱。自動車向け多い。タイやインドネシア等に拠点 売 連50,774 従 336 資 1,848 住 大阪市中央区谷町6-18-31 ☎06-6762-2721 ㉕ **9** ㉔ **4(男3, 女1)**
モリト㈱	卸 特色 1908年創業の服飾付属品の大手、米社買収で金属ホックは世界首位級。自動車内装部品等も 売 連48,529 従 61 資 3,532 住 大阪市中央区南本町4-2-4 ☎06-6252-3551 ㉕ **9** ㉔ **7(男4, 女3)**
ヤマイチ・ユニハイムエステート㈱	不 特色 近畿圏地盤の不動産会社。主力の戸建ては2〜3年かけ更地から造成。商業施設などの賃貸も 売 連20,083 従 81 資 1,409 住 大阪市中央区瓦町2-4-7 ☎06-6204-0123 ㉕ **前年並** ㉔ **5(男3, 女2)**
ヤマト インターナショナル㈱	繊 特色 アパレル「クロコダイル」を展開。GMSの衣料売り場が主戦場。客層拡大へ商品・店舗を刷新中 売 連20,801 従 158 資 4,917 住 東大阪市森河内西1-3-1 ☎06-6747-9500 ㉕ **7** ㉔ **7(男2, 女5)**

会社名	[業種名] (特色) 会社の特色 (売)売上高(百万円) (従)単独従業員数(名) (資)資本金(百万円) (住)本社の住所，電話番号 ㉕25年採用計画数(名) ㉔24年入社内定者数(名)
㈱ユークス	[情通] (特色) ゲームやパチンコ・パチスロソフトの受託開発。自社ソフト開発や独自技術の2次利用の展開も (売)連4,087 (従)217 (資)412 (住)堺市堺区戎島町4-45-1 ☎072-224-5155 ㉕**未定** ㉔**5(男4，女1)**
㈱ユニバーサル園芸社	[サ] (特色) オフィスなどへの観葉植物レンタル大手。園芸雑貨・生花などの小売り、海外事業の拡大志向 (売)連16,859 (従)415 (資)172 (住)茨木市大字佐保193-2 ☎072-649-2266 ㉕**60** ㉔**53(男16，女37)**
㈱ヨータイ	[ガ土] (特色) 鉄鋼業向けの耐火物メーカー。独立系で電炉向けが多い。セメント、ガラス、電子部品にも納品 (売)連29,128 (従)510 (資)2,654 (住)貝塚市二色中町8-1 ☎072-430-2100 ㉕**10** ㉔**6(男4，女2)**
㈱ラウンドワン	[サ] (特色) ボウリング、カラオケ、ゲーム、時間制スポーツなど複合エンタメ施設を展開。米国にも出店 (売)連159,181 (従)1,332 (資)25,520 (住)大阪市中央区難波5-1-60 ☎06-6647-6600 ㉕**60** ㉔**62(男39，女23)**
㈱リグア	[サ] (特色) 接骨院へのヘルスケア商材販売軸に、患者管理システムや機材・消耗品も販売。金融事業も (売)連3,430 (従)52 (資)551 (住)大阪市中央区淡路町2-6-6 ☎06-6232-1800 ㉕**微増** ㉔**7(男6，女1)**
㈱リニカル	[サ] (特色) 新薬の治験支援(CRO)専業。がん、中枢神経、免疫系から再生医療等展開。市販後調査強化 (売)連12,307 (従)314 (資)214 (住)大阪市淀川区宮原1-6-1 ☎06-6150-2478 ㉕**20** ㉔**4(男1，女3)**
㈱リヒトラブ	[他製] (特色) 事務用品中堅。主力ファイル類に加え、収納整理用品等を製造販売。文具の新市場開拓意欲旺盛 (売)連8,803 (従)177 (資)1,830 (住)大阪市中央区農人橋1-1-22 ☎06-6946-2525 ㉕**前年並** ㉔**15(男7，女8)**
㈱レオクラン	[卸] (特色) 医療機器・設備の新設・改装病院向け一括販売が柱。遠隔画像診断、福祉施設向け給食事業も (売)連26,632 (従)137 (資)542 (住)摂津市千里丘2-4-26 ☎06-6387-1554 ㉕**前年並** ㉔**6(男5，女1)**
㈱ロイヤルホテル	[サ] (特色)「リーガロイヤルホテル」展開。23年に大阪ホテル売却、運営受託に注力。海外投資会社が大株主 (売)連20,668 (従)1,140 (資)100 (住)大阪市北区中之島5-3-68 ☎06-6448-1121 ㉕**増加** ㉔**127(男50，女77)**
㈱ロココ	[サ] (特色) システム開発会社。顧客の7割以上が大手企業。ITアウトソーシングやDX導入支援に強み (売)連7,175 (従)631 (資)642 (住)大阪市中央区西心斎橋2-1-5 ☎06-6214-3655 ㉕**増加** ㉔**22(男12，女10)**
㈱ワキタ	[卸] (特色) 大阪本拠の機械商社。土木建設機械の販売・レンタル主力。小型機の製造も。不動産事業も併営 (売)連88,654 (従)632 (資)13,821 (住)大阪市西区江戸堀1-3-20 ☎06-6449-1901 ㉕**35** ㉔**29(男21，女8)**
㈱ワッツ	[小] (特色) 100円ショップ大手。委託販売の小型軸に機動力強み。M&Aによる多角化志向。海外展開も (売)連59,309 (従)84 (資)440 (住)大阪市中央区城見1-4-70 ☎06-4792-3280 ㉕**微増** ㉔**5(男0，女5)**
㈱アジュバンホールディングス	[化] (特色) 美容室経由でヘアケア、スキンケア、美容機器を販売。関西地盤、製造は外部委託。ECで育毛剤 (売)連4,438 (従)21 (資)776 (住)神戸市中央区下山手通5-5-5 ☎078-351-3100 ㉕**10** ㉔**5(男3，女2)**
石原ケミカル㈱	[化] (特色) 金属表面処理剤の研究開発型メーカー。先端電子部品向けで台湾に進出。自動車用化学製品も柱 (売)連20,705 (従)227 (資)1,980 (住)神戸市兵庫区西柳原町5-26 ☎078-681-4801 ㉕**8** ㉔**9(男‥，女‥)**
石光商事㈱	[卸] (特色) コーヒー主力の輸入商社。1906年創業の老舗。業務用に強くシェア首位。冷凍、常温食品も (売)連62,025 (従)240 (資)623 (住)神戸市灘区岩屋南町4-40 ☎078-861-7791 ㉕**前年並** ㉔**4(男2，女2)**
㈱ウィル	[不] (特色) 関西地盤の不動産会社。中京や首都圏にも進出。分譲は戸建て中心。売買仲介、リフォーム強化 (売)連11,552 (従)194 (資)304 (住)宝塚市逆瀬川1-14-6 ☎0797-74-7272 ㉕**50** ㉔**44(男26，女18)**
S FOODS㈱	[食] (特色) 牛肉、内臓肉輸入の先駆。加工品は「こてっちゃん」が主力。食肉小売り・外食も。米国に自社工場 (売)連425,011 (従)887 (資)4,298 (住)西宮市鳴尾浜1-22-13 ☎0798-43-1065 ㉕**未定** ㉔**38(男30，女8)**
㈱大阪チタニウムテクノロジーズ	[非鉄] (特色) 高品質の金属チタンで世界首位。航空機向け多い。ポリシリコンから撤退。日本製鉄・神鋼系 (売)単55,322 (従)697 (資)8,739 (住)尼崎市東浜町1 ☎06-6413-9911 ㉕**微増** ㉔**11(男9，女2)**
川西倉庫㈱	[倉運] (特色) 業界中堅。普通、定温、冷蔵倉庫兼営。自社ネットワーク、IT強化で総合物流志向。アジア開拓 (売)連24,993 (従)417 (資)2,108 (住)神戸市兵庫区七宮町1-4-16 ☎078-671-7931 ㉕**前年並** ㉔**13(男6，女7)**
㈱関通	[倉運] (特色) EC、通販の物流支援サービスが柱。自社開発ソフト販売にも注力。楽天Gと資本、業務提携 (売)連11,938 (従)215 (資)788 (住)尼崎市西向島町111-4 ☎06-6224-3361 ㉕**未定** ㉔**19(男10，女9)**
木村化工機㈱	[機] (特色) 化学機械装置の保守・エンジ。蒸発装置強い。核燃料の輸送容器や濃縮関連機器など原発関連も (売)連24,670 (従)397 (資)1,030 (住)尼崎市杭瀬寺島2-1-2 ☎06-6488-2501 ㉕**4** ㉔**8(男7，女1)**
KLASS㈱	[機] (特色) 自動化・省力化の産業機械メーカー。法人向けは内装施工機、受注生産は2次電池製造機が得意 (売)連9,888 (従)289 (資)631 (住)たつの市龍野町日飼190 ☎0791-62-1771 ㉕**5** ㉔**7(男3，女4)**
ケミプロ化成㈱	[化] (特色) 添加剤が主力で紫外線吸収剤は国内首位。BASFジャパン向け約3割。ホーム産業事業も併営 (売)単9,236 (従)221 (資)2,155 (住)神戸市中央区京町83 ☎078-393-2530 ㉕**未定** ㉔**2(男2，女0)**
虹技㈱	[鉄] (特色) 鉄鋼鋳型、ロールから工作機械向けデンスバー(連続鋳造鋳鉄棒)、ゴミ焼却施設など注力 (売)連25,963 (従)473 (資)2,002 (住)姫路市大津区勘兵衛町4-1 ☎079-236-3221 ㉕**増加** ㉔**8(男7，女1)**
神戸電鉄㈱	[陸] (特色) 阪急系。神戸-有馬-三田が主力路線。不動産は戸建て用地売却を手がける。流通業も併営 (売)連22,313 (従)511 (資)11,710 (住)神戸市兵庫区新開地1-3-24 ☎078-576-8651 ㉕**若干名** ㉔**8(男7，女1)**

会社名	業種名 特色 会社の特色 売 売上高（百万円） 従 単独従業員数（名） 資 資本金（百万円） 住 本社の住所，電話番号 ㉕25年採用計画数（名） ㉔24年入社内定者数（名）
神戸天然物化学(株)	サ 特色 有機化合物の受託研究・開発・量産を手がける。機能材料、医薬、バイオの3本柱。大手向け多い 売 単9,154 従 320 資 1,995 住 神戸市中央区港島南町7-1-19 ☎078-955-9900 ㉕ **30** ㉔ **13(男11, 女2)**
三相電機(株)	電機 特色 各種モーター、ポンプとモーター応用製品、部品の製造。技術提案型に定評。中国でも生産、販売 売 連17,666 従 311 資 908 住 姫路市青山北1-1-1 ☎079-266-1200 ㉕ **前年並** ㉔ **9(男6, 女3)**
(株)G-7ホールディングス	小 特色 車用品「オートバックス」、食品「業務スーパー」をFC展開。野菜直売や外食、アジア進出も意欲 売 連192,992 従 64 資 1,785 住 神戸市須磨区弥栄台2-1-3 ☎078-797-7700 ㉕ **140** ㉔ **101(男58, 女43)**
JCRファーマ(株)	医 特色 ヒト成長ホルモン製剤が主力、バイオ後続品も成長。希少疾病のバイオ新薬開発にも取り組む 売 連42,871 従 955 資 9,061 住 芦屋市春日町3-19 ☎0797-32-8591 ㉕ **34** ㉔ **38(男26, 女12)**
(株)指月電機製作所	電機 特色 大型コンデンサー得意。小型・軽量、高耐熱性、高機能化へ展開。三菱電機、村田製作所と緊密 売 連26,305 従 279 資 5,001 住 西宮市大社町10-45 ☎0798-74-5821 ㉕ **18** ㉔ **16(男12, 女4)**
(株)ジャパンエンジンコーポレーション	輸機 特色 舶用ディーゼル機関専業。17年神戸発動機と三菱重工の舶用エンジン事業が統合し現社名に 売 単20,969 従 386 資 2,215 住 明石市二見町南二見1 ☎078-949-0800 ㉕ **15** ㉔ **5(男4, 女1)**
(株)シャルレ	卸 特色 代理店や特約店通じ女性インナーやアウター、化粧品を訪販。シャワーヘッド製造・販売も 売 連13,168 従 204 資 100 住 神戸市中央区港島中町7-7-1 ☎0120-01-4860 ㉕ **5** ㉔ **9(男2, 女7)**
神栄(株)	卸 特色 冷凍食品等の食品輸入を柱に展開。電子製品や防災コンサルも手がける。湿度センサー世界首位 売 連40,204 従 165 資 2,065 住 神戸市中央区京町77-1 ☎078-392-6911 ㉕ **前年並** ㉔ **2(男2, 女0)**
神姫バス(株)	陸 特色 兵庫県の大手バス会社。不動産、車両物販、業務受託、介護・レジャーサービスなど多面展開 売 連49,480 従 1,593 資 3,140 住 姫路市西駅前町1 ☎079-223-1241 ㉕ **10** ㉔ **2(男1, 女1)**
神鋼鋼線工業(株)	鉄 特色 PC鋼線首位。神戸製鋼系の鋼線2次加工会社。公共工事関連用途に強く、利益は下期に比重 売 連32,726 従 759 資 8,062 住 尼崎市中浜町10-1 ☎06-6411-1051 ㉕ **11** ㉔ **11(男8, 女3)**
神東塗料(株)	化 特色 住友系の中堅塗料メーカー。電着・粉体塗料に強み。新幹線向けに道床安定剤など軌道材料も 売 連18,954 従 314 資 2,255 住 尼崎市南塚口町6-10-73 ☎06-6426-3355 ㉕ **5** ㉔ **2(男1, 女1)**
(株)ソネック	建 特色 兵庫県（東播磨）地盤とする民間建築中心の中堅ゼネコン。子会社で化学製品運輸事業。無借金 売 連16,179 従 136 資 723 住 高砂市曽根町2257-1 ☎079-447-1551 ㉕ **10** ㉔ **14(男9, 女5)**
大栄環境(株)	サ 特色 産業・一般廃棄物の収集運搬、中間処理・再資源化、最終処分まで一貫。最終処分場の保有に強み 売 連73,035 従 1,124 資 5,907 住 神戸市東灘区向洋町中2-9-1 ☎078-857-6600 ㉕ **微増** ㉔ **14(男11, 女3)**
(株)大真空	電機 特色 水晶デバイス総合大手。音叉型や民生用振動子などシェア首位級。人工水晶から一貫生産に強み 売 連39,343 従 687 資 19,344 住 加古川市平岡町新在家1389 ☎079-426-3211 ㉕ **未定** ㉔ **11(男11, 女0)**
TOA(株)	電機 特色 構内放送設備、セキュリティシステムの2本柱。海外は商品企画から販売まで行う地域体制強化 売 連48,814 従 789 資 5,279 住 神戸市中央区港島中町7-2-1 ☎078-303-5620 ㉕ **20** ㉔ **18(男12, 女6)**
(株)TVE	機 特色 バルブ製販とメンテが主軸。PWR（加圧水型）原発向けバルブに強い。西華産業と資本提携 売 連9,396 従 300 資 1,739 住 尼崎市西立花町5-12-1 ☎06-6416-1184 ㉕ **10** ㉔ **3(男3, 女0)**
(株)帝国電機製作所	機 特色 キャンド（無漏洩）ポンプ最大手で国内シェア約6割、世界4割弱。米国企業買収。大連に工場 売 連29,217 従 317 資 3,143 住 たつの市新宮町平野60 ☎0791-75-0411 ㉕ **微減** ㉔ **12(男11, 女1)**
(株)デコルテ・ホールディングス	サ 特色 自社スタジオによるフォトウェディング主力。家族向けも。カメラマンなど専門人材を内製化 売 連IFS5,854 従 421 資 155 住 神戸市中央区加納町4-4-17 ☎078-954-5820 ㉕ **95** ㉔ **86(男7, 女79)**
東洋機械金属(株)	機 特色 小型の射出成形機や電動ダイカストマシンに強み。中国に生産子会社、伊など海外に委託生産 売 連28,842 従 540 資 2,506 住 明石市二見町福里523-1 ☎078-942-2345 ㉕ **前年並** ㉔ **13(男9, 女4)**
東リ(株)	化 特色 内装材のトップメーカー。塩ビ床材が主力。カーペット、カーテン、壁紙も。海外拡大が課題 売 連102,470 従 918 資 6,855 住 伊丹市東有岡5-125 ☎06-6492-1331 ㉕ **微増** ㉔ **24(男15, 女9)**
トーカロ(株)	金製 特色 高機能皮膜を形成する溶射加工最大手。半導体・液晶製造装置部品向けが主力。産機、鉄鋼関連も 売 連46,735 従 889 資 2,658 住 神戸市中央区港島南町6-4-4 ☎078-303-3433 ㉕ **20** ㉔ **41(男35, 女6)**
(株)ドーン	情通 特色 地理情報システム（GIS）の開発・販売と防災分野を中心としたクラウドサービスが主力 売 単1,500 従 63 資 363 住 神戸市中央区磯上通2-2-21 ☎078-222-9700 ㉕ **微増** ㉔ **2(男0, 女2)**
特殊電極(株)	金製 特色 鉄鋼、自動車設備の耐摩耗、耐食など特殊工事が主。冷却・脱臭の環境装置も。光通信の持分会社 売 連9,587 従 244 資 484 住 加古川市平岡町土山899-5 ☎078-941-9421 ㉕ **8** ㉔ **9(男5, 女4)**
トレーディア(株)	倉運 特色 神戸地盤で5大港での港湾運送が主軸。中国や東南ア中心に国際複合一貫輸送の拡充に注力 売 連15,007 従 322 資 735 住 神戸市中央区海岸通1-2-22 ☎078-391-7170 ㉕ **未定** ㉔ **4(男0, 女4)**
日亜鋼業(株)	鉄 特色 線材の2次加工大手。付加価値が高い非市況型特殊線材製品に注力。直納多い。日本製鉄系 売 連34,497 従 329 資 10,720 住 尼崎市道意町6-74 ☎06-6416-1021 ㉕ **前年並** ㉔ **13(男8, 女5)**

会社名	[業種名] (特色) 会社の特色 (売)売上高(百万円) (従)単独従業員数(名) (資)資本金(百万円) (住)本社の住所,電話番号 ㉕25年採用計画数(名) ㉔24年入社内定者数(名)
㈱ニチリン	[ゴ] (特色) 独立系自動車ホース大手。2輪車ブレーキホース高シェア。ホンダ主体。熱交換器(IHX)も (売)連70,631 (従)357 (資)2,158 (住)姫路市別所町佐土1118 ☎079-252-4151 ㉕7 ㉔9(男6,女3)
日和産業㈱	[食] (特色) 非全農系の配合飼料中堅。西日本地盤。5工場。牛用で雪印、日清丸紅と合弁。畜産子会社持つ (売)連52,887 (従)147 (資)2,011 (住)神戸市東灘区住吉浜町19-5 ☎078-811-1221 ㉕5 ㉔2(男2,女0)
日工㈱	[機] (特色) 土木用プラントメーカー。アスファルトプラントで首位。環境機械も手がける。中国で現地生産 (売)連44,097 (従)657 (資)9,197 (住)明石市大久保町江井島1013-1 ☎078-947-3131 ㉕42 ㉔32(男26,女6)
日本電子材料㈱	[電機] (特色) 半導体検査用プローブカード大手。ブラウン管カソードなどから出発。海外生産比率向上に注力 (売)連17,461 (従)693 (資)3,069 (住)尼崎市西長洲町2-5-13 ☎06-6482-2007 ㉕未定 ㉔23(男21,女2)
日本山村硝子㈱	[ガ土] (特色) ガラス瓶製造最大手。自動車部品・電子部品用ガラスのほか、飲料用キャップも。利益上期偏重 (売)連72,874 (従)750 (資)14,074 (住)尼崎市西向島町15-1 ☎06-4300-6000 ㉕10 ㉔5(男4,女1)
㈱ノザワ	[ガ土] (特色) ビル外壁に使われる押出成形セメント板メーカー。工法開発に積極的。環境関連製品を育成 (売)連23,074 (従)326 (資)2,449 (住)神戸市中央区浪花町15 ☎078-333-4111 ㉕10 ㉔6(男4,女2)
㈱ノバック	[建] (特色) 高速道路、橋梁、下水道など土木工事に強み、建築はマンション、工場、学校など大型案件に実績 (売)単34,431 (従)274 (資)1,227 (住)姫路市北条1-92 ☎079-288-3601 ㉕25 ㉔4(男4,女0)
ハリマ共和物産㈱	[卸] (特色) 日用品、化粧品の卸売り。物流加工の一括物流受託を強化。物流拠点の情報システム整い高効率 (売)連61,583 (従)181 (資)719 (住)姫路市飾東町庄313 ☎079-253-5217 ㉕10 ㉔11(男8,女3)
阪神内燃機工業㈱	[輸機] (特色) 中小型船用エンジンの老舗。省エネ・環境対応型重点。内航船向け主力。部分品・修理も収益源 (売)単9,636 (従)284 (資)824 (住)神戸市中央区海岸通8 ☎078-332-2081 ㉕増加 ㉔8(男6,女2)
兵機海運㈱	[倉運] (特色) 姫路、水島、神戸、大阪での鋼材一貫輸送に強み。中ロ韓へ外航海運も。本社に巨大物流センター (売)単14,636 (従)241 (資)612 (住)神戸市中央区港島3-6-1 ☎078-940-2351 ㉕若干名 ㉔2(男1,女1)
ヒラキ㈱	[小] (特色) 靴や衣料の通販を中心に、卸販売、小売店など展開。780円スニーカーなど超低価格帯に強み (売)連13,313 (従)248 (資)450 (住)神戸市西区岩岡町野中字福吉556 ☎078-967-1062 ㉕9 ㉔7(男0,女7)
ファースト住建㈱	[不] (特色) 旧飯田建設加古川支店がのれん分けで独立。ミニ開発の戸建て分譲、1次取得者層が主要顧客 (売)連43,373 (従)273 (資)1,584 (住)尼崎市東難波町5-6-9 ☎06-4868-5388 ㉕25 ㉔13(男11,女2)
㈱フェリシモ	[小] (特色) 月に1度商品を届ける「定期便」通販で衣料品、住宅用品、美容関連などの生活関連品を扱う (売)連29,607 (従)428 (資)1,868 (住)神戸市中央区新港町7-1 ☎078-325-5555 ㉕10 ㉔10(男0,女10)
フジッコ㈱	[食] (特色) 昆布、煮豆の総菜食品で首位。菌管理技術生かしカスピ海ヨーグルトも。年末おせち商戦比重大 (売)連55,715 (従)950 (資)6,566 (住)神戸市中央区港島中町6-13-4 ☎078-303-5911 ㉕20 ㉔20(男8,女12)
フジプレアム㈱	[化] (特色) 精密貼合技術活用しディスプレー分野に展開。車載用途市場に重点移行、太陽電池も並行強化 (売)連13,248 (従)136 (資)2,000 (住)姫路市飾西38-1 ☎079-266-6161 ㉕10 ㉔5(男5,女0)
丸尾カルシウム㈱	[化] (特色) 合成樹脂、塗料など向け工業用カルシウム(補強剤)専門メーカー。製販2子会社で中国進出 (売)連12,889 (従)230 (資)876 (住)明石市魚住町西岡1455 ☎078-942-2112 ㉕前年並 ㉔2(男1,女1)
美樹工業㈱	[建] (特色) 大阪ガス軸のガス工事、子会社のセキスイハイム販売など住宅、建設が柱。不動産賃貸を育成 (売)連32,203 (従)278 (資)764 (住)姫路市北条951-1 ☎079-281-5151 ㉕増加 ㉔13(男12,女1)
メック㈱	[化] (特色) 電子基板向け中心の薬品会社。銅表面処理剤が主力。研究開発型企業。中国、台湾などアジア強化 (売)連14,020 (従)270 (資)594 (住)尼崎市杭瀬南新町3-4-1 ☎06-6401-8160 ㉕3 ㉔3(男0,女3)
monoAI technology㈱	[情通] (特色) メタバースのプラットフォームOEM供給とメタバースイベント企画・運営。BtoBに強み (売)連1,244 (従)139 (資)1,057 (住)神戸市中央区三宮町1-8-1 ☎078-335-6230 ㉕10 ㉔6(男5,女1)
㈱MORESCO	[油炭] (特色) 独立系の化学品メーカー。自動車向けなど特殊潤滑油、合成潤滑油、素材、ホットメルトが4本柱 (売)連31,886 (従)387 (資)2,118 (住)神戸市中央区港島南町5-5-3 ☎078-303-9010 ㉕8 ㉔3(男1,女2)
モロゾフ㈱	[食] (特色) 神戸が本拠のチョコ、洋菓子の老舗。百貨店内での店舗販売が中心。喫茶・レストランも併営 (売)連34,933 (従)561 (資)3,737 (住)神戸市東灘区御影本町6-11-19 ☎078-822-5000 ㉕14 ㉔15(男4,女11)
六甲バター㈱	[食] (特色) ベビーチーズで最大手。輸入加工(QBBブランド)が主力。仕入れ、販売面で三菱商事と協力 (売)単44,296 (従)492 (資)2,843 (住)神戸市中央区坂口通1-3-13 ☎078-231-4681 ㉕16 ㉔20(男14,女6)
和田興産㈱	[不] (特色) 独立系マンション開発。「ワコーレ」商標で姫路-阪神間が地盤。賃貸併営。販売外部委託 (売)単38,825 (従)122 (資)1,403 (住)神戸市中央区栄町通4-2-13 ☎078-361-1100 ㉕4 ㉔4(男2,女2)
GMB㈱	[輸機] (特色) 独立系自動車部品メーカー。駆動系の新車用部品と補修用部品が柱。現代自動車向け3割強 (売)連96,291 (従)356 (資)878 (住)磯城郡川西町大字吐田150-3 ☎0745-44-1911 ㉕8 ㉔2(男1,女1)
㈱タカトリ	[機] (特色) 精密切断加工機が主柱、SiC向けのシェアは世界有数。液晶・半導体業界向け製造機器も (売)連16,367 (従)194 (資)963 (住)橿原市新堂町313-1 ☎0744-24-8580 ㉕7 ㉔11(男11,女0)

会社名	[業種名] (特色) 会社の特色 (売)売上高(百万円) (従)単独従業員数(名) (資)資本金(百万円) (住)本社の住所, 電話番号 ㉕25年採用計画数(名) ㉔24年入社内定者数(名)
㈱ヒラノテクシード	[機] (特色) 塗工機・化工機・各種熱処理機械が主力。電気・電子、高分子化学の高精度薄膜塗工に強み (売)連46,946 (従)321 (資)1,847 (住)北葛城郡河合町川合101-1 ☎0745-57-0681 ㉕**13** ㉔**13(男13, 女0)**
㈱オークワ	[小] (特色) 和歌山地盤に近畿、中部で食品スーパーやスーパーセンター(SuC)展開。ニチリウグループ (売)連247,378 (従)2,054 (資)14,117 (住)和歌山市中島185-3 ☎073-425-2481 ㉕**100** ㉔**69(男39, 女30)**
㈱紀陽銀行	[銀] (特色) 和歌山県唯一の地銀。県内シェアは断トツ。大阪にも展開。メイン化を軸とした本業支援に力点 (売)連84,782 (従)2,182 (資)80,096 (住)和歌山市本町1-35 ☎073-423-9111 ㉕**未定** ㉔**174(男78, 女96)**
㈱サイバーリンクス	[情通] (特色) 食品流通・公共向けシステムをクラウド提供。電子認証分野育成。和歌山地盤でドコモ販売も (売)連15,023 (従)561 (資)883 (住)和歌山市紀三井寺849-3 ☎050-3500-2797 ㉕**20** ㉔**17(男12, 女5)**
㈱島精機製作所	[機] (特色) 手袋用で出発、自動化技術で電子制御の横編み機の世界首位に。CADも得意。和歌山一極生産 (売)連35,910 (従)1,354 (資)14,859 (住)和歌山市坂田85 ☎073-471-0511 ㉕**前年並** ㉔**24(男18, 女6)**
㈱タカショー	[卸] (特色) ガーデニング用品販売で国内トップ級。家庭用とプロ用で展開。中国にも工場、米欧で販路開拓 (売)連19,411 (従)359 (資)3,043 (住)海南市南赤坂20-1 ☎073-482-4128 ㉕**10** ㉔**3(男1, 女2)**
㈱鳥取銀行	[銀] (特色) 地銀中下位。鳥取唯一の地銀だが預貸シェアは山陰合同の次。県東部地盤。西部と島根東部強化 (売)連14,646 (従)628 (資)9,061 (住)鳥取市永楽温泉町171 ☎0857-22-8181 ㉕**35** ㉔**37(男16, 女21)**
日本セラミック㈱	[電機] (特色) 赤外線センサーで国内9割、世界6割のシェア。超音波センサーでも世界的。中国等に生産拠点 (売)連24,449 (従)321 (資)10,994 (住)鳥取市広岡176-17 ☎0857-53-3600 ㉕**30** ㉔**5(男2, 女3)**
㈱島根銀行	[銀] (特色) 島根県内2位、鳥取にも地盤。上場地銀で最小規模。SBIホールディングスと資本業務提携 (売)連9,203 (従)322 (資)7,886 (住)松江市朝日町484-19 ☎0852-24-1234 ㉕**21** ㉔**21(男9, 女12)**
㈱ジュンテンドー	[小] (特色) 中国地方トップシェアのホームセンター。園芸農業・資材工具を強化。書店も展開。利益上期偏重 (売)単44,651 (従)591 (資)4,224 (住)益田市遠田町2179-1 ☎0856-24-2400 ㉕**20** ㉔**17(男11, 女6)**
E・Jホールディングス㈱	[サ] (特色) エイトコンサルと日本技術開発が07年に経営統合し発足。官公庁工事が柱の総合建設コンサル (売)連37,207 (従)20 (資)2,803 (住)岡山市北区津島京町3-1-21 ☎086-252-7520 ㉕**58** ㉔**36(男30, 女6)**
㈱ウエスコホールディングス	[サ] (特色) 西日本地盤の総合建設コンサル。測量・地質調査。スポーツ施設、水族館運営も。14年持株会社化 (売)連15,725 (従)16 (資)400 (住)岡山市北区島田本町2-5-35 ☎086-254-6111 ㉕**20** ㉔**18(男13, 女5)**
岡山県貨物運送㈱	[陸] (特色) 岡山のトラック79社統合で発祥、通称「オカケン」。中国地方基盤。自社保有車での路線事業が主 (売)連37,693 (従)1,973 (資)2,420 (住)岡山市北区清心町4-31 ☎086-252-2111 ㉕**30** ㉔**23(男10, 女13)**
㈱岡山製紙	[パ紙] (特色) 中・四国地盤の板紙中堅。王子HD系。果実贈答箱など美粧段ボールも。業績は上期偏重傾向 (売)単11,511 (従)196 (資)821 (住)岡山市南区浜野1-4-34 ☎086-262-1101 ㉕**5** ㉔**2(男2, 女0)**
㈱ジェイ・イー・ティ	[機] (特色) 半導体洗浄装置メーカー。09年に破綻したエス・イー・エス岡山工場譲り受け、韓国ゼウス傘下 (売)連24,984 (従)171 (資)1,848 (住)浅口郡里庄町大字新庄字金山6078 ☎0865-69-4080 ㉕**5** ㉔**7(男5, 女2)**
大黒天物産㈱	[小] (特色) 岡山発祥の食品ディスカウントストア。SC向け複合大型店「ラ・ムー」、単独店「ディオ」展開 (売)連270,077 (従)1,427 (資)1,716 (住)倉敷市西中新田297-1 ☎086-435-1100 ㉕**400** ㉔**248(男163, 女85)**
タツモ㈱	[機] (特色) 半導体製造装置が柱。液晶用塗布装置で高シェア。M&Aで洗浄装置、プリント板装置等も追加 (売)連28,161 (従)394 (資)3,568 (住)岡山市北区芳賀5311 ☎086-239-5000 ㉕**10** ㉔**12(男10, 女2)**
㈱テイツー	[小] (特色)「古本市場」を路面店軸に展開。再構築経て21年度より小型店出店加速、傘下の山徳の収益寄与大 (売)連35,197 (従)323 (資)100 (住)岡山市南区豊浜町2-2 ☎086-206-7610 ㉕**20** ㉔**12(男9, 女3)**
㈱天満屋ストア	[小] (特色) 百貨店天満屋系スーパー。岡山が軸。ヨーカ堂の持分法会社。子会社で総菜製造、飲食業など (売)連58,566 (従)419 (資)3,697 (住)岡山市北区岡町13-16 ☎086-232-7265 ㉕**50** ㉔**28(男10, 女18)**
㈱トマト銀行	[銀] (特色) 地銀中下位行。岡山県内2番手。第二地銀。岡山市、倉敷市が地盤。兵庫、広島、大阪にも拠点 (売)連24,065 (従)758 (資)14,310 (住)岡山市北区番町2-3-4 ☎086-221-1010 ㉕**前年並** ㉔**50(男24, 女26)**
萩原工業㈱	[他製] (特色) 樹脂繊維製品のほか機械部門も持ち原糸からの一貫生産に強み。インドネシア、中国でも生産 (売)連31,245 (従)534 (資)1,778 (住)倉敷市水島中通1-4 ☎086-440-0860 ㉕**20** ㉔**23(男19, 女4)**
アシードホールディングス㈱	[小] (特色) 酒類・飲料の製販事業を展開。自社商品扱う自販機運営も推進。上期偏重。配当性向30%目安 (売)連23,260 (従)25 (資)798 (住)福山市船町7-23 ☎084-923-5552 ㉕**10** ㉔**5(男2, 女3)**
㈱あじかん	[食] (特色) 卵加工品、水産練り製品など業務用食材主力。自社企画品やゴボウ茶事業強化。中国市場開拓 (売)連50,240 (従)738 (資)1,102 (住)広島市西区商工センター7-3-9 ☎082-277-7010 ㉕**微増** ㉔**13(男10, 女3)**
㈱アドテック プラズマ テクノロジー	[電機] (特色) 半導体・液晶製造関連のプラズマ用高周波電源装置大手。栃木子会社は研究機関・大学関連が主 (売)連12,498 (従)172 (資)835 (住)福山市引野町5-6-10 ☎084-945-1359 ㉕**増加** ㉔**6(男5, 女1)**
アヲハタ㈱	[食] (特色) 家庭用ジャムシェア約3割。産業用フルーツ加工品や介護食なども展開。キユーピーの子会社 (売)連20,287 (従)444 (資)915 (住)竹原市忠海中町1-1-25 ☎0846-26-0111 ㉕**若干名** ㉔**13(男5, 女8)**

会社名	[業種名] (特色) 会社の特色 (売)売上高(百万円) (従)単独従業員数(名) (資)資本金(百万円) (住)本社の住所，電話番号 ㉕25年採用計画数(名) ㉔24年入社内定者数(名)
㈱石井表記	[機] (特色) プリント基板製造装置大手。インクジェット塗布機はテレビ液晶用で高シェア。印刷技術も強み (売)連16,729 (従)316 (資)300 (住)福山市神辺町旭丘5 ☎084-960-1247 **㉕6 ㉔7(男7, 女0)**
北川精機㈱	[機] (特色) プリント基板プレス、FA機器中堅。銅張積層基板製造用真空プレス装置シェアは世界トップ (売)連5,933 (従)146 (資)574 (住)府中市鵜飼町800-8 ☎0847-40-1200 **㉕増加 ㉔3(男3, 女0)**
㈱北川鉄工所	[機] (特色) 自動車用などの鋳造部品、工作機械器具、立駐、産業機械など多角展開。メキシコに製造拠点 (売)連61,567 (従)1,427 (資)8,640 (住)府中市元町77-1 ☎0847-45-4560 **㉕40 ㉔30(男25, 女5)**
㈱研創	[他製] (特色) 企業向けサイン等金属銘板の国内トップ。広島を本拠に全国展開。樹脂サイン競争力向上に注力 (売)単5,888 (従)260 (資)664 (住)広島市安佐北区上深川町448 ☎082-840-1000 **㉕増加 ㉔4(男‥, 女‥)**
㈱コンセック	[卸] (特色) 建設向けダイヤモンド工具大手。切削機具・建機と特殊工事が柱。切削機具に経営資源再集中 (売)連10,379 (従)229 (資)4,090 (住)広島市西区商工センター4-6-8 ☎082-277-5451 **㉕6 ㉔2(男1, 女1)**
㈱JMS	[精] (特色) 使い捨て医療器具の大手。血液回路・透析装置、透析針に強み持つ。海外販売・生産に積極展開 (売)連65,292 (従)1,611 (資)7,411 (住)広島市中区加古町12-17 ☎082-243-5844 **㉕20 ㉔13(男8, 女5)**
中国工業㈱	[金製] (特色) 家庭用LPガス容器の最大手。飼料タンク、子会社でトラック輸送も展開。水素容器開発に注力 (売)連13,332 (従)269 (資)1,710 (住)呉市広名田1-3-1 ☎0823-72-1212 **㉕前年並 ㉔2(男2, 女0)**
戸田工業㈱	[化] (特色) 顔料・MLCC誘電体等電子素材の老舗。2次電池正極材でBASFと合弁、TDKの持分会社 (売)連26,234 (従)377 (資)7,477 (住)広島市南区京橋町1-23 ☎082-577-0055 **㉕10 ㉔11(男7, 女4)**
内海造船㈱	[輸機] (特色) 日立造船系。05年、日立造・因島を合併。中型ばら積み船、フェリー、RORO船など船種幅広い (売)連46,383 (従)575 (資)1,200 (住)尾道市瀬戸田町沢226-6 ☎0845-27-2111 **㉕22 ㉔12(男10, 女2)**
西川ゴム工業㈱	[ゴ] (特色) 自動車部品の独立系メーカー。一般産業資材も。すべての国内自動車メーカーにシール製品納入 (売)連117,904 (従)1,369 (資)3,364 (住)広島市西区三篠町2-2-8 ☎082-237-9371 **㉕50 ㉔29(男22, 女7)**
㈱ビーアールホールディングス	[建] (特色) 極東興和が中核。中国、関西地盤のPC橋梁大手。M&Aで関東、東北へエリア拡大し全国化 (売)連40,259 (従)12 (資)3,114 (住)広島市東区光町2-6-31 ☎082-261-2860 **㉕35 ㉔26(男18, 女8)**
広島ガス㈱	[電ガ] (特色) 中国地方で都市ガス供給首位。契約戸数はLPガス含め60万戸強。工業用コージェネにも注力 (売)連90,670 (従)686 (資)5,268 (住)広島市南区皆実町2-7-1 ☎082-251-2151 **㉕20 ㉔13(男8, 女5)**
広島電鉄㈱	[陸] (特色) 運輸で鉄軌道とバスが2本柱。バスは県内西部が地盤。鉄軌道は路面電車が著名。不動産も展開 (売)連30,466 (従)1,599 (資)2,335 (住)広島市中区東千田町2-9-29 ☎082-242-3521 **㉕前年並 ㉔14(男9, 女5)**
福留ハム㈱	[食] (特色) 広島を地盤に西日本展開する中堅ハム・ソーセージメーカー。加工食品のほか食肉も手がける (売)連25,193 (従)357 (資)2,691 (住)広島市西区草津港2-6-75 ☎082-278-6161 **㉕23 ㉔7(男5, 女2)**
㈱ポプラ	[小] (特色) 広島地盤のコンビニ。ローソンと共同店舗運営。施設内軸に「生活彩家」など小型店も展開 (売)連12,370 (従)127 (資)30 (住)広島市安佐北区安佐町大字久地665-1 ☎082-837-3500 **㉕微増 ㉔4(男4, 女0)**
㈱マツオカコーポレーション	[繊] (特色) アパレルOEM大手。中国、ミャンマー、バングラデシュ、ベトナムで生産。欧米系SPA開拓 (売)連60,176 (従)153 (資)586 (住)福山市宝町4-14 ☎084-973-5188 **㉕3 ㉔4(男1, 女3)**
ヤスハラケミカル㈱	[化] (特色) 天然油テルペン化学品で国内唯一のメーカー。粘着剤・塗料、香料、自動車用品などが顧客 (売)単13,192 (従)232 (資)1,789 (住)府中市高木町1071 ☎0847-45-3530 **㉕若干名 ㉔2(男2, 女0)**
㈱やまみ	[食] (特色) 豆腐および関連製品の製造・販売で中堅。拠点置く中国地方で高シェア。関東での拡販に注力中 (売)単19,001 (従)267 (資)1,245 (住)三原市沼田西町小原字袖掛73-5 ☎0848-86-3788 **㉕25 ㉔18(男‥, 女‥)**
㈱秋川牧園	[水農] (特色) 無農薬・無投薬の食肉、鶏卵、牛乳等を製造販売。主力の生協経由に加えて直販宅配を強化 (売)連7,392 (従)250 (資)714 (住)山口市仁保下郷10317 ☎083-929-0630 **㉕未定 ㉔4(男2, 女2)**
㈱エストラスト	[不] (特色) 山口県内首位のマンション開発業者。福岡など九州へ攻勢。17年TOBで西部ガスHD傘下に (売)連18,044 (従)49 (資)736 (住)下関市竹崎町4-1-22 ☎083-229-3280 **㉕前年並 ㉔7(男3, 女4)**
㈱エムビーエス	[建] (特色) 独自研磨法と特殊コーティング剤での外装リフォーム会社。直接施工と並行し契約工務店拡大 (売)単4,356 (従)86 (資)391 (住)宇部市西岐波1173-162 ☎0836-54-1414 **㉕前年並 ㉔2(男2, 女0)**
チタン工業㈱	[化] (特色) 酸化チタンの老舗。高機能の超微粒子注力。リチウムイオン電池用チタン酸リチウムを開発 (売)連7,953 (従)270 (資)3,443 (住)宇部市小串1978-25 ☎0836-31-4155 **㉕増加 ㉔2(男2, 女0)**
㈱長府製作所	[金製] (特色) 石油給湯器で首位級。太陽熱温水器や冷暖房機などへも展開。環境配慮型製品に注力。好財務 (売)連48,506 (従)1,152 (資)7,000 (住)下関市長府扇町2-1 ☎083-248-2777 **㉕30 ㉔20(男15, 女5)**
林兼産業㈱	[食] (特色) ハム・ソー、食肉の中堅。養魚・畜産用飼料が利益柱。機能性素材も。マルハニチロと関係緊密 (売)連47,376 (従)319 (資)3,415 (住)下関市大和町2-4-8 ☎083-266-0210 **㉕増加 ㉔11(男5, 女6)**
㈱リテールパートナーズ	[小] (特色) 地方の食品スーパー連合。15年山口の丸久と大分のマルミヤストア、17年福岡のマルキョウ統合 (売)連252,161 (従)770 (資)7,218 (住)防府市大字江泊1936 ☎0835-20-2477 **㉕20 ㉔16(男8, 女8)**

会社名	[業種名] (特色)会社の特色 (売)売上高(百万円) (従)単独従業員数(名) (資)資本金(百万円) (住)本社の住所，電話番号 ㉕25年採用計画数(名) ㉔24年入社内定者数(名)
阿波製紙㈱	[パ紙] (特色)和紙発祥の特殊紙企業。非木材紙に特色。エンジン用濾材など自動車関連、水処理関連が2本柱 (売)連16,115 (従)424 (資)1,385 (住)徳島市南矢三町3-10-18 ☎088-631-8101 ㉕**15** ㉔**7(男6，女1)**
ニホンフラッシュ㈱	[他製] (特色)マンション向け内装ドアの国内首位。完全オーダーメイドが特徴。近年は中国事業が業績支える (売)連25,899 (従)225 (資)1,117 (住)小松島市横須町5-26 ☎0885-32-3431 ㉕**増加** ㉔**7(男6，女1)**
アオイ電子㈱	[電機] (特色)独立系の電子部品製造。半導体集積回路組み立て・検査受託が柱。印刷ヘッドや抵抗器の製造も (売)連33,941 (従)1,615 (資)4,545 (住)高松市香西南町455-1 ☎087-882-1131 ㉕**微増** ㉔**14(男12，女2)**
大倉工業㈱	[化] (特色)合成樹脂フィルム大手。液晶向け光学フィルムなど新規材料部門が柱に成長、建材部門も強化 (売)連78,863 (従)1,052 (資)8,619 (住)丸亀市中津町1515 ☎0877-56-1111 ㉕**前年並** ㉔**39(男26，女13)**
四国化成ホールディングス㈱	[化] (特色)柱はラジアルタイヤ用不溶性硫黄をはじめとする化学品。輸出が多い。23年1月、持株会社制に (売)連63,117 (従)652 (資)6,867 (住)丸亀市土器町東8-537-1 ☎0877-22-4111 ㉕**20** ㉔**14(男9，女5)**
セーラー広告㈱	[サ] (特色)四国4県と山陽、北部九州が事業地域の中堅広告代理店。タウン誌も発行。ネット事業強化中 (売)連2,050 (従)97 (資)294 (住)高松市扇町2-7-20 ☎087-825-1156 ㉕**前年並** ㉔**5(男3，女2)**
南海プライウッド㈱	[他製] (特色)和室天井材首位。収納材、床材など住宅内装材総合メーカー。インドネシア、フランスに子会社 (売)連23,774 (従)431 (資)2,121 (住)高松市松福町1-15-10 ☎087-825-3615 ㉕**13** ㉔**10(男4，女6)**
日本興業㈱	[ガ土] (特色)コンクリ2次製品大手。主力は土木関連。舗装材にも強み。庭園等エクステリア製品開発に注力 (売)連13,673 (従)304 (資)2,019 (住)さぬき市志度4614-13 ☎087-894-8130 ㉕**未定** ㉔**10(男6，女4)**
㈱マルヨシセンター	[小] (特色)香川、徳島、愛媛地盤の中堅食品スーパー。自社工場でPB商品開発・製造。イズミと資本提携 (売)連39,823 (従)403 (資)1,077 (住)高松市国分寺町国分367-1 ☎087-874-5511 ㉕**15** ㉔**6(男4，女2)**
㈱四電工	[建] (特色)四国電力系で売上比率5割未満。電気、空調工事主力。四国外の市場開拓やメガソーラー事業も (売)連92,112 (従)2,216 (資)3,451 (住)高松市花ノ宮町2-3-9 ☎087-840-0230 ㉕**112** ㉔**114(男105，女9)**
㈱ありがとうサービス	[小] (特色)ブックオフ、ハードオフFC。フードはモスFC等と自社業態。四国・九州・沖縄や海外にも展開 (売)連9,730 (従)205 (資)547 (住)今治市八町西3-6-30 ☎0898-23-2243 ㉕**増加** ㉔**7(男2，女5)**
㈱愛媛銀行	[銀] (特色)四国全域へ展開する第二地銀。県内預貯金シェア1割強。首脳陣は生え抜き。ネット専業支店も (売)連65,163 (従)1,326 (資)21,367 (住)松山市勝山町2-1 ☎089-933-1111 ㉕**90** ㉔**97(男43，女54)**
セキ㈱	[他製] (特色)四国を中心に印刷業で全国展開。首都圏の受注開拓に重点。紙卸兼営。水性フレキソ印刷進出 (売)連11,988 (従)300 (資)1,201 (住)松山市湊町7-7-1 ☎089-945-0111 ㉕**15** ㉔**16(男5，女11)**
㈱ダイキアクシス	[化] (特色)四国のホームセンター・ダイキから事業分割し独立。環境機器、住宅機器が主力。新事業積極展開 (売)連42,681 (従)568 (資)2,556 (住)松山市美沢1-9-1 ☎089-927-2222 ㉕**19** ㉔**12(男6，女6)**
ベルグアース㈱	[水農] (特色)接ぎ木したトマト、キュウリ、ナス等の苗を開発、生産販売。花き進出。閉鎖型施設や中韓開拓も (売)連7,061 (従)225 (資)724 (住)宇和島市津島町北灘甲88-1 ☎0895-20-8231 ㉕**前年並** ㉔**16(男10，女6)**
㈱ヨンキュウ	[卸] (特色)養殖業者への養殖用稚魚・飼料販売と鮮魚販売が2本柱。マグロ養殖も手がけ、首都圏開拓に力 (売)連45,130 (従)112 (資)2,757 (住)宇和島市築地町2-318-235 ☎0895-24-0001 ㉕**10** ㉔**9(男9，女0)**
兼松エンジニアリング㈱	[機] (特色)環境整備用特装車メーカー。強力吸引作業車で国内シェア8割強、高圧洗浄車で5割の最大手 (売)単12,403 (従)267 (資)313 (住)高知市布師田3981-7 ☎088-845-5511 ㉕**未定** ㉔**14(男10，女4)**
㈱技研製作所	[機] (特色)油圧式杭圧入引抜機等を製造。圧入工事は特殊工事特化など開発型企業に転換中。地下駐輪場も (売)連29,272 (従)512 (資)8,958 (住)高知市布師田3948-1 ☎088-846-2933 ㉕**25** ㉔**21(男14，女7)**
㈱ミロク	[他製] (特色)猟銃国内首位。米ブローニング社に円建てでOEM供給。工作機械、自動車用ハンドルに多角化 (売)連11,887 (従)21 (資)863 (住)南国市篠原537-1 ☎088-863-3310 ㉕**若干名** ㉔**2(男1，女1)**
㈱アイキューブドシステムズ	[情通] (特色)法人向けMDM（モバイル端末管理）サービス首位の「CLOMO」提供。月額課金のSaaS (売)連2,949 (従)130 (資)413 (住)福岡市中央区天神4-1-37 ☎092-552-4358 ㉕**14** ㉔**14(男4，女10)**
アイ・ケイ・ケイホールディングス㈱	[サ] (特色)九州地盤に北陸、東北、四国など地方中核都市中心にゲストハウス型婚礼施設を展開。介護併営 (売)連21,990 (従)862 (資)351 (住)糟屋郡志免町片峰3-6-5 ☎050-3539-1122 ㉕**100** ㉔**159(男25，女134)**
アプライド㈱	[小] (特色)自社製品含めパソコン販売。地盤・九州から小売店は北陸まで、大学等営業拠点は仙台まで展開 (売)連42,819 (従)410 (資)381 (住)福岡市博多区東比恵3-3-1 ☎092-481-7801 ㉕**微増** ㉔**35(男27，女8)**
イオン九州㈱	[小] (特色)イオン系列。九州で総合スーパー（GMS）や食品スーパーを展開。子会社がドラッグストア運営 (売)連510,317 (従)5,268 (資)4,915 (住)福岡市博多区博多駅南2-9-11 ☎092-441-0611 ㉕**200** ㉔**160(男63，女97)**
㈱井筒屋	[小] (特色)北九州地盤の老舗百貨店。小倉本店と山口店を展開。黒崎、宇部、コレットは閉鎖し経営資源集中 (売)連22,521 (従)580 (資)100 (住)北九州市小倉北区船場町1-1 ☎093-522-3111 ㉕**未定** ㉔**8(男2，女6)**
イフジ産業㈱	[食] (特色)液卵製販2位。製パン、製菓向け中心。全国4工場体制で安定供給。連結配当性向25～30%メド (売)連24,503 (従)128 (資)455 (住)糟屋郡粕屋町戸原東2-1-29 ☎092-938-4561 ㉕**10** ㉔**4(男3，女1)**

会社名	業種名 特色 会社の特色 売 売上高(百万円) 従 単独従業員数(名) 資 資本金(百万円) 住 本社の住所, 電話番号 ㉕25年採用計画数(名) ㉔24年入社内定者数(名)
㈱ウチヤマホールディングス	サ 特色 介護、カラオケ、飲食店が3本柱。介護は入居一時金なしの有料老人ホームが主体。全国展開 売 連28,842 従 30 資 2,222 住 北九州市小倉北区熊本2-10-10 ☎093-551-0002 ㉕ 10 ㉔ 4(男2,女2)
㈱FCホールディングス	サ 特色 道路、橋梁、鉄道の調査、設計コンサルタントが中心。交通調査・自治体都市計画など官需に強い 売 連8,526 従 7 資 400 住 福岡市博多区博多駅東3-6-18 ☎092-412-8300 ㉕ 15 ㉔ 19(男10,女9)
大石産業㈱	パ紙 特色 包装資材の総合メーカー。パルプモウルドで国内首位。樹脂フィルム拡充。マレーシア現法育成 売 連21,964 従 369 資 466 住 北九州市八幡東区桃園2-7-1 ☎093-661-6511 ㉕ 未定 ㉔ 9(男5,女4)
OCHIホールディングス㈱	卸 特色 住宅建材の中堅卸。九州地盤、M&Aで全国展開。木材加工、環境、エンジニアリングとの4本柱 売 連113,366 従 369 資 400 住 福岡市中央区那の津3-12-20 ☎092-732-8959 ㉕ 5 ㉔ 4(男2,女2)
九州電力㈱	電ガ 特色 九州財界の雄。産業向け比率が高い。海外、通信事業も育成。原発は川内2基、玄海2基を保有 売 連2,139,447 従 4,726 資 237,304 住 福岡市中央区渡辺通2-1-82 ☎092-761-3031 ㉕ 未定 ㉔ 320(男269,女51)
㈱九州リースサービス	他金 特色 リースで九州首位。地域密着で総合金融サービス展開。22年10月西日本FHの持分法適用に 売 連33,508 従 134 資 2,933 住 福岡市博多区博多駅前4-3-18 ☎092-431-2530 ㉕ 6 ㉔ 6(男3,女3)
協立エアテック㈱	金製 特色 空調機器専業で中堅。ダンパーのシェア約3割で首位。24時間換気装置など住宅用途を深耕中 売 連11,896 従 321 資 1,683 住 糟屋郡篠栗町和田5-7-1 ☎092-947-6101 ㉕ 6 ㉔ 2(男2,女0)
㈱サニックス	サ 特色 太陽光発電設備工事の大手。シロアリ防除で創業。廃プラ処理や売電に加え新電力事業に進出 売 連47,167 従 1,919 資 14,041 住 福岡市博多区博多駅東2-1-23 ☎092-436-8870 ㉕ 増加 ㉔ 39(男36,女3)
㈱システムソフト	情通 特色 システム開発からWebマーケ支援など拡大。不動産サイトも。APAMAN傘下は不変 売 連3,390 従 連153 資 1,706 住 福岡市中央区天神1-12-1 ☎092-732-1515 ㉕ 15 ㉔ 12(男10,女2)
昭和鉄工㈱	金製 特色 熱源・空調・熱処理炉など機器装置、橋の欄干など素形材、工事・保守が3本柱。1883年創業 売 連13,515 従 385 資 1,641 住 糟屋郡宇美町宇美3351-8 ☎092-933-6390 ㉕ 前年並 ㉔ 15(男9,女6)
新日本製薬㈱	化 特色 オールインワン化粧品のファブレスメーカーで主要販路は通販。健康食品、医薬品も手がける 売 連37,653 従 301 資 4,158 住 福岡市中央区大手門1-4-7 ☎092-720-5800 ㉕ 15 ㉔ 10(男1,女9)
㈱スターフライヤー	空 特色 北九州拠点の新興航空。出張客軸で高単価。座席広めと独自戦略。ジャパネットHDが大株主 売 単40,019 従 740 資 1,892 住 北九州市小倉南区空港北町6 ☎093-555-4500 ㉕ 前年並 ㉔ 43(男14,女29)
㈱正興電機製作所	電機 特色 電力向け受変電設備・開閉装置が中心。九電、日立と密接。制御・情報システム技術で広く展開 売 連27,071 従 643 資 2,607 住 福岡市博多区東光2-7-25 ☎092-473-8831 ㉕ 23 ㉔ 23(男15,女8)
西部電機㈱	機 特色 搬送機械、産業機械、精密機械の3本柱。産機は公共、電力が軸。利益は下期偏重。安川電機と親密 売 連31,945 従 565 資 2,658 住 古賀市駅東3-3-1 ☎092-943-7071 ㉕ 前年並 ㉔ 36(男‥,女‥)
第一交通産業㈱	陸 特色 タクシー業界最大手。買収テコに全国展開。不動産、金融事業を拡大方針。沖縄でバス事業も 売 連100,711 従 314 資 2,027 住 北九州市小倉北区馬借2-6-8 ☎093-511-8811 ㉕ 増加 ㉔ 12(男7,女5)
大英産業㈱	不 特色 北九州エリア中心に九州全域で分譲マンション、戸建て住宅を販売。宿泊施設事業に参入 売 連35,759 従 313 資 330 住 北九州市八幡西区下上津役4-1-36 ☎093-613-5500 ㉕ 10 ㉔ 16(男7,女9)
㈱高田工業所	建 特色 鉄鋼・化学関連の中堅プラント工事会社。石油、電力、エレクトロニクスなど幅広い。メンテ拡大 売 連52,257 従 1,412 資 3,642 住 北九州市八幡西区築地町1-1 ☎093-632-2631 ㉕ 前年並 ㉔ 43(男39,女4)
㈱力の源ホールディングス	小 特色 博多ラーメン店「一風堂」が柱。フードコート、ラーメンダイニング等の業態も。海外展開強化 売 連31,776 従 18 資 3,148 住 福岡市中央区大名1-13-14 ☎092-762-4445 ㉕ 30 ㉔ 6(男5,女1)
㈱筑邦銀行	銀 特色 久留米市、福岡市を中核に福岡県南が地盤。戦後設立、地銀下位。収益多様化へアライアンス 売 連18,023 従 544 資 8,000 住 久留米市諏訪野町2456-1 ☎0942-32-5331 ㉕ 未定 ㉔ 31(男18,女13)
トラストホールディングス㈱	不 特色 九州地盤の駐車場中堅。駐車場を投資家に小口販売する商品を組成。新築マンション分譲も展開 売 連13,694 従 84 資 422 住 福岡市博多区博多駅南5-15-18 ☎092-437-8944 ㉕ 11 ㉔ 7(男5,女2)
鳥越製粉㈱	食 特色 製粉中堅グループでトップ。九州地盤。低糖質パン用などミックス粉に強み。焼酎用精麦も首位 売 連26,385 従 232 資 2,805 住 福岡市博多区比恵町5-1 ☎092-477-7110 ㉕ 若干名 ㉔ 5(男5,女0)
㈱ナフコ	小 特色 家具販売からスタート。家具専門店とHC併設店が主。九州、中国地盤だが関西、関東等にも展開 売 単192,447 従 1,374 資 3,538 住 北九州市小倉北区魚町2-6-10 ☎093-521-5155 ㉕ 100 ㉔ 68(男47,女21)
㈱南陽	卸 特色 建機、産機の販売が中心。リース、レンタルも。建機は九州、産機は関東以西が地盤。海外も育成 売 連37,991 従 153 資 1,181 住 福岡市博多区博多駅前3-19-8 ☎092-472-7331 ㉕ 9 ㉔ 5(男4,女1)
㈱西日本フィナンシャルホールディングス	銀 特色 福岡本拠の西日本シティ銀と長崎銀、西日本信用保証による共同持株会社。宮崎、大分にも展開 売 連185,595 従 3,304 資 50,000 住 福岡市博多区博多駅前3-1-1 ☎092-476-5050 ㉕ 未定 ㉔ 235(男123,女112)
ニッポンインシュア㈱	他金 特色 九州と関東圏中心に家賃保証事業を展開。介護費や入院費保証事業を拡充。配当性向10%以上 売 単2,876 従 114 資 347 住 福岡市中央区天神2-14-2 ☎092-726-1080 ㉕ 前年並 ㉔ 2(男1,女1)

会社名	[業種名] (特色)会社の特色 (売)売上高(百万円) (従)単独従業員数(名) (資)資本金(百万円) (住)本社の住所,電話番号 ㉕25年採用計画数(名) ㉔24年入社内定者数(名)
日本乾溜工業㈱	[建] (特色)交通安全施設工事が主軸。福岡に重点。防災安全用品や防草舗装材「かぐやロード」にも注力 (売)連16,894 (従)218 (資)413 (住)福岡市東区馬出1-11-11 ☎092-632-1050 ㉕**前年並** ㉔**6(男3,女3)**
日本タングステン㈱	[電機] (特色)タングステンとモリブデンの加工業。超硬合金、ロータリーカッター、自動車用電極など育成 (売)連11,464 (従)435 (資)2,509 (住)福岡市博多区美野島1-2-8 ☎092-415-5500 ㉕**微減** ㉔**16(男12,女4)**
㈱ピー・ビーシステムズ	[情通] (特色)基幹システムのクラウド化・仮想化が柱。VRシアター「MetaWalkers」も開発販売 (売)単2,900 (従)54 (資)350 (住)福岡市博多区東比恵3-3-24 ☎092-481-5669 ㉕**8** ㉔**4(男3,女1)**
㈱ピエトロ	[食] (特色)野菜用ドレッシングが収益柱。中・高級品に強い。国内外でイタリアンレストランも展開 (売)連10,096 (従)306 (資)1,719 (住)福岡市中央区天神3-4-5 ☎092-716-0300 ㉕**前年並** ㉔**8(男3,女5)**
HYUGA PRIMARY CARE㈱	[小] (特色)訪問薬局と中小薬局への訪問薬局運営ノウハウ提供事業が主軸。高齢者向け介護施設も展開 (売)連8,285 (従)578 (資)195 (住)春日市春日原北町2-2-1 ☎092-558-2120 ㉕**7** ㉔**5(男2,女3)**
㈱富士ピー・エス	[建] (特色)PC工法大手で橋梁など土木工事が主力。官公庁向けが大半。九州から全国化、枕木分野を強化 (売)連28,566 (従)439 (資)2,379 (住)福岡市中央区薬院1-13-8 ☎092-721-3471 ㉕**20** ㉔**17(男14,女3)**
㈱Fusic	[情通] (特色)クラウド型システム開発主力。AI、IoT使いデータ収集・解析分野へ展開。研究機関に強い (売)単1,798 (従)106 (資)56 (住)福岡市中央区天神4-1-7 ☎092-737-2616 ㉕**8** ㉔**7(男6,女1)**
㈱ベガコーポレーション	[小] (特色)家具・雑貨等を「LOWYA」ブランドでEC販売。主要都市で実店舗出店に注力。越境ECも (売)単16,063 (従)249 (資)1,037 (住)福岡市博多区祇園町7-20 ☎092-281-3501 ㉕**10** ㉔**18(男7,女11)**
㈱ホープ	[サ] (特色)自治体特化のサービス業。広報紙など活用の広告や冊子制作が柱。自治体の課題解決支援に軸足 (売)連2,553 (従)184 (資)10 (住)福岡市中央区薬院1-14-5 ☎092-716-1404 ㉕**10** ㉔**11(男2,女9)**
㈱マツモト	[他製] (特色)学校の卒業アルバム制作大手。学術図書等の一般商業印刷のほか、NFT売買の事業にも進出 (売)単2,214 (従)181 (資)100 (住)北九州市門司区社ノ木1-2-1 ☎093-371-0298 ㉕**未定** ㉔**5(男1,女4)**
㈱マルタイ	[食] (特色)九州地盤の即席麺メーカー。棒ラーメンが九州で高い認知度。サンヨー食品と資本・業務提携 (売)単8,944 (従)181 (資)1,989 (住)福岡市西区今宿青木1042-1 ☎092-807-0711 ㉕**5** ㉔**4(男2,女2)**
室町ケミカル㈱	[医] (特色)医薬品原薬の販売・製造、健康食品の企画・製造や、液体処理用イオン交換樹脂等の化学品も展開 (売)単6,369 (従)205 (資)143 (住)大牟田市新勝立町1-38-5 ☎0944-41-2131 ㉕**5** ㉔**4(男2,女2)**
リックス㈱	[卸] (特色)鉄鋼、自動車、電子用ポンプなど産業機械・機器のメーカー商社。旧新日鉄へのゴム靴納入で創業 (売)連49,752 (従)485 (資)827 (住)福岡市博多区山王1-15-15 ☎092-472-7311 ㉕**20** ㉔**20(男20,女0)**
㈱YE DIGITAL	[情通] (特色)安川電機の持分法適用会社。システム構築と組み込みソフト開発が主力。IoT分野を強化中 (売)連19,504 (従)546 (資)747 (住)北九州市小倉北区米町2-1-21 ☎093-522-1010 ㉕**15** ㉔**32(男18,女14)**
㈱戸上電機製作所	[電機] (特色)高圧負荷開閉器主力の配電制御システム機器メーカー。電力向け約4割、中国にも生産現法 (売)連26,731 (従)551 (資)2,899 (住)佐賀市大財北町1-1 ☎0952-24-4111 ㉕**微増** ㉔**7(男5,女2)**
久光製薬㈱	[医] (特色)貼る鎮痛消炎剤首位。医療用シェア5割。大衆薬「サロンパス」で有名。米国、中国など海外強化 (売)連141,706 (従)1,506 (資)8,473 (住)鳥栖市田代大官町408 ☎0942-83-2101 ㉕**未定** ㉔**69(男31,女38)**
グリーンランドリゾート㈱	[サ] (特色)九州などで遊園地、ホテル、ゴルフ場経営。賃貸など不動産活用に重点。西部ガスHDが筆頭株主 (売)連6,406 (従)68 (資)4,180 (住)荒尾市下井手1616 ☎0968-66-2111 ㉕**増加** ㉔**2(男0,女2)**
㈱ビューティカダンホールディングス	[卸] (特色)生花祭壇の企画提案・制作・設営、生花卸・物流が2本柱。ブライダル装花、システム開発事業も (売)連6,982 (従)14 (資)213 (住)熊本市南区流通団地1-46 ☎096-370-0004 ㉕**増加** ㉔**3(男0,女3)**
平田機工㈱	[機] (特色)生産設備エンジニアリング会社。自動車や半導体、家電関連など顧客多彩。産業用ロボットも (売)連82,839 (従)1,235 (資)2,633 (住)熊本市北区植木町一木111 ☎096-272-5558 ㉕**60** ㉔**78(男61,女17)**
㈱ヤマックス	[ガ土] (特色)九州の大手コンクリ2次製品メーカー。土木向けは九州・東北、建築向けは首都圏・九州に展開 (売)連20,807 (従)519 (資)1,752 (住)熊本市中央区水前寺3-9-5 ☎096-381-6411 ㉕**前年並** ㉔**14(男12,女2)**
㈱Lib Work	[建] (特色)熊本県、福岡県地盤の注文住宅メーカー。関東にも展開。ネット中心の販売から展示場も活用へ (売)連15,435 (従)256 (資)1,321 (住)山鹿市鍋田178-1 ☎0968-36-9112 ㉕**11** ㉔**34(男‥,女‥)**
㈱アメイズ	[サ] (特色)九州地盤に郊外・ロードサイド型のビジネスホテル「HOTEL AZ」を運営。レストランも (売)単16,907 (従)145 (資)1,299 (住)大分市西鶴崎1-7-17 ☎097-524-3301 ㉕**増加** ㉔**4(男1,女3)**
㈱大分銀行	[銀] (特色)地銀中位。大分県地盤だが福岡、宮崎、熊本でも店舗展開。香港駐在員事務所も。企業育成に注力 (売)連73,240 (従)1,569 (資)19,598 (住)大分市府内町3-4-1 ☎097-534-1111 ㉕**前年並** ㉔**45(男20,女25)**
㈱グランディーズ	[不] (特色)大分地盤の不動産会社。近県・四国や関東に展開。低価格の建売住宅と投資用物件開発が2本柱 (売)連4,600 (従)22 (資)268 (住)大分市都町2-1-10 ☎097-548-6700 ㉕**1** ㉔**3(男2,女1)**
㈱cotta	[卸] (特色)和洋菓子店、弁当店などに包装資材、食材を小ロットで通信販売。カフェなど法人向け拡大 (売)連8,615 (従)37 (資)665 (住)津久見市大字上青江4478-8 ☎0972-85-0117 ㉕**未定** ㉔**2(男1,女1)**

会社名	業種名 特色 会社の特色 売 売上高(百万円) 従 単独従業員数(名) 資 資本金(百万円) 住 本社の住所,電話番号 ㉕ 25年採用計画数(名) ㉔ 24年入社内定者数(名)
ジェイリース(株)	他金 特色 住居・事業用家賃保証の大手。大都市中心に地方へ出店し全国展開。病院向け医療費保証に進出 売 連13,220 従 431 資 717 住 大分市都町1-3-19 ☎097-534-2277 ㉕ 23 ㉔ 23(男14,女9)
(株)ジョイフル	小 特色 九州地盤。ステーキ、ハンバーグ軸のファミレスを展開。傘下に近畿地盤とするフレンドリー 売 連65,957 従 203 資 100 住 大分市三川新町1-1-45 ☎097-551-7131 ㉕ 増加 ㉔ 63(男37,女26)
(株)豊和銀行	銀 特色 大分の第二地銀。中小企業向け貸出と取引仲介に注力。金融機能強化法の公的資金注入行 売 単10,465 従 511 資 13,495 住 大分市王子中町4-10 ☎097-534-2611 ㉕ 未定 ㉔ 36(男19,女17)
旭有機材(株)	化 特色 旭化成系。半導体製造装置向けバルブなど管材やレジスト用樹脂など展開。水処理・資源開発も 売 連87,426 従 811 資 5,000 住 延岡市中の瀬町2-5955 ☎0982-35-0880 ㉕ 14 ㉔ 7(男5,女2)
(株)ハンズマン	小 特色 九州地盤の中堅ホームセンター。アイテム数が1店平均20万点の大型店に特徴。本州にも進出へ 売 単34,121 従 1,183 資 1,057 住 都城市吉尾町2080 ☎0986-38-0847 ㉕ 100 ㉔ 51(男25,女26)
(株)宮崎銀行	銀 特色 宮崎県の指定金融機関。鹿児島、福岡など域外にも展開。農業、医療・介護向けの金融も注力 売 連68,889 従 1,337 資 14,697 住 宮崎市橘通東4-3-5 ☎0985-27-3131 ㉕ 増加 ㉔ 72(男32,女40)
(株)宮崎太陽銀行	銀 特色 宮崎県地盤、隣県も展開。第二地銀。県内貸出シェアは2割弱。130億円の公的資金を完済 売 連14,615 従 592 資 8,752 住 宮崎市広島2-1-31 ☎0985-24-2111 ㉕ 前年並 ㉔ 51(男17,女34)
(株)アクシーズ	水農 特色 鶏肉国内大手。ケンタッキー(KFC)と食肉卸向け柱。飼料製造から加工まで一貫。外食FCも 売 連25,836 従 874 資 452 住 鹿児島市草牟田2-1-8 ☎099-223-7385 ㉕ 5 ㉔ 2(男2,女0)
コーアツ工業(株)	建 特色 橋梁工事中心の中堅。官公需8割。九州地盤。プレストレストコンクリ技術に定評。売電事業も 売 連9,844 従 259 資 1,319 住 鹿児島市伊敷5-17-5 ☎099-229-8181 ㉕ 未定 ㉔ 12(男12,女0)
サンケイ化学(株)	化 特色 南九州地盤の農薬メーカー。全農向け約3割。受託生産とゴルフ場等除草請負は関東にも拠点 売 連5,998 従 112 資 664 住 鹿児島市南栄2-9 ☎099-268-7588 ㉕ 未定 ㉔ 2(男0,女2)
(株)新日本科学	サ 特色 非臨床試験受託の最大手。臨床試験、医療機関支援も展開。米国市場は回復途上。経鼻薬も本腰 売 連26,450 従 連1,445 資 9,679 住 鹿児島市宮之浦町2438 ☎099-294-2600 ㉕ 未定 ㉔ 100(男‥,女‥)
(株)Misumi	卸 特色 南九州地盤のENEOS(旧新日石)系有力特約店で石油関連、LPGが柱。外食、書籍、PCも 売 連60,656 従 522 資 1,690 住 鹿児島市卸本町7-20 ☎099-260-2200 ㉕ 40 ㉔ 16(男7,女9)
(株)南日本銀行	銀 特色 鹿児島が地盤の第二地銀。県内融資シェア1割強。九州他県にも拠点。公的資金は完済済み 売 連14,565 従 640 資 13,351 住 鹿児島市山下町1-1 ☎099-226-1111 ㉕ 40 ㉔ 28(男13,女15)
(株)サンエー	小 特色 沖縄流通最大手。スーパー軸に外食等展開。ローソンと合弁でコンビニも。ニチリウグループ 売 連227,580 従 1,706 資 3,723 住 宜野湾市大山7-2-10 ☎098-898-2230 ㉕ 未定 ㉔ 86(男48,女38)
全保連(株)	他金 特色 独立系家賃債務保証会社で業界最大手。信託口座使う概算払い方式の家賃集金スキームが強み 売 単24,510 従 608 資 1,163 住 那覇市字天久905 ☎098-866-4901 ㉕ 10 ㉔ 4(男3,女1)

会社名	業種名 (事業)会社の事業構成(%) ㉕25年採用計画数(名) ㉔24年入社内定者数(名) (売)売上高(百万円) (従)単独従業員数(名) (資)資本金(百万円) (住)本社の住所,電話番号
網走信用金庫	銀 (事業)(単)現・預け金35 有価証券33 貸出金30 他2 ㉕未定 ㉔8 (売)単3,159 (従)134 (資)529 (住)北海道網走市南5条東1-4-1 ☎0152-44-5171
㈱アレフ	外 (事業)(単)レストラン 卸売 商品 ㉕40 ㉔19 (売)単48,920 (従)723 (資)100 (住)札幌市白石区菊水6条3-1-26 ☎011-823-8301
伊藤組土建㈱	建 (事業)(単)建築63 土木31 他6 ㉕未定 ㉔14 (売)単48,168 (従)419 (資)1,000 (住)札幌市中央区北4条西4-1 ☎011-241-8477
岩倉建設㈱	建 (事業)(単)土木工事60 建築工事40 ㉕未定 ㉔14 (売)単16,715 (従)262 (資)280 (住)札幌市中央区南1条西7-16-2 ☎011-281-6000
岩田地崎建設㈱	建 (事業)(単)建築部門56 土木部門43 他1 ㉕30 ㉔40 (売)単105,834 (従)769 (資)2,000 (住)札幌市中央区北二条東17-2 ☎011-221-2221
㈱AIRDO	航 (事業)(単)航空運送事業100 ㉕未定 ㉔68 (売)単51,556 (従)1,095 (資)100 (住)札幌市中央区北1条西2-9 ☎011-252-5533
㈱エイチ・エル・シー	シソ (事業)(単)システムサービス45 システム開発45 インフラ構築8 ㉕60 ㉔70 (売)単7,728 (従)811 (資)90 (住)札幌市中央区大通西20-2-18 ☎011-615-7575
渡島信用金庫	銀 (事業)(単)現・預け金28 有価証券12 貸出金60 他0 ㉕未定 ㉔6 (売)単3,565 (従)61 (資)783 (住)北海道茅部郡森町字御幸町115 ☎01374-2-2024
カネシメホールディングス㈱	食卸 (事業)(連)水産物卸売95 冷凍冷蔵倉庫3 水産物製造加工1 他1 ㉕5 ㉔5 (売)連52,401 (従)33 (資)100 (住)札幌市中央区北12条西20-1-10 ☎011-618-2110
㈱カンディハウス	他製 (事業)(単)椅子50 棚物18 テーブル18 内装1 他13 ㉕未定 ㉔10 (売)単3,480 (従)279 (資)80 (住)北海道旭川市永山北2条6 ☎0166-47-1188
㈱キョクイチホールディングス	食卸 (事業)(単)地方卸売市場・生鮮食品卸売事業を営むグループ会社の事業管理 ㉕3 ㉔3 (売)単1,497 (従)39 (資)100 (住)北海道旭川市流通団地1条2 ☎0166-48-3141
㈱栗林商会	総卸 (事業)(単)商事71 運輸29 ㉕未定 ㉔7 (売)単41,808 (従)284 (資)150 (住)北海道室蘭市入江町1-19 ☎0143-24-7011
寿産業㈱	機 (事業)(単)圧延用ガイド・関連機器24 圧延・関連機器パーツ22 一般産業機械23 耐摩耗品30 環境・機器1 ㉕未定 ㉔3 (売)単3,393 (従)69 (資)96 (住)札幌市中央区北3条東2-2-30 ☎011-261-5221
札幌テレビ放送㈱	通 (事業)(単)放送92 通信販売6 不動産2 ㉕未定 ㉔10 (売)単14,653 (従)225 (資)750 (住)札幌市中央区北一条西8-1-1 ☎011-241-1181
札幌トヨペット㈱	自販 (事業)(単)新車 中古車 サービス ㉕30 ㉔17 (売)単42,341 (従)683 (資)50 (住)札幌市豊平区月寒東1条14-1-1 ☎011-858-8181
㈱常口アトム	不 (事業)(単)アパート・マンション・戸建等居住物件の賃貸仲介 店舗・賃貸借仲介 他 ㉕30 ㉔29 (売)単9,292 (従)681 (資)50 (住)札幌市中央区北2条西3-1-12 ☎0120-270-206
シンセメック㈱	機 (事業)(単)省力・自動化装置部門80 部品加工部門20 ㉕5 ㉔5 (売)単1,108 (従)65 (資)31 (住)北海道石狩市新港西2-788-7 ☎0133-75-6600
新太平洋建設㈱	建 (事業)(単)土木建築工事 ㉕未定 ㉔5 (売)単9,547 (従)81 (資)90 (住)札幌市中央区南1条東1-2-1 ☎011-200-6000
㈱セイコーフレッシュフーズ	総卸 (事業)(単)卸売業 ㉕未定 ㉔5 (売)単112,139 (従)175 (資)492 (住)札幌市白石区流通センター7-9-35 ☎011-892-8551
㈱セコマ	小 (事業)(単)グループ会社の管理業務・不動産賃貸事業等 ㉕45 ㉔37 (売)単9,768 (従)124 (資)428 (住)札幌市中央区南9条西5-421 ☎011-511-2796
㈱ダイナックス	自 (事業)(連)自動車部品87 産業機械用部品12 他1 ㉕未定 ㉔18 (売)連77,904 (従)1,071 (資)500 (住)北海道千歳市上長都1053-1 ☎0123-24-3247
DMG MORI Digital㈱	他製 (事業)(単)ハードウエア・ソフトウエア関連 ㉕6 ㉔10 (売)単4,533 (従)227 (資)100 (住)札幌市厚別区下野幌テクノパーク1-1-14 ☎011-807-6666
道路工業㈱	建 (事業)(単)完成工事70 兼業売上30 ㉕未定 ㉔3 (売)単15,433 (従)180 (資)100 (住)札幌市中央区南8条西15-2-1 ☎011-561-2251
㈱ドーコン	築設 (事業)(単)土木設計85 建築設計9 地質調査2 測量他2 補償コンサルタント2 ㉕20 ㉔21 (売)単15,597 (従)631 (資)60 (住)札幌市厚別区厚別中央1条5-4-1 ☎011-801-1500
苫小牧信用金庫	銀 (事業)(単)現・預け金25 有価証券27 貸出金45 他3 ㉕未定 ㉔26 (売)連7,130 (従)212 (資)305 (住)北海道苫小牧市表町3-1-6 ☎0144-34-2171

会社名	[業種名] [事業]会社の事業構成(%) ㉕25年採用計画数(名) ㉔24年入社内定者数(名) [売]売上高(百万円) [従]単独従業員数(名) [資]資本金(百万円) [住]本社の住所, 電話番号
(株)中山組	[建] [事業] (単)建設業 ㉕**13** ㉔**10** [売]単31,473 [従]243 [資]100 [住]札幌市東区北19条東1-1-1 ☎011-741-7111
(株)ナシオ	[食卸] [事業] (単)菓子卸100 ㉕**未定** ㉔**11** [売]単53,508 [従]264 [資]56 [住]札幌市西区八軒9条西10-448-9 ☎011-642-5155
日本アクセス北海道(株)	[食卸] [事業] (単)食料品, 農畜産物, 花卉等販売・輸出入・企画開発・分析 他 ㉕**未定** ㉔**8** [売]単102,558 [従]230 [資]310 [住]札幌市東区苗穂町9-1-1 ☎011-750-3100
野口観光(株)	[ホ] [事業] (連)ホテル事業100 ㉕**70** ㉔**55** [売]連17,193 [従]175 [資]45 [住]北海道登別市登別温泉町203-1 ☎0143-84-2350
北門信用金庫	[銀] [事業] (単)現・預け金29 有価証券31 貸出金38 他2 ㉕**未定** ㉔**6** [売]連3,218 [従]193 [資]455 [住]北海道滝川市栄町3-3-4 ☎0125-22-1111
北海道いすゞ自動車(株)	[自販] [事業] (単)車輌63 自動車部品14 自動車修理21 他2 ㉕**10** ㉔**5** [売]単31,875 [従]347 [資]100 [住]札幌市白石区本通20-北1-68 ☎011-558-0050
北海道エネルギー(株)	[小] [事業] (単)サービスステーションの運営 ㉕**45** ㉔**27** [売]単123,364 [従]1,050 [資]480 [住]札幌市中央区北1条東3-3 ☎011-209-8300
北海道テレビ放送(株)	[通] [事業] (単)テレビ92 他8 ㉕**4** ㉔**8** [売]単11,685 [従]193 [資]750 [住]札幌市中央区北1条西1-6 ☎··
北海道糖業(株)	[食] [事業] (単)砂糖84 ビートパルプ7 バイオ製品6 農機4 ㉕**5** ㉔**5** [売]単24,942 [従]278 [資]100 [住]札幌市中央区北1条西5-2 ☎011-221-1126
北海道ハニューフーズ(株)	[食] [事業] (単)食肉の加工・販売 ㉕**5** ㉔**5** [売]単12,338 [従]82 [資]100 [住]札幌市北区新川3条19-2-12 ☎011-765-1221
北海道文化放送(株)	[通] [事業] (単)テレビ放送95 他5 ㉕**未定** ㉔**3** [売]単9,133 [従]152 [資]500 [住]札幌市中央区北一条西14-1-5 ☎011-214-5200
北海道放送(株)	[通] [事業] (単)放送関連97 事業2 不動産1 ㉕**8** ㉔**7** [売]単10,727 [従]230 [資]100 [住]札幌市中央区北一条西5-2 ☎011-232-5800
北海道リース(株)	[リ] [事業] (単)輸送用機器43 土木建設機械24 情報通信機器9 商業用設備8 他16 ㉕**8** ㉔**3** [売]単30,681 [従]90 [資]500 [住]札幌市中央区南1条西10-3 ☎011-281-2255
(株)マテック	[鉄金卸] [事業] (単)鉄60 非鉄24 紙7 廃棄物処理3 他6 ㉕**20** ㉔**18** [売]単36,137 [従]475 [資]96 [住]北海道帯広市西21条北1-3-20 ☎0155-37-5511
丸水札幌中央水産(株)	[食卸] [事業] (単)鮮魚介類35 冷凍魚介類39 加工製品類26 ㉕**5** ㉔**5** [売]単45,317 [従]105 [資]100 [住]札幌市中央区北12条西20-2-1 ☎011-643-1234
丸玉木材(株)	[他製] [事業] (単)合板60 商品36 病院2 他2 ㉕**未定** ㉔**8** [売]単49,298 [従]583 [資]100 [住]北海道網走郡津別町字新町7 ☎0152-76-2111
三ッ輪運輸(株)	[陸] [事業] (単)港湾運送22 倉庫16 貨物利用運送51 他11 ㉕**5** ㉔**10** [売]単15,197 [従]372 [資]300 [住]北海道釧路市錦町5-3 ☎0154-54-3501
(株)ムトウ	[他卸] [事業] (単)医療機器95 理化学機器3 ウェルネス2 ㉕**40** ㉔**40** [売]単136,429 [従]825 [資]501 [住]札幌市北区北11条西4-1-15 ☎011-746-5111
(株)モロオ	[化医卸] [事業] (単)医療用医薬品98 一般用医薬品1 他1 ㉕**未定** ㉔**17** [売]単121,345 [従]601 [資]800 [住]札幌市中央区北3条西15-1-50 ☎011-618-2323
よつ葉乳業(株)	[食] [事業] (単)市乳 バター 粉乳 クリーム チーズ ヨーグルト アイスクリーム ㉕**未定** ㉔**35** [売]単123,481 [従]705 [資]3,100 [住]札幌市中央区北4条西1-1 ☎011-222-1311
(株)ラルズ	[小] [事業] (単)小売99 他1 ㉕**24** ㉔**40** [売]単148,282 [従]1,015 [資]4,200 [住]札幌市中央区南13条西11-2-32 ☎011-530-6000
青森朝日放送(株)	[通] [事業] (単)テレビ放送 ㉕**未定** ㉔**6** [売]単3,393 [従]72 [資]100 [住]青森市荒川柴田125-1 ☎017-762-1111
青森放送(株)	[通] [事業] (単)テレビ ラジオ ㉕**未定** ㉔**4** [売]単4,941 [従]125 [資]150 [住]青森市松森1-8-1 ☎017-743-1234
(株)角弘	[総卸] [事業] (単)鉄鋼建設資材53 燃料29 住宅用品18 ㉕**5** ㉔**3** [売]単29,709 [従]260 [資]378 [住]青森市新町2-5-1 ☎017-723-2222
北日本造船(株)	[自] [事業] (単)新造船建造99 修理船工事1 ㉕**未定** ㉔**5** [売]単35,550 [従]259 [資]100 [住]青森県八戸市江陽3-1-25 ☎0178-24-4171

会社名	[業種名] [事業] 会社の事業構成(%) ㉕25年採用計画数(名) ㉔24年入社内定者数(名) [売]売上高(百万円) [従]単独従業員数(名) [資]資本金(百万円) [住]本社の住所，電話番号
㈱青南商事	[鉄金卸] [事業] (単)製鋼原料65 非鉄金属18 産業廃棄物処理8 自動車部品4 他5 ㉕**未定** ㉔**10** [売]単33,182 [従]636 [資]98 [住]青森県弘前市神田5-4-5 ☎0172-35-1413
太子食品工業㈱	[食] [事業] (単)豆腐・納豆等大豆加工品販売92 他卸売8 ㉕**未定** ㉔**22** [売]単19,113 [従]652 [資]70 [住]青森県三戸郡三戸町川守田字沖中68 ☎0179-22-2111
東和電機工業㈱	[電機] [事業] (単)配電盤51 操作盤・制御盤29 分電盤11 開閉器盤3 他6 ㉕**未定** ㉔**10** [売]単6,998 [従]358 [資]100 [住]青森県南津軽郡藤崎町大字榊字和田88-1 ☎0172-69-5111
東和電材㈱	[電卸] [事業] (単)電設資材卸販売 ㉕**10** ㉔**4** [売]単14,162 [従]160 [資]100 [住]青森市第二問屋町4-1-20 ☎017-771-9000
八戸ガス㈱	[電ガ] [事業] (単)ガス売上90 受注工事1 附帯事業1 他営業雑収益8 ㉕**2** ㉔**3** [売]単2,474 [従]40 [資]100 [住]青森県八戸市沼館3-6-48 ☎0178-43-3165
弘前航空電子㈱	[電機] [事業] (単)コネクタ100 ㉕**未定** ㉔**20** [売]単37,186 [従]796 [資]450 [住]青森県弘前市清野袋5-5-1 ☎0172-33-3111
プライフーズ㈱	[食] [事業] (連)ブロイラー製造98 外食事業2 ㉕**40** ㉔**32** [売]連86,973 [従]827 [資]1,793 [住]青森県八戸市北白山台2-6-30 ☎0178-70-5506
紅屋商事㈱	[小] [事業] (単)加工食品42 他・嗜好品20 生鮮食品27 非食品6 テナント1 医薬品4 ㉕**10** ㉔**8** [売]単52,747 [従]439 [資]50 [住]青森市大字石江字三好130-1 ☎0172-29-5777
㈱ほくとう	[他サ] [事業] (単)建設機械・車両等のレンタル・販売100 ㉕**未定** ㉔**3** [売]単21,131 [従]392 [資]30 [住]青森県八戸市北インター工業団地3-2-80 ☎0178-21-1513
㈱マエダ	[小] [事業] (単)スーパー100 ㉕**20** ㉔**16** [売]単37,416 [従]258 [資]30 [住]青森県むつ市小川町2-4-8 ☎0175-22-8333
㈱吉田産業	[鉄金卸] [事業] (単)建築施工31 建材15 鋼材17 土木資材14 セメント9 他14 ㉕**20** ㉔**13** [売]単82,855 [従]839 [資]363 [住]青森県八戸市廿三日町2 ☎0178-47-8111
いわて生活協同組合	[小] [事業] (単)店舗 宅配 葬祭 ㉕**未定** ㉔**4** [売]単43,659 [従]334 [資]10,961 [住]岩手県滝沢市土沢220-3 ☎019-687-1321
㈱岩手日報社	[新] [事業] (単)販売 広告 ㉕**未定** ㉔**7** [売]単6,084 [従]249 [資]200 [住]盛岡市内丸3-7 ☎019-653-4111
㈱十文字チキンカンパニー	[食] [事業] (単)鶏肉85 飼料・ひな14 電気1 ㉕**6** ㉔**7** [売]単63,665 [従]1,032 [資]100 [住]岩手県二戸市石切所字火行塚25 ☎0195-23-3377
㈱平野組	[建] [事業] (単)建築工事52 土木工事47 他1 ㉕**若干** ㉔**4** [売]単12,425 [従]116 [資]100 [住]岩手県一関市竹山町6-4 ☎0191-26-3711
㈱三田商店	[他卸] [事業] (単)セメント・生コン58 石油30 化薬9 硝子・サッシ3 ㉕**前年並** ㉔**11** [売]単44,728 [従]185 [資]120 [住]盛岡市中央通1-1-23 ☎019-624-2111
アイリスオーヤマ㈱	[他製] [事業] (単)生活用品の企画・製造・販売 ㉕**380** ㉔**415** [売]単226,527 [従]4,600 [資]100 [住]仙台市青葉区五橋2-12-1 ☎022-221-3400
阿部建設㈱	[建] [事業] (単)建築工事95 土木工事5 ㉕**2** ㉔**3** [売]単6,735 [従]60 [資]60 [住]仙台市青葉区中江2-23-20 ☎022-223-8115
㈱NTKセラテック	[ガ土] [事業] (単)各種ファインセラミックス製品の製造・販売 ㉕**22** ㉔**22** [売]単34,652 [従]780 [資]450 [住]仙台市泉区明通3-24-1 ☎022-378-9231
北日本電線㈱	[非鉄] [事業] (単)電線90 エンジニアリング10 光デバイス1 ㉕**未定** ㉔**11** [売]単33,877 [従]376 [資]135 [住]仙台市太白区鈎取字向原前6-2 ☎022-307-1800
気仙沼信用金庫	[銀] [事業] (単)現・預け金30 有価証券35 貸出金34 他1 ㉕**未定** ㉔**5** [売]単1,652 [従]105 [資]7,828 [住]宮城県気仙沼市八日町2-4-10 ☎0226-22-6830
小松物産㈱	[総卸] [事業] (単)管工機材35 住宅設備機器35 土木建築資材25 他5 ㉕**未定** ㉔**7** [売]単34,272 [従]329 [資]525 [住]仙台市青葉区一番町1-4-28 ☎022-266-1131
㈱小山商会	[リ] [事業] (単)病院寝具62 学校・会社寮寝具18 ホテルリネンサプライ16 他4 ㉕**未定** ㉔**3** [売]単25,659 [従]1,525 [資]50 [住]仙台市青葉区花京院2-2-75 ☎022-265-9701
積水ハウス不動産東北㈱	[不] [事業] (単)賃貸85 販売2 仲介2 管理1 他10 ㉕**5** ㉔**7** [売]単49,774 [従]254 [資]200 [住]仙台市青葉区本町2-16-10 ☎022-262-2251
仙南信用金庫	[銀] [事業] (単)現・預け金25 有価証券22 貸出金51 他2 ㉕**8** ㉔**8** [売]単3,350 [従]150 [資]1,850 [住]宮城県白石市沢端町1-45 ☎0224-24-3074

会社名	業種名 事業 会社の事業構成(%) ㉕25年採用計画数(名) ㉔24年入社内定者数(名) 売 売上高(百万円) 従 単独従業員数(名) 資 資本金(百万円) 住 本社の住所，電話番号
通研電気工業㈱	電機 事業 (単)製造51 工事35 電算4 商事10 ㉕未定 ㉔10 売 単10,443 従 460 資 100 住 仙台市泉区明通3-9 ☎022-377-2800
㈱デンコードー	小 事業 (単)家庭電化製品並びに関連商品の販売及び付帯工事・修理サービス ㉕25 ㉔37 売 単159,033 従 1,463 資 2,866 住 宮城県名取市上余田字千刈田308 ☎022-382-8822
東北アルフレッサ㈱	化医卸 事業 (単)医療用医薬品 他 ㉕未定 ㉔18 売 単157,343 従 824 資 105 住 仙台市若林区卸町4-8-5 ☎022-290-8210
東北放送㈱	通 事業 (単)放送95 他5 ㉕未定 ㉔6 売 単6,657 従 136 資 100 住 仙台市太白区八木山香澄町26-1 ☎022-229-1111
東北ポール㈱	ガ土 事業 (単)ポール61 パイル22 関連製品・商事17 ㉕若干 ㉔14 売 単9,642 従 228 資 236 住 仙台市青葉区大町2-15-28 ☎022-263-5252
東北緑化環境保全㈱	建 事業 (単)造園土木部門 環境部門 商品販売部門 ㉕未定 ㉔8 売 単11,009 従 438 資 50 住 仙台市青葉区本町2-5-1 ☎022-263-0607
㈱東流社	他卸 事業 (単)化粧品・日用雑貨品・家庭紙・ペットフードおよびその他商品の卸売業 ㉕10 ㉔4 売 単66,672 従 261 資 400 住 仙台市若林区卸町東3-4-13 ☎022-287-7555
㈱トーキン	電機 事業 (単)タンタルキャパシタ 電気二重層キャパシタ 磁性デバイス 圧電デバイス 各種センサ ㉕10 ㉔13 売 単47,877 従 752 資 100 住 宮城県白石市旭町7-1-1 ☎0224-24-4111
㈱トークス	建管 事業 (単)警備80 施設管理20 ㉕未定 ㉔5 売 単8,323 従 321 資 90 住 仙台市宮城野区五輪1-17-47 ☎022-799-5600
㈱バイタルネット	化医卸 事業 (単)医薬品等販売 ㉕40 ㉔74 売 単282,874 従 1,230 資 3,992 住 仙台市青葉区大手町1-1 ☎022-266-4511
㈱橋本店	建 事業 (単)土木一式工事42 建築一式工事58 ㉕10 ㉔12 売 単22,079 従 197 資 100 住 仙台市青葉区立町27-21 ☎022-714-7020
㈱東日本放送	通 事業 (単)テレビ放送100 ㉕2 ㉔4 売 単6,191 従 115 資 1,000 住 仙台市太白区あすと長町1-3-15 ☎022-304-5005
㈱深松組	建 事業 (単)特定建設 不動産賃貸 不動産取引 ㉕未定 ㉔4 売 単7,912 従 154 資 93 住 仙台市青葉区荒巻本沢2-18-1 ☎022-271-9211
㈱藤崎	小 事業 (単)百貨店業99 他1 ㉕7 ㉔5 売 単46,134 従 522 資 400 住 仙台市青葉区一番町3-2-17 ☎022-261-5111
㈱丸本組	建 事業 (単)土木67 建築26 他7 ㉕未定 ㉔4 売 単8,349 従 160 資 100 住 宮城県石巻市恵み野3-1-2 ☎0225-96-2222
㈱宮城テレビ放送	通 事業 (単)テレビCM放送収入90 他収入10 ㉕未定 ㉔4 売 単7,139 従 106 資 300 住 仙台市宮城野区日の出町1-5-33 ☎022-236-3411
秋田酒類製造㈱	食 事業 (単)清酒100 リキュール他0 ㉕2 ㉔3 売 単2,632 従 113 資 60 住 秋田市川元むつみ町4-12 ☎018-864-7331
秋田信用金庫	銀 事業 (単)現・預け金15 有価証券30 貸出金52 他3 ㉕7 ㉔7 売 単2,458 従 153 資 1,250 住 秋田市大町3-3-18 ☎018-866-6171
羽後信用金庫	銀 事業 (単)現・預け金32 有価証券19 貸出金47 ㉕20 ㉔3 売 単2,562 従 156 資 3,331 住 秋田県由利本荘市本荘24 ☎0184-23-3000
アイジー工業㈱	金製 事業 (単)アイジーサイディング62 他38 ㉕15 ㉔21 売 単30,194 従 412 資 253 住 山形県東根市大字蟹沢字上縄目1816-12 ☎0237-43-1830
ASEジャパン㈱	電機 事業 (単)半導体100 ㉕20 ㉔7 売 単5,949 従 534 資 100 住 山形県東置賜郡高畠町入生田1863 ☎0238-57-2211
エヌ・デーソフトウェア㈱	シソ 事業 (単)福祉・医療関連ソフトウェアの企画・開発・販売および運用・保守 ㉕未定 ㉔23 売 連20,398 従 448 資 100 住 山形県南陽市和田3369 ☎0238-47-3477
エムテックスマツムラ㈱	電機 事業 (単)半導体デバイス76 樹脂成型14 半導体製造装置8 自動車部品2 ㉕未定 ㉔4 売 単11,573 従 231 資 449 住 山形県天童市北久野本1-7-43 ☎023-654-3211
新庄信用金庫	銀 事業 (単)現・預け金24 有価証券23 貸出金50 他2 ㉕未定 ㉔3 売 単1,787 従 71 資 237 住 山形県新庄市本町2-9 ☎0233-22-4222
㈱スタンレー鶴岡製作所	電機 事業 (単)発光ダイオード100 ㉕3 ㉔3 売 単16,999 従 223 資 2,100 住 山形県鶴岡市渡前字大坪45 ☎0235-64-3111

会社名	[業種名] (事業) 会社の事業構成(%) ㉕25年採用計画数(名) ㉔24年入社内定者数(名) (売)売上高(百万円) (従)単独従業員数(名) (資)資本金(百万円) (住)本社の住所, 電話番号
第一貨物(株)	[陸] (事業) (単)物流関連99 他1 ㉕**110** ㉔**102** (売)単72,799 (従)4,424 (資)100 (住)山形市諏訪町2-1-20 ☎023-623-1414
鶴岡信用金庫	[銀] (事業) (単)現・預け金19 有価証券45 貸出金34 他2 ㉕**未定** ㉔**6** (売)単5,690 (従)152 (資)4,421 (住)山形県鶴岡市馬場町1-14 ☎0235-22-2360
(株)天童木工	[他製] (事業) (単)業務用家具製造66 家庭用家具製造16 自動車内装部品18 ㉕**3** ㉔**3** (売)単2,965 (従)233 (資)300 (住)山形県天童市乱川1-3-10 ☎023-653-3121
(株)でん六	[食] (事業) (単)おつまみ, 豆菓子, 甘納豆, チョコレート, ナッツの製造・販売 ㉕**未定** ㉔**29** (売)単27,449 (従)388 (資)425 (住)山形市清住町3-2-45 ☎023-644-4422
米沢信用金庫	[銀] (事業) (単)現・預け金29 有価証券29 貸出金40 他2 ㉕**10** ㉔**5** (売)単2,999 (従)116 (資)692 (住)山形県米沢市大町5-4-27 ☎0238-22-3435
あぶくま信用金庫	[銀] (事業) (単)現・預け金40 有価証券29 貸出金28 他1 ㉕**未定** ㉔**3** (売)単2,769 (従)93 (資)10,648 (住)福島県南相馬市原町区栄町2-4 ☎0244-23-5132
郡山信用金庫	[銀] (事業) (単)現・預け金40 有価証券18 貸出金40 他1 ㉕**10** ㉔**5** (売)単3,324 (従)184 (資)1,289 (住)福島県郡山市清水台2-13-26 ☎024-932-2222
佐藤工業(株)	[建] (事業) (単)土木工事32 建築工事68 ㉕**9** ㉔**5** (売)単11,799 (従)136 (資)100 (住)福島市泉字清水内1 ☎024-557-1166
(株)ダイユーエイト	[小] (事業) (単)ホームセンター 他 ㉕**未定** ㉔**45** (売)単43,078 (従)491 (資)100 (住)福島市太平寺字堰ノ上58 ☎024-545-2215
東洋システム(株)	[電機] (事業) (単)電子応用装置76 省力化用装置13 二次電池応用製品6 他5 ㉕**5** ㉔**5** (売)単5,548 (従)137 (資)100 (住)福島県いわき市常磐西郷町銭田106-1 ☎0246-72-2151
(株)福島中央テレビ	[通] (事業) (単)テレビ放送95 他・事業5 ㉕**3** ㉔**6** (売)単5,771 (従)116 (資)400 (住)福島県郡山市池ノ台13-23 ☎024-923-3300
(株)福島放送	[通] (事業) (単)テレビCM放送100 ㉕**未定** ㉔**4** (売)単4,257 (従)84 (資)100 (住)福島県郡山市桑野4-3-6 ☎024-933-1111
(株)ワタザイ	[建] (事業) (単)木質系内装工事85 木工製品製造10 建材販売5 ㉕**2** ㉔**3** (売)単2,030 (従)40 (資)24 (住)福島県郡山市富田町字池ノ上29-1 ☎024-951-0281
(株)アールビー	[金製] (事業) (単)家庭用給湯器90 業務用給湯器10 ㉕**5** ㉔**4** (売)単10,912 (従)300 (資)88 (住)茨城県土浦市北神立町1-1 ☎029-831-3511
(株)旭物産	[食] (事業) (単)カット野菜67 大根ツマ10 もやし類17 大葉等促成小物6 ㉕**10** ㉔**8** (売)単16,341 (従)260 (資)20 (住)水戸市高田町127 ☎029-303-5500
関東鉄道(株)	[鉄バ] (事業) (連)運輸74 不動産7 流通3 レジャー・サービス14 他2 ㉕**未定** ㉔**15** (売)連14,989 (従)664 (資)100 (住)茨城県土浦市卸町1-1-1 ☎029-846-0234
京三電機(株)	[自] (事業) (単)燃料ポンプモジュール ディーゼルソレノイド ディーゼルフィルタ 直噴ポンプソレノイド ㉕**未定** ㉔**13** (売)単44,459 (従)1,430 (資)1,090 (住)茨城県古河市丘里11-3 ☎0280-98-3370
(株)潤工社	[他製] (事業) (単)ハイパフォーマンスポリマー応用製品の製造・販売 ㉕**13** ㉔**10** (売)単18,443 (従)354 (資)207 (住)茨城県笠間市福田961-20 ☎0296-70-2000
関彰商事(株)	[石燃卸] (事業) (単)エネルギー90 ビジネストランスフォーメーション7 他3 ㉕**50** ㉔**50** (売)単95,216 (従)620 (資)90 (住)茨城県筑西市一本松1755-2 ☎0296-24-3121
大陽日酸東関東(株)	[化] (事業) (単)高圧ガス他各種ガスの製造販売73 各種ガス関連設備の設計・施工・検査27 ㉕**未定** ㉔**3** (売)単10,007 (従)100 (資)200 (住)茨城県日立市国分町3-1-17 ☎0294-36-0811
(株)タイヨー	[小] (事業) (単)生鮮食品スーパー100 ㉕**30** ㉔**16** (売)単132,026 (従)4,374 (資)34 (住)茨城県神栖市大野原4-7-1 ☎0299-92-6481
(株)武井工業所	[ガ土] (事業) (単)プレキャストコンクリート製品の製造・販売 ㉕**未定** ㉔**5** (売)単5,450 (従)202 (資)100 (住)茨城県石岡市若松1-3-26 ☎0299-24-5200
ダテックス(株)	[化] (事業) (単)自動車用樹脂成形内・外装品86 住宅関連樹脂成形品8 他6 ㉕**3** ㉔**3** (売)単1,061 (従)87 (資)18 (住)茨城県筑西市玉戸1019-9 ☎0296-28-2345
東京フード(株)	[食] (事業) (単)業務用チョコレート100 ㉕**未定** ㉔**15** (売)単13,490 (従)341 (資)200 (住)茨城県つくば市上大島字神明1687-1 ☎029-866-1587
東鉱商事(株)	[化医卸] (事業) (単)工業薬品 電気・電子材料 合成樹脂 石油製品 理化学関連 設備機器 ㉕**5** ㉔**4** (売)単45,774 (従)295 (資)100 (住)茨城県日立市幸町1-3-8 ☎0294-22-1172

会社名	業種名 (事業)会社の事業構成(%) ㉕25年採用計画数(名) ㉔24年入社内定者数(名) (売)売上高(百万円) (従)単独従業員数(名) (資)資本金(百万円) (住)本社の住所，電話番号
㈱東精エンジニアリング	精 (事業)(単)自動計測機器46 半導体製造装置33 計測機器サービス21 ㉕**2** ㉔**9** (売)単16,813 (従)427 (資)988 (住)茨城県土浦市東中貫町4-6 ☎029-830-1888
㈱水戸京成百貨店	小 (事業)(単)衣料品28 食料品27 雑貨15 身回品17 家庭用品5 食堂・喫茶5 サービス他3 ㉕**20** ㉔**9** (売)単22,947 (従)297 (資)50 (住)水戸市泉町1-6-1 ☎029-231-1111
結城信用金庫	銀 (事業)(単)現・預け金35 有価証券32 貸出金32 他1 ㉕**24** ㉔**6** (売)単4,392 (従)228 (資)1,924 (住)茨城県結城市大字結城557 ☎0296-32-2110
烏山信用金庫	銀 (事業)(単)現・預け金33 有価証券27 貸出金38 他2 ㉕**7** ㉔**3** (売)単2,248 (従)161 (資)676 (住)宇都宮市下岡本町4290 ☎028-678-3211
ギガフォトン㈱	精 (事業)(単)エキシマレーザ事業100 ㉕**未定** ㉔**40** (売)単44,910 (従)892 (資)5,000 (住)栃木県小山市横倉新田400 ☎0285-28-8410
菊地歯車㈱	金製 (事業)(単)自動車関連歯車44 油圧機器28 航空・宇宙9 建設機械5 産業機械4 他10 ㉕**5** ㉔**4** (売)単3,329 (従)168 (資)30 (住)栃木県足利市福富新町726-30 ☎0284-71-4315
㈱グリーンシステムコーポレーション	電ガ (事業)(単)太陽光発電システム企画・設計・施工・メンテナンス 売電収入 ㉕**6** ㉔**10** (売)単6,103 (従)81 (資)10 (住)宇都宮市鶴田町1435-1 ☎028-666-5171
㈱大協精工	ゴ皮 (事業)(単)医薬用ゴム栓48 医療用ゴム製品26 プラスチック容器26 ㉕**25** ㉔**30** (売)単23,572 (従)890 (資)100 (住)栃木県佐野市黒袴町1305-1 ☎0283-27-0008
㈱東武宇都宮百貨店	小 (事業)(単)衣料22 食料品36 雑貨20 身回品15 家庭用品2 他5 ㉕**未定** ㉔**7** (売)単26,905 (従)223 (資)50 (住)宇都宮市宮園町5-4 ☎028-636-2211
東武建設㈱	建 (事業)(単)建設99 兼業1 ㉕**未定** ㉔**3** (売)単26,198 (従)359 (資)1,091 (住)栃木県日光市大桑町138 ☎0288-21-8321
フタバ食品㈱	食 (事業)(単)冷菓冷凍調理食品部門80 フードサービス10 コンフェクショナリー10 ㉕**10** ㉔**7** (売)単21,900 (従)264 (資)492 (住)宇都宮市一条4-1-16 ☎028-634-2441
吉澤石灰工業㈱	ガ土 (事業)(単)生石灰48 砕石12 消石灰6 ドロマイト5 軽焼ドロマイト14 他15 ㉕**4** ㉔**6** (売)単22,283 (従)259 (資)216 (住)栃木県佐野市宮下町7-10 ☎0283-84-1111
アイオー信用金庫	銀 (事業)(単)現・預け金15 有価証券30 貸出金53 他2 ㉕**8** ㉔**10** (売)単4,176 (従)270 (資)1,700 (住)群馬県伊勢崎市中央町20-17 ☎0270-30-5000
㈱有賀園ゴルフ	小 (事業)(単)ゴルフクラブ45 ゴルフアパレル20 ゴルフ用品25 他10 ㉕**5** ㉔**5** (売)単7,948 (従)300 (資)48 (住)群馬県高崎市下之城町300-1 ☎027-322-3800
岩瀬産業㈱	精機卸 (事業)(単)機電62 管材38 ㉕**30** ㉔**15** (売)単48,876 (従)600 (資)60 (住)群馬県伊勢崎市下植木町3-10 ☎0270-24-5515
エスビック㈱	ガ土 (事業)(単)各種コンクリートブロック73 エクステリア商品27 ㉕**10** ㉔**7** (売)単11,506 (従)366 (資)100 (住)群馬県高崎市綿貫町1729-5 ☎027-384-4190
沖電線㈱	非鉄 (事業)(単)電線 FPC 電極線 不動産賃貸 ㉕**21** ㉔**15** (売)単12,346 (従)516 (資)4,304 (住)群馬県伊勢崎市境伊与久3344-1 ☎0270-76-4311
関東いすゞ自動車㈱	自販 (事業)(単)車両70 部品10 修理20 ㉕**未定** ㉔**34** (売)単69,032 (従)769 (資)350 (住)群馬県高崎市宮原町1-21 ☎027-346-1111
関東建設工業㈱	建 (事業)(単)総合建設業 ㉕**15** ㉔**12** (売)単58,883 (従)316 (資)1,150 (住)群馬県太田市飯田町1547 ☎0276-30-0211
桐生信用金庫	銀 (事業)(単)現・預け金10 有価証券36 貸出金53 他1 ㉕**20** ㉔**18** (売)連7,384 (従)430 (資)1,372 (住)群馬県桐生市錦町2-15-21 ☎0277-44-8181
㈱ジーシーシー	シソ (事業)(単)情報サービス64 情報処理サービス20 商品販売16 ㉕**38** ㉔**31** (売)単13,064 (従)681 (資)90 (住)前橋市上大島町96 ☎027-263-1637
しげる工業㈱	自 (事業)(単)自動車内装・外装部品 樹脂加工品 ㉕**40** ㉔**40** (売)単52,836 (従)1,132 (資)450 (住)群馬県太田市由良町330 ☎0276-31-3913
㈱上毛新聞社	新 (事業)(単)日刊新聞発行 書籍出版 各種イベント ㉕**未定** ㉔**6** (売)単7,951 (従)369 (資)36 (住)前橋市古市町1-50-21 ☎027-254-9911
㈱千代田製作所	自 (事業)(単)自動車用樹脂部品74 自動車用ワイヤリングハーネス26 ㉕**20** ㉔**20** (売)単32,300 (従)450 (資)360 (住)群馬県太田市西新町126-2 ☎0276-31-8201
ファームドゥ㈱	小 (事業)(単)農業用品11 生鮮食品58 委託販売手数料21 他10 ㉕**8** ㉔**5** (売)単6,085 (従)53 (資)98 (住)前橋市問屋町1-1-1 ☎027-219-3100

会社名	業種名 事業 会社の事業構成(%) ㉕25年採用計画数(名) ㉔24年入社内定者数(名) 売 売上高(百万円) 従 単独従業員数(名) 資 資本金(百万円) 住 本社の住所，電話番号
㈱山田製作所	自 事業 (連)4輪車部品95 2輪・汎用他5 ㉕15 ㉔8 売 連91,392 従 1,285 資 2,000 住 群馬県伊勢崎市香林町2-1296 ☎0270-40-9111
㈱ヤマダホームズ	建 事業 (単)建設・土木工事 不動産売買 家具・電化製品・住宅設備機器等の販売 他 ㉕未定 ㉔16 売 単71,193 従 1,695 資 100 住 群馬県高崎市栄町1-1 ☎027-310-2244
㈱アーベルソフト	シソ 事業 (単)ソフトウエア開発100 ㉕4 ㉔6 売 単687 従 67 資 50 住 埼玉県坂戸市薬師町10-2 ☎049-284-5748
アイ・エム・アイ㈱	精機卸 事業 (単)医療機器の輸入・販売 ㉕15 ㉔6 売 単8,831 従 226 資 100 住 埼玉県越谷市流通団地3-3-12 ☎048-988-4411
伊田テクノス㈱	建 事業 (連)建設92 不動産6 介護2 ㉕未定 ㉔15 売 連11,222 従 214 資 100 住 埼玉県東松山市松本町2-1-1 ☎0493-22-1170
大森機械工業㈱	機 事業 (単)全自動包装機械85 補給部品等15 ㉕27 ㉔21 売 単22,221 従 654 資 238 住 埼玉県越谷市西方2761 ☎048-988-2111
川口信用金庫	銀 事業 (単)現・預け金27 有価証券19 貸出金52 他2 ㉕未定 ㉔24 売 単11,178 従 629 資 2,124 住 埼玉県川口市栄町3-9-3 ☎048-253-3227
川口土木建築工業㈱	建 事業 (単)建設78 不動産22 ㉕未定 ㉔35 売 単29,416 従 247 資 210 住 埼玉県川口市本町4-11-6 ☎048-224-5111
キヤノンファインテックニスカ㈱	機 事業 (単)事務機周辺機器 産業用プリンター・他 ㉕未定 ㉔12 売 単40,854 従 1,445 資 3,451 住 埼玉県三郷市中央1-14-1 ☎048-949-2111
㈱ゴトー養殖研究所	医 事業 (単)水産用医薬品10 水産用飼料添加物10 水産用飼料50 他30 ㉕3 ㉔3 売 単7,758 従 45 資 50 住 埼玉県狭山市入間川3-1-4 ☎04-2955-0555
㈱サイサン	石燃卸 事業 (単)LPガス43 同関連機器工事8 産業・医療ガス・関連商品8 電力30 水4 他7 ㉕未定 ㉔60 売 単75,289 従 1,543 資 95 住 さいたま市大宮区桜木町1-11-5 ☎048-641-8211
埼玉トヨペット㈱	自販 事業 (単)新車64 中古車20 サービス15 他1 ㉕76 ㉔71 売 単126,962 従 1,567 資 50 住 さいたま市中央区上落合2-2-1 ☎048-859-4111
佐竹マルチミクス㈱	機 事業 (単)撹拌機器装置90 環境試験装置10 ㉕未定 ㉔5 売 単5,577 従 170 資 90 住 埼玉県戸田市新曽66 ☎048-433-8711
西武建設㈱	建 事業 (単)建築67 土木33 ㉕30 ㉔30 売 単66,962 従 703 資 11,000 住 埼玉県所沢市くすのき台1-11-1 ☎04-2926-3311
㈱セキ薬品	小 事業 (単)ドラッグストア 調剤薬局 ㉕100 ㉔90 売 単96,095 従 1,442 資 83 住 埼玉県南埼玉郡宮代町百間4-2-22 ☎・・
ちふれホールディングス㈱	化 事業 (単)化粧品100 ㉕15 ㉔20 売 単17,357 従 317 資 650 住 埼玉県川越市芳野台2-8-59 ☎049-225-6101
東武運輸㈱	陸 事業 (単)貨物利用運送 倉庫業 3PL事業他 ㉕未定 ㉔4 売 単18,150 従 29 資 294 住 埼玉県南埼玉郡宮代町川端4-13-25 ☎0480-31-1311
㈱東洋クオリティワン	化 事業 (連)ポリウレタンフォーム関連99 不動産賃貸1 ㉕未定 ㉔3 売 連36,242 従 275 資 800 住 埼玉県川越市下小坂328-2 ☎049-231-2331
日酸TANAKA㈱	機 事業 (単)FA41 産業機材30 ガス18 制御機器11 ㉕未定 ㉔4 売 単20,478 従 355 資 1,220 住 埼玉県入間郡三芳町竹間沢11 ☎049-258-4412
㈱日東テクノブレーン	ア 事業 (単)人材派遣 データ処理 システム開発 他 ㉕未定 ㉔3 売 単1,569 従 336 資 20 住 埼玉県所沢市西所沢1-14-14 ☎04-2922-5359
㈱富士薬品	小 事業 (連)薬局・ドラッグストア91 配置販売5 医薬品製造販売3 他1 ㉕567 ㉔254 売 連386,237 従 4,630 資 314 住 さいたま市大宮区桜木町4-383 ☎048-644-3240
武州瓦斯㈱	電ガ 事業 (単)ガス88 受注工事3 附帯事業収益6 他営業雑収益4 ㉕15 ㉔8 売 単43,423 従 278 資 413 住 埼玉県川越市田町32-12 ☎049-241-9000
ポラス㈱	他サ 事業 (連)グループ会社の本社機能91 他9 ㉕375 ㉔182 売 連283,594 従 197 資 40 住 埼玉県越谷市南越谷1-21-2 ☎048-989-9111
堀川産業㈱	石燃卸 事業 (単)LPガス66 石油製品15 住設機器10 不動産販売2 太陽光発電2 他5 ㉕未定 ㉔8 売 単20,449 従 640 資 605 住 埼玉県草加市住吉1-13-10 ☎048-925-1141
ホンダ開発㈱	他サ 事業 (単)不動産・建設27 保険12 旅行9 物品販売16 ケータリングサービス33 他3 ㉕5 ㉔5 売 単18,793 従 1,920 資 785 住 埼玉県和光市本町5-39 ☎048-452-5800

会社名	業種名 事業 会社の事業構成(%) ㉕25年採用計画数(名) ㉔24年入社内定者数(名) 売 売上高(百万円) 従 単独従業員数(名) 資 資本金(百万円) 住 本社の住所, 電話番号
本田金属技術(株)	自 事業 (単)シリンダーヘッド23 ピストン20 ナックル8 ウォーターパッセージ8 他41 ㉕12 ㉔9 売 単17,491 従 618 資 1,260 住 埼玉県川越市的場1620 ☎049-231-1521
(株)丸広百貨店	小 事業 (単)衣料品・食料品・雑貨家庭用品等の販売 ㉕未定 ㉔10 売 単21,012 従 900 資 100 住 埼玉県川越市新富町2-6-1 ☎049-224-1111
三井精機工業(株)	機 事業 (単)工作機械55 産業機械45 ㉕未定 ㉔6 売 単21,230 従 522 資 948 住 埼玉県比企郡川島町八幡6-13 ☎049-297-5555
三菱電機ホーム機器(株)	電機 事業 (単)家電製品 ㉕5 ㉔11 売 単18,600 従 868 資 400 住 埼玉県深谷市小前田1728-1 ☎048-584-1231
むさし証券(株)	証 事業 (単)受入手数料80 トレーディング損益10 金融収益10 ㉕10 ㉔4 売 単5,288 従 290 資 5,000 住 さいたま市大宮区桜木町4-333-13 ☎048-643-7043
(株)武蔵野	食 事業 (単)弁当42 おにぎり35 寿司7 調理パン4 麺類6 ゴルフ練習場・ホテルの運営管理5 他1 ㉕80 ㉔73 売 単175,859 従 1,673 資 260 住 埼玉県朝霞市西原1-1-1 ☎048-487-1111
(株)モンテール	食 事業 (単)洋生菓子99 他1 ㉕未定 ㉔53 売 単29,200 従 817 資 50 住 埼玉県八潮市大瀬3-1-8 ☎048-994-2100
山下ゴム(株)	ゴ皮 事業 (単)型物69 押出8 他23 ㉕10 ㉔10 売 単16,679 従 482 資 475 住 埼玉県ふじみ野市亀久保1239 ☎049-262-2121
アシザワ・ファインテック(株)	機 事業 (単)粉砕・分散機(ビーズミル)80 攪拌機(ミキサー)10 分散・混練機(ロールミル)5 粉体混合機他5 ㉕5 ㉔6 売 単2,836 従 164 資 90 住 千葉県習志野市茜浜1-4-2 ☎047-453-8111
イオンフードサプライ(株)	食 事業 (単)農産品35 水産品23 畜産品29 総菜品他13 ㉕26 ㉔18 売 単264,500 従 2,123 資 100 住 千葉県船橋市高瀬町24-6 ☎047-431-8396
(株)内山アドバンス	ガ土 事業 (単)生コンクリート製造80 他20 ㉕8 ㉔8 売 単15,891 従 235 資 100 住 千葉県市川市新井3-6-10 ☎047-398-8801
エヌデーシー(株)	自 事業 (単)軸受メタル100 ㉕9 ㉔4 売 単8,181 従 265 資 1,575 住 千葉県習志野市実籾2-39-1 ☎047-477-1122
京成建設(株)	建 事業 (単)建築工事58 土木工事42 ㉕20 ㉔7 売 単27,087 従 321 資 450 住 千葉県船橋市宮本4-17-3 ☎047-435-6321
(株)ケイハイ	建 事業 (単)ガス工事50 住宅設備20 保安10 土木他20 ㉕未定 ㉔6 売 単12,387 従 366 資 70 住 千葉県船橋市市場3-17-1 ☎047-460-0813
(株)三喜	小 事業 (連)婦人・紳士子供洋品42 実用衣料30 寝具・インテリア19 服地・クラフト等8 他1 ㉕10 ㉔10 売 連65,739 従 420 資 49 住 千葉県柏市中央町4-20 ☎04-7167-6177
しのはらプレスサービス(株)	機保 事業 (単)プレス機械特定自主点検21 プレス機械修理37 プレス機械改造19 プレス機械システム化23 ㉕10 ㉔5 売 単3,273 従 196 資 90 住 千葉県船橋市潮見町34-2 ☎047-433-7761
(株)新昭和	建 事業 (単)住宅・建設30 不動産53 他17 ㉕未定 ㉔28 売 単36,842 従 283 資 1,082 住 千葉県君津市東坂田4-3-3 ☎0439-54-7711
スターツアメニティー(株)	不 事業 (単)管理9 工事23 賃貸67 他1 ㉕30 ㉔26 売 単67,950 従 437 資 350 住 千葉市美浜区中瀬1-9-1 ☎043-274-1004
住友ケミカルエンジニアリング(株)	建 事業 (単)機械器具設置工事60 管工事30 他10 ㉕未定 ㉔5 売 単19,153 従 174 資 1,000 住 千葉市美浜区中瀬1-7-1 ☎043-299-0200
セイコーインスツル(株)	精 事業 (単)情報関連 電子部品 生産財 ㉕未定 ㉔26 売 単34,235 従 673 資 9,756 住 千葉市美浜区中瀬1-8 ☎043-211-1111
(株)セレクション	小 事業 (単)生鮮部門55 非生鮮部門45 ㉕未定 ㉔5 売 単14,925 従 117 資 30 住 千葉県市川市湊新田1-6-8 ☎047-390-3336
千葉製粉(株)	食 事業 (単)製粉60 機能素材10 食品28 他2 ㉕未定 ㉔8 売 単22,634 従 188 資 500 住 千葉市美浜区新港17 ☎043-241-0111
千葉トヨペット(株)	自販 事業 (単)自動車販売81 自動車修理17 他2 ㉕未定 ㉔6 売 単77,150 従 1,092 資 50 住 千葉市美浜区稲毛海岸4-5-1 ☎043-241-1181
(株)千葉日報社	新 事業 (単)新聞販売48 広告等39 他13 ㉕未定 ㉔6 売 単1,901 従 110 資 360 住 千葉市中央区中央4-14-10 ☎043-222-9211
千葉窯業(株)	ガ土 事業 (単)ボックスカルバート30 道路用25 擁壁10 水路10 共同溝5 他20 ㉕未定 ㉔10 売 単12,890 従 264 資 99 住 千葉市中央区市場町3-1 ☎043-221-7001

会社名	[業種名] [事業]会社の事業構成(%) ㉕25年採用計画数(名) ㉔24年入社内定者数(名) [売]売上高(百万円) [従]単独従業員数(名) [資]資本金(百万円) [住]本社の住所, 電話番号
日綜産業㈱	[リ] [事業](単)新築20 修繕(メンテナンス)70 工事10 ㉕未定 ㉔20 [売]単30,176 [従]403 [資]1,791 [住]千葉市美浜区中瀬1-3 ☎043-296-2700
日野興業㈱	[他サ] [事業](単)サニタリーユニット ユニットハウス 物置 ㉕5 ㉔6 [売]単14,770 [従]450 [資]50 [住]千葉県市川市原木3024 ☎047-318-8760
福井電機㈱	[電卸] [事業](単)重電機卸売販売48 設備工事業52 ㉕未定 ㉔5 [売]単11,541 [従]181 [資]100 [住]千葉市中央区問屋町16-3 ☎043-241-6401
三井E&Sシステム技研㈱	[シソ] [事業](単)ビジネスソリューション パッケージソリューション 製造・電子ソリューション 基盤サービス ㉕30 ㉔27 [売]単25,912 [従]634 [資]720 [住]千葉市美浜区中瀬1-3 ☎043-274-6162
ヤマサ醤油㈱	[食] [事業](単)醤油・食品・調味料・医薬品類の製造販売 ㉕未定 ㉔33 [売]単44,950 [従]888 [資]100 [住]千葉県銚子市新生町2-10-1 ☎0479-22-0095
㈱ワイズマート	[小] [事業](単)生鮮品54 グロサリー46 ㉕未定 ㉔9 [売]単47,449 [従]581 [資]630 [住]千葉県浦安市当代島1-2-25 ☎047-352-0111
アース環境サービス㈱	[他サ] [事業](単)工場等の総合環境衛生管理 ㉕50 ㉔37 [売]単29,073 [従]955 [資]296 [住]東京都中央区晴海4-7-4 ☎03-4546-0640
アースサポート㈱	[他サ] [事業](単)介護サービス100 ㉕100 ㉔53 [売]連20,680 [従]6,000 [資]52 [住]東京都渋谷区本町1-4-14 ☎03-3377-1100
アートチャイルドケア㈱	[他サ] [事業](単)保育所運営・サービス100 ㉕50 ㉔50 [売]単8,996 [従]1,256 [資]50 [住]東京都品川区東品川1-3-10 ☎03-5461-0123
アールエム東セロ㈱	[化] [事業](単)包装フィルム ㉕16 ㉔19 [売]単78,717 [従]1,254 [資]3,450 [住]東京都千代田区神田美土代町7 ☎03-6895-9300
IHI運搬機械㈱	[機] [事業](単)パーキングシステム 運搬システム ㉕15 ㉔37 [売]単73,388 [従]1,634 [資]2,647 [住]東京都中央区明石町8-1 ☎03-5550-5321
㈱IHI回転機械エンジニアリング	[機] [事業](単)汎用機械等製造・修理・点検工事65 汎用機械等装置据付工事15 部品販売15 機器販売5 ㉕9 ㉔7 [売]単43,676 [従]1,153 [資]1,033 [住]東京都江東区東雲1-7-12 ☎03-6703-0350
㈱IHI原動機	[機] [事業](単)陸上発電設備・ポンプ駆動設備45 船舶用機関・Zペラ55 ㉕7 ㉔10 [売]単64,131 [従]1,460 [資]3,000 [住]東京都千代田区外神田2-14-5 ☎03-4366-1200
㈱IHIビジネスサポート	[他サ] [事業](単)設備メンテ19 土木・建築20 不動産9 人材9 他43 ㉕7 ㉔12 [売]単19,666 [従]731 [資]480 [住]東京都千代田区丸の内3-4-1 ☎03-3213-7800
㈱ISTソフトウェア	[シソ] [事業](単)システム開発サービス97 情報処理サービス2 システム機器販売1 ㉕28 ㉔21 [売]単8,100 [従]516 [資]100 [住]東京都大田区蒲田5-37-1 ☎03-5480-7211
㈱アイオス	[シソ] [事業](単)ITサービス99 デジタルソリューション1 ㉕20 ㉔20 [売]単5,712 [従]253 [資]313 [住]東京都港区浜松町2-4-1 ☎03-5843-7651
アイレット㈱	[シソ] [事業](単)ITコンサルティング システム開発・保守・運用 サーバハウジング・ホスティング ㉕50 ㉔49 [売]単53,683 [従]873 [資]70 [住]東京都港区虎ノ門1-23-1 ☎03-6206-6820
青木あすなろ建設㈱	[建] [事業](単)建築54 土木46 ㉕60 ㉔40 [売]単81,541 [従]950 [資]5,000 [住]東京都港区芝4-8-2 ☎03-5419-1011
あかつき証券㈱	[証] [事業](連)受入手数料44 トレーディング損益55 金融収益1 ㉕未定 ㉔9 [売]連14,479 [従]184 [資]3,067 [住]東京都中央区日本橋小舟町8-1 ☎03-5641-7800
㈱秋田書店	[新] [事業](単)雑誌85 書籍15 ㉕未定 ㉔4 [売]単14,000 [従]150 [資]57 [住]東京都千代田区飯田橋2-10-8 ☎03-3264-7011
アクアス㈱	[化] [事業](単)水処理薬品61 サービス30 プラント9 ㉕未定 ㉔6 [売]単13,946 [従]471 [資]375 [住]東京都品川区北品川5-5-15 ☎03-5795-2711
アクサ損害保険㈱	[保] [事業](単)火災0 傷害1 自動車94 自賠責1 ペット5 ㉕25 ㉔21 [売]単55,887 [従]768 [資]17,221 [住]東京都台東区寿2-1-13 ☎03-4335-8570
㈱アクティス	[シソ] [事業](単)ソフトウェア開発64 IT基盤サービス17 他ソリューション19 ㉕20 ㉔13 [売]単4,279 [従]306 [資]100 [住]東京都千代田区東神田2-3-10 ☎03-5822-7070
朝日機材㈱	[他卸] [事業](単)資材工事27 機械8 鉄鋼7 仮設機材58 ㉕未定 ㉔14 [売]単38,272 [従]350 [資]400 [住]東京都千代田区大手町1-1-3 ☎03-6774-7079
旭日産業㈱	[総卸] [事業](単)住環境機器35 管工機材8 工業製品26 工業材料31 他0 ㉕10 ㉔11 [売]単101,612 [従]431 [資]330 [住]東京都中央区日本橋本石町1-1-6 ☎03-5200-8111

会社名	[業種名] (事業)会社の事業構成(%) ㉕25年採用計画数(名) ㉔24年入社内定者数(名) (売)売上高(百万円) (従)単独従業員数(名) (資)資本金(百万円) (住)本社の住所, 電話番号
朝日信用金庫	[銀] (事業)(単)現・預け金22 有価証券14 貸出金61 他3 ㉕**未定** ㉔**52** (売)連35,671 (従)1,336 (資)19,102 (住)東京都台東区台東2-8-2 ☎03-3833-0251
㈱アサヒセキュリティ	[他サ] (事業)(単)輸送警備96 機械警備4 ㉕**未定** ㉔**59** (売)単50,706 (従)6,056 (資)100 (住)東京都港区海岸2-4-2 ☎03-5441-8383
㈱アサヒファシリティズ	[建管] (事業)(単)不動産管理収入98 保険手数料1 他1 ㉕**50** ㉔**42** (売)単63,938 (従)1,728 (資)450 (住)東京都江東区新砂1-3-3 ☎03-5683-1191
㈱アテナ	[他サ] (事業)(単)メーリングサービス49 物流サービス23 デジタルBPOサービス13 プリント11 他4 ㉕**未定** ㉔**16** (売)単15,292 (従)185 (資)100 (住)東京都江戸川区臨海町5-2-2 ☎03-3689-3511
㈱アトックス	[建管] (事業)(単)電力向けメンテナンス80 他20 ㉕**30** ㉔**30** (売)単29,333 (従)1,784 (資)150 (住)東京都港区芝4-11-3 ☎03-6758-9000
アビリティーズ・ケアネット㈱	[他卸] (事業)(単)福祉用具の販売とレンタル 障害者・高齢者の各種施設運営 ㉕**10** ㉔**6** (売)単7,460 (従)503 (資)414 (住)東京都渋谷区代々木4-30-3 ☎03-5388-7521
アベイズム㈱	[他製] (事業)(単)印刷 マニュアル編集 デジタルコンテンツソリューション エレクトロニクスデザイン 出版 他 ㉕**未定** ㉔**6** (売)単7,000 (従)550 (資)94 (住)東京都目黒区上目黒4-30-12 ☎03-5720-7000
アムス・インターナショナル㈱	[不] (事業)(単)サブリース93 不動産流通1 他6 ㉕**未定** ㉔**9** (売)単9,232 (従)136 (資)100 (住)東京都豊島区東池袋1-15-12 ☎03-5958-0011
アライドテレシス㈱	[電機] (事業)(単)ネットワーク機器100 ㉕**30** ㉔**23** (売)単28,608 (従)857 (資)1,987 (住)東京都品川区西五反田7-21-11 ☎03-5437-6000
ALSOKファシリティーズ㈱	[建管] (事業)(単)清掃衛生管理30 設備保守管理22 保安警備9 エンジニアリング25 他14 ㉕**38** ㉔**43** (売)単20,533 (従)1,009 (資)72 (住)東京都千代田区四番町4-2 ☎03-3264-2923
アルファテック・ソリューションズ㈱	[シソ] (事業)(単)システムソリューション提供 システム運用・保守・サービス マルチベンダ機器販売 ㉕**22** ㉔**13** (売)単15,676 (従)240 (資)1,000 (住)東京都品川区大井1-20-10 ☎03-6831-7200
アルプス システム インテグレーション㈱	[シソ] (事業)(単)デジタル, セキュリティ, ファームウェア, AI・IoT等のソリューション提供 ㉕**40** ㉔**30** (売)単17,204 (従)520 (資)200 (住)東京都大田区雪谷大塚町1-7 ☎03-5499-8181
安藤ハザマ興業㈱	[他卸] (事業)(単)建材売上73 他27 ㉕**若干** ㉔**3** (売)単73,418 (従)136 (資)152 (住)東京都江東区亀戸1-38-4 ☎03-5626-7130
EAファーマ㈱	[医] (事業)(単)医薬品および医療機器の研究開発, 製造, 販売および輸出入 ㉕**未定** ㉔**19** (売)単56,622 (従)913 (資)9,145 (住)東京都中央区入船2-1-1 ☎03-6280-9500
イースタン・カーライナー㈱	[海] (事業)(連)海上運賃収入 貸船料収入 ㉕**未定** ㉔**3** (売)連77,735 (従)164 (資)100 (住)東京都品川区東品川2-5-8 ☎03-5769-7611
㈱池田理化	[精機卸] (事業)(単)理化学機器販売100 ㉕**10** ㉔**10** (売)単変25,221 (従)516 (資)50 (住)東京都千代田区鍛治町1-8-6 ☎03-5256-1051
イシグロ㈱	[他卸] (事業)(単)バルブ38 継手22 パイプ化成品23 計器他17 ㉕**50** ㉔**46** (売)単82,745 (従)998 (資)100 (住)東京都中央区八丁堀4-5-8 ☎050-1704-7011
石福金属興業㈱	[非鉄] (事業)(単)金銀白金地金売買 貴金属地金精製・回収 工業用・医療用貴金属製品製販 ㉕**未定** ㉔**9** (売)単167,954 (従)346 (資)100 (住)東京都千代田区内神田3-20-7 ☎03-3252-3131
いすゞ自動車首都圏㈱	[自販] (事業)(単)車両65 修理26 産業機械0 部品7 他2 ㉕**38** ㉔**60** (売)単163,352 (従)1,474 (資)100 (住)東京都江東区新木場1-18-14 ☎03-3522-4700
㈱井田両国堂	[化医卸] (事業)(単)化粧品90 日用品・装粧品10 ㉕**未定** ㉔**37** (売)単170,990 (従)298 (資)90 (住)東京都千代田区麹町4-2-6 ☎03-3514-2008
㈱イチネンケミカルズ	[化] (事業)(単)工業薬品 化学品 ㉕**8** ㉔**5** (売)単11,918 (従)244 (資)100 (住)東京都港区芝浦4-2-8 ☎03-6414-5600
イッツ・コミュニケーションズ㈱	[通] (事業)(単)放送法による一般放送事業 電気通信事業法による電気通信事業 ㉕**20** ㉔**18** (売)単29,901 (従)654 (資)5,294 (住)東京都世田谷区用賀4-10-1 ☎03-4346-1600
㈱伊藤製鐵所	[鉄] (事業)(単)鉄筋コンクリート用棒鋼100 ㉕**未定** ㉔**6** (売)単39,688 (従)318 (資)691 (住)東京都千代田区神田小川町1-3-1 ☎03-5829-4630
伊藤忠アーバンコミュニティ㈱	[不] (事業)(単)マンション管理 ビルマネジメント レジデンシャル運営 エンジニアリング ㉕**未定** ㉔**17** (売)連36,079 (従)757 (資)310 (住)東京都中央区日本橋大伝馬町1-4 ☎03-3662-5100
伊藤忠オートモービル㈱	[精機卸] (事業)(単)自動車部品20 建機・産機用部品81 二輪車および部品0 ㉕**7** ㉔**7** (売)連18,487 (従)136 (資)360 (住)東京都港区北青山2-5-1 ☎03-3497-4700

会社名	業種名 事業 会社の事業構成(%) ㉕25年採用計画数(名) ㉔24年入社内定者数(名) 売 売上高(百万円) 従 単独従業員数(名) 資 資本金(百万円) 住 本社の住所, 電話番号
伊藤忠TC建機(株)	精機卸 事業 (単)建機レンタル業界用商品54 仮設資材16 移動式クレーン4 シールド・PFP15 他11 ㉕未定 ㉔7 売 連40,859 従 135 資 2,300 住 東京都中央区日本橋室町1-13-7 ☎03-3242-5211
伊藤忠テクノソリューションズ(株)	シソ 事業 (単)エンタープライズ16 流通11 情報通信31 広域・社会インフラ18 金融10 他14 ㉕300 ㉔294 売 連647,500 従 5,087 資 21,764 住 東京都港区虎ノ門4-1-1 ☎03-6403-6000
伊藤忠プラスチックス(株)	化医卸 事業 (単)包装材料 合成樹脂原料素材 電子材料 産業資材 ㉕10 ㉔9 売 単215,452 従 513 資 1,000 住 東京都千代田区一番町21 ☎03-6880-1600
伊藤忠ロジスティクス(株)	倉埠 事業 (単)国際物流66 国内物流34 ㉕未定 ㉔32 売 連103,175 従 457 資 5,083 住 東京都港区東新橋1-5-2 ☎03-6254-6100
今中(株)	総卸 事業 (単)食品80 化学品20 ㉕未定 ㉔4 売 単37,172 従 56 資 100 住 東京都千代田区九段北4-1-28 ☎03-5213-2761
入江(株)	精機卸 事業 (単)半導体関連機器 理化学機器 計測機器他 ㉕未定 ㉔4 売 単17,660 従 78 資 45 住 東京都中央区日本橋本町4-5-14 ☎03-3241-7100
岩井機械工業(株)	機 事業 (単)食料品・医薬品・化学品製造機械の設計・製造・販売・修理 ㉕10 ㉔18 売 単25,542 従 397 資 511 住 東京都大田区東糀谷3-17-10 ☎03-3744-1119
岩城製薬(株)	医 事業 (単)医薬品100 ㉕未定 ㉔3 売 単9,794 従 173 資 210 住 東京都中央区日本橋本町4-8-2 ☎03-6626-6250
イワタボルト(株)	金製 事業 (単)ボルト・ファスナー類・省力機器100 ㉕10 ㉔10 売 単27,081 従 444 資 308 住 東京都品川区西五反田2-32-4 ☎03-3493-0211
(株)イングリウッド	他サ 事業 (単)情報通信 ㉕60 ㉔40 売 単13,679 従 260 資 79 住 東京都渋谷区道玄坂1-21-1 ☎03-6455-1161
インフォテック(株)	シソ 事業 (単)受託開発ソフトウエア95 パッケージ販売5 ㉕40 ㉔40 売 単8,797 従 533 資 205 住 東京都新宿区西新宿3-7-1 ☎03-3348-0360
ウエットマスター(株)	機 事業 (単)加湿器98 流量計2 他0 ㉕5 ㉔5 売 単8,029 従 216 資 100 住 東京都新宿区中落合3-15-15 ☎03-3954-1101
(株)ウエノ	精機卸 事業 (単)切削工具7 油圧・空圧8 作業工具9 駆動・伝動9 FA8 測定計器7 他52 ㉕10 ㉔7 売 単27,159 従 339 資 412 住 東京都台東区東上野1-9-6 ☎03-3835-3991
(株)ウォーターエージェンシー	他サ 事業 (単)上・下水道処理施設のオペレーション・メンテナンス78 商品22 ㉕未定 ㉔4 売 単72,560 従 2,812 資 200 住 東京都新宿区東五軒町3-25 ☎03-3267-4001
内宮運輸機工(株)	陸 事業 (単)運送業14 建設業84 不動産業2 ㉕5 ㉔5 売 単8,300 従 300 資 84 住 東京都江戸川区中央1-8-1 ☎03-3651-1111
宇宙技術開発(株)	シソ 事業 (単)ロケット・人工衛星追跡管制65 各種データ解析15 調査研究10 他10 ㉕40 ㉔31 売 単9,778 従 778 資 100 住 東京都中野区中野5-62-1 ☎03-3319-4002
エア・ウォーターアグリ＆フーズ(株)	食 事業 (単)ハム・デリカ 冷凍野菜 ソース スイーツ ㉕7 ㉔5 売 単46,590 従 262 資 250 住 東京都品川区東品川4-13-14 ☎03-6711-4340
ANAファシリティーズ(株)	不 事業 (単)不動産事業 社宅管理事業 保険代理店事業 ファシリティマネジメント事業 ㉕未定 ㉔5 売 単16,265 従 118 資 100 住 東京都中央区日本橋2-14-1 ☎03-6625-8210
(株)エーピーアイ コーポレーション	化 事業 (単)医薬原薬・医薬中間体100 ㉕未定 ㉔15 売 単18,288 従 432 資 4,000 住 東京都港区浜松町1-30-5 ☎03-6809-1103
(株)エーピーコミュニケーションズ	シソ 事業 (単)ネットワーク・サーバー関連90 ソフトウエア開発10 ㉕10 ㉔8 売 単4,805 従 432 資 92 住 東京都千代田区鍛冶町2-9-12 ☎03-5297-8011
(株)エービーシー商会	他卸 事業 (単)土木建築資材85 建築工事15 ㉕20 ㉔20 売 単30,427 従 480 資 90 住 東京都千代田区永田町2-12-14 ☎03-3507-7111
エームサービス(株)	他サ 事業 (連)フードサービス事業 オフィスコーヒー・給茶サービス事業他 ㉕未定 ㉔703 売 連191,787 従 5,447 資 100 住 東京都港区赤坂2-23-1 ☎03-6234-7500
(株)SRA	シソ 事業 (単)開発68 運用・構築25 販売6 ㉕35 ㉔30 売 単21,903 従 840 資 2,640 住 東京都豊島区南池袋2-32-8 ☎03-5979-2111
(株)SI＆C	シソ 事業 (単)システムインテグレーション AI・IoT活用支援 クラウド活用支援 他 ㉕50 ㉔47 売 単変6,425 従 657 資 350 住 東京都中央区勝どき1-7-3 ☎03-5547-5700
SMB建材(株)	他卸 事業 (単)窯業建材 請負工事 合板 木質ボード 木質建材 住宅機器 木材製品他 ㉕未定 ㉔6 売 単108,952 従 431 資 3,035 住 東京都港区虎ノ門2-2-1 ☎03-5573-5101

会社名	業種名 事業 会社の事業構成(%) ㉕25年採用計画数(名) ㉔24年入社内定者数(名) 売 売上高(百万円) 従 単独従業員数(名) 資 資本金(百万円) 住 本社の住所, 電話番号
㈱SMBC信託銀行	信 事業 (単)信託銀行業 銀行業他 ㉕**未定** ㉔**37** 売単122,754 従1,657 資87,550 住東京都千代田区丸の内1-3-2 ☎・・
㈱エスケーホーム	不 事業 (単)不動産99 他1 ㉕**15** ㉔**13** 売単16,895 従92 資100 住東京都新宿区西新宿2-6-1 ☎03-5339-1566
SCSKサービスウェア㈱	シソ 事業 (単)プロセスサービス システムマネジメントサービス ヒューマンリソースサービス ㉕**未定** ㉔**26** 売単35,026 従2,910 資100 住東京都江東区豊洲3-2-24 ☎03-6890-2500
SCSK Minoriソリューションズ㈱	シソ 事業 (単)受託開発ソフトウエア ㉕**71** ㉔**68** 売単27,826 従1,474 資480 住東京都江東区豊洲3-2-20 ☎03-6772-6900
㈱SBI証券	証 事業 (単)受入手数料41 トレーディング損益21 金融収益38 他0 ㉕**未定** ㉔**20** 売連203,398 従910 資54,323 住東京都港区六本木1-6-1 ☎03-5562-7210
㈱SBI新生銀行	銀 事業 (連)現・預け金20 有価証券10 貸出金49 他21 ㉕**80** ㉔**71** 売連530,771 従2,288 資512,204 住東京都中央区日本橋室町2-4-3 ☎03-6880-7000
SBS東芝ロジスティクス㈱	倉埠 事業 (単)貨物利用運送事業 倉庫業 通関業 他 ㉕**25** ㉔**26** 売単93,584 従778 資2,128 住東京都新宿区西新宿8-17-1 ☎03-6772-8201
SBSリコーロジスティクス㈱	陸 事業 (単)運送48 保管・荷役30 包装5 国際物流14 他3 ㉕**未定** ㉔**26** 売単85,604 従2,029 資448 住東京都新宿区西新宿8-17-1 ☎03-6772-8202
SBSロジコム㈱	陸 事業 (単)物流事業97 不動産3 他0 ㉕**未定** ㉔**10** 売単82,991 従1,199 資101 住東京都新宿区西新宿8-17-1 ☎03-6772-8204
㈱S-FIT	不 事業 (単)不動産賃貸仲介・管理・売買仲介 ㉕**未定** ㉔**50** 売単4,095 従425 資127 住東京都港区六本木1-6-1 ☎03-5797-7030
㈱エッサム	シソ 事業 (単)事務用品65 財務用コンピュータ35 ㉕**5** ㉔**12** 売単4,690 従255 資455 住東京都千代田区神田須田町1-26-3 ☎03-3254-8751
NRS㈱	陸 事業 (単)運送44 倉庫23 賃貸12 通関17 他4 ㉕**20** ㉔**19** 売連0 従658 資2,000 住東京都千代田区神田錦町3-7-1 ☎03-5281-8111
NSユナイテッド内航海運㈱	海 事業 (単)海運業 陸運業 他 ㉕**未定** ㉔**3** 売連27,215 従137 資718 住東京都千代田区大手町1-5-1 ☎03-6895-6500
㈱NXワンビシアーカイブズ	シソ 事業 (単)データ・ソリューション 保険代理店 ㉕**未定** ㉔**20** 売単20,405 従836 資4,000 住東京都港区虎ノ門4-1-28 ☎03-5425-5100
NOKフガクエンジニアリング㈱	機 事業 (単)金型75 各種機械装置(圧縮成形機)25 ㉕**4** ㉔**4** 売単6,382 従336 資150 住東京都港区芝大門1-12-15 ☎・・
NGB㈱	他サ 事業 (単)外国特許 実用新案 意匠 商標の出願仲介 調査 情報サービス 翻訳他 ㉕**2** ㉔**3** 売単77,001 従293 資41 住東京都港区西新橋1-7-13 ☎03-6203-9111
NTTアドバンステクノロジ㈱	他サ 事業 (単)トータルソリューション24 アプリケーション21 ソーシャルプラットフォーム39 マテリアル&ナノテクノロジー16 ㉕**32** ㉔**31** 売単72,368 従2,103 資5,000 住東京都新宿区西新宿3-20-2 ☎03-5843-5100
㈱NTT-ME	通 事業 (単)電気・情報通信50 ITソリューション50 ㉕**未定** ㉔**296** 売単117,993 従12,500 資100 住東京都新宿区西新宿3-19-2 ☎03-3985-2121
NTTコムエンジニアリング㈱	通 事業 (単)サービス運用 ㉕**50** ㉔**47** 売単43,037 従1,848 資100 住東京都港区芝浦1-2-1 ☎03-6737-1001
エヌ・ティ・ティ・システム開発㈱	シソ 事業 (単)ソフトウェア設計・開発100 ㉕**未定** ㉔**58** 売単9,043 従950 資100 住東京都豊島区目白2-16-20 ☎03-3985-8711
㈱NTTデータCCS	シソ 事業 (単)ソフトウェア開発57 情報処理33 システム販売10 他0 ㉕**30** ㉔**30** 売単15,953 従726 資330 住東京都品川区東品川4-12-1 ☎03-5782-9500
NTTデータ先端技術㈱	シソ 事業 (単)情報通信システムおよび関連ソフトウェア等の設計・開発等 他 ㉕**50** ㉔**40** 売単65,056 従1,108 資100 住東京都中央区月島1-15-7 ☎03-5843-6800
㈱NTTデータ ニューソン	シソ 事業 (単)エンジニアリングサービス ソフトウェア受託開発 ソリューションビジネス ㉕**20** ㉔**20** 売単10,608 従549 資100 住東京都港区赤坂2-2-12 ☎03-5545-8631
エバーネットデータ㈱	シソ 事業 (単)ソフトウエア74 人材サプライ8 OAサービス8 不動産管理10 ㉕**10** ㉔**5** 売単967 従150 資100 住東京都千代田区五番町12 ☎03-6823-1130
荏原商事㈱	精機卸 事業 (単)機械設備工事他47 産業用機械器具販売24 他29 ㉕**10** ㉔**9** 売単26,607 従580 資200 住東京都中央区日本橋茅場町3-9-10 ☎03-5645-0151

会社名	業種名 (事業)会社の事業構成(%) ㉕25年採用計画数(名) ㉔24年入社内定者数(名) (売)売上高(百万円) (従)単独従業員数(名) (資)資本金(百万円) (住)本社の住所,電話番号
F-LINE㈱	陸 (事業)(単)貨物利用運送 倉庫 貨物自動車運送 他 ㉕**94** ㉔**36** (売)単79,343 (従)1,748 (資)2,480 (住)東京都中央区晴海1-8-11 ☎03-6910-1080
MSD㈱	医 (事業)(単)医療用医薬品・ワクチンの開発・輸入・製造・販売 ㉕**未定** ㉔**12** (売)単395,277 (従)3,200 (資)26,349 (住)東京都千代田区九段北1-13-12 ☎03-6272-1000
エムエスティ保険サービス㈱	保 (事業)(単)保険代理業 ㉕**40** ㉔**41** (売)単14,376 (従)998 (資)1,010 (住)東京都新宿区西新宿1-6-1 ☎03-3340-3566
エムエム建材㈱	鉄金卸 (事業)(単)建設鋼材 製鋼原料 ㉕**未定** ㉔**21** (売)単752,337 (従)640 (資)10,375 (住)東京都港区東新橋1-5-2 ☎03-6891-1777
エム・ケー㈱	不 (事業)(単)物件75 ヘッドリース22 家賃2 管理業務1 ㉕**未定** ㉔**3** (売)単5,925 (従)49 (資)100 (住)東京都日野市大坂上1-30-28 ☎042-589-0222
エム・シー・ヘルスケアホールディングス㈱	他卸 (事業)(連)医療材料・機器・医薬品調達等の支援・SPD(物流管理) 病院経営コンサルティング ㉕**未定** ㉔**20** (売)連147,458 (従)129 (資)548 (住)東京都港区港南2-16-1 ☎03-6852-0010
㈱エム・テイー・フード	外 (事業)(単)給食100 ㉕**未定** ㉔**10** (売)単4,460 (従)279 (資)20 (住)東京都港区南青山1-26-1 ☎03-3408-6609
MDロジス㈱	陸 (事業)(単)包装12 輸送33 保管20 配送10 国際物流25 他0 ㉕**27** ㉔**27** (売)単106,281 (従)974 (資)1,735 (住)東京都中野区中野4-10-1 ☎03-6777-9950
王子製鉄㈱	鉄 (事業)(単)平鋼96 角鋼4 ㉕**未定** ㉔**8** (売)連41,926 (従)350 (資)345 (住)東京都中央区日本橋3-2-5 ☎03-5201-7711
王子物流㈱	陸 (事業)(単)倉庫15 運輸65 沿岸荷役2 請負5 他13 ㉕**3** ㉔**4** (売)単77,051 (従)592 (資)1,434 (住)東京都中央区銀座5-12-8 ☎03-5550-3110
大内新興化学工業㈱	化 (事業)(単)有機ゴム薬品88 果樹用抗菌剤5 化成品7 ㉕**未定** ㉔**6** (売)単13,479 (従)314 (資)115 (住)東京都中央区日本橋小舟町7-4 ☎03-3662-6451
㈱オーク製作所	電機 (事業)(単)機械装置部門76 管球部門15 他9 ㉕**8** ㉔**6** (売)単20,124 (従)484 (資)588 (住)東京都町田市小山ヶ丘3-9-6 ☎042-798-5120
㈱オオゼキ	小 (事業)(単)スーパーマーケット ㉕**120** ㉔**102** (売)単101,718 (従)1,407 (資)100 (住)東京都世田谷区北沢2-9-21 ☎03-6407-2511
大塚製薬㈱	医 (事業)(単)医薬品・臨床検査・医療機器・食料品・化粧品の製造・販売 ㉕**未定** ㉔**138** (売)単716,504 (従)5,827 (資)20,000 (住)東京都港区港南2-16-4 ☎03-6717-1400
大塚刷毛製造㈱	他卸 (事業)(単)塗装用刷毛 ローラー他 資材の全国販売 ㉕**未定** ㉔**19** (売)単35,227 (従)530 (資)100 (住)東京都新宿区四谷4-1 ☎03-3357-4711
大林ファシリティーズ㈱	建管 (事業)(単)ビル管理71 建築管理26 ビジネスサポート(アウトソーシング受託)他3 ㉕**未定** ㉔**33** (売)単33,222 (従)1,280 (資)50 (住)東京都千代田区神田錦町1-6 ☎03-5281-8311
㈱オーム電機	電機 (事業)(単)電気用品製造・輸入・卸100 ㉕**未定** ㉔**4** (売)単21,694 (従)312 (資)100 (住)東京都豊島区南池袋2-26-4 ☎03-3988-7181
オーロラ㈱	繊紙卸 (事業)(単)洋傘製造卸57 洋品部門20 帽子部門23 ㉕**3** ㉔**4** (売)単6,280 (従)157 (資)100 (住)東京都渋谷区神宮前2-7-7 ☎03-5771-2050
㈱オカモトヤ	他卸 (事業)(単)オフィス家具47 事務機械20 文具30 印刷3 ㉕**6** ㉔**5** (売)単7,524 (従)139 (資)70 (住)東京都港区虎ノ門1-1-24 ☎03-3591-2251
長田電機工業㈱	精 (事業)(単)歯科医療機器の製造販売 ㉕**5** ㉔**3** (売)単4,885 (従)196 (資)100 (住)東京都品川区西五反田5-17-5 ☎03-3492-7651
㈱小田急エージェンシー	広 (事業)(単)小田急グループのハウスエージェンシー グループ外企業の広告 ㉕**未定** ㉔**4** (売)単7,176 (従)189 (資)50 (住)東京都新宿区西新宿2-7-1 ☎03-3346-0664
小野田ケミコ㈱	建 (事業)(連)地盤改良工事73 シールド16 固化材1 他10 ㉕**未定** ㉔**9** (売)連24,465 (従)340 (資)400 (住)東京都千代田区神田錦町3-21 ☎03-6386-7030
オムロン フィールドエンジニアリング㈱	機保 (事業)(単)保守・サービス60 設置工事30 技術指導・調整その他10 ㉕**38** ㉔**42** (売)単47,209 (従)1,299 (資)360 (住)東京都目黒区三田1-6-21 ☎03-6773-5152
オリジン東秀㈱	外 (事業)(単)オリジン86 外食9 デリカ融合5 他0 ㉕**40** ㉔**27** (売)単48,727 (従)646 (資)100 (住)東京都調布市調布ケ丘1-18-1 ☎042-443-6801
オリックス銀行㈱	銀 (事業)(単)現・預け金6 有価証券11 貸出金81 他2 ㉕**前年並** ㉔**25** (売)単64,384 (従)857 (資)45,000 (住)東京都港区芝3-22-8 ☎0120-008-884

会社名	業種名 (事業)会社の事業構成(%) ㉕25年採用計画数(名) ㉔24年入社内定者数(名) (売)売上高(百万円) (従)単独従業員数(名) (資)資本金(百万円) (住)本社の住所, 電話番号
オリックス・レンテック(株)	リ (事業)(単)レンタル 他 ㉕**20** ㉔**21** (売)単104,790 (従)1,005 (資)730 (住)東京都品川区北品川5-5-15 ☎03-3473-7561
オルビス(株)	小 (事業)(連)化粧品・栄養補助食品・ボディウェア等の企画・開発および通信販売・店舗販売 ㉕**未定** ㉔**33** (売)連42,874 (従)1,055 (資)110 (住)東京都品川区平塚2-1-14 ☎・・
(株)ガイアート	建 (事業)(単)建設78 製造・販売22 ㉕**25** ㉔**23** (売)単46,580 (従)777 (資)1,000 (住)東京都新宿区新小川町8-27 ☎03-5261-9211
角田無線電機(株)	電卸 (事業)(単)電器製品卸90 電子製品卸10 ㉕**未定** ㉔**5** (売)単53,319 (従)300 (資)72 (住)東京都千代田区外神田3-14-10 ☎03-3253-8111
岳南建設(株)	建 (事業)(単)送電線工事 土木 移動体通信設備 情報通信設備 ㉕**10** ㉔**8** (売)単11,641 (従)270 (資)364 (住)東京都中央区築地1-3-7 ☎03-3545-2661
鹿島建物総合管理(株)	建管 (事業)(単)建物管理94 補修・改装工事等6 ㉕**55** ㉔**41** (売)単71,391 (従)2,849 (資)100 (住)東京都中央区銀座6-17-1 ☎03-6748-7111
鹿島道路(株)	建 (事業)(単)建設84 製造・販売16 ㉕**60** ㉔**63** (売)単131,474 (従)1,467 (資)4,000 (住)東京都文京区後楽1-7-27 ☎03-5802-8001
鹿島リース(株)	リ (事業)(単)不動産58 リース40 他2 ㉕**未定** ㉔**4** (売)単9,163 (従)59 (資)400 (住)東京都港区元赤坂1-6-6 ☎03-5474-9210
(株)カシワバラ・コーポレーション	建 (事業)(単)塗装工事・土木工事・建設工事99 兼業事業1 ㉕**50** ㉔**30** (売)単63,649 (従)976 (資)250 (住)東京都港区港南1-2-70 ☎03-5479-1400
片岡物産(株)	食卸 (事業)(単)コーヒー・紅茶・ココア・チョコレート50 果実加工品・酒類他50 ㉕**未定** ㉔**5** (売)単34,800 (従)306 (資)490 (住)東京都港区新橋6-21-6 ☎03-5405-7001
加藤産商(株)	化医卸 (事業)(単)合成ゴム・合成樹脂62 化学工業薬品33 塗料・機械他5 ㉕**未定** ㉔**5** (売)単42,558 (従)129 (資)106 (住)東京都中央区日本橋兜町21-7 ☎03-3668-9430
兼松エレクトロニクス(株)	シソ (事業)(単)電子機器の売買 賃貸 保守 ㉕**50** ㉔**46** (売)連90,605 (従)469 (資)9,031 (住)東京都中央区京橋2-13-10 ☎03-5250-6801
(株)兼松KGK	精機卸 (事業)(単)工作機械他55 産業機械18 他27 ㉕**10** ㉔**13** (売)単8,261 (従)255 (資)706 (住)東京都中央区京橋1-7-2 ☎03-5579-5880
兼松コミュニケーションズ(株)	電卸 (事業)(単)移動体関連ビジネス100 ㉕**115** ㉔**7** (売)単141,232 (従)2,363 (資)1,425 (住)東京都渋谷区代々木3-22-7 ☎03-5308-1011
株木建設(株)	建 (事業)(単)土木57 建築43 ㉕**20** ㉔**23** (売)単34,762 (従)374 (資)2,700 (住)東京都新宿区下落合3-14-28 ☎03-6908-2700
河淳(株)	他製 (事業)(単)流通(店舗用什器備品)57 ハードウエア(建築用金物)15 ホームインテリア26 他2 ㉕**未定** ㉔**26** (売)単53,660 (従)906 (資)256 (住)東京都中央区日本橋浜町3-15-1 ☎03-3665-1921
関工商事(株)	電卸 (事業)(単)電設部門99 他1 ㉕**4** ㉔**7** (売)単34,908 (従)153 (資)100 (住)東京都台東区東上野4-24-11 ☎03-5826-6300
(株)関工パワーテクノ	建 (事業)(単)電気工事44 管工事8 舗装工事21 とび・土工27 ㉕**未定** ㉔**14** (売)単6,959 (従)229 (資)400 (住)東京都大田区東六郷3-5-3 ☎03-5713-8200
管清工業(株)	建 (事業)(単)建設工事39 排水管清掃23 調査31 コンサルタント1 他6 ㉕**31** ㉔**30** (売)単16,670 (従)599 (資)250 (住)東京都世田谷区上用賀1-7-3 ☎03-3709-5151
関東化学(株)	化 (事業)(単)電子材料51 試薬49 ㉕**未定** ㉔**47** (売)単49,358 (従)867 (資)100 (住)東京都中央区日本橋室町2-2-1 ☎03-6214-1050
かんぽシステムソリューションズ(株)	シソ (事業)(単)情報システムの設計, 開発, 保守および運用業務の受託 ㉕**70** ㉔**56** (売)単48,118 (従)730 (資)500 (住)東京都品川区北品川5-6-1 ☎03-6631-0700
技研(株)	自 (事業)(単)スポイラー35 バイザー26 タイヤカバー7 射出品17 成形品10 他6 ㉕**11** ㉔**11** (売)単9,068 (従)375 (資)99 (住)東京都板橋区新河岸2-8-24 ☎03-3939-4511
基礎地盤コンサルタンツ(株)	他サ (事業)(単)土木 建築コンサルタント 各種地盤調査 測量業務 ㉕**15** ㉔**5** (売)単15,838 (従)692 (資)100 (住)東京都江東区亀戸1-5-7 ☎03-6861-8800
(株)紀伊國屋書店	小 (事業)(連)書籍・雑誌95 文具・事務機他5 ㉕**未定** ㉔**19** (売)連130,607 (従)4,898 (資)36 (住)東京都目黒区下目黒3-7-10 ☎03-6910-0502
(株)キミカ	化 (事業)(単)アルギン酸塩類90 他10 ㉕**6** ㉔**8** (売)単12,137 (従)173 (資)100 (住)東京都中央区八重洲2-1-1 ☎03-3548-1941

会社名	業種名 (事業)会社の事業構成(%) ㉕25年採用計画数(名) ㉔24年入社内定者数(名) (売)売上高(百万円) (従)単独従業員数(名) (資)資本金(百万円) (住)本社の住所, 電話番号
㈱キャスティングロード	ア (事業)(単)人材派遣紹介100 ㉕**未定** ㉔**36** (売)単11,421 (従)199 (資)50 (住)東京都新宿区新宿3-1-24 ☎03-6384-0520
キヤノンITソリューションズ㈱	シソ (事業)(単)業種別ソリューション ITプロダクトの運用・保守等 ㉕**185** ㉔**183** (売)単126,953 (従)4,000 (資)3,617 (住)東京都港区港南2-16-6 ☎03-6701-3300
キヤノンプロダクションプリンティングシステムズ㈱	電卸 (事業)(単)プロダクション印刷機器および消耗品の販売 保守サービス ワークフローシステムなどの開発・提供 ㉕**未定** ㉔**8** (売)単9,063 (従)401 (資)2,745 (住)東京都港区港南2-13-29 ☎03-6719-9700
キャロットソフトウェア㈱	シソ (事業)(単)ソフトウエア開発100 ㉕**10** ㉔**4** (売)単728 (従)68 (資)40 (住)東京都千代田区丸の内2-7-2 ☎03-6268-0510
㈱牛繁ドリームシステム	外 (事業)(単)飲食店の経営100 ㉕**5** ㉔**4** (売)単5,477 (従)144 (資)50 (住)東京都新宿区新宿2-1-2 ☎03-5367-2429
キユーソーティス㈱	陸 (事業)(単)一般貨物自動車運送 ㉕**未定** ㉔**58** (売)単57,372 (従)1,446 (資)82 (住)東京都調布市調布ケ丘3-50-1 ☎042-426-4751
京西テクノス㈱	機保 (事業)(単)医療機器修理 通信機器・計測器修理 受託機器製造 システム保守 他 ㉕**未定** ㉔**7** (売)単13,726 (従)367 (資)80 (住)東京都多摩市愛宕4-25-2 ☎042-303-0888
㈱ぎょうせい	新 (事業)(単)出版 システム・調査研究等 ㉕**20** ㉔**13** (売)単22,831 (従)569 (資)500 (住)東京都江東区新木場1-18-11 ☎0120-953-431
共同カイテック㈱	電機 (事業)(単)バスダクト(電力幹線システム)60 OAフロアシステム35 屋上緑化システム5 ㉕**9** ㉔**10** (売)単19,358 (従)399 (資)60 (住)東京都渋谷区恵比寿南1-15-1 ☎03-6825-7020
協友アグリ㈱	化 (事業)(単)農薬100 ㉕**未定** ㉔**9** (売)単17,645 (従)275 (資)2,250 (住)東京都中央区日本橋小網町6-1 ☎03-5645-0700
共立製薬㈱	医 (事業)(単)動物用医薬品100 ㉕**30** ㉔**50** (売)単62,403 (従)729 (資)55 (住)東京都千代田区九段南1-6-5 ☎03-3263-2931
キョーラク㈱	化 (事業)(単)成型品60 化成品15 機械・金型他25 ㉕**7** ㉔**17** (売)単56,179 (従)625 (資)250 (住)東京都中央区東日本橋1-1-5 ☎03-5833-2825
㈱極東商会	精機卸 (事業)(単)空調機械・部材79 ガス9 機能材10 他2 ㉕**未定** ㉔**13** (売)単35,852 (従)120 (資)420 (住)東京都千代田区外神田4-10-6 ☎03-5244-4600
旭洋㈱	他卸 (事業)(単)洋紙16 産業資材46 化成品・機能材28 海外・他10 ㉕**未定** ㉔**13** (売)単184,253 (従)367 (資)1,300 (住)東京都中央区日本橋本町1-1-1 ☎03-3271-2751
㈱桐井製作所	金製 (事業)(単)建築用鋼製下地材(自社製品)50 建材商品50 ㉕**未定** ㉔**14** (売)単126,286 (従)591 (資)100 (住)東京都千代田区丸の内1-9-2 ☎03-4345-6000
㈱銀座コージーコーナー	食 (事業)(単)洋菓子95 レストラン・喫茶5 ㉕**27** ㉔**18** (売)単24,556 (従)600 (資)49 (住)東京都中央区新川2-27-1 ☎03-6854-8770
金方堂松本工業㈱	金製 (事業)(単)菓子缶64 海苔缶15 他21 ㉕**5** ㉔**6** (売)単5,769 (従)158 (資)100 (住)東京都台東区東上野1-28-12 ☎03-3831-1191
㈱クオラス	広 (事業)(単)広告100 ㉕**10** ㉔**12** (売)単57,381 (従)384 (資)100 (住)東京都品川区大崎2-1-1 ☎03-5487-5001
草野産業㈱	鉄金卸 (事業)(単)銑鉄15 鉄鋼原料49 炭素材5 土木建材4 鋼材8 他19 ㉕**5** ㉔**4** (売)単67,584 (従)152 (資)430 (住)東京都中央区銀座3-9-4 ☎03-3541-2911
㈱久米設計	築設 (事業)(単)建築・都市の設計88 PM・CM6 海外6 ㉕**28** ㉔**12** (売)単変12,661 (従)657 (資)90 (住)東京都江東区潮見2-1-22 ☎03-5632-7811
㈱グリーンハウス	外 (事業)(連)コントラクトフードサービス レストラン ホテルマネジメント ㉕**710** ㉔**539** (売)連127,003 (従)5,713 (資)2,143 (住)東京都新宿区西新宿3-20-2 ☎03-3379-1211
㈱グリーンハウスフーズ	外 (事業)(連)レストラン デリカ ㉕**15** ㉔**5** (売)連45,200 (従)1,396 (資)90 (住)東京都新宿区西新宿3-20-2 ☎03-6276-2250
クリオン㈱	ガ土 (事業)(単)ALC商品96 他4 ㉕**10** ㉔**6** (売)単16,839 (従)303 (資)3,075 (住)東京都江東区越中島1-2-21 ☎03-6458-5400
㈱クリタス	機保 (事業)(単)水処理施設管理70 水処理施設補修・工事25 分析1 薬品3 他2 ㉕**20** ㉔**12** (売)単19,490 (従)729 (資)220 (住)東京都豊島区南池袋1-11-22 ☎03-3590-0301
㈱クリマテック	建 (事業)(単)給排水衛生・空調設備工事等の設計・施工 他 ㉕**22** ㉔**8** (売)単21,326 (従)392 (資)300 (住)東京都中央区銀座6-17-1 ☎03-6705-0550

会社名	[業種名] (事業)会社の事業構成(%) ㉕25年採用計画数(名) ㉔24年入社内定者数(名) (売)売上高(百万円) (従)単独従業員数(名) (資)資本金(百万円) (住)本社の住所, 電話番号
グローブシップ㈱	[建管] (事業)(単)設備管理35 清掃32 工事19 他14 ㉕**未定** ㉔**20** (売)単43,585 (従)5,360 (資)100 (住)東京都港区芝4-11-3 ☎03-6362-9700
京王観光㈱	[レ] (事業)(単)旅行部門98 保険部門2 ㉕**未定** ㉔**8** (売)単12,454 (従)348 (資)100 (住)東京都多摩市関戸2-37-3 ☎042-375-7211
㈱京王設備サービス	[建管] (事業)(単)ビル管理70 工事30 ㉕**未定** ㉔**10** (売)単28,229 (従)1,134 (資)200 (住)東京都渋谷区神泉町4-6 ☎03-5456-8710
㈱京王百貨店	[小] (事業)(単)衣料品24 食料品30 雑貨25 家庭用品4 身回品9 他8 ㉕**未定** ㉔**8** (売)単21,520 (従)701 (資)100 (住)東京都渋谷区初台1-53-7 ☎‥
㈱ケイミックス	[建管] (事業)(単)ビルメンテナンス76 道路メンテナンス22 不動産2 PPP事業0 ㉕**6** ㉔**6** (売)単11,993 (従)699 (資)100 (住)東京都港区虎ノ門1-3-1 ☎03-3500-5900
ケイライン ロジスティックス㈱	[倉埠] (事業)(単)航空貨物47 海上貨物53 他0 ㉕**20** ㉔**15** (売)単20,301 (従)560 (資)600 (住)東京都中央区晴海1-8-10 ☎03-6772-8800
㈱ケーエムエフ	[金製] (事業)(単)構造部材の建築型枠26 土木型枠51 ボックスカルバート16 型枠以外7 ㉕**未定** ㉔**10** (売)単4,125 (従)194 (資)166 (住)東京都港区海岸1-9-1 ☎03-3434-0321
ケーオーデンタル㈱	[化医卸] (事業)(単)歯科用材料・薬品70 歯科用機械10 歯科用金属20 ㉕**20** ㉔**20** (売)単51,867 (従)770 (資)97 (住)東京都新宿区西新宿1-26-2 ☎03-3344-1181
㈱ケーピーエス	[シソ] (事業)(単)ソフトウエア開発87 ファシリティマネジメント他13 ㉕**10** ㉔**7** (売)単761 (従)64 (資)100 (住)東京都新宿区百人町2-4-8 ☎03-3360-6111
ケミカルグラウト㈱	[建] (事業)(単)地盤改良・耐震・液状化・凍結38 斜面安定・アンカー14 岩盤4 基礎・連続壁41 土壌浄化3 ㉕**15** ㉔**10** (売)単26,182 (従)333 (資)300 (住)東京都千代田区霞が関3-2-5 ☎03-6703-6767
㈱建研	[建] (事業)(単)建築工事99 土木工事1 ㉕**6** ㉔**5** (売)単8,883 (従)134 (資)100 (住)東京都中央区日本橋堀留町1-4-8 ☎03-5651-8211
建装工業㈱	[建] (事業)(単)マンションリニューアル工事73 電力・プラント関連11 他16 ㉕**30** ㉔**32** (売)単64,760 (従)824 (資)300 (住)東京都港区西新橋3-11-1 ☎03-3433-0501
㈱小泉	[総卸] (事業)(単)衛生陶器・金具20 ビニールパイプ・継手7 鋼管・継手6 住設機器・空調8 他59 ㉕**100** ㉔**71** (売)連170,158 (従)408 (資)100 (住)東京都杉並区荻窪4-32-5 ☎03-3393-2511
興国インテック㈱	[ゴ皮] (事業)(単)自動車59 家電7 OA7 医療14 他13 ㉕**10** ㉔**17** (売)単21,196 (従)631 (資)315 (住)東京都千代田区麹町2-1 ☎03-3230-4661
郷商事㈱	[精機卸] (事業)(単)建産機 電機 電子機器 ㉕**5** ㉔**6** (売)単47,956 (従)151 (資)400 (住)東京都中央区八丁堀2-11-2 ☎03-3552-7700
合同酒精㈱	[食] (事業)(単)酒類食品 アルコール 酵素医薬品 他 ㉕**未定** ㉔**20** (売)単61,350 (従)484 (資)2,000 (住)東京都墨田区東駒形1-17-6 ☎03-6757-4020
興和不動産ファシリティーズ㈱	[建管] (事業)(単)管理受託67 営繕工事33 ㉕**前年並** ㉔**6** (売)単20,897 (従)597 (資)100 (住)東京都港区西新橋3-8-3 ☎03-3437-5161
㈱ゴードー	[化医卸] (事業)(単)化学工業薬品81 道路関係資材7 飼料および食品類4 アルコール類8 ㉕**12** ㉔**6** (売)単28,980 (従)165 (資)150 (住)東京都中央区日本橋本石町4-6-7 ☎03-3241-0750
郡リース㈱	[建] (事業)(単)鉄骨系プレハブ建築物の製造・設計・施工・リース・販売 ㉕**未定** ㉔**8** (売)単38,600 (従)279 (資)86 (住)東京都港区六本木6-11-17 ☎03-3470-0291
㈱コガネイ	[機] (事業)(単)空気圧事業75 他25 ㉕**20** ㉔**16** (売)単17,445 (従)593 (資)641 (住)東京都小金井市緑町3-11-28 ☎042-383-7111
コクサイエアロマリン㈱	[倉埠] (事業)(単)輸出入貨物取扱業務航空貨物63 同海上貨物・他37 ㉕**未定** ㉔**6** (売)単6,925 (従)212 (資)569 (住)東京都港区新橋1-10-6 ☎03-3572-5931
国際興業㈱	[鉄バ] (事業)(単)運輸57 商事39 他4 ㉕**30** ㉔**18** (売)単38,388 (従)2,175 (資)100 (住)東京都中央区八重洲2-10-3 ☎03-3273-1118
国際航業㈱	[他サ] (事業)(単)地理空間情報技術を軸とした防災・減災, 行政・インフラマネジメント, 脱炭素・環境分野での技術コンサルティング他 ㉕**70** ㉔**64** (売)単42,093 (従)1,996 (資)6,794 (住)東京都新宿区北新宿2-21-1 ☎03-6362-5931
㈱コシダテック	[電卸] (事業)(連)自動車関連商品 半導体 情報通信関連機器 携帯電話 二輪用品 ソフトウェア開発 ㉕**未定** ㉔**4** (売)連77,344 (従)206 (資)371 (住)東京都港区高輪2-15-21 ☎03-5789-1630
㈱古島	[鉄金卸] (事業)(単)鋼管26 継手・バルブ30 化成品16 他28 ㉕**未定** ㉔**10** (売)単34,908 (従)299 (資)250 (住)東京都中央区日本橋茅場町2-17-7 ☎03-3668-4333

会社名	業種名 事業 会社の事業構成(%) ㉕25年採用計画数(名) ㉔24年入社内定者数(名) 売 売上高(百万円) 従 単独従業員数(名) 資 資本金(百万円) 住 本社の住所, 電話番号
コスモエネルギーソリューションズ(株)	石燃卸 事業 (単)エネルギー100 ㉕未定 ㉔8 売 単251,745 従 284 資 100 住 東京都中央区日本橋浜町3-3-2 ☎03-5642-8755
コスモエ機(株)	金製 事業 (単)継手製品41 不断水製品24 工事18 他17 ㉕20 ㉔29 売 単20,279 従 458 資 498 住 東京都港区西新橋3-9-5 ☎03-3435-8812
(株)コトブキ	他製 事業 (単)都市景観関連製品73 建築サイン関連26 他1 ㉕15 ㉔15 売 単7,763 従 350 資 100 住 東京都港区浜松町1-14-5 ☎03-5733-6691
コトブキシーティング(株)	他製 事業 (単)公共施設家具 カプセルベッド ㉕15 ㉔12 売 連25,766 従 305 資 100 住 東京都千代田区神田駿河台1-2-1 ☎03-5280-5690
小西安(株)	化医卸 事業 (単)化学工業薬品50 電子材料40 ライフサイエンス6 他4 ㉕未定 ㉔5 売 単52,778 従 140 資 315 住 東京都中央区日本橋本町2-6-3 ☎03-3661-3126
(株)コバヤシ	他製 事業 (単)コバゾール10 容器49 流通資材19 産業機材13 新規開発4 他5 ㉕30 ㉔13 売 単34,420 従 633 資 80 住 東京都台東区浅草橋3-26-5 ☎03-3865-5500
コマツ物流(株)	陸 事業 (単)運輸 物流センター 機工 他 ㉕16 ㉔17 売 単86,239 従 723 資 1,080 住 東京都港区白金1-17-3 ☎050-3772-4480
(株)コモディイイダ	小 事業 (単)青果15 日配品13 鮮魚11 精肉11 他50 ㉕60 ㉔55 売 単93,552 従 870 資 360 住 東京都北区滝野川7-27-7 ☎03-3916-1111
(株)ゴルフパートナー	小 事業 (単)直営78 フランチャイズ22 ㉕未定 ㉔22 売 単48,946 従 430 資 100 住 東京都千代田区神田錦町3-20 ☎03-5217-9700
(株)コンベンションリンケージ	他サ 事業 (単)コンベンション・MICE50 施設ホール運営・管理30 同時通訳・翻訳15 調査・研究5 ㉕15 ㉔15 売 単21,500 従 947 資 50 住 東京都千代田区三番町2 ☎03-3263-8686
(株)ザイエンス	他製 事業 (単)住宅資材63 環境整備資材11 化成品16 素材商事5 産業用資材2 他3 ㉕未定 ㉔4 売 単18,169 従 196 資 220 住 東京都千代田区丸の内2-3-2 ☎03-3284-0501
斎久工業(株)	建 事業 (単)衛生工事91 空調工事9 ㉕20 ㉔9 売 単46,504 従 461 資 1,481 住 東京都千代田区丸の内2-6-1 ☎03-3201-0319
サイデン化学(株)	化 事業 (単)合成樹脂エマルジョン96 他4 ㉕前年並 ㉔10 売 単22,973 従 307 資 300 住 東京都中央区日本橋本町3-4-7 ☎03-3279-4401
サイバネットシステム(株)	シソ 事業 (単)シミュレーションソリューションサービス ㉕12 ㉔11 売 連21,546 従 374 資 995 住 東京都千代田区神田練塀町3 ☎03-5297-3010
坂田建設(株)	建 事業 (単)建築62 土木22 電気関連土木工事15 兼業売上1 ㉕12 ㉔4 売 単11,428 従 171 資 200 住 東京都墨田区本所3-21-10 ☎03-5610-7810
(株)鷺宮製作所	電機 事業 (単)自動制御機器93 試験装置7 ㉕39 ㉔37 売 単37,988 従 1,109 資 960 住 東京都新宿区大久保3-8-2 ☎03-6205-9101
佐藤建設工業(株)	建 事業 (単)送電工事83 通信工事16 他1 ㉕未定 ㉔3 売 単6,980 従 160 資 440 住 東京都品川区東大井5-12-10 ☎03-5715-2520
(株)佐藤秀	建 事業 (単)建築工事78 不動産22 ㉕6 ㉔8 売 単16,647 従 189 資 100 住 東京都新宿区新宿5-6-11 ☎03-3225-0310
さわやか信用金庫	銀 事業 (単)現・預け金28 有価証券19 貸出金51 他2 ㉕65 ㉔32 売 連21,345 従 936 資 13,700 住 東京都大田区萩中2-2-1 ☎03-3742-0615
三栄電気工業(株)	建 事業 (単)電気工事95 通信工事5 ㉕未定 ㉔32 売 単21,734 従 366 資 80 住 東京都渋谷区東2-29-12 ☎03-3407-8721
産業振興(株)	鉄金卸 事業 (単)製鋼原料 作業請負・環境 鋼材・加工 物流 肥料 ㉕未定 ㉔11 売 単104,264 従 1,379 資 390 住 東京都千代田区神田小川町3-9-2 ☎03-5259-6801
三恵技研工業(株)	自 事業 (単)四輪車部品72 二輪車部品17 他11 ㉕未定 ㉔9 売 単50,494 従 603 資 500 住 東京都北区赤羽南2-5-1 ☎03-3902-8200
三光設備(株)	建 事業 (単)電気工事99 他1 ㉕未定 ㉔5 売 単13,900 従 262 資 216 住 東京都中央区銀座2-11-17 ☎03-3524-3021
三信建設工業(株)	建 事業 (連)特殊基礎土木工事業 ㉕若干 ㉔4 売 連12,267 従 194 資 500 住 東京都台東区柳橋2-19-6 ☎03-5825-3700
(株)サンフジ企画	広 事業 (単)総合住宅展示場の企画・開発・運営 温浴事業の開発 ㉕未定 ㉔3 売 単12,782 従 79 資 50 住 東京都渋谷区代々木1-35-4 ☎03-3379-7171

会社名	業種名 事業 会社の事業構成(%) ㉕25年採用計画数(名) ㉔24年入社内定者数(名) 売 売上高(百万円) 従 単独従業員数(名) 資 資本金(百万円) 住 本社の住所, 電話番号
㈱サンプラネット	他サ 事業 (単)研究所・工場内支援サービス31 機器・消耗品等販売42 学会研究会運営10 厚生サービス等9 他8 ㉕30 ㉔17 売 単16,556 従 547 資 455 住 東京都文京区大塚3-5-10 ☎03-5978-1941
㈱サンベルクス	小 事業 (単)スーパーマーケットの経営 ㉕80 ㉔51 売 単108,921 従 5,377 資 50 住 東京都足立区花畑5-14-1 ☎03-3858-8719
㈱三冷社	建 事業 (単)空気調和給排水衛生・冷凍冷蔵設備・電気工事98 他2 ㉕未定 ㉔3 売 単12,299 従 277 資 300 住 東京都中央区日本橋本町3-4-6 ☎03-3231-3966
㈱三和	小 事業 (単)生鮮食品45 加工食品36 日用雑貨他19 ㉕前年並 ㉔43 売 単164,406 従 987 資 100 住 東京都町田市金森4-1-2 ☎042-746-3001
サンワコムシスエンジニアリング㈱	建 事業 (連)キャリア系63 メーカー・ベンダー関連12 通信・電気等コンストラクション25 ㉕22 ㉔32 売 連62,600 従 770 資 3,624 住 東京都品川区東五反田2-17-1 ☎03-6365-3111
㈱シー・アイ・シー	シソ 事業 (単)情報提供サービス100 ㉕8 ㉔6 売 単7,979 従 188 資 500 住 東京都新宿区西新宿1-23-7 ☎03-3348-0601
GEヘルスケア・ジャパン㈱	精 事業 (単)医用画像診断装置の開発・製造・輸出入・販売・サービス 他 ㉕未定 ㉔19 売 単127,379 従 1,500 資 1,000 住 東京都日野市旭が丘4-7-127 ☎042-585-5111
㈱JR東海エージェンシー	広 事業 (単)宣伝・広告業 ㉕7 ㉔13 売 単14,961 従 302 資 61 住 東京都港区港南2-1-95 ☎03-6688-4288
㈱JR東日本クロスステーション	小 事業 (単)小売48 飲食15 自販機11 商業施設運営26 ㉕未定 ㉔29 売 単252,922 従 2,770 資 4,101 住 東京都渋谷区千駄ヶ谷5-33-8 ☎050-3644-7177
JR東日本コンサルタンツ㈱	他サ 事業 (単)建設コンサルタント業 測量業 地質調査業 ㉕15 ㉔10 売 単20,312 従 724 資 50 住 東京都品川区西品川1-1-1 ☎03-5435-7660
㈱JR東日本情報システム	シソ 事業 (単)情報サービス100 ㉕50 ㉔55 売 単78,631 従 1,615 資 500 住 東京都新宿区大久保3-8-2 ☎03-3208-1555
JR東日本メカトロニクス㈱	機保 事業 (単)駅機械設備工事42 電子マネー端末・ICカード製造25 機械メンテナンス20 他13 ㉕未定 ㉔30 売 単70,889 従 1,361 資 100 住 東京都渋谷区代々木2-1-1 ☎03-5365-3802
㈱ジェイエスキューブ	精機卸 事業 (単)機器販売 機器開発 システム開発 保守サービス ㉕6 ㉔11 売 単11,096 従 413 資 100 住 東京都江東区東雲1-7-12 ☎03-6204-2730
JNC㈱	化 事業 (連)機能材料14 加工品45 化学品26 商事7 電力5 他3 ㉕前年並 ㉔36 売 連131,442 従 2,650 資 31,150 住 東京都千代田区大手町2-2-1 ☎03-3243-6760
JFE条鋼㈱	鉄 事業 (単)鉄鋼製品100 ㉕前年並 ㉔20 売 単136,603 従 932 資 30,000 住 東京都港区新橋5-11-3 ☎03-5777-3811
JFE商事鋼管管材㈱	鉄金卸 事業 (単)鋼管67 管材13 他20 ㉕未定 ㉔6 売 単47,252 従 218 資 500 住 東京都千代田区大手町2-2-1 ☎03-5203-6020
JFEプラントエンジ㈱	機保 事業 (単)プラント建設 プラントメンテナンス 産業機械 ㉕前年並 ㉔95 売 単170,215 従 3,707 資 1,700 住 東京都台東区蔵前2-17-4 ☎03-3864-3865
JFEミネラル㈱	ガ土 事業 (単)鉱産品5 水島合金鉄31 クロム&リサイクル16 製鉄関連37 機能素材10 他1 ㉕15 ㉔12 売 単145,949 従 1,322 資 2,000 住 東京都港区芝3-8-2 ☎03-5445-5200
システム・プロダクト㈱	シソ 事業 (単)システム開発100 ㉕3 ㉔4 売 単655 従 89 資 90 住 東京都中央区日本橋本石町4-4-9 ☎03-6225-2404
シマダヤ㈱	食 事業 (単)食品100 ㉕13 ㉔13 売 単38,930 従 312 資 1,000 住 東京都渋谷区恵比寿西1-33-11 ☎03-5489-5511
㈱島津アクセス	機保 事業 (単)精密機器のプロアクティブ・アフターサービス100 ㉕未定 ㉔18 売 単27,140 従 914 資 55 住 東京都台東区浅草橋5-20-8 ☎03-5820-3280
㈱島津理化	精機卸 事業 (単)教育システム 研究設備 他 ㉕4 ㉔7 売 単16,296 従 140 資 30 住 東京都千代田区神田神保町1-32 ☎03-6848-6600
㈱シミズ・ビルライフケア	建 事業 (単)リニューアル46 ビルマネジメント53 他1 ㉕36 ㉔32 売 単70,684 従 1,584 資 100 住 東京都中央区京橋2-10-2 ☎03-6228-6130
㈱ジャパンテクニカルソフトウェア	シソ 事業 (単)ソフトウェア開発98 販売・コンサルティング2 ㉕40 ㉔38 売 単8,571 従 600 資 80 住 東京都港区港南2-13-31 ☎03-5461-1550
㈱JALカード	貸 事業 (単)会費収入56 加盟店手数料収入32 他12 ㉕27 ㉔18 売 単13,238 従 273 資 360 住 東京都品川区東品川2-4-11 ☎・・

会社名	[業種名] (事業)会社の事業構成(%) ㉕25年採用計画数(名) ㉔24年入社内定者数(名) (売)売上高(百万円) (従)単独従業員数(名) (資)資本金(百万円) (住)本社の住所, 電話番号
㈱ジャルパック	[レ] (事業)(単)旅行業法に基づく旅行業 旅行会社の依頼による国内・海外手配代行業 ㉕**15** ㉔**11** (売)単115,452 (従)544 (資)80 (住)東京都品川区東品川2-4-11 ☎03-5715-8120
㈱集英社	[新] (事業)(単)雑誌 書籍 広告 他 ㉕**未定** ㉔**25** (売)単209,684 (従)752 (資)100 (住)東京都千代田区一ツ橋2-5-10 ☎03-3230-6111
㈱ジューテック	[他卸] (事業)(単)住宅総合資材・工業用資材の販売 ㉕**40** ㉔**25** (売)単139,490 (従)653 (資)850 (住)東京都港区新橋6-3-4 ☎03-4582-3390
㈱小学館集英社プロダクション	[他サ] (事業)(単)メディア84 教育15 他1 ㉕**若干** ㉔**8** (売)単37,449 (従)526 (資)100 (住)東京都千代田区神田神保町2-30 ☎03-3222-9100
㈱証券ジャパン	[証] (事業)(単)受入手数料79 トレーディング損益13 金融収益8 ㉕**未定** ㉔**6** (売)単4,134 (従)214 (資)3,000 (住)東京都中央区日本橋茅場町1-2-18 ☎03-3668-2210
昭産商事㈱	[食卸] (事業)(単)食品 飼料 リース保険販売 ㉕**未定** ㉔**6** (売)単67,100 (従)185 (資)391 (住)東京都板橋区板橋1-9-3 ☎03-3579-7272
昭和興産㈱	[化医卸] (事業)(単)合成樹脂40 化学品40 産業資材分野13 情報電材6 他1 ㉕**未定** ㉔**3** (売)単77,765 (従)165 (資)550 (住)東京都港区赤坂6-13-18 ☎03-3584-9111
昭和西川㈱	[繊衣] (事業)(単)寝具98 不動産賃貸2 ㉕**5** ㉔**6** (売)単14,335 (従)216 (資)40 (住)東京都中央区日本橋浜町1-4-15 ☎03-6858-5670
昭和リース㈱	[リ] (事業)(連)リース・割賦72 ファイナンス2 他26 ㉕**23** ㉔**19** (売)連118,026 (従)512 (資)29,360 (住)東京都中央区日本橋室町2-4-3 ☎03-4284-1111
ショーボンド建設㈱	[建] (事業)(単)土木建築工事 工事材料販売 ㉕**44** ㉔**31** (売)単63,985 (従)715 (資)10,100 (住)東京都中央区日本橋箱崎町7-8 ☎03-6861-8101
㈱ジョブス	[ア] (事業)(単)人材派遣紹介100 ㉕**未定** ㉔**10** (売)単6,229 (従)97 (資)50 (住)東京都新宿区新宿2-3-13 ☎03-6380-6825
㈱白子	[食] (事業)(単)海苔加工品90 他10 ㉕**未定** ㉔**4** (売)単12,623 (従)123 (資)100 (住)東京都江戸川区中葛西7-5-9 ☎03-3804-2111
信越石英㈱	[ガ土] (事業)(単)光学用石英ガラス 石英ガラス加工品 ランプ用石英ガラス 石英ガラスるつぼ ㉕**前年並** ㉔**3** (売)単29,403 (従)648 (資)1,000 (住)東京都品川区大崎1-11-2 ☎03-6737-0221
信幸建設㈱	[建] (事業)(単)土木工事請負 工事用船舶・資機材の賃貸及び開発・管理 測量・建設コンサル等の受託 ㉕**未定** ㉔**3** (売)単16,575 (従)206 (資)50 (住)東京都千代田区神田司町2-2-7 ☎03-5256-5610
新三平建設㈱	[建] (事業)(単)建設99 他1 ㉕**5** ㉔**7** (売)単15,014 (従)97 (資)100 (住)東京都台東区元浅草1-6-13 ☎03-3847-3311
㈱新進	[食] (事業)(単)食品事業77 食材事業他23 ㉕**15** ㉔**10** (売)単17,261 (従)462 (資)100 (住)東京都千代田区神田司町2-6 ☎03-6206-4111
新生テクノス㈱	[建] (事業)(連)鉄道72 一般28 ㉕**70** ㉔**31** (売)連55,508 (従)1,325 (資)1,091 (住)東京都港区芝5-29-11 ☎03-6899-2800
新生ビルテクノ㈱	[建管] (事業)(単)設備管理53 清掃26 警備3 他18 ㉕**10** ㉔**5** (売)単15,462 (従)1,048 (資)100 (住)東京都文京区千駄木3-50-13 ☎03-5814-0111
新東亜交易㈱	[総卸] (事業)(単)ペット31 健康産業17 自販機19 メタル資材9 航空・艦船24 ㉕**5** ㉔**5** (売)単157,961 (従)173 (資)500 (住)東京都千代田区丸の内1-6-1 ☎03-3286-0211
新日本造機㈱	[機] (事業)(単)回転機器100 ㉕**5** ㉔**6** (売)単14,429 (従)428 (資)2,408 (住)東京都品川区大崎2-1-1 ☎03-6737-2630
進和テック㈱	[精機卸] (事業)(単)空調機械部門52 環境機械部門25 プラント機械部門14 グローバル事業部門9 ㉕**5** ㉔**5** (売)単17,650 (従)262 (資)100 (住)東京都中野区本町1-32-2 ☎03-5352-7200
スガ試験機㈱	[精] (事業)(単)耐候光試験機50 腐食試験機40 カラーメーター10 ㉕**未定** ㉔**4** (売)単5,364 (従)220 (資)92 (住)東京都新宿区新宿5-4-14 ☎03-3354-5241
スガツネ工業㈱	[金製] (事業)(単)建築・家具部品50 産業機器部品50 ㉕**20** ㉔**12** (売)単21,769 (従)502 (資)400 (住)東京都千代田区岩本町2-9-13 ☎03-3864-1122
㈱スガテック	[建] (事業)(単)建設工事37 設備保全63 ㉕**34** ㉔**36** (売)単38,285 (従)1,057 (資)472 (住)東京都港区海岸3-20-20 ☎03-6275-1200
㈱スコープ	[広] (事業)(単)広告宣伝・販売促進媒体100 ㉕**未定** ㉔**18** (売)単18,773 (従)298 (資)35 (住)東京都千代田区富士見2-10-2 ☎03-3556-7610

会社名	業種名 事業 会社の事業構成(%) ㉕25年採用計画数(名) ㉔24年入社内定者数(名) 売 売上高(百万円) 従 単独従業員数(名) 資 資本金(百万円) 住 本社の住所，電話番号
ストラパック㈱	機 事業 (単)梱包機・包装ライン68 包装関連機器7 包装関連資材25 ㉕**未定** ㉔**7** 売 単16,694 従 437 資 100 住 東京都中央区銀座8-16-6 ☎03-6278-1801
住電電業㈱	建 事業 (単)電気設備・情報ネットワーク・プラント・電力・通信工事 ㉕**未定** ㉔**12** 売 単10,127 従 198 資 60 住 東京都港区三田3-12-15 ☎03-3454-6961
住友建機㈱	機 事業 (単)油圧ショベル・道路機械の製販および保守 ㉕**20** ㉔**14** 売 単200,994 従 832 資 16,000 住 東京都品川区大崎2-1-1 ☎03-6737-2600
住友建機販売㈱	精機卸 事業 (単)建設機械の国内販売・修理・賃貸 ㉕**10** ㉔**5** 売 単82,649 従 648 資 4,000 住 東京都品川区大崎2-1-1 ☎03-6737-2610
住友重機械イオンテクノロジー㈱	機 事業 (単)イオン注入装置100 ㉕**12** ㉔**15** 売 単49,038 従 498 資 480 住 東京都品川区大崎2-1-1 ☎03-6737-2690
住友重機械建機クレーン㈱	機 事業 (単)クローラクレーン等の建設機械・機械 器具の製造・修理・販売・賃貸・リース ㉕**15** ㉔**13** 売 単42,993 従 591 資 4,000 住 東京都台東区東上野6-9-3 ☎03-3845-1384
住友商事グローバルメタルズ㈱	鉄金卸 事業 (単)鉄鋼および非鉄金属製品の輸出入・販売・製造・加工 ㉕**未定** ㉔**18** 売 単118,890 従 612 資 17,812 住 東京都千代田区大手町2-3-2 ☎03-6285-7000
住友商事ケミカル㈱	化医卸 事業 (単)合成樹脂36 有機化学品19 機能化学品20 エレクトロニクス21 無機化学品1 電子・機能材2 ㉕**11** ㉔**9** 売 単50,759 従 289 資 900 住 東京都千代田区一ツ橋1-2-2 ☎03-5220-8200
住友商事パワー＆モビリティ㈱	精機卸 事業 (単)自動車 モビリティ 電力プロジェクト 社会インフラプロジェクト ㉕**11** ㉔**5** 売 単30,312 従 244 資 450 住 東京都千代田区一ツ橋1-2-2 ☎03-4531-6000
住友商事マシネックス㈱	総卸 事業 (単)機械・器具 電機・設備機器 情報・通信機器 ㉕**未定** ㉔**20** 売 単10,096 従 471 資 5,300 住 東京都千代田区一ツ橋1-2-2 ☎03-4531-3900
住友林業ホームテック㈱	建 事業 (単)増改築等95 他5 ㉕**100** ㉔**134** 売 単68,410 従 2,335 資 100 住 東京都千代田区一ツ橋2-6-3 ☎03-6890-5810
㈱スリーボンド	化医卸 事業 (単)工材44 純正53 他3 ㉕**未定** ㉔**56** 売 単49,470 従 403 資 300 住 東京都八王子市南大沢4-3-3 ☎042-670-5333
㈱セイビ	建管 事業 (単)清掃44 設備管理33 警備5 他18 ㉕**未定** ㉔**3** 売 単8,373 従 770 資 60 住 東京都中央区日本橋人形町3-3-3 ☎03-3664-8821
西武信用金庫	銀 事業 (単)現・預け金31 有価証券6 貸出金61 他2 ㉕**85** ㉔**74** 売 連35,229 従 1,179 資 24,007 住 東京都中野区中野2-29-10 ☎03-3384-6111
西武ポリマ化成㈱	ゴ皮 事業 (単)土木資材40 産業資材28 海洋資材32 ㉕**未定** ㉔**3** 売 単6,993 従 271 資 95 住 東京都中央区日本橋3-8-2 ☎03-3527-9811
生和コーポレーション㈱東日本本社	建 事業 (単)建築100 ㉕**未定** ㉔**97** 売 単59,629 従 756 資 1,000 住 東京都千代田区神田淡路町1-3 ☎03-3257-1777
ゼオン化成㈱	化医卸 事業 (単)包装材料7 物流資材69 建築材料7 高機能材料7 PSC開発営業10 ㉕**若干** ㉔**3** 売 単12,619 従 135 資 462 住 東京都千代田区丸の内1-6-2 ☎03-5208-5111
セコム損害保険㈱	保 事業 (単)火災30 海上0 傷害1 自動車18 自賠責3 他48 ㉕**15** ㉔**13** 売 単51,929 従 453 資 16,808 住 東京都千代田区平河町2-6-2 ☎03-5216-6111
ゼブラ㈱	他製 事業 (単)ボールペン(油性・水性)62 マーカー27 シャープ5 ペン先他6 ㉕**未定** ㉔**11** 売 単27,865 従 783 資 90 住 東京都新宿区東五軒町2-9 ☎03-3268-1181
セントラルコンサルタント㈱	他サ 事業 (単)土木設計97 建築設計・測量・地質調査3 ㉕**未定** ㉔**23** 売 単12,557 従 522 資 130 住 東京都中央区晴海2-5-24 ☎03-3532-8031
セントラル短資㈱	他金 事業 (単)短資資金(コール・手形)取引 TDB・CD・CPの売買 ㉕**若干** ㉔**4** 売 単-589 従 148 資 5,000 住 東京都中央区日本橋本石町3-3-14 ☎03-3242-6611
全日空商事㈱	総卸 事業 (単)航空機部品 航空機 アビエーション 電子 ライフスタイル 他 ㉕**23** ㉔**25** 売 単47,022 従 458 資 1,000 住 東京都港区東新橋1-5-2 ☎03-6735-5011
㈱全日警	建管 事業 (単)常駐警備業務75 機械警備業務16 ビルメンテナンス他9 ㉕**160** ㉔**151** 売 単38,820 従 4,957 資 494 住 東京都中央区日本橋浜町1-1-12 ☎03-3862-3321
全日本食品㈱	食卸 事業 (単)加工・日配39 食品23 青果8 菓子6 精肉・加工肉8 酒類6 他9 ㉕**未定** ㉔**12** 売 単104,844 従 325 資 1,800 住 東京都足立区入谷6-2-2 ☎03-5691-2111
相互住宅㈱	不 事業 (単)マンション賃貸 オフィス賃貸 開発・建替 分譲住宅 ソリューション ㉕**未定** ㉔**3** 売 単19,172 従 184 資 100 住 東京都品川区大崎1-2-2 ☎03-3494-6771

会社名	業種名 (事業)会社の事業構成(%) ㉕25年採用計画数(名) ㉔24年入社内定者数(名) (売)売上高(百万円) (従)単独従業員数(名) (資)資本金(百万円) (住)本社の住所, 電話番号
双日建材(株)	他卸 (事業)(単)合板45 木材製品23 建材22 建設工事2 他7 ㉕**未定** ㉔**9** (売)単87,180 (従)368 (資)1,039 (住)東京都千代田区大手町1-7-2 ☎03-6870-7800
SocioFuture(株)	電機 (事業)(単)ハードウエア17 メンテナンス7 アウトソース65 システム・サービス11 ㉕**55** ㉔**66** (売)単35,699 (従)2,719 (資)480 (住)東京都港区浜松町1-30-5 ☎03-5405-3100
ソニー銀行(株)	銀 (事業)(単)現・預け金13 有価証券20 貸出金65 他3 ㉕**20** ㉔**22** (売)単101,906 (従)655 (資)38,500 (住)東京都千代田区内幸町2-1-6 ☎03-6832-5900
(株)損害保険リサーチ	他サ (事業)(単)保険調査 ㉕**未定** ㉔**5** (売)単6,841 (従)395 (資)100 (住)東京都文京区後楽1-7-27 ☎03-5842-3700
SOMPOケア(株)	他サ (事業)(単)介護付きホーム・サービス付き高齢者向け住宅・グループホームの運営, 居宅サービス ㉕**200** ㉔**188** (売)単145,931 (従)20,863 (資)3,925 (住)東京都品川区東品川4-12-8 ☎03-6455-8560
SOMPOダイレクト損害保険(株)	保 (事業)(単)火災1 海上0 傷害2 自動車94 自賠責1 他2 ㉕**35** ㉔**35** (売)単69,256 (従)985 (資)32,260 (住)東京都豊島区東池袋3-1-1 ☎03-3988-2711
第一港運(株)	倉埠 (事業)(単)港湾運送49 貨物利用運送業11 梱包業14 他26 ㉕**未定** ㉔**5** (売)単4,808 (従)100 (資)98 (住)東京都江東区清澄1-8-16 ☎03-3642-3255
第一工業(株)	建 (事業)(単)空気調和75 衛生10 搬送15 ㉕**30** ㉔**17** (売)単22,777 (従)401 (資)1,017 (住)東京都千代田区丸の内3-3-1 ☎03-3211-8511
第一高周波工業(株)	金製 (事業)(単)パイプ59 表面処理19 機器5 Tヘッド工法鉄筋10 バイメット3 他4 ㉕**未定** ㉔**15** (売)単9,465 (従)433 (資)607 (住)東京都中央区日本橋馬喰町1-6-2 ☎03-5649-3725
第一設備工業(株)	建 (事業)(単)管工事業95 電気工事業5 ㉕**15** ㉔**12** (売)単16,268 (従)325 (資)400 (住)東京都港区芝浦4-15-33 ☎03-5443-5100
(株)第一テクノ	建 (事業)(単)内燃力発電設備・附帯設備48 上下水道施設・水処理施設・ポンプ設備・付帯設備他47 他5 ㉕**未定** ㉔**8** (売)単21,575 (従)343 (資)80 (住)東京都品川区南大井6-13-10 ☎03-5762-8008
(株)第一ビルディング	建管 (事業)(単)不動産賃貸管理99 損害保険代理店1 ㉕**10** ㉔**13** (売)単10,075 (従)480 (資)900 (住)東京都品川区大崎1-2-2 ☎03-6773-7200
大栄不動産(株)	不 (事業)(連)ビル賃貸30 駐車場9 住宅48 不動産営業10 他3 ㉕**2** ㉔**6** (売)連37,152 (従)182 (資)2,527 (住)東京都中央区日本橋室町1-1-8 ☎03-3244-0625
(株)大京アステージ	建管 (事業)(単)マンション管理100 ㉕**未定** ㉔**12** (売)単59,794 (従)1,507 (資)200 (住)東京都渋谷区千駄ヶ谷4-19-18 ☎03-5775-5111
(株)大京穴吹不動産	不 (事業)(単)不動産売買 不動産賃貸 ㉕**30** ㉔**28** (売)単73,039 (従)1,154 (資)100 (住)東京都渋谷区千駄ヶ谷4-19-18 ☎03-6367-0500
(株)ダイキンアプライドシステムズ	建 (事業)(単)空調・冷熱設備関連エンジニアリング64 同サービス36 ㉕**未定** ㉔**22** (売)単38,646 (従)556 (資)300 (住)東京都港区港南2-18-1 ☎03-6712-3020
(株)大建設計	築設 (事業)(単)建築設計監理100 ㉕**未定** ㉔**9** (売)単6,872 (従)388 (資)99 (住)東京都品川区東五反田5-10-8 ☎03-5424-8610
大興物産(株)	他卸 (事業)(単)建設工事 資機材販売 仮設レンタル ㉕**10** ㉔**9** (売)単58,015 (従)316 (資)750 (住)東京都港区虎ノ門4-1-17 ☎03-6381-5203
(株)大黒屋	小 (事業)(単)物品販売 金券 質屋業 他 ㉕**未定** ㉔**12** (売)単10,671 (従)162 (資)318 (住)東京都港区港南4-1-8 ☎03-3472-7740
大成設備(株)	建 (事業)(単)給排水衛生設備工事46 冷暖房空気調和設備工事47 電気設備工事7 ㉕**20** ㉔**19** (売)単36,055 (従)518 (資)625 (住)東京都新宿区西新宿2-6-1 ☎03-6302-0150
大成ネット(株)	シソ (事業)(単)ソフトウエアの開発 パソコンスクール 一般派遣 RFIDシステム開発 IOT研究開発 ㉕**10** ㉔**10** (売)単857 (従)112 (資)50 (住)東京都港区芝大門1-10-11 ☎03-5408-8566
大星ビル管理(株)	建管 (事業)(単)受託管理43 清掃24 工事28 オフィスサービス4 ビル事業1 ㉕**未定** ㉔**16** (売)単37,860 (従)1,360 (資)166 (住)東京都文京区小石川4-22-2 ☎03-5804-5111
大成有楽不動産販売(株)	不 (事業)(単)不動産流通56 賃貸管理16 不動産販売18 他10 ㉕**10** ㉔**6** (売)単10,357 (従)400 (資)500 (住)東京都中央区京橋3-13-1 ☎03-6867-0070
大成ユーレック(株)	建 (事業)(単)建設99 不動産等1 ㉕**22** ㉔**17** (売)単33,400 (従)399 (資)4,500 (住)東京都港区虎ノ門2-2-1 ☎03-6230-1700
(株)ダイトーコーポレーション	倉埠 (事業)(単)港湾運送51 曳船・海上防災20 貨物利用運送13 上屋・倉庫他16 ㉕**未定** ㉔**14** (売)単24,359 (従)458 (資)842 (住)東京都港区芝浦2-1-13 ☎03-3452-6271

会社名	業種名 (事業)会社の事業構成(%) ㉕25年採用計画数(名) ㉔24年入社内定者数(名) (売)売上高(百万円) (従)単独従業員数(名) (資)資本金(百万円) (住)本社の住所,電話番号
㈱ダイナムジャパンホールディングス	レ (事業)(連)パチンコ95 航空機リース5 ㉕**未定** ㉔**44** (売)連130,363 (従)38 (資)15,000 (住)東京都荒川区西日暮里2-25-1-702 ☎03-5615-1222
大日本ダイヤコンサルタント㈱	他サ (事業)(単)設計コンサルタント98 他2 ㉕**50** ㉔**53** (売)連32,577 (従)1,278 (資)1,399 (住)東京都千代田区神田練塀町300 ☎03-5298-2051
大鵬薬品工業㈱	医 (事業)(単)医薬品100 ㉕**未定** ㉔**62** (売)単167,351 (従)2,159 (資)200 (住)東京都千代田区神田錦町1-27 ☎03-3294-4527
㈱ダイヤモンド社	新 (事業)(単)書籍 雑誌 広告 他 ㉕**未定** ㉔**10** (売)単14,853 (従)202 (資)140 (住)東京都渋谷区神宮前6-12-17 ☎03-5778-7203
大陽ステンレススプリング㈱	金製 (事業)(単)ばね部門48 巻もの部門36 シャフト部門16 ㉕**未定** ㉔**5** (売)単8,283 (従)457 (資)484 (住)東京都練馬区三原台1-15-17 ☎03-3922-4111
太陽石油㈱	油炭 (事業)(単)揮発油31 軽油26 灯油12 キシレン9 LPG7 A重油4 ベンゼン他11 ㉕**30** ㉔**30** (売)単744,461 (従)748 (資)400 (住)東京都千代田区内幸町2-2-3 ☎03-3502-1601
大和証券㈱	証 (事業)(単)受入手数料60 トレーディング損益20 金融収益20 ㉕**560** ㉔**465** (売)単407,337 (従)7,843 (資)100,000 (住)東京都千代田区丸の内1-9-1 ☎03-5555-2111
大和ハウスリアルティマネジメント㈱	不 (事業)(単)不動産 ホテル ㉕**前年並** ㉔**37** (売)単237,393 (従)769 (資)200 (住)東京都千代田区神田三崎町3-3-21 ☎03-5214-2950
大和ライフネクスト㈱	建管 (事業)(単)マンション管理58 ビル管理39 他3 ㉕**30** ㉔**28** (売)単102,249 (従)8,402 (資)130 (住)東京都港区赤坂5-1-33 ☎03-5549-7111
高木工業㈱	ア (事業)(単)業務請負・人材派遣84 スポーツ15 不動産・保険・警備1 ㉕**未定** ㉔**15** (売)単13,169 (従)375 (資)50 (住)東京都品川区西五反田7-19-1 ☎03-5487-6750
㈱高木商会	電卸 (事業)(単)電気機器販売100 ㉕**10** ㉔**8** (売)単25,856 (従)187 (資)310 (住)東京都大田区北千束2-2-7 ☎03-3783-6311
㈱タカシマ	鉄金卸 (事業)(単)卸売55 直需45 ㉕**未定** ㉔**4** (売)単10,443 (従)164 (資)68 (住)東京都千代田区岩本町2-8-13 ☎03-5821-6750
㈱高山	食卸 (事業)(単)チョコレート15 スナック13 ビスケット12 米菓9 豆菓子8 キャンディー8 他35 ㉕**30** ㉔**16** (売)単217,502 (従)496 (資)310 (住)東京都台東区西浅草3-24-6 ☎03-3843-1811
㈱竹尾	他卸 (事業)(単)紙・板紙96 紙加工品クロス4 ㉕**8** ㉔**10** (売)単25,209 (従)220 (資)330 (住)東京都千代田区神田錦町3-12-6 ☎03-3292-3611
㈱竹中土木	建 (事業)(単)土木95 建築4 他1 ㉕**50** ㉔**39** (売)単87,767 (従)943 (資)7,000 (住)東京都江東区新砂1-1-1 ☎03-6810-6200
立川ハウス工業㈱	建 (事業)(単)プレハブ構造建築・受注施工38 プレハブ構造建築賃貸38 不動産賃貸24 ㉕**4** ㉔**3** (売)単9,161 (従)95 (資)98 (住)東京都立川市曙町2-20-5 ☎042-525-5221
立花証券㈱	証 (事業)(連)受入手数料52 トレーディング損益32 金融収益16 ㉕**前年並** ㉔**7** (売)連13,415 (従)349 (資)6,695 (住)東京都中央区日本橋茅場町1-13-14 ☎03-3669-3111
㈱タツノ	精 (事業)(単)給油所建設工事45 ガソリン計量機等石油用機器40 保守・サービス15 ㉕**未定** ㉔**15** (売)単43,605 (従)1,018 (資)480 (住)東京都港区三田3-2-6 ☎050-9000-0500
田中貴金属工業㈱	非鉄 (事業)(単)工業用貴金属製品加工 貴金属地金販売 ㉕**76** ㉔**63** (売)単変217,204 (従)1,781 (資)500 (住)東京都中央区日本橋茅場町2-6-6 ☎03-6311-5511
㈱田中建設	建 (事業)(単)建築84 土木4 リフォーム8 ホテル1 不動産3 ㉕**5** ㉔**7** (売)単19,499 (従)225 (資)300 (住)東京都八王子市旭町11-6 ☎042-656-1100
田中土建工業㈱	建 (事業)(単)建設81 不動産19 ㉕**10** ㉔**6** (売)単10,014 (従)210 (資)1,200 (住)東京都新宿区四谷本塩町14-1 ☎03-3353-2131
多摩運送㈱	陸 (事業)(単)運送64 倉庫28 他8 ㉕**未定** ㉔**3** (売)単16,069 (従)785 (資)50 (住)東京都立川市富士見町6-49-18 ☎042-526-1231
㈱玉子屋	外 (事業)(単)給食弁当 出張宴会及び折詰め調整等 ㉕**6** ㉔**8** (売)単4,200 (従)300 (資)50 (住)東京都大田区中央8-44-7 ☎03-3754-6167
多摩信用金庫	銀 (事業)(単)現・預け金32 有価証券32 貸出金32 他4 ㉕**85** ㉔**67** (売)連55,468 (従)1,830 (資)20,812 (住)東京都立川市緑町3-4 ☎042-526-1111
多摩都市モノレール㈱	鉄バ (事業)(単)旅客運送97 付帯3 ㉕**若干** ㉔**5** (売)単8,264 (従)250 (資)100 (住)東京都立川市泉町1078-92 ☎042-526-7800

会社名	業種名 事業 会社の事業構成(%) ㉕25年採用計画数(名) ㉔24年入社内定者数(名) 売 売上高(百万円) 従 単独従業員数(名) 資 資本金(百万円) 住 本社の住所，電話番号
タマポリ㈱	化 事業 (単)ポリエチレンフィルム73 ポリエチレンラミネート27 ㉕未定 ㉔8 売 単26,151 従432 資472 住 東京都豊島区南池袋1-16-15 ☎03-3981-1431
地崎道路㈱	建 事業 (単)舗装・土木・水道施設工事83 合材製造販売他17 ㉕5 ㉔5 売 単7,560 従142 資350 住 東京都港区港南2-13-31 ☎03-5460-1031
チャコット㈱	繊衣 事業 (単)バレエ用品40 フィットネス・ヨガ用品20 コスメティック用品30 他10 ㉕未定 ㉔10 売 単9,612 従490 資100 住 東京都港区海岸3-9-32 ☎03-6858-0522
中央日本土地建物グループ㈱	不 事業 (連)都市開発51 住宅38 不動産ソリューション7 資産運用1 他4 ㉕前年並 ㉔15 売 連114,850 従53 資10,000 住 東京都千代田区霞が関1-4-1 ☎03-3501-6511
中央物産㈱	化医卸 事業 (単)化粧品・日用品の販売 ㉕未定 ㉔6 売 単138,144 従370 資100 住 東京都港区南青山2-2-3 ☎03-3796-5094
中興化成工業㈱	化 事業 (単)化成品 環境関連製品 ㉕5 ㉔4 売 単14,218 従449 資300 住 東京都港区赤坂2-11-7 ☎03-6230-4414
㈱長大	他サ 事業 (単)コンサルタントサービスプロバイダ プロダクツ ㉕50 ㉔45 売 単20,632 従942 資1,000 住 東京都中央区日本橋蛎殻町1-20-4 ☎03-3639-3301
㈱千代田組	電卸 事業 (単)産業用電機品44 産業用設備・諸機械35 産業用標準機器・部品14 他7 ㉕未定 ㉔10 売 単103,307 従436 資200 住 東京都港区西新橋1-2-9 ☎03-3503-8111
㈱千代田テクノル	他卸 事業 (単)線量計測15 アイソトープ32 原子力43 医療機器10 ㉕20 ㉔17 売 単25,835 従668 資90 住 東京都文京区湯島1-7-12 ☎03-3816-5241
千代田電子機器㈱	電卸 事業 (単)電子機器部品100 ㉕未定 ㉔6 売 単11,500 従87 資98 住 東京都千代田区外神田3-3-9 ☎03-3253-9561
月島食品工業㈱	食 事業 (単)食用加工油脂85 他食品15 ㉕未定 ㉔17 売 単44,276 従613 資640 住 東京都江戸川区東葛西3-17-9 ☎03-3689-3111
月星商事㈱	鉄金卸 事業 (単)表面処理鋼板41 ステンレス16 加工品5 建築資材他38 ㉕15 ㉔7 売 単63,795 従219 資436 住 東京都中央区八丁堀4-4-2 ☎03-3551-2122
都築テクノサービス㈱	シソ 事業 (単)情報サービス70 商品販売30 ㉕未定 ㉔12 売 単17,663 従498 資209 住 東京都港区海岸1-11-1 ☎03-3437-3911
坪井工業㈱	建 事業 (単)建築工事60 土木工事10 環境事業(メガソーラー造成)30 ㉕12 ㉔5 売 単40,957 従310 資100 住 東京都中央区銀座2-9-17 ☎03-3563-1301
鶴見サンマリン㈱	海 事業 (単)運賃87 貸船料12 他海運収益1 ㉕若干 ㉔5 売 単55,787 従179 資392 住 東京都港区西新橋1-2-9 ☎03-3591-1131
㈱TMJ	ア 事業 (単)コールセンター バックオフィス等のアウトソーシング事業 ㉕未定 ㉔53 売 連55,900 従2,840 資100 住 東京都新宿区西新宿7-20-1 ☎03-6758-2000
DKSHジャパン㈱	総卸 事業 (単)化学品・医薬品・食品・香料等の原材料の輸出入・販売 ㉕3 ㉔5 売 単33,712 従183 資1,600 住 東京都港区三田3-4-19 ☎03-5441-4511
㈱TFDコーポレーション	不 事業 (単)マンション販売89 賃貸収入11 ㉕13 ㉔13 売 単9,229 従121 資80 住 東京都港区赤坂4-2-6 ☎03-3582-2111
㈱帝国書院	新 事業 (単)教科書70 指導書10 学採物(教材他)10 店頭物他10 ㉕2 ㉔5 売 単5,212 従106 資55 住 東京都千代田区神田神保町3-29 ☎03-3262-4795
帝産観光バス㈱	鉄バ 事業 (単)一般貸切旅客自動車運送業 国内旅行業 他 ㉕15 ㉔16 売 単6,032 従515 資100 住 東京都品川区東品川4-10-27 ☎03-5460-1201
㈱DINOS CORPORATION	小 事業 (単)通販事業(カタログ・テレビ等)94 直販事業他6 ㉕未定 ㉔5 売 単51,474 従699 資100 住 東京都中野区本町2-46-2 ☎03-5353-1111
テクノブレイブ㈱	シソ 事業 (単)ソフトウェア開発40 システム運用30 ネットワーク構築20 ネットワーク運用10 ㉕33 ㉔29 売 単7,688 従681 資75 住 東京都千代田区内神田1-2-8 ☎03-5577-3950
㈱テクノプロ	ア 事業 (単)技術者派遣 請負 ㉕未定 ㉔920 売 単150,740 従22,108 資101 住 東京都港区六本木6-10-1 ☎･･
デジタルテクノロジー㈱	電卸 事業 (単)IT機器販売100 ㉕6 ㉔11 売 単9,532 従178 資100 住 東京都荒川区東日暮里5-7-18 ☎03-5604-7801
㈱テヅカ	精機卸 事業 (単)切削工具48 測定機器11 空油圧機器9 機械・機器4 補用機器7 他21 ㉕未定 ㉔4 売 単9,116 従95 資457 住 東京都大田区大森本町1-9-10 ☎03-3766-6011

会社名	業種名 (事業) 会社の事業構成(%) ㉕25年採用計画数(名) ㉔24年入社内定者数(名) (売)売上高(百万円) (従)単独従業員数(名) (資)資本金(百万円) (住)本社の住所, 電話番号
㈱テツゲン	鉄金卸 (事業)(単)原料26 スラグ21 塩酸・酸化鉄17 水処理15 エネルギー・石炭処理12 不動産1 他8 ㉕15 ㉔13 (売)単41,327 (従)1,323 (資)1,000 (住)東京都千代田区富士見1-4-4 ☎03-3262-4142
鉄道情報システム㈱	シソ (事業)(単)JR基幹情報システム29 ネットワーク16 製品開発販売14 情報処理41 ㉕未定 ㉔24 (売)単35,515 (従)691 (資)1,000 (住)東京都渋谷区代々木2-2-2 ☎03-5334-0655
テルウェル東日本㈱	他サ (事業)(単)清掃 商品販売 営業受託 他 ㉕未定 ㉔21 (売)単60,215 (従)5,531 (資)100 (住)東京都江東区深川2-7-6 ☎03-3350-7121
電機資材㈱	鉄金卸 (事業)(単)電磁鋼板・鋼材・非鉄金属の販売・加工 電気機械器具等の販売 ㉕5 ㉔5 (売)単64,752 (従)129 (資)310 (住)東京都千代田区鍛冶町2-2-2 ☎03-6853-8011
電通工業㈱	建 (事業)(単)通信設備85 OA・コンピュータ10 弱電設備工事5 電気工事0 ㉕未定 ㉔7 (売)単5,290 (従)183 (資)220 (住)東京都品川区東大井5-11-2 ☎03-5479-3711
東亜商事㈱	食卸 (事業)(単)一般食品48 冷凍食品37 洋酒12 貿易3 ㉕未定 ㉔5 (売)単165,318 (従)341 (資)100 (住)東京都千代田区神田司町2-19 ☎03-3292-2301
東亜電気工業㈱	電卸 (事業)(単)自動車49 電子部品・半導体6 FA・半導体製造装置19 他25 ㉕20 ㉔10 (売)単68,571 (従)301 (資)450 (住)東京都千代田区外神田5-1-4 ☎03-3834-0181
東亜レジン㈱	他製 (事業)(単)合成樹脂製電照式看板100 ㉕10 ㉔11 (売)単9,310 (従)504 (資)99 (住)東京都新宿区西新宿4-33-4 ☎03-5302-7151
東罐興業㈱	パ紙 (事業)(単)紙容器66 樹脂容器34 ㉕未定 ㉔32 (売)単63,018 (従)1,376 (資)1,531 (住)東京都品川区東五反田2-18-1 ☎03-4514-2100
㈱東急イーライフデザイン	他サ (事業)(単)高齢者住宅・施設の経営・運営・運営受託 高齢者会員組織の企画・運営 ㉕5 ㉔4 (売)単10,750 (従)1,046 (資)400 (住)東京都渋谷区道玄坂1-10-8 ☎03-6455-1236
東急バス㈱	鉄バ (事業)(単)自動車運送事業84 付帯事業16 ㉕前年並 ㉔11 (売)単28,580 (従)1,335 (資)100 (住)東京都目黒区東山3-8-1 ☎03-6412-0109
㈱東急モールズデベロップメント	不 (事業)(単)SC企画開発運営事業(サブリース・プロパティマネジメント) ㉕10 ㉔7 (売)単19,753 (従)241 (資)100 (住)東京都渋谷区道玄坂1-10-7 ☎03-3477-5150
東急リゾーツ&ステイ㈱	ホ (事業)(単)会員制リゾートホテル ゴルフ場 スキー場 他 ㉕140 ㉔166 (売)単62,334 (従)2,163 (資)100 (住)東京都渋谷区道玄坂1-10-8 ☎03-6455-5600
㈱東京エコール	他卸 (事業)(単)文具・事務用品75 事務機・OA機器25 ㉕10 ㉔6 (売)単27,307 (従)323 (資)177 (住)東京都中央区日本橋横山町9-15 ☎03-3864-3471
東京ガスエンジニアリングソリューションズ㈱	電ガ (事業)(単)LNG関連施設等エネルギー関連 ㉕30 ㉔27 (売)単169,483 (従)1,889 (資)14,000 (住)東京都港区海岸1-2-3 ☎03-6452-8400
㈱東京かねふく	食 (事業)(単)水産食品加工卸96 外食2 不動産貸2 ㉕未定 ㉔8 (売)単11,964 (従)94 (資)88 (住)東京都中央区銀座5-13-16 ☎03-3542-4522
東京コンピュータサービス㈱	シソ (事業)(単)システム・機器の保守・運用管理32 システム・機器の販売63 ソフト開発・システム構築4 他1 ㉕15 ㉔9 (売)単11,578 (従)529 (資)300 (住)東京都文京区本郷1-18-6 ☎03-3816-5011
東京材料㈱	化医卸 (事業)(単)合成ゴム販売46 合成樹脂販売37 輸出・海外17 ㉕未定 ㉔6 (売)単51,853 (従)176 (資)227 (住)東京都千代田区丸の内1-6-2 ☎03-5219-2171
東京システム運輸ホールディングス㈱	倉埠 (事業)(連)運送20 物流78 小売2 ㉕10 ㉔4 (売)連17,183 (従)35 (資)80 (住)東京都立川市曙町2-38-5 ☎042-521-1421
東京システムズ㈱	シソ (事業)(単)ソフトウェア開発100 ㉕24 ㉔16 (売)単5,633 (従)380 (資)80 (住)東京都渋谷区恵比寿1-18-18 ☎03-3446-2531
東京シティ青果㈱	食卸 (事業)(単)野菜66 果実33 ㉕2 ㉔7 (売)単85,748 (従)187 (資)400 (住)東京都江東区豊洲6-3-1 ☎03-6633-9100
㈱東京スター銀行	銀 (事業)(単)現・預け金21 有価証券12 貸出金63 他4 ㉕30 ㉔18 (売)連54,659 (従)1,224 (資)26,000 (住)東京都港区赤坂2-3-5 ☎03-3586-3111
東京青果㈱	食卸 (事業)(連)野菜部門47 果実部門52 他1 ㉕15 ㉔9 (売)連141,195 (従)495 (資)478 (住)東京都大田区東海3-2-1 ☎03-5492-2001
東京建物不動産販売㈱	不 (事業)(単)仲介 アセットソリューション 賃貸 ㉕15 ㉔15 (売)単41,560 (従)430 (資)4,321 (住)東京都中央区八重洲1-5-20 ☎03-6837-7700
東京中小企業投資育成㈱	ベ (事業)(単)株式配当金・社債利息62 株式売却益37 経営指導料他1 ㉕4 ㉔3 (売)単6,687 (従)81 (資)6,673 (住)東京都渋谷区渋谷3-29-22 ☎03-5469-1811

会社名	[業種名] [事業] 会社の事業構成(%) ㉕25年採用計画数(名) ㉔24年入社内定者数(名) [売]売上高(百万円) [従]単独従業員数(名) [資]資本金(百万円) [住]本社の住所, 電話番号
東京電機産業(株)	[電卸] [事業] (単)制御機器68 計測情報通信機器13 ラボ分析機器16 産業機器他3 ㉕**15** ㉔**13** [売]単31,996 [従]546 [資]229 [住]東京都渋谷区幡ヶ谷1-18-12 ☎03-3481-1111
東京電設サービス(株)	[他サ] [事業] (単)発電・送電・変電設備の保守工事 電気設備のリニューアル・保守工事等 ㉕**20** ㉔**20** [売]単30,320 [従]949 [資]50 [住]東京都台東区東上野6-2-1 ☎03-6371-3000
東京電力エナジーパートナー(株)	[電ガ] [事業] (単)小売電気 ガス等 ㉕**未定** ㉔**78** [売]単5,666,008 [従]2,651 [資]260,000 [住]東京都中央区銀座8-13-1 ☎03-6373-1111
東京博善(株)	[他サ] [事業] (単)火葬料59 容器料7 休憩料5 殯館料24 菓子・飲料5 ㉕**未定** ㉔**9** [売]単13,191 [従]303 [資]200 [住]東京都港区芝浦1-2-3 ☎03-6374-8040
東京貿易ホールディングス(株)	[総卸] [事業] (連)エネルギー機械31 技術・自動車・情報29 医療・生活・科学30 資材・資源・鉄鋼10 ㉕**22** ㉔**29** [売]連49,074 [従]52 [資]5,000 [住]東京都中央区京橋2-2-1 ☎03-6633-5263
東京鋪装工業(株)	[建] [事業] (単)道路舗装80 他20 ㉕**未定** ㉔**11** [売]単12,445 [従]185 [資]100 [住]東京都千代田区外神田2-4-4 ☎03-3253-9861
東京冷機工業(株)	[建] [事業] (単)工事72 修理21 保守6 商品1 ㉕**45** ㉔**25** [売]単21,795 [従]556 [資]300 [住]東京都文京区本駒込6-24-5 ☎03-3943-5551
東銀リース(株)	[リ] [事業] (単)情報通信機器27 商業及びサービス業用機器18 輸送用機器12 土木建設機械10 産業機械10 他23 ㉕**20** ㉔**14** [売]単51,459 [従]374 [資]20,049 [住]東京都中央区新川2-27-1 ☎‥
東工コーセン(株)	[総卸] [事業] (連)繊維および衣料品66 化学品22 機械金属11 不動産関連0 ㉕**5** ㉔**3** [売]連23,464 [従]153 [資]200 [住]東京都千代田区四番町4-2 ☎03-3512-3921
東芝テックソリューションサービス(株)	[機保] [事業] (単)保守54 導入設置14 ネットワーク・システム運用ソリューション27 他5 ㉕**35** ㉔**32** [売]単51,583 [従]2,124 [資]100 [住]東京都品川区東五反田2-17-2 ☎03-5791-4555
東神開発(株)	[不] [事業] (単)不動産賃貸65 他35 ㉕**未定** ㉔**6** [売]単57,418 [従]263 [資]2,140 [住]東京都世田谷区玉川3-17-1 ☎03-3709-0121
東部瓦斯(株)	[電ガ] [事業] (単)ガス事業90 受注工事2 器具販売等6 附帯事業2 ㉕**未定** ㉔**15** [売]単40,963 [従]463 [資]407 [住]東京都中央区日本橋箱崎町7-1 ☎03-3662-4611
(株)東武ストア	[小] [事業] (連)スーパーマーケット ㉕**未定** ㉔**27** [売]連72,766 [従]780 [資]100 [住]東京都板橋区上板橋3-1-1 ☎03-5922-5111
東武トップツアーズ(株)	[レ] [事業] (単)旅行50 他50 ㉕**未定** ㉔**137** [売]単127,221 [従]2,706 [資]3,000 [住]東京都墨田区押上1-1-2 ☎03-3624-1231
(株)東武百貨店	[小] [事業] (単)衣料品20 食料品34 雑貨25 身回品10 家庭用品5 他6 ㉕**10** ㉔**11** [売]単130,654 [従]605 [資]50 [住]東京都豊島区西池袋1-1-25 ☎03-3981-2211
東邦電気工業(株)	[建] [事業] (連)電気設備工事99 不動産賃貸1 ㉕**35** ㉔**18** [売]連37,674 [従]745 [資]2,204 [住]東京都渋谷区恵比寿1-19-23 ☎03-3448-8211
東洋テクノ(株)	[建] [事業] (単)基礎杭打工事76 煙突・サイロ工事10 NSエコパイル10 他工事4 ㉕**10** ㉔**4** [売]単22,868 [従]205 [資]661 [住]東京都渋谷区広尾5-4-12 ☎03-3444-2141
東洋不動産(株)	[不] [事業] (単)不動産仲介・鑑定等43 土地・建物賃貸18 不動産販売39 ㉕**12** ㉔**6** [売]単14,864 [従]254 [資]320 [住]東京都港区虎ノ門2-3-17 ☎03-3504-2341
東洋メビウス(株)	[陸] [事業] (単)運送63 作業16 倉庫18 賃貸3 ㉕**若干** ㉔**14** [売]単36,172 [従]699 [資]95 [住]東京都品川区西五反田3-7-10 ☎03-5436-0251
東レエンジニアリング(株)	[機] [事業] (単)エンジニアリング31 メカトロファインテック69 ㉕**32** ㉔**33** [売]連129,634 [従]713 [資]1,500 [住]東京都中央区八重洲1-3-22 ☎03-3241-1541
東レ・ファインケミカル(株)	[化] [事業] (単)機能ケミカル 機能ポリマ 機能部材 ㉕**未定** ㉔**4** [売]単24,114 [従]325 [資]474 [住]東京都千代田区神田須田町2-3-1 ☎03-6859-1111
(株)東和システム	[シソ] [事業] (単)システム開発79 技術サービス21 ㉕**20** ㉔**18** [売]単6,305 [従]396 [資]270 [住]東京都千代田区神田小川町3-10 ☎03-3294-1401
東和電気(株)	[他卸] [事業] (単)電気絶縁材料 工業材料 化学製品 ㉕**5** ㉔**5** [売]単27,001 [従]155 [資]301 [住]東京都港区新橋2-13-8 ☎03-3504-1511
トークシステム(株)	[精機卸] [事業] (単)各種産業用機器の製造・卸・販売 ㉕**3** ㉔**3** [売]単14,661 [従]169 [資]400 [住]東京都港区芝浦2-12-10 ☎03-5730-3930
(株)トータル保険サービス	[他サ] [事業] (単)保険代理業100 ㉕**15** ㉔**8** [売]単7,272 [従]414 [資]350 [住]東京都中央区京橋2-2-1 ☎03-3243-5221

会社名	[業種名] [事業]会社の事業構成(%) ㉕25年採用計画数(名) ㉔24年入社内定者数(名) [売]売上高(百万円) [従]単独従業員数(名) [資]資本金(百万円) [住]本社の住所, 電話番号
TOTOエムテック(株)	[他卸] [事業](単)衛生陶器, 給排水器具, 温水洗浄便座, キッチン, ユニットバス等の住宅設備機器の販売・施工 ㉕**20** ㉔**18** [売]単45,125 [従]459 [資]100 [住]東京都新宿区西新宿6-24-1 ☎03-5339-0700
トーハツ(株)	[自] [事業](連)マリン79 防災16 不動産賃貸5 ㉕**未定** ㉔**3** [売]連37,495 [従]473 [資]500 [住]東京都板橋区小豆沢3-5-4 ☎03-3966-3111
(株)徳力本店	[非鉄] [事業](単)貴金属地金 貴金属工業用製品 歯科材料 貴金属宝飾品 ㉕**2** ㉔**6** [売]単91,608 [従]298 [資]100 [住]東京都千代田区鍛冶町2-9-12 ☎03-3252-0171
(株)図書館流通センター	[他卸] [事業](単)図書95 書誌データ5 ㉕**5** ㉔**6** [売]単54,215 [従]320 [資]266 [住]東京都文京区大塚3-1-1 ☎03-3943-2221
(株)トッパンパッケージプロダクツ	[他製] [事業](単)軟包装(フィルム)および紙器などパッケージの製造・加工 ㉕**72** ㉔**47** [売]単74,443 [従]2,516 [資]100 [住]東京都台東区台東1-5-1 ☎・・
トピー実業(株)	[鉄金卸] [事業](単)鉄鋼・建設61 自動車部品27 マテリアル3 建機部品4 産業機械2 他3 ㉕**10** ㉔**4** [売]単35,124 [従]288 [資]480 [住]東京都品川区大崎1-2-2 ☎03-3495-6500
トプレック(株)	[精機卸] [事業](単)冷凍車90 冷凍・冷蔵物流センター設計・施工10 ㉕**5** ㉔**8** [売]単45,217 [従]191 [資]300 [住]東京都中央区日本橋茅場町1-13-12 ☎03-6892-7811
富山薬品工業(株)	[化] [事業](単)コンデンサ薬品43 電材薬品37 特殊薬品20 ㉕**未定** ㉔**5** [売]単6,104 [従]128 [資]151 [住]東京都中央区日本橋本町1-2-6 ☎03-3242-5141
(株)トムス・エンタテインメント	[他情] [事業](連)アニメーション制作・販売 ㉕**未定** ㉔**21** [売]連21,893 [従]252 [資]100 [住]東京都中野区中野3-31-1 ☎・・
(株)トモズ	[小] [事業](単)調剤33 物販(一般医薬品・化粧品・日用品)67 ㉕**未定** ㉔**158** [売]単97,926 [従]1,702 [資]100 [住]東京都文京区西片1-15-15 ☎03-5844-0251
トヨタ・コニック・プロ(株)	[広] [事業](単)媒体取扱い45 SP関連55 ㉕**未定** ㉔**19** [売]単62,983 [従]650 [資]50 [住]東京都千代田区神田淡路町2-101 ☎03-6757-8200
ナイガイ(株)	[建] [事業](単)保温工事60 耐火被覆工事30 他10 ㉕**10** ㉔**6** [売]単18,461 [従]222 [資]100 [住]東京都墨田区緑1-27-8 ☎03-3635-6211
ナカ工業(株)	[金製] [事業](単)ビル用建材製品41 公共福祉関連製品23 住宅用建材製品19 他17 ㉕**20** ㉔**10** [売]単21,525 [従]538 [資]860 [住]東京都台東区東上野2-18-10 ☎03-5817-5300
中島水産(株)	[小] [事業](単)水産物小売72 同卸売27 海外現地法人からの収益1 ㉕**未定** ㉔**6** [売]単26,753 [従]427 [資]99 [住]東京都中央区築地6-19-20 ☎03-3543-5721
(株)ナカノ商会	[倉埠] [事業](単)3PL88 不動産12 ㉕**未定** ㉔**10** [売]単86,770 [従]1,458 [資]100 [住]東京都江戸川区中葛西3-18-5 ☎03-5667-8877
ナショナルソフトウェア(株)	[シソ] [事業](単)車載55 制御15 クラウド14 通信13 他3 ㉕**30** ㉔**21** [売]単5,135 [従]323 [資]30 [住]東京都文京区本駒込5-4-7 ☎03-6808-9821
ナブコシステム(株)	[建] [事業](単)自動ドア69 ステンレスサッシ・建材28 トップライト・防煙垂壁3 ㉕**未定** ㉔**19** [売]単25,868 [従]862 [資]300 [住]東京都千代田区霞が関3-2-5 ☎03-3591-6411
ナブテスコサービス(株)	[精機卸] [事業](単)自動車関連38 鉄道車両関連25 油圧・空圧関連37 ㉕**7** ㉔**5** [売]単12,887 [従]184 [資]300 [住]東京都品川区東五反田2-10-2 ☎03-3447-6911
(株)二木ゴルフ	[小] [事業](単)ゴルフ用品小売100 ㉕**15** ㉔**10** [売]単14,341 [従]348 [資]50 [住]東京都板橋区高島平1-80-1 ☎03-5920-0151
西川(株)	[繊紙卸] [事業](単)寝具寝装86 インテリア14 他0 ㉕**25** ㉔**19** [売]単49,943 [従]1,217 [資]100 [住]東京都中央区日本橋富沢町8-8 ☎03-3664-8161
(株)ニシ・スポーツ	[他製] [事業](単)陸上競技専用機器の製造販売 陸上競技会運営システム販売 他 ㉕**未定** ㉔**7** [売]単4,467 [従]116 [資]24 [住]東京都江東区新砂3-1-18 ☎03-6369-9000
(株)西原衛生工業所	[建] [事業](単)給排水衛生設備98 消防設備2 ㉕**未定** ㉔**26** [売]単31,676 [従]653 [資]1,367 [住]東京都港区三田3-5-27 ☎03-4218-3950
(株)ニシヤマ	[他卸] [事業](単)工業用ゴム・プラスチック製品 産業用機械器具類 計測機器の販売 関連設置工事 ㉕**10** ㉔**9** [売]単41,795 [従]334 [資]484 [住]東京都大田区大森北4-11-11 ☎03-5767-5351
(株)日医リース	[リ] [事業](単)医療・福祉機関向けリース ㉕**未定** ㉔**6** [売]単34,926 [従]186 [資]100 [住]東京都品川区西五反田1-3-8 ☎03-3490-8641
(株)ニチベイ	[他製] [事業](単)ブラインド商品81 間仕切・パーティション商品12 他7 ㉕**未定** ㉔**6** [売]単26,139 [従]832 [資]460 [住]東京都中央区日本橋3-15-4 ☎03-3272-0174

会社名	業種名 事業 会社の事業構成(%) ㉕25年採用計画数(名) ㉔24年入社内定者数(名) 売 売上高(百万円) 従 単独従業員数(名) 資 資本金(百万円) 住 本社の住所, 電話番号
㈱日経リサーチ	シソ 事業 (単)調査事業および関連業務100 ㉕**未定** ㉔**13** 売 単7,563 従 213 資 32 住 東京都千代田区内神田2-2-1 ☎03-5296-5111
㈱日建設計	築設 事業 (単)建築設計監理98 他2 ㉕**未定** ㉔**93** 売 単59,456 従 2,470 資 460 住 東京都千代田区飯田橋2-18-3 ☎03-5226-3030
日研トータルソーシング㈱	ア 事業 (単)人材派遣87 業務請負12 有料職業紹介1 ㉕**1000** ㉔**857** 売 単120,574 従 23,000 資 50 住 東京都大田区西蒲田7-23-3 ☎03-5711-6400
日建リース工業㈱	リ 事業 (単)建設用仮設機材賃貸64 各種事務用機器賃貸他18 物流機器賃貸8 介護用具賃貸10 ㉕**未定** ㉔**51** 売 単96,436 従 1,996 資 95 住 東京都千代田区神田猿楽町2-7-8 ☎03-3295-9111
㈱ニッコー	鉄金卸 事業 (単)普通鋼鋼管65 ステンレス鋼鋼管25 他10 ㉕**未定** ㉔**7** 売 単42,827 従 329 資 420 住 東京都中央区日本橋茅場町2-1-1 ☎03-6732-1125
㈱ニッコクトラスト	外 事業 (単)産業給食97 一般外食3 ㉕**20** ㉔**7** 売 単26,136 従 8,316 資 99 住 東京都江東区新木場1-18-6 ☎03-6687-4451
日産証券㈱	証 事業 (単)受入手数料88 受取手数料3 トレーディング損益7 金融収支1 他営業収益1 ㉕**10** ㉔**12** 売 単7,581 従 268 資 1,500 住 東京都中央区銀座6-10-1 ☎03-4216-1200
日昭電気㈱	建 事業 (単)電気工事業75 不動産賃貸収入7 商品売上6 売電収入12 ㉕**4** ㉔**4** 売 単5,295 従 101 資 99 住 東京都港区北青山2-7-9 ☎03-3402-7151
日清医療食品㈱	他サ 事業 (単)給食95 他5 ㉕**1151** ㉔**1042** 売 連350,378 従 16,330 資 100 住 東京都千代田区丸の内2-7-3 ☎03-3287-3611
日清紡ケミカル㈱	化 事業 (単)断熱製品45 燃料電池用セパレータ25 添加剤・改質剤20 カーボン製品10 ㉕**前年並** ㉔**15** 売 単10,746 従 325 資 3,000 住 東京都中央区日本橋人形町2-31-11 ☎03-5695-8886
日清紡ブレーキ㈱	自 事業 (単)自動車, 輸送用機器用摩擦材の開発・製造・加工・売買・輸出入 ㉕**未定** ㉔**5** 売 単19,111 従 614 資 9,447 住 東京都中央区日本橋人形町2-31-11 ☎03-6897-8900
日清紡マイクロデバイス㈱	電機 事業 (単)電子デバイス製品, マイクロ波製品の製造・販売 ㉕**50** ㉔**46** 売 連81,301 従 1,851 資 5,220 住 東京都中央区日本橋横山町3-10 ☎03-5642-8222
日清丸紅飼料㈱	食 事業 (単)配合飼料販売85 畜産物販売15 他0 ㉕**未定** ㉔**26** 売 単212,816 従 468 資 5,500 住 東京都中央区日本橋室町4-5-1 ☎03-5201-3230
日水物流㈱	倉埠 事業 (単)冷蔵倉庫業73 貨物運送取扱事業9 通関業16 他2 ㉕**未定** ㉔**17** 売 単17,444 従 486 資 2,000 住 東京都港区芝大門2-8-13 ☎03-5472-6100
日精㈱	機 事業 (単)機械式駐車設備37 商品事業50 凍結乾燥機事業13 ㉕**6** ㉔**9** 売 単30,292 従 323 資 450 住 東京都港区西新橋1-18-17 ☎03-3502-3471
日成共益㈱	食卸 事業 (単)工業薬品19 食品75 合板建材6 賃貸収入1 ㉕**未定** ㉔**4** 売 単51,084 従 155 資 218 住 東京都千代田区神田美土代町7 ☎03-3293-3741
㈱ニッセイコム	シソ 事業 (単)情報システム100 ㉕**50** ㉔**33** 売 単23,686 従 893 資 300 住 東京都中央区日本橋室町2-1-1 ☎03-6774-7200
ニッセイ・リース㈱	リ 事業 (単)賃貸95 割賦1 ファイナンス4 ㉕**前年並** ㉔**5** 売 単44,972 従 180 資 3,099 住 東京都千代田区九段南2-3-14 ☎03-6758-3400
ニッタン㈱	建 事業 (単)防災設備工事64 防災機器販売20 防災設備保守点検16 ㉕**25** ㉔**24** 売 単42,954 従 943 資 2,302 住 東京都渋谷区笹塚1-54-5 ☎03-5333-8601
日鉄環境㈱	建 事業 (単)水処理プラント・薬品32 環境分析・技術68 ㉕**12** ㉔**36** 売 単38,304 従 1,364 資 500 住 東京都港区海岸1-9-1 ☎03-6771-7550
日鉄ステンレス㈱	鉄 事業 (単)ステンレス薄板 ステンレス厚板 ステンレス棒線 ステンレス鋼片他 ㉕**未定** ㉔**52** 売 単432,508 従 2,617 資 5,000 住 東京都千代田区丸の内1-8-2 ☎03-6841-4800
日鉄日立システムソリューションズ㈱	シソ 事業 (単)DX化推進支援・コンサル 電子ドキュメント ERP ITインフラ等 ㉕**30** ㉔**17** 売 単19,948 従 510 資 250 住 東京都中央区明石町8-1 ☎03-3544-7800
日鉄物産㈱	鉄金卸 事業 (連)鉄鋼 産機・インフラ 食糧 繊維 ㉕**未定** ㉔**50** 売 連2,099,487 従 1,323 資 16,389 住 東京都中央区日本橋2-7-1 ☎03-6772-5001
日鉄物流㈱	海 事業 (連)海上運送 港湾物流 自動車運送 他 ㉕**111** ㉔**114** 売 連241,928 従 6,281 資 4,000 住 東京都中央区日本橋1-13-1 ☎03-3241-6400
日東工営㈱	建 事業 (単)建築事業65 ハウス事業35 ㉕**増加** ㉔**7** 売 単10,173 従 112 資 60 住 東京都新宿区西新宿7-7-30 ☎03-3366-1311

会社名	[業種名] (事業)会社の事業構成(%) ㉕25年採用計画数(名) ㉔24年入社内定者数(名) (売)売上高(百万円) (従)単独従業員数(名) (資)資本金(百万円) (住)本社の住所, 電話番号
日発販売㈱	[精機卸] (事業)(単)オートパーツ31 プレシジョンパーツ64 産業インフラ5 ㉕**10** ㉔**5** (売)単41,713 (従)384 (資)2,040 (住)東京都港区東新橋2-14-1 ☎03-6854-1600
㈱にっぱん	[外] (事業)(単)魚がし日本一87 青ゆず寅・油や13 ㉕**3** ㉔**4** (売)単5,045 (従)127 (資)50 (住)東京都千代田区有楽町2-10-1 ☎03-6259-1928
日宝化学㈱	[化] (事業)(単)電子材料55 農業樹脂22 医療ファイン17 開発4 ㉕**未定** ㉔**3** (売)単7,479 (従)186 (資)517 (住)東京都中央区日本橋本町4-8-15 ☎03-3270-5341
日邦薬品工業㈱	[化医卸] (事業)(単)医薬品・医薬部外品・動物用医薬品等の販売 食品の販売 他 ㉕**未定** ㉔**7** (売)単9,808 (従)125 (資)201 (住)東京都渋谷区代々木3-46-16 ☎03-3370-7174
日本液炭㈱	[化] (事業)(単)液化炭酸 ドライアイス 工業ガス 高品位尿素水 低温物流資材等の販売 ㉕**14** ㉔**8** (売)単38,103 (従)338 (資)600 (住)東京都港区芝4-1-23 ☎03-6722-2250
日本カーソリューションズ㈱	[リ] (事業)(単)自動車等リース91 自動車等割賦販売2 他7 ㉕**32** ㉔**26** (売)連203,039 (従)1,051 (資)1,181 (住)東京都千代田区外神田4-14-1 ☎03-5207-2000
日本紙通商㈱	[他卸] (事業)(単)紙・パルプ70 他30 ㉕**未定** ㉔**7** (売)単159,590 (従)395 (資)1,000 (住)東京都千代田区神田駿河台4-6 ☎03-6665-7032
日本カルミック㈱	[他サ] (事業)(単)事業所向けトイレ ビルの給排水 厨房設備 ㉕**15** ㉔**12** (売)単17,961 (従)568 (資)20 (住)東京都千代田区九段南1-6-5 ☎03-3230-6760
日本管材センター㈱	[他卸] (事業)(単)パイプ15 継手23 弁類12 住設・機器5 プレハブ加工22 他23 ㉕**未定** ㉔**27** (売)単76,686 (従)446 (資)500 (住)東京都港区赤坂1-1-14 ☎03-6880-5111
日本クロージャー㈱	[他製] (事業)(単)樹脂製品 アルミキャップ スチールキャップ 王冠 関連機械他 ㉕**47** ㉔**20** (売)単52,930 (従)1,322 (資)500 (住)東京都品川区東五反田2-18-1 ☎03-4514-2150
㈱日本経済広告社	[広] (事業)(単)新聞広告13 テレビ広告28 インタラクティブ27 マーケティングプロモーション10 OOH5 他17 ㉕**18** ㉔**33** (売)単54,101 (従)411 (資)89 (住)東京都千代田区神田小川町2-10 ☎03-5282-8000
㈱日本経済社	[広] (事業)(単)新聞34 テレビ23 デジタル14 SP13 雑誌3 ラジオ1 他13 ㉕**未定** ㉔**12** (売)単35,478 (従)380 (資)197 (住)東京都港区元赤坂1-2-7 ☎03-6434-5023
日本原子力発電㈱	[電ガ] (事業)(連)電気事業99 他1 ㉕**未定** ㉔**30** (売)連96,719 (従)1,188 (資)120,000 (住)東京都台東区上野5-2-1 ☎03-6371-7400
日本建設㈱	[建] (事業)(単)建築工事100 土木工事0 ㉕**28** ㉔**23** (売)単78,733 (従)446 (資)2,000 (住)東京都港区芝3-8-2 ☎03-4321-0756
日本建設工業㈱	[建] (事業)(単)火力・原子力発電プラントの建設 自家発電設備工事 電気計装工事 ㉕**未定** ㉔**4** (売)単33,597 (従)508 (資)400 (住)東京都中央区月島4-12-5 ☎03-3532-7151
日本コンベヤ㈱	[機] (事業)(単)コンベヤ 立体駐車装置 ㉕**未定** ㉔**4** (売)単11,048 (従)265 (資)3,851 (住)東京都千代田区神田鍛冶町3-6-3 ☎03-6625-0011
日本ジェネリック㈱	[医] (事業)(単)医療用医薬品の製造・販売 ㉕**未定** ㉔**29** (売)単36,126 (従)535 (資)1,255 (住)東京都千代田区丸の内1-9-1 ☎03-6810-0500
日本事務器㈱	[シソ] (事業)(単)商品系(ハード)27 ソフト系35 保守・技術系38 ㉕**30** ㉔**27** (売)単34,008 (従)835 (資)360 (住)東京都渋谷区本町3-12-1 ☎050-3000-1500
日本重化学工業㈱	[鉄] (事業)(単)合金鉄44 機能材料54 エネルギー2 ㉕**5** ㉔**8** (売)単44,400 (従)482 (資)100 (住)東京都中央区日本橋茅場町2-12-10 ☎03-6704-4720
日本住宅ローン㈱	[他金] (事業)(単)貸出金等99 他1 ㉕**増加** ㉔**8** (売)単10,437 (従)179 (資)1,000 (住)東京都渋谷区代々木2-1-1 ☎03-6701-7710
日本情報通信㈱	[シソ] (事業)(単)インフラビジネス36 SIビジネス37 マネージドビジネス19 EDIビジネス8 ㉕**50** ㉔**39** (売)単36,994 (従)880 (資)4,000 (住)東京都中央区明石町8-1 ☎03-6278-1111
㈱日本信用情報機構	[シソ] (事業)(単)個人信用情報の収集・提供・管理 ㉕**若干** ㉔**5** (売)単6,778 (従)118 (資)100 (住)東京都台東区北上野1-10-14 ☎・・
日本製紙クレシア㈱	[パ紙] (事業)(単)衛生紙製品・産業用ワイパーの製造・販売 ㉕**未定** ㉔**28** (売)単109,623 (従)1,000 (資)3,067 (住)東京都千代田区神田駿河台4-6 ☎03-6665-5300
日本製紙パピリア㈱	[パ紙] (事業)(単)包装用紙・工業用紙60 印刷・出版用紙20 機能品部門20 ㉕**未定** ㉔**7** (売)単19,871 (従)417 (資)3,949 (住)東京都千代田区神田駿河台4-6 ☎03-6665-5800
㈱日本設計	[築設] (事業)(単)建築設計部門89 都市計画部門11 ㉕**30** ㉔**29** (売)単23,336 (従)1,007 (資)100 (住)東京都港区虎ノ門1-23-1 ☎050-3139-7100

会社名	業種名 (事業)会社の事業構成(%) ㉕25年採用計画数(名) ㉔24年入社内定者数(名) (売)売上高(百万円) (従)単独従業員数(名) (資)資本金(百万円) (住)本社の住所，電話番号
日本設備工業㈱	建 (事業)(単)空調設備工事62 空調衛生工事19 衛生工事15 他3 ㉕**25** ㉔**23** (売)単27,696 (従)360 (資)460 (住)東京都中央区日本橋箱崎町36-2 ☎03-4213-4900
㈱日本総研情報サービス	シソ (事業)(単)運用管理83 開発17 ㉕**35** ㉔**32** (売)単13,900 (従)1,185 (資)450 (住)東京都世田谷区用賀4-5-16 ☎03-5491-6111
㈱日本デキシー	パ紙 (事業)(単)紙コップ 紙皿等紙器一般 ㉕**未定** ㉔**10** (売)単15,229 (従)316 (資)100 (住)東京都千代田区丸の内2-7-2 ☎03-3201-8721
日本テレマティーク㈱	シソ (事業)(単)システムソリューション ソフトウエア開発 CRM・コンタクトセンタソリューション 他 ㉕**4** ㉔**3** (売)単6,363 (従)112 (資)300 (住)東京都渋谷区初台1-34-14 ☎03-5351-1511
日本トーカンパッケージ㈱	パ紙 (事業)(単)段ボール83 紙器12 他5 ㉕**24** ㉔**20** (売)単49,601 (従)1,061 (資)700 (住)東京都品川区東五反田2-18-1 ☎03-4514-2130
日本トーター㈱	他サ (事業)(単)公営競技の総合運営46 保守・運用37 機器販売他17 ㉕**30** ㉔**18** (売)単36,613 (従)2,851 (資)100 (住)東京都港区港南2-16-1 ☎03-5783-2200
日本乳化剤㈱	化 (事業)(単)界面活性剤13 グリコールエーテル73 アミン誘導体14 ㉕**12** ㉔**11** (売)単22,485 (従)367 (資)1,000 (住)東京都中央区日本橋小舟町4-1 ☎03-5651-5631
㈱日本能率協会コンサルティング	他サ (事業)(単)経営コンサルティング100 ㉕**未定** ㉔**4** (売)単6,553 (従)250 (資)250 (住)東京都港区芝公園3-1-22 ☎03-4531-4300
㈱日本ヒュウマップ	他サ (事業)(単)清掃部門60 飲食部門38 ㉕**5** ㉔**4** (売)単6,739 (従)151 (資)100 (住)東京都荒川区西日暮里5-15-7 ☎03-3802-8141
日本ファシリオ㈱	建 (事業)(単)衛生・空調69 電気30 他1 ㉕**30** ㉔**13** (売)単21,958 (従)314 (資)2,500 (住)東京都港区北青山2-12-28 ☎03-5411-5611
日本ファブテック㈱	金製 (事業)(単)鉄構51 橋梁46 ソフトウェア2 賃貸1 ㉕**30** ㉔**15** (売)単38,001 (従)677 (資)2,437 (住)東京都港区芝浦4-15-33 ☎03-6705-0221
日本分光㈱	精 (事業)(単)光分析機器75 液体クロマトグラフ15 他10 ㉕**10** ㉔**9** (売)単8,020 (従)294 (資)90 (住)東京都八王子市石川町2967-5 ☎042-646-4111
日本無線㈱	電機 (事業)(連)マリンシステム31 ソリューション・特機44 ICT・メカトロニクス16 医用機器4 他4 ㉕**未定** ㉔**56** (売)連140,566 (従)2,173 (資)14,704 (住)東京都中野区中野4-10-1 ☎03-6832-1721
日本郵便㈱	他サ (事業)(連)郵便・物流59 郵便局窓口27 国際物流13 ㉕**2600** ㉔**1342** (売)連3,323,743 (従)171,804 (資)400,000 (住)東京都千代田区大手町2-3-1 ☎03-3477-0111
日本ルナ㈱	食 (事業)(単)はっ酵乳および乳酸菌飲料・洋菓子・各種飲料水の製造販売 ㉕**未定** ㉔**9** (売)単20,310 (従)276 (資)397 (住)東京都品川区大崎2-1-1 ☎03-4555-8313
ニッポンレンタカーサービス㈱	リ (事業)(単)自動車有償貸渡事業100 ㉕**未定** ㉔**8** (売)単43,937 (従)215 (資)720 (住)東京都千代田区神田練塀町3 ☎03-6859-6111
㈱ニヤクコーポレーション	陸 (事業)(連)物流85 構内・倉庫2 他12 ㉕**15** ㉔**16** (売)連52,814 (従)1,806 (資)800 (住)東京都江東区冬木14-5 ☎03-5809-8701
ニューロング工業㈱	機 (事業)(単)製袋機47 包装機械38 工業用ミシン14 コンベヤ他1 ㉕**2** ㉔**3** (売)単9,784 (従)162 (資)100 (住)東京都葛飾区白鳥4-8-14 ☎03-3603-2251
㈱にんべん	食 (事業)(単)つゆの素類60 鰹節・削節類25 ふりかけ他5 ギフト品類10 ㉕**6** ㉔**8** (売)単16,071 (従)244 (資)88 (住)東京都中央区日本橋室町1-5-5 ☎03-3241-0241
㈱ネクスティ エレクトロニクス	電卸 (事業)(単)半導体79 情報通信機器および応用システム11 他10 ㉕**19** ㉔**11** (売)単460,356 (従)964 (資)5,284 (住)東京都港区港南2-3-13 ☎03-5462-9611
㈱ノースイ	食卸 (事業)(単)水産33 冷食67 ㉕**未定** ㉔**8** (売)単65,752 (従)277 (資)435 (住)東京都港区三田3-11-36 ☎03-5476-0906
㈱野澤組	総卸 (事業)(単)食品61 繊維7 畜産9 機械5 開発18 ㉕**6** ㉔**5** (売)単22,588 (従)161 (資)100 (住)東京都千代田区有楽町1-5-2 ☎03-3528-8101
ノバルティス ファーマ㈱	医 (事業)(単)医薬品100 ㉕**未定** ㉔**6** (売)単269,504 (従)2,600 (資)100 (住)東京都港区虎ノ門1-23-1 ☎03-6899-8000
ノボ ノルディスクファーマ㈱	医 (事業)(単)医療用医薬品100 ㉕**未定** ㉔**10** (売)単129,765 (従)1,135 (資)2,104 (住)東京都千代田区丸の内2-1-1 ☎03-6266-1000
野村信託銀行㈱	信 (事業)(単)信託業務 銀行業務 登録金融機関業務 他 ㉕**若干** ㉔**17** (売)単33,807 (従)579 (資)50,000 (住)東京都千代田区大手町2-2-2 ☎03-5202-1600

会社名	[業種名] [事業] 会社の事業構成(%) ㉕25年採用計画数(名) ㉔24年入社内定者数(名) [売]売上高(百万円) [従]単独従業員数(名) [資]資本金(百万円) [住]本社の住所, 電話番号
野村不動産ソリューションズ㈱	[不] [事業] (単)不動産仲介 保険代理店 銀行代理 不動産情報サイト運営 ㉕**未定** ㉔**144** [売]単49,569 [従]1,967 [資]1,000 [住]東京都新宿区西新宿1-26-2 ☎03-3345-7778
野村不動産パートナーズ㈱	[建管] [事業] (単)管理55 受注工事35 他10 ㉕**64** ㉔**62** [売]単106,563 [従]2,509 [資]200 [住]東京都新宿区西新宿1-26-2 ☎03-3345-0611
パーカー加工㈱	[金製] [事業] (単)輸送用機器49 機械プラント14 精密機器8 電気通信7 交通土木4 建築7 他12 ㉕**未定** ㉔**13** [売]単8,440 [従]218 [資]416 [住]東京都中央区日本橋1-15-1 ☎03-3275-3271
パークタワーホテル㈱	[ホ] [事業] (単)ホテル事業100 ㉕**80** ㉔**20** [売]単8,932 [従]333 [資]1,000 [住]東京都新宿区西新宿3-7-1 ☎03-5322-1234
パイオニア㈱	[電機] [事業] (連)カーエレクトロニクス 他 ㉕**20** ㉔**15** [売]連241,513 [従]1,859 [資]57,381 [住]東京都文京区本駒込2-28-8 ☎03-6634-8777
ハイモ㈱	[化] [事業] (単)水処理用高分子凝集剤 製紙用高分子薬剤 機能性高分子薬剤 ㉕**未定** ㉔**14** [売]単16,289 [従]203 [資]281 [住]東京都千代田区丸の内3-4-1 ☎03-6212-3838
㈱白泉社	[新] [事業] (単)雑誌50 書籍50 ㉕**未定** ㉔**4** [売]単13,953 [従]114 [資]10 [住]東京都千代田区神田淡路町2-2-2 ☎03-3526-8000
㈱長谷工アーベスト	[不] [事業] (単)不動産販売・代理 他 ㉕**未定** ㉔**24** [売]単12,691 [従]725 [資]1,000 [住]東京都港区芝2-6-1 ☎03-5440-5800
㈱長谷工コミュニティ	[建管] [事業] (単)管理事業収入69 完成工事高28 他3 ㉕**未定** ㉔**57** [売]単61,020 [従]6,941 [資]2,840 [住]東京都港区芝2-6-1 ☎0120-009-226
パナソニック コネクト㈱	[電機] [事業] (単)産業用電気機械器具・産業用ロボット 金属加工機械 他 ㉕**200** ㉔**197** [売]単595,367 [従]9,945 [資]500 [住]東京都中央区銀座8-21-1 ☎03-5565-8700
㈱パルコスペースシステムズ	[建] [事業] (単)空間形成44 ビルマネジメント56 ㉕**未定** ㉔**15** [売]単22,631 [従]825 [資]100 [住]東京都渋谷区神泉町8-16 ☎03-5459-6811
パルスモ㈱	[電卸] [事業] (単)LCD LED モーター各種 基板電子部品 液晶 ソレノイド 防衛関連部品輸入販売 ㉕**未定** ㉔**3** [売]単11,897 [従]165 [資]86 [住]東京都文京区本郷2-38-5 ☎03-3815-6108
㈱パレスホテル	[ホ] [事業] (連)ホテル81 不動産賃貸19 ㉕**未定** ㉔**130** [売]連35,571 [従]683 [資]1,000 [住]東京都千代田区丸の内1-1-1 ☎03-3211-5211
㈱バンザイ	[精機卸] [事業] (単)自動車整備・検査機器販売98 不動産賃貸1 ホテル1 ㉕**10** ㉔**5** [売]単38,755 [従]464 [資]559 [住]東京都港区芝2-31-19 ☎03-3769-6800
㈱BS朝日	[通] [事業] (単)テレビ放送89 他11 ㉕**若干** ㉔**3** [売]単18,347 [従]81 [資]10,000 [住]東京都港区西麻布1-2-9 ☎03-5412-9255
PSP㈱	[シソ] [事業] (単)医療用システム 医療関連クラウドサービス 他 ㉕**11** ㉔**13** [売]単9,726 [従]413 [資]1,100 [住]東京都港区港南1-2-70 ☎03-4346-3180
㈱ビーエスフジ	[通] [事業] (単)放送事業95 他放送3 他事業2 ㉕**未定** ㉔**4** [売]単16,255 [従]81 [資]6,200 [住]東京都港区台場2-4-8 ☎03-5500-8000
東日本建設業保証㈱	[他金] [事業] (単)公共工事前払金保証・契約保証・金融保証事業 ㉕**未定** ㉔**5** [売]連12,295 [従]262 [資]2,000 [住]東京都中央区八丁堀2-27-10 ☎03-3552-7520
日立グローバルライフソリューションズ㈱	[電機] [事業] (単)家電品 空調機器 設備機器等の販売 エンジニアリング 保守 他 ㉕**62** ㉔**79** [売]単350,591 [従]5,300 [資]20,000 [住]東京都港区西新橋2-15-12 ☎03-3502-2111
㈱日立産機システム	[電機] [事業] (単)産業機器80 ソリューションサービス20 ㉕**110** ㉔**69** [売]単192,661 [従]3,495 [資]10,000 [住]東京都千代田区外神田1-5-1 ☎03-6271-7001
㈱日立産業制御ソリューションズ	[シソ] [事業] (単)社会インフラ 産業・流通システム 組込システム セキュリティシステム ㉕**100** ㉔**71** [売]単80,949 [従]3,413 [資]3,000 [住]東京都台東区秋葉原6-1 ☎03-3251-7200
日立チャネルソリューションズ㈱	[電機] [事業] (単)自動機80 端末システム20 ㉕**20** ㉔**20** [売]単81,803 [従]932 [資]8,500 [住]東京都品川区大崎1-6-3 ☎03-5719-5500
㈱日立ハイテクソリューションズ	[精機卸] [事業] (単)OTソリューション88 ISソリューション12 ㉕**16** ㉔**11** [売]単22,260 [従]537 [資]400 [住]東京都港区虎ノ門1-17-1 ☎03-3504-7773
㈱日立ハイテクフィールディング	[機保] [事業] (単)技術サービス40 国内・海外向け部品販売60 ㉕**31** ㉔**24** [売]単79,310 [従]975 [資]1,000 [住]東京都港区虎ノ門1-17-1 ☎0120-203-813
㈱日立ビルシステム	[機] [事業] (単)エレベーター・エスカレーターの製販・据付・保守・改修 ビル設備機器管理 ㉕**290** ㉔**170** [売]単280,209 [従]8,600 [資]5,105 [住]東京都千代田区神田淡路町2-101 ☎03-3295-1211

会社名	業種名 事業 会社の事業構成(%) ㉕25年採用計画数(名) ㉔24年入社内定者数(名) 売 売上高(百万円) 従 単独従業員数(名) 資 資本金(百万円) 住 本社の住所, 電話番号
㈱日立プラントサービス	建 事業 (単)産業設備76 水処理24 ㉕52 ㉔32 売 単122,433 従 1,437 資 3,000 住 東京都豊島区東池袋3-1-1 ☎03-6386-3001
ビッグホリデー㈱	レ 事業 (単)国内旅行パッケージ30 手配旅行60 他10 ㉕若干 ㉔7 売 単31,905 従 138 資 80 住 東京都文京区本郷3-19-2 ☎03-3818-5008
㈱ヒノキヤグループ	建 事業 (単)建設 ㉕60 ㉔51 売 単68,321 従 1,956 資 100 住 東京都千代田区丸の内1-8-3 ☎050-1702-5800
㈱ヒューテックノオリン	倉埠 事業 (単)倉庫業 冷凍冷蔵業 一般貨物自動車運送事業ならびに貨物運送取扱事業 ㉕15 ㉔15 売 単47,849 従 1,982 資 1,217 住 東京都新宿区若松町33-8 ☎03-5291-8111
ヒロセホールディングス㈱	リ 事業 (連)グループの戦略策定・経営管理 ㉕未定 ㉔26 売 連136,440 従 57 資 2,341 住 東京都江東区東陽4-1-13 ☎03-5634-4501
㈱VHリテールサービス	小 事業 (単)眼鏡等小売, 通販 ㉕70 ㉔117 売 単23,523 従 1,199 資 100 住 東京都中央区日本橋堀留町1-9-11 ☎0465-24-3611
フォーデイズ㈱	食 事業 (単)健康食品78 化粧品22 ㉕5 ㉔5 売 単31,919 従 200 資 45 住 東京都中央区日本橋小網町6-7 ☎03-5643-0651
フコク物産㈱	総卸 事業 (単)自動車関係 OA事務器 鉄道・産業機械 建材関係 ㉕5 ㉔5 売 単18,482 従 168 資 324 住 東京都大田区大森西2-32-7 ☎03-3765-3211
富士機材㈱	総卸 事業 (単)管材44 住機建材18 設備機材21 空調機器17 ㉕50 ㉔51 売 単169,092 従 871 資 100 住 東京都千代田区一番町12 ☎03-3556-4500
㈱フジクラプリントサーキット	電機 事業 (単)フレキシブルプリント配線板の生産・販売 ㉕6 ㉔3 売 単73,356 従 340 資 1,000 住 東京都江東区木場1-5-1 ☎03-5606-1192
不二建設㈱	建 事業 (単)建築工事業99 不動産事業等1 ㉕30 ㉔17 売 単39,786 従 243 資 200 住 東京都港区芝3-5-5 ☎03-5476-5561
富士港運㈱	倉埠 事業 (単)港湾運送50 一般貨物運送28 倉庫14 他8 ㉕6 ㉔7 売 単9,911 従 515 資 546 住 東京都港区浜松町1-29-6 ☎03-3434-5231
㈱不二工機	機 事業 (単)カーエアコン部門51 ルーム・パッケージエアコン44 コールドチェーン他5 ㉕15 ㉔15 売 単45,804 従 566 資 298 住 東京都世田谷区等々力7-17-24 ☎03-3702-5141
フジ産業㈱	外 事業 (単)給食受託業 ㉕30 ㉔40 売 単12,313 従 3,475 資 47 住 東京都港区虎ノ門3-22-1 ☎03-3434-8901
㈱不二製作所	機 事業 (単)サンドブラスト装置 サンドブラスト部品 研磨材 サンドブラスト受託加工 他 ㉕8 ㉔7 売 単6,172 従 290 資 100 住 東京都江戸川区松江5-2-24 ☎03-3686-2291
フジタ道路㈱	建 事業 (単)舗装工事73 土木工事13 解体工事14 ㉕12 ㉔9 売 単12,182 従 210 資 100 住 東京都中央区晴海1-8-10 ☎03-5859-0670
富士ビジネス㈱	他卸 事業 (単)オペレーションサポート営業本部26 オフィス環境営業本部68 ビジネスソリューション営業本部6 ㉕未定 ㉔3 売 単25,866 従 275 資 290 住 東京都千代田区丸の内2-5-1 ☎03-6250-1031
フジモトHD㈱	他卸 事業 (単)ピップグループ会社の経営計画・管理および付随業務 ㉕15 ㉔5 売 連229,700 従 85 資 2,000 住 東京都千代田区内神田3-3-7 ☎・・
㈱富士ロジテックホールディングス	倉埠 事業 (単)倉庫48 運送36 不動産13 他3 ㉕未定 ㉔14 売 単20,847 従 772 資 300 住 東京都千代田区丸の内3-4-1 ☎03-5208-1001
㈱フソウ	建 事業 (単)建設43 販売50 製造6 メンテナンス1 ㉕20 ㉔15 売 単47,349 従 687 資 3,000 住 東京都中央区日本橋室町2-3-1 ☎03-6880-2110
㈱二葉	倉埠 事業 (連)一般港湾運送・通関34 倉庫44 物流他22 ㉕未定 ㉔13 売 連24,955 従 302 資 626 住 東京都港区高輪3-19-15 ☎03-3473-8210
物林㈱	他卸 事業 (単)素材21 製材38 建材・資材31 工事10 ㉕10 ㉔5 売 単25,765 従 136 資 50 住 東京都江東区新木場1-7-22 ☎03-5534-3580
プラス㈱	他製 事業 (連)オフィス関連89 ソリューション11 ㉕25 ㉔16 売 連231,875 従 1,457 資 9,867 住 東京都港区虎ノ門4-1-28 ☎03-5860-7000
古河産業㈱	鉄金卸 事業 (連)電装・エレクトロニクス45 輸送機器15 社会インフラ30 合成樹脂6 ライフサイエンス4 他0 ㉕未定 ㉔6 売 連126,934 従 290 資 700 住 東京都港区新橋4-21-3 ☎03-5405-6011
㈱フルキャスト	他サ 事業 (単)人材アウトソーシング ㉕60 ㉔59 売 単43,163 従 480 資 100 住 東京都品川区西五反田8-9-5 ☎03-4530-4848

会社名	業種名 事業 会社の事業構成(%) ㉕25年採用計画数(名) ㉔24年入社内定者数(名) 売 売上高(百万円) 従 単独従業員数(名) 資 資本金(百万円) 住 本社の住所, 電話番号
㈱文藝春秋	新 事業 (単)雑誌 書籍 ㉕未定 ㉔7 売単19,012 従348 資144 住東京都千代田区紀尾井町3-23 ☎03-3265-1211
㈱文昌堂	パ紙 事業 (単)段ボール原紙58 板紙34 洋紙8 ㉕前年並 ㉔3 売単48,165 従105 資200 住東京都台東区上野5-1-1 ☎03-3836-1151
㈱ベリサーブ	シソ 事業 (連)システム検証 ㉕70 ㉔39 売連23,676 従1,386 資792 住東京都千代田区神田三崎町3-1-16 ☎03-6629-8540
ぺんてる㈱	他製 事業 (単)文具89 電子機器3 省力機器1 他8 ㉕30 ㉔30 売単23,363 従642 資450 住東京都中央区日本橋小網町7-2 ☎03-3667-3333
㈱朋栄	電機 事業 (単)放送用映像機器48 輸入品2 システム他50 ㉕未定 ㉔11 売単9,119 従321 資300 住東京都渋谷区恵比寿3-8-1 ☎03-3446-3121
北越紙販売㈱	他卸 事業 (単)洋紙75 板紙22 加工品他3 ㉕未定 ㉔3 売単59,751 従96 資1,300 住東京都中央区日本橋本石町3-2-2 ☎03-6328-0001
ポケットカード㈱	貸 事業 (単)クレジットカード 融資 保険代理店 他 ㉕20 ㉔15 売単38,901 従404 資14,374 住東京都港区芝公園1-1-1 ☎03-3432-6070
㈱細川洋行	他製 事業 (単)食品包装材53 工業品包装材8 薬品包装材30 他9 ㉕未定 ㉔6 売単31,371 従456 資304 住東京都千代田区二番町11-5 ☎03-3263-1461
ポリプラスチックス㈱	化 事業 (連)ポリアセタール樹脂 液晶ポリマー ポリブチレンテレフタレート樹脂 他 ㉕17 ㉔16 売連186,868 従952 資3,000 住東京都港区港南2-18-1 ☎03-6711-8600
本州化学工業㈱	化 事業 (単)化学品61 機能材料20 工業材料16 他3 ㉕10 ㉔10 売連25,120 従372 資1,500 住東京都中央区日本橋3-3-9 ☎03-3272-1481
㈱ホンダファイナンス	貸 事業 (単)顧客向け金融88 事業者向け金融12 ㉕15 ㉔17 売単92,036 従456 資11,090 住東京都千代田区九段南2-1-30 ☎03-5210-7890
㈱マーブル	シソ 事業 (単)ソフトウェア開発80 システムインテグレーション20 ㉕370 ㉔125 売単36,601 従2,900 資100 住東京都中央区日本橋本町4-8-14 ☎03-3243-5311
㈱マウスコンピューター	電機 事業 (単)パソコン 液晶ディスプレイ ㉕28 ㉔17 売単53,460 従547 資100 住東京都千代田区大手町2-3-2 ☎03-6739-3811
㈱前川製作所	機 事業 (単)産業用冷凍機並びに各種ガスコンプレッサーの製造販売 農畜・水産・食品・飲料関連冷却設備, 設計施工メンテナンス 他 ㉕45 ㉔22 売単98,735 従2,001 資1,000 住東京都江東区牡丹3-14-15 ☎03-3642-8181
㈱増岡組	建 事業 (単)建築工事85 土木工事15 ㉕8 ㉔10 売単21,572 従249 資1,250 住東京都千代田区丸の内1-8-2 ☎03-6206-3451
㈱松下産業	建 事業 (単)建築94 土木6 ㉕4 ㉔7 売単19,040 従238 資312 住東京都文京区本郷1-34-4 ☎03-3814-6901
㈱松田平田設計	築設 事業 (単)設計監理報酬100 ㉕15 ㉔13 売単6,552 従383 資60 住東京都港区元赤坂1-5-17 ☎03-3403-6161
丸磯建設㈱	建 事業 (単)土木一式工事90 建築一式工事10 ㉕5 ㉔7 売単25,377 従211 資98 住東京都品川区北品川3-6-7 ☎03-5462-8800
丸一ステンレス鋼管㈱	鉄 事業 (単)シームレスステンレス鋼管 他 ㉕30 ㉔21 売単27,752 従336 資4,250 住東京都品川区北品川5-9-11 ☎03-5739-5051
丸善雄松堂㈱	小 事業 (単)教育・学術事業 店舗内装事業他 ㉕未定 ㉔4 売単31,140 従330 資100 住東京都中央区新川1-28-23 ☎03-6367-6004
丸紅ITソリューションズ㈱	シソ 事業 (単)情報・通信システムの企画・設計 ソフトウェアの開発および販売 ㉕23 ㉔19 売単19,219 従397 資410 住東京都文京区後楽2-6-1 ☎03-4512-3000
丸紅ケミックス㈱	化医卸 事業 (単)化学品 機械器具 電子部品 無機鉱産物 化粧品 食品 医療品 ㉕4 ㉔4 売単20,000 従153 資650 住東京都千代田区神田美土代町7 ☎03-4360-3400
丸紅シーフーズ㈱	食卸 事業 (単)水産物売買100 冷蔵倉庫0 ㉕未定 ㉔19 売連88,744 従189 資640 住東京都港区芝浦4-9-25 ☎03-3769-0031
丸紅情報システムズ㈱	シソ 事業 (単)製造・エンタープライズ・IT基盤・デジタルIT・クラウドに対するソリューションの提供 ㉕19 ㉔23 売単35,381 従591 資1,565 住東京都文京区後楽2-6-1 ☎03-4243-4000
丸紅食料㈱	食卸 事業 (単)茶類, コーヒー, 一般加工食品, 青果物, 小麦粉, 砂糖の取り扱い ㉕2 ㉔3 売単26,441 従144 資1,000 住東京都中央区京橋1-12-5 ☎03-3538-8800

会社名	業種名 (事業)会社の事業構成(%) ㉕25年採用計画数(名) ㉔24年入社内定者数(名) (売)売上高(百万円) (従)単独従業員数(名) (資)資本金(百万円) (住)本社の住所, 電話番号
丸紅都市開発㈱	不 (事業)(単)不動産開発および販売業務100 ㉕**4** ㉔**4** (売)単8,312 (従)94 (資)400 (住)東京都千代田区大手町1-4-2 ☎03-6268-5310
丸紅フォレストリンクス㈱	他卸 (事業)(単)洋紙卸売57 板紙卸売28 化成品他卸売15 ㉕**13** ㉔**13** (売)単147,501 (従)264 (資)1,000 (住)東京都千代田区大手町1-4-2 ☎03-6268-5211
丸紅プラックス㈱	化医卸 (事業)(単)自動車産業, 電子電気産業, 食品業界等向け合成樹脂・関連製品の販売 ㉕**未定** ㉔**5** (売)単17,108 (従)154 (資)1,000 (住)東京都文京区後楽1-4-14 ☎03-6891-7700
丸美屋食品工業㈱	食 (事業)(単)レトルト食品50 ふりかけ食品50 ㉕**未定** ㉔**14** (売)単64,075 (従)545 (資)288 (住)東京都杉並区松庵1-15-18 ☎03-3332-8181
マンパワーグループ㈱	ア (事業)(単)人材派遣75 人材紹介他25 ㉕**100** ㉔**80** (売)単157,000 (従)3,772 (資)4,000 (住)東京都港区芝浦3-1-1 ☎045-227-4400
ミアヘルサ㈱	小 (事業)(単)医薬事業50 介護事業18 保育事業27 他5 ㉕**前年並** ㉔**124** (売)単18,643 (従)1,181 (資)100 (住)東京都新宿区市谷仲之町3-19 ☎03-3341-2421
三笠産業㈱	機 (事業)(単)土木建設機械製造100 ㉕**5** ㉔**4** (売)単15,141 (従)147 (資)240 (住)東京都千代田区神田猿楽町1-4-3 ☎03-3292-1411
三木産業㈱	化医卸 (事業)(単)コーティング材料15 高機能樹脂31 生活産業資材18 精密化学品他36 ㉕**5** ㉔**3** (売)単70,387 (従)218 (資)100 (住)東京都中央区日本橋3-15-5 ☎03-3271-4186
水澤化学工業㈱	化 (事業)(単)活性白土22 微粉シリカ12 PVC用安定剤19 他48 ㉕**未定** ㉔**8** (売)単10,607 (従)369 (資)1,519 (住)東京都中央区日本橋堀留町1-10-13 ☎03-6700-3960
みずほファクター㈱	他金 (事業)(単)ファクタリング業務, 代金回収業務 ㉕**未定** ㉔**6** (売)単13,566 (従)223 (資)1,000 (住)東京都千代田区丸の内1-6-2 ☎03-3286-2200
みずほ不動産販売㈱	不 (事業)(単)不動産仲介100 ㉕**未定** ㉔**53** (売)単22,649 (従)855 (資)1,500 (住)東京都中央区日本橋1-3-13 ☎03-5200-0537
三井化学クロップ&ライフソリューション㈱	化 (事業)(単)農業化学品 ㉕**12** ㉔**9** (売)単81,166 (従)588 (資)350 (住)東京都中央区日本橋1-19-1 ☎03-5290-2700
三井金属商事㈱	鉄金卸 (事業)(単)非鉄金属38 リサイクル38 工業薬品15 電子材料5 印刷材料・他4 ㉕**未定** ㉔**5** (売)単35,561 (従)66 (資)240 (住)東京都墨田区錦糸3-2-1 ☎03-5819-9021
三井情報㈱	シソ (事業)(連)ITインフラ・基盤構築 基幹システム導入 業務アプリ開発 他 ㉕**65** ㉔**39** (売)連109,453 (従)1,851 (資)4,113 (住)東京都港区愛宕2-5-1 ☎03-6376-1000
三井住友トラスト不動産㈱	不 (事業)(単)不動産仲介100 ㉕**81** ㉔**80** (売)単26,455 (従)1,228 (資)300 (住)東京都千代田区神田錦町3-11-1 ☎03-6870-3310
三井倉庫サプライチェーンソリューション㈱	陸 (事業)(単)物流 ㉕**10** ㉔**8** (売)単17,215 (従)271 (資)1,550 (住)東京都港区西新橋3-20-1 ☎03-6858-7450
三井農林㈱	食 (事業)(単)食品100 ㉕**未定** ㉔**4** (売)単23,877 (従)480 (資)9,463 (住)東京都港区西新橋1-2-9 ☎03-3500-0611
三井物産グローバルロジスティクス㈱	倉埠 (事業)(単)倉庫 国内運送 通関 不動産 国際物流 ㉕**15** ㉔**11** (売)単65,503 (従)555 (資)1,000 (住)東京都港区東新橋2-14-1 ☎03-5657-1130
三井物産ケミカル㈱	化医卸 (事業)(単)溶剤・塗料等の国内販売および貿易 ㉕**若干** ㉔**10** (売)単193,292 (従)296 (資)800 (住)東京都千代田区大手町1-3-1 ☎03-6759-5000
三井不動産ファシリティーズ㈱	建管 (事業)(単)建物総合管理(設備・清掃・警備・環境) ㉕**30** ㉔**30** (売)単38,255 (従)3,861 (資)490 (住)東京都千代田区霞が関3-8-1 ☎03-3528-8640
三井不動産レジデンシャルサービス㈱	建管 (事業)(単)管理受託81 工事請負12 付帯事業4 サポート2 ㉕**22** ㉔**21** (売)単48,560 (従)2,992 (資)400 (住)東京都江東区豊洲5-6-52 ☎03-3534-3101
三井不動産レジデンシャルリース㈱	不 (事業)(単)賃貸100 ㉕**30** ㉔**24** (売)単107,376 (従)690 (資)490 (住)東京都新宿区西新宿2-1-1 ☎03-5381-1031
㈱三井三池製作所	機 (事業)(単)荷役運搬機械55 産機流体機械14 原動機20 精密部品11 他0 ㉕**15** ㉔**9** (売)単24,185 (従)438 (資)1,000 (住)東京都中央区日本橋室町2-1-1 ☎03-3270-2001
三菱オートリース㈱	リ (事業)(単)自動車に係るリース, メンテナンス等の総合ソリューションサービス ㉕**20** ㉔**20** (売)単201,229 (従)1,096 (資)960 (住)東京都港区芝5-33-11 ☎03-5476-0111
三菱ケミカル物流㈱	陸 (事業)(単)陸運68 海運15 包装・資材販売10 海外7 ㉕**15** ㉔**11** (売)単80,748 (従)1,491 (資)1,500 (住)東京都港区芝大門1-1-30 ☎03-5408-4500

会社名	業種名 事業 会社の事業構成(%) ㉕25年採用計画数(名) ㉔24年入社内定者数(名) 売売上高(百万円) 従単独従業員数(名) 資資本金(百万円) 住本社の住所,電話番号
三菱地所コミュニティ㈱	建管 事業 (単)マンション総合管理 ビル総合管理 リニューアル工事等 ㉕前年並 ㉔52 売単60,915 従1,439 資100 住東京都千代田区三番町6-1 ☎03-5213-6100
三菱地所・サイモン㈱	不 事業 (単)プレミアム・アウトレットの開発・所有・運営 ㉕7 ㉔6 売単57,376 従167 資249 住東京都千代田区大手町1-9-7 ☎・・
三菱地所プロパティマネジメント㈱	不 事業 (単)オフィスビル,商業施設等の建物の総合的な運営・管理サービス ㉕42 ㉔55 売単103,747 従1,442 資300 住東京都千代田区丸の内2-2-3 ☎03-3287-4111
三菱地所リアルエステートサービス㈱	不 事業 (単)仲介75 賃貸他25 ㉕30 ㉔44 売単32,584 従653 資2,400 住東京都千代田区大手町1-9-2 ☎03-3510-8011
三菱重工交通・建設エンジニアリング㈱	建 事業 (単)交通・機器事業部24 エンジニアリング事業部76 ㉕18 ㉔8 売単53,533 従963 資300 住東京都港区芝5-33-11 ☎03-5476-6961
三菱商事テクノス㈱	精機卸 事業 (単)工場内設備機械装置・IT関連カスタマイズ・省エネ設備の販売他 ㉕未定 ㉔5 売単59,774 従326 資600 住東京都港区芝浦3-1-21 ☎03-3453-7441
三菱商事ロジスティクス㈱	倉埠 事業 (単)物流 不動産 ㉕未定 ㉔8 売単19,136 従183 資1,067 住東京都千代田区有楽町2-10-1 ☎03-6267-2500
三菱電機システムサービス㈱	電機 事業 (単)商品部門41 機電部門30 電子部門29 ㉕未定 ㉔40 売単75,814 従2,012 資600 住東京都世田谷区太子堂4-1-1 ☎03-5431-7750
三菱電機ソフトウエア㈱	シソ 事業 (単)システムエンジニアリング・ソフト開発 システムインテグレーション ㉕252 ㉔229 売単108,501 従5,253 資1,000 住東京都港区浜松町2-4-1 ☎03-6721-5831
三菱電機トレーディング㈱	総卸 事業 (単)国内資材調達62 海外資材調達・貿易35 集中購買3 ㉕12 ㉔7 売単231,784 従656 資1,000 住東京都千代田区丸の内2-1-1 ☎03-5220-7301
三菱電機フィナンシャルソリューションズ㈱	リ 事業 (単)リースおよびレンタル,割賦販売業務 ㉕10 ㉔7 売単75,636 従383 資1,010 住東京都品川区大崎1-6-3 ☎03-5496-5421
三菱電機プラントエンジニアリング㈱	機保 事業 (単)重電機器の保守・修理およびエンジニアリング100 ㉕76 ㉔73 売単101,408 従3,182 資350 住東京都台東区東上野5-24-8 ☎03-5827-6311
三菱電機ライフサービス㈱	不 事業 (単)ビジネスサービス34 不動産21 フードサービス19 介護サービス他26 ㉕12 ㉔12 売単34,012 従2,631 資3,000 住東京都港区芝公園2-4-1 ☎03-6402-6001
三菱プレシジョン㈱	精 事業 (単)シミュレーションシステム46 航空・宇宙機器28 パーキングシステム26 ㉕32 ㉔34 売単19,319 従842 資3,167 住東京都港区港南1-6-41 ☎03-6712-3740
三菱UFJ不動産販売㈱	不 事業 (単)不動産の売買・交換の媒介・代理・金融商品取引法に規定する第二種金融商品取引業等100 ㉕55 ㉔52 売単24,493 従903 資300 住東京都千代田区神田神保町2-1 ☎03-3237-3761
ミツワ電機㈱	電卸 事業 (単)照明器具28 配電・配線機器20 空調設備機器15 電線・配管機器15 太陽光・オール電化1 他21 ㉕25 ㉔29 売単115,255 従874 資330 住東京都中央区東日本橋2-26-3 ☎03-3862-1111
ミドリ安全㈱	他卸 事業 (単)産業用安全衛生保護具 ユニホーム・産業用特殊服 環境改善機器製造販売 ㉕30 ㉔30 売単98,047 従1,010 資1,454 住東京都渋谷区広尾5-4-3 ☎03-3442-8281
緑屋電気㈱	電卸 事業 (単)国内販売 貿易 ㉕未定 ㉔8 売単91,300 従290 資321 住東京都中央区日本橋室町1-2-6 ☎03-5200-4600
㈱三松	小 事業 (単)きもの40 ドレス・宝飾・毛皮他60 ㉕未定 ㉔30 売単7,704 従445 資50 住東京都渋谷区千駄ヶ谷3-60-5 ☎03-6810-8800
みらい建設工業㈱	建 事業 (単)土木・建築等工事 他 ㉕20 ㉔18 売単33,222 従316 資2,500 住東京都港区芝4-6-12 ☎03-6436-3710
㈱ミルックス	建 事業 (単)建設・内装工事他 損害保険 仮設資材リース他 ㉕10 ㉔10 売単34,770 従437 資372 住東京都中央区京橋2-18-3 ☎03-3567-7700
向井建設㈱	建 事業 (単)建築工事67 土木工事33 ㉕未定 ㉔40 売単32,385 従654 資100 住東京都千代田区神田須田町2-8-1 ☎03-3257-1301
武蔵オイルシール工業㈱	ゴ皮 事業 (単)オイルシール70 オーリング10 他工業用ゴム製品20 ㉕未定 ㉔5 売単4,866 従295 資62 住東京都港区六本木5-11-29 ☎03-3404-6341
㈱ムラオ	他製 事業 (単)貴金属・宝飾品100 ㉕5 ㉔3 売単14,643 従153 資100 住東京都千代田区神田淡路町1-23 ☎03-3251-2428
㈱明治ゴム化成	ゴ皮 事業 (連)ゴム製品80 合成樹脂製品20 ㉕4 ㉔3 売連17,916 従190 資692 住東京都新宿区西新宿7-22-35 ☎03-5338-4691

会社名	業種名 (事業)会社の事業構成(%) ㉕25年採用計画数(名) ㉔24年入社内定者数(名) (売)売上高(百万円) (従)単独従業員数(名) (資)資本金(百万円) (住)本社の住所, 電話番号
明治安田アセットマネジメント㈱	投 (事業)(単)投資信託委託業 投資顧問業 ㉕**未定** ㉔**3** (売)単11,015 (従)219 (資)1,000 (住)東京都千代田区大手町2-3-2 ☎03-6700-4058
明治ロジテック㈱	陸 (事業)(単)一般貨物運送90 倉庫業5 燃料販売4 整備他1 ㉕**8** ㉔**8** (売)単45,875 (従)477 (資)98 (住)東京都江東区新砂1-2-10 ☎03-5653-0577
㈱明成商会	化医卸 (事業)(単)化学品37 エレクトロニクス・ソリューション38 環境21 他4 ㉕**3** ㉔**3** (売)単26,657 (従)110 (資)302 (住)東京都中央区日本橋本町4-8-14 ☎03-5299-6211
㈱明治屋	小 (事業)(単)小売56 商品30 海上8 不動産6 ㉕**26** ㉔**8** (売)単30,104 (従)440 (資)270 (住)東京都中央区京橋2-2-8 ☎03-3271-1111
㈱メイテックフィルダーズ	ア (事業)(単)エンジニアリングソリューション ㉕**400** ㉔**302** (売)単33,662 (従)4,576 (資)120 (住)東京都台東区上野1-1-10 ☎050-3000-5826
名糖運輸㈱	陸 (事業)(単)一般貨物自動車運送 貨物運送取扱 倉庫 ㉕**15** ㉔**7** (売)単56,708 (従)1,963 (資)2,176 (住)東京都新宿区若松町33-8 ☎03-5291-8110
メディア㈱	シソ (事業)(単)歯科診療支援システム ㉕**5** ㉔**4** (売)単5,287 (従)257 (資)100 (住)東京都文京区本郷3-26-6 ☎03-5684-2510
㈱mediba	広 (事業)(単)広告 メディアプロデュース コンテンツ運用 課金サービス ㉕**6** ㉔**6** (売)単8,256 (従)533 (資)1,035 (住)東京都品川区上大崎2-13-30 ☎・・
㈱メフォス	他サ (事業)(連)シルバー福祉施設34 学校27 病院16 幼保12 産業8 寮・保養所他3 ㉕**未定** ㉔**386** (売)連59,898 (従)1,580 (資)100 (住)東京都港区赤坂2-23-1 ☎03-6234-7600
㈱桃屋	食 (事業)(単)海苔佃煮24 液体調味料15 中華総菜20 食べる調味料27 他14 ㉕**3** ㉔**4** (売)単14,128 (従)307 (資)300 (住)東京都中央区日本橋蛎殻町2-16-2 ☎03-3668-5771
森トラスト・ホテルズ&リゾーツ㈱	ホ (事業)(単)ホテル・ゴルフ場運営 法人会員制倶楽部運営 レストラン・カフェ運営 他 ㉕**未定** ㉔**58** (売)単30,378 (従)1,068 (資)100 (住)東京都品川区北品川4-7-35 ☎03-6409-2811
森永乳業クリニコ㈱	食 (事業)(単)医療食50 栄養補助食品50 ㉕**15** ㉔**9** (売)単26,741 (従)329 (資)200 (住)東京都目黒区目黒4-4-22 ☎03-3793-4101
森村商事㈱	総卸 (事業)(単)セラミックス15 電子材料17 化成品12 香料食品6 樹脂25 金属7 航空18 ㉕**未定** ㉔**7** (売)単92,837 (従)257 (資)450 (住)東京都港区虎ノ門4-1-28 ☎03-3432-3510
㈱MOLDINO	機 (事業)(単)切削工具等の製造・販売 ㉕**10** ㉔**5** (売)単19,789 (従)725 (資)1,455 (住)東京都墨田区両国4-31-11 ☎03-6890-5101
㈱八重椿本舗	化 (事業)(単)化粧品製造 入浴剤製造 化粧品・入浴剤の研究開発 ㉕**5** ㉔**6** (売)単9,200 (従)250 (資)10 (住)東京都港区浜松町1-30-5 ☎03-5776-0261
㈱ヤグチ	食卸 (事業)(単)食品56 冷食37 食品資材・米・粉・酒7 ㉕**未定** ㉔**6** (売)単86,908 (従)217 (資)100 (住)東京都港区海岸2-1-21 ☎03-3452-7532
安田不動産㈱	不 (事業)(単)建物の賃貸61 土地の賃貸5 不動産販売他34 ㉕**7** ㉔**5** (売)単39,375 (従)157 (資)270 (住)東京都千代田区神田錦町2-11 ☎03-5259-0511
八千代エンジニヤリング㈱	他サ (事業)(単)都市計画6 道路23 環境6 河川・砂防・ダム32 港湾3 鋼構造・コンクリ12 廃棄物他18 ㉕**95** ㉔**65** (売)単26,774 (従)1,321 (資)450 (住)東京都台東区浅草橋5-20-8 ☎03-5822-2900
㈱ヤマイチ	小 (事業)(単)生鮮食品97 雑貨その他3 ㉕**8** ㉔**7** (売)単14,230 (従)142 (資)10 (住)東京都江戸川区一之江4-14-14 ☎03-3656-0121
やまう㈱	食 (事業)(単)漬物販売97 不動産賃貸2 他1 ㉕**5** ㉔**5** (売)単5,143 (従)166 (資)96 (住)東京都目黒区大橋1-6-8 ☎03-3463-7211
㈱山下設計	築設 (事業)(単)建築の設計・監理93 PM・CM7 ㉕**20** ㉔**16** (売)単9,588 (従)452 (資)100 (住)東京都中央区日本橋小網町6-1 ☎03-3249-1551
ヤマト科学㈱	精 (事業)(単)理科学機器, 研究施設, 分析計測機器, 試験検査機器の開発・製造・販売 ㉕**20** ㉔**16** (売)単36,290 (従)738 (資)100 (住)東京都中央区晴海1-8-11 ☎03-5548-7101
ヤマトシステム開発㈱	シソ (事業)(単)情報処理サービス83 システム開発9 システム機器販売8 ㉕**150** ㉔**185** (売)単64,014 (従)2,627 (資)1,800 (住)東京都江東区南砂2-5-15 ☎03-6333-0100
㈱ヤヨイサンフーズ	食 (事業)(単)調理冷凍食品100 ㉕**29** ㉔**18** (売)単39,469 (従)1,237 (資)727 (住)東京都港区芝大門1-10-11 ☎03-5400-1500
㈱UK	精機卸 (事業)(単)軸受と直導部品33 油圧・空圧部品20 電機・制御部品10 伝動部品5 その他部品32 ㉕**4** ㉔**4** (売)単26,851 (従)226 (資)36 (住)東京都文京区湯島1-7-13 ☎03-3814-2211

会社名	[業種名] [事業] 会社の事業構成(%) ㉕25年採用計画数(名) ㉔24年入社内定者数(名) [売]売上高(百万円) [従]単独従業員数(名) [資]資本金(百万円) [住]本社の住所, 電話番号
郵船トラベル㈱	[レ] [事業] (単)海外部門80 国内部門10 クルーズ部門10 ㉕未定 ㉔7 [売]単29,782 [従]206 [資]270 [住]東京都千代田区神田神保町2-2 ☎03-6777-9067
ユーソナー㈱	[シソ] [事業] (単)DBマーケティング支援 ㉕20 ㉔20 [売]単5,038 [従]272 [資]100 [住]東京都新宿区西新宿3-20-2 ☎03-5388-7000
㈱雄電社	[建] [事業] (単)電気工事100 ㉕12 ㉔12 [売]単19,184 [従]278 [資]693 [住]東京都品川区旗の台2-8-21 ☎03-3786-1161
有楽製菓㈱	[食] [事業] (単)菓子製造販売 ㉕未定 ㉔37 [売]単15,400 [従]435 [資]11 [住]東京都小平市小川町1-94 ☎042-341-1811
㈱ユカ	[小] [事業] (単)自販機直販(清涼飲料)83 自販機型コンビニ10 卸他部門(清涼飲料)2 受取手数料5 ㉕未定 ㉔11 [売]単29,996 [従]718 [資]100 [住]東京都目黒区南2-1-30 ☎03-5701-3351
ユニオン建設㈱	[建] [事業] (単)軌道工事46 土木工事43 建築工事11 ㉕未定 ㉔17 [売]単41,754 [従]739 [資]120 [住]東京都目黒区中目黒2-10-1 ☎03-3719-0731
ユニファースト㈱	[総卸] [事業] (単)企業のオリジナルグッズや物販用アイテムの企画・販売 アイデア商品および自社ブランドアイテムの開発 プロモーション支援などに関するSP業務 ㉕8 ㉔5 [売]単4,090 [従]55 [資]98 [住]東京都台東区浅草橋3-4-3 ☎03-3865-5031
㈱ユポ・コーポレーション	[パ紙] [事業] (単)合成紙86 合成紙加工品14 ㉕未定 ㉔6 [売]単14,708 [従]349 [資]495 [住]東京都千代田区神田駿河台4-3 ☎03-5281-0811
養老乃瀧㈱	[外] [事業] (単)フランチャイズ事業 直営事業 他 ㉕未定 ㉔3 [売]単13,030 [従]320 [資]50 [住]東京都豊島区西池袋1-10-15 ☎03-6327-2800
横河商事㈱	[電卸] [事業] (単)計測制御システム・電子計測器・工業計器等98 他2 ㉕12 ㉔6 [売]単22,820 [従]300 [資]90 [住]東京都品川区西五反田3-6-21 ☎03-3495-6635
㈱横森製作所	[金製] [事業] (単)鉄骨製階段91 階段手すり9 ㉕未定 ㉔19 [売]単16,501 [従]523 [資]60 [住]東京都渋谷区笹塚1-47-1 ☎03-3460-9211
㈱ヨシダ	[他卸] [事業] (単)歯科医療機器類80 歯科材料類20 ㉕10 ㉔17 [売]単35,330 [従]688 [資]320 [住]東京都台東区上野7-6-9 ☎03-3845-2971
㈱吉田製作所	[精] [事業] (単)歯科医療器械ユニット25 レントゲン30 レーザー17 DI15 他14 ㉕4 ㉔4 [売]単9,278 [従]357 [資]138 [住]東京都墨田区江東橋1-3-6 ☎03-3631-2191
㈱吉野工業所	[他製] [事業] (単)合成樹脂成型加工100 ㉕前年並 ㉔12 [売]単210,504 [従]4,778 [資]432 [住]東京都江東区大島3-2-6 ☎03-3682-1141
㈱読売情報開発	[他サ] [事業] (単)各種商品・サービス85 読売新聞他契約手数料10 他5 ㉕20 ㉔11 [売]単17,440 [従]534 [資]40 [住]東京都千代田区平河町2-13-3 ☎03-5212-1111
㈱読売新聞東京本社	[新] [事業] (単)新聞発行 文化・スポーツ事業等 ㉕未定 ㉔66 [売]単258,803 [従]2,374 [資]1,000 [住]東京都千代田区大手町1-7-1 ☎03-3242-1111
ライクキッズ㈱	[他サ] [事業] (単)公的保育サービス89 受託保育サービス11 ㉕300 ㉔172 [売]単30,402 [従]3,244 [資]50 [住]東京都渋谷区道玄坂1-12-1 ☎03-6431-9899
㈱LIXIL住宅研究所	[他サ] [事業] (単)建設業の技術支援およびコンサルタント ㉕6 ㉔6 [売]単17,439 [従]202 [資]100 [住]東京都品川区西品川1-1-1 ☎050-1791-2213
リコージャパン㈱	[電卸] [事業] (単)リコー事務機器製品の販売・保守サービス ㉕250 ㉔257 [売]単679,873 [従]18,161 [資]2,517 [住]東京都港区芝3-8-2 ☎03-6837-8800
りそなカード㈱	[貸] [事業] (単)クレジットカード 金銭貸付・信用保証 ㉕7 ㉔8 [売]単444,051 [従]329 [資]1,000 [住]東京都江東区木場1-5-25 ☎03-5665-0601
りそなリース㈱	[リ] [事業] (単)商業用機器26 土木建設機械13 情報関連機器12 輸送用機器10 産業・工作機械13 他25 ㉕前年並 ㉔9 [売]単32,204 [従]276 [資]3,300 [住]東京都千代田区神田美土代町9-1 ☎03-5280-1657
㈱流機エンジニアリング	[他製] [事業] (単)トンネル工事換気装置レンタル48 環境装置販売・レンタル25 開発製造事業9 他18 ㉕3 ㉔6 [売]単5,334 [従]145 [資]40 [住]東京都港区三田3-4-2 ☎03-3452-7400
菱電エレベータ施設㈱	[建] [事業] (単)エレベーター・エスカレーター等販売16 同据付49 同製造他35 ㉕76 ㉔48 [売]単22,023 [従]894 [資]200 [住]東京都新宿区市谷砂土原町2-4 ☎03-3235-9201
りんかい日産建設㈱	[建] [事業] (単)建設業 ㉕20 ㉔17 [売]単70,450 [従]654 [資]1,950 [住]東京都港区芝大門2-11-8 ☎03-6897-4801
ルートインジャパン㈱	[ホ] [事業] (単)ルートインホテルズの運営・管理・企画・旅行企画 ㉕未定 ㉔164 [売]単127,723 [従]17,820 [資]50 [住]東京都品川区大井1-35-3 ☎03-3777-5515

会社名	業種名 (事業)会社の事業構成(%) ㉕25年採用計画数(名) ㉔24年入社内定者数(名) (売)売上高(百万円) (従)単独従業員数(名) (資)資本金(百万円) (住)本社の住所，電話番号
㈱LEOC	他サ (事業)(単)学校・病院給食や企業の食堂などの管理・運営 ㉕**815** ㉔**595** (売)連130,900 (従)10,040 (資)50 (住)東京都千代田区大手町1-1-3 ☎03-5220-8550
ローレルバンクマシン㈱	精機卸 (事業)(単)現金出納システム機60 硬貨整理機10 紙幣整理機15 両替機5 他10 ㉕**未定** ㉔**5** (売)単45,861 (従)833 (資)45 (住)東京都港区虎ノ門1-1-2 ☎03-3502-3311
ロジスティード㈱	陸 (事業)(連)国内物流53 国際物流45 他2 ㉕**50** ㉔**35** (売)連800,243 (従)891 (資)100 (住)東京都中央区京橋2-9-2 ☎03-6263-2800
㈱ロフト	小 (事業)(単)雑貨専門店事業100 ㉕**50** ㉔**43** (売)単107,188 (従)4,645 (資)750 (住)東京都千代田区九段北4-2-6 ☎03-5210-6210
YKアクロス㈱	総卸 (事業)(単)合成樹脂25 電子材料・化学品26 建材・無機材料部27 高機能化学品16 住環事業6 ㉕**5** ㉔**5** (売)単10,971 (従)291 (資)1,200 (住)東京都港区芝公園2-4-1 ☎03-5405-6111
㈱YDKテクノロジーズ	精 (事業)(単)航海機器51 防衛機器23 環境計測機器13 他13 ㉕**19** ㉔**12** (売)単15,820 (従)646 (資)300 (住)東京都渋谷区千駄ヶ谷5-23-13 ☎03-3225-5350
湧永製薬㈱	医 (事業)(単)一般用医薬品・健康食品85 他15 ㉕**未定** ㉔**9** (売)単7,863 (従)282 (資)544 (住)東京都新宿区荒木町13-4 ☎0570-666-170
ワッティー㈱	精 (事業)(単)特機54 電熱37 センサ9 ㉕**未定** ㉔**4** (売)単16,436 (従)186 (資)95 (住)東京都品川区西五反田7-18-2 ☎03-3779-1001
㈱IHI検査計測	機保 (事業)(単)原子力・ボイラー等検査計測37 試験検査装置50 研究開発等支援13 ㉕**5** ㉔**8** (売)単11,512 (従)354 (資)220 (住)横浜市金沢区福浦2-6-17 ☎045-791-3513
㈱アイ・シイ・エス	金製 (事業)(単)熱処理70 DLCコーティング他20 他10 ㉕**3** ㉔**3** (売)単4,756 (従)139 (資)220 (住)神奈川県愛甲郡愛川町三増247-15 ☎046-281-6900
㈱AOKI	小 (事業)(単)ファッション100 ㉕**130** ㉔**68** (売)単100,974 (従)1,749 (資)100 (住)横浜市都筑区葛が谷6-56 ☎045-941-3488
㈱旭商工社	精機卸 (事業)(単)工具・産業機等の仕入・販売 ㉕**10** ㉔**6** (売)単19,759 (従)223 (資)485 (住)横浜市西区平沼1-7-10 ☎045-311-1551
荒井商事㈱	総卸 (事業)(単)中古車オートオークション92 食品卸売5 パチンコホール3 ㉕**12** ㉔**13** (売)単211,852 (従)455 (資)100 (住)神奈川県平塚市紅谷町17-2 ☎0463-23-2011
アルバックテクノ㈱	機保 (事業)(単)機械メンテ 部品・消耗品販売 規格品販売 金属表面処理 ㉕**15** ㉔**6** (売)単26,088 (従)831 (資)125 (住)神奈川県茅ヶ崎市萩園2609-5 ☎0467-87-1046
上野トランステック㈱	海 (事業)(単)海運100 ㉕**未定** ㉔**7** (売)単21,319 (従)157 (資)480 (住)横浜市中区山下町70-3 ☎045-671-7535
エア・ウォーター・パフォーマンスケミカル㈱	化 (事業)(単)化学100 ㉕**14** ㉔**15** (売)単33,463 (従)560 (資)100 (住)川崎市幸区大宮町1310 ☎044-540-0110
AGCセイミケミカル㈱	化 (事業)(単)有機材料59 無機材料41 ㉕**若干** ㉔**9** (売)単10,595 (従)341 (資)450 (住)神奈川県茅ヶ崎市茅ヶ崎3-2-10 ☎0467-82-4131
㈱エスシー・マシーナリ	他サ (事業)(単)建設機械レンタ83 建設機械販売15 工事2 ㉕**7** ㉔**7** (売)単32,189 (従)295 (資)200 (住)横浜市瀬谷区北町25-9 ☎045-924-2711
NECマグナスコミュニケーションズ㈱	電機 (事業)(単)通信機器電子機器企画開発販売 自動券売機・金銭処理ユニット企画開発製造 ㉕**未定** ㉔**12** (売)単17,773 (従)406 (資)100 (住)川崎市幸区新小倉1-2 ☎044-276-7600
NTTイノベーティブデバイス㈱	電機 (事業)(単)フォトニックコンポーネント 映像コンポーネント 通信用エレクトロニクス コパッケージドオプティクス ㉕**未定** ㉔**12** (売)単28,523 (従)602 (資)6,576 (住)横浜市神奈川区新浦島町1-1-32 ☎045-414-9700
ENEOSオーシャン㈱	海 (事業)(単)海上運送業 石油・鉄・非鉄金属等の売買他 ㉕**4** ㉔**4** (売)単73,576 (従)349 (資)4,000 (住)横浜市西区みなとみらい2-2-1 ☎045-307-3000
江ノ島電鉄㈱	鉄バ (事業)(単)運輸 不動産 レジャーサービス ㉕**未定** ㉔**6** (売)単6,899 (従)222 (資)300 (住)神奈川県藤沢市片瀬海岸1-8-16 ☎0466-24-2711
MHIパワーエンジニアリング㈱	他サ (事業)(単)設計・製図80 一般産業機械他20 ㉕**25** ㉔**5** (売)単21,806 (従)1,217 (資)100 (住)横浜市中区錦町12 ☎045-285-0120
大江電機㈱	電卸 (事業)(単)制御機器60 電設資材29 リテールソリューション11 ㉕**2** ㉔**4** (売)単9,725 (従)115 (資)72 (住)横浜市南区前里町1-9 ☎045-241-3711
オーケー㈱	小 (事業)(連)ディスカウントセンター ディスカウントスーパーマーケット ㉕**300** ㉔**168** (売)連623,812 (従)3,696 (資)2,868 (住)横浜市西区みなとみらい6-3-6 ☎045-263-6062

会社名	業種名 事業 会社の事業構成(%) ㉕25年採用計画数(名) ㉔24年入社内定者数(名) 売 売上高(百万円) 従 単独従業員数(名) 資 資本金(百万円) 住 本社の住所, 電話番号
㈱快活フロンティア	レ 事業 (単)シェアリングスペース・カラオケルーム・セルフトレーニング施設等の経営 ㉕36 ㉔7 売 単71,212 従526 資100 住 横浜市都筑区北山田3-1-50 ☎045-590-4888
川本工業㈱	建 事業 (単)空気調和設備工事38 給排水衛生設備工事44 他18 ㉕15 ㉔11 売 単25,458 従258 資500 住 横浜市中区寿町2-5-1 ☎045-662-2021
キーパー㈱	自 事業 (連)輸送用機器製造販売100 ㉕13 ㉔7 売 連15,561 従473 資693 住 神奈川県藤沢市辻堂神台2-4-36 ☎0466-33-2111
キヤノンアネルバ㈱	電機 事業 (単)半導体製造装置37 電子部品製造装置30 サービス・他33 ㉕前年並 ㉔19 売 単34,538 従1,054 資1,800 住 川崎市麻生区栗木2-5-1 ☎044-980-5111
京セラSOC㈱	精 事業 (単)レーザ発振器27 特定光学機器15 光学システム39 光学部品19 ㉕10 ㉔14 売 単8,629 従272 資50 住 横浜市緑区白山1-22-1 ☎045-931-6511
協同電気㈱	電卸 事業 (単)電気機器50 電設資材29 計装工事21 ㉕未定 ㉔7 売 単13,293 従128 資100 住 横浜市中区山下町227 ☎045-651-1415
㈱京急ストア	小 事業 (単)食品91 日用品4 ドラッグ3 他1 ㉕25 ㉔20 売 単56,696 従615 資100 住 横浜市西区高島1-2-8 ☎045-305-3100
㈱KSP	建管 事業 (単)総合警備業100 ㉕40 ㉔11 売 単6,191 従1,681 資50 住 横浜市中区山吹町1-1 ☎045-243-3111
サイバーコム㈱	シソ 事業 (単)ソフトウェア開発 サービス ファシリティ ㉕130 ㉔128 売 単17,625 従1,274 資399 住 横浜市中区本町4-34 ☎045-681-6001
㈱サンジェルマン	食 事業 (単)パン 菓子の製造・販売 ㉕未定 ㉔4 売 単9,222 従1,550 資9 住 横浜市港北区新羽町688 ☎045-716-8501
四季㈱	レ 事業 (単)演劇100 ㉕10 ㉔17 売 単27,560 従333 資100 住 横浜市青葉区あざみ野1-24-7 ☎045-903-1141
㈱シンクスコーポレーション	鉄金卸 事業 (単)アルミ軽圧品90 ステンレス10 ㉕4 ㉔3 売 単14,361 従407 資88 住 神奈川県愛甲郡愛川町中津桜台4057-2 ☎046-284-3494
㈱シンデン	建 事業 (単)東京電力請負工事85 一般受注電気工事15 セキュリティ関連工事0 ㉕10 ㉔8 売 単9,234 従249 資130 住 横浜市西区平沼1-2-23 ☎045-321-5001
新日本建販㈱	精機卸 事業 (単)商品売上高48 機械賃貸収入52 ㉕5 ㉔3 売 単15,881 従238 資495 住 横浜市港北区新横浜3-6-5 ☎045-473-4011
㈱杉孝	リ 事業 (単)建設用仮設資材のレンタル100 ㉕31 ㉔28 売 単34,530 従748 資100 住 横浜市神奈川区金港町1-7 ☎045-444-0835
杉本電機産業㈱	電卸 事業 (単)照明器具16 受配電機器14 電線・ケーブル20 配管・配線材15 他35 ㉕26 ㉔17 売 単49,041 従503 資919 住 川崎市川崎区渡田向町6-5 ☎044-211-4745
㈱成城石井	小 事業 (単)小売95 卸5 ㉕未定 ㉔77 売 連112,544 従1,323 資100 住 横浜市西区北幸2-9-30 ☎045-329-2300
セイノーロジックス㈱	海 事業 (単)NVOCC(海上輸送利用運送事業) ㉕未定 ㉔4 売 単7,121 従92 資100 住 横浜市西区みなとみらい2-3-1 ☎045-682-5311
㈱多摩川電子	電機 事業 (連)通信用機器・部品 電子応用機器 ㉕若干 ㉔5 売 連3,195 従134 資310 住 神奈川県綾瀬市上土棚中3-11-23 ☎0467-76-2291
中栄信用金庫	銀 事業 (単)現・預け金24 有価証券40 貸出金34 他2 ㉕15 ㉔10 売 単5,966 従249 資168 住 神奈川県秦野市元町1-7 ☎0463-81-1850
千代田エクスワンエンジニアリング㈱	建 事業 (単)石油・石油化学・金属60 医薬・ライフサイエンス・一般化学30 環境・新エネ・インフラ他10 ㉕未定 ㉔12 売 単55,336 従704 資150 住 横浜市神奈川区守屋町3-13 ☎045-441-9341
ディー・ティー・ファインエレクトロニクス㈱	精 事業 (単)電子精密部品製造100 ㉕若干 ㉔5 売 単11,605 従255 資490 住 川崎市幸区小向東芝町1 ☎044-549-8393
東急テクノシステム㈱	建 事業 (単)交通事業42 電設事業58 ㉕未定 ㉔14 売 単10,865 従520 資480 住 川崎市中原区今井上町11-21 ☎044-733-4351
東京濾器㈱	自 事業 (単)排ガス用触媒など自動車部品98 事務機器部品他2 ㉕20 ㉔18 売 単69,983 従967 資2,000 住 横浜市都筑区仲町台3-12-3 ☎045-945-8511
東芝デバイス㈱	電卸 事業 (単)半導体・電子部品99 電池他1 ㉕3 ㉔3 売 単41,333 従190 資500 住 川崎市幸区堀川町580 ☎044-556-8000

会社名	[業種名] [事業] 会社の事業構成(%) ㉕25年採用計画数(名) ㉔24年入社内定者数(名) [売]売上高(百万円) [従]単独従業員数(名) [資]資本金(百万円) [住]本社の住所, 電話番号
東芝デバイスソリューション(株)	[シソ] [事業] (単)半導体の設計・開発 ㉕**22** ㉔**16** [売]単6,402 [従]700 [資]500 [住]川崎市幸区小向東芝町1 ☎044-548-2610
奈良建設(株)	[建] [事業] (単)土木工事50 建築工事50 ㉕**未定** ㉔**6** [売]単15,042 [従]220 [資]200 [住]横浜市港北区新横浜1-13-3 ☎045-472-2111
(株)ニクニ	[機] [事業] (単)産業用ポンプ46 産業用装置28 液晶半導体製造装置16 精密加工製品他10 ㉕**5** ㉔**5** [売]単9,321 [従]154 [資]80 [住]川崎市高津区久地843-5 ☎044-833-1101
日揮触媒化成(株)	[化] [事業] (単)触媒61 環境・新エネルギー8 ファイン31 ㉕**未定** ㉔**16** [売]単39,153 [従]551 [資]1,800 [住]川崎市幸区堀川町580 ☎044-556-9137
日興システムソリューションズ(株)	[シソ] [事業] (単)情報処理サービス100 ㉕**50** ㉔**36** [売]単47,865 [従]655 [資]3,000 [住]横浜市鶴見区大東町12-1 ☎045-506-8811
(株)日産クリエイティブサービス	[他サ] [事業] (単)販売・旅行9 環境・生産技術70 情報・物流19 PG・車両管理他2 ㉕**15** ㉔**10** [売]単58,846 [従]2,995 [資]90 [住]横浜市戸塚区上矢部町2384 ☎045-814-7301
日産トレーディング(株)	[総卸] [事業] (単)自動車2 機械8 部品34 マテリアル52 他4 ㉕**未定** ㉔**15** [売]単16,258 [従]318 [資]320 [住]横浜市戸塚区川上町91-1 ☎050-3360-2021
日産モータースポーツ&カスタマイズ(株)	[自] [事業] (単)特装車両の製造・販売96 部用品販売他4 ㉕**未定** ㉔**5** [売]単176,499 [従]604 [資]480 [住]神奈川県茅ヶ崎市萩園824-2 ☎0467-87-8001
日発精密工業(株)	[自] [事業] (単)ねじ工具 自動車部品 情報処理機器部品 産業用精密部品 ㉕**未定** ㉔**5** [売]単4,269 [従]195 [資]480 [住]神奈川県伊勢原市沼目2-1-49 ☎0463-94-5235
ハーベスト(株)	[他サ] [事業] (単)事業所給食85 食材宅配15 学童0 ㉕**120** ㉔**50** [売]単29,521 [従]9,000 [資]210 [住]横浜市保土ケ谷区岩間町2-120 ☎045-336-1100
浜銀ファイナンス(株)	[リ] [事業] (単)リース95 代金回収4 ファクタリング他1 ㉕**若干** ㉔**4** [売]単31,253 [従]134 [資]200 [住]横浜市西区みなとみらい3-1-1 ☎045-225-2321
(株)バンテック	[倉埠] [事業] (単)運輸56 倉庫業17 運輸サービス26 他1 ㉕**未定** ㉔**13** [売]単63,142 [従]510 [資]3,874 [住]横浜市西区みなとみらい3-6-1 ☎045-306-5221
(株)日立システムズエンジニアリングサービス	[シソ] [事業] (単)システム開発27 システム運用サービス58 システム基盤設計・構築14 他2 ㉕**未定** ㉔**50** [売]単39,210 [従]2,079 [資]250 [住]横浜市西区みなとみらい2-2-1 ☎045-228-4141
(株)日立情報通信エンジニアリング	[シソ] [事業] (単)エンジニアリング48 システムソリューション52 ㉕**未定** ㉔**77** [売]単72,228 [従]2,925 [資]1,350 [住]横浜市西区みなとみらい2-3-3 ☎045-227-3000
(株)日立ハイシステム21	[シソ] [事業] (単)情報システム100 ㉕**50** ㉔**51** [売]単24,123 [従]850 [資]300 [住]横浜市西区みなとみらい2-2-1 ☎045-650-2650
(株)ファルコン	[シソ] [事業] (単)受託システムの開発50 システム開発支援46 システム運用支援4 その他IT全般情報処理0 ㉕**3** ㉔**3** [売]単764 [従]70 [資]50 [住]横浜市神奈川区西神奈川1-13-12 ☎045-317-6521
富士シティオ(株)	[小] [事業] (単)食料品90 雑貨衣料他10 ㉕**30** ㉔**22** [売]単63,489 [従]620 [資]50 [住]横浜市中区日本大通17 ☎045-641-1111
富士通ネットワークソリューションズ(株)	[シソ] [事業] (単)工事・現調23 SE10 ストック55 プロダクト12 ㉕**30** ㉔**38** [売]単59,624 [従]1,337 [資]3,942 [住]川崎市幸区大宮町1-5 ☎044-742-2770
冨士電線(株)	[非鉄] [事業] (単)通信用ケーブル58 消防用ケーブル41 他1 ㉕**未定** ㉔**7** [売]単23,694 [従]405 [資]318 [住]神奈川県伊勢原市鈴川10 ☎0463-94-3721
プライムデリカ(株)	[食] [事業] (単)調理パン26 軽食13 惣菜12 サラダ29 デザート20 ㉕**未定** ㉔**34** [売]単104,594 [従]795 [資]100 [住]相模原市南区麻溝台1-7-1 ☎042-702-0011
(株)フリーデン	[農水] [事業] (単)豚規格肉等60 飼料等18 一般食品等8 豚枝肉等5 加工食品ハム等3 他6 ㉕**未定** ㉔**5** [売]単22,554 [従]196 [資]100 [住]神奈川県平塚市南金目227 ☎0463-58-0123
ペルノックス(株)	[化] [事業] (単)機能樹脂52 機能塗料31 導電材料17 ㉕**4** ㉔**3** [売]単4,323 [従]153 [資]60 [住]神奈川県秦野市菩提8-7 ☎0463-86-8000
(株)ベン	[他製] [事業] (単)各種弁 管継手 ㉕**3** ㉔**7** [売]単8,155 [従]281 [資]449 [住]横浜市中区住吉町3-30 ☎045-227-5241
ポーラ化成工業(株)	[化] [事業] (単)化粧品製造100 ㉕**未定** ㉔**10** [売]単21,477 [従]429 [資]110 [住]横浜市戸塚区柏尾町560 ☎045-826-7111
(株)マブチ	[倉埠] [事業] (単)自動車KD梱包 一般輸出梱包 スチール製箱製作 通関業 包装資材販売 住宅製造請負 ㉕**5** ㉔**4** [売]単18,124 [従]510 [資]130 [住]横浜市中区日本大通17 ☎045-210-0055

会社名	業種名 (事業)会社の事業構成(%) ㉕25年採用計画数(名) ㉔24年入社内定者数(名) (売)売上高(百万円) (従)単独従業員数(名) (資)資本金(百万円) (住)本社の住所,電話番号
馬淵建設㈱	建 (事業)(単)建築工事73 土木工事21 他6 ㉕18 ㉔11 (売)単28,234 (従)321 (資)1,258 (住)横浜市南区花之木町2-26 ☎045-712-1221
三井埠頭㈱	倉埠 (事業)(単)港運営業28 環境48 倉庫営業14 東扇島営業5 業務4 不動産1 海外0 ㉕3 ㉔3 (売)単13,342 (従)157 (資)3,500 (住)川崎市川崎区扇町9-1 ☎044-333-5311
三菱重工環境・化学エンジニアリング㈱	建 (事業)(単)ごみ焼却設備74 環境装置関連他26 ㉕14 ㉔8 (売)単55,061 (従)552 (資)3,450 (住)横浜市西区みなとみらい4-4-2 ☎045-227-1280
三菱ふそうトラック・バス㈱	自 (事業)(単)トラック・バス・産業エンジンの開発・設計・製造 ㉕240 ㉔220 (売)単832,928 (従)10,000 (資)35,000 (住)川崎市中原区大倉町10 ☎044-330-7700
㈱三好商会	他卸 (事業)(単)生コン67 セメント14 硝子その他建材19 ㉕未定 ㉔3 (売)単43,548 (従)99 (資)100 (住)横浜市西区北幸2-8-4 ☎045-328-3440
美和電気㈱	電機 (事業)(単)事故区間検出装置・継電器および工事34 電気計測器15 制御機器27 磁気反転表示器20 他4 ㉕4 ㉔3 (売)単917 (従)63 (資)80 (住)川崎市中原区今井南町34-30 ☎044-722-7131
メーカーズシャツ鎌倉㈱	小 (事業)(単)メンズ・レディース衣料の小売 ㉕7 ㉔11 (売)単5,509 (従)260 (資)100 (住)神奈川県鎌倉市雪ノ下3-1-31 ☎‥
ヤオマサ㈱	小 (事業)(単)食料品・家庭雑貨販売92 レンタル・書籍・CD販売8 ㉕10 ㉔5 (売)単17,920 (従)175 (資)30 (住)神奈川県小田原市前川183-13 ☎0465-47-8000
㈱有隣堂	小 (事業)(単)書籍類28 雑誌6 文具6 スチール2 OA機器18 他40 ㉕10 ㉔6 (売)単52,015 (従)349 (資)50 (住)横浜市中区伊勢佐木町1-4-1 ☎045-825-5551
ユナイテッド・セミコンダクター・ジャパン㈱	精 (事業)(単)半導体製造受託メーカー ㉕未定 ㉔29 (売)単76,648 (従)1,136 (資)10,000 (住)横浜市神奈川区金港町3-1 ☎045-620-2682
㈱臨海	他サ (事業)(単)授業料100 委託授業料0 ㉕未定 ㉔162 (売)単24,424 (従)1,502 (資)50 (住)横浜市神奈川区金港町8-8 ☎045-441-4119
レモンガス㈱	石燃卸 (事業)(単)LPガス63 アクアクララ(ボトルドウォーター)10 石油製品4 ガス器具・工事6 都市ガス他17 ㉕10 ㉔7 (売)単21,803 (従)425 (資)20 (住)神奈川県平塚市高根1-1-11 ☎0463-31-7009
㈱エスエフシー新潟	シソ (事業)(単)医療関係ソフトシステム100 ㉕8 ㉔6 (売)単905 (従)55 (資)80 (住)新潟市中央区南出来島1-10-21 ☎025-282-2233
越後交通㈱	鉄バ (事業)(連)運輸53 建設13 不動産7 他27 ㉕10 ㉔10 (売)連23,903 (従)287 (資)480 (住)新潟県長岡市千秋2-2788-1 ☎0258-29-1111
越後製菓㈱	食 (事業)(単)餅47 米菓33 麺類2 総菜・米飯17 他1 ㉕20 ㉔15 (売)単20,590 (従)738 (資)234 (住)新潟県長岡市呉服町1-4-5 ☎0258-32-2358
㈱NS・コンピュータサービス	シソ (事業)(単)IDCサービス4 ソリューション開発29 物品販売30 エンデベッド開発37 ㉕53 ㉔47 (売)単10,468 (従)589 (資)323 (住)新潟県長岡市金房3-3-2 ☎0258-37-1320
㈱NST新潟総合テレビ	通 (事業)(単)タイムセールス放送36 スポットセールス放送52 制作収入等12 ㉕未定 ㉔3 (売)単6,749 (従)83 (資)300 (住)新潟市中央区八千代2-3-1 ☎025-245-8181
㈱エヌ・エム・アイ	小 (事業)(単)処方箋調剤99 OTC・介護用品1 ㉕未定 ㉔25 (売)単7,964 (従)225 (資)30 (住)新潟県長岡市緑町1-38-283 ☎0258-28-2538
岡三にいがた証券㈱	証 (事業)(単)受入手数料98 トレーディング損益1 金融収益1 ㉕未定 ㉔8 (売)単4,363 (従)184 (資)852 (住)新潟県長岡市大手通1-5-5 ☎0258-35-0290
㈱加賀田組	建 (事業)(単)建築工事67 土木工事22 舗装工事9 兼業事業2 ㉕未定 ㉔31 (売)単38,248 (従)404 (資)520 (住)新潟市中央区万代4-5-15 ☎025-247-5171
㈱加藤組	建 (事業)(単)土木工事61 建築工事19 他20 ㉕2 ㉔7 (売)単2,845 (従)94 (資)40 (住)新潟県村上市久保多町7-3 ☎0254-53-4165
加茂信用金庫	銀 (事業)(単)現・預け金27 有価証券34 貸出金38 他1 ㉕未定 ㉔4 (売)単1,069 (従)85 (資)313 (住)新潟県加茂市本町1-29 ☎0256-53-2211
㈱北村製作所	自 (事業)(単)アルミバン48 シェルター37 洗浄機5 他10 ㉕未定 ㉔5 (売)単12,125 (従)419 (資)100 (住)新潟市江南区両川1-3604-12 ☎025-280-7120
㈱興和	建 (事業)(単)建設76 地質調査11 建設コンサルタント4 物品販売等6 不動産賃貸3 ㉕未定 ㉔5 (売)単9,326 (従)248 (資)93 (住)新潟市中央区新光町6-1 ☎025-281-8811
新潟綜合警備保障㈱	建管 (事業)(単)機械警備50 常駐警備30 警備輸送12 他8 ㉕28 ㉔28 (売)単7,764 (従)757 (資)48 (住)新潟市東区小金町1-17-20 ☎025-274-1965

会社名	業種名 事業 会社の事業構成(%) ㉕25年採用計画数(名) ㉔24年入社内定者数(名) 売 売上高(百万円) 従 単独従業員数(名) 資 資本金(百万円) 住 本社の住所, 電話番号
㈱新潟テレビ21	通 事業 (単)タイム放送48 スポット放送48 制作1 他3 ㉕未定 ㉔4 売 単4,655 従 81 資 100 住 新潟市中央区下大川前通六ノ町2230-19 ☎025-223-0021
新潟トヨタ自動車㈱	自販 事業 (単)新車70 サービス15 中古車15 ㉕未定 ㉔14 売 単17,983 従 224 資 62 住 新潟市中央区女池南1-2-13 ☎025-281-7111
㈱新潟日報社	新 事業 (単)日刊新聞100 ㉕未定 ㉔11 売 単14,122 従 519 資 142 住 新潟市中央区万代3-1-1 ☎025-385-7111
㈱新潟三越伊勢丹	小 事業 (単)百貨店100 ㉕5 ㉔6 売 単35,939 従 218 資 100 住 新潟市中央区八千代1-6-1 ☎025-242-1111
㈱原信	小 事業 (単)生鮮食品47 加工食品48 他3 営業収入2 ㉕未定 ㉔40 売 単161,340 従 1,277 資 500 住 新潟県長岡市中興野18-2 ☎0258-66-6711
㈱BSNアイネット	シソ 事業 (単)情報処理サービス50 コンピュータシステム販売27 ソフト開発23 ㉕20 ㉔13 売 単13,689 従 389 資 200 住 新潟市中央区米山2-5-1 ☎025-243-0211
福田道路㈱	建 事業 (単)舗装工事69 土木工事9 製品売上19 他3 ㉕17 ㉔17 売 単28,477 従 509 資 2,000 住 新潟市中央区川岸町1-53-1 ☎025-231-1211
㈱本間組	建 事業 (単)土木50 建築45 他5 ㉕未定 ㉔18 売 単46,875 従 524 資 1,000 住 新潟市中央区西湊町通三ノ町3300-3 ☎025-229-2511
マルソー㈱	陸 事業 (単)共同配送30 3PL(サード・パーティー・ロジスティクス)50 他20 ㉕未定 ㉔3 売 単4,531 従 450 資 98 住 新潟県三条市月岡字綾ノ前2783-1 ☎0256-34-2621
㈱マルタケ	化医卸 事業 (単)医療用医薬品90 一般用医薬品1 他9 ㉕未定 ㉔7 売 単34,468 従 240 資 100 住 新潟市西区流通センター4-6-2 ☎025-268-6311
㈱水倉組	建 事業 (単)建築工事40 土木工事45 舗装工事10 他5 ㉕増加 ㉔4 売 単8,134 従 163 資 100 住 新潟市西蒲区巻甲5480 ☎0256-72-2371
明星セメント㈱	ガ土 事業 (単)セメント70 他30 ㉕未定 ㉔6 売 単19,805 従 146 資 2,500 住 新潟県糸魚川市上刈7-1-1 ☎025-552-2011
石友リフォームサービス㈱	建 事業 (単)リフォーム建築工事100 ㉕20 ㉔20 売 単5,167 従 195 資 20 住 富山県高岡市下牧野36-2 ☎0766-82-1777
大谷製鉄㈱	鉄 事業 (単)鉄筋コンクリート用棒鋼100 ㉕未定 ㉔4 売 単23,723 従 255 資 480 住 富山県射水市奈呉の江8-4 ☎0766-84-6151
河上金物㈱	鉄金卸 事業 (単)各種鋼材, 二次製品, 建築用金物, 各種建材, 家庭用金物, 各種工作機械等の販売, 重仮設材リース ㉕4 ㉔7 売 単18,913 従 129 資 20 住 富山市新庄本町2-1-120 ☎076-451-0036
㈱北日本新聞社	新 事業 (単)新聞発行100 ㉕未定 ㉔5 売 単9,599 従 297 資 99 住 富山市安住町2-14 ☎076-445-3300
協和ファーマケミカル㈱	医 事業 (単)医薬品原料91 体外診断薬他9 ㉕未定 ㉔14 売 単14,630 従 399 資 6,276 住 富山県高岡市長慶寺530 ☎0766-21-3456
黒田化学㈱	他製 事業 (単)自動車用プラスチック部品90 情報・電気機器用5 他5 ㉕10 ㉔8 売 単8,778 従 380 資 40 住 富山県南砺市城端368 ☎0763-62-0013
㈱廣貫堂	医 事業 (連)医薬品等配置卸販売20 医薬品等配置販売13 ヘルスケア32 医薬品製造受託29 他6 ㉕未定 ㉔18 売 連15,395 従 658 資 100 住 富山市梅沢町2-9-1 ☎076-424-2271
コマツNTC㈱	機 事業 (単)トランスファーマシン, 研削盤, 他装置等の設計・製造・販売 ㉕未定 ㉔27 売 単34,726 従 1,226 資 6,014 住 富山県南砺市福野100 ☎0763-22-2161
ゼオンノース㈱	建 事業 (単)商事19 エンジニアリング74 環境分析6 ㉕未定 ㉔5 売 単8,692 従 261 資 100 住 富山県高岡市米島1061-2 ☎0766-25-1111
高岡信用金庫	銀 事業 (単)現・預け金14 有価証券39 貸出金45 他2 ㉕15 ㉔8 売 単4,583 従 290 資 306 住 富山県高岡市守山町68 ☎0766-23-1221
武内プレス工業㈱	金製 事業 (単)缶49 チューブ38 商品12 他1 ㉕未定 ㉔31 売 単33,235 従 731 資 1,010 住 富山市上赤江町1-10-1 ☎076-441-1856
立山黒部貫光㈱	鉄バ 事業 (連)運輸70 ホテル30 他0 ㉕10 ㉔8 売 連5,958 従 190 資 100 住 富山市桜町1-1-36 ☎076-441-3331
中越合金鋳工㈱	非鉄 事業 (単)自動車関係26 ベアリング17 油圧機器13 鉄鋼関係12 連鋳製品11 継手7 他14 ㉕5 ㉔6 売 単18,747 従 499 資 499 住 富山県中新川郡立山町西芦原新1-1 ☎076-463-1211

会社名	業種名 (事業)会社の事業構成(%) ㉕25年採用計画数(名) ㉔24年入社内定者数(名) (売)売上高(百万円) (従)単独従業員数(名) (資)資本金(百万円) (住)本社の住所, 電話番号
津根精機(株)	機 (事業)(単)切断機・同関連製品製造80 機械部品・人造大理石原料20 ㉕未定 ㉔4 (売)単6,277 (従)174 (資)36 (住)富山市婦中町高日附852 ☎076-469-3330
砺波信用金庫	銀 (事業)(単)現・預け金24 有価証券34 貸出金42 他0 ㉕若干 ㉔3 (売)単1,075 (従)47 (資)146 (住)富山県南砺市福野1621-15 ☎0763-22-2200
富山信用金庫	銀 (事業)(単)現・預け金23 有価証券34 貸出金42 他1 ㉕4 ㉔6 (売)単4,269 (従)196 (資)666 (住)富山市室町通り1-1-32 ☎076-492-7300
富山地方鉄道(株)	鉄バ (事業)(連)運輸64 不動産4 建設10 保険代理4 航空輸送3 ホテル5 他10 ㉕45 ㉔13 (売)連9,465 (従)489 (資)1,557 (住)富山市桜町1-1-36 ☎076-432-5530
北陸プラントサービス(株)	建 (事業)(単)機械器具設置工事73 管工事11 電気工事7 他9 ㉕若干 ㉔4 (売)単17,816 (従)581 (資)95 (住)富山市草島字鶴田1-1 ☎076-435-5410
(株)アクトリー	機 (事業)(単)焼却および焼成処理プラント72 焼却発電25 再生油3 ㉕未定 ㉔5 (売)単17,047 (従)153 (資)98 (住)石川県白山市水澄町375 ☎076-277-3380
一村産業(株)	繊紙卸 (事業)(単)繊維54 プラスチック45 先端材料1 ㉕未定 ㉔8 (売)単20,672 (従)137 (資)1,000 (住)金沢市南町5-20 ☎076-263-1171
(株)久世ベローズ工業所	金製 (事業)(連)継目無ステンレス鋼鋼管56 継目無ステンレス鋼継手22 金属ベローズ22 ㉕8 ㉔8 (売)連20,069 (従)550 (資)40 (住)石川県河北郡津幡町字南中条リ74-1 ☎076-289-4740
興能信用金庫	銀 (事業)(単)現・預け金24 有価証券30 貸出金44 他2 ㉕未定 ㉔15 (売)単3,661 (従)178 (資)828 (住)石川県鳳珠郡能登町字宇出津ム字45-1 ☎0768-62-1122
小松鋼機(株)	鉄金卸 (事業)(単)鋼材61 機工39 ㉕2 ㉔4 (売)単8,417 (従)114 (資)63 (住)石川県小松市光町20 ☎0761-22-2051
(株)ジェイ・エス・エス	シソ (事業)(単)ソフトウェア開発48 アウトソーシング35 ハードウェア販売17 ㉕15 ㉔13 (売)単3,008 (従)200 (資)100 (住)金沢市示野中町2-115 ☎076-223-7361
伸晃化学(株)	他製 (事業)(単)合成樹脂医薬品容器製造95 他5 ㉕未定 ㉔6 (売)単12,250 (従)573 (資)90 (住)金沢市藤江南2-4 ☎076-267-3235
(株)東振精機	機 (事業)(単)ベアリング組込用ローラ83 精密ピン・シャフト5 工作機械他10 ポンプ他2 ㉕10 ㉔11 (売)単9,210 (従)506 (資)73 (住)石川県能美市寺井町ハ18 ☎0761-58-5222
(株)トーケン	建 (事業)(単)建設85 開発不動産8 環境緑化3 ソーラーシステム2 他2 ㉕5 ㉔3 (売)単11,502 (従)81 (資)70 (住)金沢市入江3-25 ☎076-291-8818
(株)ファイネス	化医卸 (事業)(単)医療用医薬品73 試薬・医療材料・医療機器8 動物薬19 ㉕未定 ㉔6 (売)単49,515 (従)359 (資)98 (住)金沢市大浦町ハ55 ☎076-239-0032
(株)別川製作所	電機 (事業)(単)配電盤43 制御盤・空調盤23 分電盤・端子盤15 他19 ㉕10 ㉔11 (売)単11,733 (従)411 (資)100 (住)石川県白山市漆島町1136 ☎076-277-6700
(株)ほくつう	建 (事業)(単)完成工事84 保守受託9 物品販売7 他0 ㉕未定 ㉔23 (売)単22,220 (従)605 (資)78 (住)金沢市問屋町1-65 ☎076-238-1111
北陸鉄道(株)	鉄バ (事業)(連)運輸66 レジャー・サービス25 建設7 他2 ㉕未定 ㉔5 (売)連11,180 (従)307 (資)100 (住)金沢市広岡3-1-1 ☎076-204-9600
北菱電興(株)	電卸 (事業)(単)電子・電気機器販売65 同製造10 建築設備25 ㉕未定 ㉔9 (売)単20,157 (従)361 (資)100 (住)金沢市古府3-12 ☎076-269-8500
米沢電気工事(株)	建 (事業)(単)電気工事95 電気通信工事4 消防施設工事他1 ㉕15 ㉔14 (売)単18,521 (従)356 (資)80 (住)金沢市進和町32 ☎076-291-5200
菱機工業(株)	建 (事業)(単)管工事86 消防設備工事0 機械器具設置工事0 電気工事0 他14 ㉕18 ㉔15 (売)単21,238 (従)336 (資)100 (住)金沢市御影町10-7 ☎076-241-1141
石黒建設(株)	建 (事業)(単)建設・土木の設計・請負・監理 不動産の売買・賃貸・仲介 砂利採取・セメント販売 ㉕未定 ㉔8 (売)単18,934 (従)170 (資)500 (住)福井市西開発3-301-1 ☎0776-54-1496
(株)エイチアンドエフ	機 (事業)(単)プレス機械 各種自動化装置 制御装置の製造・販売・アフターサービス ㉕未定 ㉔6 (売)単17,924 (従)398 (資)1,055 (住)福井県あわら市自由ケ丘1-8-28 ☎0776-73-1220
エネックス(株)	他製 (事業)(単)OA機器サプライ品79 環境機材4 機能材料17 ㉕未定 ㉔5 (売)単4,021 (従)145 (資)98 (住)福井市花堂中2-15-1 ☎0776-36-5821
小浜信用金庫	銀 (事業)(単)現・預け金27 有価証券38 貸出金32 他3 ㉕未定 ㉔3 (売)単2,018 (従)94 (資)319 (住)福井県小浜市大手町9-20 ☎0770-53-2123

会社名	業種名 (事業)会社の事業構成(%) ㉕25年採用計画数(名) ㉔24年入社内定者数(名) (売)売上高(百万円) (従)単独従業員数(名) (資)資本金(百万円) (住)本社の住所,電話番号
サカセ化学工業㈱	他製 (事業)(単)病院向けキャビネットカートの製造・販売80 他20 ㉕5 ㉔3 (売)単2,408 (従)164 (資)96 (住)福井市下森田町3-5 ☎0776-56-1122
㈱塩浜工業	建 (事業)(単)建築工事80 土木工事20 ㉕20 ㉔25 (売)単58,882 (従)342 (資)480 (住)福井県敦賀市観音町12-1 ☎0770-25-6027
轟産業㈱	電卸 (事業)(単)工業計測器35 省力・自動化機器26 研究・開発機器24 他15 ㉕未定 ㉔11 (売)単68,847 (従)527 (資)262 (住)福井市毛矢3-2-4 ☎0776-36-5520
日信化学工業㈱	化 (事業)(単)化学製品製造100 ㉕未定 ㉔10 (売)単19,747 (従)252 (資)500 (住)福井県越前市北府2-17-33 ☎0778-22-5100
福井精米㈱	食卸 (事業)(単)米100 ㉕3 ㉔3 (売)連11,421 (従)45 (資)80 (住)福井市森行町5-15-2 ☎0776-38-1000
福井鋲螺㈱	金製 (事業)(単)特殊圧造パーツ80 ブラインドリベット9 中空リベット8 打込みリベット2 省力機器1 ㉕5 ㉔15 (売)単16,064 (従)474 (資)450 (住)福井県あわら市山十楽1-7 ☎0776-73-1000
㈱ふじや食品	食 (事業)(単)玉子どうふ14 茶わんむし54 中華類7 グラタン5 胡麻どうふ14 他6 ㉕18 ㉔17 (売)単10,266 (従)537 (資)100 (住)福井県越前市矢船町1-7-1 ☎0778-23-0524
㈱松浦機械製作所	機 (事業)(単)マシニングセンタ90 他10 ㉕10 ㉔12 (売)単17,787 (従)404 (資)90 (住)福井市東森田4-201 ☎0776-56-8100
㈱オギノ	小 (事業)(単)食料品90 衣料品5 住居関連品4 他1 ㉕50 ㉔38 (売)単74,820 (従)4,530 (資)50 (住)甲府市徳行1-2-18 ☎055-227-7100
㈱ジインズ	シソ (事業)(単)ネットワーク構築・保守40 ソフトウエア開発・販売60 ㉕3 ㉔3 (売)単983 (従)71 (資)43 (住)山梨県笛吹市境川町三椚301 ☎055-269-8780
㈱シャトレーゼ	食 (事業)(単)和・洋菓子,アイスクリーム等の製造・販売 ㉕110 ㉔94 (売)単131,332 (従)1,484 (資)50 (住)甲府市下曽根町3440-1 ☎055-266-5151
㈱内藤ハウス	建 (事業)(単)プレハブハウス プレハブハウスリース 自走式駐車場 一般建築工事 ホテル業 ㉕未定 ㉔10 (売)単29,338 (従)340 (資)100 (住)山梨県韮崎市円野町上円井3139 ☎0551-27-2131
山梨信用金庫	銀 (事業)(単)現・預け金39 有価証券22 貸出金38 他1 ㉕未定 ㉔13 (売)単5,952 (従)343 (資)10,085 (住)甲府市中央1-12-36 ☎055-235-0311
山梨ダイハツ販売㈱	自販 (事業)(単)自動車販売・整備 ㉕未定 ㉔6 (売)単7,616 (従)171 (資)80 (住)甲府市横根町48 ☎055-220-7130
㈱山梨日日新聞社	新 (事業)(単)日刊新聞 書籍 催物企画 広告 ㉕未定 ㉔6 (売)単6,720 (従)170 (資)40 (住)山梨県甲府市北口2-6-10 ☎055-231-3040
㈱山梨放送	通 (事業)(単)放送事業100 ㉕未定 ㉔4 (売)単4,995 (従)128 (資)240 (住)甲府市北口2-6-10 ☎055-231-3040
アート金属工業㈱	自 (事業)(単)内燃機関用ピストン・ピストンピン87 他13 ㉕14 ㉔9 (売)単26,459 (従)745 (資)2,397 (住)長野県上田市常磐城2-2-43 ☎0268-22-3000
㈱R&Cながの青果	食卸 (事業)(単)野菜62 果実37 他1 ㉕未定 ㉔4 (売)単102,418 (従)350 (資)497 (住)長野市市場3-1 ☎026-285-3333
アルプス中央信用金庫	銀 (事業)(単)現・預け金31 有価証券27 貸出金40 他2 ㉕未定 ㉔12 (売)連3,525 (従)210 (資)997 (住)長野県伊那市荒井3438-1 ☎0265-76-4533
伊那食品工業㈱	食 (事業)(単)業務用部門60 家庭用部門30 サービス部門10 ㉕30 ㉔30 (売)単22,723 (従)574 (資)96 (住)長野県伊那市西春近5074 ☎0265-78-1121
㈱岩野商会	建 (事業)(単)内装仕上工事90 ビルメンテナンス9 他1 ㉕10 ㉔5 (売)単9,991 (従)547 (資)96 (住)長野市大字北長池2051 ☎026-263-7000
上田日本無線㈱	電機 (事業)(単)マリン・ソリューション特機37 情報通信11 医用・超音波40 無線応用12 ㉕4 ㉔15 (売)単11,871 (従)440 (資)700 (住)長野県上田市踏入2-10-19 ☎0268-26-2112
オリオン機械㈱	機 (事業)(単)産業機械82 酪農機械18 ㉕未定 ㉔25 (売)連63,586 (従)780 (資)100 (住)長野県須坂市大字幸高246 ☎026-245-1230
オルガン針㈱	他卸 (事業)(単)ミシン針 ニット針 プローブ 他 ㉕6 ㉔5 (売)単10,953 (従)202 (資)300 (住)長野県上田市前山1 ☎0268-38-3111
㈱角藤	建 (事業)(単)工事部門90 販売部門10 ㉕未定 ㉔15 (売)単75,422 (従)746 (資)90 (住)長野市南屋島515 ☎026-221-8141

会社名	業種名 (事業)会社の事業構成(%) ㉕25年採用計画数(名) ㉔24年入社内定者数(名) (売)売上高(百万円) (従)単独従業員数(名) (資)資本金(百万円) (住)本社の住所, 電話番号
樫山工業㈱	精 (事業)(単)半導体産業向真空機器99 スキー場設備1 ㉕35 ㉔31 (売)単35,382 (従)961 (資)85 (住)長野県佐久市根々井1-1 ☎0267-67-3311
キッセイコムテック㈱	シソ (事業)(単)システム開発・システムインテグレーション システムリソースサービス 他 ㉕25 ㉔12 (売)単10,511 (従)346 (資)334 (住)長野県松本市和田4010-10 ☎0263-40-1122
㈱グラフィック	他サ (事業)(単)測量・設計 建設コンサルタント業 地質調査業 ㉕10 ㉔4 (売)連8,824 (従)296 (資)30 (住)長野県松本市井川城3-3-8-5 ☎0263-25-7668
㈱コシナ	精 (事業)(単)交換レンズ35 液晶プロジェクターユニット40 他25 ㉕未定 ㉔8 (売)単7,573 (従)337 (資)68 (住)長野県中野市吉田1081 ☎0269-22-5100
㈱国興	精機卸 (事業)(単)工具機器62 機械32 電子機器6 ㉕6 ㉔5 (売)単20,620 (従)139 (資)484 (住)長野県諏訪市中洲4600 ☎0266-52-2457
シチズンマシナリー㈱	機 (事業)(単)工作機械100 ㉕17 ㉔21 (売)連81,629 (従)822 (資)2,651 (住)長野県北佐久郡御代田町御代田4107-6 ☎0267-32-5900
シナノケンシ㈱	電機 (事業)(連)精密電機92 システム機器8 ㉕15 ㉔22 (売)連51,439 (従)866 (資)650 (住)長野県上田市上丸子1078 ☎0268-41-1800
昭和電機産業㈱	電卸 (事業)(単)電設資材81 産業機器19 ㉕11 ㉔12 (売)単31,344 (従)346 (資)750 (住)長野市三輪荒屋1154 ☎026-243-0146
㈱伸光製作所	電機 (事業)(単)プリント配線板の設計・製造・販売 ㉕6 ㉔10 (売)単14,296 (従)300 (資)737 (住)長野県上伊那郡箕輪町大字中箕輪12238 ☎0265-79-0121
多摩川精機㈱	電機 (事業)(単)特殊精密モーター57 計測器・自動制御装置43 ㉕4 ㉔13 (売)単44,670 (従)543 (資)100 (住)長野県飯田市大休1879 ☎0265-21-1811
㈱都筑製作所	自 (事業)(単)自動車部品48 建設機械部品52 ㉕17 ㉔5 (売)単18,404 (従)435 (資)480 (住)長野県埴科郡坂城町坂城6649-1 ☎0268-82-2800
㈱デリカ	機 (事業)(単)農業機械他 ㉕5 ㉔4 (売)単4,451 (従)152 (資)95 (住)長野県松本市大字和田5511-11 ☎0263-48-1184
㈱テレビ信州	通 (事業)(単)テレビ放送95 他5 ㉕未定 ㉔3 (売)単4,677 (従)87 (資)1,200 (住)長野市若里1-1-1 ☎026-227-5511
㈱デンソーエアクール	電機 (事業)(単)バス・建・農機エアコン44 業務用空調機34 冷凍機13 熱交換器2 住設用空調機他7 ㉕未定 ㉔19 (売)単24,438 (従)566 (資)800 (住)長野県安曇野市穂高北穂高2027-9 ☎0263-81-1100
長野信用金庫	銀 (事業)(単)現・預け金13 有価証券49 貸出金36 他1 ㉕前年並 ㉔31 (売)連13,245 (従)529 (資)2,352 (住)長野市居町133-1 ☎026-228-0221
㈱ながの東急百貨店	小 (事業)(単)百貨店業 ㉕未定 ㉔7 (売)単6,306 (従)194 (資)100 (住)長野市南千歳1-1-1 ☎026-226-8181
長野都市ガス㈱	電ガ (事業)(単)ガス 燃焼器具 住宅設備機器の販売 他 ㉕未定 ㉔3 (売)単19,465 (従)230 (資)3,800 (住)長野市鶴賀1017 ☎026-226-8161
長野日産自動車㈱	自販 (事業)(単)新車62 中古車12 サービス21 収入手数料5 ㉕未定 ㉔22 (売)単25,613 (従)457 (資)37 (住)長野市川合新田3616-1 ☎026-221-2332
長野日本無線㈱	電機 (事業)(単)ソリューション特機29 情報通信・電源41 メカトロニクス19 車載部品11 他0 ㉕未定 ㉔19 (売)連32,906 (従)868 (資)3,649 (住)長野市稲里町1163 ☎026-285-1111
ナパック㈱	金製 (事業)(単)粉末冶金部門88 磁石部門12 ㉕5 ㉔4 (売)単2,561 (従)147 (資)96 (住)長野県駒ヶ根市赤穂14-1823 ☎0265-82-5266
日本電熱㈱	電機 (事業)(単)家庭用環境機器8 産業用電熱機器および装置92 ㉕7 ㉔5 (売)単6,726 (従)197 (資)95 (住)長野県安曇野市三郷温3788 ☎0263-87-8282
八十二リース㈱	リ (事業)(単)リース83 割賦15 他2 ㉕3 ㉔3 (売)単19,377 (従)89 (資)200 (住)長野市中御所岡田218-14 ☎026-226-8282
富士電機パワーセミコンダクタ㈱	電機 (事業)(単)パワー半導体製造100 ㉕未定 ㉔18 (売)単36,154 (従)688 (資)300 (住)長野県松本市筑摩4-18-1 ☎0263-27-7425
フレックスジャパン㈱	繊紙卸 (事業)(単)ドレスシャツ87 カジュアルシャツ2 レディスシャツ11 ㉕7 ㉔5 (売)単6,037 (従)257 (資)301 (住)長野県千曲市大字屋代2451 ☎026-261-3000
㈱前田製作所	機 (事業)(単)建設機械本部68 産業機械本部32 ㉕30 ㉔11 (売)連41,903 (従)563 (資)3,160 (住)長野市篠ノ井御幣川1095 ☎026-292-2222

会社名	[業種名] [事業] 会社の事業構成(%) ㉕25年採用計画数(名) ㉔24年入社内定者数(名) [売]売上高(百万円) [従]単独従業員数(名) [資]資本金(百万円) [住]本社の住所，電話番号
松山㈱	[機] [事業] (単)農業機械100 ㉕**未定** ㉔**5** [売]単22,064 [従]340 [資]100 [住]長野県上田市塩川5155 ☎0268-42-7500
丸善食品工業㈱	[食] [事業] (単)飲料製品84 なめ茸山菜類3 トマトケチャップ2 他11 ㉕**15** ㉔**10** [売]単30,737 [従]457 [資]80 [住]長野県千曲市大字寂蒔880 ☎026-272-0536
マルヤス機械㈱	[機] [事業] (単)搬送省力機械・自動化機器・各種コンベヤー100 ㉕**10** ㉔**19** [売]単12,108 [従]460 [資]100 [住]長野県岡谷市成田町2-11-6 ☎0266-23-5630
ミヤマ㈱	[他サ] [事業] (単)廃液等化学処理・リサイクル 汚染土壌洗浄 環境機械や装置の開発・設計・施工 環境分析 他総合環境事業 ㉕**若干** ㉔**5** [売]単15,132 [従]488 [資]100 [住]長野市稲里1-5-3 ☎026-285-4166
ルビコン㈱	[電機] [事業] (単)電解コンデンサ90 他10 ㉕**未定** ㉔**20** [売]単56,716 [従]1,271 [資]396 [住]長野県伊那市西箕輪1938-1 ☎0265-72-7111
アピ㈱	[食] [事業] (単)蜂蜜11 ローヤルゼリー14 健康食品等62 他13 ㉕**未定** ㉔**79** [売]単46,183 [従]1,456 [資]48 [住]岐阜市加納桜田町1-1 ☎058-271-3838
㈱安部日鋼工業	[建] [事業] (単)橋梁54 水道24 鉄道1 建築3 製品18 ㉕**未定** ㉔**11** [売]単24,413 [従]540 [資]301 [住]岐阜市六条大溝3-13-3 ☎058-271-3391
㈱市川工務店	[建] [事業] (単)土木工事49 建築工事44 舗装工事7 ㉕**未定** ㉔**10** [売]単22,024 [従]370 [資]203 [住]岐阜市鹿島町6-27 ☎058-251-2240
揖斐川工業㈱	[ガ土] [事業] (連)建設関連75 農業関連24 他1 ㉕**未定** ㉔**12** [売]連16,766 [従]216 [資]498 [住]岐阜県大垣市万石2-31 ☎0584-81-6171
イビデンエンジニアリング㈱	[建] [事業] (単)ファシリティ事業本部66 環境技術17 精機17 ㉕**未定** ㉔**7** [売]単20,386 [従]299 [資]30 [住]岐阜県大垣市木戸町1122 ☎0584-75-2301
大垣精工㈱	[金製] [事業] (単)プレス部品80 プレス金型20 ㉕**3** ㉔**6** [売]単4,489 [従]253 [資]50 [住]岐阜県大垣市浅西3-92-1 ☎0584-89-5811
岐建㈱	[建] [事業] (単)建築工事79 土木工事14 舗装工6 他1 ㉕**20** ㉔**16** [売]単45,680 [従]516 [資]500 [住]岐阜県大垣市西崎町2-46 ☎0584-81-2121
三甲㈱	[他製] [事業] (単)合成樹脂100 ㉕**85** ㉔**76** [売]単117,753 [従]4,275 [資]100 [住]岐阜県瑞穂市本田474-1 ☎058-327-3535
昭和コンクリート工業㈱	[建] [事業] (単)コンクリート二次製品・製造60 建設業40 ㉕**25** ㉔**18** [売]単27,237 [従]753 [資]100 [住]岐阜市香蘭1-1 ☎058-255-3333
関ヶ原石材㈱	[ガ土] [事業] (連)石材加工・施工と原石・石製品の工事90 製品売上6 他4 ㉕**5** ㉔**4** [売]連9,952 [従]201 [資]96 [住]岐阜県不破郡関ケ原町大字関ケ原2682 ☎0584-43-1234
大日本土木㈱	[建] [事業] (単)土木51 建築49 開発0 ㉕**45** ㉔**31** [売]単74,073 [従]893 [資]2,000 [住]岐阜市宇佐南1-3-11 ☎058-276-1111
太平洋精工㈱	[自] [事業] (単)自動車用ヒューズ及び精密金属プレスの製造・販売 ㉕**2** ㉔**15** [売]単25,101 [従]321 [資]98 [住]岐阜県大垣市桧町450 ☎0584-91-3131
㈱東和製作所	[金製] [事業] (単)油圧製品99 修理1 ㉕**若干** ㉔**4** [売]単4,788 [従]227 [資]52 [住]岐阜県美濃加茂市川合町4-5-2 ☎0574-25-3828
トヨタカローラネッツ岐阜㈱	[自販] [事業] (単)車両販売80 車両修理16 他4 ㉕**未定** ㉔**23** [売]単82,517 [従]1,385 [資]100 [住]岐阜市六条大溝4-1-3 ☎058-272-3111
鍋屋バイテック㈱	[機] [事業] (単)伝動機器55 他45 ㉕**未定** ㉔**7** [売]単11,135 [従]334 [資]96 [住]岐阜県関市桃紅大地1 ☎0575-23-1121
日本耐酸壜工業㈱	[ガ土] [事業] (単)ガラス壜関連100 ㉕**前年並** ㉔**4** [売]単14,432 [従]390 [資]100 [住]岐阜県大垣市中曽根町610 ☎0584-91-6311
濃飛倉庫運輸㈱	[倉埠] [事業] (単)自動車37 倉庫26 海外12 港運12 通運9 不動産4 ㉕**未定** ㉔**18** [売]単27,716 [従]1,100 [資]496 [住]岐阜市橋本町2-20 ☎058-251-0111
長谷虎紡績㈱	[繊衣] [事業] (単)カーペット39 製品織物43 合織混紡糸4 他14 ㉕**若干** ㉔**9** [売]単9,200 [従]93 [資]95 [住]岐阜県羽島市江吉良町197-1 ☎058-392-2121
㈱マルエイ	[石燃卸] [事業] (単)液化石油ガス54 器具20 石油製品3 ガスロンパイプ6 他17 ㉕**7** ㉔**7** [売]単15,685 [従]249 [資]480 [住]岐阜市入舟町4-8-1 ☎058-245-0101
丸栄コンクリート工業㈱	[ガ土] [事業] (単)公共事業用コンクリート製品90 民間工事用コンクリート製品10 ㉕**25** ㉔**3** [売]単27,540 [従]658 [資]69 [住]岐阜県羽島市福寿町間島1518 ☎058-393-0211

会社名	業種名 (事業)会社の事業構成(%) ㉕25年採用計画数(名) ㉔24年入社内定者数(名) (売)売上高(百万円) (従)単独従業員数(名) (資)資本金(百万円) (住)本社の住所, 電話番号
㈱アイエイアイ	機 (事業)(単)インテリジェントアクチュエータ100 ㉕未定 ㉔40 (売)単34,618 (従)1,391 (資)30 (住)静岡市清水区庵原町1210 ☎054-364-5301
㈱アイ・テック	鉄金卸 (事業)(単)一般鋼材・鋼板・鋼管製品等の加工および販売 他 ㉕15 ㉔16 (売)単108,425 (従)597 (資)3,948 (住)静岡市清水区中之郷1-1-15 ☎054-340-2811
朝日電装㈱	自 (事業)(単)オートバイ用電装品45 自動車用電装品10 船舶用電装品25 建・農・産機用電装品20 ㉕未定 ㉔9 (売)単21,135 (従)630 (資)80 (住)浜松市浜名区染地台6-2-1 ☎053-587-2111
㈱アツミテック	自 (事業)(単)四輪部品 二輪部品 汎用機械部品 試作他 ㉕10 ㉔3 (売)連61,510 (従)727 (資)310 (住)浜松市中央区高丘西4-6-1 ☎053-438-6711
㈱天野回漕店	海 (事業)(単)海運貨物取扱52 倉庫・運送35 他13 ㉕若干 ㉔15 (売)単13,291 (従)541 (資)48 (住)静岡市清水区港町2-9-5 ☎054-353-2151
臼井国際産業㈱	自 (事業)(単)自動車部品93 電機部品1 他5 ㉕未定 ㉔12 (売)単91,938 (従)699 (資)305 (住)静岡県駿東郡清水町長沢131-2 ☎055-972-2111
遠州信用金庫	銀 (事業)(単)現・預け金19 有価証券32 貸出金47 他2 ㉕5 ㉔7 (売)単6,351 (従)232 (資)583 (住)浜松市中央区中沢町81-18 ☎053-472-2111
遠州鉄道㈱	鉄バ (事業)(連)運輸6 リテールサービス33 モビリティサービス42 ウェルネス6 不動産8 他5 ㉕未定 ㉔60 (売)連214,505 (従)1,575 (資)3,800 (住)浜松市中央区旭町12-1 ☎053-454-2211
㈱遠鉄ストア	小 (事業)(単)生鮮食品 一般食品 日用雑貨等の小売 ドラッグストア 調剤薬局 ㉕17 ㉔30 (売)単54,509 (従)645 (資)100 (住)浜松市中央区佐鳴台4-16-10 ☎053-445-1000
㈱大川原製作所	機 (事業)(単)環境装置部門35 産機装置部門65 ㉕未定 ㉔3 (売)単8,108 (従)270 (資)779 (住)静岡県榛原郡吉田町神戸1235 ☎0548-32-3211
㈱カネトモ	食卸 (事業)(単)水産物卸売98 倉庫運輸2 ㉕2 ㉔7 (売)単22,032 (従)142 (資)50 (住)静岡県藤枝市平島698-1 ☎054-643-1515
木内建設㈱	建 (事業)(単)静岡東海地区完成工事 首都圏分完成工事 ㉕15 ㉔12 (売)単47,446 (従)387 (資)1,070 (住)静岡市駿河区国吉田1-7-37 ☎054-264-7111
㈱キャタラー	自 (事業)(単)触媒99 他1 ㉕30 ㉔25 (売)単283,550 (従)1,093 (資)551 (住)静岡県掛川市千浜7800 ☎0537-72-3131
㈱協栄製作所	自 (事業)(単)オートバイ部品製造45 自動車部品製造50 他5 ㉕5 ㉔4 (売)単15,448 (従)290 (資)40 (住)浜松市中央区金折町1417-10 ☎053-425-2511
協和医科器械㈱	精機卸 (事業)(単)医療機器販売98 他2 ㉕25 ㉔20 (売)単89,047 (従)622 (資)80 (住)静岡市駿河区池田156-2 ☎054-655-6611
㈱建通新聞社	新 (事業)(単)新聞販売59 速報販売2 電子版収入14 広告収入19 データ・出版物収入他6 ㉕11 ㉔14 (売)単3,441 (従)173 (資)100 (住)静岡市駿河区豊田1-9-34 ☎054-288-8111
興亜工業㈱	パ紙 (事業)(単)段ボール原紙95 更紙6 ㉕5 ㉔5 (売)単33,236 (従)255 (資)2,342 (住)静岡県富士市比奈1286-2 ☎0545-38-0123
㈱三明	電卸 (事業)(単)産業用電気機器64 産業用省力化機器20 ナノテクノロジー分野5 漁業用省力機器1 他10 ㉕未定 ㉔4 (売)単18,313 (従)104 (資)20 (住)静岡市清水区松原町6-16 ☎054-353-3271
三明機工㈱	機 (事業)(単)FA・ロボットシステム55 ダイカストマシン周辺自動化20 鋳造プラント25 ㉕5 ㉔5 (売)単1,774 (従)125 (資)10 (住)静岡市清水区袖師町940 ☎054-366-0088
三立製菓㈱	食 (事業)(単)パイ57 カンパン8 チョコ加工品12 クッキー8 パン10 他5 ㉕未定 ㉔5 (売)単12,468 (従)236 (資)205 (住)浜松市中央区中央1-16-11 ☎053-453-3111
㈱静岡朝日テレビ	通 (事業)(単)テレビ放送 放送外事業 ㉕未定 ㉔6 (売)単7,754 (従)129 (資)1,000 (住)静岡市葵区東町15 ☎054-251-3300
静岡製機㈱	機 (事業)(単)穀物乾燥機 業務用熱機器 農産物低温貯蔵庫 穀物乾燥調製施設 他 ㉕未定 ㉔8 (売)単11,101 (従)270 (資)153 (住)静岡県袋井市諸井1300 ☎0538-23-2000
㈱静岡第一テレビ	通 (事業)(単)テレビ放送100 ㉕未定 ㉔3 (売)単7,759 (従)119 (資)1,000 (住)静岡市駿河区中原563 ☎054-283-8111
㈱静岡中央銀行	銀 (事業)(連)現・預け金11 有価証券17 貸出金71 他2 ㉕未定 ㉔29 (売)連14,084 (従)411 (資)2,000 (住)静岡県沼津市大手町4-76 ☎055-962-2900
静岡鉄道㈱	鉄バ (事業)(連)交通8 流通28 自動車販売49 不動産6 レジャー・サービス6 建設3 ㉕未定 ㉔20 (売)連170,112 (従)564 (資)1,800 (住)静岡市葵区鷹匠1-1-1 ☎054-254-5111

会社名	業種名 (事業)会社の事業構成(%) ㉕25年採用計画数(名) ㉔24年入社内定者数(名) (売)売上高(百万円) (従)単独従業員数(名) (資)資本金(百万円) (住)本社の住所,電話番号
㈱静岡日立	電卸 (事業)(単)電子営業58 電機営業40 他2 ㉕**4** ㉔**4** (売)単20,719 (従)214 (資)100 (住)静岡市駿河区聖一色84-1 ☎054-264-7171
しずおか焼津信用金庫	銀 (事業)(単)現・預け金24 有価証券24 貸出金47 他5 ㉕**65** ㉔**42** (売)連20,523 (従)892 (資)3,243 (住)静岡市葵区相生町1-1 ☎054-247-1151
静銀リース㈱	リ (事業)(単)産業機械14 情報関連機器10 輸送用機器33 商業・サービス業用機器20 他23 ㉕**8** ㉔**8** (売)単33,384 (従)108 (資)250 (住)静岡市葵区呉服町1-1-2 ☎054-255-7788
㈱鈴木楽器製作所	他製 (事業)(単)楽器製造 ソフトウエア制作 ㉕**3** ㉔**3** (売)単4,054 (従)201 (資)92 (住)浜松市中央区領家2-25-7 ☎053-461-2325
スズキ教育ソフト㈱	シソ (事業)(単)校務支援システム95 学習支援システム2 他3 ㉕**前年並** ㉔**8** (売)単703 (従)84 (資)60 (住)浜松市中央区植松町61-1 ☎053-467-5580
㈱スズキビジネス	建 (事業)(単)不動産42 石油39 特販6 オート用品6 保険3 他4 ㉕**未定** ㉔**6** (売)単26,800 (従)480 (資)110 (住)浜松市中央区篠原町21339 ☎053-440-0860
鈴与㈱	倉埠 (事業)(単)物流100 ㉕**40** ㉔**38** (売)単153,314 (従)1,178 (資)1,000 (住)静岡市清水区入船町11-1 ☎054-354-3019
鈴与建設㈱	建 (事業)(単)土木20 建築78 他2 ㉕**10** ㉔**10** (売)単30,426 (従)256 (資)100 (住)静岡市清水区松原町5-17 ☎054-354-3401
須山建設㈱	建 (事業)(単)建築工事67 土木工事30 他3 ㉕**11** ㉔**11** (売)単21,102 (従)173 (資)220 (住)浜松市中央区布橋2-6-1 ☎053-471-0321
セキスイハイム東海㈱	建 (事業)(単)住宅販売84 マンション12 他4 ㉕**未定** ㉔**15** (売)連65,258 (従)518 (資)198 (住)浜松市中央区板屋町111-2 ☎053-453-4560
㈱Z会	他サ (事業)(単)通信教育89 他11 ㉕**14** ㉔**10** (売)連20,308 (従)452 (資)100 (住)静岡県三島市文教町1-9-11 ☎055-976-9711
第一工業㈱	自 (事業)(単)2・4輪車部品52 ボルト・ナット37 机・イス他11 ㉕**19** ㉔**12** (売)単26,486 (従)517 (資)200 (住)浜松市中央区大島町955-9 ☎053-433-1111
大昭和紙工産業㈱	パ紙 (事業)(単)重袋・角底袋・芥袋29 洋紙・板紙38 加工紙26 家庭紙1 他6 ㉕**10** ㉔**7** (売)単44,671 (従)557 (資)469 (住)静岡県富士市依田橋61-1 ☎0545-32-1500
太陽建機レンタル㈱	他サ (事業)(単)土木建設機械レンタル93 商品売上7 ㉕**40** ㉔**33** (売)単97,271 (従)3,177 (資)1,140 (住)静岡市駿河区大坪町2-26 ☎054-284-3111
㈱タミヤ	他製 (事業)(単)プラモデル100 ㉕**未定** ㉔**9** (売)単14,088 (従)367 (資)50 (住)静岡市駿河区恩田原3-7 ☎054-286-5105
㈱中央コンタクト	小 (事業)(単)コンタクトレンズ80 コンタクトレンズケア用品19 メガネ1 ㉕**未定** ㉔**15** (売)単16,080 (従)1,040 (資)60 (住)静岡市駿河区南町14-1 ☎054-202-5730
㈱デンソーワイパシステムズ	自 (事業)(単)ワイパーブレード27 ワイパーアーム15 ワイパーリンク32 他26 ㉕**未定** ㉔**3** (売)単38,190 (従)1,063 (資)450 (住)静岡県湖西市梅田390 ☎053-577-3320
東海溶材㈱	精機卸 (事業)(単)溶接機材 一般高圧ガス 産業機器 OA・FA機器 ㉕**未定** ㉔**7** (売)単23,669 (従)182 (資)21 (住)静岡市清水区北脇242 ☎054-345-5121
㈱TOKAIコミュニケーションズ	通 (事業)(単)通信サービス 情報サービス 他 ㉕**47** ㉔**41** (売)単61,121 (従)1,334 (資)1,221 (住)静岡市葵区常磐町2-6-8 ☎054-254-3781
トヨタユナイテッド静岡㈱	自販 (事業)(単)新車68 U-Car11 サービス17 収入手数料4 ㉕**40** ㉔**31** (売)単73,278 (従)1,262 (資)180 (住)静岡市葵区長沼611 ☎054-261-4113
ナカダ産業㈱	繊衣 (事業)(単)ネット製造70 各種ネット設備工事30 ㉕**4** ㉔**3** (売)単3,709 (従)120 (資)52 (住)静岡県島田市志戸呂880-3 ☎0547-45-3141
㈱中村組	建 (事業)(単)建築工事71 土木工事28 合材販売1 ㉕**5** ㉔**10** (売)単16,197 (従)188 (資)155 (住)浜松市中央区住吉5-22-1 ☎053-412-1111
中村建設㈱	建 (事業)(単)建築部門58 土木部門36 他6 ㉕**8** ㉔**12** (売)単20,775 (従)223 (資)150 (住)浜松市中央区中沢町71-23 ☎053-471-3421
日管㈱	建 (事業)(単)管工事92 機械器具設置工事2 電気工事4 他3 ㉕**未定** ㉔**9** (売)単28,657 (従)468 (資)1,200 (住)浜松市中央区池町220-4 ☎053-459-3000
日研フード㈱	食 (事業)(単)天然調味料 乾燥食品 健康志向食品 ㉕**未定** ㉔**11** (売)単12,321 (従)269 (資)100 (住)静岡県袋井市春岡723-1 ☎0538-49-0121

会社名	[業種名] [事業] 会社の事業構成(%) ㉕25年採用計画数(名) ㉔24年入社内定者数(名) [売]売上高(百万円) [従]単独従業員数(名) [資]資本金(百万円) [住]本社の住所, 電話番号
日星電気㈱	[非鉄] [事業] (単)光ファイバ加工品 LED照明装置 ケーブル加工品 他 ㉕**未定** ㉔**30** [売]単38,563 [従]737 [資]1,776 [住]浜松市中央区大久保町1509 ☎053-485-4705
㈱ニッセー	[食] [事業] (単)清涼飲料水製造100 ㉕**未定** ㉔**10** [売]単22,368 [従]325 [資]98 [住]静岡県焼津市下江留896-2 ☎054-622-1212
沼津信用金庫	[銀] [事業] (単)現・預け金13 有価証券48 貸出金38 他1 ㉕**20** ㉔**15** [売]連9,474 [従]419 [資]696 [住]静岡県沼津市大手町5-6-16 ☎055-962-5200
パーパス㈱	[金製] [事業] (単)住宅関連設備機器部門 電子制御機器部門 情報処理ソフト 他 ㉕**未定** ㉔**28** [売]単19,326 [従]829 [資]98 [住]静岡県富士市西柏原新田201 ☎0545-33-0700
㈱ハマネツ	[他製] [事業] (単)トイレユニット96 管工事2 他2 ㉕**4** ㉔**5** [売]単4,228 [従]171 [資]96 [住]浜松市中央区砂山町325-6 ☎053-450-8050
㈱ベルソニカ	[自] [事業] (単)自動車部品100 ㉕**未定** ㉔**15** [売]単21,431 [従]475 [資]156 [住]静岡県湖西市山口630-18 ☎053-576-1551
㈱ホテイフーズコーポレーション	[食] [事業] (単)水産食料品14 畜産食料品14 農産食料品9 飲料48 他15 ㉕**6** ㉔**5** [売]単22,369 [従]394 [資]97 [住]静岡市清水区蒲原4-26-6 ☎054-385-3131
三島信用金庫	[銀] [事業] (単)現・預け金17 有価証券39 貸出金42 他2 ㉕**前年並** ㉔**33** [売]単13,809 [従]702 [資]970 [住]静岡県三島市芝本町12-3 ☎055-975-4840
三井化学エムシー㈱	[化] [事業] (単)合成樹脂調合製品95 他5 ㉕**未定** ㉔**4** [売]単21,836 [従]224 [資]300 [住]静岡市清水区駒越北町14-1 ☎054-334-1221
南富士㈱	[建] [事業] (単)屋根・外壁工事85 中国ビジネス他15 ㉕**4** ㉔**5** [売]単6,926 [従]115 [資]98 [住]静岡県三島市萩65-1 ☎055-988-8810
ヤマハモーターエンジニアリング㈱	[自] [事業] (単)輸送用機器設計60 産業用機器開発20 他20 ㉕**前年並** ㉔**14** [売]単7,908 [従]446 [資]40 [住]静岡県磐田市西貝塚3622-8 ☎0538-37-8314
ヤマハモーターソリューション㈱	[シソ] [事業] (単)システム構築50 システム運用サービス50 ㉕**20** ㉔**19** [売]単14,199 [従]363 [資]100 [住]静岡県磐田市岩井2000-1 ☎0538-39-2213
ヤマハモーターパワープロダクツ㈱	[自] [事業] (単)パワープロダクツ38 GC57 他5 ㉕**7** ㉔**8** [売]単37,539 [従]530 [資]275 [住]静岡県掛川市逆川200-1 ☎0537-27-1110
菱和設備㈱	[建] [事業] (単)空調設備工事70 給排水衛生設備工事29 消防防災施設工事1 土木工事0 ㉕**未定** ㉔**18** [売]単13,922 [従]335 [資]300 [住]静岡市葵区清閑町14-5 ☎054-254-8321
和信化学工業㈱	[化] [事業] (単)木材用塗料46 スタンピング箔およびプラスチック用塗料52 他2 ㉕**7** ㉔**10** [売]単5,454 [従]154 [資]360 [住]静岡市清水区袖師町1460 ☎054-365-3111
㈱アイキテック	[自] [事業] (単)4輪96 2輪1 他3 ㉕**20** ㉔**5** [売]連44,613 [従]400 [資]499 [住]愛知県知多郡東浦町森岡栄東1-1 ☎0562-82-3270
アイコクアルファ㈱	[自] [事業] (単)自動車部品48 開発ソフト販売15 ラクラクハンド14 航空機・精密機器部品23 ㉕**未定** ㉔**17** [売]単28,764 [従]1,021 [資]1,200 [住]愛知県稲沢市祖父江町森上本郷十一, 4-1 ☎0587-97-1111
アイシン開発㈱	[建] [事業] (単)建築 土木 都市開発 保険 ㉕**7** ㉔**7** [売]単33,609 [従]268 [資]456 [住]愛知県刈谷市相生町3-3 ☎0566-27-8700
アイシン化工㈱	[自] [事業] (単)摩擦材65 樹脂製品19 化成品他16 ㉕**3** ㉔**3** [売]単52,999 [従]1,032 [資]2,118 [住]愛知県豊田市藤岡飯野町大川ヶ原1141-1 ☎0565-76-6661
アイシン高丘㈱	[自] [事業] (連)自動車部品(ブレーキディスク等) 他 ㉕**34** ㉔**30** [売]連426,079 [従]2,437 [資]5,396 [住]愛知県豊田市高丘新町天王1 ☎0565-54-1123
㈱アイセロ	[化] [事業] (単)ポリエチレンフィルム37 成形品21 PVAフィルム30 他12 ㉕**未定** ㉔**9** [売]単22,618 [従]584 [資]350 [住]愛知県豊橋市石巻本町字越川45 ☎0532-88-4111
愛知海運㈱	[海] [事業] (単)港湾運送36 倉庫保管荷役22 自動車運送22 内航運送8 外航運送6 通関・航空貨物・他6 ㉕**10** ㉔**11** [売]単17,922 [従]433 [資]250 [住]名古屋市港区浜2-1-11 ☎052-651-3221
愛知海運産業㈱	[海] [事業] (単)港湾運送 倉庫 通関 燃料販売 土木建築 不動産 車両整備 ㉕**7** ㉔**7** [売]単13,653 [従]391 [資]30 [住]愛知県田原市田原町柳町6 ☎0531-22-1241
愛知金属工業㈱	[金製] [事業] (単)鉄塔(設計・製造)52 変圧器ケース・カバー19 配電用金物類4 他25 ㉕**5** ㉔**5** [売]単4,975 [従]152 [資]120 [住]愛知県春日井市大手田酉町3-13-18 ☎0568-81-4181
㈱葵商店	[鉄] [事業] (単)鋼材加工業100 ㉕**4** ㉔**4** [売]単36,444 [従]128 [資]37 [住]愛知県岡崎市牧平町字岩田3-28 ☎0564-82-3432

会社名	業種名 (事業)会社の事業構成(%) ㉕25年採用計画数(名) ㉔24年入社内定者数(名) (売)売上高(百万円) (従)単独従業員数(名) (資)資本金(百万円) (住)本社の住所, 電話番号
㈱青山製作所	金製 (事業)(単)ボルト56 ナット18 タッピング3 樹脂製品5 他18 ㉕未定 ㉔16 (売)単114,494 (従)2,454 (資)100 (住)愛知県丹羽郡大口町高橋1-8 ☎0587-95-1151
旭鉄工㈱	自 (事業)(単)自動車部品100 ㉕未定 ㉔5 (売)単16,888 (従)428 (資)27 (住)愛知県碧南市中山町7-26 ☎0566-41-2350
安藤証券㈱	証 (事業)(単)受入手数料40 トレーディング損益44 金融収益16 ㉕10 ㉔4 (売)単7,638 (従)222 (資)2,280 (住)名古屋市中区錦3-23-21 ☎052-971-1511
㈱井高	精機卸 (事業)(単)工作機械53 補助機器15 計測機器・測定工具10 切削工具9 空・油圧機器7 環境等6 ㉕未定 ㉔14 (売)単47,185 (従)331 (資)313 (住)名古屋市中区上前津1-6-3 ☎052-321-9251
㈱岩田商会	化医卸 (事業)(単)化学品41 防水材29 住宅内装材16 合成樹脂10 先端材料4 ㉕未定 ㉔4 (売)単33,602 (従)140 (資)97 (住)名古屋市中区錦1-2-11 ☎052-201-2750
岩田食品㈱	食 (事業)(単)直販40 量販59 他1 ㉕18 ㉔6 (売)単13,690 (従)263 (資)76 (住)愛知県一宮市萩原町松山566-8 ☎0586-71-0321
㈱NHC	小 (事業)(単)健康食品 医療用機器 他食料品 ㉕118 ㉔74 (売)単29,460 (従)950 (資)50 (住)名古屋市中村区名駅2-35-22 ☎052-300-1188
NDS㈱	建 (事業)(連)総合エンジニアリング ICTソリューション 住宅不動産 ㉕35 ㉔45 (売)連84,429 (従)1,095 (資)5,676 (住)名古屋市中区千代田2-15-18 ☎052-263-5011
NTP名古屋トヨペット㈱	自販 (事業)(単)自動車販売 ㉕123 ㉔101 (売)単203,908 (従)2,649 (資)100 (住)名古屋市熱田区尾頭町2-22 ☎052-683-2111
㈱ENEOSウイング	小 (事業)(単)軽油 ガソリン 灯油・重油 洗車・点検整備 自動車用品 ㉕160 ㉔157 (売)単322,527 (従)2,200 (資)100 (住)名古屋市中区栄3-6-1 ☎052-269-3210
㈱FTS	自 (事業)(単)燃料タンク 他燃料系部品 鋼板加工品 ㉕38 ㉔18 (売)単96,790 (従)1,346 (資)3,000 (住)愛知県豊田市鴻ノ巣町2-26 ☎0565-29-2211
大岡技研㈱	自 (事業)(単)MT部品91 AT部品2 CVT部品2 トランスファー部品4 エンジン部品1 ㉕未定 ㉔20 (売)単22,007 (従)852 (資)98 (住)愛知県豊田市高岡町秋葉山1-1 ☎0565-52-3441
㈱岡島パイプ製作所	鉄 (事業)(単)鋼管98 他2 ㉕5 ㉔9 (売)単8,760 (従)126 (資)240 (住)愛知県東海市大田町上浜田58 ☎0562-33-2135
㈱オティックス	自 (事業)(単)ラッシュアジャスタ・ローラロッカアーム・バランサ等34 エンジン部品22 他44 ㉕30 ㉔19 (売)単69,866 (従)1,339 (資)30 (住)愛知県西尾市中畑町浜田下10 ☎0563-59-0311
小原建設㈱	建 (事業)(単)建築工事 土木工事舗装工事 ㉕18 ㉔19 (売)単19,681 (従)283 (資)180 (住)愛知県岡崎市明大寺町字西郷中37 ☎0564-51-2621
角文㈱	建 (事業)(単)建築工事58 住宅分譲・マンション31 土木7 他4 ㉕9 ㉔8 (売)単12,914 (従)127 (資)80 (住)愛知県刈谷市泉田町古和井1 ☎0566-22-1811
春日井製菓㈱	食 (事業)(単)キャンディ55 豆菓子15 グミキャンディ30 ㉕10 ㉔11 (売)単18,300 (従)520 (資)100 (住)名古屋市西区花の木1-3-14 ☎052-531-1677
㈱加藤建設	建 (事業)(単)土木工事93 舗装工事6 建築工事1 他0 ㉕未定 ㉔18 (売)単23,022 (従)349 (資)100 (住)愛知県海部郡蟹江町蟹江新田字下市場19-1 ☎0567-95-2181
蒲郡信用金庫	銀 (事業)(単)現・預け金25 有価証券34 貸出金38 他3 ㉕40 ㉔40 (売)連0 (従)728 (資)832 (住)愛知県蒲郡市神明町4-25 ☎0533-69-5311
河村電器産業㈱	電機 (事業)(単)受配電設備・配線器具の製造販売 ㉕66 ㉔75 (売)連76,062 (従)1,826 (資)1,803 (住)愛知県瀬戸市暁町3-86 ☎0561-86-8111
㈱川本製作所	機 (事業)(単)ポンプ製品90 部品他10 ㉕25 ㉔17 (売)単48,568 (従)748 (資)100 (住)名古屋市中区大須4-11-39 ☎052-251-7171
㈱キクチメガネ	小 (事業)(単)メガネ95 コンタクトレンズ4 他1 ㉕未定 ㉔17 (売)単8,820 (従)580 (資)100 (住)愛知県春日井市高森台4-11-1 ☎0568-92-7711
㈱キクテック	建 (事業)(単)交通安全事業71 スペースソリューションズ事業23 他6 ㉕未定 ㉔9 (売)単14,294 (従)292 (資)80 (住)名古屋市南区加福本通1-26 ☎052-611-0680
㈱共栄社	機 (事業)(単)芝刈機39 草刈機19 部品22 管理機12 他機械8 ㉕前年並 ㉔5 (売)単11,727 (従)266 (資)300 (住)愛知県豊川市美幸町1-26 ☎0533-84-1221
㈱協豊製作所	自 (事業)(単)部品事業80 他20 ㉕未定 ㉔25 (売)単74,197 (従)836 (資)1,088 (住)愛知県豊田市トヨタ町6 ☎0565-28-1881

会社名	[業種名] [事業] 会社の事業構成(%) ㉕25年採用計画数(名) ㉔24年入社内定者数(名) [売] 売上高(百万円) [従] 単独従業員数(名) [資] 資本金(百万円) [住] 本社の住所, 電話番号
軽急便(株)	[陸] [事業] (単)運送収入95 他5 ㉕**10** ㉔**9** [売]単5,932 [従]115 [資]210 [住]名古屋市中区葵1-27-29 ☎052-930-4771
光生アルミニューム工業(株)	[非鉄] [事業] (単)ホイール56 二輪部品11 四輪部品30 他3 ㉕**未定** ㉔**3** [売]連40,999 [従]424 [資]199 [住]愛知県豊田市神池町2-1236 ☎0565-80-4492
(株)興和工業所	[金製] [事業] (単)めっき38 機械加工22 プレス塗装12 土木建材10 表面処理9 他10 ㉕**未定** ㉔**34** [売]単31,991 [従]1,112 [資]381 [住]名古屋市瑞穂区二野町2-28 ☎052-871-7151
国分中部(株)	[食卸] [事業] (単)酒類・食品・関連消費財卸売 流通加工 配送 不動産賃貸 他 ㉕**未定** ㉔**13** [売]単173,019 [従]219 [資]500 [住]名古屋市北区浪打町2-35 ☎052-911-3171
小林クリエイト(株)	[他製] [事業] (単)帳票45 ラベル16 データプリントサービス15 他24 ㉕**前年並** ㉔**31** [売]単39,449 [従]1,036 [資]100 [住]愛知県刈谷市小垣江町北高根115 ☎0566-26-5310
近藤産興(株)	[他サ] [事業] (単)工事15 レンタル56 イベント17 ケア12 ㉕**5** ㉔**6** [売]単7,493 [従]220 [資]100 [住]名古屋市南区浜田町1-10 ☎052-614-2511
佐橋工業(株)	[他製] [事業] (単)自動車用防振ゴム製品90 金型部門4 化成品関係2 工業品関係4 ㉕**前年並** ㉔**4** [売]単10,160 [従]379 [資]99 [住]愛知県小牧市久保新町32 ☎0568-77-2356
サンエイ(株)	[他サ] [事業] (単)重機21 営繕12 建設13 サービス21 物流27 環境6 ㉕**15** ㉔**10** [売]単30,212 [従]1,585 [資]80 [住]愛知県刈谷市桜町3-3 ☎0566-21-4301
サンエイ糖化(株)	[食] [事業] (単)糖化部門95 乳酸菌部門5 ㉕**未定** ㉔**4** [売]単19,903 [従]260 [資]400 [住]愛知県知多市北浜町24-5 ☎0562-55-5111
サンコー商事(株)	[精機卸] [事業] (単)機械60 機器・工具32 車両機材3 巻線機5 ㉕**未定** ㉔**3** [売]単36,967 [従]155 [資]310 [住]名古屋市名東区高社2-245 ☎052-772-1151
(株)三洋堂書店	[小] [事業] (単)書籍・雑誌 文具・雑貨 映像・音楽ソフト ゲームソフト トレカ フィットネス 教育 ㉕**7** ㉔**4** [売]単16,858 [従]128 [資]10 [住]名古屋市瑞穂区新開町18-22 ☎052-871-3434
(株)シーテック	[建] [事業] (単)建設業93 他7 ㉕**未定** ㉔**56** [売]単73,018 [従]1,699 [資]720 [住]名古屋市緑区忠治山101 ☎052-720-6300
(株)ジェイテクトギヤシステム	[自] [事業] (単)自動車部品99 工作機械・歯車1 ㉕**15** ㉔**6** [売]単64,447 [従]769 [資]2,000 [住]愛知県瀬戸市暁町3-45 ☎0561-48-2221
(株)ジェイテクトフルードパワーシステム	[機] [事業] (単)油圧機器47 自動車部品35 機械装置7 空圧機器7 他4 ㉕**10** ㉔**7** [売]単9,205 [従]400 [資]254 [住]愛知県岡崎市鉢地町字開山45 ☎0564-48-2211
ジャペル(株)	[他卸] [事業] (単)ペット関連商品卸売 ㉕**未定** ㉔**46** [売]連176,685 [従]821 [資]140 [住]愛知県春日井市桃山町3-105 ☎0568-85-4111
(株)昭和	[食卸] [事業] (単)水産品・水産加工品50 一般食品17 冷凍食品23 ギフト4 酒類他6 ㉕**未定** ㉔**29** [売]単129,263 [従]428 [資]96 [住]愛知県稲沢市福島町中之町80 ☎0587-34-3400
新明工業(株)	[機] [事業] (単)工程間搬送設備53 自動車整備・特殊車両製作37 金型6 他4 ㉕**35** ㉔**37** [売]単28,724 [従]970 [資]98 [住]愛知県豊田市衣ヶ原3-20 ☎0565-32-3450
スガキコシステムズ(株)	[外] [事業] (単)ラーメン類70 甘党30 ㉕**20** ㉔**9** [売]単11,406 [従]180 [資]50 [住]名古屋市中区丸の内1-16-2 ☎052-209-9010
(株)スギヤス	[機] [事業] (単)自動車整備用機器64 物流機器32 環境機器1 住宅福祉機器3 ㉕**8** ㉔**9** [売]単11,557 [従]344 [資]88 [住]愛知県高浜市本郷町4-3-21 ☎0566-53-1127
スジャータめいらく(株)	[食] [事業] (連)業務用・家庭用商品の輸入・加工・販売 ㉕**171** ㉔**119** [売]連178,029 [従]2,496 [資]180 [住]名古屋市天白区中砂町310 ☎052-831-6688
鈴秀工業(株)	[鉄] [事業] (単)磨棒鋼70 冷間圧造用鋼線22 他8 ㉕**2** ㉔**3** [売]単19,967 [従]354 [資]100 [住]名古屋市緑区大高町南関山35 ☎052-623-3221
太啓建設(株)	[建] [事業] (単)土木工事31 建築工事64 兼業他5 ㉕**未定** ㉔**12** [売]単15,634 [従]292 [資]100 [住]愛知県豊田市東梅坪町10-3-3 ☎0565-31-1271
大興運輸(株)	[陸] [事業] (単)貨物運送80 倉庫業20 ㉕**17** ㉔**7** [売]単39,170 [従]1,495 [資]83 [住]愛知県刈谷市新栄町2-38 ☎0566-21-3416
(株)大仙	[建] [事業] (単)温室・トップライト65 エクステリア23 額縁12 ㉕**10** ㉔**10** [売]単17,081 [従]250 [資]100 [住]愛知県豊橋市下地町字柳目8 ☎0532-54-6527
大同テクニカ(株)	[鉄] [事業] (単)特殊鋼加工・生産事業 ㉕**15** ㉔**13** [売]単5,647 [従]570 [資]40 [住]愛知県東海市元浜町39 ☎0562-33-1231

会社名	業種名 (事業)会社の事業構成(%) ㉕25年採用計画数(名) ㉔24年入社内定者数(名) (売)売上高(百万円) (従)単独従業員数(名) (資)資本金(百万円) (住)本社の住所,電話番号
ダイドー(株)	精機卸 (事業)(単)産業用ロボット 制御機器 FA機器 ㉕**50** ㉔**51** (売)単95,588 (従)1,000 (資)777 (住)名古屋市中村区名駅南4-12-19 ☎052-533-6722
大豊精機(株)	機 (事業)(単)搬送装置34 自動車部品9 溶接設備10 プレス金型24 他2 試作部品18 ㉕**12** ㉔**9** (売)単13,555 (従)409 (資)878 (住)愛知県豊田市上原町折橋1-15 ☎0565-43-0801
大有建設(株)	建 (事業)(単)舗装工事62 他土木工事18 建築工事1 生コン製造3 アスファルト合材製造9 他7 ㉕**17** ㉔**16** (売)単23,338 (従)436 (資)100 (住)名古屋市中区金山5-14-2 ☎052-881-1581
(株)高木化学研究所	自 (事業)(単)合成繊維25 自動車部品65 プラスチック成形品他10 ㉕**未定** ㉔**5** (売)単2,085 (従)117 (資)30 (住)愛知県岡崎市大幡町字堀田21-1 ☎0564-48-3016
高砂電気工業(株)	電機 (事業)(単)ソレノイドバルブおよびポンプ等流体制御機器の製造・販売・設計 ㉕**未定** ㉔**4** (売)単4,100 (従)265 (資)90 (住)名古屋市緑区鳴海町杜若66 ☎052-891-2301
竹本油脂(株)	化 (事業)(単)ゴマ油 界面活性剤 ㉕**15** ㉔**21** (売)単107,710 (従)684 (資)100 (住)愛知県蒲郡市港町2-5 ☎0533-68-2111
中央工機(株)	精機卸 (事業)(単)切削工具30 治工具25 設備20 検査・測定機器10 他15 ㉕**未定** ㉔**12** (売)単21,439 (従)215 (資)80 (住)名古屋市昭和区高辻町4-3 ☎052-889-1711
中央精機(株)	自 (事業)(単)アルミホイール スチールホイール タイヤ組付 LPG容器 ㉕**未定** ㉔**17** (売)単89,610 (従)1,373 (資)4,754 (住)愛知県安城市尾崎町丸田1-7 ☎0566-96-6170
中央電気工事(株)	建 (事業)(単)電気工事93 電気通信工事6 土木一式工事1 他0 ㉕**30** ㉔**12** (売)単25,501 (従)415 (資)100 (住)名古屋市中区栄3-14-22 ☎052-262-2151
(株)中外	化医卸 (事業)(単)化成品 電気関連 自動車部品 機械関連 ㉕**未定** ㉔**7** (売)単45,530 (従)338 (資)328 (住)名古屋市中区千代田5-21-11 ☎050-7776-0501
(株)中部	建 (事業)(単)建設 建材 情報通信 ㉕**5** ㉔**8** (売)単17,085 (従)243 (資)2,322 (住)愛知県豊橋市神野新田町字トノ割28 ☎0532-31-1111
中部国際空港(株)	他サ (事業)(連)空港56 商業38 交通アクセス施設6 ㉕**未定** ㉔**13** (売)連39,989 (従)274 (資)83,668 (住)愛知県常滑市セントレア1-1 ☎0569-38-7777
中部テレコミュニケーション(株)	通 (事業)(単)電気通信事業100 ㉕**32** ㉔**44** (売)単104,967 (従)906 (資)38,816 (住)名古屋市中区錦1-10-1 ☎052-740-8011
(株)中部プラントサービス	建 (事業)(単)火力・原子力発電所保修工事36 同改良工事5 他工事52 運転業務・受託他4 発電O&3 ㉕**未定** ㉔**36** (売)単65,350 (従)1,600 (資)240 (住)名古屋市熱田区五本松町11-22 ☎052-679-1200
中菱エンジニアリング(株)	他サ (事業)(単)航空宇宙分野69 冷熱機器・産業機械分野31 ㉕**40** ㉔**30** (売)単18,738 (従)967 (資)100 (住)名古屋市中区栄3-18-1 ☎080-8665-9800
(株)槌屋	化医卸 (事業)(単)プリント材料・製品 工業用テープ 塗料 合成樹脂 電子部品 他 ㉕**25** ㉔**31** (売)単73,021 (従)548 (資)100 (住)名古屋市中区上前津2-9-29 ☎052-331-5451
テイコクテーピングシステム(株)	機 (事業)(単)半導体製造装置100 ㉕**2** ㉔**3** (売)単1,250 (従)25 (資)22 (住)愛知県東海市加木屋町腹太43-1 ☎0562-33-7172
(株)テクノ中部	他サ (事業)(単)火力発電所環境・燃料設備管理54 環境調査・測定・分析11 製品販売25 他10 ㉕**15** ㉔**8** (売)単16,338 (従)729 (資)120 (住)名古屋市港区大江町3-12 ☎052-614-7171
電子システム(株)	建 (事業)(単)システム工事69 商品売上24 保守サービス7 ㉕**前年並** ㉔**3** (売)単3,337 (従)81 (資)97 (住)名古屋市昭和区御器所3-2-5 ☎052-872-0505
(株)デンソーエレクトロニクス	自 (事業)(単)リレー・音49 電子製品31 他20 ㉕**95** ㉔**76** (売)単80,845 (従)2,377 (資)1,001 (住)愛知県安城市篠目町1-10 ☎0566-73-0022
東海興業(株)	自 (事業)(単)自動車部品99 建材1 ㉕**25** ㉔**12** (売)単42,968 (従)755 (資)301 (住)愛知県大府市長根町4-1 ☎0562-44-1500
東海テレビ放送(株)	通 (事業)(単)放送関連事業97 他3 ㉕**未定** ㉔**5** (売)単27,306 (従)325 (資)1,000 (住)名古屋市東区東桜1-14-27 ☎052-951-2511
東海プラントエンジニアリング(株)	建 (事業)(単)機械器具設置60 管工事18 鋼構造物21 他1 ㉕**未定** ㉔**12** (売)単14,282 (従)424 (資)200 (住)名古屋市南区南陽通り6-1 ☎052-691-2141
東邦液化ガス(株)	電ガ (事業)(単)液化石油ガス79 コークス7 石油製品4 他10 ㉕**未定** ㉔**11** (売)単86,591 (従)843 (資)480 (住)名古屋市熱田区桜田町19-18 ☎052-882-3754
東朋テクノロジー(株)	電機 (事業)(単)空調工事28 半導体製造装置8 産業機器11 検査装置9 電力設備8 他36 ㉕**10** ㉔**14** (売)単39,523 (従)542 (資)430 (住)名古屋市中区栄3-10-22 ☎052-251-7211

会社名	業種名 事業 会社の事業構成(%) ㉕25年採用計画数(名) ㉔24年入社内定者数(名) 売売上高(百万円) 従単独従業員数(名) 資資本金(百万円) 住本社の住所, 電話番号
豊川信用金庫	銀 事業 (単)現・預け金27 有価証券27 貸出金44 他2 ㉕未定 ㉔26 売連10,348 従549 資1,441 住愛知県豊川市末広通3-34-1 ☎0533-89-1151
トヨタカローラ愛知㈱	自販 事業 (単)新車販売74 サービス(車両修理)12 U-Car13 車両リース1 ㉕53 ㉔57 売単64,034 従658 資50 住名古屋市東区泉1-6-1 ☎052-962-3311
豊田信用金庫	銀 事業 (単)現・預け金28 有価証券22 貸出金48 他2 ㉕50 ㉔36 売単17,000 従798 資845 住愛知県豊田市元城町1-48 ☎0565-31-1616
豊田通商システムズ㈱	シソ 事業 (単)企業向けIT機器, クラウドインフラ, エンジニアリングサービスの提供 ㉕24 ㉔26 売単67,775 従465 資450 住名古屋市中村区名駅4-11-27 ☎052-898-7100
豊通物流㈱	倉埠 事業 (単)集荷配送28 梱包作業24 業務委託15 荷役10 保管9 他14 ㉕未定 ㉔18 売単27,306 従780 資350 住名古屋市中村区名駅4-11-27 ☎052-558-2100
豊臣機工㈱	自 事業 (単)自動車部品94 プレス金型5 他1 ㉕30 ㉔27 売単60,718 従1,348 資481 住愛知県安城市今本町東向山7 ☎0566-97-9131
豊橋飼料㈱	食 事業 (単)配合飼料68 畜産物31 不動産1 ㉕5 ㉔3 売単50,802 従195 資100 住愛知県豊橋市明海町5-9 ☎0532-23-5060
豊橋信用金庫	銀 事業 (単)現・預け金22 有価証券36 貸出金41 他1 ㉕未定 ㉔29 売連12,565 従519 資585 住愛知県豊橋市小畷町579 ☎0532-56-5550
トヨフジ海運㈱	海 事業 (単)内航海上輸送関係27 海外海上輸送関係66 港湾荷役取扱7 ㉕未定 ㉔5 売単86,352 従274 資120 住愛知県東海市新宝町33-3 ☎052-603-6111
中北薬品㈱	化医卸 事業 (単)医薬品90 医療用機器用具3 診断用試薬2 他5 ㉕50 ㉔22 売単215,603 従961 資867 住名古屋市中区丸の内3-5-15 ☎052-971-3681
中西電機工業㈱	電卸 事業 (単)電子制御機器60 電線・制御BOX20 雑材・小物電気機器15 電動機5 ㉕11 ㉔9 売単22,955 従262 資99 住名古屋市中区富士見町9-1 ☎052-332-5221
中日本航空㈱	航 事業 (単)航空機使用事業・航空運送事業 航空機整備 調査測量 ㉕未定 ㉔27 売単20,091 従937 資120 住愛知県西春日井郡豊山町豊場殿釜2 ☎0568-28-2151
名古屋電気㈱	電卸 事業 (単)電線・電気機器 粉末合金・電子材料 鉄鋼線材 工業用ゴム製品 他 ㉕未定 ㉔6 売単50,305 従210 資120 住名古屋市中区錦3-8-14 ☎052-951-9111
鳴海製陶㈱	ガ土 事業 (単)洋食器65 産業器材他35 ㉕16 ㉔8 売単7,459 従223 資540 住名古屋市緑区鳴海町伝治山3 ☎052-896-2200
西尾信用金庫	銀 事業 (単)現・預け金20 有価証券36 貸出金43 他1 ㉕50 ㉔49 売連22,281 従719 資786 住愛知県西尾市寄住町洲田51 ☎0563-56-7111
㈱ニデック	精 事業 (単)眼科医療機器・眼鏡店向け機器93 光学部品等コーティング7 ㉕56 ㉔38 売単43,803 従1,658 資461 住愛知県蒲郡市拾石町前浜34-14 ☎0533-67-6611
日本インフォメーション㈱	シソ 事業 (単)ソフトウェア開発95 自社製品5 ㉕20 ㉔10 売単2,813 従226 資410 住名古屋市千種区今池1-8-8 ☎052-741-7566
日本ゼネラルフード㈱	外 事業 (連)給食受託運営85 配送弁当・ケータリング5 食材卸売10 ㉕未定 ㉔132 売連38,861 従1,940 資96 住名古屋市中区千代田5-7-5 ☎052-243-6111
日本メディアシステム㈱	電卸 事業 (単)電話機46 FAX・複合機10 LED・エコ5 ネットワーク15 ストック14 他10 ㉕未定 ㉔15 売単12,997 従428 資81 住名古屋市東区泉1-12-35 ☎052-972-7810
日本メナード化粧品㈱	化 事業 (単)化粧品90 他10 ㉕未定 ㉔23 売単37,355 従870 資74 住名古屋市中区丸の内3-18-15 ☎052-961-3181
㈱バッファロー	電機 事業 (単)デジタル家電及びパソコン周辺機器の開発・製造・販売及びデータ復旧サービス ㉕30 ㉔23 売単64,267 従645 資320 住名古屋市中区大須3-30-20 ☎052-249-6610
㈱浜乙女	食 事業 (単)味付のりごまパン粉等の製造加工・販売 他食品全般の卸販売 衣料品の小売 スーパーストアー ㉕未定 ㉔3 売単14,316 従392 資320 住名古屋市中村区名駅4-16-26 ☎052-582-5551
林テレンプ㈱	自 事業 (連)自動車内装部品 用品 表皮 電装部品 他 ㉕未定 ㉔46 売連311,822 従1,546 資1,000 住名古屋市中区上前津1-4-5 ☎052-322-2121
㈱ヒメノ	建 事業 (単)電気工事69 土木工事23 舗装工事5 通信工事2 他1 ㉕13 ㉔12 売単13,533 従158 資400 住名古屋市東区東大曽根町12-19 ☎052-935-8571
ビューテック㈱	ガ土 事業 (単)ガラス加工25 輸送28 製造請負17 樹脂成形品製造9 他21 ㉕未定 ㉔5 売単50,166 従3,095 資5,500 住愛知県豊田市梅坪町9-30-3 ☎0565-31-5521

会社名	業種名 事業 会社の事業構成(%) ㉕25年採用計画数(名) ㉔24年入社内定者数(名) 売 売上高(百万円) 従 単独従業員数(名) 資 資本金(百万円) 住 本社の住所, 電話番号
㈱フィールホールディングス	小 事業 (連)商品販売94 不動産賃貸3 物流3 ㉕未定 ㉔47 売 連126,920 従 17 資 100 住 名古屋市昭和区鶴舞2-21-6 ☎052-872-2116
フジクリーン工業㈱	他製 事業 (単)小型浄化槽50 中型浄化槽・大型浄化槽・プラント25 他25 ㉕25 ㉔25 売 単22,242 従 614 資 300 住 名古屋市千種区今池4-1-4 ☎052-733-0325
㈱フジケン	不 事業 (単)分譲マンション 分譲住宅 注文住宅 公共建築 商業建築 不動産仲介 ㉕未定 ㉔5 売 単17,476 従 85 資 60 住 愛知県岡崎市戸崎町藤狭1-9 ☎0564-72-2211
藤田螺子工業㈱	金製 事業 (単)ファスナー類89 自動省力化機械3 ジオメット処理1 他7 ㉕6 ㉔9 売 単28,418 従 424 資 89 住 名古屋市中村区名駅南3-9-3 ☎052-586-1181
フタムラ化学㈱	化 事業 (単)ポリプロピレンフィルム セロハン 活性炭 ポリエステルフィルム 他 ㉕45 ㉔27 売 単88,023 従 1,397 資 500 住 名古屋市中村区名駅2-29-16 ☎052-565-1212
フルタ電機㈱	他製 事業 (単)農事用換気扇64 工業用送排風機30 水産用機械6 ㉕3 ㉔3 売 単3,871 従 150 資 32 住 名古屋市瑞穂区堀田通7-9 ☎052-872-4111
碧海信用金庫	銀 事業 (単)現・預け金23 有価証券27 貸出金48 他3 ㉕未定 ㉔54 売 連25,559 従 1,201 資 1,208 住 愛知県安城市御幸本町15-1 ☎0566-77-8101
豊生ブレーキ工業㈱	自 事業 (連)ドラムブレーキ25 ディスクブレーキ41 リヤパーキングブレーキ7 アクスルハウジング8 他19 ㉕未定 ㉔53 売 連96,801 従 1,433 資 6,436 住 愛知県豊田市和会町道上10 ☎0565-21-1213
ホーユー㈱	化 事業 (単)染毛剤 頭髪関連品 家庭薬 ㉕未定 ㉔23 売 単44,579 従 1,049 資 110 住 名古屋市東区徳川1-501 ☎052-935-9556
㈱HOWA	自 事業 (単)成形天井48 サンシェードトリム9 ダッシュサイレンサー12 他31 ㉕20 ㉔22 売 単36,742 従 775 資 302 住 愛知県春日井市味美白山町2-10-4 ☎0568-34-8180
ポッカサッポロフード＆ビバレッジ㈱	食 事業 (単)飲料水および食品100 ㉕未定 ㉔18 売 単69,211 従 986 資 5,431 住 名古屋市中区栄3-27-1 ☎0570-550-360
本多金属工業㈱	非鉄 事業 (単)アルミ押出形材85 三次加工品14 ㉕未定 ㉔6 売 単20,813 従 363 資 96 住 名古屋市中区栄3-32-22 ☎052-251-4811
丸美産業㈱	不 事業 (単)マンション32 戸建11 木材52 他5 ㉕若干 ㉔3 売 単13,571 従 75 資 220 住 名古屋市瑞穂区瑞穂通3-21 ☎052-851-3511
マルヤス工業㈱	自 事業 (単)ブラケット部品19 チューブ部品18 ユニット部品62 産業用製品1 ㉕40 ㉔34 売 単79,536 従 896 資 450 住 名古屋市昭和区白金2-7-11 ☎052-871-3232
ミソノサービス㈱	建管 事業 (連)清掃17 施設管理25 マンション管理13 警備保障8 賃貸20 リニューアル7 他10 ㉕4 ㉔4 売 連16,410 従 191 資 30 住 名古屋市北区平安2-15-56 ☎052-916-6777
宮川工機㈱	機 事業 (単)CAD・CAMプレカットシステム80 他木工機10 ソフト10 ㉕5 ㉔9 売 単8,762 従 223 資 88 住 愛知県豊橋市花田町字中ノ坪53 ☎0532-31-1251
㈱メイキコウ	機 事業 (単)コンベヤー・シザーリフト等標準汎用機器80 クリーン・搬送システム装置20 ㉕前年並 ㉔3 売 単8,467 従 218 資 200 住 愛知県豊明市大久伝町東180 ☎0562-92-7111
名鉄EIエンジニア㈱	建 事業 (単)完成工事高61 他39 ㉕未定 ㉔18 売 単18,011 従 518 資 100 住 名古屋市熱田区神宮4-3-36 ☎052-678-1771
名鉄協商㈱	総卸 事業 (単)販売6 駐車場58 リース33 貸ビル他3 ㉕12 ㉔14 売 単33,671 従 343 資 720 住 名古屋市中村区名駅南2-14-19 ☎052-582-1011
㈱メイテツコム	シソ 事業 (単)ソフトウェア開発37 情報処理50 商品販売13 他1 ㉕19 ㉔15 売 単9,322 従 380 資 100 住 名古屋市中村区名駅南1-21-12 ☎052-589-2001
名鉄自動車整備㈱	機保 事業 (単)自動車整備91 商品販売5 自動車販売3 他1 ㉕未定 ㉔11 売 単7,613 従 425 資 100 住 名古屋市緑区曽根2-427 ☎052-623-2220
名菱テクニカ㈱	電機 事業 (単)FA19 モーター46 機電30 縫製機械2 絶縁材・ロボット3 ㉕19 ㉔17 売 単29,396 従 698 資 60 住 名古屋市東区矢田南5-1-14 ☎052-722-1949
メーキュー㈱	外 事業 (単)給食 食品加工および販売 ㉕未定 ㉔10 売 単8,224 従 578 資 50 住 名古屋市守山区下志段味3-2302 ☎052-770-2221
モリリン㈱	繊紙卸 事業 (単)繊維関連90 建築資材関連10 ㉕未定 ㉔16 売 単91,202 従 376 資 1,350 住 愛知県一宮市本町4-22-10 ☎0586-25-2281
㈱八幡ねじ	金製 事業 (単)締結部品(ボルト・ナット類)製造販売 ホームセンター向パッケージ商品 ㉕未定 ㉔10 売 単25,821 従 287 資 20 住 愛知県北名古屋市山之腰天神東18 ☎0568-22-2629

会社名	業種名 (事業)会社の事業構成(%) ㉕25年採用計画数(名) ㉔24年入社内定者数(名) (売)売上高(百万円) (従)単独従業員数(名) (資)資本金(百万円) (住)本社の住所，電話番号
山宗㈱	化医卸 (事業)(単)プラスチック原材料卸販売72 プラスチック製品部品製造28 ㉕20 ㉔21 (売)単64,763 (従)555 (資)72 (住)名古屋市北区大曽根1-6-28 ☎052-913-6151
大和産業㈱	食卸 (事業)(単)米穀45 小麦粉33 糖類19 飼料他3 ㉕未定 ㉔6 (売)単133,000 (従)182 (資)310 (住)名古屋市西区新道1-14-4 ☎052-571-1161
㈱山西	小 (事業)(単)住宅資材販売86 2×4コンポーネント6 プレカット6 ホームセンター2 ㉕未定 ㉔10 (売)単20,526 (従)388 (資)100 (住)名古屋市中区千代田2-1-13 ☎052-261-5466
豊証券㈱	証 (事業)(単)受入手数料48 トレーディング損益48 金融収益4 ㉕15 ㉔7 (売)単4,453 (従)178 (資)2,540 (住)名古屋市中区栄3-7-1 ☎052-251-3311
リンタツ㈱	鉄金卸 (事業)(単)ステンレス鋼材販売98 加工品他2 ㉕8 ㉔10 (売)単82,728 (従)306 (資)221 (住)名古屋市中区橘1-28-9 ☎052-331-8311
ワシノ商事㈱	精機卸 (事業)(単)専用機24 工作機械2 エコ商品69 鍛圧機械1 産業機械他4 ㉕2 ㉔4 (売)単10,510 (従)56 (資)143 (住)愛知県安城市東栄町2-1-20 ☎0566-98-6101
旭電器工業㈱	電機 (事業)(単)配線器具70 制御機器12 情報機器7 他11 ㉕20 ㉔17 (売)単12,930 (従)552 (資)80 (住)津市白塚町2856 ☎059-233-2000
㈱一号舘	小 (事業)(単)スーパーマーケット39 ホームセンター6 Fマート55 ㉕4 ㉔4 (売)単22,800 (従)683 (資)30 (住)三重県四日市市日永東3-4-1 ☎059-347-1100
㈱ぎゅーとら	小 (事業)(単)鮮魚10 精肉13 総菜14 食品13 青果16 菓子5 日配他29 ㉕15 ㉔9 (売)単38,426 (従)341 (資)46 (住)三重県伊勢市西豊浜町655-18 ☎0596-37-5500
㈱交洋	食卸 (事業)(単)水産品41 水産加工品31 農畜産物21 他7 ㉕前年並 ㉔17 (売)単81,935 (従)209 (資)98 (住)三重県四日市市新正5-4-19 ☎059-354-5411
三交不動産㈱	不 (事業)(単)分譲43 賃貸25 環境エネルギー17 注文住宅11 仲介3 ㉕未定 ㉔12 (売)単31,118 (従)372 (資)3,800 (住)津市丸之内9-18 ☎059-227-5111
㈱扇港電機	電卸 (事業)(連)電気設備用資材・機器96 防災・防犯通信設備工事4 ㉕52 ㉔23 (売)連106,309 (従)904 (資)98 (住)三重県四日市市北浜町8-16 ☎059-353-1711
東海コンクリート工業㈱	ガ土 (事業)(単)ポール51 基礎20 プレコン27 他2 ㉕7 ㉔4 (売)単7,716 (従)166 (資)300 (住)三重県いなべ市大安町大井田2250 ☎0594-77-0511
㈱トピア	自 (事業)(単)自動車部品試作製造85 電気機械試作製造10 他5 ㉕未定 ㉔14 (売)単13,700 (従)750 (資)86 (住)三重県鈴鹿市一ノ宮町1477-1 ☎059-383-7322
トリックス㈱	自 (事業)(単)金属板金プレス・溶接・表面処理一貫加工 部品組立 ㉕未定 ㉔7 (売)連57,906 (従)308 (資)280 (住)津市片田町846-3 ☎059-237-4113
長島観光開発㈱	レ (事業)(単)スパーランド40 ホテル24 なばなの里14 他22 ㉕未定 ㉔6 (売)単21,994 (従)814 (資)1,200 (住)三重県桑名市長島町浦安333 ☎0594-45-1111
㈱ナベル	他製 (事業)(単)蛇腹製造・販売100 ㉕6 ㉔3 (売)単3,175 (従)212 (資)50 (住)三重県伊賀市ゆめが丘7-2-3 ☎0595-21-5060
㈱日本陸送	陸 (事業)(単)運送 倉庫 梱包 他 ㉕20 ㉔13 (売)単18,235 (従)494 (資)90 (住)三重県鈴鹿市国府町石丸7755 ☎059-378-1181
松阪興産㈱	ガ土 (事業)(単)砂利・砂・砕石等44 コンクリート二次製品47 他9 ㉕未定 ㉔10 (売)単20,439 (従)610 (資)100 (住)三重県松阪市鎌田町253-5 ☎0598-51-0211
三重交通㈱	鉄バ (事業)(単)乗合自動車 貸切自動車 ㉕未定 ㉔30 (売)単20,326 (従)1,132 (資)4,017 (住)津市中央1-1 ☎059-229-5511
三重交通商事㈱	小 (事業)(単)石油製品販売 カーケア・自動車整備 液化石油ガスの供給・販売 外食 他 ㉕未定 ㉔5 (売)単10,793 (従)138 (資)99 (住)津市本町29-16 ☎059-228-8101
三重テレビ放送㈱	通 (事業)(単)放送事業100 他1 ㉕4 ㉔3 (売)単2,556 (従)65 (資)500 (住)津市渋見町字小谷693-1 ☎059-226-1133
ヤマダイ食品㈱	食 (事業)(単)業務用総菜92 市販用総菜4 冷凍果実3 飲料1 ㉕未定 ㉔6 (売)単3,921 (従)199 (資)86 (住)三重県四日市市富田2-8-19 ☎059-364-4331
㈱ISS山崎機械	鉄 (事業)(単)建設用重機械部品55 他産業用機械部品45 ㉕3 ㉔6 (売)単11,800 (従)219 (資)87 (住)滋賀県湖南市日枝町3-2 ☎0748-75-1187
近江鍛工㈱	鉄 (事業)(単)土木建設機械部品20 ベアリング部品42 自動車・船舶17 他21 ㉕3 ㉔6 (売)単18,131 (従)258 (資)99 (住)大津市月輪1-4-6 ☎077-545-3281

会社名	業種名 事業 会社の事業構成(%) ㉕25年採用計画数(名) ㉔24年入社内定者数(名) 売 売上高(百万円) 従 単独従業員数(名) 資 資本金(百万円) 住 本社の住所, 電話番号
川重冷熱工業㈱	機 事業 (単)空調機器, 汎用ボイラーの製造・販売・保守点検・改修改造工事 ㉕13 ㉔9 売 単19,699 従 539 資 1,460 住 滋賀県草津市青地町1000 ☎077-563-1111
湖東信用金庫	銀 事業 (単)現・預け金 有価証券 貸出金 他 ㉕未定 ㉔12 売 単2,516 従 167 資 646 住 滋賀県東近江市青葉町1-1 ☎0748-20-2550
三恵工業㈱	自 事業 (単)ボールジョイント36 タイロットエンド35 スタビライザーリンク22 他7 ㉕未定 ㉔5 売 単21,863 従 309 資 48 住 滋賀県栗東市高野305 ☎077-553-0555
滋賀中央信用金庫	銀 事業 (単)現・預け金14 有価証券31 貸出金52 他3 ㉕20 ㉔14 売 単6,214 従 339 資 1,281 住 滋賀県彦根市小泉町34-1 ☎0749-22-7722
㈱昭建	建 事業 (単)土木・舗装工事70 アスファルト合材製造・販売30 ㉕5 ㉔3 売 単9,746 従 159 資 500 住 大津市浜大津2-5-9 ☎077-525-5131
高橋金属㈱	金製 事業 (単)健康・住宅20 農機・船舶産機・建材55 OA機器3 環境9 自動車7 他6 ㉕未定 ㉔5 売 単10,774 従 356 資 98 住 滋賀県長浜市細江町864-4 ☎0749-72-3980
㈱ディーアクト	自 事業 (単)自動車部品 ㉕未定 ㉔15 売 単43,631 従 631 資 375 住 滋賀県湖南市小砂町1-7 ☎0748-75-8583
㈱日立建機ティエラ	機 事業 (単)建設機械100 ㉕37 ㉔27 売 単173,434 従 632 資 1,440 住 滋賀県甲賀市水口町笹が丘1-2 ☎0748-62-6431
ムラテックメカトロニクス㈱	他製 事業 (単)制御盤・プリント基板59 繊維機械部品3 搬送装置28 工作機械部品0 デジタル複合機3 他7 ㉕未定 ㉔15 売 単37,075 従 429 資 30 住 滋賀県蒲生郡竜王町弓削37 ☎0748-57-2000
㈱ITP	他製 事業 (単)印刷業 ㉕25 ㉔30 売 単18,445 従 825 資 90 住 京都市中京区丸太町通小川西入横鍛冶町100 ☎075-211-9111
綾羽㈱	繊衣 事業 (単)不動産賃貸等87 タイヤコード・産業資材等13 ㉕30 ㉔25 売 単3,928 従 108 資 1,000 住 京都市下京区烏丸通四条下る水銀屋町612 ☎075-221-5080
㈱エクソル	電卸 事業 (単)公共・産業用太陽光発電 家庭用太陽光発電 家庭用オール電化 ㉕未定 ㉔16 売 単26,077 従 411 資 100 住 京都市中京区烏丸通錦小路上ル手洗水町659 ☎075-213-3440
エムケイ㈱	陸 事業 (単)タクシー運送73 バス・派遣業務5 オートガス2 整備5 アミューズメント7 他8 ㉕40 ㉔27 売 単13,695 従 1,823 資 95 住 京都市南区西九条東島町63-1 ☎075-555-3132
応用電機㈱	電機 事業 (単)半導体他各種電子部品検査装置(計測機器, 制御装置) ㉕20 ㉔19 売 単19,447 従 688 資 72 住 京都府城陽市平川中道表63-1 ☎0774-52-0001
㈱オンリー	小 事業 (単)紳士服・婦人服の製造・販売 ㉕15 ㉔5 売 連5,555 従 170 資 10 住 京都市下京区松原通烏丸西入ル玉津島町303 ☎075-354-4129
鐘通㈱	電卸 事業 (連)電線・ケーブル 電気機器・部品 ハーネス プリント基板 ㉕未定 ㉔11 売 連42,249 従 268 資 96 住 京都市南区西九条豊田町1 ☎075-662-1111
黄桜㈱	食 事業 (単)日本酒・クラフトビール・ウイスキー・食品の製造・販売 ㉕若干 ㉔9 売 単9,500 従 223 資 60 住 京都市伏見区横大路下三栖梶原町53 ☎075-611-4101
㈱京都科学	他製 事業 (単)医学・看護教育用教材 ㉕3 ㉔3 売 単5,123 従 97 資 80 住 京都市伏見区北寝小屋町15 ☎075-605-2500
㈱京都製作所	機 事業 (単)自動包装機械・関連機器 電子部品組立機械他・各種自動機械 ㉕40 ㉔27 売 連47,543 従 625 資 1,891 住 京都市伏見区淀美豆町377-1 ☎075-631-3151
京都電子工業㈱	精 事業 (単)分析機器・環境用分析機器製造 ㉕22 ㉔4 売 単6,850 従 359 資 30 住 京都市南区吉祥院新田二の段町68 ☎075-691-4121
クロイ電機㈱	電機 事業 (単)照明器具85 照明器具用部品2 他13 ㉕6 ㉔5 売 単9,959 従 168 資 98 住 京都市南区上鳥羽大物町7 ☎075-644-7775
佐川印刷㈱	他製 事業 (単)一般印刷物80 他20 ㉕前年並 ㉔54 売 単68,910 従 1,343 資 100 住 京都府向日市森本町戌亥5-3 ☎075-933-8081
㈱三笑堂	精機卸 事業 (単)医療機器, 医薬品, 医療用品, バイオ, 在宅介護用品, 在宅介護用品レンタル ㉕未定 ㉔30 売 単64,195 従 848 資 60 住 京都市南区上鳥羽大物町68 ☎075-681-5131
㈱新学社	新 事業 (単)小・中学校直販部門79 家販部門20 他1 ㉕未定 ㉔10 売 単14,693 従 331 資 53 住 京都市山科区東野中井ノ上町11-39 ☎075-581-6111
総合食品エスイー㈱	食卸 事業 (単)食肉卸94 食肉加工5 焼肉レストラン1 ㉕30 ㉔16 売 単76,685 従 454 資 120 住 京都市伏見区竹田藁屋町80 ☎075-621-4525

会社名	業種名 (事業)会社の事業構成(%) ㉕25年採用計画数(名) ㉔24年入社内定者数(名) (売)売上高(百万円) (従)単独従業員数(名) (資)資本金(百万円) (住)本社の住所，電話番号
タキイ種苗㈱	農水 (事業)(単)種子 球根・苗木 農業用資材 ㉕40 ㉔47 (売)単52,331 (従)822 (資)200 (住)京都市下京区梅小路通猪熊東入南夷町180 ☎075-365-0123
竹中エンジニアリング㈱	電機 (事業)(単)セキュリティ機器70 情報機器20 周辺機器10 ㉕10 ㉔5 (売)単10,150 (従)212 (資)75 (住)京都市山科区東野五条通外環西入83-1 ☎075-594-7211
㈱TANAX	他製 (事業)(単)販促企画商品 産業資材 商業包装 物流ソリューション ㉕10 ㉔8 (売)単21,711 (従)495 (資)364 (住)京都市下京区五条通烏丸東入松屋町438 ☎075-361-2000
㈱鶴屋吉信	食 (事業)(単)京銘菓製造販売 ㉕20 ㉔25 (売)単3,459 (従)370 (資)40 (住)京都市上京区今出川通大宮東入2丁目西船橋町340-1 ☎075-441-0105
ニシムラ㈱	電卸 (事業)(単)照明器具19 電路材料21 空調機器12 電線14 配管材料9 他25 ㉕未定 ㉔11 (売)単23,290 (従)295 (資)40 (住)京都市南区上鳥羽角田町32 ☎075-671-1016
日新電機㈱	電機 (事業)(単)電力・環境システム ビーム・プラズマ 装置部品ソリューション ㉕未定 ㉔54 (売)単82,006 (従)1,997 (資)10,252 (住)京都市右京区梅津高畝町47 ☎075-861-3151
光伝導機㈱	精機卸 (事業)(単)精密・機械卸売100 ㉕6 ㉔6 (売)単20,983 (従)217 (資)307 (住)京都市南区吉祥院石原京道町1-1 ☎075-682-1995
フィルネクスト㈱	他製 (事業)(単)製品売上78 商品売上20 版売上2 ㉕未定 ㉔9 (売)単26,011 (従)443 (資)301 (住)京都市右京区西院月双町5 ☎075-311-0185
福田金属箔粉工業㈱	非鉄 (事業)(単)金属粉関連74 電解箔関連24 金属箔関連2 ㉕未定 ㉔13 (売)単48,864 (従)545 (資)700 (住)京都市山科区西野山中臣町20 ☎075-581-2161
㈱堀場エステック	精 (事業)(単)半導体システム機器96 医用システム機器2 環境・プロセスシステム機器他2 ㉕未定 ㉔27 (売)単83,044 (従)666 (資)1,478 (住)京都市南区上鳥羽鉾立町11-5 ☎075-693-2300
㈱マルハン	レ (事業)(単)パチンコ部門100 ボウリング他レジャー部門0 ㉕120 ㉔148 (売)連1,434,468 (従)4,379 (資)10,000 (住)京都市上京区出町今出川上る青龍町231 ☎075-252-0011
宮崎木材工業㈱	建 (事業)(単)建築内部造作工事95 家具類製造3 住宅建築工事2 ㉕未定 ㉔5 (売)単1,600 (従)107 (資)88 (住)京都市中京区夷川通堺町西入る絹屋町129 ☎075-222-8112
ムラテックCCS㈱	機保 (事業)(単)物流システムサービス 工作機械サービス ㉕20 ㉔9 (売)単19,500 (従)373 (資)30 (住)京都市南区吉祥院南落合町3 ☎075-672-8141
メテック㈱	金製 (事業)(単)電子部品95 機械部品3 他2 ㉕未定 ㉔3 (売)単4,639 (従)269 (資)97 (住)京都市南区上鳥羽藁田町32 ☎075-661-4900
吉忠マネキン㈱	他製 (事業)(単)店舗装飾59 陳列器具19 ウィンド装飾20 マネキン他2 ㉕9 ㉔20 (売)単10,659 (従)205 (資)80 (住)京都市中京区御池通高倉西入綿屋町525 ☎075-241-7551
㈱ロマンス小杉	繊紙卸 (事業)(単)ふとん類61 毛布・タオルケット15 ギフト・カバー類11 他13 ㉕未定 ㉔7 (売)単5,024 (従)130 (資)347 (住)京都市下京区室町通仏光寺上ル白楽天町517 ☎075-341-3111
㈱ワイエムシィ	化 (事業)(単)クロマト消耗品 クロマト装置 ㉕19 ㉔22 (売)単9,927 (従)352 (資)687 (住)京都市下京区五条通烏丸西入醍醐町284 ☎075-342-4510
ワタキューセイモア㈱	リ (事業)(単)寝具・医療衣等の賃貸及び洗濯 商品販売等 他 ㉕60 ㉔35 (売)単174,869 (従)18,601 (資)48 (住)京都市下京区烏丸通高辻下ル薬師前町707 ☎075-361-4130
㈱アーテック	他製 (事業)(単)学校教材関連85 他15 ㉕11 ㉔10 (売)単8,950 (従)170 (資)40 (住)大阪府八尾市北亀井町3-2-21 ☎072-990-5505
アート引越センター㈱	陸 (事業)(単)引越100 ㉕200 ㉔149 (売)単78,868 (従)3,664 (資)100 (住)大阪市中央区城見1-2-27 ☎06-6946-0123
アイテック㈱	他サ (事業)(単)上下水道施設，焼却・リサイクル施設の維持管理 高速道路の交通管制・道路管理 電気保安業務 ㉕50 ㉔16 (売)単22,937 (従)2,200 (資)90 (住)大阪市北区梅田1-13-1 ☎06-6346-0036
㈱浅野歯車工作所	自 (事業)(単)自動車関連74 建機産機関連18 トラック関連8 ㉕20 ㉔5 (売)単36,605 (従)680 (資)324 (住)大阪府大阪狭山市東池尻4-1402-1 ☎072-365-0801
朝日ウッドテック㈱	他製 (事業)(単)床材 壁材 床下地 造作材他 ㉕14 ㉔17 (売)単28,915 (従)610 (資)1,180 (住)大阪市中央区南本町4-5-10 ☎06-6245-9506
㈱朝日エアポートサービス	外 (事業)(単)売店47 機内食調製・搭載15 レストラン10 サービスエリア28 ㉕未定 ㉔12 (売)単9,112 (従)175 (資)100 (住)大阪府豊中市箕輪3-2-7 ☎06-6856-7421
朝日エティック㈱	他製 (事業)(単)建築・設備工事54 屋外広告工事43 機器製造・工事3 ㉕20 ㉔11 (売)単16,810 (従)821 (資)96 (住)大阪市福島区福島7-15-26 ☎06-6343-9175

会社名	業種名 (事業)会社の事業構成(%) ㉕25年採用計画数(名) ㉔24年入社内定者数(名) (売)売上高(百万円) (従)単独従業員数(名) (資)資本金(百万円) (住)本社の住所,電話番号
旭精工(株)	機 (事業)(連)軸受ユニット76 エアクラッチ・ブレーキ等機械部品他24 ㉕**5** ㉔**7** (売)連12,564 (従)264 (資)660 (住)堺市西区鳳東町6丁570-1 ☎072-271-1221
(株)Asue	電卸 (事業)(単)電子部材卸94 化学薬品卸6 ㉕**未定** ㉔**4** (売)単125,829 (従)100 (資)301 (住)大阪市中央区平野町4-2-3 ☎06-6206-5767
(株)天辻鋼球製作所	機 (事業)(単)転がり軸受用鋼球・各種金属球・各種非金属球の製造・販売 ㉕**17** ㉔**18** (売)単23,593 (従)734 (資)2,101 (住)大阪府門真市上野口町1-1 ☎06-6908-2261
アラヤ特殊金属(株)	鉄金卸 (事業)(単)ステンレス100 ㉕**2** ㉔**4** (売)単24,073 (従)126 (資)300 (住)大阪市中央区南船場2-12-12 ☎06-6251-9801
アルフレッサ ファーマ(株)	医 (事業)(単)医薬品48 診断薬10 医療機器13 他29 ㉕**未定** ㉔**17** (売)単46,531 (従)849 (資)3,000 (住)大阪市中央区石町2-2-9 ☎06-6941-0300
(株)飯田	食卸 (事業)(単)洋酒50 ビール28 和酒12 食品他10 ㉕**未定** ㉔**11** (売)単35,107 (従)124 (資)59 (住)大阪府八尾市安中町1-1-29 ☎072-923-6002
(株)池田泉州銀行	銀 (事業)(単)現・預け金12 有価証券10 貸出金76 他2 ㉕**100** ㉔**71** (売)連83,167 (従)2,007 (資)61,385 (住)大阪市北区茶屋町18-14 ☎06-6375-1005
(株)イチネン	リ (事業)(単)オートリース65 自動車メンテナンス受託26 燃料販売5 他4 ㉕**15** ㉔**15** (売)単43,921 (従)266 (資)100 (住)大阪市淀川区西中島4-10-6 ☎06-6309-3001
一冨士フードサービス(株)	他サ (事業)(単)フードサービス(給食請負等)90 食材料の販売10 ㉕**200** ㉔**208** (売)単56,326 (従)1,927 (資)10 (住)大阪市北区梅田3-3-20 ☎06-6458-8801
(株)因幡電機製作所	電機 (事業)(単)配電盤 照明用ポール 照明器具 ㉕**未定** ㉔**5** (売)単5,787 (従)187 (資)130 (住)大阪市西区立売堀3-1-1 ☎06-6532-2301
イヌイ(株)	化医卸 (事業)(単)化学品・電子材料35 住設資材40 輸出入13 受託製造12 ㉕**3** ㉔**6** (売)単20,750 (従)160 (資)352 (住)大阪市中央区道修町2-2-5 ☎06-6203-7831
井上定(株)	他卸 (事業)(単)エクステリア64 建材32 住設4 ㉕**20** ㉔**16** (売)単38,400 (従)377 (資)100 (住)大阪市中央区西心斎橋2-1-5 ☎06-4708-5247
(株)イモト	他卸 (事業)(単)スポーツシューズ50 スポーツウェア40 他10 ㉕**6** ㉔**6** (売)単17,157 (従)140 (資)50 (住)大阪市北区本庄東3-1-5 ☎06-6372-2861
(株)イワセ・エスタグループ本社	食卸 (事業)(単)乳製品34 食用油9 果実缶詰11 乾果実6 酒類6 他34 ㉕**未定** ㉔**10** (売)単47,248 (従)466 (資)96 (住)大阪市浪速区元町3-12-20 ☎06-6632-3071
岩瀬コスファ(株)	化医卸 (事業)(単)化粧品原料 化粧品製品 健康食品・医薬品 試験分析 他 ㉕**未定** ㉔**3** (売)単34,196 (従)177 (資)100 (住)大阪市中央区道修町1-7-11 ☎06-6231-3456
岩谷瓦斯(株)	化 (事業)(単)ガス84 エンジニアリング15 ガス関連1 ㉕**20** ㉔**14** (売)単43,220 (従)508 (資)1,619 (住)大阪市北区西天満4-8-17 ☎06-6530-1011
上田八木短資(株)	他金 (事業)(単)コール資金取引 レポ取引 手形・CD・CP・国債の売買 ㉕**5** ㉔**4** (売)単-5,905 (従)139 (資)5,000 (住)大阪市中央区高麗橋2-4-2 ☎06-6202-5551
(株)うおいち	食卸 (事業)(単)鮮魚40 冷凍35 塩干25 ㉕**17** ㉔**12** (売)単201,724 (従)404 (資)2,000 (住)大阪市福島区野田1-1-86 ☎06-6469-2001
(株)魚国総本社	他サ (事業)(単)産業給食 営業給食 病院患者給食 学校給食 他 ㉕**未定** ㉔**110** (売)単66,029 (従)2,337 (資)286 (住)大阪市西淀川区竹島4-1-28 ☎06-6478-5700
ウメトク(株)	鉄金卸 (事業)(単)特殊鋼60 電子材料20 他20 ㉕**未定** ㉔**8** (売)単86,126 (従)520 (資)303 (住)大阪市北区茶屋町3-7 ☎06-6374-3352
永和信用金庫	銀 (事業)(単)現・預け金26 有価証券25 貸出金47 他2 ㉕**20** ㉔**19** (売)単9,246 (従)351 (資)2,301 (住)大阪市浪速区日本橋4-7-20 ☎06-6633-1181
エー・ビー・シー開発(株)	他サ (事業)(単)ハウジング68 HDC15 不動産13 広告代理店2 他2 ㉕**若干** ㉔**5** (売)単9,927 (従)91 (資)145 (住)大阪市福島区福島6-20-12 ☎06-6451-1111
(株)エコスタイル	建 (事業)(連)オフサイト太陽光発電開発 オンサイト太陽光発電開発 電力小売 太陽光発電 ㉕**43** ㉔**36** (売)連25,871 (従)441 (資)1,541 (住)大阪市中央区道修町1-4-6 ☎06-6232-1755
(株)エスエスケイ	他卸 (事業)(単)スポーツ用品40 スポーツシューズ36 スポーツウエア24 ㉕**若干** ㉔**9** (売)単49,178 (従)495 (資)98 (住)大阪市中央区上本町西1-2-19 ☎06-6768-1111
NX・NPロジスティクス(株)	倉埠 (事業)(単)保管・荷役・輸配送・受注等のロジスティクスサービス ㉕**30** ㉔**24** (売)単68,167 (従)825 (資)1,800 (住)大阪府摂津市東別府3-2-6 ☎06-6349-5261

会社名	業種名 (事業)会社の事業構成(%) ㉕25年採用計画数(名) ㉔24年入社内定者数(名) (売)売上高(百万円) (従)単独従業員数(名) (資)資本金(百万円) (住)本社の住所, 電話番号
㈱NTTデータ関西	シソ (事業)(単)各種情報システム・システム開発 他 ㉕110 ㉔65 (売)単37,069 (従)1,141 (資)400 (住)大阪市北区堂島3-1-21 ☎050-5545-3186
エムオーテックス㈱	シソ (事業)(連)自社商品LANSCOPEシリーズの開発・販売 IT資産管理からサイバーセキュリティ領域全体でサービス展開 ㉕25 ㉔26 (売)連11,527 (従)463 (資)20 (住)大阪市淀川区西中島5-12-12 ☎06-6308-8989
㈱エムジー	電機 (事業)(単)電気信号変換器63 計装信号用避雷器5 電動アクチュエータ5 他27 ㉕未定 ㉔11 (売)単11,707 (従)288 (資)96 (住)大阪市中央区今橋2-5-8 ☎06-6659-8203
㈱MJE	他卸 (事業)(単)JCT事業88 SS事業13 他0 ㉕23 ㉔25 (売)単4,148 (従)127 (資)67 (住)大阪市中央区久太郎町4-1-3 ☎06-6253-7701
MP五協フード&ケミカル㈱	化医卸 (事業)(単)食品原材料52 化学工業原材料48 ㉕未定 ㉔3 (売)単37,578 (従)229 (資)200 (住)大阪市北区梅田2-5-25 ☎06-7177-6866
近江化工㈱	他製 (事業)(単)プラスチック射出成形品45 同製品用金型25 同二次加工・組立品30 ㉕3 ㉔3 (売)単8,247 (従)265 (資)50 (住)大阪市生野区新今里2-4-2 ☎06-6752-2821
大阪厚生信用金庫	銀 (事業)(単)現・預け金46 有価証券15 貸出金38 他0 ㉕35 ㉔55 (売)単35,310 (従)607 (資)3,973 (住)大阪市中央区島之内1-20-19 ☎06-4708-6321
大阪シーリング印刷㈱	他製 (事業)(単)シール・ラベル印刷83 軟包材・フィルム15 ラベラー2 ㉕未定 ㉔102 (売)単95,566 (従)3,045 (資)324 (住)大阪市天王寺区小橋町1-8 ☎06-6762-0001
大阪シティ信用金庫	銀 (事業)(単)現・預け金29 有価証券15 貸出金53 他3 ㉕70 ㉔64 (売)単27,835 (従)1,521 (資)26,490 (住)大阪市中央区北浜2-5-4 ☎06-6201-2881
大阪商工信用金庫	銀 (事業)(単)現・預け金16 有価証券19 貸出金64 他1 ㉕20 ㉔16 (売)連14,677 (従)405 (資)6,901 (住)大阪市中央区本町2-2-8 ☎06-6267-1636
㈱大阪真空機器製作所	精 (事業)(単)規格品61 装置30 他9 ㉕4 ㉔4 (売)単9,859 (従)200 (資)348 (住)大阪市中央区今橋3-3-13 ☎06-6203-3981
大阪精工㈱	鉄金卸 (事業)(単)冷間圧造用鋼線72 冷間圧造部品18 他10 ㉕5 ㉔7 (売)単21,816 (従)265 (資)44 (住)大阪府東大阪市中石切町5-7-59 ☎072-982-2721
大阪銘板㈱	他製 (事業)(単)家電20 自動車関係40 遊戯関連30 他10 ㉕3 ㉔4 (売)単7,860 (従)65 (資)98 (住)大阪府東大阪市七軒家18-15 ☎06-6745-6309
㈱オーナミ	倉埠 (事業)(単)倉庫 港湾荷役 海運 陸運 梱包 ㉕未定 ㉔9 (売)単12,473 (従)271 (資)525 (住)大阪市西区江戸堀2-6-33 ☎06-6445-0073
岡畑産業㈱	化医卸 (事業)(単)無機8 有機60 合成樹脂原料22 合成樹脂製品7 他3 ㉕6 ㉔5 (売)単42,868 (従)85 (資)96 (住)大阪市中央区南船場1-7-11 ☎06-6262-0641
㈱岡本銘木店	他卸 (事業)(単)建材・住宅機器40 木材55 銘木5 ㉕未定 ㉔3 (売)単6,455 (従)146 (資)75 (住)大阪府吹田市岸部北5-32-1 ☎06-6388-3411
奥野製薬工業㈱	化 (事業)(単)表面処理薬品75 食品添加物20 無機材料薬品5 ㉕21 ㉔20 (売)単29,700 (従)458 (資)70 (住)大阪市中央区道修町4-7-10 ☎06-6203-0721
奥村組土木興業㈱	建 (事業)(単)土木舗装管工事76 建築工事13 建材製造販売他11 ㉕67 ㉔51 (売)単55,572 (従)880 (資)1,000 (住)大阪市港区三先1-11-18 ☎06-6572-5301
㈱オンテック	電機 (事業)(単)プリント回路32 エンベデッド55 ビデオコミュニケーション0 EDMS13 ㉕未定 ㉔7 (売)単4,255 (従)127 (資)100 (住)大阪府吹田市垂水町3-20-27 ☎06-6338-8581
カイゲンファーマ㈱	医 (事業)(単)医療用医薬品45 医療機器34 一般用医薬品11 健康食品2 他8 ㉕未定 ㉔8 (売)単8,240 (従)230 (資)2,364 (住)大阪市中央区道修町2-5-14 ☎06-6202-8971
㈱カクダイ	金製 (事業)(単)混合栓・水栓類26 配管部材・バルブ28 洗面・バス・トイレ関連品39 緑化庭園他7 ㉕未定 ㉔5 (売)単28,234 (従)501 (資)98 (住)大阪市西区立売堀1-4-4 ☎06-6538-1121
金井重要工業㈱	繊衣 (事業)(単)繊維機器 不織布製造 他 ㉕5 ㉔5 (売)単5,286 (従)236 (資)90 (住)大阪市北区堂島1-2-9 ☎06-6346-1471
カメヤマ㈱	油炭 (事業)(単)ローソク・線香78 キャンドル・雑貨13 他9 ㉕未定 ㉔3 (売)単8,352 (従)271 (資)71 (住)大阪市北区大淀中2-9-11 ☎06-4798-9071
㈱かんでんエンジニアリング	建 (事業)(単)電気工事46 電気通信工事13 管・土木・鋼構造物・他工事5 商品販売他36 ㉕前年並 ㉔43 (売)単92,777 (従)2,247 (資)786 (住)大阪市北区中之島6-2-27 ☎06-6448-5711
関電プラント㈱	建 (事業)(単)プラント 原子力 ㉕未定 ㉔35 (売)単69,920 (従)1,360 (資)300 (住)大阪市北区本庄東2-9-18 ☎06-6372-1151

会社名	業種名 事業 会社の事業構成(%) ㉕25年採用計画数(名) ㉔24年入社内定者数(名) 売 売上高(百万円) 従 単独従業員数(名) 資 資本金(百万円) 住 本社の住所, 電話番号
紀伊産業㈱	他製 事業 (単)プラスチック部門52 化粧品部門28 農業資材部門20 ㉕**20** ㉔**19** 売 単16,372 従 642 資 180 住 大阪市中央区本町1-3-20 ☎06-6271-5171
岸本建設㈱	建 事業 (単)土木100 建築0 舗装0 水道0 ㉕**10** ㉔**10** 売 単17,276 従 240 資 261 住 大阪府摂津市昭和園9-13 ☎072-632-3221
岸和田製鋼㈱	鉄 事業 (単)鉄筋コンクリート用棒鋼100 ㉕**10** ㉔**5** 売 単39,320 従 223 資 357 住 大阪府岸和田市臨海町20 ☎072-438-0011
KISCO㈱	化医卸 事業 (連)合成樹脂55 化学品26 電子材料19 ㉕**未定** ㉔**8** 売 連101,605 従 294 資 600 住 大阪市中央区伏見町3-3-7 ☎06-6203-5651
北おおさか信用金庫	銀 事業 (単)現・預け金23 有価証券23 貸出金50 他4 ㉕**45** ㉔**45** 売 連20,378 従 975 資 4,535 住 大阪府茨木市西駅前町9-32 ☎072-623-4981
㈱共和	ゴ皮 事業 (単)包装用品40 電材・工業用ゴム用品17 医療・ウエルネス用品他43 ㉕**5** ㉔**11** 売 単12,617 従 392 資 750 住 大阪市西成区橘3-20-28 ☎06-6658-8211
協和テクノロジィズ㈱	シソ 事業 (単)電気通信工事52 電気通信機器類20 情報処理機器類12 保守15 ㉕**15** ㉔**12** 売 単14,992 従 472 資 98 住 大阪市北区中崎1-2-23 ☎06-6363-8800
キョーワ㈱	リ 事業 (単)安全ネット・シート類リース60 同販売35 雑品類販売他5 ㉕**10** ㉔**14** 売 単22,341 従 608 資 99 住 大阪市中央区久太郎町4-1-3 ☎06-6244-7200
近畿日本鉄道㈱	鉄バ 事業 (単)運輸業 ㉕**220** ㉔**187** 売 単155,947 従 6,700 資 100 住 大阪市天王寺区上本町6-1-55 ☎06-6775-3355
㈱近商ストア	小 事業 (単)スーパーマーケットの経営 ㉕**30** ㉔**16** 売 単58,058 従 537 資 100 住 大阪府松原市上田3-8-28 ☎072-338-3800
銀泉㈱	保 事業 (単)保険31 ビル38 駐車場29 他2 ㉕**20** ㉔**10** 売 単27,500 従 837 資 370 住 大阪市中央区高麗橋4-6-12 ☎06-6202-2511
近鉄ファシリティーズ㈱	建管 事業 (単)設備管理40 清掃・衛生管理23 工事15 警備管理12 他10 ㉕**30** ㉔**29** 売 単24,817 従 1,686 資 100 住 大阪市中央区難波2-2-3 ☎06-6211-2090
近鉄不動産㈱	不 事業 (単)土地建物 手数料 工事 付帯事業経営収入他 ㉕**未定** ㉔**75** 売 単115,436 従 878 資 100 住 大阪市天王寺区上本町6-5-13 ☎06-6776-3001
栗原工業㈱	建 事業 (単)内線94 外線6 ㉕**30** ㉔**27** 売 単104,113 従 1,323 資 1,155 住 大阪市北区南森町1-4-24 ☎06-4709-2300
㈱クリハラント	建 事業 (単)電気工事95 機械器具設置工事2 管工事1 電気通信工事2 他0 ㉕**60** ㉔**31** 売 単41,560 従 828 資 980 住 大阪市北区西天満4-8-17 ☎06-6311-5000
㈱京阪百貨店	小 事業 (単)百貨店業 ㉕**20** ㉔**16** 売 単44,703 従 421 資 1,500 住 大阪府守口市河原町8-3 ☎06-6994-1313
㈱ケーエスケー	化医卸 事業 (単)医薬品等販売100 ㉕**50** ㉔**22** 売 連282,935 従 1,261 資 1,328 住 大阪市中央区本町橋1-20 ☎06-6941-1201
健栄製薬㈱	医 事業 (単)医療用医薬品43 一般用医薬品36 医薬部外品等18 他3 ㉕**未定** ㉔**5** 売 単25,060 従 620 資 99 住 大阪市中央区伏見町2-5-8 ☎06-6231-5626
小池産業㈱	化医卸 事業 (単)電池材料20 合成樹脂15 機能材17 電子機材17 化学品他31 ㉕**3** ㉔**4** 売 単33,202 従 130 資 100 住 大阪市中央区平野町1-8-7 ☎06-6222-5771
コイズミ照明㈱	電機 事業 (単)住宅照明60 店舗照明40 ㉕**19** ㉔**18** 売 単27,186 従 631 資 450 住 大阪市中央区備後町3-3-7 ☎06-6266-7801
小泉成器㈱	電卸 事業 (単)調理家電・家事用品32 健康器具30 理美容器具20 シーズン商品10 音響・セキュリティ5 他3 ㉕**8** ㉔**5** 売 単67,879 従 309 資 593 住 大阪市中央区備後町3-3-7 ☎06-6268-1415
㈱神戸屋	食 事業 (単)菓子パン60 食パン20 調理物10 和洋菓子6 他4 ㉕**48** ㉔**29** 売 単11,768 従 324 資 100 住 大阪府豊中市新千里西町1-2-2 ☎06-6832-7100
光洋機械産業㈱	金製 事業 (単)コンクリートプラント(製造・販売・メンテ) 仮設関連・コンベヤ・搬送・環境(製造・販売) ㉕**12** ㉔**11** 売 単17,112 従 386 資 500 住 大阪市中央区南本町2-3-12 ☎06-6268-3100
コーナン建設㈱	建 事業 (単)建築 土木 ㉕**15** ㉔**9** 売 単19,775 従 272 資 485 住 大阪市北区大淀南1-9-10 ☎06-6456-4311
国際セーフティー㈱	建管 事業 (単)常駐警備74 機械警備14 AED販売6 清掃・施設業務1 防犯用カメラ販売1 他4 ㉕**61** ㉔**15** 売 単9,067 従 650 資 100 住 大阪市北区東天満1-5-12 ☎06-6351-5931

会社名	業種名 事業 会社の事業構成(%) ㉕25年採用計画数(名) ㉔24年入社内定者数(名) 売 売上高(百万円) 従 単独従業員数(名) 資 資本金(百万円) 住 本社の住所,電話番号
国分西日本(株)	食卸 事業 (単)酒類・食品等卸売・流通加工,配送業務,貿易,不動産賃貸借,他 ㉕未定 ㉔20 売 単335,699 従 588 資 500 住 大阪市北区天満橋1-8-30 ☎06-6882-5530
小太郎漢方製薬(株)	医 事業 (単)漢方医薬品の製造・販売 ㉕6 ㉔3 売 単8,000 従 263 資 510 住 大阪市北区中津2-5-23 ☎06-6371-9881
寿精版印刷(株)	他製 事業 (単)包材事業 販促事業 転写事業 ITソリューション事業 ㉕10 ㉔11 売 単8,878 従 469 資 60 住 大阪市天王寺区上汐6-4-26 ☎06-6770-2800
(株)コンテック	電機 事業 (単)電子機器100 ㉕10 ㉔6 売 単26,989 従 340 資 450 住 大阪市西淀川区姫里3-9-31 ☎06-6472-7130
阪本薬品工業(株)	化 事業 (単)グリセリン37 化学品19 工材13 粧材12 他19 ㉕14 ㉔10 売 単21,495 従 326 資 100 住 大阪市中央区淡路町1-2-6 ☎06-6231-1851
サクラインターナショナル(株)	他サ 事業 (単)展示会業務97 国際広告3 ㉕20 ㉔17 売 単4,597 従 197 資 72 住 大阪市中央区備後町1-7-3 ☎06-6264-3900
(株)ササクラ	機 事業 (連)船舶用機器 陸上用機器 水処理装置 消音冷熱装置 ㉕前年並 ㉔11 売 連12,371 従 274 資 100 住 大阪市西淀川区竹島4-7-32 ☎06-6473-2131
サムテック(株)	自 事業 (単)ホイールハブユニット54 自動車用ギヤ・ドラム33 ベアリング8 他5 ㉕14 ㉔12 売 単23,424 従 454 資 95 住 大阪府柏原市円明町1000-18 ☎072-977-8851
三栄源エフ・エフ・アイ(株)	化 事業 (単)食品添加物全般100 ㉕前年並 ㉔57 売 単89,400 従 1,006 資 1,800 住 大阪府豊中市三和町1-1-11 ☎06-6333-0521
サンキン(株)	鉄 事業 (単)鋼管85 スチール機器15 ㉕若干 ㉔10 売 単43,941 従 441 資 925 住 大阪市西区新町2-15-27 ☎06-6539-3200
(株)三晃空調	建 事業 (単)空調設備60 衛生設備40 ㉕26 ㉔28 売 単39,242 従 410 資 1,236 住 大阪市北区西天満3-13-20 ☎06-6363-1671
サンコーインダストリー(株)	鉄金卸 事業 (単)ネジ・関連工具類100 ㉕25 ㉔26 売 単38,447 従 509 資 100 住 大阪市西区立売堀1-9-28 ☎06-6539-3537
(株)サンセイテクノス	電卸 事業 (単)産業用制御機器関連70 他30 ㉕20 ㉔16 売 単24,783 従 371 資 94 住 大阪市淀川区西三国1-1-1 ☎06-6398-3111
(株)サンプラザ	小 事業 (単)一般食品23 日配品16 青果13 精肉11 海産10 他27 ㉕10 ㉔10 売 単32,639 従 239 資 50 住 大阪府羽曳野市誉田3-3-15 ☎072-361-3033
三宝電機(株)	建 事業 (単)電気工事71 管工事28 他1 ㉕前年並 ㉔10 売 単14,616 従 286 資 90 住 大阪市北区大淀中1-5-1 ☎06-6451-3311
三和パッキング工業(株)	自 事業 (単)ガスケット31 ヒートプロテクター46 パッキング3 他20 ㉕5 ㉔4 売 単8,750 従 295 資 99 住 大阪府豊中市利倉2-18-5 ☎06-6863-0761
(株)JR西日本コミュニケーションズ	広 事業 (単)ラジオ・テレビ1 新聞・雑誌1 交通広告32 SP・イベント55 インターネット7 他4 ㉕10 ㉔10 売 単23,130 従 372 資 200 住 大阪市北区堂島1-6-20 ☎06-6344-5138
JR西日本不動産開発(株)	不 事業 (単)賃貸52 分譲48 仲介・鑑定0 ㉕未定 ㉔12 売 単80,588 従 460 資 13,200 住 大阪市北区中之島2-2-7 ☎06-7167-5600
(株)ジェイテクトマシンシステム	他製 事業 (単)工作機械 自動車部品 精密機械部品 ドライブシャフト ㉕20 ㉔17 売 単40,903 従 1,251 資 1,100 住 大阪府八尾市南植松町2-34 ☎072-922-7881
システムギア(株)	電機 事業 (単)コンピュータシステム コンピュータ周辺機器 各種入出力機器の開発・設計・製販 他 ㉕未定 ㉔9 売 単5,559 従 355 資 100 住 大阪市西区江戸堀1-9-14 ☎06-6225-2211
(株)島田商会	化医卸 事業 (単)化学工業薬品42 合成樹脂30 機能材料・フィルム7 パルプ関連8 土木建築資材14 ㉕3 ㉔4 売 単39,979 従 110 資 150 住 大阪市中央区安土町3-5-6 ☎06-6262-1531
島津メディカルシステムズ(株)	精機卸 事業 (単)医用機器の販売・据付・修理・保守点検 ㉕未定 ㉔11 売 単22,289 従 656 資 115 住 大阪市淀川区宮原3-5-36 ☎06-7668-2890
シミヅ産業(株)	精機卸 事業 (単)切削工具58 油空圧機器12 補用機器7 切削保持工具7 他16 ㉕未定 ㉔5 売 単21,760 従 213 資 170 住 大阪市西区立売堀2-5-23 ☎06-6532-0832
城東テクノ(株)	他製 事業 (単)建築資材92 土木資材5 他3 ㉕10 ㉔10 売 単22,545 従 398 資 100 住 大阪市中央区今橋3-3-13 ☎06-6786-8601
昭和精工(株)	自 事業 (単)テーパーローラーベアリング57 ステアリング部品23 ピロー・ボールベアリング15 他5 ㉕未定 ㉔9 売 単19,142 従 532 資 80 住 大阪府岸和田市臨海町20-2 ☎072-436-1848

会社名	[業種名] [事業] 会社の事業構成(%) ㉕25年採用計画数(名) ㉔24年入社内定者数(名) [売]売上高(百万円) [従]単独従業員数(名) [資]資本金(百万円) [住]本社の住所, 電話番号
昭和プロダクツ㈱	[パ紙] [事業] (単) 繊維紙管および巻芯関連74 容器・輸送包材・樹脂製品関連26 ㉕**4** ㉔**3** [売]単10,065 [従]258 [資]100 [住]大阪市浪速区湊町2-1-57 ☎06-6684-8561
㈱ショクリュー	[食卸] [事業] (単) 食品流通サービス業 ㉕**未定** ㉔**5** [売]単131,381 [従]546 [資]5,211 [住]大阪市中央区日本橋1-22-25 ☎06-6647-6270
白石工業㈱	[化] [事業] (単) 各種炭酸カルシウム・化学工業薬品の製販 工業薬品等の輸出入 製販 ㉕**未定** ㉔**3** [売]単27,823 [従]213 [資]1,869 [住]大阪市北区中之島2-2-7 ☎06-6417-3131
新関西製鐵㈱	[鉄] [事業] (単) 平鋼他鋼材100 ㉕**3** ㉔**3** [売]単26,539 [従]337 [資]100 [住]堺市堺区塩浜町5 ☎072-238-5561
㈱新通	[広] [事業] (単) 新聞媒体55 電波媒体20 SP他25 ㉕**10** ㉔**11** [売]単20,560 [従]250 [資]10 [住]大阪市西区西本町1-5-8 ☎06-6532-1682
新日本海フェリー㈱	[海] [事業] (連) 海運業52 貨物運送45 石油製品販売0 ホテル2 他0 ㉕**20** ㉔**27** [売]連57,620 [従]516 [資]1,950 [住]大阪市北区梅田2-5-25 ☎06-6345-3921
㈱スイデン	[電機] [事業] (単) 工業用扇風機11 環境機器89 ㉕**9** ㉔**4** [売]単6,295 [従]169 [資]367 [住]大阪市天王寺区逢阪2-4-24 ☎06-6772-0460
スターネット㈱	[通] [事業] (単) 個別ネットワークサービス71 ネットワークインテグレーション15 他14 ㉕**4** ㉔**3** [売]単11,299 [従]120 [資]480 [住]大阪市中央区北浜4-7-28 ☎06-6220-4500
㈱住化分析センター	[他サ] [事業] (単) 医薬40 マテリアル40 健康・安全20 ㉕**20** ㉔**17** [売]単18,446 [従]1,123 [資]250 [住]大阪市中央区高麗橋4-6-17 ☎06-6202-1810
住友重機械ギヤボックス㈱	[機] [事業] (単) 小型減速機62 大型減速機38 ㉕**16** ㉔**12** [売]単18,276 [従]459 [資]840 [住]大阪府貝塚市脇浜4-16-1 ☎072-431-3021
㈱精研	[建] [事業] (単) 空調設備工事56 地盤凍結工事12 電機・産業機器・冷凍空調機器32 ㉕**15** ㉔**10** [売]単14,188 [従]313 [資]200 [住]大阪市中央区南船場2-1-3 ☎06-6224-0751
生和コーポレーション㈱西日本本社	[建] [事業] (単) 建築100 ㉕**未定** ㉔**45** [売]単55,186 [従]630 [資]1,000 [住]大阪市福島区福島5-8-1 ☎06-6345-0661
千寿製薬㈱	[医] [事業] (連) 眼科・耳鼻科用医薬品99 他1 ㉕**前年並** ㉔**26** [売]連48,969 [従]975 [資]1,415 [住]大阪市中央区瓦町3-1-9 ☎06-6201-2512
全星薬品工業㈱	[医] [事業] (単) 医療用医薬品100 ㉕**未定** ㉔**42** [売]単20,571 [従]789 [資]42 [住]大阪市阿倍野区旭町1-2-7 ☎06-6630-7502
大果大阪青果㈱	[食卸] [事業] (単) 野菜部51 果実部43 商事部6 ㉕**未定** ㉔**9** [売]単126,063 [従]306 [資]200 [住]大阪市福島区野田1-1-86 ☎06-6469-5030
大成機工㈱	[金製] [事業] (単) 上下水道・ガス管用特殊継手 ダクタイル製伸縮可撓管 各種不断水工事 他 ㉕**10** ㉔**6** [売]単17,061 [従]404 [資]98 [住]大阪市北区梅田1-1-3-2700 ☎06-6344-7771
大銑産業㈱	[鉄金卸] [事業] (単) 鋳物67 建設6 燃料機材14 化学品9 土木4 他0 ㉕**5** ㉔**3** [売]単67,199 [従]159 [資]264 [住]大阪市中央区今橋2-1-10 ☎06-6220-1121
大都産業㈱	[化医卸] [事業] (単) 合成ゴム ゴムコンパウンド 配合薬品 カーボンブラック他 ㉕**6** ㉔**4** [売]単15,635 [従]105 [資]50 [住]大阪市中央区瓦町2-1-15 ☎06-6202-4128
大八化学工業㈱	[化] [事業] (単) 有機化学薬品99 不動産賃貸1 ㉕**5** ㉔**4** [売]単15,903 [従]271 [資]825 [住]大阪市中央区本町4-3-9 ☎06-6258-0166
大丸興業㈱	[総卸] [事業] (単) 自動車38 産業資材25 電子デバイス22 リテールビジネス16 ㉕**未定** ㉔**4** [売]単34,905 [従]163 [資]1,800 [住]大阪市中央区備後町3-4-9 ☎06-6205-1000
太陽工業㈱	[他製] [事業] (単) 建築系事業分野61 資材系事業分野39 ㉕**20** ㉔**30** [売]連55,021 [従]557 [資]2,570 [住]大阪市淀川区木川東4-8-4 ☎06-6306-3111
㈱太洋工作所	[金製] [事業] (単) 電子機器関連貴金属・銅スル63 プラスチックメッキ・金型成形品37 ㉕**未定** ㉔**10** [売]単13,440 [従]500 [資]99 [住]大阪市旭区森小路1-2-27 ☎06-6952-3177
大和物流㈱	[陸] [事業] (単) 貨物自動車運送58 物流サービス34 他8 ㉕**25** ㉔**24** [売]単67,242 [従]1,491 [資]3,764 [住]大阪市西区阿波座1-5-16 ☎06-4968-6355
大和紡績㈱	[繊衣] [事業] (単) 繊維・不織布・産業資材・衣料品の製造販売および加工 ㉕**26** ㉔**15** [売]単36,137 [従]752 [資]3,545 [住]大阪市中央区久太郎町3-6-8 ☎06-6281-2512
大和無線電器㈱	[電卸] [事業] (単) 電気商品卸販売94 電子部品販売6 ㉕**4** ㉔**5** [売]単20,079 [従]126 [資]337 [住]大阪市浪速区日本橋東2-1-3 ☎06-6631-5650

会社名	業種名 事業 会社の事業構成(%) ㉕25年採用計画数(名) ㉔24年入社内定者数(名) 売 売上高(百万円) 従 単独従業員数(名) 資 資本金(百万円) 住 本社の住所, 電話番号
高松建設(株)	建 事業 (単)建設93 不動産7 ㉕155 ㉔110 売 単92,336 従1,743 資5,000 住 大阪市淀川区新北野1-2-3 ☎06-6307-8110
タカラ通商(株)	他卸 事業 (単)陶器住設機器40 塩ビパイプ30 銅管継手25 他5 ㉕未定 ㉔18 売 単36,857 従420 資60 住 大阪市中央区和泉町2-2-19 ☎06-6946-1133
タカラベルモント(株)	他製 事業 (単)理美容器具33 医療用機器43 頭髪化粧品24 ㉕未定 ㉔40 売 単63,965 従1,636 資300 住 大阪市中央区東心斎橋2-1-1 ☎06-6211-2831
(株)たけでん	電卸 事業 (単)照明器具24 空調・換気設備16 設備機器13 通信・防災14 電線・電線管12 他21 ㉕25 ㉔25 売 単89,538 従781 資350 住 大阪市旭区今市1-18-5 ☎06-6954-6821
(株)TAKシステムズ	シソ 事業 (単)CAD関連94 コンピューター利用等支援6 ㉕未定 ㉔10 売 単5,818 従310 資100 住 大阪市中央区本町4-1-13 ☎06-6266-1766
(株)辰巳商会	海 事業 (単)海運31 倉庫29 陸運14 港運22 航空4 ㉕30 ㉔25 売 単75,754 従840 資750 住 大阪市港区築港4-1-1 ☎06-6576-1821
(株)チクマ	繊紙卸 事業 (単)ビジネスユニホーム61 スクールユニホーム39 ㉕5 ㉔7 売 単17,152 従200 資678 住 大阪市中央区淡路町3-3-10 ☎06-6222-3671
中央コンピューター(株)	シソ 事業 (単)システム開発74 システム管理17 システム運用6 他3 ㉕28 ㉔26 売 単8,695 従604 資70 住 大阪市北区中之島6-2-27 ☎06-6446-0755
中央復建コンサルタンツ(株)	築設 事業 (単)土木設計93 測量1 地質調査1 建築設計3 補償調査1 他1 ㉕25 ㉔20 売 単12,624 従528 資306 住 大阪市東淀川区東中島4-11-10 ☎06-6160-1121
(株)チュチュアンナ	小 事業 (連)靴下部門50 インナー・ウエア部門50 ㉕未定 ㉔43 売 連23,384 従1,510 資85 住 大阪市中央区森ノ宮中央1-10-2 ☎06-7176-1546
(株)テラモト	他製 事業 (単)マット・人工芝36 清掃用品26 環境備品33 他5 ㉕未定 ㉔7 売 単10,718 従355 資90 住 大阪市西区立売堀3-5-29 ☎06-6541-3333
(株)デンロコーポレーション	金製 事業 (単)鉄塔 設備 メッキ加工 ㉕前年並 ㉔27 売 単16,554 従698 資96 住 大阪市東成区深江北2-11-17 ☎06-6976-1161
東洋アルミニウム(株)	非鉄 事業 (単)箔事業80 ペースト事業20 ㉕未定 ㉔16 売 連105,640 従1,477 資8,000 住 大阪市中央区久太郎町3-6-8 ☎06-6271-3151
東洋カーマックス(株)	リ 事業 (単)サービスステーション5 ソリューション36 オートリース47 パーキング10 不動産賃貸1 ㉕4 ㉔3 売 単33,762 従188 資300 住 大阪市北区西天満4-8-17 ☎06-6363-1101
東陽建設工機(株)	機 事業 (単)鉄筋加工機100 ㉕10 ㉔7 売 単4,531 従205 資100 住 大阪市大正区三軒家東2-4-15 ☎06-6552-0341
東洋ハイテック(株)	精機卸 事業 (単)粉体プラント66 粉体機器15 部品12 リユース7 ㉕6 ㉔8 売 単5,017 従165 資98 住 大阪市北区万歳町3-20 ☎06-6312-2565
東レ建設(株)	建 事業 (単)建設60 不動産40 ㉕14 ㉔11 売 単44,069 従344 資1,503 住 大阪市北区中之島3-3-3 ☎06-6447-5152
(株)十川ゴム	ゴ皮 事業 (単)ホース類43 ゴム工業用品類49 他8 ㉕未定 ㉔22 売 単14,029 従655 資471 住 大阪市西区南堀江4-2-5 ☎06-6538-1261
ドギーマンハヤシ(株)	他製 事業 (単)ペット食品・用品の製造・販売・輸出入 ㉕未定 ㉔6 売 単22,171 従200 資90 住 大阪市東成区深江南1-16-14 ☎06-6977-6711
都市クリエイト(株)	他サ 事業 (単)一般廃棄物処理 産業廃棄物中間処理 リサイクル 他 ㉕未定 ㉔3 売 単10,011 従410 資50 住 大阪府高槻市上田辺町19-8 ☎072-681-0089
TOMATEC(株)	ガ土 事業 (単)多成分系ガラス・関連製品の販売 複合酸化物系顔料・関連製品の製造販売 他 ㉕未定 ㉔4 売 単9,577 従242 資310 住 大阪市北区大淀北2-1-27 ☎06-6456-0001
内外電機(株)	電機 事業 (単)標準分電盤43 標準キュービクル式変電設備25 他32 ㉕15 ㉔6 売 単16,563 従740 資100 住 大阪市中央区本町2-5-7 ☎06-4708-3908
中西金属工業(株)	機 事業 (単)軸受保持器部門 コンベア部門 他 ㉕12 ㉔9 売 単56,855 従602 資90 住 大阪市北区天満橋3-3-5 ☎06-6351-4832
日米ユナイテッド(株)	石燃卸 事業 (単)石油製品69 LPガス製品14 石油化学製品4 他13 ㉕2 ㉔4 売 単40,367 従418 資255 住 大阪市西区南堀江4-25-15 ☎06-6538-7071
日昌(株)	電卸 事業 (連)エレクトロニクス業界中心にフィルムおよび粘着テープなどの製造・販売と関連製品の販売 ㉕10 ㉔12 売 連55,998 従399 資515 住 大阪市北区西天満4-8-17 ☎06-6363-4621

会社名	[業種名] (事業) 会社の事業構成(%) ㉕25年採用計画数(名) ㉔24年入社内定者数(名) (売)売上高(百万円) (従)単独従業員数(名) (資)資本金(百万円) (住)本社の住所, 電話番号
㈱日商エステム	[不] (事業) (単) 分譲マンション企画・販売100 ㉕**18** ㉔**21** (売)単27,903 (従)110 (資)300 (住)大阪市中央区南船場2-9-14 ☎06-7660-1155
日東化成㈱	[化] (事業) (単) 塩化ビニル樹脂用安定剤 海中生物防汚剤 触媒 他 ㉕**若干** ㉔**9** (売)単17,964 (従)175 (資)140 (住)大阪市東淀川区西淡路3-17-14 ☎06-6322-4351
ニプロファーマ㈱	[医] (事業) (単) 医療用医薬品の製造および販売 ㉕**50** ㉔**39** (売)単98,615 (従)3,568 (資)8,669 (住)大阪府摂津市千里丘新町3-26 ☎06-7639-3190
日本化学機械製造㈱	[機] (事業) (単) 化学プラント機器装置85 超低温液化ガス容器15 ㉕**未定** ㉔**5** (売)単6,210 (従)180 (資)100 (住)大阪市淀川区加島4-6-23 ☎06-6308-3881
日本臓器製薬㈱	[医] (事業) (単) 医薬品等100 ㉕**未定** ㉔**8** (売)単23,272 (従)515 (資)100 (住)大阪市中央区平野町4-2-3 ☎06-6203-0441
㈱ニュージェック	[築設] (事業) (単) 土木84 建築11 海外5 ㉕**30** ㉔**19** (売)単16,766 (従)828 (資)200 (住)大阪市北区本庄東2-3-20 ☎06-6374-4901
ネクスタ㈱	[パ紙] (事業) (単) 軽包材31 機能包材14 重包材9 環境保全商品12 化成品12 他22 ㉕**未定** ㉔**5** (売)単15,057 (従)155 (資)320 (住)大阪市城東区今福西3-2-24 ☎06-6932-7214
野里電気工業㈱	[建] (事業) (単) 電気工事76 制御盤12 パーキングシステム12 ㉕**前年並** ㉔**12** (売)単17,057 (従)288 (資)280 (住)大阪市西淀川区柏里2-4-1 ☎06-6477-6000
野村建設工業㈱	[建] (事業) (単) 建設97 不動産他3 ㉕**3** ㉔**5** (売)単15,770 (従)136 (資)300 (住)大阪市中央区高麗橋2-1-2 ☎06-6226-9515
野村貿易㈱	[総卸] (事業) (単) フード60 ライフ19 インダストリー16 アジア現地法人3 海外支店1 他0 ㉕**5** ㉔**4** (売)連76,527 (従)228 (資)2,500 (住)大阪市中央区安土町1-7-3 ☎06-6268-8111
バイエル薬品㈱	[医] (事業) (単) 医薬品, 医療機器の開発・輸入・製造・販売 ㉕**未定** ㉔**5** (売)単223,877 (従)1,591 (資)2,273 (住)大阪市北区梅田2-4-9 ☎06-6133-7000
長谷川工業㈱	[金製] (事業) (単) 総合仮設機材 園芸用品 自動車用品 イベント用品 特別設計製作 ㉕**5** ㉔**3** (売)単10,338 (従)277 (資)90 (住)大阪市西区江戸堀2-1-1 ☎06-6446-1845
㈱初田製作所	[機] (事業) (単) 消火器 消火設備 ファイヤープリベンションシステム 消火栓 ホース 社外品 ㉕**10** ㉔**5** (売)単31,375 (従)744 (資)80 (住)大阪府枚方市招提田近3-5 ☎072-856-1281
ハニューフーズ㈱	[食卸] (事業) (連) 食肉卸売 ㉕**13** ㉔**13** (売)連285,331 (従)238 (資)491 (住)大阪市中央区南船場2-11-16 ☎06-6252-9774
埴生ミートパッカー㈱	[食] (事業) (単) 国産牛肉の製造・販売 ㉕**5** ㉔**3** (売)単10,893 (従)71 (資)100 (住)大阪府羽曳野市向野2-4-14 ☎072-939-1101
林純薬工業㈱	[化] (事業) (単) 電子工業用薬品80 分析用標準品・試薬20 ㉕**7** ㉔**7** (売)単16,182 (従)293 (資)100 (住)大阪市中央区内平野町3-2-12 ☎06-6910-7335
林六㈱	[化医卸] (事業) (単) 製紙・ダンボール業界61 水処理業界14 土木業界15 他10 ㉕**未定** ㉔**3** (売)単28,784 (従)84 (資)100 (住)大阪市中央区南船場4-11-28 ☎06-6262-3914
阪急電鉄㈱	[鉄バ] (事業) (単) 都市交通 不動産 エンタテインメント・コミュニケーション ㉕**85** ㉔**94** (売)連253,317 (従)3,791 (資)100 (住)大阪市北区芝田1-16-1 ☎06-6373-5085
㈱阪急阪神ビジネストラベル	[レ] (事業) (単) 旅行業100 ㉕**10** ㉔**7** (売)単32,581 (従)236 (資)60 (住)大阪市北区梅田2-5-25 ☎06-4795-5781
㈱阪神住建	[不] (事業) (単) 分譲マンション0 不動産売却29 賃貸37 スパワールド14 太陽光発電20 他0 ㉕**未定** ㉔**10** (売)単10,210 (従)65 (資)99 (住)大阪市福島区吉野1-21-14 ☎06-6447-0001
ヒエン電工㈱	[非鉄] (事業) (単) 船舶用電線79 産業機材・機能性複合フィルム21 ㉕**2** ㉔**3** (売)単5,419 (従)115 (資)99 (住)大阪市中央区道修町3-4-11 ☎06-6226-1501
㈱ピカソ美化学研究所	[化] (事業) (単) 化粧品65 医薬部外品15 研究開発15 他5 ㉕**15** ㉔**26** (売)単12,325 (従)316 (資)80 (住)大阪市淀川区西宮原1-8-35 ☎06-6399-8899
㈱光アルファクス	[電卸] (事業) (単) 電子デバイス70 社会インフラ16 マテリアル14 ㉕**10** ㉔**5** (売)連44,500 (従)245 (資)320 (住)大阪市北区中之島2-2-2 ☎06-6208-1811
㈱久門製作所	[精機卸] (事業) (単) バルブ75 継手・パイプ10 他15 ㉕**3** ㉔**4** (売)単20,571 (従)183 (資)72 (住)大阪市西区立売堀3-5-11 ☎06-6532-1981
ピップ㈱	[他卸] (事業) (単) ベビー用品39 ヘルスケア用品32 日用雑貨15 シニアケア14 ㉕**15** ㉔**5** (売)単209,293 (従)610 (資)270 (住)大阪市中央区農人橋2-1-36 ☎06-6941-1781

会社名	[業種名] [事業]会社の事業構成(%) ㉕25年採用計画数(名) ㉔24年入社内定者数(名) [売]売上高(百万円) [従]単独従業員数(名) [資]資本金(百万円) [住]本社の住所, 電話番号
非破壊検査(株)	[他サ] [事業] (単)検査サービス99 他1 ㉕**40** ㉔**22** [売]単18,396 [従]595 [資]88 [住]大阪市西区北堀江1-18-14 ☎06-6539-5821
(株)ヒラカワ	[機] [事業] (単)蒸気ボイラー14 温水ヒーター17 メンテナンス67 他2 ㉕**未定** ㉔**4** [売]単7,681 [従]310 [資]90 [住]大阪市北区大淀北1-9-5 ☎06-6458-8687
フェザー安全剃刀(株)	[金製] [事業] (単)安全剃刀30 メディカル商品50 理美容業刃物17 他3 ㉕**4** ㉔**6** [売]単9,743 [従]421 [資]180 [住]大阪市北区大淀南3-3-70 ☎06-6458-1631
深田サルベージ建設(株)	[建] [事業] (単)海洋土木・鉄鋼構造物の運搬・組立・据付44 海難救助26 海洋開発30 ㉕**19** ㉔**16** [売]単32,897 [従]358 [資]650 [住]大阪市港区築港4-1-1 ☎06-6576-1871
(株)福井製作所	[機] [事業] (単)安全弁の製造・販売 ㉕**未定** ㉔**3** [売]単9,469 [従]176 [資]100 [住]大阪府枚方市招提田近1-6 ☎072-857-4521
福栄鋼材(株)	[鉄金卸] [事業] (単)鉄鋼・金属卸売100 ㉕**4** ㉔**5** [売]単70,442 [従]304 [資]86 [住]大阪市中央区道修町3-6-1 ☎06-6201-2981
(株)フセラシ	[自] [事業] (単)自動車関係向精密ナット・部品89 電機メーカー他向精密ナット8 他3 ㉕**20** ㉔**18** [売]単32,565 [従]568 [資]300 [住]大阪府東大阪市高井田11-74 ☎06-6789-7121
フルサト工業(株)	[鉄金卸] [事業] (単)鉄骨建築資材の製造販売 ㉕**未定** ㉔**10** [売]単39,989 [従]555 [資]400 [住]大阪市中央区南新町1-2-10 ☎06-6946-9608
(株)紅中	[他卸] [事業] (単)住宅資材建材機器販売50 産業資材40 他10 ㉕**10** ㉔**8** [売]単21,247 [従]184 [資]99 [住]大阪市淀川区西中島5-14-5 ☎06-6195-3330
牧村(株)	[繊紙卸] [事業] (単)紳士服地 婦人服地 ユニホーム地 紳士二次製品 ㉕**未定** ㉔**4** [売]単9,700 [従]118 [資]100 [住]大阪市中央区本町3-2-8 ☎06-6253-1251
(株)松井製作所	[機] [事業] (単)粉粒体乾燥装置・同温調装置 計量混合・同輸送装置 粉砕機器装置・同システム機器 ㉕**18** ㉔**10** [売]単11,794 [従]315 [資]200 [住]大阪市中央区城見1-4-70 ☎06-6942-9555
松浪硝子工業(株)	[ガ土] [事業] (単)電子材部門34 医療部門66 ㉕**4** ㉔**9** [売]単8,008 [従]300 [資]90 [住]大阪府岸和田市八阪町2-1-10 ☎072-433-4546
マツモト機械(株)	[機] [事業] (単)溶接・切断用治具30 ロボットシステム30 自動溶接・省力化装置40 ㉕**未定** ㉔**9** [売]単4,229 [従]134 [資]159 [住]大阪府八尾市老原4-153 ☎072-949-4661
(株)松本組	[建] [事業] (単)建築工事業98 売電事業2 ㉕**5** ㉔**6** [売]単11,530 [従]73 [資]80 [住]大阪市住吉区苅田5-15-24 ☎06-6697-2600
マツモト産業(株)	[精機卸] [事業] (単)溶接機材43 産業機器44 マツモト製品9 高圧ガス他4 ㉕**25** ㉔**28** [売]単61,673 [従]469 [資]768 [住]大阪市西区靭本町1-12-6 ☎06-6225-2200
マリンフード(株)	[食] [事業] (単)チーズ80 マーガリン・バター17 シリアル類2 他1 ㉕**未定** ㉔**30** [売]単36,219 [従]313 [資]90 [住]大阪府豊中市豊南町東4-5-1 ☎06-6333-6801
丸石化学品(株)	[化医卸] [事業] (単)合成樹脂・ゴム52 工業薬品20 添加剤19 塗料0 染・顔料7 水処理薬品1 他1 ㉕**3** ㉔**5** [売]単31,523 [従]97 [資]100 [住]大阪市北区中之島2-3-18 ☎06-7637-3227
(株)マルカ	[精機卸] [事業] (単)工作・鍛圧・土木・建築・搬送・食品機械の国内販売・輸出入 ㉕**10** ㉔**7** [売]単34,055 [従]159 [資]400 [住]大阪市中央区南新町2-2-5 ☎06-6450-6823
丸協運輸(株)	[陸] [事業] (単)運送85 荷役6 倉庫9 ㉕**未定** ㉔**6** [売]単15,968 [従]512 [資]16 [住]大阪府東大阪市長田3-6-10 ☎06-6788-9690
丸善薬品産業(株)	[化医卸] [事業] (単)化学品26 水・環境7 ファインマテリアル38 食品14 アグリ7 ライフサイエンス9 ㉕**未定** ㉔**10** [売]単77,867 [従]242 [資]330 [住]大阪市中央区道修町2-4-7 ☎06-6206-5669
マルホ(株)	[医] [事業] (連)医薬品90 他10 ㉕**未定** ㉔**65** [売]連96,184 [従]1,566 [資]382 [住]大阪市北区中津1-5-22 ☎06-6371-8876
ミカサ商事(株)	[電卸] [事業] (単)商社セグメント78 ソリューションセグメント22 ㉕**15** ㉔**6** [売]単34,378 [従]233 [資]346 [住]大阪市中央区北浜3-5-29 ☎06-6201-6700
三起商行(株)	[繊衣] [事業] (単)衣服60 小物40 ㉕**未定** ㉔**24** [売]単17,681 [従]431 [資]2,030 [住]大阪府八尾市若林町1-76-2 ☎072-920-2111
(株)水上	[鉄金卸] [事業] (単)金物卸 ㉕**未定** ㉔**7** [売]単9,711 [従]178 [資]99 [住]大阪市中央区島之内2-7-22 ☎06-6211-1110
三星ダイヤモンド工業(株)	[機] [事業] (単)装置製造53 ガラス関連工具29 他18 ㉕**4** ㉔**4** [売]単4,355 [従]203 [資]41 [住]大阪府摂津市香露園32-12 ☎072-648-5000

会社名	業種名 (事業)会社の事業構成(%) ㉕25年採用計画数(名) ㉔24年入社内定者数(名) (売)売上高(百万円) (従)単独従業員数(名) (資)資本金(百万円) (住)本社の住所,電話番号
㈱三ツワフロンテック	精機卸 (事業)(単)研究分析機器58 各種試験機11 工業計測器10 他21 ㉕**15** ㉔**9** (売)単15,986 (従)167 (資)99 (住)大阪市北区天神橋3-6-24 ☎06-6351-9631
宮脇鋼管㈱	金製 (事業)(単)鋼管・鋼材販売 鋼管加工 ㉕**4** ㉔**10** (売)単10,916 (従)173 (資)100 (住)大阪市西成区津守3-7-10 ☎06-6658-3801
村本建設㈱	建 (事業)(単)建築 土木 不動産 ㉕**35** ㉔**34** (売)単62,261 (従)765 (資)480 (住)大阪市天王寺区上汐4-5-26 ☎06-6772-8201
メルコモビリティーソリューションズ㈱	精機卸 (事業)(単)オートモーティブシステム72 アフターマーケットサービス28 ㉕**9** ㉔**7** (売)単36,453 (従)338 (資)500 (住)大阪市福島区福島6-13-14 ☎06-6458-0052
㈱モリタ	精機卸 (事業)(単)総合歯科医療商社(器械・材料・薬品・情報機器等) ㉕**未定** ㉔**30** (売)単100,479 (従)957 (資)584 (住)大阪府吹田市垂水町3-33-18 ☎06-6380-2525
八木通商㈱	繊紙卸 (事業)(連)輸出入貿易事業99 不動産賃貸事業1 ㉕**未定** ㉔**7** (売)連53,300 (従)189 (資)100 (住)大阪市中央区北浜3-1-9 ☎06-6227-6830
ヤスダエンジニアリング㈱	建 (事業)(単)総合建設業 ㉕**4** ㉔**4** (売)単4,603 (従)154 (資)300 (住)大阪市浪速区塩草3-2-26 ☎06-6561-5788
ヤマウチ㈱	ゴ皮 (事業)(単)事務機器部品24 製紙用ロール19 ディスク・防振部品10 他47 ㉕**未定** ㉔**19** (売)連21,385 (従)341 (資)240 (住)大阪府枚方市招提田近2-7 ☎072-856-1130
ヤマックス㈱	他製 (事業)(単)シール・ラベル38 ステッカー17 フィルム印刷物26 他19 ㉕**未定** ㉔**7** (売)単5,190 (従)330 (資)40 (住)大阪市北区中津1-16-31 ☎06-6371-6131
山本光学㈱	他製 (事業)(単)スポーツ用品・眼鏡・サングラス・光学機器・バイクヘルメット産業用保護具の製造販売 ㉕**未定** ㉔**12** (売)単変2,995 (従)263 (資)230 (住)大阪府東大阪市長堂3-25-8 ☎06-6783-0232
山本通産㈱	化医卸 (事業)(単)化学品および精密機器100 ㉕**4** ㉔**3** (売)連26,684 (従)106 (資)96 (住)大阪市中央区博労町1-7-16 ☎06-6252-2131
吉田鋼業㈱	鉄金卸 (事業)(単)鋼材販売 鉄骨工事 倉庫 ㉕**未定** ㉔**8** (売)単71,000 (従)282 (資)90 (住)大阪府東大阪市西石切町5-1-22 ☎072-984-5701
淀川ヒューテック㈱	化 (事業)(単)フッ素樹脂製品素材・加工品 射出成型品 液晶製造設備 ㉕**25** ㉔**19** (売)単46,662 (従)574 (資)50 (住)大阪府吹田市江坂町2-4-8 ☎06-6386-2466
淀鋼商事㈱	鉄金卸 (事業)(単)鋼材部門82 物資部門11 陸・海輸送部門4 他2 ㉕**前年並** ㉔**4** (売)単28,397 (従)140 (資)370 (住)大阪市中央区南本町4-1-1 ☎06-6241-7231
ラブリー・ペット商事㈱	他卸 (事業)(単)ペットフード・用品100 ㉕**若干** ㉔**3** (売)単変26,157 (従)142 (資)99 (住)大阪府門真市松生町6-20 ☎06-6905-9700
㈱りそな銀行	銀 (事業)(連)現・預け金28 有価証券12 貸出金55 他5 ㉕**595** ㉔**678** (売)連553,872 (従)8,127 (資)279,928 (住)大阪市中央区備後町2-2-1 ☎06-6271-1221
㈱レクザム	電機 (事業)(単)電子制御機器81 金属加工製品7 医療用電子機器7 他5 ㉕**30** ㉔**26** (売)単71,323 (従)1,246 (資)48 (住)大阪市中央区南本町2-1-8 ☎06-6262-0871
レジノカラー工業㈱	化 (事業)(単)合成樹脂関連等着色剤53 各種機能性材料38 他7 ㉕**未定** ㉔**4** (売)単5,125 (従)124 (資)200 (住)大阪市淀川区十三元今里3-1-102 ☎06-6301-0636
㈱ロゴスコーポレーション	他製 (事業)(単)キャンプ用品75 アウトドアウエア15 雨衣10 ㉕**2** ㉔**8** (売)単6,354 (従)150 (資)100 (住)大阪市住之江区平林南2-11-1 ☎06-6681-8000
若井産業㈱	鉄金卸 (事業)(単)特殊釘15 建築用ネジ35 DIY関連商品15 接着剤・シーリング材11 他25 ㉕**5** ㉔**7** (売)単13,765 (従)173 (資)98 (住)大阪府東大阪市森河内西1-6-30 ☎06-6783-2080
和田精密歯研㈱	他製 (事業)(単)義歯・歯科技工製品100 ㉕**65** ㉔**53** (売)単14,652 (従)1,296 (資)99 (住)大阪市東淀川区西淡路3-15-46 ☎06-6321-8551
赤穂化成㈱	化 (事業)(単)化成 塩 食品 健康 ㉕**3** ㉔**7** (売)単10,000 (従)196 (資)30 (住)兵庫県赤穂市坂越329 ☎0791-48-1111
㈱アップ	他サ (事業)(単)教育99 不動産賃貸1 ㉕**25** ㉔**15** (売)単9,419 (従)504 (資)100 (住)兵庫県西宮市高松町4-8 ☎0798-64-8100
㈱アメフレック	電卸 (事業)(単)機器販売部門70 エンジニアリング部門30 ㉕**7** ㉔**3** (売)単11,186 (従)141 (資)98 (住)兵庫県尼崎市水堂町2-40-10 ☎06-6438-8191
㈱イズミフードマシナリ	機 (事業)(単)食品製造用機械100 ㉕**4** ㉔**4** (売)単5,809 (従)185 (資)120 (住)兵庫県尼崎市潮江4-2-30 ☎06-6718-6150

会社名	業種名 事業 会社の事業構成(%) ㉕25年採用計画数(名) ㉔24年入社内定者数(名) 売売上高(百万円) 従単独従業員数(名) 資資本金(百万円) 住本社の住所，電話番号
伊丹産業㈱	石燃卸 事業 (単)ガス46 石油38 米穀15 モバイル1 ㉕100 ㉔82 売単106,417 従1,549 資50 住兵庫県伊丹市中央5-5-10 ☎072-783-0001
植田製油㈱	食 事業 (単)食用油脂71 マーガリン・ショートニング10 ラード9 他10 ㉕未定 ㉔8 売単26,310 従188 資72 住神戸市東灘区魚崎浜町17 ☎078-451-2361
㈱オイシス	食 事業 (単)食パン・菓子パン・調理パン49 総菜12 麺類17 スイーツ16 直営店5 他1 ㉕15 ㉔12 売単29,536 従477 資91 住兵庫県伊丹市池尻2-23 ☎072-772-0144
オークラ輸送機㈱	機 事業 (単)パレタイジングシステム16 ソーティングシステム48 搬送システム15 物流機器21 ㉕15 ㉔17 売単33,777 従607 資1,330 住兵庫県加古川市野口町古大内900 ☎079-426-1181
㈱大月真珠	他卸 事業 (単)真珠90 宝石宝飾品10 ㉕3 ㉔4 売単20,589 従263 資100 住神戸市中央区港島中町6-4-1 ☎078-303-2111
㈱岡崎製作所	電機 事業 (単)工業用温度検出器85 原子力関連機器5 他10 ㉕19 ㉔3 売単13,562 従475 資86 住神戸市中央区御幸通3-1-3 ☎078-251-8200
音羽電機工業㈱	電機 事業 (単)高圧アレスタ(避雷器)27 低圧アレスタ35 耐雷トランス18 他20 ㉕未定 ㉔5 売単7,279 従284 資81 住兵庫県尼崎市潮江5-6-20 ☎06-6429-3541
川崎油工㈱	機 事業 (単)液圧(油圧)プレス機械52 油圧プレス修理・改造45 他3 ㉕6 ㉔3 売単4,542 従144 資436 住兵庫県明石市二見町南二見15-1 ☎078-941-3311
川重商事㈱	精機卸 事業 (単)産業機械72 建築請負・建材8 石油18 鉄鋼2 ㉕13 ㉔15 売単85,925 従386 資600 住神戸市中央区海岸通8 ☎078-392-1131
㈱神崎組	建 事業 (単)建築工事83 土木工事14 不動産3 ㉕未定 ㉔3 売単10,122 従125 資500 住兵庫県姫路市北条口3-22 ☎079-223-2021
菊正宗酒造㈱	食 事業 (単)清酒81 他19 ㉕未定 ㉔6 売単9,604 従220 資100 住神戸市東灘区御影本町1-7-15 ☎078-851-0001
共栄㈱	鉄金卸 事業 (単)鉄屑売買90 鉄鋼製品溶断加工および非鉄屑10 ㉕若干 ㉔3 売単79,760 従153 資40 住神戸市中央区栄町通2-3-9 ☎078-321-2121
㈱共進ペイパー＆パッケージ	パ紙 事業 (単)段ボールケース・シート43 印刷紙器29 洋紙・板紙卸売2 他26 ㉕4 ㉔7 売単6,957 従279 資450 住神戸市中央区元町通6-1-6 ☎078-341-1741
桑村繊維㈱	繊衣 事業 (単)織物100 ㉕2 ㉔3 売単6,769 従114 資210 住兵庫県多可郡多可町中区曽我井315 ☎0795-32-1180
㈱合食	食卸 事業 (単)するめ加工品類26 原料塩干24 干しするめ12 冷凍・総菜12 他26 ㉕未定 ㉔5 売単42,933 従336 資90 住神戸市兵庫区中之島1-1-1 ☎078-672-7500
甲南電機㈱	他製 事業 (単)制御弁33 アクチュエータ33 空気圧回路補器11 自動装置2 建設機械20 商品1 ㉕未定 ㉔3 売単5,172 従165 資479 住兵庫県西宮市上田東町4-97 ☎0798-40-6600
㈱神戸新聞社	新 事業 (連)新聞・雑誌・書籍等の発行印刷・販売77 他23 ㉕未定 ㉔4 売連37,533 従443 資600 住神戸市中央区東川崎町1-5-7 ☎078-362-7100
神戸信用金庫	銀 事業 (単)現・預け金30 有価証券21 貸出金43 他6 ㉕30 ㉔24 売単6,722 従370 資1,684 住神戸市中央区浪花町61 ☎078-391-8011
㈱神戸ポートピアホテル	ホ 事業 (単)ホテル業99 他1 ㉕60 ㉔47 売単8,643 従434 資50 住神戸市中央区港島中町6-10-1 ☎078-302-1111
㈱コーアツ	他製 事業 (単)消火設備の製造・据付工事67 消火設備の保守他33 ㉕10 ㉔10 売単12,547 従281 資60 住兵庫県伊丹市北本町1-310 ☎072-782-8561
小林桂㈱	食卸 事業 (単)香辛料・ハーブ・ナッツ類等の輸入 ハッカ製造販売 ワインの輸入販売 ㉕3 ㉔6 売単6,122 従50 資49 住神戸市中央区東町123 ☎078-321-8431
㈱コベルコE&M	建 事業 (単)機電事業部82 プラント18 ㉕36 ㉔21 売単51,059 従1,289 資150 住神戸市灘区岩屋北町4-5-22 ☎078-803-2901
㈱シマブンコーポレーション	鉄 事業 (単)製鋼・製鉄原材料50 鋼材関係32 鉄鋼関連請負業15 ラベル他3 ㉕10 ㉔16 売単変27,481 従1,204 資65 住神戸市灘区岩屋中町4-2-7 ☎078-871-5181
ショーワグローブ㈱	他製 事業 (単)手袋製造販売100 ㉕未定 ㉔12 売単28,554 従389 資48 住兵庫県姫路市砥堀565 ☎079-264-1234
シンエーフーヅ㈱	外 事業 (単)洋食料理 日本料理 中国料理店 他 ㉕未定 ㉔3 売単3,031 従85 資50 住神戸市中央区中町通2-3-2 ☎078-341-7117

会社名	[業種名] (事業)会社の事業構成(%) ㉕25年採用計画数(名) ㉔24年入社内定者数(名) (売)売上高(百万円) (従)単独従業員数(名) (資)資本金(百万円) (住)本社の住所，電話番号
神港精機㈱	[機] (事業)(単)真空ポンプおよび真空機器 投影機 電気炉 半導体関係機器，医療機器 ㉕**8** ㉔**3** (売)単5,583 (従)181 (資)375 (住)神戸市西区高塚台3-1-35 ☎078-991-3011
神鋼物流㈱	[海] (事業)(単)港湾運送 内航海運業 通関業 貨物自動車運送事業 倉庫業 他 ㉕**13** ㉔**8** (売)単51,965 (従)1,003 (資)2,479 (住)神戸市中央区脇浜海岸通2-2-4 ☎078-262-3800
新生コベルコリース㈱	[リ] (事業)(単)総合リース ㉕**2** ㉔**5** (売)単28,992 (従)110 (資)3,243 (住)神戸市中央区脇浜海岸通2-2-4 ☎078-261-6641
住電機器システム㈱	[金製] (事業)(単)電線ケーブル用機器92 精密機器・精密工具5 バスダクト機器3 ㉕**5** ㉔**3** (売)単17,142 (従)457 (資)310 (住)兵庫県伊丹市北河原6-1-3 ☎072-782-0671
生活協同組合コープこうべ	[小] (事業)(単)生鮮食品29 加工食品51 住居関連15 衣料5 ㉕**未定** ㉔**59** (売)単245,746 (従)1,792 (資)36,466 (住)神戸市東灘区住吉本町1-3-19 ☎078-856-1003
セイコー化工機㈱	[機] (事業)(単)環境装置 送風機 ポンプ メンテナンス ㉕**2** ㉔**3** (売)単8,795 (従)188 (資)100 (住)兵庫県明石市二見町南二見15-3 ☎078-944-1840
西部電気建設㈱	[建] (事業)(単)電気工事施工管理 ㉕**15** ㉔**16** (売)単18,553 (従)250 (資)93 (住)神戸市灘区都通4-1-1 ☎078-882-4051
セッツカートン㈱	[パ紙] (事業)(単)段ボールシート30 段ボールケース60 他10 ㉕**18** ㉔**18** (売)単66,427 (従)887 (資)400 (住)兵庫県伊丹市東有岡5-33 ☎072-784-6001
太陽鉱工㈱	[非鉄] (事業)(単)モリブデン72 バナジウム22 他6 ㉕**若干** ㉔**6** (売)単29,034 (従)147 (資)200 (住)神戸市中央区磯辺通1-1-39 ☎078-231-3700
㈱但馬銀行	[銀] (事業)(連)現・預け金15 有価証券11 貸出金72 他2 ㉕**50** ㉔**33** (売)連17,186 (従)574 (資)5,481 (住)兵庫県豊岡市千代田町1-5 ☎0796-24-2111
多田電機㈱	[機] (事業)(単)各種熱交換器62 鉄鋼用溶接機20 電子ビーム加工機18 ㉕**15** ㉔**7** (売)単9,551 (従)337 (資)300 (住)兵庫県尼崎市塚口本町8-1-1 ☎06-6496-2291
㈱ダンロップスポーツエンタープライズ	[他サ] (事業)(単)トーナメント100 ㉕**5** ㉔**4** (売)単5,967 (従)69 (資)100 (住)兵庫県芦屋市大原町2-6 ☎0797-31-1618
TC神鋼不動産㈱	[不] (事業)(単)不動産販売43 不動産賃貸48 他9 ㉕**未定** ㉔**9** (売)連39,269 (従)211 (資)3,037 (住)神戸市中央区脇浜海岸通2-2-4 ☎078-261-2121
㈱テイエルブイ	[金製] (事業)(単)計測・制御機器の製造・販売・コンサル 蒸気・動力システム，配管の設計・施工 他 ㉕**12** ㉔**14** (売)単10,243 (従)473 (資)100 (住)兵庫県加古川市野口町長砂881 ☎079-422-1122
㈱デービー精工	[自] (事業)(単)自動車用部品98 産業機器2 ㉕**14** ㉔**3** (売)単38,506 (従)950 (資)96 (住)兵庫県姫路市香寺町溝口1127 ☎079-232-1245
東亜外業㈱	[建] (事業)(単)建設工事80 大口径鋼管製造18 船舶建造2 ㉕**18** ㉔**7** (売)単11,112 (従)386 (資)90 (住)神戸市中央区海岸通6 ☎078-332-5555
東興海運㈱	[海] (事業)(単)外航海運業99 他1 ㉕**未定** ㉔**4** (売)単46,234 (従)77 (資)49 (住)神戸市中央区明石町32 ☎078-331-1511
㈱トーホーキャッシュアンドキャリー	[食卸] (事業)(単)キャッシュアンドキャリー100 ㉕**10** ㉔**6** (売)単41,073 (従)254 (資)100 (住)神戸市東灘区向洋町西5-9 ☎078-845-2402
㈱トーホーフードサービス	[食卸] (事業)(単)ディストリビューター100 ㉕**56** ㉔**51** (売)単123,917 (従)734 (資)100 (住)神戸市東灘区向洋町西5-9 ☎078-845-2501
トクセン工業㈱	[金製] (事業)(単)タイヤ用スチールコード ビードワイヤ 各種異形線 ソーワイヤ 他 ㉕**未定** ㉔**10** (売)単25,019 (従)726 (資)480 (住)兵庫県小野市住吉町南山1081 ☎0794-63-1050
ナイス㈱	[金製] (事業)(単)溶接材料44 溶接施工32 真空ろう付15 機器Eng7 他2 ㉕**未定** ㉔**4** (売)単7,789 (従)138 (資)150 (住)兵庫県尼崎市北大物町20-1 ☎06-6488-7700
西芝電機㈱	[電機] (事業)(単)船舶電機システム55 発電・産業システム45 ㉕**5** ㉔**5** (売)単21,523 (従)699 (資)2,237 (住)兵庫県姫路市網干区浜田1000 ☎079-271-2448
日東コンピューターサービス㈱	[シソ] (事業)(単)受託システム開発96 機器販売2 コンピュータ用消耗品販売2 ㉕**20** ㉔**15** (売)単2,435 (従)222 (資)30 (住)兵庫県姫路市南畝町2-1 ☎079-222-2051
日本イーライリリー㈱	[医] (事業)(単)医薬品100 ㉕**未定** ㉔**50** (売)単195,427 (従)2,700 (資)12,772 (住)神戸市中央区磯上通5-1-28 ☎078-242-9000
㈱ネオス	[化] (事業)(単)工業薬品50 金属表面処理50 ㉕**5** ㉔**3** (売)単11,251 (従)294 (資)409 (住)神戸市中央区加納町6-2-1 ☎078-331-9381

会社名	業種名 事業 会社の事業構成(%) ㉕25年採用計画数(名) ㉔24年入社内定者数(名) 売売上高(百万円) 従単独従業員数(名) 資資本金(百万円) 住本社の住所，電話番号
白鶴酒造㈱	食 事業 (単)清酒90 他10 ㉕8 ㉔10 売単27,503 従460 資495 住神戸市東灘区住吉南町4-5-5 ☎078-822-8901
ヒガシマル醤油㈱	食 事業 (単)醤油・液体調味料 粉末調味料 他 ㉕未定 ㉔9 売単17,368 従351 資100 住兵庫県たつの市龍野町富永100-3 ☎0791-63-4567
姫路信用金庫	銀 事業 (単)現・預け金22 有価証券21 貸出金55 他1 ㉕40 ㉔31 売単11,958 従648 資3,147 住兵庫県姫路市十二所前町105 ☎079-288-1121
兵庫信用金庫	銀 事業 (単)現・預け金22 有価証券33 貸出金41 他4 ㉕未定 ㉔51 売単10,317 従453 資2,418 住兵庫県姫路市北条口3-27 ☎079-282-1255
ブンセン㈱	食 事業 (単)佃煮類 日配総菜 LL惣菜 調味料 他 ㉕未定 ㉔10 売単8,828 従243 資380 住兵庫県たつの市新宮町新宮387 ☎0791-75-1151
兵神装備㈱	機 事業 (単)産業用ポンプ(モーノポンプ・モーノディスペンサー)および周辺機器の製造・販売 ㉕未定 ㉔10 売単16,594 従475 資99 住神戸市兵庫区御崎本町1-1-54 ☎078-652-1111
松谷化学工業㈱	食 事業 (単)加工澱粉50 澱粉糖30 海外品20 ㉕未定 ㉔11 売単65,005 従450 資100 住兵庫県伊丹市北伊丹5-3 ☎072-771-2001
ミツ精機㈱	精 事業 (単)航空機関連部品84 船用部品5 医療機器部品8 他3 ㉕5 ㉔5 売単2,745 従248 資49 住兵庫県淡路市下河合301 ☎0799-85-1133
宮野医療器㈱	他卸 事業 (単)医療機器94 理化学機器5 住宅・介護機器1 ㉕30 ㉔14 売単129,874 従854 資96 住神戸市中央区楠町5-4-8 ☎078-371-2121
ミヨシ電子㈱	電機 事業 (単)情報通信機器および同部品37 電子デバイス関連製品60 他3 ㉕7 ㉔4 売単11,376 従160 資400 住兵庫県川西市久代3-13-21 ☎072-756-1331
三輪運輸工業㈱	陸 事業 (単)運輸 建設 車両製造・製缶 産業廃棄物処理 ㉕10 ㉔10 売単24,159 従832 資120 住神戸市中央区脇浜町2-1-16 ☎078-251-5001
㈱明和工務店	建 事業 (単)建築土木70 管工事19 電気工事10 不動産賃貸他1 ㉕11 ㉔4 売単14,379 従153 資480 住神戸市中央区港島中町7-4-3 ☎078-940-1000
㈱森長組	建 事業 (単)土木78 建築22 ㉕6 ㉔7 売単9,985 従256 資480 住兵庫県南あわじ市賀集823 ☎0799-54-0721
安福ゴム工業㈱	ゴ皮 事業 (単)工業用ゴム・樹脂製品の製造販売100 ㉕4 ㉔4 売単4,091 従144 資98 住神戸市西区福吉台1-1-1 ☎078-967-1313
大和製衡㈱	精 事業 (連)工業はかり90 一般はかり10 ㉕15 ㉔14 売連33,196 従528 資497 住兵庫県明石市茶園場町5-22 ☎078-918-5500
山村ロジスティクス㈱	倉埠 事業 (単)貨物自動車運送 自動車運送取扱 倉庫 人材派遣 警備他 ㉕15 ㉔12 売単10,979 従1,850 資20 住兵庫県尼崎市西向島町15-1 ☎06-4300-6430
㈱ユタックス	繊衣 事業 (連)NF商品67 アンダーウェア5 製品スポーツ6 他23 ㉕3 ㉔3 売連12,135 従170 資90 住兵庫県西脇市野村町201-1 ☎0795-23-5511
寄神建設㈱	建 事業 (単)土木96 建築4 ㉕未定 ㉔6 売単18,071 従272 資100 住神戸市兵庫区七宮町2-1-1 ☎078-681-3120
立建設㈱	建 事業 (単)建築工事 ㉕前年並 ㉔7 売単6,049 従79 資459 住兵庫県姫路市西延末269-6 ☎079-297-2130
㈱飯塚製作所	自 事業 (単)自動車部品95 他5 ㉕4 ㉔5 売単3,180 従205 資20 住奈良県大和高田市大字根成柿493 ☎0745-22-3515
㈱MSTコーポレーション	機 事業 (単)マシニングセンター用ツーリング70 汎用機械用ツーリング5 放電加工用ホルダ5 他20 ㉕10 ㉔9 売単4,396 従305 資70 住奈良県生駒市北田原町1738 ☎0743-78-1184
㈱関西メディコ	小 事業 (単)処方箋調剤97 有料老人ホーム3 他0 ㉕未定 ㉔8 売単18,988 従590 資20 住奈良県生駒郡平群町上庄1-14-12 ☎0745-45-3993
三和澱粉工業㈱	食 事業 (単)食品向け澱粉・糖化品81 工業用澱粉4 他15 ㉕10 ㉔6 売単36,248 従263 資500 住奈良県橿原市雲梯町594 ☎0744-22-5531
㈱ジェイテクトサーモシステム	機 事業 (単)工業用熱処理装置13 半導体開発28 電子先端28 CS30 他1 ㉕7 ㉔10 売単18,357 従576 資450 住奈良県天理市嘉幡町229 ☎0743-64-0981
大同薬品工業㈱	医 事業 (単)医薬品・医薬部外品70 飲料30 ㉕前年並 ㉔11 売単12,963 従280 資100 住奈良県葛城市新村214-1 ☎0745-62-5031

会社名	[業種名] [事業] 会社の事業構成(%) [25] 25年採用計画数(名) [24] 24年入社内定者数(名) [売] 売上高(百万円) [従] 単独従業員数(名) [資] 資本金(百万円) [住] 本社の住所, 電話番号
大和ガス(株)	[電ガ] [事業] (単)ガス事業74 工事器具13 電気12 他1 **[25] 10 [24] 8** [売] 単15,853 [従] 120 [資] 150 [住] 奈良県大和高田市旭南町8-36 ☎0745-22-6221
(株)ナカガワ	[他卸] [事業] (単)住宅設備機器類卸売53 配管資材類卸売36 機械・工具類卸売3 建築資材類卸売7 OA・家電・他卸売1 **[25] 未定 [24] 6** [売] 単8,197 [従] 167 [資] 70 [住] 奈良県大和高田市東中2-12-25 ☎0745-53-5558
奈良交通(株)	[鉄バ] [事業] (連)自動車運送71 不動産7 物品販売18 他4 **[25] 36 [24] 18** [売] 連22,784 [従] 1,435 [資] 1,285 [住] 奈良市大宮町1-1-25 ☎0742-20-3116
奈良トヨタ(株)	[自販] [事業] (単)新車75 中古車11 サービス14 **[25] 11 [24] 14** [売] 単33,520 [従] 463 [資] 80 [住] 奈良市南京終町2-269 ☎0742-61-3301
大和信用金庫	[銀] [事業] (単)銀行業 **[25] 20 [24] 20** [売] 連9,283 [従] 333 [資] 901 [住] 奈良県桜井市桜井281-11 ☎0744-42-9001
(株)淺川組	[建] [事業] (単)土木工事, 建築工事の請負・設計・監理 不動産の売買・賃貸 他 **[25] 14 [24] 14** [売] 単28,354 [従] 308 [資] 300 [住] 和歌山市小松原通3-69 ☎073-423-7161
(株)キナン	[リ] [事業] (単)土木建設機械レンタル・リース50 同販売・修理35 温浴4 太陽光発電11 **[25] 前年並 [24] 26** [売] 単28,515 [従] 521 [資] 330 [住] 和歌山県新宮市浮島1-25 ☎0735-21-3800
ヨシダエルシス(株)	[機] [事業] (単)畜産用資材及び機械器具製造 鶏舎及び倉庫等の建築 **[25] 未定 [24] 4** [売] 単11,591 [従] 80 [資] 20 [住] 和歌山県御坊市藤田町吉田155 ☎0738-22-2111
寿製菓(株)	[食] [事業] (単)観光土産菓子製造卸85 小売15 **[25] 20 [24] 17** [売] 単12,662 [従] 570 [資] 90 [住] 鳥取県米子市旗ケ崎2028 ☎0859-22-7456
山陰酸素工業(株)	[石燃卸] [事業] (単)液化石油ガス36 液化天然ガス11 一般高圧ガス21 工事9 器材22 電気2 **[25] 未定 [24] 8** [売] 単22,813 [従] 330 [資] 130 [住] 鳥取県米子市旗ヶ崎2201-1 ☎0859-32-2300
(株)さんれいフーズ	[食卸] [事業] (単)魚介・水産加工品50 調理食品20 畜産・肉加工品9 一般食品19 他2 **[25] 未定 [24] 11** [売] 単22,443 [従] 278 [資] 100 [住] 鳥取県米子市旗ケ崎2147 ☎0859-33-6165
日本海テレビジョン放送(株)	[通] [事業] (単)放送事業99 他1 **[25] 3 [24] 3** [売] 単4,336 [従] 100 [資] 200 [住] 鳥取市田園町4-360 ☎0857-27-2111
美保テクノス(株)	[建] [事業] (単)土木建築工事 **[25] 未定 [24] 7** [売] 単10,326 [従] 220 [資] 100 [住] 鳥取県米子市昭和町25 ☎0859-33-9211
今井産業(株)	[建] [事業] (単)総合建設業95 他5 **[25] 8 [24] 15** [売] 単14,945 [従] 305 [資] 200 [住] 島根県江津市桜江町川戸472-1 ☎0855-92-1321
小松電機産業(株)	[他製] [事業] (単)シートシャッター門番70 上下水道システムやくも水神30 **[25] 未定 [24] 4** [売] 単4,693 [従] 83 [資] 100 [住] 松江市乃木福富町735-188 ☎0852-32-3636
島根電工(株)	[建] [事業] (単)電気・通信・給排水衛生・空調・計装システム・新エネルギー環境設備工事他 **[25] 35 [24] 34** [売] 単10,897 [従] 381 [資] 260 [住] 松江市東本町5-63 ☎0852-26-2833
(株)中筋組	[建] [事業] (単)土木工事49 建築工事44 港湾工事6 他1 **[25] 11 [24] 5** [売] 単7,180 [従] 117 [資] 80 [住] 島根県出雲市姫原町262 ☎0853-22-8111
アイサワ工業(株)	[建] [事業] (単)土木工事60 建築工事40 **[25] 20 [24] 12** [売] 単27,993 [従] 396 [資] 1,550 [住] 岡山市北区表町1-5-1 ☎086-225-2151
明石被服興業(株)	[繊衣] [事業] (連)学生衣料75 スポーツ衣料17 企業ユニフォーム8 **[25] 未定 [24] 6** [売] 連30,878 [従] 631 [資] 41 [住] 岡山県倉敷市児島田の口1-3-44 ☎086-477-7701
(株)荒木組	[建] [事業] (単)建築85 土木15 **[25] 10 [24] 7** [売] 単19,087 [従] 213 [資] 100 [住] 岡山市北区天瀬4-33 ☎086-222-6841
内山工業(株)	[ゴ皮] [事業] (単)自動車関連製品70 建設・住宅関連製品11 王冠・キャップ材4 他15 **[25] 未定 [24] 14** [売] 単51,641 [従] 987 [資] 120 [住] 岡山市中区小橋町2-1-10 ☎086-272-7557
(株)エイト日本技術開発	[築設] [事業] (単)建設コンサルタント **[25] 35 [24] 28** [売] 単26,322 [従] 1,069 [資] 2,056 [住] 岡山市北区津島京町3-1-21 ☎086-252-8917
岡山ガス(株)	[電ガ] [事業] (単)ガス88 受注工事2 他10 **[25] 未定 [24] 6** [売] 単29,758 [従] 258 [資] 400 [住] 岡山市中区桜橋2-1-1 ☎086-272-3111
おかやま信用金庫	[銀] [事業] (単)現・預け金22 有価証券30 貸出金35 他13 **[25] 25 [24] 19** [売] 連7,222 [従] 496 [資] 1,769 [住] 岡山市北区柳町1-11-21 ☎086-223-7475
オハヨー乳業(株)	[食] [事業] (単)市乳・飲料32 チルドデザート45 アイス23 **[25] 未定 [24] 25** [売] 単45,207 [従] 952 [資] 100 [住] 岡山市中区神下565 ☎086-279-1231

会社名	[業種名] (事業) 会社の事業構成(%) ㉕25年採用計画数(名) ㉔24年入社内定者数(名) (売)売上高(百万円) (従)単独従業員数(名) (資)資本金(百万円) (住)本社の住所, 電話番号
カバヤ食品㈱	[食] (事業) (単)チョコレート35 グミ35 清涼菓子18 玩具菓子6 他6 ㉕**未定** ㉔**3** (売)単29,840 (従)684 (資)100 (住)岡山市北区御津野々口1100 ☎086-724-4300
㈱北原産業	[他製] (事業) (単)食品軽量容器の企画販売95 プラスチック・紙の原料販売5 ㉕**3** ㉔**4** (売)単11,120 (従)92 (資)30 (住)岡山県倉敷市新倉敷駅前5-141 ☎086-526-3040
倉敷化工㈱	[ゴ皮] (事業) (単)自動車用ゴム部品70 産業用防振・防音・緩衝機器30 ㉕**11** ㉔**19** (売)単34,290 (従)872 (資)309 (住)岡山県倉敷市連島町矢柄四の町4630 ☎086-465-1111
コアテック㈱	[機] (事業) (単)産業用機械設備80 太陽光・風力発電システム6 ACサーボツール12 他2 ㉕**10** ㉔**8** (売)単6,941 (従)279 (資)167 (住)岡山県総社市赤浜500 ☎0866-94-9000
㈱システムエンタープライズ	[シソ] (事業) (単)コンピュータソフトウエアの受託開発100 ㉕**10** ㉔**10** (売)単1,672 (従)116 (資)50 (住)岡山市北区富吉3202-1 ☎086-286-9188
㈱新来島サノヤス造船	[自] (事業) (単)船舶の建造・修繕 タンク類他鉄鋼構造物の製造 ㉕**未定** ㉔**24** (売)単37,976 (従)609 (資)100 (住)岡山県倉敷市児島塩生2767-21 ☎086-475-1551
㈱ストライプインターナショナル	[小] (事業) (連)紳士・婦人服 洋品雑貨 他 ㉕**260** ㉔**216** (売)連99,165 (従)2,704 (資)100 (住)岡山市北区幸町2-8 ☎086-235-8216
㈱タイム	[小] (事業) (単)ホームセンター ㉕**15** ㉔**6** (売)単15,435 (従)197 (資)100 (住)岡山市北区下中野465-4 ☎086-245-6700
タカヤ㈱	[電機] (事業) (単)EMS57 テスタ20 RFID機器17 他6 ㉕**未定** ㉔**27** (売)単10,392 (従)679 (資)100 (住)岡山県井原市井原町661-1 ☎0866-62-2015
玉島信用金庫	[銀] (事業) (単)現・預け金34 有価証券25 貸出金40 他1 ㉕**6** ㉔**3** (売)単4,639 (従)237 (資)976 (住)岡山県倉敷市玉島1438 ☎086-526-1351
㈱トスコ	[シソ] (事業) (単)ソフトウェア開発100 ㉕**42** ㉔**33** (売)単5,389 (従)576 (資)100 (住)岡山市南区西市116-13 ☎086-243-8868
㈱トンボ	[繊衣] (事業) (連)学生衣料74 スポーツ衣料17 介護・メディカルウエア9 ㉕**20** ㉔**15** (売)連42,299 (従)786 (資)261 (住)岡山市北区厚生町2-2-9 ☎086-232-0311
㈱中島商会	[化医卸] (事業) (単)塗料75 化成品5 塗装設備機器5 他15 ㉕**8** ㉔**8** (売)単22,853 (従)294 (資)50 (住)岡山市北区柳町2-2-23 ☎086-232-2711
ピープルソフトウェア㈱	[シソ] (事業) (単)ソフトウエア開発78 ハードウエア販売5 パッケージソフト販売1 SaaSサービス16 ㉕**7** ㉔**5** (売)単1,656 (従)151 (資)48 (住)岡山県倉敷市阿知1-15-3 ☎086-426-5930
ヒルタ工業㈱	[自] (事業) (単)自動車部品92 産業機械部品3 他5 ㉕**36** ㉔**12** (売)単25,331 (従)794 (資)100 (住)岡山県笠岡市茂平1410 ☎0865-66-3700
丸五ゴム工業㈱	[ゴ皮] (事業) (単)防振ゴム46 ホース45 他9 ㉕**5** ㉔**7** (売)単28,005 (従)1,120 (資)96 (住)岡山県倉敷市上富井58 ☎086-422-5111
ミサワホーム中国㈱	[建] (事業) (単)建設 不動産 リフォーム ㉕**6** ㉔**5** (売)連20,119 (従)408 (資)100 (住)岡山市北区野田2-13-17 ☎086-245-3233
みのる産業㈱	[機] (事業) (単)田植機41 野菜移植機26 もちつき機7 シイタケ6 防除器具5 壁面緑化5 他10 ㉕**未定** ㉔**8** (売)単7,941 (従)399 (資)72 (住)岡山県赤磐市下市447 ☎086-955-1122
㈱両備システムズ	[シソ] (事業) (単)ソフトウェア開発18 受託情報処理62 機器販売13 他7 ㉕**80** ㉔**74** (売)単35,599 (従)1,578 (資)300 (住)岡山市北区下石井2-10-12 ☎086-264-0111
㈱アイメックス	[機] (事業) (単)ボイラ29 環境装置・産業機械47 ディーゼルエンジン24 ㉕**8** ㉔**7** (売)単15,028 (従)358 (資)1,484 (住)広島県尾道市因島土生町2293-1 ☎0845-22-6411
アオイ化学工業㈱	[化] (事業) (単)目地板27 舗装資材22 注入・成型目地材他36 工事施工14 ㉕**8** ㉔**3** (売)単4,192 (従)121 (資)89 (住)広島市安佐南区相田1-1-26 ☎082-877-1341
朝日工業㈱	[建] (事業) (単)定期補修工事57 一般補修工事26 化工機工事8 配管工事5 改造・解体4 ㉕**未定** ㉔**7** (売)単10,476 (従)239 (資)98 (住)広島市中区大手町3-9-5 ☎082-241-8681
㈱アスティ	[繊紙卸] (事業) (単)アパレルメーカー62 ホールセール27 ディベロッパー11 ㉕**若干** ㉔**6** (売)単8,142 (従)101 (資)100 (住)広島市西区商工センター2-15-1 ☎082-278-1111
㈱アンデルセン・パン生活文化研究所	[食] (事業) (連)パン製造 小売 FC ㉕**99** ㉔**67** (売)連72,699 (従)53 (資)50 (住)広島市中区鶴見町2-19 ☎082-240-9405
㈱栄工社	[電卸] (事業) (単)電子・電気制御機器76 制御装置設計製作17 他7 ㉕**未定** ㉔**8** (売)単13,369 (従)277 (資)98 (住)広島県福山市南町7-27 ☎084-921-3322

会社名	業種名 (事業)会社の事業構成(%) ㉕25年採用計画数(名) ㉔24年入社内定者数(名) (売)売上高(百万円) (従)単独従業員数(名) (資)資本金(百万円) (住)本社の住所, 電話番号
㈱エバルス	化医卸 (事業)(単)医療用医薬品91 一般用医薬品0 医療用機器3 試薬5 他1 ㉕未定 ㉔7 (売)単163,111 (従)436 (資)1,510 (住)広島市南区大州5-2-10 ☎082-286-3300
エム・エム ブリッジ㈱	建 (事業)(単)橋梁100 ㉕12 ㉔14 (売)単29,639 (従)213 (資)450 (住)広島市西区観音新町1-20-24 ☎082-292-1111
㈱河原	機 (事業)(単)産業機械89 テクノ事業11 ㉕未定 ㉔3 (売)単2,549 (従)95 (資)490 (住)広島県福山市霞町1-1-1 ☎084-961-3273
㈱キーレックス	自 (事業)(単)自動車部品90 型具2 治具装置3 試作4 他1 ㉕45 ㉔39 (売)単53,890 (従)1,418 (資)90 (住)広島県安芸郡海田町南明神町2-51 ☎082-822-2141
㈱キャステム	精 (事業)(単)一般産業用機器部品45 繊維機械部品10 印刷機器部品15 医療機器部品5 他25 ㉕未定 ㉔20 (売)単7,868 (従)225 (資)79 (住)広島県福山市御幸町大字中津原1808-1 ☎084-955-2221
極東興和㈱	建 (事業)(単)建設89 製品販売11 ㉕30 ㉔22 (売)単32,985 (従)396 (資)1,600 (住)広島市東区光町2-6-31 ☎082-261-1207
クニヒロ㈱	食卸 (事業)(単)生カキ・水産品32 水産品加工50 商品18 ㉕5 ㉔4 (売)単11,493 (従)340 (資)90 (住)広島県尾道市東尾道15-13 ☎0848-46-3994
㈱熊平製作所	金製 (事業)(単)金庫・金庫室設備43 セキュリティ機器54 他3 ㉕未定 ㉔14 (売)単8,644 (従)464 (資)450 (住)広島市南区宇品東2-1-42 ☎082-252-7003
呉信用金庫	銀 (事業)(単)現・預け金14 有価証券30 貸出金55 他1 ㉕35 ㉔35 (売)連10,930 (従)538 (資)2,752 (住)広島県呉市本通2-2-15 ☎0823-24-1181
広成建設㈱	建 (事業)(単)土木64 建築36 兼業0 ㉕未定 ㉔34 (売)単66,355 (従)1,030 (資)780 (住)広島市東区上大須賀町1-1 ☎082-264-1711
三建産業㈱	建 (事業)(単)特殊鋼16 自動車48 鋳鍛重機10 他26 ㉕4 ㉔3 (売)単6,722 (従)167 (資)95 (住)広島市安佐南区伴西3-1-2 ☎082-849-6790
三光電業㈱	電卸 (事業)(単)制御部品販売 制御装置設計製作 産業用ロボットシステムインテグレータ ㉕未定 ㉔9 (売)単11,180 (従)132 (資)70 (住)広島市西区商工センター5-11-7 ☎082-278-2351
山陽工業㈱	小 (事業)(単)管材・住設機器販売60 管工事・空調設備工事設計施工30 ホテル業10 ㉕11 ㉔7 (売)単8,833 (従)280 (資)88 (住)広島県尾道市高須町904 ☎0848-46-1212
㈱シギヤ精機製作所	機 (事業)(単)工作機械100 ㉕7 ㉔7 (売)単6,502 (従)271 (資)100 (住)広島県福山市箕島町5378 ☎084-954-2961
しまなみ信用金庫	銀 (事業)(単)現・預け金29 有価証券24 貸出金39 他8 ㉕26 ㉔18 (売)単4,568 (従)273 (資)3,151 (住)広島県三原市港町1-8-1 ☎0848-62-7111
新川電機㈱	電卸 (事業)(単)工業計器43 計測器16 電気機器7 化学分析機器7 他27 ㉕25 ㉔16 (売)単34,974 (従)671 (資)300 (住)広島市中区三川町10-9 ☎082-247-4211
㈱シンコー	機 (事業)(単)ポンプ55 蒸気タービン12 部品32 特殊機器1 ㉕7 ㉔6 (売)単34,600 (従)490 (資)100 (住)広島市南区大州5-7-21 ☎082-508-1000
㈱セイエル	化医卸 (事業)(単)医薬品卸売100 ㉕6 ㉔4 (売)単175,300 (従)535 (資)95 (住)広島市西区商工センター5-1-1 ☎082-278-1912
㈱ダイクレ	金製 (事業)(単)スチールグレーチング70 熱交換機器10 他20 ㉕未定 ㉔5 (売)単22,618 (従)421 (資)100 (住)広島県呉市築地町1-24 ☎0823-21-1331
タカヤ商事㈱	繊紙卸 (事業)(単)ジーンズ25 OEM30 ワークウェア23 他22 ㉕未定 ㉔6 (売)単5,867 (従)295 (資)80 (住)広島県福山市千田町千田1741-1 ☎084-955-3777
田中電機工業㈱	電機 (事業)(単)電気電子制御盤 他 ㉕16 ㉔11 (売)単14,952 (従)379 (資)50 (住)広島市南区大州1-5-24 ☎082-282-0251
中国電機製造㈱	電機 (事業)(単)電力機器関係60 制御機器40 ㉕未定 ㉔9 (売)単10,261 (従)249 (資)150 (住)広島市南区大州4-4-32 ☎082-286-3411
中国木材㈱	他製 (事業)(単)製材製品11 乾燥材41 集成材29 チップ5 他14 ㉕90 ㉔56 (売)単166,124 (従)2,100 (資)100 (住)広島県呉市広多賀谷3-1-1 ☎0823-71-7147
中電技術コンサルタント㈱	築設 (事業)(単)土木70 建築4 電気14 環境5 情報7 ㉕18 ㉔16 (売)単11,577 (従)446 (資)100 (住)広島市南区出汐2-3-30 ☎082-255-5501
ティーエスアルフレッサ㈱	化医卸 (事業)(単)医療用医薬品 医療機器・衛生材料 試薬 他 ㉕未定 ㉔18 (売)単172,810 (従)709 (資)1,144 (住)広島市西区商工センター1-2-19 ☎082-501-0222

会社名	[業種名] (事業)会社の事業構成(%) ㉕25年採用計画数(名) ㉔24年入社内定者数(名) (売)売上高(百万円) (従)単独従業員数(名) (資)資本金(百万円) (住)本社の住所, 電話番号
テラル㈱	[機] (事業)(単)ポンプ25 送風機16 給水装置24 防災・環境関連機器等35 ㉕**30** ㉔**24** (売)単39,440 (従)987 (資)78 (住)広島県福山市御幸町大字森脇230 ☎084-955-1111
㈱テレビ新広島	[通] (事業)(単)テレビ放送 ㉕**未定** ㉔**4** (売)単7,291 (従)111 (資)1,000 (住)広島市南区出汐2-3-19 ☎082-255-1111
㈱東洋シート	[自] (事業)(単)自動車用シート88 自動車用コンバーチブルトップ1 他10 ㉕**10** ㉔**7** (売)単41,800 (従)728 (資)100 (住)広島県安芸郡海田町国信1-6-25 ☎082-822-6111
トーヨーエイテック㈱	[機] (事業)(単)工作機械62 自動車部品28 表面処理10 ㉕**21** ㉔**23** (売)単30,316 (従)694 (資)3,000 (住)広島市南区宇品東5-3-38 ☎082-252-5212
トヨタカローラ広島㈱	[自販] (事業)(単)新車67 サービス14 U-Car18 他1 ㉕**58** ㉔**37** (売)単82,749 (従)955 (資)100 (住)広島市西区庚午中1-18-13 ☎082-275-2111
南条装備工業㈱	[自] (事業)(単)ドアトリム95 シートトリム5 ㉕**18** ㉔**14** (売)単25,332 (従)718 (資)100 (住)広島市南区西荒神町1-8 ☎082-568-0150
八光建設工業㈱	[建] (事業)(単)建設業52 海運業48 ㉕**未定** ㉔**3** (売)単3,136 (従)44 (資)45 (住)広島市東区光町2-4-23 ☎082-262-8166
早川ゴム㈱	[ゴ皮] (事業)(単)建設用資材(土木用止水材・建築用防水材) 産業用資材(住宅防音・化成品) 他 ㉕**6** ㉔**4** (売)単9,871 (従)359 (資)494 (住)広島県福山市箕島町南丘5351 ☎084-954-7801
広島テレビ放送㈱	[通] (事業)(単)民間テレビ放送100 ㉕**4** ㉔**3** (売)単9,400 (従)128 (資)200 (住)広島市東区二葉の里3-5-4 ☎082-207-0404
㈱広島ホームテレビ	[通] (事業)(単)放送90 他10 ㉕**若干** ㉔**3** (売)単7,554 (従)141 (資)100 (住)広島市中区白島北町19-2 ☎082-221-7111
㈱ヒロテック	[自] (事業)(単)自動車車体部品80 プレス金型・治具装置15 他5 ㉕**35** ㉔**33** (売)単64,663 (従)1,862 (資)100 (住)広島市佐伯区石内南5-2-1 ☎082-941-7800
復建調査設計㈱	[築設] (事業)(単)建設コンサルタント76 測量11 地質調査9 補償コンサルタント4 ㉕**20** ㉔**20** (売)単14,854 (従)687 (資)300 (住)広島市東区光町2-10-11 ☎082-506-1811
㈱古川製作所	[機] (事業)(単)ロータリー真空包装機20 全自動竪型袋詰真空包装機18 他62 ㉕**15** ㉔**7** (売)単11,011 (従)241 (資)1,600 (住)広島県三原市沼田西町小原200-65 ☎0848-86-2100
マツダロジスティクス㈱	[陸] (事業)(単)ビジネス開発本部3 車輌物流本部22 広島生産部品物流本部37 防府生産部品物流本部他38 ㉕**未定** ㉔**37** (売)単59,717 (従)1,940 (資)490 (住)広島市南区楠那町3-19 ☎082-251-3251
㈱マリモ	[不] (事業)(単)マンション70 収益不動産30 ㉕**25** ㉔**20** (売)単58,817 (従)270 (資)100 (住)広島市西区庚午北1-17-23 ☎082-273-7772
三島食品㈱	[食] (事業)(単)ふりかけ37 レトルト13 ペースト17 混ぜごはんの素22 調理素材9 他2 ㉕**若干** ㉔**7** (売)単13,998 (従)415 (資)90 (住)広島市中区南吉島2-1-53 ☎082-245-3211
三菱重工マシナリーテクノロジー㈱	[機] (事業)(単)一般産業機械他 ㉕**10** ㉔**3** (売)単14,453 (従)353 (資)100 (住)広島市西区観音新町4-6-22 ☎082-291-2339
㈱村上農園	[農水] (事業)(単)豆苗30 スプラウト60 かいわれ8 他2 ㉕**5** ㉔**13** (売)単9,094 (従)115 (資)10 (住)広島市佐伯区五日市中央4-16-1 ☎082-923-6080
㈱ゆめカード	[貸] (事業)(単)クレジットカード業50 電子マネー15 融資14 他21 ㉕**未定** ㉔**4** (売)単8,244 (従)296 (資)480 (住)広島市東区二葉の里3-3-1 ☎0570-666-373
㈱宇部スチール	[鉄] (事業)(単)ビレット80 鋳造品20 ㉕**10** ㉔**6** (売)単27,768 (従)274 (資)1,000 (住)山口県宇部市小串字沖の山1978-19 ☎0836-35-1300
㈱西京銀行	[銀] (事業)(連)現・預け金12 有価証券17 貸出金70 他1 ㉕**未定** ㉔**47** (売)連33,994 (従)591 (資)28,497 (住)山口県周南市平和通1-10-2 ☎0834-31-1211
大晃機械工業㈱	[機] (事業)(単)歯車ポンプ ブロワ 遠心ポンプ 真空ポンプ 他 ㉕**15** ㉔**15** (売)単18,954 (従)347 (資)100 (住)山口県熊毛郡田布施町大字下田布施209-1 ☎0820-52-3111
東ソー物流㈱	[陸] (事業)(単)物流部門100 ㉕**未定** ㉔**7** (売)単51,902 (従)674 (資)1,200 (住)山口県周南市野村1-23-15 ☎0834-63-0077
不二輸送機工業㈱	[機] (事業)(単)運搬・包装機械 産業用ロボット 他産業用機械の製造販売・輸出入 ㉕**未定** ㉔**6** (売)単12,814 (従)322 (資)490 (住)山口県山陽小野田市東高泊2327-1 ☎0836-83-2237
山口産業㈱	[石燃卸] (事業)(単)石油製品販売97 CD・DVD販売レンタル, 書籍販売2 フィットネスクラブ運営1 ㉕**5** ㉔**10** (売)単109,156 (従)131 (資)60 (住)山口県宇部市琴芝町1-1-25 ☎0836-21-7341

会社名	業種名 (事業)会社の事業構成(%) ㉕25年採用計画数(名) ㉔24年入社内定者数(名) (売)売上高(百万円) (従)単独従業員数(名) (資)資本金(百万円) (住)本社の住所, 電話番号
㈱山産	精機卸 (事業)(単)機械電気設備エンジニアリング 産業機械商社 ㉕**7** ㉔**3** (売)単12,759 (従)123 (資)100 (住)山口市小郡下郷2189 ☎083-973-2133
UBEマシナリー㈱	機 (事業)(単)ダイカスト・押出27 射出成形機28 産機45 ㉕**未定** ㉔**26** (売)単54,024 (従)1,160 (資)6,700 (住)山口県宇部市大字小串字沖ノ山1980 ☎0836-22-0072
大久保産業㈱	精機卸 (事業)(単)産業用機械 管工機材 建設土木資材 建築設備機器 環境衛生商品 省エネ機器 ㉕**2** ㉔**4** (売)単10,019 (従)103 (資)30 (住)徳島市昭和町8-8 ☎088-623-1311
大塚包装工業㈱	他製 (事業)(単)紙器・段ボールケース60 樹脂成形34 その他包材6 ㉕**未定** ㉔**6** (売)単13,814 (従)340 (資)58 (住)徳島県鳴門市大津町木津野字東辰巳1 ☎088-685-2154
㈱キョーエイ	小 (事業)(単)食品関連80 住居関連6 衣料関連10 他4 ㉕**10** ㉔**4** (売)単33,880 (従)260 (資)48 (住)徳島市川内町加賀須野463-15 ☎088-665-9001
四国化工機㈱	機 (事業)(単)食品機械45 包装資材35 食品20 ㉕**前年並** ㉔**25** (売)単52,500 (従)725 (資)145 (住)徳島県板野郡北島町太郎八須字西の川10-1 ☎088-698-4141
長生堂製薬㈱	医 (事業)(単)医療用医薬品の製造・販売 ㉕**未定** ㉔**12** (売)単12,007 (従)384 (資)340 (住)徳島市国府町府中92 ☎088-642-1101
徳島信用金庫	銀 (事業)(単)現・預け金25 有価証券30 貸出金45 他0 ㉕**未定** ㉔**7** (売)単3,081 (従)205 (資)1,479 (住)徳島市紺屋町8 ☎088-622-3191
㈱徳島大正銀行	銀 (事業)(単)現・預け金8 有価証券14 貸出金76 他2 ㉕**55** ㉔**47** (売)連48,489 (従)1,092 (資)14,173 (住)徳島市富田浜1-41 ☎088-623-3111
富田製薬㈱	医 (事業)(単)粉末透析剤58 塩化ナトリウム5 酸化マグネシウム4 制酸剤10 他23 ㉕**未定** ㉔**6** (売)単20,376 (従)611 (資)96 (住)徳島県鳴門市瀬戸町明神字丸山85-1 ☎088-688-0511
㈱姫野組	建 (事業)(単)総合建設業 ㉕**未定** ㉔**7** (売)単11,227 (従)158 (資)99 (住)徳島市佐古8番町5-7 ☎088-623-3211
㈱丸本	食卸 (事業)(単)食肉等の卸売・小売 ペットフード製造・卸売 ㉕**5** ㉔**5** (売)単12,251 (従)215 (資)20 (住)徳島県海部郡海陽町大井大谷41 ☎0884-73-1500
朝日スチール工業㈱	金製 (事業)(単)フェンス 土木・落石防災製品 一般金網・エキスパンドメタル ㉕**未定** ㉔**16** (売)単27,719 (従)566 (資)100 (住)高松市花園町1-2-29 ☎087-833-5151
㈱味のちぬや	食 (事業)(単)コロッケ52 畜肉製品20 メンチカツ15 串もの6 かき揚げ5 水産フライ2 ㉕**8** ㉔**5** (売)単30,980 (従)110 (資)100 (住)香川県三豊市豊中町本山乙708 ☎0875-62-5221
㈱穴吹ハウジングサービス	建管 (事業)(単)分譲マンション等の建物管理 駐車場 ㉕**50** ㉔**37** (売)単24,232 (従)4,158 (資)100 (住)高松市紺屋町3-6 ☎087-822-3110
㈱STNet	通 (事業)(単)通信70 情報システム30 ㉕**29** ㉔**28** (売)単45,214 (従)733 (資)3,000 (住)高松市春日町1735-3 ☎087-887-2400
㈱香川銀行	銀 (事業)(単)有価証券22 貸出金58 他20 ㉕**未定** ㉔**37** (売)連39,580 (従)928 (資)14,105 (住)高松市亀井町6-1 ☎087-861-3121
観音寺信用金庫	銀 (事業)(単)現・預け金17 有価証券46 貸出金36 他1 ㉕**未定** ㉔**12** (売)単5,661 (従)155 (資)706 (住)香川県観音寺市観音寺町甲3377-3 ☎0875-25-2181
㈱合田工務店	建 (事業)(単)建築請負95 不動産5 ㉕**25** ㉔**18** (売)単67,800 (従)384 (資)450 (住)高松市天神前9-5 ☎087-861-9155
小松印刷グループ㈱	他製 (事業)(単)折込広告48 パンフレット・ポスター21 ボックスティッシュ8 ポップ6 他17 ㉕**6** ㉔**6** (売)単16,210 (従)573 (資)90 (住)高松市香南町由佐2100-1 ☎087-879-1248
㈱サムソン	機 (事業)(単)ボイラ等販売58 メンテナンス42 ㉕**19** ㉔**25** (売)単8,067 (従)382 (資)100 (住)香川県観音寺市八幡町3-4-15 ☎0875-25-4581
四国アルフレッサ㈱	化医卸 (事業)(単)医療用医薬品95 試薬機器5 他0 ㉕**未定** ㉔**7** (売)単73,501 (従)439 (資)161 (住)高松市国分寺町福家甲1255-10 ☎087-802-5000
四国計測工業㈱	電機 (事業)(単)製造51 工事45 他4 ㉕**未定** ㉔**25** (売)単18,425 (従)799 (資)480 (住)香川県仲多度郡多度津町南鴨200-1 ☎0877-33-2221
四変テック㈱	電機 (事業)(単)電力機器60 電子機器25 精機8 電気給湯機7 ㉕**17** ㉔**8** (売)単15,910 (従)471 (資)318 (住)香川県仲多度郡多度津町桜川2-1-97 ☎0877-33-1212
高松信用金庫	銀 (事業)(単)現・預け金26 有価証券32 貸出金39 他3 ㉕**未定** ㉔**15** (売)単7,373 (従)397 (資)1,910 (住)高松市瓦町1-9-2 ☎087-861-0111

会社名	[業種名] [事業] 会社の事業構成(%) ㉕25年採用計画数(名) ㉔24年入社内定者数(名) [売]売上高(百万円) [従]単独従業員数(名) [資]資本金(百万円) [住]本社の住所, 電話番号
帝國製薬㈱	[医] [事業] (単)医家向け医薬品86 一般薬6 他8 ㉕**未定** ㉔**22** [売]単39,516 [従]781 [資]100 [住]香川県東かがわ市三本松567 ☎0879-25-2221
西日本放送㈱	[通] [事業] (単)テレビ放送96 ラジオ放送4 ㉕**未定** ㉔**4** [売]単6,437 [従]65 [資]360 [住]高松市丸の内8-15 ☎087-826-7333
富士鋼材㈱	[鉄金卸] [事業] (単)棒鋼50 鋼板20 形鋼15 鉄鋼加工製品10 他5 ㉕**未定** ㉔**3** [売]単64,665 [従]185 [資]96 [住]高松市朝日町5-2-3 ☎087-821-1181
㈱マキタ	[自] [事業] (単)舶用機関製造・販売85 修理・部品15 ㉕**11** ㉔**16** [売]単20,592 [従]372 [資]100 [住]高松市朝日町4-1-1 ☎087-821-5501
㈱ヤマウチ	[小] [事業] (単)ガソリンスタンド70 フィットネス20 他10 ㉕**未定** ㉔**23** [売]単36,758 [従]621 [資]40 [住]高松市田村町397 ☎087-867-6868
ユニ・チャーム国光ノンウーヴン㈱	[繊衣] [事業] (単)不織布製品70 紙製品30 ㉕**4** ㉔**5** [売]単22,325 [従]300 [資]40 [住]香川県観音寺市豊浜町和田浜1531-15 ☎0875-52-6111
四電エンジニアリング㈱	[建] [事業] (単)機械50 電気19 原子力18 情報通信6 土木建築7 ㉕**40** ㉔**32** [売]単58,587 [従]1,068 [資]360 [住]高松市上之町3-1-4 ☎087-867-1711
四電ビジネス㈱	[総卸] [事業] (単)ビル・不動産25 環境21 ビジネス54 ㉕**未定** ㉔**11** [売]単14,352 [従]553 [資]300 [住]高松市亀井町7-9 ☎087-807-1151
㈱あわしま堂	[食] [事業] (単)和菓子62 洋菓子30 他8 ㉕**未定** ㉔**45** [売]単16,366 [従]692 [資]100 [住]愛媛県八幡浜市保内町川之石1-237-53 ☎0894-36-2177
宇和島信用金庫	[銀] [事業] (単)現・預け金23 有価証券18 貸出金58 他1 ㉕**未定** ㉔**4** [売]単1,773 [従]98 [資]672 [住]愛媛県宇和島市本町追手2-8-21 ☎0895-23-7000
㈱新来島どっく	[自] [事業] (単)新造船98 他2 ㉕**未定** ㉔**30** [売]単110,616 [従]791 [資]1,737 [住]愛媛県今治市大西町新町甲945 ☎0898-36-5511
生活協同組合コープえひめ	[小] [事業] (単)共同購入・宅配 店舗 サービス 福祉 共済 ㉕**未定** ㉔**12** [売]単36,183 [従]1,612 [資]11,287 [住]松山市朝生田町3-1-12 ☎089-931-5201
大黒工業㈱	[他卸] [事業] (単)化成品40 紙製品50 他雑貨10 ㉕**3** ㉔**3** [売]単29,210 [従]172 [資]100 [住]愛媛県四国中央市中曽根町1593 ☎0896-24-2140
㈱タケチ	[ゴ皮] [事業] (単)電子家電・機器家電用ゴム部品32 冷蔵庫用ドアガスケット31 他37 ㉕**2** ㉔**4** [売]単4,678 [従]328 [資]100 [住]松山市中野町甲936 ☎089-963-1311
マルトモ㈱	[食] [事業] (単)花かつお だしの素 煮干 つゆ チルド製品の製造・販売 ㉕**10** ㉔**15** [売]単23,955 [従]476 [資]100 [住]愛媛県伊予市米湊1696 ☎089-982-1151
ヤマキ㈱	[食] [事業] (単)海産乾物・加工調味料等の製造販売 ㉕**前年並** ㉔**19** [売]単47,200 [従]677 [資]100 [住]愛媛県伊予市米湊1698-6 ☎089-982-1231
㈱よんやく	[化医卸] [事業] (単)医薬89 メディカルシステム6 他5 ㉕**10** ㉔**10** [売]単80,428 [従]532 [資]119 [住]松山市南高井町1828 ☎089-990-4141
㈱リブドゥコーポレーション	[他製] [事業] (単)紙おむつ78 メディカルディスポーザブル用品22 ㉕**50** ㉔**59** [売]単56,595 [従]1,192 [資]773 [住]愛媛県四国中央市金田町半田乙45-2 ☎0896-58-3019
㈱高知新聞社	[新] [事業] (単)日刊新聞発行 ㉕**未定** ㉔**5** [売]単7,692 [従]277 [資]98 [住]高知市本町4-1-24 ☎088-822-2111
高知ダイハツ販売㈱	[自販] [事業] (単)新車 中古車 メンテナンス 他 ㉕**6** ㉔**3** [売]単7,255 [従]205 [資]30 [住]高知県南国市蛍が丘2-3-4 ☎088-804-8881
㈱高知放送	[通] [事業] (単)テレビ放送収入90 ラジオ放送収入6 事業他4 ㉕**若干** ㉔**3** [売]単3,938 [従]100 [資]220 [住]高知市本町3-2-8 ☎088-825-4200
㈱ソフテック	[シソ] [事業] (単)システムハウス系38 コンピュータディーラー系38 計算センター系22 マルチメディア商品開発系2 ㉕**10** ㉔**15** [売]単2,015 [従]227 [資]25 [住]高知県南国市蛍が丘1-4 ☎088-880-8877
大旺新洋㈱	[建] [事業] (単)土木工事50 建築工事40 他工事10 ㉕**9** ㉔**15** [売]単23,038 [従]422 [資]479 [住]高知市仁井田1625-2 ☎088-847-2112
㈱テレビ高知	[通] [事業] (単)テレビ放送100 ㉕**若干** ㉔**4** [売]単2,745 [従]94 [資]300 [住]高知市北本町3-4-27 ☎088-880-1111
㈱アグリス	[精] [事業] (単)医療用具47 透析ケアセット30 農業資材20 海外事業3 ㉕**未定** ㉔**8** [売]単9,091 [従]213 [資]100 [住]福岡県八女市鵜池477-1 ☎0943-30-1177

会社名	業種名 (事業)会社の事業構成(%) ㉕25年採用計画数(名) ㉔24年入社内定者数(名) (売)売上高(百万円) (従)単独従業員数(名) (資)資本金(百万円) (住)本社の住所,電話番号
㈱麻生	他サ (事業)(連)セメント7 医療関連11 商社流通3 人材教育6 情報ソフト12 建築土木59 他2 ㉕**15** ㉔**13** (売)連395,750 (従)1,981 (資)3,580 (住)福岡県飯塚市芳雄町7-18 ☎0948-22-3604
㈱アトル	化医卸 (事業)(単)医療用医薬品99 他1 ㉕**未定** ㉔**5** (売)単206,703 (従)931 (資)500 (住)福岡市東区香椎浜ふ頭2-5-1 ☎092-665-7100
池田興業㈱	陸 (事業)(単)運輸40 業務17 建設19 工務13 物資5 燻蒸2 キルン他4 ㉕**10** ㉔**11** (売)単33,852 (従)1,662 (資)100 (住)北九州市門司区大里本町2-2-5 ☎093-371-0968
㈱岩田屋三越	小 (事業)(単)百貨店 ㉕**未定** ㉔**16** (売)単124,516 (従)914 (資)100 (住)福岡市中央区天神2-5-35 ☎092-721-1111
㈱インフォグラム	シソ (事業)(単)ソフトウエア開発54 自社パッケージ販売23 サポート保守21 ハードウエア販売2 他0 ㉕**5** ㉔**6** (売)単590 (従)71 (資)20 (住)福岡市博多区博多駅前2-17-19 ☎092-452-2733
上村建設㈱	建 (事業)(単)建築一式100 ㉕**15** ㉔**14** (売)単30,016 (従)315 (資)100 (住)福岡市博多区住吉4-3-2 ☎092-475-6551
FFG証券㈱	証 (事業)(単)受入手数料94 トレーディング損益3 金融収益3 ㉕**前年並** ㉔**19** (売)単4,557 (従)245 (資)3,000 (住)福岡市中央区天神2-13-1 ☎092-771-3836
MHT㈱	機 (事業)(単)新船42 単品19 修理18 輸出新船12 輸出単品9 ㉕**未定** ㉔**5** (売)単5,137 (従)164 (資)60 (住)福岡市中央区港3-1-53 ☎092-711-1110
㈱オーレック	機 (事業)(単)農業用機械器具 ㉕**未定** ㉔**23** (売)単19,771 (従)403 (資)95 (住)福岡県八女郡広川町日吉548-22 ☎0943-32-5002
越智産業㈱	他卸 (事業)(単)建築資材 住設機器 ㉕**未定** ㉔**5** (売)単59,261 (従)330 (資)100 (住)福岡市中央区那の津3-12-20 ☎092-711-9171
㈱門倉剪断工業	鉄 (事業)(単)鋼板切断加工製品販売100 ㉕**4** ㉔**4** (売)単12,412 (従)175 (資)99 (住)福岡県鞍手郡鞍手町木月2037-4 ☎0949-42-1471
㈱九建	建 (事業)(単)架空線工事61 地中線工事24 保守工事他15 ㉕**未定** ㉔**11** (売)単14,905 (従)192 (資)100 (住)福岡市中央区清川2-13-6 ☎092-523-9123
九州東邦㈱	化医卸 (事業)(単)医薬品99 他1 ㉕**未定** ㉔**7** (売)単123,218 (従)398 (資)522 (住)福岡市東区箱崎ふ頭3-4-46 ☎092-641-3141
㈱QTnet	通 (事業)(単)通信事業94 放送事業3 電力販売事業2 広告事業1 ㉕**22** ㉔**34** (売)単70,993 (従)881 (資)22,020 (住)福岡市中央区天神1-12-20 ☎092-981-7575
九鉄工業㈱	建 (事業)(単)土木59 建築40 兼業1 ㉕**25** ㉔**6** (売)単36,094 (従)437 (資)216 (住)北九州市門司区小森江3-12-10 ☎093-371-1731
九電テクノシステムズ㈱	電機 (事業)(単)制御盤・電子応用機器関係 電力量計 電流制限器・計器用変成器 高圧受電盤 EV用充電器 他 ㉕**15** ㉔**15** (売)単17,555 (従)600 (資)327 (住)福岡市南区清水4-19-18 ☎092-551-1731
グロリア㈱	繊紙卸 (事業)(単)ソックス・Tシャツ・靴40 キャミ10 マット・同カバー10 バック・ベルト10 ルーム小物・同カーテン5 他25 ㉕**10** ㉔**7** (売)単3,414 (従)78 (資)50 (住)福岡市東区多の津2-8-1 ☎092-622-3377
KMアルミニウム㈱	非鉄 (事業)(単)IT機材30 半導体装置部材25 基礎素材45 ㉕**10** ㉔**6** (売)単8,588 (従)248 (資)1,363 (住)福岡県大牟田市四山町80 ☎0944-53-3590
KBCグループホールディングス㈱	通 (事業)(連)民間放送90 不動産5 他5 ㉕**若干** ㉔**5** (売)連17,349 (従)39 (資)380 (住)福岡市中央区長浜1-1-1 ☎092-721-1234
コンダクト㈱	不 (事業)(単)インベストメント81 ソリューション19 ㉕**2** ㉔**3** (売)単2,099 (従)11 (資)467 (住)北九州市小倉北区浅野2-17-38 ☎093-513-3338
㈱サニクリーン九州	他サ (事業)(単)業務75 家庭8 他17 ㉕**50** ㉔**50** (売)単23,637 (従)1,830 (資)100 (住)福岡市博多区半道橋1-17-41 ☎092-474-0081
㈱サンレー	他サ (事業)(単)冠婚葬祭 介護 他 ㉕**30** ㉔**18** (売)単19,268 (従)490 (資)50 (住)北九州市小倉北区上富野3-2-8 ☎093-551-3030
㈱シー・アール・シー	他サ (事業)(単)臨床検査受託80 健康診断支援13 他7 ㉕**未定** ㉔**10** (売)単6,981 (従)242 (資)20 (住)福岡市南区長丘2-1-4 ☎092-623-2111
㈱JR博多シティ	不 (事業)(単)商業施設の開発・運営 ㉕**2** ㉔**4** (売)単17,213 (従)86 (資)1,150 (住)福岡市博多区博多駅中央街7-21 ☎092-441-5941
㈱シティアスコム	シソ (事業)(単)ソフトウェア開発77 保守運用6 他17 ㉕**25** ㉔**26** (売)単10,167 (従)481 (資)442 (住)福岡市早良区百道浜2-2-22 ☎092-852-5111

会社名	業種名 事業 会社の事業構成(%) ㉕25年採用計画数(名) ㉔24年入社内定者数(名) 売 売上高(百万円) 従 単独従業員数(名) 資 資本金(百万円) 住 本社の住所, 電話番号
㈱翔薬	化医卸 (事業)(単)医療用医薬品93 医療機器1 他6 ㉕10 ㉔15 (売)単179,662 (従)509 (資)880 (住)福岡市博多区山王2-3-5 ☎092-471-2200
㈱新出光	石燃卸 (事業)(単)石油製品95 太陽光発電機器1 他4 ㉕12 ㉔12 (売)連285,812 (従)361 (資)100 (住)福岡市博多区上呉服町1-10 ☎092-291-4134
新ケミカル商事㈱	化医卸 (事業)(単)化学品47 合成樹脂23 硫安10 コークス10 炭素材3 他7 ㉕未定 ㉔3 (売)単45,466 (従)117 (資)400 (住)北九州市小倉北区京町3-1-1 ☎093-288-5300
新日本非破壊検査㈱	他サ (事業)(単)検査 工事管理 メカトロニクス ㉕10 ㉔6 (売)単6,366 (従)397 (資)60 (住)北九州市小倉北区井堀4-10-13 ☎093-581-1234
双日九州㈱	総卸 (事業)(単)機械43 物資27 食料22 非鉄6 他3 ㉕未定 ㉔5 (売)単11,522 (従)83 (資)500 (住)福岡市中央区天神1-4-2 ☎092-751-3308
大電㈱	非鉄 (事業)(単)電線・電力用機器48 FAロボット電線35 ネットワーク機器11 産業機器6 ㉕未定 ㉔12 (売)単20,735 (従)462 (資)412 (住)福岡県久留米市南2-15-1 ☎0942-22-1111
田中藍㈱	化医卸 (事業)(単)無機薬品30 合成ゴム樹脂20 有機薬品15 他35 ㉕10 ㉔5 (売)単44,241 (従)136 (資)330 (住)福岡県久留米市城南町8-27 ☎0942-32-6331
鶴丸海運㈱	海 (事業)(単)海運業44 トラック運送業26 港湾運送業22 他8 ㉕未定 ㉔16 (売)単21,056 (従)412 (資)200 (住)北九州市若松区本町1-5-11 ☎093-761-5631
㈱ドーワテクノス	電卸 (事業)(単)モータ等電気品43 工事・改造・改作9 サーボ等メカトロ製作15 修理・点検4 表示器4 他25 ㉕3 ㉔5 (売)単14,679 (従)202 (資)87 (住)北九州市八幡西区黒崎城石3-5 ☎093-621-4132
㈱ニシイ	化医卸 (事業)(単)塗料50 塗料用関連資材他50 ㉕10 ㉔3 (売)単24,748 (従)265 (資)48 (住)福岡市博多区東比恵3-4-6 ☎092-415-0241
西鉄エム・テック㈱	機保 (事業)(単)バス整備32 一般整備34 商事販売21 他13 ㉕未定 ㉔7 (売)単9,194 (従)454 (資)60 (住)福岡市中央区大名2-4-30 ☎092-762-5220
㈱西日本シティ銀行	銀 (事業)(単)現・預け金17 有価証券13 貸出金68 他2 ㉕増加 ㉔227 (売)単157,460 (従)3,154 (資)85,745 (住)福岡市博多区博多駅前1-3-6 ☎‥
西日本プラント工業㈱	建 (事業)(単)保修部門80 建設部門20 ㉕50 ㉔51 (売)単67,691 (従)2,046 (資)150 (住)福岡市中央区高砂1-10-1 ☎‥
ニシム電子工業㈱	電機 (事業)(単)電気通信機器製造・販売31 電気通信工事32 電気通信機器保守37 ㉕20 ㉔12 (売)単32,432 (従)836 (資)300 (住)福岡市博多区美野島1-2-1 ☎092-461-0246
日鉄ソリューションズ九州㈱	シソ (事業)(単)製鉄システム 親会社連携事業 大学ソリューション 地域顧客向けソリューション ㉕35 ㉔39 (売)単14,119 (従)625 (資)90 (住)福岡市博多区博多駅前2-3-7 ☎092-471-2022
日本磁力選鉱㈱	鉄 (事業)(単)鉄鋼63 環境33 プラント3 他1 ㉕14 ㉔5 (売)単20,378 (従)419 (資)448 (住)北九州市小倉北区馬借3-6-42 ☎093-521-4455
日本地研㈱	建 (事業)(単)地質調査66 建設工事34 測量0 ㉕6 ㉔5 (売)単2,079 (従)120 (資)50 (住)福岡市博多区諸岡5-25-25 ☎092-571-2764
㈱ハローデイ	小 (事業)(単)スーパーマーケット ㉕未定 ㉔11 (売)単83,191 (従)859 (資)50 (住)北九州市小倉南区徳力3-6-16 ☎093-963-4780
㈱深江工作所	金製 (事業)(単)金型45 プレス加工55 ㉕未定 ㉔9 (売)単7,606 (従)312 (資)48 (住)北九州市八幡西区則松5-3-9 ☎093-691-1731
㈱福岡魚市場	食卸 (事業)(単)受託販売47 買付販売53 ㉕未定 ㉔5 (売)単42,496 (従)107 (資)100 (住)福岡市中央区長浜3-11-3 ☎092-711-6000
福岡信用金庫	銀 (事業)(単)現・預け金17 有価証券18 貸出金61 他4 ㉕未定 ㉔8 (売)単2,450 (従)148 (資)640 (住)福岡市中央区天神1-6-8 ☎092-751-4732
福岡トヨタ自動車㈱	自販 (事業)(単)新車 中古車 サービスリース他 ㉕80 ㉔78 (売)単102,739 (従)1,239 (資)50 (住)福岡市中央区渡辺通4-8-28 ☎092-761-3331
福岡ひびき信用金庫	銀 (事業)(単)現・預け金12 有価証券35 貸出金47 他6 ㉕未定 ㉔26 (売)単18,571 (従)519 (資)3,430 (住)北九州市八幡東区尾倉2-8-1 ☎093-661-2311
㈱ふくや	食 (事業)(単)明太子販売70 業務用食品30 ㉕5 ㉔5 (売)単13,587 (従)280 (資)30 (住)福岡市博多区中洲2-6-10 ☎092-291-3575
不二精機㈱	機 (事業)(単)おにぎりロボット 製麺機 寿司ロボット 弁当ロボット 他 ㉕前年並 ㉔18 (売)単11,832 (従)418 (資)100 (住)福岡市博多区西月隈3-2-35 ☎092-411-2977

会社名	(業種名) (事業)会社の事業構成(%) ㉕25年採用計画数(名) ㉔24年入社内定者数(名) (売)売上高(百万円) (従)単独従業員数(名) (資)資本金(百万円) (住)本社の住所, 電話番号
㈱ペンシル	(シソ) (事業)(単)WEBコンサルティング業・戦略的WEBサイトの制作・サイト解析他 ㉕**未定** ㉔**5** (売)単2,484 (従)100 (資)50 (住)福岡市中央区天神1-10-20 ☎092-235-5210
㈱松本商店	(小) (事業)(単)鉄鋼製品・非鉄金属・プラスチック製品の販売, 製作請負 他 ㉕**3** ㉔**3** (売)単3,055 (従)75 (資)30 (住)福岡県久留米市津福本町2348-29 ☎0942-46-7355
明治屋産業㈱	(小) (事業)(単)食肉75 デリカ16 レストラン5 他4 ㉕**28** ㉔**11** (売)単31,557 (従)984 (資)98 (住)福岡市博多区博多駅東2-14-1 ☎092-432-9511
㈱矢野特殊自動車	(自) (事業)(単)冷凍・冷蔵車他バン型車82 タンクローリー他タンク車8 他12 ㉕**12** ㉔**7** (売)単13,166 (従)370 (資)100 (住)福岡県糟屋郡新宮町上府北4-2-1 ☎092-963-2000
㈱ヤマサキ	(建) (事業)(単)築炉工事85 鋼構造物工事10 管工事他5 ㉕**未定** ㉔**6** (売)単14,846 (従)464 (資)45 (住)福岡県大牟田市大字橘11 ☎0944-58-1366
豊鋼材工業㈱	(鉄) (事業)(単)加工67 受託5 在庫5 直送23 ㉕**未定** ㉔**5** (売)単17,833 (従)206 (資)450 (住)福岡県糟屋郡篠栗町尾仲572 ☎092-947-3351
ユニプレス九州㈱	(自) (事業)(単)自動車部品100 ㉕**4** ㉔**9** (売)単44,382 (従)460 (資)450 (住)福岡県京都郡みやこ町勝山松田507 ☎0930-32-4051
㈱ラック	(他サ) (事業)(単)婚礼8 衣裳9 典礼79 飲食1 福祉2 賃借料収入1 ㉕**15** ㉔**11** (売)単6,001 (従)350 (資)65 (住)福岡市博多区東比恵3-14-25 ☎092-473-0101
㈱ワイドレジャー	(レ) (事業)(単)アミューズメント95 テナント賃貸3 他2 ㉕**30** ㉔**26** (売)単27,812 (従)370 (資)50 (住)福岡県小郡市小郡2413-1 ☎0942-72-7534
九州ひぜん信用金庫	(銀) (事業)(単)現・預け金29 有価証券18 貸出金51 他2 ㉕**7** ㉔**4** (売)単2,410 (従)147 (資)1,954 (住)佐賀県武雄市武雄町大字富岡8894 ☎0954-23-1281
㈱佐賀共栄銀行	(銀) (事業)(単)現・預け金7 有価証券19 貸出74 他0 ㉕**未定** ㉔**5** (売)単6,094 (従)253 (資)2,679 (住)佐賀市松原4-2-12 ☎0952-26-2161
㈱佐賀鉄工所	(金製) (事業)(連)ボルト100 ㉕**未定** ㉔**10** (売)連90,343 (従)572 (資)310 (住)佐賀市神園1-5-30 ☎0952-31-2111
㈱佐賀電算センター	(シソ) (事業)(単)ソフトウェア 情報処理提供サービス インターネット付随サービス 他 ㉕**30** ㉔**23** (売)単7,887 (従)363 (資)80 (住)佐賀市兵庫町藤木1427-7 ☎0952-34-1500
㈱佐電工	(建) (事業)(単)電力供給工事10 内線工事70 空調管工事13 情報通信等工事7 ㉕**未定** ㉔**14** (売)単24,410 (従)440 (資)100 (住)佐賀市天神1-4-3 ☎0952-23-4144
トヨタ紡織九州㈱	(自) (事業)(単)自動車内装部品98 エアフィルターエンジン吸気系部品2 ㉕**未定** ㉔**21** (売)単89,463 (従)976 (資)480 (住)佐賀県神埼市神埼町鶴1600 ☎0952-52-7111
㈱中山鉄工所	(機) (事業)(単)破砕機等・プラント63 パーツ26 修理他11 ㉕**4** ㉔**5** (売)単6,991 (従)125 (資)86 (住)佐賀県武雄市朝日町大字甘久2246-1 ☎0954-22-4171
日清紡マイクロデバイスAT㈱	(電機) (事業)(単)電子デバイス100 ㉕**20** ㉔**22** (売)単6,955 (従)336 (資)50 (住)佐賀県神埼郡吉野ヶ里町立野950 ☎0952-52-3181
松尾建設㈱	(建) (事業)(連)建設96 他4 ㉕**25** ㉔**20** (売)連93,053 (従)678 (資)100 (住)佐賀市多布施1-4-27 ☎0952-24-1181
㈱ミゾタ	(機) (事業)(単)鉄工事業67 水処理事業33 ㉕**未定** ㉔**24** (売)単10,340 (従)428 (資)100 (住)佐賀市伊勢町15-1 ☎0952-26-2551
理研農産化工㈱	(食) (事業)(単)食用油80 小麦粉18 有機配合肥料2 ㉕**未定** ㉔**4** (売)単29,879 (従)186 (資)1,100 (住)佐賀市大財北町2-1 ☎0952-23-4181
㈱ワイビーエム	(機) (事業)(単)地盤改良機他69 ツールス他16 ボーリングマシン・ポンプ15 ㉕**5** ㉔**6** (売)単8,510 (従)280 (資)100 (住)佐賀県唐津市原1534 ☎0955-77-1121
イサハヤ電子㈱	(電機) (事業)(単)小信号半導体50 パワー半導体50 ㉕**未定** ㉔**7** (売)単11,564 (従)172 (資)485 (住)長崎県諫早市津久葉町6-41 ☎0957-26-3592
㈱エレナ	(小) (事業)(単)生鮮食品37 一般食料品39 日配品16 他8 ㉕**20** ㉔**18** (売)単58,425 (従)460 (資)50 (住)長崎県佐世保市大塔町8-2 ☎0956-32-0100
佐世保重工業㈱	(自) (事業)(連)修繕船80 機械16 他4 ㉕**未定** ㉔**4** (売)連14,555 (従)368 (資)100 (住)長崎県佐世保市立神町1 ☎0956-25-9111
東京エレクトロンデバイス長崎㈱	(電機) (事業)(単)産業用制御機器9 CT関連機器6 電力・省エネ関連機器8 半導体製造装置関連機器45 他32 ㉕**5** ㉔**5** (売)単6,333 (従)151 (資)134 (住)長崎県諫早市津久葉町6-47 ☎0957-25-2001

会社名	[業種名] (事業) 会社の事業構成(%) ㉕25年採用計画数(名) ㉔24年入社内定者数(名) (売)売上高(百万円) (従)単独従業員数(名) (資)資本金(百万円) (住)本社の住所, 電話番号
㈱長崎銀行	[銀] (事業) (単)現・預け金11 有価証券4 貸出金84 他1 **㉕未定 ㉔10** (売)単4,807 (従)212 (資)7,621 (住)長崎市栄町3-14 ☎095-825-4151
アイシン九州㈱	[自] (事業) (単)自動車機能部品・装飾部品96 半導体製造装置・液晶製造装置他4 **㉕21 ㉔24** (売)単34,857 (従)764 (資)1,490 (住)熊本市南区城南町舞原500-1 ☎0964-28-8181
アイシン九州キャスティング㈱	[自] (事業) (単)ダイカストから加工・組立・生産 **㉕7 ㉔9** (売)単14,187 (従)344 (資)1,000 (住)熊本市南区城南町舞原1227-1 ☎0964-28-1611
天草信用金庫	[銀] (事業) (単)現・預け金38 有価証券21 貸出金41 他0 **㉕未定 ㉔4** (売)単2,742 (従)132 (資)434 (住)熊本県天草市太田町9-3 ☎0969-24-1177
内村酸素㈱	[他卸] (事業) (単)高圧ガス22 溶接材料21 機械工具26 FA商品23 電子材料4 消費財4 **㉕未定 ㉔3** (売)単10,824 (従)111 (資)96 (住)熊本市中央区本荘5-13-18 ☎096-371-8730
九州産業交通ホールディングス㈱	[鉄バ] (事業) (連)自動車運送39 食堂・売店27 旅行6 不動産賃貸10 整備6 航空代理店3 海上運送等9 **㉕22 ㉔35** (売)連0 (従)59 (資)1,065 (住)熊本市中央区新市街1-28 ☎096-325-8229
熊本信用金庫	[銀] (事業) (単)現・預け金34 有価証券15 貸出金48 他3 **㉕未定 ㉔8** (売)単2,996 (従)159 (資)1,077 (住)熊本市中央区手取本町2-1 ☎096-326-2211
熊本第一信用金庫	[銀] (事業) (単)現・預け金42 有価証券7 貸出金48 他3 **㉕未定 ㉔6** (売)単4,551 (従)218 (資)3,647 (住)熊本市中央区花畑町10-29 ☎096-355-6111
㈱熊本日日新聞社	[新] (事業) (単)日刊新聞100 **㉕未定 ㉔4** (売)単13,497 (従)396 (資)15 (住)熊本市中央区世安1-5-1 ☎096-361-3111
金剛㈱	[金製] (事業) (単)保管・保存関連58 セキュリティ関連2 エンジニアリング&サービス5 他市販品関連35 **㉕未定 ㉔5** (売)単8,304 (従)300 (資)60 (住)熊本市西区上熊本3-8-1 ☎096-355-1111
重光産業㈱	[食] (事業) (単)食品製造50 飲食25 フランチャイズ25 **㉕4 ㉔5** (売)単2,429 (従)108 (資)64 (住)熊本県菊池郡菊陽町辛川448 ☎096-349-2222
㈱SYSKEN	[建] (事業) (単)情報電気通信76 総合設備22 他2 **㉕25 ㉔21** (売)単27,555 (従)589 (資)801 (住)熊本市中央区萩原町14-45 ☎096-285-1111
㈱新星	[建] (事業) (単)電気工事63 管工事36 電気通信工事1 水道・消防施設工事1 **㉕未定 ㉔4** (売)単3,055 (従)65 (資)31 (住)熊本市東区神園2-1-1 ☎096-380-1188
㈱鶴屋百貨店	[小] (事業) (単)衣料品30 身の回り品12 雑貨21 家庭用品6 食料品27 他4 **㉕20 ㉔18** (売)単46,997 (従)519 (資)100 (住)熊本市中央区手取本町6-1 ☎096-356-2111
富田薬品㈱	[化医卸] (事業) (単)医薬部門93 A&S部門7 **㉕15 ㉔15** (売)単146,776 (従)676 (資)2,415 (住)熊本市中央区九品寺6-2-35 ☎096-373-1111
ネクサス㈱	[化] (事業) (単)プラ成形品25 ユニット組立品58 プラ・マグネシウム成形用金型7 マグネシウム成形品他10 **㉕若干 ㉔3** (売)単4,085 (従)169 (資)91 (住)熊本県玉名郡南関町下坂下1683-4 ☎0968-53-8181
㈱ヒライ	[外] (事業) (単)弁当・サンドイッチ・すし40 厨房製品(うどん・フライ等)40 菓子・ジュース類20 **㉕10 ㉔5** (売)単17,272 (従)2,156 (資)50 (住)熊本市西区春日7-26-70 ☎096-324-3666
㈱九州エナジー	[石燃卸] (事業) (単)ガソリン 軽油 重油 白灯油 **㉕未定 ㉔3** (売)単22,550 (従)141 (資)100 (住)大分市都町3-1-1 ☎097-534-0468
㈱佐伯建設	[建] (事業) (単)建築工事75 土木工事23 不動産事業他2 **㉕10 ㉔11** (売)単13,914 (従)247 (資)100 (住)大分市中島西3-5-1 ☎097-536-1530
鶴崎海陸運輸㈱	[倉埠] (事業) (単)構内事業33 物流16 石油販売25 ポートサービス業20 他6 **㉕30 ㉔30** (売)単19,320 (従)824 (資)80 (住)大分市三佐1000 ☎097-521-6111
㈱テレビ大分	[通] (事業) (単)テレビ放送 **㉕未定 ㉔4** (売)単4,678 (従)90 (資)500 (住)大分市春日浦843-25 ☎097-532-9111
㈱トキハ	[小] (事業) (単)衣料品30 食料品34 雑貨17 家庭用品6 身回品10 他3 **㉕未定 ㉔17** (売)単17,673 (従)592 (資)100 (住)大分市府内町2-1-4 ☎097-538-1111
㈱フォレストホールディングス	[化医卸] (事業) (連)医薬品等卸販売100 臨床検査0 他0 **㉕61 ㉔47** (売)連504,770 (従)68 (資)3,000 (住)大分市西大道2-3-8 ☎097-543-2111
霧島酒造㈱	[食] (事業) (単)本格焼酎99 地ビール1 **㉕20 ㉔50** (売)単53,113 (従)599 (資)3 (住)宮崎県都城市下川東4-28-1 ☎0986-22-2323
向陽プラントサービス㈱	[建] (事業) (単)各種プラントの建設工事・機器組立56 設備メンテナンス・日常保全工事44 **㉕7 ㉔7** (売)単10,311 (従)238 (資)100 (住)宮崎県延岡市大武町39-5 ☎0982-34-2551

会社名	[業種名] (事業)会社の事業構成(%) ㉕25年採用計画数(名) ㉔24年入社内定者数(名) (売)売上高(百万円) (従)単独従業員数(名) (資)資本金(百万円) (住)本社の住所，電話番号
㈱ソラシドエア	[航] (事業)(単)航空運送事業 ㉕**未定** ㉔**57** (売)単49,942 (従)1,049 (資)100 (住)宮崎市大字赤江 ☎0985-89-0123
㈱テレビ宮崎	[通] (事業)(単)放送事業収入94 他6 ㉕**6** ㉔**8** (売)単6,950 (従)139 (資)330 (住)宮崎市祇園2-78 ☎0985-31-5111
㈱宮崎日日新聞社	[新] (事業)(単)日刊新聞発行 ㉕**未定** ㉔**3** (売)単6,303 (従)223 (資)40 (住)宮崎市高千穂通1-1-33 ☎0985-26-9315
ENEOS喜入基地㈱	[石燃卸] (事業)(単)石油の貯蔵および受払業務100 ㉕**3** ㉔**4** (売)単7,687 (従)104 (資)6,000 (住)鹿児島市喜入中名町2856-5 ☎099-345-1131
鹿児島相互信用金庫	[銀] (事業)(単)現・預け金30 有価証券12 貸出金53 他5 ㉕**20** ㉔**21** (売)単9,660 (従)557 (資)7,185 (住)鹿児島市与次郎1-6-30 ☎099-259-5222
鹿児島テレビ放送㈱	[通] (事業)(単)放送料97 他3 ㉕**4** ㉔**3** (売)単4,671 (従)113 (資)300 (住)鹿児島市紫原6-15-8 ☎099-258-1111
㈱土佐屋	[総卸] (事業)(単)セメント51 鋼材30 インテリア3 リゾート13 他3 ㉕**5** ㉔**3** (売)単12,173 (従)243 (資)95 (住)鹿児島市宇宿2-9-11 ☎099-230-0010
南国交通㈱	[鉄バ] (事業)(連)一般旅客自動車運送64 航空運送代理店30 他関連事業6 ㉕**35** ㉔**29** (売)連8,418 (従)967 (資)337 (住)鹿児島市中央町18-1 ☎099-255-2141
南国殖産㈱	[総卸] (事業)(連)建設資材11 エネルギー関連52 機械設備8 情報通信8 ビル賃貸3 再生可能エネ9 他9 ㉕**35** ㉔**28** (売)連196,120 (従)1,172 (資)500 (住)鹿児島市中央町18-1 ☎099-255-2111
日之出紙器工業㈱	[パ紙] (事業)(単)段ボールケース70 段ボールシート13 美粧箱他16 ㉕**未定** ㉔**7** (売)単16,059 (従)426 (資)81 (住)鹿児島県日置市伊集院町麦生田2158 ☎099-273-9111
㈱山形屋	[小] (事業)(単)百貨店100 ㉕**若干** ㉔**10** (売)単16,239 (従)497 (資)100 (住)鹿児島市金生町3-1 ☎099-227-6111
㈱山野井	[食] (事業)(単)食肉加工品100 ㉕**3** ㉔**5** (売)単825 (従)58 (資)43 (住)鹿児島県南さつま市金峰町高橋3075-28 ☎0993-77-3800
ザ・テラスホテルズ㈱	[ホ] (事業)(単)ホテル95 ゴルフ5 ㉕**60** ㉔**49** (売)単23,063 (従)1,711 (資)2,050 (住)沖縄県名護市喜瀬1808 ☎098-864-1191
大同火災海上保険㈱	[保] (事業)(単)火災9 海上1 傷害3 自動車64 自賠責13 他10 ㉕**8** ㉔**8** (売)連17,135 (従)325 (資)1,054 (住)那覇市久茂地1-12-1 ☎098-867-1161
拓南製鐵㈱	[鉄] (事業)(単)棒鋼87 バーインコイル(軟鋼線材)3 他10 ㉕**7** ㉔**15** (売)単17,117 (従)180 (資)400 (住)沖縄市海邦町3-26 ☎098-934-6822
琉球セメント㈱	[ガ土] (事業)(連)セメント・セメント関連41 鉱産品42 商事関連8 他9 ㉕**4** ㉔**3** (売)連17,641 (従)101 (資)1,411 (住)沖縄県浦添市西洲2-2-2 ☎098-870-1080
㈱琉球ネットワークサービス	[シソ] (事業)(単)コンピュータソフト開発98 他2 ㉕**10** ㉔**12** (売)単1,195 (従)198 (資)30 (住)那覇市久米2-4-16 ☎098-864-1001
㈱りゅうせき	[石燃卸] (事業)(連)石油関連73 ガス関連7 他20 ㉕**26** ㉔**19** (売)連110,437 (従)441 (資)1,050 (住)沖縄県浦添市西洲2-2-3 ☎098-875-5000

短大・専門生の採用情報

SHUSHOKU SHIKIHO

業種別・短大生を採用する会社 286 社

会社名 （掲載ページ）		23年	24年	25年
●商社・卸売業●				
ダイワボウ情報システム㈱	86	2	0	—
シークス㈱	88	1	0	0
㈱ＲＹＯＤＥＮ	88	0	2	0
㈱立花エレテック	89	1	0	0
加賀電子㈱	91	1	1	0
リョーサン菱洋ホールディングス㈱	92	1	1	0
オー・ジー㈱	96	0	1	0
㈱シジシージャパン	102	2	2	1
㈱マルイチ産商	105	3	1	1
カナカン㈱	107	0	0	1
横浜冷凍㈱	107	5	7	0
興和㈱	113	0	3	2
㈱ＥＮＥＯＳフロンティア	119	0	1	—
ＴＯＫＡＩグループ	120	0	1	—
●システム・ソフト●				
富士ソフト㈱	152	0	3	—
京セラコミュニケーションシステム㈱	156	0	0	1
㈱ＮＳＤ	161	0	0	1
㈱システナ	163	4	0	4
ＮＳＷ㈱	168	0	1	0
ＴＤＣソフト㈱	169	1	2	2
トーテックアメニティ㈱	173	1	0	0
㈱ビジネスブレイン太田昭和	173	1	1	0
㈱フォーカスシステムズ	175	0	0	1
アイエックス・ナレッジ㈱	179	0	1	0
㈱ジャステック	180	0	0	1
㈱東計電算	181	0	1	—
サイバーコム㈱	183	1	0	1
㈱ＳＣＣ	185	1	0	0
㈱アドービジネスコンサルタント	186	2	0	1
●銀行●				
㈱北海道銀行	195	2	4	2
㈱青森銀行	196	1	0	0
㈱岩手銀行	196	1	3	—
㈱秋田銀行	197	1	2	2
㈱山形銀行	198	0	1	2
㈱常陽銀行	199	2	2	—
㈱東和銀行	201	1	1	—
㈱京葉銀行	202	0	2	—
㈱きらぼし銀行	203	0	0	1
㈱横浜銀行	204	1	4	—
㈱第四北越銀行	205	0	2	1
㈱大光銀行	205	5	3	—
㈱北陸銀行	206	3	2	9
㈱山梨中央銀行	207	2	0	—
㈱八十二銀行	208	0	1	0
スルガ銀行㈱	210	1	0	—
㈱清水銀行	210	0	1	—
㈱あいちフィナンシャルグループ	211	0	0	1
㈱百五銀行	212	2	1	4
㈱三十三銀行	212	2	3	3
㈱京都銀行	213	3	2	—
㈱阿波銀行	217	1	2	—
㈱百十四銀行	217	1	1	0
㈱伊予銀行	218	0	2	0
㈱四国銀行	218	2	0	0
㈱高知銀行	219	1	1	—
㈱福岡銀行	219	3	2	NA
㈱佐賀銀行	220	0	2	1
㈱十八親和銀行	220	1	1	—
㈱鹿児島銀行	221	34	22	20
㈱琉球銀行	222	2	0	2
●証券●				
岡三証券㈱	231	2	2	—
いちよし証券㈱	232	0	0	1
東洋証券㈱	233	0	0	1
●生保●				
㈱かんぽ生命保険	235	7	5	—
住友生命保険（相）	236	1	1	0
富国生命保険（相）	240	6	8	1
オリックス生命保険㈱	241	0	2	3
●損保●				
東京海上日動火災保険㈱	243	1	0	0
あいおいニッセイ同和損害保険㈱	244	0	1	—
ソニー損害保険㈱	246	1	0	—

業種別・短大生を採用する会社 286 社

会社名	（掲載ページ）	23年	24年	25年
●信販・カード・リース他●				
㈱ジャックス	*258*	1	1	—
アコム㈱	*259*	0	1	0
アイフル㈱	*260*	0	2	0
●広告●				
㈱博報堂プロダクツ	*278*	0	0	1
●出版●				
学研グループ	*288*	15	1	7
●メディア・映像・音楽●				
㈱サイバーエージェント	*290*	0	0	4
●電機・事務機器●				
セイコーエプソン㈱	*302*	8	14	7
㈱ＰＦＵ	*305*	4	5	0
㈱イシダ	*312*	1	0	0
㈱日立パワーソリューションズ	*313*	0	1	0
能美防災㈱	*314*	1	1	1
●電子部品・機器●				
ニデック㈱	*316*	3	4	—
㈱村田製作所	*317*	1	1	0
ミネベアミツミ㈱	*318*	1	5	3
日亜化学工業㈱	*320*	2	1	0
新光電気工業㈱	*327*	5	2	1
㈱三井ハイテック	*327*	0	1	0
ニチコン㈱	*328*	1	4	0
マブチモーター㈱	*329*	0	1	0
ヒロセ電機㈱	*330*	5	6	2
アンリツ㈱	*332*	1	0	0
シンフォニアテクノロジー㈱	*333*	1	1	1
㈱タムロン	*335*	2	0	0
オリエンタルモーター㈱	*335*	1	1	1
ＳＭＫ㈱	*337*	0	0	1
日本テキサス・インスツルメンツ（合同）	*339*	0	1	0
東京エレクトロン㈱	*340*	3	3	5
㈱ディスコ	*342*	0	1	1
●自動車●				
日産自動車㈱	*351*	51	51	—

会社名	（掲載ページ）	23年	24年	25年
スズキ㈱	*351*	1	1	—
ダイハツ工業㈱	*353*	4	8	NA
●輸送用機器●				
ヤマハ発動機㈱	*355*	6	5	4
●自動車部品●				
ダイハツ九州㈱	*357*	0	1	0
トヨタ自動車東日本㈱	*358*	1	0	1
プレス工業㈱	*374*	0	1	1
ＴＰＲ㈱	*384*	0	3	0
●機械●				
㈱富士通ゼネラル	*397*	1	0	0
㈱キッツ	*397*	0	1	0
フクシマガリレイ㈱	*398*	2	1	0
日本精工㈱	*401*	0	1	0
㈱不二越	*402*	1	0	0
ＳＭＣ㈱	*404*	4	9	8
㈱ダイフク	*405*	1	2	4
フジテック㈱	*408*	27	19	10
サトーホールディングス㈱	*409*	0	1	0
㈱ＦＵＪＩ	*410*	0	1	1
新東工業㈱	*411*	1	0	0
ＪＵＫＩ㈱	*412*	1	0	0
サノヤスホールディングス㈱	*413*	0	0	1
富士精工㈱	*413*	0	1	0
ファナック㈱	*414*	1	0	0
㈱牧野フライス製作所	*416*	1	1	3
芝浦機械㈱	*417*	0	1	3
カナデビア㈱	*418*	0	1	1
●食品・水産●				
森永乳業㈱	*430*	3	1	2
不二製油㈱	*433*	0	0	1
日清オイリオグループ㈱	*433*	1	0	2
テーブルマーク㈱	*436*	0	3	0
ケンコーマヨネーズ㈱	*440*	0	1	0
理研ビタミン㈱	*440*	1	0	0
東洋水産㈱	*441*	1	1	0
井村屋グループ㈱	*446*	1	0	1
日清製粉グループ	*447*	0	2	1
山崎製パン㈱	*448*	4	1	3

会社名　（掲載ページ）		23年	24年	25年
フジパングループ本社㈱	450	1	1	2
●農林●				
㈱サカタのタネ	452	5	3	3
カネコ種苗㈱	453	3	4	0
●化粧品・トイレタリー●				
㈱ファンケル	459	2	9	30
㈱ポーラ	459	1	1	1
●医薬品●				
東和薬品㈱	467	1	0	0
●化学●				
東ソー㈱	478	1	0	0
UBE㈱	480	0	1	0
リンテック㈱	484	4	5	3
㈱エフピコ	485	0	1	1
クミアイ化学工業㈱	487	0	0	1
ユニチカ㈱	489	1	0	0
●衣料・繊維●				
セーレン㈱	501	2	2	2
㈱オンワード樫山	503	0	5	—
●ガラス・土石●				
吉野石膏㈱	511	2	1	2
●金属製品●				
文化シヤッター㈱	516	0	1	0
●その他メーカー●				
タカラスタンダード㈱	538	2	0	0
クリナップ㈱	539	4	1	5
三菱鉛筆㈱	540	2	0	2
㈱オカムラ	541	2	1	1
●建設●				
鹿島	544	1	0	0
㈱大林組	544	1	1	0
㈱熊谷組	549	0	0	1
鉄建建設㈱	552	0	0	1
松井建設㈱	555	0	0	1
飛島建設㈱	557	0	0	2

会社名　（掲載ページ）		23年	24年	25年
ライト工業㈱	558	0	0	1
㈱NIPPO	558	1	0	0
三機工業㈱	566	0	0	1
㈱朝日工業社	568	1	1	0
㈱ミライト・ワン	571	1	1	0
日本電設工業㈱	572	4	5	0
㈱HEXEL Works	574	0	1	0
㈱きんでん	574	9	4	—
㈱関電工	575	1	1	1
㈱九電工	575	0	1	0
㈱ユアテック	576	9	6	2
㈱中電工	577	0	2	—
●住宅・マンション●				
積水ハウス㈱	578	1	1	—
大東建託㈱	579	0	0	1
一建設㈱	583	1	1	3
穴吹興産㈱	584	2	1	0
日本ハウズイング㈱	586	1	1	0
スターツグループ	587	1	4	3
●電力・ガス●				
東北電力㈱	598	0	2	5
東京電力ホールディングス㈱	599	4	1	1
中部電力㈱	601	2	2	—
●デパート●				
㈱松屋	616	2	4	2
●コンビニ●				
㈱セブン-イレブン・ジャパン	617	0	0	1
㈱ファミリーマート	618	1	1	0
ミニストップ㈱	618	1	0	1
●スーパー●				
ユニー㈱	619	8	4	3
㈱フジ	620	5	1	0
㈱イズミ	620	1	3	0
㈱平和堂	621	2	1	—
㈱Olympicグループ	621	0	1	—
㈱ユニバース	622	1	2	1
㈱ヨークベニマル	622	2	2	3
㈱カスミ	623	1	3	—

業種別・短大生を採用する会社 286 社

会社名 （掲載ページ）		23年	24年	25年
㈱ベイシア	623	1	3	—
㈱ヤオコー	624	0	2	2
㈱ベルク	624	1	6	1
㈱マミーマート	625	1	0	1
サミット㈱	625	0	4	5
アクシアル リテイリンググループ	627	1	1	2
マックスバリュ東海㈱	628	1	1	2
㈱ハートフレンド	628	1	1	—
㈱ライフコーポレーション	629	4	3	5
㈱神戸物産	629	1	2	—
㈱ハローズ	630	3	1	5
●外食・中食●				
日本マクドナルド㈱	631	1	1	3
㈱モスフードサービス	631	1	1	0
㈱松屋フーズ	632	4	0	—
㈱ドトールコーヒー	632	1	1	1
テンアライド㈱	633	0	2	2
㈱ロック・フィールド	634	0	2	0
●家電量販・薬局・HC●				
㈱ノジマ	635	3	3	5
㈱エディオン	635	3	4	5
㈱マツキヨココカラ＆カンパニー	636	1	2	1
㈱スギ薬局	636	2	14	30
㈱ツルハ	637	8	NA	—
㈱クリエイトエス・ディー	637	1	1	0
㈱カワチ薬品	638	5	3	10
総合メディカル㈱	638	1	7	—
㈱カインズ	640	1	0	0
ＤＣＭ㈱	640	0	2	0
コーナン商事㈱	641	1	0	2
アークランズ㈱	641	2	6	2
●その他小売業●				
㈱ドン・キホーテ	642	5	6	5
㈱ファーストリテイリング	643	5	1	—
㈱しまむら	644	1	0	—
㈱ハニーズ	644	2	3	1
㈱エービーシー・マート	645	7	13	—
㈱レリアン	645	1	0	1

会社名 （掲載ページ）		23年	24年	25年
青山商事㈱	646	1	2	6
㈱ＡＯＫＩホールディングス	647	0	2	0
はるやま商事㈱	648	0	3	—
㈱ヤナセ	648	5	4	—
㈱ＡＴグループ	649	36	28	12
㈱ヴァンドームヤマダ	650	3	5	2
つるや㈱	651	1	1	1
ブックオフコーポレーション㈱	652	0	1	0
㈱良品計画	653	1	1	3
㈱あさひ	655	2	2	—
㈱はせがわ	656	1	0	0
●人材・教育●				
㈱アルプス技研	660	2	4	—
（学校法人）北里研究所	661	1	0	0
（学校法人）昭和大学	666	0	0	1
●ホテル●				
㈱ミリアルリゾートホテルズ	670	10	22	NA
藤田観光㈱	671	7	6	1
●レジャー●				
㈱エイチ・アイ・エス	673	0	4	1
名鉄観光サービス㈱	674	1	1	—
日本中央競馬会	675	0	1	0
㈱ラウンドワンジャパン	676	1	0	0
セントラルスポーツ㈱	679	1	0	1
㈱ルネサンス	680	3	3	2
●海運・空運●				
全日本空輸㈱	683	0	0	2
朝日航洋㈱	684	1	1	1
●運輸・倉庫●				
日本通運㈱	684	22	12	—
福山通運㈱	685	7	6	4
トナミ運輸㈱	686	2	4	—
センコー㈱	687	0	2	—
日本梱包運輸倉庫㈱	689	1	5	0
㈱キユーソー流通システム	689	1	1	0
㈱日新	690	3	1	1
丸全昭和運輸㈱	690	1	1	0
㈱上組	693	2	3	5

業種別・短大生を採用する会社 286 社

会社名	（掲載ページ）	23年	24年	25年
日本トランスシティ㈱	696	0	1	0
両備ホールディングス㈱	697	1	0	0
●鉄道●				
北海道旅客鉄道㈱	698	8	0	—
東日本旅客鉄道㈱	699	2	2	—
京王電鉄㈱	702	0	0	3
大阪市高速電気軌道㈱	708	0	0	1
四国旅客鉄道㈱	709	0	4	—
九州旅客鉄道㈱	709	0	1	—
●その他サービス●				
全国農業協同組合連合会	713	11	11	10
(一社)日本自動車連盟	714	4	0	4
ＡＬＳＯＫ	722	8	3	—
㈱アクティオ	723	1	7	10
㈱カナモト	723	0	1	0
西尾レントオール㈱	724	3	5	1
サコス㈱	725	1	0	2
㈱マイスターエンジニアリング	726	6	7	4
㈱白洋舎	727	0	1	1
㈱トーカイ	728	1	0	0
コンパスグループ・ジャパン㈱	729	10	36	37
㈱テイクアンドギヴ・ニーズ	730	2	4	6
ワタベウェディング㈱	730	2	1	1
㈱共立メンテナンス	731	6	5	10
㈱ベネフィット・ワン	732	1	1	1
ＪＰホールディングスグループ	732	53	54	54
㈱日本創発グループ	734	2	2	0

業種別・専門学校生を採用する会社 422 社

会社名（掲載ページ）		23年	24年	25年
●商社・卸売業●				
小野建㈱	80	0	0	3
シークス㈱	88	0	1	0
リョーサン菱洋ホールディングス㈱	92	0	0	1
ナイス㈱	99	1	4	0
㈱デザインアーク	100	2	0	—
加藤産業㈱	102	0	1	—
㈱シジシージャパン	102	1	0	0
旭食品㈱	104	2	2	0
スターゼン㈱	105	1	0	2
㈱マルイチ産商	105	0	0	1
㈱トーホー	106	1	0	0
横浜冷凍㈱	107	2	0	0
東邦薬品㈱	111	0	1	—
スタイレム瀧定大阪㈱	116	0	0	1
三愛オブリ㈱	118	7	7	9
ＮＸ商事㈱	118	11	5	1
ＴＯＫＡＩグループ	120	6	6	—
㈱ハピネット	124	0	2	0
㈱サンリオ	127	1	0	1
●シンクタンク●				
㈱日本総合研究所	130	0	0	2
●コンサルティング●				
ＩＤ&Ｅグループ	134	0	2	2
●通信サービス●				
ＮＴＴ東日本	142	12	10	—
ＮＴＴ西日本	143	0	0	1
ＪＣＯＭ㈱	143	2	1	1
㈱インターネットイニシアティブ	144	1	0	0
㈱ＭＩＸＩ	145	1	2	0
㈱ぐるなび	147	0	0	1
●システム・ソフト●				
㈱大塚商会	148	0	3	5
ＮＥＣネッツエスアイ㈱	151	2	0	3
富士ソフト㈱	152	104	116	—
ＧＭＯインターネットグループ㈱	153	3	2	1
エフサステクノロジーズ㈱	154	2	1	2
ネットワンシステムズ㈱	155	9	7	5
㈱日立ソリューションズ	155	0	0	1
㈱トヨタシステムズ	156	0	0	1
京セラコミュニケーションシステム㈱	156	1	2	1
ユニアデックス㈱	157	2	4	3
㈱ＤＴＳ	159	9	8	5
㈱ＮＳＤ	161	15	17	14
㈱システナ	163	93	103	66
㈱中電シーティーアイ	165	3	2	2
ＮＳＷ㈱	168	17	14	15
ＴＤＣソフト㈱	169	25	11	16
㈱アイネット	170	5	3	4
㈱菱友システムズ	171	4	4	—
トーテックアメニティ㈱	173	10	50	17
㈱ビジネスブレイン太田昭和	173	5	1	0
㈱ソフトウェア・サービス	174	3	4	10
㈱ＩＤホールディングス	174	1	0	0
㈱フォーカスシステムズ	175	5	5	5
㈱エクサ	175	0	0	1
㈱シーエーシー	176	3	7	2
クオリカ㈱	176	1	0	0
㈱ＣＩＪ	177	4	3	—
㈱さくらケーシーエス	177	5	6	5
㈱エヌアイデイ	178	6	6	6
ＡＧＳ㈱	179	1	10	11
アイエックス・ナレッジ㈱	179	6	8	3
㈱ジャステック	180	10	6	8
キーウェアソリューションズ㈱	180	3	1	3
㈱東計電算	181	7	5	—
ＮＣＳ＆Ａ㈱	182	0	4	2
サイバーコム㈱	183	33	37	36
㈱ハイマックス	183	0	4	2
㈱クロスキャット	184	0	2	2
㈱リンクレア	185	4	3	5

業種別・専門学校生を採用する会社 422 社

会社名	（掲載ページ）	23年	24年	25年
㈱ＳＣＣ	185	29	53	34
㈱アドービジネスコンサルタント	186	11	15	18
㈱ＳＩ&Ｃ	186	1	0	0
三和コンピュータ㈱	187	3	4	9
●銀行●				
ＳＢＩ新生銀行グループ	192	2	0	0
㈱北海道銀行	195	1	0	0
㈱岩手銀行	196	1	1	—
㈱山形銀行	198	2	1	1
㈱足利銀行	199	3	0	0
㈱東和銀行	201	2	0	—
㈱横浜銀行	204	0	2	0
㈱第四北越銀行	205	0	0	1
㈱大光銀行	205	4	4	—
㈱山梨中央銀行	207	1	1	1
㈱静岡銀行	209	0	0	2
スルガ銀行㈱	210	0	2	—
㈱関西みらい銀行	214	2	0	0
㈱山陰合同銀行	215	0	1	0
㈱中国銀行	216	1	0	0
㈱阿波銀行	217	1	0	1
㈱百十四銀行	217	0	0	1
㈱伊予銀行	218	0	0	1
㈱四国銀行	218	0	0	1
㈱高知銀行	219	0	1	1
㈱琉球銀行	222	2	2	0
㈱沖縄銀行	222	4	4	1
●証券●				
東海東京フィナンシャル・ホールディングス㈱	231	1	0	—
いちよし証券㈱	232	2	1	1
●生保●				
㈱かんぽ生命保険	235	7	3	—
富国生命保険（相）	240	0	1	0
●損保●				
損害保険ジャパン㈱	243	7	5	—
●信販・カード・リース他●				
オリックス㈱	248	3	0	0
ＮＴＴファイナンス㈱	253	0	0	2
㈱ジャックス	258	1	0	—
アイフル㈱	260	14	5	4
●広告●				
㈱ＡＤＫホールディングス	271	0	1	0
㈱東北新社	272	2	1	1
㈱セプテーニ・ホールディングス	274	2	0	0
㈱ＡＯＩ Ｐｒｏ.	277	1	1	1
㈱博報堂プロダクツ	278	13	14	8
●新聞●				
㈱河北新報社	283	0	1	0
●通信社●				
㈱時事通信社	286	0	1	0
●出版●				
学研グループ	288	30	8	10
●メディア・映像・音楽●				
㈱サイバーエージェント	290	11	10	3
●電機・事務機器●				
㈱デンソーテン	298	0	1	1
セイコーエプソン㈱	302	13	12	5
㈱ＰＦＵ	305	0	1	0
日東工業㈱	312	0	1	1
日新電機㈱	313	3	3	2
㈱日立パワーソリューションズ	313	0	1	1
能美防災㈱	314	1	1	1
●電子部品・機器●				
ニデック㈱	316	7	2	—
㈱村田製作所	317	0	1	0
ミネベアミツミ㈱	318	0	1	4
日亜化学工業㈱	320	0	2	1
アズビル㈱	323	0	0	1

業種別・専門学校生を採用する会社 422 社

会社名	（掲載ページ）	23年	24年	25年
マブチモーター(株)	329	0	2	0
ヒロセ電機(株)	330	2	2	2
新電元工業(株)	333	0	1	1
ＳＭＫ(株)	337	0	1	0
(株)ナカヨ	338	1	1	1
●住宅・医療機器他●				
ホーチキ(株)	345	2	0	0
日本光電	349	0	1	0
●自動車●				
トヨタ自動車(株)	350	1	0	NA
本田技研工業(株)	350	15	20	30
日産自動車(株)	351	4	0	—
スズキ(株)	351	6	11	—
マツダ(株)	352	0	6	3
三菱自動車工業(株)	353	2	0	2
ダイハツ工業(株)	353	10	8	NA
日野自動車(株)	354	4	9	3
●輸送用機器●				
ヤマハ発動機(株)	355	10	10	11
●自動車部品●				
トヨタ車体(株)	356	0	1	0
ダイハツ九州(株)	357	1	0	0
トヨタ自動車東日本(株)	358	0	1	1
マザーサンヤチヨ・オートモーティブシステムズ(株)	358	2	1	1
スタンレー電気(株)	369	1	1	0
(株)ジーテクト	371	1	2	2
プレス工業(株)	374	0	1	0
(株)アドヴィックス	374	4	3	4
ジヤトコ(株)	375	0	1	0
愛三工業(株)	378	0	1	3
武蔵精密工業(株)	378	2	1	0
(株)エフテック	379	2	2	4
リョービ(株)	383	0	5	1
●機械●				
井関農機(株)	394	1	0	0
(株)やまびこ	395	0	0	2
コマツ	396	2	7	1
アマノ(株)	398	0	0	1
フクシマガリレイ(株)	398	1	2	2
ＴＨＫ(株)	401	0	0	1
ＳＭＣ(株)	404	14	11	10
(株)マキタ	404	5	0	2
グローリー(株)	406	1	1	3
フジテック(株)	408	0	0	1
サトーホールディングス(株)	409	1	0	0
新東工業(株)	411	0	1	0
ＪＵＫＩ(株)	412	1	1	2
サノヤスホールディングス(株)	413	0	1	1
三木プーリ(株)	414	1	0	0
(株)アマダ	415	10	1	0
(株)牧野フライス製作所	416	0	1	1
芝浦機械(株)	417	1	0	0
三浦工業(株)	419	0	0	2
●食品・水産●				
(株)ヤクルト本社	427	1	0	0
(株)伊藤園	427	1	1	—
雪印メグミルク(株)	430	2	3	1
森永乳業(株)	430	1	3	4
ホクト(株)	437	0	1	0
日本食研ホールディングス(株)	439	0	1	1
ケンコーマヨネーズ(株)	440	0	9	4
理研ビタミン(株)	440	1	0	0
(株)ロッテ	445	1	3	0
井村屋グループ(株)	446	1	0	0
日清製粉グループ	447	2	0	3
山崎製パン(株)	448	11	16	18
敷島製パン(株)	449	2	0	0
フジパングループ本社(株)	450	2	0	1
●農林●				
(株)サカタのタネ	452	6	3	2
カネコ種苗(株)	453	1	3	2

業種別・専門学校生を採用する会社 422 社

会社名	（掲載ページ）	23年	24年	25年
●印刷・紙パルプ●				
ＴＯＰＰＡＮクロレ㈱	455	3	0	0
●化粧品・トイレタリー●				
㈱ファンケル	459	9	15	30
㈱ポーラ	459	0	2	1
●医薬品●				
住友ファーマ㈱	465	1	0	2
ロート製薬㈱	466	1	4	5
東和薬品㈱	467	10	2	0
●化学●				
㈱カネカ	479	2	4	3
㈱ＡＤＥＫＡ	482	0	0	1
リンテック㈱	484	4	2	2
㈱イノアックコーポレーション	486	0	7	0
東京応化工業㈱	487	0	0	1
日油㈱	493	0	0	1
高砂香料工業㈱	494	1	0	0
●衣料・繊維●				
セーレン㈱	501	2	0	0
㈱オンワード樫山	503	19	42	—
㈱三陽商会	503	1	0	0
クロスプラス㈱	504	9	11	10
●ガラス・土石●				
セントラル硝子㈱	506	1	0	0
●金属製品●				
㈱ＬＩＸＩＬ	512	18	6	14
文化シヤッター㈱	516	2	1	0
●非鉄●				
古河電気工業㈱	523	1	0	0
三井金属	526	0	4	1
田中貴金属グループ	527	0	1	0
日鉄鉱業㈱	527	4	2	3
日本軽金属㈱	529	1	0	1
●その他メーカー●				
ヨネックス㈱	531	1	4	0
㈱河合楽器製作所	534	14	13	1
フランスベッド㈱	535	0	1	0
㈱ウッドワン	536	1	1	1
㈱ノーリツ	538	0	1	0
タカラスタンダード㈱	538	1	0	0
クリナップ㈱	539	4	4	3
㈱パイロットコーポレーション	540	0	1	0
㈱オカムラ	541	6	6	5
●建設●				
鹿島	544	5	44	61
清水建設㈱	545	4	4	—
大成建設㈱	545	1	2	2
前田建設工業㈱	547	1	3	2
㈱フジタ	547	4	2	2
三井住友建設㈱	548	0	0	1
㈱熊谷組	549	5	3	1
西松建設㈱	549	1	0	5
安藤ハザマ	550	7	6	3
東急建設㈱	551	0	3	16
㈱鴻池組	551	0	1	0
鉄建建設㈱	552	7	4	3
㈱福田組	552	3	4	4
佐藤工業㈱	553	0	1	0
矢作建設工業㈱	554	0	0	4
松井建設㈱	555	3	0	2
五洋建設㈱	555	2	4	4
東亜建設工業㈱	556	8	7	3
東洋建設㈱	556	1	0	0
飛島建設㈱	557	2	1	4
ライト工業㈱	558	0	0	1
㈱ＮＩＰＰＯ	558	0	1	0
前田道路㈱	559	2	0	1
日本道路㈱	559	4	2	0
東亜道路工業㈱	560	1	0	0
大成ロテック㈱	560	1	1	0

業種別・専門学校生を採用する会社 422 社

会社名 （掲載ページ）		23年	24年	25年
大林道路㈱	561	5	5	4
世紀東急工業㈱	561	1	4	0
日揮ホールディングス㈱	562	0	1	0
東洋エンジニアリング㈱	564	3	2	0
レイズネクスト㈱	564	1	0	0
太平電業㈱	565	1	4	2
㈱ＮＴＴファシリティーズ	565	4	0	—
新菱冷熱工業㈱	566	0	0	1
三機工業㈱	566	1	2	6
三建設備工業㈱	567	1	2	4
㈱朝日工業社	568	6	4	5
高砂熱学工業㈱	568	0	4	6
㈱大気社	569	0	1	3
ダイダン㈱	569	0	1	1
新日本空調㈱	570	1	0	0
エクシオグループ㈱	571	2	3	0
㈱ミライト・ワン	571	8	6	7
日本コムシス㈱	572	0	2	2
日本電設工業㈱	572	14	15	0
住友電設㈱	573	0	0	1
東光電気工事㈱	573	2	6	6
㈱ＨＥＸＥＬ Ｗｏｒｋｓ	574	2	1	2
㈱きんでん	574	0	2	—
㈱関電工	575	13	6	5
㈱九電工	575	4	5	3
㈱トーエネック	576	5	5	—
㈱ユアテック	576	13	10	10
㈱中電工	577	4	8	—
大和リース㈱	577	0	0	1
●住宅・マンション●				
大和ハウス工業㈱	578	17	24	—
大東建託㈱	579	9	22	20
㈱一条工務店	580	5	5	3
ミサワホーム㈱	581	0	0	1
一建設㈱	583	23	30	34
日本総合住生活㈱	585	1	1	0
日本ハウズイング㈱	586	3	1	2
スターツグループ	587	6	4	6

会社名 （掲載ページ）		23年	24年	25年
●不動産●				
東京都住宅供給公社	595	0	1	0
●電力・ガス●				
東北電力㈱	598	0	0	9
東京電力ホールディングス㈱	599	10	12	15
西部ガス㈱	607	1	0	0
●石油●				
出光興産㈱	608	0	1	3
●デパート●				
㈱高島屋	612	0	1	0
㈱三越伊勢丹	613	0	2	1
㈱丸井グループ	613	4	2	0
㈱松屋	616	0	1	1
●コンビニ●				
㈱ローソン	617	3	4	2
㈱セブン-イレブン・ジャパン	617	1	0	0
㈱ファミリーマート	618	1	1	1
ミニストップ㈱	618	2	0	0
●スーパー●				
ユニー㈱	619	4	0	1
㈱イトーヨーカ堂	619	0	2	0
㈱フジ	620	1	6	1
㈱イズミ	620	1	1	0
㈱平和堂	621	1	2	—
㈱Ｏｌｙｍｐｉｃグループ	621	5	2	—
㈱ユニバース	622	1	2	1
㈱ヨークベニマル	622	7	13	7
㈱カスミ	623	0	5	—
㈱ベイシア	623	6	6	—
㈱ヤオコー	624	5	2	3
㈱ベルク	624	11	6	5
㈱マミーマート	625	5	2	0
サミット㈱	625	3	1	5
㈱いなげや	626	1	0	0
㈱東急ストア	626	2	0	0

業種別・専門学校生を採用する会社 422 社

会社名 （掲載ページ）		23年	24年	25年
㈱スーパーアルプス	627	1	0	—
アクシアル リテイリンググループ	627	4	2	2
マックスバリュ東海㈱	628	0	2	4
㈱ライフコーポレーション	629	10	6	5
㈱神戸物産	629	8	4	—
㈱関西スーパーマーケット	630	1	0	0
㈱ハローズ	630	5	4	5

●外食・中食●

会社名 （掲載ページ）		23年	24年	25年
日本マクドナルド㈱	631	6	5	6
㈱松屋フーズ	632	12	16	—
㈱ドトールコーヒー	632	2	1	1
テンアライド㈱	633	5	6	8
㈱Genki Global Dining Concepts	633	1	6	4
㈱プレナス	634	1	0	0
㈱ロック・フィールド	634	0	0	2

●家電量販・薬局・HC●

会社名 （掲載ページ）		23年	24年	25年
㈱ノジマ	635	9	19	15
㈱エディオン	635	10	12	15
㈱マツキヨココカラ＆カンパニー	636	29	33	38
㈱スギ薬局	636	14	22	50
㈱ツルハ	637	29	NA	—
㈱クリエイトエス・ディー	637	4	2	0
㈱カワチ薬品	638	12	17	9
総合メディカル㈱	638	3	11	—
㈱キリン堂	639	7	6	2
㈱サッポロドラッグストアー	639	7	9	5
㈱カインズ	640	0	2	2
ＤＣＭ㈱	640	2	6	0
コーナン商事㈱	641	4	3	3
アークランズ㈱	641	11	20	15

●その他小売業●

会社名 （掲載ページ）		23年	24年	25年
㈱ドン・キホーテ	642	38	20	6
㈱ミスターマックス・ホールディングス	643	1	0	1
㈱ファーストリテイリング	643	4	5	—
㈱しまむら	644	6	3	—
㈱ハニーズ	644	2	1	1
㈱エービーシー・マート	645	21	34	—
㈱レリアン	645	1	0	1
青山商事㈱	646	2	11	8
㈱ＡＯＫＩホールディングス	647	2	2	3
㈱コナカ	647	1	1	0
はるやま商事㈱	648	0	5	—
㈱ヤナセ	648	39	72	—
㈱ＡＴグループ	649	82	76	74
㈱ヴァンドームヤマダ	650	6	15	9
つるや㈱	651	4	3	3
ブックオフコーポレーション㈱	652	0	0	3
㈱良品計画	653	2	0	1
アスクル㈱	654	0	2	1
㈱ベルーナ	654	8	7	4
㈱あさひ	655	6	4	—

●ゲーム●

会社名 （掲載ページ）		23年	24年	25年
任天堂㈱	658	5	1	4
コナミグループ	658	16	32	21
㈱バンダイナムコエンターテインメント	659	2	0	0

●人材・教育●

会社名 （掲載ページ）		23年	24年	25年
㈱アルプス技研	660	53	53	—
（学校法人）北里研究所	661	4	5	2
（学校法人）昭和大学	666	16	22	7

●ホテル●

会社名 （掲載ページ）		23年	24年	25年
㈱ミリアルリゾートホテルズ	670	150	158	NA
藤田観光㈱	671	27	56	48

●レジャー●

会社名 （掲載ページ）		23年	24年	25年
㈱エイチ・アイ・エス	673	2	8	7
㈱阪急交通社	673	0	0	1
名鉄観光サービス㈱	674	11	1	—
㈱オリエンタルランド	676	4	5	3
㈱ラウンドワンジャパン	676	3	0	0
セントラルスポーツ㈱	679	8	4	10

業種別・専門学校生を採用する会社 422 社

会社名 （掲載ページ）		23年	24年	25年
㈱ルネサンス	680	15	16	12
●海運・空運●				
全日本空輸㈱	683	0	0	6
朝日航洋㈱	684	11	8	6
●運輸・倉庫●				
日本通運㈱	684	30	16	—
福山通運㈱	685	8	2	0
トナミ運輸㈱	686	8	2	—
センコー㈱	687	0	2	—
日本梱包運輸倉庫㈱	689	10	5	2
㈱日新	690	2	1	0
㈱近鉄エクスプレス	691	1	0	0
㈱阪急阪神エクスプレス	692	3	1	0
㈱上組	693	1	0	5
澁澤倉庫㈱	696	1	2	1
両備ホールディングス㈱	697	5	2	3
●鉄道●				
北海道旅客鉄道㈱	698	36	23	—
西武鉄道㈱	698	9	8	5
東日本旅客鉄道㈱	699	6	4	—
小田急電鉄㈱	702	0	9	13
京王電鉄㈱	702	2	18	27
南海電気鉄道㈱	707	1	0	0
大阪市高速電気軌道㈱	708	16	16	22
四国旅客鉄道㈱	709	11	2	—
九州旅客鉄道㈱	709	5	31	—
西日本鉄道㈱	710	1	0	0
●その他サービス●				
東日本高速道路㈱	710	9	11	9
(一社)日本自動車連盟	714	24	17	18
(一財)関東電気保安協会	715	19	18	20
セコム㈱	722	39	9	—
ＡＬＳＯＫ	722	56	43	—
㈱アクティオ	723	12	8	10
㈱カナモト	723	16	2	5
西尾レントオール㈱	724	23	15	10
サコス㈱	725	4	0	5
日本空調サービス㈱	726	2	1	1
㈱マイスターエンジニアリング	726	23	16	11
㈱白洋舎	727	0	1	1
シミックグループ	728	0	4	2
コンパスグループ・ジャパン㈱	729	12	35	35
㈱テイクアンドギヴ・ニーズ	730	26	46	37
ワタベウェディング㈱	730	3	7	7
㈱ノバレーゼ	731	12	24	6
㈱共立メンテナンス	731	37	30	30
㈱ベネフィット・ワン	732	1	0	0
ＪＰホールディングスグループ	732	61	71	80
ぴあ㈱	733	0	1	0
㈱乃村工藝社	734	0	0	2
㈱日本創発グループ	734	2	3	3
㈱パスコ	735	2	6	3

一覧から探せる
一般職の採用情報

会社名 （掲載ページ）	一般職採用データ
●商社・卸売業●	
伊藤忠商事㈱ 72	【採用実績校】(大)慶大 早大 上智大 ICU 明大 青学大 立教大 中大 法政大 同大 立命館大 神戸市外大 日女大【受付期間】3月～3月＜夏期＞5月～6月【採用プロセス】ES提出(4月)→筆記(4月)→面接(複数回、6月)→内々定(6月)【筆記試験】WebGAB【重視する科目】筆記 面接【ES通過率】NA【倍率】NA【大卒初任給】225,000円
双日㈱ 75	【採用実績校】(大)早大 慶大 上智大 学習院大 明大 青学大 立教大 法政大 同大 関西学大【受付期間】3月～5月【採用プロセス】ES提出(3月)→筆記(Webテスト、5月)→面接(複数回、6月)→内々定(6月～)【筆記試験】あり(内容NA)【重視する科目】筆記 面接【ES通過率】NA【倍率】NA【大卒初任給】230,900円
伊藤忠丸紅鉄鋼㈱ 76	【採用実績校】(大)青学大6 慶大5 早大 上智大 学習院大各3 明大 法政大 南山大 関西学大各2 神戸大 千葉大 中大 立教大 成城大 成蹊大 福岡大各1【受付期間】2月～4月【採用プロセス】筆記・ES提出・履修履歴の登録(2～4月)→面接(2～3回、～6月)→内々定(～6月)【筆記試験】C-GAB【重視する科目】面接 筆記【ES通過率】NA【倍率】NA【大卒初任給】225,000円
阪和興業㈱ 76	【採用実績校】関西学大 南山大各3 上智大 青学大 立教大各2 早大 愛知大 同大 愛知県大 成城大 同女大 武庫川女大各1【受付期間】4月～7月【採用プロセス】ES提出(4～7月)→Webテスト(4～7月)→面接(3回、5～8月)・作文→内々定(6月～)【筆記試験】玉手箱 事務適性検査【重視する科目】面接 事務適性検査【ES通過率】49%(受付：762→通過：371)【倍率】19倍【大卒初任給】220,000円
日鉄物産㈱ 77	【採用実績校】東理大 関西学大 法政大 神戸市外大 関西外大 神奈川大各1【受付期間】5月～6月【採用プロセス】ES提出・PR動画・適性検査(5月～)→面接(複数回、6月～)→内々定(6月～)【筆記試験】あり(内容NA)【重視する科目】面接 適性検査 PR動画 ES【ES通過率】NA【倍率】NA【大卒初任給】240,000円
伊藤忠丸紅住商テクノスチール㈱ 80	【採用実績校】(大)青学大 成城大 東洋大 日女大 共立女大 北海道教育大 広島女学大 福岡大各1【受付期間】3月～7月【採用プロセス】ES提出・適性検査→面接(2回)→内々定【筆記試験】あり(内容NA)【重視する科目】面接【ES通過率】NA(受付：234→通過：NA)【倍率】26倍【大卒初任給】205,000円
小野建㈱ 80	【採用実績校】(大)九州国際大1(専)神戸電子3【受付期間】3月～5月【採用プロセス】説明会(任意、3月)→ES提出(3月)→面接(4月中旬)→内々定(4月下旬)【筆記試験】なし【重視する科目】面接【ES通過率】67%(受付：6→通過：4)【倍率】2倍【大卒初任給】175,500円
ユアサ商事㈱ 82	【採用実績校】(大)立教大2 宮城学院女大 愛知大 愛知淑徳大 跡見学園女大 大妻女大 関大 関西学大 神戸学大 昭和女大 中大 東京都市大 東洋大 南山大 日女大 福島大 法政大 武庫川女大 立命館大各1 他【受付期間】4月～継続中【採用プロセス】Web説明会(必須、4～8月)→Webテスト・ES提出(5～8月)→GD(5月、一部拠点)→1次面接(5～8月)→2次面接(6～9月)→内々定(6～9月)【筆記試験】SPI3(会場) SPI3(自宅)【重視する科目】面接【ES通過率】83%(受付：230→通過：192)【倍率】9倍【大卒初任給】228,000円
トラスコ中山㈱ 83	【採用実績校】(大)神戸女学大 県立広島大各1【受付期間】3月～5月【採用プロセス】説明会(必須、1月～)→ES(2月～)→GD(3月～)→性格適性検査・1次面接(4月～)→最終面接(4月)→内々定(5月)【筆記試験】OPQ【重視する科目】面接【ES通過率】66%(受付：29→通過：19)【倍率】(早期選考含む)15倍【大卒初任給】205,000円
㈱豊通マシナリー 84	【採用実績校】(大)愛知大2 愛知県大 青学大 関西学大 名古屋外大 南山大各1【受付期間】3月～7月【採用プロセス】説明会(必須、3～7月)→書類選考(ES提出・Webテスト、3～7月)→面接(3～4回)→内々定【筆記試験】SPI3(会場) C-GAB SPI3(自宅) WebGAB SPI性格 OPQ【重視する科目】ES Webテスト 面接【ES通過率】NA(受付：223→通過：NA)【倍率】32倍【大卒初任給】200,000円

会社名 （掲載ページ）		一般職採用データ
㈱守谷商会	85	【採用実績校】(24年)(大)日大 東洋大 駒澤大 北海学園大各1【受付期間】2月～2月【採用プロセス】ES提出・説明会(2月)→筆記(3月～)→面接(2回、3月～)→内々定(4月～)【筆記試験】SPI3(会場) SPI性格【重視する科目】面接【ES通過率】選考なし(受付：208)【倍率】52倍【大卒初任給】226,800円
ダイワボウ情報システム㈱	86	【採用実績校】(24年)(大)東洋英和女学大4 大妻女大 神奈川大 成城大 東洋大各2 高千穂大 実践女大 昭和女大 青学大 千葉商大 甲南女大 帝京平成大 明学大 日体大 日大 武庫川女大 武蔵大 文教大 法政大 専大各1【受付期間】2月～継続中【採用プロセス】説明会(必須、2月)→ES提出・Webテスト(随時)→面接(2～3回)→内々定【筆記試験】Compass【重視する科目】面接【ES通過率】NA【倍率】NA【大卒初任給】217,100円
因幡電機産業㈱	87	【採用実績校】(大)関西学大 関大各3 同大 立命館大 近大 甲南大 実践女大 愛知大 同女大 京都ノートルダム女大 武庫川女大 福岡女大各1【受付期間】3月～8月【採用プロセス】説明会(必須)→動画選考→集団面接→個人面接・適性検査→役員面接→内々定【筆記試験】SPI3(会場)【重視する科目】面接【ES通過率】-(応募：NA)【倍率】NA【大卒初任給】211,800円
㈱RYODEN	88	【採用実績校】未定【受付期間】9月～未定【採用プロセス】説明会(必須、9月)→ES提出・GW(9月)→適性検査(9月)→面接(2回、9月)→内々定(9～10月)【筆記試験】INSIGHT【重視する科目】面接【ES通過率】NA【倍率】NA【大卒初任給】207,100円
サンワテクノス㈱	89	【採用実績校】(大)神戸学大 北九州市大各1【受付期間】4月～継続中【採用プロセス】説明会(必須、4月～)→ES・書類提出・Web適性テスト→面接(1～2回)→内々定【筆記試験】WebGAB【重視する科目】＜エリアコース＞面接【ES通過率】32%(受付：41→通過：13)【倍率】14倍【大卒初任給】214,000円
加賀電子㈱	91	【採用実績校】(大)愛知学大 椙山女学大 専大 玉川大 獨協大各1【受付期間】5月～7月【採用プロセス】説明会(必須、5月)→適性診断(5月)→面接(2回、5～7月)→内々定(6～7月)【筆記試験】一般常識 SPI性格【重視する科目】面接【ES通過率】選考なし(受付：280)【倍率】56倍【大卒初任給】215,000円
リョーサン菱洋ホールディングス㈱	92	【採用実績校】(大)法政大 明学大 大妻女大 専大各1(専)大原簿記情報ビジネス1【受付期間】5月～充足次第【採用プロセス】説明会(必須)→ES提出→適性検査→Web筆記→個人面接(2回)→内々定【筆記試験】一般常識 SCOA【重視する科目】全て【ES通過率】NA【倍率】NA【大卒初任給】190,000円
東京エレクトロン デバイス㈱	92	【採用実績校】(大)成城大2 甲南大 日大 立命館大各1【受付期間】5月～7月【採用プロセス】説明会(必須、5月～)→ES・Web事務能力検査(5月～)→1次面接→Web総合適性検査→2次面接(6月～)→最終面接→内々定(6月～)【筆記試験】SPI3(自宅) TAPOC【重視する科目】面接【ES通過率】選考なし(受付：NA)【倍率】NA【大卒初任給】218,000～235,000円
丸文㈱	93	【採用実績校】(24年)(大)亜大 国士舘大 実践女大 聖心女大 東洋大 立教大 龍谷大各1【受付期間】6月～7月【採用プロセス】説明会(必須)→ES提出(6月)→面接(6月)→適性試験(6月)→面接(6月下旬～7月上旬)→内々定(7月上旬)【筆記試験】C-GAB オンライン監視下での自宅受験可(C-GAB Plus)【重視する科目】面接【ES通過率】NA【倍率】NA【大卒初任給】239,000円
新光商事㈱	94	【採用実績校】なし【受付期間】4月～8月【採用プロセス】説明会(必須、5月～)→ES提出・適性検査→面接(2回)→内々定【筆記試験】C-GAB WebGAB【重視する科目】面接【ES通過率】NA【倍率】-【大卒初任給】210,000円
長瀬産業㈱	95	【採用実績校】(大)青学大3 立教大 中大各2 同大 関西学大各1【受付期間】3月～7月【採用プロセス】ES提出(4月)→動画選考(5月上旬)→面接(2回、5月下旬～)→内々定(6月中旬)【筆記試験】C-GAB WebGAB【重視する科目】面接【ES通過率】NA【倍率】NA【大卒初任給】223,000円
稲畑産業㈱	95	【採用実績校】(大)立命館大 関西学大 立教大 日女大 専大 同大 大妻女大 同女大 成城大各1【受付期間】4月～4月【採用プロセス】ES提出(4月)→1次面接(5月)→筆記・適性(6月)→最終面接(6月)→内々定【筆記試験】あり(内容NA)【重視する科目】面接【ES通過率】NA【倍率】NA【大卒初任給】225,400円

会社名	*（掲載ページ）*	一般職採用データ
ＣＢＣ㈱	*96*	**【採用実績校】**（大）関大2 阪大 関西学大 学習院大各1 **【受付期間】**2月～7月 **【採用プロセス】**ES提出（2月～）・Webテスト→面接（4回）→内々定 **【筆記試験】**C-GAB 性格検査 英語のスピーキングテスト **【重視する科目】**面接 **【ES通過率】**NA **【倍率】**NA
明和産業㈱	*97*	**【採用実績校】**（大）國學院大1 **【受付期間】**3月～4月 **【採用プロセス】**説明会（必須）・座談会（4月下旬）→筆記・ES提出（5月上旬）→面接（2回、5月中～5月下旬）→内々定（5月下旬） **【筆記試験】**SCOA **【重視する科目】**面接 **【ES通過率】**39%（受付：36→通過：14） **【倍率】**18倍 **【大卒初任給】**220,000円
ＪＫホールディングス㈱	*97*	**【採用実績校】**（大）追手門学大1 **【受付期間】**3月～7月 **【採用プロセス】**説明会（必須、3～5月）→ES提出→個人面接（2～3回、4～7月）→内々定（4月～）※途中に社員との面談が複数回 **【筆記試験】**eF-1G **【重視する科目】**面接 **【ES通過率】**NA **【倍率】**NA **【大卒初任給】**242,000円
渡辺パイプ㈱	*98*	**【採用実績校】**未定 **【受付期間】**7月～10月 **【採用プロセス】**説明会（必須、7月～）→ES・SPI→1次面接→2次面接→内々定 **【筆記試験】**SPI3（自宅） SPI性格 **【重視する科目】**面接 **【ES通過率】**10%（受付：10→通過：1） **【倍率】**5倍 **【大卒初任給】**197,000円
伊藤忠建材㈱	*98*	**【採用実績校】**（大）日女大2 法政大 昭和女大各1 **【受付期間】**4月～5月 **【採用プロセス】**Web説明会（任意、4～5月）→ES提出・SPI（4～5月）→1次面接（5月）→最終面接（6月）→内々定（6月） **【筆記試験】**SPI3（会場） SPI3（自宅） **【重視する科目】**NA **【ES通過率】**28%（受付：72→通過：20） **【倍率】**18倍 **【大卒初任給】**219,000円
ナイス㈱	*99*	**【採用実績校】**（大）神奈川大3 千葉商大2 法政大 東京経大 横浜市大 横浜商大 成城大 玉川大 東京未来大 ヤマザキ動物看護大各1 **【受付期間】**3月～継続中 **【採用プロセス】**説明会（必須）・ES・Webテスト→面接（2回・うち1回目Web）→内々定 **【筆記試験】**玉手箱 OPQ **【重視する科目】**面接 **【ES通過率】**NA **【倍率】**NA **【大卒初任給】**202,000円
㈱シジシージャパン	*102*	**【採用実績校】**（短）埼玉女1 **【受付期間】**2月～3月 **【採用プロセス】**説明会（必須）→ES提出→Webテスト→面接（3回）→内々定 **【筆記試験】**WebGAB **【重視する科目】**面接 **【ES通過率】**選考なし（受付：6） **【倍率】**6倍 **【大卒初任給】**NA
㈱マルイチ産商	*105*	**【採用実績校】**（大）十文字学女大 山梨英和大 聖心女大各1（短）清泉女学院1（専）東京IT会計公務員大宮校1 **【受付期間】**5月～9月 **【採用プロセス】**Web説明会（必須、4月～）→ES提出（5月～）→適性検査（5月～）→面接（2回、6月～）→内々定（6月～） **【筆記試験】**C-GAB WebGAB TAPOC（事務職適性検査） **【重視する科目】**面接 **【ES通過率】**80%（受付：50→通過：40） **【倍率】**10倍 **【大卒初任給】**＜アシスタント職＞184,000円
カナカン㈱	*107*	**【採用実績校】**（短）金沢星稜女1 **【受付期間】**3月～継続中 **【採用プロセス】**＜1次＞説明会・ES提出（3月）→筆記（4月上旬）→面接（2回、4月中旬～下旬）→内々定（4月下旬）＜2次＞説明会・ES提出（5月）→筆記（6月上旬）→面接（2回、6月中旬～7月上旬）→内々定（7月上旬） **【筆記試験】**一般常識 **【重視する科目】**面接 **【ES通過率】**選考なし（受付：20） **【倍率】**7倍 **【大卒初任給】**182,000円
横浜冷凍㈱	*107*	**【採用実績校】**未定 **【受付期間】**8月～継続中 **【採用プロセス】**説明会（必須、8月～）→適性→面接（1～2回、8～9月）→内々定（8月～） **【筆記試験】**TAP **【重視する科目】**面接 適性検査 **【ES通過率】**-（応募：NA） **【倍率】**NA **【大卒初任給】**（京浜地区）205,000円
興和㈱	*113*	**【採用実績校】**（院）阪大1（大）愛知淑徳大 椙山女学大各2 奈良女大 金城学大 南山大 明学大 フェリス女学大 関西学大各1（短）静岡工科2（高専）沼津2 **【受付期間】**5月～6月 **【採用プロセス】**Webテスト→WebES提出→Web面接（複数回）→役員面接→内々定 **【筆記試験】**WebGAB **【重視する科目】**面接 **【ES通過率】**選考なし（受付：NA） **【倍率】**NA **【大卒初任給】**223,000円
蝶理㈱	*114*	**【採用実績校】**（大）大阪府大 明大各1 **【受付期間】**4月～6月 **【採用プロセス】**ES提出・Webテスト（4月）→面接（3回、5月上旬）→内々定（5月下旬～6月上旬） **【筆記試験】**TG-WEB **【重視する科目】**全て **【ES通過率】**20%（受付：425→通過：84） **【倍率】**213倍 **【大卒初任給】**210,000円

会社名　（掲載ページ）	一般職採用データ
豊島㈱　114	【採用実績校】(大)南山大3 青学大 愛知大 愛知淑徳大 大妻女大各2 上智大 法政大 実践女大 日女大 東洋大 日大 同大 立命館大 京産大 名古屋学芸大 名古屋外大 椙山女学大各1【受付期間】3月～6月【採用プロセス】＜名古屋・東京採用＞Web適性検査(3月～)→事務処理テスト・WebES提出(4月)→1次GD面接(5月～)→面接(2回、5月～)→内々定(6月)【筆記試験】OPQ 筆記(自社オリジナル性格・事務処理能力)【重視する科目】面接【ES通過率】NA【倍率】NA【大卒初任給】200,000円～(東京)211,000円
帝人フロンティア㈱　115	【採用実績校】未定【受付期間】4月～継続中【採用プロセス】Web説明会(必須、4月～)→ES提出・Webテスト(4月～)→面接(3回、5月～)→内々定(6月～)【筆記試験】玉手箱 適性検査 他【重視する科目】NA【ES通過率】53%(受付：98→通過：52)【倍率】NA【大卒初任給】213,000円
岩谷産業㈱　117	【採用実績校】(24年)(大)関大6 立命館大 龍谷大各2 青学大 茨城キリスト大 愛媛大 大阪学大 学習院大 関西外大 関西学大 近大 熊本学大 札幌学大 滋賀県大 尚美学大 西南学大 中大 東洋大 同大 同女大 中村学大 日大 日体大 北星学大各1【受付期間】5月～8月※事業所により異なる【採用プロセス】事業所により異なる【筆記試験】YG検査 他【重視する科目】全て【ES通過率】NA【倍率】NA【大卒初任給】225,000円
ＮＸ商事㈱　118	【採用実績校】(24年)(専)麻生情報ビジネス1【受付期間】4月～7月【採用プロセス】筆記・面接(2回、4月中旬～)→内々定(5月～)【筆記試験】OPQ IMAGES【重視する科目】面接【ES通過率】-(応募：NA)【倍率】NA
㈱ＥＮＥＯＳフロンティア　119	【採用実績校】(24年)(大)愛知大 法政大 都留文科大 中央学大 中京大 千葉経大 桃山学大 神戸松蔭女学大 青森公大各1(短)共立女1【受付期間】3月～未定【採用プロセス】履歴書提出→面接(3回、途中Web適性検査1回)→内々定【筆記試験】あり(内容NA)【重視する科目】面接【ES通過率】選考なし(受付：NA)【倍率】NA【大卒初任給】236,000円
鈴与商事㈱　121	【採用実績校】(大)日女大1【受付期間】4月～5月【採用プロセス】ES提出(4～5月)→適性検査(5月)→面接(2回、5月)→内々定(6月)【筆記試験】SPI3(会場)【重視する科目】面接【ES通過率】67%(受付：12→通過：8)【倍率】12倍【大卒初任給】205,000円
㈱巴商会　121	【採用実績校】(24年)(大)大阪商大 鎌倉女大 京産大 高千穂大 獨協大各1【受付期間】5～7月 8月～継続中【採用プロセス】説明動画視聴またはLIVE説明会(任意、5月下旬)→ES・グループ面接(6月上旬)→Web適性・GD(6月下旬)→個人面接(7月上旬)→内々定(7月中旬)【筆記試験】適性検査eF-1G【重視する科目】面接【ES通過率】選考なし(受付：11)【倍率】3倍【大卒初任給】208,500円
㈱ＪＡＬＵＸ　126	【採用実績校】(大)神田外語大2 ICU 同女大各1【受付期間】3月～4月【採用プロセス】ES提出・Web適性検査(3月中旬～4月上旬)→選考(4月中旬～6月中旬)→内々定(6月中旬～)【筆記試験】あり(内容NA)【重視する科目】面接【ES通過率】NA【倍率】NA【大卒初任給】220,000円
㈱ドウシシャ　126	【採用実績校】(大)日大 東京未来大 フェリス女学大 東京女大 同女大各1【受付期間】5月～継続中【採用プロセス】Web説明会・ES提出(5月～)→GD→適性検査・面接→面接→内々定(7月～)【筆記試験】SPI3(会場) SPI3 ミツカリ／TA-POC【重視する科目】ES 面接【ES通過率】76%(受付：100→通過：76)【倍率】7倍【大卒初任給】238,940円
●通信サービス●	
ソフトバンク㈱　141	【採用実績校】未定【受付期間】ユニバーサル採用のため通年採用【採用プロセス】ES提出→動画面接→適性検査→面接(複数回)→内々定【筆記試験】あり(内容NA)【重視する科目】NA【ES通過率】NA【倍率】NA【大卒初任給】225,000円

会社名 (掲載ページ)	一般職採用データ
㈱インターネットイニシアティブ 144	【採用実績校】(大)フェリス女学大 青学大 大妻女大各2 学習院女大 関大 京都女大 共立女大 実践女大 神奈川大 日大 武蔵野大 文教大 法政大 國學院大 獨協大各1【受付期間】3月～7月【採用プロセス】説明会視聴(必須、3月)→ES・Webテスト提出(3月)→1次面接(4月)→最終面接(5月)→内々定(5月)【筆記試験】ミキワメ【重視する科目】NA【ES通過率】90%(受付：167→通過：150)【倍率】7倍【大卒初任給】195,000円

●システム・ソフト●

会社名 (掲載ページ)	一般職採用データ
㈱トヨタシステムズ 156	【採用実績校】(大)静岡文芸大 東海学園大各1【受付期間】NA【採用プロセス】NA【筆記試験】NA【重視する科目】NA【ES通過率】NA【倍率】NA【大卒初任給】204,400円
兼松エレクトロニクス㈱ 162	【採用実績校】なし【受付期間】3月～継続中【採用プロセス】説明会(必須)→ES提出・筆記→面接(2～3回)→内々定【筆記試験】WebCAB【重視する科目】面接 筆記 ES【ES通過率】NA【倍率】NA【大卒初任給】215,000円
㈱ソフトウェア・サービス 174	【採用実績校】(大)関大 関西学大 立命館大 近大 甲南女大 摂南大 武庫川女大 追手門学大 大阪大谷大【受付期間】3月～継続中【採用プロセス】説明会・ES・適性検査(3月～)→1次面接→2次面接→最終面接→内々定※説明会・面接はWebでも実施【筆記試験】一般常識【重視する科目】全て【ES通過率】選考なし(受付：42)【倍率】5倍【大卒初任給】270,000円
㈱さくらケーシーエス 177	【採用実績校】(大)甲南大 武庫川女大各1【受付期間】5月～8月【採用プロセス】説明会・履歴書・筆記→面接(2回)→内々定【筆記試験】SCOA Web(自宅受検) TAL【重視する科目】面接【ES通過率】-(応募：23)【倍率】12倍【大卒初任給】192,500円
㈱SCC 185	【採用実績校】(専)大原簿記公務員1【受付期間】11月～5月【採用プロセス】説明会(必須、11月～)→面接(12月～)→筆記(1月～)→面接(2月～)→内々定(3月～)【筆記試験】一般常識 自社オリジナル【重視する科目】面接【ES通過率】-(応募：18)【倍率】18倍

●銀行●

会社名 (掲載ページ)	一般職採用データ
㈱ゆうちょ銀行 191	【採用実績校】未定【受付期間】3月～6月【採用プロセス】ES提出(3月上旬～6月上旬)→適性検査(3月上旬～6月上旬)→面接(6月～)→内々定(6月～)【筆記試験】あり(内容NA)【重視する科目】面接【ES通過率】NA【倍率】NA【大卒初任給】195,300～230,450円
㈱北海道銀行 195	【採用実績校】総合職に含む【受付期間】3月～未定【採用プロセス】ES提出(3月)→Webテスト(3月～)→面接(3～4回、6月～)→内々定(6月～)【筆記試験】あり(内容NA)【重視する科目】面接【ES通過率】NA【倍率】NA【大卒初任給】186,500円
㈱山形銀行 198	【採用実績校】(短)米沢女2(専)大原簿記1【受付期間】4月～継続中【採用プロセス】説明会(3月)→ES提出(4月)→面接・筆記(6月～)→面接(1回、6月～)→内々定(6月～)【筆記試験】SPI3(会場) 性格適性検査【重視する科目】面接【ES通過率】NA【倍率】NA
㈱横浜銀行 204	【採用実績校】(24年)青学大 中大 立教大 法政大 明学大 日女大 神奈川大 関東学院大(短)湘北 他【受付期間】3月～8月【採用プロセス】ES提出・Webテスト(3月～)→面接(複数回)→内々定【筆記試験】Webテスト【重視する科目】面接【ES通過率】NA【倍率】NA【大卒初任給】195,000円
㈱神奈川銀行 204	【採用実績校】(院)関東学院大1(大)関東学院大2 フェリス女学大 昭和音大 上智大 神奈川大 東海大 東京経大 東洋英和女学大 明大各1【受付期間】3月～7月【採用プロセス】説明会・ES提出→GD→面接→Webテスト→役員面接→内々定(6月上～下旬)【筆記試験】WebGAB【重視する科目】面接【ES通過率】NA【倍率】NA【大卒初任給】195,000円

会社名 （掲載ページ）		一般職採用データ
㈱北陸銀行	206	【採用実績校】(大)法政大 名城大 藤女大 金沢星稜大 東京経大(短)金沢星稜女 仁愛女 大月【受付期間】3月～継続中【採用プロセス】ES提出・Webテスト(3～6月)→面接(3～4回、4月～)→内々定(6月～)【筆記試験】WebGAB【重視する科目】面接【ES通過率】NA【倍率】NA【大卒初任給】178,500円
スルガ銀行㈱	210	【採用実績校】(24年)なし【受付期間】6月～未定【採用プロセス】ES提出・適性検査・面接(6月)→面接(複数回)→内々定(6月～)【筆記試験】適性検査 言語・数理・考察力【重視する科目】面接【ES通過率】選考なし(受付：NA)【倍率】NA
㈱三十三銀行	212	【採用実績校】(大)愛知大 静岡県大 中京大 東海学園大 愛知淑徳大 名古屋学院大 金城学大 愛知学大 皇學館大 龍谷大(短)三重【受付期間】3月～継続中【採用プロセス】WebES提出・Webテスト→面接(複数回)→内々定【筆記試験】総合適性検査【重視する科目】面接【ES通過率】NA【倍率】NA【大卒初任給】205,000円
㈱南都銀行	215	【採用実績校】総合職に含む【受付期間】3月～未定【採用プロセス】ES提出(3月～)→Webテスト(3月～)→面接(3回)→内々定【筆記試験】WebGAB【重視する科目】面接【ES通過率】選考なし(受付：NA)【倍率】NA【大卒初任給】＜OPコース＞200000円
㈱百十四銀行	217	【採用実績校】(大)関西外大 徳島文理大 高知県大 岡山商大 高松大 ノートルダム清心女大 武庫川女大 阪南大 関西学大 大阪産大 関大 鳥取大 岡山理大 松山東雲女大 愛知学大 他【受付期間】3月～4月【採用プロセス】説明会(必須)→ES提出・SPI→面接(複数回)→内々定【筆記試験】SPI3(会場) SPI3(自宅)【重視する科目】面接【ES通過率】選考なし(受付：NA)【倍率】NA【大卒初任給】215,000円
㈱伊予銀行	218	【採用実績校】(大)松山大22 愛媛大9 安田女大3 神戸学大2 東京女大 明大 昭和女大 専大 京産大 姫路獨協大 岡山理大 広島経大 広島修道大 高知大各1 (専)大原簿記公務員愛媛1【受付期間】3月～5月【採用プロセス】会社説明動画視聴(必須、3～4月)→ES提出・SPI3(3～4月)→面接(2回、4～6月)→内々定(6月)【筆記試験】SPI3(会場)【重視する科目】面接【ES通過率】97%(受付：86→通過：83)【倍率】2倍【大卒初任給】209,000円

●政策金融・金庫●

会社名 （掲載ページ）		一般職採用データ
㈱国際協力銀行	223	【採用実績校】(大)聖心女大4 日女大3 立教大2 上智大 東京女大 津田塾大 明大 中大 慶大 学習院大 立正大各1【受付期間】3月～4月【採用プロセス】ES提出(3月～)→適性検査(4月～)→面接(複数回、6月～)→内々定(6月)【筆記試験】あり(内容NA)【重視する科目】全て【ES通過率】NA【倍率】NA【大卒初任給】220,000円
信金中央金庫	224	【採用実績校】(大)成城大 早大 神戸大 明学大 実践女大 東京家政大 阪南大 甲南大 金沢星稜大【受付期間】4月～4月【採用プロセス】ES提出(4月)→Webテスト→面接(複数回)→内々定【筆記試験】SPI3(会場) SPI3(自宅)【重視する科目】面接【ES通過率】NA【倍率】NA【大卒初任給】NA

●証券●

会社名 （掲載ページ）		一般職採用データ
大和証券グループ	227	【採用実績校】総合職に含む【受付期間】3月～11月【採用プロセス】ES提出・適性検査(3月～)→面接(複数回、6月～)→内々定(6月～)【筆記試験】WebGAB OPQ【重視する科目】面接【ES通過率】NA【倍率】NA【大卒初任給】＜カスタマーサービス職＞245,000円
ＳＭＢＣ日興証券㈱	229	【採用実績校】(大)日女大3 青学大 明学大各2 明大 共立女大 実践女大 成蹊大 早大 大妻女大 中大 津田塾大 法政大 立教大 立正大 國學院大各1【受付期間】3月～継続中【採用プロセス】ES提出(3月～)→面接(対面・オンライン、複数回、6月～)→内々定(6月～)【筆記試験】あり(内容NA)【重視する科目】面接【ES通過率】NA【倍率】NA【大卒初任給】＜事務コース＞233,000円

会社名 *（掲載ページ）*	一般職採用データ
三菱ＵＦＪモルガン・スタンレー証券㈱ *230*	**【採用実績校】**(24年)(院)聖心女大1(大)聖心女大 青学大 南山大各2 慶大 フェリス女学大 愛知大 学習院女大 京都女大 近大 金城大 甲南大 実践女大 神戸海星女学大 椙山女学大 相模女大 東京経大 武蔵野音大 立教大各1 **【受付期間】**3月～継続中 **【採用プロセス】**ES提出・Web適性検査(3月～)→面接(複数回、6月～)→内々定(6月～) **【筆記試験】**WebGAB 玉手箱 OPQ **【重視する科目】**NA **【ES通過率】**NA **【倍率】**NA **【大卒初任給】**204,000円
㈱日本取引所グループ *230*	**【採用実績校】**(大)立教大2 一橋大 早大 同女大 武庫川女大各1 **【受付期間】**NA **【採用プロセス】**ES提出→適性検査→面接→GD→面接(2回)→内々定 **【筆記試験】**あり(内容NA) **【重視する科目】**NA **【ES通過率】**NA **【倍率】**NA **【大卒初任給】**236,000円
●生保●	
住友生命保険(相) *236*	**【採用実績校】**(院)立命館大1(大)同大9 関大8 立命館大 関西学大各6 立教大 日女大各5 法政大 青学大 共立女大 近大各4 上智大 中大 昭和女大 関西外大 甲南大 武庫川女大 龍谷大各2 北海道教育大 藤女大 千葉大 津田塾大 明大 実践女大 文京学大 東洋英和女学大 跡見学園女大 白百合女大 学習院大 成城大 武蔵大 日大 東洋大 駒澤大 中京大 山梨県大 名古屋市大 南山大 滋賀大 滋賀県大 大阪市大 京都ノートルダム女大 神戸女学大 神戸女大 京都女大 甲南女大 同女大 追手門学大 北九州市大各1 **【受付期間】**3月～継続中 **【採用プロセス】**ES提出→WebSPI→面接→内々定 **【筆記試験】**SPI3(自宅) **【重視する科目】**面接 **【ES通過率】**NA **【倍率】**NA **【大卒初任給】**(東京・大阪地区)196,100円(その他地区)191,000～196,100円
太陽生命保険㈱ *240*	**【採用実績校】**(大)早大 明大 立教大 中大 法政大 学習院大 成城大 明学大 東洋大 専大 大妻女大 日女大 昭和女大 鎌倉女大 学習院女大 清泉女大 大東文化大 亜大 帝京大 獨協大 立命館大 近大 甲南大 同女大 京都光華女大 武庫川女大 京都外大 **【受付期間】**3月～継続中 **【採用プロセス】**説明会(必須、3月～)→面接(複数回、6月～)→内々定(6月～) **【筆記試験】**なし **【重視する科目】**面接 **【ES通過率】**-(応募：173) **【倍率】**4倍 **【大卒初任給】**(首都圏)212,300円
富国生命保険(相) *240*	**【採用実績校】**(大)甲南女大3 立教大 近大 江戸川大 大妻女大各2 中大 日大 甲南大 淑徳大 大和大 東京女大 日女大 共立女大 学習院女大 和洋女大各1(短)松本大松商1 **【受付期間】**3月～継続中 **【採用プロセス】**説明会(必須、3月～)→Web試験→面接(約2回、3月)→内々定(6月～) **【筆記試験】**SPI3(会場) SPI3(自宅) **【重視する科目】**面接 **【ES通過率】**-(応募：NA) **【倍率】**NA **【大卒初任給】**210,000円
●損保●	
トーア再保険㈱ *245*	**【採用実績校】**(大)埼玉大1 **【受付期間】**NA **【採用プロセス】**説明会・ES提出・筆記→面接(2回)→内々定 **【筆記試験】**Webテスト **【重視する科目】**面接 **【ES通過率】**選考なし(受付：NA) **【倍率】**NA **【大卒初任給】**221,650円
ソニー損害保険㈱ *246*	**【採用実績校】**東京農業大 中大 上智大 日大 成蹊大 青学大 フェリス女学大 立教大 成城大 関西学大 京都女大 追手門学大 関大 立命館大 中京大 甲南大 富山大 近大 愛知淑徳大 椙山女学大 南山大 東北学大 青森公大 神奈川大 広島女学大 西南学大 **【受付期間】**3月～未定 **【採用プロセス】**説明会(必須)→選考試験→ES提出・面接(複数回)→内々定 **【筆記試験】**Webテスト **【重視する科目】**全て **【ES通過率】**NA **【倍率】**NA **【大卒初任給】**<SC>(勤務地による)205,000～210,000円<CP>(勤務地による)205,000～213,000円
●代理店●	
共立㈱ *247*	**【採用実績校】**(大)日大2 成蹊大 共立女大 東京経大各1 **【受付期間】**3月～6月 **【採用プロセス】**説明会(必須、3月)→ES提出(3月中旬)→面接(3回、3月下旬～4月中旬)→適性検査(4月上旬)→内々定(4月下旬) **【筆記試験】**OAB **【重視する科目】**面接 **【ES通過率】**79%(受付：71→通過：56) **【倍率】**14倍 **【大卒初任給】**191,380円

業種別・一般職を採用する会社 214 社

会社名 *（掲載ページ）*	一般職採用データ
●信販・カード・リース他●	
オリックス(株) *248*	【採用実績校】(大)明大2 都立大 東京家政大 横国大 東洋大 成蹊大 青学大 立教大 学習院大 立命館大 関西学大 甲南女大 同大各1【受付期間】4月～5月【採用プロセス】ES提出・Web適性検査→筆記・面接(2～3回)→内々定【筆記試験】SCOA OPQ V-CAT WebRAB【重視する科目】面接【ES通過率】50%(受付：530→通過：263)【倍率】31倍【大卒初任給】225,000円
三井住友ファイナンス＆リース(株) *248*	【採用実績校】(大)日女大 成城大各2 関西学大 共立女大 昭和女大 成蹊大 専大 早大 大東文化大 東京女大 法政大 明学大 明大 立教大 拓大各1【受付期間】4月～6月【採用プロセス】説明会(任意、動画視聴)→Webテスト→面接(4回)→内々定(4月上旬～7月下旬)【筆記試験】あり(内容NA)【重視する科目】面接【ES通過率】-(応募：311)【倍率】21倍【大卒初任給】200,500円
三菱ＨＣキャピタル(株) *249*	【採用実績校】(大)立命館大2 早大 明大 立教大 中大 法政大 同大 関大 神奈川大 明学大各1 他【受付期間】3月～5月【採用プロセス】WebES・適性検査(3～5月)→面接(3回、4～7月)→内々定(4～7月)【筆記試験】WebGAB【重視する科目】面接【ES通過率】NA【倍率】NA【大卒初任給】236,000円
東京センチュリー(株) *249*	【採用実績校】(大)大妻女大3 共立女大 専大 立教大各1【受付期間】3月～7月【採用プロセス】ES提出・自己PR動画(3月～)→大学成績・Webテスティング→Web個人面接(3回)→内々定(6月～)【筆記試験】SPI3(自宅)【重視する科目】面接【ES通過率】NA【倍率】NA【大卒初任給】192,000円
芙蓉総合リース(株) *250*	【採用実績校】明大 駒澤大 日女大各1【受付期間】3月～6月【採用プロセス】説明会(必須)→ES提出→SPI受験→面接(複数回)→内々定(6月～)【筆記試験】SPI3(会場) SPI3(自宅)【重視する科目】面接【ES通過率】61%(受付：69→通過：42)【倍率】12倍【大卒初任給】185,900円
みずほリース(株) *250*	【採用実績校】(大)明学大1【受付期間】3月～3月【採用プロセス】ES提出・適性検査・自己PR動画(3月～)→面接(2回)→内々定【筆記試験】WebGAB TAL【重視する科目】面接【ES通過率】選考なし(受付：NA)【倍率】NA【大卒初任給】198,000円
住友三井オートサービス(株) *254*	【採用実績校】(大)東洋大 関大 共立女大各2 駒澤大 甲南大 就実大 上智大 聖心女大 青学大 跡見学園女大 大阪教大 中大 帝京大 東海大 東洋学大 同女大 日女大 日大 白百合女大 武蔵大 法政大 明学大 明大 亜大各1【受付期間】1月～6月【採用プロセス】説明会動画視聴(必須、12月～)→ES提出(1月)→1次面接(2月)→Webテスト(2月)→2次面接(3月)→最終面接(4月)→内々定【筆記試験】ダイヤモンド社適性・能力検査(DPI DIST DBIT)【重視する科目】面接【ES通過率】62%(受付：194→通過：120)【倍率】7倍【大卒初任給】200,000円
トヨタファイナンス(株) *257*	【採用実績校】(大)南山大 日大 椙山女学大 金城学大 愛知大 大妻女大 東洋大 法政大 フェリス女学大 愛知淑徳大 岐阜大 実践女大 就実大 聖徳大 専大 大東文化大 中大 中京大 東海大 武蔵野大 名古屋学院大 名城大 明星大【受付期間】4月～5月【採用プロセス】ES提出・Web適性検査(4月)→GD(4月)→面接(2回、5～6月)→内々定(6～7月)【筆記試験】WebGAB【重視する科目】面接【ES通過率】NA【倍率】NA【大卒初任給】213,300円
(株)ジャックス *258*	【採用実績校】(24年)(大)関大 近大 西南学大 東洋大 明大 日大各2 桐蔭横浜大 駒澤大 高知県大 神戸学大 神戸女学大 聖徳大 西南女学大 追手門学大 東京家政大 同女大 武蔵大 福岡大 兵庫県大 北海道教育大 立教大 龍谷大各1 (短)北星学園大1【受付期間】3月～継続中【採用プロセス】会社説明会参加(必須)→Web適性・履歴書提出→1次面接→2次面接→最終面接→人事面談→内々定【筆記試験】TAL【重視する科目】面接【ES通過率】NA【倍率】NA【大卒初任給】230,000円
ユーシーカード(株) *259*	【採用実績校】(大)日大4 共立女大3 中大 法政大 駒澤大 専大 千葉商大 産能大 関東学院大 日女大 清泉女大 実践女大 アーカンソー州立大各1【受付期間】5月～6月【採用プロセス】ES・Webテスト(5月)→面接(2回、6月)→内々定(6月)【筆記試験】TG-WEB【重視する科目】面接【ES通過率】NA【倍率】NA【大卒初任給】210,000円

会社名 (掲載ページ)		一般職採用データ
アコム(株)	259	【採用実績校】(大)日大 桜美林大 目白大 城西大 東洋英和女学大各1【受付期間】3月～7月【採用プロセス】説明会(必須、3月)→ES提出・Webテスト(4月)→面談(1～3回、4～5月)→面接(1～3回、6～7月)→内々定(6～7月)※面接回数は面談回数等により異なる【筆記試験】WebGAB【重視する科目】なし【ES通過率】選考なし(受付：総合職に含む)【倍率】-【大卒初任給】237,200円
●電機・事務機器●		
三菱電機(株)	294	【採用実績校】NA【受付期間】NA【採用プロセス】NA【筆記試験】NA【重視する科目】NA【ES通過率】NA【倍率】NA
ブラザー工業(株)	303	【採用実績校】(大)南山大 愛知県大 椙山女学大 名城大【受付期間】3月～NA【採用プロセス】ES提出→適性検査・面接(2回)→内々定【筆記試験】SPI3(会場)【重視する科目】面接【ES通過率】NA【倍率】NA【大卒初任給】218,400円
(株)キーエンス	307	【採用実績校】文系に含む【受付期間】3月～4月【採用プロセス】エントリー(3～4月)→説明会・適性検査→面接(3～4回)→内々定【筆記試験】SPI3(会場) SPI3【重視する科目】面接【ES通過率】-(応募：NA)【倍率】NA【大卒初任給】<S職>250,000円
(株)イシダ	312	【採用実績校】(大)阪大 大阪公大 青学大 國學院大 武蔵大 麗澤大各1【受付期間】1月～継続中【採用プロセス】ES提出→1次面接→Webテスト→2次面接→個人面談→最終面接→内々定 ※工場・オフィス見学を実施する場合あり【筆記試験】Webテスト【重視する科目】面接【ES通過率】52%(受付：(早期選考含む)299→通過：(早期選考含む)156)【倍率】(早期選考含む)50倍【大卒初任給】224,550円
能美防災(株)	314	【採用実績校】NA【受付期間】NA【採用プロセス】ES提出(11月～)・Webテスト→面接→面接・作文→内々定(～7月)【筆記試験】WebGAB【重視する科目】面接【ES通過率】選考有無NA【倍率】NA【大卒初任給】230,000円
●電子部品・機器●		
(株)村田製作所	317	【採用実績校】同大 立命館大 同女大 京都府大 京産大 京都女大 龍谷大 大阪市大 関大 関西学大 滋賀県大 他【受付期間】3月～6月【採用プロセス】NA【筆記試験】あり(内容NA)【重視する科目】面接【ES通過率】NA【倍率】NA【大卒初任給】211,500円
アルプスアルパイン(株)	319	【採用実績校】(大)昭和女大2【受付期間】5月～継続中【採用プロセス】ES提出(5月～)→Webテスト・面接(6月)→内々定(6月)【筆記試験】SPI3(会場) SPI3(自宅)【重視する科目】面接【ES通過率】選考なし(受付：12)【倍率】6倍【大卒初任給】229,000円
日亜化学工業(株)	320	【採用実績校】(大)四国大10 徳島文理大 山梨学大各3 環太平洋大2 徳島大 追手門学大 中央学大 神戸学大 神戸医療未来大 至誠館大 阪南大 国士舘大 高知工科大 京産大 関西国際大 岡山理大各1(専)徳島穴吹カレッジ1【受付期間】2月～継続中【採用プロセス】ES提出・SPI(2月～)→面接(1回、4月～)→内々定(4月～)【筆記試験】SPI3(自宅)【重視する科目】すべて【ES通過率】97%(受付：38→通過：37)【倍率】1倍【大卒初任給】220,000円
浜松ホトニクス(株)	325	【採用実績校】(高専)沼津4 函館3 一関 苫小牧 豊田各2 秋田 旭川 有明 宇部 岐阜 仙台 都立産技 富山 八戸各1【受付期間】3月～5月【採用プロセス】説明会(必須、3～4月)→適性(3～4月)→面接(2回、4～5月)→内々定(5月)【筆記試験】WebGAB【重視する科目】面接【ES通過率】選考なし(受付：26)【倍率】(説明会参加)1倍【大卒初任給】215,320円
ニチコン(株)	328	【採用実績校】(24年)(大)京都ノートルダム女大 十文字学女大 同女大各1(短)名古屋女2 戸板 大妻女各1【受付期間】6月～継続中【採用プロセス】説明会・ES提出(6月～)→面接(2回、7月～)・作文→内々定(8月～)【筆記試験】なし【重視する科目】面接【ES通過率】NA【倍率】NA【大卒初任給】210,000円

会社名 （掲載ページ）		一般職採用データ
ヒロセ電機㈱	330	【採用実績校】(短)上智大1(専)日本外国語1【受付期間】4月～8月【採用プロセス】説明会(必須、4月～)→ES提出・SPI(4月～)→個人面談(2回)→内々定【筆記試験】SPI3(会場) SPI3(自宅)【重視する科目】全て【ES通過率】NA【倍率】NA
シンフォニアテクノロジー㈱	333	【採用実績校】(短)愛知大1【受付期間】NA【採用プロセス】NA【筆記試験】NA【重視する科目】NA【ES通過率】NA【倍率】NA
オリエンタルモーター㈱	335	【採用実績校】(大)中京大3 成城大 神田外語大各2 香川大 横浜市大 立教大 関西学大 武蔵大 大妻女大 東京学芸大 実践女大 白鴎大 麗澤大 国士舘大 京都橘大 東北学大 東北公益文科大 京都外大 愛知大 四国職能大学校各1(短)仙台青葉学院1(高専)鶴岡1【受付期間】3月～継続中【採用プロセス】説明会(必須、3月～)→ES提出(3月)→論作文・適性検査(3月～)→面接(3回、3月～)→内々定(4月～)【筆記試験】適性検査【重視する科目】面接【ES通過率】NA(受付：100→通過：NA)【倍率】13倍【大卒初任給】235,200円
ＳＭＫ㈱	337	【採用実績校】(24年)(専)富山大原簿記公務員医療1【受付期間】6月～8月【採用プロセス】説明会(必須、6月～)→ES提出(6月～)→筆記(6月～)→面接(2回、6月～)→内々定(7月～)【筆記試験】一般常識 性格検査【重視する科目】面接【ES通過率】0%(受付：1→通過：0)【倍率】-【大卒初任給】232,000円
東京エレクトロン㈱	340	【採用実績校】(院)東京女大1(大)青学大4 日女大3 慶大 熊本県大 明学大各2 明大 立教大 法政大 名古屋市大 愛知県大 フェリス女学大 京都女大 白百合女大各1 他【受付期間】3月～6月【採用プロセス】イベント(必須、3月～)→適性検査(3月～)→ES提出(12月～)→面接(2回、6月～)→内々定(6月～)【筆記試験】SPI3(会場) SPI3【重視する科目】適性検査 面接【ES通過率】選考なし(受付：NA)【倍率】NA【大卒初任給】220,000～250,000円
㈱ディスコ	342	【採用実績校】(大)大妻女大2 青学大 共立女大 慶大 中大 津田塾大 法政大 立教大各1(短)共立女1【受付期間】12月～継続中【採用プロセス】選考会(簡易面接・ES提出・適性検査)→面接(4回)→内々定【筆記試験】あり(内容NA)【重視する科目】面接【ES通過率】NA【倍率】NA【大卒初任給】326,740円
●住宅・医療機器他●		
ホーチキ㈱	345	【採用実績校】なし【受付期間】1月～5月【採用プロセス】説明会(必須)→ES提出・Web能力検査→1次面接→最終面接→内々定【筆記試験】WebGAB【重視する科目】面接 適性検査【ES通過率】-(受付：0→通過：0)【倍率】-【大卒初任給】205,000円
●自動車●		
トヨタ自動車㈱	350	【採用実績校】NA【受付期間】3月～5月【採用プロセス】ES提出・Web試験(3～5月)→面接(1回、6月)→内々定(6月)【筆記試験】SPI3(自宅)【重視する科目】NA【ES通過率】NA【倍率】NA【大卒初任給】200,000円
スズキ㈱	351	【採用実績校】(24年)(大)愛知大12 常葉大5 中京大4 静岡文芸大3 大妻女大 南山大各2 他【受付期間】2月～未定【採用プロセス】ES提出(2月～)→筆記→面接(1回、3月～)→内々定(6月～)【筆記試験】玉手箱【重視する科目】面接【ES通過率】81%(受付：85→通過：69)【倍率】2倍【大卒初任給】211,500円
●自動車部品●		
㈱豊田自動織機	360	【採用実績校】金城学大 椙山女学大各2【受付期間】NA【採用プロセス】<学校推薦>ES提出・Webテスト(5月)→面接(5月)→面接(6月)→内々定(6月～)【筆記試験】SPI3(会場) SPI3(自宅)【重視する科目】面接 Webテスト【ES通過率】NA【倍率】NA【大卒初任給】200,000円
㈱ＧＳユアサ	361	【採用実績校】(大)立命館大2 中大 京産大 共立女大 滋賀県大 同女大 龍谷大各1【受付期間】4月～5月【採用プロセス】ES提出(4月～)→SPI(5月～)→面接(2回)→内々定(6月～)【筆記試験】SPI3(会場) 一般常識 Web適性検査【重視する科目】面接【ES通過率】NA【倍率】NA【大卒初任給】224,980円

会社名 （掲載ページ）		一般職採用データ
NOK㈱	368	【採用実績校】(24年)(大)専大2 茨城大 中大 学習院大 産能大 茨城キリスト大各1【受付期間】3月～8月【採用プロセス】説明会(Web含む、必須、3月～)→Webテスト(3月～)→ES提出・面接(2回)→内々定【筆記試験】WebGAB【重視する科目】面接【ES通過率】選考なし(受付：NA)【倍率】NA【大卒初任給】207,500円
㈱アドヴィックス	374	【採用実績校】常葉大【受付期間】NA【採用プロセス】NA【筆記試験】NA【重視する科目】NA【ES通過率】NA【倍率】NA【大卒初任給】NA
愛三工業㈱	378	【採用実績校】(専)大原簿記情報医療3【受付期間】3月～規定数に達し次第【採用プロセス】ES提出→適性検査→面接(2～3回)→内々定【筆記試験】SPI3(会場)SPI3(自宅)【重視する科目】面接【ES通過率】NA(受付：4→通過：NA)【倍率】1倍【大卒初任給】200,000円
●輸送用機器●		
今治造船㈱	385	【採用実績校】(大)四国学大1【受付期間】3月～5月【採用プロセス】説明会(必須、3月～)→ES提出(3月～)→Webテスト(3月～)→面接(2回、4月～)→内々定【筆記試験】SPI3(会場) SPI3(自宅)【重視する科目】面接【ES通過率】NA【倍率】NA【大卒初任給】199,250円
●機械●		
ヤンマーホールディングス㈱	392	【採用実績校】(大)関大 同女大各1 他【受付期間】3月～6月【採用プロセス】ES提出・適性検査(3月～)→面接(複数回)→最終面接→内々定(6月頃～)【筆記試験】WebGAB【重視する科目】面接【ES通過率】NA【倍率】NA【大卒初任給】235,000円
フクシマガリレイ㈱	398	【採用実績校】(24年)(大)亜大 関西外大 関大 甲南大 山梨学大 早大 同大 武蔵大各1(短)中村学園大1【受付期間】3月～6月【採用プロセス】説明会(必須、3月～)→筆記(3月～)→ES提出・面接(2回、3月～)→内々定(4月～)【筆記試験】一般常識 科目試験 適性検査【重視する科目】面接【ES通過率】選考なし(受付：NA)【倍率】NA【大卒初任給】223,400円
日本精工㈱	401	【採用実績校】未定【受付期間】5月～6月【採用プロセス】ES提出・Webテスト(5月～)→面接・筆記(5～6月)→面接(6月～)→内々定(6月～)【筆記試験】SPI3 CUBIC【重視する科目】面接【ES通過率】NA【倍率】NA【大卒初任給】218,800円
SMC㈱	404	【採用実績校】(大)東北職能大学校1(短)岩手産技7 聖徳大1(専)つくばビジネスカレッジ4 神田外語2 他【受付期間】6月～継続中【採用プロセス】説明会(必須、6月～)→ES提出(7月)→適性検査(7月)→面接(2回、7月)→内々定(7月)【筆記試験】適性検査TAP【重視する科目】面接【ES通過率】NA(受付：43→通過：NA)【倍率】2倍【大卒初任給】226,500円
㈱マキタ	404	【採用実績校】(大)金城学大 南山大各1(専)東京ITプログラミング&会計名古屋校2【受付期間】4月～4月【採用プロセス】Web座談会(必須、4月)→ES提出・Webテスト(5月)→面接・専門試験(1回、5月)→内々定【筆記試験】玉手箱【重視する科目】面接【ES通過率】NA【倍率】NA【大卒初任給】203,000円
㈱FUJI	410	【採用実績校】(大)中京大1(短)名古屋1【受付期間】3月～6月下旬【採用プロセス】ES提出・Webテスト(3月)→面接(2回、4月中旬～)→内々定(5月下旬～)【筆記試験】CUBIC(Web版)【重視する科目】面接 筆記【ES通過率】NA(受付：50→通過：NA)【倍率】25倍【大卒初任給】233,000円
新東工業㈱	411	【採用実績校】(24年)(大)愛知学大 椙山女学大各2 愛知大1(専)名古屋工学院1【受付期間】3月～継続中【採用プロセス】説明会(必須、3月～随時)→ES提出→面接(2回)・適性検査→内々定【筆記試験】Compass【重視する科目】面接【ES通過率】NA【倍率】NA【大卒初任給】208,000円
富士精工㈱	413	【採用実績校】NA【受付期間】3月～未定【採用プロセス】説明会(必須、3月～)→筆記・面接(2回、4月～)→内々定(6月～)【筆記試験】SCOA【重視する科目】面接【ES通過率】-(応募：0)【倍率】-【大卒初任給】195,000円
芝浦機械㈱	417	【採用実績校】(短)静岡工科3【受付期間】NA【採用プロセス】NA【筆記試験】NA【重視する科目】NA【ES通過率】NA【倍率】NA【大卒初任給】217,250円

会社名 *(掲載ページ)*	一般職採用データ
三浦工業㈱ *419*	**【採用実績校】**松山大3 愛媛大2 安田女大 香川大各1 **【受付期間】**3月～4月 **【採用プロセス】**説明会(必須)→ES提出→Web試験・面接(2回)→内々定 **【筆記試験】**SPI3(自宅) **【重視する科目】**面接 **【ES通過率】**50%(受付：100→通過：50) **【倍率】**14倍 **【大卒初任給】**208,300円
●食品・水産●	
㈱ヤクルト本社 *427*	**【採用実績校】**(大)明学大3 明大 共立女大各2 学習院大 成蹊大 東京工科大 帝京大 國學院大 日大 日女大 昭和女大各1(高専)サレジオ 東京各1 **【受付期間】**3月～6月 **【採用プロセス】**ES提出・Webテスト(3～6月)→面接(3回)・筆記(3～6月)→内々定(6～7月) **【筆記試験】**SPI3(会場) 玉手箱 **【重視する科目】**面接 筆記 **【ES通過率】**NA **【倍率】**NA **【大卒初任給】**215,500円
日清オイリオグループ㈱ *433*	**【採用実績校】**(大)千葉大 明大 立教大 中大 関東学院大 東京都市大 東京家政大 東京女大 昭和女大各1(短)女子栄養 大妻女各1(高専)米子1 **【受付期間】**4月～4月 **【採用プロセス】**Webセミナー(任意、4月～)→ES提出(4月)→筆記→面接(2回)→内々定(6月) **【筆記試験】**SPI3(会場) SPI3(自宅) **【重視する科目】**面接 **【ES通過率】**NA **【倍率】**NA
カゴメ㈱ *435*	**【採用実績校】**なし **【受付期間】**2月～3月 **【採用プロセス】**ES提出(2月～)→適性検査・1次面談(2～3月)→役員面接(4月)→内々定(4月) **【筆記試験】**SPI3(会場) SPI3(自宅) **【重視する科目】**面談 適性検査 **【ES通過率】**NA **【倍率】**NA **【大卒初任給】**213,080円
ホクト㈱ *437*	**【採用実績校】**(大)長野大1 **【受付期間】**3月～継続中 **【採用プロセス】**ES提出(3月～)→Webテスト→面接(3回)→内々定 **【筆記試験】**SPI3(自宅) **【重視する科目】**個人面接 **【ES通過率】**NA **【倍率】**NA **【大卒初任給】**229,960円
日本食研ホールディングス㈱ *439*	**【採用実績校】**(大)愛媛大1 **【受付期間】**3月～継続中 **【採用プロセス】**ES提出(3～7月)→面接(3回)→内々定 **【筆記試験】**なし **【重視する科目】**面接 **【ES通過率】**NA(受付：56→通過：NA) **【倍率】**28倍 **【大卒初任給】**205,000円
㈱極洋 *451*	**【採用実績校】**(大)大妻女大 國學院大 実践女大 日大 武庫川女大各1 他 **【受付期間】**6月～7月 **【採用プロセス】**ES提出(6月～)→Webテスト(6月～)→面接(3回、7月～)・Webテスト→内々定(8月～) **【筆記試験】**eF-1G Webテスト **【重視する科目】**面接 書類 適性検査 **【ES通過率】**NA **【倍率】**NA **【大卒初任給】**206,700円
●農林●	
カネコ種苗㈱ *453*	**【採用実績校】**(専)群馬県立農林大学校2 **【受付期間】**3月～5月 **【採用プロセス】**対面またはWeb説明会・ES提出(3月～)→筆記(Web)→集団面接→役員面接→内々定(6月) **【筆記試験】**SPI3(自宅) **【重視する科目】**面接 **【ES通過率】**-(受付：総合職に含む→通過：総合職に含む) **【倍率】**NA **【大卒初任給】**216,000円
●化粧品・トイレタリー●	
㈱ポーラ *459*	**【採用実績校】**(大)立命館大2 フェリス女学大 京産大 香川大 千葉工大 追手門学大 東海大 明星大 大妻女大 工学院大各1(短)名古屋文化1(専)資生堂美容技術1 **【受付期間】**23年11月～24年4月 **【採用プロセス】**インターンシップES提出(11～1月)→インターンシップ(2～3月)→本選考ES提出(3～4月)→面接(2回、4～5月)→内々定(4～5月) **【筆記試験】**あり(内容NA) **【重視する科目】**面接 **【ES通過率】**NA **【倍率】**NA **【大卒初任給】**採用地により変動
●医薬品●	
住友ファーマ㈱ *465*	**【採用実績校】**(高専)鈴鹿1(専)大阪バイオメディカル 大阪ハイテクノロジー各1 **【受付期間】**NA **【採用プロセス】**NA **【筆記試験】**NA **【重視する科目】**NA **【ES通過率】**NA **【倍率】**NA

会社名　(掲載ページ)		一般職採用データ
●化学●		
信越化学工業㈱	475	【採用実績校】(大)大妻女大 立教大 武蔵大【受付期間】5月～6月【採用プロセス】ES提出(5～6月)→Webテスト(6～7月)→面接(2～3回、6～7月)→内々定(6～7月)【筆記試験】Web性格検査 Webテスト【重視する科目】面接【ES通過率】NA【倍率】NA【大卒初任給】227,750円
積水化学工業㈱	477	【採用実績校】(高専)佐世保1【受付期間】5月～8月【採用プロセス】ES提出(5月～)→適性検査(5月～)→面接(2～3回、6月～)→内々定(6月中旬～)【筆記試験】適性検査【重視する科目】面接【ES通過率】42%(受付：77→通過：32)【倍率】77倍【大卒初任給】227,800円
東ソー㈱	478	【採用実績校】(大)大妻女大 昭和女大各2 実践女大 清泉女大 聖心女大 関大 神戸女学大各1【受付期間】4月～5月【採用プロセス】説明会(必須)→ES提出・適性検査→1次面接→最終面接→内々定【筆記試験】eF-1G【重視する科目】面接【ES通過率】NA【倍率】NA【大卒初任給】226,102円
東洋紡㈱	481	【採用実績校】(大)京都女大 阪南大各2 京産大1【受付期間】NA【採用プロセス】NA【筆記試験】NA【重視する科目】NA【ES通過率】NA【倍率】NA【大卒初任給】NA
リンテック㈱	484	【採用実績校】(短)大妻女2 東京経営1(専)大原簿記ビジネス 神田外語学院各1【受付期間】4月～7月【採用プロセス】Web説明会(必須、4月～)→ES提出(4月～)→適性試験(5月～)→面接(2回、5月～)→内々定(6月～)【筆記試験】WebGAB【重視する科目】面接【ES通過率】81%(受付：36→通過：29)【倍率】6倍【大卒初任給】217,400円
㈱エフピコ	485	【採用実績校】(大)獨協大 関大 椙山女学大各2 広島大 日大 東京農業大 大妻女大 安田女大 広島修道大各1(短)大妻女1【受付期間】3月～7月【採用プロセス】説明会(必須、3月)→ES提出・WebGAB(4月)→面接(3回、5～6月)→内々定(7月)【筆記試験】WebGAB【重視する科目】面接【ES通過率】27%(受付：(早期選考含む)205→通過：(早期選考含む)56)【倍率】(早期選考含む)16倍【大卒初任給】208,200円
東京応化工業㈱	487	【採用実績校】(専)大原簿記情報ビジネス横浜校1【受付期間】3月～6月【採用プロセス】説明会(必須、3～6月)→ES提出(3～6月)→面接(3～6月)→筆記(3～6月)→最終面接(3～6月)→内々定(4～7月)【筆記試験】ミキワメ【重視する科目】面接 ミキワメ【ES通過率】100%(受付：1→通過：1)【倍率】1倍
日油㈱	493	【採用実績校】(専)船橋情報ビジネス1【受付期間】NA【採用プロセス】NA【筆記試験】NA【重視する科目】面接【ES通過率】NA【倍率】NA
㈱クレハ	494	【採用実績校】(高専)福島2 仙台 八戸 鶴岡 秋田各1【受付期間】3月～継続中【採用プロセス】ES提出→Web説明会→適性検査→面接(2～3回)→内々定【筆記試験】CUBIC【重視する科目】面接【ES通過率】100%(受付：12→通過：12)【倍率】2倍【大卒初任給】212,000円
●衣料・繊維●		
㈱オンワード樫山	503	【採用実績校】(24年)(大)杉野服飾大6 国際ファッション専門職大2(専)文化服装学院4 他【受付期間】3月～継続中【採用プロセス】説明会(必須)・筆記→実技試験(技術職のみ)→面接(2～4回)→内々定※時期、選考内容は職種により異なる【筆記試験】一般常識【重視する科目】面接 実技試験【ES通過率】-(応募：NA)【倍率】NA【大卒初任給】＜専門職＞197,000円
クロスプラス㈱	504	【採用実績校】(大)愛知大 東海大 名古屋外大 名古屋学芸大各1【受付期間】3月～5月【採用プロセス】説明会(必須、3月)→ES提出(4月)→面接(4月上旬)→筆記(4～5月)→面接(1回、5月)→内々定(5月下旬)【筆記試験】一般常識【重視する科目】面接【ES通過率】53%(受付：74→通過：39)【倍率】19倍【大卒初任給】190,000円

業種別・一般職を採用する会社 214 社

会社名 （掲載ページ）		一般職採用データ
●ガラス・土石●		
吉野石膏㈱	511	【採用実績校】NA【受付期間】NA【採用プロセス】説明会（必須）→適性検査→面接（3回）→内々定【筆記試験】SPI3【重視する科目】NA【ES通過率】選考なし（受付：NA）【倍率】NA【大卒初任給】207,650円
●金属製品●		
アルインコ㈱	516	【採用実績校】（24年）（大）帝京平成大 千葉経大各1【受付期間】5月～継続中【採用プロセス】説明会（必須、3月下旬）→ES提出（3月下旬）→面接（4月中旬）→筆記（5月上旬）→面接・役員面接（5月下旬）→内々定（6月上旬）【筆記試験】Talent Analytics【重視する科目】面接【ES通過率】選考なし（受付：219）【倍率】110倍【大卒初任給】243,200円
●鉄鋼●		
山陽特殊製鋼㈱	520	【採用実績校】未定【受付期間】3月～継続中【採用プロセス】説明会（必須）→ES提出（3月～）→適性検査→1次面接→2次面接→内々定※全体で1カ月半程度【筆記試験】C-GAB WebGAB【重視する科目】面接【ES通過率】86%（受付：7→通過：6）【倍率】-【大卒初任給】219,000円
●非鉄●		
古河電気工業㈱	523	【採用実績校】（大）中大 大妻女大 駒澤大 金城学大 愛知大 埼玉大各1【受付期間】4月～7月【採用プロセス】ES提出（4～7月）→筆記（5～7月）→面接（2回、5～7月）→内々定（6月～）【筆記試験】SPI3（会場） SPI3（自宅）【重視する科目】面接【ES通過率】NA【倍率】NA【大卒初任給】205,200円
住友金属鉱山㈱	525	【採用実績校】（大）大妻女大 慶大各1【受付期間】4月～未定【採用プロセス】説明会（必須）・ES提出・Webテスト（4月～）→面接（3回）→内々定【筆記試験】SPI3（自宅）【重視する科目】面接【ES通過率】NA【倍率】NA【大卒初任給】219,999円
三井金属	526	【採用実績校】（専）東京IT1【受付期間】1月～5月【採用プロセス】ES提出（1月以降、随時）→説明会（3月）→適性検査・面接（2回）→内々定（6月）【筆記試験】適性検査2種類【重視する科目】面接【ES通過率】49%（受付：39→通過：19）【倍率】39倍【大卒初任給】232,000円
日鉄鉱業㈱	527	【採用実績校】（専）大原簿記学校 仙台大原簿記情報公務員 龍馬情報ビジネス&フード各1【受付期間】3月～7月【採用プロセス】ES提出（3～7月）→適性検査（4～7月）→1次面接（5～7月）→最終面接（6～8月）→内々定（6～8月）【筆記試験】V-CAT【重視する科目】面接【ES通過率】80%（受付：10→通過：8）【倍率】3倍【大卒初任給】198,100円
日本軽金属㈱	529	【採用実績校】（大）昭和女大3（専）大原簿記情報ビジネス1【受付期間】5月～6月【採用プロセス】Web説明会・ES提出→適性検査→1次面接→最終面接→内々定【筆記試験】SPI3（自宅）【重視する科目】面接【ES通過率】64%（受付：25→通過：16）【倍率】6倍【大卒初任給】201,200円
●その他メーカー●		
㈱ウッドワン	536	【採用実績校】（大）安田女大1【受付期間】3月～6月【採用プロセス】説明会（必須）・ES提出・SPI適性検査（3月～）→面接（3回、3月～）→内々定（4月上旬～）【筆記試験】SPI3（自宅）【重視する科目】面接【ES通過率】選考なし（受付：7）【倍率】7倍【大卒初任給】201,600円
リンナイ㈱	537	【採用実績校】（大）四国大1【受付期間】4月～未定【採用プロセス】ES提出→適性検査→面接（2回）→内々定【筆記試験】SPI3（会場） SPI3（自宅）【重視する科目】面接 SPI【ES通過率】52%（受付：23→通過：12）【倍率】23倍【大卒初任給】215,000円

会社名　（掲載ページ）		一般職採用データ
クリナップ㈱	539	【採用実績校】(大)立命館大 関西学大 武蔵大 東京都市大 関東学院大 近大 京産大 大阪経大 四天王寺大 羽衣国際大 久留米大 広島文教大 愛知淑徳大 中京大 名城大 放送大 神戸女学大 神戸松蔭女学大 駒沢女大 大妻女大 白百合女大 他【受付期間】2月～6月【採用プロセス】説明会動画(任意)・ES提出・性格検査(2～3月)→面接(Web2回・対面1回、3月中旬～4月中旬)→内々定(4月下旬)【筆記試験】玉手箱(性格検査のみ)【重視する科目】面接【ES通過率】NA【倍率】NA【大卒初任給】201, 320円
三菱鉛筆㈱	540	【採用実績校】(短)東京家政大 共立女各1【受付期間】NA【採用プロセス】NA【筆記試験】SPI3【重視する科目】NA【ES通過率】選考なし(受付：NA)【倍率】NA【大卒初任給】222, 450円

●建設●

会社名　（掲載ページ）		一般職採用データ
㈱熊谷組	549	【採用実績校】(大)愛知学大 学習院大 関大 駒澤大 東洋大各1(短)九州職能1【受付期間】1月～設定なし【採用プロセス】ES提出→SPI→1次面接→最終面接→内々定【筆記試験】SPI3(会場) SPI3(自宅)【重視する科目】ES 面接【ES通過率】65%(受付：46→通過：30)【倍率】8倍【大卒初任給】211, 000円
㈱福田組	552	【採用実績校】NA【受付期間】4月～継続中【採用プロセス】説明会(必須、4月下旬)→ES提出(5月下旬～)→1次面接・小論文・性格検査(6月上旬)→内々定(6月上旬)【筆記試験】SPI3(自宅)【重視する科目】面接【ES通過率】83%(受付：6→通過：5)【倍率】6倍【大卒初任給】184, 600円
ピーエス・コンストラクション㈱	553	【採用実績校】(24年)なし【受付期間】7月～8月【採用プロセス】説明会(必須)→筆記・面接→内々定【筆記試験】SPI3(自宅)【重視する科目】面接【ES通過率】-(応募：NA)【倍率】NA
矢作建設工業㈱	554	【採用実績校】なし【受付期間】6月～継続中【採用プロセス】ES提出→面接→Webテスト→面接→内々定【筆記試験】インサイト【重視する科目】面接【ES通過率】100%(受付：23→通過：23)【倍率】4倍【大卒初任給】194, 000円
五洋建設㈱	555	【採用実績校】(院)政策研究院大1(大)安田女大2 共立女大 昭和女大各1(専)大原簿記法律柏1【受付期間】4月～6月【採用プロセス】自己紹介シート(4月～)→グループ面接(5月～)→個人面接→最終面接準備シート・SPI→役員面接・筆記→内々定(5月下旬～)【筆記試験】SPI3(会場) SPI3(自宅) 職種別専門筆記試験【重視する科目】面接【ES通過率】NA【倍率】10倍【大卒初任給】234, 000円
東洋建設㈱	556	【採用実績校】(大)大妻女大3 昭和女大 共立女大各1【受付期間】7月～8月【採用プロセス】説明会(必須)→応募書類提出→筆記・適性検査(Web)→個別面接→内々定【筆記試験】SPI3(自宅) 一般常識【重視する科目】面接【ES通過率】-(応募：12)【倍率】2倍【大卒初任給】220, 000円
飛島建設㈱	557	【採用実績校】(大)東洋大 東海大 九産大各1(専)青山製図1【受付期間】3月～継続中【採用プロセス】ES提出→1次面接→適性検査(Web)→GD・基礎学力→最終面接→内々定【筆記試験】基礎学力(Web)適性検査(Web)【重視する科目】面接【ES通過率】選考なし(受付：NA)【倍率】NA【大卒初任給】225, 500円
ライト工業㈱	558	【採用実績校】大妻女大 他【受付期間】3月～継続中【採用プロセス】説明会(必須)→ES提出→1次選考(適性検査・1次面接)→2次選考(役員面接)→内々定【筆記試験】SPI性格 適性検査【重視する科目】面接【ES通過率】選考なし(受付：NA)【倍率】NA【大卒初任給】(東京)225, 000円
前田道路㈱	559	【採用実績校】なし【受付期間】1月～9月【採用プロセス】説明会・履歴書提出(1～7月)→1次面接・性格検査(1～9月)→ 2次面接(2～9月)→内々定(3～9月)【筆記試験】OPQ【重視する科目】面接【ES通過率】選考なし(受付：0)【倍率】-
世紀東急工業㈱	561	【採用実績校】(24年)なし【受付期間】適宜実施【採用プロセス】説明会(任意、3月～)→ES提出(3月～)→Web適性試験(3月～)→面接(1～2回、4月頃～)→内々定(6月頃～)【筆記試験】Web適性試験(TG-WEB)【重視する科目】面接 適性試験【ES通過率】100%(受付：4→通過：4)【倍率】4倍【大卒初任給】＜技術系＞218, 000円＜事務系＞212, 500円

会社名 （掲載ページ）		一般職採用データ
日鉄エンジニアリング(株)	563	【採用実績校】(大)北九州市大2 立教大 昭和女大 清泉女大 大妻女大 西南女学大 培材大各1【受付期間】3月～6月【採用プロセス】ES提出(3月～)→セミナー(4月)→面接(複数回)→内々定(6月)【筆記試験】SPI3(自宅)【重視する科目】面接【ES通過率】NA【倍率】NA【大卒初任給】223,000円
東洋エンジニアリング(株)	564	【採用実績校】(大)学習院大 拓大 目白大各1【受付期間】3月～5月【採用プロセス】会社説明会(必須、3～5月)→ES提出・Webテスト(3～5月)→個人面接(2回、4～6月)→内々定(5月中旬～7月)【筆記試験】Web(自宅受験)ミキワメ【重視する科目】面接 学業成績【ES通過率】91%(受付：11→通過：10)【倍率】4倍【大卒初任給】200,600円
太平電業(株)	565	【採用実績校】(24年)なし【受付期間】12月～継続中【採用プロセス】紙ES提出→書類選考→説明会(必須)→SPI→1次面接→最終面接→フォロー面談(希望制)→内々定【筆記試験】SPI3(自宅)【重視する科目】書類 SPI 面接【ES通過率】33%(受付：3→通過：1)【倍率】3倍【大卒初任給】222,600円
三機工業(株)	566	【採用実績校】なし【受付期間】12月～継続中【採用プロセス】説明会(必須)→Webテスト→1次面接・ES提出→最終面接→内々定【筆記試験】SPI3(自宅)【重視する科目】面接【ES通過率】選考なし(受付：NA)【倍率】-【大卒初任給】204,400円

●住宅・マンション●

会社名 （掲載ページ）		一般職採用データ
積水ハウス(株)	578	【採用実績校】(24年)(院)立命館大1(大)南山大3 大妻女大2 フェリス女学大 愛知淑徳大 岡山商大 関西学大 京都ノートルダム女大 京都先端科学大 近大 駒澤大 阪南大 昭和女大 成蹊大 西南女学大 静岡文芸大 摂南大 専大 中京大 桃山学大 武庫川女大 福岡女学大 文化学園大各1(短)大妻女1【受付期間】3月～7月【採用プロセス】ES提出・適性検査→GD→面接(2～3回)→Webテスト→内々定【筆記試験】自社オリジナル【重視する科目】面接【ES通過率】NA【倍率】NA【大卒初任給】197,900円
住友林業(株)	579	【採用実績校】(大)國學院大 立教大各2 駒澤大 昭和女大 東京経大 日女大 武蔵野大 明大各1【受付期間】4月～5月【採用プロセス】ES提出・Webテスト(4～5月)→面接(3回、6～7月)→内々定(7月)【筆記試験】OPQ 言語・計数 オリジナルWebテスト(玉手箱ベース)【重視する科目】面接【ES通過率】NA【倍率】NA【大卒初任給】254,000円
三井不動産レジデンシャル(株)	583	【採用実績校】(大)東京学芸大 青学大 西南学大 日女大各1【受付期間】3月～4月【採用プロセス】ES提出(3～4月)→Webテスト(4～5月)→面接(3回)→内々定(6月)【筆記試験】SPI3(会場)【重視する科目】面接【ES通過率】NA【倍率】NA【大卒初任給】224,000円
日本ハウズイング(株)	586	【採用実績校】(大)大妻女大2 武庫川女大 東洋大 東京経大 大手前大 摂南大 跡見学園女大 神奈川大 敬愛大 横浜商大各1(専)大原簿記公務員医療情報ビジネス1【受付期間】3月～8月【採用プロセス】説明会・筆記・履歴書選考(3月～)→面接(2回、3月～)→内々定(4月～)【筆記試験】CUBIC【重視する科目】面接【ES通過率】-(応募：NA)【倍率】NA【大卒初任給】211,200円
積水ハウス不動産東京(株)	586	【採用実績校】(24年)(大)成蹊大 杏林大 高千穂大各1【受付期間】3月～7月【採用プロセス】ES提出(3月～)→企業研究セミナー(3月～)→筆記→Webテスト→面接(3回)→内々定【筆記試験】Webテスト【重視する科目】面接【ES通過率】NA【倍率】NA【大卒初任給】193,000円

●不動産●

会社名 （掲載ページ）		一般職採用データ
三井不動産(株)	587	【採用実績校】(大)上智大3 明大 立教大各2 早大 阪大 筑波大 成城大 中大 小樽商大各1【受付期間】3月～4月【採用プロセス】ES提出(3～4月)→能力(適性)試験(3～4月)→面談(3回、6月上旬)→内々定(6月上旬)【筆記試験】あり(内容NA)【重視する科目】面談【ES通過率】NA【倍率】NA【大卒初任給】250,000円

会社名 *(掲載ページ)*	一般職採用データ
東急リバブル㈱ *596*	【採用実績校】(大)立教大 東洋大各2 実践女大 関大 駒澤大 帝京平成大各1【受付期間】3月～6月【採用プロセス】説明会(必須、3月～)→ES提出・Webテスト→面接(3回)→内々定(3～6月)【筆記試験】SPI3(自宅)【重視する科目】なし【ES通過率】93%(受付：27→通過：25)【倍率】2倍【大卒初任給】195,000円
三井不動産リアルティ㈱ *596*	【採用実績校】武蔵野大4 青学大 神奈川大 南山大各3 聖心女大 実践女大 関西外大各2 順天堂大 明大 駒澤大 東洋大 亜大 日女大 東京女大 成城大 学習院大 国士舘大 早大 愛知学大 大妻女大 近大 跡見学園女大 白百合女大 甲南女大 椙山女学大 大谷大 神戸女学大 摂南大 清泉女大 杏林大 フェリス女学大各1 他【受付期間】3月～継続中【採用プロセス】説明会(必須)→ES提出→筆記・テストセンター→面接(複数回)・適性検査→内々定【筆記試験】SPI3(会場) SPI3-U【重視する科目】SPI 面接【ES通過率】80%(受付：850→通過：680)【倍率】6倍【大卒初任給】205,000円

●電力・ガス●

会社名 *(掲載ページ)*	一般職採用データ
四国電力㈱ *603*	【採用実績校】(大)香川大 愛媛大 松山大 高知大 高知工科大 早大 法政大 駒澤大 京都女大 甲南大 岡山大(高専)津山 阿南 香川 高知 新居浜 弓削商船【受付期間】3月～4月【採用プロセス】ES提出(3～4月)→Webテスト(3～5月)→面接(2～4回)→内々定(6月)【筆記試験】あり(内容NA)【重視する科目】全て【ES通過率】NA【倍率】NA【大卒初任給】219,000円

●デパート●

会社名 *(掲載ページ)*	一般職採用データ
㈱三越伊勢丹 *613*	【採用実績校】(大)早大 学習院大 法政大 立命館大 帝京大各1(専)大原1【受付期間】3月～6月【採用プロセス】Web適性・ES提出(3月～)→GD→面接(2回、6月～)→内々定(6月～)【筆記試験】WebGAB 玉手箱 OPQ【重視する科目】面接【ES通過率】77%(受付：188→通過：144)【倍率】31倍【大卒初任給】194,000円

●スーパー●

会社名 *(掲載ページ)*	一般職採用データ
㈱イズミ *620*	【採用実績校】(24年)(大)大阪商大 福岡大 龍谷大 比治山大各1【受付期間】3月～未定【採用プロセス】Webセミナー(必須、3月)→ES・作文提出(3月～)→書類選考→Web試験→1次面接→2次面接(→3次面接)→最終面接→内々定(5月～)【筆記試験】スカウター【重視する科目】面接【ES通過率】88%(受付：75→通過：66)【倍率】8倍【大卒初任給】215,000円
㈱ハートフレンド *628*	【採用実績校】(24年)なし【受付期間】3月～2月【採用プロセス】説明会(必須)→筆記・1次面接→2次面接→最終面接→内々定【筆記試験】基礎能力診断【重視する科目】面接【ES通過率】-(応募：NA)【倍率】NA【大卒初任給】222,000円

●家電量販・薬局・HC●

会社名 *(掲載ページ)*	一般職採用データ
㈱カワチ薬品 *638*	【採用実績校】東京薬大 武蔵野大 昭和大 国際医療福祉大 横浜薬大 東北医薬大 高崎健康福祉大 岩手医大 医療創生大 奥羽大 山形県米沢栄養大 東京家政大 文教大 帝京大 淑徳大 白鴎大 茨城キリスト大 宮城学院女大 東日本国際大 埼玉学大 郡山女大 宇都宮共和大 盛岡大 新潟薬大 常磐大 他【受付期間】3月～継続中【採用プロセス】説明会(必須、3月～)→ES提出→一般常識・面接→面接→内々定【筆記試験】WebGAB 一般常識【重視する科目】面接【ES通過率】NA【倍率】NA【大卒初任給】209,300円

●その他小売業●

会社名 *(掲載ページ)*	一般職採用データ
㈱ハニーズ *644*	【採用実績校】(院)龍谷大1(大)法政大 常葉大 千葉工大 桜美林大 和洋女大 埼玉学大 追手門学大 武庫川女大 南九州大各1(短)香蘭女1(専)中部ファッション1【受付期間】3月～7月【採用プロセス】Web説明会・動画視聴(3月)→ES・履修履歴データ提出(3月)→1次面接(4月)→適性検査(4月)→2次面接(4～5月)→内々定【筆記試験】TAL【重視する科目】面接【ES通過率】49%(受付：89→通過：44)【倍率】5倍【大卒初任給】(東京・神奈川)216,000円

会社名　(掲載ページ)	一般職採用データ
はるやま商事㈱　648	【採用実績校】(24年)(大)九州国際大 広島修道大 東京家政学大 沖縄国際大 中国学大各1(専)岡山情報ビジネス1【受付期間】NA【採用プロセス】NA【筆記試験】WebGAB【重視する科目】NA【ES通過率】選考なし(受付：NA)【倍率】NA【大卒初任給】NA
㈱ＡＴグループ　649	【採用実績校】(大)名城大 椙山女学大各2 南山大 愛知大 愛知淑徳大各1(短)名古屋女1(専)トヨタ名古屋自動車大学校7 他【受付期間】6月～7月【採用プロセス】NA【筆記試験】なし【重視する科目】NA【ES通過率】選考なし(受付：NA)【倍率】-
㈱ヴァンドームヤマダ　650	【採用実績校】(24年)(大)茨城大 追手門学大 大妻女大 畿央大 九州国際大 九産大 京都芸大 近大 神戸芸工大 神戸松蔭女学大 駒澤大 産能大 松蔭大 清泉女大 専大 大正大 大東文化大 中部大 東京家政大 同女大 東北芸工大 梅花女大 山形大 和洋女大各1(短)鹿児島純心 川口 四天王寺大 精華女 新潟青陵各1(専)名古屋ファッション3 福岡ウェディング＆ブライダル2 ECC国際外語 大原トラベル・ホテル・ブライダル 河原外語観光・製菓 京都ホテル観光ブライダル 国際ホテル・ブライダル 仙台ウェディング＆ブライダル つくばビジネスカレッジ 東京ウェディング＆ブライダル 広島美容 横浜ビューティー＆ブライダル各1【受付期間】3月～継続中【採用プロセス】説明会(必須、3月中旬)→ES提出(3月下旬～4月上旬)→面接(4月下旬)→Web試験(5月上旬)→GW(5月下旬)→面接(6月上旬)→内々定(6月中旬)【筆記試験】Webテスト eF-1G【重視する科目】<販売職>面接【ES通過率】96%(受付：166→通過：159)【倍率】9倍【大卒初任給】(首都圏)225,000円
つるや㈱　651	【採用実績校】(24年)(大)皇學館大1(専)福岡リゾート＆スポーツ1【受付期間】3月～継続中【採用プロセス】説明会(必須、3月～)→ESまたは履歴書提出・筆記(含作文)・面接(3月～)→面接(2回)→内々定(4月上旬～)【筆記試験】一般常識【重視する科目】面接【ES通過率】-(応募：NA)【倍率】NA【大卒初任給】202,000円

●ゲーム●

任天堂㈱　658	【採用実績校】NA【受付期間】4月～5月【採用プロセス】ES提出(4月～)→筆記・面接(2回)→内々定【筆記試験】あり(内容NA)【重視する科目】NA【ES通過率】NA【倍率】NA【大卒初任給】218,000円

●人材・教育●

㈱秀英予備校　668	【採用実績校】(大)常葉大1【受付期間】3月～継続中【採用プロセス】説明会(必須)・筆記(3月～)→ES提出(3月～)→面接(2回、3月～)→内々定(4月～)【筆記試験】一般常識【重視する科目】面接【ES通過率】選考なし(受付：9)【倍率】16倍【大卒初任給】190,000円

●ホテル●

㈱ミリアルリゾートホテルズ　670	【採用実績校】NA【受付期間】12月～1月【採用プロセス】ES提出(12～1月)→説明会・集団面接(1月)→面接(2～3月)→内々定(3月)【筆記試験】あり(内容NA)【重視する科目】NA【ES通過率】NA【倍率】NA
㈱西武・プリンスホテルズワールドワイド　670	【採用実績校】(大)東洋大6 上智大 法政大 昭和女大各4 拓大 東海大 帝京大各3 同大 日大 駒澤大 京都外大各2 明大 立教大 青学大 専大 明学大 津田塾大 東京女大 関大 福岡大各1 他【受付期間】3月～4月【採用プロセス】説明会(必須、3～4月)→履歴書・ES提出・Web適性検査(3～4月)→面接(4～5月)→内々定(5月)【筆記試験】WebGAB 適性検査(Web)【重視する科目】面接【ES通過率】50%(受付：1,000→通過：500)【倍率】10倍【大卒初任給】242,000～226,000円

会社名 （掲載ページ）	一般職採用データ
㈱帝国ホテル 672	【採用実績校】(大)桜美林大 聖心女大各4 國學院大 大妻女大 同女大 関西外大各3 法政大 学習院大 帝京大 東海大 明海大 津田塾大 立命館大 武庫川女大 北九州市大各2 早大 上智大 青学大 中大 成蹊大 成城大 駒澤大 明学大 武蔵大 獨協大 西武文理大 大東文化大 神田外語大 東京外大 白百合女大 共立女大 フェリス女学大 中京大 神戸学大 阪大 龍谷大 桃山学大 追手門学大 安田女大 京産大 京都外大 高知大 西南学大 ケネソー州立大 陝西師範大各1【受付期間】3月〜3月【採用プロセス】1次選考(ES)→2次選考(面談)→最終選考(面接・Web試験)→内々定(6月)【筆記試験】I-Dats Web-DBIT・DPI・DIST【重視する科目】ES 筆記 面接【ES通過率】NA【倍率】NA【大卒初任給】216,720円
●レジャー●	
㈱ラウンドワンジャパン 676	【採用実績校】(24年)(大)二松学舎大 京都橘大 熊本学大 大阪経大 京産大 愛知学大 西南学大 中部学大 京都芸大 高崎経大 常磐大各1【受付期間】3月〜7月【採用プロセス】説明会・適性試験(3月〜)→グループ面接・筆記(3〜4月)→面接(2回、4〜5月)→内々定(5月)【筆記試験】CUBIC(適性検査)【重視する科目】面接【ES通過率】-(応募：NA)【倍率】NA【大卒初任給】＜エリア限定職＞288,000円
セントラルスポーツ㈱ 679	【採用実績校】(大)東京国際大 作新学大各1(専)日本工学院八王子 大原簿記ビジネス公務員各1【受付期間】4月〜継続中【採用プロセス】Webセミナー・Webテスト・履歴書提出(4月〜)→面接(2〜3回、4月〜)→内々定(5月〜)【筆記試験】CAM I9【重視する科目】面接【ES通過率】-(応募：総合職に含む)【倍率】-【大卒初任給】188,818円
●運輸・倉庫●	
日本通運㈱ 684	【採用実績校】(院)大阪産大(大)流経大 日大 明大 上智大 早大 立教大 麗澤大 成蹊大 法政大 京都外大 関西外大 神戸女学大 金沢星稜大 静岡英和学大 札幌大 熊本学大(短)湘北 千葉経大 実践女大 聖霊女 聖和学園 精華女(専)大原ビジネス公務員 日本外国語 大原簿記 ECC国際外語【受付期間】NA【採用プロセス】ES提出・適性検査(3月)→面談(複数回、4月〜)→内々定(4月下旬〜)【筆記試験】OPQ 自社オリジナル(Web)【重視する科目】面接【ES通過率】NA【倍率】NA
㈱キユーソー流通システム 689	【採用実績校】(大)甲南女大3 拓大2 日大 専大 成蹊大 文教大 跡見学園女大 実践女大 東京家政大 神奈川大 山梨県大 武蔵野大 関西外大 神戸女大 桃山学大各1【受付期間】3月〜5月【採用プロセス】説明会(必須、3月)→ES提出→Web適性試験→面接(2回)→内々定(4月中旬〜)【筆記試験】GAB WebTAP【重視する科目】面接【ES通過率】NA【倍率】4倍【大卒初任給】197,000円
㈱上組 693	【採用実績校】(24年)(大)和洋女大3 甲南女大 武庫川女大 名古屋商大各2 愛知大 学習院大 関大 近大 神戸海星女学大 神戸女大 神戸親和女大 神奈川大 追手門学大 東海大 東京音大 日本文理大 別府大 北九州市大 立命館大 流通科学大各1(短)大手前2 港湾職能1【受付期間】各事務所ごとに適宜【採用プロセス】履歴書提出→個人面接・筆記→最終面接→内々定【筆記試験】一般常識 自社オリジナル【重視する科目】面接【ES通過率】-(応募：NA)【倍率】NA
伊勢湾海運㈱ 694	【採用実績校】(大)名古屋外大 名城大各1【受付期間】2月〜4月【採用プロセス】説明会(必須、2〜4月)→ES提出(3〜4月)→Webテスト・個人面接(5月上旬)→適性検査・集団面接(5月下旬)→役員面接(6月中旬)→内々定(6月中旬)【筆記試験】マネジメントベース【重視する科目】面接【ES通過率】56%(受付：164→通過：92)【倍率】82倍【大卒初任給】222,500円
三井倉庫ホールディングス㈱ 694	【採用実績校】(院)昭和女大1(大)日女大2 関西学大 熊本大 甲南大 清泉女大 青学大 静岡県大 奈良女大各1【受付期間】4月〜5月【採用プロセス】Webテスト・ES提出(4〜5月)→面接(3回、5〜7月)→内々定(7月)【筆記試験】WebGAB【重視する科目】面接【ES通過率】NA(受付：87→通過：NA)【倍率】9倍【大卒初任給】212,000円

会社名 *(掲載ページ)*		一般職採用データ
㈱住友倉庫	*695*	**【採用実績校】**(大)慶大 成蹊大 明学大 関大 関西学大 立命館大 同大 京産大 南山大各1 **【受付期間】**4月～6月 **【採用プロセス】**説明会・ES提出(4～6月)→筆記→面接(約2回、7月)→内々定(7月) **【筆記試験】**一般常識 **【重視する科目】**面接 筆記 **【ES通過率】**NA **【倍率】**NA **【大卒初任給】**210,000円
日本トランスシティ㈱	*696*	**【採用実績校】**(24年)(大)三重大 椙山女学大各2 近大 愛知大 金城学大 中京大各1(短)大妻女1 **【受付期間】**3月～継続中 **【採用プロセス】**ES提出・適性検査→面接(約2回)→内々定 **【筆記試験】**あり(内容NA) **【重視する科目】**面接 **【ES通過率】**NA **【倍率】**NA **【大卒初任給】**195,000円
澁澤倉庫㈱	*696*	**【採用実績校】**(専)大原学園1 **【受付期間】**2月～3月 **【採用プロセス】**説明会(2月)→筆記・ES提出(2月)→面接(複数回、3月)→内々定(3月) **【筆記試験】**SCOA 英語(自社オリジナル) **【重視する科目】**面接 **【ES通過率】**NA **【倍率】**NA
両備ホールディングス㈱	*697*	**【採用実績校】**なし **【受付期間】**3月～継続中 **【採用プロセス】**説明会(必須)→Webテスト・ES提出→面接(2～3回)→内々定 **【筆記試験】**一般常識 性格検査 **【重視する科目】**面接 **【ES通過率】**NA **【倍率】**NA **【大卒初任給】**NA
●鉄道●		
北海道旅客鉄道㈱	*698*	**【採用実績校】**(24年)(大)北海道教育大 北海学園大 札幌大 札幌学大 札幌国際大 立正大 国士舘大 桜美林大 龍谷大 近大 他 **【受付期間】**3月～未定 **【採用プロセス】**ES提出(3～5月)→適性検査(6月)→面接(約3回、6月)→内々定(6月) **【筆記試験】**適性検査 **【重視する科目】**面接 **【ES通過率】**NA **【倍率】**NA **【大卒初任給】**182,956円
西武鉄道㈱	*698*	**【採用実績校】**(大)帝京大2 高崎経大 成城大 獨協大 日大 専大 大正大 東京経大 東洋学大各1(専)日本鉄道＆スポーツビジネスカレッジ2 日本鉄道＆スポーツビジネスカレッジ21専 駿台トラベル＆ホテル 日本電子各1 **【受付期間】**3月～3月 **【採用プロセス】**ES提出・適性検査→面接他→内々定 **【筆記試験】**あり(内容NA) **【重視する科目】**面接 **【ES通過率】**NA **【倍率】**NA **【大卒初任給】**221,500円
小田急電鉄㈱	*702*	**【採用実績校】**(院)駒澤大1(大)東海大4 中大2 神奈川大 京産大 近大 湘南工大 昭和音大 拓大 多摩大 千葉大 東京工科大 日大各1(専)エアライン・鉄道・ホテルテーマパーク 東京ITプログラミング&会計各3 東京ホスピタリティ・アカデミー2 大原簿記情報ビジネス 駿台トラベル＆ホテル 日本鉄道＆スポーツビジネスカレッジ21専 日本電子 姫路情報ITクリエイター法律各1 **【受付期間】**3月～5月 **【採用プロセス】**ES提出→筆記・適性検査・面接→内々定 **【筆記試験】**SCOA **【重視する科目】**面接 **【ES通過率】**NA **【倍率】**NA **【大卒初任給】**223,700円
京王電鉄㈱	*702*	**【採用実績校】**(大)東海大 日大 武蔵野大各3 中大 帝京大 明大各2 帝京平成大 駒澤大 拓大 東京農業大 東洋大 明学大 早大 横浜商大 同大 国士舘大 関東学院大 東洋学大各1(短)東京交通3(専)エアライン・鉄道・ホテル・テーマパーク6 日本鉄道＆ビジネスカレッジ21専 東京ITプログラミング＆会計仙台各4 東京ホスピタリティーアカデミー3 大阪鉄道・観光 日本工学院八王子各2 東京ホテル・トラベル学院 大原簿記町田 東京エアトラベル・ホテル 日本鉄道＆ビジネスカレッジ 東京ITプログラミング＆会計名古屋 駿台ホテル＆トラベル各1 **【受付期間】**2月～4月 **【採用プロセス】**ES提出(2月)→筆記・面接(複数回)→内々定(6月) **【筆記試験】**あり(内容NA) **【重視する科目】**面接 **【ES通過率】**NA **【倍率】**NA **【大卒初任給】**228,400円
南海電気鉄道㈱	*707*	**【採用実績校】**(院)和歌山大 大阪工大各1(大)大阪工大3 滋賀大 立命館大 畿央大 徳島大 和歌山大 佛教大各1(高専)和歌山2 神戸 奈良各1 **【受付期間】**3月～7月 **【採用プロセス】**ES提出(3～7月)→試験(面接他)→内々定 **【筆記試験】**適性検査 **【重視する科目】**面接 **【ES通過率】**NA **【倍率】**NA **【大卒初任給】**222,000円

会社名 (掲載ページ)		一般職採用データ
大阪市高速電気軌道㈱	708	【採用実績校】(院)大阪公大 東京都市大各1(大)大阪産大5 大阪経大 追手門学大各3 近大 摂南大 関西外大 名城大各2 滋賀大 関大 立命館大 甲南大 大手前大 大和大 広島修道大 日大 佛教大各1(短)東京交通1(高専)明石1(専)大阪ホスピタリティ・アカデミー6 駿台観光&外語ビジネス 大阪ITプログラミング&会計各4 阪神自動車航空鉄道3 西鉄国際ビジネスカレッジ 大阪鉄道・観光各2 大原外語観光&ブライダルビューティー1【受付期間】3月~随時受付【採用プロセス】適性検査・ES提出(3月)→面接(複数回、4~5月)→内々定(5月下旬~6月上旬)【筆記試験】SPI3(会場)【重視する科目】面接【ES通過率】NA【倍率】NA【大卒初任給】222,700円
四国旅客鉄道㈱	709	【採用実績校】(大)環太平洋大 近大 神戸学大 追手門学大 高苑科技大各2 香川大 愛媛大 高知大 宮崎大 群馬大 鳥取大 島根大 筑波大 四国職能大学校 久留米大 駒澤大 慶大 広島修道大 国士舘大 四国大 城西大 神戸医療未来大 成蹊大 大阪工大 大阪産大 中京学大 帝京大 天理大 東理大 桃山学大 徳島文理大 南山大 日大 目白大 立命館大 龍谷大 千歳科技大 高知工科大各1(短)東京交通3(専)大阪観光 東京ITプログラミング各1【受付期間】3月~8月【採用プロセス】<前期>ES提出(3~4月)→適性検査・Webテスト(4~5月)→面接(5~6月)→内々定(5~7月)※同じプロセスで、中期(4月上旬スタート)後期(5月上旬スタート)3次(6月上旬スタート)4次(7月下旬スタート)がある【筆記試験】適性検査等【重視する科目】面接【ES通過率】NA【倍率】NA【大卒初任給】<プロフェッショナル職>192,000円

●その他サービス●

会社名 (掲載ページ)		一般職採用データ
全国農業協同組合連合会	713	【採用実績校】(短)共立女 大妻女各3 高知県農業大学校 戸板各2【受付期間】4月~5月【採用プロセス】ES提出(4月)→面接(複数回)・筆記・適性検査(6月)→内々定(6月下旬)【筆記試験】あり(内容NA)【重視する科目】身上調書 筆記 面接【ES通過率】NA【倍率】NA
㈱アクティオ	723	【採用実績校】(24年)(大)白鴎大2 愛媛大 敬愛大 山梨県大 実践女大 尚絅学大 神戸女大 千葉経大 千葉商大 大阪電通大 中大 帝京大 帝京平成大 東北芸工大 同大 武蔵野大 文京学大 北陸大 龍谷大各1(短)松本大松商 仙台青葉学院各2 大月 三重各1(専)東北電子2 大原簿記公務員 大原簿記情報ビジネス医療福祉 大原簿記情報医療各1【受付期間】12月~継続中【採用プロセス】説明会(必須、12月~)→Web適性検査・ES提出→面接(2回)→内々定【筆記試験】Web適性検査3種類 DPI DIST DBIT【重視する科目】面接【ES通過率】選考なし(受付:284)【倍率】10倍【大卒初任給】224,340円
㈱カナモト	723	【採用実績校】(大)札幌国際大 成城大 北海道情報大 北星学大各1【受付期間】3月~継続中【採用プロセス】Web説明会(必須)→Webテスト→個人面接(3回、3月~)→内々定(5月~)【筆記試験】Webテスト(HR-Base)【重視する科目】面接【ES通過率】-(応募:9)【倍率】5倍【大卒初任給】190,000円
ジェコス㈱	724	【採用実績校】(大)昭和女大 白百合女大各1【受付期間】3月~5月【採用プロセス】説明会(必須)→ES提出→Webテスト・GD→面接(2~3回)→最終面接→内々定【筆記試験】Web(自宅受験)・CUBIC【重視する科目】面接【ES通過率】選考なし(受付:NA)【倍率】NA【大卒初任給】193,000円
㈱白洋舍	727	【採用実績校】(24年)(大)共立女大 川村学女大各2 大谷大 大手前大 追手門学大 國學院大 城西大 清泉女大 筑紫女学大 松蔭大各1(短)実践女大1(専)東京IT会計1【受付期間】3月~継続中【採用プロセス】説明会(必須)→適性試験・1次面接→2次面接→最終面接→内々定【筆記試験】適性検査【重視する科目】面接【ES通過率】-(応募:21)【倍率】2倍【大卒初任給】213,000円

会社名 *(掲載ページ)*	一般職採用データ
㈱共立メンテナンス *731*	**【採用実績校】**(院)青学大 広島大 麗澤大(大)岡山商大 学習院大 釜山外国語大 関西外大 関東学院大 宮崎国際大 近大 九産大 駒澤大 釧路公大 工学院大 高知県大 阪南大 桜美林大 実践女大 就実大 昭和女大 神田外語大 神奈川大 成城大 聖学大 聖徳大 西南学大 西武文理大 青森公大 千葉商大 専大 大妻女大 大阪商大 筑紫女学大 中大 中京大 帝京大 東海大 東京国際大 東北学大 他 **【受付期間】**3月～継続中 **【採用プロセス】**<ホテル職>説明会・面接・ES提出(必須・3月～)→SPI(3月～)→面接(2回、4月～)→内々定 <介護職>説明会(必須・3月～)→作文・ES提出(3月～)→面接(1回、3月～)→内々定 **【筆記試験】**NA **【重視する科目】**<ホテル職・介護職>面接 **【ES通過率】**選考なし(受付：642) **【倍率】**4倍
㈱ベネフィット・ワン *732*	**【採用実績校】**(大)松山大3(短)松山1 **【受付期間】**3月～継続中 **【採用プロセス】**説明会(必須)→ES提出・適性検査・筆記・面接(3回)→内々定 **【筆記試験】**一般常識 V-CAT **【重視する科目】**面接 **【ES通過率】**選考なし(受付：NA) **【倍率】**NA **【大卒初任給】**186,715円
ＪＰホールディングスグループ *732*	**【採用実績校】**(大)青学大 長野県大 日女体大 同朋大 神戸市外大 文教大 昭和女大 東京成徳大 東京家政大 東洋英和女学大 北海道文教大 富山大 桜花学大 横浜創英大 尚絅学大 東京都市大 金城学大 相模女大 帝塚山大 椙山女学大 奈良教大 流経大 聖心女大 くらしき作陽大 鹿児島国際大 大妻女大 福岡女学大 帝京科学大(短)鎌倉女 柴田学園大(専)東京こども 横浜こども 福岡こども 聖ヶ丘保育 沖縄こども 大宮こども 神戸元町こども 大原簿記情報ビジネス 東京IT会計公務員 他 **【受付期間】**3月～8月 **【採用プロセス】**<保育士>随時<学童・栄養士>説明会(3～7月)→面接(2～3回、3～7月)→内々定(4～8月)<体育・学童・栄養士>説明会(必須、3～10月)→面接(2～3回、3～10月)→内々定(4～10月) **【筆記試験】**mitsucari **【重視する科目】**面接 **【ES通過率】**-(応募：45) **【倍率】**23倍

柔軟に働きたい人のための

職種転換ができる職種

SHUSHOKU SHIKIHO

会社名 （掲載ページ）		方向	転換可能職種	利用者数
●商社・卸売業●				
三菱商事㈱	72	双方向	総合職と一般職	1
伊藤忠商事㈱	72	双方向	総合職と事務職、総合職と特別職、事務職と特別職	0
三井物産㈱	73	一方向	業務職から担当職	7
豊田通商㈱	73	双方向	グローバル職と地域限定職	11
丸紅㈱	74	一方向	エリア限定コースからグローバルコース	1
双日㈱	75	双方向	総合職(基幹職)と事務職、総合職(専門職)と事務職、総合職(基幹職)と総合職(専門職)	11
兼松㈱	75	双方向	アドミスタッフ職とプロフェッショナル職	0
伊藤忠丸紅鉄鋼㈱	76	双方向	BPグループとAPグループ	NA
阪和興業㈱	76	双方向	総合職(特定総合職含む)と一般職	3
㈱メタルワン	77	双方向	総合職と一般職	NA
日鉄物産㈱	77	双方向	一般職と総合職 総合職と地域限定総合職	2
伊藤忠丸紅住商テクノスチール㈱	80	双方向	総合職と事務職	0
小野建㈱	80	双方向	一般職と総合職	1
佐藤商事㈱	81	双方向	総合職と地域職と一般職	NA
大同興業㈱	81	双方向	総合職と一般職	0
ユアサ商事㈱	82	双方向	総合職と地域限定総合職 一般職と総合職(地域限定総合職を含む)	0
㈱ミスミ	83	双方向	企画職とオペレーション職	60
トラスコ中山㈱	83	双方向	キャリア(海外・国内)コース、キャリア(地域)コース、デジタルキャリアコース、ロジスキャリアコース、エキスパートコース、エリアコース、ロジスエリアコース	41
㈱豊通マシナリー	84	一方向	業務職(一般職)から担当職(総合職)	NA
第一実業㈱	84	双方向	一般職と総合職	3
㈱守谷商会	85	一方向	事務職から総合職	0
ダイワボウ情報システム㈱	86	双方向	総合職と一般職	4
㈱日立ハイテク	86	双方向	(1)一般職から総合職(2)総合職から一般職	NA
㈱ＲＹＯＤＥＮ	88	一方向	事務職から総合職	9
㈱立花エレテック	89	双方向	総合職と一般職	0
サンワテクノス㈱	89	双方向	グローバルコースとエリアコース	4
㈱カナデン	90	双方向	総合職と一般職	1
加賀電子㈱	91	双方向	総合職と一般職	2
リョーサン菱洋ホールディングス㈱	92	双方向	総合職と一般職	3
東京エレクトロン デバイス㈱	92	双方向	総合職と一般職	1
丸文㈱	93	双方向	基幹職(総合職)と一般職	3
伯東㈱	93	双方向	企画・折衝型職種と計画・調整型職種と技能・事務型職種	0
新光商事㈱	94	一方向	一般職から総合職	1
三信電気㈱	94	双方向	総合職と一般職	1
長瀬産業㈱	95	双方向	総合職と事務職	5
稲畑産業㈱	95	双方向	スタッフ職とアシスタント職	0
ＣＢＣ㈱	96	双方向	総合職と専門職	0

業種別・転換可能職種 626 社

会社名	（掲載ページ）	方向	転換可能職種	利用者数
オー・ジー㈱	96	双方向	グローバル総合職と地域総合職と定型業務職	2
明和産業㈱	97	一方向	事務職から総合職	0
ＪＫホールディングス㈱	97	双方向	一般職と総合職	16
渡辺パイプ㈱	98	一方向	営業職から業務職・事務職	NA
伊藤忠建材㈱	98	双方向	一般職と総合職 一般職と専門・地域限定総合職 総合職と専門・地域限定総合職	1
ナイス㈱	99	双方向	総合職と事務職	10
㈱サンゲツ	99	双方向	総合職掌とロジスティクス職掌	74
㈱日本アクセス	100	双方向	総合職と事務職	5
三菱食品㈱	101	双方向	一般職と総合職	9
国分グループ	101	双方向	グループキャリアとエリアキャリアと地域キャリア	39
加藤産業㈱	102	双方向	総合職（全国）と総合職（地域）と総合職（勤務地限定）	NA
㈱シジシージャパン	102	一方向	一般職から総合職	2
ヤマエグループホールディングス㈱	103	双方向	全国キャリア職と地域キャリア職	5
伊藤忠食品㈱	103	双方向	エリア総合職と総合職 一般職から総合職 一般職からエリア総合職	8
日本酒類販売㈱	104	双方向	全国総合職とエリア限定職	NA
旭食品㈱	104	双方向	総合職と準総合職と一般職	14
スターゼン㈱	105	双方向	総合職と専任職	11
㈱マルイチ産商	105	双方向	(1)全国コースとエリアコース(2)アシスタント職から総合職	(1)2 (2)1
東海澱粉㈱	106	双方向	総合職と一般職と技能職	0
カナカン㈱	107	双方向	営業職と事務職	1
横浜冷凍㈱	107	双方向	一般職と総合職（特定）と総合職	13
木徳神糧㈱	108	双方向	総合職と一般職	4
日本紙パルプ商事㈱	109	双方向	総合職と一般職	0
アルフレッサ㈱	110	双方向	全職種転換可能（ただし薬剤師職は薬剤師免許保有者に限る）	NA
㈱スズケン	111	一方向	事務職・外勤職から総合職 アクティブキャリア ・薬剤師職から総合職・アクティブキャリア	0
㈱あらた	112	双方向	全職種	26
興和㈱	113	双方向	総合職とエリア職	25
蝶理㈱	114	一方向	総合職から事務職 事務職からタスク職	0
豊島㈱	114	双方向	総合職とエリア職と専門職	8
帝人フロンティア㈱	115	双方向	総合職と一般職	0
㈱ＧＳＩクレオス	115	双方向	総合職と一般職	2
㈱ヤギ	116	双方向	総合職と一般職	NA
スタイレム瀧定大阪㈱	116	双方向	総合職と一般職と専門職	0
伊藤忠エネクス㈱	117	双方向	総合職と一般職	0
岩谷産業㈱	117	一方向	事務コースから総合コース	1
三愛オブリ㈱	118	双方向	総合職と航空関連職と地域限定総合職	1
三谷商事㈱	119	双方向	（正社員）管理職と総合職と一般職と専門職	0
㈱ＥＮＥＯＳフロンティア	119	一方向	エリア職から全国職	NA

会社名 （掲載ページ）		方向	転換可能職種	利用者数
ＴＯＫＡＩグループ	120	双方向	ビジネスサポート職と総合職	4
鈴与商事㈱	121	一方向	一般職から地域総合職 地域総合職から総合職 一般職から総合職	NA
㈱巴商会	121	双方向	総合職と一般職	2
トヨタモビリティパーツ㈱	122	双方向	総合職と企画業務職	0
㈱内田洋行	124	双方向	一般職と総合職	1
新生紙パルプ商事㈱	125	一方向	一般職から総合職	2
㈱オートバックスセブン	125	双方向	総合職と専門職	2
㈱ＪＡＬＵＸ	126	双方向	総合職と一般職	1
㈱ドウシシャ	126	双方向	総合職と一般職	2
㈱サンリオ	127	双方向	総合職コースとデザイナーコース	NA
●シンクタンク●				
㈱日本総合研究所	130	双方向	総合職と一般職	NA
㈱三菱総合研究所	131	一方向	一般職から総合職	4
●コンサルティング●				
㈱船井総合研究所	133	双方向	コンサルタント職とビジネス職とスタッフ職	NA
ＩＤ＆Ｅグループ	134	一方向	一般職から担当職・総合職	3
㈱建設技術研究所	135	双方向	総合職と職務限定職	1
㈱オリエンタルコンサルタンツグローバル	136	一方向	技術職から営業・事務職	0
●リサーチ●				
㈱帝国データバンク	137	双方向	総合職と専任職	NA
㈱東京商工リサーチ	138	双方向	総合職と地域・職務限定職	0
●通信サービス●				
ソフトバンク㈱	141	一方向	アソシエイト職・販売職から総合職	NA
ＪＣＯＭ㈱	143	双方向	総合職と専任職	44
㈱インターネットイニシアティブ	144	双方向	全職種	NA
㈱ＭＩＸＩ	145	双方向	全職種	NA
インフォコム㈱	146	双方向	事務職と総合職	0
㈱ゼンリン	146	双方向	総合職と特定職(勤務地、業務等)	41
●システム・ソフト●				
㈱日立システムズ	150	双方向	総合職と基幹職(一般職)	5
ＢＩＰＲＯＧＹ㈱	150	一方向	一般職から専門職へ	8
ＮＥＣネッツエスアイ㈱	151	双方向	一般職と総合職	7
ＮＥＣソリューションイノベータ㈱	152	双方向	執務職と企画職	6
㈱日立ソリューションズ	155	一方向	一般職から総合職	0
㈱トヨタシステムズ	156	双方向	一般職と総合職	0

業種別・転換可能職種 626 社

会社名 （掲載ページ）		方向	転換可能職種	利用者数
京セラコミュニケーションシステム㈱	*156*	双方向	スペシャリスト職とマネジメント職	0
㈱電通総研	*157*	双方向	総合職と一般職	0
都築電気㈱	*158*	双方向	総合職と一般職	6
三菱ＵＦＪインフォメーションテクノロジー㈱	*161*	双方向	Expert／InnovaterコースとAdministratorコース	0
兼松エレクトロニクス㈱	*162*	双方向	総合職と一般職	1
ニッセイ情報テクノロジー㈱	*162*	一方向	一般職から総合職	1
㈱ＪＳＯＬ	*166*	双方向	総合職と一般職	1
コベルコシステム㈱	*167*	双方向	総合職と一般職	1
ＮＳＷ㈱	*168*	双方向	事務職と技術職と営業職	2
㈱オービックビジネスコンサルタント	*169*	双方向	総合職と一般職	1
㈱図研	*170*	一方向	一般職から総合職	0
㈱アイネット	*170*	双方向	全職種	11
トーテックアメニティ㈱	*173*	一方向	技術系総合職から総合職(技術系以外)	0
㈱ＩＤホールディングス	*174*	双方向	総合と地域限定総合	9
㈱シーエーシー	*176*	双方向	地域限定職と無限定正社員	0
㈱さくらケーシーエス	*177*	双方向	総合職と一般職	1
さくら情報システム㈱	*178*	双方向	総合職と一般職	1
ＡＧＳ㈱	*179*	双方向	システムエンジニアと営業 インフラエンジニアと営業 システムエンジニアとインフラエンジニア	NA
アイエックス・ナレッジ㈱	*179*	双方向	システムエンジニアと営業と管理部門スタッフ	11
㈱ＳＣＣ	*185*	双方向	総合職と専門職と一般職	16
㈱アドービジネスコンサルタント	*186*	双方向	一般職と総合職	3

●銀行●

会社名		方向	転換可能職種	利用者数
㈱三井住友銀行	*190*	双方向	総合職と総合職(リテールコース)	139
㈱ゆうちょ銀行	*191*	双方向	総合職とエリア基幹職 エリア基幹職と一般職	51
ＳＢＩ新生銀行グループ	*192*	双方向	GP職とGPR職とBP職	17
㈱あおぞら銀行	*192*	双方向	全国総合職と地域総合職とIT職	7
三井住友信託銀行㈱	*193*	双方向	GコースとAコース	NA
三菱ＵＦＪ信託銀行㈱	*194*	双方向	全国コースと地域特定コース	38
㈱日本カストディ銀行	*194*	双方向	総合職とIT職	NA
㈱北海道銀行	*195*	双方向	総合職Gと総合職Aと特定職Gと特定職A	NA
㈱青森銀行	*196*	双方向	総合職とエリア総合職	NA
㈱秋田銀行	*197*	双方向	総合職と特定職	7
㈱北都銀行	*197*	双方向	総合職とエリア総合職	10
㈱山形銀行	*198*	双方向	基幹職とサポート職	15
㈱荘内銀行	*198*	双方向	総合職とエリア総合職	NA
㈱常陽銀行	*199*	双方向	FコースとAコース	9
㈱足利銀行	*199*	双方向	全職種	NA
㈱栃木銀行	*200*	双方向	総合職と地域総合職	NA

業種別・転換可能職種 626 社

会社名 （掲載ページ）		方向	転換可能職種	利用者数
㈱東和銀行	201	双方向	総合職と総合職(エリアオプション)	NA
㈱千葉銀行	201	双方向	総合職とエリア総合職	NA
㈱東日本銀行	203	双方向	総合職とCS職	7
㈱横浜銀行	204	双方向	総合職とカスタマーサービス職	NA
㈱神奈川銀行	204	双方向	総合職と一般職	0
㈱第四北越銀行	205	一方向	事務職コースから総合職コース	22
㈱大光銀行	205	双方向	総合職と地域総合職	今年度より制度改正のため、実績なし
㈱北陸銀行	206	双方向	総合職Gコースと総合職Aコース 総合職と事務職	23
㈱山梨中央銀行	207	双方向	ゼネラルアソシエイトコースとオペレーションアソシエイトコース	10
㈱八十二銀行	208	双方向	スタンダードコース(総合職)と事務店頭コース(一般職)	36
㈱大垣共立銀行	208	双方向	総合職と地域限定総合職	NA
スルガ銀行㈱	210	双方向	チャレンジ職(総合職)とパーソナル職(地域限定総合職)	6
㈱百五銀行	212	双方向	専門職Ⅰ種と専門職Ⅱ種	7
㈱三十三銀行	212	双方向	オーソリティとエキスパート	14
㈱滋賀銀行	213	双方向	総合職と特定職	NA
㈱南都銀行	215	双方向	24年度からはBPコースとOPコース	18
㈱中国銀行	216	双方向	コンサルティングコースとシステムエンジニアコースとイノベーションコース	NA
㈱百十四銀行	217	双方向	総合職とエリア総合職とエキスパート職	37
㈱伊予銀行	218	双方向	総合職と専門職とオフィスコース	24
㈱四国銀行	218	双方向	総合職と地域総合職	13
㈱高知銀行	219	双方向	総合職と一般職	1
㈱福岡銀行	219	双方向	総合職(Fコース)と総合職(Aコース)と総合職(Cコース)	NA
㈱佐賀銀行	220	双方向	総合職と地域総合職	5
㈱十八親和銀行	220	双方向	総合職Fコースと総合職Aコース	NA
㈱肥後銀行	221	双方向	総合職と特定職	0
㈱鹿児島銀行	221	双方向	総合職と専門職と特定職	NA
●政策金融・金庫●				
信金中央金庫	224	一方向	事務職から総合職	NA
●証券●				
大和証券グループ	227	双方向	広域エリア総合職・エリア総合職と総合職 カスタマーサービス職とエリア総合職 他	47
野村證券㈱	228	双方向	総合職と総合職(エリア型)	NA
みずほ証券㈱	229	双方向	隔地間異動の可否について変更可	NA
ＳＭＢＣ日興証券㈱	229	双方向	地域型と全国型	40
三菱ＵＦＪモルガン・スタンレー証券㈱	230	双方向	総合職(全域)と総合職(地域)総合職(全域／地域)と地域職	30
㈱日本取引所グループ	230	双方向	GGコースとSSコースとDSコース	1
岡三証券㈱	231	双方向	エリア総合職と総合職	3
いちよし証券㈱	232	双方向	全国転勤型と地域限定型	4

業種別・転換可能職種 626 社

会社名	（掲載ページ）	方向	転換可能職種	利用者数
水戸証券㈱	233	双方向	総合職とエリア総合職と一般職	13
東洋証券㈱	233	双方向	基幹職と広域エリア職とエリア職	6
●生保●				
第一生命保険㈱	234	双方向	基幹総合職(G型)と基幹総合職(R型)と基幹業務職(A型)	76
日本生命保険（相）	235	双方向	エリア業務職とエリア総合職 エリア業務職と総合職 エリア総合職と総合職	53
㈱かんぽ生命保険	235	双方向	(1)一般職とエリア基幹職 エリア基幹職と総合職 エリア基幹職と営業職(2)総合職から一般職 営業職から総合職・一般職 業務職から総合職・エリア基幹職・一般職	NA
明治安田生命保険（相）	236	双方向	総合職（全国型）と総合職（全国型）「本拠地コース」と総合職（地域型）	NA
住友生命保険（相）	236	双方向	総合キャリア職(Gコース・Aコース・Rコース)とビジネスキャリア職 他	11
大樹生命保険㈱	238	双方向	総合職とエリア総合職 総合職と業務職 エリア総合職と業務職	23
アクサ生命保険㈱	238	双方向	営業と非営業間	NA
大同生命保険㈱	239	双方向	全国型と地域型	9
東京海上日動あんしん生命保険㈱	239	双方向	総合職と総合職（エリア限定）	NA
太陽生命保険㈱	240	双方向	総合職と一般職	0
富国生命保険（相）	240	双方向	エリア職と総合職	1
三井住友海上あいおい生命保険㈱	241	双方向	地域社員から全域社員 全域社員から地域社員	若干
朝日生命保険（相）	242	双方向	総合職（全国型）と総合職（ブロック型）と総合職（地域型）	5
●損保●				
東京海上日動火災保険㈱	243	双方向	限定なしとエリア限定とワイドエリア	23
三井住友海上火災保険㈱	244	双方向	総合職（エリア）と総合職（ワイドエリア）、総合職（ワイドエリア）と総合職（グローバル）、総合職（エリア）と総合職（グローバル）	NA
トーア再保険㈱	245	一方向	事務職から総合職	2
共栄火災海上保険㈱	245	双方向	ワイドエリア型と全国型 勤務地限定型と全国型 ワイドエリア型から勤務地限定型	7
ソニー損害保険㈱	246	双方向	GS社員とSC社員 GS社員とCP社員	NA
●代理店●				
㈱アドバンスクリエイト	247	双方向	グローバル職とエリア職	若干
共立㈱	247	双方向	(1)一般職と総合職(2)一般職とエリア総合職(3)エリア総合職と総合職 他	2
●信販・カード・リース他●				
オリックス㈱	248	双方向	総合職（全国型）と総合職（地域限定型）と一般職	7
三井住友ファイナンス＆リース㈱	248	双方向	総合職と業務職	0
三菱ＨＣキャピタル㈱	249	双方向	総合職とビジネスプロフェッショナル職	3
東京センチュリー㈱	249	双方向	総合職と業務職	0
芙蓉総合リース㈱	250	双方向	総合職A（全国型）と総合職B（首都圏限定型）と業務職	1

会社名 （掲載ページ）		方向	転換可能職種	利用者数
みずほリース㈱	250	双方向	総合職と地域限定総合職と一般職	1
ＪＡ三井リース㈱	251	一方向	一般職から総合職	3
㈱ＪＥＣＣ	252	双方向	総合職と地域総合職と一般職	2
リコーリース㈱	252	双方向	Nコース（全国）とRコース（地域）	13
三井住友トラスト・パナソニックファイナンス㈱	253	双方向	全国勤務総合職と地域限定勤務総合職	7
住友三井オートサービス㈱	254	一方向	事務職から総合職	NA
ＮＥＣキャピタルソリューション㈱	254	双方向	総合職と一般職	2
三菱ＵＦＪニコス㈱	256	双方向	総合職（全国型）と総合職（地域型）とエリア職	23
イオンフィナンシャルサービス㈱	256	双方向	グローバル（全国勤務）とリージョナル（地域限定）とエリア（自宅通勤圏内）とローカル（自宅通勤圏内かつ職種限定）	28
トヨタファイナンス㈱	257	双方向	総合職（全国転勤型）と総合職（地域限定型）、総合職（地域限定型）と業務職	8
㈱ジャックス	258	双方向	全国転勤型と地域限定型	18
ユーシーカード㈱	259	双方向	総合系基幹職と事務系基幹職	0
アコム㈱	259	一方向	限定職から総合職	8
ＳＭＢＣコンシューマーファイナンス㈱	260	双方向	総合職と地域限定職	34
アイフル㈱	260	双方向	総合職とIT職、全国転勤コースと地域限定コース	61

●テレビ●

会社名		方向	転換可能職種	利用者数
中京テレビ放送㈱	265	双方向	総合職と特定業務職	0
岡山放送㈱	269	一方向	アナウンサー職から総合職	0

●広告●

会社名		方向	転換可能職種	利用者数
㈱読売広告社	275	双方向	総合職と管理事務職と専門職	2
㈱大広	276	双方向	全職種	NA

●電機・事務機器●

会社名		方向	転換可能職種	利用者数
㈱日立製作所	294	双方向	総合職と基幹職	NA
三菱電機㈱	294	双方向	総合職と一般職	103
ＮＥＣ	295	双方向	総合職と一般職	182
㈱デンソーテン	298	一方向	一般職から総合職	10
ブラザー工業㈱	303	双方向	プロフェッショナル職とオフィス職・スキル職	NA
京セラドキュメントソリューションズ㈱	304	双方向	総合職（グローバル）と一般職（エリア）	7
理想科学工業㈱	306	双方向	一般職と総合職（役割、就業エリアについて変更可）	0
千代田インテグレ㈱	306	双方向	全職種	10
富士電機㈱	307	双方向	企画職と技能・実務職	NA
㈱キーエンス	307	双方向	B職とS職	NA
オムロン㈱	308	双方向	エリア限定総合職と総合職	NA
㈱明電舎	310	双方向	総合職と地域総合職と執務職	14
㈱ダイヘン	311	一方向	一般職から総合職	2
日東工業㈱	312	双方向	一般職から総合職 技能職と総合職	4

会社名 (掲載ページ)		方向	転換可能職種	利用者数
㈱イシダ	312	双方向	地域コースと全国コース	10
㈱日立パワーソリューションズ	313	双方向	基幹職と総合職	11
能美防災㈱	314	双方向	総合職と地域限定職	0
古野電気㈱	314	双方向	一般職と総合職	3
日本信号㈱	315	双方向	クリエイトコースとエキスパートコース	2
アジレント・テクノロジー㈱	315	双方向	全職種	NA

●電子部品・機器●

会社名 (掲載ページ)		方向	転換可能職種	利用者数
TDK㈱	316	双方向	グローバル人財とエリア人財	52
㈱村田製作所	317	一方向	一般職から総合職	59
アルプスアルパイン㈱	319	双方向	一般職と総合職	85
日東電工㈱	320	双方向	総合職と一般職	153
ローム㈱	321	双方向	一般職と総合職	21
イビデン㈱	321	双方向	P職・E職(総合職)とS職(一般職)	19
NECプラットフォームズ㈱	322	双方向	全国総合職とエリア総合職	3
太陽誘電㈱	322	一方向	一般職から総合職	NA
浜松ホトニクス㈱	325	双方向	総合職と一般職	73
㈱ソシオネクスト	326	一方向	総合職(技術系)から総合職(技術系以外)	0
㈱トプコン	326	双方向	全職種	NA
マブチモーター㈱	329	一方向	一般職から総合職	3
ヒロセ電機㈱	330	一方向	一般職から総合職	16
マクセル㈱	331	双方向	総合職と基幹職	NA
日本シイエムケイ㈱	334	双方向	総合職と特定地域職	10
オリエンタルモーター㈱	335	双方向	グローバルコースとリージョナルコース	13
㈱日立国際電気	336	双方向	総合職と専任職	3
SMK㈱	337	一方向	一般職から総合職	1
メクテック㈱	338	一方向	一般職から総合職	1
東京エレクトロン㈱	340	双方向	一般職と総合職	14
㈱SCREENホールディングス	341	一方向	事務コースから総合コース	2
㈱ディスコ	342	双方向	総合職と事務職と技能職とリモート職	13
㈱KOKUSAI ELECTRIC	343	双方向	総合職と一般職	7
ウシオ電機㈱	344	一方向	製造職から総合職	NA

●住宅・医療機器他●

会社名 (掲載ページ)		方向	転換可能職種	利用者数
ホーチキ㈱	345	双方向	一般職と総合職	1
アイホン㈱	346	双方向	総合職と地域限定総合職	5
ニプロ㈱	347	双方向	グローバルコースとブロックコースとエリアコース	29
日本光電	349	一方向	転勤制限社員から総合職	0
日機装㈱	349	一方向	専任職から総合職 特定職から専任職	18

会社名 （掲載ページ）		方向	転換可能職種	利用者数
●自動車●				
スズキ㈱	351	一方向	技能職から技術職	NA
●自動車部品●				
ダイハツ九州㈱	357	双方向	一般職と総合職	0
マザーサンヤチヨ・オートモーティブシステムズ㈱	358	双方向	技術職と事務職	NA
㈱アイシン	359	一方向	一般職から総合職	29
㈱豊田自動織機	360	一方向	一般職資格から総合職資格	5
㈱ＧＳユアサ	361	双方向	一般職と総合職	12
㈱ブリヂストン	362	双方向	総合職と一般職	2
住友ゴム工業㈱	362	一方向	一般職から総合職	15
横浜ゴム㈱	363	一方向	地域限定総合職から総合職	0
住友理工㈱	364	双方向	総合職と事務職 総合職と技能職	7
住友電装㈱	367	一方向	一般職から総合職	12
ＮＯＫ㈱	368	一方向	一般職から総合職	16
イーグル工業㈱	368	一方向	一般職から総合職	14
フタバ産業㈱	369	一方向	一般職・技能職から総合職	3
豊田鉄工㈱	370	双方向	一般職・技能職と総合職	2
㈱アドヴィックス	374	一方向	実務職(一般職)から総合職	NA
日清紡ホールディングス㈱	375	双方向	総合職とエリア職	3
日本発条㈱	376	双方向	一般職と総合職	15
中央発條㈱	377	一方向	一般職から総合職	0
愛三工業㈱	378	一方向	事務一般職から事務総合職	3
㈱エクセディ	379	一方向	総合職から総合職(全職種対象)一般職から総合職(全職種対象)	35
●輸送用機器●				
今治造船㈱	385	双方向	総合職と一般職	NA
㈱三井Ｅ＆Ｓ	385	一方向	技術系職から事務系職	NA
ジャパン マリンユナイテッド㈱	386	一方向	一般職から総合職	3
●機械●				
川崎重工業㈱	390	一方向	一般職から総合職 生産職から総合職	31
三井海洋開発㈱	391	双方向	総合職と一般職	7
㈱クボタ	391	双方向	スタッフ職とテクニカル職	4
ヤンマーホールディングス㈱	392	双方向	一般職と総合職	4
コベルコ建機㈱	393	一方向	一般職から総合職 技能職から総合職	1
㈱タダノ	393	双方向	全職種	NA
古河機械金属㈱	394	一方向	専門職群から企画職群	7
井関農機㈱	394	双方向	総合職と地域限定職	13
㈱やまびこ	395	双方向	総合職 エリア総合職 一般職	14
㈱キッツ	397	双方向	グローバル総合職とエリア総合職	7

業種別・転換可能職種 626 社

会社名　(掲載ページ)		方向	転換可能職種	利用者数
アマノ㈱	398	双方向	総合職と一般職	0
フクシマガリレイ㈱	398	一方向	(1)一般職から地域限定総合職(2)一般職から総合職	(1)6 (2)0
中外炉工業㈱	399	双方向	一般職と総合職	0
㈱ジェイテクト	400	双方向	技能職と総合職	454
日本精工㈱	401	双方向	一般職と総合職	40
SMC㈱	404	双方向	総合職と一般職	0
㈱マキタ	404	一方向	一般職から基幹職	21
㈱ダイフク	405	一方向	職種専任型から総合職	2
村田機械㈱	405	双方向	総合職と一般職	15
三菱電機ビルソリューションズ㈱	406	一方向	一般職から総合職	6
サトーホールディングス㈱	409	双方向	全職種	NA
CKD㈱	410	双方向	総合職と一般職	4
㈱FUJI	410	双方向	総合職と一般職	12
㈱小森コーポレーション	411	双方向	総合職と一般職	3
JUKI㈱	412	双方向	全域型コースと地域型コース	10
㈱アマダ	415	一方向	総合職と製造職	28
オークマ㈱	416	双方向	実務職(一般職)と基幹職(総合職)	5
カナデビア㈱	418	双方向	技能職と事技職	3
栗田工業㈱	418	一方向	一般職から総合職	0
三浦工業㈱	419	一方向	一般職から総合職	15
オルガノ㈱	420	双方向	総合職と地域総合職と技能職と一般職	2
㈱タクマ	420	一方向	一般職・作業職から総合職	2

●食品・水産●

会社名	掲載ページ	方向	転換可能職種	利用者数
アサヒビール㈱	424	双方向	全国転勤可コースとエリア限定コース	8
サッポロビール㈱	425	双方向	総合コースと事務コース 総合コースと技能コース	2
コカ・コーラ ボトラーズジャパン㈱	426	双方向	営業職と人事職 他	24
㈱ヤクルト本社	427	双方向	総合職と一般職	13
キーコーヒー㈱	429	双方向	総合職とエリア職	6
味の素㈱	431	双方向	グローバル型と地域型	NA
㈱明治	432	一方向	基幹職から総合職	12
ニチレイグループ	432	双方向	総合職と一般職	NA
日清オイリオグループ㈱	433	双方向	総合職と専任職	9
ハウス食品㈱	434	双方向	一般職と総合職	8
カゴメ㈱	435	双方向	総合職と技能職 総合職と業務職	2
テーブルマーク㈱	436	双方向	営業職とスタッフ職 製造職とスタッフ職 開発職とスタッフ職 開発職と製造職 他	25
味の素冷凍食品㈱	436	双方向	エリア社員とグローバル社員	NA
ホクト㈱	437	双方向	基幹職と専任職	16
エスビー食品㈱	438	双方向	総合企画コース(全国)と総合企画コース(エリア限定)	NA
キユーピー㈱	439	一方向	地域職から総合職	35

業種別・転換可能職種 626 社

会社名 (掲載ページ)		方向	転換可能職種	利用者数
日本食研ホールディングス㈱	439	双方向	総合職と専門職	9
ケンコーマヨネーズ㈱	440	一方向	エリア職から全国職	NA
日清食品㈱	441	一方向	エリア職から総合職	0
伊藤ハム米久ホールディングス㈱	442	双方向	総合職と地域総合職	7
プリマハム㈱	443	双方向	全国社員と勤務地限定社員	0
丸大食品㈱	443	双方向	総合職と勤務地限定職 ※30歳以上対象の制度	5
日清製粉グループ	447	一方向	一般職から総合職 ※グループ8社 ※1社は単一職種なので制度なし	2
㈱ニップン	447	一方向	一般職から総合職	0
昭和産業㈱	448	一方向	一般職から総合職	2
㈱ＹＫベーキングカンパニー	449	双方向	総合職と準総合職	NA
マルハニチロ㈱	450	双方向	総合職とエリア職	6
㈱ニッスイ	451	双方向	スペシャリスト職とプロフェッショナル職	29
㈱極洋	451	双方向	総合職と地域限定総合職 地域限定総合職と一般職	37
●印刷・紙パルプ●				
王子ホールディングス㈱	456	一方向	一般職から総合職	0
レンゴー㈱	457	双方向	総合職と業務職	0
大王製紙㈱	457	一方向	地域限定職から総合職	0
●化粧品・トイレタリー●				
㈱資生堂	458	双方向	美容職と総合職 特定職から総合職 生産技術職と総合職	19
㈱コーセー	458	一方向	特定職正社員(無期嘱託社員)から総合職正社員、美容部員(別処遇)から総合職正社員	NA
㈱ファンケル	459	双方向	アソシエイト職(事務職)と総合職	1
㈱ポーラ	459	双方向	全職種	5
●医薬品●				
小野薬品工業㈱	464	一方向	一般職から総合職	0
ロート製薬㈱	466	双方向	一般社員と専門社員	7
東和薬品㈱	467	双方向	総合職とエリア職	11
Ｍｅｉｊｉ Ｓｅｉｋａ ファルマ㈱	467	一方向	基幹職から総合職	2
大正製薬㈱	468	双方向	総合職と一般職	NA
㈱ツムラ	468	双方向	経営管理職･専門職を目指す職種と一般職でのキャリアを目指す職種 管理職と専門職	2
持田製薬㈱	470	双方向	総合職とエリア総合職	NA
扶桑薬品工業㈱	471	双方向	生産一般職と総合職 営業一般職と総合職	4
日本ケミファ㈱	472	双方向	総合職と一般職	0
●化学●				
旭化成グループ	474	一方向	実務基幹職から専門職 専門職から総合職	209
東レ㈱	474	双方向	GコースとSコース	13
三井化学㈱	476	一方向	一般職から総合職	0

業種別・転換可能職種 626 社

会社名 (掲載ページ)		方向	転換可能職種	利用者数
積水化学工業(株)	477	双方向	ビジネスキャリアコースとエキスパートコース	7
帝人(株)	477	一方向	一般職から総合職	4
東ソー(株)	478	一方向	一般職から総合職	1
三菱ガス化学(株)	478	双方向	総合職と一般職	1
(株)クラレ	479	双方向	総合職と一般職	NA
(株)ダイセル	480	双方向	C職(企画)とE職(現業)	8
ＵＢＥ(株)	480	双方向	総合職と一般職	1
ＪＳＲ(株)	481	一方向	一般職から総合職	2
デンカ(株)	482	一方向	地域職から総合職	0
日本ゼオン(株)	483	一方向	一般職から総合職	0
住友ベークライト(株)	484	一方向	一般職から総合職	0
リンテック(株)	484	双方向	グローバル型(総合職)コースとエリア型(一般職)コース	10
(株)エフピコ	485	双方向	(1)総合職と専門職(2)スペシャリスト職と総合職	4
(株)イノアックコーポレーション	486	双方向	総合職とエリア総合職	NA
東京応化工業(株)	487	双方向	総合職と一般職	12
タキロンシーアイ(株)	488	双方向	全職種間	11
大陽日酸(株)	491	一方向	技能職・一般職から総合職	4
エア・ウォーター(株)	492	双方向	グローバル職とエリア職	9
日産化学(株)	493	一方向	一般職から総合職	0
日油(株)	493	双方向	総合職コースと一般職コース	0
(株)クレハ	494	双方向	実務推進職系(一般職)と企画開発職系(総合職)	4
東亞合成(株)	495	一方向	一般職から総合職	0
日本曹達(株)	495	一方向	実務職から総合職	0
日本パーカライジング(株)	496	双方向	総合職と一般職	1
荒川化学工業(株)	497	双方向	G系(営業職、研究開発職、スタッフ職)とA系(技術職、オペレーター職、事務職)	3
サカタインクス(株)	499	双方向	総合職と一般職	8
大日精化工業(株)	500	双方向	総合職と地域限定職	3
●衣料・繊維●				
セーレン(株)	501	双方向	総合職種間(地域限定の有無)	1
グンゼ(株)	501	双方向	総合職・地域総合職と一般職	16
(株)オンワード樫山	503	一方向	専門職から総合職	6
(株)三陽商会	503	双方向	総合職と一般職	0
クロスプラス(株)	504	双方向	総合職と事務職 専門職から総合職・事務職(一方向)	0
●ガラス・土石●				
ＡＧＣ(株)	504	双方向	総合職と一般職と技能職	15
日本板硝子(株)	505	双方向	一般職と総合職	NA
日本電気硝子(株)	505	一方向	一般職から総合職	0
セントラル硝子(株)	506	一方向	一般職から総合職	NA
太平洋セメント(株)	507	双方向	地域限定型総合職(Lコース)と全国転勤型総合職(Gコース)	11
ＵＢＥ三菱セメント(株)	507	一方向	一般職から総合職	11

業種別・転換可能職種 626 社

会社名	(掲載ページ)	方向	転換可能職種	利用者数
住友大阪セメント㈱	508	双方向	総合職(全国勤務コース)と一般職(地域限定勤務コース)	2
日本特殊陶業㈱	508	双方向	総合職と一般職	24
東海カーボン㈱	509	一方向	一般職から総合職	0
ニチアス㈱	510	双方向	総合職とエリア総合職 エリア総合職と一般職	0
黒崎播磨㈱	510	一方向	技能職から執務系総合職 執務系一般職から執務系総合職 築炉技能職から執務職	6
ノリタケ㈱	511	双方向	総合職と一般職	6
●金属製品●				
ＹＫＫ㈱	513	双方向	総合職と地域限定職	3
ＹＫＫ ＡＰ㈱	514	双方向	全国(転勤あり)と地域限定(転勤なし)	6
㈱ＳＵＭＣＯ	514	双方向	全職種	46
三協立山㈱	515	双方向	一般職と総合職 技能職と総合職 一般職と技能職	56
三和シヤッター工業㈱	515	双方向	総合職とブロック総合職とエリア総合職	22
アルインコ㈱	516	双方向	総合職と一般職	7
●鉄鋼●				
日本製鉄㈱	517	双方向	エリアグループとワイドエキスパートグループとグローバルグループ	NA
ＪＦＥスチール㈱	517	一方向	オペレーター・保全職等から総合職	1
㈱神戸製鋼所	518	双方向	総合職と基幹職	2
㈱プロテリアル	519	一方向	一般職から総合職	1
大同特殊鋼㈱	519	双方向	総合職と一般職	2
山陽特殊製鋼㈱	520	双方向	総合職と一般職	0
愛知製鋼㈱	520	一方向	業務職・技能職から総合職	5
㈱淀川製鋼所	521	一方向	一般職から総合職	0
㈱栗本鐵工所	522	双方向	事務・技術職と技能・一般事務職	9
●非鉄●				
住友電気工業㈱	522	一方向	技術職(現業)・一般職から専門職(総合職)	NA
古河電気工業㈱	523	一方向	一般職から総合職	8
㈱フジクラ	523	双方向	一般職と総合職 技能職と総合職	1
ＳＷＣＣ㈱	524	双方向	総合職とエリア総合職と業務職	3
三菱マテリアル㈱	524	双方向	基幹職と総合職	13
ＪＸ金属㈱	525	一方向	一般職から地域総合職 地域総合職から総合職	NA
住友金属鉱山㈱	525	双方向	基幹職と総合職	0
ＤＯＷＡホールディングス㈱	526	双方向	総合職とエリア職	0
三井金属	526	双方向	全職種	0
田中貴金属グループ	527	双方向	総合職とエリア総合職 他	NA
東邦亜鉛㈱	528	一方向	一般職から総合職	0
㈱フルヤ金属	528	双方向	総合職と専門職	NA
㈱ＵＡＣＪ	529	一方向	一般職から総合職	35
日本軽金属㈱	529	一方向	一般職から総合職	2

会社名 (掲載ページ)		方向	転換可能職種	利用者数
●その他メーカー●				
㈱アシックス	530	双方向	ローカル職とコア職	NA
ヨネックス㈱	531	双方向	総合職と一般職	3
ローランド㈱	533	双方向	総合職とエリア職	4
㈱河合楽器製作所	534	双方向	総合職と一般職	6
パラマウントベッド㈱	534	双方向	総合職と専任職	9
大建工業㈱	535	双方向	全国コースと地域限定コース	6
㈱ウッドワン	536	双方向	総合職と一般職	5
リンナイ㈱	537	双方向	総合職と一般職	4
タカラスタンダード㈱	538	双方向	エリア総合職と一般職	4
クリナップ㈱	539	一方向	エリア社員(地域限定)からグローバル社員(全国転勤有)	13
三菱鉛筆㈱	540	双方向	総合職と一般職	NA
●建設●				
鹿島	544	一方向	(1)一般職から専門職(2)専門職から総合職	(1)9 (2)2
㈱大林組	544	双方向	全国型職員と拠点型職員	26
清水建設㈱	545	双方向	グローバル職とエリア職 グローバル管理専門職とエリア管理専門職	23
大成建設㈱	545	双方向	総合職と専任職	34
㈱竹中工務店	546	双方向	総合職(全国)と総合職(地域)、役付職(全国)と役付職(地域)、専任職から総合職(全国)	30
㈱長谷工コーポレーション	546	双方向	総合職とエリア総合職と一般職	6
前田建設工業㈱	547	一方向	一般職から総合職	23
㈱フジタ	547	一方向	一般職から総合職	0
戸田建設㈱	548	双方向	(1)特定職からエリア総合職(2)全国型総合職とエリア総合職	(1)16 (2)8
三井住友建設㈱	548	双方向	一般職と総合職	31
㈱熊谷組	549	双方向	(1)エリア職と総合職(2)エリア職と地域総合職(3)総合職と地域総合職	(1)0 (2)0 (3)2
西松建設㈱	549	一方向	一般職から総合職	3
安藤ハザマ	550	双方向	地域職から地域総合職(一方向)地域総合職と総合職	5
㈱奥村組	550	双方向	全国職と地域職	15
東急建設㈱	551	一方向	一般職から総合職	1
㈱鴻池組	551	一方向	一般職から地域職 地域職から総合職 一般職から総合職	3
鉄建建設㈱	552	一方向	地域総合職から総合職	NA
㈱福田組	552	一方向	一般職から総合職	0
ピーエス・コンストラクション㈱	553	双方向	総合職と一般職	0
㈱錢高組	554	一方向	一般職から総合職	0
松井建設㈱	555	双方向	(1)総合職からエリア職(2)専門職とエリア職(3)専門職と総合職	(1)1 (2)2 (3)13

会社名　（掲載ページ）		方向	転換可能職種	利用者数
五洋建設㈱	555	一方向	一般職から総合職	0
東亜建設工業㈱	556	一方向	一般職から総合職	1
東洋建設㈱	556	一方向	一般職から総合職	0
㈱横河ブリッジホールディングス	557	双方向	総合職と技能職と業務職	3
飛島建設㈱	557	双方向	総合職と地域職	0
ライト工業㈱	558	双方向	総合職とエリア総合職とエリア職	0
㈱ＮＩＰＰＯ	558	双方向	(1)総合職とエリア総合職(2)エリア総合職とエリア限定職	(1)11 (2)0
前田道路㈱	559	双方向	総合職と地域限定総合職 地域限定総合職と一般職	18
日本道路㈱	559	一方向	一般職から総合職	0
東亜道路工業㈱	560	双方向	総合とエリア限定と事務所限定	18
大成ロテック㈱	560	双方向	総合職と総合職(エリア) 一般職から総合職・総合職(エリア) 専門職から総合職・総合職(エリア)	20
大林道路㈱	561	双方向	全国勤務コースと地域限定勤務コース	NA
世紀東急工業㈱	561	一方向	業務職(一般職)から総合職	7
日揮ホールディングス㈱	562	双方向	総合職と準総合職	1
千代田化工建設㈱	563	一方向	専任職から総合職	2
日鉄エンジニアリング㈱	563	双方向	エキスパートスタッフとグローバルスタッフ	0
東洋エンジニアリング㈱	564	一方向	一般職から総合職	1
太平電業㈱	565	双方向	総合職と一般職	0
新菱冷熱工業㈱	566	双方向	総合職と担当職	8
三機工業㈱	566	双方向	総合職と業務職	6
三建設備工業㈱	567	一方向	一般職から総合職	10
㈱朝日工業社	568	双方向	総合職と一般職	1
高砂熱学工業㈱	568	双方向	エリア職とグローバル職 事務職と技術職	20
新日本空調㈱	570	双方向	部門限定職と専門職	NA
東洋熱工業㈱	570	双方向	一般職と総合職	0
エクシオグループ㈱	571	双方向	総合職とエリア基幹職	22
住友電設㈱	573	一方向	一般職からエリア総合職	NA
㈱きんでん	574	双方向	一般職と総合職	48

●住宅・マンション●

会社名	掲載ページ	方向	転換可能職種	利用者数
積水ハウス㈱	578	一方向	一般事務職・地域勤務社員から総合職へ	61
住友林業㈱	579	一方向	一般職から総合職	3
旭化成ホームズ㈱	580	一方向	一般職から総合職	31
㈱一条工務店	580	双方向	営業 設計 工事監督 その他内勤の中で全方向に転換可能	NA
パナソニック ホームズ㈱	581	一方向	業務職・技能職から総合職	業務職3
三井ホーム㈱	582	一方向	事務専任職から地域総合職・総合職 地域総合職から総合職 他	31
トヨタホーム㈱	582	一方向	一般職から総合職	4
三井不動産レジデンシャル㈱	583	一方向	業務職から総合職	NA
穴吹興産㈱	584	双方向	総合職とエリア職 エリア職と契約社員	5
㈱大京	584	双方向	総合職と地域総合職とスタッフ職	NA

業種別・転換可能職種 626 社

会社名　(掲載ページ)		方向	転換可能職種	利用者数
㈱東急コミュニティー	585	双方向	総合職とビジネスサポート職 総合職とジョブエキスパート職	22
日本総合住生活㈱	585	双方向	総合職とエリア限定職(管理職昇格有)とエリア限定職(管理職昇格無)	NA
日本ハウズイング㈱	586	双方向	総合職と一般職	7
積水ハウス不動産東京㈱	586	一方向	一般職から総合職	0
●不動産●				
三井不動産㈱	587	一方向	業務職から総合職 エキスパート職から総合職	0
三菱地所㈱	588	一方向	総合A職・専任職・業務職から総合職	4
住友不動産㈱	589	一方向	業務職・営業職・技能職・技術職から総合職	19
野村不動産㈱	590	双方向	総合職(全域型)と総合職(地域型)	NA
イオンモール㈱	591	双方向	総合職と地域限定職	NA
大成有楽不動産㈱	594	双方向	施設管理(地域限定型)と施設管理(全国型)	12
東急リバブル㈱	596	双方向	総合職と賃貸職と一般職	10
三井不動産リアルティ㈱	596	双方向	総合職と業務職	4
●電力・ガス●				
関西電力㈱	601	一方向	fスタッフ(育児等を理由に退職した女性が復職し、限られた職種・時間で働くもの)から総合職	1
アストモスエネルギー㈱	605	一方向	一般職から総合職	0
ＥＮＥＯＳグローブ㈱	605	双方向	総合職と地域限定総合職	0
静岡ガス㈱	606	双方向	総合職とオペレーショナル職	NA
大阪ガス㈱	607	双方向	ゼネラルスペシャリストコースとプロフェッショナルコース	NA
●石油●				
ＥＮＥＯＳ㈱	608	双方向	総合(事務・技術)コースと技能(生産)コースと技能(特定)コース	21
富士石油㈱	609	双方向	ゼネラリスト職とエキスパート職とアシスタント職	3
●デパート●				
㈱三越伊勢丹	613	一方向	一般職から総合職	86
㈱丸井グループ	613	一方向	社員T(アルバイト)から社員G(総合職)	1
㈱そごう・西武	615	一方向	店舗・職務限定職から総合職	18
●スーパー●				
㈱イズミ	620	双方向	総合職とエリア正社員と一般職(自宅通勤正社員)	48
㈱ハローズ	630	双方向	総合職と一般職	20
●外食・中食●				
㈱モスフードサービス	631	双方向	管理職と専門職	1
㈱ドトールコーヒー	632	双方向	総合職と一般職	3
テンアライド㈱	633	双方向	総合職と一般職	1
㈱Genki Global Dining Concepts	633	双方向	総合職とエリア総合職	58

会社名 (掲載ページ)		方向	転換可能職種	利用者数
㈱プレナス	634	双方向	グローバルコースとリージョナルコースとエリアコース	10
●家電量販・薬局・HC●				
㈱マツキヨココカラ&カンパニー	636	双方向	総合職とエリア総合職	NA
㈱カワチ薬品	638	双方向	総合職と一般職	55
総合メディカル㈱	638	双方向	オフィススペシャリスト職と総合職、薬剤師職と総合職、コンサルタント職と総合職、薬剤師職(ⅠとⅡとⅢ)	94
㈱サッポロドラッグストアー	639	双方向	総合職と専任職	16
コーナン商事㈱	641	双方向	総合職と地域限定職	81
アークランズ㈱	641	双方向	総合職と地域限定職と一般職	35
●その他小売業●				
㈱ミスターマックス・ホールディングス	643	双方向	総合職とブロック職とエリア職	16
㈱ファーストリテイリング	643	双方向	グローバルリーダー職と地域正社員	109
㈱ハニーズ	644	一方向	(1)販売一般職から販売総合職(全国転勤可能)(2)販売職から商品企画職(ハニーズHDに転籍)	(1)0 (2)1
㈱エービーシー・マート	645	双方向	総合職と地域限定職	NA
㈱レリアン	645	双方向	総合職と販売職	2
㈱ＡＯＫＩホールディングス	647	双方向	地域限定職と総合職	20
はるやま商事㈱	648	双方向	一般職と総合職	NA
㈱ＡＴグループ	649	一方向	(1)エンジニア職から事務職(2)営業職から事務職	(1)106 (2)45
つるや㈱	651	一方向	一般職から総合職	0
㈱三洋堂ホールディングス	652	双方向	社員(総合職)と地域社員(一般職)時間社員と社員(総合職)もしくは地域社員(一般職)	3
ブックオフコーポレーション㈱	652	双方向	ストア社員と地域限定社員	31
ニトリグループ	653	双方向	総合職とエリア限定総合職	15
㈱あさひ	655	双方向	総合職と地域限定職	66
●ゲーム●				
任天堂㈱	658	一方向	総合職から一般職	0
●人材・教育●				
㈱アルプス技研	660	一方向	技術職から総合職	1
(学校法人)昭和大学	666	双方向	総合職と専門職 総合職と一般職	0
㈱公文教育研究会	667	双方向	総合職と地域限定総合職	6
㈱ステップ	668	一方向	教師職から事務職へ	7
㈱秀英予備校	668	双方向	総合職とエリア総合職	31
㈱昴	669	双方向	総合職と一般職	2
●ホテル●				
藤田観光㈱	671	双方向	総合職とエリア職(WHGホテルズ ホテル椿山荘東京 箱根・小田原)	0

業種別・転換可能職種 626 社

会社名 (*掲載ページ*)		方向	転換可能職種	利用者数
●レジャー●				
日本中央競馬会	*675*	双方向	全国転勤型と地域限定型	NA
㈱ラウンドワンジャパン	*676*	双方向	総合職とエリア限定職	18
セントラルスポーツ㈱	*679*	双方向	全職群 全職種	8
㈱ルネサンス	*680*	双方向	基幹職と専任職	15
●海運・空運●				
㈱商船三井	*681*	一方向	一般職から総合職	0
川崎汽船㈱	*681*	双方向	総合職と一般職	1
飯野海運㈱	*682*	一方向	一般職から総合職	0
全日本空輸㈱	*683*	一方向	エキスパートスタッフ職からグローバルスタッフ職 客室乗務職からグローバルスタッフ職 グローバルスタッフ職から客室乗務職 など	NA
●運輸・倉庫●				
日本通運㈱	*684*	双方向	総合職とエリア職	20
西濃運輸㈱	*685*	一方向	一般職から総合職	NA
福山通運㈱	*685*	双方向	総合職とエリア総合職	0
トナミ運輸㈱	*686*	双方向	総合職と一般職	0
センコー㈱	*687*	双方向	総合職とドライバー職とオペレーター職	NA
山九㈱	*687*	双方向	総合職と一般職	20
鴻池運輸㈱	*688*	双方向	総合職と地域総合職 一般職から総合職 一般職から地域総合職	2
㈱キユーソー流通システム	*689*	双方向	総合職と地域職	4
㈱日新	*690*	一方向	地域限定職から総合職	若干
㈱近鉄エクスプレス	*691*	双方向	グローバルコースとリージョナルコースとプロフェッショナルコース	19
㈱上組	*693*	双方向	一般職と総合職	0
伊勢湾海運㈱	*694*	一方向	一般職から総合職	0
三井倉庫ホールディングス㈱	*694*	双方向	総合職と地域職とIT専門職	NA
三菱倉庫㈱	*695*	双方向	総合職とエリア総合職と地域職	19
㈱住友倉庫	*695*	双方向	総合職と事務職	NA
日本トランスシティ㈱	*696*	一方向	一般職から総合職	0
安田倉庫㈱	*697*	双方向	基幹職とエリア基幹職	0
●鉄道●				
小田急電鉄㈱	*702*	双方向	総合職とエキスパート職	1
京王電鉄㈱	*702*	双方向	総合職と一般職	2
東京地下鉄㈱	*703*	一方向	エキスパート職から総合職	1
日本貨物鉄道㈱	*703*	双方向	プランナー職とエキスパート職 エキスパート職とプロフェッショナル職	105
名古屋鉄道㈱	*705*	一方向	一般職から総合職	5
阪急阪神ホールディングス㈱	*706*	一方向	基本コース(マネジメントコース)から専門職コース(エキスパートコース)	NA

会社名 (掲載ページ)		方向	転換可能職種	利用者数
南海電気鉄道㈱	707	双方向	マネジメントコースとエキスパートコース	NA
四国旅客鉄道㈱	709	一方向	プロフェッショナル職から総合職	2
●その他サービス●				
中日本高速道路㈱	711	一方向	ブロック基幹職から総合基幹職 地域限定職からブロック基幹職または総合基幹職	0
日本郵政㈱	712	双方向	一般職と業務職 業務職と総合職	3
全国農業協同組合連合会	713	双方向	総合職と担当職	29
(一財)日本品質保証機構	715	双方向	総合職と一般職	1
東京商工会議所	717	双方向	総合職と専任職	4
(独法)国際協力機構	718	一方向	有期職制から総合職への内部登用	24
(独法)日本貿易振興機構	720	双方向	総合職とエリア総合職	NA
セコム㈱	722	双方向	総合職と地域限定職	291
㈱アクティオ	723	双方向	総合職と一般職	17
㈱ダスキン	727	双方向	総合職とエリア総合職	83
㈱トーカイ	728	双方向	全職種	NA
㈱テイクアンドギヴ・ニーズ	730	双方向	全職種	NA
ワタベウェディング㈱	730	双方向	総合職と地域限定職	22
㈱共立メンテナンス	731	双方向	総合職とホテル職と介護職等	16
㈱ベネフィット・ワン	732	一方向	一般職から総合職	NA
ＪＰホールディングスグループ	732	双方向	総合職と一般職と現場職	18
㈱パスコ	735	双方向	総合職と専任職(一般職)	5
㈱エフアンドエム	735	双方向	総合職とアソシエイト職	6

海外で働きたい人のための

海外勤務情報

会社名　（掲載ページ）		人数計	勤務地とその人数
●商社・卸売業●			
三菱商事㈱	72	1,036	米州 欧州 中東 アジア アフリカ オセアニア
伊藤忠商事㈱	72	775	北米 欧州 アジア アフリカ オセアニア 他
三井物産㈱	73	1,023	アジア・オセアニア473、欧米他550
豊田通商㈱	73	635	アジア 中国 北米 欧州 アフリカ 中近東 中南米 他
丸紅㈱	74	774	米州239 欧州107 アフリカ22 中東・中央アジア49 アジア323 オセアニア34
住友商事㈱	74	926	アジア 欧州 中南米 アフリカ 北米 中東 CIS他
双日㈱	75	372	アジア 欧州 北米 中南米 アフリカ 中東
兼松㈱	75	89	アジア49 北米28 中南米3 欧州9
伊藤忠丸紅鉄鋼㈱	76	153	米国25 中国22 タイ18 他
阪和興業㈱	76	150	アジア104 欧州14 中東3 北中南米27 アフリカ1 オセアニア1
㈱メタルワン	77	134	アジア 北米 中南米 欧州 中東 オセアニア
日鉄物産㈱	77	150	アジア 北米 欧州 オセアニア 中東 他
㈱ホンダトレーディング	78	87	北米 南米 欧州 アジア 中国 他
ＪＦＥ商事㈱	78	151	北米 中国 東南アジア 他
岡谷鋼機㈱	79	75	タイ18 米国14 中国14 他
神鋼商事㈱	79	59	米国 アジア 豪州 欧州 他
伊藤忠丸紅住商テクノスチール㈱	80	1	東南アジア1
佐藤商事㈱	81	21	上海3 タイ8 インドネシア3 ベトナム2 インド2 シンガポール1 広州1 カンボジア1
大同興業㈱	81	22	東・東南・南アジア 北中米 欧州
ユアサ商事㈱	82	31	タイ ベトナム インドネシア 中国 インド フィリピン メキシコ 米国 マレーシア 台湾
㈱山善	82	75	北米13 中国17 アジア42 欧州3
㈱ミスミ	83	101	米国 中国 韓国 台湾 メキシコ マレーシア ベトナム ドイツ タイ シンガポール インドネシア インド
トラスコ中山㈱	83	8	タイ3 インドネシア3 ドイツ2
㈱豊通マシナリー	84	20	米国8 インド4 メキシコ1 タイ2 中国3 ダッカ1 ハンガリー1
第一実業㈱	84	81	中国17 アジア39 米州19 欧州6
㈱守谷商会	85	15	米国4 ドイツ3 中国3 台湾3 シンガポール2
西華産業㈱	85	17	ドイツ3 米国4 中国4 タイ3 ベトナム2 台湾1
㈱日立ハイテク	86	225	中国70 米国68 欧州29 SEAI22 台湾33 中南米3
キヤノンマーケティングジャパン㈱	87	29	アジア 欧州 北米
因幡電機産業㈱	87	4	米国2 タイ2
シークス㈱	88	92	中華圏 東南アジア 米州 欧州
㈱ＲＹＯＤＥＮ	88	33	タイ6 米国5 ベトナム2 香港2 ドイツ1 メキシコ1 マレーシア2 中国11 台湾3
㈱立花エレテック	89	13	香港 上海 バンコク 他
サンワテクノス㈱	89	44	アジア32 欧州2 米国8 メキシコ2
エプソン販売㈱	90	5	マレーシア1 タイ1 中国1 韓国1 英国1
㈱カナデン	90	6	香港1 上海2 タイ2 ベトナム1

業種別・海外勤務 979 社

会社名 (掲載ページ)		人数計	勤務地とその人数
㈱マクニカ	91	22	米国 シンガポール マレーシア タイ インド 香港 台湾 韓国 フランス 中国
加賀電子㈱	91	46	米国 中国 台湾 シンガポール タイ メキシコ ベトナム チェコ 他
リョーサン菱洋ホールディングス㈱	92	約30	米国 アジア 欧州
東京エレクトロン デバイス㈱	92	12	米国5 香港4 中国1 シンガポール1 タイ1
丸文㈱	93	6	アジア6
伯東㈱	93	19	中国4 香港3 タイ4 台湾2 シンガポール3 チェコ1 米国1 韓国1
新光商事㈱	94	19	米国2 中国9 タイ3 シンガポール3他
三信電気㈱	94	17	香港7 シンガポール1 タイ2 マレーシア2 台湾3 米国2
長瀬産業㈱	95	118	欧米 アジア 北米 中米 南米 他
稲畑産業㈱	95	96	アジア77 米州12 欧州7
ＣＢＣ㈱	96	48	米国7 欧州12 中国14 その他15
オー・ジー㈱	96	20	タイ5 インド4 ベトナム3 米国2 他
明和産業㈱	97	14	中国8 ベトナム2 タイ2 インドネシア2
ＪＫホールディングス㈱	97	9	シンガポール1 米国3 中国3 インドネシア1 台湾1
渡辺パイプ㈱	98	4	ベトナム2 台湾2
伊藤忠建材㈱	98	4	マレーシア1 インドネシア2 英国1
ナイス㈱	99	1	カナダ1
㈱サンゲツ	99	14	米国2 中国4 シンガポール5 ベトナム2 タイ1
三菱食品㈱	101	3	タイ2 米国1
国分グループ	101	28	中国17 シンガポール6 ベトナム3 マレーシア2
加藤産業㈱	102	13	マレーシア シンガポール ベトナム 中国
㈱シジシージャパン	102	4	バンコク2 シアトル1 ミラノ1
ヤマエグループホールディングス㈱	103	3	シンガポール2 イタリア1
スターゼン㈱	105	11	米国4 オーストラリア3 デンマーク2 シンガポール1 中国1
㈱トーホー	106	8	シンガポール5 香港3
東海澱粉㈱	106	4	台湾1 タイ1 米国1 ベトナム1
横浜冷凍㈱	107	10	アジア9 欧州1
木徳神糧㈱	108	4	ベトナム3 中国1
日本出版販売㈱	108	3	北京2 台湾1
㈱トーハン	109	3	台湾3
日本紙パルプ商事㈱	109	27	アジア16 米国4 欧州4 中近東1 オセアニア2
㈱メディセオ	110	4	中国2 米国2
㈱スズケン	111	12	中国6 韓国6
㈱ＰＡＬＴＡＣ	112	3	ベトナム2 インドネシア1
㈱あらた	112	4	中国1 タイ2 ベトナム1
花王グループカスタマーマーケティング㈱	113	若干	アジア ヨーロッパ 米国 他
興和㈱	113	123	亜州57 北南米43 欧州22 中東1
蝶理㈱	114	53	中国18 インドネシア6 タイ6 他
豊島㈱	114	26	上海12 インドネシア4 香港3 ロサンゼルス3 ホーチミン3 ミラノ1

会社名　*(掲載ページ)*	人数計	勤務地とその人数
㈱帝人フロンティア　*115*	**83**	米国5 タイ27 香港2 中国22 インドネシア5 ベトナム8 ミャンマー2 バングラデシュ1 インド2 台湾1 メキシコ1 ドイツ5 フランス1 フィリピン1
㈱ＧＳＩクレオス　*115*	**28**	米国9 ドイツ3 香港5 中国5 他6
㈱ヤギ　*116*	**6**	香港 ベトナム バングラデシュ イタリア
スタイレム瀧定大阪㈱　*116*	**27**	イタリア3 香港1 インド2 韓国4 インドネシア2 米国2 タイ1 上海10 深セン2
伊藤忠エネクス㈱　*117*	**11**	アジア11
岩谷産業㈱　*117*	**110**	中国 米国 豪州 タイ 他
ＮＸ商事㈱　*118*	**43**	タイ13 中国10 米国9 インドネシア6 他
三谷商事㈱　*119*	**7**	シンガポール4 ベトナム2 マレーシア1
ＴＯＫＡＩグループ　*120*	**9**	台湾2 ミャンマー1 ベトナム2 インドネシア4
郵船商事㈱　*120*	**3**	ロンドン2 シンガポール1
鈴与商事㈱　*121*	**3**	中国1 タイ1 ベトナム1
㈱巴商会　*121*	**27**	東南アジア 27
トヨタモビリティパーツ㈱　*122*	**3**	中国3
メルセデス・ベンツ日本(合同)　*123*	**2**	ドイツ2
松田産業㈱　*123*	**34**	タイ12 ベトナム5 マレーシア4 台湾4 中国2 フィリピン2 シンガポール2 韓国1 インド1 英国1
㈱内田洋行　*124*	**6**	米国2 上海2 香港1 ルクセンブルク1
新生紙パルプ商事㈱　*125*	**8**	中国 台湾 マレーシア 米国 タイ
㈱オートバックスセブン　*125*	**4**	中国2 フランス1 シンガポール1
㈱ＪＡＬＵＸ　*126*	**25**	米国9 タイ6 ミャンマー1 上海2 シンガポール2 ベトナム1 ラオス2 英国1 モンゴル1
㈱ドウシシャ　*126*	**2**	イタリア1 上海1
㈱サンリオ　*127*	**2**	韓国1 上海1

●シンクタンク●

会社名　*(掲載ページ)*	人数計	勤務地とその人数
㈱野村総合研究所　*130*	**106**	米国 中国 他
㈱日本総合研究所　*130*	**NA**	米国 欧州 アジア
みずほリサーチ＆テクノロジーズ㈱　*131*	**19**	上海2 シンガポール15 ロンドン2
㈱三菱総合研究所　*131*	**7**	ドバイ・ハノイ・業務／RP出向者
㈱大和総研　*132*	**9**	米国 欧州 中国 ミャンマー
三菱ＵＦＪリサーチ＆コンサルティング㈱　*132*	**4**	インドネシア2 タイ2

●コンサルティング●

会社名　*(掲載ページ)*	人数計	勤務地とその人数
㈱ビジネスコンサルタント　*134*	**6**	ベトナム2 タイ3 インドネシア1
日本工営㈱　*134*	**92**	東南アジア アフリカ 中近東 欧州 他
㈱建設技術研究所　*135*	**4**	英国 4
パシフィックコンサルタンツ㈱　*135*	**11**	フィリピン7 インドネシア1 シンガポール2 アメリカ1
㈱オリエンタルコンサルタンツグローバル　*136*	**23**	東南アジア 中東 アフリカ 南米 他

業種別・海外勤務 979 社

会社名 （*掲載ページ*）	人数計	勤務地とその人数
●リサーチ●		
㈱帝国データバンク *137*	**2**	米国2
㈱マクロミル *137*	**2**	中国1 タイ1
●通信サービス●		
日本電信電話㈱ *140*	**10**	北米9 ヨーロッパ1
㈱ＮＴＴドコモ *140*	**138**	北米37 欧州25 アジア73 他3
ソフトバンク㈱ *141*	**41**	米国9 中国9 英国3 台湾2 インドネシア2 シンガポール2 ベトナム2 タイ5 マレーシア7
ＫＤＤＩ㈱ *141*	**257**	中国49 米国39 ミャンマー32他
ＮＴＴ東日本 *142*	**若干**	北米 アジア 他
ＮＴＴ西日本 *143*	**98**	米国75 英国6名 他7カ国
ＪＣＯＭ㈱ *143*	**1**	米国1
㈱ティーガイア *144*	**3**	シンガポール2 米国1
㈱ＭＩＸＩ *145*	**3**	オーストラリア3
㈱ゼンリン *146*	**5**	ドイツ3 米国2
●システム・ソフト●		
㈱大塚商会 *148*	**3**	上海3
ＴＩＳ㈱ *149*	**13**	中国2 タイ6 インドネシア3 ベトナム1 インド1
ＳＣＳＫ㈱ *149*	**55**	米国 英国 中国 シンガポール ミャンマー インドネシア
㈱日立システムズ *150*	**41**	英国 米国 カナダ 豪州 東南アジア インド 他
ＢＩＰＲＯＧＹ㈱ *150*	**8**	ベトナム2 シンガポール2 米国3 インドネシア1
ＮＥＣネッツエスアイ㈱ *151*	**16**	タイ3 サウジアラビア6 米国3 ブラジル2 シンガポール2
日鉄ソリューションズ㈱ *151*	**45**	タイ12 中国10 インドネシア10 シンガポール6 米国5 英国2
ＮＥＣソリューションイノベータ㈱ *152*	**13**	米国 中国 シンガポール ベトナム
富士ソフト㈱ *152*	**3**	米国 中国
ＧＭＯインターネットグループ㈱ *153*	**10**	タイ7 米国2 ミャンマー1
ＮＴＴコムウェア㈱ *153*	**1**	香港
ネットワンシステムズ㈱ *155*	**5**	米国5
㈱日立ソリューションズ *155*	**43**	米国23 英国 1 シンガポール7 タイ6 フィリピン3 中国3
㈱トヨタシステムズ *156*	**5**	中国1 タイ2 ベルギー1 米国1
京セラコミュニケーションシステム㈱ *156*	**13**	中国5 シンガポール1 ベトナム2 マレーシア3 ミャンマー2
ユニアデックス㈱ *157*	**2**	米国1 中国1
㈱電通総研 *157*	**24**	アジア14 欧州5 北米5
パナソニック インフォメーションシステムズ㈱ *158*	**14**	米国2 欧州2 中国5 アジア諸国4 インド1
㈱インテック *159*	**3**	米国3
㈱ＤＴＳ *159*	**8**	米国4 ベトナム1 中国3
日本ビジネスシステムズ㈱ *160*	**10**	米国5、シンガポール3、中国2

会社名　（掲載ページ）		人数計	勤務地とその人数
三菱ＵＦＪインフォメーションテクノロジー㈱	161	18	シンガポール5 ニューヨーク5 上海4 ロンドン3 香港1
㈱ＮＳＤ	161	2	北米2
兼松エレクトロニクス㈱	162	1	タイ1
㈱システナ	163	4	米国2 ベトナム2
㈱シーイーシー	165	1	上海
コベルコシステム㈱	167	1	米国1
㈱オージス総研	167	2	米国・シリコンバレー1 フィリピン1
ＮＳＷ㈱	168	3	台湾2 中国1
ｔｄｉグループ	168	1	中国・大連1
㈱図研	170	4	欧州1 アジア3
㈱アグレックス	171	3	ベトナム タイ
㈱ビジネスブレイン太田昭和	173	3	タイ2 ベトナム1
㈱ＩＤホールディングス	174	15	中国3 米国1 オランダ9 シンガポール2
㈱シーエーシー	176	28	米国8 英国13 中国4 シンガポール3
クオリカ㈱	176	4	上海2 タイ1 シンガポール1
さくら情報システム㈱	178	5	シンガポール5
㈱東計電算	181	4	大連1 タイ3
ビジネスエンジニアリング㈱	181	6	中国1 シンガポール1 タイ2 インドネシア1 米国1
㈱構造計画研究所	182	3	米国1 ドイツ1 スペイン1
●銀行●			
㈱三井住友銀行	190	1,104	米州 欧州 アジア 他
りそなグループ	191	56	ニューヨーク 香港 上海 シンガポール 他
ＳＢＩ新生銀行グループ	192	10	ベトナム5 英国2 シンガポール1 ニュージーランド2
㈱あおぞら銀行	192	24	ニューヨーク11 シンガポール2 香港4 上海1 ロンドン4 ベトナム2
㈱セブン銀行	193	5	米国1 インドネシア2 フィリピン2
三井住友信託銀行㈱	193	211	ニューヨーク ロンドン シンガポール 他
三菱ＵＦＪ信託銀行㈱	194	147	ニューヨーク38 シンガポール13 ロンドン30 香港11 他
日本マスタートラスト信託銀行㈱	195	3	ニューヨーク2 ルクセンブルク1
㈱北海道銀行	195	1	瀋陽1
㈱秋田銀行	197	2	台湾2
㈱北都銀行	197	1	バンコク 1
㈱山形銀行	198	2	バンコク1 ベトナム1
㈱常陽銀行	199	10	ベトナム3 中国2 米国2 タイ1 香港1 シンガポール1
㈱足利銀行	199	4	バンコク1 香港1 シンガポール1 ハノイ1
㈱群馬銀行	200	11	ニューヨーク7 上海1 タイ2 ベトナム1
㈱千葉銀行	201	NA	米国 英国 中国 香港 シンガポール タイ
㈱きらぼし銀行	203	6	バンコク2 ホーチミン3 上海1
㈱横浜銀行	204	NA	上海 シンガポール 香港 バンコク ニューヨーク
㈱第四北越銀行	205	4	上海2 米国1 ベトナム1
㈱北陸銀行	206	7	ニューヨーク1 シンガポール1 バンコク1 上海2 大連1 ホーチミン1

会社名 （掲載ページ）		人数計	勤務地とその人数
㈱北國フィナンシャルホールディングス	206	12	ケニア2 タイ3 ベトナム2 シンガポール3 深圳2
㈱福井銀行	207	3	中国1 タイ1 ベトナム1
㈱山梨中央銀行	207	2	香港1 タイ1
㈱八十二銀行	208	13	香港1 シンガポール7 上海1 タイ2 ベトナム2
㈱大垣共立銀行	208	4	上海1 ホーチミン1 マニラ1 ハノイ1
㈱十六フィナンシャルグループ	209	4	上海1 タイ1 シンガポール1 ベトナム1
㈱静岡銀行	209	32	シンガポール ニューヨーク 香港 シリコンバレー他
㈱清水銀行	210	1	バンコク1
㈱名古屋銀行	211	6	中国(南通、上海)
㈱あいちフィナンシャルグループ	211	2	タイ1 ベトナム1
㈱百五銀行	212	3	中国1 タイ1 ベトナム1
㈱滋賀銀行	213	6	香港4 上海1 バンコク1
㈱京都銀行	213	12	大連 上海 香港 バンコク ベトナム 他
㈱関西みらい銀行	214	2	タイ1 ベトナム1
㈱南都銀行	215	3	バンコク1 ホーチミン1 ジャカルタ1
㈱山陰合同銀行	215	5	中国2 タイ1 ベトナム1 米国1
㈱中国銀行	216	14	香港5 シンガポール6 ニューヨーク1 上海1 バンコク1
㈱広島銀行	216	3	上海1 バンコク1 ハノイ1
㈱阿波銀行	217	1	東南アジア1
㈱百十四銀行	217	2	ベトナム 2
㈱伊予銀行	218	12	上海1 シンガポール10 香港1
㈱福岡銀行	219	14	大連 上海 香港 台北 バンコク ホーチミン シンガポール ニューヨーク 他
㈱佐賀銀行	220	1	香港1
㈱十八親和銀行	220	2	上海 ベトナム
㈱肥後銀行	221	4	台湾2 上海1 香港1
㈱鹿児島銀行	221	3	上海1 台湾2
㈱琉球銀行	222	1	台湾1

●政策金融・金庫●

会社名		人数計	勤務地とその人数
商工中金	223	19	北米(NY)アジア圏各拠点
㈱国際協力銀行	223	61	アジア 欧州 中東 北米 中南米
信金中央金庫	224	21	ニューヨーク ロンドン 香港 上海 バンコク シンガポール 他
㈱日本貿易保険	224	7	パリ1 ニューヨーク1 シンガポール3 米国2

●共済●

会社名		人数計	勤務地とその人数
ＪＡ共済連	225	10	ニューヨーク5 ロンドン5

●証券●

会社名		人数計	勤務地とその人数
大和証券グループ	227	131	ニューヨーク ロンドン 香港 上海 シンガポール 他
ＳＢＩホールディングス㈱	228	20	中国5 シンガポール2 カンボジア4 他
野村證券㈱	228	約140	米国 英国 シンガポール 香港 他12カ国

会社名 (掲載ページ)	人数計	勤務地とその人数
みずほ証券㈱ 229	NA	ニューヨーク ロンドン 香港 シンガポール他
ＳＭＢＣ日興証券㈱ 229	142	ニューヨーク ロンドン 香港 シンガポール ルクセンブルク フランクフルト 他
三菱ＵＦＪモルガン・スタンレー証券㈱ 230	NA	NY サンフランシスコ ロンドン 他
㈱日本取引所グループ 230	14	ニューヨーク3 ロンドン3 北京2 香港2 シンガポール4
東海東京フィナンシャル・ホールディングス㈱ 231	NA	香港 ロンドン 米国 マレーシア シンガポール
岡三証券㈱ 231	10	NA
東洋証券㈱ 233	3	香港2 上海1
三菱ＵＦＪアセットマネジメント㈱ 234	3	英国3

●生保●

会社名 (掲載ページ)	人数計	勤務地とその人数
第一生命保険㈱ 234	110	米国 シンガポール 豪州 ベトナム 他
日本生命保険（相） 235	約130	米国 英国 ドイツ シンガポール 中国 タイ インド インドネシア 豪州 ミャンマー 他
㈱かんぽ生命保険 235	3	米国3
住友生命保険（相） 236	44	米国 中国 イギリス シンガポール 他
アフラック生命保険㈱ 237	6	米国6
大樹生命保険㈱ 238	2	米国1 ルクセンブルク1
大同生命保険㈱ 239	5	米国3 ドイツ1 豪州1
太陽生命保険㈱ 240	16	ニューヨーク4 ミャンマー11 シリコンバレー1
富国生命保険（相） 240	8	米国3 英国2 シンガポール3
三井住友海上あいおい生命保険㈱ 241	5	シリコンバレー2 マレーシア1 インドネシア1 インド1
朝日生命保険（相） 242	2	ベトナム 2

●損保●

会社名 (掲載ページ)	人数計	勤務地とその人数
東京海上日動火災保険㈱ 243	286	東京海上グループ全体で46の国・地域
損害保険ジャパン㈱ 243	164	欧州 中東 北米 中南米 アジア 計27カ国・地域
あいおいニッセイ同和損害保険㈱ 244	86	アフリカ1 欧州19 オセアニア6 中米1 東アジア24 東南アジア19 北米16
トーア再保険㈱ 245	7	米国3 シンガポール1 香港1 マレーシア1 スイス1

●代理店●

会社名 (掲載ページ)	人数計	勤務地とその人数
共立㈱ 247	9	上海3 香港1 シンガポール2 バンコク2 インドネシア1

●信販・カード・リース他●

会社名 (掲載ページ)	人数計	勤務地とその人数
オリックス㈱ 248	45	アジア28 米国5 オセアニア 1 欧州11
三井住友ファイナンス＆リース㈱ 248	73	アムステルダム4 インドネシア2 広州3 コスタメサ1 上海6 シンガポール12 タイ4 ダブリン10 ニューヨーク11 マレーシア3 ロンドン17
三菱ＨＣキャピタル㈱ 249	124	アジア73 米州34 欧州15 豪州2
東京センチュリー㈱ 249	43	米国15 タイ9 フィリピン5 他
芙蓉総合リース㈱ 250	36	米国15 香港4 中国3 シンガポール2 台湾1 タイ4 アイルランド2 英国4 カナダ1

会社名　（掲載ページ）		人数計	勤務地とその人数
みずほリース㈱	250	21	バンコク5 シンガポール2 米国3 インドネシア6 上海2 インド3
ＪＡ三井リース㈱	251	26	米国12 台北3 インドネシア4 シンガポール3 マレーシア4
㈱ＪＥＣＣ	252	1	シンガポール1
ＮＴＴファイナンス㈱	253	15	米国4 シンガポール4 中国3 英国4
三井住友トラスト・パナソニックファイナンス㈱	253	8	シンガポール2 ベトナム6
住友三井オートサービス㈱	254	14	タイ4 オーストラリア2 インドネシア5 インド3
ＮＥＣキャピタルソリューション㈱	254	2	北米2
三井住友カード㈱	255	6	米国3 インドネシア1 シンガポール2
㈱ジェーシービー	255	57	ロサンゼルス ソウル シンガポール シドニー 北京 上海 バンコク ロンドン 他
三菱ＵＦＪニコス㈱	256	3	サンフランシスコ2 バンコク1
イオンフィナンシャルサービス㈱	256	46	香港5 中国5 タイ7 ベトナム3 カンボジア4 ミャンマー1 ラオス2 マレーシア7 インドネシア4 フィリピン5 インド3
㈱クレディセゾン	257	6	シンガポール2 タイ2 インドネシア1 ブラジル1
㈱オリエントコーポレーション	258	21	タイ10 フィリピン4 インドネシア5 ベトナム1 米国1
㈱ジャックス	258	15	ベトナム6 インドネシア2 フィリピン3 カンボジア4
アコム㈱	259	21	タイ9 フィリピン8 マレーシア4
ＳＭＢＣコンシューマーファイナンス㈱	260	51	中国19 香港7 台湾1 タイ17 ベトナム6 シンガポール1
アイフル㈱	260	15	タイ8 インドネシア5 フィリピン2

●テレビ●

会社名	掲載ページ	人数計	勤務地とその人数
日本テレビ放送網㈱	262	13	ロンドン 北京 ソウル バンコク ニューヨーク ワシントン
㈱テレビ朝日	263	NA	各支局
㈱テレビ東京	264	9	ワシントン ロンドン 北京 他各支局
㈱テレビ静岡	265	1	バンコク1
中京テレビ放送㈱	265	2	ロサンゼルス1 北京1
朝日放送テレビ㈱	266	4	上海2 パリ2
讀賣テレビ放送㈱	266	4	パリ ニューヨーク 上海
㈱毎日放送	267	4	フランス2 中国2
関西テレビ放送㈱	267	4	上海2 パリ1 ロサンゼルス1
テレビ大阪㈱	268	1	北京1

●広告●

会社名	掲載ページ	人数計	勤務地とその人数
㈱読売広告社	275	4	台湾4
㈱大広	276	19	中国9 ベトナム5 台湾3 インドネシア1 インド1
㈱博報堂プロダクツ	278	3	ベトナム3

●新聞●

会社名	掲載ページ	人数計	勤務地とその人数
㈱日本経済新聞社	279	約100	米国 欧州 アジアを中心に世界37拠点
㈱朝日新聞社	280	約40	世界主要都市の総局・支局 他
読売新聞社	280	50	米国13 欧州12 中国9他
㈱毎日新聞社	281	22	米国6 欧州5 アジア9 他2

会社名 (掲載ページ)		人数計	勤務地とその人数
㈱中日新聞社	281	7	米国 北京 ソウル バンコク
㈱北海道新聞社	282	5	ワシントン 北京 モスクワ 他計5カ所
㈱西日本新聞社	285	6	ワシントン1 北京1 韓国(ソウル1 釜山1)バンコク1 台北1
●通信社●			
(一社)共同通信社	285	約75	世界主要41都市
㈱時事通信社	286	48	世界24カ所(米国、中国、欧州 他)
●出版●			
学研グループ	288	19	中国10 ベトナム3 フィリピン3 米国2 トルコ1
●メディア・映像・音楽●			
スカパーＪＳＡＴ㈱	290	11	ジャカルタ シンガポール ワシントンDC
ソニーミュージックグループ	291	若干	米国 中国 他
●電機・事務機器●			
㈱日立製作所	294	約500	北米 欧州 中国 アジア他全域
三菱電機㈱	294	約1,000	北米 中南米 欧州 アジア 中国 中東 オセアニア アフリカ
富士通㈱	295	280	米州80 欧州80 APAC110 他10
ＮＥＣ	295	133	中国 APAC EMEA 北米 南米 他
㈱東芝	296	263	アジア オセアニア 欧州 北米 他各海外拠点
ソニーグループ㈱	296	960	全世界 全地域
シャープ㈱	297	151	米国 欧州 アジアなど15カ国
㈱ニコン	298	203	アジア90 米州69 欧州44
㈱デンソーテン	298	92	北米18 中国27 アジア39 他
㈱ＪＶＣケンウッド	299	40	米国 イタリア 中国 マレーシア
象印マホービン㈱	300	19	米国2 アジア17
キヤノン㈱	300	900	米国 欧州各国 アジア各国 他
富士フイルムビジネスイノベーション㈱	301	100	アジア オセアニア 米国 欧州 他
㈱リコー	301	194	北米・欧州・中国・東南アジアの40都市
セイコーエプソン㈱	302	264	米州12 欧州30 アジア222
コニカミノルタ㈱	302	185	北米 欧州 アジア 他
ブラザー工業㈱	303	198	米国 中国 英国 ベトナム フィリピン 他
東芝テック㈱	303	約55	NA
京セラドキュメントソリューションズ㈱	304	164	米国 メキシコ ブラジル オランダ ドイツ タイ ベトナム フィリピン 香港 中国 他
沖電気工業㈱	304	43	米国 英国 中国 タイ ベトナム 他
㈱ＰＦＵ	305	24	欧州5 米州9 中国5 アジア太平洋(中国を除くAPAC)5
マックス㈱	305	30	オランダ7 中国7 米国6 タイ4 マレーシア3 シンガポール2 オーストラリア1
理想科学工業㈱	306	26	中国8 タイ6 米国1 英国4 ドイツ2 インド1 韓国1 香港1 シンガポール1 スペイン1
千代田インテグレ㈱	306	66	欧米 東南アジア 東アジア 他

業種別・海外勤務 979 社

会社名	(掲載ページ)	人数計	勤務地とその人数
富士電機㈱	307	178	中国58 タイ35 シンガポール12 マレーシア14 米国14 インド8 他
㈱キーエンス	307	NA	米国・欧州・アジアの各主要都市
オムロン㈱	308	130	アジア 欧州 米州 他
㈱安川電機	308	157	米州23 欧州15 アジア119
㈱島津製作所	309	148	中国40 アジア・オセアニア26 北米45 欧州25 中南米5 中近東6 アフリカ1
㈱堀場製作所	309	52	アジア22 欧州23 北米7
㈱明電舎	310	107	シンガポール29 中国(上海 他)22 他
㈱TMEIC	310	29	北米 南米 欧州 アジア
㈱ダイヘン	311	65	中国18 タイ18 米国6 ドイツ10 韓国 インドネシア スロベニア 他
日本電子㈱	311	約100	北米 南米 欧州 アジア 他
日東工業㈱	312	17	タイ11 中国2 マレーシア2 シンガポール2
㈱イシダ	312	18	英国 中国 タイ インド 米国 ベトナム 他
日新電機㈱	313	24	中国9 タイ9 台湾2 ベトナム3 米国1
能美防災㈱	314	7	上海3 台湾2 インド1 シンガポール1
古野電気㈱	314	28	米国7 欧州7 シンガポール4 インドネシア2 ニュージーランド2 韓国1 中国5
日本信号㈱	315	11	台湾2 インド2 フィリピン1 ミャンマー4 エジプト1 バングラデシュ1

●電子部品・機器●

会社名	(掲載ページ)	人数計	勤務地とその人数
ニデック㈱	316	306	中国 タイ 台湾 米国 ベトナム メキシコ 他
TDK㈱	316	255	アジア178 アメリカ55 ヨーロッパ22
京セラ㈱	317	333	米国 欧州 アジア 南米
㈱村田製作所	317	609	アジア 米国 欧州 他(約20カ国)
ルネサスエレクトロニクス㈱	318	43	米国 欧州 中国 その他アジア
ミネベアミツミ㈱	318	612	アジア496 北中米68 欧州48
キオクシア㈱	319	118	米国 中国 台湾 他
アルプスアルパイン㈱	319	161	欧州 アジア 米州
日東電工㈱	320	254	欧州29 米州71 南アジア47 東アジア107
日亜化学工業㈱	320	41	米国14 欧州10 アジア17
ローム㈱	321	104	ASEAN・インド35 中国30 他東アジア2 欧州23 米国14
イビデン㈱	321	122	北米15 欧州25 アジア82
NECプラットフォームズ㈱	322	20	豪州1 米国3 アジア16
太陽誘電㈱	322	128	アジア 米国 欧州 他
シチズン時計㈱	323	40	中国 香港 米国 ドイツ シンガポール タイ 他
アズビル㈱	323	94	14カ国
サンケン電気㈱	324	28	アジア22 米国4 欧州2
日本航空電子工業㈱	325	69	北米17 アジア46 欧州6
浜松ホトニクス㈱	325	18	米国10 ドイツ6 ベルギー1 台湾1
㈱ソシオネクスト	326	32	北米19 欧州6 他アジア7
㈱トプコン	326	47	米国22 欧州7 アジア17 オセアニア1
新光電気工業㈱	327	31	米国 シンガポール タイ 韓国 マレーシア 台湾 中国 フィリピン
㈱三井ハイテック	327	62	中国 米国 東南アジア 欧州 カナダ

会社名 （掲載ページ）	人数計	勤務地とその人数
ニチコン㈱ 328	55	米国4 欧州4 アジア47
㈱メイコー 328	47	中国6 ベトナム37 米国2 タイ1 インド1
マブチモーター㈱ 329	74	中国 ベトナム 米国 ドイツ シンガポール 韓国 メキシコ ポーランド タイ 台湾 スイス
ＮＩＳＳＨＡ㈱ 329	25	北米 欧州 アジア
ヒロセ電機㈱ 330	59	米国 オランダ ドイツ 台湾 マレーシア インドネシア 中国 シンガポール 韓国 他
日本ケミコン㈱ 330	78	米国 中国 欧州 マレーシア他
マクセル㈱ 331	45	米国 英国 ドイツ シンガポール マレーシア 中国 インドネシア 他
フォスター電機㈱ 331	25	アジア14 欧米11
アンリツ㈱ 332	28	欧州2 米州14 アジア12
㈱タムラ製作所 332	81	中国 台湾 タイ 米国 マレーシア ドイツ 他
シンフォニアテクノロジー㈱ 333	20	タイ9 中国6 米国4 ベトナム1
新電元工業㈱ 333	46	アジア42 欧州2 米国2
富士通フロンテック㈱ 334	9	フィリピン8 米国1
日本シイエムケイ㈱ 334	66	中国31 タイ29 米国2 ベルギー2 シンガポール1 マレーシア1
㈱タムロン 335	13	アジア6 欧米7
オリエンタルモーター㈱ 335	31	米国7 欧州11 アジア13
㈱日立国際電気 336	5	米国2 ドイツ1 ブラジル1 シンガポール1
東京計器㈱ 336	7	米国2 中国1 ベトナム4
ＳＭＫ㈱ 337	44	米国15 欧州1 東南アジア9 東アジア19
㈱アイ・オー・データ機器 337	5	台湾2 香港1 ベトナム2
メクテック㈱ 338	91	ベトナム23 中国36 他
日本テキサス・インスツルメンツ（合同） 339	4	アメリカ合衆国4
東京エレクトロン㈱ 340	119	米国49 欧州14 アジア56
横河電機㈱ 340	83	19カ国
㈱ＳＣＲＥＥＮホールディングス 341	94	米国23 欧州18 アジア・オセアニア53
㈱アドバンテスト 341	71	米国 ドイツ 中国 台湾 韓国 マレーシア シンガポール 他
㈱ディスコ 342	110	米国38 台湾17 中国16 ドイツ13 マレーシア8 韓国7 シンガポール7 タイ2 フィリピン1 ベトナム1
㈱アルバック 342	50	韓国12 台湾5 中国21 米国9 ドイツ2 シンガポール1
レーザーテック㈱ 343	5	シンガポール1 台湾3 韓国1
㈱ＫＯＫＵＳＡＩ ＥＬＥＣＴＲＩＣ 343	10	アジア5 ヨーロッパ1 米国4
ウシオ電機㈱ 344	57	アジア 北米 欧州
㈱東京精密 344	23	中国9 タイ5 米国5 他4

●住宅・医療機器他●

会社名 （掲載ページ）	人数計	勤務地とその人数
ホーチキ㈱ 345	19	米国9 英国4 シンガポール2 タイ1 台湾2 オーストラリア1
アイホン㈱ 346	23	米国7 タイ4 ベトナム4 フランス4 シンガポール2 オーストラリア1 イギリス1
オリンパス㈱ 346	142	米州48 欧州22 中国アジア他72
テルモ㈱ 347	118	米州50 アジア・中国49 他

会社名 (掲載ページ)		人数計	勤務地とその人数
ニプロ㈱	347	60	米国18 中国9 他※再雇用社員含む
キヤノンメディカルシステムズ㈱	348	49	中国 オランダ 米国 ブラジル インド他
シスメックス㈱	348	43	北米11 南米1 欧州13 中国11 アジアパシフィック7
日本光電	349	48	米国21 中国8 ヨーロッパ6 ブラジル1 メキシコ3 シンガポール2 タイ1 韓国1 インド3 UAE2
日機装㈱	349	37	ベトナム21 米国5 中国5 韓国2 台湾2 英国1 ドイツ1

●自動車●

会社名 (掲載ページ)		人数計	勤務地とその人数
トヨタ自動車㈱	350	約1,900	約30カ国(約80事業体)
本田技研工業㈱	350	2,080	北米 南米 欧州 アジア オセアニア 中近東 他
日産自動車㈱	351	488	中国 米国 タイ メキシコ インド
スズキ㈱	351	564	東南アジア・オセアニア97 インド・パキスタン362 他105
マツダ㈱	352	356	北米 欧州 中国 東南アジア 中南米 他
㈱SUBARU	352	248	米国 中国 欧州 他
ダイハツ工業㈱	353	260	マレーシア インドネシア 他
いすゞ自動車㈱	354	335	東南アジア 欧州 中国 北米 他
日野自動車㈱	354	263	タイ インドネシア 米国 中国
UDトラックス㈱	355	5	タイ2 シンガポール1 インドネシア1 南アフリカ1
ヤマハ発動機㈱	355	417	57カ所
カワサキモータース㈱	356	91	米国33 タイ17 メキシコ9 他

●自動車部品●

会社名 (掲載ページ)		人数計	勤務地とその人数
トヨタ車体㈱	356	69	アジア47 北米19 他3
ダイハツ九州㈱	357	7	マレーシア7
日産車体㈱	357	8	南アフリカ2 UAE3 米国3
トヨタ自動車東日本㈱	358	23	フランス13 ブラジル7 タイ3
マザーサンヤチヨ・オートモーティブシステムズ㈱	358	65	米国・中国・インド中心
㈱デンソー	359	1,065	北中南米 欧州 アジア 他87社
㈱アイシン	359	621	北米 南米 欧州 アジア オセアニア 他
㈱豊田自動織機	360	約200	米国 フランス ドイツ スウェーデン ポーランド 中国 インド ベトナム インドネシア ブラジル 他
豊田合成㈱	360	322	北中米 欧州 中国 アジア 他
㈱東海理化	361	181	米国 欧州 アジア他
㈱GSユアサ	361	76	欧米豪20 中国・台湾16 東南アジア34 他6
㈱ブリヂストン	362	302	タイ 米国 中国 シンガポール
住友ゴム工業㈱	362	203	アジア 中近東 欧州 米州 アフリカ
横浜ゴム㈱	363	137	アジア94 北米南米32 欧州11
TOYO TIRE㈱	363	54	米国 カナダ メキシコ 英国 ドイツ セルビア 中国 タイ マレーシア 台湾
住友理工㈱	364	182	北中米68 中国52 アジア39 欧州23
テイ・エス テック㈱	364	119	アジア53 北米51 中南米8 欧州7

会社名 （掲載ページ）		人数計	勤務地とその人数
㈱タチエス	365	46	北中南米 中国 ASEAN 他
アイシンシロキ㈱	365	18	米国 中国 タイ
㈱ミツバ	366	151	米州37 欧州17 アジア77 中国20
㈱ハイレックスコーポレーション	366	72	米国18 欧州11 中国8 インド10 他
住友電装㈱	367	485	米州 欧州 アジア圏 他
矢崎総業㈱	367	458	欧州29 米州(南米を含む)100 豪亜247 中華圏82
ＮＯＫ㈱	368	81	東南アジア・南アジア38 中国17 韓国2 北米17 欧州7
イーグル工業㈱	368	37	アジア23 欧州7 北中米7
スタンレー電気㈱	369	181	米国 英国 フランス ドイツ タイ 中国 ベトナム 他
フタバ産業㈱	369	82	米国29 カナダ4 イギリス1 チェコ4 中国30 インド10 インドネシア4
㈱三五	370	59	米国 中国 インド インドネシア タイ トルコ メキシコ
豊田鉄工㈱	370	109	米国36 中国26 カナダ10 インドネシア10 メキシコ8 インド8 トルコ7 タイ4
東プレ㈱	371	82	米国 メキシコ 中国 タイ インド インドネシア
㈱ジーテクト	371	83	北米40 南米5 中国9 アジア19 欧州10
ユニプレス㈱	372	75	北中南米48 アジア18 欧州9
トピー工業㈱	372	25	米国 メキシコ インドネシア タイ 中国
㈱エイチワン	373	78	北米24 アジア43 中国11
太平洋工業㈱	373	52	米国24 中国13 タイ9 韓国3 台湾1 欧州2
プレス工業㈱	374	20	米国7 中国2 タイ9 インドネシア2
㈱アドヴィックス	374	115	米国32 中国34 タイ13 インド11 インドネシア5 メキシコ9 チェコ1 ドイツ7 ブラジル2 南アフリカ1
ジヤトコ㈱	375	76	タイ12 メキシコ29 中国18 米国12 韓国3 フランス2
日清紡ホールディングス㈱	375	78	アジア53 米国22 ブラジル3
日本発条㈱	376	99	北米35 欧州8 アジア51 中米5
㈱ヨロズ	376	59	北米24 南米5 アジア29 欧州1
中央発條㈱	377	43	米国18 中国14 台湾1 タイ5インドネシア5
カヤバ㈱	377	87	中国 米国 タイ インドネシア メキシコ ドイツ 他
愛三工業㈱	378	90	米国 中国 フランス チェコ インドネシア 韓国 ベルギー インド タイ メキシコ
武蔵精密工業㈱	378	72	アジア48 欧州9 南米5 北米10
㈱エクセディ	379	77	北中米17 欧州2 アジア56 中東2
㈱エフテック	379	111	北米59 中国25 アジア27
㈱エフ・シー・シー	380	87	米国24 メキシコ4 ブラジル3 アジア42 インド14
大同メタル工業㈱	380	65	北米 欧州 アジア 他
バンドー化学㈱	381	35	アジア28 北米4 欧州3
三ツ星ベルト㈱	382	52	米国5 欧州5 アジア42
㈱ニフコ	382	77	アジア48 欧米29
ダイキョーニシカワ㈱	383	36	中国 タイ インドネシア メキシコ 米国
リョービ㈱	383	85	米国32 メキシコ6 英国7 中国30 タイ10
㈱アーレスティ	384	52	米国10 メキシコ8 中国21 インド11 タイ2
ＴＰＲ㈱	384	40	アジア16 中国13 北南米7 欧州4

業種別・海外勤務 979 社

会社名 (掲載ページ)		人数計	勤務地とその人数
●輸送用機器●			
㈱三井Ｅ＆Ｓ	385	27	欧米 アジア 他
ジャパン マリンユナイテッド㈱	386	6	ロンドン4 ベトナム1 アテネ1
㈱名村造船所	386	2	英国1 タイ1
新明和工業㈱	387	37	米国9 アジア27 欧州1
極東開発工業㈱	387	10	中国4 インド2 インドネシア3 オーストラリア1
㈱モリタホールディングス	388	1	フィンランド1
三菱ロジスネクスト㈱	388	42	北米9 欧州6 アジア27
●機械●			
三菱重工業㈱	389	346	米国 欧州 アジア 他
川崎重工業㈱	390	319	北米 欧州 アジア 南米 中東 他
㈱ＩＨＩ	390	167	24カ国(米国欧州東南アジア中国韓国他)
三井海洋開発㈱	391	101	シンガポール51 ブラジル31 中国9 米国5 オランダ2 セネガル2 メキシコ1
㈱クボタ	391	430	米国139 タイ65 中国49 フランス46 他
日立建機㈱	392	196	アジア・欧州を中心に全世界
ヤンマーホールディングス㈱	392	132	アジア(中国除く)67 欧州33 中国14 南米1 米州17
コベルコ建機㈱	393	72	タイ13 インド12 中国 12 オランダ11 他
㈱タダノ	393	49	欧州 米州 アジア
古河機械金属㈱	394	13	中国4 タイ4 米国3 インド1 オランダ1
井関農機㈱	394	25	中国6 米国2 ドイツ4 フランス2 インドネシア7 タイ4
㈱やまびこ	395	22	米国11 ベルギー5 ベトナム 他
ダイキン工業㈱	395	704	北米154 欧州143 中国164 アジア・オセアニア164 中南米30 中近東19 インド30
コマツ	396	503	欧州 米州 大洋州 アジア 中近東 他
ホシザキ㈱	396	43	米州7 欧州6 アジア他30
㈱富士通ゼネラル	397	131	タイ49 中国37 ドイツ13 米国10 他22
㈱キッツ	397	50	タイ9 中国8 台湾7 その他26
アマノ㈱	398	28	米国5 中国7 ベルギー2 他
フクシマガリレイ㈱	398	30	シンガポール3 タイ5 香港4 マレーシア2 ベトナム5 台湾3 フィリピン2 インドネシア3 上海3
㈱東光高岳	399	8	中国1 韓国3 ベトナム4
中外炉工業㈱	399	9	アジア7 メキシコ2
㈱ジェイテクト	400	348	アジア162、欧州66、北米107、中南米13
ＮＴＮ㈱	400	249	北米86 中南米10 欧州39 中国54 アジア他60
日本精工㈱	401	263	米州54 欧州55 ASEAN43 中国91 韓国4 インド13 台湾3
ＴＨＫ㈱	401	122	米州26 欧州21 アジア75
㈱不二越	402	149	アジア98 米州12 欧州39
㈱日本製鋼所	402	64	中国16 米国14 欧州9 他
オイレス工業㈱	403	24	アメリカ、ドイツ、チェコ、中国、タイ、インド
住友重機械工業㈱	403	128	中国 米国 ベトナム ドイツ 他計17カ国
ＳＭＣ㈱	404	114	ベトナム47 米国29 ドイツ6 他

会社名 (掲載ページ)		人数計	勤務地とその人数
㈱マキタ	404	193	欧州 北米 中南米 アジア 他
㈱ダイフク	405	126	北米・中米33 豪州2 欧州2 アジア89
村田機械㈱	405	75	中国22 米国19 タイ11 他
三菱電機ビルソリューションズ㈱	406	36	アジア26 中国3 中南米2 中近東2 欧州 他
グローリー㈱	406	49	米国14 中国9 フランス5 フィリピン5 シンガポール4 ドイツ3 イタリア2 英国2 ポルトガル2 オランダ1 メキシコ1 ベトナム1
ナブテスコ㈱	407	69	米国 中国 ドイツ イタリア スイス タイ 等
㈱椿本チエイン	407	84	アジア50 欧州14 北米16 南米3 オセアニア1
フジテック㈱	408	62	アジア 北中南米 欧州 他
オーエスジー㈱	408	56	アジア24 欧州13 米州19
サトーホールディングス㈱	409	56	米州 欧州 アジア
ＣＫＤ㈱	410	60	米国7 中国20 タイ7 欧州7 韓国4 他
㈱ＦＵＪＩ	410	43	米国12 欧州7 中国12 他アジア12
新東工業㈱	411	36	中国15 タイ6 米国3 インド3 他
㈱小森コーポレーション	411	17	米国3 欧州5 アジア9
ＪＵＫＩ㈱	412	68	中国 アジア 欧米他
ホソカワミクロン㈱	412	5	マレーシア3 中国1 韓国1
富士精工㈱	413	17	米国4 中国3 タイ6 他
三木プーリ㈱	414	5	中国2 香港1 台湾1 タイ1
ファナック㈱	414	97	米国22 欧州21 中国19 他
ＤＭＧ森精機㈱	415	73	米州28 欧州25 アジア9 中国11
㈱アマダ	415	29	米国8 中国4 フランス3 インド3 オーストラリア2 他9
オークマ㈱	416	72	米国 欧州 タイ 中国 台湾 シンガポール他
㈱牧野フライス製作所	416	43	米国 中国 シンガポール ドイツ 他
芝浦機械㈱	417	69	米国 インド タイ 中国 他
㈱荏原製作所	417	139	中国35 台湾17 ベトナム7 米国23 他
カナデビア㈱	418	50	スイス12 中国10 タイ9 台湾5 アメリカ3 ベトナム3 オーストラリア3 インド2 インドネシア2 ドイツ1
栗田工業㈱	418	63	中国19 アメリカ14 マレーシア6 台湾4 韓国4 タイ4 ドイツ3 シンガポール2 ベトナム2 インドネシア2 ブラジル2 スペイン1
メタウォーター㈱	419	8	米国5 オランダ2 ベトナム1
三浦工業㈱	419	77	中国24 米国6 インドネシア7 台湾6 シンガポール6 韓国4 メキシコ4 ブラジル2 タイ4 オランダ3 トルコ2 カナダ2 ベトナム1 バングラデシュ2 フィリピン2 マレーシア2
オルガノ㈱	420	58	台湾19 中国20 ベトナム5 米国5 他
㈱タクマ	420	1	台湾1
㈱神鋼環境ソリューション	421	NA	ベトナム 英国 カンボジア ミャンマー

●食品・水産●

会社名 (掲載ページ)		人数計	勤務地とその人数
サントリーホールディングス㈱	424	278	アジア北米欧州他(サントリー食品インターナショナルと合算)
アサヒビール㈱	424	52	中国8 豪州7 他
キリンホールディングス㈱	425	70	米国 豪州 中国 ベトナム 他
サッポロビール㈱	425	24	アメリカ7 カナダ4 シンガポール(ポッカ出向)4 ベトナム4 オランダ2 中国1 オーストラリア1 ドイツ(留学)1

業種別・海外勤務 979 社

会社名 （掲載ページ）		人数計	勤務地とその人数
宝ホールディングス㈱	426	48	米国26 中国6 他16
㈱ヤクルト本社	427	207	アジア オセアニア 欧州 北米 中南米
㈱伊藤園	427	26	米国13 中国6 豪州1 タイ1 シンガポール1 インドネシア1 台湾1 ベトナム1 ドイツ1
アサヒ飲料㈱	428	4	イングランド1 オーストラリア2 台湾1
ダイドードリンコ㈱	428	6	トルコ4 ポーランド1 イギリス1
キーコーヒー㈱	429	3	インドネシア2 台湾1
雪印メグミルク㈱	430	16	オーストラリア インドネシア シンガポール オランダ 香港 台湾
森永乳業㈱	430	50	米国15 ベトナム11 ドイツ10 シンガポール6 パキスタン4 インドネシア1 中国3
ＪＴ	431	237	欧州 アジア他各国
味の素㈱	431	269	東南アジア 南米 米国 欧州 他
㈱明治	432	98	中国 東南アジア オセアニア 米国他
ニチレイグループ	432	87	タイ20 米国 20 中国19 オランダ7 他21
不二製油㈱	433	64	NA
日清オイリオグループ㈱	433	32	マレーシア シンガポール 中国 台湾 インドネシア スペイン イタリア 米国
ハウス食品㈱	434	72	中国・台湾・韓国22 東南アジア19 欧米31
カゴメ㈱	435	32	中国2 台湾4 米国13 イタリア1 ポルトガル6 トルコ1 オーストラリア2 インド2 シンガポール1
テーブルマーク㈱	436	17	中国 タイ インドネシア
味の素冷凍食品㈱	436	10	米国 タイ 中国 フランス
ホクト㈱	437	13	米国4 台湾5 マレーシア4
エスビー食品㈱	438	13	米国5 シンガポール4 英国3 カナダ1
キッコーマン㈱	438	101	北米 欧州 アジア 豪州 他
キユーピー㈱	439	74	米国 中国 タイ ベトナム マレーシア 他
日本食研ホールディングス㈱	439	78	米国31 中国15 台湾10 イギリス4 ドイツ4 フランス4 オーストラリア3 シンガポール3 タイ2 韓国2
ケンコーマヨネーズ㈱	440	NA	インドネシア カナダ
理研ビタミン㈱	440	33	上海7 マレーシア7 シンガポール6 他
日清食品㈱	441	149	米州46 中国46 アジア46 EMEA11
東洋水産㈱	441	73	米国62 メキシコ7 インド2 ブラジル2
日本ハム㈱	442	30	中国6 米国4 タイ5 豪州4 ベトナム2 英国1 チリ4 シンガポール1 台湾1 インドネシア2
伊藤ハム米久ホールディングス㈱	442	4	ニュージーランド2 タイ2
プリマハム㈱	443	8	タイ3 中国1 米国1 カナダ1 シンガポール2
丸大食品㈱	443	1	タイ1
江崎グリコ㈱	444	43	タイ 中国 フランス 米国 韓国 インドネシア シンガポール カナダ フィリピン ベトナム
カルビー㈱	444	35	米国 中国 韓国 タイ インドネシア マレーシア
森永製菓㈱	445	20	米国12 中国4 台湾2 タイ2
㈱ロッテ	445	21	タイ6 ベトナム5 インドネシア4 ポーランド3 台湾2 香港1
亀田製菓㈱	446	33	米国11 中国6 タイ6 ベトナム5 インド3 カンボジア2
井村屋グループ㈱	446	8	米国2 中国5 マレーシア1

会社名 （掲載ページ）		人数計	勤務地とその人数
日清製粉グループ	447	15	ベトナム3、米国2、インド2、オーストラリア2、タイ2、中国2、カナダ1、トルコ1、
㈱ニップン	447	22	米国5 タイ9 中国4 インドネシア4
昭和産業㈱	448	2	ベトナム1 台湾1
山崎製パン㈱	448	50	アジア42 米国5 欧州3
マルハニチロ㈱	450	54	全世界(特にアジア、北米)
㈱ニッスイ	451	33	米国7 タイ7 チリ6 中国5 その他8
㈱極洋	451	20	バンコク6 シアトル3 ホーチミン3 広東省2 ニューヨーク1 ロサンゼルス1 スラバヤ1 アムステルダム1 ロンアン省1 山東省1
フィード・ワン㈱	452	4	ベトナム2 インド2
●農林●			
㈱サカタのタネ	452	21	米国 タイ ベトナム チリ フランス 中国 他
カネコ種苗㈱	453	2	タイ1 フィリピン1
●印刷・紙パルプ●			
ＴＯＰＰＡＮホールディングス㈱	453	121	米国 欧州 中国 台湾 東南アジア アフリカ他
大日本印刷㈱	454	122	米国30 欧州24 アジア68
ＴＯＰＰＡＮエッジ㈱	454	5	香港2 シンガポール1 インドネシア1 上海1
共同印刷㈱	455	6	ベトナム3 インドネシア3
王子ホールディングス㈱	456	122	アジア57 オセアニア27 北米5 南米16 欧州17
日本製紙㈱	456	63	アジア20 豪州14 欧州12 北米8 南米8 その他1
レンゴー㈱	457	31	中国17 タイ4 インドネシア2 米国2 マレーシア3 ドイツ1 フィリピン2
大王製紙㈱	457	70	中国19 タイ12 インドネシア9 ブラジル7 ベトナム6 他
●化粧品・トイレタリー●			
㈱資生堂	458	56	海外現地法人に派遣
㈱コーセー	458	36	中国 台湾 香港 シンガポール タイ マレーシア 米国 韓国 インド インドネシア イギリス フランス
㈱ファンケル	459	9	シンガポール4、上海4、米国1
㈱ポーラ	459	9	中国 台湾 タイ
㈱ミルボン	460	31	台湾 香港 米国 韓国 中国 タイ ベトナム マレーシア インドネシア フィリピン ドイツ シンガポール
花王㈱	460	126	中国 米国 タイ インドネシア 台湾 香港 ドイツ 他
ライオン㈱	461	60	米国1 インドネシア7 シンガポール11 タイ4 台湾2 中国17 バングラデシュ3 ベトナム5 マレーシア6 韓国4
アース製薬㈱	462	20	アジア20
●医薬品●			
田辺三菱製薬㈱	462	40	米国25 中国4 ドイツ1 他アジア10
中外製薬㈱	463	72	シンガポール23 スイス22 米国10 英国6 ドイツ1 中国8 台湾2
小野薬品工業㈱	464	79	米国61 英国14 韓国2 台湾2
塩野義製薬㈱	465	37	米国13 英国(ロンドン1 他1)オランダ1 香港1 台湾2 中国18
住友ファーマ㈱	465	56	米国38 ドイツ1 シンガポール3 中国10 台湾1 タイ2 ベトナム1

業種別・海外勤務 979 社

会社名 （掲載ページ）		人数計	勤務地とその人数
参天製薬㈱	466	6	中国2 シンガポール2 ベトナム1 フランス1
ロート製薬㈱	466	20	ベトナム4 インドネシア3 その他アジア、欧米など各1〜2名
東和薬品㈱	467	1	スペイン1
Meiji Seika ファルマ㈱	467	23	米国9 タイ6 インドネシア3 インド3 中国1 台湾1
大正製薬㈱	468	NA	アジア 欧州 北米 他
㈱ツムラ	468	43	中国35 米国5 ラオス3
日本新薬㈱	469	41	北米34 中国6 英1
ゼリア新薬工業㈱	470	3	デンマーク ベトナム
佐藤製薬㈱	472	7	台湾 香港 シンガポール
日本ケミファ㈱	472	1	ベトナム

●化学●

会社名		人数計	勤務地とその人数
三菱ケミカル㈱	473	182	アジア 北米 欧州 中東
富士フイルム㈱	473	335	米州 欧州 中東 アジア アフリカ他
旭化成グループ	474	287	北米62 欧州44 中国93 他
東レ㈱	474	571	東アジア216 欧米179 東南アジア158 他18
住友化学㈱	475	132	中国30 シンガポール29 米国31（留学制度利用者含む）韓国10 他
信越化学工業㈱	475	約220	北米85 アジア100 欧州25 その他10
三井化学㈱	476	187	アジア123 欧州31 北米30 南米3
積水化学工業㈱	477	129	北米中南米41 欧州32 アジア太平洋56
帝人㈱	477	98	NA
東ソー㈱	478	57	アジア39 米国11 欧州7
三菱ガス化学㈱	478	125	東アジア 東南アジア 北米 中南米 中東 欧州 他
㈱クラレ	479	140	米国 ドイツ タイ 中国 シンガポール ベルギー 他
㈱カネカ	479	167	マレーシア インドネシア ガーナ ベトナム 韓国 台湾 中国 米国 インド ベルギー 他
㈱ダイセル	480	80	中国23 米国17 タイ15 欧州10 他アジア15
UBE㈱	480	27	北米7 欧州3 アジア17
東洋紡㈱	481	90	ドイツ スペイン 東南アジア 東アジア 中南米 北米
JSR㈱	481	118	米国 欧州 東アジア 東南アジア
㈱ADEKA	482	75	中国26 韓国8 米国8 マレーシア6 シンガポール6 台湾6 タイ5 UAE3 ドイツ3 インド1 ブラジル1 フランス1 ベトナム1
デンカ㈱	482	56	中国16 シンガポール13 米国13 ドイツ5 ベトナム3 マレーシア2 韓国2 台湾2
日本ゼオン㈱	483	51	米国12 インド2 シンガポール6 タイ5 ドイツ5 フランス1 ベトナム3 ベルギー2 メキシコ2 韓国1 中国12
㈱トクヤマ	483	55	アジア48 米国3 欧州3 オセアニア1
住友ベークライト㈱	484	117	東アジア67 東南アジア23 北米17 欧州10
リンテック㈱	484	84	北米14 欧州9 中国16 台湾11 韓国4 東南アジア29 南アジア（インド）1
アイカ工業㈱	485	29	シンガポール2 タイ6 インド3 インドネシア5 中国2 ベトナム5 台湾3 米国1 マレーシア2
㈱エフピコ	485	6	マレーシア
日本化薬㈱	486	40	中国11 マレーシア9 メキシコ6 米国3他

会社名 *(掲載ページ)*		人数計	勤務地とその人数
㈱イノアックコーポレーション	*486*	**113**	中国34 米国地域17 東南アジア62
東京応化工業㈱	*487*	**84**	米国27 台湾21 中国7 韓国24 オランダ2 ベルギー2 シンガポール1
三洋化成工業㈱	*488*	**27**	中国10 タイ7 米国6 マレーシア3 台湾1
タキロンシーアイ㈱	*488*	**17**	イタリア 米国 中国 ドイツ
ＺＡＣＲＯＳ㈱	*489*	**30**	米国9 台湾7 中国3 タイ3 インドネシア3 マレーシア4 ベトナム1
ユニチカ㈱	*489*	**27**	中国5 インドネシア10 タイ5 ドイツ1 米国1 ブラジル1 ベトナム4
堺化学工業㈱	*490*	**8**	ベトナム4 タイ3 インドネシア1
藤倉化成㈱	*490*	**14**	米国1 中国5 インド2 アセアン地域6
ニチバン㈱	*491*	**6**	タイ4 ドイツ2
大陽日酸㈱	*491*	**58**	米国7 タイ5 シンガポール4 他
エア・ウォーター㈱	*492*	**30**	インド9 米国7 ベトナム7 シンガポール3 中国2 マレーシア1 オランダ1
㈱日本触媒	*492*	**62**	欧州19 米国11 アジア32
日産化学㈱	*493*	**40**	米国5 アジア32 欧州2 南米1
日油㈱	*493*	**34**	米国 中国 ドイツ インドネシア 他
高砂香料工業㈱	*494*	**55**	アジア23 米州25 欧州7
㈱クレハ	*494*	**41**	米国17 中国12 ベトナム5 ドイツ4 オランダ2 韓国1
東亞合成㈱	*495*	**19**	アジア15 米国4
日本曹達㈱	*495*	**13**	米国3 ドイツ5 インド2 ブラジル1 中国1 韓国1
日本パーカライジング㈱	*496*	**71**	中国19 タイ14 インド9 インドネシア7 米国7 メキシコ4 台湾3 ベトナム2 韓国2 マレーシア2 フィリピン1 ドイツ1
日本農薬㈱	*496*	**10**	米国2 英国1 インド4 台湾1 ブラジル1 ベトナム1
荒川化学工業㈱	*497*	**32**	中国18 台湾3 米国1 ドイツ1 タイ3 ベトナム6
日本ペイントホールディングス㈱	*497*	**42**	アジア31 欧州3 北米8
ＤＩＣ㈱	*498*	**105**	米国 中国 インド タイ ドイツ 他
関西ペイント㈱	*498*	**58**	アジア48 欧州5 北米3 中東1 中南米1
ａｒｔｉｅｎｃｅ㈱	*499*	**90**	15カ国(複数拠点)に各1～10
サカタインクス㈱	*499*	**39**	米国8 欧州5 アジア26
大日精化工業㈱	*500*	**35**	アジア32 EU2 北米1

●衣料・繊維●

会社名	掲載ページ	人数計	勤務地とその人数
クラボウ	*500*	**32**	タイ インドネシア 中国 ベトナム ブラジル 他
セーレン㈱	*501*	**66**	米国 インド インドネシア タイ ハンガリー ブラジル フランス メキシコ 中国
グンゼ㈱	*501*	**52**	中国 タイ ベトナム 米国 他
岡本㈱	*502*	**12**	中国7 タイ3 米国2
㈱オンワード樫山	*503*	**10**	米国1 アジア8 欧州1
㈱三陽商会	*503*	**1**	上海1
クロスプラス㈱	*504*	**2**	上海2

●ガラス・土石●

会社名	掲載ページ	人数計	勤務地とその人数
ＡＧＣ㈱	*504*	**343**	中国110 タイ54 米国37 台湾34 インドネシア31 シンガポール20 ベルギー13 韓国13 他31
日本板硝子㈱	*505*	**14**	米国3 欧州2 中国1 ベトナム3 香港1 台湾1 マレーシア3

会社名	（掲載ページ）	人数計	勤務地とその人数
日本電気硝子㈱	505	96	中国 マレーシア 他
セントラル硝子㈱	506	27	米国2 ベトナム1 台湾6 中国7 韓国4 チェコ6 ベルギー1
日東紡	506	21	中国1 台湾14 米国6
太平洋セメント㈱	507	72	米国 タイ ベトナム フィリピン インドネシア 他
ＵＢＥ三菱セメント㈱	507	13	米国 ベトナム シンガポール オーストラリア 他
住友大阪セメント㈱	508	8	中国5 米国2 豪国1
日本特殊陶業㈱	508	108	米国 ドイツ タイ 他計17カ国24拠点
日本ガイシ㈱	509	209	北中米61 欧州70 アジア74 他4
東海カーボン㈱	509	12	米国3 タイ5 中国2 韓国1 ドイツ1
ニチアス㈱	510	57	中国14 インドネシア12 マレーシア10 他
黒崎播磨㈱	510	32	中国12 インド10 アメリカ6 ポーランド2 スペイン2
吉野石膏㈱	511	16	インドネシア8 ベトナム8
ノリタケ㈱	511	27	米国 ドイツ 中国 タイ 他
日本コークス工業㈱	512	2	米国1 豪州1
●金属製品●			
㈱ＬＩＸＩＬ	512	190	タイ73 ベトナム42 中国30 他45
東洋製罐グループホールディングス㈱	513	74	タイ32 中国10 米国5 トルコ7 他 計13カ国
ＹＫＫ㈱	513	572	アジア 欧州 北中米 南米 他
ＹＫＫ ＡＰ㈱	514	90	米国 中国 台湾 インド インドネシア シンガポール ドイツ 他
㈱ＳＵＭＣＯ	514	51	アジア34 米国15 欧州2
三協立山㈱	515	32	上海7 タイ7 台湾5 ドイツ11 フィリピン2
三和シヤッター工業㈱	515	28	米国2 ドイツ1 中国10 香港7 台湾2 ベトナム4 インドネシア1 タイ1
文化シヤッター㈱	516	7	ベトナム7
アルインコ㈱	516	8	中国2 タイ3 インドネシア2 ベトナム1
●鉄鋼●			
日本製鉄㈱	517	約300	欧州 米州 アジア 豪州 他
ＪＦＥスチール㈱	517	172	アジア 北米 中国 南米 他
㈱神戸製鋼所	518	252	欧米106 中国89 東南アジア他57
㈱プロテリアル	519	162	中国 米国 タイ ドイツ フィリピン他
大同特殊鋼㈱	519	35	中国12 タイ9 米国7 インド2 インドネシア2 ドイツ1 ベトナム1 マレーシア1
山陽特殊製鋼㈱	520	26	インド6 メキシコ6 スウェーデン4 タイ4 中国3 米国2 フィンランド1
愛知製鋼㈱	520	33	米国13 タイ6 フィリピン5 中国4 インド3 インドネシア2
三菱製鋼㈱	521	42	米国2 カナダ4 メキシコ2 タイ5 インドネシア18 フィリピン5 中国4 インド2
㈱淀川製鋼所	521	18	中国 台湾 タイ
㈱栗本鐵工所	522	6	米国4 中国2
●非鉄●			
住友電気工業㈱	522	541	米国 欧州 東南アジア 中国 他25カ国
古河電気工業㈱	523	124	北米 中南米 欧州 東南アジア 中国 他

会社名	(掲載ページ)	人数計	勤務地とその人数
㈱フジクラ	523	142	北米26 欧州7 東南アジア81 中国・香港24 北アフリカ3 中東1
SWCC㈱	524	16	中国・東南アジア地区中心
三菱マテリアル㈱	524	151	タイ29 米国19 中国18 ドイツ16 他
住友金属鉱山㈱	525	108	アジア68 北南米32 欧州3 オセアニア5
DOWAホールディングス㈱	526	124	タイ32 米国23 中国23 中南米11他
三井金属	526	69	米国4 インド9 インドネシア5 タイ3 ベトナム2 ペルー12 マレーシア11 台湾10 中国13
田中貴金属グループ	527	70	中国25 シンガポール12 台湾9 他
日鉄鉱業㈱	527	24	チリ 台湾 豪州 中国
東邦亜鉛㈱	528	2	豪州2
㈱フルヤ金属	528	1	米国1
㈱UACJ	529	約100	タイ 中国 米国 ベトナム インドネシア チェコ 他
日本軽金属㈱	529	14	中国2 タイ7 米国4 カナダ1

●その他メーカー●

会社名	(掲載ページ)	人数計	勤務地とその人数
㈱アシックス	530	46	米国 オランダ ブラジル 中国 ベトナム オーストラリア UAE 他
デサントジャパン㈱	530	9	中国7 韓国1 ベトナム1
ヨネックス㈱	531	30	米国2 欧州3 アジア25
㈱タカラトミー	531	29	中国 香港 タイ ベトナム 米国 英国
㈱バンダイ	532	99	アジア81 欧米18
ピジョン㈱	532	26	中国8 シンガポール3 タイ5 米国3他
ヤマハ㈱	533	NA	アジア 米州 欧州 中東 中南米 他31カ国
ローランド㈱	533	23	米国4 中国6 マレーシア11 インドネシア1 インド1
㈱河合楽器製作所	534	23	米国3 ドイツ4 中国6 インドネシア6 他
パラマウントベッド㈱	534	38	インドネシア7 中国11 シンガポール3 タイ2 インド6 ベトナム3 メキシコ3 米国3
大建工業㈱	535	29	米国 カナダ シンガポール マレーシア 中国 ニュージーランド インドネシア 他
㈱ウッドワン	536	19	ニュージーランド8 フィリピン5 インドネシア5 香港1
TOTO㈱	537	187	米州 欧州 中国 アジア
リンナイ㈱	537	54	米国15 中国10 ベトナム5 インドネシア5 他
㈱ノーリツ	538	30	中国14 米国8 豪州3 ベトナム5
クリナップ㈱	539	5	台湾2 タイ2 中国1
コクヨ㈱	539	63	中国 シンガポール インド タイ マレーシア ベトナム インドネシア
㈱パイロットコーポレーション	540	17	中国4 米国2 フランス2 インドネシア2 英国1 ブラジル1 インド1 南アフリカ1 香港1 シンガポール1 マレーシア1
㈱オカムラ	541	39	中国 タイ ベトナム マレーシア シンガポール インドネシア 米国 英国 オランダ
㈱イトーキ	541	5	中国1 シンガポール2 タイ1 インドネシア1

●建設●

会社名	(掲載ページ)	人数計	勤務地とその人数
鹿島	544	254	アジア183 米国51 欧州14 豪州6
㈱大林組	544	207	北米37 アジア155 ヨーロッパ他15
清水建設㈱	545	276	アジア213 米国20 他43

業種別・海外勤務 979 社

会社名 (掲載ページ)		人数計	勤務地とその人数
大成建設㈱	545	174	アジア167 アメリカ3 アフリカ4
㈱竹中工務店	546	204	アジア104 欧州57 中国34 米国9
㈱長谷工コーポレーション	546	12	ベトナム7 アメリカ5
前田建設工業㈱	547	20	ベトナム10 タイ4 米国6
㈱フジタ	547	183	中国 韓国 香港 台湾 ベトナム メキシコ インド 他
戸田建設㈱	548	28	タイ ベトナム 他
三井住友建設㈱	548	144	フィリピン44 インドネシア29 バングラデシュ13 ベトナム11 インド9 タイ9 ミャンマー8 スリランカ6 米国6 シンガポール5 他4
㈱熊谷組	549	27	台湾14 インド5 ベトナム2 インドネシア6
西松建設㈱	549	62	タイ19 シンガポール18 フィリピン14 他11
安藤ハザマ	550	50	アジア 北米 中南米
㈱奥村組	550	19	シンガポール3 台湾16
東急建設㈱	551	43	東南アジア 他
㈱鴻池組	551	39	ザンビア10 コートジボワール6 ウガンダ6 タイ5 ベトナム5 ミャンマー4 ケニア2 マラウィ1
㈱福田組	552	3	タイ3
佐藤工業㈱	553	56	シンガポール36 タイ8 マレーシア10 カンボジア2
ピーエス・コンストラクション㈱	553	4	インドネシア2 ミャンマー1 ベトナム1
㈱錢高組	554	10	ベトナム6 ウガンダ3 フィリピン1
五洋建設㈱	555	118	シンガポール66 マダガスカル14 香港14 他
東亜建設工業㈱	556	83	バングラディシュ22 シンガポール17 インドネシア16 アンゴラ10 カンボジア10 ケニア3 フィリピン2 クウェート1 コートジボワール1 ベトナム1
東洋建設㈱	556	30	フィリピン23 インドネシア4 ケニア2 カンボジア1
㈱横河ブリッジホールディングス	557	10	ミャンマー 香港 他
飛島建設㈱	557	26	パキスタン20 ブルネイ2 ルワンダ2 フィリピン2
ライト工業㈱	558	20	米国 シンガポール ベトナム
㈱ＮＩＰＰＯ	558	6	インド1 タイ2 中国1 ベトナム1 タンザニア1
日本道路㈱	559	7	タイ5 マレーシア2
大成ロテック㈱	560	2	中国1 ベトナム1
日揮ホールディングス㈱	562	360	北米 アジア 中近東 欧州 アフリカ
ＪＦＥエンジニアリング㈱	562	99	シンガポール23 台湾15 ドイツ7 他
千代田化工建設㈱	563	253	アジア 中東 欧州 北米 他
日鉄エンジニアリング㈱	563	51	中国 東南アジア インド ドイツ 他
東洋エンジニアリング㈱	564	64	シンガポール45 ブラジル7 インド5 他
レイズネクスト㈱	564	2	インドネシア2
太平電業㈱	565	19	インドネシア6 香港5 台湾3 他
㈱ＮＴＴファシリティーズ	565	21	米国 シンガポール インドネシア マレーシア
新菱冷熱工業㈱	566	66	シンガポール インドネシア 香港 ベトナム 他
三機工業㈱	566	7	上海3 バンコク2 ウィーン2
三建設備工業㈱	567	3	タイ1 米国1 ベトナム1
㈱朝日工業社	568	8	台湾4 マレーシア4

会社名	（掲載ページ）	人数計	勤務地とその人数
高砂熱学工業㈱	568	33	タイ8 マレーシア5 中国5 他
㈱大気社	569	78	タイ15 インド14 中国12 フィリピン10 米国7 他
ダイダン㈱	569	11	シンガポール タイ ベトナム
新日本空調㈱	570	25	シンガポール14 中国7 スリランカ4
東洋熱工業㈱	570	7	グアム1 フィリピン5 ベトナム1
エクシオグループ㈱	571	22	シンガポール9 フィリピン7 タイ2 他
㈱ミライト・ワン	571	5	東南アジア3 南アジア1 オセアニア1
住友電設㈱	573	約45	タイ インドネシア フィリピン ベトナム マレーシア 中国
東光電気工事㈱	573	6	タイ5 ミャンマー1
㈱ＨＥＸＥＬ Ｗｏｒｋｓ	574	3	グアム3
㈱きんでん	574	65	ベトナム23 インドネシア15 グアム7 他
㈱関電工	575	17	ベトナム6 フィリピン6 タイ2 ミャンマー1 インドネシア1 台湾1
㈱九電工	575	17	シンガポール2 マレーシア6 ベトナム5 タイ4
㈱トーエネック	576	37	中国11 フィリピン9 パラオ5 ミャンマー4 インド3 カンボジア2 タイ1 ベトナム1 台湾1
㈱ユアテック	576	20	ベトナム(ハノイ ホーチミン)18 バングラディシュ1 ミャンマー1
㈱中電工	577	5	マレーシア5

●住宅・マンション●

会社名	（掲載ページ）	人数計	勤務地とその人数
大和ハウス工業㈱	578	157	中国31 ベトナム15 台湾17 オーストラリア7 米国23 マレーシア6 インドネシア5 タイ3 シンガポール40 オランダ8 英国2
積水ハウス㈱	578	49	米国30 豪州17 中国2
住友林業㈱	579	128	米国45 インドネシア33 豪州14 ベトナム10 他
㈱一条工務店	580	10	米国10
ミサワホーム㈱	581	10	米国 豪州 フィンランド
パナソニック ホームズ㈱	581	9	台湾5 マレーシア1 インドネシア3
三井ホーム㈱	582	10	米国5 カナダ5
トヨタホーム㈱	582	5	インドネシア3 米国2
三井不動産レジデンシャル㈱	583	19	台北5 シンガポール4 サンフランシスコ2 上海2 バンコク2 シドニー2 ベンガルール1 クアラルンプール1
穴吹興産㈱	584	6	タイ2 インドネシア2 ベトナム2
㈱東急コミュニティー	585	3	インドネシア3
日本ハウズイング㈱	586	3	台湾1 ベトナム2
スターツグループ	587	24	米国 インドネシア 中国 シンガポール カナダ 他

●不動産●

会社名	（掲載ページ）	人数計	勤務地とその人数
三井不動産㈱	587	73	米国21 英国7 シンガポール5 インド3 台湾11 中国7 マレーシア12 タイ4 豪州2 ニュージーランド1
三菱地所㈱	588	83	ニューヨーク ボストン ロンドン シンガポール 上海 台湾 ベトナム インドネシア タイ 豪州
住友不動産㈱	589	10	インド8 米国1 タイ1
(独法)都市再生機構	589	5	シドニー2 バンコク2 ジャカルタ1
野村不動産㈱	590	42	フィリピン ベトナム タイ 中国(北京 上海)英国 米国
イオンモール㈱	591	91	NA

業種別・海外勤務 979 社

会社名 （掲載ページ）		人数計	勤務地とその人数
東京建物㈱	591	11	中国5 シンガポール2 タイ2 インドネシア2
森ビル㈱	592	22	上海10 シンガポール2 ジャカルタ9 シリコンバレー1
ＮＴＴ都市開発㈱	593	13	米国5 豪州4 英国3 シンガポール1
㈱サンケイビル	594	2	ベトナム2
㈱アトレ	595	1	台湾1
東急リバブル㈱	596	3	台湾2 シンガポール1

●電力・ガス●

会社名 （掲載ページ）		人数計	勤務地とその人数
東北電力㈱	598	12	シンガポール 米国 フランス ベトナム インドネシア 他
東京電力ホールディングス㈱	599	51	米国9 英国19 シンガポール4 他10カ国
㈱ＪＥＲＡ	599	130	シンガポール44 米国27他
Ｊ-ＰＯＷＥＲ	600	44	インドネシア 米国 タイ 豪州 他
北陸電力㈱	600	2	シンガポール1 オーストラリア1
中部電力㈱	601	20	北米6 欧州12 アジア2
関西電力㈱	601	66	東南アジア41 米国8 豪州5 欧州12
四国電力㈱	603	6	豪州2 オーストリア1 オマーン1 アラブ首長国連邦1 ベトナム1
京葉瓦斯㈱	604	1	ベトナム1
東京ガス㈱	604	104	東南アジア 北米 豪州 欧州 他
アストモスエネルギー㈱	605	6	ロンドン2 アブダビ1 シンガポール3
ＥＮＥＯＳグローブ㈱	605	2	アブダビ1 シンガポール1
ジクシス㈱	606	6	ロンドン1 シンガポール3 米国2
静岡ガス㈱	606	6	タイ3 シンガポール2 インドネシア1
大阪ガス㈱	607	102	米国 英国 豪州 シンガポール インドネシア タイ ベトナム フィリピン 台湾 インド
西部ガス㈱	607	1	シンガポール1

●石油●

会社名 （掲載ページ）		人数計	勤務地とその人数
ＥＮＥＯＳ㈱	608	177	アジア 北米 欧州 中東 オセアニア 中南米
出光興産㈱	608	263	欧米 中東 アジア オセアニア
コスモ石油㈱	609	75	アブダビ オランダ 米国 シンガポール カタール 韓国他
富士石油㈱	609	1	シンガポール1
㈱ＩＮＰＥＸ	610	280	豪州100 UAE80 シンガポール・インドネシア・マレーシア55 欧州地域30 米国15
石油資源開発㈱	610	24	米国5 UAE2 英国6 インドネシア3 シンガポール2 ノルウェー3 他3

●デパート●

会社名 （掲載ページ）		人数計	勤務地とその人数
㈱大丸松坂屋百貨店	612	5	パリ2 上海3
㈱髙島屋	612	27	パリ ミラノ シンガポール 上海 ベトナム タイ
㈱三越伊勢丹	613	29	欧州 アジア 米国
㈱阪急阪神百貨店	614	13	イタリア2 中国11
㈱そごう・西武	615	4	上海1 香港1 マレーシア2

●コンビニ●

会社名 （掲載ページ）		人数計	勤務地とその人数
㈱ローソン	617	70	中国57 フィリピン4 米国3 インドネシア3タイ3

業種別・海外勤務 979 社

会社名 (掲載ページ)		人数計	勤務地とその人数
㈱セブン-イレブン・ジャパン	617	31	中国18 米国12(内ハワイ2) ベトナム1
㈱ファミリーマート	618	6	台湾3 ベトナム2 マレーシア1
ミニストップ㈱	618	9	ベトナム9
●スーパー●			
ユニー㈱	619	7	台湾2 タイ2 香港2 米国1
㈱イトーヨーカ堂	619	18	成都10 北京4 上海2 シアトル1 ベトナム1
㈱フジ	620	1	マレーシア1
㈱平和堂	621	8	中国・湖南省8
㈱ヤオコー	624	1	ベトナム1
マックスバリュ東海㈱	628	3	中国 ベトナム
●外食・中食●			
㈱モスフードサービス	631	22	台湾 シンガポール タイ 中国 韓国 豪州 フィリピン
㈱松屋フーズ	632	5	台湾4 香港1
㈱ドトールコーヒー	632	3	シンガポール1 マレーシア1 ハワイ1
㈱Genki Global Dining Concepts	633	2	米国2
㈱プレナス	634	8	中国2 台湾2 シンガポール1 米国1 オーストラリア1 マレーシア1
㈱ロック・フィールド	634	1	上海1
●家電量販・薬局・HC●			
㈱ノジマ	635	7	シンガポール2 マレーシア3 カンボジア2
㈱マツキヨココカラ&カンパニー	636	9	タイ2 台湾5 ベトナム2
㈱サッポロドラッグストアー	639	2	台湾2
㈱カインズ	640	5	中国3 ベトナム2
コーナン商事㈱	641	7	ベトナム4 カンボジア3
アークランズ㈱	641	1	台湾1
㈱ハンズ	642	2	シンガポール2
●その他小売業●			
㈱ドン・キホーテ	642	46	米国21 シンガポール4 タイ4 マレーシア1 香港11 台湾5
㈱ファーストリテイリング	643	562	アジア・北米・欧州等26の国と地域
㈱しまむら	644	2	台湾2
㈱エービーシー・マート	645	11	韓国1 台湾1 ベトナム5 アメリア4
㈱レリアン	645	2	中国1 台湾1
青山商事㈱	646	4	上海4
㈱コナカ	647	1	タイ1
㈱ATグループ	649	1	ベトナム1
㈱アルペン	650	3	中国2 カンボジア1
つるや㈱	651	1	中国1
ブックオフコーポレーション㈱	652	8	米国6 マレーシア2
ニトリグループ	653	170	中国大陸42 韓国16 ASEAN104 他8

業種別・海外勤務 979 社

会社名 (掲載ページ)		人数計	勤務地とその人数
㈱良品計画	653	63	タイ11 中国9 ベトナム8 フィリピン8 マレーシア5 台湾3 シンガポール3 インド3 香港2 韓国2 オーストラリア2 欧州5 北米2
㈱ベルーナ	654	4	中国4
㈱あさひ	655	1	台湾1
●ゲーム●			
任天堂㈱	658	43	米国 ドイツ 豪州 韓国 香港他
コナミグループ	658	23	米国13 英国8 香港2
㈱バンダイナムコエンターテインメント	659	19	米国7 フランス3 スペイン4 シンガポール3 中国2
●人材・教育●			
㈱アルプス技研	660	7	台湾3 中国3 ミャンマー1
(学校法人)慶應義塾	660	2	ニューヨーク1 ロンドン1
(学校法人)早稲田大学	661	3	台湾1 シンガポール1 タイ1
㈱ベネッセコーポレーション	666	25	広州1 深セン2 上海15 香港1 台北2 フィリピン1 インド2 インドネシア1
㈱公文教育研究会	667	33	北米4 アジア・オセアニア16 他
●ホテル●			
㈱西武・プリンスホテルズワールドワイド	670	26	米国15 英国2 オーストラリア2 タイ2 中国2 台湾2 シンガポール1
㈱ニュー・オータニ	671	7	中国7
藤田観光㈱	671	4	台湾2 韓国1 インドネシア1
㈱帝国ホテル	672	10	米国6 シンガポール1 ドイツ1 アラブ首長国連邦2
㈱ホテルオークラ東京	672	9	アムステルダム 上海 マカオ 他
●レジャー●			
㈱エイチ・アイ・エス	673	83	NA
㈱日本旅行	674	7	NA
名鉄観光サービス㈱	674	1	米国・ロサンゼルス1
日本中央競馬会	675	12	米国3 欧州5 香港2 シドニー2
㈱ラウンドワンジャパン	676	9	米国2 中国7
㈱バンダイナムコアミューズメント	677	11	米国2名、インド1名、中国6名、ヨーロッパ2名
東宝㈱	678	1	ニューヨーク1
●海運・空運●			
日本郵船㈱	680	238	北米23 欧州63 中南米8 中東3 アフリカ1 オセアニア4 アジア136
㈱商船三井	681	218	アジア・オセアニア147 アフリカ2 欧州44 米州25
川崎汽船㈱	681	130	アジア96 欧州17 北米10 他7
ＮＳユナイテッド海運㈱	682	15	米国3 英国3 中国・東南アジア9
飯野海運㈱	682	21	シンガポール ドバイ 英国 他
日本航空㈱	683	346	JAL便が就航している地域・国

会社名 （掲載ページ）		人数計	勤務地とその人数
●運輸・倉庫●			
日本通運㈱	684	374	世界49カ国
福山通運㈱	685	3	マレーシア1 タイ1 インドネシア1
ロジスティード㈱	686	93	北米 アジア 中近東 オセアニア 欧州
センコー㈱	687	34	ベトナム1 豪州2 米国3 メキシコ2 タイ7 中国11 シンガポール2 韓国1 ドイツ2 香港1 インド2
山九㈱	687	183	中国37 東南アジア127 米国5 ブラジル6 他8
鴻池運輸㈱	688	40	中国8 ベトナム8 インド8 タイ4 他
阪神高速道路㈱	688	1	ケニア1
日本梱包運輸倉庫㈱	689	62	タイ ベトナム マレーシア インド 中国 米国 メキシコ
㈱キユーソー流通システム	689	3	中国2 インドネシア1
㈱日新	690	110	北米 欧州 アジア 中国
丸全昭和運輸㈱	690	15	米国2 中国6 欧州1 東南アジア6
㈱近鉄エクスプレス	691	150	NA
郵船ロジスティクス㈱	691	185	米州35 欧州19 東アジア61 南アジア・オセアニア70
㈱阪急阪神エクスプレス	692	121	ASEAN49 東アジア30 欧州・アフリカ21 北中米・南米21
㈱上組	693	35	中国8 マレーシア5 タイ3 他7か国
名港海運㈱	693	38	北米16 欧州9 アジア13
伊勢湾海運㈱	694	29	中国6 欧州4 タイ4 米国6 インドネシア3 メキシコ4 台湾2
三井倉庫ホールディングス㈱	694	44	米国 中国 東南アジア 欧州 他
三菱倉庫㈱	695	約50	欧州 米国 中国 東南アジア
㈱住友倉庫	695	48	北米 欧州 中国 東南アジア 中東 他
日本トランスシティ㈱	696	25	米国4 タイ4 ベトナム4 中国3 他
澁澤倉庫㈱	696	11	香港2 上海3 マニラ2 ホーチミン3 ハノイ1
安田倉庫㈱	697	11	中国 東南アジア 他
●鉄道●			
西武鉄道㈱	698	3	ハワイ1 シンガポール1 台湾1
東日本旅客鉄道㈱	699	NA	アジア 欧州 北米
東海旅客鉄道㈱	700	10	米国6 英国3 豪州1
東急㈱	700	21	ベトナム14 タイ4 オーストラリア2 上海1
㈱西武ホールディングス	701	1	シドニー1
小田急電鉄㈱	702	3	シドニー2 バンコク1
東京地下鉄㈱	703	3	フィリピン3名 ※出向後に海外赴任している人は除く
日本貨物鉄道㈱	703	2	バンコク2
富士急行㈱	704	3	上海1 台北1 バンコク1
西日本旅客鉄道㈱	705	NA	英国 米国 フランス オーストラリア
阪急阪神ホールディングス㈱	706	15	インドネシア6 タイ1 フィリピン1 シンガポール3 米国2 ベトナム1 マレーシア1
南海電気鉄道㈱	707	1	フランクフルト1
九州旅客鉄道㈱	709	2	バンコク2
西日本鉄道㈱	710	88	米国19 中国16 タイ7 インドネシア5 台湾5 ベトナム5 他

会社名 (掲載ページ)		人数計	勤務地とその人数
●その他サービス●			
東日本高速道路㈱	710	2	インド2
首都高速道路㈱	711	3	バンコク3
中日本高速道路㈱	711	7	フィリピン4 米国3
日本郵政㈱	712	1	オーストラリア1
全国農業協同組合連合会	713	23	米国13 中国2 タイ1 英国1 シンガポール2 ブラジル1 台湾1 香港2
(一財)日本品質保証機構	715	4	タイ1 ベトナム2 ドイツ1
(一財)日本海事協会	716	52	アジア29 中東4 欧州11 北米5 南米1 オセアニア2
日本商工会議所	716	4	中国1 韓国1 フィリピン1 豪州1
東京商工会議所	717	4	インドネシア1 ベトナム1 中国1 オーストラリア1
(国研)宇宙航空研究開発機構	717	16	米国(ワシントンDC ヒューストン)ロシア(モスクワ)フランス(パリ)タイ(バンコク)他
(国研)科学技術振興機構	718	8	米国2 フランス2 シンガポール1 タイ1 インド1 カナダ1
(独法)国際協力機構	718	384	主に開発途上国地域
(独法)国際交流基金	719	78	25カ国26拠点
(独法)日本貿易振興機構	720	現地スタッフ含め約700	75事務所(55カ国)
(独法)中小企業基盤整備機構	721	3	タイ2 ベトナム1
セコム㈱	722	108	中国50 東南アジア44 他14
ＡＬＳＯＫ	722	122	アジア・アフリカを中心に世界各国
㈱アクティオ	723	14	台湾5 タイ2 シンガポール3 インドネシア1 マレーシア2 ミャンマー1
㈱カナモト	723	19	インドネシア4 ベトナム3 タイ3 他9
西尾レントオール㈱	724	8	タイ3 マレーシア2 ベトナム3
ジェコス㈱	724	5	ベトナム3 シンガポール2
三菱電機エンジニアリング㈱	725	8	中国1 タイ3 スコットランド1 インド1 メキシコ2
日本空調サービス㈱	726	8	中国2 シンガポール2 タイ2 ベトナム2
㈱ダスキン	727	6	台湾 上海 マレーシア
㈱白洋舎	727	4	ハワイ2 香港2
シミックグループ	728	10	米国9 英国1
㈱コベルコ科研	729	2	中国2
ワタベウェディング㈱	730	4	ハワイ2 グアム1 ベトナム1
㈱共立メンテナンス	731	1	ソウル1
㈱ベネフィット・ワン	732	2	中国1 シンガポール1
㈱乃村工藝社	734	2	香港2
㈱パスコ	735	7	フィリピン1 タイ1 インドネシア2 韓国2 米国1

就職人気企業ランキング300社

就職人気企業ランキングの活用法

毎年発表される「人気企業ランキング」は、その年ごとの就活市場の傾向が大きく表れる。調査による差はあるが、新卒採用市場全体の傾向を掴むにはうってつけのデータだ。前年の先輩（25年卒）のランキングデータから、その活用法と傾向について解説する。

視野を広げて企業を選ぶ

女子学生ランキングでは、エンタメやアパレル、旅行業界などが上位にランクインする傾向が強い。これらの業界は華やかなイメージがあり、多くの学生にとって魅力的に映るだろう。しかしながら、就職活動ではその一面だけに囚われず、幅広い業界に目を向けることが重要である。特定の業界に人気が集中しやすい一方で、他にも魅力的な企業や成長性のある業界が数多く存在している。就活を成功させるためには、まずは視野を広げ、多様な選択肢を探る姿勢が重要だ。

働きやすさを重視した企業選び

女子学生にとって、職場の雰囲気や働きやすさは企業選びの重要なポイントとなっている。特に、近年はライフステージに応じた柔軟な働き方を提供する企業が増えている。金融やメーカー、商社といった業界は、長期的なキャリア支援やワークライフバランスを大切にしており、実務経験を積みながら成長できる環境が整っている。こうした企業はランキング上位に入らないケースもあるが、自分に合った働き方を提供してくれるかどうかを基準にすることで、将来にわたって安定したキャリアを築くことができる。

競争倍率に負けないための戦略

人気業界や企業には多くの応募が集中するため、競争倍率が高くなるのは避けられない。競争が激しい企業に挑戦するのは良いことだが、それだけではなく、複数の企業に対して柔軟に対応できる準備も必要である。人気企業に固執せず、隠れた優良企業や今後の成長が見込める業界を積極的にリサーチし、志望の幅を広げていくことが大切だ。競争の厳しい企業と、安定した選択肢をバランスよく組み合わせた戦略が、より充実したキャリア形成につながるだろう。

■就職人気企業ランキング（女子・1～40位）

女子総合	企業	業種	総合	文系	理系	男子総合
1	伊藤忠商事	商社（総合）	1	1	3	1
2	ソニーミュージックグループ	音楽・芸能	6	6	38	32
3	日本生命保険	生命保険	2	3	16	3
4	バンダイ	ゲーム・アミューズメント機器	7	9	7	14
5	博報堂／博報堂DYメディアパートナーズ	広告	4	5	60	11
6	大日本印刷	印刷	10	10	49	42
7	大和証券グループ	証券	3	2	27	2
8	東京海上日動火災保険	損害保険	5	4	91	5
9	明治グループ（明治・Meiji　Seika　ファルマ）	食品	21	57	6	66
10	講談社	出版	27	16	198	71
11	味の素	食品	14	31	10	34
12	全日本空輸（ANA）	航空	45	26	319	172
13	キッコーマン	食品	34	50	29	116
14	集英社	出版	26	18	143	45
15	第一生命保険	生命保険	17	12	103	21
16	三菱商事	商社（総合）	8	8	19	4
17	日本航空（JAL）	航空	57	33	265	176
18	ミリアルリゾートホテルズ	ホテル	59	38	317	261
19	みずほフィナンシャルグループ	都市銀行・旧長期系銀行	12	11	70	15
20	Sky	ソフトウェア	19	40	11	18
21	読売新聞社	新聞	23	13	194	26
22	三井住友信託銀行	信託銀行	20	14	125	17
23	ニュー・オータニ	ホテル	25	15	180	22
24	TOPPAN	印刷	39	35	65	72
25	KADOKAWA	出版	50	34	111	102
26	カゴメ	食品	62	109	35	174
27	ロッテ	食品	47	59	39	91
28	りそなグループ	都市銀行・旧長期系銀行	31	20	250	55
29	花王	化学	29	110	8	52
30	富士フイルムグループ	化学	18	51	5	16
31	ジェイアール東日本企画	広告	32	21	247	56
32	丸紅	商社（総合）	9	7	161	6
33	ユニバーサル　ミュージック	音楽・芸能	83	56	326	284
34	オリエンタルランド	レジャー・アミューズメント	63	46	287	167
35	JTBグループ	旅行	61	39	332	155
36	SMBC日興証券	証券	16	17	61	13
37	コクヨ	文具・事務機器	76	75	94	163
38	任天堂	ゲーム・アミューズメント機器	11	28	4	7
39	太陽生命保険	生命保険	40	25	197	47
40	国分グループ	商社（食品）	30	24	120	40

■就職人気企業ランキング（女子・41〜80位）

女子総合	企業	業種	総合	文系	理系	男子総合
41	日立ソリューションズ	ソフトウェア	38	63	28	46
42	資生堂	医薬品・化粧品	115	141	72	372
43	三井住友海上火災保険	損害保険	55	32	165	63
44	レバレジーズ	インターネット関連	42	44	58	44
45	バンダイナムコエンターテインメント	ゲーム・アミューズメント機器	51	48	66	58
46	JCOM	通信	56	47	105	74
47	あおぞら銀行	都市銀行・旧長期系銀行	33	19	342	35
48	ポニーキャニオン	音楽・芸能	77	61	160	128
49	グーグル	インターネット関連	82	-	9	136
50	大和総研	シンクタンク・調査	46	72	30	49
51	テルモ	医療機器	36	78	22	38
52	パレスホテル	ホテル	78	53	294	122
53	そごう・西武	百貨店	66	45	308	106
54	住友生命保険	生命保険	49	29	164	48
55	東日本電信電話（NTT東日本）	通信	44	82	25	41
56	ソニー生命保険	生命保険	65	43	315	95
57	大広	広告	68	42	375	97
58	松竹	音楽・芸能	114	84	288	210
59	NTTドコモ	通信	58	76	46	61
60	小学館	出版	103	74	283	159
61	ジェーシービー	クレジット・信販	93	67	269	135
62	日鉄ソリューションズ	情報処理	28	86	12	20
63	ソニー	総合電機	13	88	1	8
64	電通	広告	74	49	239	87
65	三井物産	商社（総合）	15	27	20	9
66	星野リゾート	ホテル	111	77	381	165
67	タキヒヨー	商社（繊維・アパレル）	99	71	294	132
68	アビームコンサルティング	専門コンサルタント	48	83	26	39
69	東海旅客鉄道（JR東海）	鉄道	67	118	31	75
70	損害保険ジャパン	損害保険	80	58	207	99
71	大塚商会	情報処理	123	99	236	235
72	東宝	音楽・芸能	95	66	299	120
73	江崎グリコ	食品	118	152	77	214
74	アサヒ飲料	食品	69	89	48	73
75	雪印メグミルク	食品	126	163	67	242
76	東急エージェンシー	広告	100	73	266	124
77	キヤノンマーケティングジャパン	商社（コンピュータ・通信機器）	60	41	309	65
78	三井住友銀行	都市銀行・旧長期系銀行	35	30	75	23
79	東京地下鉄（東京メトロ）	鉄道	37	37	59	27
79	阪和興業	商社（総合）	43	23	306	30

■就職人気企業ランキング（女子・81〜119位）

女子総合	企業	業種	総合	文系	理系	男子総合
81	ヤクルト本社	食品	127	148	95	208
82	明治安田生命保険	生命保険	104	81	199	119
83	住友商事	商社（総合）	24	22	42	12
84	JSOL	情報処理	109	94	128	129
85	日清食品	食品	117	127	96	164
86	日本郵船	海運	79	62	166	80
87	ルミネ	専門店（複合）	169	119	-	334
88	三菱UFJ銀行	都市銀行・旧長期系銀行	41	36	62	28
89	TBSテレビ	放送・映像	125	102	235	181
90	新潮社	出版	131	113	232	202
91	全国共済農業協同組合連合会（JA共済連）	政府系・系統金融機関	85	60	262	88
92	マルハニチロ	食品	130	325	34	193
93	エイベックス	音楽・芸能	134	98	339	198
93	森永製菓	食品	171	172	98	316
95	コーセー	医薬品・化粧品	188	192	126	-
96	テレビ朝日	放送・映像	187	140	-	-
97	アイリスオーヤマ	家電・AV機器	159	146	157	255
98	大同生命保険	生命保険	160	129	242	261
99	リゾートトラスト	レジャー・アミューズメント	140	104	312	183
100	NTTデータ	ソフトウェア	22	114	2	10
101	読売広告社	広告	141	103	327	180
102	コカ・コーラ　ボトラーズジャパン	食品	96	79	167	98
103	伊藤園	食品	113	125	82	118
104	サントリーホールディングス	食品	81	80	93	70
105	日本年金機構	公社・官庁	142	97	391	175
106	アトレ	専門店（複合）	157	106	-	212
107	住友林業	建設・住宅	64	91	43	50
108	朝日生命保険	生命保険	88	52	-	77
109	阪急交通社	旅行	191	135	-	392
110	タカラトミーグループ	ゲーム・アミューズメント機器	97	100	74	89
111	PwC　Japanグループ	専門コンサルタント	75	93	51	57
111	スカイマーク	航空	154	142	155	184
113	中央労働金庫	労金・信金・信組	102	64	-	94
113	アパホテル	ホテル	136	120	206	161
113	キユーピー	食品	197	236	113	-
116	三井不動産	不動産	122	115	168	140
117	東映アニメーション	放送・映像	181	134	-	294
118	ソフトバンクグループ	通信	129	156	85	152
119	双日	商社（総合）	92	68	231	78
119	フジテレビジョン	放送・映像	121	95	298	137

■就職人気企業ランキング（女子・121～160位）

女子総合	企業	業種	総合	文系	理系	男子総合
121	セガグループ	ゲーム・アミューズメント機器	116	133	90	121
122	ANA　X	旅行	98	70	272	81
123	横浜銀行	地方銀行	177	124	-	264
124	東海東京フィナンシャル・ホールディングス	証券	101	65	-	85
125	パーソルプロセス&テクノロジー	情報処理	108	122	78	101
126	東日本旅客鉄道（JR東日本）	鉄道	53	54	57	29
127	アミューズ	音楽・芸能	184	149	296	274
128	アサヒビール	食品	84	112	55	62
129	東日本高速道路（NEXCO東日本）	その他サービス	105	85	156	84
130	東京ドーム	レジャー・アミューズメント	178	131	-	243
131	日本政策投資銀行	政府系・系統金融機関	119	101	217	126
132	パーソルテンプスタッフ	職業紹介・人材派遣	173	132	321	202
133	野村證券	証券	89	69	211	67
134	MS&ADシステムズ	情報処理	137	147	110	144
135	商工組合中央金庫	政府系・系統金融機関	139	108	296	137
136	伊藤忠テクノソリューションズ（CTC）	ソフトウェア	133	154	92	133
137	パナソニック　グループ	総合電機	54	143	13	24
138	楽天グループ	インターネット関連	90	90	88	64
139	ニトリ	専門店（建材・インテリア）	179	139	325	200
140	KDDI	通信	151	186	68	150
141	長瀬産業	商社（化学）	112	105	101	86
142	SCSK	ソフトウェア	147	166	81	139
143	日本テレビ放送網	放送・映像	186	150	274	221
144	アクセンチュア	専門コンサルタント	52	92	24	19
145	キリンホールディングス	食品	190	211	117	251
146	積水ハウス	建設・住宅	161	137	196	152
147	カルビー	食品	155	182	79	149
148	NTTコミュニケーションズ	通信	202	191	213	294
149	東映	音楽・芸能	176	136	320	173
150	ANAエアポートサービス	航空	243	190	-	-
151	富士ソフト	ソフトウェア	152	153	114	134
152	農林中央金庫	政府系・系統金融機関	182	128	-	186
153	NECネッツエスアイ	情報処理	91	123	56	60
154	豊田通商	商社（総合）	143	121	221	125
155	日本放送協会（NHK）	放送・映像	195	160	318	247
156	ユニ・チャーム	化学	212	229	175	332
157	ワコール	繊維・アパレル	309	280	278	-
158	日本M&Aセンター	専門コンサルタント	86	55	358	51
158	戸田中央メディカルケアグループ	医療・福祉	257	253	257	-
160	バンダイナムコアミューズメント	レジャー・アミューズメント	175	138	277	162

■就職人気企業ランキング（女子・161～200位）

女子総合	企業	業種	総合	文系	理系	男子総合
161	イオン	スーパー・ストア	162	117	384	146
162	三菱UFJ信託銀行	信託銀行	174	130	343	158
163	岩谷産業	その他商社	132	111	256	115
163	セキスイハイムグループ	建設・住宅	303	240	376	-
165	ANAウイングス	航空	252	201	-	-
166	クラシエ	化学	208	241	151	307
167	ZOZO	インターネット関連	321	230	-	-
168	吉本興業	音楽・芸能	220	178	-	349
169	サッポロビール	食品	167	161	123	145
169	リクルート	その他サービス	189	158	263	189
171	ロート製薬	医薬品・化粧品	305	-	130	-
172	博報堂プロダクツ	広告	214	170	-	321
172	千葉銀行	地方銀行	231	175	-	384
174	ニチレイグループ	食品	242	-	115	-
175	三井住友カード	クレジット・信販	246	188	-	-
176	信金中央金庫	政府系・系統金融機関	124	87	-	108
177	テレビ東京	放送・映像	223	199	350	346
178	森永乳業	食品	204	274	118	280
179	ADKホールディングス	広告	183	162	187	170
180	エーザイ	医薬品・化粧品	232	-	87	369
181	コマツ（小松製作所）	機械	138	180	64	113
182	ANA成田エアポートサービス	航空	276	209	-	-
183	JALスカイ	航空	258	194	-	-
184	極洋	水産・農林	110	151	53	68
184	日清製粉グループ	食品	239	321	148	380
186	商船三井	海運	164	164	107	130
187	文藝春秋	出版	218	200	315	312
188	ホリプロ	音楽・芸能	219	176	-	311
188	京都銀行	地方銀行	301	217	-	-
190	野村総合研究所	シンクタンク・調査	72	173	21	37
191	関西みらい銀行	地方銀行	323	228	-	-
192	帝国ホテル	ホテル	251	205	-	367
193	AOI　Pro.	放送・映像	255	232	335	367
194	NTT都市開発	不動産	215	165	-	288
195	アルフレッサ	商社（医薬品）	227	196	389	312
196	伊藤ハム	食品	201	268	102	196
197	大塚製薬	医薬品・化粧品	304	-	106	-
198	AGC	ゴム・ガラス・セラミックス・セメント	71	210	17	33
199	ハウス食品	食品	254	375	133	345
200	ベルーナ	通信販売・ネット販売	263	202	-	349

■就職人気企業ランキング（女子・200〜240位）

女子総合	企業	業種	総合	文系	理系	男子総合
201	森ビル	不動産	235	233	281	324
201	ユー・エス・ジェイ	レジャー・アミューズメント	357	252	-	-
201	ポプラ社	出版	366	267	-	-
204	セイコーエプソン	コンピュータ・通信機器	106	116	80	59
205	Francfranc	商社（インテリア）	355	251	-	-
206	TIS	ソフトウェア	203	275	100	188
206	ルイ・ヴィトンジャパン	商社（繊維・アパレル）	373	272	-	-
208	三井不動産リアルティ	不動産	284	213	-	359
209	ビクターエンタテインメント	音楽・芸能	253	246	273	328
210	日本生活協同組合連合会	生活協同組合	234	189	-	299
210	三越伊勢丹グループ	百貨店	380	279	-	-
212	日本アクセス	商社（食品）	271	243	303	331
213	山崎製パン	食品	280	313	189	344
213	キングレコード	音楽・芸能	317	242	398	380
213	三菱UFJニコス	クレジット・信販	320	222	-	392
216	NECソリューションイノベータ	ソフトウェア	224	265	171	269
217	ブルボン	食品	341	301	349	-
218	Plan・Do・See	冠婚葬祭	393	291	-	-
219	住友金属鉱山	非鉄金属	149	179	69	107
220	日本銀行	政府系・系統金融機関	128	96	363	92
220	静岡銀行	地方銀行	377	273	-	-
220	ファンケル	医薬品・化粧品	394	-	259	-
223	高島屋	百貨店	351	309	341	-
223	白泉社	出版	361	271	-	-
225	ワーナーミュージックジャパン	音楽・芸能	247	198	-	302
226	ファーストリテイリング	専門店（ファッション・服飾）	266	206	-	318
227	都市再生機構（UR都市機構）	不動産	311	263	331	351
228	伊藤忠食品	商社（食品）	273	220	-	319
229	朝日新聞社	新聞	336	262	-	-
230	近畿日本ツーリスト	旅行	312	212	-	346
230	YKKグループ	金属製品	371	296	-	-
232	富士通	コンピュータ・通信機器	107	174	36	54
232	日揮ホールディングス	プラント・エンジニアリング	158	329	40	110
232	出前館	インターネット関連	240	204	-	289
235	日立製作所	総合電機	73	224	15	31
236	オリックス	リース	233	185	-	269
237	スクウェア・エニックス	ゲームソフト	172	145	220	117
238	サンケイビル	不動産	260	197	-	297
239	三菱地所	不動産	168	195	83	114
240	ミツカングループ	食品	362	315	355	-

■就職人気企業ランキング（女子・240〜280位）

女子総合	企業	業種	総合	文系	理系	男子総合
241	デロイトトーマツコンサルティング	専門コンサルタント	156	187	76	109
242	あいおいニッセイ同和損害保険	損害保険	331	244	-	365
242	カネボウ化粧品	医薬品・化粧品	-	360	-	-
244	伊藤忠エネクス	商社（石油）	221	237	210	223
245	日本たばこ産業（JT）	食品	338	257	-	392
246	鹿島建設	建設・住宅	94	234	23	43
247	ライオン	化学	237	258	224	263
247	日立システムズ	情報処理	302	302	229	322
247	小学館集英社プロダクション	教育	319	221	-	341
247	クラブツーリズム	旅行	364	258	-	-
251	ヤマハ	その他メーカー	241	278	203	273
252	JX金属	非鉄金属	192	169	200	148
253	武田薬品工業	医薬品・化粧品	375	-	135	-
254	東急不動産	不動産	150	144	142	96
254	日本政策金融公庫	政府系・系統金融機関	229	171	-	235
256	日本IBMグループ	情報処理	148	316	37	93
256	野村不動産	不動産	333	295	322	359
256	サントリー食品インターナショナル	食品	348	349	260	399
259	アース製薬	化学	200	219	141	156
259	エスクリ	冠婚葬祭	-	322	-	-
259	クリエイトSDホールディングス	専門店（医薬品・化粧品）	-	392	396	-
262	オービック	ソフトウェア	356	317	345	-
263	きらぼし銀行	地方銀行	265	193	-	277
264	NTTコムウェア	ソフトウェア	360	323	345	-
265	川崎汽船	海運	274	255	270	283
266	豊島	商社（繊維・アパレル）	269	203	-	279
267	伊藤忠丸紅鉄鋼	商社（鉄鋼・金属）	292	326	185	297
268	三菱UFJモルガン・スタンレー証券	証券	193	155	313	146
268	国際自動車	陸運	205	168	368	171
268	U−NEXT　HOLDINGS	通信	226	184	-	214
268	DTS	ソフトウェア	-	-	183	-
272	小野薬品工業	医薬品・化粧品	329	-	109	342
272	ニッポンハムグループ	食品	359	363	282	-
274	ニッスイ	食品	217	270	154	197
274	日本郵政グループ	その他金融	244	207	-	252
276	プリントパック	印刷	268	215	-	272
276	ニッポン放送	放送・映像	281	248	324	286
278	NTTアドバンステクノロジ	通信	350	307	348	375
279	コーエーテクモホールディングス	ゲームソフト	145	226	54	82
279	サカタのタネ	水産・農林	213	287	119	177

■就職人気企業ランキング（女子・281～300位）

女子総合	企業	業種	総合	文系	理系	男子総合
281	スカパーJSAT	放送・映像	-	357	-	-
282	住友不動産	不動産	216	167	-	190
282	ニフコ	化学	270	245	300	268
282	LIXIL	建材・エクステリア・設備	353	-	202	376
285	大和ハウス工業	建設・住宅	378	330	373	-
285	アフラック	生命保険	-	341	-	-
287	兼松	商社（総合）	146	107	351	83
288	西日本電信電話（NTT西日本）	通信	318	285	286	303
289	共同通信社	新聞	-	-	-	-
290	共同印刷	印刷	391	377	334	-
290	日本ロレアル	医薬品・化粧品	-	396	-	-
292	清水建設	建設・住宅	300	-	131	287
293	エステー	化学	245	394	122	247
294	パイロットコーポレーション	文具・事務機器	-	312	-	-
295	秋田書店	出版	-	-	-	-
296	アマゾンジャパン	インターネット関連	238	298	158	225
296	良品計画	専門店（複合）	337	269	-	336
298	日本製鉄	鉄鋼	250	294	188	245
299	東京ガス	電気・ガス・エネルギー	-	356	-	-
299	郵船ロジスティクス	航空	-	370	-	-

（注）社名表記は調査時点のもの。

■2025入社希望者対象　就職活動[後半]　就職ブランドランキング調査

調査主体	文化放送キャリアパートナーズ　就職情報研究所
調査対象	2025年春入社希望の「ブンナビ」会員（現大学4年生、現大学院2年生）
調査方法	文化放送キャリアパートナーズ運営の就職サイト「ブンナビ」上でのWebアンケート 同社主催の就職イベント会場でのアプリアンケート・オンラインイベントアンケート ＊投票者1名が最大5票を有し、志望企業を1位から5位まで選択する形式
調査期間	2024年3月16日～2024年6月30日
回答数	14,970（うち男子7715・女子7255／文系11135・理系3835） 総得票数　40,391票

総合索引

★ 総合索引(50音順) 

社名前の●印は上場企業、社名太字(ゴチック)は本編に掲載した企業を示す

〔ア〕

〔イ〕

〔オ〕

〔カ〕

〔キ〕

〔ク〕

〔ケ〕

〔コ〕

〔サ〕

〔シ〕

〔ス〕

〔セ〕

〔ソ〕

〔タ〕

〔チ〕

〔ツ〕

〔テ〕

〔ナ〕

〔ニ〕

〔ヌ〕

〔ネ〕

〔ノ〕

〔ハ〕

〔ヒ〕

〔ヘ〕

〔ホ〕

〔マ〕

〔ミ〕

〔ム〕

〔メ〕

〔ヨ〕

〔ラ〕

〔リ〕

〔ル〕

〔レ〕

〔ロ〕

〔ワ〕

◇今回から、従業員の年齢構成データを新たに追加しました。グラフで表示しているので、年代・性別のバランスが取れている会社、特定の属性に偏っている会社など、各社の特徴が一目でわかります。「メーカーやインフラは男性が多い」という漠然としたイメージはありましたが、改めて可視化してみると「こんなに偏っているのか」という発見がありました。会社の個性が出る項目になっていますのでぜひ企業選びの参考にしていただきたいと思います。

◇この本は採用広告媒体ではありません。したがって企業からの掲載料は一切いただいておりません。就活生の「知りたい」というニーズをもとに、中立、独立、客観的な立場から制作しています。

◇この本の趣旨にご賛同いただき、ご多忙の中、煩雑なアンケート調査および取材にご協力いただいた各社のご担当者各位に厚くお礼申し上げます。この本が刊行できるのも、そうした皆さんのご理解、ご協力、ご声援のおかげです。最後になりますが、本を一緒に作り上げてくださった制作スタッフの皆さんにも心から感謝しています。

（青地）

就職四季報（働きやすさ・女性活躍版） 2026-2027年版

2024年12月10日　第１刷発行

編　者　東洋経済新報社
発行者　田北浩章
発行所　〒103-8345　東京都中央区日本橋本石町1-2-1　東洋経済新報社
電話　東洋経済カスタマーセンター03（6386）1040
振替　00130-5-6518　　印刷・製本　大日本印刷

ISBN 978-4-492-97240-3